改訂版

分子予防環境医学

生命科学研究の予防・環境医学への統合

Integration of modern life science into prevwntive and environmental medicine

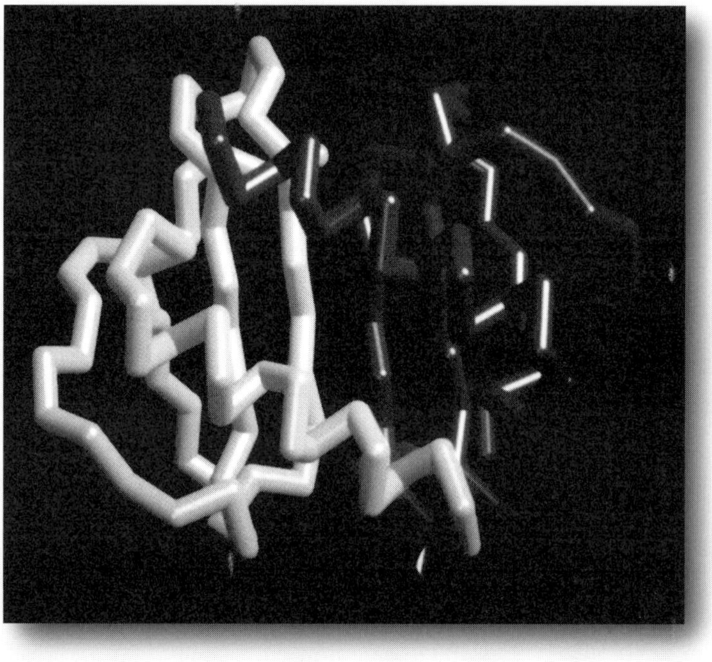

分子予防環境医学研究会 編

本の泉社

分子予防環境医学研究会編

編集責任者　松島綱治　東京大学大学院医学系研究科分子予防医学

編 集 委 員　稲寺秀邦　富山大学医学部公衆衛生学

川西正祐　鈴鹿医療科学大学・薬学部

川本俊弘　産業医科大学医学部衛生学講座

刈間理介　東京大学 環境安全研究センター

小泉昭夫　京都大学大学院医学研究科環境衛生学分野

酒井敏行　京都府立医科大学大学院医学研究科分子標的癌予防医学

遠山千春　東京大学大学院医学系研究科疾患生命工学センター・健康環境医工学部門

福嶋義光　信州大学医学部遺伝医学予防医学講座・信州大学医学部附属病院遺伝子診療部

分子予防環境医学　改訂版

生命科学研究の予防・環境医学への統合

発　行　2003年12月20日　第１版第１刷
　　　　2010年12月１日　改訂版第１刷

編　集　分子予防環境医学研究会

発行者　株式会社　本の泉社
　　　　代表取締役　比留川　洋
　　　　〒113-0033　東京都文京区本郷2-25-6
　　　　電話　03-5800-8494
　　　　http://www.honnoizumi.co.jp/

印　刷　音羽印刷株式会社

製　本　株式会社　難波製本

ISBN978-4-7807-0601-7 C3047
定価はカバーに表示してあります

●目次

各論Ⅱ　生活習慣病

各論Ⅴ　明日の治療／予防医学

『分子予防環境医学』の改訂にあたって

編集責任者
松島綱治

近年の分子生物学を基盤とした生命科学研究の大きな発展は，予防・環境医学の研究ならびに教育のあり方に大きな影響を与えた．2001年に新しい社会医学研究・教育を目指す研究者らが集い分子予防環境医学研究会を結成し，2003年には本書の初版を出版した．本書の出版は社会医学分野のみならず医学・薬学・医療行政の広い分野に大きなインパクトを与え，明日の社会予防医学・環境医学研究の方向を示した．

いかなる生命科学研究，医学・薬学研究に携わる者にとっても研究対象の社会的背景の理解抜きにした研究はあり得ない．本書は現在社会的に重要な問題となっている様々な疾患の社会的背景から疾患の発症機序(分子基盤)，その治療・予防について詳細に記述している．このような包括的で挑戦的な予防環境医学の教科書・参考書は世界的にも類を見ない．

この8年間，生命科学研究の更なる進展，炎症疾患・がん治療への抗体医薬の応用，分子標的治療，子宮頸部がんワクチン開発など大きな発展がある一方，SARS・新型インフルエンザ・多剤耐性菌などの出現など新たなる感染症の脅威，アスベストによる中皮腫，ES/iPS細胞の再生医療・臓器移植に伴う倫理問題など多くの社会医学的問題が噴出している．本改訂にあたっては多くの方々に再執筆をお願いし，且つ，新しいテーマも設定して新たな動きに対応するよう企画した．

今後は本書の電子書籍化も企画している．新しい時代に即した多様な形での研究・教育への利用がなされればと思う．

本改訂にあたり，ご執筆いただいた方々ならびに本の泉社の比留川洋社長，川上允編集担当に編集委員会を代表して心からお礼を申し上げる．

本書の改訂が少しでも社会予防医学と環境医学の研究・教育の一助になれば幸甚である．

平成22年11月吉日

序　出版にあたって

東京大学大学院医学系研究科分子予防医学
松島綱治

1980年代から急速に発展した分子生物学を基盤とした新しい生命科学研究は医学にも革命的影響を与えた．さらに，ヒトゲノムプロジェクトに象徴される生命科学研究とインフォマテイクスの連結は全く質的にも量的にも異なる分子疫学に基づくevidence based medicineを可能にした．免疫学・病理学・ゲノム医科学の進歩により様々な疾患の病因が分子レベル，遺伝子レベルで次々に解明され全く新しい治療，遺伝子治療／再生医学が現実になりつつある．一方，これら新しい医学に伴う倫理問題が生じている．

一頃，抗生物質により人類は克服したかに思われていた微生物感染症は今や新興／再興感染症(emerging/reemerging infectious diseases)として人類の存続を脅かすものとして再認識され新しいワクチンの開発が危急の課題となっている．

一方，今日の環境問題は，環境問題の地球・宇宙規模でのグローバル化；ヒトの健康障害のみならず生態系の異常をもたらす環境物質：発ガン性，催奇形，生殖異常が危惧される環境化学物質，内分泌撹乱化学物質；古くて新しい問題である重金属による水質；大気汚染，都市環境，居住環境，労働環境などの変化による免疫アレルギー疾患の激増などに代表される．

そうした中で，社会的にも医学が環境問題の解決に貢献し，疾病の予防と健康の増進をはかることが求められている．こうした社会的・時代的背景のもとに社会医学分野に新しく参画した，また来ようとしている人達を含めて今後の社会予防医学研究／教育の方向性を出すことは急務であり，一昨年末(平成13年12月)，新たに分子予防環境医学研究会が発足した．

今回，研究会を母体に分子予防環境医学に特化した，最新の情報に基づく医学生のみならず，医学／薬学／健康科学／環境科学などに携わる幅広い教育／研究者，大学院生，製薬企業研究者らの座右の書になるべく書籍を企画した．幸いにも執筆陣にはこの分野の最も相応しい方々を迎え，最高の陣容で刊行できたのではと思っている．多忙の中，とりわけ私達の研究会会員以外で御協力いただいた方々に心からお礼を申し上げる．この本の企画中にもSARSが新たに猛威を振るい，いかに感染症が現在もなお大きな問題であり，適切な公衆衛生学活動，感染症ワクチン開発が重要かを再認識させられた．今後，この本を皆様から御助言をいただきながらより時代の要請に応えうる本にしたいと懇願いたしておりますので忌憚のない御意見をいただければ幸甚に存じます．

末筆ながら出版を御快諾いただきました本の泉社，比留川洋代表に御礼を申し上げる．

平成15年11月吉日

総論

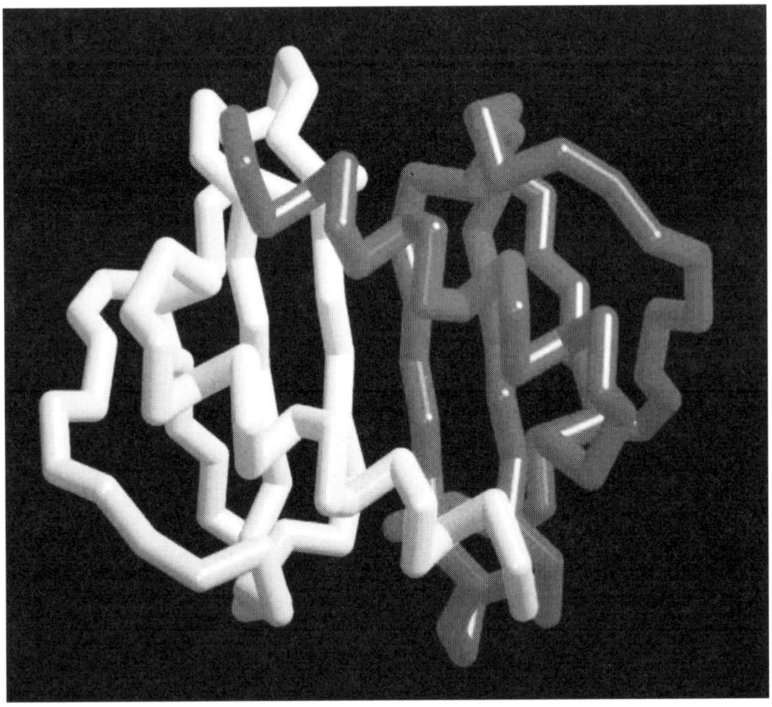

1-a　炎症・免疫反応の基本的機序

東京大学大学院医学系研究科分子予防医学
松島綱治，上羽悟史，倉知慎，阿部淳，戸村道夫

病原微生物，アレルゲン，シリカ・アスベスト繊維，カドミウムなどの重金属，紫外線・放射線など様々な外的ストレスのみならず，尿酸結晶などの過剰な代謝産物の蓄積，過酸化脂質，変性・修飾タンパク質，核酸，自己免疫応答，悪性腫瘍などによる内的ストレスにより，我々の体は常に侵襲を受けている．これらのストレス侵襲に対する生体防御反応として炎症・免疫反応が惹起される．しかし，長期に渡る過剰な炎症・免疫反応は組織・臓器障害をもたらし様々な病気に至る．また，疾病にともなう病態・予後も炎症・免疫反応により左右される．それゆえ，炎症・免疫反応の機序を理解する事は病理学，臨床医学のみならず予防医学においても最も基本的なことである．

免疫応答は，高等動物が獲得したいわゆる抗原特異的炎症反応であり，獲得免疫 acquired immunity とよばれる．一方，免疫分野では従来の炎症反応を自然免疫 innate immunity と称する

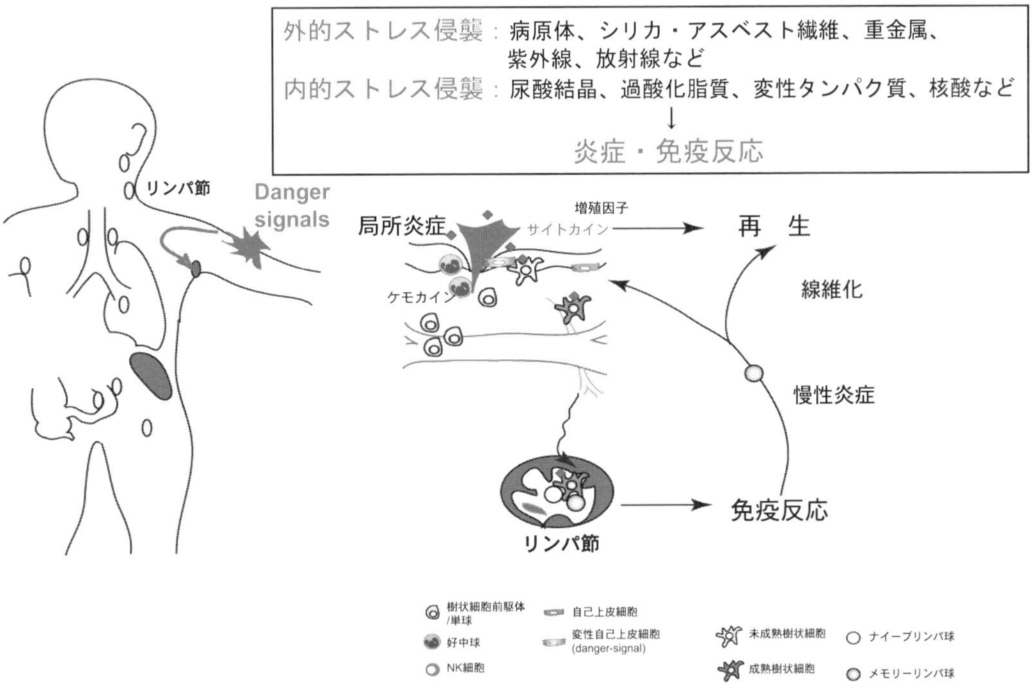

図１　生体防御システム概要：侵襲時

こともある．現在では，炎症(自然免疫)と免疫(獲得免疫)反応は不可分なものとして，一体として時空間的にとらえられている(図1)．

感染や外傷局所／組織などにおける炎症は，即時反応として活性酸素，凝固系・キニン，補体が主に関与する．初期反応にはPAF・ロイコトリエンなどの脂質因子，ヒスタミン，セロトニン，ニューロペプチドなどが関与する．引き続く急性炎症においては，好中球の組織浸潤が起こり，慢性化・遷延化とともにマクロファージやリンパ球浸潤が主になる．白血球の炎症部位への浸潤には，サイトカイン，ケモカインなどのタンパク性生理活性物質が重要な役目を果たす．組織における炎症は，全身的には発熱，内分泌ホルモン産生・耐糖能異常，血管の拡張・心拍出量の変化・動脈硬化症などの質的変化，肝臓における急性期相タンパク質の産生など様々な影響を与える．

1. 局所急性炎症

Cornelius Celsus (30B.C. −38A.D.)により記載されたという炎症の4兆候，発赤，腫脹，(局所の)発熱，疼痛(rubor et tumor cum calore et dolor)に象徴される局所の炎症は，後毛細管細静脈(postcapillary venule)を起点として開始する．後毛細管細静脈は静脈性の毛細血管が吻合し，数個の血管内皮細胞から構成されている．この部位に脂質因子やニューロペプチドなどが作用して，血管の拡張による血流速度の低下・血管の透過性の亢進をもたらすとともに組織への白血球浸潤もこの部位で起こる．

炎症反応と特異的白血球サブセットの組織浸潤は不可分であり，且つ白血球浸潤無くして炎症反応は成立しない．図2に示すように特異的白血球サブセットの組織浸潤は，白血球ならびに血管内皮細胞表面上に発現する細胞接着因子群と白血球走化性サイトカイン，ケモカイン(図3，表1)により制御される．急性炎症においては，好中球表面に恒常的に発現するセレクチンと血管内皮上のシアロムチンが接着し，血流下ころがり現象(ローリング)を起こす．次にヘパラン硫酸グリカンに吸着したケモカインIL-8/CXCL8[1-2]により好中球が活性化され，PSGL-1 (P-selectin glycoprotein ligand-1)の重合，インテグリンβ2複合体(Mac-1, CD11b-CD18)の活性化が起こり，Mac-1とICAM-1の強固な接着が誘導される．インテグリンβ2が好中球浸潤に必須である事は，leukocyte adhesion deficiency (LAD)とよばれるこの分子の欠損／異常症をみれば明らかである．好中球はその後，血管内皮細胞間をくぐり抜

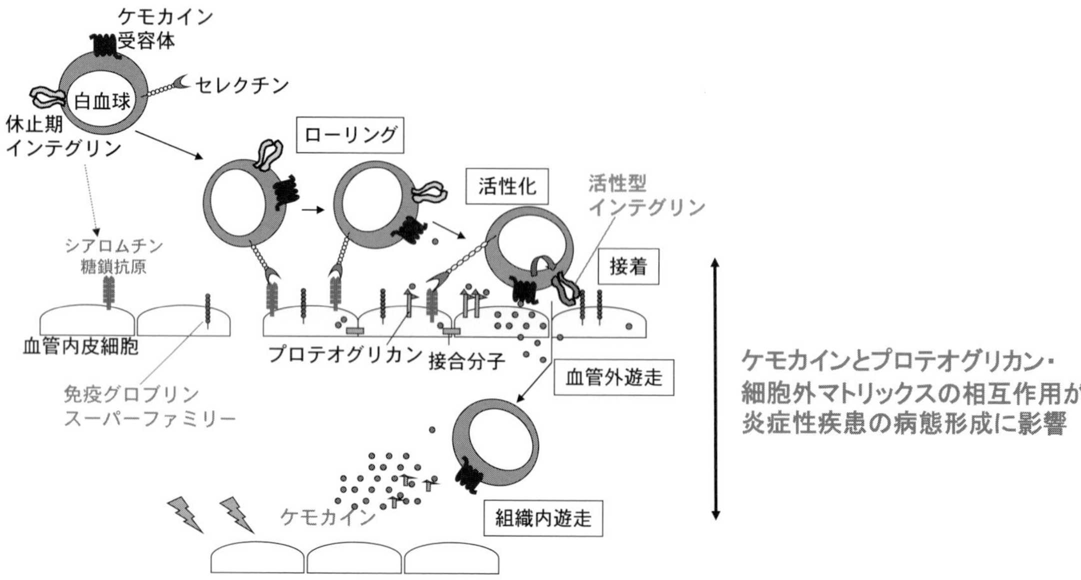

図2　白血球の組織浸潤機序

表 1　ケモカインファミリーの分類と細胞特異性

ケモカイン		受容体	主な標的白血球																					
								樹状細胞						CD8 T 細胞			CD4 T 細胞							
旧名称	統一名称		好中球	好塩基球	肥満細胞	好酸球	単球	ランゲルハンス細胞	常在型樹状細胞	遊走型樹状細胞	形質細胞様樹状細胞	B 細胞	形質細胞	ナイーブ	エフェクター	メモリー	ナイーブ	Th1	Th2	Th17	制御性 T 細胞	濾胞性 Th	NK	NKT
CXC ケモカイン																								
GRO α	CXCL1																							
GRO β	CXCL2																							
GRO γ	CXCL3	CXCR2	+		+																			
ENA-78	CXCL5																							
GCP-2	CXCL6																							
NAP-2	CXCL7	CXCR1	+		+																			
IL-8	CXCL8																							
PF4	CXCL4	unknown																						
Mig	CXCL9																							
IP-10	CXCL10	CXCR3									+				+	+		+			+	+		
I-TAC	CXCL11	CXCR4	+	+	+	+	+	+	+	+	+	+	+	+	+	+	+	+	+	+	+	+	+	+
SDF-1 α / β	CXCL12	CXCR7										+												
BCA-1	CXCL13	CXCR5										+										+		
BRAK	CXCL14	unknown																						
	CXCL16	CXCR6													+	+		+						+
CC ケモカイン																								
MCP-1	CCL2																							
MCP-3	CCL7	CCR2					+								+	+								
MCP-2	CCL8																							
MCP-4	CCL13																							
MIP-1 α S	CCL3	CCR5					+		+						+	+		+			+			
MIP-1 α P	CCL3LI																							
MIP-1 β	CCL4																							
RANTES	CCL5																							
MPIF-1	CCL23																							
HCC-1	CCL14	CCR1					+									+							+	
HCC-2	CCL15																							
HCC-4	CCL16																							
eotaxin	CCL11	CCR3		+		+																		
eotaxin-2	CCL24																							
eotaxin-3	CCL26																							
TARC	CCL17	CCR4		+		+													+	+	+			
MDC	CCL22																							
MIP-3 α	CCL20	CCR6						+				+				+	+	+	+	+	+			
ELC	CCL19	CCR7								+	+	+		+		+	+				+			
SLC	CCL21																							
I-309	CCL1	CCR8																	+	+				
TECK	CCL25	CCR9												+		+								
CTACK	CCL27	CCR10											+											
MEC	CCL28																							
PARC	CCL18	unknown																						
C ケモカイン																								
lymphotactin	XCL1	XCR1																					+	
SCM-1 β	XCL2																							
CX3C ケモカイン																								
fractalkine	CX3CL1	CX3CR1					+								+	+		+					+	

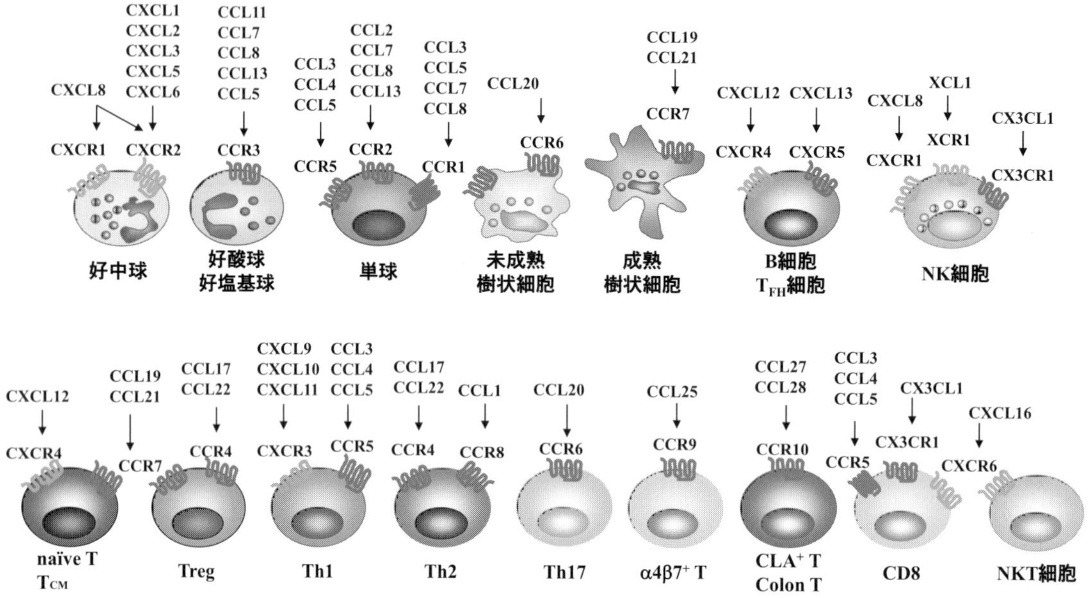

図３　ケモカイン受容体の発現パターン

け，基底膜を分解し，ケモカインにより侵襲物が存在する炎症の中心に移動する．

好中球は，侵入異物，細菌，アポトーシスを起こした細胞などを貪食処理する．C3b，C3bi，免疫グロブリン Fc 受容体を介して貪食が促進される．異物の貪食とともに好中球の細胞膜 NADPH オキシダーゼが活性化され O_2^- 活性酸素が産生される．活性酸素は superoxide dismutase(SOD) により H_2O_2 過酸化水素になり，ミエロパーオキシダーゼにより塩素イオンと反応し HOCl, hypochloric acid 次亜塩素酸になる．また，H_2O_2 は一価の鉄イオン存在下・OH ラジカルになり (Fenton 反応)，NO と反応して $ONOO^-$ ペルオキシニトライトになり様々なタンパクの修飾を行う．H_2O_2 はカタラーゼ，glutathione peroxidase により水と酸素に分解される．活性酸素が抗菌作用において必須であることは，NADPH oxidase 構成タンパクの欠損疾患である慢性肉芽腫症 chronic granulomatous disease (CGD) をみれば明らかである．

好中球のライソゾームには様々な酵素，生理活性物質が貯蔵されている．これらの酵素は抗菌作用のみならず，炎症の過程において acid anhydrolase は glycosaminoglycans を，elastase/gelatinase/cathepsin/collagenase などは基底膜や細胞外マトリックスを破壊し，好中球の組織浸潤，血管新生，組織のリモデリングに関与する．好中球は，様々なサイトカインも産生する．

2. 慢性炎症

好中球が侵襲物を処理しきれないときは，炎症は遷延化し炎症組織には好中球に替わり単球／マクロファージ(組織浸潤した段階でマクロファージとよぶ)，形質細胞，T/B リンパ球が主に浸潤するようになる．マクロファージの浸潤には炎症部位で産生されるケモカイン MCP-1/CCL2[3-4] と単球表面上に発現する CCL2 の受容体 CCR2 が必須である．CCL2-CCR2 は単球の骨髄から血中への動員にも関わる．炎症の遷延化における普遍的組織変化は肉芽形成とその周囲の線維化・血管新生の亢進である．

a) 肉芽形成機序

肉芽には，住血吸虫などに対する Th2 タイプの免疫反応を基盤とするもの，結核菌やサルコイドーシスの原因菌 *Propionibacterium acnes* などに対する Th1 タイプの免疫反応を基盤とするもの，シリカなどに対するT細胞非依存性の反応を基盤とするものがある．肉芽形成は究極の生体防御反応の一つであり，肉芽組織には，異物を貪食したマクロファージを取り囲むように$CD4^+$T細胞が浸潤する．肉芽には樹状細胞，多核巨細胞，類上皮細胞も存在し，特有の組織構造をとる．肉芽形成には，種々のサイトカイン，とりわけTNF-αやIFN-γなどが重要な役割を果たす．過剰な肉芽形成は，サルコイド結節のように臓器障害をもたらし，時には肉芽を中心として好酸球浸潤を伴う線維化が進行する場合もある．

b) 線維化機序

炎症の遷延化に伴い様々な臓器において線維化が起こる．とりわけ，肺線維症，腎硬化症，肝硬変は重大な疾患であり，これらの線維化疾患に対しては，現在有効な治療方法がない．また，肝硬変や肺線維症を基盤に癌が発生する．

この線維化の過程において，浸潤マクロファージは様々なサイトカイン，プロテアーゼ，活性酸素を産生するなど重要な働きをする．図4に，マウスにおけるブレオマイシン誘導性肺線維症モデルにおける線維化の機序を示す．抗がん剤ブレオマイシン投与によるフリーラジカルの発生に伴い肺胞上皮細胞の壊死による急性肺炎が起こり，好中球が主な浸潤細胞となる．引き続き，マクロファージ・リンパ球を主体とする慢性炎症に移行する．このときは，Th1優位な炎症である．その後，Th2優位な慢性炎症に移行するとともに好酸球浸潤が起こり組織の線維化が進行する．この線維化の過程において，ケモカイン，サイトカインが重要な役割を果たす．最近，組織線維芽細胞の前駆細胞として骨髄間葉系細胞由来$CD14^+CXCR4^+CCR5^+CCR7^+$のファイブロサイトfibrocytesが炎症時血中に増加し，さらにケモカインSDF-1/CXCL12ならびにSLC/CCL21などにより炎症組織に動員され，組織浸潤後TGF－β産生$CCR2^+$筋線維芽細胞(myofibroblasts)になる可能性が注目されている．

c) 血管新生

血管新生は，創傷治癒や腫瘍の造成のみならず生殖・発生の過程においても必須の現象である．図5に示すように血管新生の過程は数ステップから成り立つ．a．血管新生は小静脈・毛細血管から始まる．慢性的な血管拡張・血管新生因子の刺激によりplasminogen activator，collagenaseの産生，それらによる血管内皮基底膜の破壊が起こる．b．血管新生因子に向かっての血管内皮細胞遊走．c．毛細管芽の中間部位での増殖．d．管腔の開放，管腔形成．毛細管に沿ってfibrinogen, laminin, collagen VIの集積による基底膜形成．また，新生血管周囲にはpericyteが集合する．

表2に血管新生因子，抑制因子を記す．VEGFは最も重要な血

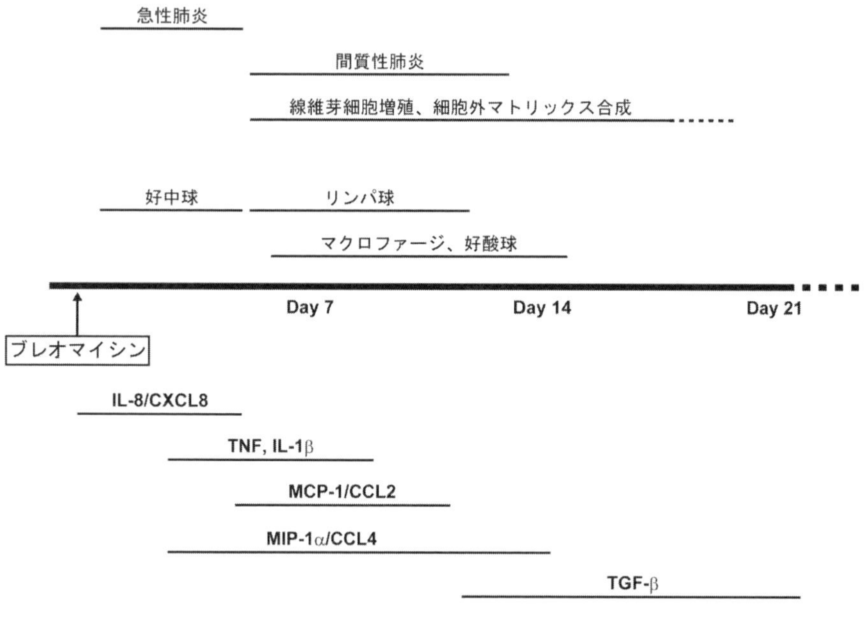

図4　実験的肺線維症の発症機序

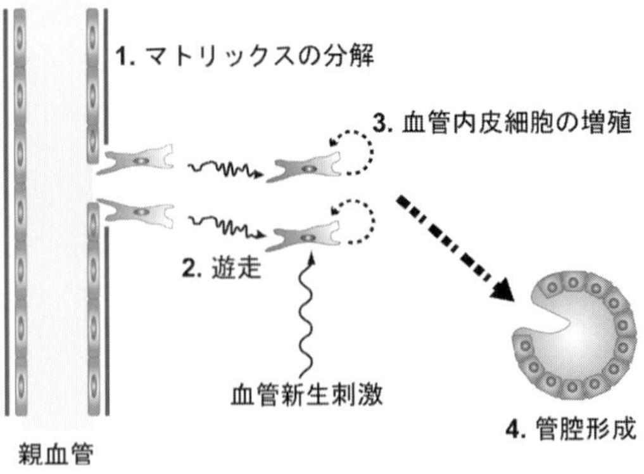

図５　血管新生のメカニズム

表２　血管新生制御分子

血管新生因子	血管新生抑制因子
Vascular endothelial growth factor (VEGF) A-D	Angiostatin
Placenta growth factor (PIGF)	Endostatin
Angiopoietin-1	Thrombostatin
Platelet-derived growth factor (PDGF)	Platelet factor (PF) 4/CXCL4
Fibroblast growth factor (FGF) 1-7	Interferon-inducible protein (IP) -10/CXCL10
Epidermal growth factor (EGF)	Interferon (IFN) - α, β
Transforming growth factor (TGF)	Angiopoietin-2
IL-8/CXCL8	TNP-470（外因性因子）

管新生因子であるが，CXC ケモカインのうち，IL-8/CXCL8 のように最初のシステイン残基の前3アミノ酸に ELR（Glu-Leu-Arg）配列を有するものは血管新生を促進し，一方，IP-10/CXCL10 のように ELR 配列を有さないケモカインは血管新生を阻害する．実験腫瘍において Ras の制御下に IL-8 遺伝子があり，腫瘍の周囲組織との間質反応ならびに血管新生を制御する．また，がん組織の低酸素下で活性化される HIF-1 α の制御下で発現する VEGF と酸化ストレスを介して誘導される IL-8 が相補的に腫瘍に伴う血管新生を促進する．VEGF と IL-8 を同時に抑制することがより強い腫瘍抑制効果を示す．

3. 自然免疫

a) 自然免疫系の認識機構

自然免疫による自己と非自己の識別機構は長らく不明であったが，1996 年にショウジョウバエの *Toll* 遺伝子の変異により重篤な宿主防御不全が顕現することが見出されると，その翌年には哺乳類において Toll のホモログが同定され，Toll 様受容体（Toll-like receptor, TLR）と命名された．2010 年現在，ヒトで 10 種，マウスで 12 種の TLR が同定されるとともに，その生体防御における機能が急速に解明されつつある．

TLR のリガンドとして，グラム陰性細菌の細胞壁を構成するリポ多糖や，真菌由来の糖脂質（Zymosan など），非メチル化 DNA，1 本鎖 RNA など，微生物に多く認められるパターン構造（Pathogen-Associated Molecular Patterns, PAMPs）に加え，Taxol や Imiquimod といった薬剤や，heat shock protein などの内因性分子が同定されてきた（図 6）．いずれのリガンドについても概ね共通しているのは，TLR リガンドが感染，創傷，腫瘍などの生体侵襲に伴う外来異物，あるいは宿主細胞由来分子群であるという点である．

この 10 余年の間に TLR を介したシグナル伝達経路やその生体防御における機能的意義について多くの研究がなされており，TLR が自然免疫担当細胞のエフェクター機構を制御する重要な因子であることが明らかになってきた[5]．TLR シグナルは，MyD88，TRIF，TIRAP，TRAM といったアダプター分子の介在を経て，NF κ B，MAP kinases，IRF（Interferon regulatory factor）-3/7 を活性化する．その結果，自然免疫担当細胞（とくに樹状細胞）の分化や，IL-6，IL-12，I 型インターフェロン（IFN）などの産生が誘導される．TLR とアダプター分子群の相互作用は IL-1 および IL-18 受容体と同様に TIR（Toll-IL-1 receptor）ドメインと呼ばれる構造を介して行われている．TRAM のみを用いる TLR3 をの

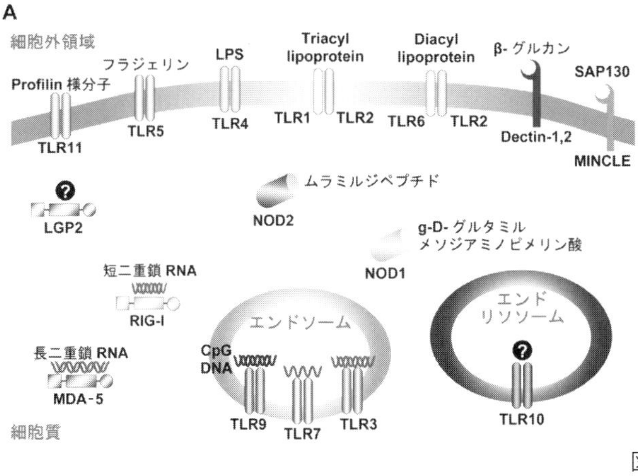

図 6A　パターン認識受容体の局在と代表的リガンド

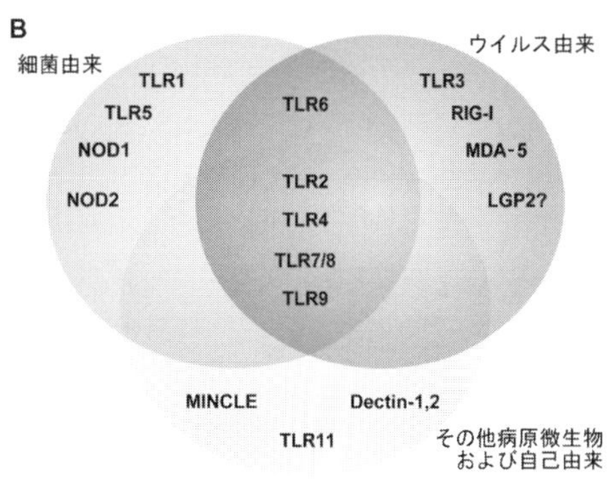

図 6B　パターン認識受容体のリガンドの由来による分類

ぞき，全ての TLR が MyD88 を用いることが報告されているが，TRIF や TIRAP の関与は各 TLR によって異なっており，アダプター分子の違いがその後のサイトカイン産生の制御に寄与すると考えられている．

近年では，TLR のようなパターン認識受容体（Pattern Recognition Receptors, PRRs）として，C 型レクチン様受容体（CLR），RIG-I 様受容体（RLR），NOD 様受容体（NLR）など様々な分子群が同定されており，シグナル伝達経路こそ異なるものの，最終的に NF κ B や IRF-3/7 を活性化して炎症性サイトカイン産生を誘導するという点では TLR と共通している．いずれも細菌・ウイルス感染において TLR も含めて協奏的に作用することで，自然免疫系の活性化，さらには宿主防御に重要な役割を果たすことが報告されている．

中でも NLR ファミリー分子群は，Inflammasome と呼ばれるタンパク複合体を形成して PAMPs や自己由来の danger signals を認識し，caspase-1 を活性化することが知られており，IL-1 β 産生などを介して宿主防御に重要な役割を担っていると考えられている．さらに，感染などの生体侵襲ならびに著明な自己反応性 T 細胞，B 細胞応答を認めない炎症性疾患群（autoinflammatory diseases/autoinflammation，自己炎症疾患）に分類される Muckle-Wells 症候群や Blau 症候群，新生児期発症多臓器性炎症性疾患（Neonatal-onset multisystem inflammatory disease, NOMID）などにおいて，NLR ファミリー分子をコードする *NLRP3* や *NOD2* が疾患相関性を示すことが報告されたことで，NLRs は大きな注目を集めている[6]．環境医学的観点から興味深いのは，NLRP3 inflammasome が尿酸結晶やアスベストを認識して IL-1 β 産生を誘導し，痛風や中皮腫の発症に寄与する可能性があるという点であろう．さらに，NLRP3 inflammasome は Alum（A 型および B 型肝炎ウイルスワクチンのアジュバントとして用いられている）による免疫賦活化にも関与することが最近報告されている[7]．

このように，自然免疫系による PRRs を介した外来異物の認識は，自己と非自己の識別や獲得免疫応答誘導の前段階という位置付けに留まらず，環境医学，予防医学的観点からも極めて重要なメカニズムとなっている．今後のさらなる研究により，様々な疾患背景の中で自然免疫系による認識がどのように病態形成に関与するかが解明されることで，病態の基盤的理解，ならびにそれに基づく根治療法の開発につながることが期待される．

b) 単球／マクロファージと樹状細胞の分類と生体内動態

外的・内的ストレスに始まる一連の炎症・免疫カスケードにおいて，マクロファージ（macrophage：M ϕ），樹状細胞（dendritic cell：DC）などの貪食細胞は，貪食による危険因子の排除のみならず，炎症の増幅と収束，および性質の決定

表3　マクロファージ・樹状細胞サブセット（マウス）

細胞種	分布	前駆細胞	細胞表面分子	依存性	
				転写因子	増殖因子
前駆細胞					
マクロファージ・樹状細胞前駆細胞（macrophage dendritic cell progenitor: MDP）	骨髄	—	c-kit^{+}CX$_3$CR1^{+} CD115^{+}	—	—
共通樹状細胞前駆細胞（common dendritic cell progenitor: CDP）	骨髄	MDP	CD135^{+}CD115^{+}	—	—
常在型単球	骨髄，末梢血	—	CX$_3$CR1^{hi}CCR2^{-} Ly-6Clo	—	MCSF
炎症性単球	骨髄，末梢血	MDP	CX$_3$CR1^{int}CCR2^{+} Ly-6C^{hi}	Egr-1, Egr-2, MafB	MCSF
マクロファージ					
組織マクロファージ	末梢組織，リンパ組織	—	CD115^{+}F4/80^{+}	Spi-C（赤脾髄 Mf）	MCSF
常在型単球由来マクロファージ	末梢組織，炎症部位，脾臓	常在型単球	CX$_3$CR1^{hi}Ly-6C^{lo}	—	MCSF
炎症性単球由来マクロファージ	炎症部位，脾臓，骨髄	炎症性単球	CX$_3$CR1^{hi}Ly-6C^{lo}	—	MCSF
樹状細胞					
形質細胞様樹状細胞	骨髄，末梢血，脾臓，リンパ節，（炎症部位）	CDP	CD11c^{lo}Siglec-H^{+} B220^{+}	E2-2	Flt3L
遊走型樹状細胞	末梢組織，炎症部位，リンパ節	MDP，（単球）	CD11c^{lo}MHC II^{hi} CCR7^{+}	Batf3	Flt3L, MCSF, TGF-β
常在型樹状細胞	脾臓，リンパ節	CDP	CD11c^{hi}MHC II^{int} CD8a$^{+\ or\ -}$	Batf3（CD8a^{+} DC）	Flt3L

に重要な役割を担う．従来，マクロファージやDCサブセットは，免疫表現型と機能面に主眼をおいた分類がなされてきたが，近年では細胞系列，ライフサイクル，分化・増殖制御因子の依存性なども加味した分類法が確立されつつある[8-9]（表3）．

マクロファージのサブセットは，生体内におけるライフサイクルから，脳のマイクログリアなどの発生段階で末梢組織に定着し，成体では組織内でターンオーバーする組織マクロファージと，単球が血液循環を介して末梢組織に浸潤した後分化する単球由来マクロファージに大きく分類される．組織マクロファージは，主に非炎症状態における組織の恒常的なターンオーバーの過程で生じる老廃物やアポトーシス細胞の除去に重要な役割を果たすと考えられる．一方，単球由来マクロファージは特に炎症早期に炎症部位へ大量に動員され，危険因子の貪食排除と，パターン認識受容体を介した炎症性のサイトカイン，ケモカイン産生による炎症の増幅，さらには獲得免疫系の性質決定に重要な役割を果たす．また，危険因子が排除された炎症後期には，アポトーシス細胞の貪食を介する抗炎症サイトカイン産生により炎症の収束を促進する一方，間質系細胞に対する増殖因子の供給やプロテアーゼ産生などを介して組織修復を促進することも示されている．

一連の炎症・免疫カスケードに重要な役割を果たす単球由来マクロファージおよびその前駆細胞である単球は，急性および慢性炎症性疾患の治療標的としても注目されている．一方でヒトおよびマウスでは単球がさらにライフサイクルや分子の依存性が異なる2つのサブセットに分類されることが示されており，各単球サブセットが炎症応答に果たす役割を理解することが治療標的の設定に重要である．単球サブセットの一つはケモカイン受容体CCR2依存的に骨髄から血中，血中から末梢組織へと動員される“炎症性(古典的)単球”である．CCR2の欠損により炎症性単球の生体内移動が阻害されると，全身性の細菌感染に対する抵抗性が失われることが示されている．もう一つの単球サブセットはCCR2非依存的でありCX_3CR1を高発現する“常在型(非古典的)単球”である．常在型単球は末梢組織でDCへ分化することも示唆されているが，その炎症・免疫制御における役割は未だ確立していない．

いずれの単球サブセットも骨髄で増殖し，末梢組織に浸潤してマクロファージへ分化した後は増殖性を示さないが，そのターンオーバーは明確に異なる．炎症性単球のターンオーバーは白血球サブセットの中でも非常に速いものであり，定常状態の骨髄では12時間で約半数が増殖を経験した細胞に入れ替わる．骨髄で増殖した炎症性単球はCCR2依存的に速やかに血液循環を介して末梢組織に供給される．炎症性単球／マクロファージの一連の骨髄における増殖と末梢組織への移動は炎症条件下でさらに亢進する一方，炎症局所に浸潤し，マクロファージへと分化した後の組織残存時間は短く，炎症局所における多量の浸潤は骨髄からの持続的な供給の上に成り立っている．常在型単球の骨髄における前駆細胞やターンオーバーについては未だ確立していないが，血中におけるターンオーバーは炎症時においても96時間で約半数が入れ替わる程度であり，炎症部位での残存時間は5－10日程度と比較的長い．高回転型の炎症性単球と低回転型の常在型単球，2つ単球サブセットの細胞系列の関係については未だ議論があり，組織マクロファージやDCサブセットとの関わりも含め，現在注目されている分野である．

免疫応答制御に中心的な役割を果たすDCのサブセットは，機能とライフサイクルに基づき，形質細胞様樹状細胞(plasmacytoid DCs：pDCs)，遊走型樹状細胞(migrating DCs：mDCs)，常在型樹状細胞(resident DCs：rDCs)に分類される．pDCsは他の2つのDCサブセットと異なり抗原提示能は低いが，ウイルス感染などに際して大量のIFN－αを産生し，ウイルスに対する感染防御に重要な役割を果たす．pDCsは骨髄で増殖・分化したのち，血流を介して2次リンパ組織へ移動する．定常状態の末梢リンパ組織では，5日間で約40％が入れ替わる比較的ターンオーバーの遅い細胞である．mDCsとrDCsはいずれも抗原提示能を有するが，リンパ組織への遊走経路と抗原捕捉の様式は大きく異なる．mDCsは血流から末梢組織へ浸潤した後，輸入リンパ管を通じてリンパ節へ流入する(mDCsは輸入リンパ管の無い脾臓には存在しない)が，rDCsは血流から高内皮細静脈(high endothelial venule：HEV)を介して2次リンパ組織へ直接移行する．抗原捕捉の様式についても，リンパ節への遊走経路の違いに起因して，mDCsがマクロファージと同様に直接末梢組織で可溶性分子および細胞性，細菌性の抗原を貪食した後，所属リンパ節へ移動してT細胞に対する抗原提示を行うのに対し，rDCsは主にリンパ行性にリンパ節傍皮質領域に流入した可溶性分子または微粒子を捕捉して，またはmDCsから抗原を受け取り，T細胞に対して抗原提示する．

皮膚所属リンパ節に存在するmDCsには，表皮のランゲルハンス細胞(Langerhans cells：LCs)由来サブセットと真皮樹状細胞(dermal DCs：derDCs)が存在する．LCは組織マクロファージと同様に非炎症状態では組織内で骨髄非依存的にターンオーバーしており，その入れ替わりは10日で約50％程度と遅い．一方，derDCsは常時骨髄から血流を介して供給されており，5日間で約50%程度が入れ替わる．いずれのサブセットもリンパ節遊走後は増殖しない．一方，マウスにおいてrDCsは免疫表現系によりCD8α^+およびCD8α^-サブセットに分類され，特に外来性抗原をMHC class Iに提示するクロスプレゼンテーション(cross presentation)の能力が高いCD8α^+サブセットが注目されている．いずれのサブセットもリンパ節内で限定的に増殖することが示されており，2日間で約50%が入れ替わる．

DCサブセットの細胞系列，分化経路は，近年精力的に研究されている分野である．多くのDCサブセットは，骨髄において造血幹細胞，マクロファージ－DC前駆細胞(macrophage-DC precursor：MDP)，共通DC前駆細胞(common-DC progenitor：CDP)の順に分化するとされている．炎症・免疫応答制御において単球／マクロファージおよびDCサブセットが果たす役割については議論があるが，近年転写因子による各サブセットの分化制御が解明され，遺伝子改変マウスを用いて特定のマクロファージ，DCサブセットが存在しない条件下での炎症・免疫応答の解析が可能になってきた．前駆細胞画分を含めて，単球／マクロファージ，DCサブセットの分化・増殖・移動制御因子を標的とした炎症・免疫応答制御が近い将来可能になるかもしれない．

4. 獲得免疫

a)二次リンパ組織

獲得免疫応答はほとんどの場合，二次リンパ組織と総称されるリンパ節や脾臓，あるいはパイエル板などの粘膜関連リンパ組織において誘導される．これは，抗原ならびに抗原提示細胞と抗原特異的なT細胞，B細胞が一同に介し，これらの細胞間の相互作用が促進される場として二次リンパ組織が機能するためであると考えられる．脈管系の構築や抗原の輸送経路の詳細はそれぞれの二次リンパ組織によって異なるが，ここではリンパ節を例に二次リンパ組織の構造，機能について概説する．

リンパ節は皮膜近傍から濾胞，傍皮質，髄質の3つの領域に大別される(図7)．T細胞，B細胞はそれぞれ傍皮質，濾胞に集積しており，ここで抗原提示を受けて活性化される．

T細胞は，前項で述べた様式により抗原を獲得した樹状細胞による抗原提示を受け，活性化する．活性化したT細胞は幾度かの細胞分裂を経てエフェクターT細胞に分化し，その後も分裂を続け爆発的に増殖する．これらのエフェクターT細胞は，全身を巡ってサイトカイン産生や細胞傷害能により間接的，直接的に抗原排除を行う．大半のエフェクター細胞は抗原排除後に死滅するが，ごく一部が残存してメモリーT細胞へと分化し，次の抗原侵入に備える．

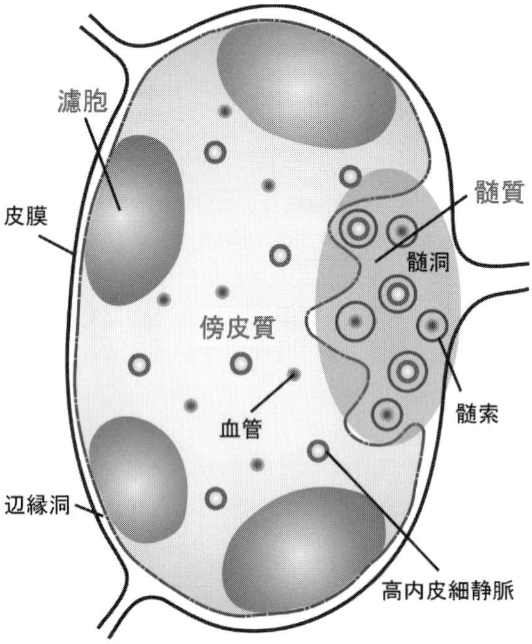

図7　リンパ節の模式図

B細胞は，リンパ管を経由してリンパ節に輸送された抗原を辺縁洞に局在する組織マクロファージなどの介助を受けて直接認識する他，濾胞樹状細胞と呼ばれる間質系細胞による抗原提示を受けて活性化する．活性化したB細胞は濾胞・傍皮質境界部で数回の細胞分裂を行い，一部は濾胞中心部に移行して胚中心応答に参画し，残りは髄質へと移行して抗体産生細胞へと分化する．胚中心応答ではゲノムへの変異導入と濾胞樹状細胞や$CD4^{+}$T細胞の介助を通じて抗原に対して高親和性を示すクローンを選択し，メモリーB細胞，長期生存型抗体産生細胞を樹立する．一方，髄質に移行した抗体産生細胞は抗原排除に向けて数日間大量の抗体を産生する．

いずれの二次リンパ組織においても，T細胞，B細胞がそれぞれ異なる領域に集積することや，それぞれの活性化からエフェクター，メモリー細胞への分化過程のあらましは共通しており，きわめて稀な抗原特異的リンパ球クローンとその特異抗原を提示する細胞，応答を介助する細胞が効率的に遭遇することを可能にする場となっている．

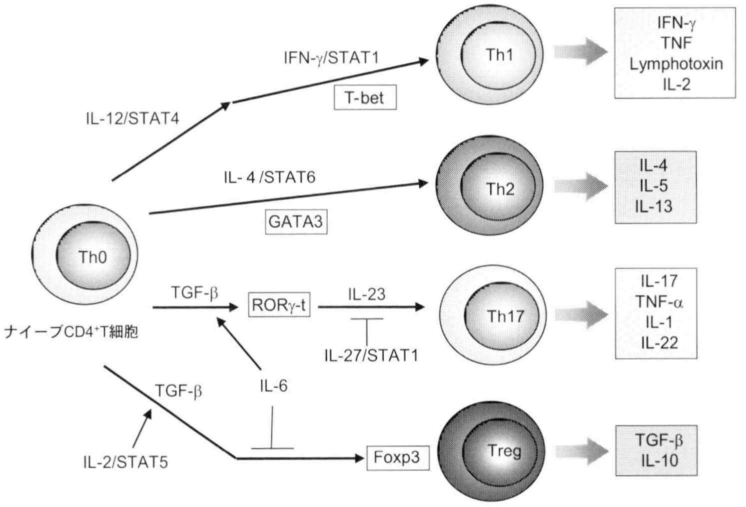

図８　CD4^{+}T 細胞サブセットの分化

b）CD4^{+}T 細胞

CD4^{+}T 細胞は，その機能により，免疫応答成立を補助するヘルパー T 細胞（Th 細胞），免疫応答を抑制する制御性 T 細胞（Treg），組織傷害性を促進する病原性（pathogenic）T 細胞である Th17 細胞に大きく分けられる[10-11]．

免疫応答は，感染細胞の除去など細胞性免疫応答が中心となる Th1 応答と，アレルギー疾患における IgE 産生など抗体産生による液性免疫が中心となる Th2 応答に分けられる．そして，それぞれの応答を促進する Th 細胞を，Th1 及び Th2 細胞と呼ぶ．Th1 細胞は IFN－γを産生することを特徴とし，一方，Th2 細胞は IL-4，IL-5，IL-13 など Th2 応答を促進するサイトカインを産生する．ナイーブ CD4^{+}T 細胞（Th0）からの Th1 細胞及び Th2 細胞の誘導は相互に排他的であり，Th1 を誘導するサイトカインである IL-12 の条件下では Th1 が誘導され，Th2 の誘導は阻害される．一方，Th2 を誘導する IL-4 の存在下では，Th1 の誘導が阻害される．1986-7 年に上述の Th1 及び Th2 バランスによる免疫応答制御機構という概念が Mosmann と Coffman により提唱されて以降[12]，この概念だけでは免疫応答を説明出来ないという矛盾を抱えながらも，免疫応答を Th1，Th2 のバランスで説明しようという流れが長期間続いた．しかしその後，後述の Th17 及び Treg 発見により，Th1，Th2，Th17 による免疫応答促進のバランスに対し，免疫応答を抑制する Treg という 4 種類の細胞を中心として，CD4^{+}T 細胞の免疫応答における役割の再構成が現在行われている状態である．

Th17 は，典型的な Th1 モデルと考えられていた EAE モデル（実験的自己免疫性／アレルギー性脳脊髄炎）において，発症／増悪化に必須な細胞として 2005 年に報告された[13]．Th17 は IL-17 を産生し，関節リウマチ，炎症性腸疾患（クローン病・潰瘍性大腸炎），多発性硬化症の病態形成に関連していると考えられている．

一方，免疫応答を抑制する Treg は，制御性 T 細胞のマスタージーンである Foxp3 を発現する Foxp3 陽性 Treg と発現しない Foxp3 陰性 Treg に分けられる．Foxp3 陽性 Treg はさらに，胸腺内で分化・供給される naturally occurring regulatory T cell（nTreg）と，末梢において誘導される inducible regulatory T cell（iTreg）に分けられる．一方，Foxp3 陰性 Treg としては，抑制性サイトカインの IL-10 存在下で誘導され，高い IL-10 産生により免疫応答抑制を示す Treg が報告されている．Naive T 細胞を活性化するときに TGF-βが存在すると Treg が，TGF-β +IL-6 に加え IL-23 により Th17 が誘導される．

各 CD4^{+}T 細胞サブセットの分化に至るサイトカイン条件，細胞内シグナリング及び遺伝子発現は，*in vitro* でサイトカインを加える方法などでよく解析されている．ナイーブ CD4^{+}T 細胞（Th0）が T 細胞レセプターからの刺激を受け活性化する時に IL-12 が働くと，細胞内シグナル伝達分子である STAT（signal transducers and activator of transcription）-4 が活性化され，IFN-γを産生する．そして IFN-γは STAT-1 の活性化，転写因子 T-bet の発現を介して，IL-4 の発現を抑制する．一方，IL-4 が存在すると，STAT-6 の活性化，転写因子GATA-3の発現を介して，IFN-γ産生を抑制する．

一方，Th0活性化時にTGF-βが存在するとFoxp3が誘導され，Tregが誘導され，この誘導はIL-2によるSTAT5の活性化により促進される一方，IL-6はFoxp3の発現を抑制することでTregの誘導を抑制する．TGF-βに加えIL-6によるSTAT3の活性化がおこると転写因子RORγ-tの発現を介して，Th17の誘導に必要なIL-23受容体が誘導され，IL-23の作用によってTh17が誘導される[10-11]．IL-1はTh17の誘導を促進する．以上の様にTh0から各$CD4^{+}$T細胞サブセットへの分化に必要なサイトカイン要求性が異なっており，相互排他的な傾向がある(図8)．

c）CTL

$CD8^{+}$T細胞は細胞傷害性リンパ球(Cytotoxic T Lymphocyte-CTL)とも呼ばれ，適切な活性化を受けた後には，MHCクラスI上に抗原を提示している標的細胞を排除する．このため，細胞内病原体(特にウイルス)や腫瘍細胞に対する防御機構において非常に重要な役割を果たしている．胸腺で成熟し末梢循環へ放出されたナイーブ$CD8^{+}$T細胞は，抗原刺激に遭遇するまで主にリンパ組織間を循環する．抗原提示細胞から抗原提示を受け，さらに副刺激分子と炎症性サイトカインの刺激が加わると，抗原特異的CTLは数日間にわたって爆発的に分裂してエフェクター細胞へ移行する(expansion期)．典型的な急性感染応答では3－5日間で13－18回以上分裂し，数にして1万倍以上の増加を示す．エフェクターCTL

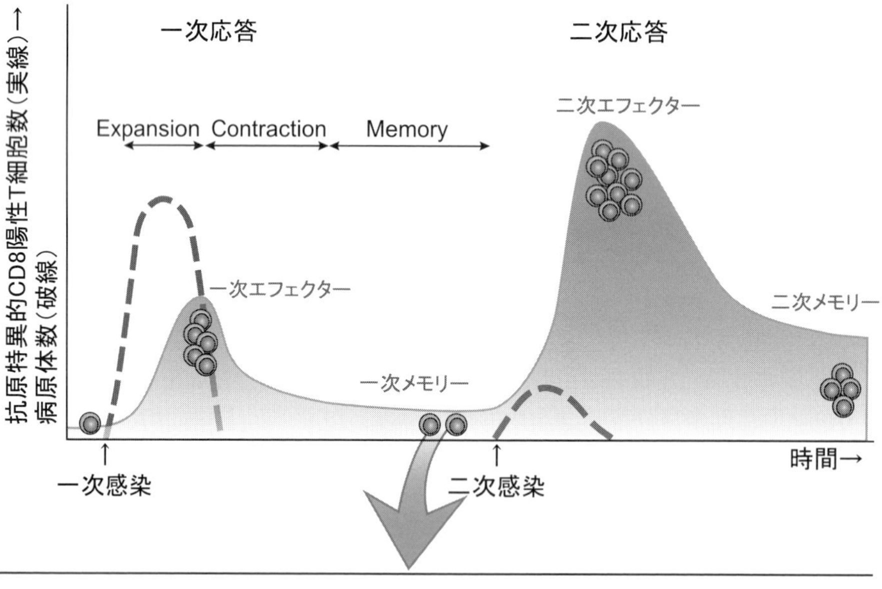

	T_{EM} エフェクターメモリーT細胞	T_{CM} セントラルメモリーT細胞
分布	肺・肝臓・腸など (末梢組織)	リンパ節・脾臓など (2次リンパ組織)
増殖能	低	高
サイトカイン産生能 CTL活性	高	低

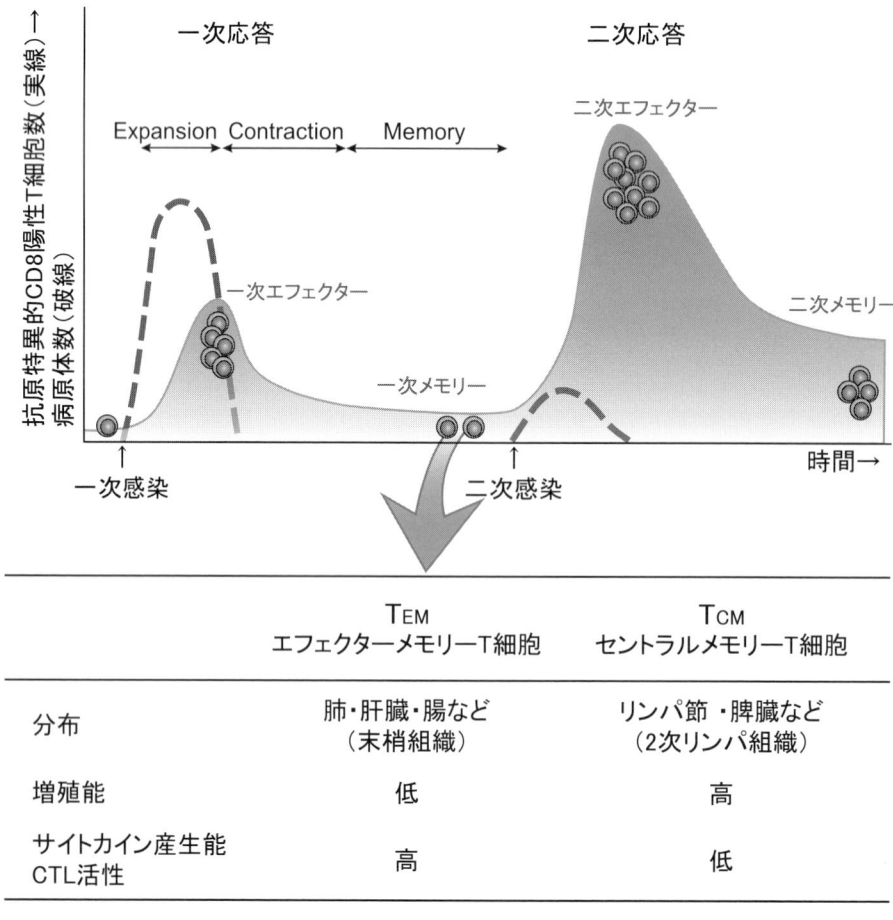

図9　免疫記憶の概念図と，メモリーT細胞の分類

はリンパ組織から炎症・抗原発現局所へと遊走し，IFN－γ，Granzyme，TNFなどのエフェクター分子により抗原を発現している細胞を除去する．

応答ピークの後，90－95%のエフェクター細胞はアポトーシスを起こし死滅するが(contraction期)，ごく一部の抗原特異的CTLがメモリーCTLとして残存し長期間にわたって個体内で維持され，個体防御を示す(図9)．この「免疫記憶」は，免疫システムにおける最大の特徴のひとつであり，ワクチンに応用されて感染症との闘いにおいて人類福祉に最大級の貢献を果たしている．

メモリーCTLは実は均一な集団ではなく，発現分子の組合せによって様々な分類が提唱されているが，大きく分けて二つのサブセットに分けられることが多い(図9)．すなわち，二次リンパ組織への遊走に大きく関与するホーミング分子CD62Lとケモカイン受容体CCR7の発現程度によって，$CD62L^{hi}CCR7^{hi}$のcentral memory（TCM）と$CD62L^{lo}CCR7^{lo}$のeffector memory（TEM）に分類される．前者は再刺激時のサイトカイン即応産生性が乏しいが分裂能が高く，後者はその逆でサイトカイン即応産生性が高いが分裂能が低いことから，TCMが長期免疫記憶を二次リンパ組織内で担保し，TEMが末梢組織で即応免疫記憶を担うと位置づけられている．しかし実際には他の活性化・成熟化・遊走分子マーカーおよびサイトカイン産生性の組み合わせから見てメモリーCTLはさらに多様性に富んでいて，単純なTCM/TEM二元論で理解できるものではない．また，現実の生体内では，同じ抗原特異的CTL集団のなかでも感染応答を一度だけ経験した一次メモリーCTLと複数回経験した老化メモリーCTLが同時に共存しており[14]，さらにメモリーCTLサブセットが多様化する原因となっている．メモリーCTLがどのような機序で樹立・誘導されるのか，さらに細胞・分子レベルでの研究を進め，効率的なワクチンを開発することが課題であろう．

d）B細胞

B細胞の応答は，T細胞による介助への依存性に基づいて2種類に大別されている

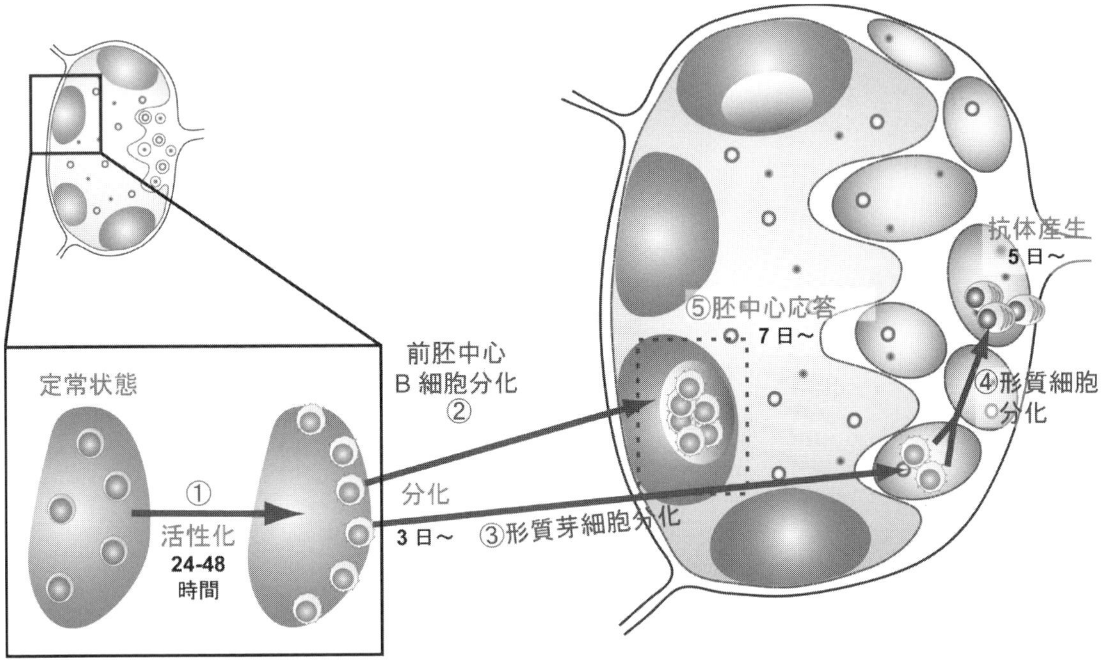

図10　B細胞応答の概略

(T-dependent (TD), T-independent (TI)). TI応答は，主に反復構造を有する非タンパク性抗原(ポリペプチドではないため，古典的MHC上には提示されない)に対して誘導され，細菌やウイルスによる感染早期，T細胞応答が惹起されるよりも以前の抗体産生を担うものである[15]．一方TD応答では，B細胞が抗原を認識し活性化した後，同時期に活性化したヘルパーT細胞からの介助シグナルの作用により，抗体定常領域のクラススイッチ組換え(IgM抗体からIgG抗体への変換など)や，体細胞突然変異の誘導による抗原受容体遺伝子領域への変異導入を介した親和性の亢進が誘導される．とくに体細胞突然変異については，活性化後1週間程度経過した後に顕著となる胚中心と呼ばれる構造中で誘導される．この胚中心応答がTD応答の大きな特徴である．胚中心応答によって，抗原特異的B細胞・T細胞や濾胞樹状細胞など，複数の免疫細胞間の相互作用を介して，高親和性の記憶B細胞や長期生存型抗体産生細胞が産生される(図10)[16]．

B細胞応答によって産生される各種の抗体は個体防御を達成する上で様々な機能を担うことが報告されているが，主たるものは，1)抗原の中和・修飾(オプソニン化)，2)補体系の活性化，3)定常領域(Fc)受容体を介した免疫細胞の機能制御，の3つである[17]．これらの作用を通じて，ウイルスなどの感染因子や細菌・真菌が産生する毒素の機能阻害や，免疫細胞による抗原の捕食，破壊の亢進，免疫細胞の活性化・抑制などの効果を発揮する．また，このような機能を最大限発揮するために，抗体産生部位(実効部位)やその誘導刺激の種類に応じてクラススイッチ後に主体となるアイソタイプが異なっている．例えば，気管・消化管などの粘膜面が実効部位であればIgAが，寄生虫感染時にはIgEが，皮膚や全身性の細菌・ウイルス感染ではIgGが，多くの場合主たるアイソタイプとなる．

参考文献

1. Yoshimura T., Matsushima K., Tanaka S., Robinson E., Appella E., Oppenheim J. and Leonard E. Purification of a human monocyte-derived neutrophil chemotactic factor that has peptide sequence similarity to other host defense cytokines. Proc Natl Acad Sci U S A 84：9233, 198.
2. Matsushima K., Morishita K, Yoshimura T., Lavu S., Kobayashi Y., Lew W., Appella E., Kung H., Leonard E. and Oppenheim J. Molecular cloning of a human monocyte-derived neutrophil chemotactic factor (MDNCF) and the induction of MDNCF mRNA by interleukin 1 and tumor necrosis factor. J. Exp. Med. 167：1883, 1988.
3. Matsushima K., Larsen C.G., DuBois G.C. and Oppenheim J.J. Purification and characterization of a novel monocyte chemotactic and activating factor produced by a human myelomonocytic cell line. J. Exp. Med. 169：1485, 1989.
4. Furutani Y., Nomura H., Notake M., Oyamada Y., Fukui T., Yamada M., Larsen C.G., Oppenheim J.J. and Matsushima K. Cloning and sequencing of the cDNA for human monocyte chemotactic and activating factor (MCAF). Biochem. Biophys. Res. Commun. 159：249, 1989.
5. Takeuchi O. and al. e. Pattern recognition receptors and inflammation. Cell 140：805, 2010.
6. Kastner D. and al. e. Autoinflammatory disease reloaded：a clinical perspective. Cell 140：784, 2010.
7. Schroder K. and Tschopp J. The inflammasomes. Cell 140：821, 2010.
8. Gordon S. and Taylor P.R. Monocyte and macrophage heterogeneity. Nat. Rev. Immunol. 5：953, 2005.
9. Liu K. and Nussenzweig M.C. Origin and development of dendritic cells. Immunol. Rev. 234：45, 2010.
10. Zhou L., Chong M. and Littman D. Plasticity of CD4+ T cell lineage differentiation. Immunity 30：646, 2009.
11. Zhu J., Yamane H. and Paul W. Differentiation of effector CD4 T cell populations. Annu. Rev. Immunol. 28：445, 2010.
12. Mosmann T. and Coffman R. Two types of mouse helper T-cell clone. Immunol. Today 8：223, 1987.
13. Park H., Zhaoxia L., Yang X.O., Chang S.H., Nurieva R., Wang Y.H., Wang Y., Hood L., Zhu Z., Tian Q. and Dong C. A distinct lineage of CD4 T cells regulates tissue inflammation by producing interleukin 17. Nat. Immunol. 6：1133, 2005.
14. Kurachi M., Kakimi K and al. e. Maintenance of memory CD8+ T cell diversity and proliferative potential by a primary response upon re-challenge. Int. Immunol. 19：105, 2007.
15. Ochsenbein A.F., Pinschewer D.D., Odermatt B., Carroll M.C., Hengartner H. and Zinkernagel R.M. Protective T cell-independent antiviral antibody responses are dependent on complement. J. Exp. Med. 190：1165, 1999.
16. McHeyzer-Williams L.J. and McHeyzer-Williams M.G. Antigen-specific memory B cell development. Annu. Rev. Immunol. 23：487, 2005.
17. Law M. and Hangartner L. Antibodies against viruses：passive and active immunization. Curr. Opin.

Immunol. 20：486, 2008.

1-b　脂質メディエーター

九州大学大学院医学研究院　医化学分野
横溝岳彦

脂質メディエーター[1]とは，脂質でありながらエネルギー源としてではなくホルモン様の作用を有する一連の生理活性脂質の総称である．脂質メディエーターの特徴は以下のとおりである．1)細胞内に蓄えられることなく，必要に応じて産生され作用後は速やかに代謝され不活性化される．2)酵素学的に作られるため，存在する酵素の種類や量に応じて産生される脂質メディエーターの種類や量が細胞や臓器によって大きく異なる．3)産生量や分解酵素による不活性化の度合いにもよるが，多くは局所で働くと考えられている．4)おのおのの脂質メディエーターに特異的な細胞膜受容体，核内受容体に結合することで作用を発揮する．5)脂質であるため拡散しやすいと考えられる．6)分子量が小さく構造が単純である．そのため，受容体拮抗薬や酵素阻害剤の開発が比較的容易であり，臨床医学の現場で用いられている薬剤も多い．アラキドン酸から作られるエイコサノイドと性ホルモンに代表されるステロイドが古典的な脂質メディエーターであるが，近年リゾリン脂質，スフィンゴシン1リン酸や新規のエイコサノイドが生理活性脂質として注目されている．本項では細胞膜に受容体を有すると考えられる脂質を脂質メディエーターとしてとらえ，最新の知見を交えて解説したい．

1．エイコサノイド(eicosanoid)の代表：プロスタグランジンとロイコトリエン

ギリシャ語で「20」を意味するエイコサ(eicosa)から名付けられたことからも分かるとおり，炭素数20の不飽和脂肪酸で生理活性を有するものをエイコサノイドと呼ぶ．いずれも，細胞膜のリン脂質のsn-2位にエステル結合していたアラキドン酸が，フォスホリパーゼA2（PLA2)で加水分解され，切り出される反応を初発として産生される(図1)．PLA2は細胞内に存在するPLA2群(cPLA2，iPLA2)と，細胞外に存在するPLA2(sPLA2)に大別されるが，本稿で述べるエイコサノイドは主として細胞質型のPLA2によって産生される．

もっとも良く生理活性が知られているエイコサノイドはプロスタグランジン(Prostaglandin, PG)とロイコトリエン(Leukotriene，LT)[2]であり，それぞれ複数の物質が存在する(図1，表1)．アラキドン酸がシクロオキシゲナーゼ(COX)によって酸素付加されて生成したPGH2が，細胞内の様々な酵素により代謝されてPGが産生される．アスピリンやインドメサシンに代表される非ステロイド性消炎鎮痛剤(Non steroidal anti-inflammatory drugs，NSAIDs)は，COXの作用を抑制しPGの産生を押さえることで，解熱・鎮痛作用を発揮すると考えられており，NSAIDsが解熱・鎮痛・抗炎症作用を発揮するのは主として

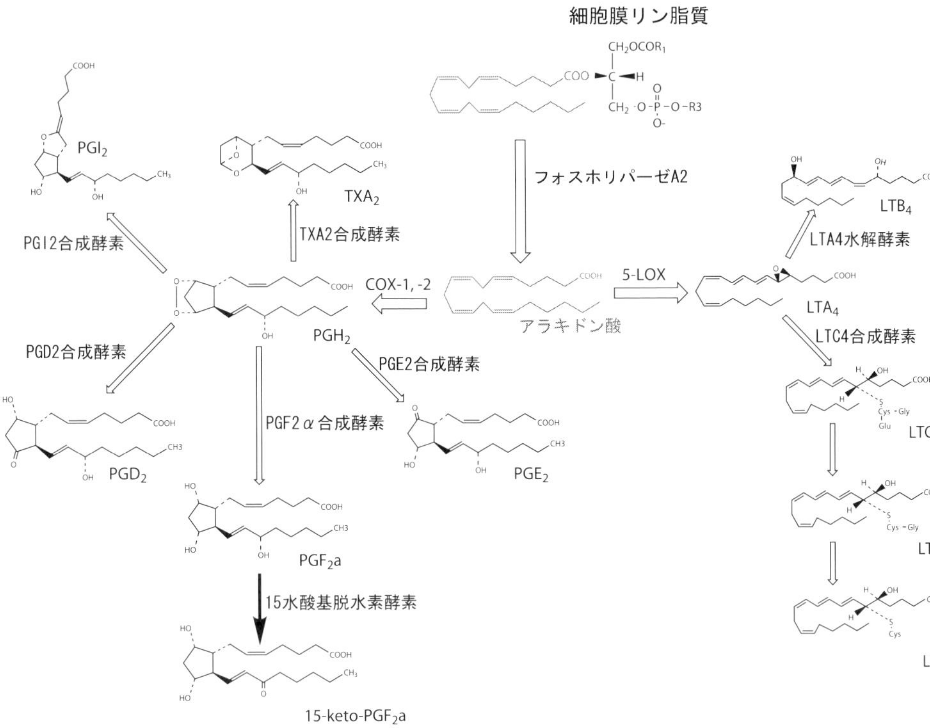

図1　主要なエイコサノイドの代謝

活性化されたフォスホリパーゼ A2 が細胞膜に存在するリン脂質のグリセロール骨格の 2 位の脂肪酸(R2，ここではアラキドン酸を示した)を切り出す．切り出されたアラキドン酸に様々な細胞内の酵素が作用して多数のエイコサノイドが作られる．各エイコサノイドのわずかな構造の違いがそれぞれの特異的受容体によって厳密に区別されるため，異なった生理作用を発揮することになる．PGH2 と LTA4 は種々のエイコサノイドの前駆物質であるが，生物活性は無いと考えられている．15 水酸基脱水素酵素による不活性化経路を PGF2 α を例に記載したが，他の PG も同様に不活性化される．生体内には，図に示した以外にも多数のエイコサノイドが存在するが，それらの生命現象における役割には不明な点が多い．

表1　主要なエイコサノイドとその生理作用

群	名称	生理作用	受容体名
プロスタグランジン トロンボキサン	PGD2	睡眠誘発，気管支収縮，リンパ球遊走	DP, CRTH2
	PGE2	発熱，疼痛，免疫抑制，腸管ぜん動促進，胃酸分泌抑制，血管透過性亢進	EP1, EP2, EP3, EP4
	PGF2 α	陣痛，卵巣黄体退縮	FP
	PGI2	血小板形成抑制，血栓形成促進阻害	IP
	TXA2	血小板形成促進，血栓形成促進，血管透過性亢進	TP
	12-HHT	マスト細胞遊走	BLT2
ロイコトリエン	LTB4	白血球走化性，白血球活性化	BLT1
	LTC4, D4, E4 （ペプチド LT, SRS-A）	気管支収縮 血管透過性亢進	CysLT1, CysLT2

PGE2 の産生を抑制するためである．COX には 2 種類のアイソザイムが存在する．古くから知られている酵素は COX-1 であり，多くの細胞で恒常的に発現している．COX-2 は COX-1 とは別の遺伝子にコードされており，炎症時に遺伝子の転写のスイッチが入ることで産生される誘導型の酵素である．COX-2 の mRNA の 3' 末端には AU に富んだ RNA の不安定化配列があり速やかに分解されるため，生体内での COX-2 の寿命は短い．発熱や疼痛を引き起こす PGE2 の産生は COX-2

依存的であると考えられている．COXによって産生されるPGH2は様々なPGの前駆体であり，生理活性は無いとされている．PGH2は細胞によって発現が異なる様々な酵素によって，PGE2，F2 α，D2，I2，TxA2，12-HHT（図1）などに変換され，それぞれが特異的な受容体に結合して細胞応答を引き起こす．PGには表1に示した様々な生理作用がある．例えば，PGE2は発熱や痛みを，PGF2 αは陣痛を引き起こす．TxA2は血小板を活性化し血液凝固を促進するとともに血管平滑筋を収縮させて血圧を上昇させる．一方，PGI2はTxA2の逆の作用を有する．こうした背景からPG製剤や，産生酵素の阻害剤が薬剤として臨床現場で用いられている（後述）．PGは15位の水酸基がケト基に変換されることで不活性化される（図1）が，この反応を触媒するPG15水酸基脱水素酵素は肺に多量に発現しているため，大部分のPGは肺循環によって不活性化される．

一方，アラキドン酸はリポキシゲナーゼ（LOX）という酵素で酸素付加を受けて，PGとは異なる物質にも変換される[3)]．ヒトには5-LOX，12-LOX，15-LOXなど，複数のリポキシゲナーゼが存在し，異なった炭素に酸素を付加する．これらのリポキシゲナーゼによって生合成される物質のうち，生理活性が良く知られているのがロイコトリエン（LT）である．LTは主として白血球（Leukocyte）で産生され，共役した3重結合（triene）を持っているため，「ロイコ－トリエン」と命名されたという歴史がある．アラキドン酸に5-LOXが作用して生成したLTA4から，LTB4と，グルタチオン抱合型のペプチドLT（LTC4，D4，E4）が作られる．現在までLTA4の生理活性の報告はなく，他のロイコトリエンの前駆物質と考えられている．LTB4は主として骨髄由来の炎症細胞に作用し，好中球，好酸球の細胞走化性やマクロファージの活性化作用を有する．最近の研究では，LTB4受容体BLT1は，Th1，Th2に分化したヘルパーT細胞や，エフェクターCD8陽性のT細胞にも発現し，免疫反応を活性化する方向で作用することもわかってきた．ペプチドLTは古典的にSRS-A（Slow reactive substance of anaphylaxis）と称されていた平滑筋収縮物質の

表2　エイコサノイド受容体欠損マウスの表現系

標的受容体遺伝子	リガンド	表現系	同様の表現系を示す遺伝子変異
DP	PGD2	アルブミン誘発性気管支喘息におけるアレルギー応答の減弱 PGD2投与によるノンレム睡眠の消失	
EP1	PGE2	アゾキシメタンによる腸管aberrant crypt foci形成の減少	COX-2（-/-）
EP2		排卵障害，授精障害，高塩負荷による高血圧 *In vitro*の破骨細胞形成異常 Apcマウスにおける腸管ポリープ形成の減少	COX-2（-/-） cPLA2（-/-） COX-2（-/-），cPLA2（-/-）
EP3		パイロジェン投与による発熱応答の消失 十二指腸における重炭酸分泌異常 出血性更新と血栓塞栓の減少	COX-2（-/-）
EP4		動脈管開存 DSS誘導性腸炎における免疫応答の亢進 炎症性骨吸収の低下，PGE2投与による骨形成の消失 樹状細胞の成熟阻害による接触性皮膚炎の軽減	COX-1（-/-），COX-2（-/-）
FP	PGF2 α	分娩の消失	COX-2（-/-），cPLA2（-/-）
IP	PGI2	血栓塞栓の亢進 炎症性浮腫の軽減 酢酸による痛み反応の減少	
TP	TXA2	出血傾向と血栓抵抗性	
BLT1	LTB4	アルブミン誘発性気管支喘息におけるアレルギー応答の減弱 ヘルパーT細胞，細胞障害性T細胞の走化性の減少 アレルギー性脳炎モデルの症状の改善	5-LOX（-/-）

杉本幸彦ら，Hormone Frontier in Gynecology 10, p252,（2003）に加筆

本体で，気管支や腸管の平滑筋の収縮作用，血管透過性の亢進作用を有する．ペプチドLTの受容体(CysLT1)の拮抗薬や5-LOXの阻害薬は，気管支喘息やアレルギー性鼻炎の予防薬・治療薬として臨床応用されている．ロイコトリエンは本来，細菌感染などの外来異物の進入を排除する防御機構としての役割を担っていたと考えられるが，抗生物質の開発によって細菌感染が抑えられるようになった現代社会では，むしろ炎症性疾患を引き起こす「悪玉」の物質としてとらえられるようになっている．またこれまでその作用が明かでなかった12-LOXや15-LOXの産物も，血小板の凝集促進作用や動脈硬化の促進作用があることが明かとなってきている．エイコサノイドの産生に関わる酵素や受容体はほぼ分子同定されつくした感があり，現在ではおのおのの分子の遺伝子欠損マウスの表現系の解析，疾患における分子の解析を通して，どのエイコサノイドがいかなる状況で産生され，どの細胞や臓器に作用するのか，といった視点で研究が展開されている．表2にこれまでに解析されたエイコサノイド受容体欠損マウスの主要な表現系を示した[4]．

2. エイコサノイドの受容体

これらのエイコサノイドが表1に示したように多彩な生理作用を発揮する理由の一つは，それぞれのエイコサノイドに特異的に結合する細胞膜受容体が存在することである．これらの受容体は全て細胞膜を7回貫通する構造を有するGタンパ

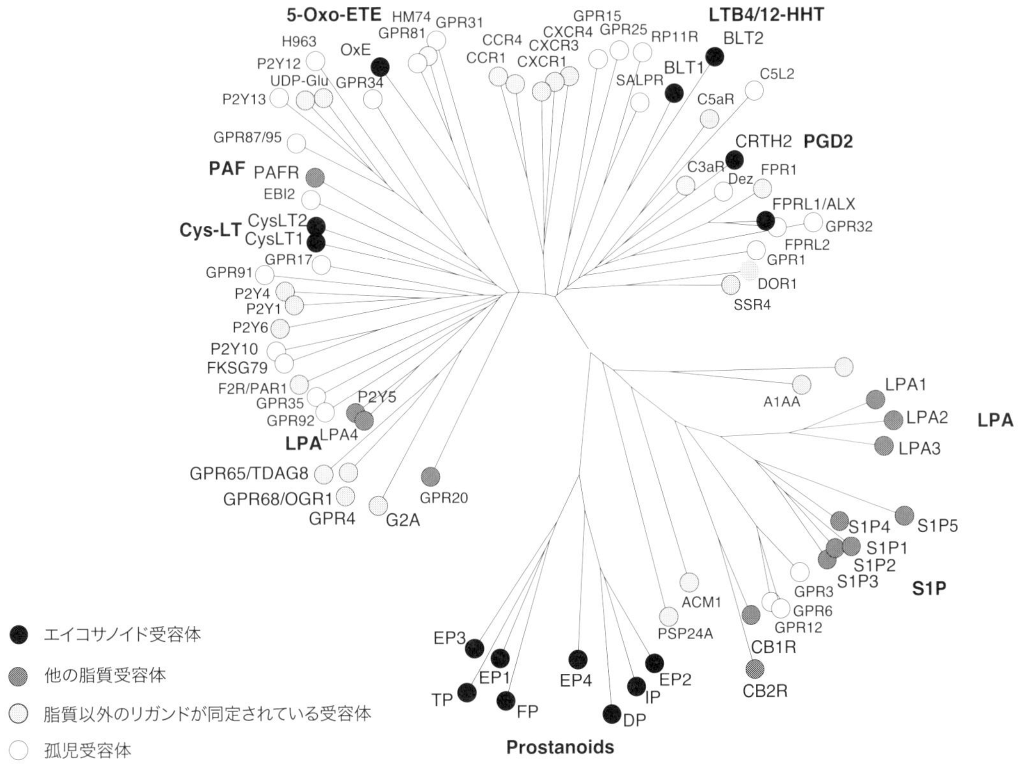

図2　Gタンパク質協約型受容体(GPCR)の進化系統樹

ヒトゲノムには約1000種類のGPCR遺伝子が存在し，その約半数は嗅覚受容体であると考えられている．この図では，嗅覚受容体を除いた，脂質をリガンドとするGPCRを中心に進化系統樹を作成した．プロスタノイド受容体，LPA受容体，S1P受容体は，一次構造上の相同性を有するファミリーを形成しており，リガンドの認識を基礎に進化してきたことがわかる．一方，CRTH2（二つ目のPGD2受容体）やLPA4のように系統樹上，他の受容体群とかけ離れた位置に存在する受容体も存在し，GPCRがリガンド認識のみによって進化してきたわけではないこともわかる．

ク質共役型受容体(GPCR)である(図2). 産生されるエイコサノイドの種類や量が細胞によって異なるのと同様に, それを受け取る受容体の分布も細胞によって大きく異なっている. プロスタノイド受容体はこれまでに9つの細胞膜受容体が単離されている. CRTH2をのぞく8つの受容体は進化系統樹上, 同じファミリーに属し(図2), リガンドに対する認識を基にして進化してきたと考えられる. 一方, PGD2に結合し, 細胞の遊走を活性化するCRTH2は走化性因子受容体のファミリーに属し, 走化性受容体として進化する過程でPGD2に対する結合能を獲得したことが推定される. またPGE2というリガンドに対しては, これまでに4つのGPCR (EP1-EP4)が単離されており, その細胞内シグナルや発現細胞が大きく異なっている. 図2から明らかなように, 脂質メディエーター受容体は様々な受容体ファミリーに分類され, GPCRの一次構造の類似性だけからリガンドを類推することは困難である. 現在, これら脂質メディエーターの受容体に対する選択的な拮抗薬・作動薬を開発し, 疾患の治療薬として用いるための研究が活発に行われている.

3. エイコサノイドと薬剤

エイコサノイドは分子量が300-500程度で分子モデリングが可能であるためか, 代謝酵素や受容体の阻害剤や拮抗薬の開発が古くから進んでいる. アスピリンに代表されるNSAIDsは, 古くから抗炎症薬・鎮痛解熱剤として使用されているが, この作用点はシクロオキシゲナーゼ(COX)の阻害である. NSAIDsによるCOXの全てのアイソザイムの阻害は, 胃酸分泌を抑制するPGE2の産生を抑制するため, 胃粘膜障害・胃潰瘍などの副作用を引き起こす. そこで, COX-2特異的阻害薬が副作用の少ない抗炎症薬として開発された. さらにCOX-2選択的阻害剤には, 大腸癌の発症につながるとされる大腸ポリープの発生を抑制させる効果があることがわかり[5], 一時は世界的に広く用いられた. しかしながら, COX-2選択的阻害剤の長期服用が心筋梗塞を初めとした血栓症の発症を2－3倍に増大させることがわかった[6]ため, 一部の薬剤の販売が中止されている. また低濃度のNSAIDsは, 重篤な副作用なしに血小板凝集を抑制するため, 血栓予防や心筋梗塞後の再発予防などに用いられている. ロイコトリエン産生に必須の5-LOX阻害剤も欧米では気管支喘息の予防薬として用いられている. このほか, 細胞膜リン脂質からのアラキドン酸遊離に重要な役割を果たす細胞質型フォスホリパーゼA2阻害薬も, 肺線維症や全身性のショックなどに対する適応を目指して開発が進んでいる. 受容体作動薬では, 古くからPGF2 αが陣痛促進薬として用いられているほか, PGE1は血管拡張作用を有するため, 疼痛改善や, 胃潰瘍の治療に用いられる. PGI2アナログは原発性肺高血圧症, 慢性動脈閉塞症の治療薬である. 受容体拮抗薬ではトロンボキサン受容体拮抗薬が高血圧の治療薬, CysLT1拮抗薬が, 気管支喘息・アレルギー性鼻炎の治療薬として用いられている. その他のプロスタグランジン受容体作動薬・拮抗薬や, ロイコトリエン受容体の拮抗薬も, 前臨床の研究が活発に行われており, 作動薬・拮抗薬共に, 臨床応用される可能性は高いものと考えられる.

4. 近年注目されている抗炎症性脂質メディエーター：リポキシンとレゾルビン

近年, プロスタグランジンとロイコトリエン以外の新規生理活性脂質が見いだされ注目を集めている(図3). アラキドン酸から生合成されるリポキシンは, その存在自体は古くから知られていたものの生理活性が明かではなく, 生体内でどのような機能を担っているのか分かっていなかった. リポキシンは不安定で水溶液中での半減期が極めて短いこともあって, その作用を疑問視する声も多かったが, アスピリン服用により, より安定な15-epi-LXA4が産生される(図3)ことが明かとなったり, 安定化修飾された15 (R/S) -methyl-LXA4が開発されたことで, リポキシンの生体内での作用が明らかになりつつある. リポキシンの最も特徴的な生理作用は, その強力な抗炎症作用である. そのメカニズムは未だに明かではないが, リポキシンやそのアナログは, 炎症細胞に作用しケモカインやロイコトリエンなどの炎症性の

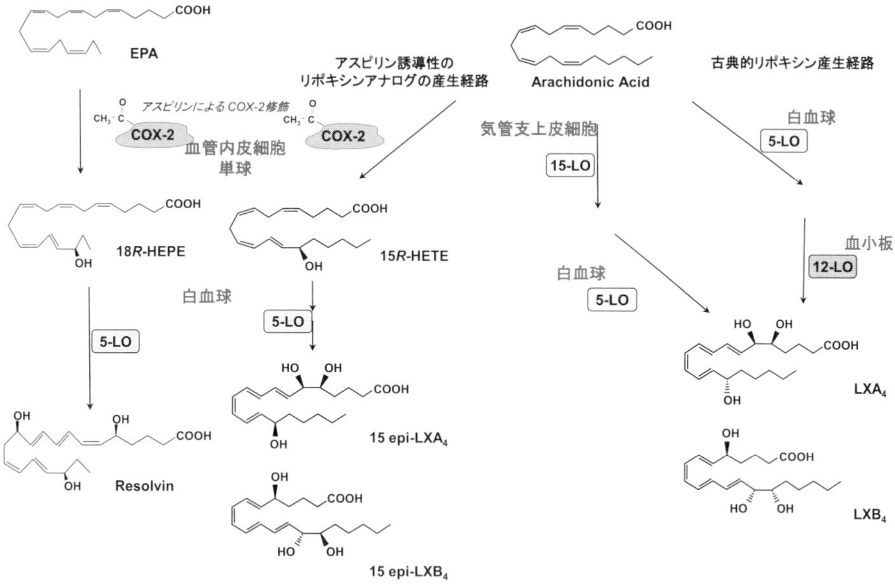

図３ リポキシンとレゾルビンの産生系路

アラキドン酸(20：4)に二つのリポキシゲナーゼが作用すると，リポキシン A4（LXA4)が生成することが知られていたが，LXA4の生体内での量は微量で半減期も短いことから，その抗炎症作用は疑問視されていた．アスピリンはCOX-2のシクロオキシゲナーゼ活性は抑制するが，リポキシゲナーゼ活性は抑制されないため，15R-HETEを経て15-epi-LXA4が産生される．15-epi-LXA4は比較的安定で強力な抗炎症作用を発揮することから，アスピリンによる抗炎症作用の一役を担っているのではないかと推定されている．EPA（20：5)はアラキドン酸よりも不飽和結合を一つ多く有する高度不飽和脂肪酸であり，15-epi-LXA4と同様の経路でレゾルビンが産生される．レゾルビンは強力な抗炎症作用を有し，魚油の抗炎症作用を説明する分子基盤として注目される．

メディエーターの作用を打ち消すことが明かとなってきた．リポキシンは，フォルミルペプチド受容体ファミリーに属するGPCRであるFPRL1(ALXと称する)に結合してGタンパク質を活性化すると報告されたが，未だに疑問視する声も多い．しかしながら，リポキシンの抗炎症作用は数多くの研究者の手によってin vitro，in vivoで確かめられており，新規の抗炎症薬として期待される．魚を多く摂取する民族では，肥満や炎症性疾患の発症が少ないことが知られており，魚油に多く含まれるエイコサペンタエン酸(EPA)の存在が注目されてきた．EPAはCOXや5-LOXの基質となり，アラキドン酸と競合するため結果的にPGやLTの産生量が減少し，結果的に抗炎症作用を発揮する，と考えられてきた(EPAから産生されるPG様，LT様物質の活性は低い)．ところが，2005年にEPAからレゾルビンと呼ばれる不飽和脂肪酸が産生されること，レゾルビンが強力な抗炎症作用を有することが報告[7]され，注目を集めている．EPAに代表されるω3脂肪酸(脂肪酸のω位から3番目に不飽和結合を有する脂肪酸の総称)からは，レゾルビン以外の抗炎症性脂質が産生されていることも明らかになりつつあり，魚油の抗炎症作用の新しい分子メカニズムとして注目される．

5. リゾリン脂質とスフィンゴシン１リン酸

エイコサノイドと共に，近年注目を集めている生理活性脂質にリゾリン脂質がある(図4)．生体膜の主要な構成成分であるグリセロリン脂質は，グリセロール骨格の1，2位に疎水性の脂肪酸が2分子結合し，3位にリン酸基を介してコリンや，エタノールアミンなどの親水基が結合している(図5のPC)．一方，リゾリン脂質は，グリセロ

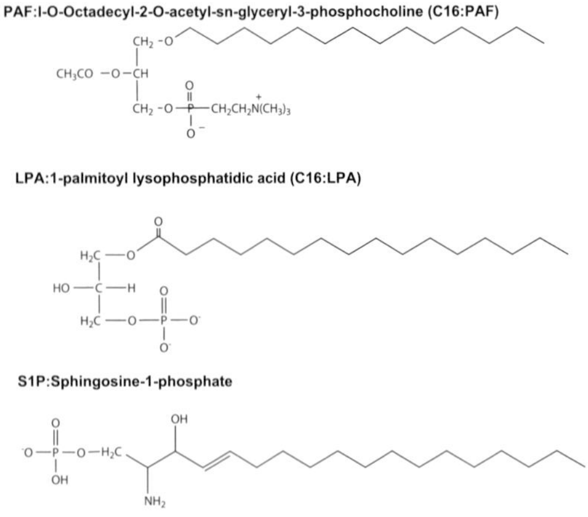

図４　PAF，LPA，S1P の構造

PAF，LPA 共に，sn1 の脂肪酸数には，様々な長さや不飽和度が存在することに注意．LPA の脂肪酸は *sn*1，*sn*2 位のどちらにも存在しうるが，生体内から抽出した LPA のほとんどは 1- アシル -LPA である．ここでは C16：0 を代表としてその構造を示した．

リン脂質の脂肪酸のうち一つが加水分解によって外れた脂質の総称である．疎水部分が小さいため安定した膜構造をとれず，結果的に高濃度で細胞膜を破壊する界面活性作用のみが注目されていたが，近年では低濃度で生理活性作用を有するリゾリン脂質が見いだされ，その細胞膜受容体も続々と同定されている．ここではその代表として血小板活性化因子(PAF)，リゾフォスファチジン酸(LPA)[8]，スフィンゴシン１リン酸(S1P)[9]を紹介する．血小板活性化因子(PAF)は，血小板の活性化能によって発見されたためこの名があるが，むしろ重要なのはその強力な炎症作用である．エイコサノイド産生に重要な cPLA2 によってアラキドン酸が切り出される際に PAF も産生される．この系路が炎症時の PAF 産生の主要経路であると考えられる．上述したように現在では生理活性脂質に対する細胞膜受容体が同定されているが，世界で初めて同定された生理活性脂質受容体は PAF 受容体である．その後の PAF 受容体遺伝子改変マウスを用いた解析により，PAF 受容体はマクロファージをはじめとする炎症細胞に発現しており，アナフィラキシーショック，急性呼吸逼迫症候群(ARDS)，気管支喘息といった炎症性疾患に重要な役割を果たしていることが明かとなった．リゾフォスファチジン酸(LPA)は特異的な受容体が同定され，血清中の脂質性増殖因子の本体であることが示されてから注目を集めるようになった．図５に LPA の代謝経路を示した．LPA はやはり GPCR である LPA1-6（以前は Edg ファミリーと称された)に結合してその作用を発揮する．LPA は癌性腹膜炎の腹水に多量に存在し，これが癌細胞の浸潤や転移を引き起こすことがわかっている．そのため，LPA 受容体拮抗薬や LPA の主要な産生酵素であるオートタキシンの阻害剤は癌の浸潤・転移を予防する薬剤として期待されている．スフィンゴシン１リン酸(S1P)は，スフィンゴシン骨格を持つため厳密にはリゾリン脂質には分類されないが，リゾリン脂質と同様の生化学的特性を有する．S1P は細胞膜に存在するスフィンゴミエリンからセラミドを経て生合成される生理活性脂質である．S1P は古くは細胞内で働くセカンドメッセンジャーだと考えられていたが，特異的受容体(S1P1-5)が同定されてから研究が急速に進展した．S1P の主要な作用は，血管新生とリンパ球の移動であると考えられている[9]．強力な免疫抑制作用を有し，臓器移植後の拒絶反応を抑制する薬剤 FTY-720 は，投与により末梢血中のリンパ球を激減させることで免疫抑制作用を発揮する．実は FTY-720 は S1P2 を除く全ての S1P 受容体の強力なアゴニストであり，リンパ球上の S1P 受容体をダウンレギュレーションする結果，リンパ節から血液中への S1P 依存性のリンパ球の移動が障害され，結果的に血液中のリンパ球の数を減少させる[10]．S1P がどのような状況で，どの細胞で合成され，いかにして細胞外に放出されるかは依然として不明である．また，図５の LPA の代謝の中間産物であるフォスファチジン酸(PA)やリゾフォスフォリルコリン(LPC)にも LPA や S1P と類似した生理作用があり，これらが既知の LPA，S1P 受容体を介して作用しているのか，特異的な未知の受容体が存在するのかについても活発な研究が展開されている．

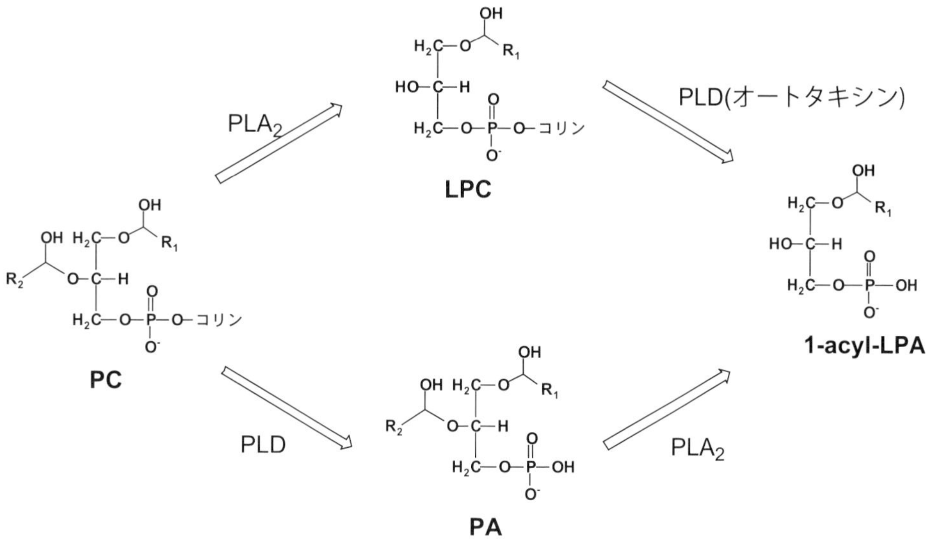

図５　リゾフォスファチジン酸(LPA)の代謝経路
現在考えられているLPAの産生経路を示した．PLA2，PLDには様々な分子種が存在する．特に，Lyso PLD活性を有するオートタキシンは主要なLPA産生酵素だと考えられている．PLA2の代わりにPLA1が作用して，2-アシル-LPAが造られる経路も想定されている．

6. 血糖値をコントロールする脂肪酸の受容体

血糖値のコントロールにペプチドホルモンであるインスリンが重要であることは言うまでもないが，このインスリン分泌をコントロールする不飽和脂肪酸の受容体が同定された．血糖値の低下やアドレナリン分泌に伴って，脂肪細胞は脂肪酸が切り出され，β酸化，TCAサイクルを経てエネルギーが産生される．こうしてエネルギー源として用いられると考えられていた遊離脂肪酸が，膵臓のβ細胞に発現するGPR40というGPCRに結合してインスリン分泌を促進する[11]という発見は，エネルギー代謝の理解に新しい視点を付け加えるとともに，新たな抗糖尿病薬のターゲットとしても注目される．

終わりに

ステロイドホルモン，エイコサノイドに始まった脂質メディエーターの研究は大きな研究領域に発展しつつある．脂質は細胞膜を自由に通過する分子であり，その作用点は細胞内(特に核内)であるという古典的な考え方は，細胞膜に存在する受容体の発見で大きく転換した．脂質そのものは遺伝子にコードされておらず，分子生物学的な手法が使いづらい点では，依然として困難な研究対象であるが，ポストゲノムの大きな研究標的として今後の発展が期待される．脂質は細胞や臓器の固定や洗浄で容易に流出してしまうため，細胞内，臓器内での分布を知ることが困難であった．近年では高感度の質量分析機が開発され，微量脂質の定量解析が可能になりつつある．また質量分析機を利用したマス・イメージング技術も進化しつつあり，近い将来には組織切片上の脂質の分布を顕微鏡を見るように可視化できるようになるかも知れない．

Internet情報

1）Lipid Bank for WEB：
http://lipidbank.jp/
日本脂質生化学会が中心となって作成した脂質データベース．生理活性脂質の構造，分子量，参考文献などが検索できる．

2）Nature lipidomics gateway
http://www.lipidmaps.org/
脂質に関するアメリカの研究組織 Lipid Maps のホームページ．脂質に関するあらゆる情報（構造，抽出法，クロマトグラフィーの溶媒など）が入手できる．

3）東京大学大学院医学系研究科生化学分子生物学講座細胞情報部門：http://biochem2.umin.jp/index_j.html
脂質，生化学，分子生物学の実験プロトコールを公開している．

4）ALLALL related peptide sequence :
http://www.cbrg.ethz.ch/services/AllAll
複数のタンパク質の配列を入力することで，分子進化系統樹を簡単に作成できる．

参考文献

1. Shimizu, T. Lipid mediators in health and disease : enzymes and receptors as therapeutic targets for the regulation of immunity and inflammation. Annu Rev Pharmacol Toxicol 49, 123-150, 2009.
2. Luster, A. D., and Tager, A. M. T-cell trafficking in asthma : lipid mediators grease the way. Nat Rev Immunol 4, 711-724, 2004.
3. Brink, C., Dahlen, S. E., Drazen, J., et al. International Union of Pharmacology XXXVII. Nomenclature for leukotriene and lipoxin receptors. Pharmacol Rev 55, 195-227, 2003.
4. Narumiya, S. Prostanoids and inflammation : a new concept arising from receptor knockout mice. J Mol Med 87, 1015-1022, 2009.
5. Steinbach, G., Lynch, P. M., Phillips, R. K., et al. The effect of celecoxib, a cyclooxygenase-2 inhibitor, in familial adenomatous polyposis. N Engl J Med 342, 1946-1952, 2000.
6. Juni, P., Nartey, L., Reichenbach, S., et al. Risk of cardiovascular events and rofecoxib : cumulative meta-analysis. Lancet 364, 2021-2029, 2004.
7. Arita, M., Bianchini, F., Aliberti, J., et al. Stereochemical assignment, antiinflammatory properties, and receptor for the omega-3 lipid mediator resolvin E1. J Exp Med 201, 713-722, 2005.
8. Choi, J. W., Herr, D. R., Noguchi, K., et al. LPA receptors : subtypes and biological actions. Annu Rev Pharmacol Toxicol 50, 157-186, 2010.
9. Rosen, H., Gonzalez-Cabrera, P. J., Sanna, M. G., et al. Sphingosine 1-phosphate receptor signaling. Annu Rev Biochem 78, 743-768, 2009.
10. Mandala, S., Hajdu, R., Bergstrom, J., et al. Alteration of lymphocyte trafficking by sphingosine-1-phosphate receptor agonists. Science 296, 346-349, 2002.
11. Bernard, J. Free fatty acid receptor family : novel targets for the treatment of diabetes and dyslipidemia. Curr Opin Investig Drugs 9, 1078-1083, 2008.

総論

1-c 補　体

福島県立医科大学医学部免疫学講座
藤田禎三

概要

補体とは，生体に侵入した微生物を排除するための重要なエフェクターとして生体防御に機能している一群の蛋白の総称で，生体に病原体が侵入すると，それを認識し，一連の連鎖的な活性化反応の結果，病原体を処理し，最終的に破壊する．初回感染において，病原微生物が生体に侵入した場合の補体の働きは，次の通りである．1)侵入した病原体に対する自然抗体が存在すると，自然抗体はIgM抗体なので古典的経路を活性化する．2)パターン認識分子として補体系蛋白のマンノース結合レクチン(MBL)とフィコリンが，微生物上の糖鎖を認識してレクチン経路を活性化する．3)微生物上の特有の構造によって第二経路が活性化される場合もある．特に，最近明らかにされた補体レクチン経路は，多くの病原体を認識し，自然免疫の中で重要な働きをする．補体レクチン経路の重要性は，MBL欠損症患者の易感染性で知ることができ，予防医学を考える上で，重要と考えられる．

はじめに

免疫系の機能を簡潔に言い表すと異物(非自己)を識別する認識能力とそれを排除する能力である．高等動物における免疫系は，初期感染防御において重要な働きをする自然免疫または先天性免疫(innate immunity)と，特異的な認識機構とその記憶に特徴を持つ獲得免疫(acquired or adaptive immunity)に分けることができる．自然免疫は本来生体に備わっており，生体に侵入した病原微生物にただちに働くという特徴を持つ．そして，引き続き起こる獲得免疫の反応を確実なものとする．自然免疫は，獲得免疫を持たない無脊椎動物においても普遍的に生体防御に機能している[1]．そして，自然免疫は，貪食作用を中心とした異物排除システムでその認識機構については不明な点が多かったが，近年，この自然免疫が注目される大きな理由は，ショウジョウバエで発見されたTollレセプターとその機能に関する研究が飛躍的に進むにつれて，獲得免疫とは異なった認識機構と異物排除機構が明らかになったためと考えられる．特に，自然免疫において生体に侵入した病原体を非自己と認識する機構は，パターン認識と呼ばれ，微生物上に保存されているpathogen-associated molecular patterns (PAMPs)に対する認識機構であると考えられている[2]．このパターン認識分子は，胚細胞(germ line)にコードされ，獲得免疫の認識分子(抗体とT細胞レセプター)が遺伝子の再構成によって多様性を得ていることときわだった違いを示している．このようなパターン認識分子として補体系蛋白のマンノース結合レクチン(mannose-binding lectin；MBL)が存在する．更に，最近，フィコリンもMBLと同様に補体レクチン経路を活性化することが明らかにされた[3, 4]．そこで，本稿では，最近明らかとなった補体レクチン経路を含めて，補体について概説する．

1. 補体系の概略

補体とは，生体に侵入した微生物を排除するための重要なエフェクターとして生体防御に機能している一群の蛋白の総称である．補体は，約30種以上の血清蛋白質と膜蛋白質によって構成され，補体系を形成している．補体系は，生体に病原体が侵入すると，それを認識し，一連の連鎖的な活性化反応の結果，病原体を処理し，最終的に破壊する．補体系は，認識機構と反応開始後第3成分(C3)が限定分解に至るまでの補体活性化経路と病原体を破壊する後半の膜傷害複合体(membrane attack complex：MAC)と，さらに，補体制御因子と補体レセプターによって構成される．補体系の活性化経路には，抗原抗体反応により特異的に活性化される古典的経路と，細菌やウイルス上の糖鎖を認識するレクチン(マンノース結合レクチンとフィコリン)によって活性化されるレクチン経路と，非特異的にC3を結合させる第二経路が知られている．

補体系は，抗体を認識分子として機能する古典的経路が先に発見されたため，抗体を補うという意味で補体と名付けられた．最近初期免疫における補体の重要性が明らかになりつつある．まず，初回感染において，病原微生物が生体に侵入した場合の補体の働きについて考えてみよう．侵入した病原体に対する自然抗体が存在すると，自然抗体はIgM抗体なので古典的経路を活性化する．自然抗体がない場合でも，パターン認識分子として補体系蛋白のマンノース結合レクチンとフィコリンが，微生物上の糖鎖を認識してレクチン経路を活性化する．また，微生物上の特有の構造によって第二経路が活性化される場合もある．いずれの経路が活性化されても，活性化された補体第3成分(C3b)が，侵入した病原微生物上に結合する．この補体活性化に伴い，アナフィラトキシンと呼ばれる補体フラグメントができ，炎症を引き起こす(炎症のメディエーターの放出)．アナフィラトキシンのなかでC5aは，走化性因子としての活性を持ち，食細胞を平時のリザーバーである血管から，感染局所に動員させる．動員された食細胞は，補体レセプターを介して微生物を貪食し(オプソニン反応)，食細胞に処理される．さらに，補体後半成分のC5b-C9は，膜傷害複合体(MAC)として，生体内に侵入した微生物を殺すことができる(殺菌作用)．このように生体に侵入した病原体は処理されるが，その後に，C3フラグメント(C3d)の結合した抗原に対する抗体産生が増強することが明らかになり，補体系はアジュバントとしても機能する．IgG抗体が産生されると古典的経路が活性化され，IgG抗体とC3によってオプソニン化された病原体は，食細胞上のFcレセプターと補体レセプターの共同作用により，速やかに処理されると考えられている．更にC1q欠損マウスの解析から，アポトーシス細胞の排除に補体系が関与していることが明らかとなった[5, 6]．また，補体系は，種々の制御因子によって，補体の活性化と無駄な消費をコントロールされており，細胞膜上には，強力な補体制御因子が存在し，自己補体による傷害から，自己細胞を保護している．このような補体の活性化経路と生物学的活性を図1に示した．

2. 補体活性化経路

補体蛋白は主として肝臓で産生分泌される血清蛋白で，生体内では酵素前駆体，チモーゲン(zymogen)として存在する．補体活性化に伴い，

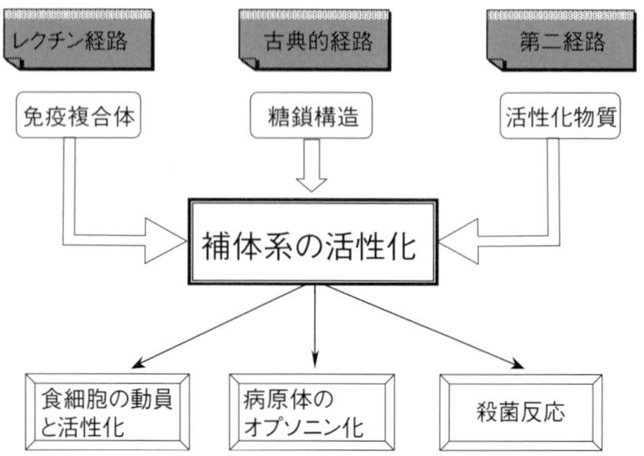

図1　補体活性化経路と補体の生物学的活性

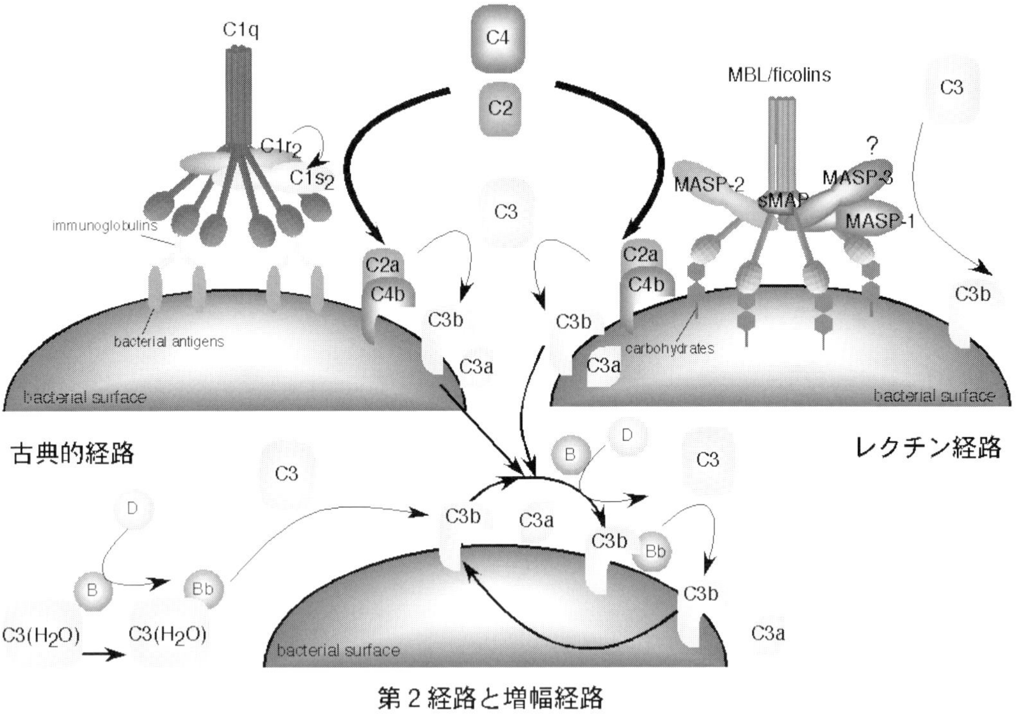

図２　補体活性化経路の分子機構

古典的経路の活性化は，抗体が認識分子として機能し，抗原に結合しその形状が変化した抗体分子にC1が結合することによって始まる．C1分子は，C1q1分子とC1rとC1sが２分子ずつ結合した複合体で，C1q分子は免疫グロブリンへの認識と結合をつかさどり，N末端はコラーゲン様構造を有し，C末端は球状となっているC1の酵素活性は，酵素前駆体として存在するC1rとC1sの活性化によって生じ，C1sはC4をC4bとC4aに限定分解する．C4bは，C2を結合し，C1sによって分解されたC2aと新たな分子集合体C4b2aを形成する．この複合体がC3転換酵素と呼ばれC3をC3bとC3aに分解する．レクチン経路では，MBLとフィコリンが微生物上の糖鎖に結合し補体系を活性化する．その詳細な機序は，今後の研究を待たなければならないが，C1r/C1s様の２種類のセリンプロテアーゼ，MASPが関与している．MASP-2が古典的経路C1sと同様にC4とC2を分解し，C3転換酵素を生成する．一方，MASP-1には直接C3を分解する活性があり，第二経路を活性化する．また，MBLとフィコリンには，MASP-2と一部相同なsMAPと最近，新たに発見されたMASP-3が結合しているが，その機能はは不明である．第２経路の活性化には認識分子は関与せず，微生物上の得意な構造が関与していると考えられている．また，古典的経路とレクチン経路が活性化されると増幅経路として機能する．

活性型の酵素となる．古典的経路と膜障害複合体の場合，C1q, C1r, C1s, C4, C2, C3, C5, C6, C7, C8, C9の順序で反応するが，酵素反応はC5までである．C1r，C1s，MASPの場合は１本鎖の前駆体で存在し，２本鎖の酵素活性型に変化する．第二経路のD因子は唯一，活性型で血液中に存在する．他の補体蛋白C4, C2, C3, C5とB因子は，部分分解を受けて大きな分子と小さな分子に切断される．通常，切断された小さなフラグメントに“a”に大きなフラグメントに“b”を付す．たとえば，C3aとC3bやBaとBbのごとくであるが，例外として，歴史的な背景から，C2の場合，酵素活性をもつ大きなフラグメントがC2aであり，遊離する小さなフラグメントがC2bである．また，C1r，C1s，MASPなどの場合，通常の酵素と同じに基質認識部分と酵素活性部分が同一分子内に存在するが，C3転換酵素，C4b2aの場合，新たに生成したC4bが次に反応するC3分子を認識し，C2aに酵素活性が存在する．このようなカスケード反応は，補体系に特有であり，遺伝子重複とエクソンシャフリングの結果生じたと考えられている．補体活性化経路を図２に示す[3～6]．

1. 古典的経路

古典的経路の活性化は，抗体が認識分子として機能し，抗原に結合しその形状が変化した抗体分子にC1が結合することによって始まる．ヒトにおいては，C1はIgM，IgG1とIgG3に強く結合し，IgG2には弱く，IgG4と他の免疫グロブリンには結合できない．C1分子は，C1q1分子とC1rとC1sが2分子ずつ結合した複合体で，C1q分子は免疫グロブリンへの認識と結合をつかさどっている．C1 q分子は3種類のポリペプチドからなる6本のサブユニットで構成され(合計18ポリペプチド)，N末端はコラーゲン様構造を有し，C末端は球状となっている．C 1の酵素活性は，酵素前駆体として存在するC1rとC1sの活性化によって生じる．C1rとC1sはともにセリンプロテアーゼで，1本鎖の前駆体が切断されることで活性型になる．さらに生体内ではC1分子はC1インヒビターと非可逆的に結合しており，C1rの自己活性化を防いでいる．しかし，C1qの球状部分が免疫グロブリンのFc部分に多価結合すると，C1インヒビターを分子外に追い出し，C1r前駆体が自己活性化し，活性化されたC1rは前駆体C1sを活性化する．

C1 sはC4をC4bとC4aに限定分解する．C4bはその分子内に存在するチオエステル結合部位の反応性が高まり，細胞膜上の水酸基やアミノ基に共有結合する．このように結合したC4bは，C2を結合し，C1sによって分解されたC2aと新たな分子集合体C4b2aを形成する．この複合体がC3転換酵素と呼ばれC3をC3bとC3aに分解する．C3の分解，すなわち活性化によって補体系の種々の生物活性が発来し，補体活性化にとって最も重要なできごとである．

C3分子は，C4分子と同様に分子内にチオエステル部位を持ち，C3転換酵素によってC3a断片が切断されると，エステル交換反応を起こして細胞膜上の水酸基やアミノ基に結合する．食細胞上の補体レセプターはC 3分子が結合した微生物を認識し貪食する．C3分子の一部は，近傍に存在するC4b分子にも共有結合し，C5転換酵素を形成する．C3とC5を限定分解する酵素活性はC2aに存在する．

2. レクチン経路

レクチン経路の認識分子としては，後述のようにMBLとフィコリンが存在し，多くの細菌・酵母・ウイルスに結合し補体系を活性化することが判明している．その機序は，C1r/C1s様の2種類のセリンプロテアーゼ，MASP-1 (MBL-associated serine protease-1)とMASP-2を介して活性化されると考えられている．両MASPは，血清中では1本鎖の未活性型の形態をしてレクチンと結合しており，MBLがリガンドに結合すると，2本鎖の活性型に変換する(図3)．活性型のMASP-2が古典的経路と同様にC4とC2を分解し，C3転換酵素を生成する．一方，MASP-1には直接C3を分解する活性があり，第二経路を活性化する．また，MBLとフィコリンには，MASP-2と一部相同なsMAPと最近，新たに発見されたMASP-3が結合しているが，その機能はは不明である(図2)．MBLとC1q，MASP-1/MASP-2とC1r/C1sはそれぞれ構造的にも相同性があり，MBL-MASP複合体は，C1複合体と機能的にも類似しているが，その詳細な機構は，今後の研究の成果を待たなければならない．古典的経路においては，免疫グロブリンが認識分子として機能し，C1qを介してセリンプロテアーゼのC1rとC1sを活性化するが，レクチン経路では，レクチンが認識分子として働き，MASPが活性化され，抗体の関与なしに感染初期で働く重要な経路と考

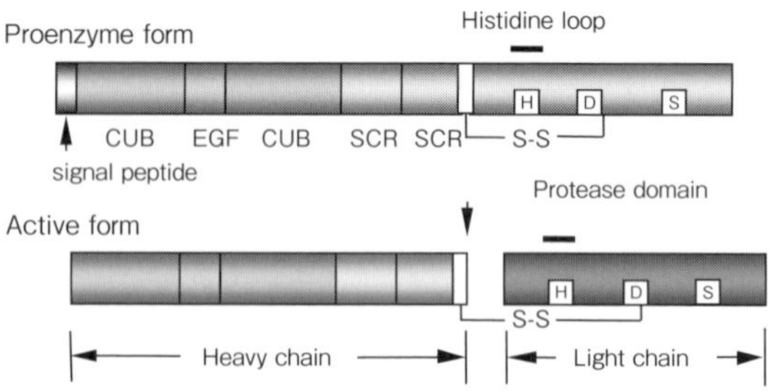

図3 MASPの分子構造

MASPはN端からシグナルペプチドに続き，CUBが2つ，EGF様ドメイン，CCPが2つおよびセリンプロテアーゼドメインからなる．血液中では，シグナルペプチドがはずれた一本鎖の未活性型で存在し，MBLやフィコリンが糖鎖リガンドに結合すると2本鎖の活性型に変換する．最近，明らかになったMASP-2欠損症は，CUB1の点変異の結果生じる．

えられる[3)].

3. 第二経路の活性化

第二経路の活性化機構は，古典的経路やレクチン経路と異なり，認識機構を持たず，C3分子の特異的な性質が関与している．第二経路はC3，B因子（B），D因子（D），プロパジン（P）H因子（H）I因子(I)によって構成されている．C3は，前述のように分子内にチオエステルを持っていて，わずかづつで水分子と反応し，チオエステルが開裂してC3（H_2O）になる．H2O分子と反応して，チオエステル部位が加水分解を受けたC3分子は，B因子を結合し，セリンプロテアーゼのD因子の作用を受けて，初期C3転換酵素C3（H_2O）Bbを形成する．この初期C3転換酵素は，C3をC3aとC3bに分解し，上述のようにエステル結合活性を持つC3bができ，細胞膜上に結合することができる．このことは第二経路が，常に少しづつ活性化の状態にあることを示している．このように生成したC3bは，通常，血中の制御因子，H因子とI因子によって不活化されるが，第二経路の活性化物質である微生物の細胞表層の多糖類などに結合すると，これら制御因子の反応を受けず，更にB因子とD因子が反応して，細胞膜上に第二経路のC3転換酵素，C3bBb複合体が形成される．C3bBb複合体は，C3をC3aとC3bに分解し，その結果生じたC3bが，C3bBb複合体中のC3bにエステル結合しC3bダイマーとなり，C5転換酵素を形成する．C3とC5を限定分解する酵素活性はBbに存在する．このように第二経路のC3転換酵素は，細胞膜上に結合したC3bによって形成されるので，古典的経路とレクチン経路が活性化されても同様の反応が起こり，増幅経路とも呼ばれる(図2).

3. レクチン経路の認識分子

古典的経路は，抗体が抗原を認識し，その結果構造的変化を起こしたIgMとIgG分子のFc部分に，C1の亜成分C1qが結合する．レクチン経路に関与するMBLと最近レクチン経路を活性化することが判明したフィコリンは，いずれも古典的経路のC1qと同様にコラーゲン様構造を持つ特徴がある．また，構造的にも機能的にも，ともにレクチンとして異物を多価認識するという点ではIgMにも類似している．MB Lは糖鎖結合にカルシウムを必要とし，マンノースやN－アセチルグルコサミン(GlcNAc)などに結合特異性を示す．分子量32 k Dのサブユニットのからなり，主としてコラーゲン様ドメインと糖鎖認識ドメイン(CRD)から構成される．一方，フィコリンはコラーゲン様ドメインとフィブリノーゲン様ドメインを持つ蛋白質のファミリーで，ヒト血清には二種類のフィコリン(L-ficolinとH-ficolinまたは，博多抗原)がある．フィコリンの糖鎖結合部位はフィブリノーゲン様ドメインにある．C1q，MBL，フィコリンとも三つのサブユニットがジスルフィド結合で架橋して一つのユニットとなり，さらにユニット間の架橋でオリゴマーを形成する(図4)．L-ficolinは主としてGlcNAcに結合し，H-ficolinはN－アセチルガラクトサミンとフコースに結合すると考えられている．

補体を活性化するレクチンが，侵入した異物を非自己として識別する機構は以下の通りである．MBLは，CRDを介してピラノース環3，4位に水酸基を持つ糖を認識することが結晶化解析により判明している．このことは，CRDの認識ポケットに合致する糖，すなわち，主としてマンノースとGlcNAcを認識し，生体内に多く存在するガラクトースやシアル酸を認識することはない．もう一つの機構は，MBLが多くのCRDを介して糖鎖を多価認識し，結合力(avidity)を増している点である．ですから，同じ糖鎖であっても，生体内の糖鎖に結合せず，微生物上に多く連続的に存在する糖鎖，すなわち，pathogen-associated molecular patterns（PAMPs)には結合し，自己と非自己を識別している(1，3)．フィコリンについては，いまだ不明な点が多いが，糖鎖を認識すると考えられるフィブリノーゲン構造の結晶化解析がカブトガニのTachylectin 5Aで行われ，ピラノースリングのN－アセチル基を認識する構造が明らかにされており，同様の機構が推定される[7)].

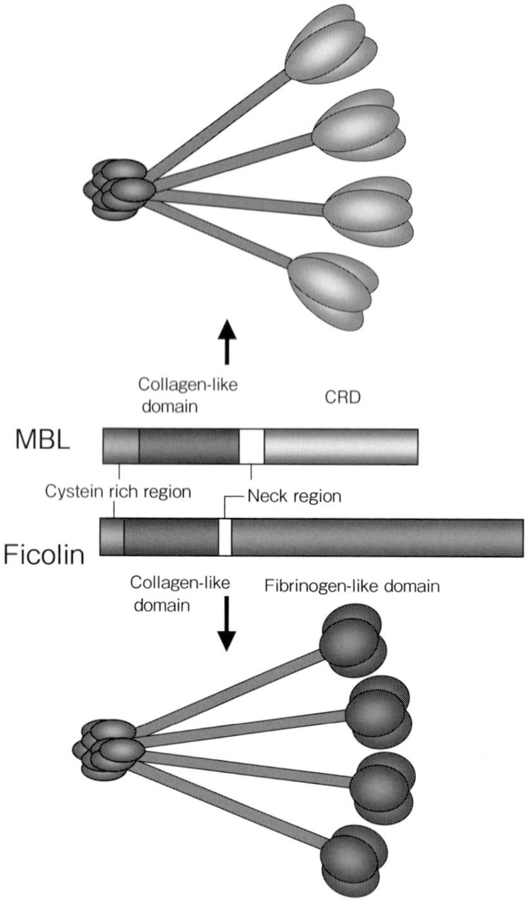

図4　マンノース結合レクチンとフィコリンの構造
マンノース結合レクチン(MBL)とフィコリンは，各々3本の同一のサブユニットで構成され，MBLは分子量32-kDaで，フィコリンは35kDaで構成される．N末端より，システインの富む部分，コラーゲン様構造，ネック領域があり，MBLではCRD，フィコリンでは，フィブリノーゲン様構造を取る．MBLには3-6量体の構造が知られており，本図では，4量体を示している．ヒトフィコリンはL-ficolinとH-ficolinが知られており，それぞれ4量体と6量体であると考えられている．図にはL-ficolinを示してある．

4. レクチン経路の感染防御における役割

MBLやフィコリンはおのおのの糖鎖結合特異性に基づき，微生物表面の糖鎖を認識して結合する．MBLが結合することが知られている微生物は多岐に渡っている．細菌では大腸菌，サルモネ

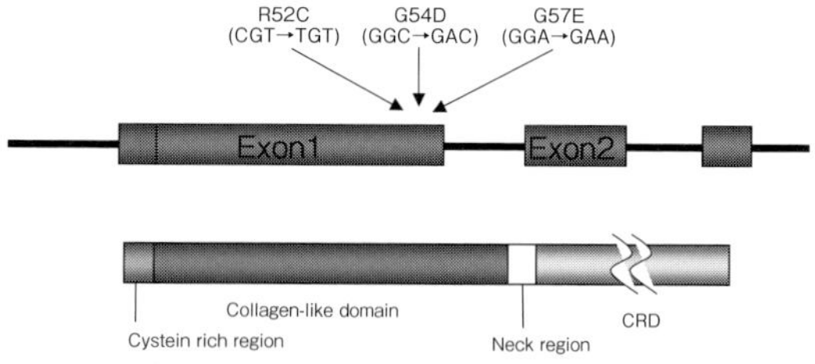

図5　MBL欠損症の遺伝子変異
MBL欠損症退遺伝子変異は，エクソン1のコドンの点変異で図に示すようなアミノ酸の変異を伴い，コラーゲン領域の中央部分に位置する．

ラ菌，リステリア菌，髄膜炎菌，インフルエンザ菌，抗酸菌等，ウイルスではHIV-1，HIV-2，インフルエンザA等，真菌ではカンジダアルビカンスやクリプトコッカスネオフォルマンス等である．一方，フィコリンではL-ficolinが上述のようにサルモネラ菌や大腸菌に，また博多抗原ではサルモネラ菌由来のLPSに結合することがわかっている．MBLやフィコリンの微生物への結合に伴うレクチン経路の活性化はin vitroの系で幾つかの微生物について報告されている．実際に生体内においてレクチン経路が感染防御において果たす役割については，MBLの欠損者が特に幼児期において易感染性を呈することから知ることができる．

MBL欠損の主な原因は，MBL遺伝子のコドン52（Arg → Cys），54（Gly → Asp），57（Gly → Glu）において括弧内のアミノ酸置換へつながる変異にある．これらのコドンはいずれもコラーゲン様ドメイン内にあり，合成されるMBLはオリゴマーが正常に形成されない．その結果として分泌の低下や速い代謝分解が起き，血清中のMBL欠損になると推定されている(図5)．この遺伝子変異は民族によって偏りがあり，日本ではコドン54の点変異のみが報告されている．これらの変異とともにMBL遺伝子のプロモーター領域の多型も血中濃度に影響を与えていると考えられている．一方コドン54の点変異では，合成されるMBLはMASPとの結合性が損なわれておりレクチン経路活性化能も欠如している．このように血清MBLの欠損や低値を伴うMBL遺伝子

の変異は免疫不全を起こし，感染のリスクファクターとなりうる．これまでに細菌やHIV，慢性B型肝炎などのウイルスの感染について，MBL遺伝子の変異との相関が報告されている[7, 8]．また，最近，MASP-2欠損症が報告され，易感染性とSLE様の症状を呈し，レクチン経路は全く活性化されない[10]．この遺伝子変異は，MASP-2蛋白のCUB1ドメイン中にあり，105番のAspがGly（GCA → GGC）に変異したものであり，今後の検索に興味がもたれる．

おわりに

補体が抗体のエフェクター分子として発見されてから，100年以上を経過して，最近初期免疫反応における補体の役割が明らかになるとともに，抗体産生における役割やアポトーシス細胞の処理のおける役割などが明らかになり，補体の生体防御における重要性が再認識されている．一方，免疫の起源を探ってみると抗体やリンパ球や主要組織適合性遺伝子複合体（MHC）などの獲得免疫の基本形と補体古典的経路は，サメやエイに代表される軟骨魚類で完成したと考えられている．最も原始的な脊椎動物の円口類（ヤツメウナギなど）と多くの無脊椎動物には，獲得免疫は存在せず，Tollレセプターやレクチンなどのパターン認識分子が自己と非自己を識別し，自然免疫に機能していると考えられる．補体C3は，棘皮動物のウニと原索動物のマボヤにおいて発見され，オプソニンとして機能していることが判明しており，原索動物のマボヤとにおいてはレクチン経路の原型の存在が確認されている．この原型をもとに，遺伝子重複などを重ね，哺乳類の存在するレクチン経路に進化したと考えられる．また，レクチン経路を原型として，古典的経路が進化したものと思われる．このことは，抗体と補体古典的経路が出現するまで，補体が生体防御の中心的役割を果たしてきたことを意味し，無脊椎動物の自然免疫を高等動物の獲得免疫に橋渡しをしているということができる(3)．このように，補体レクチン経路は，古くから自然免疫において重要な役割を果たしており，生体が生まれながらに持っている防御機構で，予防医学の観点からも非常に重要なシステムであり，今後の研究の発展が期待される．

参考文献

1. Hoffmann, J. A., Kafatos, F. C., Janeway, C. A. & Ezekowitz, R. A. Phylogenetic perspectives in innate immunity. Science 284, 1313-8, 1999.
2. Medzhitov, R. & Janeway, C., Jr. Innate immune recognition：mechanisms and pathways. Immunol Rev 173, 89-97, 2000.
3. Fujita, T. Evolution of the lectin-complement pathway and its role in innate immunity. Nature Rev Immunol 2, 346-53, 2002.
4. Matsushita, M. & Fujita, T. Ficolins and the lectin complement pathway. Immunol Rev 180, 78-85, 2001.
5. Walport, M. J. Complement. First of two parts. N Engl J Med 344, 1058-66, 2001.
6. Walport, M. J. Complement. Second of two parts. N Engl J Med 344, 1140-4, 2001.
7. Kairies, N. et al. The 2.0-A crystal structure of tachylectin 5A provides evidence for the common origin of the innate immunity and the blood coagulation systems. Proc Natl Acad Sci U S A 98, 13519-24, 2001.
8. Turner, M. W. Mannose-binding lectin：the pluripotent molecule of the innate immune system. Immunol Today 17, 532-40, 1996.
9. Jack, D. L., Klein, N. J. & Turner, M. W. Mannose-binding lectin：targeting the microbial world for complement attack and opsonophagocytosis. Immunol Rev 180, 86-99, 2001.
10. Stengaard-Pedersen K, et al. Inherited deficiency of mannan-binding lectin-associated serine protease 2. N Engl J Med 349, 554-560, 2003.

1-d　メタロプロテアーゼ

愛知医科大学・分子医科学研究所・教授
渡辺秀人

はじめに

プロテアーゼ(蛋白質分解酵素)は蛋白質のペプチド結合の加水分解を触媒する酵素の総称で，動物，植物，微生物界に広く分布し，細胞内外に存在するタンパク質代謝全般に関与するのみならず血液凝固・線溶・補体系，生体防御系，受精，アポトーシス，抗原提示，遺伝子発現や細胞周期の調節等，様々な生命現象に関与する．プロテアーゼは，ペプチド鎖の内側を切断するエンドペプチダーゼとN-末端あるいはC-末端から規則正しく分解していくエキソペプチダーゼとに分類される．また，活性中心のアミノ酸の種類によって，セリンプロテアーゼ，システインプロテアーゼ，アスパラギン酸プロテアーゼ，メタロプロテアーゼの4種に分類される．メタロプロテアーゼのうちマトリックスメタロプロテアーゼ(matrix metalloproteinase, MMP)は細胞外マトリックス(extracellular matrix: ECM)を分解し，組織発生，器官形成，組織の恒常性維持のみならず，炎症，創傷治癒，がんの浸潤等の大規模な組織改築の際に重要な役割を果たす．またMMP近縁遺伝子ファミリーのa disintegrin and metalloproteinase (ADAM) /a disintegrin and metalloproteinases with thrombospondin motifs (ADAMTS) もMMPs同様，細胞外マトリックス分子の分解を担う酵素として注目されている．本稿ではメタロプロテアーゼのうちMMPsとADAM/ADAMTSに焦点を絞って概説する．

Ⅰ．マトリックスメタロプロテアーゼ(matrix metalloproteinases: MMPs)[1-4]

マトリックスメタロプロテアーゼ(英語ではmatrix metalloproteinaseなのでマトリックスメタロプロティナーゼと表記すべきだが，本邦では慣例でMMPをマトリックスメタロプロテアーゼと表記している)の最初の発見はコラゲナーゼの発見で，約50年前に遡る.「オタマジャクシのカエルへの変態には大幅な組織改築が生じるが，その際に結合組織の主要構成分子であるコラーゲンを分解する酵素が存在して機能を発揮するはずだ」との仮説に基づいて，オタマジャクシのコラゲナーゼが発見された．以来，同酵素の遺伝子ファミリー分子が次々と発見され，これらの酵素はマトリックスメタロメタロプロテアーゼ(matrix metalloproteinases = MMPs)と呼ばれるようになった．

1. MMPsの分類と構成ドメイン

現在，23種類のMMPsが同定されており，幾つかの欠番があるためMMP-28まで番号が付けられている．MMPsは分泌型と膜型に大別される．基質特異性とドメイン構造の違いから，分泌型MMPsはコラゲナーゼ群，ゼラチナーゼ群，ストロムライシン群，マトリライシン群，furin-activated群，その他の計6群に分類され，一方膜型MMPsは細胞膜への結合様式に基づいてⅠ

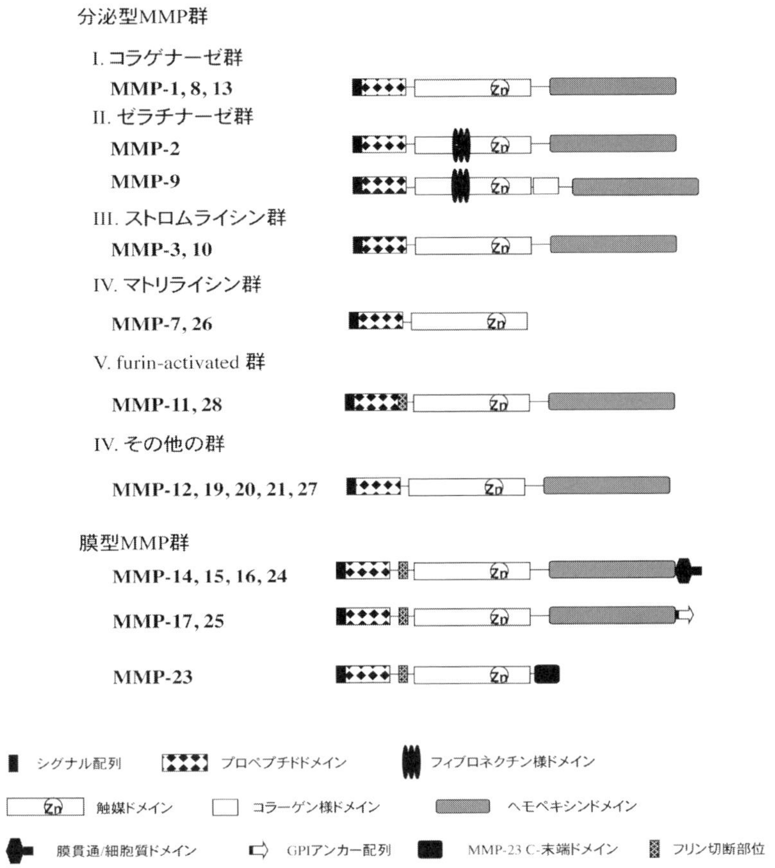

図1　ヒトMMPファミリーメンバーのドメイン構造

ヒトMMPsは分泌型と膜型に大別される．分泌型MMPsは6群に分類される．基本構造としてプロペプチドドメイン，触媒ドメイン，ヘモペキシンドメインを持つ．

型膜貫通型，Ⅱ型膜貫通型，GPIアンカー型の3群に分類される(図1)．

MMPsはN-末端側のプロペプチドドメイン，中央の触媒ドメイン，C-末端側のヘモペキシン様ドメインの3つの基本的ドメインを持っている．

(1)プロペプチドドメイン

全てのMMPは潜在型MMP（proMMP)として産生され，活性化後に初めて酵素活性を発揮する．プロペプチドドメインは約10 k Daの大きさで，そのC-末端側には保存されたアミノ酸配列(PRCG[V/N]PD配列)が存在し，同配列内のシステイン残基におけるチオール基が活性中心のZn^{2+}に対する第4の配位子として機能し，MMP活性に必要な水分子とZn^{2+}との結合を妨げている．このシステイン残基を中心として触媒ドメインに蓋のように覆い被さることにより前駆体における不活性状態を維持している．この機構はシステインスイッチと呼ばれている．なおfurin-activated群では同ドメインのC-末端側にfurin認識配列が存在する．

(2)触媒ドメイン

分子の中央に位置しMMP活性を担うドメインである．ドメインの中心にはHEXXHXGXXH配列があり，3個のヒスチジン残基にZn^{2+}が配置することによって活性中心を形成している．また，その下流にはメチオニン残基を含むMet-turn構造が存在し，活性中心の構造を補強してい

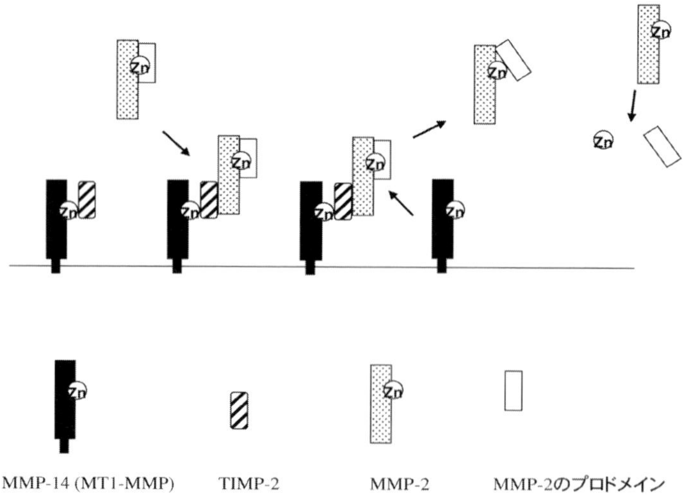

図2　MMP-14（MT1-MMP）による MMP-2 の活性化機構

MMP-14 が Tissue Inhibitor of Metalloproteinases（TIMP）-2 と結合し，潜在型 MMP-2 をリクルートする．潜在型 MMP-2 は細胞表面の TIMP-2 とヘモペキシン様ドメインで結合し，MMP-14-TIMP-2- 潜在型 MMP-2 の複合体が形成される．TIMP-2 の結合していない MMP-14 がこの複合体を認識して潜在型 MMP-2 のプロペプチドを切断して MMP-2 の部分的活性化が起こる．近傍の活性化した MMP-2 によって完全な活性型 MMP-2 となる．

る．同様な活性中心構造を持つメタロプロテアーゼは metzincin と総称されており，clan MB に分類されている．Metzincin には MMP ファミリーの他，a disintegrin and metalloproteinase（ADAM），astacin，serralysin 等のメタロプロテアーゼ群が属する．これらのファミリー間ではアミノ酸配列の相同性は高くはないが，全体の構造と活性中心のアミノ酸配列はよく保存されている．

(3)ヘモペキシン様ドメイン

ヘムタンパク質の１つであるヘモペキシンと相同性を示す配列で，MMP の C 末端側に位置するドメインである．結晶解析からヘモペキシン様ドメインは４枚の羽根からなるプロペラ状構造を持ち，触媒ドメインに向かい合った二枚貝のような構造を示し，基質を挟みつけているようである．コラーゲンなどの巨大分子の触媒反応には必須なドメインと考えられている．なお，マトリライシン群（MMP- 7 と MMP-26）にはヘモペキシン様ドメインがない．

2. MMP 活性の調節

MMP の活性は少なくとも，１）遺伝子の転写，２）蛋白質分解酵素による潜在型酵素（proMMP）のプロペプチド切断による活性化，３）生体の持つインヒビターによる活性阻害，の３つの段階で制御されている．

殆どの MMP は正常の成人組織では低レベルの発現を示すかまったく発現していないかであるが，種々のサイトカインや成長因子，あるいは物理的な細胞間相互作用によって MMP の発現が誘導される．

ProMMP の活性化はプロペプチドドメインと Zn^{2+} との結合の解離から始まり，引き続き PRCG[V/N]PD 配列の C- 末端側がプロテアーゼによって切断されて活性型となる．殆どの MMP は細胞外で活性化されるが，furin-activated 型（MMP-11，23，28）および膜型 MMP は furin 認識部位を持ち，細胞内の furin 様セリンプロテアーゼによるプロペプチドドメインの切断を受け，細胞内で活性化される．通常 MMP は別の MMP あるいはセリンプロテアーゼによって活性化されることが生化学的研究から明らかとなっている．例えば MMP- 3 は proMMP- 1，7，8，9 を，MMP- 7 は proMMP- 1，9 を，MMP-10 は

proMMP-１，８，９をそれぞれ活性化する．また，興味深いのはMMP-14（MT１-MMP)によるproMMP-２の活性化である(図２)．これは，１）細胞表面でMMP-14がTissue Inhibitor of Metalloproteinases（TIMP）-２と結合し，潜在型MMP-２をリクルートする，２)潜在型MMP-２は細胞表面のTIMP-２とヘモペキシン様ドメインで結合し，MMP-14-TIMP-２-潜在型MMP-２の複合体が形成される，３）TIMP-２の結合していないMMP-14がこの複合体を認識して潜在型MMP-２のプロペプチドを切断してMMP-２の部分的活性化が起こる，４)そして近傍の活性化したMMP-２によって完全な活性型MMP-２となる，というステップから成る．

MMPの活性は内因性のプロテアーゼインヒビターによって制御されている．組織液における主要なインヒビターはα2－マクログロブリンで，MMPと結合した後，スカベンジャーリセプターによって除去される．MMPのインヒビターでよく知られているのはTissue Inhibitor of Metalloproteinases（TIMP)で，現在４種類知られている．いずれも21-28kDaの小型分子で，MMPとは１：１に可逆的に結合する．４種のTIMPは発現パターンとMMPに対する親和性が異なる．たとえば，TIMP-２はMMP-２と結合し，TIMP-１はMMP-９と結合する．TIMP-１/MMP-９複合体はさらにMMP-３と結合して，その結果，MMP-３活性が阻害される．TIMP-１とTIMP-２は幅広くMMP活性を阻害するのに対し，TIMP-３はMMP-１，３，７，13に対する阻害活性が強く，MMPの他，ADAM-17の活性を阻害する．TIMP-４はMMP-２と-７に対して強い阻害活性を，MMP-１，３，９に対して比較的弱い阻害活性を示す．上述の如くTIMP-２がMMP-２の活性化に重要な役割を果たすことから，TIMPsはMMPsのインヒビターとしてではなくMMPsの活性化にも重要な役割を果たすと推測されている．その他にMMP活性を調節する分子としてはトロンボスポンジン（Thrombospondin）とReversion-inducing cysteine-rich protein with kazal motifs (RECK)がある．トロンボスポンジン-２はMMP-２と結合しスカベンジャーリセプターを介したエンドサイトーシスを起こす一方，トロンボスポンジン-１はproMMP-２，proMMP-９と結合してこれらの活性化を直接阻害する．RECKは細胞表面でMMP活性を阻害する．

MMPが十分な活性を発揮するには同酵素が細胞表面かその近傍に局在する必要があると考えられており，これを支持する証拠がいくつか挙げられている．たとえばMT１-MMPはinvadopodiaと呼ばれるがん細胞の先進部に局在しているが，MT１-MMPが細胞表面から分泌されてしまうと活性を失う．一度分泌されたMMPが細胞膜上の分子と結合して細胞表面に局在することがMMPの機能に重要であると考えられている．たとえばMMP-１はインテグリンやイミュノグロブリンスーパーファミリーに属するEMMPRINと，MMP-２はそのヘモペキシン様ドメインを介してαVβ3－インテグリンと，MMP-７はヒアルロン酸リセプターとして知られるCD44のうちヘパラン硫酸を持つアイソフォームや細胞膜型ヘパラン硫酸プロテオグリカンと結合する．MMP-９はCD44，ICAM-Iおよび種々のインテグリン，さらには細胞表面に局在するⅣ型コラーゲンと結合する．マウス乳癌細胞の表面に局在するMMP-９を細胞表面から解離させると乳癌細胞の浸潤能はなくなり，融合タンパク質を発現させてMMP-９を細胞表面に局在させると浸潤能は回復する．同様に，出産後の子宮上皮と乳腺上皮においてCD44HSPGとMMP-７を解離させるとMMP-７は先端部から基底部へと移行し，細胞死と組織改築の障害が起こる．ECMの改築が行われるのは細胞がECMと接している部位であり，酵素が組織改築の行われる部位に局在しているのは確かに目的にかなっている．

3. MMPの基質

プロテアーゼによる細胞遊走の亢進は，ECM分子の分解によるECMの破壊が主な要因と考えられる．足場を失えば細胞はおのずと動くようになるのは当然である．しかしながら最近，ECM内に埋没していたサイトカインや成長因子がプロテアーゼによって放出されたり，ECM分子の部分的分解に伴い同分子が内部に持つ機能ドメインが表面に露出することによって細胞の挙動が変化することがわかってきた．例えば，IV 型コラーゲンやラミニン - 5がMMPによって分解され，これら分子の内部に存在する遊走亢進ドメインが表面に現れて遊走が亢進する．

MMPの基質はECM分子に限らない．成長因子の前駆体や細胞膜リセプターも基質となる．インシュリン様成長因子結合蛋白質は種々のMMPによって分解されインシュリン様成長因子を放出させるし，パールカンの分解はFGFの放出を促す．デコリンなどの潜在型TGF-βの結合タンパク質はMMPによる分解を受け，その結果，局所における活性型TGF-β量が増える．潜在型TGF-_はMMP-２，MMP-９によって活性化されるし，MMP-14とαVβ8インテグリンを含む細胞表面上の複合体は活性型TGF-βを放出する．細胞表面上のヘパリン結合性FGFはMMP-３，７によって切断されて活性型となる．

成長因子のリセプターもMMPの基質となる．例えば，ErbB２，ErbB４等のEGFリセプターと肝細胞成長因子 /scatter factor receptor cMetのシェディングはそれぞれTIMP-１とTIMP-３によって抑制されるし，FGFリセプター１はMMP-２の基質となる．MMP-３によるE-カドヘリンの切断，MMP-14によるCD44やαVインテグリンの切断，MMP-７による_４インテグリンの切断も報告されている．また，シンデカン - １とCXCケモカインのKCの複合体のMMP-７による分解が好中球の炎症局所への浸潤を制御しているという報告もある．サイトカイン，サイトカインリセプター，およびケモカインもMMPによって切断される．Tumor necrosis factor-α（TNF-α）はADAM-17，MMP-１，３，７によって細胞表面から放出され，Fas ligand（FasL）はMMP-７によってシェディングされる．インターロイキン - 2リセプターaはMMP-９依存的な抑制を受けるし，MMP-２はmonocyte chemoattractant protein-３を切断して不活化する．MMP-９はインターロイキン８を切断しその作用を強める一方，connective tissue activating peptide III，platelet factor ４，growth-related oncogene α」を分解して不活化する．同様にStromal cell-derived factor（SDF-1）もMMP-１，３，９，13，14によって分解を受け活性を失う．

4. MMPの病態における役割

（1）がんの浸潤における役割

がんの浸潤・転移におけるMMPの機能は前述のように，１）ECMの破壊，２）ECM内部に埋没する成長因子の露出，３）細胞表面の成長因子前駆体の活性化等を通して発揮される．

がん（cancer）の多くは上皮由来の癌腫（carcinoma）である．癌腫が浸潤する際にはまずIV 型コラーゲンの網目構造からなる基底膜を破壊する必要があり，IV 型コラーゲンを特異的に分解する酵素が浸潤・転移の鍵を握ると考えられてきた．同酵素はMMP-２とMMP-９の２種類存在し，おのおの72kDaゼラチナーゼ /IV 型コラゲナーゼ，92kDaゼラチナーゼ /IV 型コラゲナーゼとも呼ばれてきた．MMP-９は，CD44等の細胞・基質間接合分子と会合してがん細胞膜上に局在し，腫瘍血管新生を制御していると思われる．一方，MMP-２の発現が癌の浸潤能および腫瘍血管新生と深い相関を示すことも知られている．MMP-２は，プラスミン，トロンビンおよびMMP-14（MT１-MMP）により活性化されるが，特に細胞膜表面におけるMMP-14のMMP-２活性化ががんの浸潤・転移に重要なプロセスであると推測される．

腫瘍細胞の生存に関与する分子のいくつかはMMPによって制御されている．例えばMMP-７はFasLを分解してFasとFasLとの結合によって生じるアポトーシスを抑制するし，MMP-７はヘパリン結合性EGF前駆体を切断し活性型EGFを放出し，これがErbB１，ErbB４のリセプターと結合してアポトーシスが抑制される．また，MMP-11を発現する線維芽細胞が腫瘍細胞の生存を支持するという報告もある．

血管新生にも種々のMMPが深く関与する．新生血管のスプラウティングには内皮細胞遊走の道筋ができなければならないが，この過程にはMMPによるECMの分解が必要である．また，MMP-9欠損マウスにみられる血管新生障害による軟骨内骨化の遅延，MMP-９欠損膵島腫瘍や皮膚腫瘍における血管新生の欠如，MMP-９によるVEGFの生理活性の増加や潜在型TGF-βの活性化という観察結果は血管新生においてMMP-９が重要な役割を果たしていることを示

図３　ADAMのBeloved Liberator概念の模式図

ADAMは細胞表面上の別の分子Aとディスインテグリンドメインにて結合し，メタロプロティナーゼドメインによってその分子を切離する．あるいは分子Aと結合している分子Bを切断する．これによって細胞表面の分子がシェディング（細胞膜から解放）される．この概念は「beloved liberator」として提唱されている．

している．また，MMP-２発現の低下に伴って腫瘍浸潤能が低下するという研究結果やMMP-２欠損マウスにおいて腫瘍の増殖と血管新生が抑制されているという観察結果はMMP-２の血管新生における役割を示している．MMPは血管新生抑制因子であるアンジオスタチン（angiostatin），エンドスタチン（endostatin）を産生することで血管新生の抑制にも働く．MMP-２，３，９，12はプラスミノーゲンを切断してアンギオスタチンを産生し，MMP-３，９，12，13はXVIII型コラーゲンを切断してエンドスタチンを産生する．

（２）創傷治癒における役割

創傷治癒の過程で表皮細胞は真皮上を遊走して創を覆う．表皮細胞がI型コラーゲン上を遊走する際にはMMP-１によるコラーゲンの特異的分解が不可欠であることがわかっている．MMPのインヒビターを投与すると，表皮細胞の遊走が障害され，創傷治癒も遅延する．プラスミノーゲン欠損マウスでも同様に創傷治癒の遅延が観察され，同マウスにMMPインヒビターを投与すると表皮細胞の遊走が完全に阻害されることから，創傷治癒過程においてプラスミンとMMPの両者が恐らく協調的に作用していると考えられている．MMP-３欠損マウスにおいても創傷治癒の遅延が観察されるが，同酵素の作用は表皮細胞の遊走ではなく線維芽細胞による創の収縮に重要と考えられている．

Ⅱ．ADAM/ADAMTS [5-11]

ADAM（a disintegrin and metalloproteinase）はmetzincinスーパーファミリーのadamalysin/reprolysin subfamilyに属するメタロプロテアーゼで，インテグリンと結合するディスインテグリン（disintegrin）ドメインとメタロプロティナーゼドメインを分子内に持つので，細胞接着機能と蛋白質分解機能を有すると推測されている．ADAMはC-末端側に膜貫通ドメインを持つ膜型ADAMとトロンボスポンジンモチーフを有する分泌型可溶性蛋白質のADAMTS（a disintegrin and metalloproteinase with thrombospondin motifs）とに大別される．膜型ADAMは細胞間接着分子として働き細胞膜表面において膜結合蛋白質を切断して放出する機能があると考えられており，この概念は「beloved liberator」として提唱されている（図３）．

１．ADAMとADAMTSのドメイン構造（図４）

膜型ADAMはプロドメイン，触媒ドメイン，ディスインテグリンドメイン，システインリッチドメイン，EGF様リピート，膜貫通/細胞質ドメインから成る．

プロドメインは触媒ドメインのZn^{2+}と結合して酵素を潜在型に保つ機能があり，細胞内でfurin様のプロテアーゼによって切離され，酵素が活性を獲得すると考えられている．ADAMTSではN-末端側のドメインはプレプロドメインと

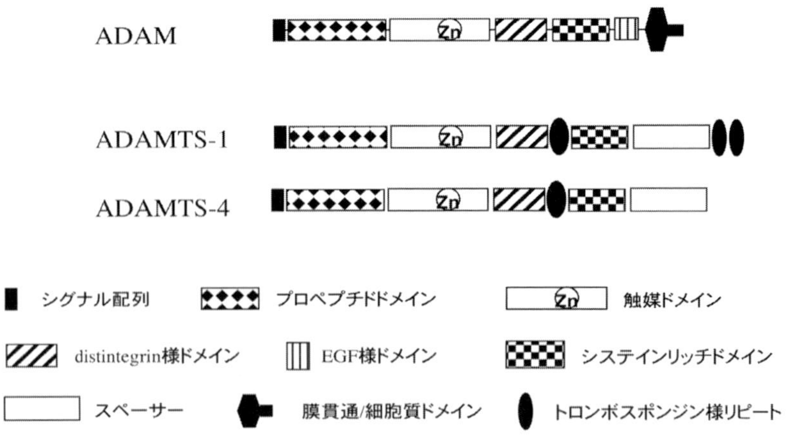

図4　ADAMとADAMTS-4，5の基本的ドメイン構造

ADAMはプロドメイン，触媒ドメイン，disintegrinドメイン，システインリッチドメイン，EGFリピート，膜貫通/細胞質ドメインから成る．ADAMTSでは，プロドメイン(プレプロドメインと呼ばれている)，触媒ドメイン，disintegrinドメイン，システインリッチドメインはADAMと共通だが，さらにいくつかのTSリピートが存在する．そのうち最もN-末端側のものはdisintegrinドメインとシステインリッチドメインの間に位置している．スペーサードメインに続くTSリピートの数はADAMTSによってまちまちである．ADAMTS-1にはこの部分にTSリピートが1個あるが，ADAMTS-4にはない．

呼ばれ，いくつかのシステイン残基を持つが，このうちC-末端側のシステインがMMP同様，システインスイッチとして機能すると考えられている．

触媒ドメインはADAMメンバー間でよく保存されており8つのシステイン残基と典型的なreprolysinタイプのZn^{2+}結合領域を含んでいる．MMPやreprolysinと同様，ADAMTSのZn^{2+}結合領域には必ずメチオニン残基が続く．これをMet-ターンと呼ぶ．

ディスインテグリンドメインはヘビ毒のディスインテグリン(Disintegrin)と35-45%の相同性を持つ．ディスインテグリンは50-80アミノ酸から構成される血液凝固阻止因子で，分子内のRGD配列を介してインテグリンと相互作用すると考えられていたためdisintegrinと命名された．フィブリノーゲンと血小板上のα IIb β 3インテグリンとの結合を阻害することによって血栓形成を阻止する．ディスインテグリンドメインは恐らく細胞間接着に関与していると思われ，いくつかのADAMではそのリセプターがintegrinであることが報告されている．

膜型ADAMと異なり，ADAMTSにはいくつかのTSリピートが存在する．そのうち最もN-末端側のものは分子のほぼ中央に位置し，48-54個のアミノ酸残基より成り，ADAMTSのメンバー間で高い相同性を示す．このTSリピートのC-末端側には10個のシステインを持つシステインリッチドメインが位置する．スペーサードメインはADAMのドメインのうちで最も多様性に富む．スペーサードメインに続くTSリピートの数はADAMTSによってまちまちである．ADAMTS-4はこの部分にTSリピートがない．このTSリピートのC-末端側にC-terminal moduleを持つADAMTS分子がある．

2. 膜型ADAMとADAMTSの機能

ADAMの機能の一つはシェダーゼあるいはセクレターゼ機能である．多くのサイトカインや成長因子は細胞膜にアンカーされた蛋白質として合成され細胞膜においてプロテアーゼによって切断され細胞外へ放出される．例えばTNF αは26kDaの膜結合タンパク質として合成され，ADAM17（TNF α -converting enzyme，TACE

とも呼ばれる）によって17kDaの可溶性分子として細胞外に放出される．ADAM17/TACEは，TNFリセプター，TGF β，接着分子であるL-セレクチン，アミロイド前駆蛋白質（amyloid precursor protein，APP）のシェディングをも司ることが，同分子の欠損マウスの研究から明らかとなっている．ADAM10/KuzubanianはNotch ligandであるDeltaのシェダーゼとして知られる．ADAM9/metalloproteinase disintegrin cysteine-rich 9（MDC 9）はヘパリン結合性EGF様成長因子を放出する．また，ADAM12（meltrin α）は，おそらくヘパリン結合性EGF様成長因子のシェディングを介することによって筋肉新生（myogenesis）と脂肪新生（adipogenesis）に機能していることが同分子の欠損マウスの研究から明らかとなっている．

ADAMのディスインテグリン機能に関しては受精に関する研究成果がよく知られている．精子表面の蛋白質fertilinはADAM 1とADAM 2より成るヘテロダイマーであるが，プロテアーゼによるN-末端側のメタロプロテアーゼドメインの切離によって精子表面にディスインテグリンドメインが露出され，このドメインと卵子インテグリンの結合が受精に働くと考えられている．しかしながらADAM全てにディスインテグリン機能があるわけではない．最近のADAM16のディスインテグリンドメインの構造に関する解析から同ドメインのベータターンが機能に不可欠であることが示唆されているが，同ドメインの生理的機能の解明には同ドメインとインテグリンとの結合機構の詳細な解析が必要である．

近年，ADAM- 9，12，15，17が，がん患者において高発現しその発現程度ががんの発症・進展と相関を示す関与することがわかっている．この作用はADAMが細胞膜のシェダーゼ作用によりErbB等のEGFリセプターのリガンド分子の分泌やTNF αの産生を促進することによると推測されている．

がんの悪液質の際に発現している遺伝子として発見されたADAMTS- 1は炎症の際に発現が亢進する．ADAMTS- 1欠損マウスでは尿管と副腎の異常がみられ，ヒトの先天性尿管閉塞症のモデルになると考えられている．ADAMTS- 1は強力な抗血管新生因子METH- 1としても知られている．ADAMTS- 2は，IおよびII型プロコラーゲンのN-末端側のプロペプチドを切断するアミノプロペプチダーゼで，コラーゲン線維形成に不可欠である．ADAMTS- 2の遺伝子異常はEhlers-Danlos症候群VIIC型とウシ皮膚無力症を引き起こす．ADAMTS- 3にはII型プロコラーゲンのプロセッシング活性が見いだされている．ADAMTS- 4，5は軟骨マトリックスの巨大プロテオグリカンであるアグリカンを分解するので各々アグリカナーゼ1，2と呼ばれており，これらの酵素の他ADAMTS- 1，8，9，15にもアグリカン分解活性がある．変形性膝関節症の患者関節液にみられるアグリカンの断片はこれらの酵素によって生じると考えられており，そのインヒビターが関節破壊疾患の進展防止に役立つものと期待されている．ADAMTS-13はvon Willebrand因子（VWF）特異的切断酵素で，その遺伝子異常は家族性TTP（血栓性血小板減少性紫斑病）の原因として知られている．また，後天性（非家族性）TTPの患者血清中に存在する自己抗体はADAMTS-13に対する抗体と推測されている．

おわりに

本稿ではメタロプロテアーゼのうち，MMPとADAM/ADAMTSに焦点を絞って記載した．MMPは種々のECM分子を分解するのみならず，細胞表面の分子を切断することによって細胞とECMのインターフェイスの場で細胞機能を制御することが明らかとなってきた．また，蛋白質分解作用と細胞間接着機能を持つと考えられるADAMはサイトカインや成長因子のシェディングを担う酵素として知られつつある．これらの酵素群は多数のファミリーメンバーを持ち，種々の組織において生理機能を発揮するのみならず，炎症やがん等の病態の形成にも深く関与すると思われる．遺伝子欠損マウスの解析を含め，これらメタロプロテアーゼ機能の解明へ向けた今後の研究が期待される．

参考文献

1. 岡田保典，橋本学爾：マトリックスメタロプロテアーゼによる細胞外マトリックス代謝と関節破壊，生化学 73，1309-1321, 2001.

2. Stamenkovic I: Extracellular matrix remodeling: the role of matrix metalloproteinases. J Pathol. 200, 448-464, 2003.
3. 梁幾勇，清木元治：マトリックスメタロプロテアーゼ(MMP)研究の歴史と最先端，日消誌，100，144-151, 2003.
4. Kessenbrock K, Plaks V, Werb Z: Matrix metalloproteinases: regulators of the tumor microenvironment. Cell, 141, 52-67, 2010.
5. Primakoff P, Myles DG: The ADAM gene family: surface proteins with adhesion and protease activity, Trends genet, 16, 83-87, 2000.
6. Baumann G, Frank SJ: Metalloproteinases and the modulation of GH signaling. J Endocrinol. 174, 361-368, 2002.
7. 廣畑聡：新しい細胞外マトリックス分解酵素 ADAMTSファミリー，生化学 73，1333-1337, 2001.
8. http://www.lerner.ccf.org/bme/apte/adamts/
9. Norris JW., et al. Structural characterization of the ADAM16 disintegrin loop active site. Biochemistry, 42, 9813-21, 2003.
10. McGowan PM, O'Donovan N, McKiernan E, Duffy MJ: Role of ADAMs in cancer formation and progression. Clin Cnacer Res 15, 1140-1144, 2009.
11. Murphy G: The ADAMs: signaling scissors in the tumor microenvironment. Nature Rev Cancer, 8, 929-941, 2008.

総論

2　フリーラジカルによる生体への侵襲と疾患

[1] 金沢大学理工研究域自然システム学系　[2] 財）東京都医学研究機構東京都臨床医学総合研究所
松郷誠一[1]，安井文彦[2]，和田直樹[1]

通常安定な有機化合物は電子を１個ずつ共有することにより共有結合を形成している．この結合が開裂する際に，電子を１個ずつ所有し開裂し(homolytic cleavage)生成してくるのがラジカル(フリーラジカル)である．ラジカルに関する報告が初めてなされたのが1900年であり，その中には生成したラジカル分子(トリフェニルメチルラジカル)が速やかに酸素分子と反応するという実験結果が記載されていた．以来，50年ほどラジカルに関する研究は主としてラジカル重合反応を利用する有機工業化学・高分子化学の分野で発展してきた．

しかし，1950年代後半にHarmanが老化に至るプロセスにフリーラジカルによるものがあるという説を打ち出した[1]．その後，1969年McCordとFridovichによって抗酸化酵素であるスーパーオキシドジスムターゼ(SOD)が発見された[2]ことより，生化学の分野におけるフリーラジカル・活性酸素に関する研究が一気に開花した．本章では，生体で発生してくるフリーラジカルの化学と，フリーラジカルと疾患の関係を説明する．

1. フリーラジカルの化学

人間を含め，現在の地球上に存在しているほとんどの生物は好気性生物であり，酸素呼吸を行うことにより種々の生命活動を維持している．これは，生物が進化の過程で，効率良くエネルギーを生産するために酸素を利用する方法を獲得し，優先的に繁栄してきた結果である．例えば，好気性生物がグルコース１分子からATP30数分子生成することができるのに対して，嫌気性生物ではATP ２から４分子しか生成できない．

その基底状態の酸素分子は電子配置に特色がある．通常の安定な化合物はエネルギー的に最も低い状態は２個の電子スピンが逆向きに配置されている一重項状態であるのに対し，酸素分子の場合は２個のスピンの向きが同じである三重項状態であり，不対電子を２個持ったビラジカルである．一般的に，不対電子を持つラジカル種は反応性が高く，また酸素による酸化反応が発熱反応であるにも関わらず基底状態の分子(例えばDNA)などと直接反応しないのは，式１のような反応がスピン禁制であり，スピン許容の式２のような反応が大きな吸熱反応であることに由来する．

$$^{1}AH + {}^{3}O_2 \rightarrow {}^{1}AHO_2 \qquad (式１)$$
$$^{1}AH + {}^{3}O_2 \rightarrow \cdot A + \cdot OOH \qquad (式２)$$

この三重項状態の酸素分子の１個の電子が逆方向に入り，一重項になったものがいわゆる一重項酸素である．一重項酸素はその電子の入り方により二種類($^{1}\Delta_g$, $^{1}\Sigma^{+}_g$)存在するが，$^{1}\Sigma^{+}_g$の寿命は非常に短いため，通常一重項酸素といった場合には$^{1}\Delta_g$の状態のものを指す．一方，酸素分子にもう１個余分に電子が加わったものがスーパーオキシドである(図１)．スーパーオキシドは，三重項酸素が生体内において電子受容体として働き，一電子還元を受けた場合に生成する．スーパーオキシドがさらに段階的に還元されていくと過酸化水

	基底状態酸素	一重項酸素	一重項酸素	スーパーオキシドイオン
	$^3\Sigma_g$	$^1\Delta_g$	$^1\Sigma_g$	O_2^-
エネルギー(kcal/mol)	0	22.5	37.5	-9.9
平衡核間距離(Å)	1.2074	1.2155	1.2268	1.28 (KO_2) 1.38〜1.35 (NaO_2)
結合解離エネルギー(kcal/mol)	117.9	96	87	88.8 69.9

電子配置と軌道

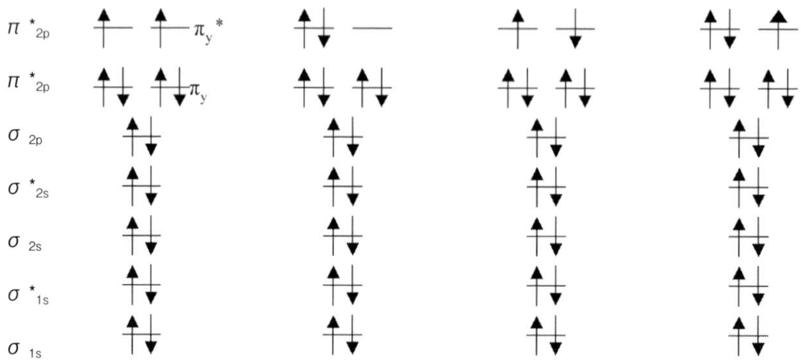

図1　酸素分子の電子配置

素，ヒドロキシルラジカルが生成し，最終的に水にまで4電子還元を受ける(図2).

このように我々が呼吸しているということ自体が生体内にフリーラジカルを取り入れていることになり，我々は酸素分子を体内で種々活性化して生体のホメオスタシスを保っているともいえる．こうした活性化した酸素分子誘導体を総称して活性酸素と呼ぶが，この中にはラジカルであるものと非ラジカルであるものが存在しており，その反応性も寿命も検出法も大きく異なっている．

狭義的には，1)スーパーオキシド，2)過酸化水素，3)ヒドロキシルラジカル，4)一重項酸素の4種を活性酸素と呼ぶが，5)次亜塩素酸(HOCl)，6)一酸化窒素(NO)，7)アルコキシルラジカル，8)脂質過酸化物なども生体内において重要な酸化活性種として作用しているので，これらも活性酸素種に含まれることが多い．このうち，スーパーオキシド，ヒドロキシルラジカル，アルコキシルラジカルとNOはラジカルであるが，一重項酸素，次亜塩素酸，過酸化水素，脂質過酸化物はラジカルではない．

前述したように，基底状態である三重項酸素は一重項状態で存在する多くの生体内分子とほとんど反応しない．しかしながら，熱や光，あるいはラジカル開始剤などにより微量でもそれらからラジカルが発生すると酸素分子はラジカルと速やかに反応し，酸化反応が進行する(式3－5).

$^1AH \rightarrow \cdot A$　(式3)

$\cdot A + {}^3O_2 \rightarrow \cdot AOO$　(式4)

$\cdot AOO + {}^1AH \rightarrow \cdot A + AOOH$　(式5)

以下，活性酸素の種類とその反応性について説明する．

1. 一重項酸素

図1に示したように，一重項酸素($^1\Delta_g$)は電子スピンが対をなしており，2つあるπ*軌道のうち1つの空軌道となっているため，求電子反応を行いやすい．また，基底状態の酸素分子に比べて22.5 kcal/molエネルギー状態が高いので反応性に富む．一重項酸素は発光または無放射過程によ

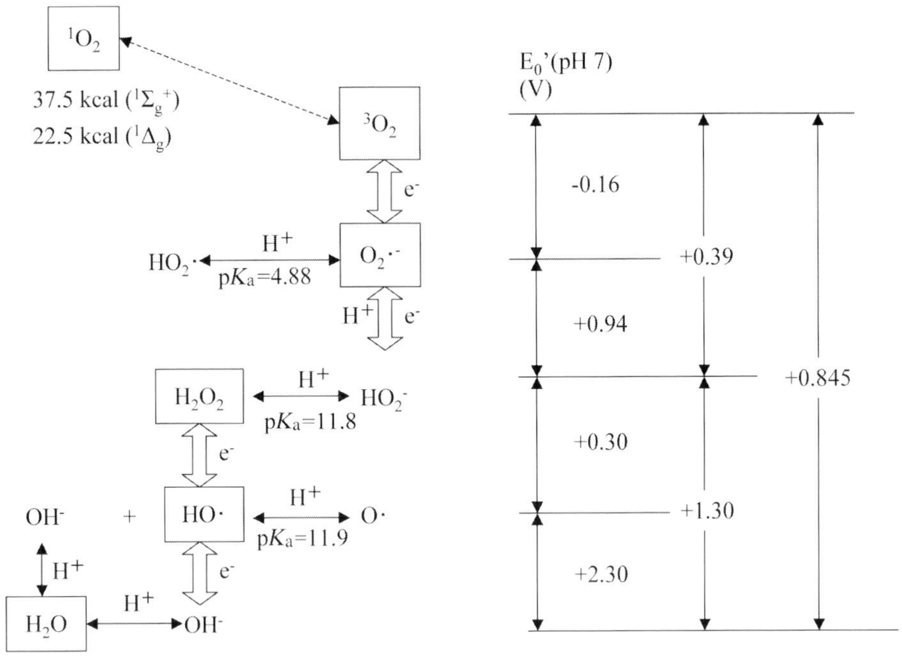

図２　酸素分子の酸化一還元電位

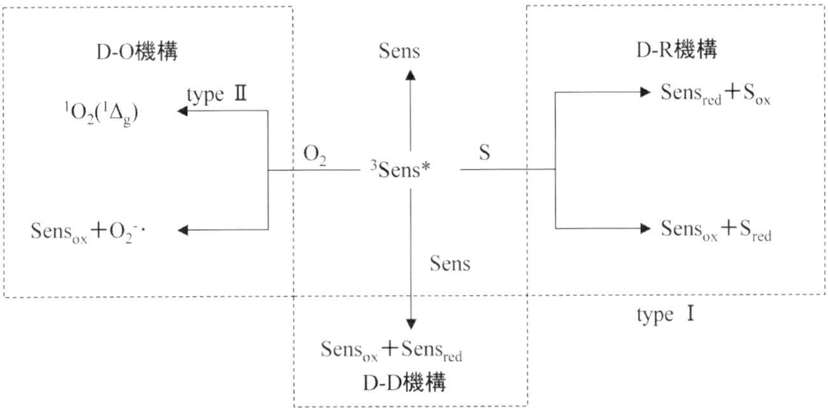

図３　光増感酸素化反応

り失活して基底状態に戻るが，溶媒分子との相互作用によっても失活するので，その寿命は溶媒にも強く依存する.例えば,水中での$^1\Delta_g$の寿命は4.2μs[3]であるが，重水(D_2O)中では55－68μs[4,5]と長くなる．この効果を重水効果と呼び，反応系における一重項酸素の関与を調べるのに有用である．通常，一重項酸素は，酸素気流下でローズベンガル，メチレンブルー，テトラフェニルポルフィリンなどの光増感剤に可視光を照射する光増感酸素化反応によって生成される．しかし，これらの光増感酸素化反応の過程においても，一重項酸素の関与しないType I反応と呼ばれる反応が競争的に進行してくる(図３)．一重項酸素の反応は，次の５つのタイプに分類できる[6]．一重項酸素は１)

アリル水素を引き抜いて，二重結合が移動し，ヒドロペルオキシドを与える(エン反応)．2)共役ジエンと反応して1，4－エンドペルオキシドを与える(1，4－付加)．3)エナミンやエノールなどの酸化電位の低いオレフィンやアリル水素を持たない二重結合に対して1，2－付加反応を起こし，ジオキセタンを生成する．ジオキセタンは極めて不安定であるので，速やかに分解してカルボニル化合物を生成する．このジオキセタンの分解反応の際に化学発光を生じる．4)第三級アミンやサルファイドと反応してアミンオキシドやスルフォキシドなどを与える．5)酸化電位が0.5V (vs. SCE)以下の極めて酸化されやすい化合物との反応では電子移動を起こしてスーパーオキシドが生成してくる．NADPH，ヒドロキシトリプトファン，N，N－ジメチルアニリン誘導体などの生体内分子がこれらに相当する．

一重項酸素と相互作用して失活させる物質を一重項酸素の消去剤(クエンチャー)といい，一重項酸素と反応する多くの化合物は反応(kr)と消光(kq)を競合して行っている．生体関連分子にもいくつか消去剤として作用するものが知られている．β－カロチンは，拡散律速($>10^9 M^{-1}s^{-1}$)で$^1\Delta_g$を消光する消光剤として作用し，コレステロールは一重項酸素と特異的に反応してコレステロール－5α－ヒドロペルオキシドを生成する．前述の重水効果に加え，これら一重項酸素消去剤を用いることによっても反応系中における一重項酸素の関与を追跡することができる．この他，一重項酸素の検出には様々な方法が存在するが，一重項酸素から基底状態の酸素への失活過程において生じる化学発光を検出する測定法が最も特異性が高い．一重項酸素のモノマー発光は1270 nmにあるので，その強度より生成してくる一重項酸素量を測定できる．しかし，この発光の量子収率は6×10^{-17}と非常に微弱であるため，検出には特殊装置を必要とする．生体内における一重項酸素の発生経路としては，白血球の貪食作用時において発生する過酸化水素とミエロペルオキシダーゼの作用により生成する次亜塩素酸との反応が挙げられる(式6)．

$$H_2O_2 + {}^-OCl \rightarrow H_2O + Cl^- + {}^1O_2 \quad (式6)$$

2. スーパーオキシド

スーパーオキシドの電子配置は，酸素分子のπ*軌道に電子が1個加わった形である(図1，2)．$\pi_X{}^*$と$\pi_Y{}^*$は共に等しいエネルギー状態であるので，どちらに電子が入っても分子全体の全エネルギーは等しい．即ち，スーパーオキシドの電子配置は2つ存在するが，これは不対電子の縮重と呼ばれるものであり，軌道角運動量が存在する理由である．スーパーオキシドに金属イオンやカウンターカチオンが接近してくると，$\pi_X{}^*$，$\pi_Y{}^*$のどちらか一方の分子軌道のエネルギー準位が下がり，低い方に2個の電子が対を作り，高い方の軌道に不対電子が入った形となる．このπ*軌道におけるエネルギー差は相互作用している金属イオンやカウンターカチオンにより異なることから，このESRスペクトルを観測すれば，スーパーオキシドの置かれた微小環境を知ることができる．

また，物理化学的な観点から見ると，スーパーオキシドは基底状態の酸素分子より9.9 kcal/molだけエネルギー準位が低く，活性酸素種の中では反応性はそれほど高くない．スーパーオキシドのO－O結合距離は単結合が1つ，二重結合が1つとして予想される1.24 Åに近い1.28－1.35 Åの平衡核間距離を持っており，基底状態の酸素分子(1.21 Å)よりやや長く，過酸化物$O_2{}^{2-}$の1.49 Åよりは短い．また，O－O結合解離エネルギー（約90 kcal/mol)も酸素分子(118 kcal/mol)と$O_2{}^{2-}$(51.4 kcal/mol)の中間値を示す．スーパーオキシドは酸素分子の1電子還元により生成してくるが，化学的，酵素的，電気化学的還元法など多くの発生法が確立されている．還元剤としては，アルカリ金属，ケチルラジカル，アニオン種などがある．市販のKO_2－18－クラウンエーテル系も有機溶媒中での反応によく使用される．生体内において，スーパーオキシドは様々な系から発生してくるが，特に重要なものとして白血球のNADPH－シトクロムP－450レダクターゼ系とキサンチン－キサンチンオキシダーゼ系が挙げられる．また，キサンチン－キサンチンオキシダーゼ系はin vitro実験におけるスーパーオキシドの発生系として多用されている．スーパーオキシドは反応基質が存在しない場合，不均化反応により過酸化水素と酸素分子になる（式7）．この不均化反応は，スーパーオキシドへのプロトン付加によるペルオキシルラジカル（・OOH）の生成（式8，平衡反応，$pK_a = 4.88$），・OOH とスーパーオキシドの反応による過酸化水素と酸素分子の生成（式9），及び・OOH の2分子衝突反応による過酸化水素と酸素分子の生成（式10）からなる．

$$2H^+ + 2O_2^{\cdot -} \rightarrow H_2O_2 + O_2 \quad \text{（式7）}$$
$$H^+ + O_2^{\cdot -} \rightarrow \cdot OOH \quad \text{（式8）}$$

$$H^+ + O_2^{\cdot -} + \cdot OOH \xrightarrow{k_1} H_2O_2 + O_2$$
$$k_1 = 1 \times 10^8\ M^{-1}\ s^{-1} \quad \text{（式9）}$$

$$\cdot OOH + \cdot OOH \xrightarrow{k_2} H_2O_2 + O_2$$
$$k_2 = 7.6 \times 10^5 M^{-1}\ s^{-1} \quad \text{（式10）}$$

不均化反応には・OOH 生成が重要であるため，溶媒中のプロトン濃度により反応速度は大きく異なり，酸性では速く，アルカリ条件下では遅くなる（・OOH の生成）．このことはスーパーオキシドが非プロトン性溶媒中では安定に存在するが，水溶液中では酸性もしくは中性付近では速やかに分解しやすいことと対応する．例えば，スーパーオキシド（1 mM）は pH7.0 付近では平均寿命が5秒程度であるが，無水アセトニトリル中では5－10分，ジメチルホルムアミド中では1時間程度である．

スーパーオキシドは不対電子を1個持ったアニオンであるため，ラジカルとしての反応性とアニオンとしての反応性の2つの反応性を示し，反応の種類は4つに大別できる[7]．1）還元反応はスーパーオキシドの検出定量によく用いられており，例えばフェリシトクロム c（Fe^{III}）からフェロシトクロム c（Fe^{II}）への変換や，テトラニトロメタンの還元反応が良く知られている．2）酸化反応としては，芳香族化合物の側鎖からの水素引き抜き反応が挙げられる．3）求核付加反応としては，α－ジケトンやエステル類や電子欠乏オレフィンに求核的に付加反応を行い，カルボン酸やケトンを与える反応がある．4）求核置換反応としては，スーパーオキシドはハロゲン化アルキルと反応して S_N2 型反応を行い，最終的にはジアルキルペルオキシドを与える．スーパーオキシドの反応で重要なことは，反応基質がスーパーオキシドと反応しているのか，あるいはスーパーオキシドから派生してくる過酸化水素や他の活性酸素種による酸化であるのかを実験的に見極めることである．スーパーオキシドは生体における酸素毒性で重要な役割を担っているが，スーパーオキシドは多くの生体内分子に対してさほど大きい反応性を示さない．スーパーオキシドの pKa は 4.88 であるので生理的条件下（pH 7－8）では，・OOH 量はスーパーオキシド量の1％－0.1％程度しか存在し得ないが，・OOH の反応性を考えるとある種の条件下では極めて重要な役割を担うことが予想できる．

<スーパーオキシドの検出定量>

スーパーオキシドジスムターゼ（SOD）はスーパーオキシドの不均化を触媒する酵素であり，その不均化反応速度定数は $1.8 - 3.5 \times 10^9 M^{-1}\ s^{-1}$（pH4.8－9.5）と極めて大きい．反応系中に SOD を加えることにより反応の抑制が起こった場合はスーパーオキシドの関与が考えられる．スーパーオキシドそれ自身もラジカルであるため ESR スペクトルによる検出も可能であるが，その寿命が短いため低温下（77K）で測定しなくてはならない．一般的には，5,5－ジメチルピロリンオキシド（DMPO）やフェニル－*t*－ブチルニトロン（PBN）などのラジカルスピン捕捉剤を用いることにより，これら捕捉剤とスーパーオキシドとの反応で得られる室温でも比較的安定なラジカル付加体を検出・定量している．ESR スペクトルを用いず，高感度にスーパーオキシドの生成量を測定する方法として，ウミホタルルシフェリン誘導体（MCLA）を用いたものがある．これは，MCLA がスーパーオキシドと反応する過程で形成されるジオキセサンの分解により生じる化学発光を検出するものである．しかしながら，MCLA はスーパーオキシドの他に一重項酸素とも反応することが報告されていることから，実験結果の解釈には注意が必要である．

3. ヒドロキシルラジカル

ヒドロキシルラジカルは活性酸素種の中でも最も反応性の高いラジカルであり，その電子配置は以下の通りである．

・OH（Π^2）　$(1\sigma)^2(2\sigma)^2(3\sigma)^2(1\pi^+)^2(1\pi^-)^1$

・OH　→　・O^- + H^+　　　　（式 11）

式 11 の pK_a 値は 11.9 であるので，強アルカリという条件でない限り，ヒドロキシルラジカルは・OH の形で存在している．・OH は電子を 1 個受け取って $^-$OH になりやすい（還元されやすい）性質を持っていることから求電子的性質を持つ強い酸化剤である．

ヒドロキシルラジカルの発生方法としては，1）水の γ 線または電子線照射，2）過酸化水素のレドックス分解，3）過酸化水素または有機過酸化物の光化学分解，4）過酸化水素の誘発分解の 4 種類が挙げられる．これらの反応のうち，生体内で起こる・OH の生成反応のほとんどは 2）の反応であると考えられている．Harber と Weiss によってスーパーオキシドと過酸化水素との直接反応からヒドロキシルラジカルが生成することが報告されたが，その後の研究により，この反応には還元型遷移金属イオンの介在が必要であることが明らかとなった．現在，この反応は Fenton 型 Harber － Weiss 反応として認知されている．

・OH は均一な水溶液中に発生したとき，・OH 同士の反応により消滅する（・OH ＋・OH → H_2O_2，$k = 5 \times 10^9 M^{-1} \cdot s^{-1}$）．その寿命は生成した・OH の濃度に依存する．今，仮に 1 MM の・OH が生成するならその寿命（半減期）は 200 μs と計算できる．また，他の活性酸素種との反応速度は，過酸化水素とは $4 \times 10^7 M^{-1} \cdot s^{-1}$ であり，スーパーオキシドとは $1 \times 10^{10} M^{-1} \cdot s^{-1}$ である．一般に・OH と種々の反応基質との反応速度定数は $10^8 - 10^9 M^{-1} \cdot s^{-1}$ である．今，発生した・OH よりも大過剰の基質（10mM）が存在していると・OH の消失速度は凝一次反応で近似され反応速度定数は $10^6 - 10^8 S^{-1}$ となる．反応速度定数を $10^7 s^{-1}$ とすると・OH の寿命（半減期）は 70 ns と計算できる．水中での拡散定数（D）は約 $10^{-5} cm^2 \cdot s^{-1}$ である．・OH の平均拡散距離（d）は反応速度定数を仮に $5 \times 10^6 \cdot s^{-1}$ とおいて計算すると約 20nm となる（$d = \sqrt{2 \cdot D \cdot K^{-1}}$）．このことより・OH は水中ではほとんど拡散できないので，生体内で・OH が発生した場合には近傍に存在する基質と速やかに反応し，特定の基質と選択的に反応することはない．よって，細胞質中で生じた・OH は細胞膜の脂質を酸化することはほとんどないこと，また，DNA 鎖切断を行う場合には DNA 鎖の近傍で・OH を発生させる必要があることになる．

前述のように，・OH は短寿命であるので検出・定量することが非常に難しい．現在使用されている・OH の検出法としては，化学的方法及び物理化学方法がある．化学的な方法としては，サリチル酸などの芳香族の水酸化反応により生成してくる酸化生成物を液体クロマトグラフィーで定量する方法がある．信頼性の高い測定法としては，ESR スペクトルなどの物理化学的手法が用いられており，水の電子線照射で得られた・OH の ESR から $g_{//} = 2.0615$，$g = 2.0095$ といった値が得られている．より簡便な方法として用いられているのが，スピン捕捉剤である DMPO を用いた方法である．この方法は室温下での測定が可能であり，・OH は DMPO と反応してスピン付加体を形成してシグナル強度が 1：2：2：1 の特徴的な四重線の ESR スペクトルを示す．

4．過酸化水素とペルオキシドイオン

ペルオキシドイオン（O_2^{2-}）は酸素分子の反軌道性結合（π^*）に電子が 2 個入ったもので，これにプロトンがついたものが過酸化水素（H_2O_2）である．過酸化水素は，生体内において恒常的に生成されている活性酸素種の 1 つであり，酸素分子の 2 電子還元，スーパーオキシドの 1 電子還元，スーパーオキシドの不均化反応などによって生成される．生理的条件下における生成濃度は $10^{-7} - 10^{-9} M^{-1}$ であると見積もられている．H_2O_2 は O － O の電子反発があるため両水酸基は折れ曲がり，両水酸基のなす二面角は 119.8° であり，酸素の原子価角は 96 － 102° である．H_2O_2 の pK_a は 11.6 でヒドロペルオキシドの値に近く，アルコールの水酸基（pK_a=16）に比べるとはるかに解離しやすい．透電係数は 74 D（20℃）であり，水の 80 D に近く極めて極性が高い．解離エネルギーは 48 kcal/mol であり，他の過酸化物よりも

大きい．O－Oの核間距離は1.49 Åであり，アルキルペルオキシド(1.45－1.48 Å)より長く，4－5員環過酸化物の値とほぼ一致する．H_2O_2は求核性を有しており，酸触媒下でカルボニル化合物を攻撃し求核置換反応を引き起こす．求核性を高めるためにアルカリ条件下でプロトンを解離させ，過酸化物イオン(^-OOH)として反応させることも多い．不飽和ケトンのエポキシ化反応やベンズアルデヒドをフェノールに変換するダーキン反応がこの代表例である．H_2O_2は酸化還元電位の高い化合物(MnO_4^-, Ce^{IV})に対しては還元剤として働く一方，酸化還元電位の低い物質(Fe^{II}, I^-)に対しては酸化剤として働く．

H_2O_2は，培養細胞に直接添加することによりアポトーシスを誘導したり，分子レベルではDNAに損傷を与えたりすることができる．しかし，このような酸化活性はH_2O_2自身が持つ固有の毒性というよりも，H_2O_2は細胞膜を通過できるので細胞質中に存在する微量の金属イオンと直接反応し，結果として生じるヒドロキシルラジカル(式12)やヒドロペルオキシラジカル(式13)，が殺菌作用に関わっているのではないかと考えられている．

$H_2O_2 + M^{n+} \rightarrow \cdot OH + {}^-OH + M^{(n+1)+}$　(式12)
$(M^{n+} = Fe^{2+},\ Cu^{+})$
$H_2O_2 + M^{(n+1)+} \rightarrow \cdot OOH + H^+ + M^{n+}$　(式13)
$(M^{(n+1)+} = Fe^{3+},\ Cu^{2+})$

過酸化水素を消去する抗酸化酵素として，カタラーゼとグルタチオンペルオキシダーゼ(GSH－Px)が知られている．カタラーゼは，分子量220000－260000で4つのサブユニットからなる鉄プロトポルフィリンを活性中心に持つヘムタンパクであり，動植物に広く分布している．動物では，肝，赤血球，腎に多く含まれている．特に，肝や腎では，ペルオキシゾームに局在している．カタラーゼは，H_2O_2を分解してH_2OとO_2にする反応(式14)と水素供与体を基質としたペルオキシダーゼ反応(式15)を触媒する．

$2H_2O_2 \rightarrow 2H_2O + O_2$　(式14)
$H_2O_2 + AH_2 \rightarrow 2H_2O + A$　(式15)

しかし，過酸化水素に対するKm値は1.1 Mと非常に大きく[8]，また細胞内ではペルオキシゾームに局在しているので，それ以外の場所で発生したH_2O_2には効果を発揮できない．一方，グルタチオンペルオキシダーゼは，4つのサブユニットからなる分子量76000－92000の酵素で，各サブユニットの活性中心にはセレンが含まれている．過酸化水素に対するKm値は，5 mM GSHに対して25－60 μMとかなり小さい[9]．生理的条件下でのGSH > 1 mM，$H_2O_2 < 10^{-6}$ Mを考慮すると，細胞内で発生した過酸化水素の消去にはグルタチオンペルオキシダーゼが強く関っていると考えられている．

5. 次亜ハロゲン酸

次亜ハロゲン酸はミエロペルオキシダーゼの作用により，ハロゲンイオンと過酸化水素から生成する．一重項酸素の項でも述べたように，これが更に過酸化水素と反応すると一重項酸素が生成する．

$$O_2^{\cdot -} \xrightarrow{SOD} H_2O_2 \xrightarrow{X^-} {}^-OX \xrightarrow{H_2O_2} {}^1O_2 + X^- + H_2O \quad (式16)$$

ミエロペルオキシダーゼは好中球の中に多く含まれる緑色酵素で過酸化水素とハロゲン化物が存在すると強力な殺菌作用を示す．次亜塩素酸は反応性が極めて高く，オレフィンとの反応によりエポキシドを生成する．生体内ではタンパク質(アミノ酸)中のアミノ残基と反応し，N－クロラミンを与える．N－クロラミンは次亜塩素酸よりも安定であり，基質特異的に反応化合物のクロロ化や水酸化を起こす．このため，発生した場所から離れた位置でも特定の基質の酸化を引き起こすことができる．

6. NOラジカル

NOは，酸素原子1個と窒素原子1個からなる無色のガス状ラジカルである．NOは自然環境中にも存在し，地球上では年間5×10^8トンのNOが生成している．自動車のシリンダーの内部では，ガソリンが空気と高温で燃焼しNOが生成するので，人工的に生成してくるNOの多くは自動車(とりわけディーゼル車)の排気ガス中に含まれている．そのため自動車交通量の著しい幹線道路付近では高濃度のNOが発生しNO_x，SO_xなどとともに大気汚染の原因物質として生体への影響が叫ばれてきた．

一方，生化学の分野では，1980年にFurchgottらによって内皮由来血管弛緩因子(EDRF)が発見され[10]，内皮細胞の血管平滑筋弛緩，収縮における役割について研究が進められた．1987年にEDRFとNOの生物学的，生化学的特性が極めて似通っていることより，NOがEDRFの主たる活性体であることが明らかとなった(表1)[11]．これ以降，NOの多様な生理学的役割が後述するように明らかになってきたが，NOに関する先駆的な仕事を行ったR. Furchgott，L. Ignarro，F. Muradの3名に1998年度のノーベル医学・生理学賞が贈られた．

＜NOラジカルの物理化学的性質＞

NOの結合距離は1.15 Åであり，二重結合の結合距離1.18 Åと三重結合の結合距離1.06 Åの中間にある．NとOの結合次数は2.5であり，結合エネルギーは149.9 kcal/molである．

＜NOの生成＞

生体内において，NOはNO合成酵素によりL－アルギニンのグアニド窒素が酸化されることにより生成される．NO合成酵素(NOS)は1）neuronal NOS（n－NOS)，2）endothelial NOS（e－NOS)，3）inducible－NOS（i－NOS)に大別され(表2)，3種類のアイソザイム間での相同性は互いに約50%である．

n－NOSは神経組織において発現するアイソザイムで，情報伝達物質としてNOを合成するが，活性発現のためにカルシウムとカルモジュリンを必要とする．分子量は約160kDであり，生体内ではホモダイマーとして細胞質分画と膜分画に存在する．

e－NOSは主に血管内皮細胞で発現し，生成されたNOは血管弛緩因子として働く．活性はカルシウムとカルモジュリンに依存するなど機能的にもn－NOSに類似しているが，e－NOSの分子量は約133 kDとn－NOSに比べてやや小さく，オリゴマー構造として存在する．N－末端のグリシンのミリストレイル化やN－末端側から15番目と26番目のシステインがパルミトレイル化しているため，大部分は膜にゆるく結合して存在する．

i－NOSは分子量約130 kDaであり，n－

表1　EDRFとNOの生物活性，科学的特性などの比較

		EDRF	NO
生物学的半減期		4−8秒	4−8秒
安定性	酸溶液	安定	安定
	アルカリ性溶液	不安定	不安定
	凍結乾燥	安定	安定
陽イオン交換樹脂への結合		あり	なし
内皮からの遊離		あり	あり
弛緩反応	血管平滑筋	あり	あり
	血管以外の平滑筋	弱い、なし	あり
血小板	凝集	阻害	阻害
	接着	抑制	抑制
薬物投与による反応の修飾	抗酸化剤	抑制	抑制
	SOD	増強	増強
	オキシヘモグロビン	抑制	抑制
	cGMP分解酵素	増強	増強
	(PDE)阻害剤	活性化	活性化
セカンドメッセンジャー		cGMP	cGMP
局在		内皮	内皮 神経 マクロファージ

表2　NOSのアイソフォームの比較

分類	neuronal NOS（n−NOS)	endothelial NOS (e-NOS)	inducible NOS (i-NOS)
分子量の計算値	160 kD	133 kD	130 kD
染色体の位置	12q24.2−12q24.3	7q35−7q36	17p11−17q11
組織分布	神経細胞 骨格筋	血管内皮細胞	マクロファージ 血管平滑筋細胞
活性化機序	脳、脊髄神経刺激で活性化 (Ca^{2+}／カルモジュリン依存性)	アセチルコリン、ブラジキニンなどのアゴニスト、ずり応力などの物理的刺激で活性化 (Ca^{2+}／カルモジュリン依存性)	サイトカイン、細菌性リポ多糖体により遺伝子レベルで発現促進

NOSと同様にホモダイマーとして細胞質中に存在するが，カルシウムやカルモジュリンを加えなくても活性を有している点でn－NOSとは異なっている．また，他のアイソフォームとは異なり，サイトカインや細胞の生成物などの刺激によりマクロファージをはじめとする様々な細胞から誘導され，大量のNOを一過的に産生することによって生体防御の役割を果たす．しかし，大量に産生されたNOは，生体に対しても障害を与える．例えば，細菌感染などによって産生された大量のNOは，著しい血圧低下を引き起こし，エンドトキシンショックなどの重篤な疾患を発症する場合がある．

＜NOの測定＞

NOの測定は2つに大別できる．1つはNOを直接測定する方法であり，他方はNOの酸素などによる代謝により生成してくる酸化物を測定する方法である．直接的な測定法は1）ESR法，2）電極法，3）化学発光法が挙げられる．

ESR法は，NOがラジカルであることを利用して，NOとスピントラップ剤を反応させ，その生成物をESR法により検出するものである．その代表的なものにヘモグロビン法と鉄－メチルグルカミンジチオカルバメート法がある．ヘモグロビン法は，デオキシヘモグロビンをNOと反応させることにより生じる特異的な3本線の微細構造のESRシグナルを低温(77 K付近)で測定するものである．(式17)

$$\mathrm{HbFe(II)} + \cdot\mathrm{NO} \rightarrow \mathrm{HbFe(II)NO} \quad (式17)$$

一方，鉄－メチルグルカミンジチオカルバメート錯体をNOトラップ剤として用いた測定法はNOの発生剤であるSNAP（S-nitroso-N-acetyl-penicilamine）投与やLPS（Lipopolysaccharide）刺激したマウスの血中から鉄－NO錯体に由来する特徴的な3本線のESRスペクトルの検出に成功している．

電極法は，大別して2種類である．1つは酸素電極であり，クラークタイプ電極を微小化し，酸素を測定する場合と逆の電荷をかけて測定する方法であり，電極に低分子量の気体のみ透過可能なゴム膜をとりつけ選択性を出している．もう1つはマリンスキーにより開発されたニッケル－ポルフィリンタイプの電極を用いるものであり，NO_2^-やスーパーオキシドなどのアニオン種はナフィオン膜で遮断している．この方法は測定容量が非常に少なくてすむため，極微量のNOを測定できる点優れているが，マイナス電荷を持たない$NO_2\cdot$などについて同様に検出する可能性があり，そうした点で特異性に問題がある．

化学発光法にはオゾン化学発光法とルミノール化学発光法がある．オゾン化学発光法は，NOがオゾンと反応し，NO_2ラジカルの励起状態を生成し，このNO_2ラジカルが失活する際に生じる化学発光を検知するものである．(式18，19)

$$\cdot\mathrm{NO} + \mathrm{O_3} \rightarrow \cdot\mathrm{NO_2}^* + \mathrm{O_2} \quad (式18)$$

$$\cdot\mathrm{NO_2}^* \rightarrow \cdot\mathrm{NO_2} + h\nu \quad (式19)$$

この反応は気相中でのみ起こるため，生体試料中のNOを測定するときには，1度気相中に放出する必要がある．この過程でNOがNO_2^-あるいはNO_3^-に変化することが予想される．また，液相中から気相中への変換過程の時間差の問題もあるので，高感度ではあるが，実用的にはかなり難しいものである．

また，ルミノール化学発光法も，オゾン法と同様，化学発光を原理としているものである．測定はルミノールに過酸化水素を加えた系にNOを反応させることにより非常に強い化学発光が生じることに基づく．この方法は非常に高感度にNOを検出できるが，NO特異的に反応が進行するわけではないので，他の実験系との組み合わせが必要である．

NOの代謝酸化物である亜硝酸イオン(NO_2^-)を定量化する方法としては，グリース法と蛍光法がある．

グリース法は，NOの酸化生成物であるNO_2^-のアゾカップリング反応を原理としている．酸性条件下での生成物であるジアゾ化合物を546 nmの吸光度で測定するものであるが，NO自身ではなくNO_2^-を測定していることを考慮しておけば測定それ自身は簡便であり，定量用キットも市販されているので汎用性は高い．

蛍光法は，2，3－ジアミノナフタレンとNO_2^-

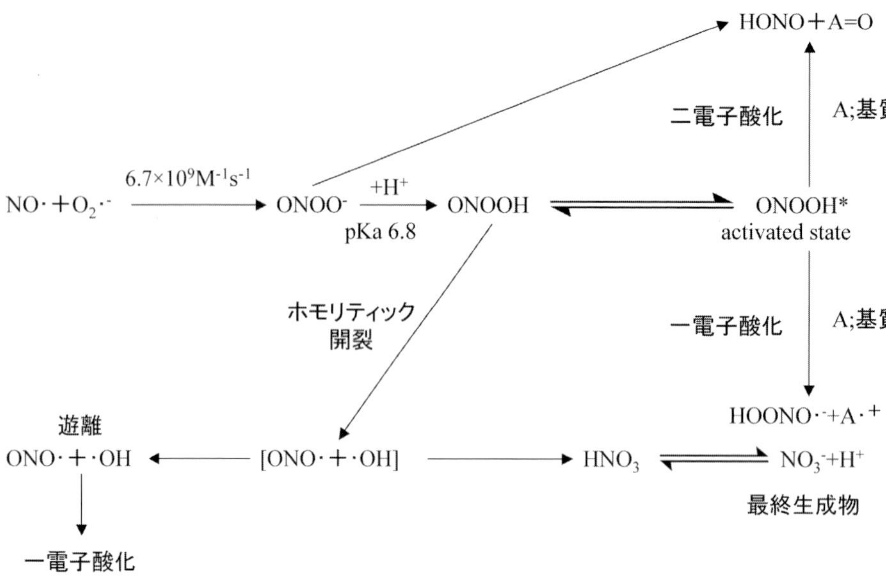

図４　パーオキシナイトライトの分解経路

を酸性条件下で反応させ，１－ナフトトリアゾールを生成し，この化合物の蛍光を測定するものであるが，原理上，グリース法同様，ジアゾカップリング反応を用いるものである．

現在のところ，高い信頼性を持って高感度かつ特異的にNOを測定する方法は確立されていないので，２つ以上の測定法を組み合わせることによって，定量性を増すことが望ましいと思われる．

＜NOの作用＞

内皮由来血管弛緩因子として同定されたNOは，生理的条件下においては血流からのずり応力によって刺激されている血管内皮細胞中に存在するe－NOSによって産生され，血流を調整する役割を果たしている．しかしながら，病理的条件下になると，免疫担当細胞であるマクロファージや好中球などによってi－NOSが誘導されると大量のNOが一過的に産生されることによって，著しい血圧低下が引き起こされる．このi－NOSの誘導には腫瘍壊死因子(TNF－α)が関与することが知られている．また，このような炎症時には好中球からNOだけでなくスーパーオキシドも大量に産生されることとなる．NOとスーパーオキシドは速やかに反応し，非常に強い酸化活性を示すパーオキシナイトライトアニオン($ONOO^-$)を生成する．この反応速度は，スーパーオキシドとSODの反応速度よりも速い$6.7\times10^9 M^{-1}s^{-1}$である[12]．$ONOO^-$の$pK_a$は6.8であり，生理的条件下では$ONOO^-$とその共役酸であるONOOHが共存することになる．$ONOO^-$が比較的安定であるのに対してONOOHは速やかに分解する．当初，その分解過程においてヒドロキシルラジカルが生成することから強い酸化活性が発現されると考えられていたが，その後の実験によりヒドロキシルラジカルの関与は否定された．さらに，$ONOO^-$は血中においてCO_2と反応して$ONOOCO_2^-$を生成することも報告された[13]．この$ONOOCO_2^-$はパーオキシナイトライト($ONOO^-$もしくはONOOH)とは異なる酸化活性を示す(図４)．現在，$ONOO^-$が生成された証拠として３－ニトロチロシンの検出が確立されているが，様々な酸化活性を示している真の活性種の同定には至っていない．

7. 脂質過酸化物

脂質過酸化物とは，不飽和脂肪酸の過酸化反応で生じた不飽和脂肪酸ペルオキシド(LOOH)，不飽和ペルオキシルラジカル(LOO・)を指すが，これらと深く関わっている不飽和脂肪酸ラジカル

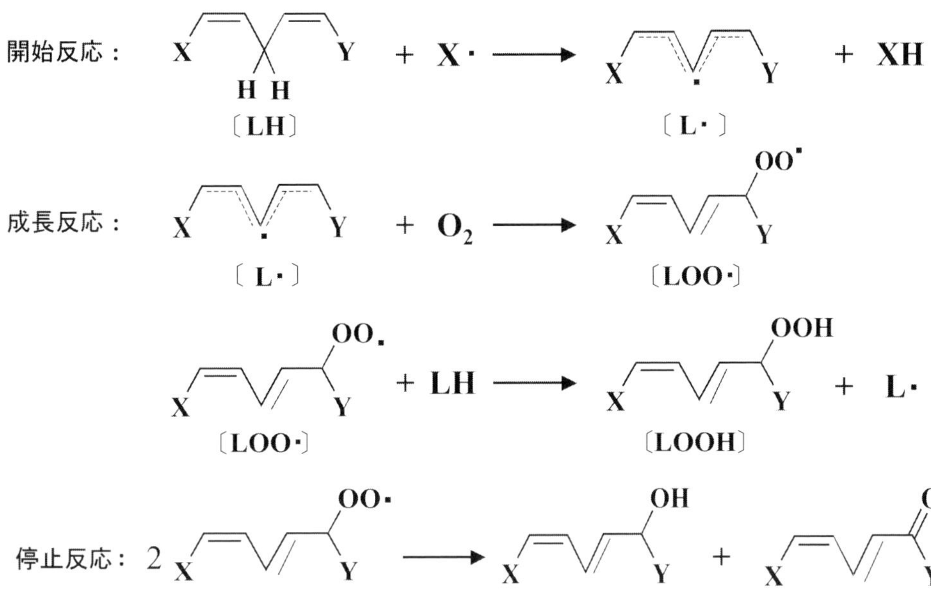

図5 脂肪酸のフリーラジカル連鎖反応

(L・)やLOOHの分解で生じてくる不飽和脂肪酸アルコキシルラジカル(LO・)も広義には過酸化脂質として捉えることができる．

脂質は細胞膜の構成成分であり，その流動性を保つため細胞膜はリノール酸やアラキドン酸など多くの高度不飽和脂肪酸を含む．高度不飽和脂肪酸はシス－1，4－ペンタジエン構造を有しており，2つの二重結合にはさまれた炭素と結合している水素，すなわちビスアリル水素を持っている．このビスアリル水素は非常に酸化を受けやすく，また生じたラジカルが共鳴安定化をされる．一般に不飽和度の高い脂肪酸ほど酸化を受けやすくなる．高度不飽和脂肪酸のフリーラジカル連鎖酸素酸化反応は図5のように進行する．まず，何らかの原因により高度不飽和脂肪酸(LH)のビスアリル位から水素の1つが引き抜かれ，ラジカル(L・)が生成する(開始反応)．生成したL・は酸素分子と反応しペルオキシルラジカル(LOO・)となる．これが他の脂質から水素を引き抜いてヒドロペルオキシド(LOOH)となり，同時に水素を引き抜かれた脂質から別の脂質ラジカル(L・)が新たに生成する．さらに同様の反応を繰り返すことにより過酸化反応が進行していく(成長反応)．この連鎖反応が繰り返されるほど細胞膜の損傷は進行する．LOO・は2分子で衝突したり，抗酸化物質により捕捉されることにより連鎖反応は停止する(停止反応)．

<脂質ペルオキシルラジカルの反応性>

脂質と酸素分子の反応で生成したLOO・は，基質からの水素引き抜き反応(式20)の他に二重結合への付加反応(式21)も引き起こす．

LOO・ + LH → LOOH + L・　　(式20)

LOO・ +  OOL　　(式21)

ここで，ヒドロペルオキシド(k_H)とアルケンへの付加体の反応連鎖定数(k_{ad})を求めることができるが，この値はアルケンの種類により大きく異なる．即ち，共役しているオレフィンやアリル水素のない系，あるいはアリル水素があっても反応しない系(ノルボルネン)や末端の二重結合に置換基が2個ついているもの(イソブチレンなど)では80－100%付加反応が進行する．一方，単純な5，6－員環のアルケンや3級のアリル水素を持つ直鎖のアルケンでは80－100%水素引き抜き反応が起こる．その他の系ではそれぞれの過程が

20%以上の比率を占め，この比率は溶媒温度の影響を殆ど受けない．分子内に二重結合がある時，LOO・はその二重結合部位に付加する．

単純なモデルを使った実験によれば，生成してくる環状過酸化物は5＞6＞7員環の順に量が多く，生体内の過酸化反応の場合と同じであり，生体系でも同様な機構で反応が進行しているものと思われる．

＜脂質アルコキシルラジカルの反応性＞

生体内において，LO・は生成したLOOHが金属イオンと接触しその結果生じてくるものと考えられる(式22)．

$$LOOH + M^{n+} \rightarrow LO\cdot + OH^{-} + M^{(n+1)+} \quad (式22)$$

LO・による水素引き抜き反応(式23)や求電子付加反応(式24)はLOO・よりも10^4-10^5倍ほど速い．

$$LO\cdot + LH \rightarrow LOH + L\cdot \quad (式23)$$

LO・ +  (式24)

さらに，生体系における脂質過酸化反応との関連で興味深い反応として，LO・のβ－開裂がある(式25)．

$$R_2-\overset{\displaystyle R_1}{\underset{\displaystyle R_3}{C}}-O\cdot \rightarrow R_1\cdot + R_2-\underset{\displaystyle R_3}{C}=O \quad (式25)$$

LO・の開裂反応で生成してくるアルキルラジカル(R_1・)からアルカンの生成が考えられるが，このアルカン量を呼気分析により測定し，その値から生体内過酸化反応の程度を予測することができる．

＜脂質ヒドロペルオキシドの生成と分解＞

リノール酸メチルの自動酸化反応からは9－,13－ヒドロペルオキシド(4種)が生成する．その生成機構は，1)リノール酸のビスアリル位の水素引き抜き反応によるペンタジエニルラジカルの生成，2)ペンタジエニルラジカルへの酸素付加によるペルオキシルラジカルの生成，3)ペルオキシルラジカルからの酸素脱離反応によるジエニルラジカルの生成，4)ペルオキシルラジカルによる水素引き抜き反応によるヒドロペルオキシドの生成と新しいペンタジエニルラジカルの生成からなる(図6)．

ここで，酸素の付加，脱離のプロセスが多くなればなるほど，9－または13－(t, t)異性体の生成が多くなっているが，生成したLOO・が速やかに水素を引き抜けるような反応条件下では9－,13－(t, c)異性体の生成量が増大してくる．リノレン酸やアラキドン酸の系においては生成したLOO・は水素引き抜き反応や酸素脱離反応の他，分子内環化反応を行う．また，酸化の初期生成物が酸化を更に受けるプロセスも加わってくるので，最終生成物は非常に複雑になってくる．

以上，これまでフリーラジカル，活性酸素の化学反応性について述べてきたが，包括的な理解のために簡単な水素引き抜き反応と二重結合への付加反応を例にとりその反応速度を比較した結果を表3に示すが，いずれの反応においてもヒドロキシルラジカルは極めて高い反応性を示している．

活性酸素種	反応速度定数($k, M^{-1}s^{-1}$)	
	水素引き抜き	求電子付加
HO・	10^8	10^9
RO・	10^6	10^6
HO_2・	10^2	10
RO_2・	10^2	10
$O_2\cdot^-$	0	0
H_2O_2	0	遅い
ROOH	0	遅い
$^1O_2$	0	10^5

表3　活性酸素種とその反応性

8. 標的化合物(酸化分子マーカー)

生体内で生成したフリーラジカルや活性酸素は種々の生体成分(脂質，蛋白質，ＤＮＡなど)を酸化する．

細胞膜に存在する高度不飽和脂肪酸はフリーラジカルとの反応により容易に酸化反応を受け，毒性の強い過酸化脂質(LOOH)に変化する．このLOOHが前述のようなプロセスで分解しLO・が生成することにより，β－開裂を介して脂肪酸の鎖が短くなっていく．酸や熱処理によりこうした

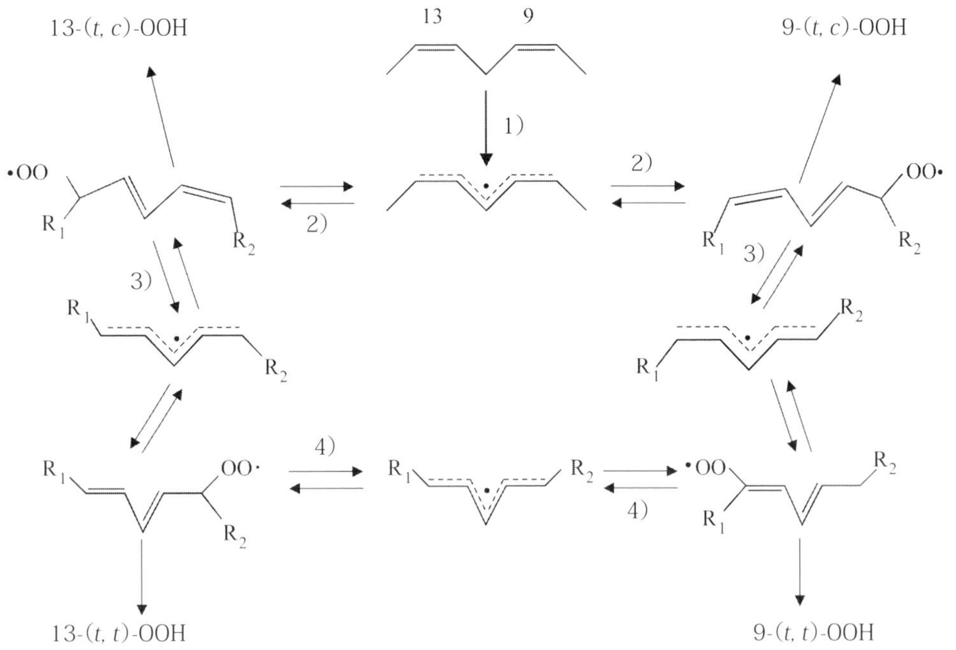

図6　リノール酸の過酸化反応

反応を促進させることによって生じた短鎖アルキルアルデヒドをチオバルビツール酸(TBA)と反応させ，生成した化合物(TBARS)の量を求めることにより脂質の過酸化度を測定する方法が取り扱いの簡便さもあり多用されている．また，ペンタジエン構造を持つ高度不飽和脂肪酸から形成されたLOOHは，共役ジエンを持つために234 nmに吸収があり，吸光度測定や液体クロマトグラフィーによる定量も行われている．しかし，共役ジエン構造はLOOHだけでなくその還元体であるLOHも有しているので注意が必要である．

蛋白質の酸化では，攻撃を受けやすいアミノ酸としてメチオニン，ヒスチジン，トリプトファン，チオール残基がある．こうした酸化的修飾により酵素ならば不可逆的な不活性化反応が生じ，プロテアーゼによる分解を受けやすくなったりする．こうした蛋白質の酸化的損傷の目安としては，プロテインカルボニル法が簡便なものとして多用されているが，原理上は酸化された蛋白質とジニトロフェニルヒドラジンの反応をスペクトル的に解析・定量するものである．チオール残基の酸化では，ジスルフィド結合による分子内または分子間での架橋結合が形成される．この酸化の度合いは，ジスルフィド結合を有する芳香族化合物ジチオビスニトロ安息香酸を用いることにより，残存するチオール量を定量することで評価できる．

ＤＮＡへの障害としては核酸塩基の修飾，ホスホジエステル結合の開裂によるＤＮＡ鎖の切断，デオキシリボース部位の酸化分解などが知られている．これらのＤＮＡ損傷は癌化，老化との関連から興味深いものである．ＤＮＡの活性酸素による酸化生成物は数多く知られているが，最もよくＤＮＡ酸化損傷の分子マーカーとして用いられているのは８－ヒドロキシデオキシグアノシン(８－OHdG)である．解析方法としては，HPLC－ECDやGC－MSが用いられてきたが，最近はより高感度なELISA法が多用されている．

フリーラジカルによる糖鎖の障害も生体防御ならびに損傷といった面において重要な役割を与えることが分かってきている．糖鎖の損傷はゆっくりと進行すると考えられており，慢性疾患の原因となりうる．哺乳動物の細胞外マトリックスの重要な構成成分であるヒアルロン酸は関節液，目の

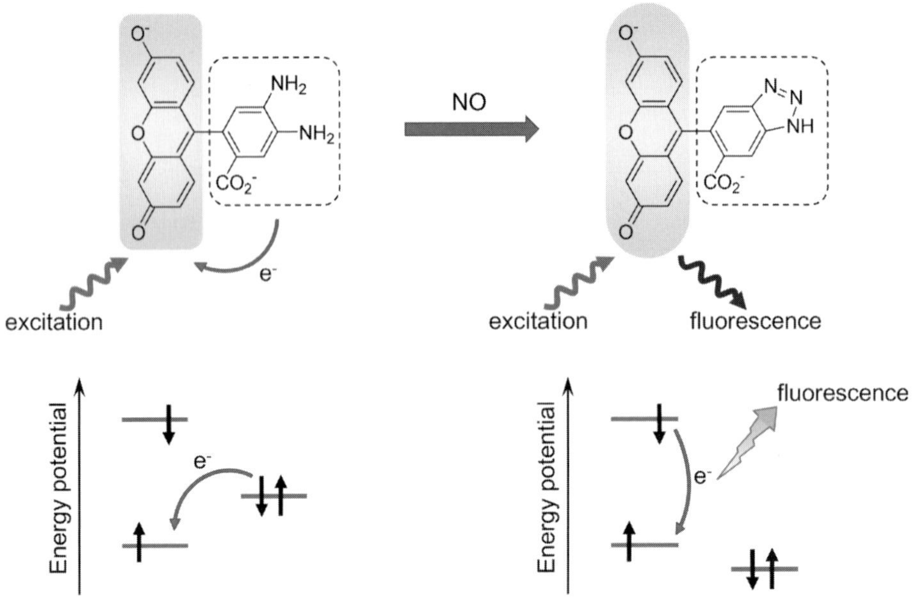

図7　NO 特異的蛍光プローブの発光メカニズム

水晶体などに大量に含まれており，高い粘性を示しているが，フリーラジカル反応によりヒアルロン酸の切断が起こると，関節滑液の粘度低下が起こり，関節の可動性が損なわれる．こうした点，糖鎖へのフリーラジカル反応もまた重篤な疾患の一因として考えられる．

9. フリーラジカルの光学的検出

これまで述べてきたように，生体内のフリーラジカル量を測定する手法として，ESR 法，吸光法，蛍光法，化学発光法などの種々の検出法が開発されてきた．生体内でのフリーラジカルの動態を調べるためには，非侵襲，高感度，高空間分解能，リアルタイム検出などの条件がさらに必要となる．ESR 法を応用し MRI 技術と組み合わせて，生体内のフリーラジカルをイメージングする技術の開発が行われている．生体内酸化ストレスに感受性が高い NO ラジカルをプローブとして用いれば，これは非侵襲なイメージングも可能となる．*in vivo* への展開が期待できる技術の一つである．また，高解像度であるという利点から，生細胞を蛍光顕微鏡下で観察する蛍光イメージング法も注目されている．

蛍光イメージング用材料(蛍光プローブ)は，フリーラジカルと反応することで蛍光を発する型(Turn − on 型)と消失する型(Turn − off 型)に大別される．顕微鏡観察による観察を主目的とするため，Turn − on 型が望ましい．2',7' − ジクロロジヒドロフルオレセイン(DCFH) は，活性酸素と反応して，フルオレセイン骨格となる蛍光プローブである．DCFH は，細胞膜透過性に劣るため，ヒドロキシル基をアセチル化して疎水性を高めた DCFH − DA が生物学，薬学，医学など多方面で利用されている．しかし，様々な活性酸素種と反応するため，特異性が低く，さらに自動酸化や光照射により蛍光強度が変化するため，定量には注意が必要である[14]．

近年では，新しい原理に基づいて特異性や安定性に優れた蛍光プローブが多数開発されている．DAF − 2 DAMBO − P^H は蛍光発色団に隣接するベンゼン環のオルト位に二つのアミノ基を置換した構造を有する一酸化窒素に特異的に反応する蛍光プローブである[15]．アミノ基が置換された隣接ベンゼン環の HOMO レベルは蛍光発色団の励起一重項状態のSOMOより高いため，電子移動が起こり消光される．しかし，一酸化窒素(NO)と反応してトリアゾール環を形成すると，HOMOレベルが下がり電子移動しなくなるため，蛍光発色団からの蛍光が観測できるようになる(図7)．NiSPY－3は蛍光発色団としてBODIPY骨格を利用し，隣接するベンゼン環へのニトロ化反応を利用したパーオキシナイトライト特異的な蛍光プローブである．隣接ベンゼン環がニトロ化されることで電子移動による消光がなくなり，BODIPYに由来する強い蛍光が観測される．BESH$_2$O$_2$は過酸化水素に特異的な蛍光プローブであり，過酸化水素が効率良くエステル結合を加水分解することを利用している．スルホン酸エステルで蛍光発色団と消光団を結合することで生細胞内のエステラーゼでは分解されないように設計されている[16]．他にも，類似の原理に基づいてスーパーオキシドに特異的なプローブ(BESSo)も開発されている．

2. 老化とフリーラジカル

生物は，誕生，成長，成熟，老化過程を経て死に至る．生物の一生のうち，老化とは生物の衰退過程を意味しており，不可逆的な時間経過を意味する加齢とは区別される．老化を引き起こす機構に関して，現在ほぼ2つの学説に集約されている．1つは老化の過程それ自身が遺伝子にプログラムされており，受精，着床，誕生，成長という一連の流れの中に組み込まれているというものである(老化プログラム説)．もう1つの学説は，老化は先天性のものとは異なり，生命活動を営む過程において様々な外部環境因子の影響を受けるため，それら種々の障害(酸化ストレスを含め)の蓄積が重なり合って最終的に老化という現象が発現されてくる(分子障害説もしくは老化エラー説)という考えである．

どちらかの説で全てが説明できるというよりも，遺伝的因子と障害因子が複合的に噛み合って，老化という現象がおきているものと思われる．活性酸素・フリーラジカルと老化の関係も前述のHarmanが提唱して以降数多く議論されるようになり，老化過程における種々の酸化分子マーカーや抗酸化酵素量の測定結果が報告されるようになってきた．

DNAの酸化分子マーカーとして8－OHdGを用い，動物の尿中の8－OHdG量を動物の筋肉量の指標であるクレアチン量で割った値をY軸にとり，X軸に動物の最大寿命をとりこの関係を調べてみたところ，8－OHdG量の少ないもの(即ちDNA損傷の少ないもの)ほど寿命が長いことが判明した[17]．また，もし老化の何らかの過程に活性酸素・フリーラジカルと生体分子との反応により生成してくる酸化生成物が影響してくるのであれば，そうした酸化生成物を除去する能力の高い動物種ほど長寿命を獲得できることになる．

抗酸化酵素の存在それ自体が，生体が常に酸素毒性に曝されているということの証拠であるが，その中でスーパーオキシドを不均化するスーパーオキシドジスムターゼ(SOD)活性と寿命の関係が調べられた．Y軸に比代謝率(消費燃料／単位体積・単位時間)あたりのSOD活性をとり，X軸に動物種の寿命をとりSOD活性と寿命の間に正の比例関係が存在することが確かめられた．これに関連した実験として，生体内に存在するビタミン類や尿酸などのような抗酸化物質の量と寿命の関係についても調べられているが，やはりSOD活性と同様に抗酸化物質量の多いものほど長寿命を持ちうるという結果となっている[18]．

老年性疾患の発症における酸化ストレスの影響を調べる目的で，老化モデル動物として老化促進モデルマウス(SAM－P)を用いた研究が進められている．SAM－Pは老化兆候が早期に発現し，進行速度も急速であるため，寿命が通常のマウス(SAM－R)よりも短い．血清中の脂質過酸化脂質レベルは初期の段階よりSAM－PはSAM－Rに比べ高い状態で推移している．また，肝臓中の過酸化脂質レベルにおいても同様な傾向が認められることより，過酸化脂質レベルの上昇が老化促進因子となり得ることを示唆するものである．また，グルタチオン還元酵素活性などもSAM－PはSAM－Rに比べ低いことよりこうした酵素活性の低下が過酸化脂質レベルの上昇につながり，そのことがひいては老化の進行につながっているのではないかと考えられている．我々も主な老年性疾患として学習記憶障害を発症するSAM－Ｐ８の脳及び末梢臓器中の脂質過酸化物量の加齢変化を測定したところコントロールマウスであるSAM－Ｒ１に比べて生後２ヶ月目から有意に高い値を示すことを突き止めた[19a,19b]．もし，このようなフリーラジカル反応により老化が進行するものであれば，フリーラジカル消去物質を含んだ食事をとることにより寿命の延長が図られるのではないかと考えられる．マウスに大量のビタミンＣを与えた実験では，最大寿命に及ぼす影響は殆ど見られなかったものの，生存率においては改善効果が認められた．合成フリーラジカル消去剤であるPBN（スピントラップ剤）の投与によっても平均寿命の延長が確認された．これに関しても，我々は*in vitro*の実験系でヒドロキシルラジカルに対して捕捉活性を示し，慢性疲労症候群などの神経疾患に対して改善効果を示すアセチルカルニチンを生後間もないころより長期間SAM－Ｐ８投与したところ，学習記憶障害の改善と脳中脂質過酸化物量の減少を観察した[20]．

血液の老化（動脈硬化）

動脈硬化とは，動脈壁の一部が肥厚，硬化し動脈の構造変化や機能低下を引き起こす疾患である．その病巣部分において過酸化脂質が多く蓄積していること，その分解生成物である４－ヒドロキシノネナール[21]やアクロレイン[22]といったα，β－短鎖不飽和アルデヒドと蛋白質との反応生成物の蓄積がみられることなどから，動脈硬化発症にフリーラジカル・活性酸素種による酸化反応が関与していることが考えられる．また，血液中におけるLDL（低比重密度リポ蛋白）のレベルが上昇すると，動脈硬化が起こりやすくなることはよく知られており，LDLは“悪玉コレステロール”という名で世間にも広く受け入れられている．

BrownとGoldsteinの２人は1979年にLDLのアポ蛋白のリジン部位をアセチル化したアセチル化LDLを作成し，このものが通常のLDLレセプターとは異なるレセプター（“アセチルLDL受容体”（後にスカベンジャー受容体と総称される））を介してマクロファージに取り込まれ，マクロファージが泡沫化されることを発見した．LDLのアセチル化は通常生体内条件下では起こり得ないので，生体内条件下で生成する化学修飾LDLの検索が行われた．その結果，内皮細胞修飾LDLが生理的条件下で生成可能なこと，またLDLを銅イオンで処理することにより生成する酸化LDLが同様な挙動を示すことが明らかになった．酸化LDLの生成を抑制することができるならば，泡沫細胞の生成も抑制され動脈硬化防止に効果的と考えられる．

LDL中にはビタミンＥが含まれる他，リコペン，β－カロテン，ユビキノールなど多くの脂溶性抗酸化物質が含まれており，これらもまたＬＤＬの酸化防止の役割を担っているものと考えられる．高脂血症治療薬の中にも，抗酸化活性を有しているものがある．

皮膚の老化

我々の身体は種々の環境因子の攻撃に曝されている．紫外線もその１つである．皮膚は直接大気に曝されているため，紫外線による影響を最も受けやすい．紫外線はその波長の違いから，UV－C（100 － 280nm），UV － B（280 － 315nm），UV － A（315 － 400nm）に分けられる．このうち，地表に降り注いでいるのはUV－ＢとＵＶ－Ａである．これまでの研究は“日焼け”を起こすことからUV－Ｂを中心に行われてきたが，最近，UV－AがUV－Ｂに比べ，長波長であるため皮膚の深部である真皮にまで到達することから，皮膚の光酸化障害（光老化）におけるUV－Ａの影響についての研究が活発に行われている．皮膚の組織は紫外線（特にUV－A）により障害を受けるがその障害が蓄積していくことにより皮膚の弾力性は失われ，いわゆる“しみ”や“しわ”が生じてくる．

皮膚の老化である“しわ”は，真皮の細胞外マトリックスのコラーゲン線維やエラスチン線維の質的ならびに量的変化により起こる．コラーゲンは皮膚の張りを保つために重要な役割を持っているものであるが，紫外線による光反応の結果，生成してくるフリーラジカルによりポリペプチド結合が切断される．切断されたペプチド鎖はプロテアーゼなどにより速やかに分解され，結果としてコラーゲン量は更に減少してくる．また同時にコラーゲン線維を構成している分子間において，架橋反応が起こり，これがコラーゲン線維の変性を促進することになる．フリーラジカルによるプロテアーゼインヒビターの不活化が起こると，コラーゲンの変性を促す一因となる．また，この不活化はエラスターゼの増加を引き起こし，エラスチンの分解が促進されることになる．こうしたコラーゲンの変性，エラスチンの分解が皮膚の“しわ”の一因となっている．

一方，“しみ”は芳香族アミノ酸であるチロシンの代謝産物が重合してポリマー化したメラニンが角化細胞に分布したものである．メラニンは表皮基底層に散在する色素細胞で作られ，角質層を通過した紫外線による皮膚障害を防止する上で非常に重要である．メラニンは紫外線を直接吸収し，フリーラジカルスカベンジャーとしても働く．

このような“しわ”や“しみ”といった皮膚の光老化現象に対して，ビタミンＥやシステインといった抗酸化物質が予防効果を示している[23]．

3. フリーラジカルと疾患

フリーラジカルは，生体にとって必須な酸素分子がフリーラジカルであること，生物が取り入れた酸素分子を様々な形で活性化していくということを考え合わせれば，数多くの疾患と関わっていることは容易に想像できる．発症過程にフリーラジカルが関わっていると考えられている主な疾患を下記に示す．

癌

癌化には多くのプロセスが必要であること（発癌多段階説）がわかっているが，一般的にはＤＮＡの異常が起こり（イニシエーション），更に癌化を促進する因子（プロモーション）が加わることにより細胞が癌化し，ある一定の大きさに成長していくことにより癌が発現するものと考えられる．放射線照射によるＤＮＡ損傷も多くはヒドロキシルラジカルなどの活性酸素によると考えられている．プロモーションは活性酸素による細胞膜などの変化の継続が重要な役割を担っている．活性酸素が継続的に発生している慢性炎症患者における癌の多発はこうした考えを支持するものである．

生体内における金属イオンの役割は多岐に亘っているが，鉄イオンは生体内で重要な活性酸素発生源である．還元型鉄イオンと有機過酸化物（脂質過酸化物）の反応が起こるとヒドロキシルラジカルやアルコキシルラジカルなどが発生してくる．金属（鉄）－酸素錯体の形成が起因となり，DNA損傷が生じ，発癌に至る機構も考えられており，過剰の金属（鉄）イオンの存在は活性酸素の大量発生につながる可能性もある．

近年になって，酸化ストレスによる発癌機構をエピジェネティックな側面から明らかとする試みがなされている．X線，ガンマ線，紫外線などの放射線は酸化ストレスを引き起こし，DNAを損傷する．CpGサイトにおけるグアニンが８－ヒドロキシル化されると，隣接するシトシンがメチル化されにくくなる．また，グアニンが酸化されO^6－メチルグアニンとなった場合もメチル化酵素の結合を阻害し，メチル化レベルの低下をまねく[24]．DNAのメチル化領域が酸化され８－OHdGや５－hydroxymethylcytosineになった場合も，タンパク質によるメチル化領域の認識が著しく減弱される．このように，酸化ストレスによってDNAのメチル化レベルが減弱することで遺伝子発現が異常化し，腫瘍の悪性化に関係することが懸念される．

ごく最近，すい臓がんや乳がんにおいてMn－SODの発現量が減少しており，これがDNAの過剰なメチル化によるサイレンシングによることが示された[25,26]．この他には，マウスのリンパ肉腫やラットの肝癌においてメタロチオネインの発現量が，肝，肺，腎，前立腺がんにおいてはNAD(P)H: quinine oxidoreductase 1やglutathione S－transferase P 1の発現量がプロモーター領域の過剰メチル化によって低下することがわかっており，これらの抗酸化酵素の発現量の低下は腫瘍成長に関係すると考えられる[27－32]．

エイズ

1981年原因不明の免疫不全を主徴候とする後天性免疫不全症候群（Aquired Immunno Deficiency Syndrome）患者が発見され，この患者からレトロウイルスであるヒト免疫不全ウイルス（HIV）が発見された．HIV感染患者の血清中ではTNF－α，IFN－γ，ＩＬ－１などの炎症性サイトカインが増大している．

これらのサイトカインは食細胞などの細胞を刺激し大量の活性酸素を放出する．活性酸素や炎症性サイトカインはHIVに感染している細胞においてHIVの転写や増殖を促進する．転写因子NF－κBの活性化によりHIVの転写及び増殖は可能となるが，活性酸素はこのNF－κBの活性化を促進する．一方，リポ酸などの抗酸化物質はこの活性酸素によるNF－κBの活性化を抑えることにより，エイズ発症を抑える役割があることが分かっている．また，エイズ患者において血清中及びリンパ球中の還元型グルタチオン量の低下が指摘されている．こうしたことを防止する目的で，現在，抗酸化物質N－アセチルシステイン（NAC）が臨床応用されている．NAC投与により細胞内のグルタチオン濃度の増大が認められること，さらにNACはNF－κBの活性化を抑制することによりHIVの増殖阻害を阻止する．こうした点，抗酸化物質のエイズ治療への可能性が示される．

脳神経疾患

（パーキンソン病）

パーキンソン病（PD）は黒質と青斑核のドーパミン作動性神経の変性を主病変とする退行性神経疾患であり，数％の遺伝性，大部分の非遺伝性のパーキンソン病に大別される．黒質の神経細胞変性に直接関与する異常としてミトコンドリア障害と酸化ストレスが見出されている．ミトコンドリアの電子伝達系における複合体Ⅰの機能低下によって発生する活性酸素により神経細胞が障害を受ける．PD患者の検死解剖の結果では，SOD活性が増加していたのに対してカタラーゼとグルタチオンペルオキシダーゼ活性は減少していた．また，黒質の鉄含有量の増加や，過酸化脂質量の増大，DNAの酸化が認められている．DOPAは大部分が神経終末の小胞内に存在するが，一部は細胞質内にある．細胞質内のDOPAはモノアミン酸化酵素により脱アミノ化されるが，この過程で過酸化水素が生成してくる．これはミトコンドリア障害，SOD活性増加と併せて考えると過酸化水素がカタラーゼやグルタチオンペルオキシダーゼの機能の低下などにより増大してくると，鉄イオンと反応し，ヒドロキシルラジカルが発生し細胞損傷が起こってくると思われる．黒質単細胞あたりの解析では，加齢に伴って約45％ものミトコンドリアDNAに酸化変異がみられており，パーキンソン病との関連が報告されている[33]．この他にも，疫学的に農薬や殺虫剤がパーキンソン病の発症に関係することが示されており，酸化ストレスとの関連が指摘されているものも存在する．現在，遺伝性パーキンソン病の原因遺伝子として13種類が指摘され，そのうち8種類が特定されており，それらの機能とパーキンソン病の発症機構との関連についてモデルが提唱されている[34]．

（アルツハイマー型痴呆）

アルツハイマー型痴呆症の特色は「ゆっくりとした神経細胞の脱落」であり，アミロイドの蓄積とリン酸化されたタウ（Tau）が主成分である神経原線維変性が観察される．アミロイドは老人斑の主要な構成成分であり，アミロイドβ－ペプチド（Am－β）という蛋白質から成り立っているが，この蛋白質は大きなアミロイド前駆体蛋白質（APP）の42個のアミノ酸（Aβ42）に相当することが分かった．APPをコードしている遺伝子は21番染色体上にあり，APPプロモーターにおけるシトシンとグアニンの割合は72％にもなり，その発現はメチル化によって制御されている．若年期の脳の発達過程で鉛ストレスがかかると，8－OHdG量の増加およびメチル化レベルの低下がみられ，APPの過剰発現をまねくことがわかっている．このような若年期に蓄積したAPPはAmβとなり，老年期にアルツハイマー病を発症する可能性が指摘されている[35]．また，活性酸素種もアルツハイマー病の発症に深く関与していることが分かってきた．脂質過酸化の副産物として得られる4－ヒドロキシノネナール（4－HNE）やアクロレインなどのアルデヒド類は神経毒性が高く，さらに半減期が長い．さらにミカエル転化反応によってヒスチジン，システイン，リジン残基と容易に反応してタンパク質の機能を失活させる．4－HNEによる修飾はリン酸化タウをはじめ，Mn－SOD，GSTなどの抗酸化酵素でもみられ[36]，4－HNEはアルツハイマー病患者の脳と髄液で増加していることがわかっている[37]．

Am－βは直接的な神経毒性に加え，25－35アミノ酸残基に切断されることによりラジカルを産生し，神経細胞膜の脂質過酸化を引き起こし，神経細胞や血管内皮細胞を障害する．さらに，Am－βはミクログリアを活性化させ各種の炎症性サイトカインやNOを含む活性酸素を産出する．こうした活性酸素の作用により神経細胞は更に障害を受けやすくなる．Am－βはミトコンドリア外膜の蛋白質輸送システムであるTOMを介して内部に取り込まれ，クリステに局在する[38]．アルツハイマー病に特徴的であるミトコンドリア活性の低下はAm－βによるものである可能性が高いと考えられている．

呼吸器疾患

肺は空気中の酸素やフリーラジカルに由来する多くの有害物質を吸引する脅威に曝されている．日常的には煙草の煙がある．煙草の煙には3000以上の化学物質が含まれている．煙草の煙には直接吸い込む主流煙と煙草の先端から出る副流煙と喫煙者が出す排気煙があるが，いずれも健康に有害である．

煙草煙中にフリーラジカルが含まれていることは，ESRスペクトルを用いた測定結果より明らかにされており，煙草と発癌との因果関係は高いものと考えられている．事実，DNA中の8－OHdG量は喫煙者の方が有意差をもって高いことが明らかになっている．

大気汚染物質(NO_x，SO_x，降下粉塵)は，以前から喘息や気管支炎を引き起こすと考えられてきた．これまでは，大気汚染の原因として工場排気煙が問題になることが多かったが，近年，大都市周辺の自動車排気煙由来の大気汚染が問題となっている．とりわけディーゼル車は通常の自動車の数倍から数十倍の窒素酸化物と浮遊粒子状物質を生成する．これらの浮遊粒子状物質はフリーラジカルを生成し，発癌や気管支喘息の原因と考えられている．

また，急性呼吸窮迫症候群(ARDS)は，病原体感染，外傷，胃酸吸引などを原因とした重篤な急性肺障害である．近年，この急性肺障害のメディエーターとして(過)酸化リン脂質の関与が示された[39]．

このほか，農薬であるパラコートはラジカル発生剤であり，本邦においても毎年吸引・誤飲による肺障害が報告されている．

消化器疾患

消化器は食物の消化，吸収などの役割を担う重要な器官である．そのため大量の血液が常に必要とされており，同時に小さな循環器障害が容易に生じる場所でもある．胃粘膜は様々なストレス負荷(例えば熱湯ストレスなど)に曝されており，容易に障害を受けて脂質過酸化物量(TBARS値)が増加することが報告されている．胃粘膜血流は虚血－再還流の影響を敏感に受けやすく，発生した種々のサイトカインや活性酸素により胃粘膜障害が引き起こされる．これらの障害やTBARS値はSODやカタラーゼなどの活性酸素消去酵素の投与により軽減されることが動物実験モデルより明らかになっている．

さらに，腸，膵，肝などの他の消化器系臓器についてもフリーラジカルの関与が考えられている疾患が数多く報告されている．ウイルス性肝炎，アルコール性肝障害などの慢性肝疾患では，好中球の浸潤やクッパー細胞の活性化による活性酸素種が過剰産生される．さらに，これら慢性肝疾患の患者では，肝臓由来の鉄調節ホルモンであるhepcidinの発現量が低下しており，その結果として鉄の吸収が亢進することによっても酸化ストレスが増強されると考えられている．

眼疾患

網膜は皮膚と同様に絶えず光照射を受け，活性酸素が常に産生されている状況にある．視細胞外節はドコサヘキサエン酸(DHA)などの高度不飽和脂肪酸が極めて多く存在する組織であるため，活性酸素による障害を極めて受けやすい．フリーラジカルと眼疾患で最も有名なのは未熟児網膜症である．未熟児はビタミンE量が低く抗酸化能力は極めて低い．こうした未熟児に大量の酸素を与えると(例えば黄疸の治療等)網膜血管の異常を引き起こし，失明することがある．こうしたことを防ぐために最近は酸素濃度調節を通すことが多い．白内障は糖尿病由来やステロイド性白内障もあるが老人性白内障が最も多い．いずれも蛋白クリスタリンの変性(酸化)に由来するものである.

糖尿病性白内障では蛋白質が血中の糖と反応し(グリケーション), SODなどの抗酸化酵素の活性は低下する. またグリケーションのプロセスでスーパーオキシドなどの活性酸素が産出されるため一層過酸化反応が進行し, 水晶体は混濁する. ステロイドホルモンは多くの疾患治療に使用されているが, その副作用の1つに白内障がある. グルココルチコイドの投与により, 水晶体中グルタチオン量は低下し過酸化脂質量は増大する. こうした症状は抗酸化物質の投与により軽減されるので, 発症の過程にフリーラジカルの関与が考えられている. ビタミンEやカロテンなどの脂溶性抗酸化剤を投与しても有意な効果は得られないのに対して, ビタミンCなどの水溶性抗酸化剤では顕著な予防効果が得られる. 白内障患者では, 脂質過酸化および酸化障害を抑制するカルノシン量が5μMまで減少することから, N－アセチルカルノシンの投与により症状の改善がみられる[40].

緑内障は何らかの原因によって視神経が障害をうけ, 視野が狭くなる疾患であり, 日本では失明の原因として最も多い. 高眼圧は緑内障の原因として考えられてきたが, 日本人においては正常眼圧範囲内における緑内障患者が全体の2／3を占めることが明らかとなっている. 高眼圧以外の危険因子として, 正常眼圧に個人差があることおよび酸化ストレスによる視神経障害が主に指摘されている[41].

循環器疾患

心臓は生命維持に不可欠の臓器であり, この心臓を動かしている心筋の障害あるいは心筋に血液を送り続けている冠動脈の障害は重篤な症状を呈することになる. 従来, 心筋梗塞患者の血中の脂質過酸化物量の増大が報告されており, とりわけ梗塞部位で高いことが知られている. こうした過酸化脂質の増大が抗酸化酵素の投与により軽減されることから, 心筋梗塞ではフリーラジカルが過酸化脂質量の増加に密接に関わっていることが示唆された. また, 虚血－再還流によって不整脈が生じることが知られているが, こうした不整脈はラジカルスカベンジャーの投与により抑制されることや, 再還流で不整脈が発生する地点と心筋フリーラジカルが増加する地点が一致することにより, フリーラジカルが不整脈発生と密接に関っているものと考えられる. マウスへの還元型グルタチオン合成阻害剤(BSO)の投与による血圧上昇, 高血圧自然発生ラットへのSOD投与による血圧低下などから酸化ストレスが高血圧の発症に関与することが示されている[42]. 一方で, 血圧上昇による血管の伸展張力の亢進がさらなる活性酸素種(Reactive Oxygen Species)の発生を誘導することから, 酸化ストレスによって高血圧が悪循環に陥るメカニズムが示唆されている. また, これとは逆に, 短時間の虚血と再還流を繰り返した場合, プレコンディショニング作用によって, 酸化ストレスに対する心筋の保護作用が働く場合があることもわかっている[43].

NOは血管拡張因子でありNOの発生により血圧の低下を起こす. NOの作用が抑制されれば血圧は上昇することになる. NOは炎症箇所において発生しているスーパーオキシドと反応し, パーオキシナイトライトを生成する. パーオキシナイトライトは, 非常に強い酸化活性を示すため重篤な障害を招く. こうした作用を防ぐために, NO投与時にSOD(血管内皮細胞表面に集積するタイプ)を併せ投与することにより, 重篤な酸化障害や血圧上昇を抑制できる.

腎疾患

腎は, 循環している血液成分を排泄もしくは再吸収する器官であるため, 種々の反応高活性成分と接触する機会が多い. 即ち, 非常に強い酸化ストレス環境下に曝されていることになる. 腎不全患者の血清中の過酸化脂質値は高く, また血中アルブミンの多くが酸化型で存在している. 一方, クレアチンと活性酸素の反応で生じるメチルグアニジンの血中濃度が高いことから腎不全発症にフリーラジカルの関与が考えられている. 各種の糸球体腎炎にはメサンギウム細胞が関与しているが, この細胞はスーパーオキシドを産生する細胞であり, 腎炎の悪化に何らかの関与が疑われている.

糖尿病

糖尿病はインスリン依存型糖尿病（Type I）とインスリン非依存型糖尿病（Type II）に大別できるが，このうちType Iはβ細胞を含んでいる膵島の炎症性破壊により起こるものと考えられている．膵β細胞ではミトコンドリア活性が高く，解糖系で産生したピルビン酸の90%近くがミトコンドリアで消費される．このため，膵β細胞はROSの産生が多い一方で，SODなどの抗酸化酵素の発現量が他の組織に比べて低いため，酸化ストレスによる障害を受けやすい．Type II糖尿病患者の膵島では，β細胞量が減少するにつれて酸化ストレスマーカー（8－OHdG）量が増大することがわかっている[44]．

Type Iの実験的なモデルとしてはアロキサン投与によるβ細胞障害がある．アロキサンは膵β細胞に高親和性を有しているのでそこに集積し，速やかに還元されてジアル酸になるが，再酸化されてアロキサンに戻る過程でスーパーオキシドが発生する．発生したスーパーオキシドはSODの作用により過酸化水素を生じ，これが還元型の金属イオンと反応しヒドロキシルラジカルを与え，β細胞障害を引き起こし糖尿病の発症につながる．Fenton反応が関与している証拠として，鉄キレーターであるDETAPAC（diethylenetriamine pentaacetic acid）や・OH消去剤であるDMTU（1,3-dimethyl-2-thiourea）などによる発症の抑制効果が挙げられる．

高血糖の状態が続くと血管障害を中心とした全身の臓器障害が起こってくる．このプロセスに蛋白の非酵素的糖化現象（グリケーション）が重要な役割を担っている．通常，グルコースは蛋白質と反応する時にはその開環型でないと反応しえないが，生理的条件下では開環型構造は0.002%程度しか存在しない．それゆえ，こうした反応は生体で起こりにくいが，グリケーションは長期間にわたり徐々に形成される糖尿病の引き金になっていることは明らかである．また近年では，このような糖化物の産生は，特に血糖変動の大きい場合において顕著であることがわかってきている[45]．

グリケーションのプロセスは以下のように考えられている．グルコースは蛋白質のアミノ酸残基（リジン）と反応しシッフ塩基を形成する．これがアマドリ化合物に異性化する．通常，このアマドリ化合物までを前期段階生成物，それ以降の化合物は後期段階生成物（AGEs）と呼ばれている．AGEsにはカルボキシメチルリジン（CML）やピラリンなどの他に架橋構造をとったペントシジンなどの蛍光物質がある．CMLの生成には2，3－エンジオールの酸化的分解が必要であり，このプロセスでスーパーオキシドが生成してくる．AGEs抗体を用いて糖尿病，水晶体，アルツハイマー病脳断片などの組織にAGEs（CML）が存在することが分かり，興味を集めている．

おわりに

我々，ヒトを含めた好気性動物は生命活動を行うにあたり酸素を必要不可欠としている．このことは，生体が絶えずフリーラジカル・活性酸素種による障害を受けていることを意味している．21世紀となりますます高齢化社会が進行している現状において，巷には様々な美容・健康補助食品が出回るようになり，一般の人々も健康管理に対して強い関心を示している．いかに高いQOLを維持しながら充実した人生を過ごしていくかが今後の課題になってくるように思われる．そのためにも，まずは個々が自己管理をしっかりし，疾患に罹らないよう予防に努めることが大切である．（紙数の関係上，内容，参考文献は最小限にとどめざるを得なかった．）

参考文献

1. Harman, D.: Aging: A theory based on free radical and radiation chemistry. J. Gerontol., 11, 298-300, 1956.
2. Keele, B. B., McCord, J. M., Fridovich, I.: Superoxide dismutase from Escherichia coli., B; A new manganese containing enzyme. J. Biol. Chem., 245, 6176-6181, 1970.
3. Rodgers, M. A. J.: Solvent-induced deactivation of singlet oxygen: Additivity relationships in nonarmatic solvent. J. Am. Che. Soc., 105, 6201-6205, 1983.
4. Foote, C. S.: Detection of singlet oxygen in comlex systems. A critique. In: Biochemical and clinical aspects of oxygen (ed. By Caughey, W. S.), Academic Press, New York, 603-626, 1979.
5. Ogibly, P. R. & Foote, C. S.: Chemistry of singlet oxygen. 42. Effect of solvent, solvent isotopic substitution, and temperature on the lifetime of singletmolecular oxygen (1 Δ g). J. Am. Chem. Soc.,

105, 3423-3430, 1971.
6. Wasserman, H. H., Muray, R. W. eds: Singlet Oxygen, Academic Press, 1979.
7. Frimer, A. A.: Organic reaction involving the superoxide anion: Patai eds: The Chemistry of Peroxides, 429-461, John-Willey & Sons, 1983.
8. Nicholls, R. & Schonbaum, G. R. : The enzyme, ed. By Boyer, P. B., lardy, H. & Myrback, K., vol. Acad. Press, New York, 147-225, 1963.
9. Flohe, L. & Braud, I.: Kinetics of glutathione peroxidase. Biochim. Biophys. Acta, 191, 541-549, 1969.
10. Furchgott, R. F. & Zawadzki, J. V.: The obligatory role of endotherial cells in the relaxation of arterial muscle by acetylcholine. Nature, 288, 373-376, 1980.
11. Palmer, R. M. J., Ferrige, A. G. and Moncada, S.: Nitric oxide release accounts for the biological activity of endothelium-derived relaxing factor. Nature, 327, 524-526, 1987.
12. Huie, R. E. & Padmajya, S.: The reaction of NO with superoxide. Free Radic. Res. Commun., 18, 195-199, 1993.
13. Lymar, S. V. & Hurst, J. K.: Rapid reaction between peroxynitrite ion and carbon dioxide: implication for biological activity. J. Am Chem. Soc., 177, 8867-8868, 1995.
14. Afzal, M., Matsugo, S., Sasai, M., Xu, B., Aoyama, K., Takeuchi, T. Method to overcome photoreaction, a serious drawback to the use of dichlorofluorescin in evaluation of ROS. Biochem. Biophys. Res. Commun., 304, 619-624, 2003.
15. T. Ueno, Y. Urano, H. Kojima and T. Nagano, 'Mechanism-based molecular design of highly selective fluorescence probes for nitrative stress.' J. Am. Chem. Soc., 128, 10640-10641, 2006.
16. H. Maeda, K. Yamamoto, Y. Nomura, I. Kohno, L. Hafsi, N. Ueda, S. Yoshida, M. Fukuda, Y. Fukuyasu, Y. Yamauchi, N. Itoh, 'A design for fluorescent probes for superoxide based on nonredox mechanism.' J. Am. Chem. Soc., 127, 68-69, 2005.
17. Shigenaga, M. K., Gimeno, C. J., & Ames, B. N.: Urinary 8-hydroxy-2'- deoxyguanosine as a biological marker of in vivo oxidative DNA damage. Proc Natl Acad Sci USA., 86, 9697-9701, 1989.
18. a) Tolmasoff, J. M., Ono, T., & Cutller, R. G.: Superoxide dismutase; Correlation with life-span and specific metabolic rate in primate species. Proc. Natl. Acad. Sci. USA, 77, 2777-2781, 1980.
19. a) Matsugo, S., Kitagawa, T., Minami, S., Esashi Y., Oomura, Y., Tokumaru, S., Kojo, S.: Age-dependent changes in lipid peroxide levels in peripheral organs, but not in brain, in senescence-accelerated mice. Neurosci. Lett., 278, 105-108, 2000.
19. b) Yasui, F., Ishibashi, M., Matsugo, S., Kojo, S., Oomura, Y., & Sasaki K.: Brain lipid hydroperoxide level increase in senescence-accelerated mice at an early age. Neurosci. Lett., 350, 66-68, 2003.
20. Yasui, F., Matsugo, S., Ishibashi, M., Kajita T., Ezashi Y., Oomura, Y., Kojo, S., & Sasaki K.: Effects of chronic acetyl-L-carnitine treatment on brain lipid hydroperoxide level and passive avoidance learning in senescence-accelerated mice. Neurosci. Lett., 334, 177-180, 2002.
21. Uchida, K., Toyokuni, S., Nishikawa, K., Kawakishi, S., Oda, H., Hiai, H., Stadtman, E. R.: Michael addition-type 4-hydroxy-2-nonenal adducts in modified low-density lipoproteins: markers for atherosclerosis. Biochemistry., 33, 12487-12494, 1994.
22. Uchida, K., Kanematsu, M., Morimitsu, Y., Osawa, T., Noguchi, N., Niki, E.: Acrolein is a product of lipid peroxidation reaction. Formation of free acrolein and its conjugate with lysine residues in oxidized low density lipoproteins. J. Biol. Chem., 273, 16058-16066, 1998.
23. Ichihashi, M., Ueda, M., Budiyanto, A., Bito, T., M. Oka, M. Fukunaga, M., Tsuru, K., Horikawa, T.: UV-induced skin damage. Toxicology, 189, 21-39, 2003.
24. Valinluck, V., Tsai, H-H., Rogstad, D. K., Burdzy, A., Bird, A., Sowers, L. C.: Oxidative damage to methyl-CpG sequences inhibits the binding of the methyl-CpG binding domain (MBD) of methyl-CpG binding protein 2 (MeCP2). Nucleic Acids Res., 32, 4100–4108, 2004.
25. Hurt, E. M., Thomas, S. B., Peng, B., Farrar, W. L.: Molecular consequences of SOD2 expression in epigenetically silenced pancreatic carcinoma cell lines. Br. J. Cancer, 97, 1116–1123, 2007.
26. Hitchler, M. J., Wikainapakul, K., Yu, L., Powers, K., Attatippaholkun, W., Domann, F. E.: Epigenetic regulation of manganese superoxide dismutase expression in human breast cancer cells. Epigenetics, 1, 163–171, 2006.
27. Majumder, S., Ghosal, K., Li, Z., Bo, Y., Jacob, S. T.: Silencing of metallothionein-I gene in mouse lymphosarcoma cells by methylation. Oncogene, 18, 6287–6295, 1999.
28. Ghosal, K., Majumder, S., Li, Z., Dong, X., Jacob, S. T.: Suppression of metalothionein gene expression in a rat hepatoma because of promoter-specific DNA methylation, J. Biol. Chem., 275, 539–547, 2000.
29. Tada, M., Yokosuka, O., Fukai, K., Chiba, T., Imazeki, F., Tokuhisa, T., Saisho, H.: Hypermethylation of NAD(P) H: quinine oxidoreductase 1 (NQO1) gene in human hepatocellular carcinoma, J. Hepatol., 42, 511–519, 2005.
30. Zhong, S., Tang, M. W., Yeo, W., Liu, C., Lo, Y. M. D., Johnson, P. J.: Silencing of GSTP1 gene by CpG island DNA hypermethylation in HBV-associated hepatocellular carcinomas, Clin. Cancer Res., 8, 1087–1092, 2002.
31. Esteller, M., Corn, P. G., Urena, J. M., Gabrielso, E., Baylin, S. B., Herman, J. G.: Inactivation of glutathione S-transferase P1 gene by promoter hypermethylation in human neoplasia, Cancer Res. 58, 4515–4518, 1998.
32. Millar, D. S., Ow, K. K., Paul, C. L., Russell, P. J.,

Molloy, P. L., Clark, S. J.: Detailed methylation analysis of the glutathione S-transferase P1 (GSTP1) gene in prostate cancer, Oncogene, 18, 1313–1324, 1999.
33. Kraytsberg, Y., Kudryavtseva, E., McKee, A. C., Geula, C., Kowall, N. W., Khrapko, K.: Mitochondrial DNA deletions are abundant and cause functional impairment in aged human substantia nigra neurons, Nat. Genet., 38, 518-520, 2006.
34. Ariga, H., Ariga, S.: 医学のあゆみ, 232, 691-696, 2010.
35. Nasser H. Zawia, Debomoy K. Lahiri, Fernando C.-P.: Epigenetics, oxidative stress, and Alzheimer disease, Free Rad. Biol. & Med., 46, 1241-1249, 2009.
36. (a) Takeda, A., Smith, M. A., Avilá, J., Nunomura, A., Siedlak, S. L., Zhu, X., Perry, G., Sayre, L. M.: In Alzheimer's disease, heme oxygenase is coincident with Alz50, an epitope of τ induced by 4-hydroxy-2-nonenal modification, J. Neurochem., 75, 1234-1241, 2000. (b) Liu, Q., Smith, M. A., Avilá, J., DeBernardis, J., Kansal, M., Takeda, A., Zhu, X., Nunomura, A., Honda, K., Moreira, P. I., Oliveira, C. R., Santos, M. S., Shimohama, S., Aliev, G., Torre, J., Ghanbari, H. A., Siedlak, S. L., Harris, P. L. R., Sayre, L. M., Perry, G.: Alzheimer-specific epitopes of tau represent lipid peroxidation-induced conformations, Free Radic. Biol. Med., 38, 746-754, 2005. (c) Sultana, R., Perluigi, M., Butterfield, D. A.: Oxidatively modified proteins in Alzheimer's disease (AD), mild cognitive impairment and animal models of AD: role of Abeta in pathogenesis, Acta Neuropathol., 118, 131-150, 2009.
37. Williams, T. I., Lynna, B. C., Markesbery, W. R., Lovell, M. A.: Increased levels of 4-hydroxynonenal and acrolein, neurotoxic markers of lipid peroxidation, in the brain in Mild Cognitive Impairment and early Alzheimer's disease, Neurobiol. Aging., 27, 1094-1099, 2006.
38. Hansson, Petersen, C. A., Alikhani, N., Behbahani, H., Wiehager, B., Pavlov, P. F., Alafuzoff, I., Leinonen, V., Ito, A., Winblad, B., Glaser, E., Ankarcrona, M.: The amyloid β-peptide is imported into mitochondria via the TOM import machinery and localized to mitochondrial cristae, Proc. Natl. Acad. Sci. USA, 105, 13145-13150, 2008.
39. Imai, Y., Kuba, K., Neely, G. G., Yaghubian-Malhami, R., Perkmann, T. Loo, G., Ermolaeva, M., Veldhuizen, R., Leung, Y. H. C., Wang, H., Liu, H., Sun, Y., Pasparakis, M., Kopf, M., Mech, C., Bavari, S., Peiris, J. S. M., Slutsky, A. S., Akira, S., Hultqvist, M., Holmdahl, R., Nicholls, J., Jiang, C., Binder, C. J., Penninger, J. M.: Identification of Oxidative Stress and Toll-like Receptor 4 Signaling as a Key Pathway of Acute Lung Injury, Cell, 133, 235-249, 2008.
40. Joe A. Vinson, 'Oxidative stress in cataracts' Pathophysiology, 13, 151-162, 2006.
41. Yuki K., Murat D., Kimura I., Ohtake Y., Tsubota K.: Reduced-serum vitamin C and increased uric acid levels in normal-tension glaucoma, Graefes Arch Clin Exp Ophthalmol. 248, 243-248, 2010.
42. Rodríguez-Gómez, I., Baca, Y., Moreno, J. M., Wangensteen, R., Perez-Abud, R., Payá, J. A., O'Valle, F., Vargas, F.: Role of Sympathetic Tone in BSO-Induced Hypertension in Mice, Am. J. Hypertens., e-published, 2010.
43. Daniel, R. Meldrum, M. D.: Mechanisms of Cardiac Preconditioning: Ten Years after the Discovery of Ischemic Preconditioning, J. Surg. Res., 73, 1-13, 1997.
44. Sakuraba, H., Mizukami, H., Yagihashi, N., Wada, R., Hanyu, C., Yagihashi, S.: Reduced beta-cell mass and expression n of oxidative stress-related DNA damage in the islet of Japanese Type II diabetic patients, Diabetologia, 45, 85-96, 2002.
45. Risso, A., Mercuri, F., Quagliaro, L., Damante, G., Ceriello, A.: Intermittent high glucose enhances apoptosis in human umbilical vein endothelial cells in culture, Am. J. Physiol. Endocrinol. Metab. 281, E924-E930, 2001.

3　ストレス応答

北大医学部衛生学，札幌医大医学部衛生学，同医化学
藤田博美，漆原範子，西谷千明

はじめに

細胞は一つの小宇宙であり，細胞膜によって外界と隔てられた内部環境が，外部環境の変化に直接影響を受けないような仕組みを発達させて来た．即ち，外部環境の変動をストレスとして受け止め，それに対処する仕組みであるストレス応答機構を進化の過程で獲得したのが現在の生物である．永田和宏は，このような環境に対する生命側の応答の，その成立に必要とされたであろう時間に応じて，遺伝子の突然変異による進化，遺伝子組換えを利用する免疫，そして発現調節によるストレス応答の三層に区分している．

ストレス応答には，広義には酸化ストレス，栄養飢餓ストレス，乾燥ストレス，紫外線ストレス，浸透圧ストレス，大腸菌のSOSストレスなどが含まれる．狭義にはストレスタンパク質の誘導を伴う，熱ショック，小胞体ストレスを代表とし，低酸素応答，虚血，炎症，ウイルス感染なども含まれる．本稿では，代表的ストレスとして，熱によって変質したタンパク質の変性沈澱を防ぎ，再生を助ける機構として研究が進んできた熱ショック応答と，分泌タンパク質や膜タンパク質の異常に対応する小胞体ストレスを主として扱う．同時に，ストレス応答系と酸素応答，虚血，炎症等を結びつける可能性のある細胞内因子としてのヘムの役割について触れる．

まず，環境因子の作用機序と酸素応答の関係を象徴する，古くから知られている事実を紹介する．鉛中毒はエジプト時代から知られているが，その主要症状の一つが化学的ポルフィリン症である．化学的ポルフィリン症の結果としてヘム合成が低下するが，これはヘムを介する酸素を利用した反応(呼吸や解毒第一相反応)の障害ととらえることができる．一方，前世紀の深刻な公害の一つイタイイタイ病を引き起こしたカドミウムの作用点の一つが，リジルオキシダーゼの活性低下によるコラーゲン架橋の障害であることは井口弘によって明らかにされた．その結果，コラーゲンを大量に含む骨で未架橋コラーゲンが非特異的に分解され，骨軟化症が形成されると考えられる．従って，カドミウム中毒は酸素利用(リジン残基の水酸化)障害による病変でもある．これらは，環境病変(のある部分)は原因物質によらず酸素病態と考え得ることを示しており，環境病変と環境ストレス応答を統合できるような理論が待たれる．

それは熱ショック応答から始まった

ヘム分解系の律速段階と云われるヘムオキシゲナーゼ(HO)は，ヘムをビリベルジン，一酸化炭素，鉄へと分解する酵素であり，基質であるヘムのみならず，重金属などによっても誘導されることが知られていた．1987年，柴原らによりラットHO遺伝子に熱ショック配列(HSE)が存在し，熱ショックにより著明な誘導を受けるという予想外の事実が明らかにされた．更に，HOは32kDaの熱ショック蛋白質(hsp32)であることが確定された．

熱ショックとは

細胞，組織，個体を高温にさらした時に起きる，細胞を防御するような協調的反応を熱ショック応答と呼ぶ．熱ショック応答は誘導するが致死的ではない高温にさらされた細胞は，本来致死的な高温に対しても強い耐熱性を示す．これは，熱ショック応答として hsp と呼ばれる一群のタンパク質が誘導され，細胞内に蓄積されたためである．このことから hsp の主たる機能はタンパク質の不可逆的変性を防ぐことと考えられた．熱だけでなく，重金属，放射線，多様な化学物質，誤ったフォールデイングの結果生じた異常なタンパク質などでも hsp は誘導される．hsp は，高等真核生物では分子量に従い hsp40，hsp60，hsp70，hsp90 等と呼ばれ，それぞれ大腸菌の DnaJ，GroEL，DnaK，HtpG に相当し，種を越えて高度に保存されている．真核生物 hps の多くは多重遺伝子族を形成し，ヒト hps70 は少なくとも 10 種類存在する．その中には構成的に合成される hsc70 も含まれる．

hsp のプロモーター領域には HSE と呼ばれる熱ショック転写因子(HSF)の結合領域が存在する．これは 5'-NGAAN-3' という基本配列モチーフが逆向きに 3 つ以上繰り返す配列である．高等動物の HSF として，ほ乳類にでは HSF1，2，4，鳥類では HSF1，2，3 が知られている．全ての HSF は N 末側から DNA 結合ドメイン，三量体形成ドメイン，三量体形成を制御するロイシンジッパー構造(HSF4 には存在しないので，常に三量体である)，疎水性アミノ酸の 7 回繰り返し構造をもち，良く保存された核移行シグナルを持つ．

ほ乳類の熱ショック応答の中心的役割を担う HSF1 は，通常では非活性型の単量体として hsp90 による抑制を受けながら細胞質に存在する．熱ショックにより，本因子は以下の二段階の機序を経て活性化される．① hsp90 による抑制から開放された HSF1 はアロステリック変化を起こし三量体を形成，DNA 結合能を得る．②三量体は核移行し，活性化制御ドメインの調節下に活性化ドメインが基本転写装置と相互作用可能な構造となり，転写活性化能を獲得する．この活性化能は hsp70，hsp40 の結合により抑制される．このようにして，本因子の機能は hsp により負にフィードバック調節される．HSF1 の調節が転写からでなく，既存のタンパク質の構造変化によることは，熱ショック応答が生命に極めて緊急の事態であったことを示している．

なお，HSF2 は熱刺激に対して不安定で速やかに不溶化すること，ユビキチン / プロテアソーム系により調節を受けていること，細胞をプロテアソーム阻害剤で処理すると HSE 結合活性が増強することが判明している．ヘムでヒト赤芽球系 K562 細胞が分化する時に HSF2 が活性化されることなどから細胞分化や個体発生などの局面でも機能すると推測される．HSF4 は脳と肺の細胞核に局在，常に DNA 結合型であり，転写活性化能はストレスにより誘導されるが，HSF1 より弱い．

全ての種の HSF1 では熱ショックによってリン酸化を受けることが活性化に繋がる．一方，細胞内の環境情報伝達系として知られる ras-raf-MAPK 系(後述)が本因子の 307 番目のセリン残基をリン酸化し，更にグリコーゲンシンターゼキナーゼ-3 が 303 番目のセリン残基をリン酸化することで，活性化ドメインの機能は抑制される．これらのことは，熱ショックという緊急事態で生き残るために一方向的であった応答が，細胞の状態に応じて制御できるようになるという進化を示しているのかもしれない．

熱ショック蛋白の機能：タンパク質の運命

hsp の機能は多岐にわたるが，90 年代からタンパク質の運命決定機能という面からの理解が進んだ．遺伝コードに従って転写，翻訳された蛋白質は予め期待された高次構造を形成して始めて機能分子となる．アンフィンセンの古典的な仮説に従えば『蛋白質の立体構造はアミノ酸配列により自動的に決まる』．この仮説はリボヌクレアーゼを用いて実証され，ノーベル賞に繋がった．しかし多くの精製蛋白質が一度変性した場合，リボヌクレアーゼのような機能復活が見られないことがしばしば体験された．では，どのように立体構造

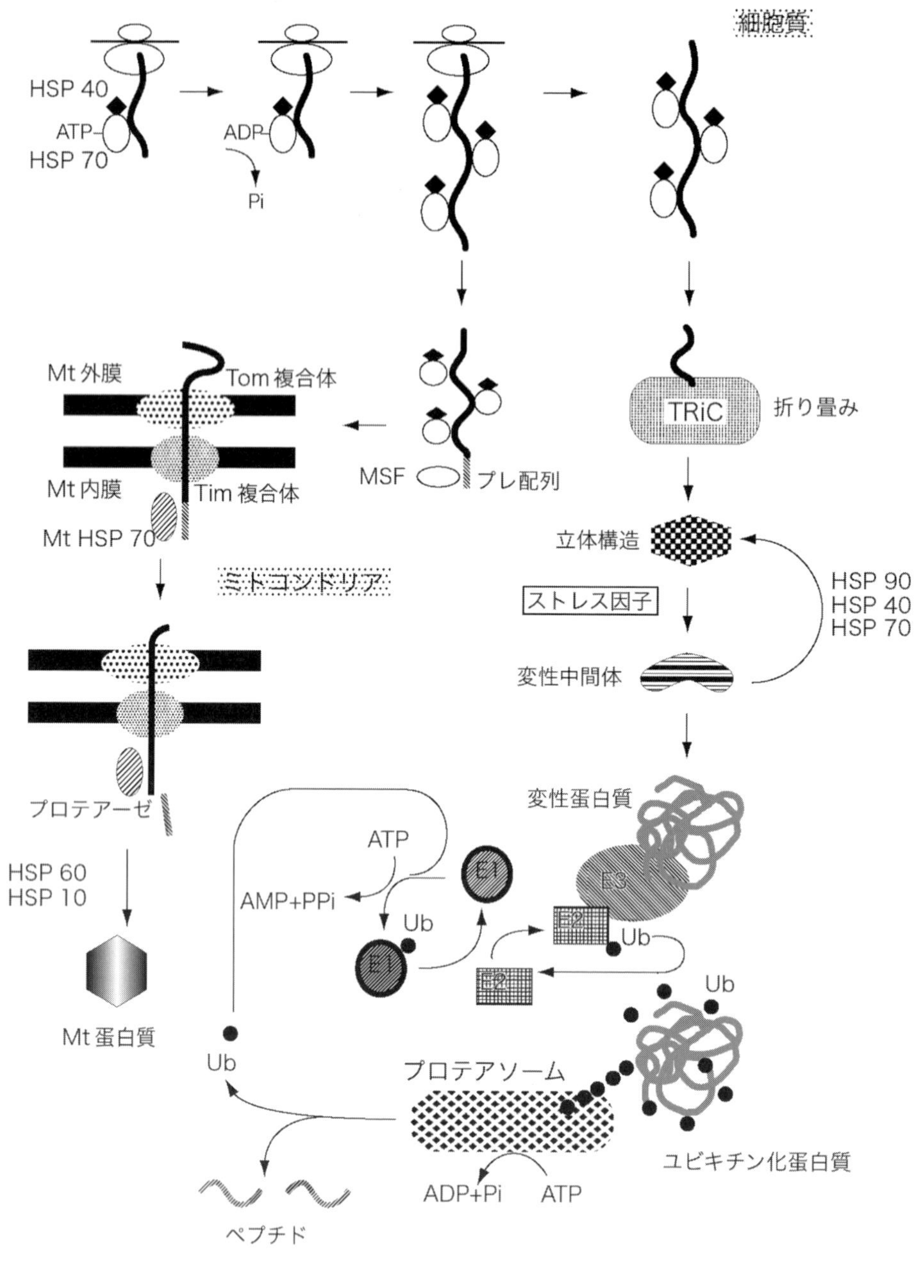

図1　ストレス蛋白質の機能
ストレス蛋白質(ゴチック)は蛋白質の揺りかご(合成)から墓場(分解)までの全生涯をサポートする.

は決定されるか？

多くのタンパク質の正常な構造形成を手助けする一群のタンパク質をシャペロンと呼び，今日ではhspの主要な機能と考えられている(図1). タンパク質はN末から遺伝情報に従い順次ペプチド鎖を形成，ある程度の長さに達すると折り畳みが始まる．一般的にタンパク質には疎水性のアミノ酸の集まった領域と親水性のアミノ酸の集まった領域が存在し，立体構造が完成すれば前者は内部や膜貫通部分，後者は表面に位置する．しかし，合成途中の一本鎖のペプチドのむきだしの疎水性領域はお互いに結合し易く，正常な立体構造の形成を妨げる．このような構造上不安定な部分に結合，疎水性残基を保護するのがhspである．

細胞質タンパク質の場合，伸長するペプチドにまずhsp40が結合，ついでhsp70ないしhsc70が結合する．ATP結合型hsp70は疎水部分と容易に結合・解離するが，hsp40がhsp70のATPaseを活性化してADP結合型hsp70となると疎水部分と結合し難く，また解離し難く変化する．小胞体のGRP78（Bip），GRP94，ミトコンドリアのhsp75などは，hsp70の同族タンパク質である．hsp70が結合したフォールデイング中間体モルテングロビュール構造はhsp60に識別され，hsp60を含む粒子TriCで本来の構造に折り畳まれる．

合成後，細胞内小器官に移行するタンパク質のN末端側には，移行する小器官特有の移行シグナルが存在する．例えば，ミトコンドリア移行シグナルを持つ前駆体にはhsp70およびミトコンドリアへのターゲティング因子；MSF（mitochondrial import stimulation factor）が結合する．この前駆体はミトコンドリア膜受容体である外膜のTom複合体と内膜のTim複合体により，一本鎖となって膜を透過，ミトコンドリアhsp70により内部へ引き込まれる．ミトコンドリアに入ると移行シグナルを含むプレ配列が切断され，hsp60/hsp10複合体により折り畳まれる．

hspは正常なタンパク質高次構造の形成に働くと同時に，異常なタンパク質が合成された時の選別や，熱ショックなどで変性したタンパク質の予後に深く関わる．変性し，疎水部分がむき出しになったタンパク質にはhspが結合する．修復可能な場合，hsp90が修復可能状態を維持し，変性中間体の疎水部分にhsp40とhsp70が結合して再折り畳みが進行する．

一方，修復不可能なタンパク質の場合，hspの仲間であるポリユビキチン遺伝子から合成されたユビキチン（Ub）が結合する．UbはUb活性化酵素（E1），Ub結合酵素（E2），Ubリガーゼ（E3）よりなる複合酵素系であり，標的の特定のリジン残基にイソペプチド結合する．標的の決定に際し，E2が大まかな特異性を規定し，E3との共同作業で最終的な特異性が決められる．標的に結合したUbのC末とUb分子の48番目のリジン残基の間でイソペプチド結合を繰り返し枝状のマルチユビキチン鎖を形成，26Sプロテアソームの識別対象（分解シグナル）となり標的蛋白質はATP依存性に分解される．Ubプロテアソーム系では，ポリユビキチン遺伝子だけでなくE2群に属する数種類の酵素もhspの仲間であり，これらのことはhspの主たる役割の一つがタンパク質の生涯における品質管理機能にあることを示している．

分泌タンパク質，膜タンパク質の運命

膜結合型リボゾームで合成された分泌型タンパク質や膜タンパク質は，小胞体で折り畳まれる．小胞体内腔にはGRP78/Bip，GRP94/ERp99，GRP170/ORP150などのシャペロンが豊富に存在する．加えて，正しい位置でのS-S結合を可能とするためのPDI（protein disulfide isomerase; ERp59）や類似酵素のERp72，ERp61，糖鎖への結合を介して折り畳みを促進するシャペロン；可溶性のERp60（カルレテイキュリン）と膜結合型のカルネキシンも発現している．以上のようなシャペロンやフォールデイング酵素が，酸化的環境にある小胞体での効率良く正確な折り畳みを可能にしている．

Schubertらによれば平均3割のタンパク質は一度も使われずに分解される．ことに，小胞体で折り畳まれるタンパク質では，使われる前に小胞体関連タンパク質分解機構（endoplasmic reticulum-associated degradation; ERAD）を介して多くが分解されると考えられている．つまり，小胞体タンパク質は折り畳みと分解のバランスの上で品質管理されていることになる．多細胞生物に必須な細胞相互の調節を担うのが分泌タンパク質と，膜の受容体であることを考えれば，小胞体におけるタンパク質の恒常性維持装置の獲得が，小宇宙としての原始の生命からの進化を可能にしたと考えられる．

①虚血，低酸素，ウイルス感染，飢餓，いわゆる酸化ストレスなどの環境要因による折り畳みや分解の破綻，②処理能力を越える量のタンパク質

の存在，③突然変異による正常な折り畳み不能により，小胞体の品質管理バランスが変化する．このバランスの異常が小胞体ストレスであり，それに対処する小胞体ストレス応答(unfolded protein response: UPR)は単細胞生物から認められる．UPRには①分子シャペロンの誘導による折り畳み機能亢進とタンパク質凝集の抑制，②翻訳抑制による小胞体負担の軽減，③ERAD因子の転写誘導による分解機能の増強，④細胞機能が極端に障害された場合のアポトーシスという4種類の反応形態が知られる．

UPRの調節機構としてIRE1 (inositol requiring enzyme1)，PERK (PKR-like ER kinase)，ATF6 (activating transcription factor 6)それぞれを介する3つの経路が知られている．IRE1は進化の上で最も古く，酵母からヒトまで保存されているタイプ1小胞体膜貫通キナーゼである．小胞体ストレスセンサーとして働くIRE1のN末ドメインは小胞体腔に存在する．正常に折り畳まれていないタンパク質を検知すると，本因子は二量体を構成，自己リン酸化により活性化，XBP1 (X-box binding protein 1) mRNAをフレームスイッチ型にスプライシングする．このmRNAがコードする塩基性ロイシンジッパー転写因子pXBP1 (S)は，UPRE (UPR element)を介してERADで機能するEDEM (ER-degradation-enhancing- α − mannidose-like protein)等のタンパク質や，ERSE (endoplasmic reticulum stress response element)を介しPDIなどのタンパク質折り畳みに関与するタンパク質をコードする遺伝子群を活性化する．長期間かつ重度の小胞体ストレス時には，IRE1はTRSF2 (TNF-receptor-associated factor 2)を動員，ASK1 (apoptosis-signaling kinase 1)の活性化に引き続くMAPKファミリーに属するJNK (c-jun N-terminal kinase)の活性化によりアポトーシスを引き起こす．

PERKは線虫になって出現したタイプ1小胞体膜貫通キナーゼであり，小胞体ストレス下におけるタンパク質合成調節を担う．IRE1同様にN末で小胞体ストレスを検知した本因子は二量体を形成，自己リン酸化により活性型となり，翻訳開始因子2のαサブユニット(eIF2 α)の51番目のセリン残基をリン酸化する．この結果，翻訳複合体形成が停止し，開始コドンが認識されなくなり，翻訳全般が抑制され，小胞体の作業負荷が軽減される．同時にeIF2 αのリン酸化はb-ZIP転写因子であるATF4 (activating transcription factor 4)の転写を選択的に活性化する．本経路で活性化される遺伝子群は主としてAARE (amino acid response element)を有し，タンパク質・アミノ酸の合成・代謝に関与する酵素群で，小胞体ストレスからの回復期に寄与していると推定されている．

ATF6はほ乳類に特有のタイプ2小胞体膜貫通キナーゼであり，小胞体シャペロンの転写誘導を主として担う．小胞体内腔側に存在する本因子のN末ドメインが小胞体ストレスを感知すると，本因子はゴルジ体に移動しS1およびS2プロテアーゼにより順次切断され，その細胞質側ドメインは活性型b-ZIP転写因子であるpATF6 (N)として核に移行，ERSEを有する異常タンパク質処理に直接関係する遺伝子群を活性化する．

また，ATF4およびpATF6 (N)はC/EBPファミリーに属する転写因子CHOP (CREB homologous protein)を協調的に誘導し，アポトーシスを惹起するが，ATF4の寄与が大きいとされる．このCHOP経由，あるいは既に述べたASK1-JNK経由のアポトーシスシグナルはミトコンドリアに伝達され，ヘムタンパク質であるチトクロームcが放出されることによりアポトーシスが開始される(後述)．

この他に，caspase 12が関与する経路が知られている．caspase経由アポトーシスは線虫から知られているが，ほ乳類では多数のアイソザイムが存在する．これらのうちcaspase 12は小胞体膜上に局在する．小胞体ストレスによりイノシトール1,4,5三リン酸レセプターあるいはリアノジンレセプターを通して小胞体から放出されたカルシウムはカルパインを活性化する．この活性型カルパインは小胞体膜上のcaspase 12前駆体を切断・活性化し，ミトコンドリア非依存性アポトーシスを引き起こす．

ヘムオキシゲナーゼ-1（HO-1）は急性期応答蛋白質である

HO-1（非誘導性のHO-2が発見されたので，誘導性のHOはHO-1と再命名された）はhspのファミリーメンバーではあるが，蛋白質の品質管理と直接関係しているという証拠はない．どのように考えれば良いだろうか？一つの可能性は，環境因子により素早く誘導されることにより，アポトーシスでミトコンドリアから放出されるヘム（ヘムの合成はミトコンドリアに始まり，ミトコンドリアで終わる）を即座に分解し，プロオキシダントとしての毒性を防御することである．

そこで，生体防御という面からHO-1の誘導を考えてみることにした．様々な原因による細胞障害に対する防御反応として急性期応答が上げられる．そこで，急性期応答の主要メデイエーターであるIL-6のHO-1遺伝子に対する反応を調べたところ，IL-6応答領域を介する誘導が認められた．更に，IL-1やTNFを投与されたマウスでHO-1が誘導されたことから，本酵素は急性期応答蛋白質であることが示された．さらに，LPS（リポ多糖）投与後の消化管障害はHO-1誘導の強さと逆相関し，HO-1阻害剤の前処理ではHO-1誘導の低い部位がより大きく障害され，本酵素の細胞保護機能が明らかになった．

急性期応答に関わるメカニズム

自然免疫を担うショウジョウバエのTollレセプターは，真菌を認識し，感染防御反応を誘導する受容体として報告された．その後，哺乳動物からToll遺伝子のホモログであるToll-like receptor（TLR）が発見され，これまでにヒトでは10種類のファミリー分子が報告されている．TLRは1型膜タンパク質であり，それぞれのTLRの細胞外には他の分子との相互作用を担っていると考えられるロイシンリッチリピート（LRR）が存在している（図2）．LRRを介してLPS，微生物DNA（CpG DNA），リポタンパク質等の病原体特有の構成成分（PAMPs ;pathogen-associated molecular patterns）を特異的に認識する．

LPS低応答性とグラム陰性細菌に易感染性を示すC3H/HeJマウスとC57BL10/ScCrマウスの解析の結果，TLR4がLPSの応答に必須であることが証明された．LPSはLPS-binding protein（LBP）との結合し，CD14に認識されたのち，TLR4-MD-2を刺激してシグナルが伝達される．一方，ヒトhsp60はCD14とTLR4複合体を介して，マクロファージや単球からのTNF-αの遊離を促進するとの報告があり，急性期応答と熱ショック応答の接点の一つを示している．

TLRファミリーを介した細胞内情報伝達は細胞内領域にあるIL-1レセプターに類似したシグナル伝達ドメインのToll/IL-1レセプター相同性領域（TIRドメイン）から開始される．このTIRドメインは，TLRのシグナル伝達に重要なアダプター分子であるMyD88，TIRAP/Mal，TRIFにも存在しており，TLRのTIRとこれらアダプターのTIRが結合することで下流にシグナルが伝わる．このシグナル伝達は，MyD88依存的経路とMyD88非依存的経路に大別される．

MyD88依存的経路は，TLR3以外の全てのTLRに共通で病原微生物の感染防御に必要な炎症性サイトカインの誘導に必須である．MyD88にはTIRドメインとDeathドメインがあり，活性化されたIL-1レセプターやTLRのTIRドメインはMyD88のTIRドメインと結合する．同時に，MyD88のDeathドメインはIRAK（IL-1R associated kinase）のDeathドメインと結合することで下流へシグナルを伝達する．続いてTRAF6（TNF reseptor associated factor6），IKK（IκBkinase），IκBを介し，最終的にNF-κBが活性化，炎症性のサイトカインが誘導されると同時にp38，JNKも活性化される．MyD88の遺伝子欠損マウスは，LPSなどの刺激に対し，炎症性サイトカイン（TNF-α，IL-6，IL-12など）の産生を示さない．

MyD88非依存性の経路は，TLR3とTLR4のシグナルに見られ，アダプター分子TRIFが必須である．さらに，TLR4を介するMyD88非依存性の経路には，アダプター分子TRAMも必須である．このMyD88を介さないシグナルは転写因子IRF3を誘導し，ケモカインIP-10やGARG16

などのIFN（interferon）誘導性遺伝子を活性化する．

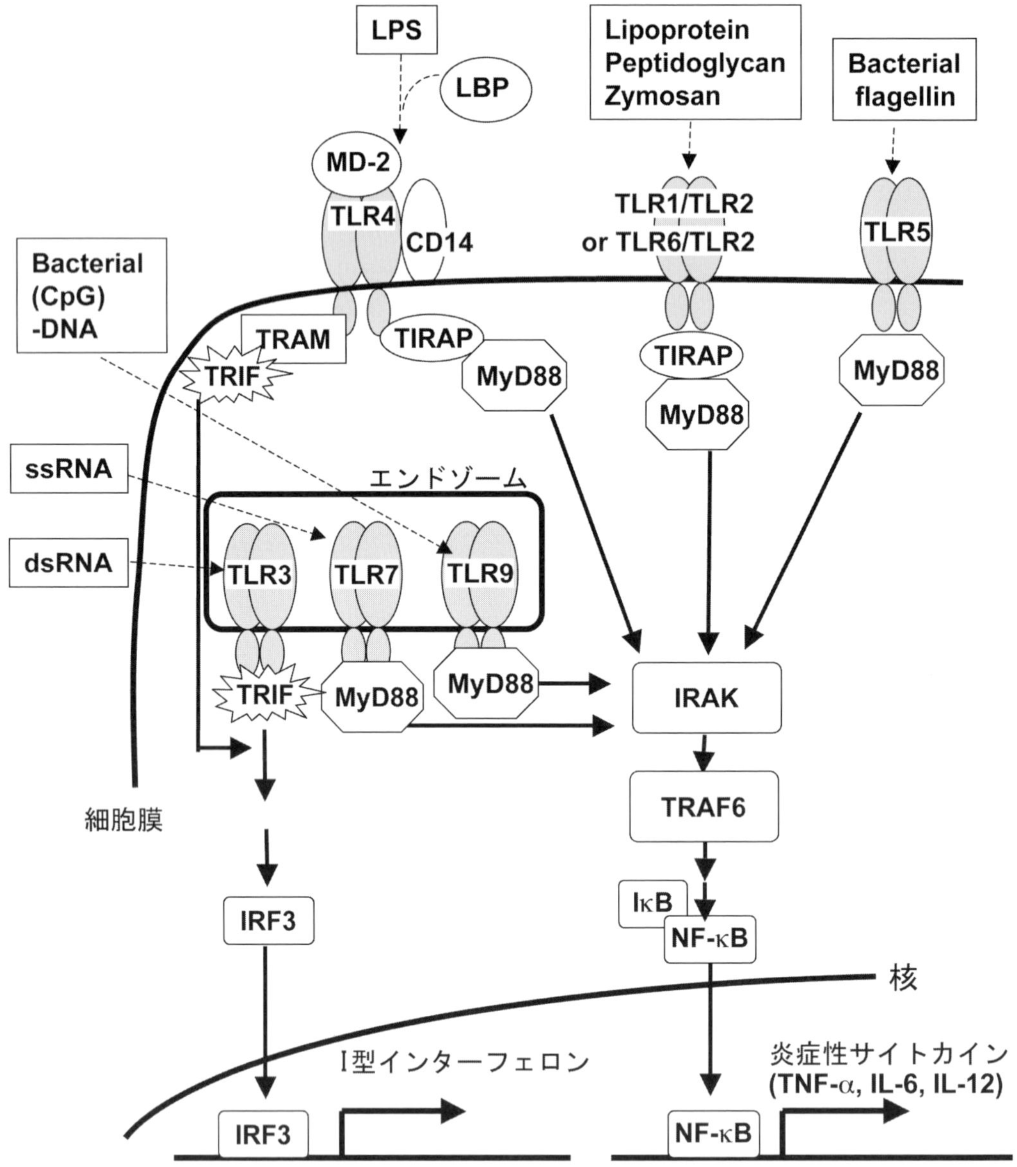

図2　Toll-like receptor（TLR）のシグナル伝達経路
TLRは，病原体特有の構成成分を認識する．MyD88を介するシグナル伝達経路は，TLR3をのぞくすべてのTLRのシグナル伝達に必須である．また，TLR3とTLR4を介するシグナル伝達経路では，MyD88非依存的シグナル伝達経路が存在する．

ストレス応答に関する細胞内情報伝達機構

上にふれたような炎症性サイトカイン，紫外線，熱ショックなどのストレス，細胞増殖刺激など広範な細胞外刺激を伝達するメカニズムがMAPキナーゼ(MAPK)カスケードをはじめとしたリン酸化による情報伝達系である(図3)．MAPKカスケードは全ての真核生物に進化的に保存されている細胞内情報伝達機構の根幹をなすものであり，細胞運命(増殖・分化・生存・死)の決定に寄与する．

MAPKカスケード(図3-a)は，MAPK，MAPKをリン酸化して活性化するMAPKキナーゼ(MAPKK)，及びMAPKKをリン酸化して活性化するMAPKKキナーゼ(MAPKKK)によって構成される．細胞が感知した各種のストレスによりMAPKKK，MAPKK，MAPKが順次リン酸化(活性化)し，細胞質の標的分子を制御すると共に核へとシグナルが伝達される．ERKは主として増殖因子などによって活性化され，細胞の分化・増殖を制する．我々はHOの基質であるヘムの合成を調節する転写因子群の一つNF-E2がras-raf-MAPK系によって制御されていることを明らかにしている．JNK，p38は合わせてストレス応答MAPK (stress-activated protein kinase: SAPK)とも呼ばれ，紫外線，熱，酸化といった環境ストレスならびに炎症性サイトカインによって活性化され，アポトーシスの誘導をはじめとする多様なストレス応答に関与している．

MAPKカスケードとは異なるリン酸化による細胞内情報伝達系としてPI3K (phosphatidylinositol-3-kinase) -Akt経路がよく知られている(図3-b)．PI3Kは膜の構成成分であるイノシトールリン脂質(PI)のイノシトール環3位のリン酸化を触媒する脂質キナーゼであり，それによって活性化される分子の代表がAktである．増殖因子等の刺激により活性化したPI3KによってPIからホスファチルイノシトール3,4,5-三リン酸(PIP3)が産生され，産生されたPIP3はAkt分子中のPHドメインと相互作用し，Aktを細胞膜へとリクルートする．その結果，膜近傍に位置するPDK1あるいはPDK2がAktのThr308あるいはSer473をリン酸化し，これを活性化する．

情報伝達系の活性化と細胞運命の決定

では，様々な細胞外刺激はどのようにしてリン酸化というシグナルに変換されて伝達されるのか？ ERK経路については活性化ファクターが増殖因子である場合が多く，かつまたRas等の上流に位置する分子が癌遺伝子としても解析が進められている分子であったことから，「増殖因子と受容体との物理的な結合→受容体の二量体化と自己リン酸化(活性化)の亢進→下流分子のリン酸化」というメカニズムが早期に明らかになった．他方，JNKやp38経路の場合は，炎症性サイトカインを除いて活性化因子の多くが熱，紫外線といったいわば実体のないものであること，MAPKKK，MAPKKが複数存在することなどから詳細な知見はなかなか得られなかった．

この10年ほどの間にMTKファミリーならびにASK (apoptosis signal-regulating kinase) ファミリーという二つのSAPK経路のMAPKKKが各々日本のグループによって同定され，精力的に研究がなされてきた．MKTファミリーのひとつMKT-1はDNA損傷，熱ショック等によって発現誘導されるGADD (growth arrest and DNA damage-induced) 45分子によって活性化され，下流にシグナルを伝える．ASKファミリーは中央にキナーゼドメインを持ち，そのN-末端側，C-末端側に調節領域を持つ．最も良く研究されているASK1は定常状態ではN-末端側に酸化還元蛋白質であるチオレドキシン(還元型)が結合しており，キナーゼ活性が抑制されている．チオレドキシンは活性酸素種(ROS)によって酸化型に変換されるとASK1への親和性を失い解離する．続いてTRAF (TNF receptor-associated factor) ファミリーのTRAF2，TRAF6がASK1と結合することによりASK1の自己リン酸化が亢進し活性化する．このように各種ストレスがリン酸化シグナルへと置き換えられる仕組みが明らかになりつつある．

リン酸化によるアポトーシス制御の例を幾つか

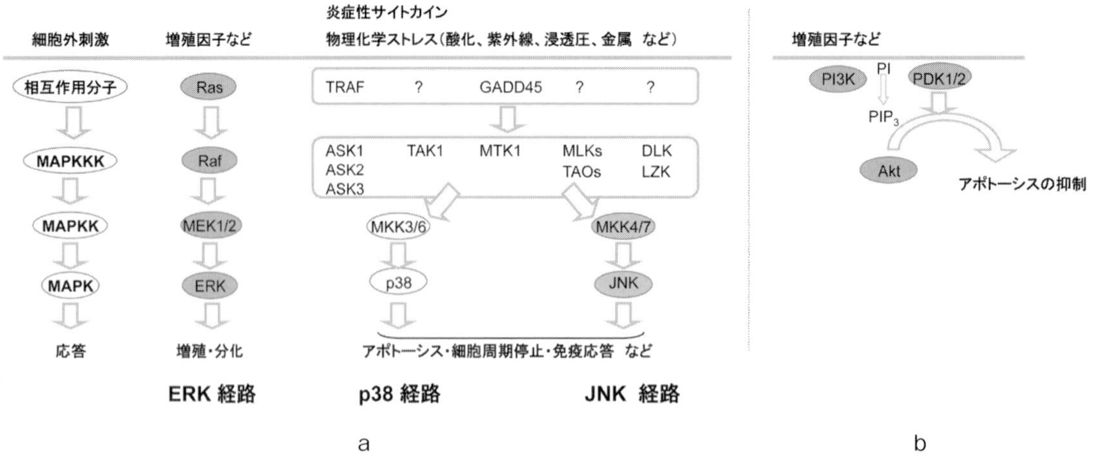

図3　ほ乳類における主要な細胞内情報伝達経路
MAPK カスケード(図 3-a.)ならびに PI3K-Akt (図 3-b.)経路の概略を示す

記す．活性化したアポトーシスシグナルの多くはミトコンドリアに集約される．その結果，ミトコンドリアの膜透過性が亢進し，チトクローム c をはじめとするアポトーシス誘導蛋白質が細胞質へと漏出する．それによってイニシエーターカスパーゼ(caspase)である caspase-9 が活性化し，引き続いてエフェクターカスパーゼである caspase-3 が活性化する．

アポトーシスシグナルの on/off を決定づける細胞内分子として Bcl-2 ファミリー蛋白質を挙げることが出来る．Bcl-2 ファミリーはミトコンドリアの膜透過性を制御しており，アポトーシスに抑制的に働くものと，促進するものが存在する．JNK は転写因子 c-Jun のリン酸化を介してアポトーシスを促進する Bcl-2 ファミリー分子(Bim 等)の発現を誘導する．紫外線刺激の際は転写を介さず JNK が直接 Bim をリン酸化し，Bim のアポトーシス促進能が上昇する．p38 のアポトーシスへの関与は標的分子については不明な点が多いが，転写因子 CHOP 等が考えられている．

一方，生存促進シグナルの制御は主として PI3K-Akt 経路による．アポトーシスを促進する Bcl-2 ファミリー分子 Bad は，アポトーシス抑制的 Bcl-2 ファミリー分子である Bcl-2 や Bcl-x_L に結合してその抑制能を不活化している．しかしながら Akt によってリン酸化されることにより Bcl-2，Bcl-x_L に結合できなくなり，細胞の生存を促進する．また Akt は前出の ASK1 の Ser83 をリン酸化することで ASK1 のキナーゼ活性ならびにその下流の活性化を抑制する．このように互いに拮抗するアポトーシス促進シグナル，抑制シグナルの微妙なバランスにより細胞死が決定されると考えられている．

情報伝達の特異性の保障

シグナル伝達分子活性の調節には，通常の可逆的な修飾反応に加え，不可逆的なタンパク質分解が存在する．後者を可能にしているのが選択的タンパク質分解である．既述のように分解すべきタンパク質の選択は E3 によって行われている．E3 には HECT ドメインでユビキチンとチオエステル結合し，その他の領域で基質と相互作用することで基質をユビキチン化する HECT 型と，直接チオエステル結合せず E2 との相互作用を介して標的分子をユビキチン化する RING-finger 型に大別される．

ROC1/Rbx1 はシグナル依存性にユビキチン化する代表的 RING-finger 型 E3 であり，足場タンパク質である Cullin ファミリーと結合し多様な複合体を形成する．それら複合体のうち，SCF 複合体は F-box タンパク質が Skp1 を介して Cullin1 と結合したものの総称であり，500 ～ 1000 種類存在する F-box タンパク質が基質を認識する．例えばβ TrCPはリン酸化されたIκB やWntの仲介因子のβ-カテニンを，Skp2はリン酸化されたp27と結合する．炎症，感染，UV等のストレスにより，炎症性サイトカインがレセプターに結合した場合，IκBaのリン酸化酵素(IKK複合体)が活性化し，N末のDSGXXSモチーフがリン酸化される．リン酸化されたIκBaはβ TrCPにより識別されユビキチン化をうけ，結果としてNFκBが核移行しストレス応答が引き起こされる．

また，TGFβシグナル伝達系はMAPK系に加えβ TrCPによっても調節されている．即ち，TGFβ刺激によりリン酸化されたSmadは核移行し転写を活性化するが，このSmadのリンカー領域に存在するMAPKによるリン酸化領域のリン酸化は核移行を阻害する．一方，核移行したSmad3が転写を活性化すると，速やかにβ TrCPにより核外に排出され分解を受ける．このSmad3を介したシグナル伝達は，さらにIFNγ/JAK1/STAT1シグナル伝達系の転写産物であるSmad7がSmad3のリン酸化を阻害することによっても調節されている．

ROC1/Rbx1の形成するもう一つの複合体，CBC複合体は，数十種類あるSOCS-box蛋白質とCullin2が結合したものである．このSOCSファミリー蛋白質はJAK-STAT経路の抑制因子であり，サイトカインはJAK-STAT系を活性化するだけでなく，SOCS-box蛋白質を誘導することによりJAK-STAT系をネガティブフィードバック調節している．

ストレス応答に関与するシグナル伝達分子の活性調節の破綻は無秩序な細胞増殖などの重大な結果を招く．そこで，以上のようなユビキチン化による調節によりシグナルの特異性が保障されていると考えられる．

酸素，鉄，ヘムそしてストレス応答

あらためて，ヘムの分解系酵素であるHO-1がhspでなければならない理由を考えてみる．

そもそもHO-1の基質であるヘムの化学的特徴は，中心に存在する鉄による酸素との結合にある．生命は，新たに地球上に誕生した酸素環境に適応し，ミトコンドリアの電子伝達系で酸素を利用して大きなエネルギーを得るよう進化した．このように，酸素なくしては存続が不可能となった生命が低酸素環境に置かれた時，解糖系の酵素群を誘導しエネルギー産生を行うなどの適応が行われる．解糖系酵素群のほか，エリスロポエチン(Epo)，血管内皮増殖因子，誘導型NO合成酵素などが低酸素状態で誘導される．加えてCHO(chinese hamster overy)細胞で観察されたORP33 (33kDa oxygen regulated protein) が，実はHO-1であった．

Epoの低酸素誘導に関与する因子として1995年にHIF-1 (hypoxia inducible factor-1)が報告され，上述の低酸素応答タンパク質はHIF-1やHIF-2により調節されていることが順次明らかにされてきた．HIF-1はPASタンパク質に属するHIF-1αとHIF-1βからなるヘテロダイマーであり，HIF-1βはダイオキシンによって活性化される転写因子AhRとヘテロダイマーを形成するArntである．1988年のGoldbergらによる，金属ポルフィリン(ないし酸素の結合していないヘム)の形成が酸素センサーに必須であるという報告もあり，非ヘムタンパク質であるHIF-1の酸素センサーの追求が始まった．

2001年，鉄そのものが酸素センサーと報告された(図4)．即ち，細胞質で①鉄と酸素の共存下にHIF-1α蛋白質のoxygen-dependent degradation domainに含まれる564の位置にあるProは水酸化される．②水酸化Pro残基はSOCS-box蛋白質の一つであるvon Hippel-Lindau癌抑制因子(pVHL)に識別され，pVHLを構成分子とするCBC複合体によりユビキチン化を受け，プロテアソームによって分解される．③低酸素状態ではHIF-1αの水酸化が抑制され，分解されない．そして④この水酸化はプロリン-4-ハイドロキシラーゼによって触媒される．すなわち，プロリン-4-ハイドロキシラーゼは鉄の存在下で，酸素濃度に依存したPro水酸化を通して，HIF-1の転写機能を調節している．

更に，HIF-1βとヘテロダイマーを形成し核内に移行したHIF-1の機能も，鉄と酸素が調節していた．⑤factor inhibiting HIFの本体はアスパラギン-ハイドロキシラーゼであり，⑥鉄と酸素

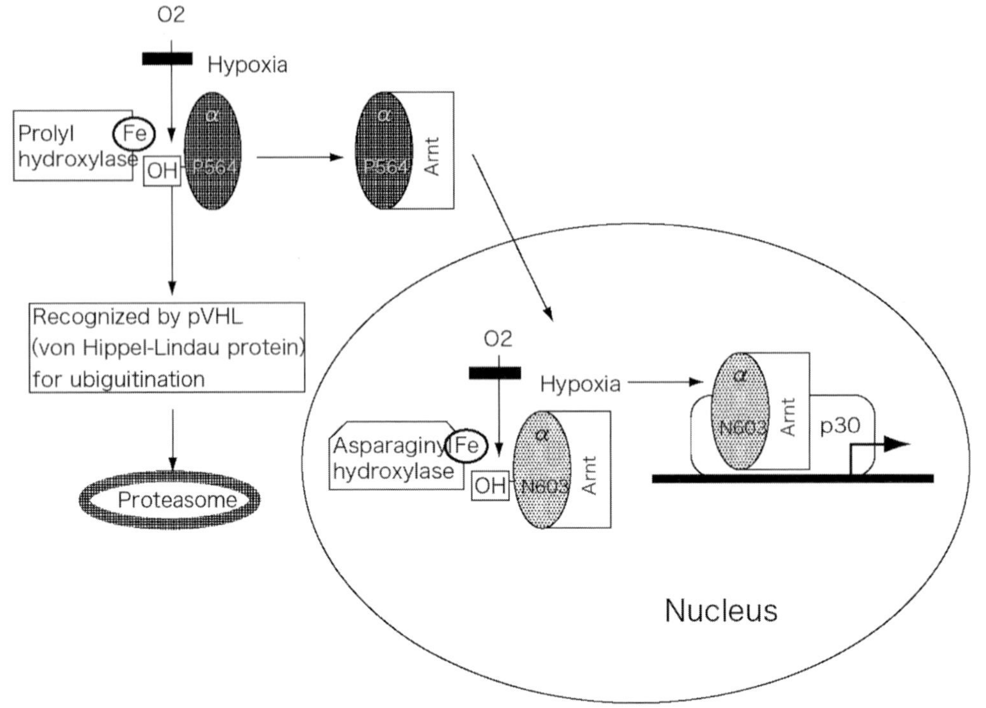

図４　HIF-1 αの転写活性化機構

細胞質内において酸素・鉄存在下では HIF-1 αの 564 位のプロリンが水酸化を受け，pVHL に認識されてプロテアソームによる分解を受ける．核内においては酸素・鉄存在下では HIF-1 αの 803 位のアスパラギンが水酸化を受け，転写のコアクテイベーター p300 への結合が阻害されるために活性化が起きない．このようにして，低酸素下において合成された HIF-1 αの機能は二段に抑制を受けている．

酸素濃度が減少した場合には，これらの抑制が外れるために転写活性化が引き起こされる．

の共存下に HIF-1 α蛋白質の C-terminal transactivation domain の 803 の位置にある Asn の水酸化を触媒し，⑦水酸化 Asn により HIF-1 は転写活性化に必須な因子 p300 と結合できなくなる．このように，核内においても HIF-1 機能は酸素濃度に応じ調節される．

ここで鉄イオンが酸素センサーとして働くことが明らかとなった．それでは，細胞内の鉄環境はどう規定されているか？鉄環境に登場する主な役者は体内鉄の 27％を貯蔵する蛋白質であるフェリチン(Ft)，鉄の細胞内取込みに関わるトランスフェリンリセプター（TfR)，体内鉄の 70％を占めるヘム鉄(特にヘム鉄の 3/4 を占めるヘモグロビン)である．これらのメンバーの調節を担う重要な因子が IRP（iron regulatory protein)であり，IRP は Ft mRNA およびヘム合成の律速酵素δ-アミノレブリン酸合成酵素(ALAS)の赤血球型アイソザイム(ALAS-E) mRNA の 5' 非翻訳領域(UT)あるいは TfR の 3' UT に存在する IRE (iron responsive element)に結合する．IRP の IRE 結合活性は細胞内鉄濃度によって規定される．つまり，鉄濃度の低下に伴い 5' UT の IRE に結合すれば，立体障害によって翻訳開始が阻害され，Ft や ALAS-E が減少する．一方，3' UT の IRE に結合した場合，mRNA のエンドヌクレアーゼによる分解が抑制され，TfR が増加する．このようにして，IRP は細胞内鉄利用の抑制と細胞内への鉄取り込みの亢進によって，低下した細胞内遊離鉄イオンを上昇させる．

従来，IRP としては硫黄 - 鉄クラスターを有し，鉄が配位した場合に細胞質酵素アコニターゼとして機能するものが知られていた．1994 年に第二の IRP が同定され，発見の順序に従い IRP1 およびIRP2と命名された．IRP1とIRP2は58％の相同性を持つが，IRP2には73アミノ酸残基の細胞内鉄イオン過剰によりIRP2の分解を決定するIDD（iron dependent degradation）ドメインが存在する．このIDDにはヘム結合モチーフであるCP配列が存在し，鉄依存的に酸化修飾を受けた場合にIRP2がユビキチン化を受ける．さらに，RING-finger型で酸化IDDを認識するHOIL-1（heme-oxidized IRP2 ubiquitin ligase）が発見され，IRP2の鉄センサーはIDDへのヘム結合による酸化であることが示された．IRP1ノックアウトマウスは無症状であるが，IRP2ノックアウトマウスでは鉄代謝異常が見られ，IRP2がより大きな役割を持つことが示された．

既述したように，タンパク質特異的なRING-finger型E3複合体により制御される，酸素検知装置では鉄が利用され，鉄検知装置では酸素とヘムが利用されることが明らかとなった．

例えば，細胞鉄イオンが不足して正常の酸素濃度でありながらHIFの分解が出来なくなったとする．低酸素応答が進行しHO-1によるヘム分解が亢進し，ヘム鉄が鉄イオンとして供給される．また，IRPのIREへの結合により最大の鉄プールである造血系の鉄利用が低下し，鉄イオンとして動員され，細胞内鉄濃度は回復する．一方で，造血系の鉄利用が限度を越えて低下した場合，組織は低酸素状態となり，HIF分解が止まり，Epo合成が誘導され，造血細胞分化が進み，低酸素状態は解消される．このように，ストレス応答はシャペロンとしての蛋白質の品質管理だけでなく，酸素環境下での生命維持に働いている．

1999年の報告によると，COは低酸素によるHIF-1機能の活性化を抑制するが，コバルトおよび鉄のキレート剤によるHIF-1機能の活性化は抑制しない．鉄キレート剤によるHIF-1機能の活性化が鉄存在下でのHIF-1アミノ酸の水酸化の抑制によることは容易に推測できる．もし，低酸素によるHIF-1機能の活性化機構が鉄を酸素センサーとするProおよびAsn水酸化だけであるとすれば，低酸素と鉄キレート剤によるHIF-1活性化に及ぼすCOの影響が全く異なっているのは極めて不思議な現象である．

もう一度，1988年の報告と考えあわせると，コバルト処理で低酸素応答は起きるが，ヘム合成を止めることで（即ちコバルトポルフィリンの合成が抑制される条件で）応答は停止する．このコバルトポルフィリンを介する低酸素応答はCOの影響をさほど受けない．この点はHIF-1の活性化と共通している．低酸素によるHIF-1活性化がCOにより抑制されることは，酸素とCOの結合部位が共通していることを示唆しており，ヘム鉄の関与を伺わせる．鉄キレート剤の場合，細胞内の鉄濃度を減少させるだけでなく，ポルフィリン環への鉄導入を抑制することでヘム合成そのものが減少する．もし，COがヘム鉄に配位することによりHIF-1機能を抑制する経路が存在するとすれば，その経路そのものがヘム合成の阻害により機能せず，鉄を酸素センサーとするProおよびAsn水酸化の経路だけが機能している状態と考えることも可能である．

それでは，進化した脊椎動物においてヘム鉄による転写調節は？という話になる．転写を負に制御するBach1が上げられよう（図５）．小Mafタンパク質とヘテロダイマーを形成した本因子のDNA結合活性はCPモチーフへのヘムの配位に従って低下する．Bach1/Mafが外れたMARE（Maf結合領域）にはNFE2/Mafヘテロダイマーが結合し，転写が活性化される．この調節機序の詳細は我々の研究室で解析を行った小川本人による総説を参照されたい．

その後，ヒトにおける低酸素応答としてのHO-1遺伝子の発現にBach1が関与していることを明らかにした．加えて，鉄のキレート剤やIF-γ処理によるHO-1誘導の抑制時にはBach1が増加しており，コバルトによるHO-1誘導時にはBach1の減少が認められている．このような観察結果から酸素，鉄，ヘムを繋ぐ別の因子のひとつはBach1であろう．

Bach1から酸化ストレスへ

小Mafタンパク質とヘテロダイマーを形成するNFE2は，造血系の転写因子として見つかった．Bach1/Mafにより負に制御されているβ-グロビン遺伝子の転写活性化にもNFE2は寄与し

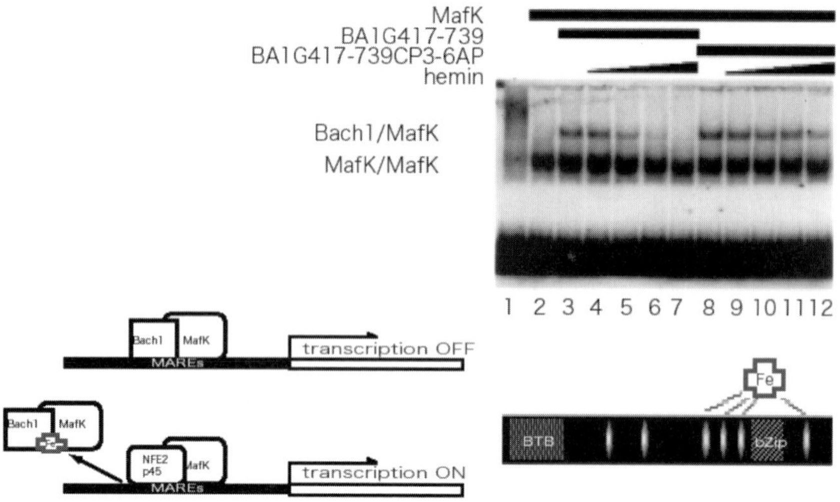

図5　Bach1における転写活性化

右下図はBach1のヘム結合領域を模式的に示す．bZip領域を挟む4個のCys-Proモチーフによってヘムは Bach1に結合する．

ヘム濃度の上昇によりBach1/MafKヘテロダイマーのDNA結合活性は低下する(右上図：レーン3からレーン7へとヘム量の増加に伴い結合が低くなっている．この低下はヘムを結合しないように4個のCys-Proモチーフを Ala-Proへと置換した変異体では，レーン8からレーン12に示されるように認められない)．結合活性が低下することにより，左下図に示すようにBach1/MafKヘテロダイマーに代わるNFE2(p45)/MafKヘテロダイマーやNrf2/MafKヘテロダイマーなどが結合し支配される遺伝子の転写が活性化される．

このようにBach1/MafKヘテロダイマーそのものは転写の活性化を抑制する，負の調節因子として働いている．

ており，高等生物の酸素動態の一翼を担っている．このNFE2のファミリー因子としてNrf1, 2, 3が同定された．これらのうち，代謝臓器に発現の多いNrf2と小Mafヘテロダイマーは，グルタチオン-S-トランスフェラーゼ(GST)やキノンオキシドレダクターゼ(NQO1)などの解毒系第二相反応を触媒する酵素群やペルオキシレドキシン1 (Prx1)などの抗酸化応答を触媒する酵素群を統一的に制御している．プロオキシダントであるヘムをアンチオキシダントであるビリベルジンに代謝するHO-1も，予測通りNrf2とBach1によって正／負の調節を受けている．

このNrf2には6個のNeh (Nrf2-ECH homology)ドメインが存在し，N末側のNehドメインには転写機能を抑制するタンパク質Keap1が配位する．通常，Keap1はCullin3と相互作用しE3ユビキチン化複合体を形成し，Nrf2を定常的に分解している．親電子試薬やROSの刺激はKeap1とNrf2の親和性を低下させ，Nrf2はユビキチン化を免れ核移行し，転写を活性化させる．

既述のストレス応答の様々な局面を担当するHSF2, IκB，Smad3, HIF-1α，IRP2に加えNrf2の調節が熱ショック応答の一部であるユビキチン化によって調節されることは何を意味するだろうか？おそらくは，これらのタンパク質が関与するストレス応答は，生命進化の過程において一瞬を争う緊急事態であり，転写誘導→翻訳→フォールディング／小器官への移行とフォールディングという通常の転写活性化機構では間に合わないような致命的な反応段階であったということではなかったか．そのような調節機序に酸素，鉄，ヘム，ROS，求核試薬などが決定的な役割を果たしていることが，環境中のこれらの化学物質が進化に与えた影響の大きさを伺うことができよう．

最後に

ストレス応答を概説したが，何分にも膨大な領域であり，画期的な成果が引き続いているので，本稿で触れることが出来なかった点や詳細については参考文献に上げたような総説を参照して戴ければ幸いである．

参考文献

（詳細を調べるために参考となる総説を中心に上げる．）

1. ストレス応答に関するもの

永田和宏監修，分子シャペロン：蛋白質の誕生から死までを介添えする　細胞工学，16：1238-1301, 1997.

田中啓二監修，ユビキチンは細胞周期を制御する：蛋白質分解から見た細胞周期　細胞工学，18：610-678, 1999.

篠崎一雄・山本雅之・岡本尚・岩渕雅樹編，環境応答・適応の分子生物学　蛋白質核酸酵素，44：2141-2534, 1999.

六反一仁，ストレス研究はいま：熱ショック蛋白質（ストレス蛋白質）をめぐって，ブラックウエルサイエンス社，1999.

横沢英良・田中啓二編集，新しい細胞機能変換システムとしてのユビキチンワールド　蛋白質核酸酵素，44：731-786, 1999.

Shubert U, Anton LC, Gibbs J, Norbury CC, Yewdell JW, Bennink JR: Rapid degradation of a large fraction of newly synthesized proteins by proteasomes. Nature, 404: 770-774, 2000.

田中啓二企画　次々と解明されるユビキチンの多彩な役割：タンパク質分解から細胞内輸送・局在の制御まで　実験医学，21：330-378, 2003.

森和俊企画，波及する小胞体ストレスの概念　実験医学，23：2760-2799, 2005.

浦野文彦企画，Protein homeostasis を解明する小胞体ストレスと疾患　実験医学，27：482-526, 2009.

谷口直之監修，病態解明に迫る活性酸素シグナルと酸化ストレス　実験医学，27：2320-2539, 2009.

2. シグナル伝達に関するもの

西田栄介編集　シグナル伝達研究の新しい局面：注目される空間的・時間的制御機構　実験医学，16：1710-1870, 1998.

箱嶋敏雄監修，構造生物学が解明するシグナル伝達：三次元構造から機能を探る　細胞工学，18：1450-1503, 1999.

秋山徹企画，シグナル伝達のクロストークを解く：次々と明らかにされる情報伝達経路と分子群の相互作用　実験医学，18：1358-1395, 2000.

後藤由季子・松本邦弘企画，シグナル伝達の Hot Spot：次々と解明される新機能とシグナル分子の制御機構　実験医学，19：1816-1855, 2001.

秋山徹・宮園浩平編集，シグナル伝達研究：主役となる因子・経路のすべてと注目される新しい分野への展開　実験医学，21：130-323, 2003.

Takeda K, Kaisho T, Akira S. Toll-like receptors. Annu Rev Immunol, 21: 335-376, 2003.

Kopp E, Medzhitov R. Recognition of microbial infection by Toll-like receptors. Curr Opin Immunol, 15: 396-401, 2003.

Gao B, Tsan MF. Recombinant human heat shock protein 60 does not induce the release of tumor necrosis factor alpha from murine macrophages. J Biol Chem, 278: 22523-22529, 2003.

Yamamoto M, Sato S, Hemmi H, Hoshino K, Kaisho T, Sanjo H, Takeuchi O, Sugiyama M, Okabe M, Takeda K, Akira S. Role of adaptor TRIF in the MyD88-independent toll-like receptor signaling pathway. Science, 301: 640-643, 2003.

後藤由季子編集，細胞内情報伝達の新展開　蛋白質核酸酵素，53：1246-1257, 2008.

辻本賀英編集，細胞死・アポトーシス集中マスター　羊土社，2006.

三浦正幸編集，細胞死研究総集編：アポトーシス・非アポトーシスの誘導機構から生体機能への関与，癌・糖尿病・神経変性疾患などの病態メカニズムまで　実験医学，28：1003-1010, 2010.

3. 酸素応答に関するもの

Iguchi H, Sano S: Effect of cadmium on the bone collagen metabolism of rat. Toxicol Appl Pharmacol, 62: 126-136, 1982.

Shibahara S, Muller RM, Taguchi H: Transcriptional control of rat heme oxygenase by heat shock. J Biol Chem, 262: 12889-12892, 1987.

Goldberg MA, Dunning SP, Bunn HF: Regulation of the erythropoietin gene: Evidence that the oxygen sensor is a heme protein. Science, 242: 1412-1415, 1988.

井口弘：コラーゲンの代謝とリジールオキシダーゼ：骨コラーゲン代謝とカドミウム，「Toxicology Today：中毒学から生体防御の科学へ」佐藤洋編，金芳堂（京都），pp.337-349, 1994.

藤田博美，武田和久，伊原直美，三谷絹子：さまざまなストレスに応答する不思議な酵素：ヘムオキシゲナーゼ．衛生化学，41: 14-23, 1995.

藤田博美，渡辺知保：ヘムおよびストレス蛋白質の遺伝子制御．「活性酸素とシグナル伝達：レドックス制御と生物の生存戦略」井上正康篇，講談社サイエンティフィク（東京），pp. 56-68, 1996.

藤田博美，小川和宏，環境応答としてのヘム代謝機構と健康障害：環境生物学試論　環境と健康Ⅱ　池永満生・野村大成・森本兼曩編　ヘルス出版，pp.260-278, 1998.

Yachie A, Niida Y, Wada T, Igarashi N, Kaneda H, Toma T, Ohta K, Kasahara Y, Koizumi S: Oxidative stress causes enhanced endothelial cell injury in human heme oxygenase-1 deficiency. J Clin Invest, 103: 129-136, 1999.

Huang LE, Willmore WG, Gu J, Goldberg MA, Bunn HF: Inhibition of hypoxia-inducible factor 1 activation by carbon monoxide and nitric oxide: Implications for oxygen sensing and signaling. J Biol Chem, 274: 9038-9044, 1999.

竹谷茂，古山和道，藤田博美：ミトコンドリアとヘム・鉄代謝，「新ミトコンドリア学」，内海耕造・井上正康編，共立出版，pp. 48-55, 2001.

藤田博美，西谷千明，中島美寧博，鉄の分子栄養学 日本衛生学雑誌，58: 248-253, 2003.

桐洛隆嘉，岩井一宏，鉄代謝とユビキチンシステム 細胞工学，22：866-871, 2003.

Ogawa K, Sun JY, Taketani S, Nakajima O, Nishitani C, Sassa S, Hayashi N, Yamamoto M, Shibahara S, Fujita H, Igarashi K: Heme mediates de-repression of Maf recognition element through direct binding to transcription repressor Bach1. EMBO J, 20: 2835-2843, 2001.

Ogawa K, Igarashi K, NishitaniC, Shibahara S, Fujita H: Heme-regulated transcription factor Bach1. J Health Sci, 48: 1-6, 2002.

Kitamuro T, Takahashi K, Ogawa K, Udono RF, Takeda K, Furuyama K, Nakayama M, Sun J, Fujita H, Hida W, Hattori T, Shirato K, Igarashi K, Shibahara S: Bach 1 functions as a hypoxia-inducible repressor for the heme oxygenase-1 gene in human cells. J Biol Chem, 278：9125-9133, 2003.

Tahara T, Sun J, Nakanishi K, Yamamoto M, Mori H, Saito T, Fujita H, Igarashi K, Taketani S: Heme positively regulates the expression of β -globin at the locus control region via the transcriptional factor Bach1 in erythroid cells. J Biol Chem, 279：5480-5487, 2004.

住本英樹企画　レドックスシグナルと酸化ストレス応答　実験医学，24：1720-1764, 2006.

加藤茂明監修，環境化学物質の作用メカニズムを解き明かす　細胞工学，26：1350-1411, 2007.

4 外来異物(刺激)に対する生体応答機構 -AhR を中心に

東京医科歯科大学難治疾患研究所客員教授
東京大学分子細胞生物学研究所非常勤講師
藤井義明

はじめに

環境汚染物質や薬物などの生体異物が生体に取り込まれると化合物に応じて，これを代謝して生体から排除する異物代謝酵素が誘導的に合成される．この化合物に特異的な異物代謝酵素(シトクロム P450，CYP)の誘導は生体異物の特異的な結合によって活性化される受容体型転写因子によってなされる．AhR (Aryl Hydrocar-bon Receptor) はダイオキシンやベンゾピレンなどの化合物と結合して活性化され，シトクロム P4501A1 (CYP1A1) の誘導に働く転写因子として同定された[1～3]．その後，遺伝子クローニングなどの分子生物学的研究によって AhR の分子的性質や作用メカニズムが明らかにされた．さらに，発生工学や遺伝子工学的手法を用いた研究によって，AhR 遺伝子欠失マウスが作成されて，このマウスを用いた実験からダイオキシンなどの多環性芳香族化合物の示す催奇形性，発がん性，肝毒性，胸腺縮退による免疫不全，クロールアクネなどの多岐にわたる毒性作用の発現に，仲介因子として，AhR が係っている事が示された[1, 2]．

しかし，AhR が線虫から昆虫や哺乳動物まで広く後生動物に分布している事やマウスの発生の初期から成熟に至るまで多くの組織で発現している事が分かり，AhR が薬理学的，毒性学的機能のみでなく，動物の発生や生理の正常な機能に働いていることが推察された．AhR 欠失マウスの詳細な機能欠損の解析や siRNA を用いた AhR ノックダウン細胞の解析から，AhR の生殖における機能，炎症や免疫における役割，細胞分裂における働きなどの AhR の生理機能が明らかにされた[3]．さらに，最近の研究によって，AhR が転写因子としての働きの他に，ユビキチン E3 リガーゼとして働き，腸において癌抑制因子として APC と並んで β カテニンの量的調節にも働いている多機能調節因子である事が分かって来た[3]．一方で，活性化された AhR によって誘導的に発現され，AhR の働きを抑える AhRR (AhR repre-ssor) が発見され，AhR による転写活性が AhRR の発現を介して負に制御されるフィードバック阻害の調節を受けて，AhR の過度の働きを抑制する系の存在が発見された[3]．

AhR の正常な機能についての理解が進むに従って，ダイオキシンなどの外来異物による多岐にわたる毒性学的作用の理解も深まり，それに対する対策も進む事が期待される．他の外来異物に対する生体応答は CAR や PXR などの核内受容体を介した応答機構も存在する[4]が，ここでは，AhR を中心とした生体応答機構について述べる．

1. AhR の構造と進化

AhR の存在は，CYP1A1 の TCDD (2, 3, 7, 8-tetrachlorodibenzo-p-dioxin) などによる誘導実験から，TCDD と結合して CYP1A1 遺伝子の発現を促進する転写因子として，1976 年に Poland らによって見出された．放射標識した TCDD を用いた実験により，^{3}H-TCDD と結合するタンパク

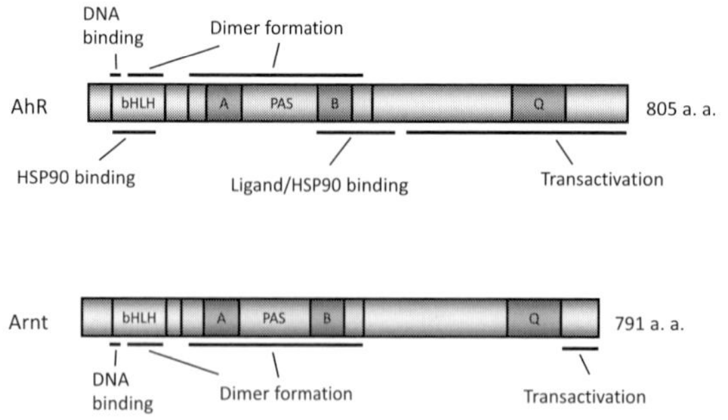

図1　AhR と Arnt のドメイン構造

bHLH（basic helix-loop-helix），塩基性アミノ酸に富む配列とヘリックス - ループ - ヘリックスドメイン；PAS : Per, Arnt, Sim に共通な配列；Q，グルタミンに富む配列，転写活性化ドメイン．

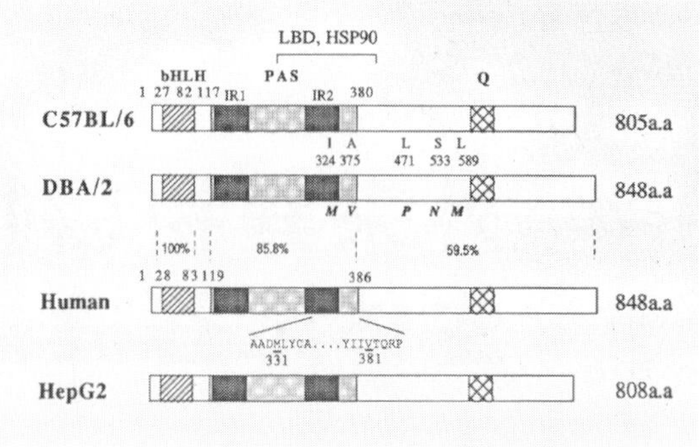

図2　ヒト，マウス C57BL/6 および DBA/2 のアミノ酸配列の比較

LBD，リガンド結合ドメイン；IR1 IR2,（internal repeat）弱いホモロジーのある繰り返し配列，図1のAとBに相当する．数値はアミノ酸の位置，％は一致アミノ酸の百分率．アミノ酸は一文字表式で示されている．

質が細胞質に存在していることが生化学的に証明され，TCDD の結合に伴い核に移行することが観察された[5]．その後，CYP1A1 の分子生物学的研究が進んで，CYP1A1 遺伝子のプロモーター領域に 3MC（3-methylcholanthrene）や TCDD に応答して遺伝子の誘導的発現に働く遺伝子上の配列 XRE（Xenobiotic Response Ele-ment, DRE : Dioxin Response Element と呼ぶ場合もある）が同定された．XRE 配列を用いたゲル移動度シフト法（GMSA : Gel Mobility Shift Assay）によって，この配列に結合する因子の存在が検討された結果，TCDD で処理した肝がん細胞由来の Hepa-1 細胞の核に，XRE 配列に特異的に結合する因子が発見された．さらに，^{3}H-TCDD を用いると XRE 結合因子に放射能が結合している事から，XRE 結合因子が AhR そのもの，あるいは，XRE 結合因子に AhR が一成分として含まれている事が明らかになった[6]．

我々は，TCDD に結合する因子として Poland らが決定した N 末端の 20 アミノ酸の部分配列[7]と XRE 配列に結合する性質を指標にして，Hepa-1 細胞の cDNA ライブラリーをスクリーニングして，先ず，TCDD に結合する AhR の 805 アミノ酸をコードする cDNA を分離した[8]．しかし，AhR の cDNA は TCDD 結合能を持つタンパク質をコードしていたが，XRE 配列の結合活性を示さない事が分かり，さらに検討した結果，先に，Hankinson らによって AhR の核移行に必要な因子としてクローニングされていた Arnt（AhR nuclear translocator）を加えると XRE 結合活性が出現する事が分かった[6]（図1）．この結果は，Bradfield らによって確認された[3]．

AhR と Arnt は bHLH（basic helix-loop-helix）構造モチーフを持つ MyoD や cMyc などの転写因子スーパーファミリーに属し，さらに，PAS ドメイン（Per，Arnt，Sim タンパク質の間で共通のアミノ酸配列）を持つサブグループ（bHLH-PAS）に分類される．機能的には，HLH 構造間の相互作用によって2量体を形成し，塩基性アミノ酸（basic amino acid）に富む配列によって DNA 配列を識別し，結合する[10]．PAS ドメインは 260 － 300 個のアミノ酸からなる配列で，約 50 アミノ酸からなる弱いホモロジーを持った2つの繰り返し構造を含んでおり，PAS フォールドと呼ばれる特徴的な立体構造を取っている．PAS フォールドを持つタンパク質は細菌などにも広く存在し，PAS フォールドにはヘム，FAD, 4 ヒドロキシ桂皮酸などのリガンドが結合して，夫々，酸素，酸化還元，光のセンサーとして働くことが知られている[11]．さらに，AhR の PAS 配列の C 末端側に，グルタミン酸に富む領域があって，転写活性化ドメインとしてコアクチベーターとの相互作用に係っている[1, 2]．

動物細胞には，bHLH-PAS 構造モチーフを持つ転写因子が AhR の他に多く分布しており，低酸素に応答して活性化される転写因子 HIF (Hypoxia inducible factor 1, 2, 3)，日周性をコントロールする因子，Clock，BMAL1，Per 1, 2, 3 などとして環境因子のセンサーとして働いている[10]．しかし，これらのタンパク質の PAS ドメインには細菌の PAS タンパク質に見られるリガンドの結合は証明されていない．

ラットやマウスには系統によって AhR の多型が存在し，特定のアミノ酸の置換が AhR のダイオキシンに対する結合活性に影響を与え，ダイオキシンの毒性発現に対する感受性に差を生ずる例が知られている．マウスの C57BL/6 と DBA/2 の系統は，TCDD に対する半数致死量(LD_{50})が，夫々，132 と 620 μg/Kg 体重，また，CYP1A1 のダイオキシンによる誘導性(ED_{50})が 0.13 と 5.2 μg/Kg 体重と差があり，この感受性の違いが，遺伝形質として，高感受性が優性形質として遺伝される．両者の AhR の構造を比較すると，高感受性の C57BL/6 の 805 アミノ酸から成る配列に対して低感受性の DBA/2 の AhR は図 2 に示すように 5 つのアミノ酸置換があり，さらに，終止コドンの変異によって 43 アミノ酸 C 末端が延長して 848 アミノ酸で構成されている事が分かった．特に，リガンド結合領域の 375 番目の Ala から Val の置換と C 末端の延長のために，DBA/2 の AhR のダイオキシンに対する解離定数が 1.85 nM と C57BL/2 の AhR に比較して約 10 倍大きくなっている事が分かり，C57BL/6 と DBA/2 のダイオキシンに対する LD_{50} や ED_{50} などの感受性の違いが AhR のダイオキシンとの結合活性の違いによって説明されることが分かった[12]．

ヒトの AhR は 848 アミノ酸で構成されており，マウスの 375 番目のアミノ酸はヒトでは 381 番目の Val に相当し，構造的に DBA/2 の AhR に似ていたが，ダイオキシンに対する解離定数も 1.58 nM と低感受性マウスと同程度であった[12]．

このヒト型 AhR に Val381Ala と C 末端のアミノ酸の延長を無くする変異を導入すると，解離定数が高感受性の AhR と同程度になる事から，ヒトの AhR は低感受性型 AhR と考えられた．この事を確認するために，ヒト型 AhR 遺伝子を C57BL/6 マウスの遺伝子座に置き換えたマウスを作製すると，このマウスはダイオキシンに対する感受性が低下する事が分かり，ヒトはダイオキシンに対して低感受性である事が結論された[13]．また，この事はダイオキシンに対する動物の毒性学的性質が AhR のダイオキシンに対する結合性に依存している事を示している．ヒトの AhR の多型についてかなりの多くの報告があるが，高感受性型 AhR の多型の存在についての報告は今のところない．

2. AhR の発現

AhR の哺乳動物の成体における発現は，組織によって程度の差が認められるが，ほとんどすべての組織で認められている．肺，肝での AhR mRNA の発現は比較的高いが，脳，腎，脾，骨格筋，精巣，卵巣などでも低いながら発現している．マウス 5 日胚でも AhR の発現が報告されている事から，AhR は発生のかなり初期から発現していると思われる[14]．このような発現は 3MC などのリガンドの投与によって変わらない事から構成的な発現と考えられる．しかし，最近の研究によって，ナイーヴ T 細胞から TGF β による Treg 細胞への分化，あるいは TGF β と IL-6 の存在下における Th17 細胞への分化過程で，AhR の発現が誘導される事が分かった．特に，Th17 細胞への分化の時の AhR の誘導的発現は顕著で，Treg 細胞への分化時の誘導の 10 倍以上に発現が促進される．AhR の発現が失欠するとこれらの Th 細胞への分化が著しく障害される事から，AhR が T 細胞の分化過程で重要な働きをしている事が示唆される[15, 16]．また，マクロファージにおいても LPS の刺激によって AhR が顕著に誘導され，IL-1 β の分泌が抑制される事が報告されている[17]．AhR が組織によってある場合には，構成的に発現し，ある場合には誘導的に発現するメカニズムはまだ良くわかっていない．

AhR 遺伝子はハウスキーピング遺伝子によく見られように，プロモーター領域に TATA 配列を持たず，GCbox 配列を多く持つ TATA-less 遺伝子である．プロモーター領域には E-box，AP-1 結合配列，GRE，NF-E1 などの DNA 調節エレメントが存在している．GC-box にはトランス因子として，Sp1あるいはSp3が働く事が実験的に確かめられているが，これは構成的発現に働いていると考えられる[14, 18]．

TGF β，IL-6あるいはLPSによる誘導に働く事が考えられるSmadやNF-κBなどの転写因子の働きについての研究も含めて，AhRの発現についての詳しい研究はまだ為されていない．

AhRが発現している多くの培養細胞が報告されている．マウス肝がん由来のHepa-1は，AhRの発現が高く，よく実験に使われている．その他に，HepG2，Hep3B，MCF7，HL60，F9，U937，THP1，HELなどいろいろな組織由来の培養細胞に，AhRが発現している[14, 20]．

前骨髄球性の培養細胞，HL60は，ホルボールエステルによるモノサイトへの分化の過程でAhRが誘導される事が報告されている[19]．このような培養細胞を用いてAhRの発現制御の研究が進展する事を期待したい．

3. AhRのリガンド

3MCやTCDDなど多くの多環性芳香族化合物(PAH：Polycyclic aromatic hydrocarbon)やハロゲン化PAH化合物がリガンドとして結合し，AhRを活性化する．図3に示すように，AhRのリガンドとして働くための構造的な制約はあまり強くないようである．分子としての疎水的性質と構造の平面性がAhRのリガンドになるための絶対的な条件ではないが，結合活性に影響を及ぼす重要な要素である．そして，種々な化合物の結合性の実験から14x12x5Å位の大きさがPASフォールドに収まる大きさと考えられる[20]．不溶化の問題があって，AhRのPASドメインの立体構造はまだ解かれていないが，ヘムをリガンドとして，酸素分子を感知する細菌のFixLなどの立体構造から，AhRのPASフォールドの凡その構造が推定されている[11]．それによれば，推定されたリガンドの大きさは細菌のPAS構造から類推される大きさと一致している．

最近では，AhRの研究の焦点が生理的機能に移るのに伴い，インドール酢酸，FICZ (6-formylindole [3, 2] carbazole)，ジインドリルメタン(DIM)，インデイルビンなどのインドール化合

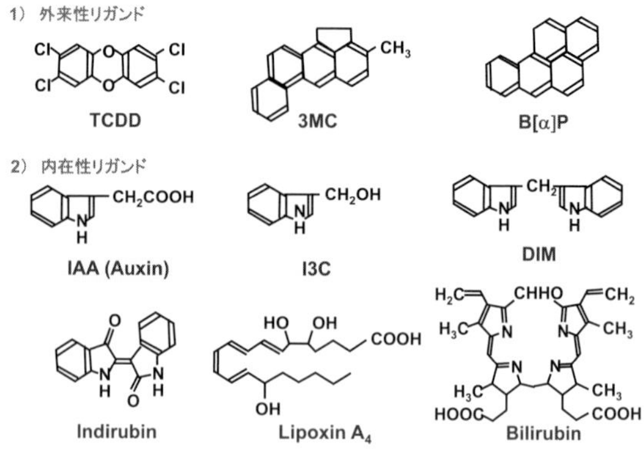

図３　AhRの代表的リガンド

物，リポキシンA4，プロスタグランジンG2などのアラキドン酸の誘導体，ヘムの代謝産物のビリルビンなどの生体に存在するリガンドが注目されている[21]．しかし，これらの化合物がAhRの生理的なリガンドであると決める確かな証拠は得られていない．例えば，ステロイドホルモンの合成欠損に見られるような機能障害が，これらのリガンドの合成が欠けた時に，AhRを介した特異的な機能障害として見出される必要があるが，まだ，そのような証拠は得られていないからである．また，最近では，外からリガンドを加えない場合でも，AhRに依存した標的遺伝子の誘導的発現の例が多く報告されている．例えば，Hepa-1細胞や10T1/2繊維芽細胞を浮遊状態で培養したり，HaCaT細胞をCa^{2+}欠乏状態や低密度状態(細胞間接触のない状態)で培養すると，AhRが活性化されて核に移行し，CYP1A1などのAhRの標的遺伝子が誘導される事が報告されている[3]．また，前述のように，マクロファージの培養にLPSを加えた実験[17]やナイーヴT細胞の培養液にTGF βやTGF βとIL-6を加えるとAhRの合成が誘導され，AhR依存的に，夫々，Treg細胞やTh17細胞に分化する事[15, 16]が知られているが，いずれの場合も，AhRのリガンドが働いている証拠は無い．胃酸分泌の抑制剤であるオメプラゾールは，ヒト肝由来のHepG2やラット肝由来のH4IIE細胞でAhRの標的遺伝子CYP1A1などの誘導剤として働くが，AhRには直接結合しないでAhRを活性化する．この誘導はチロシンキナーゼの阻害剤であるTyrphostin

AG17 や AG879 によって阻害される．しかし，これらの阻害剤は TCDD などのリガンドによる AhR の活性化を阻害しないと報告されている[22]．また，Hepa-1 細胞の培養に cAMP を加えると AhR は活性化されて細胞質から核に移行する事が報告されている[23]．このような事を考えると，AhR の活性化はリガンドの結合による活性化の他に，リン酸化カスケードによるメカニズムのある事が示唆される．リン酸化のカスケードについては SRC1 などのキナーゼの関与が示唆されているが，確実な実験的証拠は得られていない．今後の研究よって詳細な道筋が明らかにされる事を期待したい．

4. AhR の転写活性化のメカニズム

正常な状態では，AhR は 2 分子の HSP90，夫々，1 分子の XAP2（Hepatitis B virus X-associated protein 2, AIP あるいは ARA9 とも云う），および P23 と 9S 複合体を形成して細胞質に局在している．XAP2 は分子量 37KDa のタンパク質で，AhR と HSP90 複合体との結合を安定化させ，AhR を細胞質に留まらせる様に働く．P23 は 23KDa の小さな酸性タンパク質で HSP90 に結合して，AhR との結合を促進し，リガンドの無い状態では Arnt との結合を阻害する．TCDD などのリガンドが細胞に取り込まれると，AhR 複合体はリガンドと結合して，核に移行する[24]．

核に移行した複合体の AhR は，Arnt が存在すると複合体から解離して，Arnt とヘテロ 2 量体を形成する．そして，CYP1A1 などの標的遺伝子のプロモーター領域にある XRE 配列に結合して，標的遺伝子の発現を活性化すると考えられている[1~3]．AhR の標的遺伝子のプロモーター領域には GC-box 配列がよく存在して，この配列に結合する SP1，あるいは SP3 と XRE 配列に結合する AhR/Arnt ヘテロ 2 量体は相互作用して，協調的に，夫々の DNA 配列に結合する（図 4）．XRE 配列に AhR/Arnt ヘテロ 2 量体が結合すると CBP/p300，SRC1，NCOA2/GRPIP1，p/CIP，RIP140 などのコアクチベーターや BRG1 などのクロマチンリモデリング因子をリクルートしてクロマチン構造の再配列が起り，ヌクレオソーム構造が解けて，転写開始点から 300bp 位上流までが DNAase 消化を受けやすくなる．さらに，TRAP/DRIP/ARC/Mediator 複合体などを介して Pol II を含む GTF（General Transcription Factors）を転写開始点付近にリクルートして

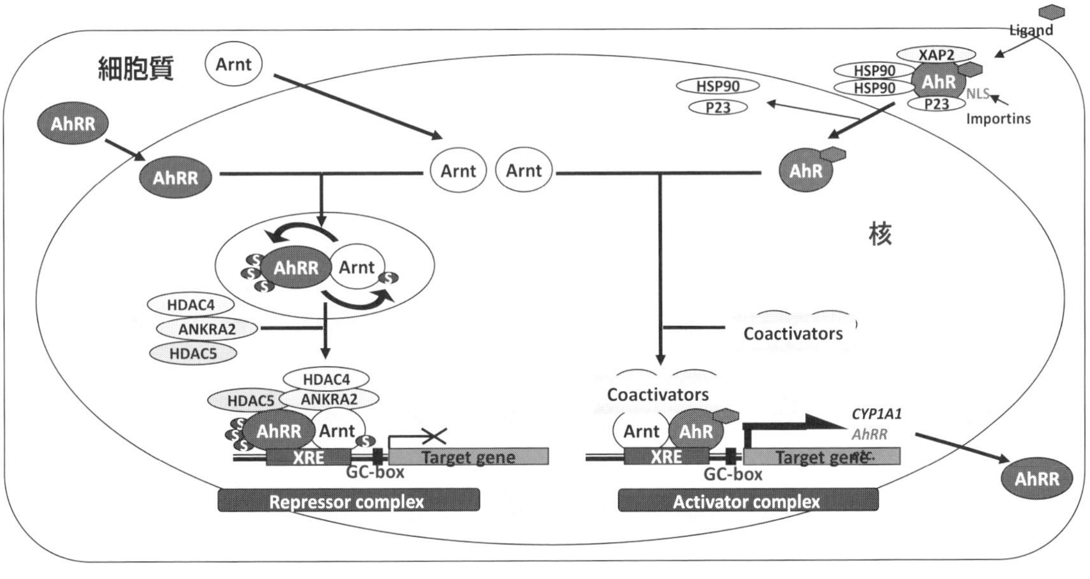

図 4　AhR のシグナル経路とフィードバック阻害のメカニズム
S, SUMO 化；NLS（nuclear localization signal），核局在シグナル．

PIC（Preinitiation Complex）を形成して，転写が始まると考えられている[3, 25]．しかし，コアクチベーター，クロマチンリモデリング因子，メジエーター複合体などの成分の同定もまだ部分的であり，また，どのような機序でPICが形成されるのかについても，不明の点が多い．

5. AhRの転写活性の抑制メカニズム

AhRの転写活性は，少なくとも2つのメカニズムによって負に制御される事が知られている．AhRのユビキチン化とプロテアソームによる分解系，およびAhRによって誘導されたAhRR（AhR repressor）による競争的阻害である[3]．

正常状態では，Hepa-1細胞においてAhRは半減期28時間で代謝回転しているが，TCDDなどのリガンドを加えてAhRを活性化すると，AhRは核に一過的に蓄積し，転写を促進後，急速に分解され，半減期は3時間に短縮される．しかし，この時に，プロテアソームの阻害剤であるMG132やLactacystinを培地に加えると分解が止まり，AhRは核に蓄積される．AhRの蓄積に伴って，遺伝子発現の誘導の時間も程度も増加して，標的遺伝子の発現がTCDDのみによる誘導に比較して数倍に達することが分かった．MG132によってユビキチン化されたAhRの増加が観察される事から，リガンド結合後に起る急速な分解はユビキチン化/プロテアソーム系によることが分かった[26]．後に詳しく述べるが，リガンド結合によって活性化されたAhRは，AhR自身がE3ユビキチンリガーゼ複合体を形成して，自己ユビキチン化も触媒する事が発見された[27]．このようなAhRのユビキチン化／プロテアゾームによる分解が，核においても，細胞質においても起る事が観察されている．リガンドの結合によって活性化されたAhRが標的遺伝子の発現誘導後，何時，何処で，ユビキチン化／プロテアソームによる分解が起るのか，今後に残された課題である．

AhRの転写活性を負に制御するもう一つのメカニズムはAhRR（AhR repressor）によるものである．AhRRは活性化されたAhRによって誘導的に発現されるタンパク質として発見された．701アミノ酸から成り，AhRと同じbHLH-PASドメインを持つ転写因子ファミリーに属するタンパク質である．図5に示すように，bHLH-PAS(A)までのN－末端のアミノ酸配列は，AhRと高い類似性を示すが，PAS（B)に相当するドメインが欠失しており，そこからC－末端側のアミノ酸配列はAhRと類似性が全く見られない(図5)．

N－末端のアミノ酸配列から予想されるように，AhRと同じように，AhRRはArntとヘテロ2量体を形成してXRE配列に結合するが，XRE配列に駆動されるレポーター遺伝子に対して転写活性化能を示さない．しかし，AhR，ArntとAhRRを共発現させると，AhRRはAhRと競合してArntとヘテロ2量体を形成し，形成されたAhRR/Arntヘテロ2量体は，AhR/Arnt 2量体と競合してXRE配列に結合し，AhR/Arnt 2量体の転写活性を強く抑制する事が分かった[28]．しかも，AhRR/Arntヘテロ2量体による阻害がHDAC（Histone deacetylase）の阻害剤であるTSA（Trichostatin A）によって部分的に回復されることから，AhRR/Arntヘテロ2量体の阻害が単にAhR/Arntヘテロ2量体のXRE配列への結合を競争的に阻害するだけでは

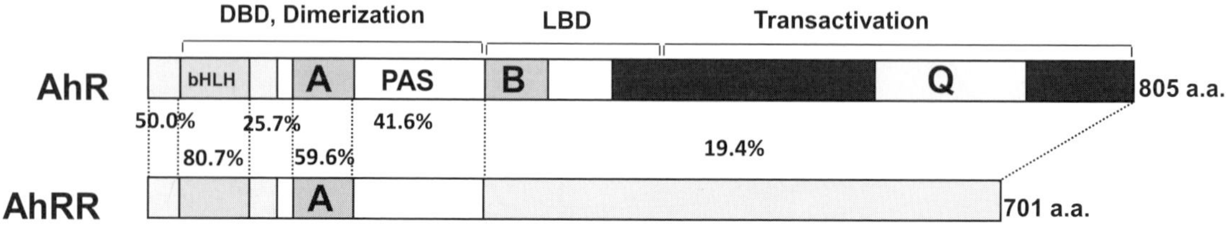

図5　AhRRとAhRの構造の比較
DBD（DNA binding domain），DNA結合ドメイン；%，一致アミノ酸の百分率.

なく，HDAC の作用が関与していることが示唆された(図 4)．AhRR の各ドメインの転写活性の解析の結果，C－末端のアミノ酸配列(478-701 アミノ酸)が転写抑制作用を示すことが分かった．この転写抑制ドメインを用いてツーハイブリッド法を行い，このドメインに結合するタンパク質，ANKRA2 を同定した．さらに，研究を続けた結果，ANKRA2 に HDAC4 と HDAC5 が結合して，AhRR を中心にして転写抑制複合体が出来ることが分かった[29]．一方，多くの動物種の AhRR のアミノ酸配列が決定されて，転写抑制ドメインの構造が比較された結果，SUMO 化のコンセンサス配列がすべての動物種の AhRR の 3 ヶ所で保存されていることが明らかになった[30]．

SUMO 化の機能の 1 つとして，転写抑制作用を増強することが報告されている．COS 細胞に AhRR，Ubc9 E2 リガーゼ，SUMO 基質の発現ベクターを導入すると，3 ヶ所の SUMO 化サイトはすべて SUMO 化されることやマウスの AhRR の 3 つの SUMO 化配列の Lys を Arg に変異させると AhRR の転写抑制作用が顕著に減弱することから，AhRR においても SUMO 化が転写抑制の増強に働いている事が分った[30]．

興味あることに，AhRR のパートナー分子である Arnt が存在すると AhRR の SUMO 化が著しく促進され，また，Arnt に 1 カ所ある SUMO 化サイトも AhRR によって促進される．しかし，転写活性化に働く時のパートナーである AhR が存在すると，Arnt の SUMO 化が阻害されることが分かった．これらの因子の SUMO 化によって，ANKRA2，HDAC4，HDAC5 のコレプレッサーとの相互作用が強まり，AhRR/Arnt ヘテロ 2 量体の転写阻害活性が増強することが示され，SUMO 化修飾が AhRR/Arnt ヘテロ 2 量体の阻害活性に密接に関連する修飾であることが明らかになった[3, 30]（図 4）．

しかし，AhR/Arnt ヘテロ 2 量体による転写活性化の作用に 2 つのメカニズムの異なったブレーキ作用が働く生物学的意味は何か．AhR/Arnt ヘテロ 2 量体の過剰作用の弊害は何か．今後の研究の発展を待たねばならない．

6. AhR によって活性化される遺伝子

最近では，DNA マイクロアレイ法が導入され，培養細胞や動物組織における mRNA の量的変化を網羅的に検討することが容易になって来た．この方法を AhR のリガンドの有無における培養細胞や動物の組織の mRNA の発現量の変化に適用すれば，AhR のリガンドによって動く遺伝子を網羅的に知ることが出来る．また，AhR 遺伝子の有，無の培養細胞あるいは動物に，AhR のリガンドを与えて，培養細胞や動物の組織の mRNA の量を DNA マイクロアレイ法で解析すれば，リガンドによって活性化された AhR によって動く遺伝子を網羅的に検出できる．この方法は設備あるいは費用さえあれば，比較的容易に mRNA の変動を網羅的に検出できるので，AhR によって活性化される遺伝子の数が，最近では，飛躍的に多くなっている．恐らく，その数は百を下らないと思われる．しかし，この方法で検出されるものが，すべて AhR が直接に関与して遺伝子の発現を活性化した結果とは言えない．AhR の活性化が間接的に働いて遺伝子の発現を促進することがあり得るからである．AhR が直接に遺伝子の活性化に関与していることを証明するにはレポーターアッセイ，GMSA（Gel Mobi-lity Shift Assay），ChIP アッセイ(Chromatin Immuno-precipitation Assay)などによって，遺伝子のプロモーター領域にある XRE 配列がリガンドによって活性化された AhR によって占められ，レポーター遺伝子の発現が活性化されるかどうかを検証する必要がある．

異物代謝の第 1 相の反応に関与する CYP1A1 遺伝子は，AhR の研究が始められた遺伝子で，典型的な AhR の標的遺伝子として，AhR の作用メカニズムの詳細な研究がこの遺伝子を用いて行なわれている．CYP1A1 遺伝子のプロモーター領域には 5 ヶ所に XRE 配列が存在して，いずれも転写の活性化に関与しているが，1Kb 上流にある 2 つの XRE 配列が強く転写活性化に関与している．CYP1B1，CYP1A2，CYP2S1 や NQO (NADPH-Quinone Oxidoreductase) 遺伝子もプロモーター領域の XRE 配列の結合を介して

AhR/Arntヘテロ2量体によって遺伝子発現が活性化される．異物代謝の第2反応を触媒するGSTA2（Glutathione S-transferase A2），UGT1A1（UDP-Glucuronosyl Transferase 1A1），UGT1A6遺伝子も，夫々，XRE配列にAhR/Arntヘテロ2量体が結合することによって遺伝子の発現が活性化される[1, 2]．

TCDDなどの外来異物が，免疫反応や炎症反応に様々な悪影響を与えることから，免疫関連遺伝子のプロモーター領域の塩基配列のコンピュター解析が行われ，免疫反応に関与している遺伝子にXRE配列が高い頻度で存在していることが見出された．例えば，TLR1（5），TLR2（2），TLR3（3），TLR4（5），IL2（3），IL4（2），IL6（6），IL10（3），IL17b（3），IL21（4），Il23a（5），GATA3（10），FoxP3（5），Jak1（5），Jak2（9），Jak3（20），Stat1（9），Stat2（5），Stat3（5），Socs1（18），Socs2（8），Socs3（11），TGF-β3（5），Pai2（2）等々（括弧内はXRE配列の数）[31]．これらの他に，まだ，多くのものが報告されているが，この結果が，直ちに，AhRが多くの免疫や炎症反応に関与していると結論できないにしても，深い関わりを持つ可能性を示唆している．これらの遺伝子の中，分子生物学的方法でXRE配列がAhRを介してエンハンサーとして働くことが証明されているものはFoxP3，Socs2，Pai2遺伝子などである[3]．これらの遺伝子の機能はいずれも，抗炎症的に働くことが知られているものであるが，状況によっては，TCDDが炎症を悪化させることも知られている．詳しいメカニズムは不明であるが，AhRがTh17細胞の分化に働いている事が報告されている[15, 32]．AhRの免疫反応における役割はまだ解決しなければならい多くの問題を抱えている．

AhRのリガンドであるDMBA（9, 10-dime-thylbenz［a］anthracene）やTCDDなどは，雌マウスの生殖機能に悪い影響を与えることが知られている．例えば，DMBAを雌マウスに与えると，卵胞の発達が障害を受け，生殖能が低下する．この原因はアポトーシスに働くBAX遺伝子のプロモーター領域にあるXRE配列に，リガンドよって活性化されたAhR/Arntヘテロ2量体が働いて，BAX遺伝子の発現を増加させ，卵母細胞のアポトーシスを促進するためである[33]．また，AhR欠失雌マウスは発情サイクルが不順で，部分的に不妊である．この原因は，卵巣の女性ホルモン（エストラジオール，E2）合成酵素系の律速酵素であり，E2合成の最終段階の反応を触媒するアロマターゼ（CYP19）遺伝子の発現調節に，AhRが関与しているからである．雌マウスにPMSGとhCGを投与する強制排卵の実験系で，PMSG投与後，CYP19の発現が始まり，さらに，48時間後にhCGを投与すると，4時間後にその発現が最大に達し，以後減少して7時間後には殆ど見られなくなり，排卵に続く．しかし，AhR欠失マウスではPMCG処理後に，CYP19の発現が増加せず，それに付随してE2の合成促進が見られないために，卵胞の成熟が不完全で排卵が著しく障害される事が分かった．CYP19遺伝子のプロモーター領域には，XRE配列とAd4配列があり，AhR/Arntヘテロ2量体とAd4BP/SF1が，夫々の結合配列に，協調的に結合してCYP19遺伝子の発現を相乗的に活性化することが分かった．興味あることに，CYP19遺伝子の発現の減少期に，AhRRの発現が始まり，hCG投与後6時間に最大になり，以後減少する．この事はCYP19の周期的発現が，AhRの活性化とAhRRの発現によるフィードバック阻害によって調節される可能性を示唆している[34]．発情サイクルの過程で，AhRがどのようにメカニズムで活性化されるのかについては，今後の課題として残されている．

7. AhRのユビキチンE3リガーゼとしての新しい機能

TCDDなどのAhRのリガンドが抗エストロゲン作用を示す事は良く知られている．これは，外来異物の内分泌かく乱作用の1つである．例えば，E2によってカテプシンD遺伝子の発現が活性化されるが，この時にTCDDを加えると，E2の作用が抑制され，ERE配列へのERの結合が著しく減少して，カテプシンD遺伝子の発現が阻害される[35]．この時に，MG132を加えるとこの減少が抑えられる事から，AhRリガンドによる抗エストロゲン作用は，ERのユビキチン化と

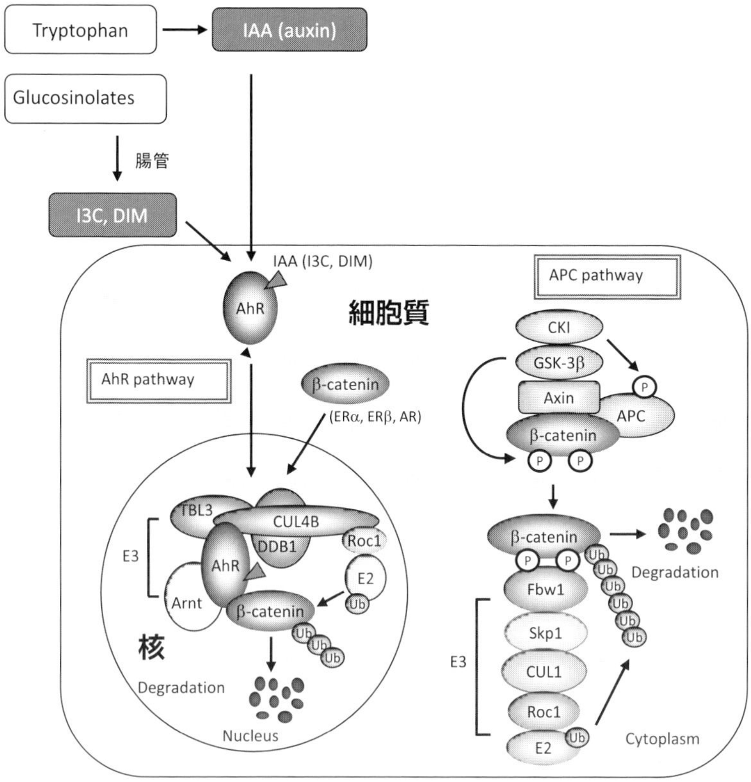

図6　腸上皮細胞のにおける二つのβ－カテニンのユビキチン／プロテアソーム分解系

プロテアソームによる分解である事が推測された．MCF7細胞を用いて，3MCに依存してAhRに結合して複合体を形成する成分を分離した結果，超遠心分析によって5つのAhRを含む複合体が得られ，その中に，コアクチベーターを含む2つの転写活性化複合体が見られたが，複合体の1つに，DDB1，Cul4B，TBL3，Rbx/Roc1，19S subunitsなどのユビキチンE3リガーゼ複合体を形成する考えられる成分と19Sプロテアソームの構成成分が含まれていた．3MCで処理したMCF7細胞から，AhRの抗体で沈殿した複合体にERαのユビキチン化活性が証明され，3MCで処理したMCF7細胞に，MG132を加えるとユビキチン化ERαの蓄積が認められた．さらに，AhRのsiRNAを用いた実験などから，ERαのユビキチン化活性に，AhRを含んだE3ユビキチンリガーゼ複合体の関与が明らかになり，3MCによって活性化されたAhRが，Cul4B，DDB1，Rbx/Roc1などの構成成分とユビキチンE3リガーゼ複合体を形成し，AhRが基質認識部位として働く事が分かった．また，このユビキチンE3リガーゼはARやERβの核内受容体も基質とする[27]．

さらに，興味ある事に，AhRのE3ユビキチンリガーゼ複合体が腸管でβ－カテニンのユビキチン化，分解にも働いて，癌抑制因子として働いている事が明らかになった(図6)．AhR欠失マウスは生後8週から11週にかけて回盲部にほぼ100%，がんを発症する．組織免疫化学的な解析から，腸上皮細胞には，β－カテニンの顕著な蓄積とその標的遺伝子あるcMycの発現亢進が見られ，これが発がんの原因である事が分かった．大腸がん由来の培養細胞であるDLD-1，SW480，HCT116などの細胞は，APC，あるいは，β－カテニンの変異によりβ－カテニンのユビキチン化とプロテアソームによる分解過程が阻害され，β－カテニンが蓄積する細胞であるが，これらの細胞に，AhRのリガンドである3MCやβ－ナフトフラボンを加えると，β－カテニンの顕著な減少が観察された．このβ－カテニンの分解がAhRのsiRNAによって抑えられ，MG-132の添加によって，ユビキチン化されたβ－カテニンが蓄積される事などから，AhRの関与するユビキチンE3リガーゼ複合体が，腸管上皮細胞でβ－カテニンのユビキチン化／分解にも働いている事が分かった．

腸上皮細胞では，家族性大腸ポリポーシスの原因遺伝子であるAPCの関与するβ－カテニンのユビキチン化／分解の系が癌抑制因子として働いている事が知られているが，AhRのユビキチンE3リガーゼ複合体は，この系とは独立して働いている事を示している．マウスでは，APC 遺伝子の一方のアリルが変異した $APC^{min/+}$ マウスが自然発生的に腸に癌を発症する事が知られている．この $APC^{min/+}$ マウスに，さらに，AhR の変異を導入すると，夫々の単一遺伝子の変異による場合よりも癌の発症が早まり，増悪化する事が分かった．この時に，β－カテニンのタンパク質レベルでの発現も増強される．一方，$APC^{min/+}$，または，$APC^{min/+}$ $AhR^{+/-}$ マウスに AhR のリガンドである 3MC，インドール 3－カビノール（I3C），ジインドリルメタン（DIM）を食餌に混ぜて与えると，AhR の分解系が活性化されて，癌の発症が著しく抑制される事が分かり，腸上皮細胞では，AhR と APC のβ－カテニンのユビキチン化／分解の 2 つの系が癌抑制因子として，協同して働いている事が明らかになった[36]（図 6）．

この事は，グルコシノレートとして I3C，あるいは，DIM を高濃度で含むアブラナ科植物の食物としての癌抑制効果が報告されている[37]が，その作用メカニズムが AhR のユビキチン E3 リガーゼ複合体の作用の促進によって説明できる事を示しており，さらに，AhR のリガンドが癌抑制剤として利用できる可能性を示唆している．

おわりに

AhR は，外来異物の結合によって活性化され，異物代謝酵素を誘導する受容体型転写因子として発見された．AhR の欠失マウスが作製され，TCDD などの多環性芳香族化合物の示す催奇形性，免疫不全，内分泌かく乱作用，発がん性，肝毒性，クロールアクネなどの多岐にわたる生体毒性の発現に深く係っている事が明らかにされた．このように，AhR の初期の研究は，薬理学的，毒性学的研究が中心であった．しかし，AhR が線虫，昆虫から哺乳動物まで広く分布している事や発生の初期から多くの組織で発現している事などから，発生学的，生理学的に重要な機能をしている事が推測されて，AhR の最近の研究は，AhR の本来的機能の解明に向けられている．その中から，AhR が生殖機能に係っている事，多くの免疫機能に関与している事，血管新生のリモデリングに働いている事などが分かり始めて来た．さらに，転写因子としてのみでなく，ユビキチン E3 リガーゼとしての新しい機能も発見されて，癌抑制因子として働いている事が分かって来て，AhR の多機能調節因子としての全貌の一部が露されてきた．AhR の多岐にわたる生理機能のメカニズムが明らかになるにつれて，外来異物の毒作用の理解も進み，それに対する対策も進む事が期待される．

参考文献

1. Hankinson, O. The aryl hydrocarbon complex. Annu. Rev. Pharmacol., 35, 307-340, 1995.
2. Okey, A.B. Aryl hydrocarbon receptor odyssey to the shores of toxicology：Deichmann lecture. Toxicol. Sci., 98, 5-38, 2007.
3. Fujii-Kuriyama, Y. and Kawajiri, K. Molecular mechanisms of the physiological functions of the aryl hydrocarbon（dioxin）receptor, a multifunctional regulator that senses and responds to envirnonmental stimuli. Proc. Jpn. Acad., Ser. B86, 40-53, 2010.
4. Sueyoshi, T. and Negishi, M. Phenobarbital response elements of cytochrome P450 genes and nuclear receptors. Annu. Rev. Pharmacol. Toxicol., 41, 123-143, 2001.
5. Greenlee, WF, and Poland, A. Nuclear uptake of 2,3,7,8-tetrachloro dibenzo-p-dioxin in C57BL/6j and DBA/2J mice. J. Biol. Chem., 254, 9814-9821, 1979.
6. Fujisawa-Sehara, A., Yamane, M. and Fujii-Kuriyama, Y. A DNA-binding factor specific for xenobiotic responsive elements of P-450c gene exists as a cryptic form in cytoplasm：its possible translocation to nucleus. Proc. Natl. Acad. Sci. USA, 85, 5859-5863, 1987.
7. Bradfield, C.A., Glover, E. and Poland, A. Purification and N-terminal amino acid of the Ah receptor from the C57BL/6J mouse. Mol. Pharmacol., 88, 306-312, 1992.
8. Ema,M.,et. al. cDNA cloning and structure of mouse putative Ah receptor. Biochem. Biophys. Res. Commun., 184, 246-253, 1991.
9. Matsushita, N., et. al. A factor binding to the xenobiotic responsive element（XRE）of P-4501A1 gene consists of at least two helix-loop-helix proteins, Ah receptor and Arnt. J. Biol. Chem., 286, 21002-21006, 1993.
10. McIntosh, B.E., Hogenesch, J.B. and Bradfield, C.A. Mammalian Per-Arnt-Sim protein in environmental adaptation. Annu. Rev. Physiol., 72,625-645, 2010.
11. Taylor, B.L. and Zhulin, I.B. PAS domains：Internal sensors of oxygen, redox potential and light. Microbiol. Mol. Biol. Rev., 63, 479-506, 1999.
12. Ema, M., et. al. Dioxin binding activities of polymorphic forms of mouse and human

arylhydrocarbon receptors. J. Biol. Chem., 269, 27337-27343, 1994.
13. Moriguchi, T., et. al. Distinct response to dioxin in arylhydrocarbon receptor（AhR）-humanized mouse. Proc. Natl. Acad. Sci. USA, 100, 5652-5657, 2003.
14. Harper, P.A., Riddick, D.S. and Okey, A.B. Regulating the regulator：Factors that control levels and activity of the aryl hydrocarbon Receptor. Biochem. Pharmacol., 72, 267-279, 2006.
15. Quintana, F.J., et. al. Control of Treg and Th17 cell differentiation by the aryl hydrocarbon receptor. Nature, 453, 65-71, 2008.
16. Kimura, et. al. Aryl hydrocarbon receptor regulates Stat1 activation and participates in the development of Th17 cells. Proc. Natl. Acad. Sci. USA, 105, 9721-9726, 2008.
17. Sekine, H., et. al. Hypersensitivity of aryl hydrocarbon receptor-deficient mice to lipopolysaccharide-induced septic shock. Mol. Cell.Biol., 29, 6391-6400, 2009.
18. FitzGerald, C.T., et. al. Differential regulation of mouse Ah receptor gene expression on cell lines of different tissue origins. Arch. Biochem. Biophys., 333, 170-178, 1996.
19. Hayashi, S., et al. Expression of Ah receptor（TCDD receptor）during human monocytic differentiation. Carcinogenesis, 16, 1403-1409, 1995.
20. Denison, S.M., et. al. Ligand binding and activation of the Ah receptor. Chemico-Biol. Interact., 141, 3-24, 2002.
21. Nyugen, L.P. and Bradfield, C.A. The search for endogenous activators of the aryl hydrocarbon receptor. Chem. Res. Toxicol., 21, 102-116, 2008.
22. Backlund, M. and Ingelman-Sundberg, M. Regulation of aryl hydrocarbon receptor signal transduction by protein tyrosine kinase. Cell Signal, 17, 39-48, 2005.
23. Oesch-Bartlomowicz, B., et. al. Aryl hydrocarbon receptor activation activation by camp vs. dioxin：Divergent signaling pathways. Proc. Natl. Acad. Sci. USA, 102, 9218-9223, 2005.
24. Beischlag, T.V., et. al. The aryl hydrocarbon receptor complex and the control of gene expression. Crit. Rev. Eukaryot. Gene Expr., 18, 207-250, 2008.
25. Hankinson, O. Role of coactivator in transcription activation by the aryl hydrocarbon receptor. Arch. Biochem. Biophys., 433, 379-386, 2005.
26. Pollenz, R.S. The mechanism of AH receptor protein down-regulation（degradation）and its impact on AH receptor^mediated gene regulation. Chemico-Biol. Interact., 141, 41-61.
27. Ohtake, F., et. al. Dioxin receptor is a ligand-dependent E3 ubiquitin ligase. Nature, 466, 562-566, 2007.
28. Mimura, J., et. al. Identification of a novel mechanism of regulation of Ah（dioxin）receptor function. Genes Dev., 13, 20-25, 1999.
29. Oshima, M., et. al. Molecular mechanism of transcriptional repression of AhR repressor involoving ANKRA2, HDAC4 and HDAC5. Biochem. Biophys. Res. Commun. 364, 276-283, 2007.
30. Oshima, M., et. al. SUMO modification regulates the transcriptional repressor function of aryl hydrocarbon repressor. J. Biol. Chem., 284, 11017-11026, 2009.
31. Kerkvliet N.I. AhR-mediated immunomodulation：the role of altered gene transcription. Biochem. Pharmacol.,77, 746-760, 2009.
32. Kimura, A., et. al. Aryl hydrocarbon receptor regulates Stat1 activation and participates in development of Th17 cells. Proc. Natl. Acad. Sci. USA, 105, 9721-9726, 2008.
33. Hernandez-Ochoa, I., Karman, B.N. and Flaws, J.A. The role of the aryl hydrocarbon receptor in female reproduction system. Biochem. Pharmacol., 77, 547- 559, 2009.
34. Baba, T., et. al. Intrinsic function of the aryl hydrocarbon（dioxin）receptor as a key factor in female reproduction. Mol. Cell. Biol., 25, 10040-10051, 2005.
35. Kharat, I. and Saatiagli, F. Antiestrogenic effects of 2,3,7,8-tetrachlorodibenzo-p-dioxin are mediated by direct transcriptional interference with liganded estrogen receptor. Cross-talk between aryl hydrocarbon- and estrogen-mediated signaling. J. Biol. Chem., 271, 10533-10537, 1996.
36. Kawajiri, K., et. al. Aryl hydrocarbon receptor suppresses intestinal carcinogenesis in APCmin/+ mice with natural ligands. Proc. Natl. Acad, Sci. USA, 106, 13481-13486, 2009.
37. Verhoeven, D.T.H., et. al. A review of mechanisms underlying antigenicity by brassica vegetables. Chemco-Biol. Interact., 103, 79-129, 1997.

5 薬物・外来異物に対する生体の代謝機構

北海道大学　鎌滝哲也
昭和薬科大学　山崎浩史

1. 薬物代謝の反応様式

薬物代謝(drug metabolism)とは，薬物が生体内で酵素化学的に構造が変換される反応をいう．生体にとって異物である脂溶性の高い薬物を代謝して極性化し，水溶性を増すことにより薬物を尿中に排泄しやすくする．一般に薬理的に不活性な代謝物へ変換されることが多いが，一部の医薬品や，がん原物質や有毒な環境化学物質の多くは代謝を受けた後に薬効や毒性を発揮する薬物も存在する．これらの代謝反応を触媒する酵素は，主に肝臓に存在するが，肺，腎，小腸，皮膚，脳，胎盤など肝以外の臓器(肝外臓器という)にも，その種類は限定的ながら存在する．

薬物代謝の反応は，薬物の構造を直接変換する第一相反応(phase I reaction)と，薬物(代謝物)と生体内の小分子とを結合させる第二相反応(phase II reaction)（抱合反応)に大別される．薬物の酸化反応と還元反応は代謝の主要な反応で，それらに関与する酵素を薬物代謝酵素(drug metabolizing enzymes)と総称する．薬物代謝酵素の詳細については，後述する．

Phase I　　　　　Phase II
脂溶性物質 → 水酸化代謝物 → 抱合代謝物 → 排泄

1. 第一相反応

酸化(oxidation)，還元(reduction)，加水分解(hydrolysis)またはこれらの組み合わせによって薬物分子を修飾したり分解する[1)]．

a)酸化

炭素の水酸化：脂肪族，芳香族ともに酸化的代謝を受け，水酸基が導入される．図1Aに示した反応が進行する．ペントバルビタール，ヘキソバルビタール，フェニルブタゾンなどの脂肪族炭素やアニリン，アセトアニリドなどの芳香環が水酸化される．

ヘテロ原子の酸化：窒素(N)や硫黄(S)のようなヘテロ原子が酸化されN－オキシドやS－オキシドに変換される．クロルプロマジンは分子内にNとSを持ち，いずれも酸化を受ける(図1B)．

ヘテロ原子の脱アルキル化：ヘテロ原子に隣り合った炭素が酸化され，中間体を経て，図1Cに示す経路で，ヘテロ原子の脱アルキル化反応が進行する．アミノピリンとクロルプロパミドはN－脱アルキル化を，フェナセチン，コデインはO－脱アルキル化を，6－メチルチオプリンは，*S*－脱アルキル化反応を受ける．

脱アミノ化：アンフェタミンの脱アミノ化反応も図1Cと同様に進行し，NH_3が生成する．ノルエピネフリンのようなモノアミンは図1Dのように酸化的脱アミノ化を受ける．

エポキシ化：エチレン誘導体やベンゼン誘導体は，酸化的代謝を受けエポキシドに変換される(図1E)．多環芳香族炭化水素の発がん性のメカニズムとして重視されている．

酸化的代謝に伴う置換：反応機構が十分には解明されていないが，酸化的代謝を受けた後で，置

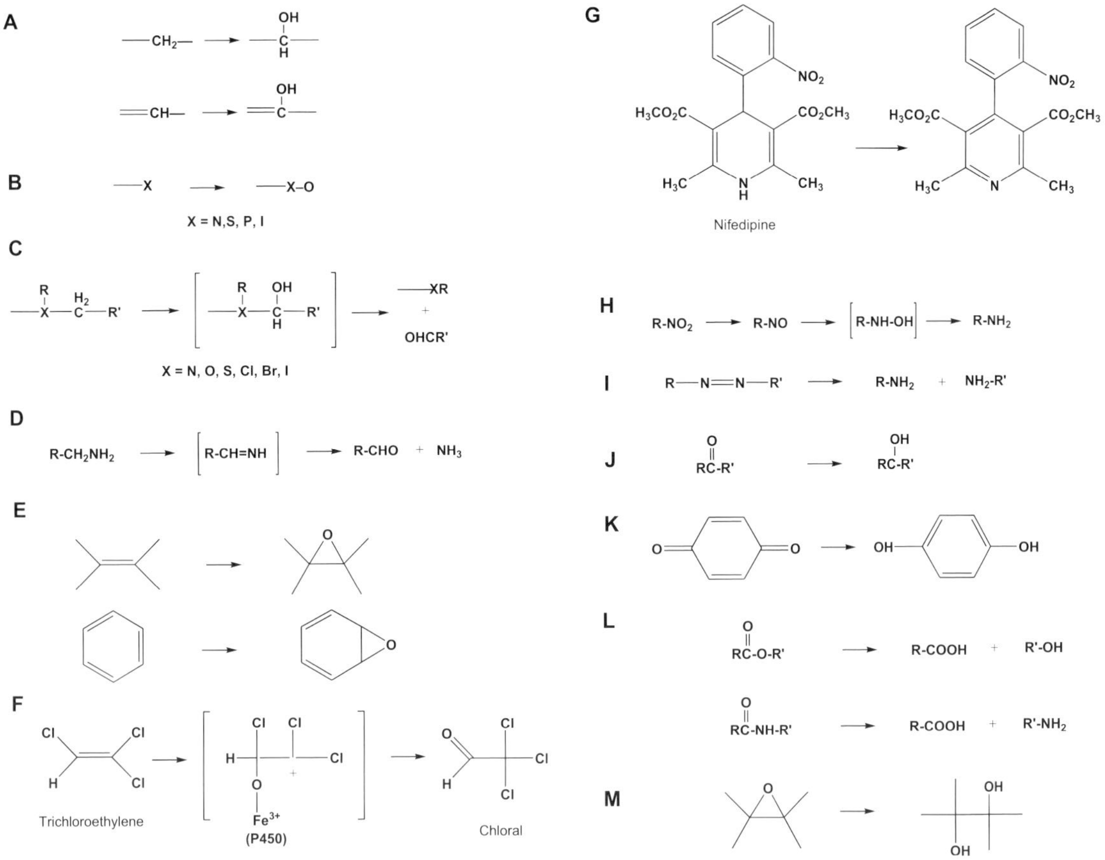

図1 薬物の酸化，還元および加水分解反応

換(rearrangement)がおこる例が知られている．例としてトリクロルエチレンからのクロラールの生成(図1F)と，ニフェジピンの1, 4－ジピドロピリジン環がピリミジン環に酸化される反応(図1G)をあげる．

b)還元

ニトロ基の還元：ニトロ基はニトロソ基，ヒドロキシルアミンを経てアミノ基まで還元される(図1H)．

アゾ基の還元：アゾ基は還元されて二つのアミノ基が生じる(図1I)．

カルボニル基の還元：ケトン体は対応するアルコールに還元される(図1J)．

キノンの還元：キノン体は対応するアルコールに還元される(図1K)．

c)加水分解

エステル類の加水分解：エステル結合あるいは酸アミド結合が加水分解される(図1L)．

エポキシドの加水分解：酸化的代謝によって生成したエポキシドは加水分解される(図1M)．

2. 第二相反応

第一相の反応後の代謝物，あるいは基質が直接，グルクロン酸，硫酸，グルタチオン，アセチル基，メチル基などと結合する抱合反応(conjugation)である．一般に脂溶性薬物は，水酸化体に変換され，さらに抱合反応を受けて尿中に排泄される場合が多い．

抱合反応を大別すると，水酸基，アミノ基などにウリジン二リン酸－α－グルクロン酸(UDP-GA)のグルクロン酸基が結合するグルクロン酸抱合，活性硫酸と呼ばれる3'－ホスホアデノシン－5'－ホスホ硫酸(PAPS)を利用し，硫酸エステル結合が生成する硫酸抱合，アセチルCoAを利用し，芳香族アミンやそのN－水酸化体にアセチル基が結合するアセチル抱合，還元型グルタチオン（グルタミル－システイニル－グリシン）を利用し，ハロゲンやエポキシドなどが結合するグルタチオン抱合や，薬物とグリシン，タウリンおよびグルタミンの結合体が生成するアミノ酸抱合などがある．

2. P450を中心とした薬物代謝酵素

1. P450

第一相反応を触媒する酵素の中で最も重要な酵素のひとつにシトクロムP450（cytochrome P450，以下P450）と呼ばれる一群の酵素がある．P450は主として肝の小胞体（endoplasmic reticulum）の断片からなる細胞画分（ミクロゾーム，microsomes）に局在する酵素群であり，小胞体の中では，滑面小胞体（smooth endoplasmic reticulam）に多く局在している．

P450とは，第5配位子にthiolate（S）をもつヘムタンパク質（heme-thiolate proteins）の総称である．一酸化炭素と結合して450♯nmに吸収極大を示す色素（pigment）という意味で大村と佐藤によって1964年に「P450」と命名された．その後，この酵素がcytochromeであるところから，米国の研究者によって「cytochrome P450」と呼ばれるようになった．P450は多くの分子種からなり，スーパーファミリーを形成していることがわかっている．現行の一次構造に基づく各P450分子種の命名法は1987年に提唱された[2]あと，約2～3年毎に論文が更新された[3]．しかし，現在はインターネットのホームページに最新情報が掲載され，紙面情報としての更新は停止している（URL：http：//drnelson.uthsc.edu/CytochromeP450.html）．

ヒトのP450は，現在のところ57の分子種が報告されており，そのうち薬物・外来異物の代謝に関わる分子種は，24種類である[4]．P450には遺伝的な多型性があり，その多型性には，酵素遺伝子の欠損や重複，酵素誘導や酵素活性の阻害，あるいは，アミノ酸置換に伴う酵素機能の変化など，さまざまである．これらは薬物や生体異物の感受性の個人差に関連している．注目されている

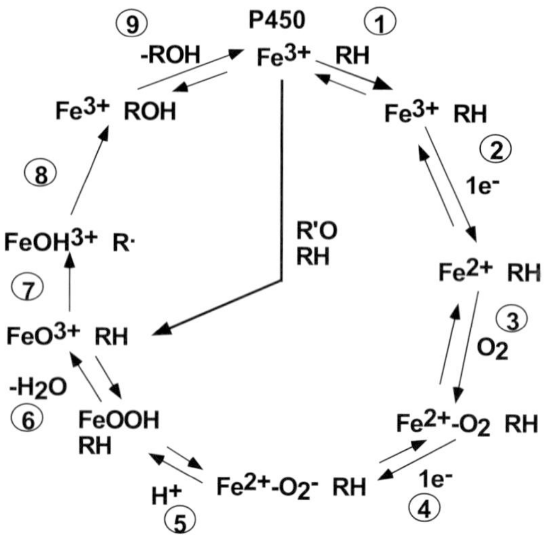

RH，基質；ROH，水酸化代謝物；R' O，酸素供与体

図2　P450触媒サイクル

ヒトP450分子種の一塩基変異（SNPs）等の命名については，最初CYP2D6に関する論文[5]によって推奨された名称の使用が，各分子種にも適応され，一般的になっている．これら情報の更新も現在はHuman Cytochrome P450 Allele Nomenclature Committeeのホームページ上で公開されている（URL http：//www.cypalleles.ki.se/）[6]．この遺伝子多型の影響については後述する（4.参照）．

これらP450分子種のうち，生体異物の代謝に関与することから薬物代謝型と言われるP450分子種は，通常CYP1，CYP2およびCYP3のファミリーとアラキドン酸および脂肪酸代謝に関与するCYP4の一部である．薬物代謝に関与するP450分子種は主に肝に発現しているが，CYP1A1とCYP1B1は肝外臓器にも認められる．P450による薬物酸化反応をまとめると以下のようになる．すなわち薬物RHに分子状酸素を導入する反応である．

$$RH + NAD(P)H + H^+ + O_2 \rightarrow ROH + NAD(P)^+ + H_2O$$

上記の反応はP450の触媒サイクルを一回転して行われる．そのサイクルの模式図を示す（図2）．基質がP450に結合し（ステップ1），その後，第一電子が導入される（ステップ2）．酸素が結合した後に（ステップ3），第二電子が供給される（ス

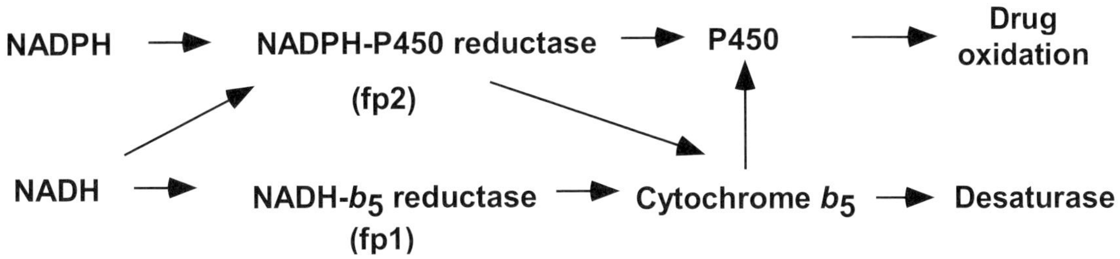

図3　肝ミクロゾームの電子伝達系

テップ4)．ステップ9で水酸化(酸化)された基質が放出され，P450のヘム鉄は3価にもどる．

P450はミクロゾームに存在する電子伝達系から電子を受け取ってはじめて酸素を活性化することができる．その電子伝達系を図3に示す．NADPH-P450還元酵素はNADPHから電子をP450へ伝達する．またNADPH-P450還元酵素はシトクロム b_5 (cytochrome b_5, b_5)を介してP450へ第二電子を導入することもできる．P450と同様にヘム鉄を持つ b_5 は，NADHを利用するNADH-b_5 還元酵素によって効率よく還元される．

P450はニトロ基やアゾ基の還元反応を触媒することもできる．

2. NADPH-P450還元酵素

ミクロゾームに局在する酵素で，FADとFMNを各一分子ずつもつ．P450に電子を渡す電子伝達系を構成する重要な酵素である．また本酵素は単独で，ニトロ基やアゾ基の還元を触媒することができる．本酵素をノックアウトしたマウスは，胎仔期に死亡する[7]．コンディショナルノックアウト作成技術によって，生体内でのNADPH-P450還元酵素の役割の解明に向けての研究[8]がなされている．

3. フラビン含有モノオキシゲナーゼ

フラビン含有モノオキシゲナーゼ(flavin-containing monooxygenase, FMO)は，肝，腎および肺などのミクロゾーム画分に存在する酵素で，FADを補欠分子としてもつ．二級，三級アミン，スルフィド類，チオール類のN－酸化体やS－酸化体の生成反応を触媒する．本酵素分子種の命名法もP450と同様に一次構造の相同性による分類が推奨されている[9]．この酵素の活性が低いと，食品由来のトリメチルアミンの無臭代謝物トリメチルアミンオキシドへの変換効率が低くなり，尿，汗，呼気などにトリメチルアミン未変化体の悪臭がでる．これは遺伝的な疾患であり，トリメチルアミン尿症 trimethylaminuria (魚臭症候群 fish odor syndrome)として知られている．この症状を持つ患者は，生命に別状はないが，特有の悪臭のため社会生活が極めて困難となっている．現在，トリメチルアミン代謝に関与する酵素をコードする，ヒト肝 *FMO3* 遺伝子の変異が明らかになっている[10] (http：//www.ncbi.nlm.nih.gov/SNP/snp_ref.cgi?locusId=2328)．従来日本人のトリメチルアミン尿症患者の報告はなかったが，我々は欧米人とは異なる *FMO3* 遺伝子変異を持ち，トリメチルアミン尿症の可能性が極めて高いタイ人[11]や日本人[12]を見出した．

4. エポキシド水解酵素

エポキシド水解酵素(epoxide hydrolase, EH)は主にミクロゾームに存在するmEHと細胞質(cytosol)に存在するcEHがある．一般にcEHが内因性物質のエポキシドの加水分解に関与しているのに対し，mEHは外来の薬物や発癌性物質の反応性に富むエポキシド中間体の代謝を行い，薬物代謝において解毒的な役割を担っている．

5. 第二相酵素

ミクロゾーム画分に局在するUDP－グルクロン酸転移酵素(UDP-glucuronosyltransferase, UGT)は，ウリジン二リン酸－α－グルクロン酸(UDPGA)を補酵素とし，－OH，－COOH，－NH_2，－SH基などにグルクロン酸を結合させる．

UGTには多くの分子種の存在が知られている．現在，UGT1とUGT2のスーパーファミリーに分類されている．多くの薬物あるいはその代謝物(サリチル酸，パラヒドロキシアセトアニリド，スルホチアゾール，ジスルフィラムなど)のグルクロン酸抱合反応が知られている．

細胞質に存在する硫酸転移酵素(sulfotransferase, ST)は，3'－ホスホアデノシン－5'－ホスホ硫酸(PAPS)を補酵素とし，フェノール性OH基を有する多数の薬物，代謝物(脂肪族アルコールや芳香族アミン化合物，フェノールなど)の硫酸抱合を触媒する．STは基質特異性からフェノール(アルコール)硫酸転移酵素など，基質名に基づく分類がなされてきた．現在は，酵素の一次構造に基づき，ST1，ST2およびST3のファミリーに分類され，それぞれサブファミリーに分けて各分子種が命名されている．

細胞質に存在するアセチル転移酵素(*N*-acetyltransferase, NAT)は，イソニアジド，スルファニルアミド，スルファチアゾールなどのアミノ基を有する薬物とアセチルCoAとの抱合反応を触媒する．NATには一次構造の類似したNAT1とNAT2の分子種が存在する．NATがO－アセチル転移反応を触媒することも明らかにされている．現在では，NAT1とNAT2のそれぞれに遺伝子多型性が認められている．

細胞質に存在するグルタチオン転移酵素(glutathione *S*-transferase, GST)は，芳香族炭化水素，アリルアミン，アリル・アルキルニトロ化合物などのグルタチンとの抱合反応を触媒する．その後，グルタチオン抱合体は，加水分解されてメルカプツール酸(アセチルシステイン)抱合体として排泄される．GSTは基質特異性などから，alpha，mu，pi，thetaおよびzetaに分類されている．

6. 腸内細菌による薬物代謝

腸内には我々の体細胞の数よりも多くの腸内細菌が棲んでいる．腸内細菌も，肝やその他の臓器と同様に薬物代謝に関与している．腸内，特に腸管下部には酸素が存在せず，嫌気的なので酸化反応は起こらない．主な薬物代謝反応は，加水分解と還元である．体内に吸収された薬物の多くは主に肝でP450などによる極性化反応をうけた後，引き続きグルクロン酸抱合などの抱合反応によってさらに水溶性が高くなる．胆汁排泄を経て腸管内に排泄されたグルクロン酸抱合体は，腸内細菌のβ－グルクロニダーゼによって加水分解を受ける．遊離した薬物は再度腸管から吸収される．このような腸管と肝臓を薬が行ったり来たりすることを，腸肝循環と言う．腸肝循環の結果，薬物の体内滞留時間が延長され，薬効や毒性の発現に影響が出る．ニトロ基やアゾ基の還元代謝反応も腸内細菌が触媒することが明らかにされている．

3. 薬物代謝の変化(代謝阻害，代謝促進)

薬の薬効・毒性は体内への吸収速度，分布量，代謝速度そして排泄速度によって変動する．これらの因子のうち，どの因子が最も薬の薬効や毒性を変化させるかは薬の種類によって異なるが，代謝がきわめて重要な因子である例が多数明らかにされている．酵素誘導(enzyme induction)は薬物を投与したときに薬物代謝関連酵素の増加が起こる現象であり，後から投与した薬物の代謝は代謝酵素量の増大に伴い，亢進する．逆に薬物を投与したときに薬物代謝関連酵素の発現量が減少すると薬物代謝の抑制がみられ，投与した薬物が原因となって薬物代謝酵素が失活することもある．さらに併用した薬物が相互に同じ酵素を競い合うために薬物代謝の阻害(inhibition)がみられることもある．薬物代謝酵素の抑制，失活そして阻害はいずれも酵素誘導とは逆に薬物代謝能の減少を招く．薬物代謝酵素に遺伝子多型がある場合も明らかにされており，薬物代謝の変化の要因の一つとなっている．

経口投与した薬物は，消化管から吸収され，門脈経由で肝臓に入り，部分的に代謝されてから，体循環血液中に入る．このため，大部分の薬物が初めて肝を通過する間に代謝され，全身循環にいたる薬物の量が少なくなる現象が見られる．これを初回通過効果という．腸管のCYP3A4による代謝が原因と見られる薬物の初回通過効果も観察されている．CYP3A4の誘導剤であるリファンピシンや阻害剤であるエリスロマイシンは，小腸部位で代謝され，経口投与した薬物の初回通過効果に影響を与える．

1. 代謝阻害

主に肝臓に分布する薬物代謝酵素は，脂溶性に富む薬物の投与により，酵素誘導や代謝阻害を受ける場合がある．肝臓に多く存在するシトクロムP450は，薬物をはじめとして毒物，発癌性物質など非常に多くの化学物質の代謝に関与している酸化酵素である．ヒトでは少なくとも10種類を越えるP450分子種がこれら化学物質の代謝に関与することが知られている．なかでもCYP3A4は主要な酵素で，カルシウム拮抗薬，抗不整脈薬，抗ヒスタミン薬，マクロライド系抗生物質といった様々な薬物からステロイド類や発癌性物質の代謝まで非常に幅広い機能をもつことが知られている．また，この酵素はある種の薬物により誘導を受け，阻害剤によって活性が低下することが知られており，薬物代謝の変化に伴う，薬物相互作用を考える上で重要な酵素である．薬物代謝型P450分子種毎に基質となる薬物や外来異物の数は非常に多くなってきている．Rendicによって作成されたデータベースが総説として公開されている[13]．

CYP3A4の触媒活性を阻害する多くの化学物質の存在が知られている．一般的には同一分子種上での競合的阻害の例が多いが，CYP3A4の場合には以下に述べる特徴的な阻害を受ける場合がある．

分子内にアゾール基をもつアゾール系抗真菌薬は，窒素原子がCYP3A4の活性中心であるヘム鉄の第6配位子に結合して，P450と酸素との結合を阻害することから，極めて強い代謝活性阻害作用を示す．

特に，ケトコナゾールはCYP3A4の強力な阻害剤であり，テルフェナジンやアステミゾールなどの抗ヒスタミン薬，ベンゾジアゼピン系睡眠薬，免疫抑制薬といった様々な薬物の代謝を阻害し，薬物相互作用を引き起こすことが知られている．同様にシメチジンもその構造にアゾール基を持ち，CYP3A4をはじめとするP450に対して阻害作用を示す．

一方，マクロライド系抗生物質や経口避妊薬などはCYP3A4によって代謝され，その中間(活性)代謝物がCYP3A4と複合体を形成したり，あるいは共有結合することによって酵素活性を非可逆的に阻害するものがある．マクロライド系抗生物質，特に14員環マクロライド抗生物質の代謝中間体とP450との複合体形成による阻害作用について述べる．マクロライド系抗生物質の代表的な医薬品であるエリスロマイシンやトロレアンドマイシンは，糖鎖部分にジメチルアミノ基を有している．このメチル基がP450によって酸化的代謝を受け，脱メチル化された後，ニトロソアルカン中間体が生成する．この中間体がP450のヘム鉄と結合し，P450の触媒機能を阻害する．

14員環などの構造を持つマクロライド系抗生物質の添付文書に類薬であるエリスロマイシンに阻害作用が知られていることから，対象となる薬の代謝酵素の阻害作用に注意を喚起する記載がなされている場合がある．しかし，同じマクロライド系生物質に分類される医薬品でも，16員環マクロライドは阻害作用の原因であり，代謝中間体複合体形成の律速段階となる脱メチル化反応は起こりにくいので，CYP3A4の阻害はほとんど認められない．マクロライド系抗生物質は酵素阻害作用だけでなく，CYP3A4を誘導する作用も持つ．連続して投与したとき，酵素の阻害と誘導が他の薬物代謝にどのような影響を与えるか，興味ある課題である．

2. 代謝阻害によって生じた重篤な副作用例

1993年，日本では医療用抗ウイルス薬として開発されたソリブジンとフルオロウラシル系抗癌剤との薬物相互作用で16名の死亡例が報告された．その毒性発現機構は，ソリブジンの代謝物であるブロモビニルウラシルによる，ジヒドロピリミジン脱水素酵素の非可逆的阻害であった．併用薬物されたフルオロウラシル系抗癌剤は，通常量の投与であったが，実際には，抗癌剤を極めて大量投与した場合と同様の重篤な骨随抑制作用による毒性作用であった．

同年，アメリカでは抗ヒスタミン薬テルフェナジンとマクロライド系抗生物質またはアゾール系抗真菌薬との薬物相互作用での死亡例が問題となっていた．アメリカでは一般用医薬品として，処方箋なしで入手できた医薬品によるCYP3A4の阻害作用のための，テルフェナジン由来の心毒性の副作用から死亡例が認められた．プロドラッグであるテルフェナジンの代謝阻害による毒性発現機構について述べる．

プロドラッグであるテルフェナジンは生体内のCYP3A4によって*tert*－ブチル基が酸化的代謝を受け，カルボン酸代謝物へと変換され，抗ヒスタミン作用を発揮する．通常の薬効量では，未変化体はヒトの血中には検出されない．CYP3A4によるテルフェナジンの脱アルキル化反応による，薬理学的には不活性代謝物への代謝経路も明らかにされている．しかし，ケトコナゾールやエリスロマイシンを併用すると，これらの薬物による強力なCYP3A4阻害作用により，テルフェナジン代謝が顕著に阻害された．プロドラッグ本体であるテルフェナジンには，心室の拍動期間延長の副作用があり，結果として心室性不整脈を引き起こし，重篤の場合，死亡する事例が報告された．以上の経過をふまえ，現在の本医薬品の添付文書には，強力なCYP3A4の阻害作用をもつ薬物との併用禁忌あるいは併用注意の項目が明記されている．

表1　P450の誘導剤と代謝が亢進する薬物および誘導されるP450分子種

抗てんかん薬	カルシウム拮抗剤（CYP3A4），シクロスポリン（CYP3A4），ワルファリン（CYP2C9）
リファンピシン	カルシウム拮抗剤（CYP3A4），経口避妊薬（CYP3A4），トルブタミド（CYP2C9）
マクロライド系抗生物質	カルシウム拮抗剤（CYP3A4）
西洋オトギリソウ (St. John' s wort)	カルシウム拮抗剤（CYP3A4），経口避妊薬（CYP3A4） シクロスポリン（CYP3A4）
イソニアジド，エタノール	吸入麻酔薬（CYP2E1）
喫煙，肉の焼けこげ，オメプラゾール	テオフィリン（CYP1A2），カフェイン（CYP1A2），フェナセチン（CYP1A2）

3. 代謝促進

実験動物の肝臓中の薬物代謝酵素含量が，ある種の医薬品を投与すると増加することが知られている．この現象は酵素誘導と呼ばれ，ヒトでも認められている．酵素誘導を引き起こす代表的な薬物として，抗てんかん薬として使用されるフェノバルビタール，カルバマゼピン，フェニトインと抗結核薬であるリファンピシンがあげられる（表1）．ヒトのP450は異物により誘導を受ける酵素と，受けにくい常在型の酵素に分けられる．誘導を受ける主な酵素はCYP1A1，CYP1B1，CYP1A2，CYP2E1およびCYP3A4である．

抗てんかん薬によって代謝が亢進する薬物には，カルシウム拮抗薬，シクロスポリン，ワルファリンなどがあり，これらの薬物の代謝に関わるP450はCYP3A4とCYP2C9である．リファンピシンは，CYP3A4の特異的な誘導剤であるが，CYP2C9で代謝される薬物の代謝も亢進することが知られている．

薬物ではないが，西洋オトギリソウ（St. John's wort）は，抗うつ作用を持つ健康食品として利用されている．この生薬成分にはCYP3A4の強力な誘導作用があり，臨床現場で処方箋に基づき調剤された医療用医薬品の作用の減弱が問題となっている．

炭火焼きステーキや魚の焼けこげにはCYP1A2を誘導するヘテロサイクリックアミン（アミノ酸やタンパク質の加熱生成物）や多環芳香族炭化水素類が存在する．喫煙によってもヒト肝のCYP1A2が誘導を受け，テオフィリンなどの重要な薬物の代謝が亢進される．

ヒトP450の誘導を生体外からモニタリングする試みもなされている．最近では薬物を複数用いて一度に多くの薬物代謝酵素活性のレベルを推定する研究も進められている．ここでは，単純な二つの例をあげる．一つはCYP3A4に関するものである．生体内で合成されるステロイドであるコルチゾール（cortisol）の6β－水酸化体の尿中排泄量を測定し，コルチゾールとの比を用いて酵素活性を表すと，肝ミクロゾーム中のCYP3A4含量と良好な相関関係があることがフランスの研究グループによって報告された．さらに，CYP3A4の誘導剤であるリファンピシンを服用後のヒトでは明らかに酵素量も，酵素活性も高く，CYP3A4

の特異的な誘導が起こっていることが確かめられている．

他方はCYP1A2である．フェナセチン脱エチル化酵素の個人差に関する臨床薬理学的研究から，現在はCYP1A2と命名されているP450がヒト肝蔵から精製された経緯がある．CYP1A2はカフェイン脱メチル化反応を効率よく触媒することから，お茶やコーヒーに大量に含まれているカフェインのクリアランスを調べることにより，生体全体の酵素量を予測することが可能となってきた．カフェインの二次代謝物の尿中排泄比を利用することで，CYP1A2だけでなく，CYP2A6，アセチル転移酵素，キサンチンオキシダーゼなど，ヒト全身で評価した薬物酵素活性の個人差を評価する方法が提唱されている[14]．

4. 薬物代謝に影響を及ぼす要因

薬物代謝酵素活性に影響を及ぼす要因には，生体にとって異物である医薬品，食品，嗜好品，環境汚染物質の摂取などの外的要因と，疾病，栄養状態，年齢，性，遺伝的要因などの内的要因に基づくものがある．ヒトでは個人個人の遺伝的背景の違いや，異なる食習慣や生活様式の違いがあるので，薬物代謝酵素活性の個人差は大きく，その要因を実験動物の場合と同様に特定することは難しい．

1. 病態による薬物代謝への影響

肝臓疾患や栄養状態が薬物代謝酵素活性への影響を及ぼすことが知られている．一般には病態時の薬物代謝は低下していることが予測されるが，かならずしも当てはまらない場合もある．肝硬変では，P450含量が低下することが報告されているが，同時に肝血流量，血漿タンパク質量，薬物のタンパク結合率も影響をうけるため，個々の薬物によって肝硬変時の総合的な代謝への影響は異なってくる．患者を使った臨床試験では，肝臓疾患でも肝硬変など重症な患者でしか，薬物動態の変動は認められないことが多い．糖尿病患者では一般的には肝臓の代謝能力は低下しているが，ケトン体(アセトン)によるCYP2E1の増加(誘導ではない)が観察され，CYP2E1に依存した薬物代謝は亢進している．がん組織においては薬物代謝酵素活性が低下するとの研究報告が多いが，逆に上昇しているとの報告もある．

2. 栄養による薬物代謝の変動

食品には，酵素誘導剤や阻害剤が混在している．栄養状態は内的因子であるが，食事は生体外の異物を取り込むので外的因子となる．絶食すると，ケトン体が増加し，結果的にCYP2E1が増加し，このP450に依存する薬物代謝反応は亢進する．絶食が長期に及ぶと生体内の様々な変化が複雑に影響し，薬物によって代謝が異なることが考えられる．

3. 年齢による薬物代謝への影響

薬物代謝酵素のなかでも，P450に関する年齢差がラットを用いてよく研究されている．ラットの胎児では，P450の活性はほとんど検出されず，生後急速に増加し，30日齢前後で最高活性を示すことが明らかにされている．その後，低下傾向を示し，老齢ラットでは明らかに活性が低くなる．一方，ヒトでも基本的に同様と考えられていたが，ヒトの胎児肝にP450が成人の半分程度存在することが発見され，実験動物とは異なることがわかった．

ヒト胎児肝P450の約50%はCYP3A7である．興味深いことに，CYP3A7は胎児期にのみ発現し，出生後，成人型のCYP3A4に置き換わることが明らかにされた．CYP3A7はデヒドロエピアンドロステロン3－硫酸の16α－水酸化反応や，環境発癌性物質であるアフラトキシンB_1の代謝的活性化反応の触媒活性をもち，ヒトの胎児毒性を考える際にきわめて重要な役割を果たしている．一方，ヒト成人肝ではCYP3Aに次いで含量の高いCYP2C酵素については，ヒト胎児肝において検出されず，P450分子種によって胎児と成人に発現量の違いがある．

4. 性による薬物代謝への影響

ラットやマウスでは，薬物代謝酵素に明確な性差が認められる．一方，ヒトにおける薬物代謝には顕著な性差が認められることは少ない．ヒトの肝試料を用いた試験管レベルの研究では性差はほとんど観察されてない．しかし，最近の臨床研究での知見から，CYP3A4 は女性が，CYP2C19 や CYP1A2 については逆に男性の方が高いとする知見が報告された．今後，薬物代謝型各 P450 分子種について，遺伝子多型をそろえた集団での性差を明確にし，薬物等の代謝速度の差を議論する必要がある．

5. 環境要因の薬物代謝への影響

医薬品，食餌由来の化学物質，健康食品，タバコ，酒などの嗜好品による酵素誘導剤や阻害剤による薬物代謝への影響についてはすでに述べた．ヒトは多くの化学物質に囲まれて生活している．環境中には，ゴミや自動車燃料の燃焼によって生成するダイオキシン類や窒素酸化物，さらに近年注目されはじめた外因性内分泌攪乱性物質が，特定の環境条件下では少なくない量が検出されている．これらの異物の酵素誘導など生体に及ぼす影響は，未だ解明されていない部分もあり，薬物代謝の個人差の一因となっている可能性がある．

6. 遺伝的多型による薬物代謝への影響

臨床薬理学的な研究から，薬物の効果や副作用には個人差があり，その一因に P450 分子種の遺伝子多型のあることが分かってきた．歴史的には，デブリソキン水酸化酵素とメフェニトイン水酸化酵素における顕著な個体差がまず注目された．現在では，それぞれ CYP2D6 と CYP2C19 が主に触媒する酵素反応であり，これらの酵素遺伝子の変異の結果，酵素の欠損や触媒機能の低下した酵素の発現などが起こることが確定されている．遺伝子変異の結果，poor metabolizer（PM）と呼ばれる代謝能の低いグループに属するヒトは，代謝能を有する extensive metabolizer（EM）のヒトとは，薬効や副作用に違いの出ることが観察されている．最近の薬物代謝酵素研究においては，これらの P450 の遺伝子変異の機構解析が急速に進歩しており，変異遺伝子の数は CYP2D6 で約 80 種，CYP2C19 では約 30 種類が明らかにされている（(2)の項を参照）．

ある種の P450 の遺伝的多型の頻度には人種差のあることも明らかにされている．例えばデブリソキン水酸化酵素のＰＭタイプのヒトは欧米人で 5 − 10%であるのに対し，日本人や中国人ではほとんど認められない(1%以下)．一方，メフェニトイン水酸化酵素では，ＰＭの割合は約 5%であるのに対し，日本人や中国人では約 20%と高い．

遺伝子多型に基づく代謝能の低いヒトに医薬品を通常量服用させると，重篤な中毒症状が現れる

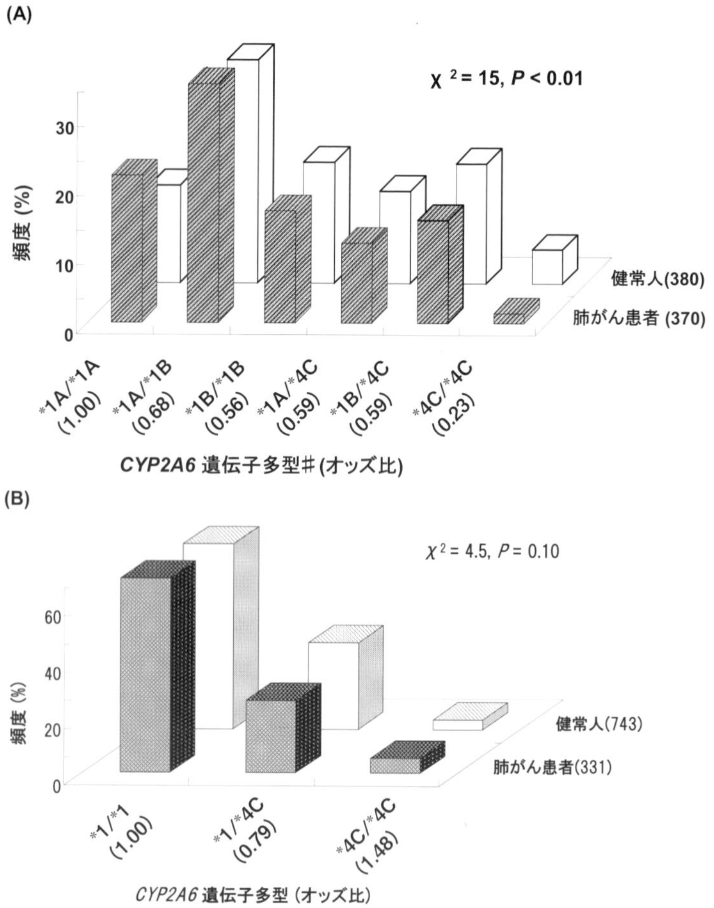

図4　日本人男性喫煙者(A)と非喫煙者(B)の *CYP2A6* 遺伝子多型と肺がんリスク

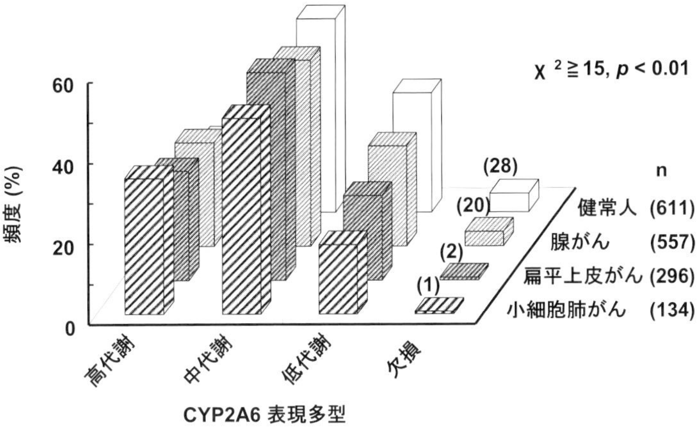

図５　日本人男性喫煙者の *CYP2A6* 遺伝子多型より予測される表現多型と肺がんリスクの関係

CYP2A6 遺伝子の組み合わせから予測される酵素活性に基づき，以下の４グループに分けて解析した[18]．高代謝グループ，*CYP2A6*1/*1*（野生型）；中代謝グループ，*CYP2A6*1/*4*，*CYP2A6*1/*7*，*CYP2A6*1/*9*，*CYP2A6*1/*10*：低代謝グループ，*CYP2A6*4/*7*，*CYP2A6*4/*9*，*CYP2A6*4/*10*，*CYP2A6*7/*7*，*CYP2A6*7/*9*，*CYP2A6*7/*10*，*CYP2A6*9/*9*，*CYP2A6*9/*10*，*CYP2A6*10/*10*；および欠損グループ，*CYP2A6*4/*4*.

ことがある．抗ヒスタミン薬プロメタジンは一般用医薬品として市販されている風邪薬などに配合されている．本薬は，主にCYP2D6によって代謝される．したがって，CYP2D6の遺伝子を欠損しているヒトが通常量のプロメタジンを服用すると，約２日間にわたって強い眠気に襲われ，日常生活に大いに支障をきたす．

P450の遺伝子多型と各種疾患との関係についても研究されている．デブリソキン酸化酵素とパーキンソン病あるいは肺癌との関係などである．これらの間に明確な関係がある，ない，と相反する疫学的な研究報告がなされており，未だ結論が得られていない．どちらの例においても，環境中の化学物質の生体内での代謝が重要な因子となっていることが推定され，今後も薬物代謝酵素の遺伝子多型とがんを含む各種の疾患との関連性が研究されることになろう．肺がん感受性の個人差の研究には，古くからP450遺伝子多型との関係が注目されている．1973年，Kellermannら[15]は，肺がんリスクと芳香族炭化水素水酸化酵素活性の誘導性の個人差との関係にはじめて注目した．ついで，現在のCYP2D6表現型と肺がんとの関係が指摘されたが[16]，その後，多くの研究成果によって，この関係は，否定的となっている．

最近では，タバコ特有ニトロソアミンを代謝的に活性化するCYP2A6と肺がんリスクとの関係が注目されている．遺伝的に*CYP2A6*遺伝子を全欠損する頻度の高い日本人において，男性喫煙者の肺がんリスクとの関係が明確となっている[17]．すなわち，*CYP2A6*遺伝子全欠損群では，症例対照研究におけるオッズ比が明らかに低値を示し，野生型群に比較して肺がんリスクが低下する結果が明快に得られている(図4A)．このオッズ比の違いは喫煙者にのみ認められ，非喫煙者では認められないなど(図4B)，様々な角度から検証されているが，今のところ矛盾した結果はない．

ニコチン代謝酵素CYP2A6には，生体内で酵素の量的あるいは質的な変化をもたらすCYP2A6遺伝子多型がある[18]．そこで，これらの遺伝子多型の組み合わせから予測される代謝が速いグループ，中間のグループ，遅いグループおよび欠損グループの４群に分けて，CYP2A6代謝酵素活性の分布と男性喫煙者の肺がんリスクの関係を詳しく調べた(図5)．ここでは肺がんの種類を，喫煙と密接に関係する小細胞肺がんや扁平上皮がん，および非喫煙者でも認められる腺がんに分けて解析した．健常人と比較し，小細胞肺がんや扁平上皮がんの患者では，代謝が速いグループ(高活性)の頻度が統計的に高く，逆に代謝が遅いグループ(低活性)あるいは欠損グループの割合は少ない．この研究は環境化学物質による発がんのメカニズムを探る上でも貴重なものと考えられる．

References

1. Guengerich, F.P. and Shimada, T. (1991) Oxidation of toxic and carcinogenic chemicals by human cytochrome P-450 enzymes. *Chem. Res. Toxicol.*, 4, 391-407.
2. Nebert, D.W., Adesnik, M., Coon, M.J., Estabrook, R.W., Gonzalez, F.J., Guengerich, F.P., Gunsalus, I.C., Johnson, E.F., Kemper, B., Levin, W., Phillips, I.R., Sato,

R., and Waterman, M.R. (1987) The P450 gene superfamily : recommended nomenclature. *DNA*, 6, 1-11.

3. Nelson, D.R., Koymans, L., Kamataki, T., Stegeman, J.J., Feyereisen, R., Waxman, D.J., Waterman, M.R., Gotoh, O., Coon, M.J., Estabrook, R.W., Gunsalus, I.C., and Nebert, D.W. (1996) P450 superfamily : update on new sequences, gene mapping, accession numbers and nomenclature. *Pharmacogenetics*, 6, 1-42.
4. Guengerich, F.P. (2003) Cytochromes P450, drugs, and diseases. *Mol. Interv.*, 3, 194-204.
5. Daly, A.K., Brockmoller, J., Broly, F., Eichelbaum, M., Evans, W.E., Gonzalez, F.J., Huang, J.-D., Idle, J.R., Ingelman-Sundberg, M., Ishizaki, T., Jacqz-Aigrain, E., Meyer,U.A., Nebert, D.W., Steen, V.M., Wolf, C.R., and Zanger, U.M. (1996) Nomenclature for human *CYP2D6* alleles. *Pharmacogenetics*, 6, 193-201.
6. Oscarson, M. and Ingelman-Sundberg, M. (2002) CYPalleles : a web page for nomenclature of human cytochrome P450 alleles. *Drug Metab. Pharmacokinet.*, 17, 491-495.
7. Shen, A.L., O'Leary, K.A., and Kasper, C.B. (2002) Association of multiple developmental defects and embryonic lethality with loss of microsomal NADPH-cytochrome P450 oxidoreductase. *J. Biol. Chem.*, 277, 6536-6541.
8. Henderson ,C.J., Otto, D.M., Carrie, D., Magnuson, M.A., McLaren, A.W., Rosewell, I., and Wolf, C.R. (2003) Inactivation of the hepatic cytochrome P450 system by conditional deletion of hepatic cytochrome P450 reductase. *J. Biol. Chem.*, 278, 13480-13486.
9. Lawton, M.P., Cashman, J.R., Cresteil, T., Dolphin, C.T., Elfarra, A.A., Hines, R.N., Hodgson, E., Kimura, T., Ozols, J., Phillips, I.R., Philpot, R.M., Poulsen, L.L., Rettie, A.E., and Shephard, E.A. (1994) A nomenclature for the mammalian flavin-containing monooxygenase gene family based on amino acid sequence identities. *Arch. Biochem. Biophys.*, 308, 254-257.
10. Hernandez, D., Addou, S., Lee, D., Orengo, C., Shephard, E.A., and Phillips, I.R. (2003) Trimethylaminuria and a human *FMO3* mutation database. *Hum. Mutat.*, 22, 209-213.
11. Kubota, M., Nakamoto, Y., Nakayama, K., Ujjin, P., Satarug, S., Mushiroda, T., Yokoi,T., Funayama, M., and Kamataki, T. (2003) A mutation in the flavin-containing monooxygenase 3 gene and its effects on catalytic activity for *N*-oxidation of trimethylamine *in vitro*. *Drug Metab. Pharmacokin.*, 17, 207-213.
12. Yamazaki, H., Fujita, H. Gunji, T., Zhang, J. Kamataki, T., Cashman, J. R., and Shimizu, M. (2007) Stop codon mutations in the flavin-containing monooxygenase 3 (FMO3) gene responsible for trimethylaminuria in a Japanese population. Mol.Genet. Metab. 90, 58-63.
13. Rendic, S., and Guengerich, F.P.. Update information on drug metabolism systems--2009, part II : summary of information on the effects of diseases and environmental factors on human cytochrome P450 (CYP) enzymes and transporters. *Curr. Drug Metab.* 11, 4-84, 2010.
14. Saruwatari, J., Nakagawa, K., Shindo, J., Tajiri, T., Fujieda, M., Yamazaki, H., Kamataki, T., and Ishizaki, T. (2002) A population phenotyping study of three drug-metabolizing enzymes in Kyushu, Japan, with use of the caffeine test. *Clin. Pharmacol. Ther.*, 72, 200-208.
15. Kellermann, G., Shaw ,C.R., and Luyten-Kellermann, M. (1973) Aryl hydrocarbon hydroxylase inducibility and bronchogenic carcinoma. *N. Engl. J. Med.*, 298, 934-937.
16. Ayesh, R., Idle, J.R., Ritchie, J.C., Crotheres, M.J., and Hetzel, M.R. (1984) Metabolic oxidation phenotypes as markers for susceptibility to lung cancer. *Nature*, 312, 169-170.
17. Ariyoshi,N., Miyamoto,M., Umetsu,Y., Kunitoh,H., Dosaka-Akita,H., Sawamura,Y., Yokota,J., Nemoto,N., Sato,K., and Kamataki,T. (2002) Genetic polymorphism of CYP2A6 gene and tobacco-induced lung cancer risk in male smokers. *Cancer Epidemiol. Biomark. Preven.*, 11, 890-894.
18. Fujieda, M., Yamazaki, H., Saito, T., Kiyotani, K., Gyamfi, M. A. Sakurai, M., Dosaka-Akita, H., Sawamura,Y. Yokota, J. Kunitoh, H. and Kamataki, T. (2004) . Evaluation of CYP2A6 genetic polymorphisms as determinants of smoking behavior and tobacco-related lung cancer risk in male Japanese smokers. *Carcinogenesis* 25, 2451-2458.

総論

6　低用量・長期曝露による環境発がん

大阪市立大学大学院医学研究科都市環境病理学[1]，日本バイオアッセイ研究センター[2]
鰐渕英機[1]，魏　民[1]，梯アンナ[1]，福島昭治[2]

はじめに

環境中には多数の化学物質が存在し，医薬品，農薬を始め種々の目的に使用されており，我々がその恩恵にあずかるところは大きい．一方，それが人々の健康に影響，特に発がんに大きく関与している面があることも事実である．イギリスの疫学者であるDoll博士[1)]はヒトがんの発生原因の約80%は環境中に存在する発がん要因に求めると述べている．したがって，大気，食物，飲料水，煙草などに含まれている発がん物質や，発がん性が指摘されている医薬品，農薬などがヒトのがん発生に，実際にどの程度影響を及ぼすのかという課題の解決は医学的にも，さらに，社会的にも極めて重要である．

しかし現在の段階では，個々の発がん物質ががんの発生にどの程度，関与しているか否かは定かではない．我々は化学物質のもつ恩恵とリスクの狭間で，確固たる科学的根拠をもって発がん物質に対するリスクを説明し得る情報を持ち合わせていないのが現状である．しかも発がん物質には人工のみならず天然のものもある．したがって，ヒトは発がん物質と共存しなければならないという大前提がある．

1．低用量域での発がんリスク評価

化学物質の発がん性の同定は基本的にはヒトについての疫学的情報によってもたらされる．しかし，大部分の化学物質についての発がん性はヒトでは未知である．したがって，実験動物を用いての発がん性試験を介して，発がん物質が同定されるのが大半である．

化学物質の発がん性は，実験的には一般にラットないしマウスを用いて最大耐量を含む高用量域での発がん性試験をもって同定され，その結果と変異原性試験の結果，さらに曝露評価を合わせてヒトへの発がんリスク評価を行っている．また，高用量域での発がん性は他の毒性と同様，用量相関曲線，すなわちS字状曲線をもってみられることが証明されている．現在，発がんのリスク評価にあたって，発がん物質の高用量域での反応用量曲線を低用量域へ延ばすことにより発がん性のヒトへの外挿がなされ，しかもその曲線は0にたどると理解されている(図1)．少なくとも遺伝毒性発がん物質についてはそうである．すなわち，発がん物質，特に遺伝毒性発がん物質には閾値な

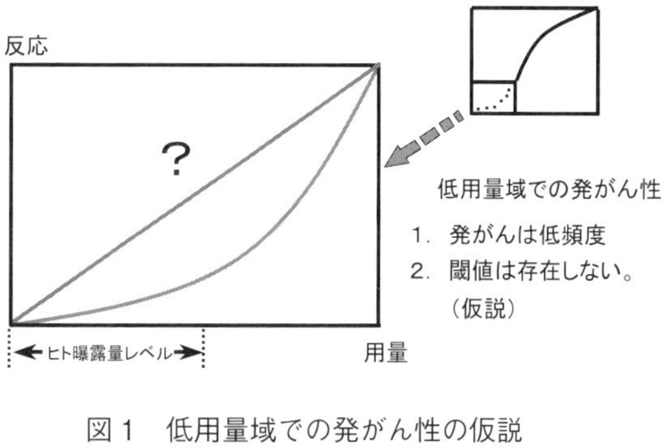

図1　低用量域での発がん性の仮説
－高用量域から低用量域への外挿

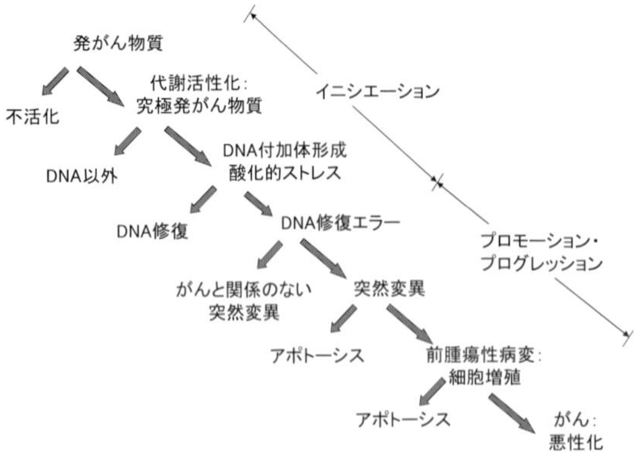

図２　化学発がんのメカニズム

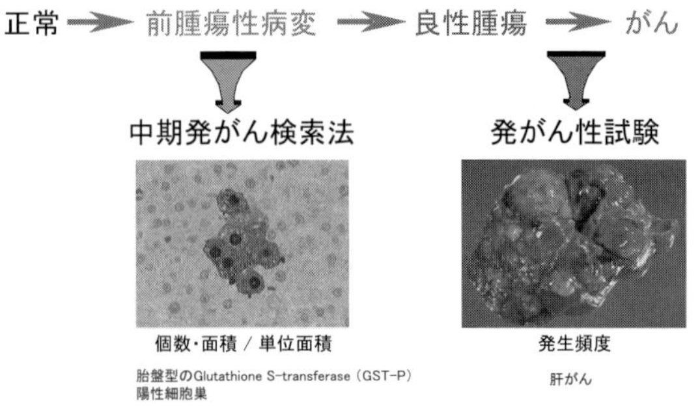

図３　中期発がん試験法の有用性

いとされている．これは発がん物質といえども低用量では発がん頻度は低く，自然発生のそれとの間に統計学的に有意差を見出しがたく，低用量域での発がん性の証明は困難であること，さらに，発がん物質はDNAに傷害を与え，不可逆性の変化をもたらすという理論に基づいている．

2. 発がん機序と中期発がん試験法

発がん物質によるがん発生のメカニズムとして，代謝活性化された発がん物質は標的細胞のDNAと付加体を形成し，その後DNA修復エラーの結果，遺伝子の突然変異が誘発され，変異細胞が出現する．その固定化を経て，変異細胞の増殖により前腫瘍性病変が発生し，さらに腫瘍(良性腫瘍からがん)へと移行する．このプロセスは変異細胞の固定化までのイニシエーションと細胞の増殖，および腫瘍発生と悪性化の過程であるプロモーション(プロモーションとプログレッションにも分ける)からなる発がんの二段階説として説明されている(図2)．一方，この過程には修復機構や免疫制御によるアポトーシスが働き，イニシエーション，プロモーションを不成立させたり，遅延することがわかってきた．

病理学的に動物を用いた発がん研究の成果として，正常の細胞から前腫瘍性病変→良性腫瘍→がんに移行する過程が明らかになっている(図3)．たとえばラット肝がんの場合，正常肝細胞→前腫瘍性病変である肝細胞の過形成巣→肝細胞腺腫→肝細胞がんの配列である．従って，前腫瘍性病変を発がん性判定の指標とすれば発がん実験期間を短縮することができる．2年間にわたる発がん性試験の代替法として，この考え方を応用したのが中期発がん性試験法である．ラット肝臓を標的とする中期発がん性試験法では，前腫瘍性病変の指標として胎盤型のglutathione *S*-transferase (GST-P)陽性細胞巣が判定マーカーとして用いられている．

そこで，発がん物質に閾値があるか否かを解決することを意図して，発がん機序を考慮しつつ，新しい手法，すなわち前腫瘍性病変を発がん性判定の指標とする中期発がん性試験法を用いて低用量発がん実験を行った．

3. 遺伝毒性発がん物質の発がん性

1. ヘテロサイクリックアミンの低用量発がん性

1) 2-Amino-3,8-dimethylimidazo [4,5-*f*] quinoxaline (MeIQx)の肝発がん性

MeIQxは焼け焦げ中に存在するヘテロサイクリックアミンの一種で，ラットにおける肝がんの発生は100から400 ppmという高用量域で用量相関性をもって認められている[2]．日本人は魚や肉を食べることによってMeIQxを1日0.2～2.6 μg摂取していると推定されている[3]．さらに，剖検例の腎臓や手術症例の結腸からMeIQx-DNA付加体が検出され，ヒトは確実にMeIQxに曝露されていることがわかっている[4]．

そこで，MeIQxの低用量域での肝発がん性を検証するために離乳後，肝細胞の増殖能が最も高

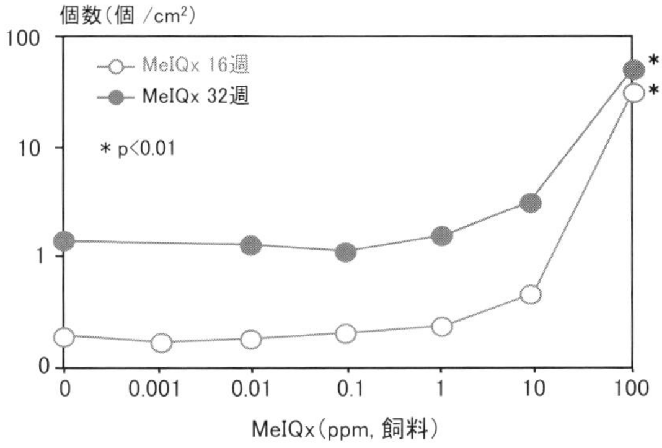

図4　MeIQx16 および 32 週間投与のラット肝における GST-P 陽性細胞巣の発生

い 21 日齢の雄性 F344 ラット 1145 匹を用い，MeIQx を 0，0.001，0.01，0.1，1 および 10 ppm の低用量域ならびに 100 ppm の MeIQx を最大 32 週間連続混餌投与した[5]．

その結果，図 4 の如く，16 週投与群において肝における前腫瘍性病変の指標である GST-P 陽性細胞巣の発生は MeIQx の 0.001 ～ 1 ppm 群では対照群と全く差はないものの，10 ppm では増加傾向が認められ，高用量の 100 ppm では統計学的に明らかに有意な発生増加を示した(平坦－立ち上がり直線)．また MeIQx 投与の 4 週において肝における MeIQx-DNA 付加体(dG-C8-MeIQx)が MeIQx 投与量との間に直線的な相関をもって認められた(図 5)．酸化的ストレスのマーカーである肝 DNA の 8-hydroxy-2'-deoxyguanosine (8-OHdG)形成レベルは，MeIQx 投与の 4 週目では 1 ppm 以上で有意に増加した(平坦－立ち上がり直線)（図 5)．さらに MeIQx16 週間投与においても MeIQx-DNA 付加体と 8-OHdG 形成レベルは 4 週のデータと同様の傾向を示した．また，MeIQx によるラット肝 GST-P 陽性細胞巣の発生において MeIQx の投与期間を 16 週から 32 週間に延長しても，16 週間と同様の曲線が得られた(図 4)．

さらに，MeIQx 投与 2 年間の発がん実験で検討した結果，16 週と 32 週投与実験と同様，腫瘍のみならず GST-P 陽性細胞巣の発生でも 1 ppm までは対照群と変化なく 100 ppm ではじめて有意に腫瘍が発生した．すなわち，1 ppm までが

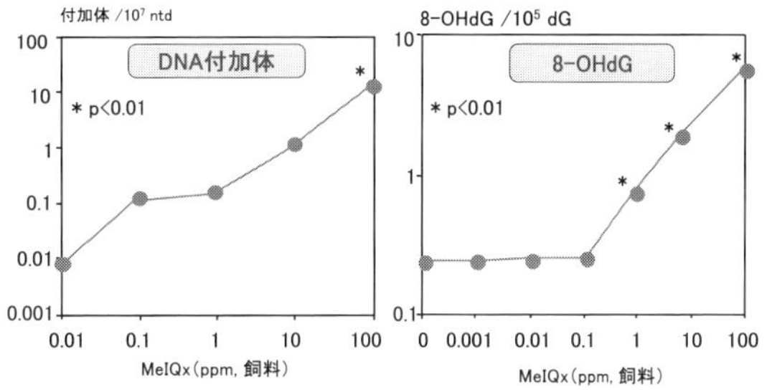

図5　MeIQx 4 週投与ラット肝における MeIQx-DNA 付加体および 8-OHdG 形成レベル

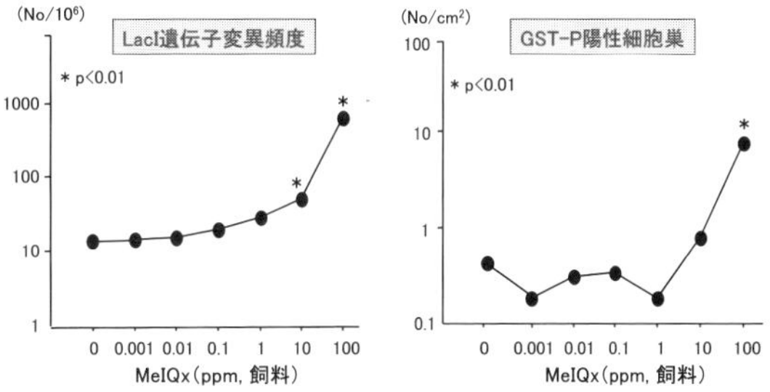

図6　MeIQx 16 週投与 BigBlue ラット肝における LacI 遺伝子変異頻度および GST-P 陽性細胞巣の発生

実質上の無作用量域と判断された[6]．

遺伝毒性発がん物質は標的細胞の DNA 損傷を起こし，遺伝子変異を誘発する．したがって非常に低い用量の MeIQx が遺伝子変異をもたらすかどうかが発がん物質の閾値論に直接的な解答を与える．しかし，ラット肝発がんに関与する本質的な遺伝子変異はわかっていない．そこで一般的によく知られている H-ras 遺伝子変異の希少な頻度を検出する方法として高感度遺伝子変異検出法を開発し，それを用いて変異頻度を検討した．その結果，MeIQx の 2 週間投与により，ラット肝における H-ras 変異頻度は 10 ppm 以下で有意に増加するが，それ以下の低用量では無処置対照群と同じレベルであることが判明した．また，MeIQx の 32 週間投与でも，低用量では H-ras 遺伝子変異を起こさないことが判明した．

さらに Big Blue ラット(F344 系)を用いて肝における変異原性と発がん性を比較検討した[7]．MeIQx を 16 週間投与すると LacI 遺伝子変異が 10 ppm で有意に増加し，100 ppm では著明に増

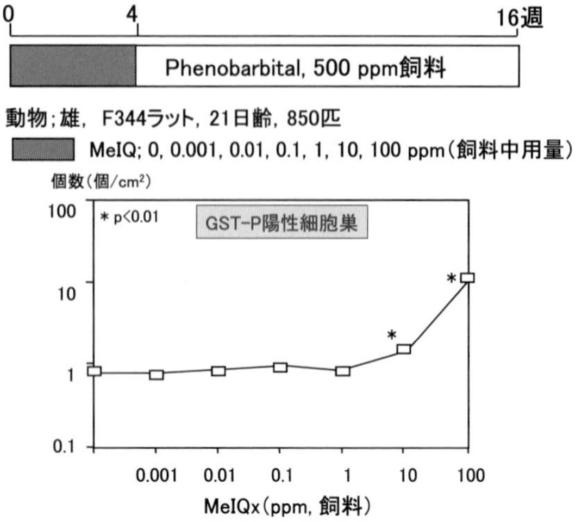

図７　MeIQx の低用量域におけるラット肝のイニシエーション活性

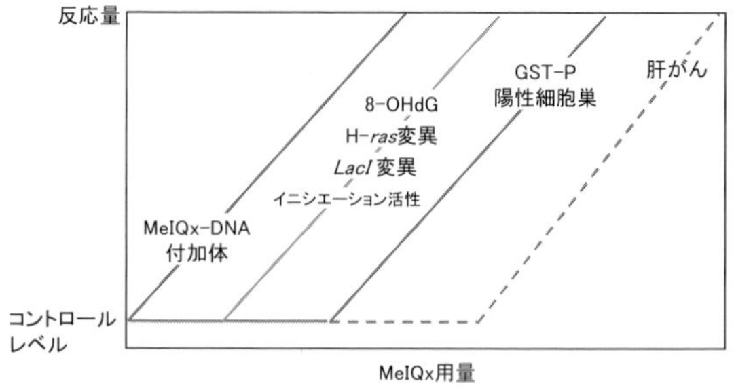

図８　肝発がんリスク：MeIQx 低用量域における各種発がんマーカーの反応

加した（図 6）．一方，GST-P 陽性細胞巣は 100 ppm でのみ有意に増加した（図 6）．このことは，MeIQx の変異原性にも閾値が存在することを示す一方，無作用量は発がん性のそれよりせまいことを強く示唆している．

さらに，発がんの 2 段階説にのっとり，MeIQx のラット肝におけるイニシエーション活性を phenobarbital（PB）をプロモーターとする系で GST-P 陽性細胞巣を指標にして検討してみると，図 7 のように 10 と 100 ppm ではそれが有意に増加したが，1 ppm 以下の低用量では無処置対照群と差がみられなかった．すなわち，MeIQx の 1 ppm 以下では肝イニシエーション活性を示さないことが明らかとなった[8]．

これらの結果をまとめると図 8 のようになる．MeIQx のラット肝発がん性には DNA 付加体形成の曝露指標とは異なり，ある程度の無作用量域があって 8-OHdG 形成レベルの上昇，H-ras 遺伝子変異，LacI 遺伝子変異，およびイニシエーション活性の増加が見られ，さらにある程度の無作用量域の後，GST-P 陽性細胞巣，そしてさらに幅広い無作用量域を持って肝がん発生の増加がみられることが明らかとなった．このように肝発がんの種々のマーカーにはそれぞれの無作用量域が求められ，マーカーから推察される発がん機序を考えると MeIQx の発がん性には閾値があると結論することができる．

2）2-amino-3-methylimidazo［4,5-*f*］quinoline（IQ）の肝臓における低用量発がん性およびそのメカニズム

IQ も肉や魚の焼け焦げに含まれているヘテロサイクリックアミンの一種である．ラット 2 年間発がん性試験では，300 ppm という高用量で肝がんや大腸がんを誘発した．そこで，IQ の低用量発がん性およびそのメカニズムを検討するために，21 日齢の雄性 F344 ラット 1595 匹を用い，IQ を 0，0.001，0.01，0.1，1，10 および 100 ppm の用量で 16 週間混餌投与した[9]．その結果，肝臓における GST-P 陽性細胞巣の発生は，1 ppm までは対照群と差がなく，10 および 100 ppm では有意な増加が認められた（平坦－立ち上がり直線）（図 9）．したがって，IQ の肝発がん性には無作用量の存在が明らかとなった．

IQ の肝発がん性における無作用量域の存在のメカニズムを解明するために，4 週で IQ-DNA 付加体形成，16 週では RT-QPCR 法を用いて，肝臓における IQ の代謝活性化，DNA 修復，細胞周期および増殖に関係する遺伝子の発現量を検討した[9]．その結果（図 10），IQ の主要な代謝酵素である CYP1A2 の発現量は 0.01 から 10 ppm までは有意に増加したが，100 ppm 群では有意な変化はみられなかった．一方，100 ppm 群では，CYP1A1 が有意に増加した．このように，代謝酵素の発現量も必ずしも用量相関性を示さないことが判明した．IQ-DNA 付加体は，0.01 ppm 以上の群で検出され，IQ 投与量との間に直線的な

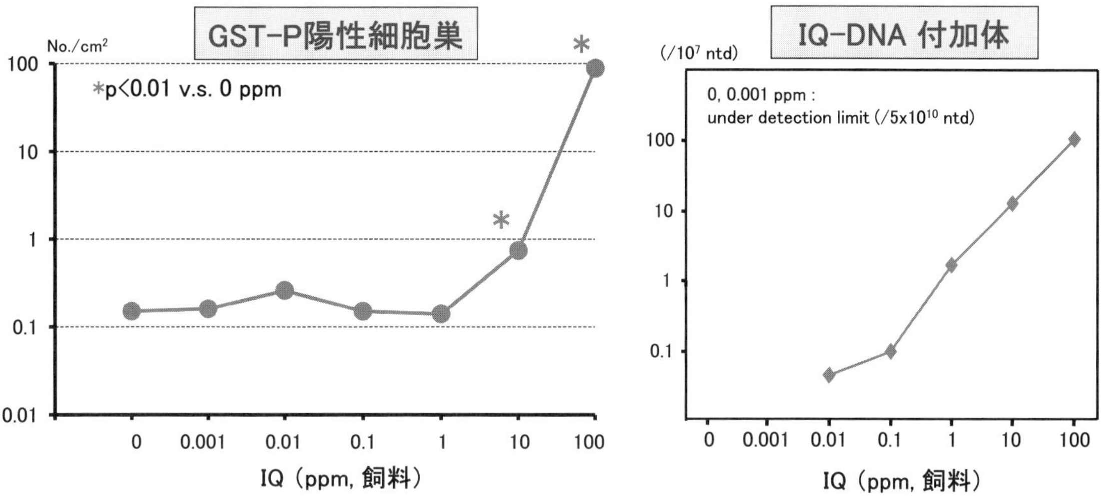

図９　IQ 投与ラット肝における GST-P 陽性細胞巣の発生と DNA 付加体の形成レベル

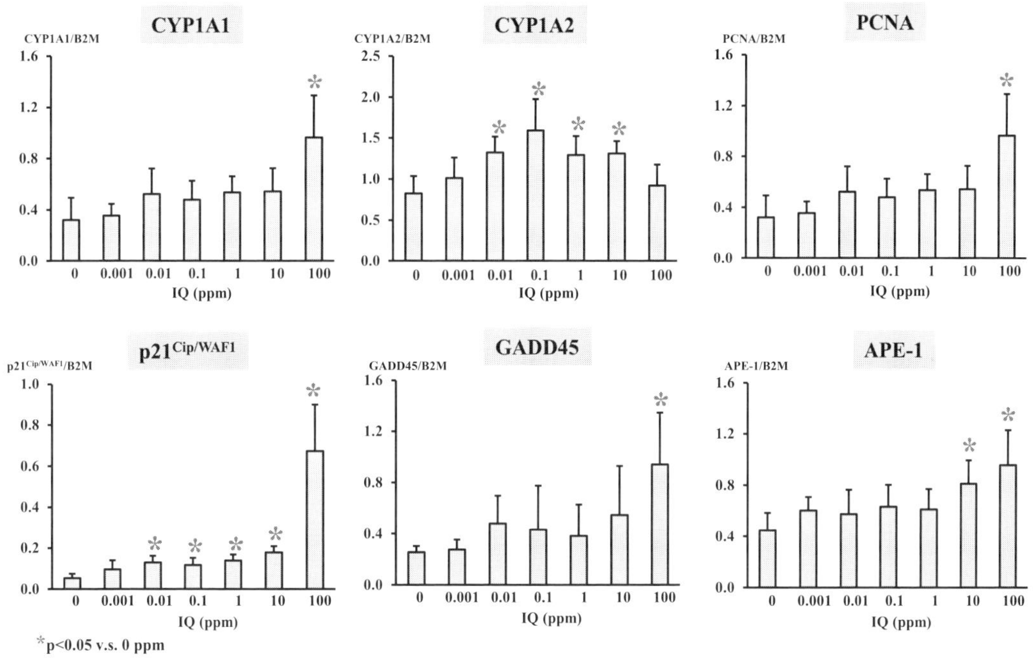

図 10　IQ 投与ラット肝における遺伝子発現

相関を示した(図 9)．しかし，細胞増殖は 100 ppm 群でのみ有意に増加した．がん関連遺伝子の発現量を調べたところ，がん抑制遺伝子である p21$^{Cip/WAF1}$ は，GST-P 陽性細胞巣の増加は認められなかった 0.01 ppm 群からも有意に増加したことが判明した．この結果から，p21$^{Cip/WAF1}$ の誘導が無作用量域の存在のメカニズムの 1 つと考えられた．また，p21$^{Cip/WAF1}$，塩基除去修復遺伝子 AP endonuclease-1（APE-1）および G1 期停止を起こす growth arrest and DNA damage-inducible protein 45（GADD45）の発現量が 100 ppm 群でもっとも高値を示したことから，低用量の IQ に

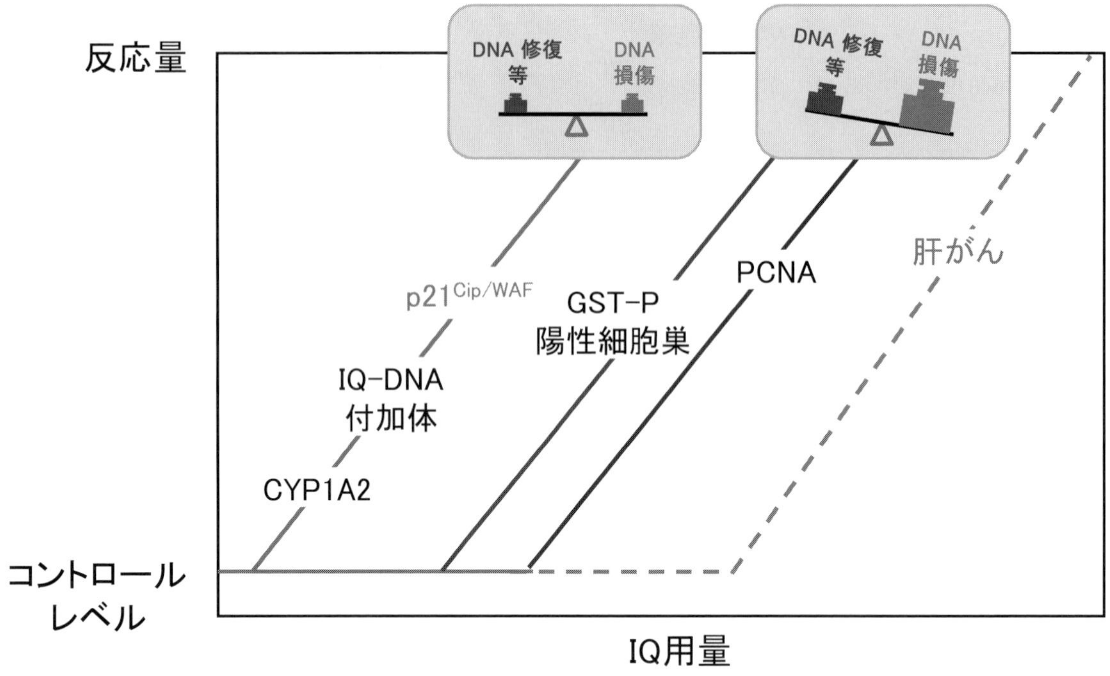

図 11　IQ 低用量域における肝発がん性のメカニズム

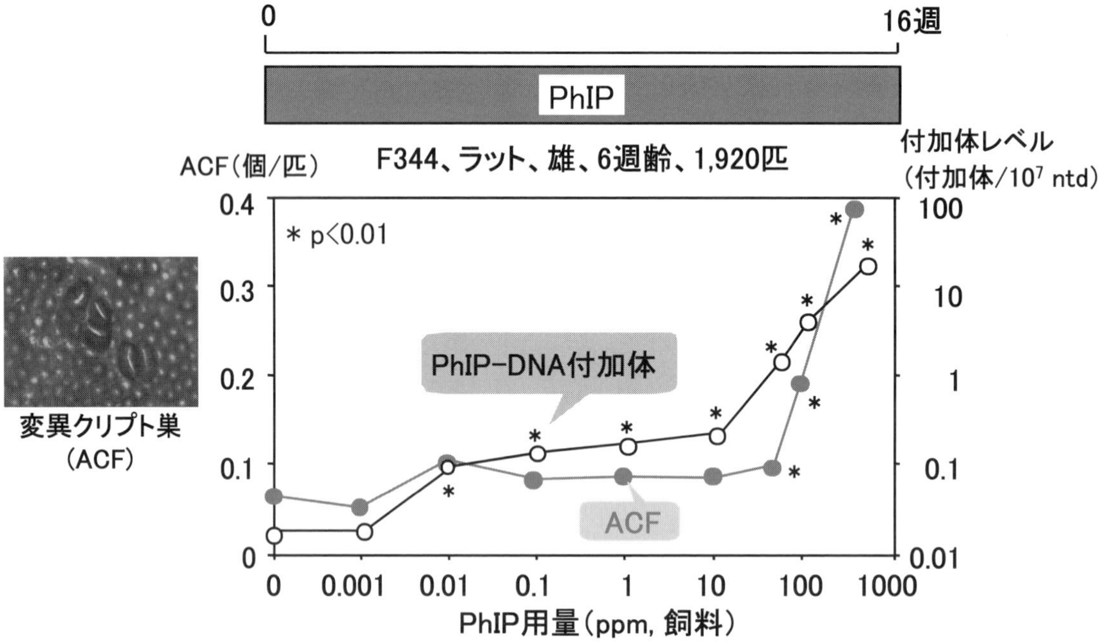

図 12　PhIP の低用量におけるラット大腸発がん性：変異クリプト巣(ACF)の発生と PhIP-DNA 付加体レベル

曝露された肝細胞は修復力にまだ余裕があり，誘発された遺伝子損傷は修復できる範囲内であることが示唆された．肝臓の解析結果をまとめると図 11 になる．低用量では，IQ-DNA 付加体が形成

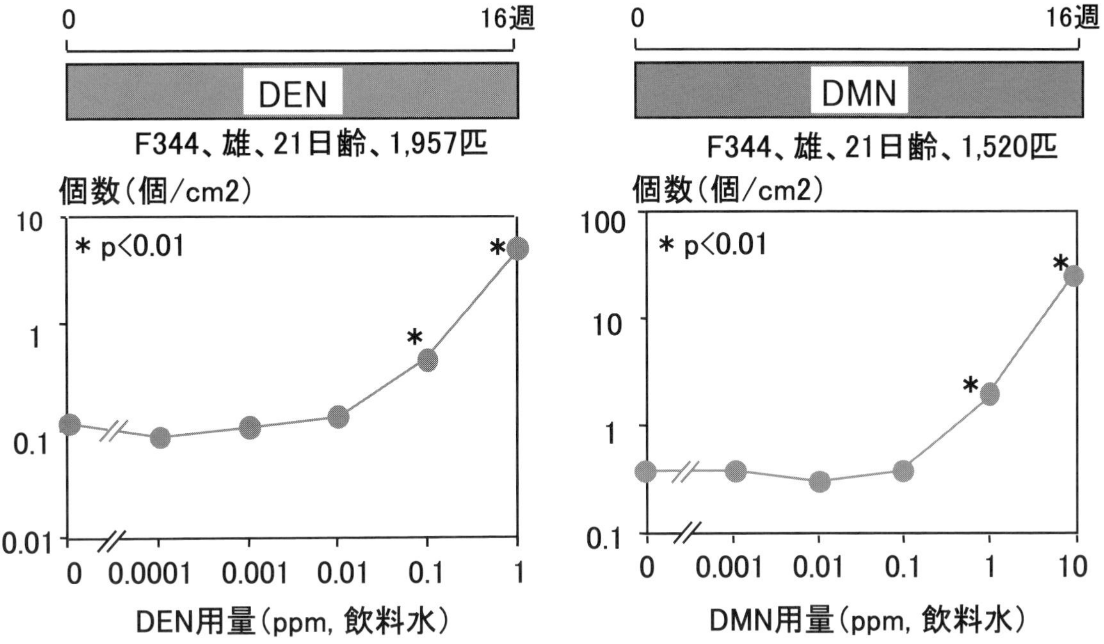

図 13　*N*-ニトロソ化合物の低用量域におけるラット肝発がん性：GST-P 陽性細胞巣の発生

されたと同時に，がん抑制遺伝子 $p21^{Cip/WAF1}$ が誘導された．DNA 損傷と修復力のバランスが保たれた結果，ある程度の無作用量域が生じる．その後，DNA 損傷が修復力を上回ると，GST-P 陽性細胞巣の発生増加および細胞増殖の亢進が生じる[9]．

3) 2-amino-1-methyl-6-phenylimidazo［5,6-*b*］pyridine（PhIP）のラット大腸における低用量発がん性

魚，特に肉の焼け焦げに多く含まれるヘテロサイクリックである PhIP はラット大腸に発がん性を発揮する．そこで，0.001 ～ 400 ppm 用量域における PhIP の大腸発がん性をラットを用いて検討した（図 12）[10]．6 週齢雄性 F344 ラット 1920 匹に種々の用量の PhIP 含有飼料を 16 週間連続投与した．大腸における前腫瘍性病変の指標であるクリプト巣（ACF）の発生は 10 ppm までは 0 ppm 群と差がなく，50 から 400 ppm にかけて有意な増加した．また，PhIP-DNA 付加体形成は 0.01 ppm 以上で有意に増加した．このように両者に無作用量があり，しかもそれらに大きな差がみられた．

2. *N*- ニトロソ化合物のラット肝臓における低用量発がん性

Diethylnirosamine（DEN）や dimethylnirosamine（DMN）は胃の中で二級アミンと亜硝酸の反応により生合成される．さらに，それらは生活関連物質に含まれており，またいろいろの加工食品の汚染物質として知られている．

ペトーら[11]は総数 4,080 匹の雄性ラットを用いて，DEN による肝腫瘍発生における用量反応関係を検討した．DEN を 0.033 ～ 13.896 ppm の用量で飲料水に混ぜラットに一生涯投与し，肝臓がんの発生を検討したところ，DEN の投与量と肝腫瘍発生に用量反応関係があることから，発がん閾値の存在を否定した．

そこで我々は，ペトーらの実験に用いられた量より，より低用量域における DEN のラット肝臓発がん性を検討した[5]．21 日齢の雄性 F344 ラット 1957 匹に種々の用量（最低用量，0.0001 ppm；最高用量，1 ppm）の DEN 含有飲料水を 16 週間投与した．その結果，肝臓における GST-P 陽性細胞巣の発生は 0.01 ppm までは無処置対照群と差がなく，0.1 ppm 以上で有意な増加を示した（図 13）．

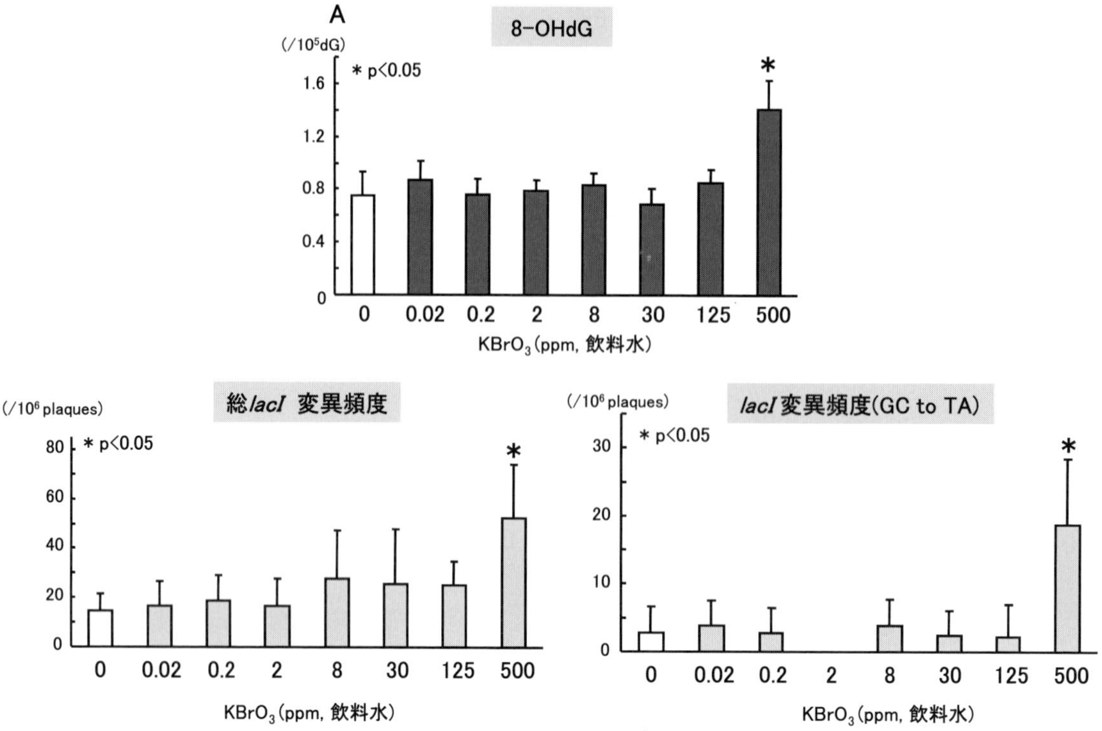

図 14　$KBrO_3$16 週投与 BigBlue ラット腎臓における 8-OHdG 形成レベルおよび LacI 遺伝子変異頻度

また，雄性 Big Blue ラットに DEN を前述と同じ用量で 16 週間にわたって投与し，肝臓における lacI 遺伝子変異を調べたところ，対照の 0 ppm 群に比較して 0.001 ppm から有意に変異頻度の上昇が認められ，さらに，DEN によって誘発される特異的変異である AT から TA へのトランスバージョンと，AT から GC へのトランジションが 0.001 ppm 以上で有意に増加した．これに対し，GST-P 陽性細胞巣の発生は 1 ppm のみ有意に増加した．すなわち，lacI 変異の誘発にも作用しない量があり，しかもその量は GST-P 陽性細胞巣のそれより幅が著しく狭いことが判明した．

さらに，DMN についても DEN と同様の手法を用いてラット肝臓の GST-P 陽性細胞巣の発生を検討したところ，DMN の 0.001 ～ 0.1 ppm では対照群と差がなく，1 および 10 ppm で有意な増加が認められた(図 13) [12]．

3. 臭素酸カリウム($KBrO_3$)のラット腎臓における低用量発がん性

水道水の汚染物質であり，また食品添加物として使われている臭素酸カリウムはラットの腎臓に発がん性を示す．

臭素酸カリウムを雄性 Big Blue ラットに最低用量である 0.02 ppm から最高用量の 500 ppm で，16 週間飲水投与した(図 14) [13]．腎臓の lacI 遺伝子変異は 500 ppm で有意に増加したが，125 ppm 以下では無処置対照群と全く差がみられなかった．さらに，臭素酸カリウムによって特異的に誘発される GC から TA への変異も 500 ppm のみに有意に増加していた．臭素酸カリウムの変異原性は酸化的ストレスによる DNA 傷害によってもたらされることが分かっている．そこで腎臓における酸化的ストレスのマーカーである 8-OHdG の形成のレベルを測定すると，500 ppm 群のみに有意に上昇していた．このように酸化的ストレスと lacI 遺伝子変異に非常に幅のひろい無作用量があることが判明した．なお，前腫瘍性

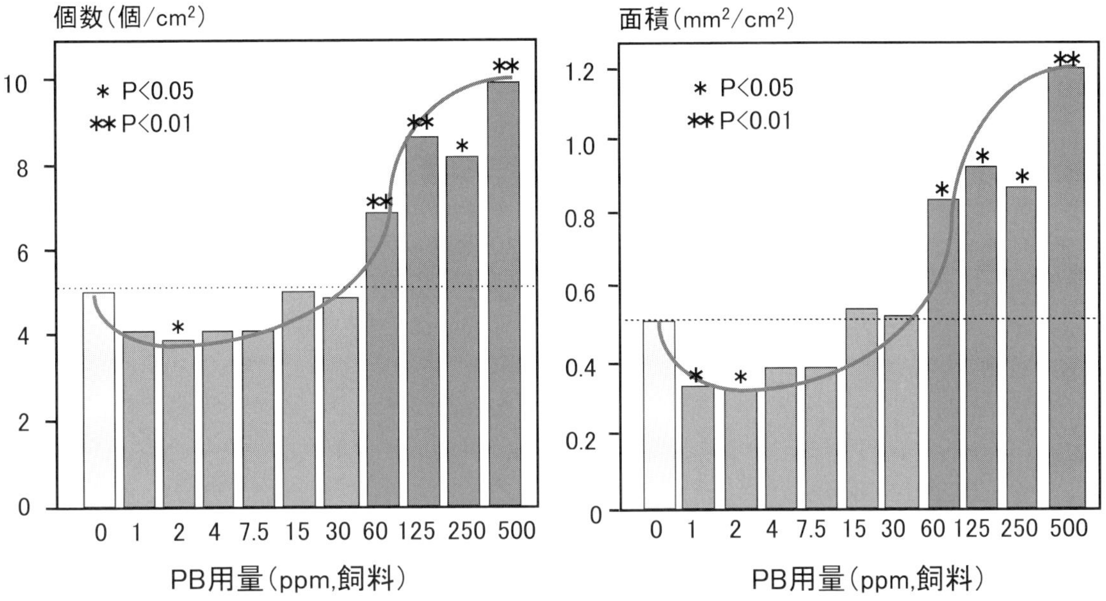

図15　Phenobarbital (PB)投与ラット肝におけるGST-P陽性細胞巣の発生

病変を含む腫瘍に関連する病変はこの実験では認められなかった．

そこで，6週齢の雄性Wistarラットを用い，*N*-ethyl-*N*-hydroxyethylnitrosamineをイニシエーターとする二段階発がんで臭素酸カリウムの腎臓発がん性を検討すると，500 ppm（実験途中で250 ppmに変更）群のみに腫瘍発生の有意な増加が見られ，125 ppm以下では対照の0 ppm群と差はなかった[14]．また，8-OHdGの形成レベルは125 ppmから有意に上昇した．

4. 非遺伝毒性発がん物質の発がん性

非遺伝毒性発がん物質は現在では理論的に閾値があると解釈されている．しかし，それを実証する発がん性試験のデータが乏しい．そこで，我々は"weights of evidence"に基づき，非遺伝毒性発がん物質低用量発がん研究を進めた．

1) Phenobarbital (PB)の肝発がん性

鎮静剤として用いられているPBは変異原性陰性で，ゲッ歯類に肝発がん性を発揮する．今回，PBの発がん作用を二段階説に基づく肝中期発がん検索法(伊東法)[15]を用いて検討した[16]．6週齢の雄性F344ラット180匹を用い，DENを1回腹腔内投与し，その2週間後より0，1，2，4 ppmなどの低用量から500 ppmまでのPBを飼料に混ぜ，6週間投与した．なお，肝細胞増殖を増幅させるため，第3週に全群のラットに3分の2肝部分切除を行い，8週終了後，肝におけるGST-P陽性細胞巣を検索した．その結果，GST-P陽性細胞巣の発生は個数では500 ppmで確実に増加した(図15)．しかし，用量を低くすると対照群と同じレベルになり，さらに低用量域ではその発生は対照群より有意に減少した．GST-P陽性細胞巣の面積でも同様の結果を示した．すなわちGST-P陽性細胞巣の発生はJ字型曲線を示し(ホルミシス現象)，PBの発がん作用には閾値が存在することが明らかとなった．

そこで，この事象を再確認するために，DENをイニシエーターとし，プロモーションの過程で0，2，15あるいは500 ppm含有PB飼料を与え，肝部分切除を施行しないで，実験開始後13あるいは36週まで飼育した[17]．その結果，13週では肝のGST-P陽性細胞巣の発生が，36週の時点では肝腫瘍(腺腫＋肝細胞がん)が0 ppm群に比較して500 ppmでは有意に増加したが，逆に2 ppm群では有意に減少した(図16)．すなわちホルミシス現象が再確認された．

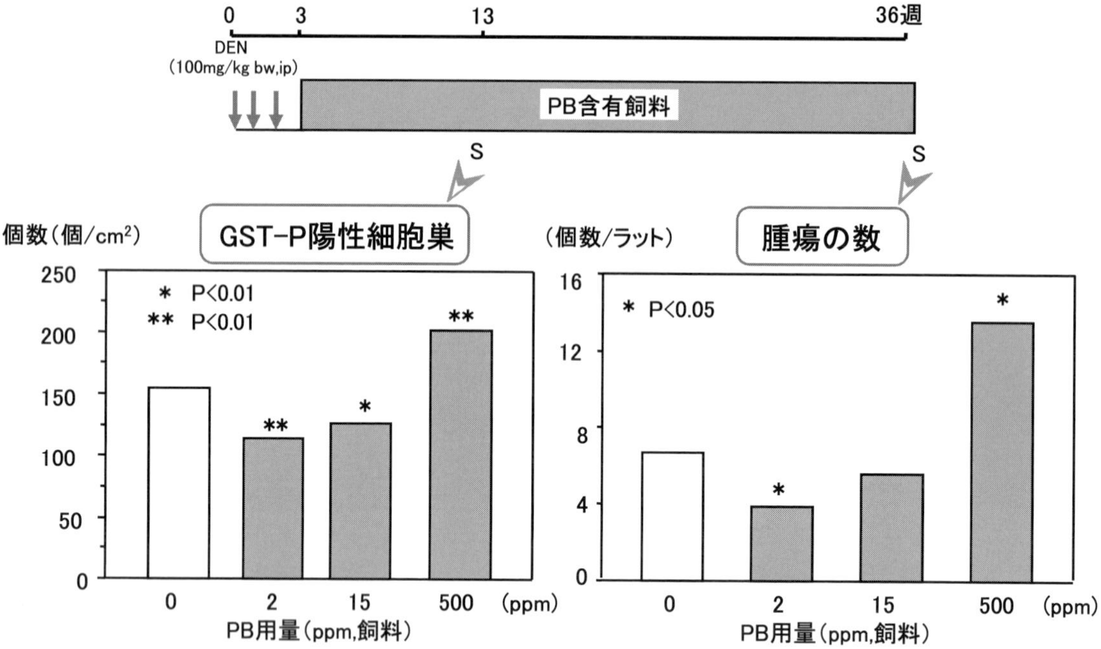

図16　PBによるラット肝発がん(DEN → PB)：GST-P陽性細胞巣と腫瘍の発生

実験開始後13週におけるDEN→PB投与ラット肝において，5,5-dimethyl-1-pyrroline-N-oxideとOHラジカルのスピンアダクトの産生レベルはPB 500 ppm群では有意に上昇したが(ESRで測定)，2 ppmでは差はみられなかった．これに対し，8-OHdGの形成レベルは2 ppm群では有意に抑制され，その修復酵素であるoxoguanine glycosylase 1（OGG1）mRNAレベルは逆に過剰発現した．なお，500 ppm群では上者とも有意に上昇していた．そこで，GST-P陽性細胞巣における細胞増殖活性を検討してみると，2 ppm群では有意に減少していた．なお，GST-P陽性細胞巣外での肝細胞増殖活性についてはPBの低用量，高用量とも変動をもたらさなかった．すなわち，PB低用量群ではGST-P陽性細胞巣における細胞増殖抑制が発がん抑制をもたらし，ホルミシス現象を示したと解釈される．

2)有機塩素系化合物であるα-BHCとp,p'-DDTの肝発がん性

農薬として我が国でかつて使用されていたα-BHCの肝発がん性を発がんプロモーション作用の面から伊東法を用いて検討した[18]．その結果，ラット肝GST-P陽性細胞巣の発生はPBと同様のJ字型曲線の傾向を示し，閾値の存在が求められた．

p,p'-DDTによるラット肝GST-P陽性細胞巣の発生を21日齢雄性ラットを用いて検索すると，その発生はJ字型曲線を示し，PBと同様，その発がん性に閾値の存在が強く示唆された[19]．また p,p'-DDT投与による肝CYP3A2の発現はGST-P陽性細胞巣の出現と同様，J字型曲線を示した．しかも，低用量では8-OHdG形成レベルの減少も認められた．さらにCYP3A2の発現を制御するIL-1R1とTNF-α R1mRNAは低用量では逆U字型曲線を示し，かつiNOS mRNAも逆U字型曲線を示した．

以上，非遺伝毒性発がん物質であるPB，α-BHCおよびp,p'-DDTの肝発がん性に関し，ホルミシス現象がみられ，確実に閾値が存在することを実証した．

5. 発がんに及ぼす修飾因子

1)低用量複合投与による影響

MeIQxとニトロソ化合物のDENとの低用量複合投与によるラット肝発がん性を検討した．DENの投与量を0.01 ppmに一定とし，MeIQxの投与量を0.01 ppmから100 ppmまでとし，16週間投与すると肝におけるGST-P陽性細胞巣の発生は，複合してもDENを投与しないのと同様，MeIQx 10 ppmまでは対照群と変化なく100 ppmではじめて有意な増加を示した．また，低用量のMeIQx投与各群におけるGST-P陽性細胞巣の発生にこの濃度のDEN投与の影響は認められなかった．この現象は高用量の100 ppm群でも同様であった．

2)肝障害状態による影響

四塩化炭素あるいはアルコールによる肝障害状態におけるMeIQxの低用量発がん性を検討した実験では，21日齢の雄性F344ラットにMeIQxを0，0.001，0.01，0.1，1，10及び100 ppmの用量で単独投与，あるいはMeIQxと同時に四塩化炭素またはアルコールを投与した．その結果，GST-P陽性細胞巣の発生にはMeIQx単独投与に比べ，四塩化炭素による肝障害による嵩上げが認められた[20]．また，MeIQx投与量による変化はMeIQx単独投与群では10 ppmまで対照群(0 ppm)と有意な差は認めなかったのに対し，四塩化炭素同時投与群では1 ppmまで有意な差は認めなかった．さらに，アルコール投与による肝障害時でも同様の変化が認められた[21]．

また，Thioacetamide（TAA)による肝障害状態におけるMeIQxの発がん性を検討した実験では，6週齢の雄性F344ラットをTAA投与群と非投与群に分け，実験開始時からそれぞれTAAまたは水道水のみを12週間飲水投与した．その後，投与群と非投与群のそれぞれにMeIQxを0，0.001，0.01，0.1，1，10および100 ppmの用量で16週混餌投与した．その結果，GST-P陽性細胞巣の発生にはMeIQx単独投与に比べ，TAAによる肝障害による嵩上げが認められた．しかし，MeIQx投与量による変化はTAA投与群でも認められず，非投与と同様10 ppmまで対照群(0 ppm)と有意な差は認めなかった[22]．

以上より，肝障害状態においてもMeIQxの発がん性に無作用量のあることが判明した．

3)胎盤および授乳曝露による影響

ラット雌雄の交配前から胎生，分娩後から離乳まで継続的に低用量のMeIQxを投与し，その後，さらに24週齢までMeIQxを投与した群における肝GST-P陽性細胞巣の発生は，離乳後のみMeIQxを投与した群に比較して有意差がなく，離乳までのMeIQxの低用量曝露はMeIQx肝発がん性には影響を及ぼさないと解釈された[23]．

6. 結論

これらの様々な実験結果から，我々は発がん物質の発がん性に関し，次のように結論づけた．

1. 遺伝毒性発がん物質の場合，種々のマーカーの反応曲線から閾値，少なくとも実際的閾値が存在すると結論づけることができる．
2. 非遺伝毒性発がん物質の低用量域では発がんが逆に抑制されるというホルミシス現象の存在が明らかとなり，閾値が明らかに存在する．
3. どのような非遺伝毒性発がん物質にホルミシス現象が認められるかを体系化する必要がある．

以上，我々の得た“発がん性には閾値がある”という結論は今後のリスクアセスメントさらにはリスクマネジメントに大いに貢献すると確信する．

(遺伝毒性発がん物質の低用量発がん性に関する実験は津田洋幸；元国立がんセンター研究所化学療法部，白井智之；名古屋市立大学医学部第一病理，立松正衞；元愛知県がんセンター研究所腫瘍病理，小西陽一；元奈良県立医科大学附属がんセンター腫瘍病理，中江　大；元佐々木研究所病理，大谷周造；元大阪市立大学大学院医学研究科細胞機能制御学，高橋道人；元国立医薬品食品衛生研究所病理部，広瀬雅雄；元国立医薬品食品衛生研究所病理部，若林敬二；元国立がんセンター研究所がん予防研究部らの協力のもとになされた．また，教室の若い諸君の努力があってこそ，多くの事実が明らかになった．大いに感謝する．)

参考文献

1. Doll R, Peto R. The causes of cancer : quantitative estimates of avoidable risks of cancer in the United States today. *J Natl Cancer Inst*. 1981 ; 66 : 1191-308.

2. Kushida H, Wakabayashi K, Sato H, Katami M, Kurosaka R, Nagao M. Dose-response study of MeIQx carcinogenicity in F344 male rats. *Cancer Lett.* 1994 ; 83 : 31-5.
3. Wakabayashi K, Ushiyama H, Takahashi M, Nukaya H, Kim SB, Hirose M, Ochiai M, Sugimura T, Nagao M. Exposure to heterocyclic amines. *Environ Health Perspect.* 1993 ; 99 : 129-34.
4. Totsuka Y, Fukutome K, Takahashi M, Takahashi S, Tada A, Sugimura T, Wakabayashi K. Presence of N2-(deoxyguanosin-8-yl)-2-amino-3,8-dimethylimidazo [4,5-*f*] quinoxaline (dG-C8-MeIQx) in human tissues. *Carcinogenesis.* 1996 ; 17 : 1029-34.
5. Fukushima S, Wanibuchi H, Morimura K, Wei M, Nakae D, Konishi Y, Tsuda H, Uehara N, Imaida K, Shirai T, Tatematsu M, Tsukamoto T, Hirose M, Furukawa F, Wakabayashi K, Totsuka Y. Lack of a dose-response relationship for carcinogenicity in the rat liver with low doses of 2-amino-3,8-dimethylimidazo [4,5-*f*] quinoxaline or N-nitrosodiethylamine. *Jpn J Cancer Res.* 2002 ; 93 : 1076-82.
6. Murai T, Mori S, Kang JS, Morimura K, Wanibuchi H, Totsuka Y, Fukushima S. Evidence of a threshold-effect for 2-amino-3,8-dimethylimidazo- [4,5-*f*] quinoxaline liver carcinogenicity in F344/DuCrj rats. *Toxicol Pathol.* 2008 ; 36 : 472-7.
7. Hoshi M, Morimura K, Wanibuchi H, Wei M, Okochi E, Ushijima T, Takaoka K, Fukushima S. No-observed effect levels for carcinogenicity and for in vivo mutagenicity of a genotoxic carcinogen. *Toxicol Sci.* 2004 ; 81 : 273-9.
8. Fukushima S, Wanibuchi H, Morimura K, Wei M, Nakae D, Konishi Y, Tsuda H, Takasuka N, Imaida K, Shirai T, Tatematsu M, Tsukamoto T, Hirose M, Furukawa F. Lack of initiation activity in rat liver of low doses of 2-amino-3,8-dimethylimidazo [4,5-*f*] quinoxaline. *Cancer Lett.* 2003 ; 191 : 35-40.
9. Wei M, Wanibuchi H, Nakae D, Tsuda H, Takahashi H, Hirose M, Totsuka M, Tatematsu M, Fukushima S. Low-dose carcinogenicity of 2-amino-3-methylimidazo [4,5-*f*] quinoline in rats : Evidence for the existence of no-effect levels and a mechanism involving p21Cip/WAF1. *Cancer Sci.* 2010 ; In press.
10. Fukushima S, Wanibuchi H, Morimura K, Iwai S, Nakae D, Kishida H, Tsuda H, Uehara N, Imaida K, Shirai T, Tatematsu M, Tsukamoto T, Hirose M, Furukawa F. Existence of a threshold for induction of aberrant crypt foci in the rat colon with low doses of 2-amino-1-methyl-6-phenolimidazo [4,5-*b*] pyridine. *Toxicol Sci.* 2004 ; 80 : 109-14.
11. Peto R, Gray R, Brantom P, Grasso P. Effects on 4080 rats of chronic ingestion of N-nitrosodiethylamine or N-nitrosodimethylamine : a detailed dose-response study. *Cancer Res.* 1991 ; 51 : 6415-51.
12. Fukushima S, Wanibuchi H, Morimura K, Nakae D, Tsuda H, Imaida K, Shirai T, Tatematsu M, Tsukamoto T, Hirose M, Furukawa F. Lack of potential of low dose N-nitrosodimethylamine to induce preneoplastic lesions, glutathione *S*-transferase placental form-positive foci, in rat liver. *Cancer Lett.* 2005 ; 222 : 11-5.
13. Yamaguchi T, Wei M, Hagihara N, Omori M, Wanibuchi H, Fukushima S. Lack of mutagenic and toxic effects of low dose potassium bromate on kidneys in the Big Blue rat. *Mutat Res.* 2008 ; 652 : 1-11.
14. Wei M, Hamoud AS, Yamaguchi T, Kakehashi A, Morimura K, Doi K, Kushida M, Kitano M, Wanibuchi H, Fukushima S. Potassium bromate enhances *N*-ethyl-*N*-hydroxyethylnitrosamine-induced kidney carcinogenesis only at high doses in Wistar rats : indication of the existence of an enhancement threshold. *Toxicol Pathol.* 2009 ; 37 : 983-91.
15. Ito N, Tamano S, Shirai T. A medium-term rat liver bioassay for rapid in vivo detection of carcinogenic potential of chemicals. *Cancer Sci.* 2003 ; 94 : 3-8.
16. Kitano M, Ichihara T, Matsuda T, Wanibuchi H, Tamano S, Hagiwara A, Imaoka S, Funae Y, Shirai T, Fukushima S. Presence of a threshold for promoting effects of phenobarbital on diethylnitrosamine-induced hepatic foci in the rat. *Carcinogenesis.* 1998 ; 19 : 1475-80.
17. Kinoshita A, Wanibuchi H, Morimura K, Wei M, Shen J, Imaoka S, Funae Y, Fukushima S. Phenobarbital at low dose exerts hormesis in rat hepatocarcinogenesis by reducing oxidative DNA damage, altering cell proliferation, apoptosis and gene expression. *Carcinogenesis.* 2003 ; 24 : 1389-99.
18. Masuda C, Wanibuchi H, Otori K, Wei M, Yamamoto S, Hiroi T, Imaoka S, Funae Y, Fukushima S. Presence of a no-observed effect level for enhancing effects of development of the alpha-isomer of benzene hexachloride (alpha-BHC) on diethylnitrosamine-initiated hepatic foci in rats. *Cancer Lett.* 2001 ; 163 : 179-85.
19. Sukata T, Uwagawa S, Ozaki K, Ogawa M, Nishikawa T, Iwai S, Kinoshita A, Wanibuchi H, Imaoka S, Funae Y, Okuno Y, Fukushima S. Detailed low-dose study of 1,1-bis (p-chlorophenyl) -2,2,2-trichloroethane carcinogenesis suggests the possibility of a hormetic effect. *Int J Cancer.* 2002 ; 99 : 112-8.
20. Iwai S, Karim R, Kitano M, Sukata T, Min W, Morimura K, Wanibuchi H, Seki S, Fukushima S. Role of oxidative DNA damage caused by carbon tetrachloride-induced liver injury - enhancement of MeIQ-induced glutathione S-transferase placental form-positive foci in rats. *Cancer Lett.* 2002 ; 179 : 15-24.
21. Wanibuchi H, Wei M, Karim MR, Morimura K, Doi K, Kinoshita A, Fukushima S. Existence of no hepatocarcinogenic effect levels of 2-amino-3,8-dimethylimidazo [4,5-*f*] quinoxaline with or without coadministration with ethanol. *Toxicol Pathol.* 2006 ; 34 : 232-6.
22. Kang JS, Wanibuchi H, Morimura K, Totsuka Y,

Yoshimura I, Fukushima S. Existence of a no effect level for MeIQx hepatocarcinogenicity on a background of thioacetamide-induced liver damage in rats. *Cancer Sci.* 2006；97：453-8.
23. Ichihara T, Wanibuchi H, Totsuka Y, Morimura K, Wei M, Nakae D, Fukushima S. Induction of DNA-adducts and increase of 8-hydroxy-2-deoxyguanosine, but no development of preneoplastic lesions in offspring liver with transplacental and trans-breast milk exposure to 2-amino-3,8-dimethylimidazo［4,5-*f*］quinoxaline（MeIQx）in rats. *Cancer Sci.* 2004；95：943-8.

7　発癌のメカニズムと分子標的予防

京都府立医科大学　大学院医学研究科　分子標的癌予防医学
酒井敏行

1. 概論

悪性腫瘍はわが国においても死因の第1位を占め，公衆衛生学的に見ても，依然として極めて重要な疾患である．癌による死亡を減少させる方法として，予防，早期発見，早期治療などがある．これらの中で，早期発見に対する研究が最も進んできたが，全身の癌を早期発見することは医療経済的にも不可能であり，進行癌に対する治療は今なお必須である．最近までは，癌の化学療法における強い副作用や効果の限界から，手術による摘出が治療の中心であった．それに対して，最近になり発癌原因が分子レベルで明らかにされてきたことから，原因分子を標的とした分子標的療法が可能となってきた．実際に最近いくつかの癌の分子標的薬が使用されるようになり，良好な治療効果が報告されつつある．しかしながら，全ての進行癌を完全に薬剤で治癒させる時代はまだかなり先のことである上，仮に治癒率が向上しても，いったん癌に罹患すれば，精神的負担や経済的負担など大きな問題に直面せざるをえない．社会的に見ても，増大する一方の医療費を軽減する意味においても，癌という重篤な疾患に罹患する頻度を抑制することが急務である．それにもかかわらず，予防，診断，治療の中において，予防医学の研究は最も遅れていた．したがって，この21世紀においては予防医学こそが最も精力的に研究されるべき領域であることは明白である．

この予防医学に対して今まで重要な役割を果たしてきたのは疫学である．種々の膨大なる疫学的データの集積から，どのようなライフスタイルや環境が発癌リスクに影響を及ぼすかについて，多くの情報が得られた．それらの情報により，住民の健康意識が向上し，癌の予防に一定の効果があったと思われるが，一方ではライフスタイルの変革に対する困難さや，嗜好を変えることの困難さのために，ある一定以上の効果は望みがたいという問題もあった．事実，悪性腫瘍への罹患率は現在でも高く，十分に予防することの困難さは否定できない．この問題の背景の一つとして，個人における発癌感受性(癌に罹患しやすい体質)の差異も考えられる．すなわち，仮に癌予防に対する万全のライフスタイルの人であっても，発癌感受性が高い人は容易に癌に罹患することになる．

これらのことから，今後の癌予防の一つの大きな方向性として，個人の発癌感受性を診断し，その個人に則したオーダーメイド予防を指向することも非常に重要であろう．あるいは後述するように一般的かつ共通の発癌機構が明らかになってきた今では，遺伝性でない散発性(孤発性)の悪性腫瘍に対しても合理的な予防法が理論上も十分可能である．この新規の予防法の実際としては，原因に則したライフスタイルの改善だけでなく，発癌予防に有効な薬剤や食品成分を積極的に摂取することによる化学予防も有効な手段であり，実際に成功例も報告され始めている．

以上述べてきたことから，現実的かつ有効な予防法としては，分子レベルでの発癌機構を十分理解した上で，その分子異常を標的とした予防法の開発が必須である．そのような分子標的予防の概念と実際を後に述べることにする．

2. 発癌のメカニズム

種々の発癌機構に関する研究が行われてきたが，ようやく最近になりヒト発癌における本質的なメカニズムが理解されうるようになってきた．その研究の端緒となったのはヒト癌遺伝子・癌抑制遺伝子の発見と発癌におけるそれらの異常に起因した機能異常の研究である．以下にそれらに関する重要点について解説する．

発癌における癌遺伝子と癌抑制遺伝子

癌遺伝子(oncogene)とは発癌に対して促進的に働く遺伝子群を意味する．代表的な癌遺伝子として，突然変異により活性化される ras や，主に増幅により活性化される myc などがあるが，それら以外にも各臓器における多くの癌遺伝子が報告されている．これらの癌遺伝子は全ての正常細胞にも存在し，正常な状態では原癌遺伝子(proto-oncogene)とよばれる．この原癌遺伝子は正常細胞の増殖に重要であると考えられている．この原癌遺伝子が喫煙や放射線他，食品に含まれうる発癌物質など，種々の要因により突然変異などによる遺伝子異常を受け，発癌の原因となる癌遺伝子に変換することにより発癌が始まりうる．

それらの癌遺伝子の逆の作用を持ち発癌を抑制する遺伝子群を癌抑制遺伝子(tumor-suppressor gene)とよぶ．この癌抑制遺伝子も全ての正常細胞に存在し，多くは細胞増殖の抑制に働いている．代表的癌抑制遺伝子として網膜芽細胞腫遺伝子(RB)や p53 などがあげられるが，それら以外にも各臓器において多くの癌抑制遺伝子の存在が知られている．この癌抑制遺伝子は突然変異や過剰メチル化により失活することにより，細胞増殖を促進させるなどの異常を引き起こし，細胞は癌化に至る．

発癌において最も普遍的な経路に関して

ヒトの悪性腫瘍において最も異常が集積している経路は癌抑制遺伝子の p53 遺伝子と RB 遺伝子に関連した経路である．発癌予防においてもこの経路は極めて重要であることが明らかにされつつあるので，ここに紹介したい．図1にあるように，p53 タンパクは転写因子として機能する．すなわち p53 の下流遺伝子群のプロモーター領域に結合することにより，それらの遺伝子群を活性化する．これらの遺伝子群の一つとして p21/WAF1 遺伝子が知られている．この p21/WAF1 タンパクはサイクリン依存性キナーゼ(CDK)阻害因子であり，p53 遺伝子と並んで代表的癌抑制遺伝子である RB 遺伝子産物のリン酸化を阻害する．その RB タンパクはリン酸化を阻害されることにより脱リン酸化型になり，転写因子 E2F と結合する．この E2F は RB と結合していない時には活性化型になり，種々の細胞増殖を促進する遺伝子群のプロモーター領域に結合することにより，細胞周期を図2にある G1 期の R ポイント(restriction point)において S 期(DNA 合成期)に促進的に働く．この R ポイントは Arthur Pardee により定義された点で，正常細胞においては抑制的に働き，適切な細胞増殖しか起きないが，癌細

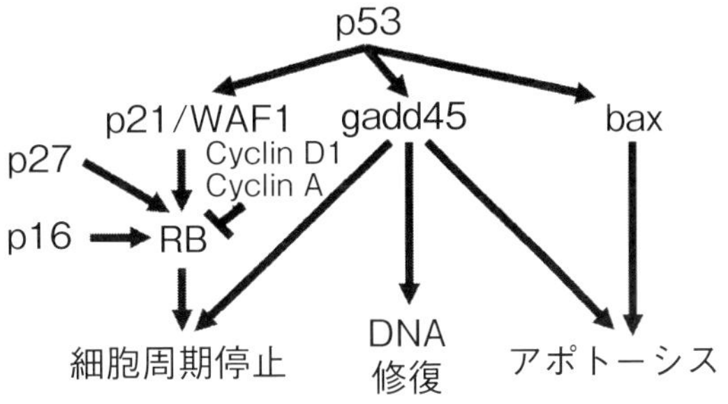

図1 p53 による発癌抑制機構

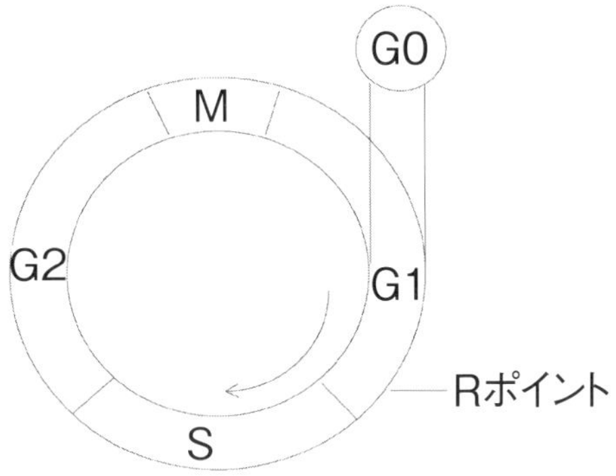

図2 細胞周期における R ポイント

胞においては，抑制が無くなることにより，無限の細胞増殖が生じ癌化すると考えられたポイントである[1]．したがって，p53遺伝子が種々の要因によって失活することにより，その標的遺伝子であるp21/WAF1遺伝子がプロモーターレベルで失活するためにp21/WAF1タンパクの量が減少する．それによりCDK阻害能が抑制され，RBタンパクが不活性化型であるリン酸化型になり，細胞増殖促進に働くE2Fと結合できなくなるため，E2Fが活性化型になる．このようにRポイントによる正常な細胞増殖制御が失活するために発癌に至る．

p53は上記のRBを介した細胞増殖抑制経路以外にも，図1にあるように，gadd45遺伝子をp21/WAF1同様にプロモーターレベルで活性化してDNA修復を促進する．また，このgadd45はDNA修復だけでなく，細胞周期のG2/M期に促進的に働くcdk1（cdc2）と結合することにより，G2/M期において抑制的に働くことやアポトーシスを誘導することも知られている．さらに，bax，DR5他の多くのアポトーシスを誘導する遺伝子群を誘導することも知られている．

したがって，正常細胞における発癌に関与する遺伝子群に突然変異などが生じた場合に，p53遺伝子が正常であれば，細胞増殖を停止させ，その遺伝子異常を修復する．それで，修復し難い場合にアポトーシスを誘導して，その細胞を死滅させると考えられている．したがって，p53遺伝子は発癌抑制において極めて重要な遺伝子であり，全てのヒト悪性腫瘍の約半数において失活していると推測されている．

このp53遺伝子は喫煙や紫外線，あるいは豆に生えるカビの毒として知られるアフラトキシンB1になどより突然変異が生じて失活することが知られている．

次に上にも述べたRB遺伝子は元々小児の網膜に発生する網膜芽細胞腫という悪性腫瘍を抑制する遺伝子として，Harvard医科大学のThaddeus P. Dryjaにより初めての癌抑制遺伝子としてクローニングされた[2]．そのため当初は網膜芽細胞腫の発生の抑制に重要であると考えられていたが，その後遺伝子レベルの変異も，骨肉腫や肺癌他多くの腫瘍で報告されるようになり，一般的な発癌抑制にも重要であることが示唆された．さらに上述のように，p53遺伝子の突然変異により最終的にRBタンパクが不活性化型（リン酸化型）になることにより発癌に至る経路も明らかにされてきた．図1にあるようにRBタンパクのリン酸化を阻害するCDK阻害因子はp21/WAF1以外にも，p16やp27などが知られていて，これらはいずれも癌抑制遺伝子であると考えられている．このp16遺伝子はp53遺伝子同様，全てのヒト悪性腫瘍の約半数において突然変異や遺伝子プロモーター領域の過剰メチル化により失活していると考えられている重要な癌抑制遺伝子である．このp16遺伝子は喫煙によりプロモーターに過剰メチル化が生じ失活することが知られている．p27遺伝子も同様に重要なCDK阻害因子であり，種々の悪性腫瘍において，p27タンパクの発現が低下しているほど，予後が悪いことが知られている．さらに，図1にあるように，サイクリンAや，サイクリンD1などの，CDKと結合しCDKを活性化させる因子は，RBタンパクを不活性化型（リン酸化型）にさせることにより発癌促進に働くが，これらは一部の悪性腫瘍において活性化されている．特にサイクリンD1は，代表的癌遺伝子rasの活性化や癌抑制遺伝子のAPCの不活性化によりプロモーターレベルで活性化されることによりRBタンパクが不活性化型になる．上記以外にも，ヒト悪性腫瘍による種々の分子異常の結果，RBタンパクが最終的に不活性化する経路が数多く報告されつつある．

これらのことから総合的に判断するとRB遺伝子が機能的に極めて高頻度に失活していることが考えられる．

癌抑制遺伝子の失活機構について

上に述べてきたように，癌遺伝子の活性化も発癌にとって重要であるが，癌抑制遺伝子失活は遺伝性でない発癌においても極めて重要であるばかりでなく，遺伝性の場合の発癌感受性診断においても極めて重要である．したがって，癌組織の診断や発癌感受性診断の際に，癌抑制遺伝子が如何にして失活するか十分に理解しておくことは肝要であるので，以下にRB遺伝子を例に簡潔に説明する．

1）癌抑制遺伝子産物のアミノ酸配列に異常をきたすような突然変異

RB遺伝子においてexonに突然変異が存在すると，アミノ酸配列が異常になったり，突然変異より下流が欠失したタンパクが生ずることになる．すなわち増殖抑制能を失った質的に異常なRBタンパクが産生されることになり，細胞増殖を抑制する機能を失い癌化に至る．

2）RB遺伝子プロモーターの突然変異によるRBタンパク量の低下

RB遺伝子プロモーターの活性化部位に突然変異が存在することにより，遺伝性網膜芽細胞腫の家系になることが知られている[3]．これらの家系においては最も重要な転写活性化部位のGABP/E4TF1部位[4, 5]とATF部位にそれぞれ突然変異が見いだされた．そのためプロモーター活性が正常の約20分の1にまで低下することにより産生されるRBタンパクが質的に正常であっても，その量が減少することにより発癌に至る経路が示された．

3）RB遺伝子プロモーターの過剰メチル化によるRBタンパク量の低下

遺伝性の網膜芽細胞腫ではなく散発性（孤発性）の網膜芽細胞腫の腫瘍組織において，RB遺伝子のプロモーターが過剰メチル化により失活することが示された[6, 7]．極めて興味深いことに，後にこの癌抑制遺伝子の過剰メチル化による失活はRB遺伝子に限らず，ヒト癌の約半数で失活している癌抑制遺伝子であるp16遺伝子を始めとする極めて多くの癌抑制遺伝子の失活に関与していることが知られ一般的なヒト発癌の最も重要なメカニズムであることが明らかにされている．

以上，RB遺伝子を例に癌抑制遺伝子の失活機構の主要なメカニズムを紹介したが，これらは他の種々の癌抑制遺伝子の失活機構においても共通したメカニズムであるが，遺伝子により，それぞれの失活機構の頻度は異なり，また他のメカニズムにより失活する場合もあるが，紙面の都合で省略する．

発癌において遺伝子発現の異常が極めて重要である

以上述べてきたことは，癌抑制遺伝子の失活に癌抑制遺伝子産物の質的異常だけでなく，場合によっては量的異常（減少）も重要であるということである．その後の種々の研究により，このことに限らず発癌は遺伝子発現の量的異常に帰することを示すデータが数多く示されてきた．その一例として，上に詳しく述べたようにp53遺伝子の失活による発癌の場合があげられる．すなわち，最初に種々の発癌因子によりp53遺伝子に質的異常である突然変異が生じ，転写因子としてのp53タンパクの機能が消失した結果，種々の発癌抑制因子の発現（正常なタンパクの量）が低下して発癌に至ることになる．最終的に極めて多くの悪性腫瘍において機能的に失活するRB遺伝子にしても，その結合相手のE2Fは転写因子であるために，結果としてE2Fの活性が亢進することにより，細胞増殖を促進させる種々の遺伝子群のタンパク量が増加することになる．

これらから考えても，発癌の本質は種々の発癌に関連する遺伝子群の発現量の異常であることは明らかである．癌の予防や治療を考える時にこのことの意味することは極めて大きい．すなわち，発癌が遺伝子の突然変異などの質的異常にのみ起因するのであれば，それを治癒させるには遺伝子療法などの手段に頼らざるをえないが，その方法では遺伝子導入の効率の問題他多くの問題があり，治療法としても現状では厳しい状態であり，ましてや，予防法に応用することは極めて困難である．

それに対して，発癌の本質が遺伝子発現異常であることが明らかにされてきたために，後述するように種々の低分子の薬剤で癌の治療や予防を行うことが可能になってきた．

3. 発癌感受性診断－その意義と課題

発癌感受性診断の実際

発癌感受性（癌体質）診断は個人の全身のいかなる細胞由来のDNAでもよいが，採血による白血球由来のDNAを用いることが多い．対象となる遺伝子は通常癌抑制遺伝子であり，その突然変異や欠失の検出を行うことにより，発癌感受性を決定する．この理論的根拠として癌遺伝子が優性遺伝子であることに対して，癌抑制遺伝子が劣性遺伝子であることが重要である．すなわち，優性である癌遺伝子が突然変異などで活性化すれば，その細胞は癌化に向かうことになるため，生来全身の癌遺伝子が活性化して子孫を残す可能性は普通では考えがたい．それに対して，劣性である癌抑制遺伝子は片方が突然変異などで失活していても発癌には至らず，父方由来，母方由来双方の癌抑制遺伝子がともに失活することにより，始めて発癌に向かう．これらのことから，生来全身の細胞の癌抑制遺伝子の片方が失活している人でも，成人して子孫を残せる可能性が高い．しかしながら，既に一つの癌抑制遺伝子は失活しているので，残りの一つの癌抑制遺伝子が失活するだけで発癌に至ることになるために発癌リスクは高くなる．例えば網膜芽細胞腫に対する癌抑制遺伝子としてクローニングされたRB遺伝子の場合には，生来RB遺伝子の片側が突然変異などにより失活している保因者が網膜芽細胞腫に罹患するリスクは約90%にものぼる．この網膜芽細胞腫は，根治療法としては眼球摘出によることが多いが，比較的生命予後は良く，遺伝性網膜芽細胞腫の場合でも遺伝子診断によりリスクが高いことが判明して，早期発見がなされれば眼球を温存して薬物療法などにより完全治癒させうることもある．また，遺伝子診断により保因者でないことが明らかとなれば，精神的負担もなくなり，保険加入時や結婚の時にも問題になることはなくなる．したがって，このような疾患の場合は遺伝子診断により，早期発見，早期治療を行うことは十分意味があると考えられる．p53遺伝子の片側が生まれつき失活している場合は，リ・フラウメニ症候群という脳腫瘍，骨肉腫，白血病，乳癌，肺癌など多くは難治性の悪性腫瘍が若くして多発する家系になる[8]．このような家系における遺伝子診断は発癌感受性が高いと診断されても，早期発見，早期治療の困難な悪性腫瘍が多く，極めて大きな精神的不安の要因となるばかりか，保険加入時や結婚の時に不利になる可能性さえある．すなわち，新たな差別の要因にもなりかねない．したがって，このような家系における発癌感受性診断の意義は大きいとはいえない．

以上の他，小児に好発する遺伝性の悪性腫瘍の原因となる多くの癌抑制遺伝子や，成人の遺伝性の悪性腫瘍においても，乳癌，大腸癌他多くの遺伝性癌家系において原因となる癌抑制遺伝子が次々と同定されつつある．

予測医療の是非

このように，癌に限らず遺伝性の種々の疾患の原因遺伝子が次々と明らかにされてきた．このため，遺伝子診断を完全に行うことにより，各種疾病に罹患する確率や場合によっては生命予後すらある程度予測しうる時代になってきた．このようないわゆる「予測医療」の時代の到来は私達にとって福音なのであろうか．上に述べた遺伝性網膜芽細胞腫のような早期発見，早期治療が有用な遺伝性悪性腫瘍の家系においては利点の方が大きいように思われる．また，アルコールに対する感受性や肥満に罹患しやすいか否かを診断する遺伝子群も同定されつつある．このような体質診断も，ライフスタイルの改善などにより予防しうる疾患に関与するので，利点の方が大きいと考えられる．

一方，上記のリ・フラウメニ症候群を始めとする種々の難治性の悪性腫瘍や，ハンチントン舞踏病などの有効な治療法に乏しい種々の疾患に対する遺伝子診断による体質診断は，それによる精神的打撃，保険や結婚時の差別などの不利益も多く，軽々に行うべき検査ではないようにも思われる．どうしても行う時は被験者に十分な説明を行い，同意を得ることが前提になることはもちろん，告知後の精神的ケアを十分行える状態でないといけない．

以上，遺伝子診断による予測医療の時代が来つつあるが，健康は肉体だけでなく，精神的，社会的にも良好な状態を意味するという全人医療的精神を，医療者は決して忘れてはいけない．

4. 癌の「分子標的予防」

分子標的予防の考え方とその背景（図3）

従来の予防はアンケートを用いた膨大なる疫学的データを根拠として行われてきた．当然のことながら，このような研究が予防医学の発展に大きく寄与したことは間違いない．ただし，この方法だけでは，原因と結果だけは示されるものの中のメカニズムはブラックボックスであった．このよ

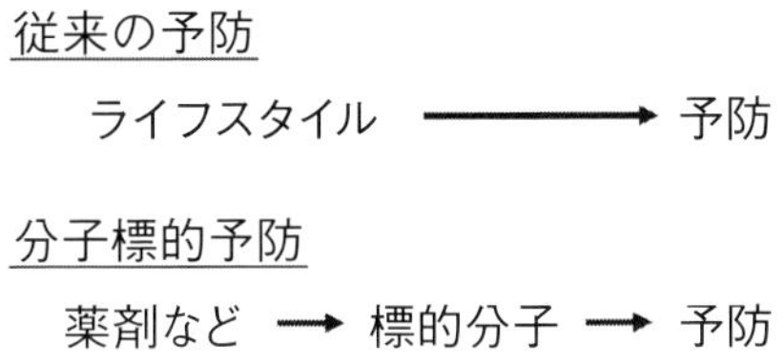

図３　分子標的予防

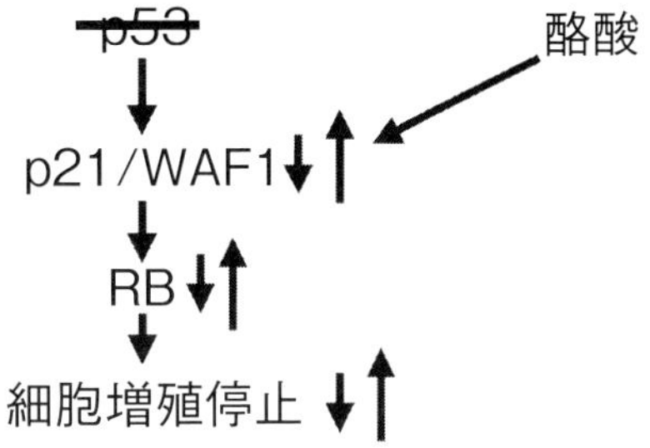

図４　遺伝子調節化学予防のモデル

うな場合に疾病に罹患するメカニズムが明らかになれば，それをヒントとした予防薬の開発や，ライフスタイルの改善が可能になりうる．しかも今回癌を例に示した如く，疾病に罹患する個人のリスクが遺伝子診断にて行われるようになってくると，その体質を規定する原因分子を標的とした予防法の必要性が出てくる．したがって，疾病原因の明らかになった遺伝性でない疾病に対する予防法に対しても，疾病罹患リスクが分子診断で明らかにされた遺伝性の疾病に対しても，いずれの場合もその原因遺伝子を標的とした予防法を開発することが必須かつ合理的である．このような疾病原因分子を標的とした予防法を，最近「分子標的予防」とよんだ[9]．

分子標的予防のモデルとしての癌の遺伝子調節化学予防

p53遺伝子が失活することにより発癌に至っている場合について考察したい．治療法として，主に研究されていた方法は，種々のベクターにp53遺伝子を組み込み，p53遺伝子が失活している癌細胞に遺伝子導入するいわゆる遺伝子療法である．しかしながら，遺伝子導入の効率の低さやベクターの安全性の問題に加え，遠隔投与では効果が不十分で，局所投与でないと有効でないなど，抗癌剤として普及させるには，種々の問題がある．ましてやこの遺伝子療法を予防に応用することは不可能である．

そこで，上に述べてきたように，発癌の本質は遺伝子発現の量的異常に起因することに注目すると以下のような方法が考えられる．先にも述べたように，例えばp53遺伝子が突然変異などで失活している時に，その標的遺伝子であり，本来活性化されているはずのp21/WAF1遺伝子が，プロモーターレベルで低下している(図4)．そのためにp21/WAF1によるCDK抑制能が低下し，RBタンパクが不活性化型(リン酸化型)になり発癌に向かう．この時に薬剤によりp21/WAF1をプロモーターレベルで活性化させることができればRBは正常型になり，発癌抑制に働くことが可能となる(図4)．実際に，食物繊維の代謝産物であり，大腸に多量に存在することにより発癌抑制に働いているとされている酪酸はp21/WAF1遺伝子プロモーターを活性化させることにより，RBを正常型にしてヒト大腸癌細胞に対して増殖抑制効果を示すことが示されている[10]（図4）．この酪酸はヒストン脱アセチル化酵素(HDAC)阻害剤であり，代表的HDAC阻害剤であるトリコスタチンAも同様にp21/WAF1を活性化することから，酪酸によるp21/WAF1活性化はそのHDAC阻害能によることが明らかになった[11]．興味深いことに，このHDAC阻害剤は現在抗癌剤としても期待されていて，種々のHDAC阻害剤を用いた臨床治験が行われている．このように，遺伝子発現を調節することによる癌の予防法や治療法を癌の遺伝子調節化学予防，あるいは遺伝子調節化学療法とよんでいる[12,13]．

このp53とRBに関連した経路の種々の分子(図1)の発現を調節する発癌抑制に働く食品成分や薬物は数多く見いだされていて，癌の遺伝子調節化学予防や遺伝子調節化学療法に応用しうる候補物質は多く存在する．例えば，魚類や茸類に多く含まれる発癌抑制物質のビタミンD_3はp27遺伝子をプロモーターレベルで活性化する[14]他，野菜や果物に多く含まれるフラボノイドの一種のフラボンはp21/WAF1をプロモーターレベルで活性化させる[15]．このような例は多岐にわたるが，紙面の都合で省略する．

もう一つの重要な点として，遺伝的にp53遺伝子が失活しているために，難治性の悪性腫瘍が多発するリ・フラウメニ症候群[8)]の保因者の人々に対する特異的予防法について考察してみる．リ・フラウメニ症候群の保因者の方は生来片側のp53遺伝子が全身の細胞において失活しているために，p21/WAF1などの標的遺伝子の活性がプロモーターレベルで低下していることが，種々の悪性腫瘍に罹患しやすい原因となっている．そのために，例えばHDAC阻害剤のようなp21/WAF1を活性化しうる薬剤を常時服用すれば，発癌リスクが低くなる可能性が考えられる．確かにこの理論は実証された訳ではなく，今後多くの研究の積み重ねが必要であるが，現状のように体質診断の研究と実践が先行する中で，このような体質を改善させるような研究は一般住民にとっても，最も重要な研究の一つであろう．

5. 最後に

上に述べてきたように，分子生物学的な研究の劇的な進歩により，一昔前では考えられなかった発癌感受性(癌体質)の診断までが可能になってきた．癌に限らず種々の疾患に罹患するリスクが正確に診断されるようになってきつつある現在において，有効な治療法や予防法に乏しい疾患に対する体質診断は，不安をあおるだけで利益が少ない．その意味でも今回紹介したような疾病の原因分子を標的とした分子標的予防という概念は，21世紀の医学において中心的役割を占めるものになるであろう．したがって，予防医学を志す研究者や医療関係者は分子レベルからの十分な理解の元に，場合によっては個人の遺伝子異常に対応したいわゆる「オーダーメイド予防」の実践を志向すべきであろう．

その意味でも，このような領域の研究や実践的予防を行う諸氏が益々増加することを心から祈念したい．

参考文献

1. Pardee, A.B. A restriction point for control of normal animal cell proliferation. Proc. Natl. Acad. Sci. U. S. A. 71 : 1286-1290, 1974.
2. Friend, S.H., Bernards, R., Rogelj, S., Weinberg, R.A., Rapaport, J.M., Albert, D.M., and Dryja, T.P. A human DNA segment with properties of the gene that predisposes to retinoblastoma and osteosarcoma. Nature. 323 : 643-646, 1986.
3. Sakai, T., Ohtani, N., McGee, T.L., Robbins, P.D., and Dryja, T.P. Oncogenic germ-line mutations in Sp1 and ATF sites in the human retinoblastoma gene. Nature, 353 : 83-86, 1991.
4. Savoysky, E., Mizuno, T., Sowa, Y., Watanabe, H., Sawada, J.-i., Nomura, H., Ohsugi, Y., Handa, H., and Sakai, T. The retinoblastoma binding factor 1 (RBF-1) site in RB gene promoter binds preferentially E4TF1, a member of the Ets transcription factors family. Oncogene, 9 : 1839-1846, 1994.
5. Sowa, Y., Shiio, Y., Fujita, T., Matsumoto, T., Okuyama, Y., Kato, D., Inoue, J., Sawada, J., Goto, M., Watanabe, H., Handa, H., and Sakai, T. Retinoblastoma binding factor 1 site in the core promoter region of the human RB gene is activated by hGABP/E4TF1. Cancer Res., 57 : 3145-3148, 1997.
6. Sakai, T., Toguchida, J., Ohtani, N., Yandell, D.W., Rapaport, J.M., and Dryja, T.P. Allele-specific hypermethylation of the retinoblastoma tumor-suppressor gene. Am. J. Hum. Genet., 48 : 880-888, 1991.
7. Ohtani-Fujita, N., Fujita, T., Aoike, A., Osifchin, N.E., Robbins, P.D., and Sakai, T. CpG methylation inactivates the promoter activity of the human retinoblastoma tumor-suppressor gene. Oncogene, 8 : 1063-1067, 1993.
8. Malkin, D., Li, F.P., Strong, L.C., Fraumeni, J.F. Jr, Nelson, C.E., Kim, D.H., Kassel, J., Gryka, M.A., Bischoff, F.Z., Tainsky, M.A., and Friend, S.H. Germ line p53 mutations in a familial syndrome of breast cancer, sarcomas, and other neoplasms. Science, 250 : 1233-1238, 1990.
9. 曽和義広，酒井敏行　癌の遺伝子調節化学予防法－癌の「分子標的予防法」のモデルとして－　日衛誌，58 : 267-274, 2003.
10. Nakano, K., Mizuno, T., Sowa, Y., Orita, T., Yoshino, T., Okuyama, Y., Fujita, T., Ohtani-Fujita, N., Matsukawa, Y., Tokino, T., Yamagishi, H., Oka, T., Nomura, H., and Sakai, T. Butyrate activates the WAF1/Cip1 gene promoter through Sp1 sites in a p53-negative human colon cancer cell line. J. Biol. Chem., 272 : 22199-22206, 1997.
11. Sowa, Y., Orita, T., Minamikawa, S., Nakano, K., Mizuno, T., Nomura, H., and Sakai, T. Histone deacetylase inhibitor activates the WAF1/Cip1 gene promoter through the Sp1 sites. Biochem. Biophys. Res. Commun., 241 : 142-150, 1997.
12. 酒井敏行：分子癌疫学－その現状および今後の可能性．日衛誌　50 : 1036-1046, 1996.
13. Sowa, Y., and Sakai, T. Butyrate as a model for "gene-regulating chemoprevention and chemotherapy.". Biofactors 12 : 283-287, 2000.

14. Inoue, T., Kamiyama, J., and Sakai, T. Sp1 and NF-Y synergistically mediate the effect of vitamin D_3 in the p27[Kip1] gene promoter that lacks vitam in D response elements. J. Biol. Chem., 274 : 32309-32317, 1999.
15. Bai, F., Matsui, T., Ohtani-Fujita, N., Matsukawa, Y., Ding, Y., and Sakai, T. Promoter activation and following induction of the p21/WAF1 gene by flavone is involved in G1 phase arrest in A549 lung adenocarcinoma cells. FEBS Lett., 437 : 61-64 , 1998.

総論

各論 I
感染症

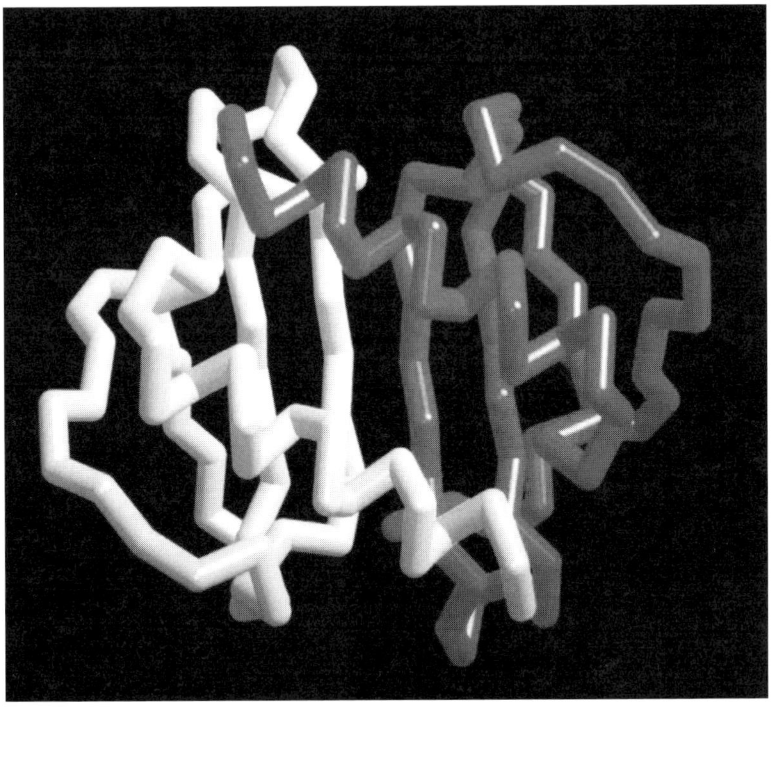

Ⅰ-1　感染症の現状，感染症サーベイランス，予防接種

国立感染症研究所感染症情報センター
岡部信彦

1. 感染症の現状－感染症の変貌－

かつて，「病気」といえば感染症（伝染病）がその代表であったが，抗生物質・抗菌薬やワクチンの開発と普及，衛生環境の向上，栄養状態の改善そして医療そのものの向上などによりかなりの感染症は激減し，成人での疾病構造は，悪性疾患，心疾患，脳血管疾患などに置き換わってきた．しかし，このような状況から，あたかも感染症はすでに制圧された疾患であるかのように錯覚され，感染症に対する医学教育や研究部門が次第に縮小された時期があった．そのため，医療関係者の感染症の診断と治療に対するセンスは次第に低下し，一般の人々も「感染症（伝染病）」に対する警戒感が薄らいでしまってきたことは否めない．

確かに感染症を直接の死因とすることは激減し，日常における感染症の罹患状況も格段に良くなってきた．しかし，感染症が二次的に発生し，死の原因となることは少ないことではない．わが国における死因の第4位は，肺炎である．医療の進歩は一方では免疫機能低下者の数を増やし，その結果として易感染状態に対する注意，管理は医療現場においてより重要になり，正しい感染症対策が求められるようになっている．そこに耐性菌あるいは，院内感染の問題が交錯すると，状況はさらに複雑となる．

これまでに，人類が自らの手によって完全に制圧することができた感染症は，天然痘ただ一つである．天然痘につぐ感染症制圧の第2の標的であるポリオは次第に多くの国々から消え去りつつあるが，世界での年間発生数1000例前後となった最終段階で足踏み状態となっている．天然痘やポリオのような根絶（eradication）までの到達は困難であるが，各地での発生ゼロあるいは発生があったとしても二次三次感染が遮断された状態である麻疹の排除 elimination 運動も大きく動き出している．一方で，これまでに存在しなかった感染症や病原菌が証明されることにより感染症であることが明らかになった疾患，すでに我々の目の前から姿を消してしまったかのように考えられていたが再び姿を現わしてきた感染症など，その種類はむしろ増加している．それらの中には，瞬く間に世界的中に拡大した AIDS（HIV 感染症），アフリカにおけるエボラ出血熱などの致死的疾患の勃発，いわゆる狂牛病（ウシ海綿状脳症：BSE）で知られるようになったプリオンとヒトへの伝播による変異型 Creutzfeldt-Jacob 病（vCJD）との結びつきなどもある．1993年には，米国で激症肺炎の流行から新種のハンタウイルスの存在が明らかとなり（ハンタウイルス肺症候群），1997年マレーシアにおいてコオモリからブタを経由してヒトに初めて感染が及んだニパウイルスによる急性脳炎の多発，さらに2003年に中国を起源として香港からアジアおよびカナダなどで拡大した Severe Acute Respiratory Syndrome（SARS：重症急性呼吸器症候群）は世界中を震撼させた．2004年より現在に至るまで，アジアからヨーロッパ，アフリカまで拡大している鳥インフルエンザ A/H5N1（高度病原性鳥型インフルエンザ：HPAI）

の家禽類を中心にした流行が拡大し，そしてその流行地においては一部ではあるがヒトでの感染発症が致死率およそ60％で進行中である．そして2009年4月，ブタインフルエンザ由来と考えられる新型インフルエンザ（インフルエンザA/H1N1 2009）が発生し，世界中に拡大した．これらの新たな感染症について「新興感染症：Emerging Infectious Diseases」とよぶことが多い（表1）．

一方，1996年夏に日本各地で集団発生し，当時約18000人の患者と12名の死者を出した腸管出血性大腸菌O-157の流行は，国内においては大きな社会問題に発展し，「日本でも食品関連の感染症の大流行があった」ということで世界中から注目された．それから10年以上を経た現在，一般の人々にとってO-157感染症は目の前から消え去ったかのような病気となり，日常の警戒が再び薄らいできているが，依然国内では年間3,000～4,000例の発生と，数名の死亡が報告されている．1982年，米国におけるハンバーガーを原因とする集団下痢症の発生事例より明らかとなったO-157は，社会に常在する細菌となっている．

すでに我々の目の前から姿を消してしまったかのよう考えられていたが再び姿を現わしてきた感染症も少なくない．結核・ペスト・ジフテリア・デング熱・髄膜炎菌性髄膜炎（流行性髄膜炎）・黄熱・コレラなどが挙げられる．2002年，ウエストナイル熱は全米に拡大した．我が国では，1997年には結核患者の発生が38年ぶりに増加傾向に転じたこと，帰国者の発熱の中にはマラリア・デング熱の患者が少なからず含まれていること，輸入例のみならず海外渡航歴のないコレラ，赤痢患者発生の増加傾向がみられるようになってきたことなども，明らかになってきている．これらについては再興感染症：Re-Emerging infectious diseasesとよぶことが多い（表2）．

人の生活様式，環境の変化などは，古くからある性感染症の種類，年齢構成を大きく変えてきている．最近では，手足口病はコクサキーウイルスA 16，エンテロウイルス71による感染症であるが，エンテロウイルス71感染によるものは急性脳炎などを起こしやすく，重症例・死亡例の発生がアジアを中心に問題となっている．

感染症の変貌－その要因－

感染症が再び我々にとって身近な問題として戻って来た大きな要因として，人口の増加そして都市化，集団的な生活機会の増加，食習慣，性習慣を初めとする生活習慣の急速な変化，自然環境の破壊，ヒトの住居地の拡大によるヒトと野生動物の距離の接近（動物のみのものであった微生物の，ヒト社会への侵入）など，多くのものが挙げられる．そして交通機関の発達によるヒトと物の大量でしかも短時間での移動は，病原体の移動をも容易にした．以前であれば遠い土地での局地的な発生であっても，今ではあっという間に世界中に拡大する可能性があり，離れた土地での感染症の発生は対岸の火事ではなくなっている．2009年発生の新型インフルエンザは，数ヶ月間でほぼ世界中に拡大したが，ヒトの動きに一致してヒトからヒト，そしてまたヒトからヒトと瞬く間に感染が広がったものである．

抗生物質の進歩が，感染症による死亡数を著明に減少させた一因であることはすでに述べたところであるが，その使用量は世界中至る所で急速に増加した．その結果，一方では弱毒菌の中で薬剤耐性菌が増加することとなり，これらの菌は世界中にはびこり，いずれの国の臨床の場でも新たな難治性感染症の原因菌として問題を投げかけている．2010年国内で発生した大規模な多剤耐性*Acineto baumannii*の院内感染事例は社会的にも大きな話題となった．

また近年の社会情勢は，忘れられかけている感染症の病原体が，生物兵器として使用される可能性について危惧されるようになってきた．炭疽，天然痘，野兎病，ボツリヌスなどが再び注目を浴びるようになったのは，生物兵器としての可能性である．せっかく人類の手で根絶した疾患などがこのような形で再び世の中に現れてくることは何とも言えぬ悲しい思いであるが，各地での戦争状態，我が国におけるオウム心理教による炭疽菌散布やサリン事件，ニューヨークにおけるビル爆破とそれに続いた炭疽事件など，現実は残念ながらそれへの備えも求められており，忘れられていた教科書をひもといてみる必要ができてきてしまった．

我が国は地理的環境的に感染症に対しては比較

的穏やかな条件下にあり，致死的な感染症の大流行は熱帯亜熱帯の国々，あるいは温帯地域の国々の中でも少ない方であり，人々の警戒感もしばしば緩みがちである．しかしこれら地球全体で感染症に対する警戒が必要とされている中，感染症が再び我々にとって身近な問題に戻って来つつある要因としてあげられているものは，すべて我が国の現状にあてはまるものである．身近な死に至る病が遠ざかり，多くの人が安心して暮らせる様になったのは大いに喜ばしいことであるが，安心することは油断することではない．感染症の動きに関するアンテナは感度のよいものをもち，その対策，予防，診断，治療に関する能力を，常に維持しておく必要がある．

新興・再興感染症（emerging/re-emerging infectious diseases）

WHO は，これらの新たな問題を提起している感染症について emerging/re-emerging infectious diseases という概念を導入し，1990 年代前半より精力的に取り組み始めた．Emerging infectious disease とは，新たにヒトでの感染が証明された疾患，あるいはそれまでその土地では存在しなかったが新たにそこでヒトの病気として現れてきたものなど，とされている．原因が不明であった疾患のうち，病原物質が明らかとなり，地域的あるいは国際的に公衆衛生上問題となるものも emerging diseases の概念の中に含まれる．Re-emerging infectious diseases とは，すでに知られてはいたもののその発生数は著しく減少し，もはや公衆衛生上の問題はないと考えられていた感染症のうち再び出現し増加したもの，とされている．

1995 年の WHO 年次総会において，すべての加盟国に emerging/re-emerging infectious diseases の正しい把握と認識のために国内・国際間の感染症サーベイランスを強化することを勧告する，との決議案が採択された．これらの地球規模での感染症への取り組みの必要性，感染症をとりまく状況の変化などは，明治 30 年に制定されて以来 100 年になる我が国の伝染病予防法の改訂を促し，新しい施策の再構築が求められ，平成 11 年 4 月「感染症の予防及び感染症の患者に対する医療に関する法律（感染症法）」として施行された．

新興・再興感染症とみなされた疾患

1973 年以来明らかになった新しい感染症とその微生物について，WHO・CDC でまとめたものに最近の状況を加えたものを表 1 に示した．またこの 20 年間に再興感染症としてみなされた疾患を同様にまとめ，表 2 に示した．

感染症対策に必要なこと

感染症対策の第 1 歩は，感染症の存在を知ること，つまり，不明（未知）の疾患に対して感染症ではないかと疑うことにある．そしてそれに対する適切な検査法を選択すること，基本的な検査法に習熟，あるいは理解をしておくことが必要である．グラム染色を学生実習で習っても，それを臨床現場で使いこなせる医師は数えるほどにすぎない．さらに治療にあたっては，きわめて常識的なことではあるが，その疾患に対して適切な治療を選択することにある．適切な治療とはその疾患を知っていなければ不可能であり，余計な（過剰な）治療を加えてはいけないということが含まれている．さらに患者の感染力，感染経路を知り，いかに感染の拡大を防止するかを併せて考える必要がある．感染症というものに対して医学教育や研究部門を見直し，医療関係者の感染症の診断と治療，研究に関する医学・医療センスを再び向上させる必要がある．

感染症のコントロールのためには，的確な臨床診断とそれを裏付ける病原診断，これらに基づいた合理的な治療が行われることがもっとも重要である．また感染症に罹患しないための個人的，社会的衛生，感受性者に免疫を与えるためのワクチン接種など，あらかじめ感染症の発生を防ぐための予防方法も重要である．そしてこれら感染症の予防，診断，治療への基本的な情報を与えるデーターとなるものが，感染症サーベイランスである．

2. サーベイランスとは

感染症のコントロールのためには，的確な臨床診断とそれを裏付ける病原診断，これらに基づい

表1　1973年以来明らかとなった感染症とその微生物

年	病原微生物	種　類	疾　患
1973	Rotavirus	ウイルス	小児下痢症の大半の原因
1975	Parvovirus B19	ウイルス	慢性溶血性貧血における汎血球性貧血発作（後に伝染性紅斑の原因ウイルスであることが確定）
1976	Cryptosporidium parvum	寄生虫	下痢症（水系感染）
1977	Ebora virus	ウイルス	エボラ出血熱
1977	Legionella pneumophila	細　菌	レジオネラ症（肺炎）
1977	Hantaan virus	ウイルス	腎症候性出血熱
1977	Campylobacter jejuni	細　菌	下痢症
1980	Human T-lymphotropic virus type 1（HTLV-1）	ウイルス	成人T細胞白血病
1981	Staphylococcus aureus（毒素産生株）	細　菌	毒素性ショック症候群（Toxic Shock Syndrome；TSS）
1982	E-coli O-157：H7	細　菌	腸管出血性大腸炎，溶血性尿毒症症候群
1982	HTLV-Ⅱ	ウイルス	Hairly cell 白血病
1982	Borrelia burgobrferi	細　菌	ライム病
1983	HIV	ウイルス	AIDS
1983	Helicobacter pylori	細　菌	胃潰瘍
1985	Enterocytozoon bieneusi	寄生虫	持続性下痢症
1986	Cyclospora cayetanensis	寄生虫	持続性下痢症
1986	Prion	プリオン	牛海綿状脳症
1988	Human herpesvirus-6（HHV-6）	ウイルス	突発性発疹症
1988	Hepatitis E	ウイルス	E型肝炎（腸管感染）
1989	Ehrlichia chaffeensis	細　菌	エールリッヒア症
1989	Hepatitis C	ウイルス	C型肝炎
1991	Guanarito virus	ウイルス	ベネズエラ出血熱
1991	Encephalitozoon hellem	寄生虫	結膜炎，全身性疾患
1991	New specis of Babesia	寄生虫	非定型性バベシア症
1992	Vibriocholerae O-139	細　菌	新型コレラ
1992	Bartonella henselae	細　菌	猫ひっかき病
1993	Sin Nombre virus	ウイルス	成人呼吸窮迫症候群（肺ハンタ症候群）
1993	Encephalitozoon cuniculi	寄生虫	全身性疾患
1994	Sabia virus	ウイルス	ブラジル出血熱
1995	HHV-8	ウイルス	AIDS患者のカポジ肉腫
1997	Influenza A/H5N1	ウイルス	トリインフルエンザのヒト感染
1999	Nipah virus	ウイルス	急性脳炎
2003	SARS corona virus	ウイルス	急性肺炎（SARS）
2009	Influenza A/H1N1 2009	ウイルス	インフルエンザパンデミック（新型インフルエンザ）

た合理的な治療が行われることが重要である．また感染症に罹患しないための個人的・社会的衛生，感受性者に免疫を与えるためのワクチン接種，公衆衛生学的対策など，あらかじめ感染症の発生を防ぐための予防方法も重要である．そしてこれら感染症の予防，診断，治療への基本的な情報を与えるデータとなるものが，感染症サーベイランスである．

感染症サーベイランスの意義

感染症サーベイランスの意義は，以下のようにまとめられる．

①患者発生状況サーベイランス
a　流行情報の日常診療への活用
b　新しい感染症の発見と対応
c　感染症の流行，集積の早期把握と対応
d　国内における患者全数の推定
e　予防接種可能疾患についてはその効果判定

②病原体サーベイランス情報
a　流行病原体の確定
b　病原体疫学調査
c　流行の予測

③血清疫学サーベイランス
a　集団免疫度の測定

表2　この30年で再興感染症とみなされた疾患

ウイルス感染症	狂犬病 テング熱 黄熱病 ウエストナイルウイルス感染症
細菌感染症	A群溶連菌感染症（含む，劇症溶連菌症） 塹壕熱 ペスト 結核 百日咳 サルモネラ 肺炎球菌感染症 コレラ ジフテリア 髄膜炎菌性髄膜炎（流行性髄膜炎）
寄生虫・原虫感染症	マラリア 住血吸虫症 ニューロシスチセルコーシス アカントアメーバ症 リューシュマニア症 ランブル鞭毛虫症（ジアルジア） エキノコッカス症

b　予防接種可能疾患についての効果判定

④積極的サーベイランス

a　感染症発生状況に対する積極的介入による感染症対応

b　実地疫学調査による感染症アウトブレイク対応

感染症に対する危機管理，という言葉に触れることが最近多いが，日常的疾患の動向を知ることによって，初めて例外的な疾患，危機的な疾患の存在が明らかになり，その対応が可能になる．日常からの淡々とした感染症サーベイランスの実施がもっとも重要であるという意味は，ここにある．臨床現場での経験を臨床医一人だけのものとせずに，その地域，市区町村，都道府県そして国単位へと集積されることによって一人の臨床医の経験は広がり，その結果は国際的にも感染症対策のうえに有用なものとなる．集積されたデータは，個々のデータを共有するという形て臨床現場へ反映され，最終的には一般の人々への感染症対策に利用されるものとならなければいけない．

多くの人々がデータを共有するということは，個々の患者のプライバシー保護について十分留意する必要がある．症例情報については臨床医のメーリングリストなどによる情報交換が広がっているが，「患者(症例)情報」が個々のつながりで共有，あるいは相談のようなかたちで行われているうちはまだよいが，現代のように電子化された情報としてひとたび不特定多数に発信されると，発信者の意思とは別に瞬時にして個人情報が世界中に広がることがある．「人に関する情報」が絡む場合には十二分に慎重な配慮が必要である．

各論I

感染症法によるサーベイランス(発生動向調査)

1999（平成11)年4月に「感染症の予防及び感染症の患者の医療に関する法律(当時感染症新法と称されたが，現在では感染症法)」が施行された．幾度かの改正を経て，現在では対象疾患が1～5類および新型インフルエンザ等感染症に類型化され，さらに新たな感染症に対する新感染症，必要に応じて1年間に限定して指定される指定感染症，などについて定められている．

感染症法には医師の届け出に基づく感染症に関する情報の収集および公表，感染症の発生状況および動向の把握，そしてその原因の調査などサーベイランスシステムの強化が示されている．感染症サーベイランスの対象疾患になっているのは，1～5類感染症のすべてである(表3)．1～4類感染症は患者を診断した全医師から氏名・年齢・性別などの届け出を求める全数把握疾患であり，5類感染症は1～3類感染症と同様にすべての医師からの届けを求める全数把握疾患(ただし，氏名などの個人を識別できる情報を除外)と，指定された届け出機関管理者からの届け出を求める定点把握疾患とに分けられている．全数把握疾患は，全ての医師に対して法律上の届け出の義務(罰則規定あり)が課せられている．

定点把握疾患については，小児科定点(約3,000か所)，眼科定点(約600か所)，STD定点(約900か所)，インフルエンザ定点(小児科定点3,000か所および内科2,000か所を含む計約5,000か所)，および感染症医療の中核的医療機関(基幹病院定点，約500か所)に報告を依頼している．

医師による届け出は，最寄りの保健所に行う．地方衛生研究所は，感染症法対象疾患(病原体サーベイランス対象疾患(表3)について，検査可能

表3　感染症法に基づく届出疾病（2008年5月12日一部改正施行）
（「感染症発生動向調査実施要綱」による）

1. 全数把握の対象

一類感染症（診断後直ちに届出）
エボラ出血熱＊，クリミア・コンゴ出血熱＊，痘そう＊．南米出血熱＊，ベスト＊，マールブルグ病＊，ラッサ熱＊

二類感染症（診断後直ちに届出）
急性灰白髄炎＊，結核＊，ジフテリア＊，重症急性呼吸器症候群（病原体がコロナウイルス属SARSコロナウイルスであるものに限る｝＊，インフルエンザ（H5N1）＊

三類感染症（診断後直ちに届出）
コレラ＊，細菌性赤痢＊，腸管出血性大腸菌感染症＊，腸チフス＊，パラチフス＊

四類感染症（診断後直ちに届出）
E型肝炎＊，ウエストナイル熱（ウエストナイル脳炎を含む）＊，A型肝炎，エキノコックス症＊，黄熱＊，オウム病＊，オムスク出血熱＊，回帰熱＊，キャサヌル森林病＊，Q熱＊，狂犬病＊，コクシジオイデス症＊，サル痘＊，腎症候性出血熱＊，西部ウマ脳炎＊，ダニ媒介脳炎＊，炭疽＊，つつが虫病＊，デング熱＊，東部ウマ脳炎＊，鳥インフルエンザ.（H5N1を除く｝＊，ニパウイルス感染症＊，日本紅斑熱＊，日本脳炎＊，ハンタウイルス肺症候群＊，Bウイルス病＊，鼻疽＊，ブルセラ症＊，ベネズエラウマ脳炎＊，ヘンドラウイルス
感染症＊，発しんチフス＊．ボツリヌス症＊．マラリア，野兎病＊，ライム病＊，リッサウイルス感染症＊，リフトバレー熱＊，類鼻疽＊，レジオネラ症＊，レプトスピラ症＊，ロッキー山紅斑熱＊

五類感染症（全数）（診断から7日以内に届出）
アメーバ赤痢＊，ウイルス性肝炎（E型肝炎及びA型肝炎を除く），急性脳炎（ウエストナイル脳炎，西部ウマ脳炎，ダニ媒介脳炎，東部ウマ脳炎．日本脳炎，ベネズエラウマ脳炎及びリフトバレー熱を除く）＊，クリプトスホリジウム症，クロイツフェルト・ヤコブ病＊，劇症型溶血性レンサ球菌感染症＊，後天性免疫不全症候群＊，ジアルジア症，髄膜炎菌性髄膜炎＊，先天性風しん症候群＊，梅毒，破傷風＊，バンコマイシン
耐性黄色ブドウ球菌感染症＊，バンコマイシン耐性腸球菌感染症＊，風しん＊，麻しん＊

新型インフルエンザ等感染症（診断後直ちに届出）
新型インフルエンザ＊，再興型インフルユンザ＊

2. 定点把握の対象

五類感染症（定点）
インフルエンザ定点（週単位で報告）；インフルエンザ（鳥インフルエンザおよび新型インフルエンザ等感染症を除く）＊

小児科定点（週単位で報告）：RSウイルス感染症，咽頭結膜熱＊，A群溶血性レンサ球菌咽頭炎＊，感染性胃腸炎＊，水痘，手足口病＊，伝染性紅斑，突発性発しん，百日咳＊，ヘルパンギーナ＊，流行性耳下腺炎＊
眼科定点（週単位で報告）：急性出血性結膜炎＊，流行性角結膜炎＊
性感染症定点（月単位で報告）：性器クラミジア感染症，性器ヘルペスウイルス感染症，尖圭コンジローマ，淋菌感染症
基幹定点（週単位で報告）：クラミジア肺炎（オウム病を除く），細菌性髄膜炎＊，マイコプラズマ肺炎，無菌性髄膜炎＊
基幹定点（月単位で報告）：ペニシリン耐性肺炎球菌感染症，メチシリン耐性黄色ブドウ球菌感染症，薬剤耐性緑膿菌感染症
法第14条第1項に規定する厚生労働省令で定める疑似症
疑似症定点（診断後直ちに報告，オンライン報告可）；摂氏38度以上の発熱及び呼吸器症状（明らかな外傷又は器質的疾患に起因するものを除く）若しくは発熱及び発疹又は水疱（ただし，当該疑似症が二類感染症，三類感染症，四類感染症又は五類感染症の患者の症状であることが明らかな場合を除く.）

3. オンラインシステムによる積極的疫学調査結果の報告の対象

二類感染症
鳥インフルエンザ（H5N1）

下線を付したものが2008.5改正で変更された疾病
＊は病原体サーベイランスの対象となる疾病

な体制となっている．地方衛生研究所で対応不可能な場合には，国立感染症研究所の各専門部が対応する．定点疾患については，指定された定点の約10%が，検査定点医療機関として，地方衛生研究所に検体を送り，分析される．これらによって得られた情報は各地域でも解析・還元されるが，保健所→都道府県等→厚生労働省→国立感染症研究所（感染研），地方衛生研究所→国立感染症

研究所(感染研)がオンラインで結ばれ，厚生労働省および感染研で国全体のデータとして解析し，還元が行われる．当然ながら情報の公表にあたっては，氏名などの患者個人を識別できる情報は除かれる．

感染症サーベイランス情報の還元提供

感染研感染症情報センターでは，感染症法の対象となっている1-5類感染症について，病原体微生物検出情報(Infectious Agents Surveillance Report：IASR)あるいは感染症週報(Infectious Disease Weekly Report：IDWR)としてサーベイランス結果の最新情報の還元提供を行っている．IASR, IDWRは，感染症情報センターのホームページに掲載されている(http：//idsc.nih.go.jp/index-j.html) IASR, IDWRはサーベイランスデータのみではなく，国内外の感染症に関する情報を提供している．

実地疫学調査専門家養成コース
(Field Epidemiologist Training Program：FETP)

これらの日常のサーベイランスは，報告を待つ受け身型のサーベイランスである．感染症法には，国および都道府県知事は必要に応じて感染症の発生状況，原因などを明らかにするために，積極的疫学的調査を行うことができるとしてある．感染症情報センターでは，これに応えられる人材の養成を，実地疫学調査専門家養成コース(Field Epidemiolmgist Training Program：FETP)として行っている．FETPは，2年間のon the job trainingであり，国内外における感染症の発生の際に疫学調査が要請された場合，情報センタースタッフとともに現地に行き，現地と協力をして疫学調査を行い，対応のための提言を行う．日常は国内外のの感染症の動きを監視し，それに伴う行動の必要性の判断，感染症に関する一般からの問い合わせなどに関する対応，サーベイランスに関する研修会などでシミュレーションの提示や講義などの教育啓発活動，サーベイランスシステムの改善のための研究などを行っている．研修には，臨床，基礎医学研究，あるいは公衆衛生などの経験を経た，医師・獣医師・薬剤師・臨床検査技師・看護師などが参加している．

WHO（世界保健機関）における国際保健規則の改正

国際保健規則(IHR：International Health Regulations)は世界保健機関(WHO)憲章第21条に基づく国際規則である．これまでは，黄熱，コレラ，ペスト(以前は痘瘡も含まれた)の3疾患を対象としていたが，昨今のSARS，鳥インフルエンザ等の新興・再興感染症による健康危機に対応できていないこと，各国のコンプライアンスを確保する機序の欠如，WHOと各国との協力体制の欠如，現実の脅威となったテロリズへの対策強化の必要性が指摘され，WHO総会を経て2007年6月に改訂IHRが発効した．

改正のポインは以下のようにまとめられる．

① 「原因を問わず，国際的な公衆衛生上の脅威となりうる，あらゆる事象」がWHOへの報告の対象となる．
② 連絡体制として国内にIHR担当窓口(National IHR Focal Point)を設け，WHOと常時連絡体制を確保する．国内窓口については厚生労働省大臣官房厚生科学課となっており，これに国立感染症研究感染症情報センター長と室長が研究機関メンバーとして登録されている．
③ 加盟国のCore Capacityの規定：地域・国家レベルにおける，サーベイランス・緊急事態発生時の対応，及び空海港・陸上の国境における日常衛生管理及び緊急事態発生時の対応に関して最低限備えておくべき能力が規定された．
④ 非公式情報の積極的活用：WHOは，加盟国政府から得られる公式情報以外に様々なチャネルから得られた情報に関して，当該国に照会し，検証を求めることができる．検証を求められた加盟国は，24時間以内に初期反応を示さなければならない．加盟国が，WHOによる協力依頼を受諾しない場合，公衆衛生に及ぼすリスクに鑑みそれが正当化される場合においては，WHOは知り得た情報を他の加盟国と共有することができる．

今回の新型インフルエンザ発生は，2009.4.12メキシコで肺炎による死亡者及びインフルエンザ様疾患が増加していることについて，メキシコが国際保健規約(IHR)に基づいてWHOに報告されたこと，ついで4.15-17米国南カリフォルニアにおいて2名のインフルエンザの患者から分離されたウイルスが，これまでに人類が経験したことがないインフルエンザウイルスであったことから始まった．WHO（世界保健機関）は，4.24これを国際的に重要な公衆衛生上の事例(Public Health Emergency of International Concern：PHEIC)であると宣言し，4.27に，WHOはパンデミックフェースそれまでの3から4にすると宣言した．「原因を問わず，国際的な公衆衛生上の脅威となりうる，あらゆる事象」が改正IHRに基づきWHOへの報告の対象となるという点が，判断にあたってもっとも難しいところとなるが，「不明疾患の拡大をそのままにしない」ということが骨子である．

3. 予防接種

予防接種の目的

感染症は，罹患する前に予防することができれば，その危険，健康上のマイナスをあらかじめ避けることができる．そのために可能であれば感受性者に免疫を与える予防接種は，感染症の罹患を防ぐための重要な予防手段である．

予防接種は，あらかじめ特定の感染症にかからないように，あるいは重症になることを防ごうとするために行われる．個人の健康を守ることがもっとも重要な目的であるが，ある疾患が社会全体に広がることを防ぎさらにはやがてその病気を人類から追放しようとするもの(例：ポリオ)，次の世代の人々の健康を守ろうとするもの(例：風疹)など，予防しようとする疾患によってその目的には多少の違いがある．

医療機関などにおいては，医療従事者自身が感染から身を守るため，そして医療従事者が他への感染源とならないためすなわち院内感染予防の手段としても予防接種は重要な意味を持つ．しかし予防接種は健康な人に対する医療行為であるため，接種の対象となる人々に対して，なぜワクチンが必要か，そのメリットは何かなどについて理解を得るように接種しようとする側は努めなくてはならない．また予防接種を行おうとする者は，予防接種の効果，副反応などについての正確な資料，調査などにもとづいてそのメリットとデメリットについて適切に判断していくことが必要である．

予防接種の種類 ―生ワクチンと不活化ワクチン―

予防接種に用いられる薬液を，ワクチンという．ワクチンには，病原性を減じた生きた病原体を用いる生(なま)ワクチン(live vaccine)，死滅した病原体を用いる不活化ワクチン(inactivated vaccine，または死菌ワクチン－killed vaccine)，毒素(toxin)の毒性を失わせて免疫原性のみを残したトキソイド(toxoid)などがある．

生ワクチンは，自然感染に近い免疫反応が生ずるため液性および細胞性免疫が誘導され，長期にわたり免疫が持続されやすいなどの利点があるが，一方弱毒の程度や宿主の状態より本来の疾患の臨床反応が出現したり，強毒株に突然復帰する可能性を有するなどの欠点を有している．不活化ワクチンは，接種した抗原には感染性も増殖性もないので疾患本来の臨床反応が現れることがないが，通常は免疫の持続が短いため免疫効果を維持するために複数回あるいは定期的に追加して接種を行わなければならないなどの欠点がある．

ワクチン添加物

ワクチンには抗原そのもののほかに，製造過程上混入する培養液，培養細胞成分，抗生剤などのほかに，安定剤・防腐剤などの添加物(ゼラチン・ヒト血清アルブミン・チメロサール・ホルマリンなど)，免疫原性を高めるためにアジュバントとして添加されるアルミニウム化合物などが含まれており，局所の硬結や腫脹，まれに生ずるアレルギー反応の原因になったりすることがある．最近のわが国のワクチンからは，安定剤としてのゼラチンは除去もしくは改良が行われ，ゼラチンアレルギーの問題(接種後のアナフィラキシーショック)は解決された．一方，水銀分子を含むチメロサール(エチル水銀)の安全性，特に小児における神経組織への蓄積から自閉症などの神経疾患との関わりついての問題が話題となることがある．チメロサールは，ワクチン製造過程での汚染防止，あるいは製品として出荷された後の保存などにあたって，防腐剤として使用されている．当初MMR（麻疹・おたふく・風疹混合ワクチン）と自閉症の関連についての議論がきっかけとなっているが，デンマークにおける大規模な調査その他，MMRと自閉症の関連は否定的とするものが多い．またこれまでワクチンに含まれるチメロサールと小児の健康被害に関して，局所過敏反応以外の危険性についての事実は見いだされていない．しかしワクチンなどについてはできるだけ保存剤などの添加物を無くすことは，可能性として考えられるリスクを回避する点から，WHOでは「当面はチメサロールを可能な限り減量し，将来的には代替となる保存剤を開発しチメロサールを除くこと」を各国に向けて勧告している(1999.7.)．わが国おいても，この勧告を受け入れ，現行のワクチンからチメロサールの減量ないし除去が行われた．

わが国の予防接種制度

わが国では，1948（昭和23)年に予防接種法が制定された．現在は2001（平成13)年に改正された予報接種法に基づいて予防接種が行われている．予防接種法は5年ごとの見直しが定められている．

1. 勧奨接種と個別接種

1995（平成7)年に行われた予防接種法改正で，予防接種は義務接種から勧奨接種となった．予防接種に関する最終判断をするのは保護者であるというところから，「接種をするかしないかは親の自由である」「親に接種の可否を判断させるのは責任の転嫁である」というような誤解が時にみられる．予防接種は必要なものであるがかつてのようにすべての子どもが一律に接種を受けなければならないのではなく，保護者にとっては定められた予防接種を拒否する(個人の意思を反映できる)権利がある，ということが勧奨接種の重要な意義であり，接種するしないを自由気ままに決めて良いということではない．

また一定の時期に一定の場所で，異なった条件の子どもたちに対して一斉に予防接種を行うのではなく，かかりつけの医師などにより，出来るだけ個々の体調と都合の良い時を見計らってより安全に予防接種が行われるようにすることが，個別接種の意義である．しかしポリオ，BCGなどの一部ワクチン，あるいは，その他のワクチンでも一部地域においてはその地域の事情により，集団接種あるいはそれに準じた扱いが今もされていることがある．また近年では，麻疹・風疹対策の強化から，中学1年相当年齢(第3期麻疹・風疹)，高校3年生相当年齢(第4期)に対して接種機会を容易に提供するという意味合いから，学校等集団の場を利用した接種が地域によって効果を上げているが，かつての集団接種のイメージではなく，個別接種としての注意を十分維持した方法で行われており，またそうあるべきである．

集団接種であっても個別接種であっても，予防接種にあたっては，その必要性，効果，安全性，おこり得る副反応などについて行政担当者は正しく分かりやすく伝える必要があり，接種する医師はこれらを十分認識したうえで接種を受けようとする子ども(或いは本人)が接種可能な状態にあるか否かを判断する必要がある．また実際に接種を希望するか否かについては，最終的には個人の意思が尊重されるものでなくてはならない．

2. 予防接種の対象疾患と対象年齢

わが国で行われる予防接種には，先にも述べたように法律によって対象疾患と接種期間が定められている定期接種と，病気の流行状況・環境要因・体調等によってあるいは定期接種の時期から外れた子どもたちがかかりつけ医などのアドバイスを受けて自主的に接種を受ける任意接種，そして厚生労働大臣がその疾患の発生および蔓延を防止するために特に予防接種を行う必要があると定められたときに実施する臨時接種がある．これらのうち定期接種と一部の任意接種について対象疾患と対象年齢，推奨される年齢などについて，国立感染症研究所感染症情報センターでまとめたものを図に示した．

定期接種年齢には一定の幅を持たせてあるが，予防接種にもっとも適したと考えられる年齢を「標準接種年齢」としてその幅を狭めてある．それは疾病の予防上もっとも適当と思われる年齢を示してあるもので，できるだけ多くの子ども達がその年齢で接種を受けてもらいたいというものであ

各論 I

る．しかし一方何らかの理由で接種を受け損なっている場合には，その対象年齢として設置した年齢幅の中であれば定期接種として取り扱うことができるというもので，接種機会の増加にゆとりを持ったものである．多くの定期接種が最大 90 ヶ月以内となっているのは，小学校入学前に接種をし損ねたままになっているものが入学前検診などで気づかれたときに，小学校入学前後の速いうちに定期接種として終了できるようにとして設定されたものである．「90 ヶ月までに行えば良い」というのではなく，原則としては標準年齢のうちに済ませるようにしていただきたいものである．

これが接種対象者の努力義務規定といわれるものであるが，対象疾病は一類疾患であり，二類すなわち現行の高齢者のインフルエンザにはこの努力義務規定はない．

なお接種対象年齢から外れた者は，医学的にも予防接種の対象とならないのではないかという誤解が一部に生じることがあるが，あくまで定期接種すなわち国として法律の規定によって行う予防接種として行政的な枠を設置した対象年齢であり，感受性者（感染の可能性のあるもの）であればそのほとんどは医学的に予防接種の対象者となり，任意接種として行うことが可能である．

また，国内に居住する外国人の予防接種については，外国人登録がなされている場合であれば予防接種法は適応されるので，日本人と同様の予防接種制度が受けられる．

3. 接種不適当者と要注意者

接種に伴う副反応や事故を避けるためにかつてはいくつかの事項が「禁忌」と規定されており，これらは「接種してはいけないもの」としてとらえられていた．しかし予防接種は健康的弱者であればなおのこと予防接種が必要な場合もあり，また注意深く行うことによって接種可能な場合が実際には多い．疾病予防という点からは「出来るだけ接種する」という方向であることが望ましい．現在では「禁忌」ではなく，接種不適当者と接種要注意者とし，慎重な判断によって接種が可能な場合があることを明確にしている．ただし一般的なことから外れた特殊な状況についての判断は，専門医あるいは接種対象者の健康状態をよく熟知しているいわゆるかかりつけ医によって行われるべきである．そのためには最初に相談を受けた接種医が安易に予防接種不可という判断を下すことなく，より専門的な医師に意見を求めるということも感染症から守るという観点から必要である．なお接種の実施にあたっては，接種医は予防接種のガイドライン等を熟読しておく必要がある．

4. 健康被害の救済

最大限の努力と注意を払うことが安全な予防接種の大前提であるが，残念ながら予期することの出来ない健康被害（重篤な副反応の発生）が極めて稀ではあるがおこり得る．このような万一の健康被害に対しては，定期接種に関連したと思われる健康被害の場合には，一定の手続きによる報告が市町村を経由し厚生労働省に対して行われ，救済を必要とする事例については，申し出られた被害について国に設置された委員会で審査が行われ，そこで認定されれば国家救済がなされる．「救済」という意味は，予防接種副反応は過誤等なく行なわれた場合であっても予測不可能に生ずることがあり，また実際にそのような場合がほとんどであるところから，副反応に対しては過失に対する保障や賠償ではなく，接種を勧めた国としてこれを救済する，という考えになっている．通常起こり得る一過性の発熱や腫脹などは救済の対象とならず，常軌を逸脱した副反応の場合と考えることが妥当であるとされている．

任意接種の場合には，医薬品医療機器総合機構に申請することにより医薬品機構で審議され，そこで救済のための支給の可否が決定される．

予防接種は身近な医療行為でありながら，実施にあたりしばしば難解複雑になってしまうことがある．問題の解決にあたっては，多くの人々をいかに感染症から守るかという原点からの判断が，一番重要なことである．しかし接種方法等に疑問があった場合には，予防接種を得意の分野とするものに遠慮なく問い合わせをすべきである．

おわりに

感染症は，遠い他国の問題ではない．マレーシア・台湾での手足口病による小児の急性脳炎（1997

図：国立感染症研究所感染症情報センター：予防接種情報のサイト

http://idsc.nih.go.jp/vaccine/vaccine-j.html

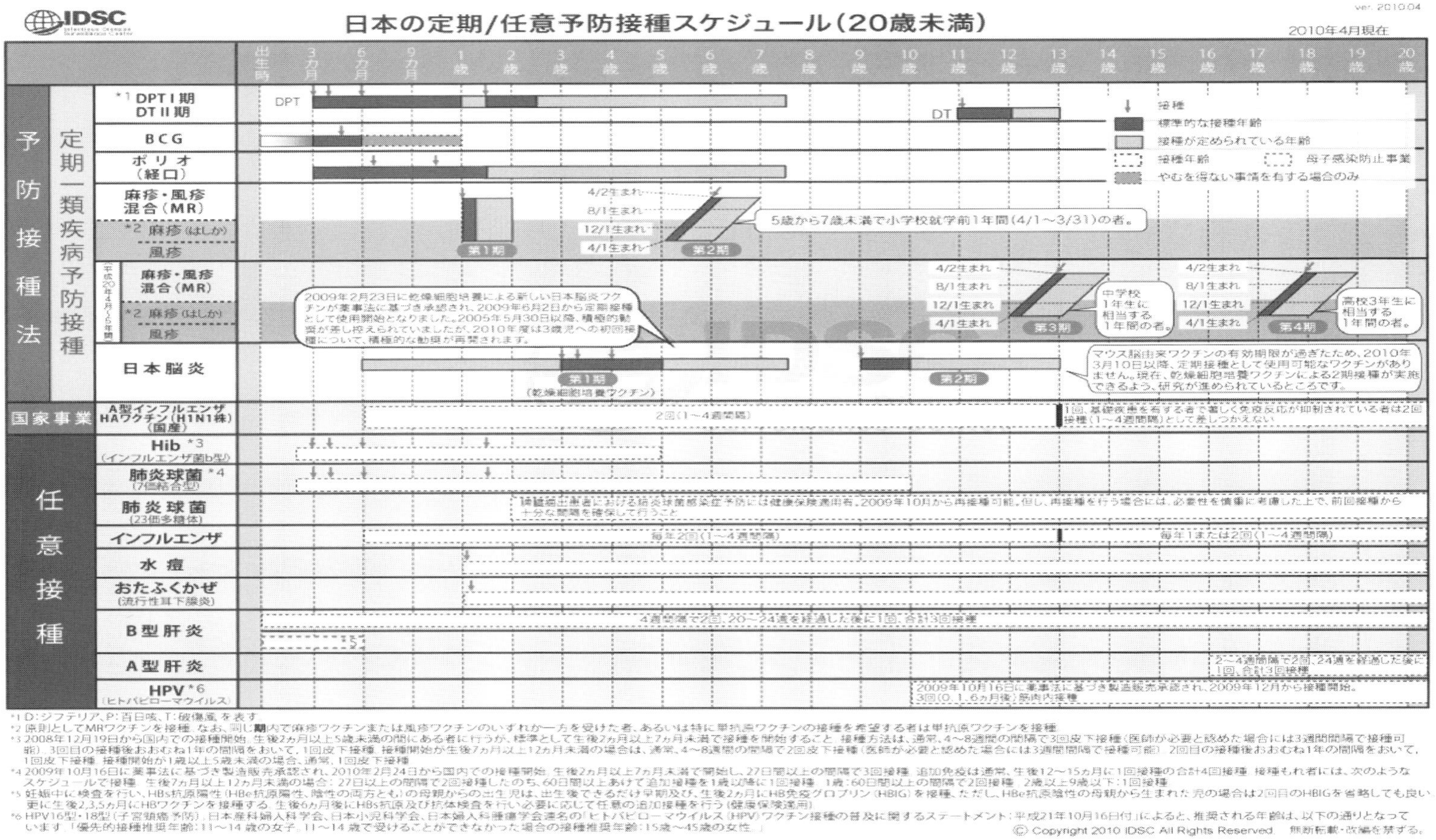

〜)，米国におけるウエストナイル熱(2002〜)，アジアにおけるSARS (2003)，鳥インフルエンザH5N1の流行とヒトへの被害の拡大(2004〜)，インフルエンザパンデミックの発生(2009)のように，ある国での感染症の発生はいつでも国内の問題として起こり得るものとして対処する必要がある．たとえ直接国内に関連がなさそうにみられるものであったとしても，地球的規模での感染症対策に，我が国は積極的に貢献すべきである．その結果は単なる海外への貢献にとどまらず，自国の感染症対策にいずれは関係するものである．

感染症対策は，医学・医療の分野だけではなく，公衆衛生的対応，そして社会における理解と取り組み，そしてこれらの組み合わせが必須である．これらの対策はたとえば新型インフルエンザ対策だけのためだけではない．その他の新たな感染症あるいは既存の感染症のアウトブレイクへの対応に応用が可能であり，感染症対策全体の底上げとなるものである．

I -2 結　　核

国立病院機構近畿中央胸部疾患センター
臨床研究センター　臨床研究センター長
岡田全司

はじめに

いまだに世界の人口の1/3が結核菌の感染を受け，その中から毎年940万人の結核患者が発生し，180万人が毎年結核で死亡している，最大の感染症の一つである(図1)[1, 2, 3, 4]．本邦でも1998年から結核罹患率の増加が認められ，1999年7月26日"結核緊急事態宣言"が厚生省より出された．1998年，米国CDCは結核に対し，政府・学術機関・企業が一体となって新世代の結核ワクチン開発の必要性を強く主張する発表をした．又，ACETは国民の健康に対する大敵である結核撲滅のためには，BCGに代わる有効なワクチンが必要であることを示した．しかしながら，BCGに代わる結核ワクチンは欧米でも臨床応用には至っていない．我々はBCGよりもはるかに強力な新しいサブユニットワクチン，DNAワクチンやリコンビナントBCGワクチンの開発に成功した[5, 6, 7, 8]．したがって，新しい抗結核ワクチン開発の現状と多い結核免疫におけるキラーTの機能解明についても述べる[9, 10]．結核症に対する宿主の抵抗性は細胞性免疫といって過言ではない．特に獲得免疫(キラーT細胞とTh_1ヘルパーT細胞)が重要であり，最近では自然免疫の結核への関与が再び重要視されている．

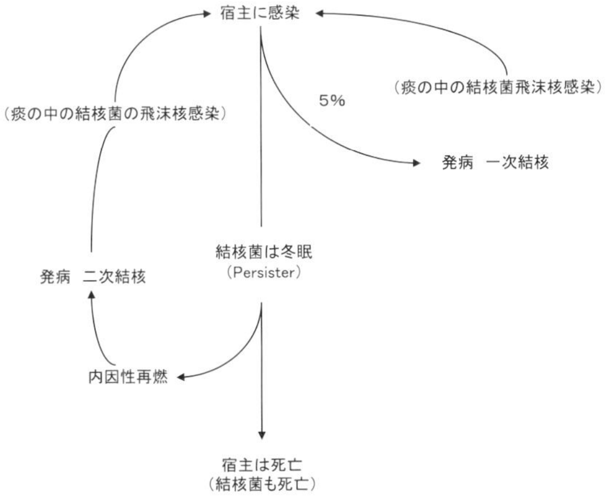

図1　結核菌のライフサイクル（ヒト結核感染）

一方，この10年の間に新しい結核感染特異的診断法(ツベルクリン反応に代わるIGRA診断法)が確立された．さらに，1940年以降は分子遺伝子学的アプローチが急速に進行した．Stewart Coleらは1998年強毒結核菌株H37Rvゲノムの完全な配列を決定した[11]．H37Rvのゲノムは4,411,529塩基対から成り，約4000の遺伝子を含むものと推定されている．その後，Mycobacterium avium, BCG, Mycobacterium bovisの全塩基配列も解読された．

これらをもとにVNTR法等を用い，結核菌の分子疫学も進展しつつある．これらについても述べる．

1. 結核の疫学

1. 結核の歴史

結核が人類最古の伝染病の一つであったことは，BC7000年の(ドイツのハイデルベルグで発見された)人類の胸椎の化石にカリエス像が認められたことや，ミイラ(古代エジプト BC3000)に肺結核が認められたことより示されている．1882年 Robert Koch は結核菌がヒト結核の原因であることを発見した．

地球上で広く蔓延したのは産業革命以後であり，産業の発達や人口増加・人の交流の活発化，都市化に平行して広がった．イギリスで1750年頃，日本では1910年頃であり，「女工哀史」[(製糸工業)を中心とした産業革命]では人口10万対763にもなった．このため「亡国病」としての1935年から第二次世界大戦終戦時まで死亡順位の一位であった．

その後生活水準の向上や栄養改善による宿主免疫力増強，さらには，抗結核剤ストレプトマイシンの発見や結核予防法(患者の発見，集団検診，隔離・治療)により減少の一途をたどった．SMにつづき，INH（イソニアジド)さらには最も切れ味の鋭い RFP（リファンピシン)の出現により結核患者は減少した．

しかし，1980年以降，高齢化や HIV 感染に伴う結核合併症が増加，又，糖尿病合併に伴う結核症も増加してきている．

BCG は結核予防ワクチンとして，本邦では2003年3月まで小児，小，中学生の予防ワクチンとして使用されてきた．しかし，小児結核(特に結核性髄膜炎)には有効であるが成人に対してのワクチン効果はないという WHO の見解が発表され，本邦でも定期的BCG 接種は小児のみと法改正がなされた．

したがって成人にも有効な新しい結核ワクチンの開発が切望されている．

2. 結核菌の分子疫学

結核菌のゲノム中にランダムに存在する挿入配列(insertion sequence：IS) 6110 (IS6110 は 大腸菌の IS3 ファミリーに属する転位因子で全長は1,355bp である.)が発見され，この IS6110 をプローブにした restriction fragment length polymorphism（RFLP）analysis［制限酵素断片長多型分析］が可能となり，この手法が感染源の特定の定石となっている[1, 12]．

すなわち，その同一性により感染源追跡，再燃と再感染の区別，感染様式，院内感染，薬剤耐性菌の感染経路等の解明に大きく寄与している．さらに IS1081，DR（direct repeat)，PGRS（polymorphism GC-rich sequence)，スポリゴタイピング(spoligotyping)法，パルスフィールズ電気泳動を用いても詳細に検討できる．これらの分析法を分子疫学と呼ばれている(図2A)．

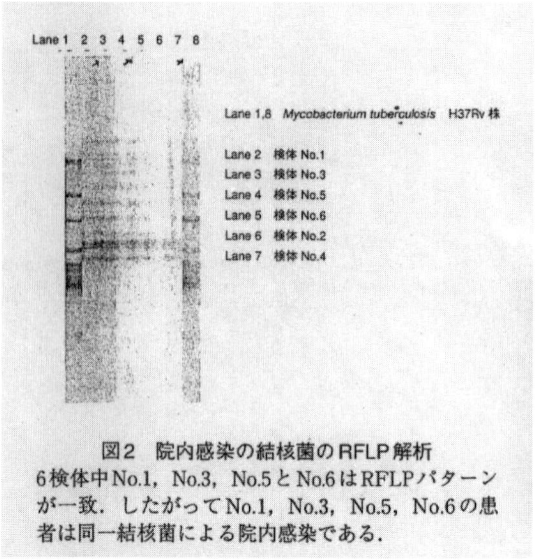

図2A

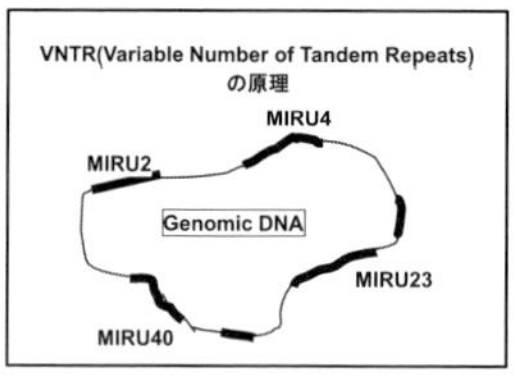

スーパースプレッダー多剤耐性結核菌

E-A	E-B	E-C	E-D	E-E	E-F	MI2	MI10	MI16	MI20	MI23	MI24
4	2	4	3	5	3	2	3	3	2	5	1

図2B　VNTR の原理

さらに，近年 variable number of tandem repeat (VNTR)法による分子遺伝子学的解析が進展し，結核菌の分子・遺伝子学的疫学研究が急速に進展しつつある(図2B)．

(1)アジアでの感染伝播状況の解析

結核菌 IS6110 遺伝子と VNTR 解析の MST

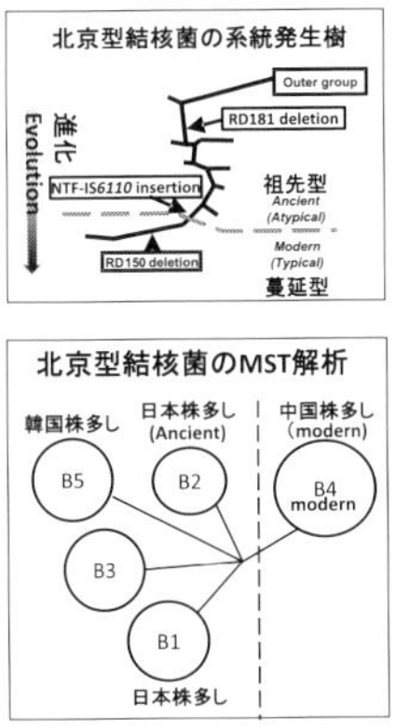

中国の結核菌、韓国の結核菌と日本の結核菌の区分法

	日本	中国（北京・香港）	韓国
祖先型（ancient型）	+++	+	+++
蔓延型（modern型）	+	+++	+
RD181陽性	+		+++

++　25%以下
+++　75%以上

図３

(minimum spanning tree) 解析により，①日本，韓国の結核菌は"祖先型(ancient 型)"が75－80%であり，"蔓延型(modern)"は20－25%である．②一方，中国(上海，北京)，ロシアや欧米は"蔓延型(modern 型)が90%でancient 型は10%であり，結核菌の遺伝的背景が国により異なる[6]．(図3)

(2) 日本の結核菌と韓国の結核菌の区分方法

日本の結核菌と韓国の結核菌は両者ともancient 型が約80%と区分困難であるが，RD181をマーカーに用いれば区分可能となった．MST解析により韓国に特異的なRD181陽性株が多い．RD181陽性株はVNTRでB5グループに区分(図3)．B5グループには韓国株に特徴的なK-strain株(RD181陽性株)が含まれる．一方中国結核菌はB4，日本結核菌はB1，B2に多い[6]．

(3) ローカスが15個の15VNTR法(Supply らの)がよく用いられている．この方法を用い，我々は全国の結核菌を解析した結果，クラスター形成率は26%であり，18名からなるクラスター形成も認めた．すなわち，少なくとも東京，大阪間を含む広域地域において，同一の結核菌感染拡大が認められた．

(4) さらに，我々は，図2Aで示した如く，通常多剤耐性結核菌は薬剤感受性結核菌に比較して感染力が弱いと考えられていたが，そのドグマを打ち破る極めて感染力の強いスーパースプレッダー多剤耐性結核菌を見つけた．互いに接触歴のあった６人の多剤耐性結核患者は同じRFLPパターンを示したのみでなく，VNTRパターンも同じであった．さらに，このスーパースプレッダー多剤耐性結核菌は中国にも存在し，ハルピン市では多剤耐性結核菌中12%がスーパースプレッダー多剤耐性結核菌であることを発見した(図2B)[6]．

(5) またVNTR法を用い，感染力の強い多剤耐性結核菌はこのスーパースプレッダー多剤耐性結核菌以外に他に二種類存在することを大阪の多剤耐性結核菌を解析して示した[6]．

3. 抗酸菌感染症

抗酸菌の伝染性感染疾患として，結核(tuberculosis)とハンセン病(leprosy)がある．結核はM. tuberculosis が病原菌で，後者はM. leprae が病原菌である．結核とよく似た肺病変をきたすものとして非定型抗酸菌症があり，本邦での抗酸菌感染症で入院している患者の約1/5が非定型抗酸菌症である[これは非伝染性．主としてMAC症(M. avium とM. intracellulare)やM. Kansasii が非定型抗酸菌症の大部分を占める]．これらは，AIDSに合併してよく発症するが，AIDS初期には結核，後期には非定型抗酸菌症が合併しやすい．

2. 結核菌の特性

結核菌(Mycobacterium tuberculosis)は，マイコバクテリウム属(Genus Mycobacterium)に属する桿菌で好気性桿菌である．グラム染色では染色され難く，抗酸性染色によってのみ染色され，抗酸菌(acid-fast bacillus)と呼ばれる[13]．

これは細胞壁に多量の脂質が含まれ，ワックス様の疎水性の強い成分(主としてミコール酸mycolic acid)よりなることによる(図4)．したがって種々の物質の細胞壁透過性を低下させ，乾燥，消毒剤，酸，アルカリに抵抗性を示す．さらにきびしい物理化学的環境でも生き延び体外や体内(宿主：ヒト体内)で生き延びるpersisterとなる．

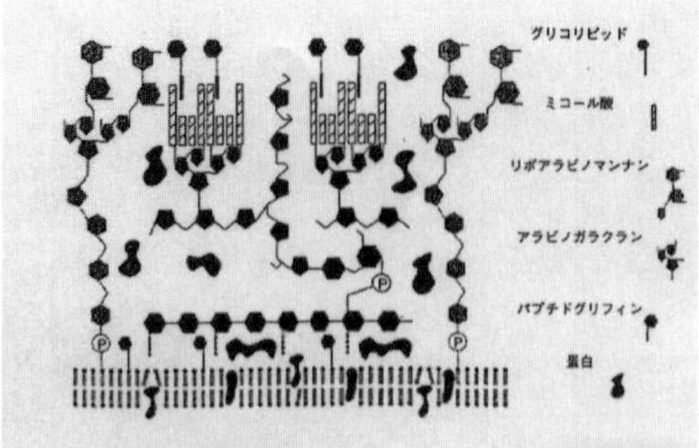

図3　結核菌の細胞壁モデル(P Brennan ら)

図4

Mycobacteruim 属，感染症の共通の特徴は結核菌表層のミコール酸含有脂質等(ケトミコール酸やメトキシミコール酸が強毒結核菌に関与するともいわれている)によるホストに対する細胞性免疫誘導に基づく乾酪性肉芽腫病変である．一方，cell wall skeleton（CWS）の N-Acetyl-muramyl-L-Ala-Glu がキラー T を強力に誘導する[4]．

1. 結核菌の形態学的特徴

結核菌は小桿菌(大きさ 0.2 ～ 0.5um × 2 ～ 4um)でチール・ネールゼン(Ziehl-Neelsen)染色法で濃紅色に染色される．

2. 結核菌の培養

他の細菌と異なり，小川培地，7H11 培地，MGIT 培地ではじめて分裂・増殖・コロニーを形成する．分裂は 15 ～ 24 時間に 1 回分裂し，発育速度が極めて遅い．したがって，コロニー形成には小川培地で 3 週間(21 日) ～ 4 週間(28 日)を要する．一方，近年開発された MGIT では培養期間を 14 日ですませる．したがって，本邦の国立病院機構呼吸器疾患(結核を含む)の研究ネットワーク・グループリーダーとなった国立病院機構近畿中央胸部疾患センターを中心に国立病院機構呼吸器疾患基幹・専門施設(65 施設)（政策医療呼吸器ネットワーク)で，結核診断法を小川培地から MGIT 培地に切り変えつつある．

3. 結核菌の感染機序・ライフサイクルと新しい結核診断法

1. 結核菌の感染機序とライフサイクル

結核は結核菌による慢性の感染症である．結核菌の感染があっても発病(一次結核)に至るのは，5%に過ぎない．一方，感染した結核菌は冬眠状態(dormancy)で体内に生存し続ける[14]．その 5%は「内因性再燃」を起こす(図 1)．大部分の成人の結核(二次結核)はこの形で発病し，肺に結節，空洞等の結核に特徴的な病像を作る．空洞は遅延型アレルギー反応の過剰免疫反応で，結核死菌で空洞形成がなされることが山村雄一(元阪大総長)らにより最初に報告された．

空気感染(飛沫核感染)により結核菌が気道から肺に侵入し，胸膜の直下に定着する．肺胞マクロファージ内に感染し増殖を繰り返しマクロファージを殺し，滲出性病巣を作る(初期感染原発巣)．一方，活性化マクロファージは類上皮細胞やラングハンス巨細胞へと分化し，結節の形成が始まる．結節形成の初期免疫により，結核菌を結節内に閉じ込め，菌の増殖を防ぐ．

この初期の結節が形成される頃までには，宿主体内では結核菌の菌体タンパク抗原特異的な結核免疫が成立し，殺菌がもたらされる．結節内では，周囲は線維化し，中心部では乾酪化がみられる．一部リンパ行性に所属の肺門リンパ節に移行し初期変化群を作る．一部の菌は肺尖部に達しパーシスター（persister)として生存し続ける．血行性に粟粒結核(早期蔓延)や結核性髄膜炎へと進むこともある．この時期までに発病する結核を一次結核と呼ぶ．(図 1)

感染後発症しなかった人が加齢とともに免疫機能低下がおこり発症すると考えられる成人型の二次結核は，パーシスターが冬眠状態(dormancy)から目覚めて増殖を始め(内因性再燃)発症する．この冬眠状態から目覚めさせて結核菌を増殖させる bacterial cytokine である RPF（resuscitation promoting factor)を結核菌が作る(遺伝子も報告)説もある．

2. 新しい結核診断法

ツベルクリン反応(ツ反)は，日本では BCG 接

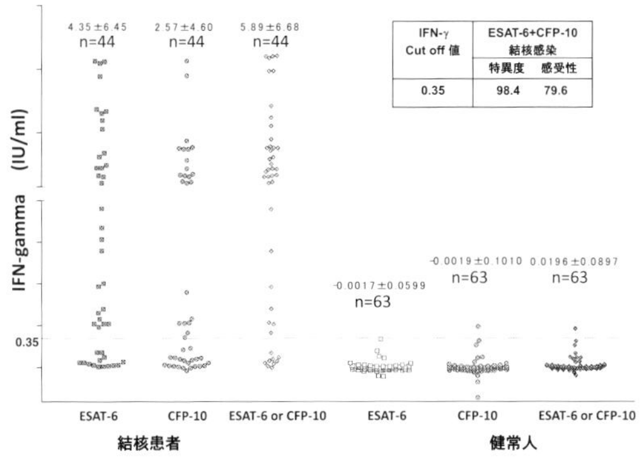

図５　新しい結核特異診断法の開発
ESAT-6 + CFP10（結核菌に存在し，BCG 菌に存在しない蛋白）刺激による IFN-γ産生

種が全員に施行されるため，結核非感染者でも陽性に出る大きな問題点を抱えている．我々は，これを break through する結核感染特異診断法 Quantiferon 法を開発した．また DPPD 法を開発しつつある．結核菌に存在し，BCG に存在しない ESAT-6 と CFP-10 蛋白を抗原として in vitro でヒト PBL の INF-γ産生能を測定するアッセイ系（IGRA）が結核感染特異診断法となることを示した（Mori T et al, 2004）．QFT 診断法を用いると，図５に示した如く結核患者は INF-γ産生がカットオフ値 0.35 以上より高い人が多い．一方，健常人では大半が INF-γ産生が 0.35 以下であった．現在日本の結核診断はツ反に代わり QFT に変わりつつある．特に結核集団感染の時にこの QFT 診断は有効である．一方，latent infection（潜在性感染者）においては QFT 陰性であり，latent 感染に対する新しい結核診断法の開発が望まれている．25 種の新しい dormacy 抗原が報告されている．一方，低開発国では結核感染に特異的な皮内反応も開発が必要である．ツ反に用いられる PPD は多種の蛋白を含む．この中より，結核感染に極めて特異性の高い，ツ反に代わる蛋白 DPPD のアミノ酸配列及び遺伝子クローニングに成功した．リコンビナント DPPD 蛋白は結核感染に特異的で，BCG 接種群には反応しないことがモルモットとヒトで skin test の系で我々は明らかにした[1, 2, 4]．

4. 結核感染と免疫

結核感染に対する免疫力は Mφ，$CD4^+$ T 細胞，NK 細胞，γ／δ T 細胞，キラー T 細胞（$CD8^+$ T と $CD8^-$ T）および肉芽腫形成の総合的な抵抗力である（図 6）．

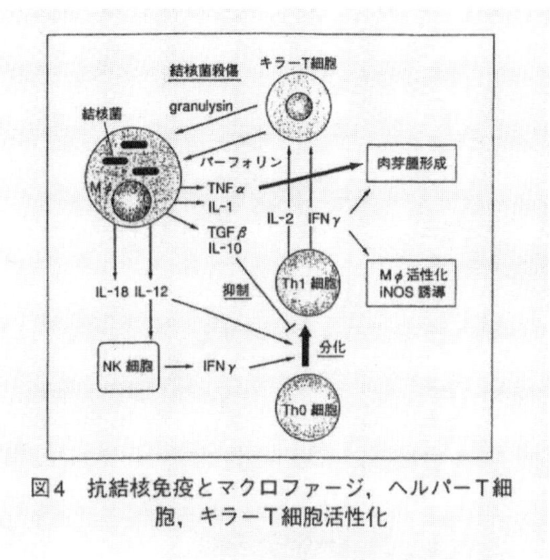

図６

1. キラー T 細胞（$CD8^+$T 細胞）

CD8 あるいはβ2 ミクログロブリン遺伝子や TAP 遺伝子ノックアウトマウスでは抗結核免疫が十分でなく，動物は死亡する．すなわち，結核における $CD8^+$ T 細胞はマウスで抗結核免疫に重要である．

キラー T の一つの役割として INF-γを分泌して抗結核免疫に寄与するが，次に述べる結核感染 Mφを殺して，結核菌の増殖の場をなくし結核菌を殺す役割の方が重要である．最近，$CD8^+$ T 細胞が結核菌で感染した Mφを Fas-independent, granule-dependent の機構で溶かし，最終的には結核菌を殺すことが報告されている[15, 16]．この T 細胞は CD1-restricted でミコール酸，LAM, phosphatidyl inositol mannoside, glucose monomycolate, isoprenoid glycolipid（Cd1c と結合）等の結核菌 lipid と lipoglycan を認識する[3]．CD1 の抗原結合グループは深く hydrophobic である．

CD1d ノックアウトマウスは結核感染に影響しないことや，CD1b 分子には細菌の N-formylated ペプチドが結合し結核免疫を誘導することが示唆されている[3]．このキラー T の顆粒内の蛋白である granulysin は直接細胞外の結核菌を殺す．この機序は結核菌細胞膜を不完全な状態にすることによる．granulysin は病原細菌，真菌，寄生虫の生存を減少させる．さらにパーフォリンとの共存下で Mφ 内の結核菌も殺すと考えられている．これはパーフォリンより Mφ に穴が開き，Mφ 内の結核菌に直接 granulysin が作用するためと思われる．我々は結核患者，特に多剤耐性結核患者ではキラー T リンパ球の mRNA の発現及び蛋白の発現が低下していることを明らかにした[4, 5, 10, 16]．すなわち，我々はキラー T 細胞の granulysin（分子量 9000）産生低下が多剤耐性結核発症と大きな関連があるのではないかと考えている．一方，キラー T の TRAIL とパーフォリンが抗結核免疫に重要である興味深い結果を得た．

一方，MHC クラスⅠ拘束性の結核菌の 38kDa 蛋白，Hsp65 蛋白を認識するマウス CD8$^+$キラー T や 19kDa 蛋白，Ag85，CFP10（Mtb11）を認識するヒト CD8$^+$キラー T が報告されている[3]．結核菌の方が結核死菌よりも phagosome pore を形成しやすく抗原提示がすばやく行われる．ESAT-6 抗原に対するキラー T で HLA-A2 とは 82 ～ 90 位の 9 個のアミノ酸 AMASTEGNV, が結合してキラー T 細胞がこれらを認識する．我々は世界に先駆けて確立した，ヒト生体内結核免疫応答解析モデル SCID-PBL/hu に，この ESAT-6 ペプチドを投与し，これに特異的で HLA-A2 拘束性を示すヒトキラー T を生体内で誘導することに初めて成功した[1, 2, 17]．

S.Reed, MR. Alderson らは PPD 陽性のヒトより結核菌に感染した dendritic cell に反応する CD8 キラー T クローンを確立したが，HLA-A, B, C, DR, DQ, CD1 に拘束性を示さない non-clasically restricted キラー T と clasically restricted なキラー T クローンの二種を確立した．

2. キラー T 細胞分化とサイトカイン（キラー T 細胞分化因子）

筆者らは CD8$^+$キラー T 細胞（Tc）の誘導にはヘルパー T 細胞（Th 細胞）から産生されるサイトカインが必要であることをはじめて明らかにした）．クラスⅡ抗原を認識しキラー T 細胞分化因子を産生する Th 細胞は CD4$^+$CD8$^-$であり，クラスⅠ抗原を認識しキラー T 細胞分化因子を産生する Th 細胞は CD8$^+$である）．また，モノクローナル抗 IL-2 抗体を用いて，IL-2 はキラー T 細胞誘導に必須な因子の一つであることを示した[18]（図 7）．

さらに，IL-2 とは異なるサイトカインも T 細胞分化誘導に必要であることをキラー T 細胞分

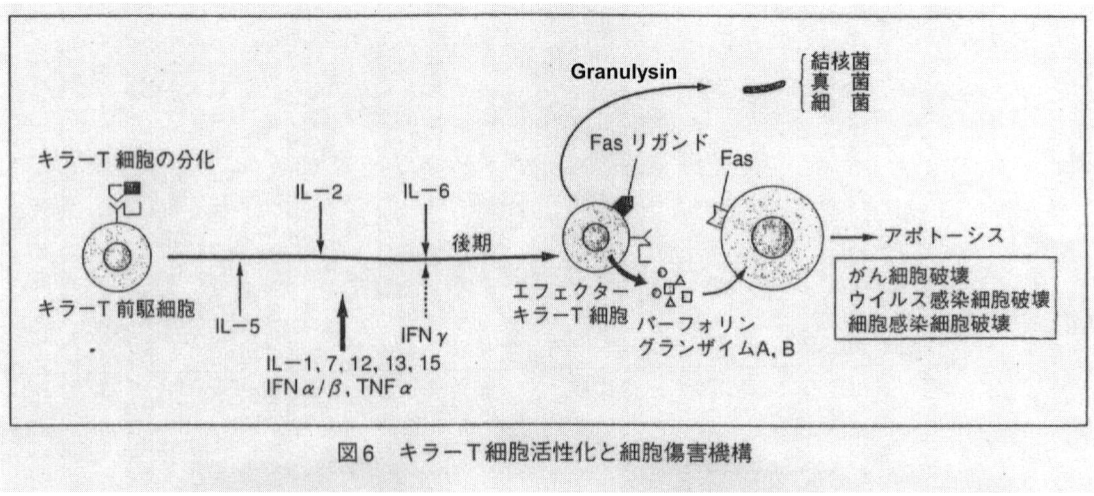

図 7

表1　抗結核薬（化学療法剤）

	抗結核薬 一般名	略号	抗結核薬の標的	耐性遺伝子
標準治療薬 (First line drugs)	イソニアシド	INH	ミコール酸合成	KatG, inhA, ahpC
	リファンピシン	RFP	RNA polymerase	rpoB
	ピラジナミド	PZA	ピラジナミダーゼ	
	ストレプトマイシン	SM	リボソームタンパク	rrs,rps2
	エタンブトール	EB	細胞壁多糖体	embB
Second line drugs	カナマイシン	KM	リボソームタンパク	rrs
	カプレオマイシン	CPM	リボソームタンパク	rrs
	エチオナミド	TH	ミコール酸合成	
	エンビオマイシン	EVM	リボソームタンパク	
	パラアミノサリチル酸	PAS	葉酸合成	
	サイクロセリン	CS	細胞壁合成	
	アミカシン	AMK	リボソームタンパク	
その他	ニューキロノン系薬			
	レボフロキサシン	LVFX		
	スパフロキサシン	SPFX		
	シプロフロキサシン	CPFX		
	オフロキサシン	OFLX	DNA gyrase	gyrA

化因子を産生するヒトT細胞ハイブリドーマ，およびIL-2依存性ヒトThクローンを世界に先駆けて確立し明らかにした）．その解析の結果，IL-6, IFN-γがキラーT細胞分化因子として強力なキラーT分化を誘導することを明らかにした[19, 20, 21]．筆者らはIL-6がTc誘導の後期の分化段階に作用することを解明した[21]（図7）．多剤耐性結核患者PBLにおいて，これらのキラーT細胞分化因子すなわちIL-2, γ-IFN, IL-6の著明な低下を認めた[5, 6, 8, 9, 10]．また，糖尿病合併難治性結核患者ではPPD特異的キラーTの分化誘導の著しい低下を明らかにした[1, 2, 4, 5, 10]．

3. サイトカインと結核免疫

細胞内寄生細胞（とくに結核菌）はMφに貪食されても殺菌処理されず，細胞内増殖が可能な菌である．種々の機構でMφの殺菌から逃れ，結果的に慢性持続性炎症（慢性感染症）および肉芽腫形成を誘発する．抗結核菌免疫にIFN-γ，TNF-α，IL-6, IL-12が重要であることは解析されている[10, 22]．

(1) **IFN-γ，TNF-α，IL-6，IL-12，IL-15**と結核免疫

細菌の貪食に伴ってMφが産生するサイトカインのうち，IL-12, IL-18, TNF-αやIL-1は，T細胞，NK細胞およびγδ型T細胞からのIFN-γ産生誘導に関与している．IFN-γは，Mφを活性化し貪食した菌の殺菌処理を促進するヘルパーT細胞，キラーT細胞，の分化因子としても作用する．IL-12とIFN-γ産生の間にはポジティブフィードバック機構が働いてIFN-γはMφからのIL-12産生を誘導し，IL-12はT細胞からのIFN-γ産生をさらに増幅し，初期防御反応では感染局所にMφを集め，特異的防御免疫が成立する[3]．

IL-12, IL-18, IFN-γはαβ型T細胞Th1への分化に重要なサイトカインで，IL-6やTNF-αと強調して抗原特異的なTh1を誘導する．Th1の分化誘導には樹状細胞（dendritic cells：DC）が重要で，Mφよりも高いT細胞からのIFN-γ産生誘導活性を示す．DCが末梢リンパ組織に移行して感染抵抗性T細胞の分化を誘導する．ファゴソーム内で処理された細菌由来の抗原はclass Ⅱ分子に結合し$CD4^+$ Th1型T細胞により認識される．細胞質に存在する細菌由来抗原はプロテオソームにより分解されclass Ⅰ分子と会合し，$CD8^+$ T細胞により認識される．$CD8^+$ T細胞はIFN-γを産生するとともに，殺菌能の低下したMφや菌が感染した非食細胞系細胞を破壊し，あらたに動員されてくる活性化Mφに菌を処理させ，感染防御に関与している．また，IL-15はメモリーキラーT細胞を活性化して結核免疫に寄与する．IL-10, TGF-β，IL-4は結核に対する免疫応答を抑制する．

(2) **IL-23，IL-27，IL-31，IL-32**と結核免疫

IL-7, IL-15, IL-17, IL-23, IL-27, IL-31はキ

各論Ⅰ

ラーＴ分化を誘導した．一方，DNA ワクチン（HSP65 DNA ＋ IL-12 DNA ワクチン）は，特に IL-32（結核菌刺激特異的に産生．Plos Path 2006）と強いキラーＴ分化相乗効果を示した．

(3)ヒトサイトカイン産生異常症およびサイトカインレセプター異常と結核感染

ヒトにおいて，IFN-γ受容体遺伝子に変異がみられた先天性 IFN-γレセプター欠損児に，BCG ワクチン注射で重症全身性感染が認められたり M.avium 感染症をきたした，マウスにても IFN-γ遺伝子ノックアウトマウスや IFN-γ受容体遺伝子ノックアウトマウスでは結核易感染性である[3]．

TNF-αは肉芽腫形成のみでなく慢性の長期感染結核に重要であり，抗 TNF-α抗体投与マウスや，TNF レセプター（TNF-Rp55）欠失マウス，$TNF^{-/-}$マウスでは結核菌感染の死亡率が著増し，肉芽腫形成も損なわれた重症の肺結核病理像を示した．さらに，IL-6 遺伝子ノックアウトマウスでも結核感染の増悪をきたしたり IFN-γの産生誘導の欠損がみられ，IL-6 も非特異的防御，とくにＭφの活性化やキラーＴ細胞分化を介して特異的な結核免疫に関与している可能性もある[2, 3, 4]．

IL-12 レセプター欠損マウスや IL-12 欠損患者では結核菌感染・増殖を抑制できなかった．すなわち，IL-12 も抗結核免疫に重要なサイトカインであることが示された．また，rIL-12 の投与にて BALB/c マウスの結核菌抵抗性が増し，IL-12 の生体内中和で感染増悪をきたす[2, 3, 4]．IL-12p40 と IL-12Rβ_1 欠損患者では IL-12 とホモロジーのある IL-23 や IL-23R 欠損を伴うことが多い．IL-12 欠損，IL-12R 欠損患者の易結核菌感染性が $IL-23^{-/-}$に起因する可能性がある．

(4)サイトカインと結核治療

マウスの系において，著者らはアデノウイルスベクターに IL-6 関連遺伝子（IL-6 DNA ＋ IL-6 レセプター DNA ＋ gp130 DNA）を導入し，結核感染治療効果を明らかにした[1, 2]．

(5)肉芽種形成とサイトカイン

結核性肉芽種の形成に TFN-αの存在がもっとも重要である．近年新しい抗リウマチ薬としてモノクローナル抗 TFN-α抗体が RA に有効であるが，多数の結核患者で発症することが報告されている．MCP-1 や RANTES も肉芽種形成に関与する．

4. マクロファージ（Mφ）

結核菌の増殖場所はＭφ内である．一方，Ｍφは異物貪食能と細胞内殺菌能及び抗原提示能をもつ．したがって結核菌が優位に立つか，ヒト（生体）が優位に立つかの戦争でもある．食細胞（Ｍφおよび好中球）が細菌を貪食すると，まず殺菌性ラジカルである活性酸素が融合（P-L fusion）し，アズール顆粒に貯蔵されている各種殺菌蛋白（岡田結核文献（2）参））が放出され，又 ROI や NO 等の RNI も産生され，結核菌の殺傷に関与する．最近発見された結核菌の TACO（tryptophan-asparate-containing coat protein）が P-L fusion を阻止し，殺菌を免れる．Nramp（natural resistance associated macrophage protein）は２価金属（Fe2 ＋や Zn2 ＋）イオンのトランスポーターで結核菌の増殖に必要な２価金属イオンをファゴゾームからくみ出し，枯渇させることで殺菌に関与していると考えられる．ヒトで Nramp1 遺伝子の多型性が示され結核易感染性との相関が示唆されている[1, 2]．

5. Toll-like 受容体及び Pathogen Recognition Receptor とマクロファージ・樹状細胞活性化

最近発見された Toll-like receptor（TLR）ファミリーが innate immunity の重要な役割を果たしている[1, 23]．

TLR（TLR1 ～ TLR10）はそのリガンドによって大きく３つに分類される（図 8A）．

このうち菌体膜由来の糖脂質を認識する TLR としては，TLR1，TLR2，TLR4，TLR6，TLR9 である．

結核菌の cell wall（LAM，mAGP，total lipid）による応答は TLR2 を介する．（図 8B）一方，結核生菌に対する反応には TLR2 と TLR4 が必要である．病原株の M. tuberculosis 由来の Man LAM は Mφを活性化しないが，非病原性の抗酸菌は異なる glycolipid Ara LAM よりなり，これは TLR2 を介して Mφを活性化する．この差が発病の差となる可能性もある．結核菌体成分 19kDa の lipoprotein が -/TLR2 を介して Mφを活性化する．また，抗酸菌 DNA から見いだされた CpG モチーフ(パリンドローム配列)は感染防御免疫能増強することが示されていたが，CpG レセプターに対する TLR9 が審良らによりクローニングされた．

TLR2 の場合，細胞内領域の 2 つの変異(Arg-753Gln と Arg677Trp)が認められ，Arg753Gln は敗血症にかかりやすく，Arg677Trp はアジア人において M.leprae による結節性ハンセン症と関連している．

TLR はそれぞれ病原微生物由来の構成成分を認識する．TLR シグナルを介するシグナル伝達経路には MyD88 を介する MyD88 依存的経路と MyD88 を介さない MyD88 非依存的経路の 2 つが存在する．

TRIF (-/-) × MyD88 (-/-) ダブルノックアウトマウスでは，結核菌に対する易感染性が報告された．

TLR 以外にも PRR (pathogen recognition receptor) として DC-SIGN，NOD ファミリー，

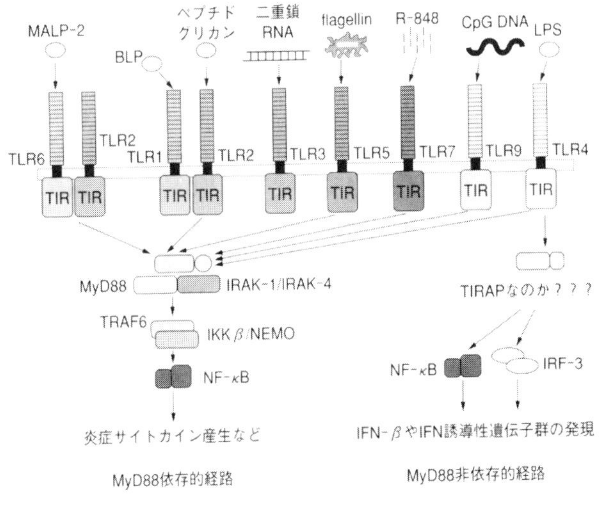

図 8A

結核菌体成分	レセプター
LAM	TLR2
CWS	TLR2/4
peptidoglycan	TLR2/4
19-kDa lipoprotein	TLR2
CpG repeat	TLR9

図 8B　TLR と結核菌体成分

マンノース受容体，スカベンジャー受容体，dectin-1 があげられる．HIV や *M.tuberculosis* は DC-SIGN に結合して樹状細胞に入り込むが，その際，その TLR による自然免疫機構の活性化を抑制し，これらの病原体の生存を有利にする機構が働いていることが示された．NOD1，NOD2 を中心とする CARD ファミリーの分子は，膜貫通領域をもたず，細胞質蛋白として存在する．NOD2 は，古くより菌体由来の免疫調整物質として知られていた結核菌 PGN の構成成分であるムラミルジペプチド(MDP)を認識することが，示された[4, 10, 22]．

(1)細胞内ウィルスセンサー～ **RNA** ヘリケース (**RIG-I, MDA5,**)

細胞内に存在する RNA ヘリケース RIG-I および MDA5 は，細胞内に侵入したウィルスを感知するシステムであり，I 型 INF 産生を誘導する[22]．HVJ −エンベロープベクターはこの RIG-I をより刺激する可能性が示唆されている

(2)細胞内 **DNA** センサー　**DAI, AIM2, High Mobility Group Box (HMGB)**

細胞内 DNA センサーとして，DAI と AIM2 が発見され，自然免疫と獲得免疫を誘発する．また，RLRs も細胞内 DNA センサーとして作用する．さらに，HMGB タンパク質でできる HMGB1，HMGB2 および HMGB3 が核酸の万能監視役として機能することが示された．DNA ワクチンが強力な免疫活性を示すのがこの経路と関与するかど

うか興味深い[22, 23]．

(3)樹状細胞

ウィルス感染時において，免疫担当細胞の1つである樹状細胞 dendritic cell (DC)は大量のⅠ型IFNを産生することが知られている．TLR7, TLR9を高発現しているという特徴をもつ[10, 22]．

6. Th1リンパ球，Th2リンパ球

CD4＋T細胞が結核免疫に重要であることはMHC class Ⅱ -/- マウスやCD4-/- マウス抗CD4抗体投与マウスで明らかとなっている[1, 2]．

急性結核感染ではγ IFN産生の低下のため死亡する．一方，chronic persistent結核モデルではγ IFN産生，iNOSは正常でCD4 dependent, IFN-γ非依存性iNOS非依存性のpathwayが示唆されている．Th1はIFN-γを産生し，結核菌等の細胞内感染病原体に対する増殖抑制を発揮する．(Th1細胞と結核免疫については岡田総説2)参)．

5. 治療

1. 標準化学療法

本邦の結核治療における標準化学療法は，イソニアシド(INH)，リファンピシン(RFP)，エタンブトール(EB)［又はストレプトマイシン(SM)にピラジナミド(PZA)の4剤治療を最初の2ヶ月行い，次の4ヶ月をINHとRFPの2剤で治療する．この間EBを加えても良いとされている(INH, RFPが感受性であればEBを加える必要はない)［2HRZS（又はE）/4HR（または＋E）］．80才以上の高齢者や肝機能障害でPZAが使用できない場合，最初の6ヶ月はINH, RFPを使う［6HES（又はE）/3HR］．各抗結核薬の標的分子を表1に示した．

結核治療の基本は，病巣に存在する大量の菌を早急に殺菌し，耐性菌の発現を抑制することである．自然耐性獲得頻度は，INH10^{-6}, RFP10^{-8}, PZA10^{-6}, EB10^{-5}, SM10^{-7}である．肺結核の空洞内には10^9の結核菌が存在すると推測されている．したがって，2剤併用INH×RFPでは$10^6 \times 10^8 \times 10^7 = 10^{21}$に1個となり，実際耐性菌が出現する可能性は0となる．

これが多剤併療法を原則とする理由である．

2. 多剤耐性結核菌

結核菌の薬剤耐性獲得には，一般細菌でよくみられるプラスミドの関与はなく，自然に発する遺伝子内のランダムな突然変異である．耐性遺伝子はRFP耐性の95%がrpo遺伝子変異，PZA耐性の95%がpncA遺伝子変異による(表1)．耐性菌の感染様式には二つの型がある．第1は初回耐性(未治療耐性，一次耐性)で耐性菌による初感染である．第2のタイプは獲得耐性(二次耐性)で，不完全な治療歴のある患者に耐性菌が残り，増殖したタイプである．大多数は患者の服用遵守(コンプライアンス)の欠損により，これが多剤耐性結菌出現の重要な原因となる．

多剤耐性結核では，表1の標準化学療法(First line drug)も耐性化されていることが多い．したがってWHO（1996）はTH, OFLX, EB, PZAおよびアミノ酸配糖体を初期最底3ヶ月使い(菌陰性化まで持続)，維持期としてEB, OFLX, 他1剤を菌陰性化後少なくとも18ヶ月使う治療法を推奨している．ただし，ニューキノロン系(OFLX等)は本邦では抗結核薬としてはまだ認可されていない．AIDS合併結核でも上記の3薬以上併用標準化学療法が有効である．

3. 超薬剤耐性結核菌 (Extensively (Extremely) Drug Resistant TB：XDR-TB)

南アフリカでほとんどの抗結核剤に抵抗性の結核菌(超薬剤耐性結核：XDR-TB)による結核感染症が発症し，WHOはXDR-TBに対して厳重な警告を発した．XDR-TBの定義は

(1)多剤耐性結核(RFP耐性かつINH耐性)
(2)フルオロキノロン耐性
(3)アミカシン，カナマイシン，カプレオマイシンの注射薬の一つ以上に耐性

の結核菌である．本邦(日本)では，約30%，大阪では約40%の多剤耐性結核菌がXDR-TBである．日本のXDR-TBが南アフリカのXDR-TBと同じ感染力の毒力を有するかは不明である．

4. DOTS (Directly Observed Treatment Short-course：直接監視下短期化学療法)

専門のスタッフ(public health advisor，看護士等)が患者の服薬を目前で確認する方法であり，この方法により結核羅患率の著しい改善が認められる．この方法をWHO，及び日本の厚生労働省が強く推奨している．発展途上国での重要な治療戦略の一つとなっている．

5. Super spreader 多剤耐性結核菌

一般的に多剤耐性結核(MDR-TB)は毒力や感染率が低いといわれているが，実際は感染力の強いものや，一人のMDR-TB患者から多数の患者が感染する(Super spreader)可能性も示唆されている．(図2A，2B)

6. 外科的治療

内科的治療に限界を認めた時に，専門の呼吸器専門病院で外科的治療を行う．空洞(＋)，化学療法4ヶ月無効剤，等において90%以上に有効(結核菌塗抹陰性，培養陰性)と言われている．

7. 新しい抗結核薬

1966年に開発されたRFP後，新薬は開発されていない．しかし，最近新しい化学療法剤の開発が進展しつつある．リファマイシン誘導体のリファブチン(RBT)，リファペンチン(RPT)が欧米で認可されており，リファブチンは日本でも認可された．8-methoxy-fluoroquinolne剤，Ketolide化合物，nitroimidazopyran (PA-824：結核菌の蛋白合成阻害や細胞壁脂質ミコール酸の合成阻害)，N-octansulfonylacetamide等である．

多剤耐性結核薬としてγ-IFN吸入療法の治験が開始されている．排菌の陰性化が認められたが，投与中止後に再び塗株陽性となった．

現在WHO working Group on New TB Drugs (WGND)委員会で有望視されているものとして1-4Nitroimidazo-Oxazole (OPC-67683) と diaryl quinolineがありPhase Ⅱbに進んでいる．CPZEN-45やリネゾリド類似PNU100480も有望視されている．

なお，新しい結核ワクチンで治療効果を示すワクチン(therapeutic vaccine)の開発も進展しつつある．(後述)

6. 予防

(1)我が国では結核予防法(1951年)による定期健康診断や接触者検診により患者発見のシステムがとられている．しかし，最近では約80%が症状受診医療機関から発見されている．

(2) BCG接種

結核予防法(2003年)の改正により，BCG接種は乳幼児のみとなった．小児の結核発病，特に結核性髄膜炎や粟粒結核に対しBCGは予防効果があることが確認されている．しかし，成人の結核感染に対する予防効果は認めがたく，WHOはBCGの再接種は認めていない．我が国でも2003年より，このWHOの方針に従う結核予防法改正となった．

1. 現行のBCGワクチンの有用性

現行のBCGワクチンのWHO評価：BCGワクチンの評価がWHOによりなされた．すなわち大人(成人)結核に対しては，BCGワクチンは予防効果がないという結論がWHOによって報告された．10万人を超す南インド農民を対象として実施された大規模なcontrolled trial (Chingleput study)では，全く有効性が否定される結果となった(上記WHOの報告)[2]．したがって，成人の結核に対し有効な新しい結核ワクチンの開発が必須である．事実1998年米国政府・ACET，CDCが政府，研究所，大学・企業の三者が一体となって新しい結核ワクチン開発が必須であることを表明した[2]．

(3) INH予防

我が国では，最近結核に感染したことが強く疑われる29歳までの人にINHの予防投与が実施されている．

(4)患者の登録管理

発生届けを，結核と診断した医師は2日以内に保健所長に届けを提出しなければならない．

各論 I

⑸予防マスク

N-95マスク等極めて高い効率で結核感染を予防するマスクが開発されており，結核専門病院等ではルーチンに使用されている．

ワクチン	マウス	モルモット	サル	SCID-PBL/hu	ヒト
HVJ-エンベロープ/Hsp65 DNA + IL-12 DNA	BCGワクチンより10,000倍強力な予防ワクチン効果	有効	有効		計画（第Ⅰ相，Ⅱ相）
	治療効果	計画	治療効果	治療効果	
	多剤耐性結核に治療効果 超薬剤耐性結核に治療効果	計画	計画		
HVJ-リポソーム/Hsp65 DNA + IL-12 DNA	BCGワクチンより100倍強力な予防ワクチン効果	有効	有効 (100%生存)		
リコンビナント72f BCG	予防ワクチン効果（有効）	有効	有効		

図9　新しい結核ワクチンにおける動物実験モデルを用いた開発研究

⑹結核病棟の個室化・陰圧化

本邦でも欧米に遅れていたが，やっと多剤耐性病棟の入院部屋の陰圧化が進みつつある．さらに多剤耐性結核が通常の結核患者にも感染する事例が発生したことより，当国立病院機構近畿中央胸部疾患センターの示唆を踏まえ，厚生労働省が多剤耐性結核病室の個室化の方針を確立しつつある．

⑺なお，著しい進展を示しつつある新しい予防ワクチン(prophylactic vaccine)については次章で述べる．

7. 新しい結核ワクチンによる予防・治療

1. 新しい結核ワクチン

結核ワクチンは①サブユニットワクチン，②DNAワクチン，③リコンビナントBCGワクチン(弱毒化結核菌を含む)，その他に大別される．(表2D)

8. DNAワクチン

1. BCGワクチンより1万倍強力な結核予防ワクチン(図8)

マウスの結核感染系ではBCGワクチンをはるかに凌駕する新しい結核ワクチンは極めて少ない．我々はHsp65 DNA + IL-12 DNA（HVJ-エンベロープベクター)のワクチンはBCGワクチンよりも1万倍強力な結核予防ワクチンであることを世界に先駆けて明らかにした．

このHVJ−エンベロープ/HSP65 DNA + IL-12 DNAワクチンでマウスを免疫して結核菌を投与すると，マウス肺の結核菌数がBCGワクチン投与の1万分の1以下となった．これを1万倍強力という．

さらに，結核菌に対するCD8陽性キラーT細胞の分化誘導を増強した[4, 9]．この強力なワクチン効果とキラーT活性が相関した．またTh1細胞の分化誘導，IFN-γ産生の増強をこのワクチンが発揮することも明らかにした．

さらに，HVJ−エンベロープ/Hsp65DNA + IL-12DNAワクチンをマウスを使った系で結核菌H37Rv又は多剤耐性結核菌感染後にワクチン投与した．その結果，有意差をもって薬剤感受性結核菌及び多剤耐性結核治療ワクチン効果(肺臓・肝臓・脾臓の結核菌数減少)示した．(図9)また，XDR-TBに対しても治療効果(延命効果：有意差あり)をこのワクチンは発揮した．(図9)

この新しい結核ワクチンの開発研究が高く評価され，WHO STOP TB Partnership及びWHOのWGND（Working Group on New TB Drugs）のメンバーに選出された．

2. DNAワクチンのベクターとしては，① gene gun ②プラスミド③アデノウイルスベクター④HVJリポソーム⑤改良型HVJエンベロープベクターがある[4]．

9. リコンビナントBCGワクチン

BCG東京菌に，種々の遺伝子を導入しリコンビナントBCGを作製した．われわれはAg85A + Ag85B + MPB51　リコンビナントBCGはBCGよりも強力なワクチンであることを明らかにした[5]．

さらに，サブユニットワクチンでサルのレベルで強力な予防効果が得られたMtb72f融合タンパク質のDNAを導入した72fリコンビナントBCGの作製に成功した．この72f rBCGワクチンはサルでも結核予防効果を示した[1, 4]．

10. サブユニットワクチン

Reed博士らはMtb72f融合タンパク質(Mtb39とMtb32の融合タンパク質)のサブユニットワクチンが強力な予防ワクチン効果を示すことをマウスで明らかにした[8, 29]．Ag85B-ESAT6サブユニットワクチンのマウスでのワクチン効果の報告もある．

granulysin ワクチン

我々は15K GranulysinがCD8$^+$キラーT細胞から直接分泌され，ヒトのMϕに直接入り，Mϕ内の結核菌を殺傷することを明らかにした．結核患者PBL中のCD8陽性T細胞の15K Granulysin蛋白とmRNAの発現が低下し，15K Granulysinの分泌が低下[4, 5]．

15K Granulysinの遺伝子導入マウスと9K granulysin遺伝子導入マウスをそれぞれ作製し，in vivoの抗結核作用(結核菌減少)を初めて明らかにした．また，リコンビナントgranulysinワクチン治療はMDR-TBやXDR-TBに対し極めて有用な治療法であることを示した[4, 5]．

11. 新しいヒト生体内抗結核免疫解析モデルSCID-PBL/hu（ヒト結核ワクチン解析モデル)の作製

われわれが世界に先駆けて開発したSCID-PBL/huの系で結核患者リンパ球をSCIDマウスに生着させ，結核菌タンパク質に特異的なヒトキラーT細胞誘導を示す画期的な，生体内ヒト免疫解析モデル(ヒト結核ワクチン効果解析モデル)を開発した[5－7, 17]（図9)．

12. 新しい結核ワクチンの開発状況(臨床応用)

1. Stop TB Partnership

Stop TB Partnership（WHO)は2008年に現在進行中で，しかも臨床応用に有望な新しい結核ワクチン開発のリストを発表した．(表2)

我々のHVJ/Hsp65DNA + IL-12DNAワクチンも候補の一つとしてその中に推奨されている(表2)．表内で太字で示したワクチンが評価されている．

2006 － 2015年 Global Plant to Stop TBとして新しい有効な結核ワクチン開発．

2050年までに結核撲滅．がWHOの目標である．

2. 結核ワクチンの応用の可能性

①新しい結核ワクチンの臨床応用

カニクイザル(cynomolgus monkey，最もヒトの肺結核に近いモデル，Nature Medicine 2, 430, 1996参照)を用いBCGよりもはるかに強力な予防ワクチン効果(生存率，血沈，体重，肺の組織)を示すワクチン二種を開発した[4－10, 24]．すなわち，現在最も有力なものとしてHVJリポソーム/HSP65 DNA + IL-12 DNAワクチン及び，r72f BCGワクチンがあげられる(図9)．Ag85B-ESAT-6 融合タンパク質(Anderson博士ら)も報告されているが，モルモット，サルでは効果は不明である．一方HuygenのAg85A DNAワクチンはマウス・モルモットで有効であったがサルの結核感染予防に対し有効でなかったという．72f融合タンパクサブユニットワクチン[25]，ワクシニアウイルスに85A DNAを導入したワクチンは第II相，r85B BCG（Horowitzら）は第I相clinical trialとなっている[16]．A.Hill Dr.らのワクシニアウイルス－85A DNAワクチンは，アフリカでの第一相clinical trialでは，85A DNA蛋白に対する免疫応答増殖が認められた[4, 26]．

②プライミングーブースター法(乳幼児BCG－成人HVJ/HSP65 DNA + IL-12 DNAワクチン)

さらにBCGワクチンをプライムし，新しいワクチンをブースターする方法を用いた．サルでこのプライミングーブースター法で100%の生存を

表2

A. Priming, Pre-Exposure	
1. Phase I: 現在－2008年	特徴
a. rBCG30	リコンビナント85B BCG
b. rBCG30 Δ ureC:Hly（VPM1002）	リコンビナント listeriolysin BCG
c. AERAS-407	リコンビナント perfringiolysin
d. rBCG30ARMF, rBCG Mtb B30, rBCG h IFNγ	リコンビナント85B BCG
e. Nas L3 / Htk BCG	鼻粘膜ワクチン/heat killed whole BCG コペンハーゲン株
f. $mc^2$6220, $mc^2$6221, $mc^2$6222, $mc^2$6231	nor-replicating, M. Tuberculosis strain（Δlys A Δpan CD）
g. $mc^2$5059	replicating pro-apoptotic M.bovis BCG株（Δ nuoG）
2. Phase I 2009 or Later	メチル化21-K Da蛋白
a. HBHA（heparin-binding haemagglutinin）	弱毒化ヒト結核菌（virulence gene の pho P の不活性）
b. Attenuated Live Vaccine based on Phop	anti-apoptotic 酵素活性を減弱
c. paBCG（pro-apoptotic BCG）	

B. BOOSTING, PRE-Exposure	
1. Phase I: 現在－2008年	特徴
a. MVA85A	リコンビナントMVA（Ag85Aを発現した）
b. M72	Mtb32+Mtb29 の fusion 蛋白
c. AERAS-402	Replication-incompetent adenovirus 35 vector expressing M.Tuberculosis
d. SSI Hybrid-1	antigens Ag85A, Ag85B, and TB 10.4.
e. SSI HyVac4/AERAS-404	fusion 蛋白（Ag85B-ESAT-6）
f. AERAS-405	fusion 蛋白（Ag85B-TB10.4）
g. r30	Shigella-delivered recombinant double-stranded RNA nucleocapsid
h. Nas L3 / Htk BCG	（Ag85A, 85B, Rv3407, latency antigen）
2. Phase I: 2009 or Later	リコンビナント Ag85B 蛋白
a. Hsp C™ TB Vaccine	Heat shock protein antigen complexes（Hsp Cs）
b. HBHA（heparin-binding haemagglutinin）	Nasal vaccine/Man capped
c. NasL3 / AM85B conjugate	Arabinomonnan oligosaccharide
d. PP1, PP2, PP3	BCG boosting
e. AC_2SGL Diacylated Sulfoglycolipids	AC_2 SGL Mycobacterial lipids
f. HVJ-liposome/ Hsp65 DNA + IL-12 DNA	M.Okada, 国立病院機構近畿中央胸部疾患センター
g. HVJ-envelope/ Hsp65 DNA + IL-12 DNA	

C. POST EXPOSURE － Immunotherapy	
1. Phase I: 現在－2008年	特徴
a. Mycobacterium vaccae Heat-Killed	Fragmented M.Tuberculosis cells
b. MVA85A	naked hsp 65 DNA vaccine
c. RUTI	Chimeric ESAT6/Ag 85A DNA ワクチン
d. Nas L3 / Htk BCG	Recombinant BCG overexpressing chimeric ESAT6/Ag85A fusion protein
2. Phase I: 2009 or Later	Recombinant Sendai virus overexpressing chimeric ESAT6/Ag85A fusion
a. NasL3 / AM85B conjugate	protein
b. hspDNA vaccine	Epitope-based DNA-prime/peptide-boost vaccine.（liposome と CpG アジュバ
c. HG856A	ント）
d. HBHA（heparin-binding haemagglutinin）	
e. HG856-BCG	
f. HG856-SeV	
g. TB Vax	
h. F36, F727	
i. Mycobacterium vaccae Heat-Killed	
j. Ac_2SGL Diacylated Sulfoglycolipid	

D. 新しい結核ワクチンの種類
1. DNAワクチン
 HSP65 + IL-12 DNAワクチン等
2. サブユニットワクチン
 Mtb 72f 等
3. リコンビナントBCGワクチン
 リコンビナント 72f BCGワクチン等

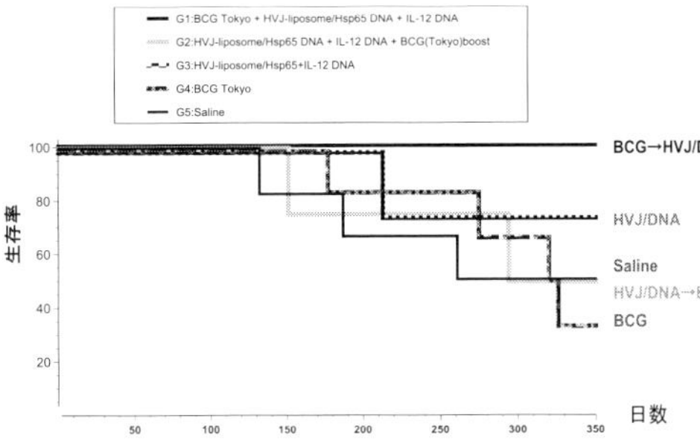

図 10A　ヒトの結核感染に最も近いカニクイザルを用いたHVJ-リポソーム/HSP-65DNA＋IL12DNAワクチンの結核予防効果

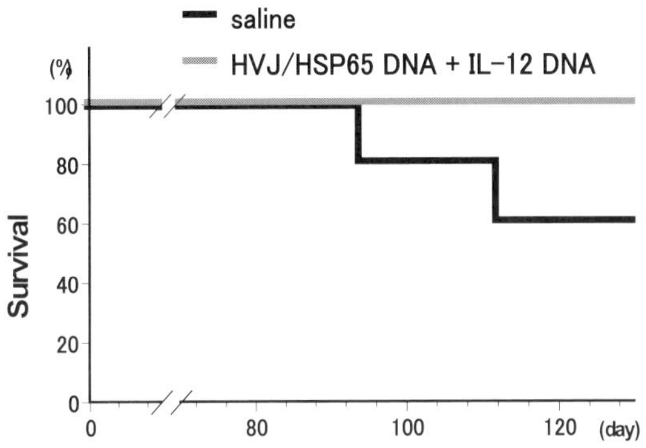

図 10B　ヒトの結核感染モデルに最も近いカニクイザルを用いたHVJ-エンベロープ/HSP65DNA+IL-12DNAワクチンの治療効果

示した[8]（図 10A）．一方，BCG ワクチン単独投与群は 33％の生存率であった[8]．このように，ヒトの結核感染に最も近いカニクイザルを用いた実験系で，強力な新しい結核ワクチンを我々は世界に先駆けて開発した．すなわち，本邦では乳幼児に BCG 接種が義務づけられていることにより，プライミングワクチンとして BCG ワクチンを用い，成人ワクチン（中学生，成人，老人）としてこの DNA ワクチンをブースターワクチンとして用いる結核ワクチンの臨床応用案である（図 9A）[8]．

③治療ワクチン　（図 10B）

感染したカニクイザルの系で HVJ −エンベロープ /Hsp65 DNA ＋ヒト IL-12 DNA ワクチンを投与した．この群では 5 頭中 5 頭 100％の生存率が認められた[7]．一方コントロール群の生食投与群では，60％の生存率であった．この DNA ワクチン投与群では，体重増加が認められ，末梢血 T 細胞の増殖増強反応が認められた．Hsp65 DNA ＋ IL-12 DNA ワクチンは最もヒトの結核感染症モデルに近いカニクイザルの系において予防ワクチンならびに治療ワクチン効果を示した．生存率・免疫能を増強した．したがってこのワクチンはヒト MDR-TB，XDR-TB の治療剤として極めて有用であることが示された[4, 7]．

おわりに

当国立病院機構近畿中央胸部疾患センターは国立病院機構呼吸器疾患（結核を含む）研究ネットワーク・グループリーダー（65 施設の）となった．日本の結核患者数の 50％の診断・治療を行っている，国立病院機構呼吸器疾患 65 施設を統括し，政策医療呼吸器ネットワークを用い結核の新しい予防・治療法の確立が進展している．

2009 年 12 月カンクンで開催された WHO の WGND（Working Group on New Drugs）委員会において我々の HVJ − Envelope/HSP65DNA ＋ IL-12DNA ワクチンによる結核治療効果が高く評価され，このワクチンが WHO より推奨されている．他に 72f ワクチンや MVA85A ワクチンが評価された．これらのワクチンが結核の発症予防や治療に役立つ日が極めて近い将来来るであろう．

参考文献

1. 岡田全司：結核“分子予防環境医学：生命科学研究の予防・環境医学への統合”（分子予防環境医学研究会編）．本の泉社．2003；150-161.
2. 岡田全司：結核ワクチン　結核 第 4 版 編集 泉孝英，網谷良一．医学書院，東京．2006；50-58.
3. Flynn JL, Chan J：Immunology of tuberculosis. Annu Rev Immunol. 2001；19：93-129.
4. Okada M, Kita Y：Tuberculosis vaccine development：The development of novel（preclinical）DNA vaccine. Human Vaccine. 2010；6（3）：1-12.
5. Okada M, Kita Y, Nakajima T, et al：Procedia in Vaccinology Vol2 3rd Vaccine Global Congress. Singapore, 2009.
6. 岡田全司：厚生労働科学研究費補助金　新型インフルエンザ等振興・再興感染症研究事業「輸入感染症としての多剤耐性結核の対策・制御に関する研究」．平成 21 年度総括・分担研究報告書．2010：1-197
7. Okada M, Kita Y, Nakajima T et al.：Novel prophylactic and therapeutic vaccine against

各論Ⅰ

tuberculosis. Vaccine. 2009；27：3267-70.
8. Okada M, Kita Y, Nakajima T et al.：Evaluation of a novel vaccine（HVJ-liposome/HSP65 DNA ＋ IL-12 DNA）against tuberculosis using the cynomolgus monkey model of TB. Vaccine. 2007；25：2990-2993.
9. Yoshida S, Tanaka T, Kita Y et al.：DNA vaccine using hemagglutinating virus of Japan-liposome encapsulating combination encoding mycobacterial heat shock protein 65 and interleukin-12 confers protection against Mycobacterium tuberculosis by T cell activation. Vaccine. 2006；24：1191-1204.
10. 岡田全司：The development of novel vaccines against tuberculosis. Jpn J Clin Immunol. 2008；31（5）：356-368.
11. Cole ST, Brosch R, Parkhill J et al：Deciphering the biology of Mycobacterium Tuberculosis from the complete genome sequence. Nature 393：537-544, 1998
12. 高橋光良：結核菌の分子疫学 「結核」p.88-96, 光山正雄 編 医薬ジャーナル, 大阪, 2001.
13. 矢野郁也：結核菌の構造と特性 「結核」p.32-56, 光山正雄 編 医薬ジャーナル, 大阪, 2001.
14. 露口泉夫 結核の感染と発症 「結核」p.136-148, 光山正雄 編 医薬ジャーナル, 大阪, 2001.
15. Stenger S, Hanson DA, Teitelbaum R, Dewan P, Niazi KR et al：An Antimicrobial activity of cytolytic T cells mediated by granulysin. Science 282：121-125, 1998.
16. Okada M and Kita Y：Anti-tuberculosis immunity by cytotoxic T cells.Granulysin and the development of novel vaccines.（HSP65 DNA ＋ IL-12 DNA）. Kekkaku 85：531-538, 2010.
17. Tanaka F, Abe M, Akiyoshi T et al：The anti-human tumor effect and generation of human cytotoxic T cells in SCID mice given human peripheral blood lymphocytes by the in vivo transfer of the Interleukin-6 gene using adenovirus vector. Cancer Res 57：1335-1343, 1997.
18. Okada M, Klimpel GR, Kuppers RC et al：The differentiation of cytotoxic T cells in vitro, Ⅰ. Amplifying factor（s）in the primary response is Lyt1 ＋ cell dependent. J Immunol 122：2527-2535, 1979.
19. Okada M, Yoshimura N, Kaieda T et al：Establishment and characterization of human T hybrid cells secreting immunoregulatory molecules. Proc Natl Acad Sci USA 78：7718-7721, 1981.
20. Okada M, Sakaguchi N, Yoshimura N et al：B cell growth factors and B cell differentiation factor from human T hybridomas. Two distinct kinds of B cell growth factor and their synergism in B cell proliferation.J Exp Med 157：583 － 590, 1983.
21. Okada M, Kitahara M, Kishimoto S et al：IL-6/BSF-2 functions as a killer helper factor in the in vitro induction of cytotoxic T cells.J Immunol 141：1543-1549, 1988.
22. Okada M：Immunity against Mycobacterium Tuberculosis（Introduction）Kekkaku 85：501-508, 2010.
23. Akira S. Toll-like receptor and innate immunity. Adv in Immunol. 78：1-56, 2001.
24. Kita Y, Tanaka T, Yoshida S, et al.：Novel recombinant BCG and DNA-vaccination against tuberculosis in a cynomolgus monkey model. Vaccine. 2005；23：2132-2135.
25. Skeiky YA, Alderson MR, Ovendale PJ, et al.：Differential immune responses and protective efficacy induced by components of a tuberculosis polyprotein vaccine, Mtb72F, delivered as naked DNA or recombinant protein. J Immunol. 172：7618-7628, 2004.
26. McShane H, Pathan AA, Sander CR, et al.：Recombinant modified vaccinia virus Ankara expressing antigen 85A boosts BCG-primed and naturally acquired antimycobacterial immunity in humans. Nat Med. 10：1240-1244, 2004.

Ⅰ-3 肝　炎

金沢大学大学院恒常性制御学消化器内科
中本安成，金子周一

はじめに

肝臓（肝細胞）に特異的に感染する6種類の肝炎ウイルスによる感染症を総称して，ウイルス肝炎とよぶ．肝炎ウイルスには，A，B，C，D，EおよびG型があり，ウイルスの構造，疫学，病態が異なっている．いずれも肝炎の持続が6カ月以内の急性肝炎を発症するが，肝炎が6カ月を越えて持続する慢性肝炎の原因となるのは主にB型およびC型肝炎ウイルスである．さらに，慢性肝炎は肝硬変や肝細胞癌（肝癌）を発症し生命予後に影響する．

1. 肝炎ウイルスの特徴

それぞれの肝炎ウイルスの特徴を表1，図1に示す[1]．

A型肝炎ウイルス（HAV）は，Picornaviridaeに属する1本鎖（＋鎖）RNAウイルスである．ウイルスゲノムRNAの長さは7.5kbであり，ウイルス粒子は直径27－30nmでウイルスゲノムがタンパク質の殻（capsid）に包まれた形で構成されている．ゲノムRNAは両側に非翻訳領域（untranslated region, UTR）があり，中央にP1，P2，P3と呼ばれる読み枠（open reading frame, ORF）が存在する．P1領域はウイルス粒子を構成する構造領域でありcapsidタンパクをコードしている．P2，P3領域は非構造領域でありウイルスが複製，増殖するときに重要なプロテアーゼやRNAポリメラーゼなどの酵素がコードされている．他のRNAウイルス同様にウイルスゲノムの変異率は高いが，P1領域に存在する中和抗体に対する抗原エピトープ（抗原決定基）は保存されるという特徴がある．ウイルス感染における生体の反応としては，まずcapsidタンパクに対するIgM型抗体が誘導され，続いてIgG型抗体が誘導されることによって終生免疫が得られ，ウイルスの再感染が阻止される．現在，A型肝炎ウイルスを増殖する細胞培養系を利用して，効率の良いワクチンが開発されている．

表1　肝炎ウイルスの特徴

肝炎ウイルス	ファミリー	ゲノム構造	ゲノムサイズ
HAV	Picornaviridae	＋鎖 RNA	7.5 kb
HBV	Hepadnaviridae	不完全環状2本鎖 DNA	3.2 kb
HCV	Flaviviridae	＋鎖 RNA	9.5 kb
HDV	Viroid Deltaviridae	－鎖 RNA	1.7 kb
HEV	Calciviridae	＋鎖 RNA	7.2 kb
HGV	Flaviviridae	＋鎖 RNA	9 kb

B型肝炎ウイルス（HBV）は，Hepadnaviridaeに属する不完全環状2本鎖DNAウイルスである．ウイルスゲノムDNAの長さは3.2kbであり，ウイルス粒子はDane粒子と呼ばれ，ウイルスゲノムが直径27nmのnucleocapsidに包まれ，その外側にはen-

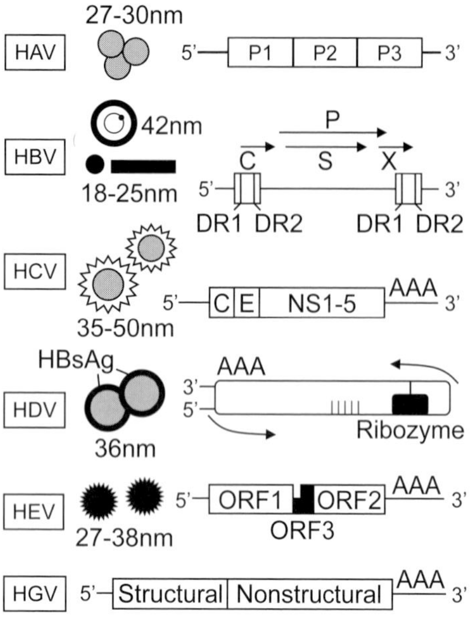

図1　肝炎ウイルス粒子とゲノムの構造
（文献1より引用）

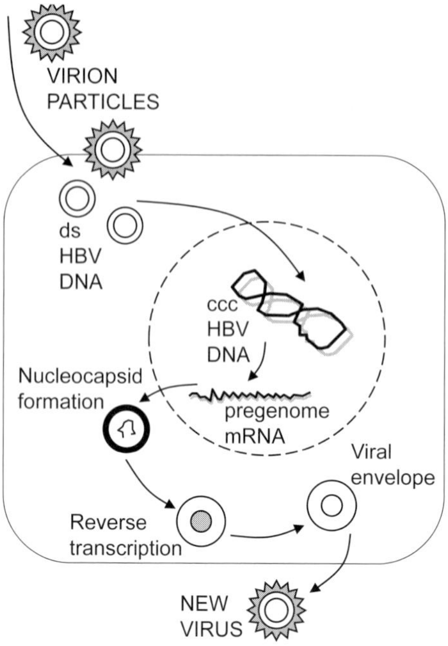

図2　B型肝炎ウイルスの複製過程
（文献1より引用）

velopeがありDane粒子の直径は42nmである．しかし生体内でDane粒子の10^3－10^6倍もの大量に存在するのはウイルスゲノムを含まない空の粒子であり，直径16－25nmの球状のものや直径22nm最長1000nmにおよぶ管状の小型粒子があるが感染性はない．ウイルスゲノム上には4つの翻訳単位がフレームをずらす形で重なり合ってコードされており，それぞれnucleocapsidであるpreC/C，表面抗原であるpreS/S，DNAポリメラーゼであるP，他の遺伝子やタンパクとの相互活性化作用をもつX，の各遺伝子がある．表面抗原HBsAgにはすべてのウイルス株に共通な抗原基aやサブタイプ(亜型)抗原基d，y，w，rが存在し，これによってB型肝炎ウイルスはadw，ayw，adr，ayrの4つの亜型(serotype)に分類される．B型肝炎ウイルスの複製過程はユニークである(図2)．ウイルスが肝細胞に感染すると，ゲノムDNAは核内に移行し不完全2本鎖が修復され完全2本鎖のスーパーコイル分子cccDNA (covalently closed circular DNA) となる．このcccDNAの(－)鎖が鋳型となり宿主のRNAポリメラーゼの作用によってpregenome mRNAが転写される．pregenomeはコア粒子の中にパッケージされて細胞質に移行し，ウイルスのDNAポリメラーゼによって(－)鎖DNAに逆転写され，さらに不完全(＋)鎖DNAが形成され，ウイルスゲノムが完成する．コア粒子は細胞質内のER (endoplasmic reticulum)に発現している表面抗原HBsAgにパッケージされて感染性Dane粒子として血中に分泌される．実際の急性感染においては，血中にHBsAg，HBeAg (nucleocapsidタンパクの一部)の順で検出されるようになり，続いてHBV DNA，DNAポリメラーゼを含むDane粒子が検出されるようになる．つぎに生体の反応として，IgM型HBc抗体，IgG型HBc抗体が誘導され，さらにHBs抗体が誘導されるとウイルスは排除される．HBs抗体はウイルス株に共通な抗原基aに対する中和抗体であり，再感染が予防される．ワクチンはHBs抗体を誘導する目的で開発されている．

C型肝炎ウイルス(HCV)は，Flaviviridaeに属する1本鎖(＋鎖) RNAウイルスである．ウイルスゲノムRNAの長さは9.5kbであり，ウイルス粒子は直径30－50nmでウイルスゲノムがnucleocapsidに包まれ，外側にはenvelopeが存在

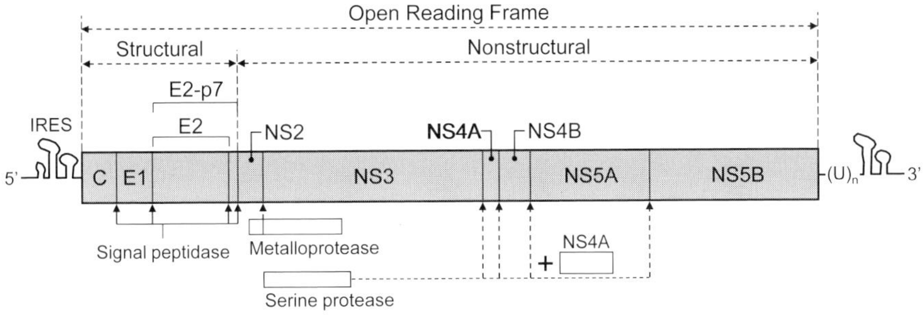

図３　C型肝炎ウイルスゲノムとウイルス蛋白の産生（文献２より改変）

する．ウイルスゲノムは5'側，3'側ともにUTRが存在し，中央にひとつの長い読み枠（ORF）が存在する．5'側UTRは324 － 341塩基の長さでcap非依存性のORFの翻訳の開始に極めて重要なinternal ribosomal entry site（IRES）が存在する．3'側UTRは27 － 55塩基の長さでウイルスの感染性に関与することが示唆されている．すべてのウイルスタンパクは中央のORFから3010個のアミノ酸からなる一連のポリタンパクとして発現された後，ウイルスおよび宿主由来のプロテアーゼによってそれぞれのタンパクに切断される（図3）[2]．ORFの5'側にはウイルス粒子を構成する構造領域，3'側にはウイルスの増殖，複製に必須な酵素をコードする非構造領域がある．構造領域には5'側からコア（core, C），表面抗原（E1, E2）があり，これらは宿主のシグナルペプチダーゼによって切断される．コアタンパクは，ウイルスのnucleocapsidを構成するとともに，RNAとの結合能をもち宿主との相互作用が示唆されている．E1，E2タンパクはウイルスの表面抗原envelopeを構成する．E2タンパクのN末端には高変異領域（hypervariable region, HVR）が存在する．その結果，ウイルスの抗原性が変化し中和抗体からエスケープすることによって感染が慢性化する機序が考えられており，さらにワクチン開発を困難なものとしている．非構造領域は5'側からNS2，NS3，NS4（A/B），NS5（A/B）がある．NS2の役割はいまのところ明らかになっていない．NS3の5'側にはセリンプロテアーゼがコードされており，NS4Aとともに非構造領域のポリタンパクを切断している．NS3の3'側には複雑な高次構造のウイルスRNAをほどいて複製するのに都合の良い形態にするヘリカーゼhelicaseがコードされている．NS4Bの機能は明らかになっていない．NS5Aは2本鎖RNA依存的なタンパク質リン酸化酵素PKRの機能を抑制したり，インターフェロン治療に対する感受性に関与するアミノ酸配列（interferon sensitivity determining region, ISDR）をコードしていると報告されている．NS5BタンパクはRNAポリメラーゼ活性を有し，ウイルスRNAの複製酵素として機能している．ウイルスの複製過程には，DNAが介在せず，ウイルスの＋鎖RNAから－鎖RNAを介して新たなウイルスRNAが産生される．このため，RNAの読みとりの校正（proofreading）が行われない．さらに，免疫系のプレッシャーにより，もとのウイルス株の増殖が抑制されることによって，変異株が出現してくると考えられている．肝炎ウイルスのなかではC型肝炎ウイルスゲノムの変異率が著明に高く（0.9×10^{-3}/塩基/年），患者間においてウイルス株の多様性（heterogeneity）を認めるだけではなく，ひとりの患者に同時に多数のウイルス株が存在する（quasispecies）という特徴がある．急性感染においては，最も感度の良いnested PCR（polymerase chain reaction）法を用いれば数日のうちに血中にウイルスRNAが検出されるようになり，数週間のうちにはHCV抗体が陽転する．このHCV抗体にウイルスの中和活性はなく，ウイルスの排除とともに抗体価も低下，陰性化する．現在のところ，有効な免疫グロブリン，ワクチンはない．

D型肝炎ウイルス（HDV, delta virus）は，plant viroidに関連するユニークな1本鎖（－鎖）RNAウイルスである．ウイルスゲノムRNAの長さは

1.7kb であり，ウイルス粒子の直径は 36nm で，ウイルスゲノムと hepatitis D antigen（HDAg）で構成される nucleocapsid を，B型肝炎ウイルス由来の HBsAg からなる envelope が取り囲んでいる．つまり，HDV はそれ自身で完全な感染性ウイルス粒子を構成することができず，HBV と重感染してはじめて増殖し感染性を発揮することができるという特性がある．急性感染において最も早期に検出されるのは HDAg であるが，1－2週間のうちには陰性化する．HDV RNA も 60%の症例において発症後1週間以内に検出されるが，3週間を越えて陽性が持続するときは感染の慢性化が考えられる．続いて，IgM 型，IgG 型抗 HD 抗体が検出される．慢性感染においてもしばしば IgM 型，IgG 型抗 HD 抗体が持続陽性を示し，C型肝炎ウイルス同様，抗 HD 抗体は中和抗体ではなく，HDV の再感染を阻止することはない．

E型肝炎ウイルス(HEV)は，Calciviridae に属する1本鎖(＋鎖) RNA ウイルスである．ウイルスゲノム RNA の長さは 7.2kb であり，ウイルス粒子は直径 27 － 38nm で envelope をもたない．ウイルスゲノムには 5' 側に 5kb におよぶ ORF1，3' 側に 2kb の ORF2 があり，両者の境界にまたがるようにフレームをずらして 0.4kb の ORF3 がコードされている．ORF1 は非構造領域をコードしており，RNA ポリメラーゼ，ヘリカーゼ活性がある．ゲノムの 3' 側は構造領域をコードしている．急性感染においては，肝炎の発症前に感染肝細胞に hepatitis E antigen（HEAg）が検出されるようになる．血清学的には，IgM 型および IgG 型抗 HEV 抗体や HEV RNA を検出することによって診断される．いまのところ，免疫グロブリン，ワクチンはない．

G型肝炎ウイルス(HGV)は，1996 年に報告された Flaviviridae に属する1本鎖(＋鎖) RNA ウイルスである[3]．ウイルスゲノム RNA の長さは 9kb であり，5' 側に構造領域，3' 側に非構造領域がコードされている．しかし現在のところ，HGV は単独で肝炎を発症することはないという見解である．

2. ウイルス肝炎の疫学，病態，治療

ウイルス肝炎の各病態を表2に比較した[1, 4]．

A型肝炎において，HAV 感染後には，HA 抗体が陽性となり生涯持続される．発展途上国の非都市部では5歳頃までに 90%以上が HA 抗体を獲得する．世界的に感染が少ないは，日本，北欧，西欧の中央より北の国々である．日本では年間 10 － 20 万人が発症しており，6 － 7 年ごとに流行年を迎える．またA型肝炎の発症には季節性がみられ，1 － 5 月の間に3月をピークとして多発する．感染経路は，HAV が飲料水や食物とともに経口的に侵入し，肝で増殖し，胆汁中から糞便中に排泄され，新たな感染源となる．食物としては特に貝類の生食があげられる．潜伏期間は 2 － 6 週間，平均 30 日である．肝炎は 4 － 6 週間で治癒するが，約 1%に劇症肝炎を認め致死的となる．治療に関しては，急性肝炎に対する対症療

表2　ウイルス肝炎の病態

病　態	A型	B型	C型	D型	E型	G型
潜伏期（日）	15-50	28-160	14-160	20-120	15-60	14-30
糞便中排泄	＋	－	－	－	＋	－
ウイルス血症	一過性	遷延性	遷延性	遷延性	一過性	遷延性
感染経路	経口	血液	血液	血液	経口	血液
血清診断	IgM anti-HAV	IgM anti-HBc HBsAg HBV DNA	Anti-HCV HCV RNA	IgM anti-HDV HDV RNA	IgM anti-HEV HEV RNA	HGV RNA
慢性感染	－	＋	＋	＋	－	＋
肝発癌	－	＋	＋	＋／－	－	－
ワクチン	＋	＋	－	－	－	－

法のみが行われる．予防法として，免疫グロブリン製剤，HA ワクチンがある．

B型肝炎について，免疫系の正常な健常成人におけるHBVの初感染においては，一過性の急性肝炎を発症しウイルスは生体から排除される．しかし，出生時から1歳未満にHBVに感染すると免疫寛容が成立し持続感染となる．持続感染者をHBVキャリアという．多くは母児感染によるもので，とくにHBe抗原陽性の母からの児は85%がキャリアに移行するといわれている．また成人の初感染であっても，免疫不全状態，慢性腎不全，白血病，AIDSなどにおいてはキャリア化する可能性がある．我が国におけるHBVキャリアの割合は1972年には2.7%であったが，公衆衛生，環境衛生の改善，医療機関内感染予防対策，母子感染防止対策事業，献血者のスクリーニングの徹底，免疫グロブリン(HBIG)，HBワクチンの普及によって激減し，現在は0.6%となっている．諸外国におけるキャリアの頻度は，欧米では0.1－0.4%，地中海沿岸では3%，東南アジア，アフリカでは5－15%である．また我が国において，急性肝炎は20－40歳台に好発するが，輸血後B型肝炎はほぼ根絶されている．急性感染における劇症化率は1－2%であり，劇症化例ではゲノムpre-C領域の変異株の感染による例が多いことが報告されている．急性肝炎の治療に関しては安静，食事，薬物療法が基本である．

C型肝炎に関して，HCVキャリア率を世界的にみると，高い地域は，日本，韓国，中国北部，モンゴル，イタリア，スペインであり，欧米や発展途上国では低い．我が国のHCV抗体陽性率は全体で1%であるが，年齢が高いほど高くなる傾向がある．感染経路として輸血，血液製剤がなくなった現在では，主な感染経路は医療従事者の針刺し事故，入れ墨，覚醒剤注射の回しうちなど経皮感染であり，性的感染，母児間感染も低頻度ながら存在する．ただし，針刺し事故後のC型急性肝炎の発生率は1%以下と低頻度である．健常者にHCVが初感染すると，約40日の潜伏期後に急性肝炎を発症する．1989年に日赤血液センターがHCV抗体のスクリーニングを開始して以来，それまで輸血後肝炎の95%以上を占めていたC型肝炎の発症が抑えられたため，1990年以降，輸血後肝炎は激減した．しかし，散発性急性ウイルス肝炎の約20%はHCVによるものである．C型急性肝炎の特徴は高率(60－70%)に慢性化することである．いったん慢性化すると自然に治癒することはほとんどなく，慢性肝炎，肝硬変，肝癌へと進展する．そこで急性肝炎であっても，慢性化が示唆される場合には，慢性肝炎に準じたインターフェロン治療が行われる．いまのところ，HCV感染を予防できる免疫グロブリン，ワクチンはない．

D型肝炎は，我が国ではまれであり，多くは地中海沿岸，北欧，北米に認められる．HDVはHBV感染者においてのみ感染が成立し，重症化することがある．病態としては，HBVキャリアが重症化した場合，B型劇症肝炎の場合に，HDVの合併を疑う必要がある．

E型肝炎は，東南アジア，中央アジア，中国，中近東，中南米にみられ，これらの地域への旅行後に認められる輸入感染症と考えられてきた．しかし最近になって，国内でもブタからの人畜共通感染症(zoonosis)として注目されるようになり，シカの生肉からの感染も報告されている．感染源は主に飲料水，食物であり，通常経過は順調であるが，妊婦に感染したとき重症化する例がある．治療は急性肝炎に対する対症療法のみであり，免疫グロブリン，ワクチンはない．

3. 肝炎ウイルスによる肝細胞障害メカニズム

B型，C型肝炎の発症メカニズムに関して，ウイルスはnoncytopathicであり感染細胞に障害を引き起こすことはないので，肝細胞障害は感染肝細胞が提示したウイルス抗原に対する免疫反応の結果として起こる[5)]．

主な径路は，感染肝細胞の表面にHLAクラスⅠ複合体として発現されたウイルス抗原を認識するCD8陽性細胞傷害性Tリンパ球(CTL)を介するものである(図4)[6, 7, 20)]．CTLは，Fas ligand(FasL)/Fasを介する径路，パーフォリン/グランザイム(perforin/granzyme)を介する径路によって感染肝細胞にアポトーシス(細胞死)を誘導する[8, 9)]．また，抗原を認識して活性化したCTL

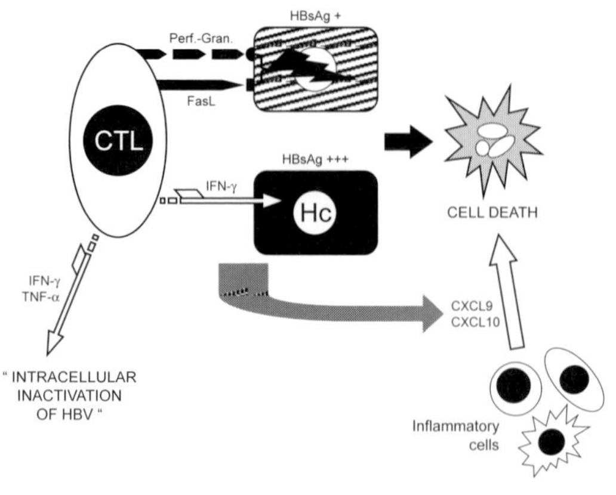

図4　CD8陽性CTLを介するウイルス肝炎の分子病態(文献20より改変)

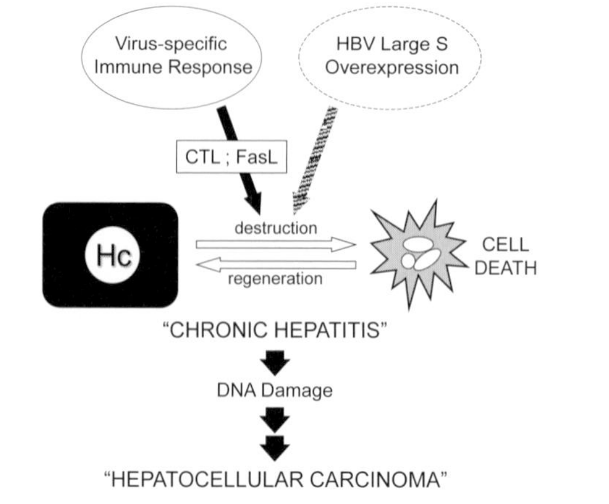

図5　肝炎ウイルスに対する免疫反応と肝発癌(文献20より引用)

からはサイトカインが分泌され，ウイルス抗原を過剰に蓄積した肝細胞を破壊する．同時に誘導されたケモカイン(CXCL9, CXCL10)は，抗原非特異的な炎症細胞を局所に導入し肝炎を増強する．また，CTLの分泌するサイトカイン(インターフェロンγ，ＴＮＦα)は，noncytolyticな(細胞障害を伴わない)機序によってウイルスの発現，増殖を抑制し，ウイルスを感染細胞から排除する作用も発揮する[10]．

他の径路として，HLAクラスII拘束性のCD4陽性Tリンパ球を介した機序がある．肝におけるマクロファージ(Kuppfer細胞)がウイルス抗原を取り込み，HLAクラスII複合体としてCD4陽性Tリンパ球に対して効率よく提示すると考えられている．このように活性化されたCD4陽性Tリンパ球は，CD8陽性CTLと異なり，直接肝細胞を障害しないものの，サイトカインを分泌して肝炎の発症に重要な役割を担っている[11]．

4. 慢性ウイルス肝炎と肝発癌

現在，我が国の肝癌による年間死亡数は3万人を越え，悪性新生物による死因の第3位である．肝癌の95%以上はB型およびC型肝炎ウイルス関連であり，HBV, HCVによる慢性肝炎は肝癌の発症率を200倍以上増加させることが知られている．この肝における発癌率を増加させるウイルス側，宿主側因子に関して検討が進められている．これまではHBVに関して，慢性感染の経過中にウイルスゲノムが宿主の染色体に組み込まれ，肝癌組織においてさまざまなHBVゲノムの組み込みが認められることから，ウイルスゲノムによるc-mycなどの癌化に関連した遺伝子の活性化，癌抑制遺伝子p53の不活化，また，染色体欠失と癌抑制遺伝子異常(loss of heterozygosity, LOH)や，cyclin D1など細胞周期制御に関わる遺伝子の異常が示唆されてきたが，癌化との因果関係に関しては未だ明らかになっていない．

いまのところ，主にトランスジェニックマウスモデルを用いた検討において，HBVのウイルス側因子として，表面抗原Large S[12]やX遺伝子[13]が肝発癌を誘導することが示されている．またHCVに関して，ウイルスゲノム構造領域のコアタンパクがトランスジェニックマウスにおいて肝癌を発症することが報告された[14]．さらに，単なる肝炎ウイルスの持続感染状態だけではなく，宿主の免疫反応による慢性の炎症(慢性肝炎)が肝細胞の障害と再生のサイクルを亢進することによって，癌化のポテンシャルが著明に高まることも示されている(図5)[15, 20, 21]．しかし，詳細な発癌機構に関しては不明な点が多い．

5. 慢性肝炎の治療

慢性ウイルス肝炎の原因であるHBVおよび

HCVに対してインターフェロン治療やnucleoside analogueが用いられている．B型慢性肝炎に対するインターフェロン治療は，HBe抗原(＋)の慢性肝炎に対してHBe抗原(－)［HBe抗体(＋)］へのseroconversionを目的として行われる．これは，HBe抗原(＋)の病態は，ウイルスの増殖期と呼ばれ，血中HBV DNA高値，感染性も強く，肝炎の活動性も高い．これに対して，HBe抗原(－)の病態は，ウイルスの非増殖期と呼ばれ，血中HBV DNA低値，感染性も弱く，肝炎は非活動性であることが多い．このseroconversionは，自然経過中に年率5％で起こるが，インターフェロン治療を行った場合30－40％の症例に誘導できる．この非増殖期に肝炎は沈静化するのが一般的であるが，HBe抗原(－) HBe抗体(＋)となった症例の10－30％では慢性肝炎が持続し肝病態が進展する．これは，ウイルスゲノムのpre-C領域の変異を来たしHBe抗原を産生しなくなったHBe抗原非産生株のウイルスに変換したためであり，依然ウイルスが存在し肝障害を持続していることが知られている．またHBe抗原非産生株は劇症肝炎の原因となることが多いことも明らかとなってきた．その他，インターフェロン治療に抵抗性の症例や比較的高齢者に対する治療法として，HBVポリメラーゼの活性を抑制するnucleoside analogueであるlamivudine[16]やentecavir，adefovirが臨床の場で用いられるようになった．さらに海外ではtenofovir，telbivudineや，Tリンパ球，NK細胞系の活性化を促す胸腺ペプチドホルモンthymosinなどが試みられ，ある程度の治療効果は認められているものの，副作用の問題や，治療に抵抗性のウイルスゲノムポリメラーゼ領域YMDD配列の変異株，などの問題点がある．

C型慢性肝炎に対するインターフェロン治療は，ウイルスの排除を目標に行われる．C型肝炎に対するインターフェロン単独治療の著効率は約30％である．現在，HCVはウイルスの遺伝子配列をもとに6種類の遺伝子型に分類されているが，遺伝子型によってインターフェロンへの反応性に違いがあることが示されており，我が国に最も多い(70％) 1b (II)型に対しては治療効果が20％程度しか認められないのに対して，2a (III)，2b (IV)型に対しては80％程度有効である．ウイルス遺伝子型に加えて，宿主の治療感受性を規定する因子としてインターロイキン－28B (インターフェロン－λ3)ゲノム近傍の遺伝子多型(SNPs)が報告された[18]．現在，インターフェロン単独では十分な治療効果が得られない症例に対して，インターフェロンαとguanine nucleoside analogueであるribavirinの併用療法が行われており，ウイルスの複製，増殖を抑制することによって高い治療効果が得られている[17]．さらに，治療抵抗性の症例に対してtelaprevirなどのウイルスタンパク(プロテアーゼ，ポリメラーゼ)に対する阻害剤(経口薬)の開発が進められている[22]．またインターフェロンαと宿主タンパクであるサイクロフィリンの阻害剤や抗寄生虫薬nitazoxanideの併用によって良好な治療成績が得られることも報告されている．インターフェロン製剤の効力を長期化(徐放化)する目的でヒトアルブミンと融合タンパクとしたalbinterferonの開発も進んでいる．

6. TT virus

1997年に輸血後肝炎患者(イニシャルTT)から新しい肝炎ウイルスとして我が国で発見された[19]．TT virus (TTV)は，Parvoviridaeに属するenvelopeをもたない1本鎖DNAウイルスである．ウイルスゲノムは変異に富み，遺伝子型から2型に分けられ，それぞれ亜型a，bに分類されている．TTV DNAは頻回に血液製剤を使用する血友病，血液透析患者，薬物乱用者において明らかに高率(40％－70％)に認められることから，輸血によって感染することは強く示唆されるが，供血者における検討においても約10％に認められ，肝炎の発症との因果関係は現在のところ不明な点が多い．HGV同様に肝炎ウイルスであるかどうかは明らかとなっていない．

参考文献

1. Gupta S, Ott M : Viral hepatitis and liver disease. In : Jameson JL, editor. *Principles of Molecular Medicine.* Totowa, NJ : Humana Press, p387-400, 1998.
2. 下遠野邦忠：C型肝炎ウイルスの生活環；分子生物学的な側面から．肝臓 39, 311-324, 1998.

各論 I

3. Linnen J, Wages J Jr, Zhang-Keck ZY, et al. : Molecular cloning and disease association of hepatitis G virus : a transfusion-transmissible agent. Science 271, 505-508, 1996.
4. 急性ウイルス肝炎. 杉本恒明, 小俣政男編：内科学, 朝倉書店, 東京, p1014-1031, 1996.
5. Chisari FV, Ferrari C : Hepatitis B virus immunopathogenesis. *Annu Rev Immunol* 13, 29-60, 1995.
6. Moriyama T, Guilhot S, Klopchin K, et al. : Immunobiology and pathogenesis of hepatocellular injury in hepatitis B virus transgenic mice. Science 248, 361-364, 1990.
7. Ando K, Moriyama T, Guidotti LG, et al. : Mechanisms of class I restricted immunopathology. A transgenic mouse model of fulminant hepatitis. *J Exp Med* 178, 1541-1554, 1993.
8. Kondo T, Suda T, Fukuyama H, et al. : Essential roles of the Fas ligand in the development of hepatitis. *Nat Med* 3, 409-413, 1997.
9. Nakamoto Y, Guidotti LG, Pasquetto V, et al. : Differential target cell sensitivity to CTL-activated death pathways in hepatitis B virus transgenic mice. *J Immunol* 158, 5692-5697, 1997.
10. Guidotti LG, Ishikawa T, Hobbs MV, et al. : Intracellular inactivation of the hepatitis B virus by cytotoxic T lymphocytes. *Immunity* 4, 25-36, 1996.
11. Franco A, Guidotti LG, Hobbs MV, et al. : Pathogenetic effector function of CD4-positive T helper 1 cells in hepatitis B virus transgenic mice. *J Immunol* 159, 2001-2008, 1997.
12. Chisari FV, Klopchin K, Moriyama T, et al. : Molecular pathogenesis of hepatocellular carcinoma in hepatitis B virus transgenic mice. *Cell* 59, 1145-1156, 1989.
13. Kim CM, Koike K, Saito I, et al. : HBx gene of hepatitis B virus induces liver cancer in transgenic mice. *Nature* 351, 317-320, 1991.
14. Moriya K, Fujie H, Shintani Y, et al. : The core protein of hepatitis C virus induces hepatocellular carcinoma in transgenic mice. *Nat Med* 4, 1065-1067, 1998.
15. Nakamoto Y, Guidotti LG, Kuhlen CV, et al. : Immune pathogenesis of hepatocellular carcinoma. *J Exp Med* 188, 341-350, 1998.
16. Dienstag JL, Perrillo RP, Schiff ER, et al. : A preliminary trial of lamivudine for chronic hepatitis B infection. *N Engl J Med* 333, 1657-1661, 1995.
17. Brillanti S, Garson J, Foli M, et al. : A pilot study of combination therapy with ribavirin plus interferon alfa for interferon alfa-resistant chronic hepatitis C. Gastroenterology 107, 812-817, 1994.
18. Ge D, Fellay J, Thompson AJ, et al. : Genetic variation in IL28B predicts hepatitis C treatment-induced viral clearance. Nature 461, 399-401, 2009.
19. Nishizawa T, Okamoto H, Konishi K, et al. : A novel DNA virus (TTV) associated with elevated transaminase levels in posttransfusion hepatitis of unknown etiology. *Biochem Biophys Res* Commun 241, 92-97, 1997.
20. Nakamoto Y, Kaneko S : Mechanisms of viral hepatitis induced liver injury. *Curr Mol Med* 3, 537-544, 2003.
21. Nakamoto Y, Kaneko S, Fan H, et al. : Prevention of hepatocellular carcinoma development associated with chronic hepatitis by anti-Fas ligand antibody therapy. *J Exp Med* 196, 1105-1111, 2002.
22. McHutchison JG, Everson GT, Gordon SC, et al. : Telaprevir with peginterferon and ribavirin for chronic HCV genotype 1 infection. *N Engl J Med* 360, 1827-1838, 2009.

Ⅰ-4　ヒト後天性免疫不全症候群（エイズ）の分子予防医学

国立感染症研究所エイズ研究センター
武部　豊

1. 病気の概要[1, 2]

ヒト後天性免疫不全症候群(Acquired immunodeficiency syndrome, AIDS, エイズ)はヒト免疫不全ウイルス(Human immunodeficiency virus, HIV)感染によって引き起こされる重篤な全身性免疫不全によって特徴づけられる疾患であり，高い発症率・死亡率と予防・治療の難しさから，人類が直面する公衆衛生上最も重要な医療問題の一つとなっている．1981年6月に初めて米国で患者が報告されて以来，世界での累積感染者数は約6,000万人，死者は2,000万人を超えると推定される．HIVの主要な感染経路は，経血液(注射薬物乱用・輸血・針刺事故など)・性感染(異性間および同性間性接触)・母子感染の3つであり，これら経路の遮断が予防制圧に重要である．エイズ治療には，逆転写酵素阻害剤とプロテアーゼ阻害剤との組み合わせによる多剤併用療法(HAART)が有効であるが，まだ根治療法の開発には至ってはいない．有効なワクチンの開発が待たれる．感染症新法においては「五類感染症」の中の全数把握疾患に定められており，診断した医師は7日以内に所轄の保健所に報告する義務がある．

2. 疫　学

国連エイズ合同計画(UNAIDS)による推計(3)によれば，2008年末の時点で，HIV感染者数3,340万人(3,110－3,580万人：うち約10%が小児(240－300万人))，2008年の1年間の新規感染者発生数は270万人(240－300万人)，エイズ死者は200万人(170－240万人)と推定されている(図1)．流行が開始して以来の累積エイズ死亡数は2,000万人，流行開始以来の累積感染者数は6,000万人にのぼるものと考えられる．これらの数値は，世界の総人口(約68億人)の約200人に1人が感染しており，世界全体では1日あたり7,400人の新たな感染者が発生し，5,500人ものエイズ死者が生れていることを意味している．12秒に1人が新たにHIVに感染し，16秒毎に1人がエイズで死亡しているという未曾有の規模の世界流行が依然進行している．新規感染者の90%以上が開発途上国，約10%が15歳以下の小児．成人の感染者の40%以上が女性，成人感染者の半数以上が15－24才の若年層と推定されている．地域別にみると，サハラ以南のアフリカ地域(感染者2,240万人)と(南・東南・東)アジア地域(465万人)がもっとも深刻で，両地域で世界全体の感染者の80%を占める(図1)．世界で最も深刻な流行地である南アフリカ地域(スワジランド，ボツアナ，南アフリカなど)では，成人人口の実に35%以上が感染しているという驚くべき状況がある．このような国々では，平均余命が60才から，エイズの流行によって，40才にまで減少し，一つの国の存否を左右するほどの深刻な社会問題を引き起こしている．

一方，我が国においては，HIV感染者・患者報告件数は，2002年以来7年間連続して前年度の史上最高数を更新している．HIVの年間報告

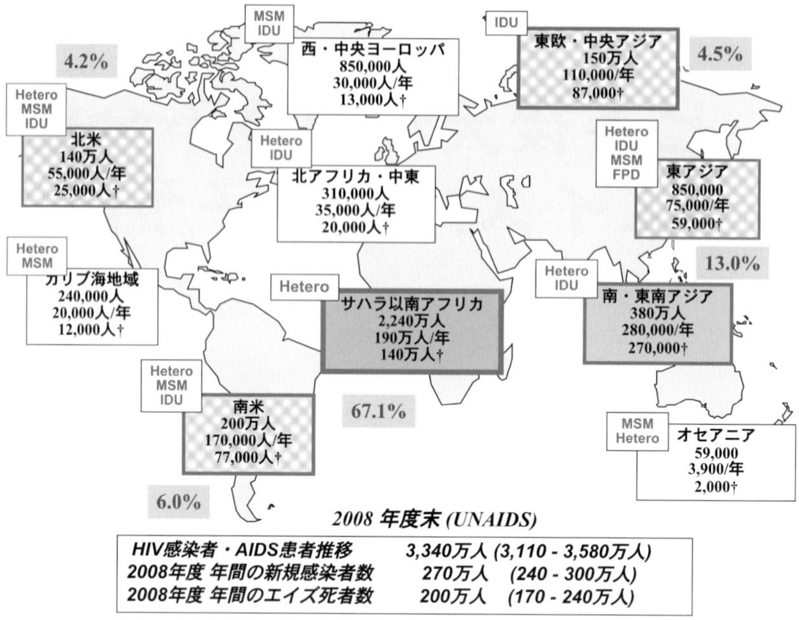

図1 世界における HIV/AIDS 流行の現状(WHO/UNAIDS 推計, 2008 年度末)
枠内に地域別のそれぞれ上から HIV 感染者, 年間新規感染者数および年間エイズ死亡者数(†)の推計値を示す. 各枠の左上に各地域の主要な感染経路を示す：IDU, 注射薬物乱用者；Hetero, 異性間性感染；MSM, 男性同性愛者；FPD, プラズマ供血経験者. 感染者数の多い上位 5 地域の世界全体に占める感染者推計数の割合を示す(アジアに関しては南・東南アジアと東アジア地域を合わせたもの).

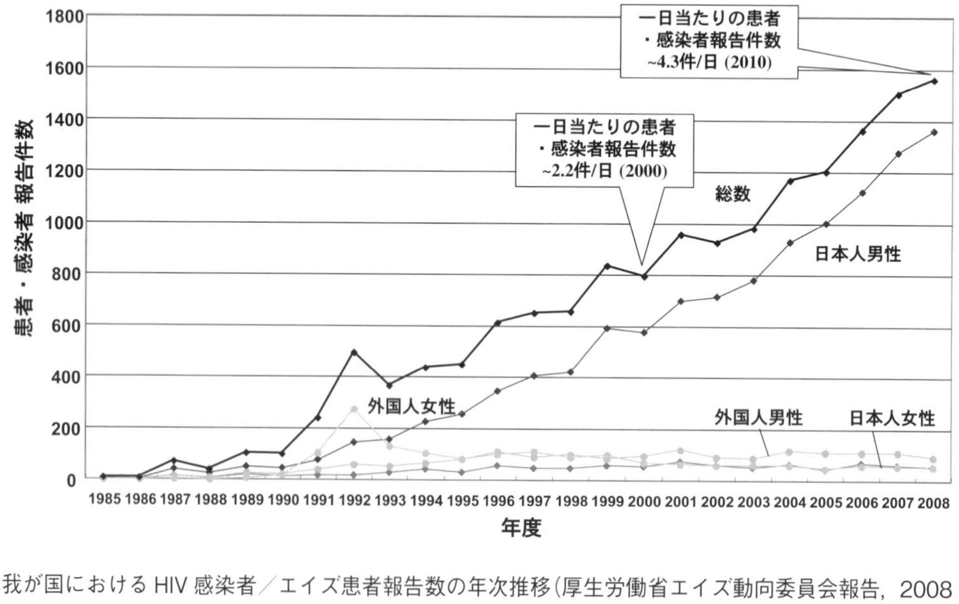

図2 我が国における HIV 感染者／エイズ患者報告数の年次推移(厚生労働省エイズ動向委員会報告, 2008 年度末)

数は 1992 年のピーク後一旦減少したが, 1996 年以降増加傾向が定着している(図 2). 厚生省エイズ動向委員会報告によると, 2008 年に報告された HIV 感染者は 1,126 名(男性 1,059；女性 67),

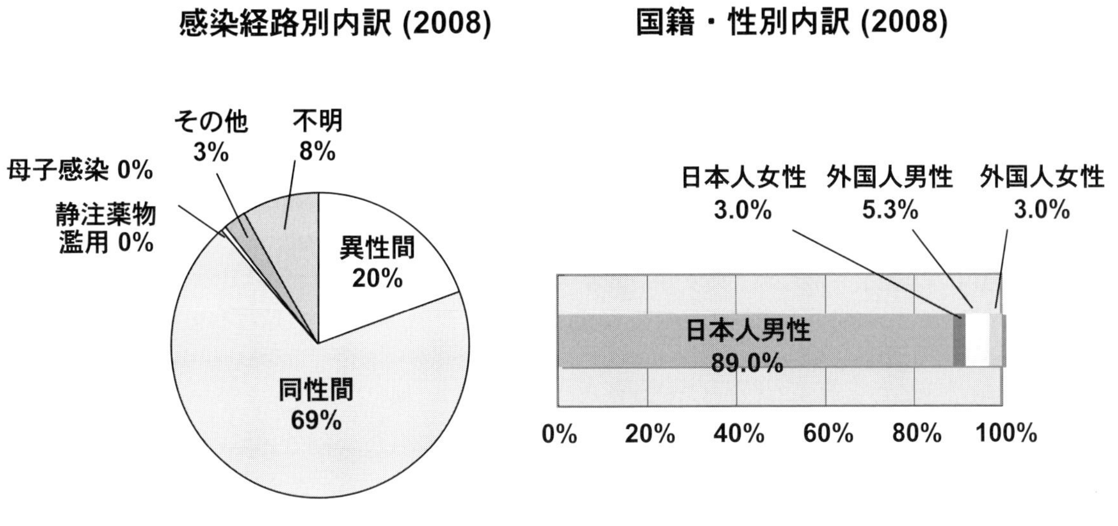

図３　我が国におけるHIV感染経路別／国籍・性別内訳（厚生労働省エイズ動向委員会報告，2008年度末）

AIDS患者は431（男性 391；女性 40）で，ともに過去最高である．感染者・患者報告件数は1,557名にのぼる．1日当たり平均して4.2件の新規報告があることになる（図2）．これは2000年はじめの水準の実に2倍に達する水準にある．また，感染者・患者の推計の始まった1985年－2008年の累積報告数は15,451名［HIV感染者10,552（男性 8,590；女性 1,962），AIDS患者4,899（男性 4,307；女性 592）］に達している．なおこの集計には入っていない1980年代前半に起こった凝固因子製剤による感染者（いわゆる「薬害エイズ患者」数は1,439名と報告されている．我が国の血友病患者の約1/3が感染したと推定されている．

感染経路別にみると，男性同性愛者が全体の70%近くを占める．異性間性接触によるものが約20%である（図2）．日本人感染者の91%（男性92%；女性85%）は国内感染である．またここ数年の傾向として10－20代の若年層の感染者の増加傾向が指摘されており，近い将来我が国においても若年層を中心にHIV感染が急増する可能性がある．その一方で保健所における抗体検査の依頼件数はむしろ減少しており，我が国のHIV感染に対する意識の低さは危機的ですらあると憂慮される．我が国は諸外国に比べて感染者数は少ないが，HIV感染の無症候期で検査を受けていない数を考慮すると実際の感染者はもっと多いことが予想される．HIV感染者数の実態を正確に把握することは難しいが，WHO/UNAIDSは約17,000人と推定している．

［感染経路］

HIVの感染経路には，（1）同性間および異性間の性接触，（2）血液および血液製剤によるもの（稀な例として臓器移植を含む），（3）妊娠中，周産期あるいは母乳からの母子（垂直）感染の3つのルートがある．HIVが（抱擁，軽いキスなどを含む）日常の接触（カジュアル・コンタクト）あるいは蚊の刺咬のような昆虫の媒介によって感染するという証拠は得られていない．

a）性感染

世界的にみると，HIV感染症は主として性感染症 sexually transmitted disease（STD）として広がっている．性感染症が合併するとHIV感染の危険が増す．特に梅毒，軟性下疳や単純ヘルペスウイルス感染症など潰瘍性性感染症は，HIVへの感染率を高める．しかしクラミジアや，淋菌，腟トリコモナス菌のような非潰瘍性のSTDであっても，STDによる粘膜損傷に加え，炎症のために，HIVの標的細胞である精液，腟分泌液中のリンパ球や単球が増加し，感染率が高まる．従って，性感染症のコントロールはHIV感染予防に重要である．男性同性愛者(Men who sex with men, MSM)間の受容的肛門性交はHIV感染との間には強い相関関係がある．肛門部では，粘膜面に残存する精液とウイルスに感受性をもつ粘膜内や粘膜下の細胞が薄く脆弱な上皮細胞で隔てられているにすぎないため，肛門性交に伴う粘膜損傷によって容易に感染する．コンドーム(および，あまり普及していないが，女性が装着するタイプのコンドーム)は異性間だけでなく同性間性接触によるHIV感染を阻止する有効且つ実際的手だてであることが，タイなどの経験などから実証されている．

異性間の感染率は血漿中のHIV RNA量と直接の相関関係があり，血漿中HIV RNAレベルが最大となる感染初期と，ウイルス・セットポイント viral set point (ウイルスの初期感染期に最大に達した後，血漿中のHIV RNAレベルが定常状態に落ち着いたときのウイルス量) (図10)が増加する進行期の2つの時期に最大となる(4)．ウガンダにおける研究によれば，血漿中のHIV RNA量が1,500コピー/mL未満では，感染はまれであるという(5)．

男性における包皮除去(割礼) male circumcisionは，男性におけるHIV感染のリスクを低下させる(6)ことが多くの研究で明らかにされている． 非割礼男性は潰瘍性性感染症に罹患しやすいことや，男性器の包皮や亀頭が微細損傷を受けやすいこと，包皮内面が血管に非常に富んでいて，CD4 + T細胞やマクロファージその他のHIV感受性細胞の数が多いだけでなく，ランゲルハンス細胞の密度の高いことも関係している．さらに包皮内面は微生物が増加しやすい環境があり，そのため免疫系が活性化され，HIV感染の標的となる細胞の密度が高くなりやすいという要因が加わる．また，思春期女性では生殖器粘膜が未成熟で，より感染しやすい状態にある．低年齢での性交開始を避けることは，感染の抑止に繋がる．

オーラルセックス(口唇性愛)によるHIV感染頻度は非常に低いと考えられるが，感染症例は皆無ではなく，オーラルセックスがまったく安全であるという保証はない．飲酒や非合法薬物の使用が危険な性行動に加わるとHIVの性感染の危険性が大きくなる可能性がある．覚醒剤・麻薬の使用は，経口的なものであっても，他のリクレーショナル・ドラッグと呼ばれているバイアグラ等の関連薬物と一緒に摂取されることが多く，特に男性同性愛者の間での危険な性行為と関連し，HIV感染のリスクを増大させる．

b)血液および血液製剤による感染

HIVは，ウイルスに汚染された血液による輸血，血液製剤あるいは臓器移植によって感染する．注射薬物乱用者 injecting drug user (IDU)の間では，回し打ち(ニードル・シェアリング)の際共有する注射針や注射筒，薬物を混和するために使われる水(生理的食塩水などの溶媒)などを介して感染が一挙に広がる．

血液製剤による感染のほとんど全てのケースが，献血血液に対してHIV-1検査が義務づけられた1985年春以前のHIV感染によるものである． HIVに汚染した製剤の輸注を受けた人の90－100％が感染したと推定される． 全血，濃縮赤血球，血小板，白血球，血漿のいずれもがHIV感染の原因となりうるが，濃縮γグロブリン製剤，免疫グロブリン製剤はHIV感染の原因とはならない． これらの製剤ではたとえHIVが混入していたとしても，ウイルスを不活化あるいは除去する段階が製造過程に含まれているためである．

現在，我が国を含む先進工業国では輸血血液，血液製剤によるHIV感染の危険性をなくすためにHIV核酸検査(NAT検査)によるすべての献血用血液のスクリーニングが行われている．また凝固因子製剤に関しては，製剤の加熱処理によって製剤の安全性のいっそうの確保が図られているため，現在では実質的に皆無となっている．一方，しかし，それでもなお，非常に少数であるが，輸血に伴う感染事故が発生している．我が国においても毎年1－2件の感染事故が起こっている．最新のテクノロジーによる技術革新にもかかわらず，輸血に関連するHIV感染の危険性を完全にゼロにすることはできない．感染直後の1－2週の間は血中のウイルス量が低いため，最新の技術によってもHIV RNAを検出できないなどの問題が残る．

中国(河南省を中心とする内陸部)においては

1990年代はじめに，買血業者が，汚染した注射針を再利用したり，ある場合には多くの供血者からの血液を混合して，血漿(プラズマ)を分離し，供血者に赤血球部分を戻すということを行ったため，プラズマ供血経験者(Former plasma donor, FPD)の間に数10万人にも及ぶ衝撃的な数の感染者が発生した．現在さらにFPDから一般集団への感染波及が公衆衛生上大きな問題となっている．

臓器移植によってHIVが感染したことが確証されている事例が極めて少数であるが報告されている．我が国を含む先進国では，夫婦の一方(男性)がHIV感染者で，配偶者(女性)が非感染者であるカップルが子供を希望している場合，精子洗浄による人工授精が行われている，多くの場合成功をみているが，1990年にパートナーが感染したケースが報告されている．

c)医療現場におけるHIV感染のリスク

我が国における実態は明らかでないが，米国においては，毎年60万－80万人もの医療従事者が注射針あるいは他の医療器具によって刺傷事故を起こしていると推定され，少数であるが確実な証拠のある感染事例が報告されている．注射針あるいは鋭利な器物による皮膚の刺傷事故によるHIV感染のリスクは約0.3%，粘膜面への曝露によっては0.09%であることが示されている．健常な皮膚からのHIV感染例は報告されていない．

医療現場での事故に対しては，曝露後予防post exposure prophylaxisの目的で抗レトロウイルス薬を服用することで，感染のリスクを低減することができる．

一方，医療関係者から患者へあるいは医療現場で感染したと強く示唆されるケースがいくつか報告されている． 最も有名な例は，1990年代はじめに起こったフロリダの歯科医から，6人の患者への感染したケースである(汚染した器具が原因として疑われている)．その他，感染した整形外科医(股関節全置換術の操作中)および看護師から患者へ感染したと推定される例(共にフランスでのケース)や，外科処置の際に患者から患者の間でHIV感染が起こった例が報告されている(オーストラリア)．これは外科医がHIV感染患者に対する手術の後，手術器具を適切に消毒滅菌しなかったことが原因として考えられている．血液透析が関係すると考えられる数件のHIV感染例も報告されている．その他，1980年代にルーマニアの孤児院で，栄養状態の改善のため行われた習俗的な血液接種microinfectionよって，8,000－10,000もの小児が集団感染した事例や，1980年代後半にロシア，1990年代後半にリビアの病院で，医療に関連した(医原性iatrogenicの)大規模な集団感染が発生している．このような事例は，いわゆる院内感染防止対策と同様に，医療現場における感染予防の一般原則(ユニバーサル・プレコーションuniversal precaution)を順守，実行することが重要である．

d)母子感染

HIVは妊娠中，分娩，授乳のいずれの時期にも感染母体から児に感染しうる．途上国では，母子感染はきわめて重要な感染ルートである．HIVは早い場合には妊娠の第1および第2三半期に起こりうることが明らかにされている． ルワンダと旧ザイールで行われた研究結果によれば，母子感染率は出産以前が23－30%，出生時が50－65%，授乳時が12－20%で，感染が最もよく起りやすいのは周産期であることが明らかにされている．なんら対策がとられない場合の母子感染率は，先進工業国では15－25%，途上国では25－35%である．感染率を高める要因として最も重要なリスク因子は母体のウイルス量で，母体血液中のウイルス量が高いほど感染率が上昇する．

母子感染対策としては，母児への抗レトロウイルス剤投与が有効であることが示されている．ジドブジンzidovudine（AZT)治療を妊娠第2三半期から分娩までの期間行い，さらに出産から6週間にわたって出生児に投与することで，妊娠中，周産期のHIV感染率を，未治療群の22.6%に比べ，5%未満へと劇的に減少させることができる．母子感染率は抗レトロウイルス薬の併用療法によって現在1%かそれ以下に近づきつつある．このような薬物療法に加えて帝王切開を行うことで，HIV母子感染は先進工業国ではきわめてまれとなっている．

母親が長期にわたって授乳を続ける途上国においては，授乳がHIV感染の重要なルートになっている．先進国においては感染した母親による授乳を避けたほうがよいことは明白であるが，途上国の多くでは母乳が児にとっての唯一かつ最も適切な栄養源であり，また小児期に罹患する可能性のある重篤な感染症に対する免疫のソースであるため，HIV感染母体からの出生児に対して母乳を与えるべきかどうかについて，意見の一致をみていない.

[センチネル・サーベーランス（Sentinel surveillance）]

HIV流行の現状を知り，流行の予防と制圧に対する適切な対策をとる上で，センチネル・サーベーランス（定点動向調査）は極めて重要である．サーベーランスの対象は，高リスク集団（high risk population）と一般集団（general population）の2つのカテゴリーに分けられる．高リスク集団とは，HIVに感染する危険度の高い集団であり，注射薬物乱用者（injecting drug user, IDU），売春婦（commercial sex worker, CSW）（性別を明示する場合，女性はfemale CSW（fCSW），男性はmale CSW（mCSW）というが，単にCSWという場合も多くは売春婦を意味する）と性病患者（STD patient）が含まれる．国によっては徴集兵（military conscript）が加えられる．IDUは経血液感染，CSWとSTD患者は性感染によるHIV感染の危険性が高い．STD患者（とmilitary conscript）の感染率は，性的に活動的な若年男性集団の動向を反映するものであり，性感染によって一般集団に感染を拡げる可能性をもつ集団の動向を把握する上で公衆衛生上重要な指標となる.

一方，一般集団として重要なのは，妊産婦（antenatal clinic attendants, ANC）と献血者である．特にANCは一般集団にHIV感染がどの程度拡がっているかを知る上で最も信頼性の高い指標とされている．ANCは一般集団の流行動向を知る上で最も信頼性の高い「サロゲート・マーカー（surrogate marker, 代理指標）」である．献血者の感染率は，一般集団の動向を知る上だけでなく，輸血血液・血液製剤の安全性を確保する血液行政上の観点からも重要である．献血は，全世界的に対価を求めない自発的献血者（voluntary donors）によることが勧告されているが，実際には患者家族からの対価を求めるなかば職業的な献血者（その中には薬物乱用者など高いリスク行動を行なっているものが含まれる場合がある）が含まれていたり，我が国のように検査目的のために感染のおそれのある人々が献血する場合があり，正確には一般集団の動向を反映しない可能性があることを考慮する必要がある.

センチネル・サーベーランスは，国情や流行状況にもよるが，サーベーランスを行なう地点（センチネル・サイト）を国内に数－数十ケ所選び，年に1－2度全国一斉に行なう．各サイトの各集団の対象者から血液を採取して抗体検査を行ない，抗体陽性者の割合（感染率あるいは抗体保有率Prevalence）を求める．結果は%で示される．対象者の数は，高リスク集団では約100人，一般集団では500－800人が目安となる（感染率が低いほど，調査の精度をあげるために母数を大きくする必要がある）．また検査に先立ってのカウンセリング（voluntary testing and counseling, VCT），被験者のプライバシーの保護が重要である．最近では，抗体検査による流行状況の把握に加えて，対象者の行動学的特徴を知るための調査（behavior surveillance）を加えた第2世代のサーベーランスがWHO/UNAIDS（国連エイズ合同計画）が主導して，世界的に進められている．これは，単に流行状況を把握するだけでなく，集団のリスク行動の特徴を明らかにすることで，流行の予防・制圧のための政策決定のための重要な基礎資料となる．（注：なお，我が国では，このようなactive surveillanceは，MSMや風俗関係者の感染率調査などを除いては，組織的な形では行われていない．我が国のように，全体として感染率が低い国では，検査母数を非常に大きくする必要があり，現段階では対費用効果からも現実的ではない）.

3. 病原体（総説として文献[7]）

エイズの病因となる病原体は，レトロウイルス科のレンチウイルスに属するヒト免疫不全ウイルス（Human immunodeficiency virus, HIV）である．このウイルスは1983年にフランス・パスツール研究所のルック・モンタニエ（Luc Montanier）らのグループによって，エイズ発症前駆期の

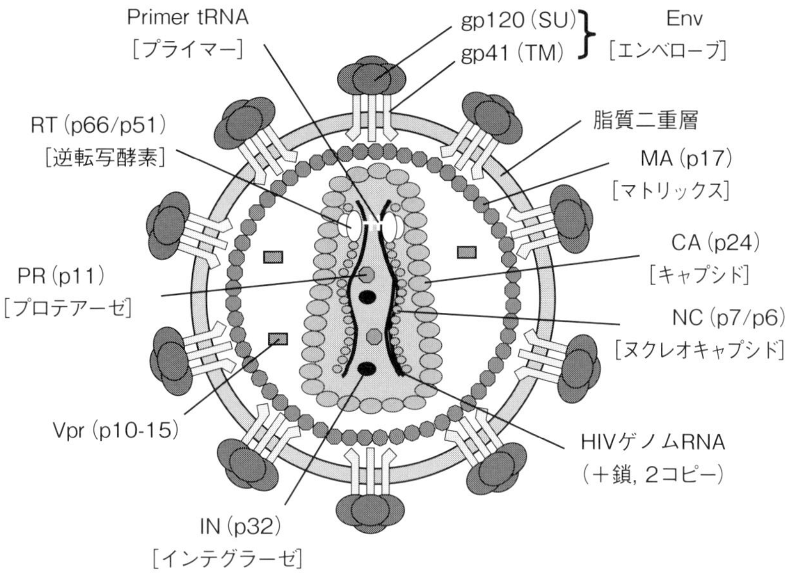

図４　HIV の微細構造（模式図）

HIV 遺伝子とウイルス粒子構成タンパク質との関係を上に示す．ウイルス粒子内部の砲弾型のキャプシド構造内に約 9,700 ヌクレオチドからなる(+)鎖ゲノム RNA が 2 コピー含まれる．エンベロープ蛋白質は 3 量体構造をもつ．

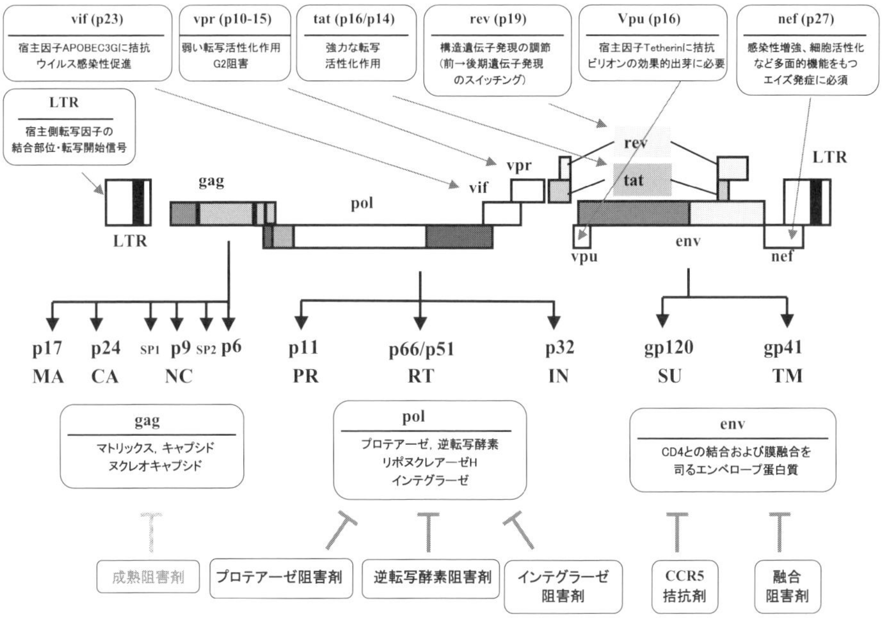

図５　HIV 遺伝子の構造と機能

HIV 遺伝子は，*gag, pol, env* の 3 個の主要な構造遺伝子と *vif, vpr, vpu*（HIV-1 と SIV_{CPZ} だけがもつ）あるいは *vpx*（HIV-2 と SIV_{SM} がもつ），*tat, rev, nef* の 6 個の調節遺伝子から構成され，複雑で精妙な遺伝子発現調節機構によって制御されている．この図は世界流行の最も主要な原因ウイルスである HIV-1 に関し，遺伝子機能を示す．各遺伝子産物のシンボルは図 3 に示したウイルス粒子の構成成分に対応する．

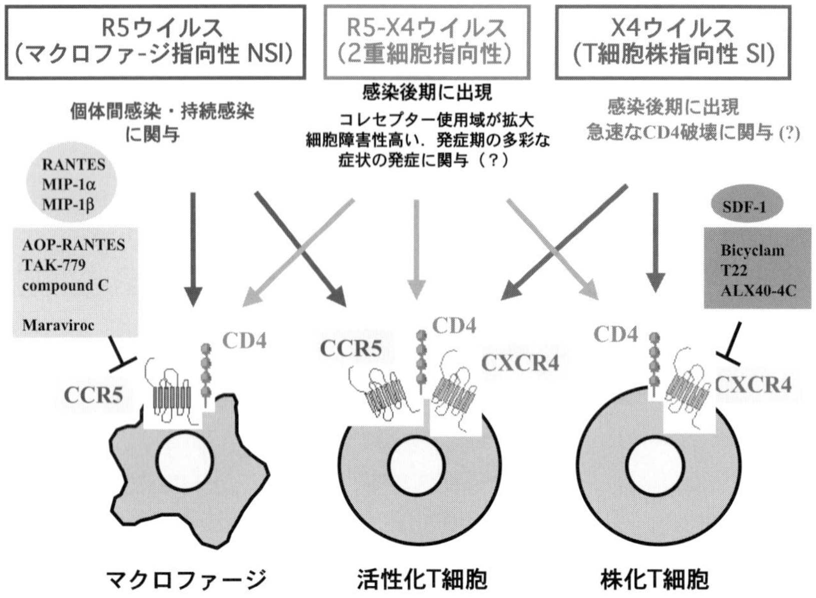

図６　HIV-1 の細胞指向性とコレセプター使用域およびそのウイルス学的・生物学的性質の相互関係
これまでに開発されてたコレセプター阻害剤を示す．

表２　HIV の感染様式／経路とその予防対策

感染様式	感染経路	感染予防対策
●経血液	感染経路	注射針交換プログラム
(医原性)	静注薬物の回し打ち	非加熱製剤の使用
(> 90%)	汚染血液製剤	血液スクリーニング
	輸血	リキャッピングを避ける
	針刺事故　(< 0.5%)	暴露後予防措置
	(臓器移植)	(*Post-exposure prophylaxis*)
●性感染	異性間性接触	セーフ・セックスの実行
(0.1 ～ 1.0%)	同性間性接触	コンドーム使用
		不特定多数の性的パートナーとの性交渉を避ける
●母子感染	経胎盤	*AZT*／ネビラピンの予防的投与
(30%)	周産期	帝王切開
	母乳	人工乳

各感染様式による感染率を括弧内に示す（WHO 資料）．

患者にみられる腫大したリンパ節組織を材料として最初に分離・同定され，リンパ節症随伴ウイルス，lymphadenopathy associated virus（LAV）と命名された．ついで米国 NIH のロバート・ギャロ(Robert Gallo)は，ヒト T 細胞白血病ウイルスタイプ III（human T-cell leukemia virus-III, HTLV-III），ジェイ・レビィ（Jay Levy)はエイズ関連ウイルス(AIDS related virus, ARV)と名づけるウイルスを分離・同定した．1984 年 8 月に開かれた国際ウイルス学会のウイルス分類命名小委員会は，これらが同一のカテゴリーのウイルスであることを認め，新たにヒト免疫不全ウイルス(Human immunodeficiency virus, HIV)と名称が統一された．

(注)エイズの原因ウイルスの最初の発見者を巡って，モンタニエとギャロの仏米の研究チームが長年にわたって対立し，1994 年に両者が共に最初であるとして決着したが，この対立はエイズ治療薬の特許が絡むもので，治療薬の発売を遅らせないための政治的決着であった．2008 年 10 月にフランスのルック・モンタニエ(Luc Montagnier)とフランソア・バレシヌシ(Francois Barre-Sinoussi)の 2 人に，ウイルスの発見者として，2008 年のノーベル医学生理学賞(ヒトパピローマウイルスと子宮頸癌との関連性を明らかにしたドイツのハラルダ・ツール・ハウゼン(Harald zur Hausen)博士と合わせての 3 名の共同受賞)が授与されることが発表された．

HIVは，直径110nmのRNA型エンベロープウイルスで，約9,700塩基からなる2コピーのRNAゲノム，逆転写酵素などを含む砲弾型のコア(キャプシド)と，それを取り囲む球状エンベロープによって構成される(図4)．ウイルス粒子の外側を構成するエンベロープには，外側に突き出している糖タンパク質gp120と脂質二重膜を貫通する糖タンパク質gp41からなるスパイクがある．エンベロープタンパク質はヘルパーT細胞やマクロファージ表面膜に存在するCD4分子に対する特異的な結合活性をもち，ウイルスが標的細胞に感染・侵入する過程で重要な役割を果たす．HIV遺伝子は，両端に存在する転写開始や逆転写・組み込み反応に重要なLTR (long terminal repeat)とよばれる遺伝子領域と，gag, pol, envの3つの主要な構造遺伝子，tat, revなどの6種の調節／アクセサリー遺伝子からなる極めて複雑な構造と機能をもつ(図5)．

HIVの感染には，CD4の他にCD4と共同してウイルスの細胞内侵入を促進する補助因子(コレセプター)が必要である．HIV-1のコレセプターの実体は長い間謎であったが，1996年になって，ケモカイン(炎症性サイトカイン)受容体のCXCR4とCCR5であることが同定された(総説として文献(8)参照)．HIVは，CD4およびCXCR4あるいはCCR5を受容体として，それらを発現しているヘルパーT細胞やマクロファージに感染し，その結果として，細胞性免疫機構を破綻に至らせる．

また，コレセプター利用能の差異を指標としてHIVの機能的分類がなされている(図6)．CXCR4をコレセプターとして利用するものをX4ウイルス，CCR5を利用するものをR5ウイルス，両者を利用する能力をもつものをR5-X4ウイルスと呼ぶ．それらは，ウイルスの細胞指向性に基づく分類によるT細胞株指向性，マクロファージ指向性，二重(T細胞株とマクロファージの両)指向性ウイルスにほぼ対応する．R5ウイルスは，ヒトからヒトへの感染と感染個体内での持続感染の成立に関与する最も重要なウイルスと考えられる．一方X4ウイルスやR5-X4ウイルスは感染後期に出現し，急速なCD4陽性T細胞数の低下の原因の一つではないかと考えられている．R5-X4ウイルスは，細胞障害性の強いウイルスで，CCR5とCXCR4以外にもCCR3やCCR2など他のケモカイン受容体をもコレセプターとして利用する能力をもつ場合があり，発症期の中枢神経症状など多彩で重篤な臨床像と関係している可能性がある．なお，CXCR4およびCCR5を受容体とするケモカインであるSDF-1 (Stroma cell derived factor-1) および RANTES，MIP-1α，MIP-1βはそれぞれ，X4ウイルスおよびR5ウイルスの感染を特異的に阻害する．これらの性質は，CXCR4やCCR5がHIV-1の感染に必須の補助因子であることを裏づける重要な証拠の一つとなった．

4. HIVの遺伝子型分類(総説として文献[9, 10, 11])

HIVは，血清学的・遺伝学的性状の異なるHIV-1とHIV-2に大別される(図7)．HIV-1は世界流行(パンデミック，Pandemic)の主体となっているウイルスで，全世界に分布している．

これに対して，HIV-2は主に西アフリカ地域に限局しており，フランス，ポルトガル，スペインなどに西アフリカ地域と関連をもつ散発例が報告されているに過ぎない．西アフリカ以外の地域ではインドのボンベイ・ゴアにHIV-2感染のエンデミック・フォーカス(侵淫地域)が存在することが知られている．HIV-2はHIV-1に比べて，感染性や病原性が低く，このことがHIV-2流行を限局的なものにしている理由と考えられる．なお，東アジア地域では，韓国で1992年以来10症例が報告されている．いずれも遠洋航海の船員およびアフリカ在住歴をもつ症例とその関連症例である．我が国では，これまでに合わせて9症例(日本人3，韓国人2，アフリカ人4)が報告されている．ごく最近に東海地域から報告された5例のHIV-2感染症例のうち2名は若年日本人女性で，外国人からの国内感染が疑われる初めてのケースである．

世界流行の原因となっているHIV-1は，遺伝学的系統関係から，グループM (Majorあるいは Main)，N (non-M/non-Oあるいはnew)，O (Outlier)，Pの4群に大別される．グループN,

各論I

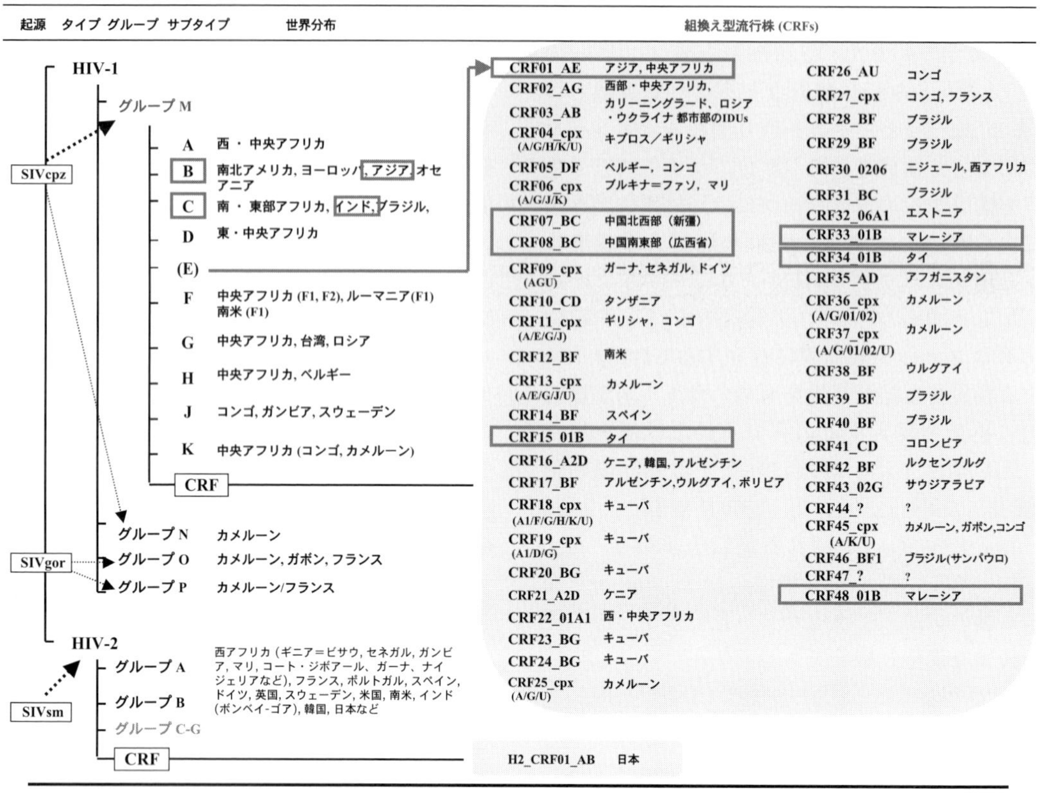

図7　HIV の遺伝子型分類とその世界分布
左に各ウイルス種の推定される起源を示す.

O はカメルーンを中心とする中央アフリカ地域で少数例が知られているに過ぎない．グループ P はフランス在住のカメルーン女性に見出された新型の HIV-1 で，遺伝子配列上ゴリラのウイルスに近縁であることから，ゴリラ起源と考えられている(図 7)．HIV-1 グループ M は全世界に分布する最も主要な世界流行株であり，塩基配列に基づく系統解析からさらにサブタイプ A，B，C，D，F，G，H，J，K の 9 サブタイプに分類される．サブタイプ A，F はそれぞれサブサブタイプ A1，A2 および F1，F2 に細分類される．同一サブタイプの間での塩基配列の差異は平均 7 － 15 %，異なるサブタイプの間の塩基配列の差異は平均 20 － 30%である．

これらサブタイプの他に，世界流行を駆動する動因として，これらサブタイプ間の組換えウイルスが，重要な役割を果たしていることが明らかにされている．中でも，ヒト集団に広く播種しているものが組換え型流行株(Circulating recombinant form, CRF)と呼ばれるもので，現在までに 48 種の CRF が報告されている(http：//hiv-web.lanl.gov/CRFs/CRFs.html)．CRF は発見の順番を示す番号と下線の後にそれを構成するサブタイプ名(3 つ以上のサブタイプからなる場合は一律 cpx として示す)を組み合わせて表示される(図 7)．その中には，タイを中心とした東南アジア地域の流行の主要な原因となっていて，我が国においても重要性の高い CRF01_AE（これまでサブタイプ E と呼ばれたウイルス株)の他，アフリカの様々な地域の流行に関与している CRF02_AG，東欧の IDU に見出される CRF03_AB や，中国の IDU 間に見出される CRF07_BC や CRF08_BC などの重要な流行株が含まれる．なお新しいサブタイプないし CRF が認められるには，疫学的に独立な(母子感染や配偶者間の感染のように直接的な感染と考えられる例を除く)感染者から，少な

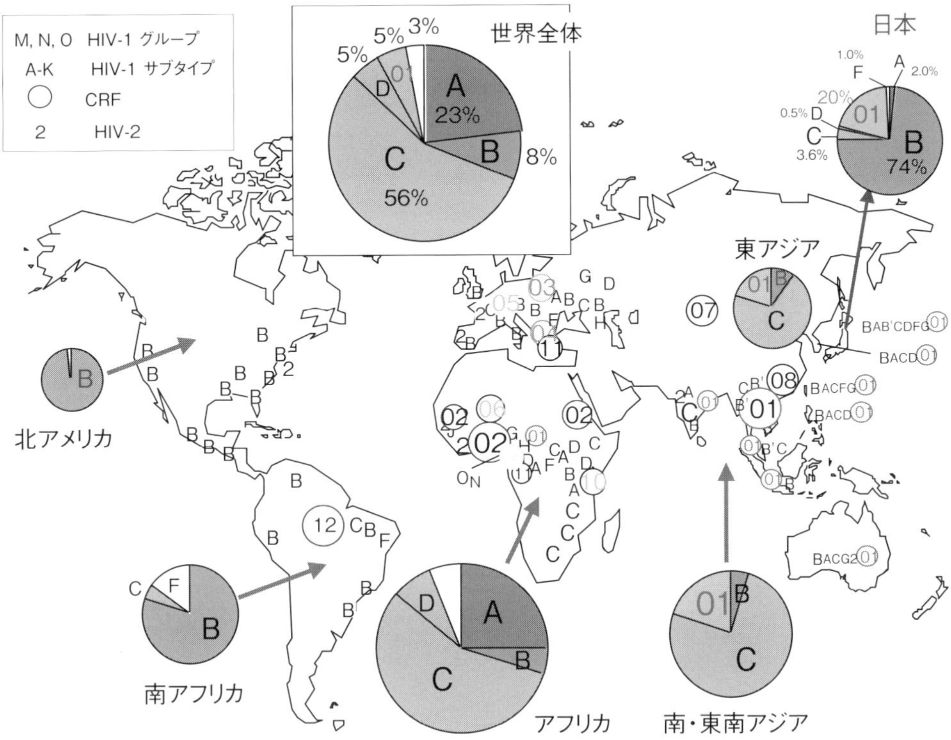

図８　HIV サブタイプの世界および我が国における分布

HIV サブタイプおよび CRF の世界分布を示す．HIV-1 のグループ M の各サブタイプを A ～ D，F ～ H，J，K；グループ O，N をそれぞれ O，N；HIV-2 を 2 で示す．円の数字は組み換え型流行株（CRF）の番号を示す．世界全体（挿入図）および大陸別のサブタイプ分布（出典：Osmanov, S. et al. J AIDS 29：184-190, 2002 を改変）をパイグラフで示す

くとも３つの完全長あるいは２個の完全長およびそれに準じる部分的なウイルスの塩基配列が決定される必要がある．

我が国では，HIV 感染者の約 75%がサブタイプ B で，約 20%が CRF01_AE，残り数%がサブタイプ C，F，A，D などである（図８）．サブタイプ B は欧米に広く拡がっているウイルス株で，我が国では，非加熱血液製剤によるいわゆる「薬害エイズ」患者や，男性同性愛患者のほとんどが，このタイプのウイルスの感染者である．一方異性間の性接触による感染者の間では，サブタイプ B と東南アジアに由来する CRF01_AE が多く見られる．90 年代に入るまで，我が国の感染者はほとんど例外なく欧米に広く分布するサブタイプ B であったが，91 － 2 年以降 CRF01_AE が主に性感染のルートを介して拡がりつつある．図８に HIV サブタイプの世界および我が国における分布を示す．

このように HIV のより詳細な遺伝学サブタイピングが可能になったことで，各流行地におけるウイルスの起源やその伝播の様相が，世界的な規模で明らかになりつつある．しかし，サブタイプの違いが，病原性や感染効率（性感染や母子感染）の差異といったウイルスの生物学的性質にどのように関連するかは明らかではない．サブタイプ B を例にとってみると，欧米や日本の男性同性愛者間で 90%以上を占める圧倒的に優勢なウイルス株である．しかし，これはサブタイプ B が同性愛間の性感染の効率が高いためではなく，サブタイプ B が偶々流行初期にこの集団に急速に播種したためのいわゆる「ファウンダー効果」によるものと考えられる．例えば，MSM 流行が比較的最

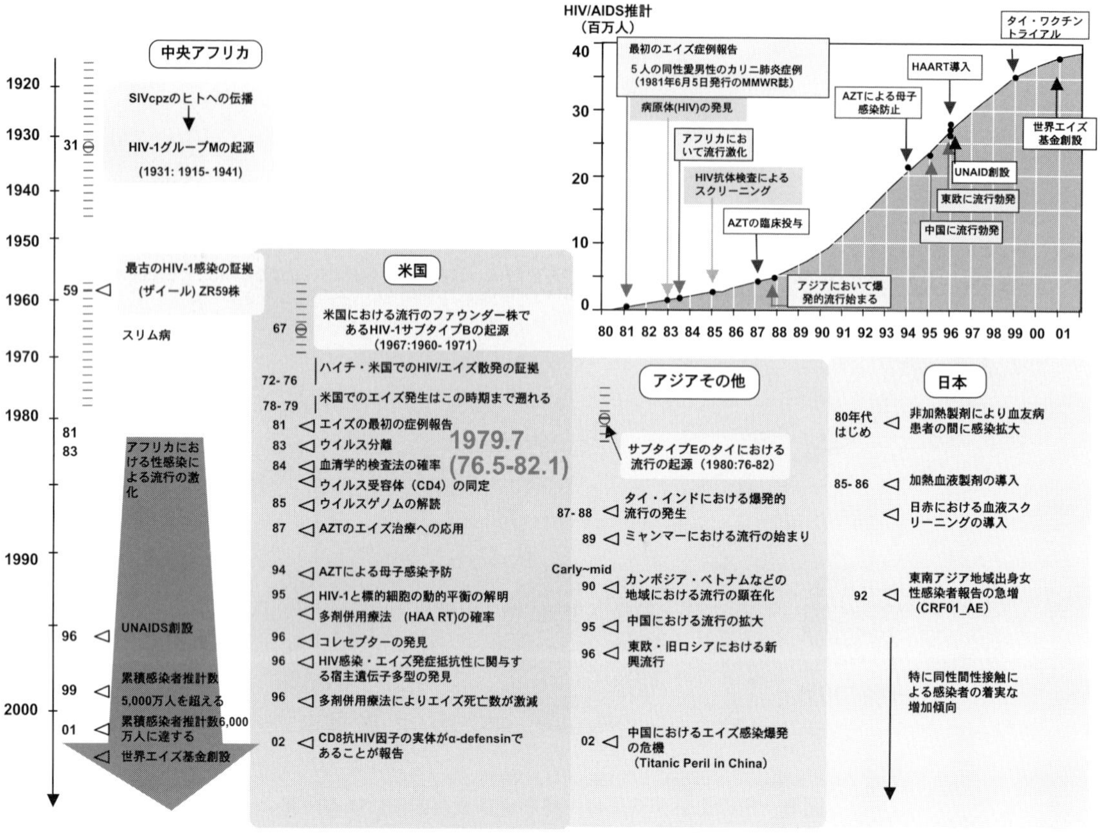

図９　エイズの世界流行の歴史とそのランドマーク

近になって顕在化してきたタイなどの地域では，地域の流行を反映して，CRF01_AE が優位を占める．

5. HIV の起源と流行拡大のメカニズム（総説として [12, 13]）

HIV の起源に関しては，霊長類を自然宿主とするサル免疫不全ウイルス（Simian immunodeficiency virus, SIV）のヒトへの伝播（ズーノーシス＝人畜共通感染症 , zoonosis）によるとする有力な証拠がある．HIV-2 はスーティーマンガベイを自然宿主である SIV_{SM} に由来する．両ウイルスだけが vpx 遺伝子という特異的な遺伝子を共有し，系統樹上密接な関係がある．また，自然宿主のスーティーマンガベイの生息地域地域が HIV-2 流行地域と一致する．一方，HIV-1 は，チンパンジーの 4 種の亜種のうち *Pan troglodyte trogrodyte* (*P.t.t.*) を自然宿主とする SIV_{CPZ}（SIV_{CPZ} *P.t.t.*）に由来するとする有力な証拠が提出されている．系統関係の近縁性狩猟の際の血液との接触，創傷からの感染，屠殺した霊長類の生肉摂取などがヒトにおける流行発生の契機になったと考えられている．また HIV 流行の主体となっている HIV-1 グループ M が生まれたのは，最近の解析の結果，20 世紀初頭の高々 100 年程度の極く最近の出来事［1931 年（1914 － 1941）］であることが明らかにされている（図 9）．

ヒトでの HIV 感染の最も古くしかも確実な証拠は，1959 年のコンゴの血清にまで遡ることができる．（また 1971 年以前に感染したと考えられるノルウェー人家族の例が知られている．なお，最も古い感染例として報告されているものに，1959 年に AIDS 様症状で死亡した英軍水兵の例が知られているが，その正当性は現在疑問視されている）．エイズは，1960 年－ 70 年代より中央アフリカ地域の密林で風土病的に存在したと考えられ，当時，「スリム病」と呼ばれた著しい「るいそう（極度の痩せ／栄養不良状態）」によって特徴づけられる疾患群の中に，現在でいうエイズが含まれていたと推測されている．当時，病気は外界とは隔離されていたが，中央アフリカ地域の長年にわたる戦乱による難民化や，交通機関・道路網，経済活動の急速な発展にもとづく都市化・農村部の疲弊と，それに伴う急激な人々の移動，売春・不特定多数の性的パートナーと性接触（promiscuity），といった様々な社会的・経済的要因が絡まりあって，急速に世界に広まったと考えられる．とりわけ1980年代に入って，極めて活発なしかも多数の性的パートナーとの性行動を行う欧米の同性愛者間に急速に拡がり，これがエイズとよばれる疾患単位が認識される最初のきっかけとなった．またそれに前後して，欧米の薬物乱用者（Injecting drug users, IDUs）の集団で，薬物の回し打ち（needle-sharing）によって爆発的に流行が拡大した．1988年に入るとこれまで エイズ流行の兆候のなかったアジア地域，特にタイ・インドでIDUsや売春・不特定多数のパートナーとの性的接触によって爆発的な流行が発生し，現在，アフリカに次ぐ最も深刻な流行地の一つとなっている．さらに1990年代中頃には，薬物乱用者を中心とした東欧・旧ソ連圏や中国などでの新興流行（Emerging epidemic，エマージング・エピデミック）が注目されている．図9にエイズの世界流行の歴史とそのランドマーク（道標）をまとめる[13]．

6. 臨床像（総説として[14, 15, 16]）

HIV感染の自然経過は急性初期感染期，無症候期～中期，エイズ発症期の大きく3期に分けられる（図10）．

①**急性初期感染期**：HIV感染成立の2 － 3週間後にHIV血症は急速にピークに達するが，この時期には発熱，咽頭痛，筋肉痛，皮疹，リンパ節腫脹，頭痛といったインフルエンザあるいは伝染性単核症様の症状が出現する．症状は全く無自覚の程度から，無菌性髄膜炎に至るほどの強いものまで，その程度は様々である．初期症状は数日から10週間程度続き，多くの場合，自然に軽快するが，中には，CD4量が著しく低下したまま回復せず，急性の経過をとってエイズを発症（未治療の場合死亡）するような症例があり，急性発症者（rapid progressor）とよばれる．一方，HIV感染者の中には，15 － 20年以上にわたってエイズ発症から免れている症例があり，長期未発症者（long term nonprogressor）と呼ばれる．HIV-1感染者の1 － 3%に見いだされ，ワクチン開発や新しい治療技術開発の視点から注目される（詳細は後節を参照）．

②**無症候期**：感染後6 － 8週で血中に抗体が産生されるとピークに達していたウイルス量は6 － 8ヶ月後にある一定のレベルまで減少し，定常状態となり，その後数年－ 10年間ほどの無症候期に入る．無症候期を過ぎ，エイズ発症前駆期（中期）になると発熱や倦怠感，リンパ節腫脹が出現し，帯状疱疹などを発症しやすくなる．

③**エイズ発症期**：抗HIV療法が行われないとすると，HIV感染がさらに進行し，HIVの増殖を抑制できなくなり，CD4陽性T細胞の破壊が進む．CD4リンパ球数が200/mm^{3}以下になるとカリニ肺炎などの「日和見感染症」を発症しやすくなる．さらにCD4リンパ球数が50/mm^{3}を切るとサトメガロウイルス感染症，非定型抗酸菌症，中枢神経系の悪性リンパ腫などを発症する頻度が高くなり，食欲低下，下痢や低栄養状態や衰弱が著明となる．その他，認知能力の低下・意識混濁（「エイズ痴呆」，HIV感染に伴う免疫不全を背景として発生するカポジ肉腫（下記参照）など「日和見腫瘍」を含む多彩で且つ重篤な様々な症状が出現する．未治療の場合のエイズが発症後の予後は2 － 3年である．

[エイズの発症機構に関する新知見][17]

HIV感染の無症候期には，一般に血中のウイルス量は見かけ上低いレベルで推移しているが，決して他のレトロウイルス感染症における潜伏期のような静的な状態ではない．最近の研究によってHIVは体内で1日当たり10億個から100億個という速さで産生され，一方，それに見合うだけのCD4陽性T細胞が産生され，感染し破壊されるというダイナミックな過程が，感染者の体内で

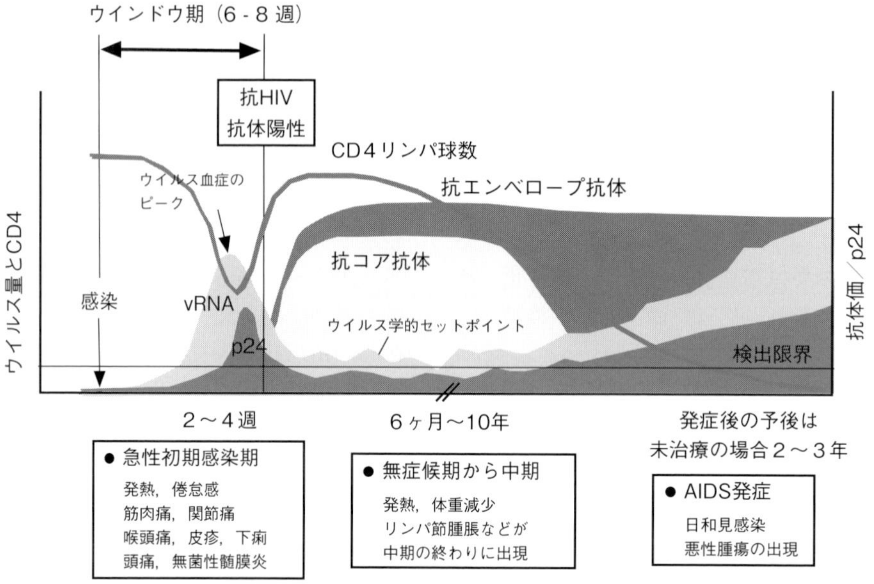

図 10　HIV 感染の臨床的経過

日々繰り返されていることが明らかにされている．また HIV 感染の主要な場はリンパ節であるが，リンパ節の中では感染の早期からウイルスの増殖とリンパ濾胞の破壊が進行している．このようにウイルスと免疫系とのたゆみない攻防の末，ついには免疫系が破綻し，エイズが発症するものと考えられる．

なお，無症候期に定常状態になった時のウイルス量（ウイルス・ロード）をウイルス学的セットポイント（図 10）といい，この値がその後の予後に重要な関係がある．セットポイント時のウイルス量が多い程エイズを発症しやすいことが明らかにされている．

［ヒトヘルペスウイルス 8（HHV-8）とカポジ肉腫その他の関連疾患］[18)]

発見の経緯：

カポジ肉腫はもともと地中海沿岸や東欧系の高齢者に稀にみられる血管系肉腫として，1972 年にハンガリー人皮膚医のモーリッツ・カポジ Moritz Kaposi によって報告されことから，この名がある．カポジ肉腫は，これまで風土病的性格をもつ稀な疾患と考えられてきたが，1980 年代に入り，米国の若い男性同性愛者の間で突然カポジ肉腫の発症が見られるようになり，カポジ肉腫の臨床疫学は一変した．

病原体：

カポジ肉腫の病原体は，1994 年に Chang らによって，AIDS に合併したカポジ肉腫から発見された．第 8 番目に発見された新種のヒトヘルペスウイルスであることから HHV-8 と命名された．カポジ肉腫との関連性からカポジ肉腫関連ヘルペスウイルス（Kaposi’s sarcoma-associated herpes virus, KSHV）ともよばれる．HHV-8 はヒトヘルペスウイルスに属する 2 本鎖 DNA ウイルスで，EBV と共に γ －ヘルペスウイルス亜科に分類される．γ －ヘルペスウイルスはさらに γ 1（lymphcryptovirus）と γ 2（rhadinovirus）に分類される．EBV は前者に，HHV-8 は後者に属する．HHV-8 は 170 kb のゲノム DNA をもつ．電子顕微鏡では他のヘルペスウイルスと同様なヌクレオキャプシド，コア，テグメント，エンベロープからなる構造をもつ直径 180 nm 程度のウイルス粒子として観察される．電顕像だけからは，他のヘルペスウイルスとの鑑別は困難である．感染者の唾液に高コピー数が検出されることから唾液を介した感染経路が推測されるが，詳細は不明である．

HHV-8 は，Epstein-Barr virus（EBV）と共にヒトに悪性腫瘍を起こすいわゆる「がんウイルス」である．HHV-8 はすべてのカポジ肉腫症例から検出されることから，カポジ肉腫との関連性は疑いないが，一方で，HHV-8 が感染したヒトは必ずカポジ肉腫を発症するわけではなく，AIDS など免疫不全患者に発生することから，カポジ肉腫は HHV-8 による「日和見腫瘍」である．HHV-8 はカポジ肉腫の他にも，原発性体腔液性リンパ腫 primary effusion lymphoma（PML）や多巣性キャッスルマン病 multicentric Casteman's disease（MCD）のようなリンパ増殖性疾患の発症にも関与する．これら HHV-8 関連疾患はいずれもエイズ患者に見られる疾患であり，エイズ以外ではこのような疾患を診ることは稀である．

HHV-8 の遺伝子型には A − E の 5 種があり，それぞれアメリカ(A)，アフリカ(B)，地中海沿岸(C)，ポリネシア(D)，南米原住民(E)が多いとされる．日本のカポジ肉腫症例は A と C が多い．しかし遺伝子型はウイルス学的性質，臨床病態とは関連しない．

疫学・感染経路：

HHV-8 感染率は地域によって大きく異なり，アフリカ諸国では 40 − 50%，イタリアなど地中海沿岸地域では 10%程度，北米を含む他の地域では 5%以下である．日本人健常者の感染率は 1%程度である．アフリカなど HHV-8 が広く蔓延している地域では唾液，粘膜分泌液を介した母子感染が主要な感染経路と考えられるが，その他の地域では，主に性行為，唾液を介した水平感染が考えられている．AIDS 合併カポジ肉腫患者のほぼ全員が MSM であり，HHV-8 感染が MSM の特殊な性行動と関連している可能性がある．欧米の MSM における HHV-8 抗体陽性率は 8 − 24%である．また我が国の HIV-1 に感染した MSM での HHV-8 抗体陽性率は 55%と報告されている．HIV の転写活性化因子の Tat は HHV-8 の血管内皮細胞に対する感染効率を高めることが示されており，AIDS 患者におけるカポジ肉腫発症の重要な要因の一つと考えられる．

診断：

エイズに合併するカポジ肉腫は，肉眼所見(皮膚に発生する赤紫色の発疹)に加え，患者の既往(HIV 感染)や MSM かなどの情報から比較的容易に推察可能である．確定診断は病理組織学的検査によって行われる．免疫組織化学的方法によって，HHV-8 に特異的なマーカーである潜在感染タンパク質 LANA（latency-associated nuclear antigen）の検出による．補助診断法として核酸検査や血清抗体検査により HHV-8 感染を確認する方法がある．

治療：

単発性のものは予後良好で，AIDS に対する治療(HAART)を行うことによって治療できる．一方多発性のものに対しては，2007 年にエイズ関連カポジ肉腫治療薬として承認されたドキソルビン塩酸塩のリポソーム製剤(商品名：ドキシル)が，骨髄抑制などの副作用が少なく有効である．

7. 検査と診断 [16)]

HIV 感染症の診断は，臨床知見(カンジダ症，ニューモシスチス肺炎など 23 種の「指標疾患」)による臨床診断と抗体検査および「HIV 病原検査」に基づいて行われる(感染症法における診断基準)に加え，検査室レベルでの診断が行われる．HIV 感染症の診断は，一般に HIV 抗体検査による．HIV 抗体スクリーニング検査法(酵素抗体法(ELISA)，粒子凝集法(particle agglutination, PA)など)の結果が陽性で，且つ ①抗体確認検査(Western Blot 法，蛍光抗体法(IFA))あるいは，② HIV 抗原検査(HIV gag 蛋白質 p24 アッセイ)，ウイルス分離及び核酸診断法(PCR 法，血漿あるいは血清中のウイルス量の定量のための amplicore monitor 法，NASBA 法，b-DNA 法など)等の病原体に関する検査(「HIV 病原検査」)で陽性である場合，HIV 感染と診断できる．

ただし，周産期に母親が HIV に感染していたと考えられる生後 18 か月未満の児の場合は HIV の抗体スクリーニングで陽性であり，また，①「HIV 病原検査」が陽性，あるいは②血清免疫グロブリンの高値に加え，リンパ球数の減少 CD4 陽性Tリンパ球数の減少，CD4陽性Tリンパ球数／CD8陽性Tリンパ球数比の減少という免疫学的検査所見のいずれかを有する場合にHIV感染症と診断される(母体由来のIgG抗体が胎盤を通過できるため，この移行抗体が完全に消失するまでの生後15ヶ月程度までは，児の抗体検査からは感染の有無を判断できない).

最近の検査法の発展として特記すべきなのは，血漿／血清中のウイルス量(ウイルス・ロード)の検出・定量が，アンプリコア法やb-DNA法などの市販キットによって日常的に可能となったことである．ウイルス量のモニタリングにより，治療効果の客観的な評価を随時行うことができるようになり，エイズ治療の評価・方針決定に大きな進展がもたらされている．またこの方法は，献血の安全性の確保のためにも応用され，実用化されている．ウインドウ期にあたるHIV感染初期には一過性のウイルス血症があり，末梢血中に$10^{5\text{-}6}$/mlにおよぶウイルス粒子が出現するすることから，献血のために他の血液とプール・希釈された後においても，ウイルスRNAを高感度に検出できる．このような核酸増幅法(NAT法)の導入によって，実際2000年度には3件のウインドウ期にある献血者が未然に発見され，輸血用血液の安全性の確保に大いに役立っている.

[ウインドウ期間(ウインドウピリオド)]

これはHIVの感染初期においては抗体が十分に作られず，血液検査では検出できない期間があるためである．この期間をウインドウ期間(ウインドウピリオド・空白期間)と呼ぶ．ウインドウ期間には個体差があるが，約6－8週間である．この間に血液検査を行った場合，HIVに感染していても陰性(感染なし)と判断されてしまう．また，この期間には個人差もある.

HIV感染初期の体内でウイルスが増加するウイルス血症[4]に陥ってから(感染後〜最大1ヶ月ほどと個人差がある)体内に抗体が作られる血清学的ウインドウ期間は平均22日(感染後4日〜41日の間に陽性化するケースが95%)であり，通常の抗体検査で検出が可能なほど抗体が十分に増加するのは，感染後およそ1ヶ月〜3ヶ月かかるといわれている.

この最大3ヶ月を考慮して，日本における保健所などの検査機関では検査を受けられるのは「感染の機会があってから3ヶ月以上経過した後」とされている．ただし，最近は判定キットの精度の向上やNAT検査を同時に行うことにより，感染の機会があってから2ヶ月程度へと短縮されつつある.

[我が国における検査体制]

検査は全国の保健所で匿名・無料で受ける事が出来る(「HIV検査・相談マップ」http：//www.hivkensa.com/)．また，自分の居住地以外の保健所でも検査を受ける事ができる．有料であるが，医療機関でも検査を受ける事が出来る．都市部の保健所では，夜間や休日にも検査を行っている所があり，仕事や学業に影響を与えず検査できる体制が整備されつつある．結果はおよそ一週間ほどで判明するが，近年は30分以内で判明する即日検査も普及し始めている.

なお現在保健所等で行われている抗体検査の偽陽性率は0.3%程度で，全体として感染率の低い我が国では，陽性者の50%が偽陽性となる．即日検査(抗体迅速診断試薬)においては，さらに割合が高く約1%に偽陽性が確認されている．そのため，抗体検査で陽性反応が出た場合，本当にHIVに感染しているかの確認検査を行う必要がある．先に述べたように確定診断として，血中のウイルスRNAをRT-PCR法によって検出するウイルスDNA検査も現在は広く行われるようになっている.

8. HIV感染感受性やエイズ発症しやすさに関与する宿主遺伝子(総説として[19, 20])

これまで男性同性愛者や売春婦の中で，非常にリスクの高い性行動をしているにも拘らず，感染から免れている人々 (Exposed-uninfected)が存在することや，一方ウイルスに感染しているにも拘わらず，15年以上の長期間にわたってエイズの発症から免れている－いわゆる長期未発症者(long-term non-progressor，LTNP)－が存在することが明らかにされていた．このような感染・

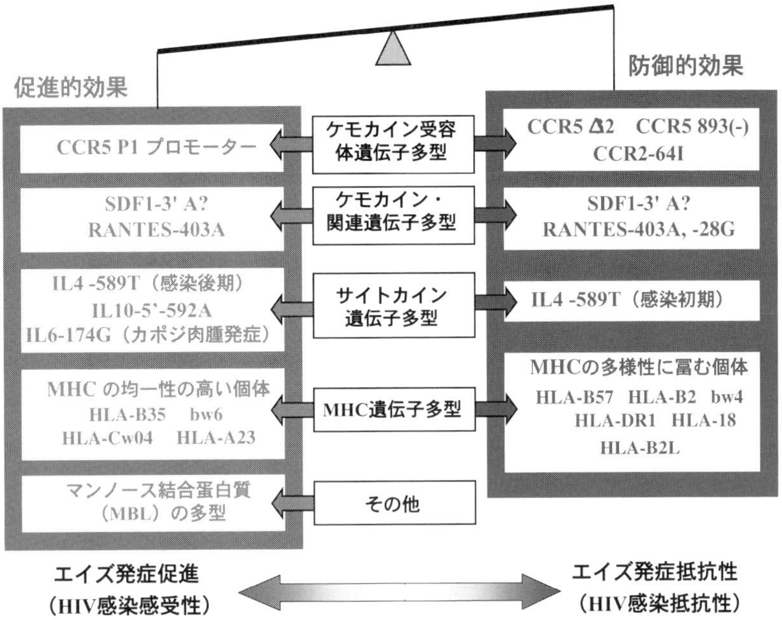

図 11 HIV-1 に対する感受性やエイズ発症抵抗性の遺伝学的背景
コレセプター遺伝子多型の他に，ケモカイン，サイトカイン関連遺伝子やヒトの組織適合抗原の遺伝子多型など様々な宿主要因がエイズ発症速度，HIV 感染感受性に影響を及ぼすことが明かになっている．

発症抵抗性の遺伝学的背景としてコレセプター遺伝子など宿主遺伝子の多型が重要な役割を果たしている．CCR5 Δ 32（CCR5 遺伝子内の 32 塩基の欠失変異）や CCR2 64I 変異がその代表的なものである．これらコレセプター遺伝子多型の他に，ケモカイン，サイトカイン関連遺伝子多型やヒトの組織適合抗原の多型性など様々な宿主要因がエイズ発症速度に影響を及ぼすことが明らかになっている（図 11）．以下に代表的な遺伝子多型のうち重要性が高い次の 3 つについて説明を加える．

非常にリスクの高い性行動を繰り返しているにもかかわらず感染を免れている白人男性同性愛者のコホート研究から，最初に発見されたのが，CCR5 の Δ 32 と呼ばれる 32 塩基の欠失変異である）．この変異を持つ場合，ウイルスに対して感染しにくく，また発症しにくくなる（発症が 2 － 4 年遅延する）．CCR5 Δ 32 変異は白人男性ではヘテロザイゴートが一般集団でも 8％程度存在し，ホモザイゴートも 1％弱の高頻度に存在することが明らかにされた．遺伝子頻度は北欧で高く（13％），南に下るにつれて低下する傾向がある．この変異は我々日本人を含む東洋人やアフリカ人には見いだされない．このことは，この変異が各人種が分岐した後の人類史上の比較的最近に発生したことを示唆している．分子進化学的解析から，この変異の起源が，現在から約 650 年ほど前の 14 世紀中頃，欧州でペストの大流行が起こっていた頃（1346 － 1352 年）にあり，この変異をもつ人々がペスト流行から生き残るなんらかのアドヴァンテージがあったのではないかという推論がなされている．

CCR2V64I 変異は，CCR2 分子の最初の膜貫通部（アミノ酸第 64 番）に存在する valine（V）が isoleucine（I）に置換する変異で，アジア人も含め全人種に約 10 － 15％程度の比較的高頻度に見いだされ，AIDS 発症を 2 － 4 年遅らせる効果をもつ．CCR2V64I 変異はアジア人におけるエイズ発症抵抗性に大きな役割をもっているという意味で重要な遺伝子多型である．CCR2 は稀にしかコレセプターとして利用されないことから，直接的な効果ではなく，CCR5 の細胞膜上での発現を制御するといった間接的な機構によってエイズ発症に阻害的に働く可能性が示唆されている．

またヒトの組織適合抗原 HLA の複雑性（ヘテロジェネイティ）が高い個人ほど，エイズが発症しにくいという知見が報告されている．これは HLA が多様性に富んでいて，より多様な抗原に対応できる人ほど，発症しにくいことを意味している．また特定の HLA 型がエイズ発症を遅延あるいは加速する要因となることが明らかにされている．前者として有名なのは Bw57p，Bw27（日本人には稀な HLA 型）である．ところで病態が長期にわたって進行しない長期未発症者（LTNP）は HIV-1 感染者の約 1 − 3%にみられるが，さらに LTNP の中の特別なグループとして，長期にわたって無症候であるだけでなく，血中ウイルス量が検出限界か極めて低いレベルに留まっているのがエリート・コントローラー（Elite controller, EC）と呼ばれる感染者群である．EC は HIV 感染者全体の約 0.3%にみられることが報告されている．一般に，HIV-1 感染者の血中ウイルス量は平均 30,000 コピー /ml で，10 万コピー /ml 以上に達するとエイズを発症すると考えられている．それに対して，LTNP は 50 − 2,000 コピー /ml，EC では 50 コピー /ml 未満（検出限界以下）である．このような感染者の存在は，HIV-1 が感染してもそれをコントロールすることが可能であることを示している．従って，EC がどのような免疫学的・ウイルス学的特徴をもっているかを知ることは，有効なワクチンの開発に重要な手掛かりを与えるものと期待される [24]．

EC における良好なウイルス・コントロールのメカニズムを担うのは，HIV 特異 CD8 陽性 T 細胞（キラー細胞）であることが明らかとなってきている．しかも EC では多数のエピトープを認識しうる polyfunctional CTL が誘導されているという特徴がある．中和抗体は，EC におけるウイルス・コントロールに主要な役割りを果たしていないと考えられる．様々な HIV-1 株に広範な中和能力をもつ抗体（broadly reactive neutralizing antibody, bNa）は，EC ではほとんど検出されない．むしろ一般の発症者（progressor）や LTNP にむしろ高頻度に見出される．また，EC では，エイズ発症に対して防御的に働く − いわゆる protective allele − であることが知られている HLA-B57 や B27 など特定の HLA クラスⅠ allele をもつ個体が濃縮してみられることが明らかにされている．中でも B57 は最も強力な防御的 allele で，EC の約 65%が HLA-B57 をもっているという（なお，HLA-B57 は，欧米では約 10%の頻度で見られるが，わが国ではまれな allele である）．最近の研究によって，B57 個体では，エピトープに変異があってもなお認識できるような交差反応性を備えたスーパーキラー T 細胞（broadly reactive killer cells）が作られ，そのため，EC の T 細胞は通常の個体にみられる T 細胞と異なり，HIV の急速な変異に対応して HIV 感染細胞を認識し，破壊する能力をもつと推定される．これまで謎に包まれていた EC における HIV-1 コントロールのメカニズムが次第に明らかとなってきている [24]．

図 11 にこれまでに発見された HIV 感染感受性やエイズ発症に影響を与える宿主遺伝子多型とその効果をまとめる．図 11 にこれまでに発見された HIV 感染感受性やエイズ発症に影響を与える宿主遺伝子多型とその効果をまとめる．

9. 治　療 [1, 21]

エイズ治療は急速な進歩をとげ，特に 1996 年に多剤併用療法（HAART が導入されたことで，患者・感染者に大きな福音をもたらしている．AZT（azidothymidine）を代表とする逆転写酵素阻害剤（reverse transcriptase inhibitor, RTI）に加え，優れたプロテアーゼ阻害剤（protease inhibitor, PI）が開発され，逆転写酵素阻害剤 2 種とプロテアーゼ阻害剤（あるいは非ヌクレオシド系逆転写阻害剤）1 種との組み合わせによる多（3）剤併用療法（highly active antiretroviral therapy, HAART）（図 12）が標準療法となっている．この治療法の導入により，先進国における日和見感染症の頻度や，エイズによる死亡者数が 95 年以来 40%以上も減少してきている．

さらに近年，様々な優れた新薬が開発され，実用化されている．現在米国 FDA によって認可されていている抗 AIDS 薬には 7 クラス 24 種ある（その多くがわが国でも認可されている）（表 1）．

表 1　HIV/AIDS 治療薬リスト

治療薬クラス	エイズ治療薬名（一般名 / 商品名 / 製造元）
逆転写酵素阻害剤（RTIs）	
ヌクレオシド系阻害剤（NRTIs）	ジドブジン Zidovudine（AZT）（レトロビル Retrovir ®）（グラクソ） ジダノシン Didanosine（ddI）（ヴァイデックス Videx ® Videx ®腸溶錠）（ブリストル・マイヤー・スクイブ） ザルシタビン Zalcitabine（ddC）（ハイビッド Hivid ®）（ロッシュ） スタブジン Stavudine（d4T）（ゼリット Zerit ®）（ブリストル・マイヤー・スクイブ） ラミブジン Lamivudine（3TC）（エピビル Epivir ® Zeffix ®）（グラクソ） アバカビル Abacavir（ABC）（ザイアジェン Ziagen ®）（グラクソ） エムトリシタビン Emtricitabine（FTC）（エムトリバ Emtriva ®）（ギリアード）
ヌクレオチド系阻害剤（NtRTIs）	テノホビル Tenofovir（TDF）（bis（POC）-PMPA）（ビリアード Viread ®）（ギリアード）
非ヌクレオシド系阻害（NNRTIs）	ネビラピン Nevirapine（NVP）（ビラミューン Viramune ®）（ベーリンガー・インゲルハイム） デラビルジン Delavirdine（DLV）（レスクリプター Rescriptor ®）（ファイザー） エファビレンツ Efavirenz（EFV）（サスチバ Sustiva ®, ストックリン Stocrin ®）（ブリストル・マイヤー・スクイブ）
プロテアーゼ阻害剤（PIs）	サキナビル Saquinavir（SQV）（ハードゲルカプセル：インビラーゼ Invirase ®；ソフトジェルカプセルフォードベイス Fortovase ®）（ロッシュ） リトナビル Ritonavir（RTV）（ノービア Norvir ®）（アボット） インジナビル Indinavir（IDV）（クリキシバン Crixivan ®）（メルク） ネルフィナビル Nelfinavir（NFV）（ビラセプト Viracept ®）（ファイザー / ロッシュ） アンプレナビル Amprenavir（APV）（アンプレナビル Agenerase ®プローゼ Prozei ®）（グラクソ） ロピナビル Lopinavir（LPV）（アボット） アタザナビル Atazanavir（ATZ）（レイアタッツ Reyataz ®）（ブリストル・マイヤー・スクイブ） ホスアンプレナビル Fosamprenavir（FPV）（レクシヴァ Lexiva ® Telzir ®）（グラクソ） チプラナビル Tipranavir（U-140690）（アプティバス Aptivus ®）（ベーリンガー・インゲルハイム） ダルナビル Darunavir（DRV, TMC-114）（プレジスタ Prezista ®）（ジョンソン & ジョンソン）
エントリー阻害剤	
CCR 拮抗剤（CRIs）	マラビロク Maraviroc（セルセントリ Salzentry ®）（ファイザー）
融合阻害剤（FIs）	エンフュービルタイド Enfuvirtaide（DP-178, T20）（フューゼオン Fuzeon ®）（ロッシュ）
インテグラーゼ阻害剤	ラルテグラビル Raltegravir（MK-0518）（アイセントレス Isentress ®）（メルク）
合剤	
コンビビル（Combivir）	ラミブジン（3TC）＋ジドブジン（AZT）（グラクソ）
エピジコム（Epizicom）	アバカビル（ABC）＋ラミブジン（3TC）（グラクソ）
トリジビル（Trizivir）	アバカビル（ABC）＋ラミブジン（3TC）＋ジドブジン（AZT）（グラクソ）
カレトラ（Karetra）	ロピナビル（LPV）＋リトナビル（4：1）合剤（LPV/r）（アボット）
ツルバタ（Truvada）	テノホビル（TDV）＋エムトリシタビン（FTC）（ギリアード）
アトリプラ（Atripla）	テノホビル（TDV）＋エムトリシタビン（FTC）（ギリアード）＋エファビレンツ（ブリストル・マイヤー・スクイブ）

逆転写酵素阻害剤（reverse transcriptase inhibitor, RTI）3 クラス［ヌクレシド系 NRTI，ヌクレオチド系 NtRTI と非核酸系 NNRTI（前 2 者は合わせて核酸系 N（t）RTI と呼ばれる）］，プロテアーゼ阻害剤（protease inhibitor, PI），CCR5 拮抗剤，融合阻害剤，インテグラーゼ阻害剤の合わせて 7 クラスである．図 12 に示すキードラッグ（NNRT あるいは PI）とバックボーンドラッグ

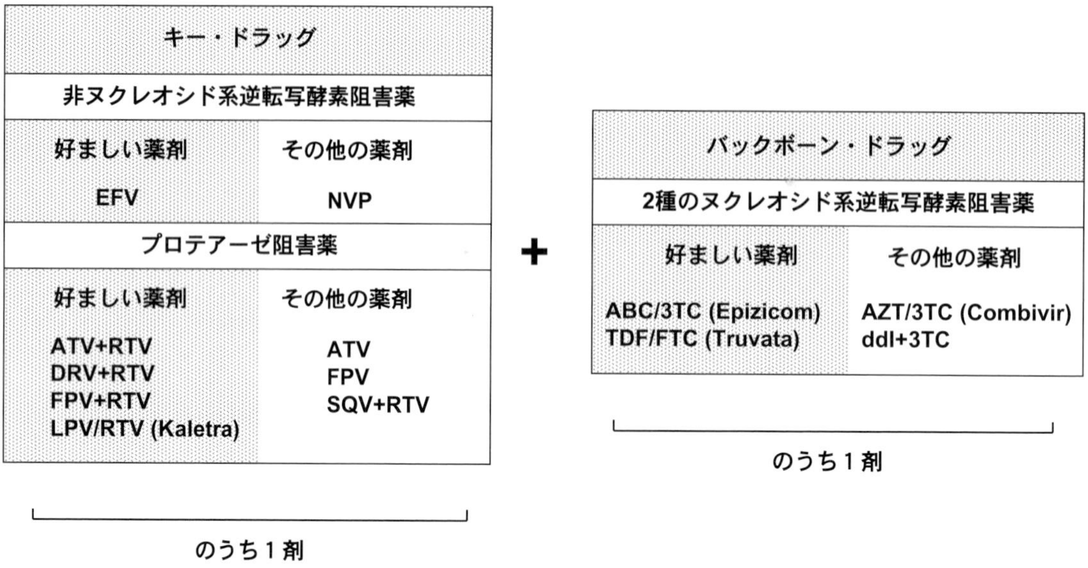

キー・ドラッグ
非ヌクレオシド系逆転写酵素阻害薬
好ましい薬剤
EFV
その他の薬剤
NVP
プロテアーゼ阻害薬
好ましい薬剤
ATV+RTV
DRV+RTV
FPV+RTV
LPV/RTV (Kaletra)
その他の薬剤
ATV
FPV
SQV+RTV
のうち１剤
+
バックボーン・ドラッグ
2種のヌクレオシド系逆転写酵素阻害薬
好ましい薬剤
ABC/3TC (Epizicom)
TDF/FTC (Truvata)
その他の薬剤
AZT/3TC (Combivir)
ddI+3TC
のうち１剤

図 12　HIV 感染症に対する多３剤併用療法(Highly active antiretroviral therapy, HAART)に用いられるエイズ治療薬抗 HIV 剤とそれらの推奨される組み合わせ．略号に関しては表２を参照(http://www.aidsinfo.nih.gov/)．

(2 種の NRTI の組み合わせ)から１つずつ選択し併用することが推奨されている[1]．また，既存の RTI+PI による HAART で薬剤耐性となった患者や，薬剤の副作用のため治療を中断せざるを得ない患者に対して，CCR5 拮抗剤や融合阻害剤，インテグラーゼ阻害剤などの新規に開発された抗ウイルス剤が使用できるようになってきている．なお，我が国ではまだ認可されていないが，アトリプラ(表 1)のように作用メカニズムの異なる薬剤３種の合剤で，１日１錠１回投与が可能なタイプのものも開発されている．既存の RTI+PI で薬剤耐性となった患者や副作用によって治療を中断せざるを得ない患者に対して，CCR5 阻害剤や融合阻害剤，インテグラーゼ阻害剤など新規の抗ウイルス剤が開発されていて，使用されるようになっている．

治療開始時期に関しては，プロテアーゼ阻害剤を含んだ多剤併用療法が長期化するに従い，脂質代謝異常やリポジストロフィーなどの副作用が問題になったこと，またあまり早期に治療を開始するとウイルスの耐性化を進行させてしまい，病気が進行した時に使用可能な薬剤がなくなるという危惧があり，またその一方，現在の多剤併用療法は強力で，CD4 陽性リンパ球が一旦低下した場合にも十分回復させられることが分かってきたことから，これまで CD4 陽性リンパ球 200/ml（あるいは 350/ml)以下となるべく遅らせる方向にあった．しかし，さらに最近になって，CD4 数が高い時期においても HIV 感染による免疫系に対する傷害は進行しており，治療を早期に始めるほど予後が改善するとの報告がなされ，AIDS の指標疾患が見出されていなくとも，CD4 陽性リンパ球 350 － 500/ml 以下を治療開始の目安とする方向に進みつつある．

HAART の導入によって，患者の生命予後は著しく改善し，かつての｢死に至る感染症｣から｢コントロール可能な慢性疾患｣となって来ているが，AIDS 治療には依然として様々な問題が残されている．現在の治療薬は強力とはいえ，エイズ治療では 95%以上のアドヒアランス(医療側の一方的な指示だけでなく，患者が積極的に治療方針の決定に参加して，自ら服薬することを目指す姿勢のこと)が必要とされる．しかし薬剤の副作用(内服初期の副作用や長期服薬中に生じてくる代謝異常や中枢神経系の副作用)や服薬の難しさは，アドヒアランスを低下させる要因となり，アドヒ

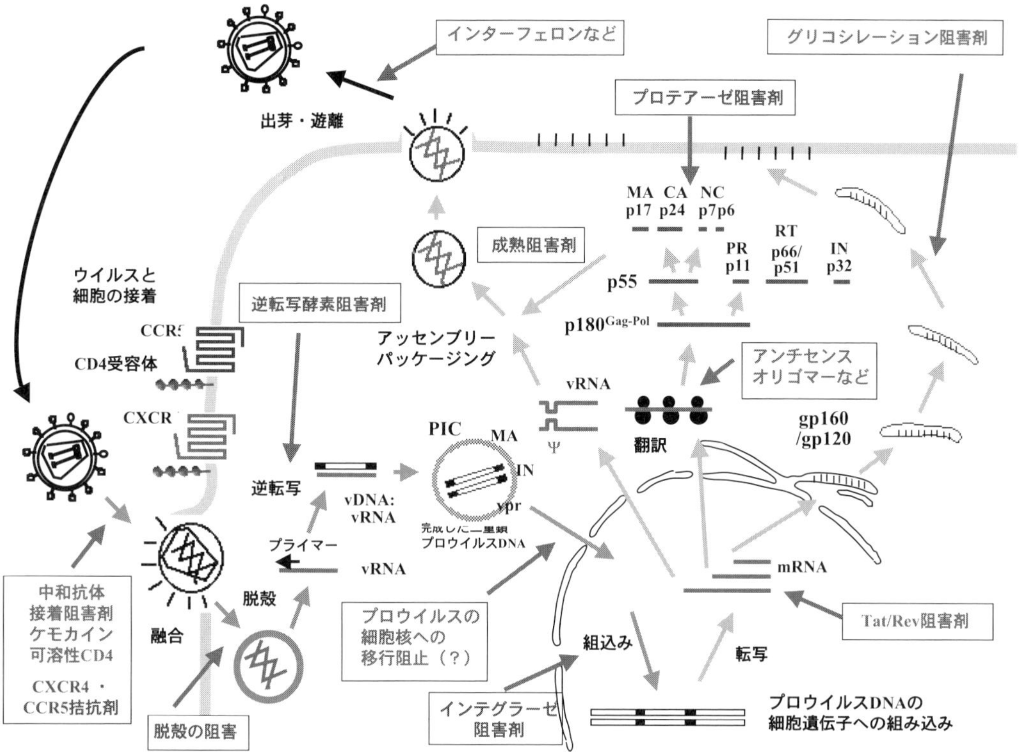

図 13　HIV の増殖の生活環と抗ウイルス戦略

表３　エイズに合併する日和見感染症に対する予防・治療薬[22]

適応症	予防・治療薬（一般名）
カリニ肺炎	ST（sulfamethoxazole-Trimethoprim）合剤 ペンタミジン（pentamidine）吸入
口腔内カンジタ	フルコナゾール（fluconazole）
トキソプラズマ症	ピリメサミン（pyrimethamin） スルファジアジン（sulfadiazine）
帯状疱疹	アシクロビル（acyclovir）
結核症	イソナイアジド（isoniazid） リファンピン（rifampin）
非定型抗酸菌症	クラリスロマイシン（chlarithromycin） アジスロマイシン（azithromycin） リファブチン（rifabutin）
クロプトコッカス症	フルコナゾール（fluconazole） アンホテリシン B（amphotericin B lipid complex）
サイトメガロウイルス感染症	ガンシクロビル（ganciclovir）

アランスの低下は耐性ウイルスの出現を招き，さらに耐性ウイルスの蔓延に繋がる大きな問題である．アドヒアランスの低下，耐性の問題などから，米国においても，これまで年々半減してきた死亡数の減少が頭打ちになりつつある．今後，さらに副作用の少ない，服用しやすい新薬の開発や服薬条件の工夫・改善などが必要と考えられる．アトリプラのような1日1錠1回服用で済む合剤の開発は，患者の負担を軽減し，アドヒアランスを改善するものものである．

しかし，多剤併用療法は決して根治的療法ではなく，血中のウイルス量が検出限界以下となっても，依然リンパ節，中枢神経系などに，ウイルスが駆逐されずに残存(latent reservoir)することが知られており，服薬を中止すると直ちにウイルスのリバウンドが起こってくる．このように，薬物療法には，依然改善すべき様々な問題点が残されており，新薬の開発だけでなく，エイズ発症のメカニズム(AIDS Pathogenesis)に関するより深い理解に向けた基礎研究が急務となっている．

エイズ治療のもう一つの重要な領域が，エイズに伴う種々の日和見感染症に対する治療法の発展で，特に，エイズ流行初期における主要な死因であったカリニ肺炎に対する特効薬であるペンタミジン吸入による実質的な患者の延命効果はその代表的な例である．表3にエイズに合併する様々な日和見感染症に対する薬剤をまとめる[22]．なお日和見感染症治療中に，HAARTを開始すると免疫機能が回復・賦活化することによって日和見感染症が悪化することがある．これが免疫再構築症候群（Immune reconstitution syndrome, IRS）と呼ばれるものである．従ってHAART療法は，日和見感染症治療後に開始する必要がある．免疫再構築症候群の治療には副腎ステロイドホルモン（プレドニゾロンやデキサメサゾン）が用いられる．

10．予　防[23]

HIVの感染予防の鉄則は，他の感染症と同様，その感染経路を断つことである（表3）．先に述べたように，HIVの感染経路は，1．経血液，2．性接触，3．母子感染の3つ（その他，臓器・角膜移植などによる稀な感染例が知られている）であり，感染予防の基本はこれら3経路を遮断することにある．蚊刺や，握手や抱擁，軽いキスなどの日常的な接触（カジュアル・コンタクト）によっては感染しない．なお唾液中に分泌されるウイルス量は極微量であることから，通常の軽いキスでは感染の可能性はほとんどないが，濃厚なオーラル・セックスによる場合や，エイズ患者でよく見られる口腔内の出血巣や炎症巣を介して感染が起った考えられる例が報告されている．個々の経路による感染予防の方法は，次のようである．

1．経血液経路の遮断：汚染血液・血液製剤による輸血の危険を回避するための血液スクリーニング．薬物乱用者との薬物の回し打ち（ニードル・シェアリング）を行わないこと．我が国ではさらに検査目的で献血を行われることのないような体制作りと啓蒙活動が必要と考えられる．

2．セーフ・セックスの実行：コンドームの使用．不特定多数のパートナーとの性交渉を避ける．感染のリスクの高い肛門性交をさけることなど．

3．母子感染の防止策：感染した母体から約30％の頻度で児に感染するが，感染母体および出生児への抗ウイルス薬（AZTやネビラピン）の投与によって，感染を防ぐことができる．エイズは依然その拡がりを制御することが困難な病気であるが，少なくとも，母子感染による次世代の感染に関していえば，現在の医学によって，すでに予防可能な病気となっている．なお母子感染の感染時期・経路として，子宮内感染，周産期（産道）感染，授乳時の感染の3つのルートがあることが知られており，母乳遮断や，帝王切開によって感染率を下げることができる．ただ母子感染防止のための母乳遮断は，アフリカのように栄養条件が劣悪な状況においては，行うことは困難であり，安全で安価な代用手段がない限り適切な方法とは言えない．

感染予防の究極の方法はワクチンである．しかし，HIVが抗原構造の多様性と著しい変異性を示すこと，HIVが免疫応答の中枢にあるヘルパーT細胞そのものを破壊することなどに加えて，ワクチン開発研究のための優れた動物モデルがないことなど様々な要因から，その開発には依然大きな障害が立ちはだかっている．しかし，新たな感染の90％が，高価な薬物療法の恩恵を享受できない開発途上国に発生していることを考えると，有効なワクチンの一日も早い開発が望まれる．

11．発生動向調査について

感染症新法に基づき，エイズ・HIV感染者の発生動向は，毎3ヶ月間隔で厚生労働省が主催するエイズ動向委員会によって，各都道府県を通じて厚生省に報告された過去3ヶ月間の症例を集計した結果に基づき分析がなされ，公表される．集計結果は，性別・感染原因，性別・年令，感染地域等のカテゴリー別にまとめられ，発生動向が多角的に分析される．厚生省ホームページ（http：//www.mhw.go.jp）の見出し「新着情報」の中の「エイズ動向委員会」の項を参照されたい．

参考文献

1. 厚生労働省エイズ対策事業研究班(代表：白阪琢磨)抗HIV治療ガイドライン(2010年版).（http://www.haart-support.jp/guideline.htm でダウンロード可能）. HIV治療指針に加え，HIV感染症に関する詳しい解説がなされている
2. 武部豊. 2002. エイズ(ヒト後天性免疫不全症候群)（改訂）. 感染症の話. 感染症週報 IDWR（Infectious Diseases Weekly Report）（http://idsc.nih.go.jp/iasr/index-j.html）.
3. UNAIDS/WHO. 2009. AIDS epidemic update December 2009.:
4. T. Déirdre Hollingsworth, Roy M. Anderson, and Christophe Fraser. HIV-1 Transmission, by Stage of Infection. The Journal of Infectious Diseases 2008; 198: 687–93
5. Quinn TC, Wawer MJ, Sewankambo N, Serwadda D, Li C, Wabwire-Mangen F, Meehan MO, Lutalo T, Gray RH. Viral load and heterosexual transmission of human immunodeficiency virus type 1. New England Journal of Medicine 342（12）：921-929, 2000.
6. Ronald H Gray, Godfrey Kigozi, David Serwadda, Frederick Makumbi, Stephen Watya, Fred Nalugoda, Noah Kiwanuka, Lawrence H Moulton, Mohammad A Chaudhary, Michael Z Chen, Nelson K Sewankambo, Fred Wabwire-Mangen, Melanie C Bacon, Carolyn F M Williams, Pius Opendi, Steven J Reynolds, Oliver Laeyendecker, Thomas C Quinn, Maria J Wawer, Male circumcision for HIV prevention in men in Rakai,, Uganda：a randomised trial Lancet 2007; 369：657–66
7. Freed EO, Martin MA. 2002. HIVs and their replication. in Fields Virology 5th Edition（eds：Knipe, D.M. and Howley, PM.）, Lippincott William, Philadelphia, PA.
8. Doms RW, Peiper SC. 1997. Unwelcomed guests with master keys：how HIV uses chemokine receptors for cellular entry. Virology 235：179-90
9. Robertson DL, Anderson JP, Bradac JA, Carr JK, Foley B, Funkhouser RK, Gao F, Hahn BH et al. 1999. .HIV-1 nomenclature proposal：A reference guide to HIV-1 classification. Human retroviruses and AIDS 1999. Los Alamos National Laboratory, NM.
10. 武部　豊. HIV-1分類・命名法の新ガイドラインとサブタイプ分類を巡る諸問題. ウイルス 50（2）：123-138. 日本ウイルス学会. 東京, 2000.
11. 武部　豊. HIVのゲノム多様性：メカニズムとその生物学的意義. ウイルス 51（2）：123-133. 日本ウイルス学会誌. 東京, 2001.
12. Hahn BH, Shaw GM, De Cock KM, Sharp PM. 2000. AIDS as a zoonosis：scientific and public health implications. Science 287：607-14
13. 武部　豊. HIV-1サブタイプの世界分布：世界流行形成のメカニズム. 日本エイズ学会雑誌(The Journal of AIDS Research). 3：140-154. 日本エイズ学会. 東京, 2001.
14. CDC. 1986. Classification system for human T-lymphotropic virus type III/lymphadenopathy-associated virus infections. MMWR 35：334-9
15. CDC. 1993. 1993 revised classification system for HIV infection and expanded surveillance case definition for AIDS among adolescents and adults. MMWR 41：1-19
16. 厚生省保健医療局結核感染症課(監修). 1999. 感染症の予防及び感染症の患者に対する医療に関する法律－法令・通知・関係資料－ pp. 235-9. 東京：中央法規
17. Ho DD, Neumann AU, Perelson AS, Chen W, Leonard JM, Markowitz M. 1995. Rapid turnover of plasma virions and CD4 lymphocytes in HIV-1 infection. Nature 373：123-6.
18. 片野晴隆. ヒトヘルペスウイルス8のウイルス学. 特集：Human herpesvirus 8（HHV-8）とその関連疾患. 日本エイズ学会誌(The Journal of AIDS Research) 171-178, 2009.
19. Rowland-Jones S, Pinheiro S, Kaul R. 2001. New insights into host factors in HIV-1 pathogenesis. Cell 104：473-6.
20. 武部　豊, 佐藤裕徳, 塩田達雄. ゲノム情報に基づくHIVの分子疫学.「微生物ゲノム情報と医学－基礎と臨床」. 基礎. 現代医療. 34（5）：1047-1059. 現代医療社. 東京, 2002.
21. US Department of Health and Human Services（米国DHHS）. 2009. Guidlines for the uses of antiretroviral agents in HIV-infected adults and adolescents（Dec. 1, 2009版）. Washington, DC（http://www.aidsinfo.nih.gov/ よりダウンロード可能）
22. The USPHS/IDSA Prevention of Opportunistic Infections Working Group. 1997. 1997 USPHS/IDSA guidelines for the prevention of opportunistic infections in persons infected with human immunodeficiency virus. Annals of Internal Medicine 127：923-46.
23. 感染症法研究会(編集). 2000. 後天性免疫不全症候群に関する特定感染症予防指針. 詳解　感染症の予防及び感染症の患者に対する医療に対する法律, pp. 290-9：中央法規. 東京
24. 武部　豊. HIVワクチン開発の可能性：立ちはだかる根幹問題と今後の展望. 特集「どう守る　性の健康」. 臨床とウイルス, 2010.（印刷中）

有用なホームページ

下記のホームページを活用することによって，世界および我が国におけるエイズの流行状況，HIV流行制圧のための国際的また国内的取組み，最新のエイズ治療ガイドラインや，エイズ研究・ワクチン開発の現状に関する最新知識を得ることができる.

1. 国際機関：
   国連エイズ合同計画 WHO/UNAIDS（http://www.unaids.org/en/）
   国際エイズ学会(International AIDS Society)（http://

www.iasusa.org/)：
AMFAR（http://www.amfar.org/)
2. 米国：
米国CDC（http://www.cdc.gov/)

AIDS Info（http://www.aidsinfo.nih.gov/)（米国保健衛生局）
HIV insite（http://hivinsite.ucsf.edu/InSite-Search.jsp)（カリフォルニア大学サンフランシスコ校）
3. ヨーロッパ：
EuroHIV（http://www.eurohiv.org/)
4. アジア：
Therapeutics Research, Education, and AIDS Training in Asia（TREAT Asia）
(http://www.amfar.org/cgi-bin/iowa/asia/)
中国CDC（http://www.chinacdc.net.cn/）など
5. 日本：
厚生労働省(http://www.mhlw.go.jp/)
エイズ予防財団(http://api-net.jfap.or.jp/index.html)
国立感染症研究所(http://www.nih.go.jp/niid/)，同感染症情報センター（http://idsc.nih.go.jp/)感染症発生動向調査週報(http://idsc.nih.go.jp/kanja/index-j.html)
国立国際医療センター（http://www.imcj.go.jp/)
献血等血液事業事業
(http://www.mhlw.go.jp/new-info/kobetu/iyaku/kenketsugo/index.html)
［地方自治体］
東京都エイズニュースレター
(http://idsc.tokyo-eiken.go.jp/AIDS/news.html)
大阪府エイズ・ＨＩＶ情報
(http://www.pref.osaka.jp/chiiki/shippei/tokutei/aids/)
など

その他，HIV塩基配列データベースとして，米国ロスアラモス国立研究所のHIV sequence databases（http://www.hiv.lanl.gov/)および国立遺伝学研究所の日本DNAデータバンク(http://www.ddbj.nig.ac.jp/)が有用である．HIVの遺伝子型分類に関する最新情報を得られる．解析ツールもダウンロードできる便利なサイトである．

Ⅰ-5　インフルエンザ

東京大学大学院農学生命科学研究科獣医微生物学
堀本泰介
東京大学医科学研究所感染免疫部門
河岡義裕

1．疫学

インフルエンザは，紀元前にその記載が認められるほど古くから存在する疾病である．その疾病は，インフルエンザウイルスの感染によって起こる急性の呼吸器疾患であるが，呼吸器症状にとどまらず，発熱，頭痛，筋肉痛，関節痛，倦怠感といった全身症状を伴う．また，一部のハイリスク群の患者では，呼吸器合併症の結果，死亡率の増加をもたらす．小児では，急性脳症が問題になっている．

インフルエンザは，その規模に違いこそあれ，毎年流行する．また，抗原性が大きく異なるウイルスが出現した場合には，世界的な大流行(パンデミック)に発展する．われわれ人類は，前世紀に三度のパンデミックを経験した．1918年のスペイン風邪(A/H1N1ウイルス)，1957年のアジア風邪(A/H2N2ウイルス)，そして1968年の香港風邪(A/H3N2ウイルス)である(図1)．1977年に起きたソ連風邪(H1N1)は，H1抗体をもたない若年層での中規模な流行であったが，パンデミックに含める場合もある．このウイルスは1950年代に流行していたH1N1ウイルスと遺伝学的に同一であり，保存されていたウイルスが何らかの理由で自然界に漏洩した可能性が高い[1]．

そして2009年，ソ連型ウイルスとは抗原性が大きく異なるブタ由来のH1N1ウイルスがメキシコに出現し，瞬く間に世界中に広がった[2]．6月11日，WHOは21世紀最初のパンデミックの発

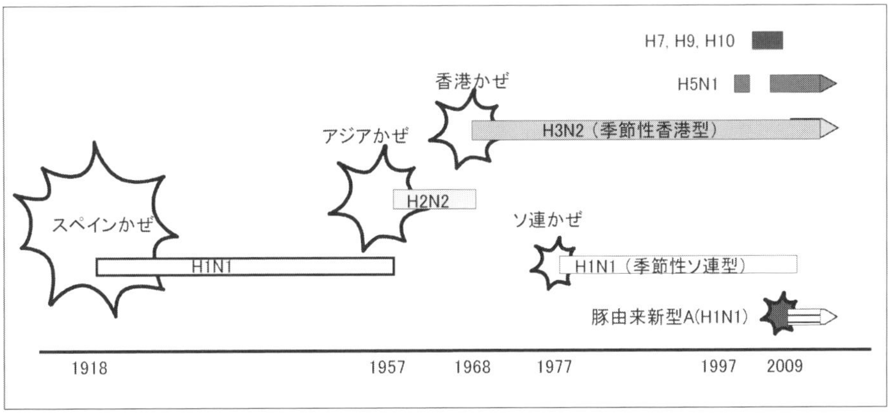

図1
スペインかぜでは，世界で4,000万人以上，アジアかぜ，香港かぜでは合わせて150万人以上，ロシアかぜでは10万人以上が死亡したといわれている．

型	A	B	C
亜型	HA (H1-H16) NA (N1-N9)	なし	なし
宿主	ヒト 哺乳類 (ブタ, ウマ等) 鳥類	ヒト (アザラシ)	ヒト (ブタ)
RNA分節数	8	8	7
ウイルス蛋白質			
RNA分節1～3	PB2 PB1, PB1-F2 PA	PB2 PB1 PA	PB2 PB1 P3
RNA分節4	HA	HA	HEF
RNA分節5	NP	NP	NP
RNA分節6	NA	NA, NB	M1, CM2
RNA分節7	M1, M2	M1, BM2	NS1, NEP/NS2
RNA分節8	NS1, NEP/NS2	NS1, NEP/NS2	ー

表1

生を宣言した．2010年5月時点，このパンデミックの第1波は終息している．

インフルエンザウイルスは内部蛋白質である核蛋白質(NP)とマトリックス蛋白質(M1)の抗原性によりA型，B型，C型の三種類に型別される(表1)．A型ウイルスの宿主域は広く，ヒト，ブタ，ウマなどの哺乳類や多くの鳥類に感染する(図2)．一方，B型ウイルスはヒトとアザラシ，C型ウイルスはヒトとブタのみに感染する(表1)．この型特異的な宿主の選択メカニズムについての詳細はわかっていない．この中で最も病原性が強く，爆発的な流行を引き起こすのはA型ウイルスである．A型ウイルスは，膜表面の糖蛋白質であるヘマグルチニン(HA)とノイラミニダーゼ(NA)の抗原性により，さらに亜型に分類される．これまでに，HAはH1からH16までの16種類の，NAはN1からN9までの9種類の抗原亜型が報告されている．各亜型の間には，少なくとも30%以上のアミノ酸の違いがみられる．したがって，A型ウイルスにはHAとNAの組み合わせによって理論上144種類の亜型があり，H3N2のように表記される．

図2　A型インフルエンザウイルスの宿主動物

パンデミックはいずれもヒトがそれまでに，あるいは数十年以上の間に感染を経験していない抗原亜型の，もしくは同じ抗原亜型で大きく抗原性が異なるA型インフルエンザウイルス(新型ウイルスと称す)により引き起こされる．つまり，抗原不連続変異(antigenic shift)を伴ったウイルスによる．新型ウイルスがヒトへの感染性を獲得すると，その血清亜型のウイルスに対する免疫がないため多くの感染者，犠牲者を出すことになる．とりわけ，スペイン風邪では世界で4,000万人以上が死亡したと推定される．

一方，毎年みられるインフルエンザの流行は，同じHA抗原亜型内での抗原連続変異(antigenic drift)を伴ったウイルスによる．つまり，交差防御免疫の存在により小規模な流行(エンデミック)にとどまる．しかし，毎年のエンデミックによる1958年以降の死亡者数は，前世紀のパンデミックによる死亡者数に匹敵する．

1977年以降，2008/2009シーズンまでヒトで流行を繰り返していたのは，A香港型(H3N2)とAソ連型(H1N1)およびB型の三種類のウイルスであった．しかし，2009年，新型H1N1パンデミックウイルスが出現してからは，ソ連型H1N1ウイルスは全く分離されなくなっている．また，香港型のH3N2ウイルスも2009/2010シーズンにはほとんど分離されていない．新しいパンデミックが起こると，それまで流行していたウイルスが消滅するという歴史的事実は，今回もまた繰り返される可能性は高い．新型ウイルスの増殖力，伝染力の高さに既存のウイルスが干渉されるためであると推測されている．

一方，鳥類からはすべてのHA亜型のA型ウイルスが分離される．カモなどの野生水禽類がインフルエンザウイルスの自然宿主であり，水禽と共存するウイルスが，すべてのA型ウイルスの起源である(図2)．鳥のウイルスが何らかの原因

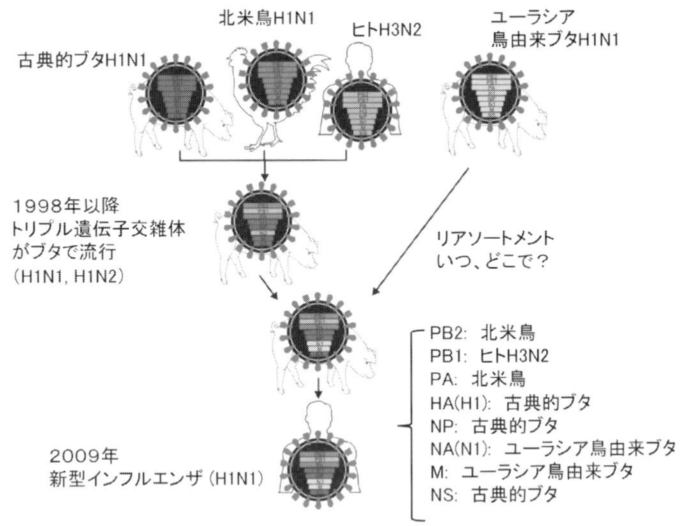

図3　2009パンデミックH1N1ウイルスの起源

でヒトに感染し，定着したのがヒトインフルエンザウイルスである．しかし，ふつうはレセプターや増殖能の制限があるため鳥のウイルスがヒトへ直接感染する可能性は極めて低い．1918年のスペイン風邪ウイルスは遺伝子配列上純粋な鳥のウイルスがヒトに感染したものであるが，やはりヒトに感染するための変異が少なからず認められている．おそらくは，ブタを介して鳥のウイルスがヒトに感染した可能性は高い．また，それぞれ1957年と1968年に出現したアジア風邪，香港風邪のパンデミックウイルスはともに，鳥ウイルス由来のHA遺伝子をもつが，鳥ウイルスそのものではなく，それまでに流行していたヒトウイルスと鳥ウイルスのハイブリッドウイルスである．アジア風邪ウイルスはヒトのH1N1ウイルスと鳥のH2N2ウイルスがハイブリッドしたもの(HA, NA, PB1遺伝子が鳥のウイルス由来)，香港風邪ウイルスはアジア型ウイルスに鳥のH3ウイルスがハイブリッドしたもの(HA, PB1遺伝子が鳥のウイルス由来)である．ブタの上部気道細胞には，ヒトと鳥の両方のウイルスに対するレセプターが存在する．つまり，両ウイルスがブタに混合感染し，細胞内で遺伝子交雑をした結果，ハイブリッドウイルスが作り出され，それがヒトに感染性を獲得したものがパンデミックを引き起こしたという仮説が出されている．さらに，2009年のH1N1パンデミックウイルスは遺伝子構造からブタ由来のウイルスであることが判明した(図3)．パンデミックの発生には，必ずブタが中間宿主として関与してくるのかもしれない．

対して，1997年，香港において鳥のH5N1ウイルスがヒトに直接感染し，死亡者が出た．1999年にはH9N2鳥ウイルスが，2003年には再びH5N1鳥ウイルスと，さらにオランダにおいてH7N7鳥ウイルスがヒトに感染し，若干名の死亡者を出した．これらの事実は，鳥のウイルスであっても，ヒトに直接感染しうることを示している．しかも，これらのうちH5N1とH7N7ウイルスはニワトリなどの家禽に致死的感染を引き起こす高病原性ウイルスである．特に，H5N1ウイルスは2003年以降，多くの国に侵入し，養鶏業に対する甚大な被害を与えている．また，2010年5月現在，15カ国でヒトへの感染が報告され，約500名の感染者と，300名の死者が認められている(死亡率60％)．ただし，ヒトからヒトへの感染はほとんどない．このH5N1ウイルスによるパンデミック発生の可能性はいまだ否定できず，今後，国際的な監視を続けていく必要がある[3,4)]．

B型インフルエンザウイルスに亜型はないが，HAの抗原性から2つの系統(Victoria系統とYamagata系統)に分けられる．両系統のアミノ酸の相同性は最も離れているHA間で88.5%である．同様に，C型インフルエンザウイルスにも亜型はない．A型，B型ウイルスに比較して病原性は低い．

インフルエンザは一年中発生しうるが，熱帯以外の地域では，主に冬季に流行する．潜伏期は短く，突然，発熱などを伴う発症がみられる．大量のウイルスがくしゃみや咳により排出されることで，飛沫感染と接触感染により感染が容易に周囲に拡大する．一般に，その流行は2，3週間でピークに達し，2，3ヶ月続いた後，比較的速やかに終息する．流行の規模を示す指標として，職場や学校の欠勤，欠席率，入院患者数の増加，特に基礎疾患を持つハイリスク層や高齢者の死亡数などがあげられる．さらに，超過死亡数と呼ばれる指標が重要である．これは，インフルエンザの流行のない平年冬季の平均死亡者数に比べて，インフルエンザ流行期にみられる死亡率の増加を指す．つまり，インフルエンザが直接原因ではないものの，その感染に関連して二次的に発生した死亡者数を含む指標である．この超過死亡を指標にすると，死亡原因としてのインフルエンザの重要性が認識できる．わが国における患者発生動向，分離状況などは国立感染症研究所感染症情報センターのホームページを参照されたい(http://idsc.nih.go.jp/index-j.html)．

2. インフルエンザウイルスの特性

ゲノム・蛋白質構造

インフルエンザウイルスは，オルソミクソウイルス科(Orthomyxoviridae)に属し，分節状マイナス鎖RNAゲノムをもつ．本ウイルス科には，インフルエンザウイルスの3属(A，B，C型)以外にも，家畜あるいは魚類に感染症を引き起こすトーゴトウイルス(Togotovirus)属とアイサウイルス(Isavirus)属のウイルスが分類される．

ウイルス粒子は宿主細胞由来の脂質膜(エンベロープ)で包まれている(図4)．A型ウイルスの場合，分離後継代歴の浅い粒子は大きさ，形が不均一であるが(紐状形態も多くみられる)，発育鶏卵や細胞で継代を重ねるに従い球形の均一な粒子になる傾向がある(直径80～120nm)．脂質膜はM1蛋白質によって裏打ちされ，2種類の糖蛋白質，ヘマグルチニン(HA：赤血球凝集素)とノイラミニダーゼ(NA)，そして少量のM2の計3種類の蛋白質が突き刺さっている．HA蛋白質は，細胞レセプターであるシアル酸への吸着活性，また細胞エンドソーム膜との融合活性をもち，ウイルスの細胞への侵入に重要な役割を果たしている．NA蛋白質は宿主細胞から子孫ウイルスが放出される際に必要なシアリダーゼ活性をもっている．M2はプロトンチャネルであり，ウイルスが細胞内に取り込まれた際に，粒子内部を酸性にし，脱殻を促す．粒子内部には，8種類のウイルスRNA（vRNA)が，NPおよびRNAポリメラーゼ複合体(PB2, PB1, PA)と結合したリボヌクレオ蛋白質(RNP)として存在する．脱殻により細胞質内に放出されたRNPは核内に移行する．RNPは，vRNAの転写と複製に必要なウイルス側因子の全てである．NS1は細胞のインターフ

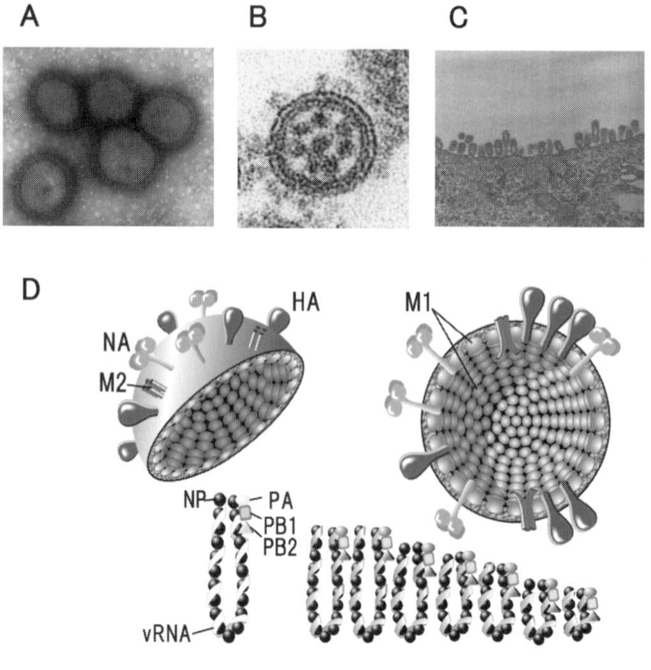

図4　A型インフルエンザウイルスの構造
(A)電子顕微鏡像(陰性染色)（野田岳志博士提供）
(B)切片像
8本のRNP構造が認められる．
(C)感染細胞から出芽するウイルス
(D)構造模式図
ウイルス粒子は9種類の蛋白質で構成される．赤血球凝集素(HA)，ノイラミニダーゼ(NA)とM2蛋白質はウイルス表面に存在する．ウイルスはM1蛋白質で裏打ちされており，その内部にはウイルス遺伝子である8種類の1本鎖ウイルスRNA(vRNA)が，核蛋白質(NP)と3つのポリメラーゼサブユニットPA，PB1，PB2と結合し，RNA核酸複合体(vRNP)を形成している．NEP（NS2)もウイルス粒子中に存在するが，局在は不明である．ウイルス感染細胞にはこの他に非構造蛋白質(NS1およびPB1-F2)が発現している．

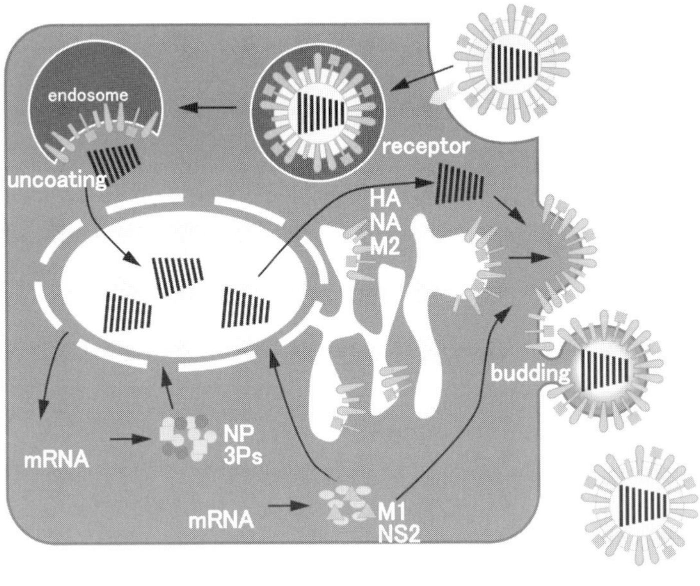

図5　A型インフルエンザウイルスの増殖

レセプターに結合したウイルスは，エンドサイトーシスにより細胞内に取り込まれる．ウイルスエンベロープとエンドゾーム膜との融合後，脱殻し，その遺伝物質(RNP 複合体)は核に輸送される．そこでウイルス遺伝子の転写・複製が行われる．転写された mRNA から各ウイルス蛋白質が合成される．複製されたウイルス RNP 複合体とウイルス蛋白質は細胞表面に輸送され，最終的に，細胞膜からの出芽により新しいウイルス粒子が放出される．

ェロンの発現に拮抗したり，細胞の mRNA を核内に留めておくなど多様な機能をもった非構造蛋白質である．核内で新しく合成された RNP は，NEP (NS2) と M1 の作用により核外に輸送され，新しく合成されたウイルス蛋白質とともに新しい粒子として組み立てられる．最終的に，NA 蛋白質の作用により細胞膜から発芽することにより粒子は完成する(図5)．

A 型インフルエンザウイルスでは，8種類の分節に分かれたマイナス鎖 RNA ゲノムが 11 種類の蛋白質をコードしている(図4)．RNA 分節は，その長さにより第1から第8分節と呼ばれる．第1～3分節は RNA ポリメラーゼのサブユニット，PB2，PB1，および PA 蛋白質をコードする．PB1 蛋白質をコードする RNA 分節からは，アポトーシスを促す PB1-F2 蛋白質も翻訳される．第3～6分節は順に PA, HA, NP, NA 蛋白質をコードしている．第7分節からは M1 と M2 蛋白質が，第8分節からは NS1 と NEP (NS2) 蛋白質が翻訳される．M2 mRNA と NS2 mRNA はともにスプライシングされた mRNA である．

B 型インフルエンザウイルスのゲノムは A 型ウイルスと同様に8分節に分かれているが(表1)，分節の両末端に存在する非翻訳領域が A 型よりも長い．全長は A 型より約 1,000 塩基ほど長くなっている．第6分節に NA 蛋白質に加えて，それとは異なる読み枠に NB 蛋白質をコードしている．NB はイオンチャネル活性をもつとされている膜蛋白質であるが，培養細胞での増殖には必要でない．第7分節は，M1 と BM2 蛋白質をコードしている．BM2 蛋白質はウイルスの増殖には不可欠でイオンチャネル活性を有している．

C 型ウイルスのゲノムは，A 型および B 型ウイルスとは異なり7分節で構成される(表1)．全長は A 型より約 600 塩基ほど短い．粒子表面糖蛋白質として第4分節にコードされた HEF (hemagglutinin-esterase-fusion) 蛋白質のみをもつのが特徴である．つまり，この蛋白質には，A 型および B 型ウイルスの二つの糖蛋白質 HA と NA に相当する機能が複合して備わっている．C 型ウイルスの第6分節には CM1 と CM2 蛋白質がコードされ，それぞれの機能は A 型ウイルスの M1, M2 蛋白質に相当すると考えられる．第7分節には NS1 と NS2 蛋白質がコードされている．

ゲノムの転写・複製，パッケージング

A 型ウイルスの各 vRNA は翻訳領域とその両末端にある非翻訳領域とで構成される．非翻訳領域の3' ならびに5' 末端の塩基配列は，ともに8種類全ての分節で良く保存されている．その内側に，分節ごとに長さが異なる分節特異的な配列がある．両末端の 10 数塩基の配列は互いに相補的であり，二重鎖(パンハンドル)構造を形成してい

ると考えられる．ポリメラーゼ複合体はこの構造をプロモーターとして認識し，vRNAの転写・複製を司る．分節特異的な非翻訳領域の役割は解明されていないが，ウイルス蛋白質の合成時期などの転写調整に関与しているものと推測されている．

vRNAの転写・複製は感染細胞の核内で行われる．遺伝子の転写には宿主由来のキャップ構造をもつオリゴRNAがプライマーとして利用される．この際，PB2がキャップ構造の認識を，PB1がオリゴRNAの切り出し（エンドヌクレアーゼ活性）とmRNAの伸長（ポリメラーゼ活性）を担う．vRNAの5'末端の内側にはウラシルが連続する配列があり，mRNAの伸長はここでポリAが付加され停止する．vRNAの複製は，まずそれを鋳型にして相補RNA（cRNA）が合成され，次にcRNAを鋳型にvRNAが合成，増幅される．いずれの合成反応もプライマー非依存性と考えられている．PAはvRNAの複製過程に必要であることが報告されている．vRNAの転写・複製に関与する宿主因子もいくつか同定されている．

A型ウイルスのRNAゲノムは8種類の分節で構成されるが，それらのウイルス粒子へのパッケージングメカニズムの詳細はわかっていない．しかし，電子顕微鏡によりウイルス粒子内部にRNPと考えられる長さの異なる8本の棒状構造物（図4B）が観察されていることや，各分節におけるパッケージング・シグナルは共通する塩基配列のない翻訳領域に存在していることから，それらを目印に8分節が粒子中にワンセットで取り込まれるという「選択的パッケージング説」が提唱されている[5)]．

3. 感染機序とライフサイクル

インフルエンザウイルスは，気管気管支上皮細胞にレセプターを介して感染する．レセプターはシアル酸を含む糖蛋白質あるいは糖脂質である．特に，ガラクトースにα2-6結合したシアル酸を含む分子（SAα2-6Gal; 哺乳類型レセプター）をウイルスのHA蛋白質が認識することにより感染が開始する．感染した細胞の表面からは高濃度のウイルスが気管内に排出される．細胞の側底部にはウイルスは排出されない．排出されたウイルスが，次の細胞に感染するためには，そのHA蛋白質が気管内部のプロテアーゼにより開裂活性化されることが必要である．活性化されたウイルスは，近傍の細胞で増殖を繰り返しながら，上部気道から下部気道へと拡散する．ウイルス血症はみられない．一般に，感染は呼吸器に限局し，他の臓器には広がらない．

発症までの潜伏期間は，感染したウイルス濃度あるいは宿主の免疫状態に左右される．典型的な例では，約48時間後の発症時に，鼻咽頭洗浄液中に10^7 $TCID_{50}$/mlものウイルスが検出される．その後，約1週間ウイルスの排出が認められる．ウイルスの排出量と発熱はある程度の相関性を示す．一般に，小児の感染では，ウイルスの排出期間が長引く．発症後13日間もウイルスが回収された例が報告されている．

臨床症状は，個人差があるが，感染が下部気道に及んだ場合には，症状は重篤化する．また，インフルエンザによる肺炎により死亡する例も認められるが，細菌との混合感染，二次感染を併発す

タンパク質	部位	分子の特徴 鳥型アミノ酸	分子の特徴 哺乳類（ヒト）型アミノ酸	新型H1N1ウイルスの特徴	機能
HA	開裂部位	強毒型/弱毒型	弱毒型	弱毒型	臓器親和性
	H1亜型				
	190	グルタミン酸	アスパラギン酸	アスパラギン酸	レセプター結合性 宿主特異性
	225	グリシン	アスパラギン酸 （グルタミン酸）	アスパラギン酸	
	H2,H3亜型				
	226	グルタミン	ロイシン	―	
	228	グリシン	セリン	―	
PB2	627	グルタミン酸	リシン	グルタミン酸	RNA合成能
	701	アスパラギン酸	アスパラギン	アスパラギン酸	核内移行
NS1	92	アスパラギン酸	グルタミン酸	アスパラギン酸	シグナル制御など
	C末	欠損型	欠損なし	欠損型	
PB1-F2	66	アスパラギン	セリン	欠損型	アポトーシス誘導など

表2：インフルエンザウイルスの病原性に影響する因子

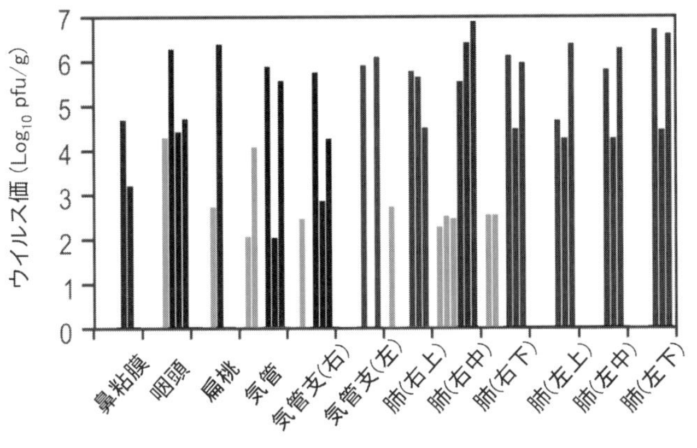

図６　新型 H1N1 ウイルスと季節性ウイルスのカニクイザルでの増殖（感染３日目）

季節性ウイルス（灰）は，上部気道と肺の一部でしか増殖していないのに対して，新型ウイルス（黒）は，上部気道と肺のすべての部位で増殖しており，その量も多い．実験では各グループ３頭ずつ感染させた．個々の棒グラフの値はそれぞれのサルの値である．

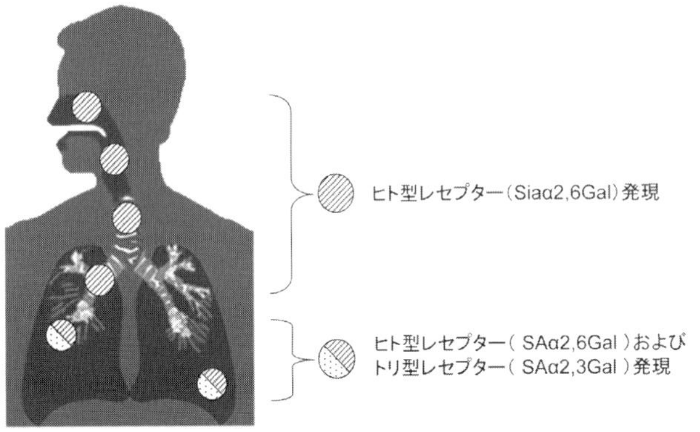

図７　ヒト呼吸器官におけるインフルエンザウイルスレセプターの分布

ることにより，死亡率は増加する．一般には，頭痛，悪寒，咳などの症状が急に始まり，その後，発熱（～ 41℃）がみられる．高熱はインフルエンザの特徴である．また，小児の場合，高熱による熱性痙攣も時に現れる．また，中耳炎，クループ，筋肉痛，嘔吐などの胃腸症状も子供で多くなる傾向がある．これら全身性の症状は，ウイルス感染に伴い過剰産生される炎症性サイトカインによる反応であると理解される．小児でまれにみられる急性脳症の原因は不明である．ウイルス感染により落屑した上皮細胞は，発症三日目ごろから修復され始めるが，完全に回復するには一ヶ月近くを要する．

新型 H1N1 ウイルスの感染宿主における感染動態は，基本的に季節性インフルエンザウイルスのそれと同じであるが，特異免疫が欠如しているため，ウイルスの病原性は季節性ウイルスより強く現れると推測されるものの，新型ウイルスの分子性状からはヒトに強毒であるという特徴は見られない（表２）[6]．しかしながら，ウイルス自体の動態を動物モデルで調べたところ，季節性ウイルスに比べ，肺組織への親和性が強いことが判明した（図６）[7]．実際，新型インフルエンザでは，季節性インフルエンザと異なり，ウイルス性肺炎で重篤化する例が多く見られている．

一方，H5N1 鳥インフルエンザウイルスがヒトに感染した場合，非常に強い病原性を示す（致死率 60%）．H5N1 ウイルスは鳥型のレセプター特異性を持っているため，レセプターのないヒトの上部気道では，効率よく増殖することはない．しかし，ヒトの下部気道には鳥型のレセプター SA α 2-3Gal をもつ細胞（肺胞Ⅱ型細胞など）が見つかっている（図７）[8]．したがって，肺の奥まで到達するような高濃度の H5N1 ウイルスに暴露された場合，ウイルスは感染し増殖する．感染患者においては，家禽で見られるような，全身臓器での激しいウイルス増殖はみられないものの，サイトカインの異常亢進が認められる．その結果，重篤肺炎，多臓器不全により患者は死亡する．

4. 治療

抗インフルエンザ薬による治療を考える上で最も重要な点はその投与時期である．インフルエンザウイルスに感染すると，約 24 から 48 時間の潜伏期の後，発熱などの初期症状が現れる．抗インフルエンザ薬はウイルス増殖を抑える目的であるため，ウイルス量がピークに達する２病日以内に投与する必要がある．早ければ早い程効果が高く，すでに全身性の症状を呈している患者に投与してもあまり効果はない．したがって，インフルエンザ迅速診断キットの活用，あるいは的確な臨床診断が投薬判断には重要となる．

M2 阻害薬

従来，パーキンソン病の治療薬として使われていたアマンタジン(シンメトレル®)が，インフルエンザの治療薬として使用できる．より抗ウイルス作用の高く，副作用が少ないリマンタジン誘導体はわが国では認可されていない(図８)．アマンタジンは，ウイルスのRNP複合体が細胞質内に放出される脱殻過程に必要であるM2蛋白質のイオンチャンネル機能を特異的に阻害することにより，ウイルスの増殖を抑制する．したがって，M2蛋白質の存在しないB型ウイルスに対しては無効である．

一般に，アマンタジンの問題点として副作用と耐性ウイルスの出現が挙げられてきた．副作用として，幻覚，不安，神経過敏，集中力障害，不眠などの中枢神経系の副作用および悪心，嘔吐，食欲不振などの消化器症状が報告されているが，健康な成人ではさほど問題にならない．

一方，耐性ウイルスに関しては，投与した患者の30%～80%で出現する．耐性変異は，M2蛋白質の膜貫通ドメインの27, 30, 31, 34位のアミノ酸に集中している．アマンタジンに耐性を獲得するには，これらの内の一つが別のアミノ酸に変化するだけで足りるため容易に耐性ウイルスが出現する．その結果，現在では，ヒトインフルエンザウイルスのほとんどは，亜型にかかわらずアマンタジン耐性という状況である．2008/2009シーズンには，アマンタジン感受性のソ連型H1N1ウイルスが国内で多く分離されたが，新型H1N1ウイルスの出現以降は，その姿を消している．香港型H3N2ウイルス，新型H1N1ウイルスはすべてアマンタジン耐性であり，H5N1鳥ウイルスの多くもアマンタジン耐性を獲得している．

臨床現場では，もはやアマンタジンは使用されていないが，その高い解熱効果，切れ味のよさは評判であった．今後，アマンタジン感受性ウイルスの再出現も否定できない．臨床症状が消失した場合には，直ぐに投与を中止するといった耐性ウイルスの出現を抑える工夫をすれば，抗インフルエンザ薬としてこれからも有効であると予想される．

ノイラミニダーゼ阻害薬

本剤は，インフルエンザウイルスのNA蛋白質の３次元構造に基づいて設計された薬剤である(図８)．NA蛋白質はウイルスの細胞レセプターであるシアル酸を排除する機能を持ち，細胞内で複製されたウイルス粒子が細胞表面から出芽する過程でHA蛋白質とシアル酸との結合をNA蛋白質が切断することによりウイルスが細胞外に放出される．つまり，NA機能を阻害すると，産生されたウイルス粒子は細胞から遊離できなくなり，他の細胞に感染することができない(図９)．したがって，ノイラミニダーゼ阻害薬はNA蛋白質を持つA型とB型両方のウイルスに抗ウイルス作用を示す．臨床上問題となるような副作用はほとんど報告されないが，異常行動との関連性が議論されている．

現在，３種類のノイラミニダーゼ阻害薬が用いられている．ウイ

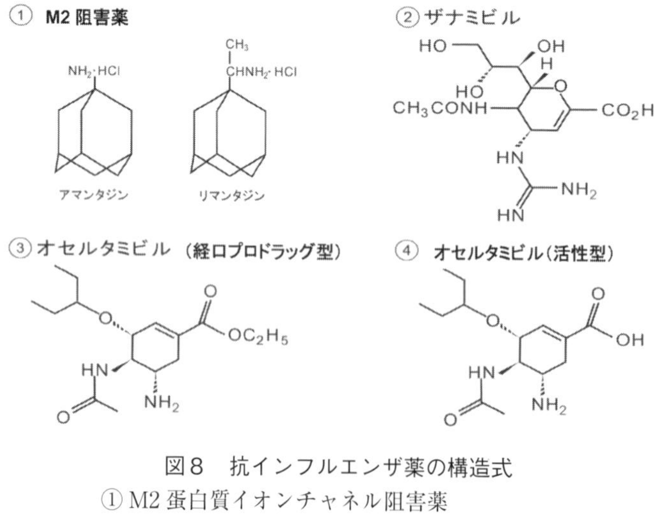

図８　抗インフルエンザ薬の構造式
①M2蛋白質イオンチャネル阻害薬
リマンタジンはアマンタジンの誘導体である．
②③④ノイラミニダーゼ阻害薬

ルスの増殖部位である気道に直接投与する吸入タイプのザナミビル(リレンザ®)と，経口的なプロドラッグタイプのオセルタミビル(タミフル®)，そして2009年に承認された点滴薬(ペラミビル)である．ザナミビルは，専用吸入器(ディスクヘラー)の取り扱いが必要であるため，特に幼少子と他の重症疾患患者に対する使用は困難である．オセルタミビルは，消化管よりすばやく吸収され，肝臓で活性型に代謝された後，肺，鼻腔などに移行する．

ノイラミニダーゼ阻害薬に対する耐性ウイルスの出現はアマンタジンと比較して少ないと考えられる．しかしながら，オセルタミビル耐性(H274Y)のH1N1ソ連型ウイルスが2009年までには全世界に広がった．対して，今のところ，オセルタミビル耐性のH3N2香港型ウイルス，B型ウイルスの分離報告は限られており(表3)，集団伝播は報告されていない．新型H1N1ウイルスの耐性株(H274Y)は，治療した患者からはまれに分離されるものの，それが集団で広がった事例は報告されていない．一般に，H274Y変異によるオセルタミビル耐性ウイルスは，基質との結合機序が異なるザナミビルには感受性である．

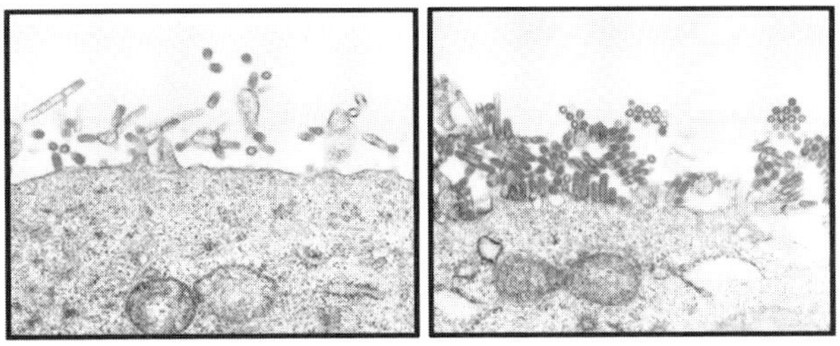

図9　NA阻害薬の作用機序

NA阻害薬が存在しない場合(左)には，ウイルスは細胞から一つ一つばらばらになって出て行くが，NA阻害薬が存在する場合(右)には，ウイルス同士が細胞表面で凝集するため，新たな細胞へ感染できなくなる．

ウイルス	NA変異	アミノ酸変異部位	タミフルへの感受性低下度
A(H1N1)	H274Y	framework site	500～5,000倍
A(H3N2)	R292K	catalytic site	10,000～30,000倍
	E119V, N294S	framework site	100～500倍
B	G402S	catalytic site	100～300倍
	D198N, I222T	framework site	100～500倍

表3

現在臨床試験段階のノイラミニダーゼ阻害薬としてラニナミビルがあるが，体内での安定性に優れる利点をもち，1回の経鼻接種で十分な効果が得られると期待される．また，ウイルスRNA合成阻害という，従来の抗インフルエンザ薬とは別の作用機序をもつT-705（ファビピラビル）も実用化に近づいている．耐性ウイルスの出現にそなえ，別の作用機序をもつ薬を複数用意しておくことは重要であろう．

5. 予防

インフルエンザの治療薬を予防薬として用いることは可能である．しかし，異常行動との関連性や供給量の問題などから現状では難しい．したがって，インフルエンザの予防にはワクチン接種による総合的な対策が最も効果的である．わが国では，1960年代以降，ウイルスの主な増幅者となる学童にワクチンが集団接種され，他の年齢層(特に高齢者)に対する流行の拡大を防ぐことを主体とした世界的にも先駆的な施策がとられていた．しかし，ワクチンの有効性に関する間違った認識により1994年の予防接種法改正時に，義務接種から任意接種に変更された．しかし，1997年，高齢者のインフルエンザ感染に起因する死亡者の増加，あるいは香港でのH5N1ウイルス出現事件を契機に，ワクチンの重要性が再び注目され始め，2000年10月以降は65歳以上の高齢者を対象に定期接種されるようになっている．また，H5N1ウイルスのプレパンデミックワクチンも備蓄されている．2009年のパンデミックに際しては，国産ワクチンのみならず，海外製ワクチンも特例承認を受け，初めて導入された．

不活化ワクチン

現行のインフルエンザワクチンは，発育鶏卵を用いてワクチンウイルス株を増殖させた後，回収

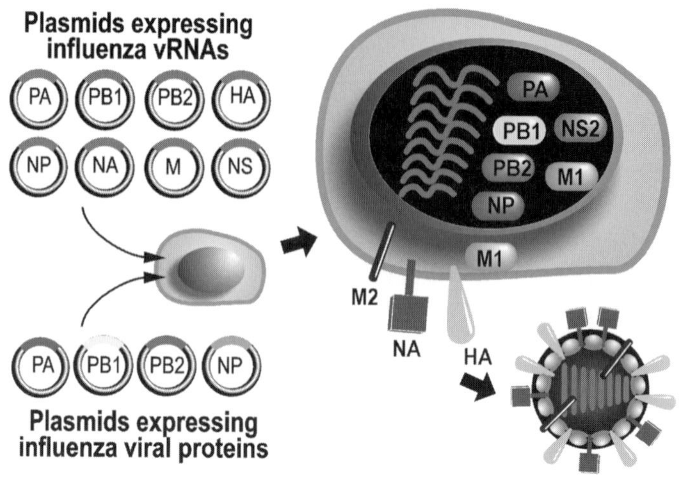

図10　リバース・ジェネティクスによるインフルエンザウイルスの人工合成

8種類のウイルスRNA分節を合成するプラスミドと，ウイルス遺伝子の転写・複製に必要な4種類の蛋白質を発現するプラスミドを，同時に細胞に導入すると，感染性のウイルスが放出される．

した漿尿液中のウイルス粒子を超遠心法により濃縮精製し，エーテル処理で膜脂質成分を取り除き，さらにホルマリンにより不活化処理をしたものである．つまり，HA蛋白質を含んだ膜成分により構成されるコンポーネントワクチンであり"HAワクチン"と表記される．しかし，実際はもう一つの膜糖蛋白質であるノイラミニダーゼ(NA)も含まれるし，ヌクレオプロテイン(NP)などの内部蛋白質の混入も認められる．A型ウイルス（H1N1，H3N2）およびB型ウイルスの合計三種類のワクチン株が，世界中のWHOインフルエンザ参照センター（日本は国立感染症研究所)のネットワークによる流行予測を基に毎年選定され，それらから三価のHAワクチンが調製され，用いられている．加えて，2009年にはH1N1パンデミックウイルスに対するワクチンも急遽準備され，優先順位に従い投与された．2010/11シーズン用のワクチンから，H1N1ソ連型ウイルス株は削除され，パンデミックワクチンを含めた三価のHAワクチンが接種される予定である．なお，2009年パンデミックに際して導入された海外社製ワクチンは国内産ワクチンとは異なる剤形である．一つは，オイルアジュバントを含むもの，もう一つは培養細胞を用いて作製したものである．副作用が懸念されたものの，実際の接種量は限られており，有効性や安全性の比較評価はできなかった．

これまでの研究から，現行HAワクチンがインフルエンザの発病，症状の重篤化の阻止，あるいは症状の軽減に有効であることに疑問の余地はない．健康成人では，ワクチン株と流行株の抗原性が一致した場合の発病防止効果が70%以上である．また，頻繁にワクチン株を更新する必要があるインフルエンザに対しては，比較的作製が容易で，かつ安全性の高い不活化ワクチンは有利である．また，保存性も悪くなく実用的である．

しかし，不活化ワクチンゆえの限界が存在する．インフルエンザは気道粘膜から侵入するため，この局所における免疫応答を効果的に誘導しなければ，ウイルスが感染を開始するのを阻止することはできない．しかし，皮下接種による現行ワクチンは，血中に中和抗体(主にIgG抗体)を誘導し，生体内でのウイルスの広がりを阻止することはできるが，気道における粘膜免疫(主に分泌型IgA抗体)はほとんど誘導しない．したがって，ウイルスが気道細胞において感染を開始することを阻止するのは難しい．また，免疫の持続が短いため，毎年接種しなければ高い効果を望めない．さらに，血清亜型を越えた感染防御能にある程度の効果があるとされる細胞障害性T細胞(CTL)を中心とする細胞性免疫の誘導は，細胞上に標的抗原(主にNPとM蛋白質由来ペプチド)が提示されないため困難である．このような理由から，現行ワクチンの効果は理論上決して満足のいくものではない．実際，感染歴のない幼児ではワクチン効果が非常に低い．また，高齢者に対する効果も低い場合がある．これは，免疫応答能力の低下に加えて，"抗原原罪"(original antigenic sin)現象によるものと推定される．つまり，ワクチンに対する応答が，その人が最初に感染を経験した他のウイルス株に対するメモリーに向けられてしまう現象である．

さらに，不活化ワクチンの卵アレルギーをもつ個体への接種は即時型アレルギー反応が起こる可能性があるため，禁忌とされる．今後，培養細胞を用いたワクチン生産に移行するものと期待される．

弱毒生ワクチン

ワクチン効果を考えた場合，ウイルスの自然感染を模倣する免疫応答を誘導する生ワクチンにかなうものはない．生ワクチンは生体内で増殖するため少量の接種量で充分であるし，鼻腔内に接種することにより粘膜免疫，さらに，細胞性免疫も誘導される．若干の抗原変異があった場合にも，生ワクチンは不活化ワクチンより有効である．さらに，簡便な鼻への噴霧接種は，特に小児においては大きなメリットとなる．

生ワクチンの最大の問題点は，その安全性である．免疫原となる生きたウイルスは確実に弱毒化され，接種されたヒトに病気を起こさないことは基本原則であるが，RNA ウイルスであるがゆえに，体内でウイルスが増殖する過程においてゲノム中に変異が導入されやすい．すなわち，その変異によりウイルスの毒力が復帰する可能性がある．したがって，複数の弱毒変異がウイルスに導入されていなければならない．

現在，アメリカでは，不活化ワクチンに加え，弱毒生ワクチンも 2 歳から 49 歳以下を対象に用いられている．2003 年に米国食品薬品局（FDA）に承認された鼻腔内噴霧型の三価の弱毒生ワクチン“FluMist™”である．このワクチンは Maassab 博士（ミシガン大）らにより作出された低温馴化ウイルスを基にしている．低温馴化に伴い，ウイルスの内部蛋白質遺伝子に複数の変異が導入された結果，毒力が減少している．したがって，この低温馴化ウイルスの抗原性を規定する表面蛋白質 HA および NA コード遺伝子を，流行ウイルス由来の HA，NA 遺伝子と入れ換えた遺伝子再集合ウイルス（6:2 reassortants）が，弱毒生ワクチンとして用いられる．

不活化ワクチン生産のために必要なシードウイルス株の一部は，すでにリバース・ジェネティクス―プラスミドからウイルスを人工合成する方法（図 10）―により作製されている．例えば，H5N1 プレパンデミックワクチンや H1N1 パンデミックワクチンのシードウイルス株である．ヒトに病原性が低く，発育鶏卵でよく増える PR8 株をバックグランドに HA と NA 遺伝子を適宜入れ替えていくという方法である．H5N1 ワクチンの場合には，これにより HA 遺伝子を弱毒化することも可能である．一方，弱毒生ワクチンウイルスも同様な戦略で作製できる．プラスミドにクローン化した低温馴化ウイルスの HA,NA 以外の遺伝子を用意しておけば，流行株に応じて，HA と NA 遺伝子を入れ替えていくという方法で，ワクチンウイルスを迅速，確実に作製できる．今後，季節性ワクチン作製にも応用されるものと期待する[9]．

各論 I

参考文献

1. Wright PF, Neumann G, Kawaoka Y: Orthomyxoviruses. Fields Virology 1692-1740, 2007.
2. Dawood FS, et al: Emergence of a novel swine-origin influenza A（H1N1）virus in humans. N Engl J Med 360: 2605-2615, 2009.
3. Horimoto T, Kawaoka Y: Influenza: lessons from past pandemics, warnings from current incidents. Nat Rev Microbiol 3: 591-600, 2005.
4. Horimoto T, Kawaoka Y. Pandemic threat posed by avian influenza A viruses. Clin Microbiol Rev 14: 129-149, 2001.
5. Noda T, et al: Architecture of ribonucleoprotein complexes in influenza A virus particles. Nature 439: 490-492, 2006.
6. Neumann G, Noda T, Kawaoka Y: Emergence and pandemic potential of swine-origin H1N1 influenza virus. Nature 459: 931-939, 2009.
7. Itoh Y, et al: In vitro and in vivo characterization of new swine-origin H1N1 influenza viruses. Nature 460: 1021-1025, 2009.
8. Shinya K, et al: Avian flu: influenza virus receptors in the human airway. Nature 440: 435-436, 2006.
9. Horimoto T, Kawaoka Y: Designing vaccines for pandemic influenza. Curr Top Microbiol Immunol 333: 165-176, 2009.

INTERNET WEB SITES

1. 国立感染症研究所感染症情報センター：http://idsc.nih.go.jp/index-j.html
2. WHO Avian influenza: http://www.who.int/csr/disease/avian_influenza/en/
3. WHO Pandemic（H1N1）2009: http://www.who.int/csr/disease/swineflu/en/index.html

4. CDC 2009 H1N1 Flu: http://www.cdc.gov/h1n1flu/

5. MedImmune, Inc.: http://www.aviron.com/

Ⅰ-6　急性灰白髄炎(ポリオ)

国立感染研究所ウイルス第二部室長
清水博之

1. 病原体の性状

(1)ポリオウイルス

ポリオウイルスは，ピコルナウイルス科エンテロウイルス属(family *Picornaviridae, genus Enterovirus*)に属する，エンベロープを有しないプラス鎖一本鎖 RNA ゲノムを持つ比較的小型(約 30nm 径)の RNA ウイルスである．約 7500 塩基のゲノム RNA を中心に，4 種類のカプシド蛋白質が規則的に配置された正二十面体の粒子構造を有する[1]．多数の血清型を有するエンテロウイルスは，現在，分子系統学的解析により 4 種類の species (A-D)に分類されており，ポリオウイルスは，一

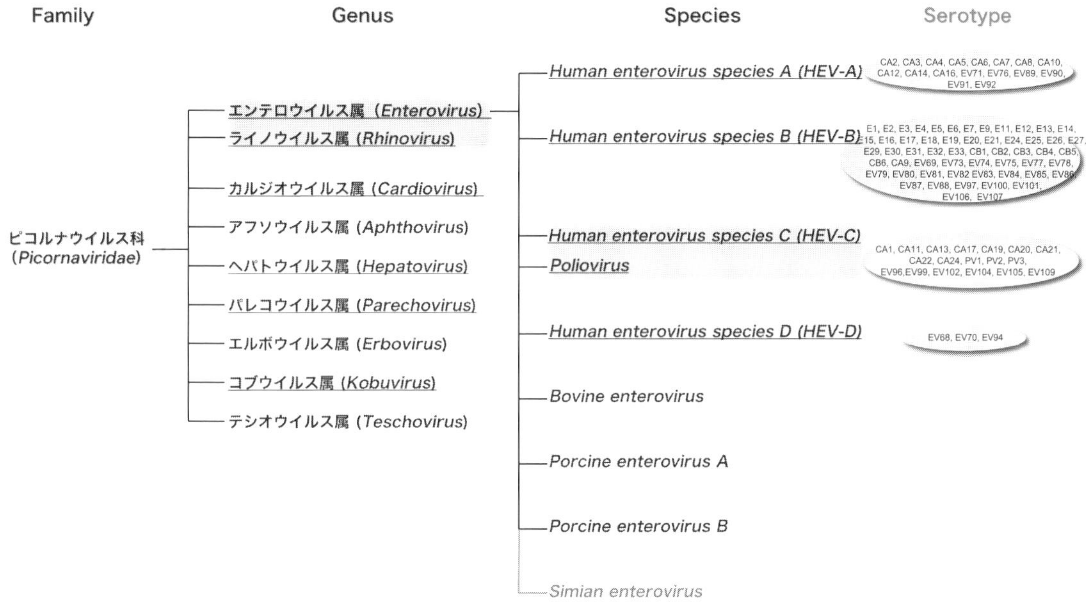

図 1

ポリオウイルスを含むエンテロウイルスの分類については，国際ウイルス分類委員会(International Committee on Taxonomy of Viruses; ICTV)報告に準じたが，ICTV による追補等の追加情報についても一部参考にした(http://www.picornaviridae.com/)．現在，エンテロウイルス属とライノウイルス属はひとつの属であり C 群エンテロウイルスとポリオウイルスは単一の species である，との見解が支持されており，これらの点を踏まえて図示した．ヒト疾患に関与する可能性のあるウイルス属および種について下線で示した．

部のコクサッキーAウイルスとともにC群エンテロウイルス(human enterovirus species C)に分類される[2, 3](図1)．ポリオウイルスは，他のC群エンテロウイルスと明らかに異なる病原性を示し，宿主受容体の違いが，ポリオウイルスと他のC群エンテロウイルスの病原性の違いを規定していると考えられている．すべてのポリオウイルスは，例外無く，カプシド蛋白質の抗原性の違いにより3種類の血清型(1，2および3型)に分けられる．

(2)ポリオウイルスゲノム

約7500塩基のポリオウイルスゲノムは，5' 末端から順に，5' 非翻訳領域(5'untranslated region；5'UTR)，構造蛋白質(VP4 - VP2 - VP3 - VP1)領域，非構造蛋白質($2A^{pro}$ - 2B - 2C - 3A - $3B^{VPg}$ - $3C^{pro}$ - $3D^{pol}$)領域，3' 非翻訳領域(3' untranslated region；3'UTR)および3' 末端のpoly (A)により構成されている[1](図2)．5' UTRには，エンテロウイルス間で共通したRNA高次構造が保存されており，ウイルスRNA合成に関与するcloverleaf構造およびcap非依存性翻訳をつかさどるinternal ribosome entry siteが存在する．ポリオウイルスゲノムの特徴のひとつとして，VPg ($3B^{VPg}$)と呼ばれるポリペプチドが，ゲノム5' 末端に共有結合により付加している．ポリオウイルスでは，2C蛋白質領域に存在する*cis*-acting replicating element (cre)とよばれるRNAヘアピン構造が，cre依存的VPgウリジル化反応に必要とされており，ウリジル化VPgはプラス鎖RNA合成の際にプライマーとして機能する．

(3)感染機序とライフサイクル

ヒト細胞表面に存在する特異的受容体human poliovirus receptor (hPVR, CD155)へのポリオウイルス粒子の結合，さらに，ウイルス−受容体相互作用によるウイルス粒子構造変化により，ウイルスゲノムが細胞質内へ侵入する．細胞質内では，ウイルスゲノムを鋳型としたcap非依存性翻訳により，単一のフレームからなる長鎖のpolyproteinが合成され，polyproteinはさらに，ウイルス由来のプロテアーゼにより切断され，前駆体あるいは成熟蛋白質として，感染細胞内でのウイルス増殖およびウイルス粒子形成過程で機能する[1]．ウイルスプロテアーゼは，cap依存性蛋白質合成の阻害，いわゆる宿主蛋白質合成のshut offにも関与する．ポリオウイルスRNA合成は，ウイルス感染後，細胞質内に誘導される特異的膜構造上のreplication complexで進行し，$3D^{pol}$等RNA複製に直接関与するウイルス蛋白質だけでなく，ウイルス非構造蛋白質2Bや3Aのような膜結合蛋白質，また多くの宿主蛋白質が直接間接に関与する複雑な過程である．replication complex上で合成されたマイナス鎖RNAを鋳型に，多くのプラス鎖RNAが合成される．さらに，プラス鎖RNAを鋳型として翻訳されるウイルスカプシド粒子形成過程で，プラス鎖RNAゲノムがパッケージングされ，感染性ウイルス粒子となる．ポリオウイルス感染は，細胞レベルでのアポトーシスを誘導するが，病原性発現におけるアポトーシスの役割は明らかにされていない[4]．

自然感染後あるいは経口生ポリオワクチン(oral poliovirus vaccine；OPV)接種後，RNAウ

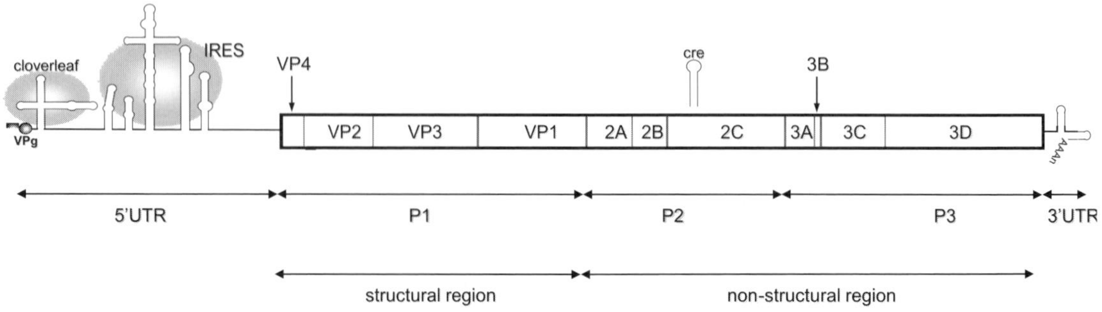

図2　ポリオウイルスゲノム構造の模式図

イルスであるポリオウイルスは比較的高いgenetic instabilityを有するため，腸管でのウイルス増殖の過程において，遺伝子変異とゲノム遺伝子組換えが高い頻度で発生する[5]．感染伝播過程において出現するquasi-speciesの選択と適応過程は，ポリオウイルス分子進化にとって重要な役割を果たしている．OPVの弱毒化を規定するゲノム部位は，弱毒株と強毒株との塩基配列の比較，病原性復帰株における変異部位，および，それらの情報をもとにしたリバースジェネティクスにより詳細に解析されている．

2. 病態と感染機序

(1)臨床症状

急性灰白髄炎は，ポリオウイルスの中枢神経への感染により引き起こされる急性ウイルス感染症で，一般的には，小児麻痺と呼ばれることも多い．麻痺型ポリオ典型症例では，ポリオウイルス感染による運動神経細胞の不可逆的障害により弛緩性麻痺を呈する[6]．ポリオの初期症状として，全身倦怠感，吐き気，発熱，等が報告されており，軽症例では軽い感冒症状のみで回復する．典型的な麻痺型ポリオ症例の多くは，発熱等の前駆症状の後，四肢の弛緩性麻痺を呈する．重篤な場合，呼吸筋麻痺等により死亡する場合もある．他の多くのエンテロウイルス感染同様，すべてのポリオウイルス感染者が発症するわけではなく，感染者の多く(90%以上)は無症状で推移し，発症者の多く(4－8%程度)は軽い感冒症状または胃腸症状のみで回復する[6]．通常，感染者の1%以下が典型的な麻痺型ポリオを呈する．我が国では，ポリオは「感染症の予防及び感染症の患者に対する医療に関する法律」による二類感染症に指定されており，診断した医師は直ちに保健所に届け出る必要がある[7]．

ポリオウイルス持続感染症例が，免疫不全患者等において報告されているが，ポリオウイルスが持続感染することは，きわめてまれである[5]．ポリオ患者の多くが，ポリオ発症から長期間ののち，筋力の低下や萎縮，手足のしびれ，筋肉痛等の症状を呈するポストポリオ症候群を発症することが知られている[6]．

(2)感染伝播経路

ポリオウイルスは，経口感染後，感染初期には上気道分泌物からの飛沫を介して，より一般的には，感染性を有する糞便材料を介した経口感染により，ヒトからヒトへ伝播する．典型的な麻痺型ポリオ症例の場合，腸管感染成立後，ウイルス血症を経て，ポリオウイルスは，血液脳関門を介した侵入，あるいは，神経軸索を介した伝達により中枢神経組織へ侵入すると考えられている．ポリオウイルス感染から麻痺発症までの潜伏期間は，3日～1ヶ月強の期間，通常は4～10日程度とされている．ポリオウイルスは，感染後数週間程度，糞便中へ排出され，感染後2ヶ月程度で糞便中からウイルスは検出されなくなる．

3. 診断

(1)ポリオの臨床診断

ポリオウイルス感染症サーベイランスの世界的標準手法として，急性弛緩性麻痺(acute flaccid paralysis；AFP)サーベイランスが，広く用いられている[8]．ポリオは不顕性感染の割合が高く，典型的な臨床症状であるAFPは，ポリオウイルス感染以外により発症する場合があるので，実験室診断によるポリオウイルス分離・同定に基づく確定診断が必須である．ポリオ以外によるAFP発症の原因として，ギランバレー症候群，急性非ポリオ性ウイルス性脊髄炎，横断性脊髄炎，等が知られている[9]．OPVの副反応であるワクチン関連麻痺(vaccine associated paralytic poliomyelitis；VAPP)疑い症例の場合，発症前のワクチン接種歴が，麻痺発症との関連性特定のための重要な情報となる．

(2)ポリオの実験室診断

ポリオウイルス感染は不顕性感染の割合が高く，典型的な臨床症状であるAFPは，ポリオウイルス感染以外の要因により発症する場合があるので，実験室診断による確定診断が必須である[8]．世界的に標準化されている検査手法では，細胞培養によりウイルスを分離した後，ポリオウイルスの同定を行なう．ポリオウイルスが分離された場合，OPVに由来するポリオウイルスなのか，野生株なのかを判別する．臨床症状からポリオが疑われる場合は，発症後できるだけ速やかに糞便検体を採取し，ウイルス分離同定により確定診断を行う必要がある．

ポリオウイルス実験室診断の世界的標準手法では，RD細胞およびL20B細胞の2種類の細胞を用いてウイルス分離を行い，中和法等によりポリオウイルス血清型の同定を行う．L20B細胞は，多くのヒトエンテロウイルスに非感受性であるマウスL細胞に，安定的にhPVRを発現した細胞で，ポリオウイルスの選択的かつ迅速な分離同定のために，きわめて有用である[8]．血清型を同定したポリオウイルス分離株について，遺伝子あるいは抗原性の違いによりワクチン株と野性株ポリオウイルスを判別する型内鑑別試験を行う．型内鑑別試験で，非ワクチンポリオウイルス株と判別された場合，カプシドVP1全領域の塩基配列解析による確認試験を行う．親株であるOPV株と比較し1.0%以下の塩基置換であれば一般的なワクチンウイルス，1.0～15%であればワクチン由来ポリオウイルス(vaccine-derived poliovirus；VDPV)と同定される[8]．VP1領域の塩基配列が15%以上OPV株と異なる場合は，野性株ポリオウイルスの可能性が高いので，地域固有のポリオウイルスであるか輸入症例であるか，分子系統解析により検討する．

4. 治療と予防

ポリオウイルスを含むエンテロウイルス治療のための抗ウイルス薬は実用化されておらず，入手可能なポリオの治療薬は存在しない．そのため，発症後のポリオ治療は対症療法のみとなる．重症例については気管切開・挿管・補助呼吸等が必要とされる場合がある．

ポリオに対する治療薬は存在しないため，ポリオワクチンによる予防接種がポリオ発症予防および流行制御の基本戦略となっている．2種類のポリオワクチン，OPVおよび不活化ポリオワクチン(inactivated poliovirus vaccine；IPV) は，1950－1960年代に導入されて以来，世界各地における長年の使用経験により高い安全性および有効性が証明されている優れたワクチンである．とくに，3種類の血清型の弱毒化ポリオワクチン株を含むOPVは，多くのユニークな特性(安い価格，集団接種が容易，地域的なウイルス伝播を抑制，等)を持ち，安全性，有効性，および利便性に優れている[5, 6](表1)．一方，IPVは，3種類の血清型のポリオウイルスをホルマリン処理した不活化ウイルス抗原を含有する．ポリオの発症予防には，血中中和抗体の存在が重要とされている．OPV接種後，弱毒化ポリオウイルスが腸管で一定期間増殖することにより，腸管免疫および血中中和抗体を誘導し，ポリオ発症を予防する．OPVは同時に，腸管免疫の誘導により，糞便中へのポリオウイルス排出効率を低下させ，集団におけるポリオウイルス伝播効率を抑制する．IPVも，複数回接種により，血中中和抗体を効果的に誘導し，ポリオ発症を予防するが，集団におけるポリオウイルス伝播抑制効果は，OPVと比較すると低いとされている(表1)．

ポリオ根絶の最終段階および野生株ポリオ根絶達成後においては，OPVの副反応であるVAPP発生およびVDPVに由来するポリオ流行のリスクを無視できない[5]．OPVに替わるポリオワクチンにより集団免疫を維持することなしにOPV接種停止を行うのはリスクが大きいため，途上国も含めた世界全体へのIPV導入によりポリオウイルスに対する集団免疫を維持した上で，世界的OPV接種停止を実施するシナリオが，もっともリスクの少ない選択枝と考えられている[10, 11]．OPV接種による重篤な副反応であるVAPPを考慮して，従来OPVを使用していた多くの国々で，すでにOPVからIPVへの変更が完了している[12]．2008年の報告によると，欧米諸国を中心に，30ヶ国がIPVのみ，ポーランド等9ヶ国がIPVとOPVの併用によるポリオ予防接種を実施している[12]．WHO西太平洋地域でも，ニュージーランド，オーストラリア，韓国，香港で，すでにIPV含有ワクチンが導入されている．

5. 日本のポリオ

日本では，1950年代から1960年代初頭における大規模なポリオ流行に対応するため，開発されて間もないOPVがソ連(当時)およびカナダから

表１　経口生ポリオワクチンと不活化ポリオワクチンの比較

ポリオワクチンの種類			経口ポリオワクチン (oral poliovirus vaccine; OPV)	不活化ポリオワクチン (inactivated poliovirus vaccine; IPV)
主要な成分			弱毒化ポリオウイルス　(Sabin I, II, III 株)	ホルマリン不活化ポリオウイルス抗原 (1,2 および３型野生株ポリオウイルス由来)
ワクチン接種		接種方法	経口	皮下注射，筋肉注射
		接種コスト	安価	比較的高価
		集団接種	一斉投与キャンペーン等，集団接種が容易	定期予防接種に適している
ワクチンの価格			安価	比較的高価
効果	接種者		腸管免疫および血中中和抗体の誘導	主として血中中和抗体の誘導
	接種地域		接触者およびコミュニティーに伝播することによる集団免疫の付与	ワクチン接種者のみ
	ウイルス伝播の制御		腸管免疫誘導によるウイルス伝播効率低下	ウイルス伝播効率低下効果は低い
副反応	接種者・接触者	重篤な副反応	ごくまれにワクチン関連麻痺	重篤な副反応はない
		その他の副反応	下痢・発熱・嘔吐，等	接種部位における局所反応等（混合ワクチンの種類による）
	地域		VDPV 伝播によるポリオ流行のリスク	伝播しない
	免疫不全患者		OPV 持続感染者におけるポリオ発症および地域への伝播のリスク	持続感染しない
使用地域	世界的		野生株ポリオ流行国を含むすべての途上国	多くの欧米先進国
	西太平洋地域		日本，中国，ベトナム等	ニュージーランド，韓国，オーストラリア，香港，台湾等
その他の特徴			経口接種可能な生ウイルスワクチン	他の抗原との混合が可能であり多くの種類の混合ワクチンが海外で実用化
製造	現在の製造施設		国産を含めた比較的小規模なメーカーを含む	国際的大規模ワクチンメーカー
	製造設備における病原体管理		弱毒株なので比較的簡便な設備で製造可能	強毒株を使用するため高度に管理された製造施設が必要
日本での予防接種			現行の定期予防接種に使用	IPV 含有混合ワクチンを現在臨床開発中

緊急輸入され，1960 年代中頃までに，国内のポリオ流行は，ほぼ終息した(図 3)．1980 年に長野県で検出された１型ポリオウイルス野生株以降，ポリオ患者から野生株ポリオウイルスは検出されておらず，30 年近くにわたり日本国内では野生株によるポリオ症例は報告されていない[13－15]．WHO 西太平洋地域では，1997 年のカンボジアにおける１型野生株ポリオウイルスによるポリオ症例を最後に，地域固有の野生株ポリオウイルスによるポリオ発生は報告されていない．その結果をうけて，2000 年 10 月に WHO 西太平洋地域における野生株ポリオウイルス伝播の終息，いわゆるポリオフリーが宣言された．その後，現在までの 10 年余，日本を含む同地域では，野生株ポリオウイルス伝播によるポリオ流行は発生しておらず，ポリオフリーを維持している[16]．

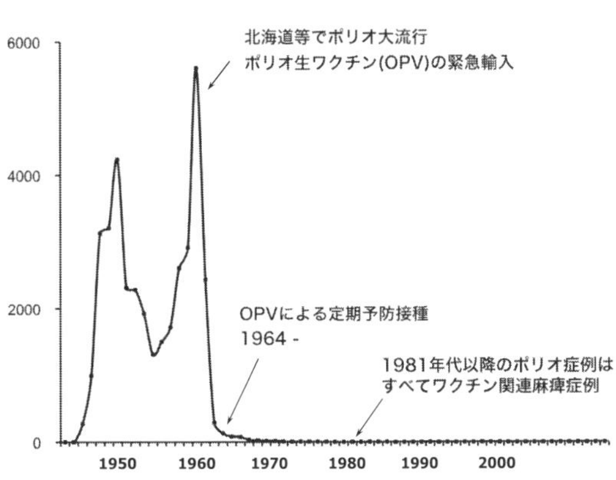

図３　日本におけるポリオ症例数の推移

1981 年以降，我が国で実験室診断により確認されたポリオ症例は，接触者を含む VAPP 症例である．VAPP 症例から検出されるポリオウイルスは，3 型，2 型の順に分離頻度が最も高く，1 型ワクチン株による VAPP はまれである[14]．ワクチン接種者における VAPP 症例の多くは乳幼児であるが，接触者の場合には成人の VAPP 症例が認められる．VAPP 症例の多くは男性であり，発症リスクに性差が認められる[5]．

6. 世界ポリオ根絶計画の現状と今後

(1)世界ポリオ根絶計画の現状

世界ポリオ根絶計画の基本戦略は，OPV の集団接種によって，野生株ポリオウイルス伝播を遮

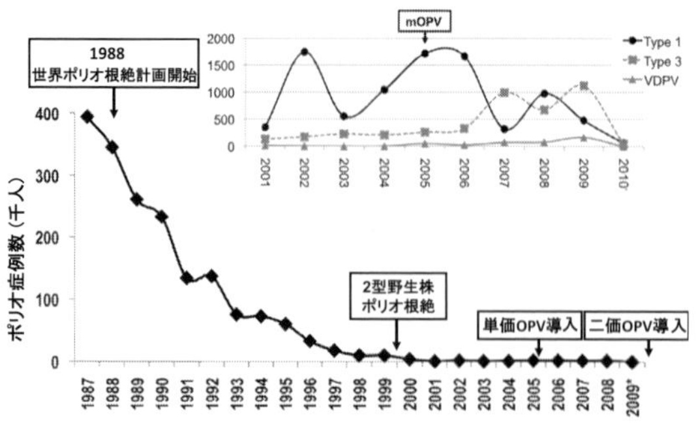

図４　全世界のポリオ症例数の推移
1987～2009年における世界的ポリオ症例数の推移．2000年以降10年間のポリオ症例数については，別スケールの図を右上に示した．

断することにある．世界保健機関（World Health Organization；WHO）が世界ポリオ根絶計画を開始した1988年当時，毎年125カ国余において35万人程度のポリオ症例が発生していたと推定されているが，2009年の野生株ポリオウイルスによるポリオ症例数は，世界全体で1600症例余と報告されている[17]（図4）．現在，地域固有の野生株ポリオウイルス伝播がいまだに継続しているポリオ常在国は，パキスタン，アフガニスタン，インド，ナイジェリアの4ヶ国となっている（図5）．

2009年現在，インドの野生株ポリオウイルス伝播地域は，北部の限られた地域に限局されている．これらの地域では，OPVによる頻回のワクチン接種キャンペーンの実施にも関わらず，1型および3型野生株ポリオウイルス伝播が継続しウイルス伝播停止につながる十分な集団免疫が誘導されていない．インドのポリオ流行地では，2005年の1型単価OPV導入により，1型野生株ポリオ症例が顕著に減少したものの根絶には至らず，1型野生株ポリオウイルスの伝播が継続している．その一方，同地域では2008～2009年にかけて，3型野生株によるポリオ症例が大幅に増加し

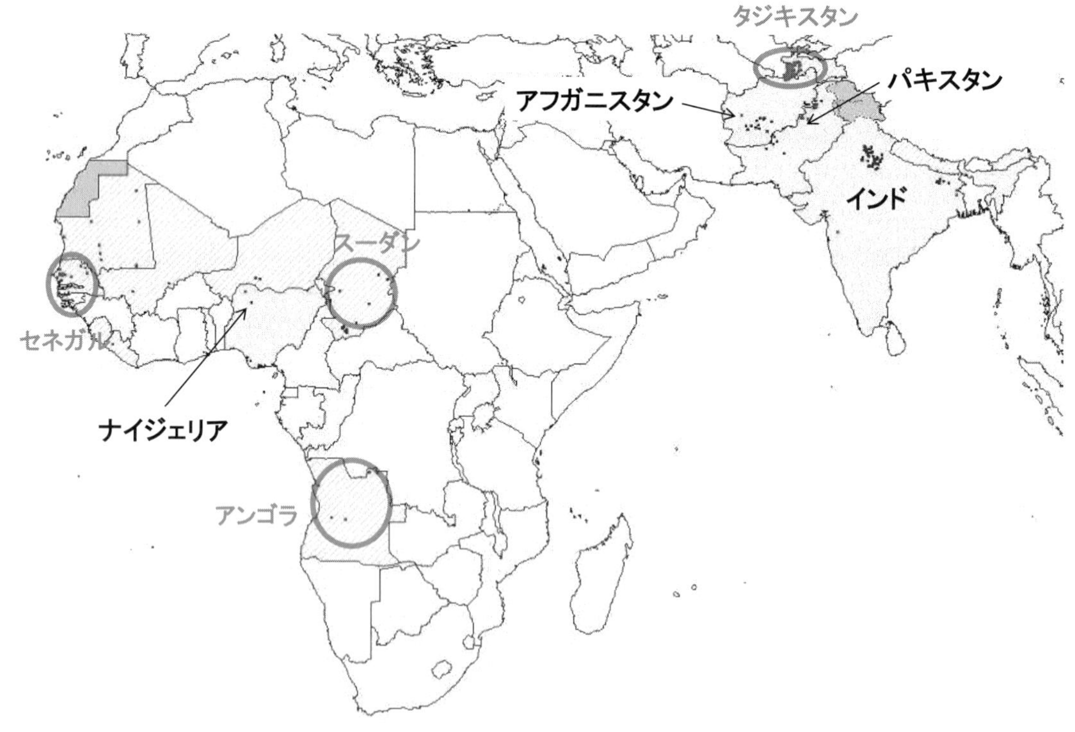

図５　確定ポリオ症例の分布
2009年11月5日～2010年5月4日の半年間における野生株由来ポリオ症例の分布．ひとつのドットが1症例を示す．野生株ポリオ常在国4ヶ国（インド，パキスタン，アフガニスタン，ナイジェリア），および，おもな野生株ポリオ再流行国　（WHO提供資料を一部改変）．

表2　ワクチン由来ポリオウイルス（VDPV）によるポリオ流行（2000-2010年）

国　（地域）	発生年	ポリオ症例数	血清型	ゲノム遺伝子組換え *	推定伝播期間（年）
ハイチ・ドミニカ共和国（ヒスパニオーラ島）	2000-2001	21	1型	有	2.5
フィリピン	2001	3	1型	有	2.5
マダガスカル	2001-2002	5	2型	有	2.5
中国　（貴州省）	2004	2	1型	無	1.0
マダガスカル	2005	3	2型	有	1.5
インドネシア	2005	46	1型	有	1.5
カンボジア	2005-2006	2	3型	有	2.0
ミャンマー	2006-2007	5	1型	有	2.0
エチオピア	2008-2009	4	2型	?	1.0
コンゴ民主共和国	2008-2009	19	2型	?	4.0
ソマリア	2008-2009	5	2型	?	?
エチオピア	2009-2010	4	3型	?	?
インド（西部 UP*）	2009-2010	16	2型	有	1.0
ナイジェリア	2005-2010	311	2型	有	5.0

* 非ポリオエンテロウイルスとのゲノム遺伝子組換えの有無

** Uttar Pradesh 州

た．2010年から，1型および3型弱毒化株を含む二価OPVが導入され，残された1型および3型野生株ポリオウイルス伝播を同時にコントロールすることが期待されている．

ナイジェリアは，2005年以降，アフリカ唯一の野生株ポリオ常在国であるとともに，多くのアフリカ・アジア諸国へ，断続的に野生株ポリオウイルスを輸出し続けている．ナイジェリア北部における野生株ポリオウイルス伝播継続のおもな要因は，脆弱な公衆衛生基盤による低い定期予防接種率とポリオ根絶計画へのコミットメントの低さにある．ナイジェリア北部では，2006－2007年の単価OPV導入後も野生株ポリオウイルス伝播が継続している．しかし，2009年後半以降，ナイジェリア北部の野生株ポリオ流行は沈静化しつつあり，アフリカにおけるポリオ根絶の進展にとって，ナイジェリア国内のポリオ症例数の顕著な減少には大きな期待が持たれている．

パキスタンおよびアフガニスタンでは，共通の遺伝子型の1型および3型野生株ポリオウイルス伝播が継続しており，インドおよびアフリカとは独立した大きなひとつの野生株ポリオ流行地域となっている．この地域における野生株ポリオウイルス伝播継続の大きな要因は，不安定な政情と悪化する治安により，一部ハイリスク地域において効果的な予防接種活動が実施できないことにある．

2000年以降，いったんポリオフリーを達成した多くの国々で，野生株ポリオ流行国に由来するポリオ再流行が頻繁に発生している[17]．2009年に限っても，西アフリカを中心とした19カ国において，1型あるいは3型野生株ポリオウイルスよるポリオ再流行が発生しており，アフリカにおけるポリオ根絶計画にとって大きな負担となっている．また，アンゴラ，チャド，スーダン，コンゴ民主共和国等，公衆衛生基盤の脆弱な一部のアフリカ諸国では，輸入野生株ポリオウイルスが長期間定着する傾向が認められ，再定着国から周辺国への野生株ポリオウイルス伝播が報告されている．2010年には，ポリオフリーを達成したWHOヨーロッパ地域のタジキスタンにおいて，1型野生株ポリオウイルスによる大規模なポリオ流行の発生が報告されている（図5）．

(2)ワクチン由来ポリオウイルスによるポリオ流行

2000－2001年にかけて，1型VDPV伝播による大規模なポリオ流行が，ヒスパニオーラ島で初めて報告されて以来，VDPVによるポリオ流行の発生は，様々な地域で毎年のように報告され，野生株ポリオ根絶前後における無視できない公衆衛生上のリスク要因として重要視されている[5, 18]（表2）．WHO西太平洋地域においては，2001年フィリピンにおける1型VDPV，2004年中国貴州省における1型VDPV，さらに，2005 − 2006年にかけてはカンボジアで3型VDPVによるポリオ流行が発生した．これらVDPVによるポリオ流行に対応し，各国およびWHO西太平洋地域事務局は，全国ないしはハイリスク地域の5〜7歳未満の全小児を対象とした大規模なOPV一斉投与を2回または3回行い，VDPV伝播を遮断した[16]．

この10年間に世界各地で発生したポリオ流行事例に由来するVDPV分離株の解析から得られたウイルス学的知見は数多い[5, 18]．ポリオウイルスワクチン株(Sabin株)はすでに全塩基配列が決定し，ウイルス学的性状が詳細に解析されており，ワクチン株からの変異を解析することにより，OPV接種後の伝播期間や他のエンテロウイルスとのゲノム遺伝子組み替えの頻度を容易に推定できる．これまでに報告されているVDPVの多くは，伝播過程で弱毒化を規定するゲノム遺伝子部位が点変異や遺伝子組換えにより消失し，神経毒力復帰を起こしている．また，抗原性や温度感受性等のウイルス学的性状についても，強毒型への復帰が認められる．2型ワクチン株は，他の血清型と比較してヒト集団での伝播能に優れていると考えられており，特定地域におけるワクチン戦略の不徹底により2型ポリオに対する集団免疫が低下した場合にポリオ流行を引き起こすリスクが高い．ポリオウイルスゲノムにおける弱毒化規定部位の解析から，Sabin 1株は，他の血清型と比較した場合，弱毒化に関して遺伝的に安定であると考えられてきたが，1型VDPVによるポリオ流行の発生頻度は，2型VDPVとほぼ同等であった．これまでに報告された1型VDPVによるポリオ流行事例では，中国貴州省を除く他のすべての1型VDPVは，伝播過程で他のC群エンテロウイルスとゲノム遺伝子組み換えを起こした組み換えウイルスでることが明らかとなっている(表2)．頻繁かつ多様なエンテロウイルスとのゲノム遺伝子組み換えは，ポリオウイルスの遺伝的多様性維持を介して，in vivoにおけるウイルス適応に有利に働くと考えられている．ヒト集団において長期間伝播したVDPVの解析は，培養細胞や動物実験では，いまだ解析が困難なヒト集団におけるポリオウイルス感染伝播および分子進化機構解明のための重要な手かがりとなる．

ポリオ流行との関連が明らかになった例はないが，免疫不全患者等におけるワクチン由来ポリオウイルス長期感染事例も，世界全体で，のべ40例以上報告されており，野生株ポリオ根絶後には，ポリオ流行のリスク要因のひとつになると考えられている[5]．

(3)世界ポリオ根絶計画の課題と将来

世界ポリオ根絶計画は，当初，2000年までの根絶達成を目標としていた．しかし，目標から10年が経過した2010年においても，近い将来のポリオ根絶の目途は立っていない．単価OPVの積極的使用にも関わらず，ポリオ常在国4カ国では，いまだ1型および3型野生株ポリオウイルス伝播が継続しており，ナイジェリアあるいはインドに由来する野生株ポリオウイルスが，いったんポリオフリーを達成したアフリカ，アジア，ヨーロッパの国々へ，頻繁かつ広範な伝播を引き起こしている[17]（図5）．さらに，ナイジェリアやインドのポリオ流行地では，2型ワクチン由来ポリオウイルス伝播が発生しており，一部地域における2型ポリオウイルスに対する集団免疫の低下が危惧されている．その一方，2009 − 2010年にかけて，ナイジェリアの1型および3型野生株ポリオウイルス伝播は顕著に減少ししつつある．

WHOは，世界ポリオ根絶計画を，もっとも優先度の高い感染症対策として位置づけ，各流行国におけるワクチン戦略の至適化を中心とした対策を進めている．世界ポリオ根絶達成まで時間を要する可能性も考慮し，我が国を含むポリオフリーの地域でも，精度の高いポリオサーベイランスを継続することが重要である．野生株ポリオ根絶後，OPV接種を続ける場合には，VAPPおよびVDPVによるポリオ流行のリスクが継続する．OPV接種を世界的に停止した場合，VAPP発生はなくなり，VDPVによるポリオ流行のリスクも次第に減少すると想定されている．そのため，IPV導入によりポリオに対する集団免疫を維持することが，VDPVによるポリオ流行のリスクを減らすうえで重要であると考えられている[19]．わが国でも，弱毒化ポリオウイルスに由来するIPVを含有する混合ワクチンが現在開発されており[20]，早急な実用化が必要とされる．

参考文献

1. Racaniello VR：*Picornaviridae*：The viruses and Their Replication. Fields Virology, 5th edition. LWW.com；795-838, 2007.
2. Stanwey G, et al：Family *Picornaviridae*. Virus Taxonomy XIII. Academic Press；657-678, 2005.
3. 清水博之：ヒトエンテロウイルスの分類と命名法．臨床とウイルス 33：2005；33：211-219.
4. Agol VI：Picornavirus genome：an overview. Molecular Biology of Picornaviruses. ASM Press；127-148. 2002.
5. Kew OM, et al：Vaccine-derived polioviruses and the endgame strategy for global polio eradication. Annu Rev Microbiol 59：587-635, 2005.
6. Pallansch M, Roos R：Enteroviruses：Poliovirus, Coxsackieviruses, Echoviruses, and Newer Enteroviruses. Fields Virology, 5th edition. LWW.com；839-893, 2007.
7. 厚生労働省．感染症の予防及び感染症の患者に対する医療に関する法律第12条第1項及び第14条第2項に基づく届出の基準等について，二類感染症，急性灰白髄炎(2008 改正版)．(http：//www.mhlw.go.jp/bunya/kenkou/kekkaku-kansenshou11/01-02-01.html)
8. World Health Organization：Polio laboratory manual, 4th edition, 2004. (http：//www.who.int/vaccines/en/poliolab/ WHO-Polio-Manual-9.pdf)
9. 山本悌司ら：ポリオ臨床診断マニュアル．臨床とウイルス 28：116-128, 2000.
10. World Health Organization：Cessation of routine oral polio vaccine（OPV）use after global polio eradication - Framework for National Policy Makers in OPV-Using Countries, 1-10, 2005.
11. Chumakov K, et al：Vaccination against polio should not be stopped. Nat Rev Microbiol 5：952-958, 2007.
12. Bonnet MC, Dutta A：Worldwide experience with inactivated poliovirus vaccine. Vaccine 26：4978-4983, 2008.
13. 厚生労働省結核感染症課，国立感染症研究所感染症情報センター．平成19年度感染症流行予測調査報告書，ポリオ：8-56, 2010.
14. 吉田弘ら：感染源調査によるポリオサーベイランス．病原微生物検出情報 30：176-178, 2009.
15. 木村三生夫，平山宗宏 堺春美．ポリオ，予防接種の手びき <第12版>：205-215, 2008.
16. 高島義裕，Sigrun Roesel, Youngmee Jee：WHO 西太平洋地域におけるポリオの現況と対策．病原微生物検出情報 30：173-174, 2009.
17. Progress toward interruption of wild poliovirus transmission-worldwide, 2009. MMWR Morb Mortal Wkly Rep 59：545-550, 2010.
18. 清水博之：ワクチン由来ポリオウイルスによるポリオ流行．病原微生物検出情報 30：174-176, 2009.
19. Heymann DL, Sutter RW Aylward RB：A vision of a world without polio：the OPV cessation strategy. Biologicals 34：75-79, 2006.
20. 厚生労働科学研究費補助金，医薬品医療機器等レギュラトリーサイエンス総合研究事業，混合ワクチンの品質確保に関する研究，総合研究報告書, 2005.

有用なウェブサイト

Global Polio Eradication Initiative（http：//www.polioeradication.org/）

WHO 本部ポリオ根絶計画ウェブサイト．最新のポリオ症例数(http：//www.polioeradication.org/casecount.asp)やポリオ実験室ネットワーク関連資料(http：//www.polioeradication.org/labnet.asp)を含む，多くの WHO 世界ポリオ根絶計画関連の最新情報を入手することができる．

厚生労働省(http：//www.mhlw.go.jp/)

我が国では，ポリオは「感染症の予防及び感染症の患者に対する医療に関する法律」（感染症法）による二類感染症に指定されている．感染症法に基づく医師の届出基準等の情報を入手できる．(http：//www.mhlw.go.jp/bunya/kenkou/kekkaku-kansenshou11/01-02-01.html)

国立感染症研究所(http：//www.nih.go.jp/niid/)

感染症情報センターのサイトから，ポリオ流行予測調査報告(病原体サーベイランス，感受性調査)等，我が国におけるポリオサーベイランス情報を入手できる(http：//idsc.nih.go.jp/yosoku/index.html)．予防接種情報については，感染症情報センター予防接種サイト(http：//idsc.nih.go.jp/disease/vaccine.html)が有用である．

Ⅰ-7 麻疹ウイルス

国立感染症研究所ウイルス第三部
關 文緒，竹田 誠

疫学

麻疹は，感染力の非常に強い疾病であり，免疫のない集団においてひとりの感染者から発生する二次感染者の平均数(基本再生産数(Basic reproduction number (R_0))は15～20と推定されている[1]．感染経路は，直接的な接触が最も効率がよいが，呼吸器飛沫核中に生存するため間接的にも感染が成立する．麻疹発生を抑えるには，ワクチン接種による麻疹流行の予防が重要であるが，このためには人口の95％以上という高い免疫保有率が必要とされる．

世界における麻疹

世界保健機関(ＷＨＯ)と国連児童基金(ＵＮＩＣＥＦ)によると麻疹による死亡者数は2000年には73万人以上であったが，麻疹ワクチンの接種拡大により2005年には34.5万人と半数以上に減少した[2]．ＷＨＯとＵＮＩＣＥＦは，麻疹による死亡を2010年までに2000年より90％減少させることを目標にしている．世界における麻疹による死亡の多くはアフリカ，東地中海，南アジアで発生しており，ＷＨＯではこれら地域の47の国を重点対策国に指定し，定期ワクチンの接種や補足的なワクチン接種活動を行い小児のワクチン接種率の上昇に力をいれるとともに，麻疹患者への適切な臨床管理の提供や麻疹流行のサーベイランスを行なっている．2008年の報告では，世界の麻疹による推定死亡者数は16.4万人であり，アフリカ，東地中海，西太平洋地域においては2000年の推定死亡者数から10分の1に減少し，先に挙げた2010年への目標を達成した(図１)．一方で，麻疹推定死亡者数の推移は2007年から2008年にかけては横ばいの状況である．

麻疹の流行を効果的に抑制する為にＷＨＯでは世界を「麻疹排除(常在する麻疹ウイルスによる伝播のない状態)」を目標とする地域と，「麻疹による死亡者の大幅な減少」を目標とする地域とに分け，積極的なワクチン接種活動を実施している(図２)．南東アジア地域(ＳＥＡＲ)では，現在排除を目標とすることは困難であり「麻疹による死亡者の大幅な減少」を目標としている．一方で，以前から麻疹対策を精力的に行ってきた汎アメリカ地域(ＰＡＨ)では2000年にすでに麻疹排除が達成されている．ヨーロッパ地域(ＥＵＲ)，東地中海地域(ＥＭＲ)では2010年が麻疹排除の目標

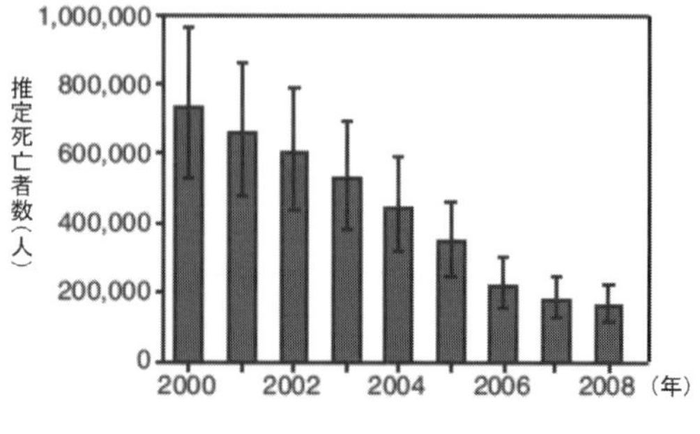

図１．世界における麻疹死亡者数の推移
(文献２より改変して引用)

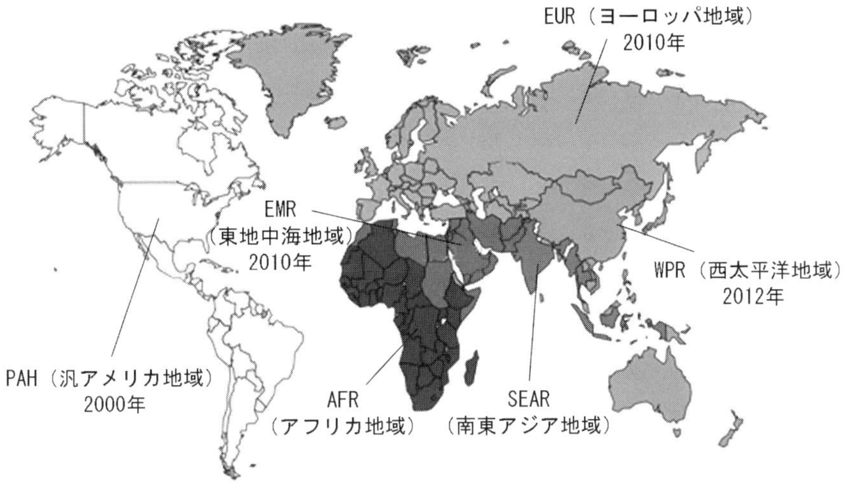

図２．ＷＨＯとＵＮＩＣＥＦによる麻疹排除への地域分類
あわせて，ＰＡＨ，ＥＵＲ，ＥＭＲ，ＷＰＲ地域の麻疹排除の目標年を示す．

年である．日本を含む西太平洋地域（ＷＰＲ）は2012年を麻疹排除の目標としており，ＷＰＲ地域の37カ国のうち半数以上の国において，すでに排除もしくは排除に近い状況に達しているが，日本では，未だ排除を達成していない[3]．ＷＨＯによる麻疹排除の判断基準には，１年間に報告される確定麻疹症例数が人口100万人あたり１未満であること，麻疹を含むワクチンによる２回の予防接種の接種率がともに95％以上であること，輸入症例による集団発生が小規模であること，十分なサーベイランスが実施されていること等が掲げられている．

日本における麻疹

国内では，麻疹ワクチンの定期予防接種率が低かったため，2000年頃まで地域的な流行が報告されていた．2001年におきた流行では，小児科定点からの報告に基づく報告症例数は33812人であり，全患者数は26.8万人程度と推定される[4]．そこで，ワクチン接種率が50～60％と低かった１歳児を対象に，「１歳のお誕生日には麻疹ワクチンのプレゼントを」というキャンペーンが全国的に展開された．その後，１歳児の麻疹ワクチン接種率は80～90％に上昇し，2006年には（小児科定点からの）報告症例数は520例，推定全患者数は１万人を下回り，地域的な集団発生もほとんど認められなくなった[5]．また，2006年から予防接種法に基づく定期予防接種として，これまでの12～90ヶ月児を対象とした１回接種から，第一期を12～24ヶ月児，第二期を小学校就学前１年間とする２回接種へと変更された．

2007年～2008年に発生した麻疹の流行では，主に20歳前後の若者を中心とした流行が目立った[6]（図３）．大学や高校の休校や，海外への持ち出しなど，社会的にも大きな問題になり，2007年12月に「麻しんに関する特定感染症予防指針」（厚生労働省告示第442号）が告示され，麻疹排除とその後の維持を目標に麻疹対策が強化された．予防接種は，2006年に始まった２回接種に加えて，2008年から2012年の５年間の経過措置として，中学１年相当年齢の者を対象とする第三期と高校３年相当年齢の者を対象とする第四期の補足的接種が開始された．また，麻疹発生報告が定点報告から全数報告へ変更されるとともに検査診断の実施が推奨されている．

病原体の性状

原因ウイルスである麻疹ウイルスはParamyx-

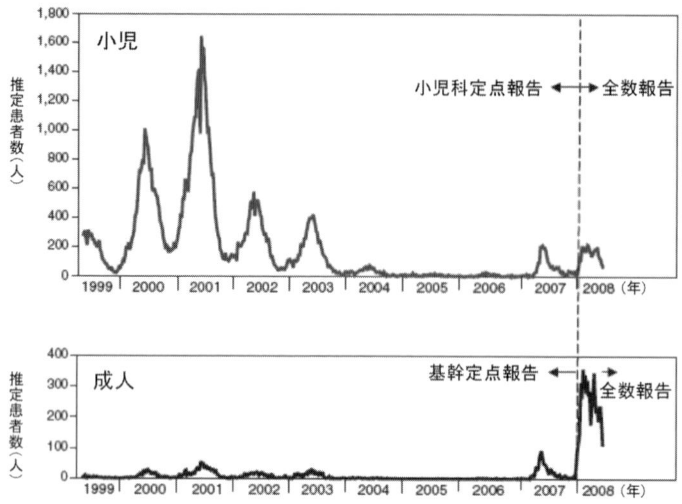

図３．日本における麻疹流行（文献５より引用）
縦軸は，2007 年までは推定患者数，2008 年は全数報告にもとづく患者数を示す．

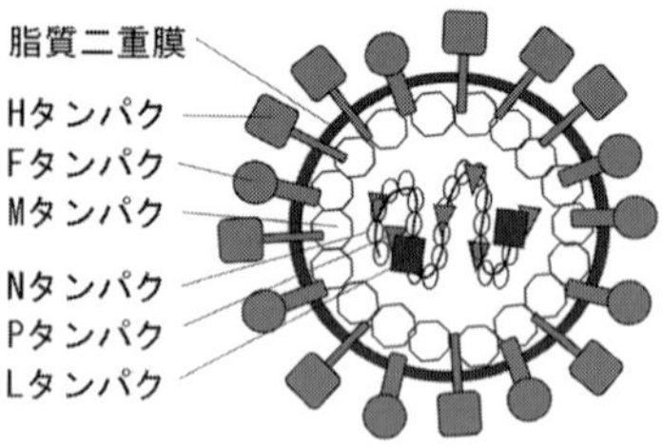

図４．麻疹ウイルスの粒子構造

ovirus 科，Morbillivirus 属に属する[7]．エンベロープを有する一本鎖 RNA ウイルスであり，ウイルス粒子の直径は 100 ～ 250nm である．エンベロープ上に２種類の糖タンパク質，Hemagglutinin（H）タンパクおよび Fusion（F）タンパクをもつ．Hタンパクは，宿主細胞膜上のレセプターと結合能を持ち，Ｆタンパクはウイルスと宿主細胞の膜融合を引き起こす．エンベロープ内側には Matrix（M）タンパクがならび，ウイルス粒子を内側から補強している．ウイルス粒子内部には，ＲＮＡゲノムが Nucleocapside（Ｎ）タンパク，Phosphoprotein（Ｐ）タンパク，Large（Ｌ）タンパクと結合した ribonucleoprotein complex（ＲＮＰ）として存在する（図４）．Ｎタンパクは，ＲＮＡゲノムに結合し遺伝子を保護する．Ｌタンパクは RＮＡ依存性ＲＮＡポリメラーゼの中心的な機能を持ち，Ｐタンパク質はこのサブユニットと して共に遺伝子の転写とＲＮＡゲノムの合成を行う．ゲノムＲＮＡは，マイナス鎖ＲＮＡであり，３' 末端から５' 末端に向けてＮ，Ｐ，Ｍ，Ｆ，Ｈ，Ｌ遺伝子の順に並んでいる．両端にタンパク質をコードしない leader 配列と trailer 配列をもつ．これらの領域は，ポリメラーゼのプロモーター配列を含んでおり，ポリメラーゼはここに最初に結合し，転写や複製を開始する．Ｐ遺伝子からはＰタンパクに加え，非構造タンパク質であるＶおよびＣタンパクが翻訳される．Ｖ，Ｃタンパク質はウイルスＲＮＡの転写複製の調節や，麻疹ウイルスが発揮する抗インターフェロン能に関係している．

麻疹ウイルスのレセプターとして，補体調節タンパク質であるＣＤ 46（molecular cofactor protein；ＭＣＰ）が最初に報告された[8,9]．ＣＤ 46 はヒトの全ての有核細胞に発現しており，当時用いられていた麻疹ウイルス実験室株が多くのヒト細胞株で増殖することを説明するものであった．その後，B95a（マーモセットＢリンパ芽球）細胞やヒトＢ細胞株で分離された麻疹ウイルス株が，従来の実験室麻疹ウイルス株とは異なる細胞指向性を持っていたことから，ＣＤ 46 とは異なるレセプターの存在が示唆されていた．2000 年にＳＬＡＭ（signaling lymphocyte activation molecule；ＣＤ 150）が野生型の麻疹ウイルスのレセプターであることが報告され，ＣＤ 46 は，実験室で継代された麻疹ウイルス株（ワクチン株を含む）だけが用いるレセプターであることが明らかになった[10]．ＳＬＡＭは未熟胸腺細胞，活性化されたリンパ球や単球，成熟樹状細胞に発現する膜タンパク質である．麻疹ウイルスはＳＬＡＭをレセプターとして用いることで，リンパ系組織

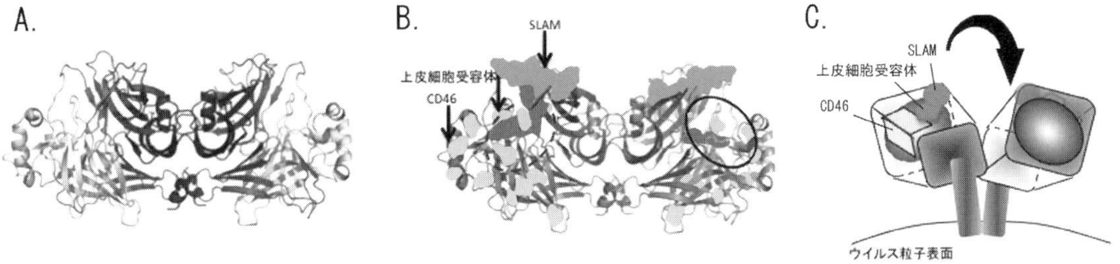

図5．麻疹ウイルスHタンパクとレセプター結合部位の関係(橋口隆生博士提供)

(A)麻疹ウイルスHタンパク二量体構造を側面から見た図．ベータシートで構成される6つの領域のそれぞれを色分けしている．(B)各レセプターとの結合に重要なアミノ酸残基を示す．↓印で示した残基が各々，SLAM，上皮細胞受容体，並びにCD46との結合に関係している．(C)Hタンパク質配向の模式図．各単量体が水平面方向にほぼ180度傾いて側面が上部を向く．

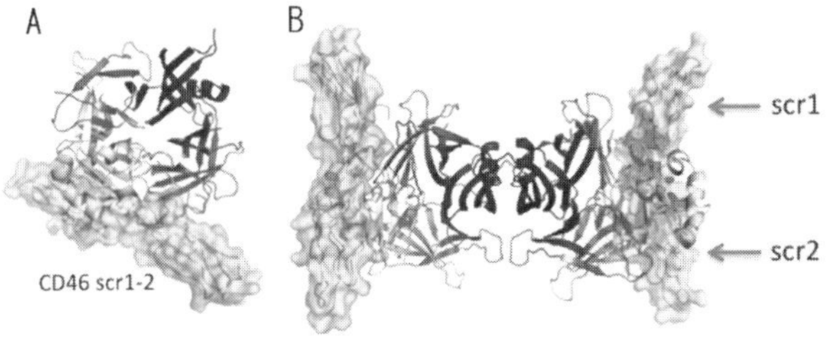

図6．麻疹ウイルスHタンパクとCD46の関係(橋口隆生博士提供)

麻疹ウイルスHタンパクとCD46（scr1とscr2領域)との複合体を(A)上方，(B)側面から見た図．麻疹ウイルスHタンパクをリボンモデルで，CD46を充填モデルで示している．

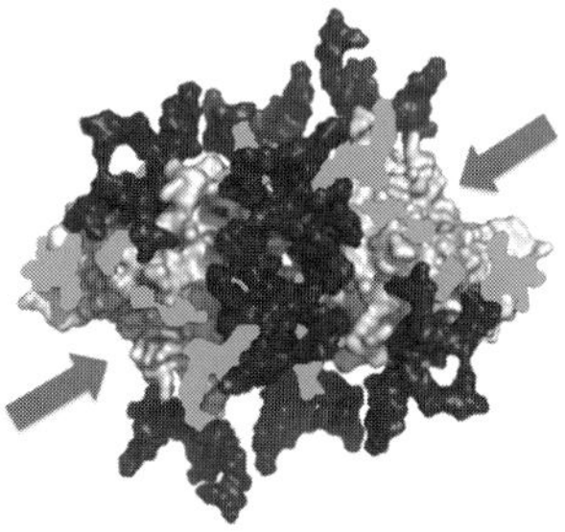

図7．麻疹ウイルスHタンパクの糖鎖結合部位とレセプター結合部位の関係(橋口隆生博士提供)

糖鎖を黒色で示す．グレーの塗りつぶし部分は既知のエピトープを示す．矢印はレセプター結合部位．

に感染し，免疫抑制を起こすと考えられる．一方で，麻疹ウイルスは上皮細胞にも感染することが病理組織的に示されていた．最近，麻疹ウイルスが極性をもった上皮細胞に感染することが証明され，上皮細胞に特異的なレセプターの存在が示唆されている[11]．このレセプターは麻疹ウイルスの強い空気感染力に関係することが推測される．

麻疹ウイルスのHタンパクの立体構造は，他のパラミクソウイルスのHタンパクとは異なり，各単量体が水平面方向に大きく傾いて側面が上部をむく配向をもつ(図5）[12,13]．ＣＤ46との複合体構造が明らかにされている(図6）[14]．3種類のレセプターに対するHタンパクの結合部位は糖鎖に覆われていない1つの領域に集中していると考えられている[15]．このため抗体の接近可能な部位がレセプター結合部位に制限されており，免疫系から回避する変異を生じるのが難しいと考えられる(図7)．麻疹ウイルスが，血清学的に単一であることの主な理由であると考えられている．

分子疫学

麻疹ウイルス株の分類には，変異率の高いNタンパクのＣＯＯH末端をコードする450塩基(あるいはH遺伝子の塩基配列)による遺伝子型が用いられる．麻疹ウイルスの遺伝子型の同定は，輸入例または当地発生例を区別するために有用であり，世界の麻疹の流行とその感染経路の把握のため，麻疹ウイルスの遺伝子型データーベースがＷＨＯにより作製されている(MeaNS：http://www.hpa-bioinformatics.org.uk/Measles/Public/Web_Front/main.php)．麻疹ウイルスの遺伝子型は，現在8つのClade，23の遺伝子型が報告さ

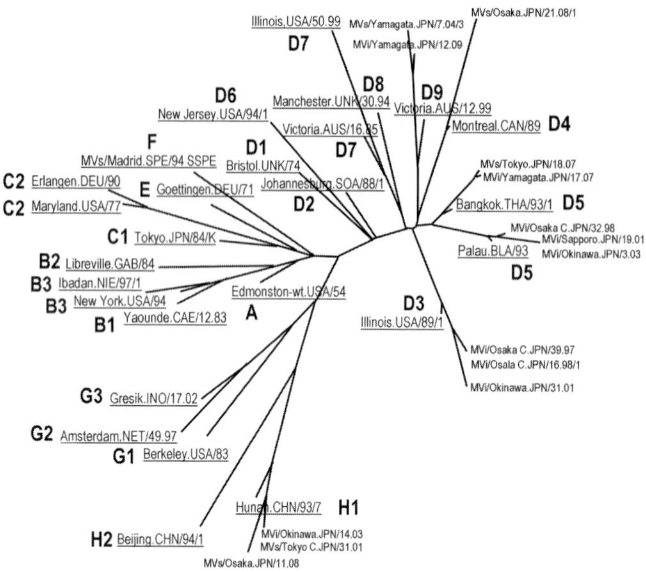

図８．麻疹ウイルス遺伝子型と日本で分離された株の遺伝子型

下線は参照株，太字は遺伝子型を示す．分離株の表記は，MVi（分離ウイルス由来）またはMVs（ＲＮＡ由来）／都市名．国名／採取週．年で表される．

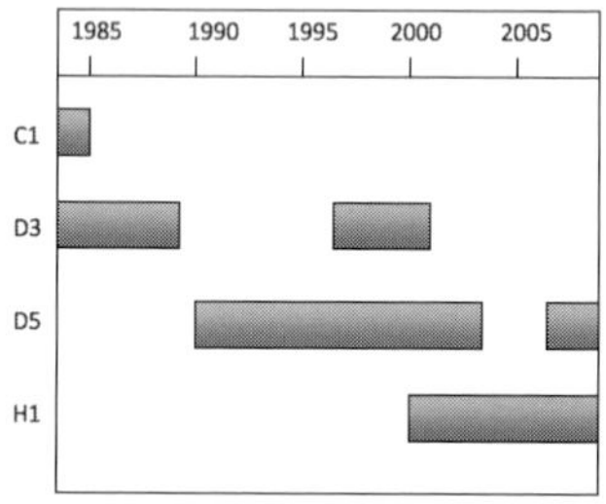

図９．日本の麻疹ウイルス流行株の変遷

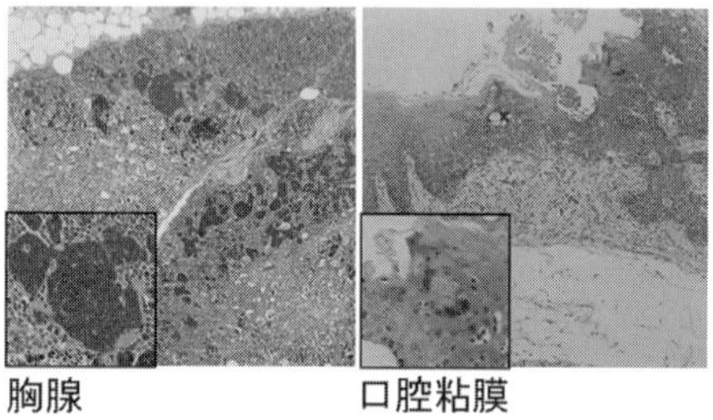

図 10．感染臓器にみられる多核巨細胞（永田典代博士提供）
図は，カニクイザルを用いた動物実験によるもの．

れており，世界の各地域に特徴的な遺伝子型の分布がしられている（図８）．日本においては，1980年代前半にＣ１，1985～1990年にＤ３，1990～1995年にＤ５，1997～1999年にＤ３による流行が発生したが，2000年再びＤ５の流行がみられた．また，2000～2001年にＨ１が流行し，以後，時々分離されている[16]．最近の2007～2008年の流行ではＤ５が多く検出されている（図９）[17]．

感染病理と臨床症状

麻疹ウイルスは，経気道的に感染し気道周囲のリンパ組織で増殖する．その後，感染したリンパ球によって全身に運ばれ，リンパ節，脾臓，虫垂，胸腺，パイエル板などの全身のリンパ系組織で増殖を開始する．病理学的にはこれらリンパ系臓器に多数の多核巨細胞の形成が観察される（図10）．感染の最盛期には血中リンパ球の減少と一過性の免疫抑制が起きる．麻疹によるツベルクリン反応の陰転化は，細胞性免疫の低下によるものである．感染の極期から後期には，様々な臓器の上皮組織にも感染像がみられる．発疹は上皮内の感染細胞に対するＴ細胞の反応によるものと考えられている．麻疹ウイルスの排除には，液性免疫よりも細胞性免疫がより重要な役割をもつ．

臨床的には，感染後10～14日の潜伏期を経て，発熱を伴う鼻炎，結膜炎，上気道炎などのカタル症状で発症する．この時期はカタル期と呼ばれ，分泌液中に大量のウイルスが排出され，感染力が非常に強い．ほとんど不顕性感染はみられない．また，頬粘膜にコプリック斑（Koplik spot）と呼ばれる特徴的な発疹が出現する．診断上，非常に有用である．発熱は一過性に下降傾向を示すが，再び上昇する．これと前後して，特徴的な発疹が顔面や頚部に出現する．発疹は，頚部から下降性に全身へと広がるのが特徴である．麻疹に罹患すると，一過性の強い免疫抑制がおこり，10～20％に合併症がおこる．多いのは中耳炎，肺炎，喉頭炎で，主に細菌の二次感染による．栄養状態の良い罹患児では一般に予後はよいが，先進国においても依然として致死率は約0.1～0.2％である．発展途上国では，致死率が20％近くになることもある．細菌性肺炎の合併が小児死亡の最大の原因である．0.1％の症例で，麻疹後脳炎を併発する．麻疹後脳炎による致死率は約15％である．麻疹後脳炎の患者の脳にはウイルスがほとんど検出されないことから，交差免疫反応がその原因だと考えられている．また，麻疹罹患者の数万人に一人の頻度で，麻疹罹患から7年から10年を経て亜急性硬化性全脳炎(Subacute sclerosing panencephalitis，ＳＳＰＥ)が発症する．治療法はなく，数年以内に大脳機能がおかされて死亡する．患者の血清や脳脊髄液には高力価の麻疹ウイルスに対する抗体が認められる．剖検脳からは感受性細胞との共培養により麻疹ウイルスが分離できる．分離されたウイルスでは，ウイルスの粒子形成に必要なMタンパク質の合成能や機能に欠陥が生じていることが知られている．

麻疹はワクチンにより予防可能であるが，ワクチン接種後長期間を経ると抗体価の低下が生じ自然麻疹に罹患することがしられている(Secondary vaccine failure)．この場合，ある程度の免疫を保有しているため，軽症であったり，症状の一部を欠く場合が多く，修飾麻疹と呼ばれる．典型的な症状を示さないため臨床的に麻疹と診断することが難しい．

治療

特異的治療法はなく，対症療法が中心となる．中耳炎，肺炎など細菌性の合併症を起こした場合には抗菌薬の投与が必要となる．

予防

ワクチンによる予防が最も重要であり，弱毒生ワクチンが用いられている．ワクチン被接種者の約95％が免疫を獲得する．副反応は軽く，5～15％に軽度の発熱が現れる．母体からの移行抗体(麻疹特異IgG抗体)があると，接種した麻疹ワクチンウイルスが十分に増殖しない．このため移行抗体がほぼ消失したと考えられる生後9～12ヶ月以降に接種を行う国が多い．現在では麻疹ウイルス生ワクチンまたは麻疹風疹ウイルス混合生ワクチン(ＭＲワクチン)が用いられている．過去には麻疹ウイルス不活化ワクチンも用いられたが，不活化ワクチンを接種後に自然感染を受けた場合，重症の異型麻疹が発生することから1967年に不活化ワクチンの接種が中止された．

診断

麻疹流行地域では流行の様子と特徴的な臨床所見から，臨床診断は容易である．しかし，流行を伴わない麻疹散発地域や特徴的な症状を示さない修飾麻疹罹患者では，検査診断による確定が重要になる．ＷＨＯでは，世界的な麻疹排除の推進のために検査診断の実施を求めている．

麻疹特異抗体の測定は，麻疹罹患者の診断に加え，個人や各年代の免疫の有無を知る為にも重要である．血液中の麻疹ＩｇＭ抗体は，ＥＩＡ法(Enzyme-Immuno-Assay)で測定できる．簡便で感度が良いため，世界中で麻疹の検査診断に使用されている．日本においても保険が適用でき臨床における麻疹の検査診断に用いられる．ＩｇＭ抗体価は発疹出現後3日から検出され，6～8週で検出出来なくなる．感染初期においては抗体上昇を検出しにくい欠点がある．また，偽陽性を生じることがあるため，低いＥＩＡ価においては，その判断に注意が必要である．パルボウイルスB19，風疹ウイルス，ヒトヘルペスウイルス6等で偽陽性が報告されている[17]．一方，麻疹ＩｇＧ抗体の上昇はＥＩＡ法の他，赤血球凝集抑制法(Hemagglutination inhibition；ＨＩ)，中和法(Neutralization test；ＮＴ)，ゼラチン粒子凝集反応(Particle agglutination test；ＰＡ)等で測定できる．麻疹ＩｇＧ抗体は発疹出現後7日以降から検出できる．ペア血清により有意な抗体価の上昇が確認できれば，確実に診断できる．ＰＡ法は感染症流行予測調査における麻疹抗体保有率の測

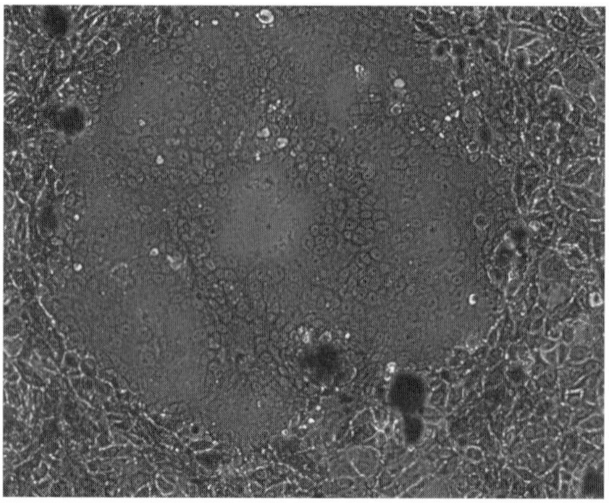

図 11．麻疹ウイルスを接種した Vero/SLAM 細胞
写真中央に多数の細胞が融合した多核巨細胞が観察できる．

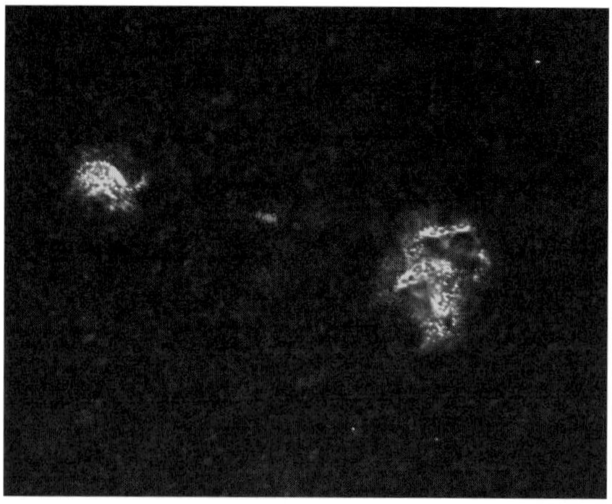

図 12．麻疹ウイルスＨタンパクに対する特異抗体を用いた蛍光染色
麻疹ウイルスの感染による多核巨細胞が蛍光により検出される．

定に用いられる方法である．

その他，ウイルス遺伝子を咽頭拭い液や血液から検出するＲＴ－ＰＣＲ法は，感度が高く，ＩｇＭ抗体価上昇前の発熱から発疹までの急性期において有用である．また，ウイルス分離は，近年の流行ウイルス株の調査，ウイルス抗原の変異を探索するなど分子疫学的な調査に重要であり，Vero/SLAM 細胞が分離に有用である[18]．国立感染症研究所から配布している．通常，咽頭拭い液，血液などから分離を行うが，カタル期から発疹出現後３日以内で分離率が高い．発疹出現後は，分離率が大幅に低下する．通常，２，３日前後で多核巨細胞の形成を確認することができる（図 11）．麻疹ウイルスによる多核巨細胞であるかどうかは，間接蛍光抗体法などで確認する必要がある（図 12）．

参考文献

1．Monto AS.:Interrupting the transmission of respiratory tract infections:theory and practice. Clin Infect Dis. 28:200-204, 1999.
2．CDC:Global Measles Mortality, 2000-2008. MMWR. 58:1321-1326, 2009.
3．CDC:Progress Toward the 2012 Measles Elimination Goal--- Western Pacific Region, 1990-2008. MMWR. 58:669-673, 2009.
4．厚生労働省：麻疹 2001 ～ 2003 年 . IASR. 25:60-61, 2004.
5．Okabe N.:Measles virus Present epidemiological situation on measles, and measures for elimination in Japan. Uirus. 57:171-180, 2007.
6．CDC:Progress Toward Measles Elimination---Japan, 1999-2008. MMWR. 57:1049-1052, 2008.
7．Griffin DE.:Measles virus. In:Fields Virology, 5th edn, New York, N.Y.: Lippincott-Williams & Wilkins, pp1551-1585, 2007.
8．Dorig RE, Marcil A, Chopra A, et al.:The human CD46 molecule is a receptor for measles virus（Edmonston strain）. Cell 75:295-305, 1993.
9．Naniche D,Varior-Krishnan G, Cervoni F, et al. :Human membrane cofactor protein（CD46）acts as a cellular receptor for measles virus. J Virol. 67:6025-6032, 1993.
10. Tatsuo H, Ono N, Tanaka K, et al.:SLAM（CDw150）is a cellular receptor for measles virus. Nature 406:893-898, 2000.
11. Takeda M. :Measles virus breaks through epithelial cell barriers to achieve transmission. J Clin Invest. 118:2386-2389, 2008.
12. Colf LA, Juo ZS, Garcia KC. :Structure of the measles virus hemagglutinin. Nat Struct Mol Biol. 14:1227-1228, 2007.
13. Hashiguchi T, Kajikawa M, Maita N, et al. :Crystal structure of measles virus hemagglutinin provides insight into effective vaccines. Proc Natl Acad Sci U S A. 104:19535-19540, 2007.
14. Santiago C, Celma ML, Stehle T, Casasnovas JM. :Structure of the measles virus hemagglutinin bound to the CD46 receptor. Nat Struct Mol Biol. 17:124-129, 2010.
15. Nakayama T, Fujino M, Yoshida N. :Molecular epidemiology of measles virus in Japan. Pediatr Int.

46:214-23, 2004.
16. 厚生労働省：麻疹　2008 年 . IASR 30:29-30, 2009.
17. Dietz V, Rota J, Izurieta H, Carrasco P, Bellini W. :The laboratory confirmation of suspected measles cases in settings of low measles transmission: conclusions from the experience in the Americas. Bull World Health Organ. 82:852-857, 2004.
18. Ono N, Tatsuo H, Hidaka Y, et al. :Measles viruses on throat swabs from measles patients use signaling lymphocytic activation molecule (CDw150) but not CD46 as a cellular receptor. J. Virol. 75:4399-4401, 2001.

有用なホームページ

1．国立感染症研究所感染症情報センター　http://idsc.nih.go.jp/index-j.html
麻疹ホームページ　http://idsc.nih.go.jp/disease/measles/index.html
2．世界保健機構（WHO）http://www.who.int/en/
麻疹ホームページ　http://www.who.int/mediacentre/factsheets/fs286/en/
3．CDC（Center for Disease Control and Prevention）http://www.cdc.gov/
麻疹ホームページ http://www.cdc.gov/measles/

各論 I

Ⅰ-8　サイトメガロウイルス(CMV)

愛媛県がんセンター研究所腫瘍ウイルス学部室長
磯村寛樹

1. サイトメガロウイルスとは

サイトメガロウイルス(CMV)が感染した細胞の核内で増殖するとき，光学顕微鏡下で観察可能な「フクロウの目(“owl eye”)」様の特徴的な核内封入体を形成する．CMVは種特異性が高く，各種動物に対して，それぞれの種特異的なCMVが存在する．従って，ヒトサイトメガロウイルス(HCMV)はヒト細胞にしか感染しない．本稿ではヒトに感染するヒトサイトメガロウイルスに関してその基礎ウイルス学及び臨床，社会医学の観点からその詳細を概説する．

2. 疫学

従来，我が国のHCMV抗体保有率は欧米諸国と比較すると高かったにも関わらず，生活様式の欧米化と共にその状況に変化が認められ，妊娠可能年齢の女性におけるCMV抗体保有率が60%程度にまで低下していることが報告されている[17-18]．感染経路は母乳感染，尿や唾液による水平感染が主経路であり，産道感染，輸血による感染，性行為による感染なども認められている．初感染を受けた乳幼児はほとんどが不顕性感染の形で，その後数年にわたって尿あるいは唾液中にウイルスを排泄する．

3. 分類とゲノムの構造

ヘルペスウイルス科に属するウイルスは，物理化学的性状，塩基配列なとの遺伝学的性状，さらに，宿主域や潜伏感染する細胞なとの生物学性状により，アルファ（α），ヘータ(β)，カンマ(γ)の3つの亜科(subfamily)に分類される．HCMVは，ヘルペスウイルス科(Herpesviridae)，ベータヘルペス亜科(Bataherpesviride)，サイトメガロウイルス属に分類される．HCMVのゲノムのサイズは約240kbpであり，少なくとも194個のオープンリーディングフレーム(ORF)がゲノムのシークエンスから予想されている．これまで，HCMVはそのウイルスゲノムのサイズが大きく，またウイルスの培養細胞での増殖速度が遅いため，それぞれのORFを欠損させた組換えウイルスを作成して，実験的にそれぞれのORFのウイルス増殖に及ぼす影響を調べるには多くの時間を必要とした．しかし，近年，Koszinowskiらのグループによって HCMVウイルスゲノムの全長がBAC (bacterial artificial chromosome)にクローニングされたことにより，大腸菌の中でHCMVウイルスのゲノムを相同組換え法を用いて組み換え，網羅的にORFを欠損したHCMV BAC DNAを作成し(図1)，そのORFのウイルス増殖に与える機能を，組換えHCMV BAC DNAを感染許容細胞に遺伝子導入することによって組換えウイルスを作成し，調べることができるようになった[11]．その網羅解析の結果，ORFの約4分の1に相当する41個のORFはウイルス増殖に必須であるが，その他のORFは細胞培養中でのウイルス増殖には必須ではないことが判明した．しかし，その内のいくつかのORFはウイルスの増殖を増加させる働きがあることが判明した[2, 16]．

しかし，HCMVの代表的な実験室株であるTowne株やAD169株はすでに分離された後，長

BACシステムを用いた組換えHCMVの作成

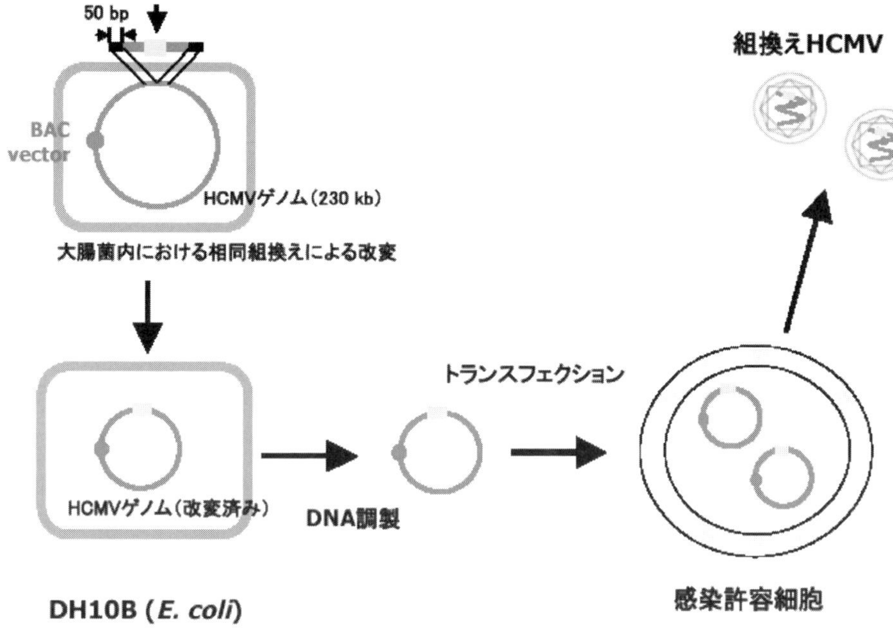

図1

期間HCMVの感染許容細胞であるヒト繊維芽細胞(human foreskin fibroblast, HFF cells)で継代培養されているため，ウイルスゲノムの中でHCMVが血管内皮細胞で増殖する時に必須なUL128-131が欠損していることが明らかになった[3]．現在，HFF細胞ではほとんど継代培養されておらず，より臨床分離株に近いFIX株(Shenkら，未発表data)やTB40E株[14]がBACにクローニングされており，それらのウイルスを用いた解析が望まれるところである．そして将来的には，HCMVのそれぞれのORFのin vivoでの役割を解明するために，Scid-huマウス等何らかの形でHCMVが感染することのできる動物モデルの作成が不可避であると考えられる．

4. ヒトサイトメガロウイルスの増殖制御機構

HCMVの膜蛋白であるgBとgH/gLが細胞のHCMVレセプターと結合して，ウイルスの感染が開始される．細胞側レセプターはヘパラン硫酸プロテオグリカン，CD13，インテグリン等の報告があるものの，未だ確定的なものはなく，またヘルペスウイルスの場合，細胞に吸着し侵入した後も，ウイルスの遺伝子発現が厳密に制御されている．ヘルペスウイルスの転写制御は，主として宿主の転写因子によって活性化される前初期遺伝子(immediate early gene)が最初に転写される．そして，その前初期遺伝子がウイルスの転写活性化因子として，ウイルスのDNA複製に必要な初期遺伝子(early gene)を活性化し，DNA複製が開始される．そして，DNA複製に依存してウイルスの構造蛋白の産生に必要な後期遺伝子(late gene)が活性化される．ヘルペスウイルスの転写はこうした厳密なカスケードによって制御されている．しかし，どうして前初期遺伝子は初期遺伝子のみを活性化し，後期遺伝子は前初期遺伝子のみでは活性化されないのか，ヘルペスウイルスの後期遺伝子の転写活性化がウイルスDNAの複製依存的に起こるのか，その分子機構は依然全く不明である．

前初期遺伝子の制御機構：造血幹細胞移植後等ヒトが免疫不全状態になると，まず，HCMVの前

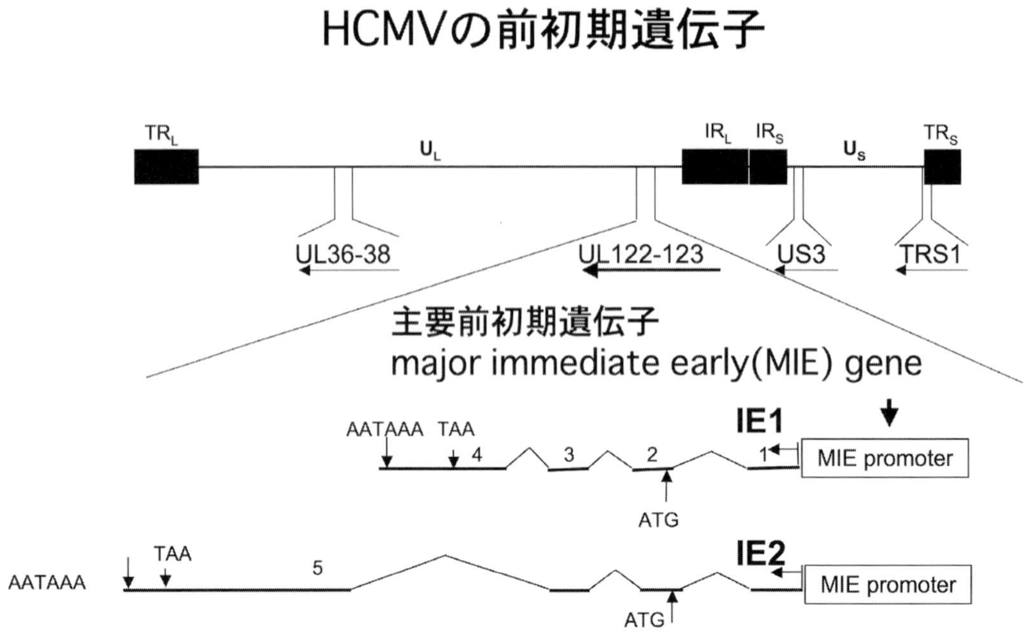

図2

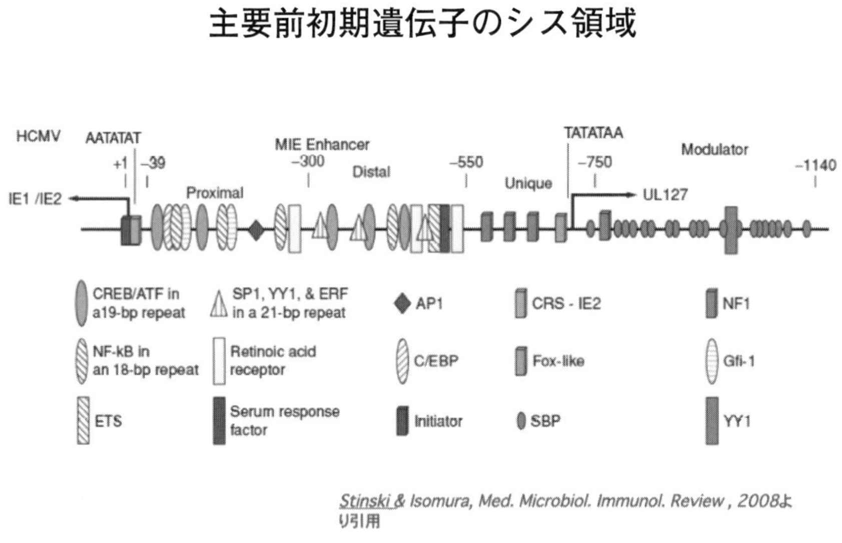

図3

初期遺伝子が主として宿主の蛋白によって活性化され，ウイルス増殖が開始される．HCMVの前初期遺伝子はUL36-38, UL122-123, TRS1/IRS1, とUS3であるが，その内UL122-123は1つの転写産物からスプライシングの違いよって生じる2つの遺伝子であり(図2)，UL123（IE2)遺伝子はウイルス増殖に必須で，UL122-123は主要前初期遺伝子(major immediate early genes)と呼ばれている．そして，この主要前初期遺伝子のエンハンサーは多くの転写因子結合部位が存在し(図3)，真核細胞で様々な遺伝子を発現するための多くのプラスミドに用いられ，その領域に存在する転写因子結合部位についても，これまで多くの研究が報告されてきた．私達は主要前初期遺伝子のプロモーター/エンハンサー領域を様々に欠損した組換えHCMV BAC DNAを作成し，組換えHCMV BAC DNAをHFF細胞に遺伝子導入して組換えウイルスを作成することで，実際のHCMV感染細胞での組換えウイルスを用いた主要前初期遺伝子プロモーター/エンハンサーの役割を検討した．その結果，(1)主要前初期遺伝子のエンハンサー領域はウイルス増殖に必須であり，TATA boxを含むプロモーターのみではウイルスが増殖することができないこと．(2)一方，TATA boxを含むプロモーターに近位エンハンサーに存在するSp1結合部位を1カ所でも含めば，ウイルスは増殖することができるようになること．(3)主要前初期遺伝子のエンハンサー領域は転写開始点を+1として-583までの領域がウイルスの効率的な増殖には必須で，その領域を短くすると，その長さに比例してウイルス増殖が低下すること．(4)近位エンハンサーに存在する2カ所のSp1結合部位に共に変異を導入すると，主要前初期遺伝子の発現が著しく低下し，効率的なウイルス増殖が著しく損なわれること．(5)エンハンサーの種々の転写因子結合部位の中ではCREB結合部位が他の結合部位と協調して，その転写活性化の主要な役割をはたしていることを報告した[6, 9, 10]．しかし，HFF細胞はHCMVのヒト体内での実際の感染部位ではない．他のヘルペスウイルスと異なり，HCMVが実際にヒトの体内でどの細胞に潜伏，持続感染し，ヒトの免疫力が低下すると．どの細胞から再活性化してくるのかが依然不明である．HCMVのseronegativeな患者がseropositiveなドナーから輸血を受けた場合，seropositiveになることが多いことから，ヒト末梢血単核球がHCMVの潜伏感染部位の一つであると考えられている．従って，実際の感染細胞でのHCMV再活性化時の主要前初期遺伝子シス領域の役割を明らかにすることが，HCMV弱毒ワクチンの作成等の臨床応用を考える時に必要であると考えられる．

後期遺伝子の制御機構：主要前初期遺伝子IE2はウイルスの転写活性化因子として，ウイルスDNA複製に必要なウイルスDNAポリメラーゼを含む初期遺伝子を活性化し，ウイルスDNA複製が開始される．そしてウイルスDNA複製に伴って後期遺伝子が活性化されるが，どうして後期遺伝子はウイルスの転写活性化因子であるIE2遺伝子のみでは活性化されず，その活性化にはウイルスDNAの複製を必要とするのかは全く不明である．最近，私達はHCMVのDNAポリメラーゼ付随因子が後期遺伝子の転写にも深く関わっていることを報告した[7, 8]．さらに，別のマウスのヘルペスウイルス蛋白との相同性からHCMVのウイルス増殖に必須なUL79, UL87, あるいはUL95遺伝子を欠損した組換えBAC DNAをそれぞれの蛋白を恒常的に発現するHFF細胞を作製して，その細胞に遺伝子導入して，組換えウイルスを作成し，そのウイルスDNA複製と遺伝子発現を調べた．その結果，UL79, UL87, あるいはUL95遺伝子を欠損した組換えウイルスでは前初期及び初期遺伝子は野生型と同様に発現し，ウイルスDNA複製も進行するにも関わらず，後期遺伝子発現のみが特異的に障害され，その結果ウイルスが増殖できなくなることを見いだした(未発表データー)．以上のことから，UL79, UL87, さらにUL95遺伝子は，後期遺伝子に特異的なウイルス転写活性化因子であると考えられ，またこれら組換えウイルスはヒト細胞内では増殖活性を示さないと予想されるため，弱毒ワクチン株の候補になりうると考えられる．

各論I

5. サイトメガロウイルス感染症

ヒトサイトメガロウイルス(HCMV)は通常幼児期に不顕性に感染し，その後終生潜伏感染し，特に問題にはならない．HCMV感染症は，HCMVの初感染，あるいは不顕性に感染したHCMVの体内での再活性化によって起こる．HCMV抗体陰性の妊婦に初感染することによってウイルスが胎盤を経由して胎児に感染することで，胎児に先天性HCMV感染症を発症する．これは，TORCH症候群のC（Cytomegalovirus)で重要な先天性感染症の1つであり，本感染症を根絶することが切に求められている．一方，近年の造血幹細胞移植(骨髄移植)をはじめとした移植医療の発達とともに，ヒトの免疫能が著明に低下すると，体内に潜伏感染していたHCMVが再活性化して肺炎，骨髄抑制等の重篤な合併症を引きおこすことが，移植医療の致死的合併症として大きな問題となっている．

臨床症状：先天性CMV感染症，症状は，低出生体重，黄疸，出血斑，肝脾腫，小頭症，脳内(脳室周囲)石灰化，肝機能異常，血小板減少，難聴，脈絡網膜炎，DICなど多彩かつ重篤で，典型例は巨細胞封入体症と呼ばれている．ただし，出生時には上記症状の一部のみの場合や，全く無症状で後に難聴や神経学的後遺症を発症する場合がある．最近，聾学校児童の出生児のへその緒を用いてHCMVウイルスゲノムが検出されるかどうかをレトロスペクティブに調べたところ，その約15%の児でウイルスゲノムが検出されたという本邦からの報告もあり[12]，従来から知られている典型的な先天性HCMV感染症の症状を示さなくても，難聴や発育遅延等の症状を認める児の中に，先天性HCMV感染症がその症状の原因である例が多く含まれている可能性が考えられる．近年，本邦でも妊娠可能年齢の女性におけるCMV抗体保有率が低下していることを考えると，より詳細な調査が求められると共に，その予防に向け，本邦における妊婦のHCMV抗体保有率の実態調査もあわせて行うべきである．米国CDC(Centers for Disease control and Prevensiotn)のホームページにも疫学，症状や治療，ワクチン研究についてまで，非常に詳しく書かれている(http://www.cdc.gov/cmv/)．

移植患者における感染症：ヒトの免疫力の低下に伴って体内でHCMVが再活性化し，致死的な間質性肺炎，骨髄抑制，胃腸炎，肝炎，網膜炎，脳炎等を発症する．再活性化したウイルスはドナー由来のこともレシピエント由来のこともある．移植後のHCMV感染症に対してはHCMVの構造蛋白であるpp65に対するCTL療法が有用であることが広く知られているが[15]，それぞれのヒトに特異的なCTLをin vitroで増やしてから，実際に体内にもどす必要があるため，非常に多くの労力を必要とし，実用的とは言いがたい．そこで，抗ウイルス剤であるガンシクロビル(GCV)を主に，場合によってはヒト抗HCMV免疫グロブリンを併用して治療がなされる場合が多いが，造血幹細胞移植の場合は，GCVは骨髄抑制や腎機能障害の副作用が問題となる場合があり，その投与方法の確立にはさらなる臨床的，基礎的知見の確立が急務である．また，GCV耐性のウイルスが出現する場合もある．その場合は別の抗ウイルス剤としてホスカネットの投与が求められるが，本邦では保険診療未承認である．

HIV感染者における感染症：CD4陽性細胞が500/mm3以下になると，CMVを含め日和見感染症を発症するリスクが高くなる．特に50/mm3以下の場合は頻度，重症度共に高い．あらゆる臓器にウイルスが感染するが，網膜炎，腸炎，脳炎を発症することが多い．CD4陽性細胞数が200/mm3以下では，症状の有無にかかわらず定期的な眼底検査が必要であり，HCMV網膜炎が認められた場合にはGCVやホスカネットの投与が行われる．最近，発展途上国ではエイズ患者でHCMV網膜炎に対する診断と治療が正しく行われず，多くの患者が不必要な失明に陥っている事が報告された．発展途上国におけるHCMV網膜炎の診断と治療に関する臨床医への指導が求められている[4]．

6. HCMV感染症の診断，治療とその予防

HCMV感染症を疑った場合，その診断法としては1. 血清学的な抗CMV抗体の検出2. 細胞・組織病理学的にCMV感染細胞の証明3. CMV抗原陽性多形核白血球の検出(CMV抗原血症)，アンチゲネミア法，4. HCMVの分離・同定　5. Polymerase chain reaction (PCR)あるいはreverse transcription-PCRによるCMV・DNAまたはRNAの検出等が上げられる．造血幹細胞移植後等，早期にHCMVの再活性化を診断し，治療を開始するためにHCMV pp65蛋白は比較的多量に存在するため，pp65抗体を用いた3を定期的に実施する．そして，白血球数あたりのpp65抗原陽性細胞の割合によって，治療開始時期を決定する．さらに，HCMVの再活性化を早期に検出するために5も行われているが，検出感度が非常に良いため，陽性例での抗ウイルス剤の投与量や投与時期について検討が必要である．

抗ウイルス剤：HCMVは通常幼児期に不顕性に感染し，その後終生潜伏感染するため，ウイルス感染を予防することが困難である．従って現状では抗ウイルス薬の開発がその中心である．現在使用されている抗ヘルペスウイルス薬はその基質がウイルスDNAポリメラーゼであるが，薬が作用するためには，感染細胞内で三リン酸化され活性型になる必要がある．GCVはHCMVのUL97蛋白キナーゼによって一リン酸化される．これら活性型の類似体は，ウイルスDNAポリメラーゼの基質として三リン酸化核酸と競合してDNAの合成を阻害し，また合成中のDNAに取り込まれると，ウイルスDNAの伸長が停止する．しかしながら，特に造血幹細胞移植後等の患者では長期間使用されることが多く，薬剤耐性ウイルスが出現することがある．これら薬剤耐性ウイルスはUL97蛋白キナーゼの変異，もしくはDNAポリメラーゼ遺伝子の変異，あるいは双方の遺伝子に変異を持っている．近年，GCVやホスカネットに変わりうるより副作用が少なく，使用しやすい薬の開発が各製薬会社を中心に精力的に行われているが，依然，決定的な薬は現時点では開発されていない．

HCMVワクチン：(1)生ワクチン；HCMVのワクチンで先天性HCMV感染症や造血幹細胞移植後のHCMVの再活性化を防ごうという試みはおこなわれているものの，未だ不完全であり，実用化されているものはない．生ワクチンとしては，Towne株が長期継体培養によって弱毒化されているため，弱毒ワクチン株として検討された．その結果，臨床分離株に近いToredo株を用いた場合には発熱等の副作用を認めたにも関わらず，Towne株を用いた場合には認められなかった．しかしながら，placeboを含むコントロール臨床試験では，HCMVの初感染を防ぐ役割は限定的であった[1]．そこで，Toredo株とTowne株のキメラウイルスを用いたワクチン株で同様の検討を行ったところ，placeboコントロール群と比較して，副作用の増加は認められなかった[5]．生ワクチン株をその安全性を高めるためにどの程度まで弱毒化する必要があるのか，さらなる検証が必要である．(2)コンポーネントワクチン；コンポーネントワクチンとしてはgB蛋白が用いられている．2009年のNew England Journal of Medicineでの報告では，placeboコントロールを含めた2重盲検試験でgBワクチンに対する先天性HCMV感染症に対する予防効果が認められた[13]．実用化に向けた更なる検討が待たれるところである．

おわりに

HCMVについて，臨床医学および基礎ウイルス学の最新の知見に基づいて概説した．HCMVの増殖制御の分子基盤を明らかにし，その分子基盤にもとづいたHCMV感染症の治療および予防戦略が強く求められている．本邦において近年，若年層のHCMVの抗体保有率が低下し，またエイズ患者の増加や移植医療のさらなる発展に伴って，HCMV感染症が今後，ますます増加していくことが考えられる．HCMVはヒトの体内に生涯，潜伏，持続感染しているため，どのようにしてHCMV感染症を予防していくのか，その戦略を決定するためには更なる基礎，及び臨床医学からの精力的な研究が求められている．また，HCMV感染症を根絶するためには，ワクチン投与等を含めた社会的政策が必要であるため，HCMV感染症の予防の重要性をいかにして社会に訴えていくのか，社会医学の観点からの学術調査，研究，政策提言が必要である．

参考文献

1. Adler, S. P., S. E. Starr, S. A. Plotkin, S. H. Hempfling, J. Buis, M. L. Manning, and A. M. Best. 1995. Immunity induced by primary human cytomegalovirus infection protects against secondary infection among women of childbearing age. Journal of Infectious Diseases 171 : 26-32.
2. Dunn, W., C. Chou, H. Li, R. Hai, D. Patterson, V. Stolc, H. Zhu, and F. Liu. 2003. Functional profiling of a human cytomegalovirus genome. Proc. Natl. Acad. Sci. U. S. A. 100 : 14223-14228.
3. Hahn, G., M. G. Revello, M. Patrone, E. Percivalle, G. Campanini, A. Sarasini, M. Wagner, A. Gallina, G. Milanesi, U. Koszinowski, F. Baldanti, and G. Gerna. 2004. Human cytomegalovirus UL131-128 genes are indispensable for virus growth in endothelial cells and virus transfer to leukocytes. J Virol 78 : 10023-33.
4. Heiden, D., N. Ford, D. Wilson, W. R. Rodriguez, T.

各論Ⅰ

Margolis, B. Janssens, M. Bedelu, N. Tun, E. Goemaere, P. Saranchuk, K. Sabapathy, F. Smithuis, E. Luyirika, and W. L. Drew. 2007. Cytomegalovirus retinitis : the neglected disease of the AIDS pandemic. PLoS Med 4 : e334.
5. Heineman, T. C., M. Schleiss, D. I. Bernstein, R. R. Spaete, L. Yan, G. Duke, M. Prichard, Z. Wang, Q. Yan, M. A. Sharp, N. Klein, A. M. Arvin, and G. Kemble. 2006. A phase 1 study of 4 live, recombinant human cytomegalovirus Towne/Toledo chimeric vaccines. Journal of Infectious Diseases 193 : 1350-60.
6. Isomura, H., M. F. Stinski, A. Kudoh, T. Daikoku, N. Shirata, and T. Tsurumi. 2005. Two Sp1/Sp3 binding sites in the major immediate-early proximal enhancer of human cytomegalovirus have a significant role in viral replication. J. Virol. 79 : 9597-9607.
7. Isomura, H., M. F. Stinski, A. Kudoh, T. Murata, S. Nakayama, Y. Sato, S. Iwahori, and T. Tsurumi. 2008. Noncanonical TATA sequence in the UL44 late promoter of human cytomegalovirus is required for the accumulation of late viral transcripts. J. Virol. 82 : 1638-1646.
8. Isomura, H., M. F. Stinski, A. Kudoh, S. Nakayama, S. Iwahori, Y. Sato, and T. Tsurumi. 2007. The late promoter of the human cytomegalovirus viral DNA polymerase processivity factor has an impact on delayed early and late viral gene products but not on viral DNA synthesis. J. Virol. 81 : 6197-6206.
9. Isomura, H., T. Tsurumi, and M. F. Stinski. 2004. Role of the proximal enhancer of the major immediate-early promoter in human cytomegalovirus replication. J. Virol. 78 : 12788-12799.
10. Lashmit, P., S. Wang, H. Li, H. Isomura, and M. F. Stinski. 2009. The CREB site in the proximal enhancer is critical for cooperative interaction with the other transcription factor binding sites to enhance transcription of the major intermediate-early genes in human cytomegalovirus-infected cells. J Virol 83 : 8893-904.
11. Messerle, M., I. Crnkovic, W. Hammerschmidt, H. Ziegler, and U. H. Koszinowski. 1997. Cloning and mutagenesis of a herpesvirus genome as an infectious bacterial artificial chromosome. Proceedings of the National Academy of Sciences of the United States of America 94 : 14759-63.
12. Ogawa, H., T. Suzutani, Y. Baba, S. Koyano, N. Nozawa, K. Ishibashi, K. Fujieda, N. Inoue, and K. Omori. 2007. Etiology of severe sensorineural hearing loss in children : independent impact of congenital cytomegalovirus infection and GJB2 mutations. Journal of Infectious Diseases 195 : 782-8.
13. Pass, R. F., C. Zhang, A. Evans, T. Simpson, W. Andrews, M. L. Huang, L. Corey, J. Hill, E. Davis, C. Flanigan, and G. Cloud. 2009. Vaccine prevention of maternal cytomegalovirus infection. New England Journal of Medicine 360 : 1191-9.
14. Sinzger, C., G. Hahn, M. Digel, R. Katona, K. L. Sampaio, M. Messerle, H. Hengel, U. Koszinowski, W. Brune, and B. Adler. 2008. Cloning and sequencing of a highly productive, endotheliotropic virus strain derived from human cytomegalovirus TB40/E. Journal of General Virology 89 : 359-68.
15. Walter, E. A., P. D. Greenberg, M. J. Gilbert, R. J. Finch, K. S. Watanabe, E. D. Thomas, and S. R. Riddell. 1995. Reconstitution of cellular immunity against cytomegalovirus in recipients of allogeneic bone marrow by transfer of T-cell clones from the donor. New England Journal of Medicine 333 : 1038-44.
16. Yu, D., M. C. Silva, and T. Shenk. 2003. Functional map of human cytomegalovirus AD169 defined by global mutational analysis. Proc. Natl. Acad. Sci. U. S. A. 100 : 12396-12401.
17. 武田直人　礒沼 弘　関谷 栄　江部 司　松本孝夫　渡邉一功 2001. 成人におけるサイトメガロウイルス抗体陽性率と サイトメガロウイルス単核球症に関する研究 感染症誌；75：775 ～ 779
18. 千場 勉, 朝本明弘, 矢吹朗彦 1998. 妊婦のサイトメガロウイルス抗体保有率の低下. 日本臨牀；56：193-6

Ⅰ-9　EBウイルス

北海道大学遺伝子病制御研究所癌ウイルス分野
高田賢蔵

各論Ⅰ

EBウイルス（Epstein-Barr virus, EBV）はヘルペスウイルス科に属し，大部分のヒトは成人に達するまでにその洗礼を受ける．初感染は大部分が無候性で，一部が伝染性単核症として発症する．いずれの場合も，EBVに対する細胞性，液性免疫が確立されるが，ウイルスは免疫の標的となるウイルス抗原を発現しない，いわゆる潜伏感染によりBリンパ球に終生にわたり維持される．大部分のヒトにおいては無害な共存関係を終生にわたり維持すると考えられるが，各種のがんとの関連が知られている．

1. ウイルスの一般的性状

エンベロープを持つDNAウイルスで，約170キロ塩基対のゲノムDNAは約80個の遺伝子をコードしている．これらの遺伝子には潜伏感染時に発現する遺伝子とウイルス産生時に発現する遺伝子があり，後者にはウイルス産生に必要な調節蛋白質，酵素などの遺伝子とウイルスキャプシド，エンベロープなどのウイルス構成蛋白質遺伝子に大別される．EBVはウイルス粒子中では線状で，感染細胞中では環状プラスミドとして核内に維持される．

EBVはBリンパ球に強い指向性をもつ．Bリンパ球に強く発現しているCD21分子を吸着のためのリセプターとしているためである．Bリンパ球以外に，Tリンパ球，上皮細胞などへの感染も知られているが，それらの細胞への感染メカニズムはよくわかっていない．我々は，ある種の上皮細胞への感染はCD21以外の分子を介して起こっていることを報告している．

2. 疫学

図1は日本人における年齢別EBV抗体保有率を示しており，抗体保有率イコール感染率である．出生時は移行抗体により抗体保有率100％であるが，生後半年で50％程度に減少する．この時期から主に母親からの新たな感染が起こり，感染率は2～3歳までに70～80％に達する．さらに，思春期以降にキスによる感染が加わり，25歳で感染率は100％となる．

3. EBVによるBリンパ球不死化

Bリンパ球はin vitroでは数回の分裂で死滅するが，EBVを感染するとリンパ芽球様細胞へとトランスフォームし，最終的には無限増殖能を獲得する（図2）．トランスフォームリンパ球内には完全長のEBV DNAがプラスミド状態で維持され，図3に示すような一部のEBV遺伝子が発現している．この状態ではウイルス粒子産生は無く，潜伏感染状態にある．

EBNA1

N末側が宿主染色体に，C末側がEBVゲノム上の複製起点oriPへ結合する．この結合の結果EBVプラスミドは細胞DNAの複製に同調して複製され，細胞分裂に伴って脱落することなく娘細胞に伝達，維持される．

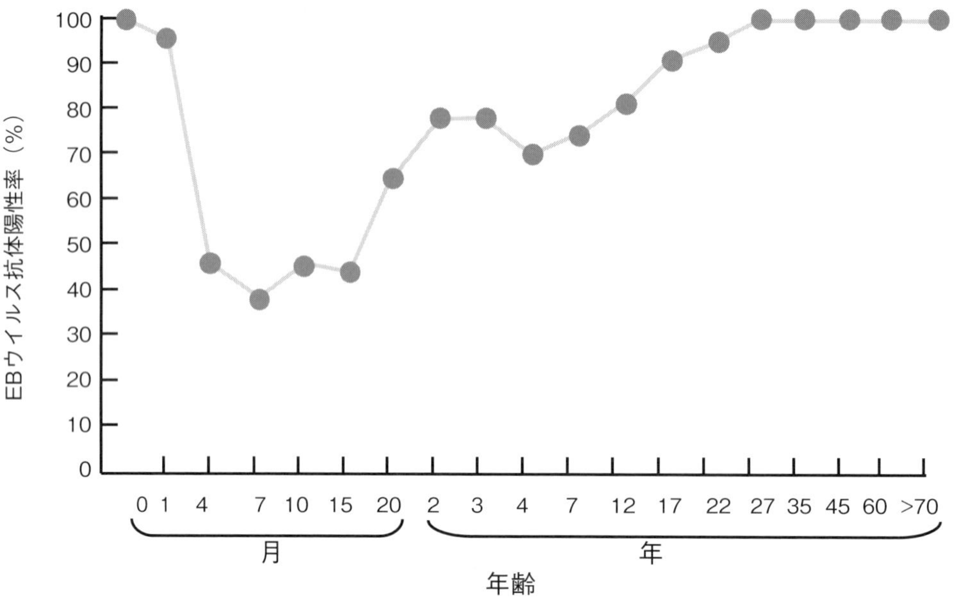

図1　日本人の年齢別 EBV 抗体保有状況

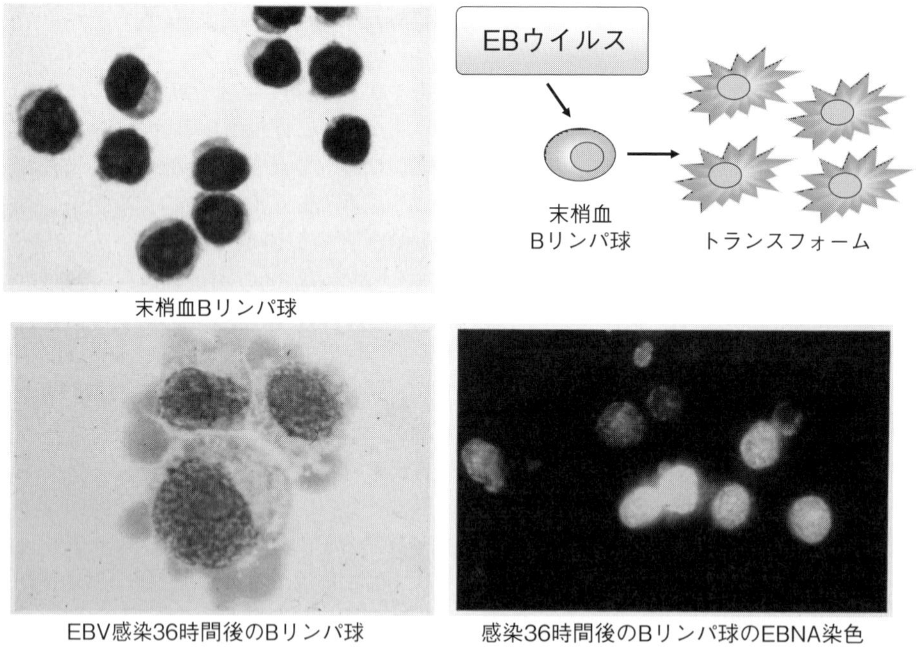

図2　EBV によるＢリンパ球のトランスフォーメーション

EBNA2

RBP-Jκ への結合を介して標的 DNA に結合し転写因子として作用する．EBNA2 はＢリンパ球での LMP1 誘導に必要で，その他いくつかの細胞遺伝子を活性化することが知られている．

EBNA3A，3B，3C

いずれも RBP-Jκ に結合するがその意義についてはわかっていない．

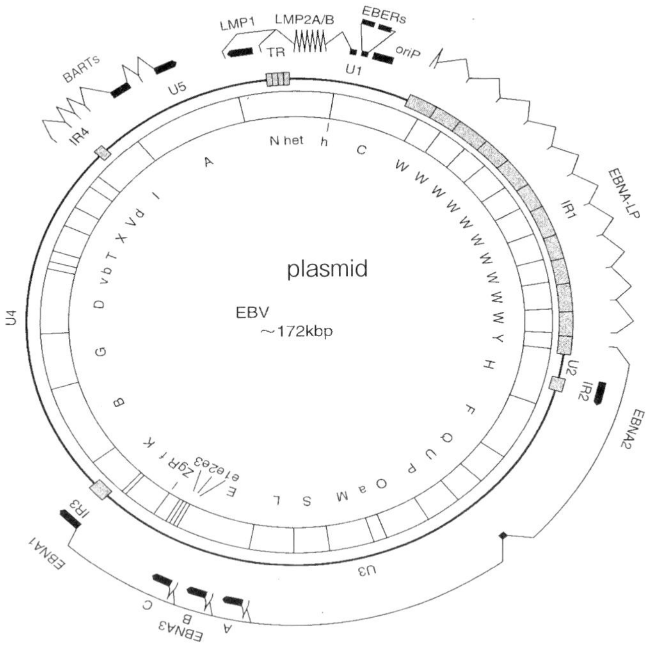

図３　EBV ゲノムの構造とトランスフォームリンパ球に発現している遺伝子

EBV DNA は末端の繰返し配列(Terminal repeat, TR)と内部の４カ所の繰返し配列(internal repeat, IR)により５つのユニークな領域Ｕ１～Ｕ５に分けられる．EBV トランスフォームリンパ球中では６種類の核抗原(EBV-determined nuclear antigen, EBNA1, EBNA2, EBNA-LP, EBNA3A, EBNA3B, EBNA3C)，３種類の膜蛋白質(latent membrane protein, LMP1, LMP2A, LMP2B)，BamHI-A 断片領域にコードされる BARTs (rightward transcripts of the BamHI-A region)，ポリＡ－の小 RNA EBER (EBV-encoded small RNA)が発現している．BamHI 断片地図も併せて示してある．

LMP1

Ｂリンパ球トランスフォーメーションに中心的な役割を果たしており，齧歯類の線維芽細胞を悪性変換する活性がある．6回膜貫通型の蛋白質で，TRAF，TRADD などの分子に結合して，CD40 からのＢリンパ球活性化シグナルを持続的に活性化する．

LMP2A

膜蛋白質で ITAM モチーフを持ち Lyn，Fyn などのレセプター型チロシンキナーゼをリクルートする結果，膜免疫グロブリンからのＢリンパ球活性化シグナルを遮断する．Ｂリンパ球の活性化を阻害し潜伏感染状態維持に働いている可能性がある．

EBER

蛋白質に翻訳されない約 170 塩基の RNA で，細胞内に最大 10^7 コピーと多数存在し，多数の stem-loop 形成により二本鎖 RNA 様構造をとり，いくつかの細胞蛋白質に結合している．EBER はインターフェロン誘導性キナーゼ PKR に結合し，その活性化を阻害しインターフェロン抵抗性を発揮する．また，EBER は，細胞内では RIG-I，細胞表面では TLR3 により二本鎖 RNA として認識され，その結果，それらのシグナル伝達系を活性化し，インターフェロンや炎症性サイトカインの産生を誘導する．

BARTs

EBV ゲノムの BamHI-A 断片領域にコードされる遺伝子群で，蛋白質に翻訳されているかも含めて機能はわかっていない．

トランスフォームリンパ球における EBV 発現パターンは III 型感染と呼ばれている．上記遺伝子産物の内，EBNA3B，LMP2A，LMP2B はトランスフォーメーションに不要と報告されている．

EBV は EBNA2, EBNA3 群の違いからⅠ型（またはＡ型），Ⅱ型（またはＢ型）の２種類に分けられる．Ⅰ型 EBV はⅡ型 EBV よりもトランスフォーム活性が高く，トランスフォームリンパ球の増殖速度も速い．一般にはⅠ型 EBV 感染が優位であるが，赤道アフリカ，ニューギニアではⅠ型とⅡ型 EBV の感染が同じ頻度で認められる．

PCR 法を用いた分子疫学的手法により，各種 EBV 関連疾患に特異的なゲノム変異を見いだそうという試みが数多くなされている．しかし，今まで報告されたものは地域特異的な変異であり，疾患特異的なものはみつかっていない．

4. 個体レベルでのウイルス感染（図4）

EBV は一般に唾液を介して感染する．その感染性は低く，感染にはキスなどの濃密な接触が必要である．いくつかの証拠により，感染の最初の標的は口腔咽頭内のＢリンパ球と考えられている．EBV 感染によりＢリンパ球はトランスフォームし，感染細胞の増殖，拡大が起こる．また，感染Ｂリンパ球と上皮細胞との接触により上皮細胞に溶解感染が誘導され，産生された EBV は最終的に唾液中へ排泄される．この最初の感染に対して一次免疫反応が起こり，トランスフォーム型，溶解型いずれの感染細胞も排除される．この過程で，一部のトランスフォームリンパ球は EBER のみを発現する０型潜伏感染に移行し，免疫監視から逃れてメモリーＢリンパ球として維持されるようになる．

特異抗原刺激などによるＢリンパ球の活性化に伴って潜伏 EBV の活性化が起こり，EBV 産生が誘導される．産生された EBV は初感染の場合と同様に周辺のＢリンパ球，上皮細胞などへ感染する．これらの感染細胞は，通常，２次免疫反応により速やかに排除される．

5. 免疫不全と発がん

Ｂリンパ球に潜伏感染が維持されていることは，例えば末梢血Ｂリンパ球の PCR により容易

（文献１より改変）

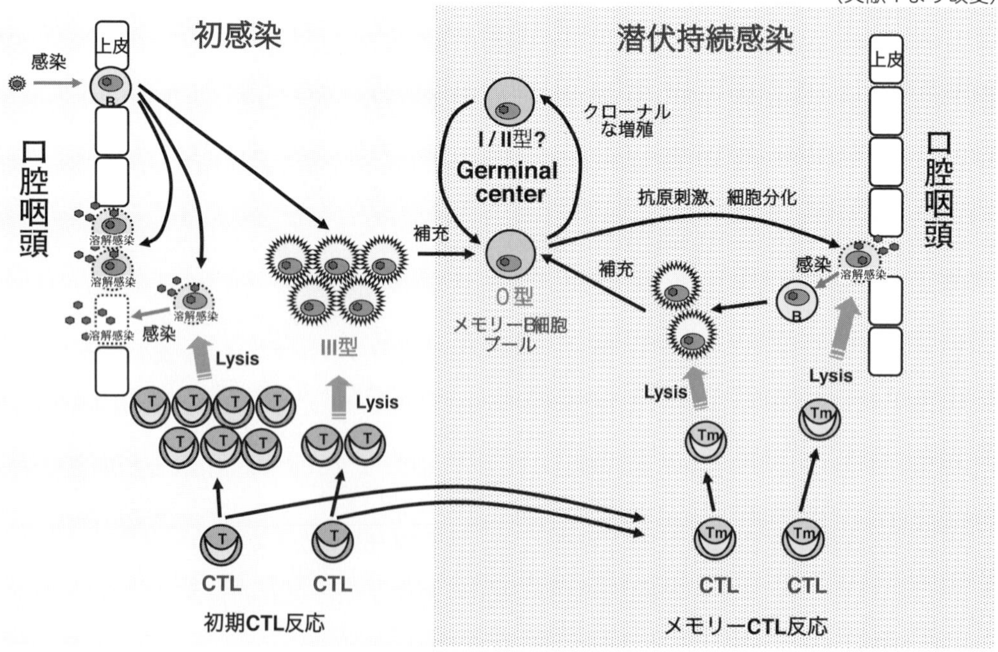

図４　EBV の初感染，潜伏持続感染，再活性化

に示される．健常人においてはEBVは無害な共存関係を終生維持すると考えられるが，免疫不全状態においてはこのバランスがくずれ，in vitroと同様にBリンパ球が増殖を開始する．エイズや臓器移植後に認められるPTLD（post-transplant lymphoproliferative disorder），BPLD（B-lymphoproliferative disorder）はEBVトランスフォームリンパ球のポリクローナルあるいはオリゴクローナルな増殖であり，これらの疾患の予後を決定する重要な合併症の1つである．さらに進行してモノクローナルな増殖の結果，リンパ腫にいたる例もまれではない．

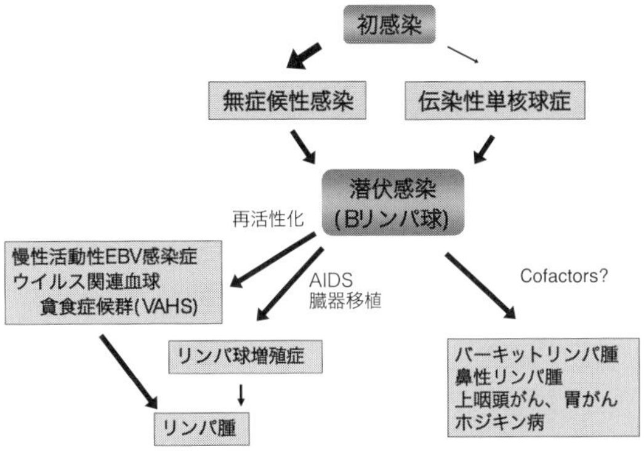

図5　EBV関連疾患

6. EBV関連疾患（図5）

a．感染症

伝染性単核症（infectious mononucleosis, IM）

EBVの初感染は多くは無症候性であるが，思春期以降の初感染でIMとして発症する場合がある．IMでは末梢血中に多数の異形リンパ球が出現する．その一部はEBV感染Bリンパ球であるが，大部分を占めるのはCD8陽性Tリンパ球で，IMはEBV感染に対する過剰免疫反応と理解される．

慢性活動性EBV感染症

IMが遷延したり，あるいはそれとは別にEBV感染リンパ球が長期間末梢血中に持続しIM様の症状を呈する場合がある．この場合のEBV感染リンパ球はTリンパ球主体である．EBV感染をコントロールできないが，それ以外には特別の免疫異常は認めない．経過中に血球貪食症候群（virus-associated hemophagocytic syndrome, VAHS）を合併するものは予後不良である．IMを含め活動性EBV感染症におけるTリンパ球活性化，高サイトカイン血症は，感染細胞から放出されたEBERによるTLR3からのシグナル活性化で起こっている可能性がある．

日和見EBV感染症

上述のように，エイズ，臓器移植後の重篤な免疫不全状態ではEBV感染Bリンパ球の増殖が起こる．

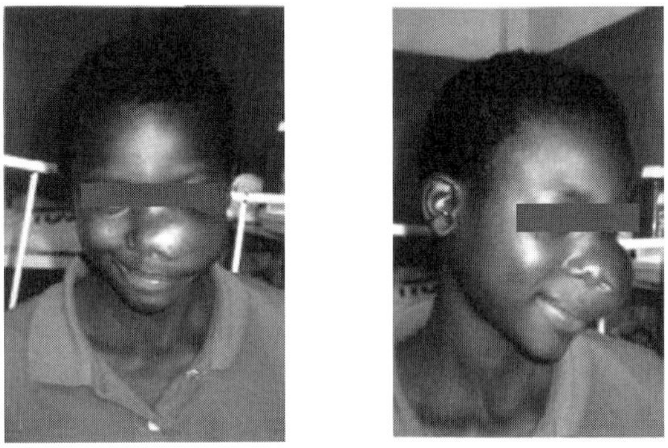

図6　バーキットリンパ腫

b．がん

バーキットリンパ腫（Burkitt's lymphoma, BL）

赤道下アフリカの小児に多発するBリンパ腫で，EBV陽性Bリンパ球のモノクローナルな増殖である（図6）．EBV感染に加え，がん遺伝子c-mycの転座に伴う発現活性化を伴っている．アフリカ以外の地域に散発するBLではEBV陽性率は20%前後である．なぜアフリカでBLが多発するのかについては十分にはわかっていないが，マラリア感染による免疫低下がEBV感染リンパ球の増殖を容易にした可能性が報告されている．

上咽頭がん（nasopharyngeal carcinoma, NPC）

中国東南部に多発する上皮性のがんで，組織的には未分化型で，強いリンパ球浸潤を伴っており，lymphoepitheliomaとも呼ばれる．EBV感染に加え．遺伝的素因，食物などの環境物質が発症要因と推測されている．

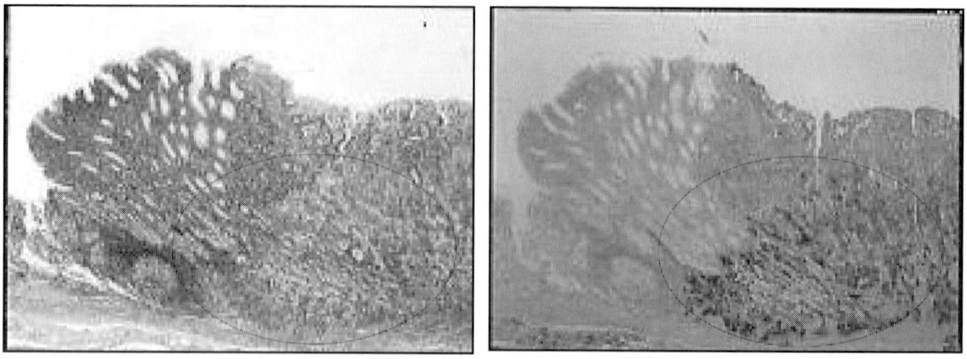

図7　EBV 陽性進行胃がん

膿胸関連リンパ腫

肺結核に対する人工気胸術，結核性胸膜炎による慢性膿胸に，数十年の経過の後に合併するリンパ腫で，大部分はBリンパ性で，一部Tリンパ性の例もある．

鼻性リンパ腫

従来，進行性鼻壊疽と呼ばれていた疾患で，多くはNK細胞性，一部Tリンパ性の例がある．

ホジキンリンパ腫

免疫グロブリン遺伝子の再構成パターンから，ホジキンリンパ腫はBリンパ性のリンパ腫であることが明らかとなった．約半数の例でReed-Sternberg細胞，ホジキン細胞がEBV陽性である．

胃がん

約10%の症例がEBV感染がん細胞のモノクローナルな増殖である．これにはNPCと同様に未分化型でリンパ球浸潤の強い組織型の例だけでなく，分化型のもの(図7)が含まれる．

7. がん細胞とEBV発現

図8に示すように，各種がん細胞でのEBV発現のパターンはI型，II型，III型に分けられる．この違いは宿主の免疫能との関係で重要であり，特にEBNA3群は細胞傷害性Tリンパ球(cytotoxic T-lymphocyte, CTL)の主たる標的であり，正常な免疫はIII型感染細胞の増殖を許さない．免疫不全下で生ずる日和見リンパ腫は，in vitroと同様にIII型EBV感染リンパ球が増殖したものである．

日和見リンパ腫の発生にはLMP1が重要な働きをしている．一方，BLや胃がんなどI型のがんではEBVは何をしているのか？我々はEBERが細胞の増殖やがん形質維持に重要であることを明らかにした．

8. 診断

異好性抗体

欧米人のIMでは異好性抗体高値となるが，日本人のIMでは異好性抗体の上昇しない例が多く，診断的価値は低い．

EBV抗体

蛍光抗体法によるEBV抗体測定が多くのEBV関連疾患の診断に用いられている．IMではIgM抗体が出現し，NPCではIgA抗体が高値を示し，いずれも診断的価値が高い．しかし，健康人でもEBV抗体高値を示す場合があり，また，手技の煩雑性，抗体価判定の非客観性など問題点も多い．

リアルタイムPCR法

リアルタイムPCRによる末梢血中EBV DNAの定量はIM，慢性活動性EBV感染症，免疫不全に伴うEBV活性化の診断などに威力を発揮する．

EBER染色

in situ hybridization法によるEBER染色は，

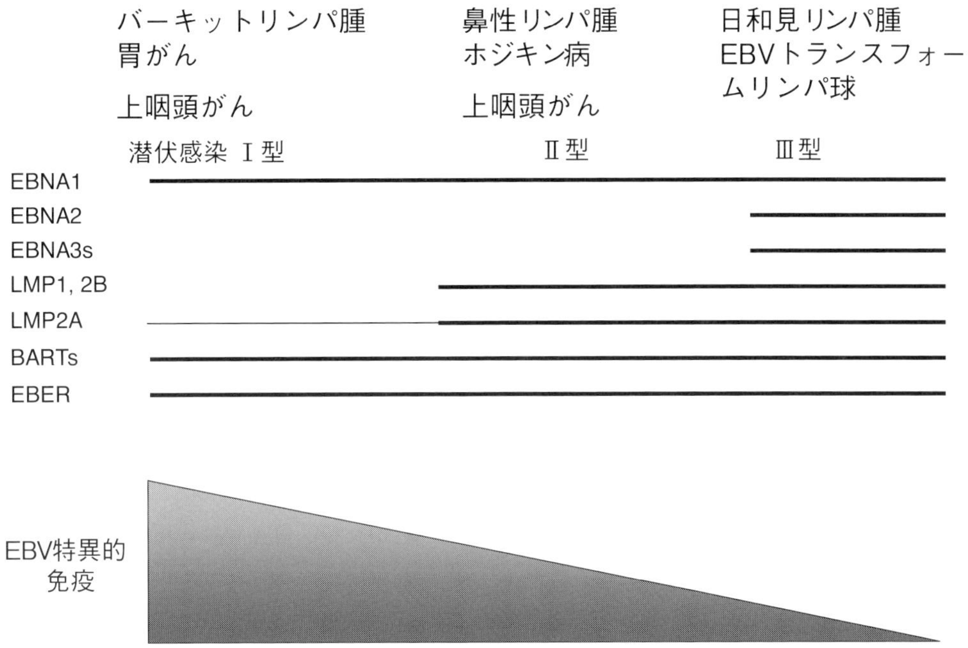

図８　EBV関連がんとEBV発現

がん組織中のEBV検出に有効で，特異性が高い．

9. 予防，治療

感染予防のためのワクチン開発が試みられている．アフリカでのBL予防，あるいは乳幼児期にEBV感染を受けなかったヒトでのIM予防に有効と期待される．

アシクロビル，ガンシクロビルなどの抗ヘルペスウイルス薬はEBV感染には無効である．造血幹細胞移植後のBPLDに対してEBV特異的CTL輸注療法が有効と報告されている．EBV関連のがんに対しては，一般のがんと同様，放射線療法，化学療法が用いられている．慢性活動性EBV感染症で重篤な例に対しては造血幹細胞移植も考慮する必要がある．

教科書

1. Fields他　編　Fields Virology 第5版，Lippincott Williams & Wilkinsn 出版，2007.
2. 高田賢蔵監修　EBウイルス　第2版，診断と治療社，2008.8.

Ⅰ-10　ヒトパピローマウイルス（humanpapillomavirus）

理化学研究所　新興・再興感染症研究ネットワーク推進センター
神田忠仁

1. パピローマウイルスとは

正二十面体キャプシド(径50～55nm)と約8000塩基対の環状二本鎖DNAゲノムを持ち，envelopeを持たない小型ウイルスを，パピローマウイルス科(Papillomaviridae)に分類している(図1)．ウシ，イヌ，シカなどのほ乳類を宿主とし，宿主の名前をつけてヒトパピローマウイルス(human papillomavirus : HPV)のように名づけられている．粒子の形態と遺伝子構成は良く似ているが，宿主特異性は極めて高く，例えばHPVはヒト以外の動物に感染しない[1, 2]．

1930年代にワタノオウサギパピローマウイルス(cottontail rabbit papillomavirus : CRPV)の発がん性が実験的に証明された．大きな乳頭腫から抽出したウイルスをウサギの皮膚に傷をつけて擦り込むと乳頭腫ができる．乳頭腫の大部分は退化するが，稀に癌化することが示された．ヒトの皮膚や粘膜のイボにHPVが見つかることは古くから知られてきたが，癌細胞にウイルス粒子が見つからないため，HPVとヒトの癌の関連が明らかになったのは1980年代になってからである．HPVと子宮頸癌の関連を明らかにしたドイツのzur Hausen博士は2008年のノーベル医学生理学賞を受賞した．

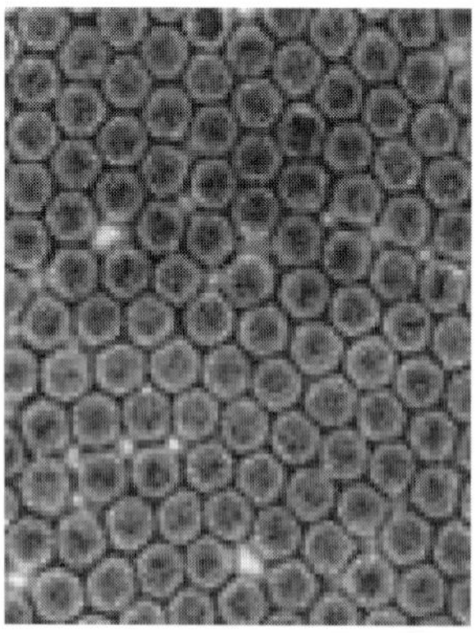

図1　パピローマウイルス粒子
皮膚の病変部から抽出し，精製したウシパピローマウイルスの電子顕微鏡写真．HPVを含む全てのパピローマウイルスは，径55nmの正二十面体をしている．

世界保健機構(WHO)は，世界の女性の悪性腫瘍の11%，約45万人にHPV感染が関わっており，世界には3億人のHPV感染キャリアーが存在すると推定している[3]．特に子宮頚癌は世界の女性の癌では2番目に多い．我が国では，およそ年間15,000人の子宮頚癌患者が生じ，2,500人が死亡している．多くのヒトに無症状のまま感染している身近なウイルスのひとつである．

病変部からHPV粒子が回収されることは稀で，ゲノムのみが得られている．HPVの増殖する実用的な培養細胞系がなく，ウイルスの血清型を判定するのは難しい．そのため，HPVはキャプシド蛋白質(L1蛋白質)をコードする遺伝子の塩基配列をもとに遺伝子型に分類されている．L1遺伝子の塩基配列を既知のHPV型と比較し，相同性が90%以下の場合に新型とする基準で，これまでに100を超える遺伝子型がみつかっている．およそ40%は粘膜病変から，60%は皮膚病変から

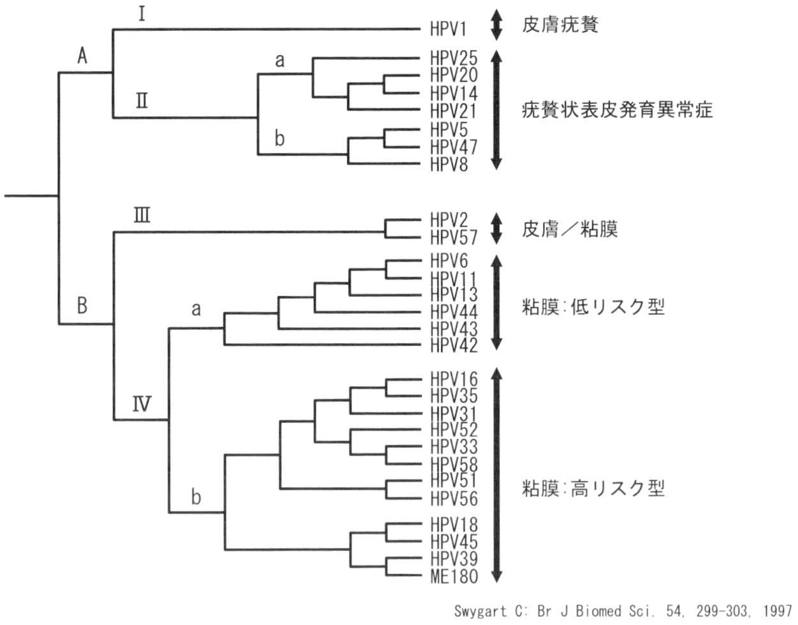

図２　HPV 遺伝子型の系統樹
L1 遺伝子の塩基配列が 10％を超えて異なると別の遺伝子型に分類されている．

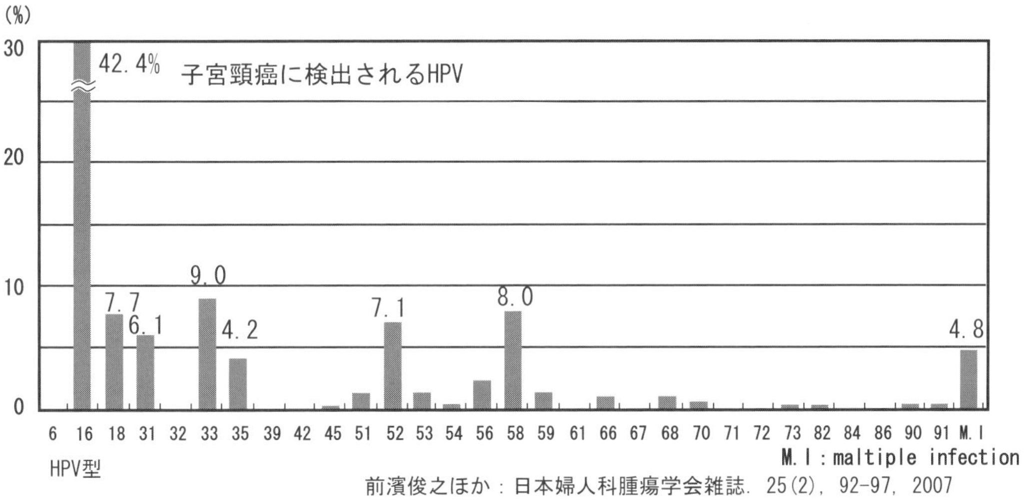

図３　我が国の子宮頸癌に検出される HPV 型
がん組織に含まれる HPVDNA を PCR で増幅し，シークエンシングで型判定したデータ．

分離され，それぞれ粘膜型，皮膚型と呼ばれている．さらに，粘膜型のうち子宮頸癌から DNA が検出された 15 種（HPV16，18，31，33，35，39，45，51，52，56，58，59，68，73，82）は高リスク型，生殖器にできる良性のいぼ（尖圭コンジローマ）の原因となる HPV6，11 は低リスク型と呼ばれる（図２）．

子宮頸癌から高頻度で検出される HPV 型には地域差がある．海外の子宮頸癌（25 カ国，3607 例）で検出される HPV 遺伝子型を，PCR 法で調べた症例対照研究[4)]では，96％の検体でHPV DNAが検出され，HPVの検出頻度は上位から，HPV16，18，45，31，33，52，58，35，59，56，39，51，73，68，66であった.HPV16/18は全体の約70％を占めたと報告されている．

我が国の子宮頸癌患者(356例)を対象にした琉球大学の研究グループによる調査では[5, 6)]，HPV16（42.4％），HPV33（9.0％），HPV58（8.0％），HPV18（7.7％），HPV52（7.1％）であった(図3)．また，子宮頸癌(140例)を対象とした筑波大の研究グループの調査では，HPV16(40.5％)，HPV18(24.4％)，HPV52(8.4％)，HPV58（3.1％），HPV33(3.1％)であった[7)]．これらの調査は大学の医局等で行われており，器具や試薬を厳格に管理することで核酸増幅を含む手技を確実に行える診断ラボの基準を満たしているかどうか明らかでない．HPV検出方法，感度も一定していない．流行しているHPV型の情報は，HPVワクチンの評価に不可欠であり，今後，最新の技術で正確な調査を行う必要がある．

2. HPV キャプシドの構造

HPVのキヤプシドは，360分子のL1蛋白質の5量体(キャプソメア）72個で形成される正二十面体の基本骨格に，12分子のL2蛋白質が組み込まれた構造をしている(図4）[2)]．L1蛋白質には複数のメチオニン残基があり，変異体の解析によって，特定のメチオニン残基間のSS結合がキャプシド形成に不可欠なことが示されている[8)]．L2蛋白質の両端はキヤプシドの内部にあり，N末端側でゲノムDNAと結合している．L2蛋白質の一部はキヤプシド表面にでている．

L1遺伝子の発現プラスミドを酵母や昆虫細胞で高発現させると，自律的に集合してL1蛋白質のみからなる粒子(virus-like particle；VLP)を形成する．L2蛋白質も同時に発現させると，ウイルス粒子と組成が同じL1/L2-VLPができる．電子顕微鏡による観察では，これらの粒子とウイルス粒子は区別できない．

3. HPV ゲノムの構造

HPVの遺伝子はゲノムの片方のDNA鎖にのみ存在する(図4）[1, 2)]．ゲノムの複製が起こる前に発現する初期蛋白質(E1，E 2，E 4，E 5，E 6，E 7)とキヤプシドを形成する後期蛋白質(L1，L 2)がコードされている．初期蛋白質は，HPV

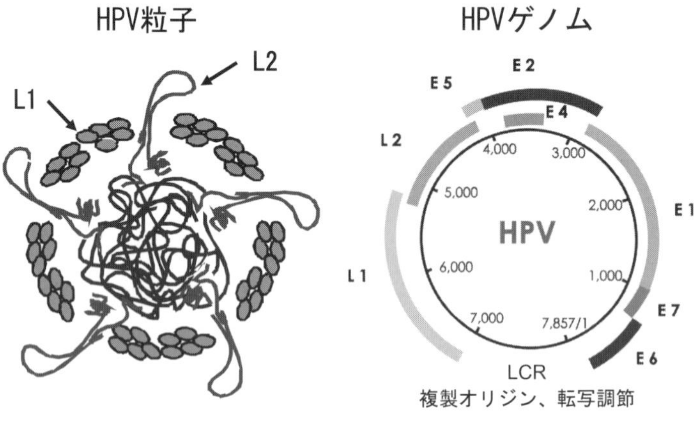

図4　HPV粒子とHPVゲノム

HPVキャプシドは，L1蛋白質の5量体(キャプソメア)が72個集合して形成される径55nmの正二十面体骨格に，12分子のL2蛋白質が組み込まれた構造をしている．L2蛋白質のN末端側の一部は表面に出ている．
ゲノムは約8000塩基対の環状2本鎖DNAで，遺伝子は片方の鎖にのみコードされている(図では左周り)．E1，E2，E4，E5，E6，E7は非構造蛋白質をコードし，L1，L2はキャプシド蛋白質をコードしている．L2遺伝子とE6遺伝子の間にlong control region（LCR)と呼ばれる領域があり，E6，E7遺伝子等のプロモーターや複製開始点を含む．

遺伝子群の発現調節と感染細胞内の環境を整える役割を担っており，キャプシド内に取り込まれることはない．L2 遺伝子と E 6 遺伝子の間に約 900 塩基長の調節領域(long control region；LCR)があり，ここに初期遺伝子群の転写開始点と転写調節領域，ゲノムの複製開始点がある．HPV の増殖する培養細胞系が無いため転写物の詳細な解析は難しいが，初期遺伝子群は LCR 内のプロモーターから，後期遺伝子群は E7 遺伝子内のプロモーターから転写されることが示されている．また，mRNA の多くは 2 つ以上の遺伝子を含む構造をしているが，5' 端から 2 ないし 3 番目の遺伝子がどのような機構で翻訳されるのか不明である．

4. HPV の生活環

粘膜型 HPV は，性行為などで生じる表皮の微小なキズから生殖器粘膜の基底細胞に侵入し，ゲノムが核内エピゾームとして維持される潜伏状態となる(図 5)[1, 2]．感染細胞の分裂時にはゲノムも複製し，娘細胞に分配されて，潜伏感染状態が維持される．潜伏感染状態での HPV 遺伝子の発現は充分解析されていないが，全く発現していない可能性がある．この感染様式は，宿主の免疫系から逃れる戦略としては極めて優れている．潜伏感染細胞は長く体内に維持されると考えられるが，はっきりしたデータは無い．

潜伏感染細胞が表皮形成の分化を始めると，ゲノムの複製に必要な遺伝群の発現，ゲノムの複製，キャプシド蛋白質の発現が順次起こってウイルス粒子が形成され，表皮最外層の脱落と共に子孫ウイルスが放出される．産生されるウイルス量は少なく，ここでも強い免疫応答を避けている．放出されたウイルスは別の部位に感染し，あるいは，別の個体に感染する．ひとつの潜伏感染部位に由来する HPV の増殖は，あまり頻繁に起こることではない．しかし，女性生殖器粘膜に，いったん潜伏すれば，そこから増殖したウイルスが複数の潜伏部位を作り，体内ウイルス量は増加すると考えるのが自然である．

HPV 遺伝子の発現は，宿主細胞の分化と連動

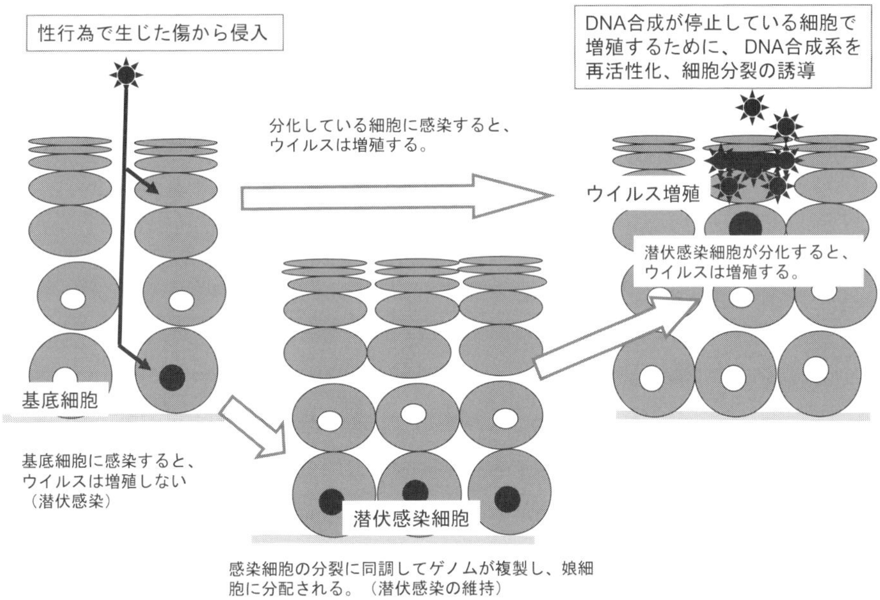

図 5　HPV の生活環

HPV は表皮の微小な傷から侵入する．分化終盤の細胞に感染すればウイルス増殖が起こるが，基底細胞に感染するとゲノムが核内エピゾームとして維持される潜伏状態となり，ウイルス増殖は起こらない．潜伏感染細胞が表皮形成の分化過程に入ると，その終盤でウイルスの増殖が起こる．

各論 I

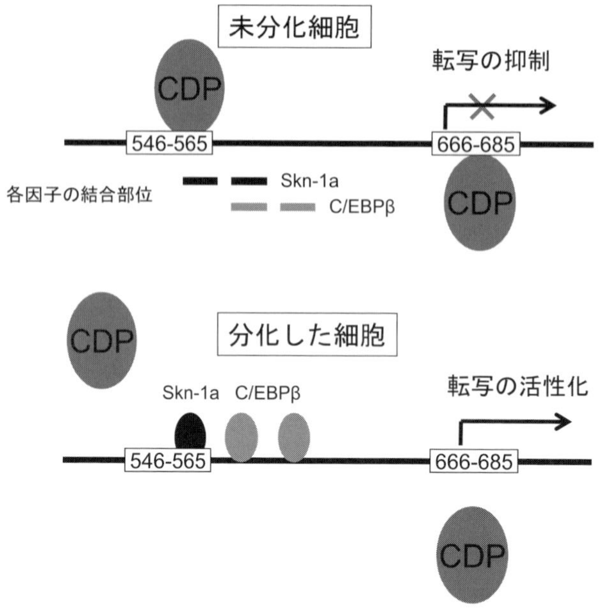

図６　HPV16 型 L1 遺伝子の転写制御（P670 からの転写 ）
HPV16 型の L1 遺伝子は ,E7 遺伝子内にあるプロモーター（P670）から転写される . 未分化細胞内ではプロモーター領域に抑制性転写因子（CDP）が結合して転写を止めており，分化が進むと CDP がはずれ，代わりに Skn-1a や C/EBP β が結合して転写が起こる .

している．HPV16 の L1 遺伝子は E7 遺伝子内に存在するプロモーターから転写される．未分化細胞では，抑制的な転写因子である CDP（CCAAT Displacement Protein）がプロモーター領域の 2 カ所に結合して転写を止めている（図 6）[9]．細胞が分化すると CDP は遊離し，表皮の最終分化を制御する転写因子 hSkn-la や C/EBP β が結合して，転写抑制を解除する．また，L1-mRNA は未分化な細胞では極めて不安定で，翻訳には至らない．アミノ酸配列を変えずに塩基配列を変えた変異型 mRNA は通常の培養細胞でも安定化し，L1 蛋白質が翻訳される．即ち，L1 蛋白質の発現は，プロモーターからの転写の抑制と mRNA の分解のふたつの機構で制御され，宿主細胞の分化と連動している．

5. 非構造蛋白質の機能

HPV の生活環は，非構造蛋白質の機能によって支えられている[1, 2]．E1 蛋白質はヘリケース活性を持ち，6 量体を形成して HPV ゲノム DNA の複製開始点に特異的に結合する．細胞のＤＮＡポリメラーゼと結合し，複製開始点に運び込む役割も担っている．E2 蛋白質は複製開始点を挟んで 2 カ所に結合する．E2 蛋白質が結合すると複製開始点への E1 蛋白質の結合が促進される．また，E2 蛋白質は E6，E7 遺伝子の転写を抑制的に調節する．細胞のエンハンサー結合蛋白質（C/EBP- α 及び β ）と結合し，インボルクリンのような角化細胞の分化に伴って発現する細胞遺伝子（群）の転写にも影響を与える．E4 蛋白質はウイルス増殖時に多量に合成され，細胞骨格に結合し，構造を破壊する．表皮最外の角層からのウイルス粒子の放出を助ける機能を担うと推定されている．また，細胞周期にも影響を与えることがわかり，ウイルス増殖の後期過程で複激の機能を担っているらしい．E5 蛋白質は実験的に培養細胞の形質転換を起こすが，HPV 感染細胞での機能ははっきりしない．

E6 蛋白質は 2 つの，E7 蛋白質は 1 つの Zn フィンガー構造を持ち，2 量体を形成して機能する．マウスやラットの細胞で高リスク型 HPV の E6，

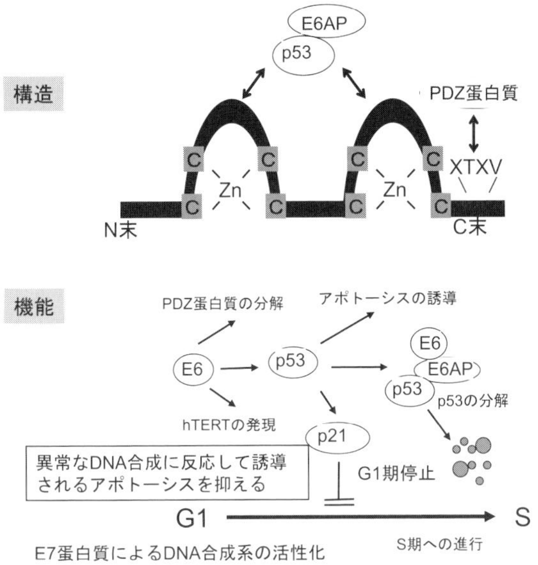

図７　HPV16 型 E6 蛋白質の構造と機能

HPV16 型 E6 蛋白質の主要な標的は p53 である．E6AP/E6/p53 の複合体を形成し，ユビキチン経路で p53 を分解する．

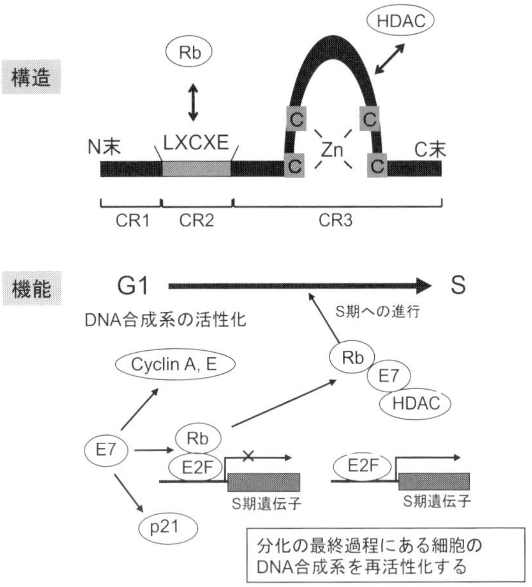

図８　HPV16 型 E7 蛋白質の構造と機能

HPV16 型 E7 蛋白質の主要な機能は pRb/E2F 複合体に介入し，E2F を遊離させて DNA 合成系を再活性化することである．

E7 蛋白質を発現させると形質転換が起こる．E6 蛋白質は，p53，Bak, hDLG, SRC-family kinase 群，hTERT に，E7 蛋白質は Rb，p21 やサイクリン A，E 等に直接ないし間接的に結合し，それらを分解したり，過度に活性化したり，あるいは正常な分解反応を阻害する．標的分子との結合や働きかけの強さが高リスク型 HPV の E6，E7 蛋白質と低リスク型のものとで異なるが，基本的には，E7 蛋白質が細胞の DNA 合成系を活性化してゲノムの複製に利用し，Ｅ６蛋白質は細胞が異常なＤＮＡ合成に反応してアポトーシスに陥るのを防ぐことで，ウイルス増殖に十分な時間を稼ぐと考えられている．

高リスク型のＥ６蛋白質はＣ末端側のＺｎフィンガーを含む領域でｐ53 及びＥ６－ＡＰ(E6-associated protein)と複合体を形成する(図 7)．この複合体で p53 は E6-AP によってユビキチンを付加され，ユビキチン依存性プロテアーゼによって分解される．また，この領域で CBP/p300 とも結合し，p53 の発現そのものも抑制する．E6 は，Bak の分解も促進してアポトーシスを抑制し，また hTERT の転写を亢進して細胞寿命を延長させる．活性化した SRC-family kinase 鮮の分解を遅らせる機能も示されている．

E7 蛋白質は N 末端側の LXCXE モチーフで，Rb ファミリーの蛋白質と結合し，Rb と E2F を解離させる(図 8)．遊離した E2F は細胞分裂に関わる遺伝子群の転写を活性化する．その結果細胞周期が S 期へと進み，DNA 合成が始まる．E7 蛋白質はサイクリン A 及び E に直接働きかけ，Rb/E2F の解離で発現が昂進した p16 による細胞周期の抑制を回避する．さらにサイクリン依存性キナーゼの阻害蛋白質である p21 及び p27 に結合し，その機能を抑制することで，細胞周期を回し続け，細胞 DNA 合成系の活性を維持する．

6. HPV 感染と子宮頸癌

HPV は子宮頸管部だけでなく，女性生殖器全体に潜伏感染し [10]，分化と連動して増殖するが，潜伏感染状態では病変を作らず，また子宮頸管部以外で HPV 増殖が起こっても目立つ病変は形成しない．子宮頸部の移行帯（扁平上皮と円柱上皮が接する境界）は細胞増殖が速く，この部位に感染したHPVに起因する病変は目視でき，病理診断では cervical intraepithelial neoplasia（CIN）とされ，3段階に分類されている．CIN1はHPV増殖に伴う病変で自然治癒することが多く，若い女性CIN1の90%が3年以内に消失することが報告されている[11]，治癒に伴ってHPV DNAも検出されなくなることから，婦人科医の多くは「HPV感染は一過性で短期間の後に排除される」と考えている．しかし，免疫抑制状態にあるHIV患者でHPVの検出率が高いこと[12]，高齢女性で二次的にHPV検出率が上昇すること，HPV既感染者にワクチンを接種してもHPV DNAが検出され続けること[13]などから，HPVの潜伏・持続感染はかなりの長期に渡ると推定される．潜伏感染細胞の消長，潜伏感染細胞からHPVの増殖が起こる頻度，増殖するウイルス量などの正確な情報は無い．

稀に高リスクHPVゲノムが染色体に組み込まれ，ウイルスが増殖できないにも拘わらずE6，E7蛋白質の発現を継続する細胞が生じて，高い増殖能を持つことがある．このようなクロナールな細胞が含まれる病変をCIN2と分類している．病変全体が組み込み細胞になるとCIN3となり，さらに悪性形質を持つと上皮内癌，基底膜から真皮へ浸潤すると浸潤癌と進行する．

細胞癌化の過程は，E6蛋白質によるp53の分解とE7蛋白質によるRb/E2F複合体の解離を中心に説明されている（図7，8）[1,2]．p53はゲノムＤＮＡの異常を監視する役割を担っており，DNAに損傷が起こるとp53の発現が誘導され，次いでp53が転写因子として働いて，p21の発現を促し，細胞周期がＧ１期で停止してDNAの修復，もしくは細胞のアポトーシスが起こる．一方，DNA合成に必要な遺伝子群の発現を調節する転写因子E2FはRbのリン酸化によって厳密に制御され，不必要なDNA合成が起こらないよう調節されている．即ち，E2Fは非リン酸化型Rbと結合しており，Rbがリン酸化されると遊離し，転写因子として働く．E7蛋白質は，非リン酸化Rb/E2F複合体に結合してE2Fを解離させる能力を持ち，またp21の機能を阻害する活性を持っている．E6，E7蛋白質が高発現している細胞は，DNAに損傷を受けてもG1期で細胞周期を止めることも，アポトーシスで自らを除くこともできなくなり，その損傷を持ったままDNAが複製され，損傷の蓄積が起こると考えられている．この他にも，高リスク型HPVのE6蛋白質には，C末端でPDZドメインを持つ細胞蛋白質と結合し，その分解を促進する活性が知られており，細胞の悪性化に関わっている可能性が指摘されている． HeLaやSiHaのような子宮頚癌由来細胞株では，HPV18や16型のE6，E7蛋白質の発現が続いており，この発現をアンチセンスRNAやsiRNAを使って特異的に阻害すると細胞増殖が抑制される．即ち，これらの細胞の増殖能は，癌化した後でもE6，E7蛋白質に依存している．外科手術で切除された子宮頚癌を調べると，E6，E7遺伝子の発現が可能な状態で高リスク型HPVゲノムが存在している．子宮頚癌発症の必要条件となっているE6，E7蛋白質の継続的な高発現やそれらの機能を阻害することによって，患者体内の癌細胞の増殖を抑制できる可能性があり，またE6，E7蛋白質発現細胞を標的とする免疫療法の開発も可能かもしれない．

HPV6，11型等の低リスク型HPVの感染は，粘膜の尖形コンジロームの原因となる．尖形コンジロームは，生殖器とその周辺に発症する淡紅色ないし褐色の病変で，臨床視診による診断が可能な特散的な形態を示す．悪性化することは無く，自然治癒が多い．大部分は性行為感染によるが，稀に両親や医療従事者の手指を介しての幼児への感染や，分娩時の垂直感染の可能性も示唆されている．感染症法では5類感染症に指定され，患者数の定点観測を行っている．2007年の患者数は5－6万人と推定されている．低リスク型HPVの感染後数週間から3ヶ月程度で尖形コンジロームが発症するといわれている．高リスク型HPVの感染から前癌病変を経て，子宮頚癌が発症するまでは数年から数十年かかる．一方，尖形コンジロームからは容易にウイルス粒子が回収されるが，子宮頚癌及びその前癌病変からウイルス粒子は回収されない．低リスク型HPVが高リスク型HPVより増殖効率は優れており，逆に基底細胞でのウイルス遺伝子の発現抑制は高リスク型で徹底していて，潜伏感染が維持されやすいのではないかと推定される．高リスク型HPVと低リスク型HPVの生活環の違い初期蛋白質群の機能の違いとは密接に関連していると考えられ，発癌性の有無をウイルス学の立場から解析することも重要である．

7. HPV 感染予防ワクチンの開発

HPVワクチンの可能性は，ワタノオウサギの乳頭種から回収したCRPVを使った動物実験で示された．CRPVのVLPをワタノオウサギに予め接種しておくと，その後にCRPVを接種しても乳頭種はできなかった．変性させたVLPではワクチン効果はなく，CRPV抵抗性を獲得したウサギの血清ないしIgGを別のウサギに移入すると，そのウサギもCRPV抵抗性となることがわかり，VLPの立体構造に依存する中和エピトープを認識する抗体が血中に存在すればCRPVの感染を予防できることが示された[14]．同時に，CRPVのL2蛋白質も有効なワクチン抗原となることも示されている．

HPVのVLPを動物に免疫すると，効率よく抗VLP抗体が誘導される．抗体は型特異的にHPV偽ウイルス(HPVキャプシドに発現プラスミドを組み込んだ粒子)や立体培養由来HPV粒子(HPVDNAを導入したヒト初代角化細胞を支持細胞の上に載せ，表面を空気に触れさせながら培養すると，角化細胞が分化して表皮様構造を作り，HPVの増殖も起こる)を中和する．

これらの成績をもとに，グラクソスミスクライン(GSK)社は組換えバキュロウイルス・昆虫細胞系で作製したHPV16，18型のVLPを抗原とするサーバリックスを，メルク社は酵母で作製したHPV6，11，16，18型のVLPを抗原とするガーダシルを開発した．両ワクチンとも3回筋注して高レベルの中和抗体を血中に誘導する．ワクチンに含まれるHPV型に未感染の女性(サーバリックス：15 － 25歳の18644人；ガーダシル：15 － 26歳の12167人)を対象に大規模な第三相無作為化二重盲検試験が行われた[15, 16, 17, 18]．サーバリックスでは，1回目の接種から14.8ヶ月の時点で，HPV16，18型によるCIN2に対して90.4%，CIN1に対して89.2%の予防効果が認められた．ガーダシルでも，ワクチン投与群とプラセボ投与群とを比較して，1回目の接種から36ヶ月の時点で，HPV16，18型によるCIN2に対して100%，CIN3に対して97%，腺癌に対して100%の予防効果が認められた．

サーバリックス接種後6.4年の時点で，ワクチン接種時にHPV16，18型に未感染の女性(15 － 25歳，1113人)のワクチン投与群では98%がHPV16，18型に対する抗体を持ち，HPV16，18型によるCIN1，CIN2に対して100%の予防効果が認められた[19]．ガーダシル接種後5年の時点で，ワクチン接種時にワクチン型HPVに未感染の女性(16 － 23歳，552人)では，HPV6，11，16，18型によるCIN1-3とコンジローマに対して95.8%の予防効果が示された[20]．これらの成績から接種から少なくとも5ないし6.4年後までは，ワクチン型HPVによる子宮頸部前癌病変の発生を予防する効果があると考えられる．さらに長期にわたる効果はまだ明らかになっていない．

一方，HPV16，18型既感染女性にガーダシルを接種し，6ないし12ヶ月後にHPVDNAを調べた成績では，16，18型HPVDNAの検出頻度はワクチン群とプラセボ群で差が無く，ワクチンを接種しても既に感染しているHPVを排除する効果はないと結論された[13]．

サーバリックスは米国，EU，オーストラリアなどで承認され，我が国でも2009年10月に承認された．接種対象は10歳以上の女性で，効能書きには，1)感染予防効果はHPV16，18型に限ること，2)ワクチンを接種しても既に感染しているHPVの排除やそれに起因する病変を治療する効果はないこと，3)効果がどのくらい持続するか不明なこと，4)引き続き検診の受診が必要なこと，が記載されている．いくつかの自治体では接種に対して公費補助も行われて，普及が図られている．

米国ではガーダシルが最初に承認された．米国疾病対策センター（CDC)は11 － 14歳の女児に接種することを勧告している．米国癌協会は，9歳以上の女子に接種可能で，11 － 12歳を推奨年齢とし，19 － 26歳の全女性に推奨するにはデータが不足しているとの勧告を出している．ガーダシルを男性に接種する臨床試験で，外陰部の尖圭

各論 I

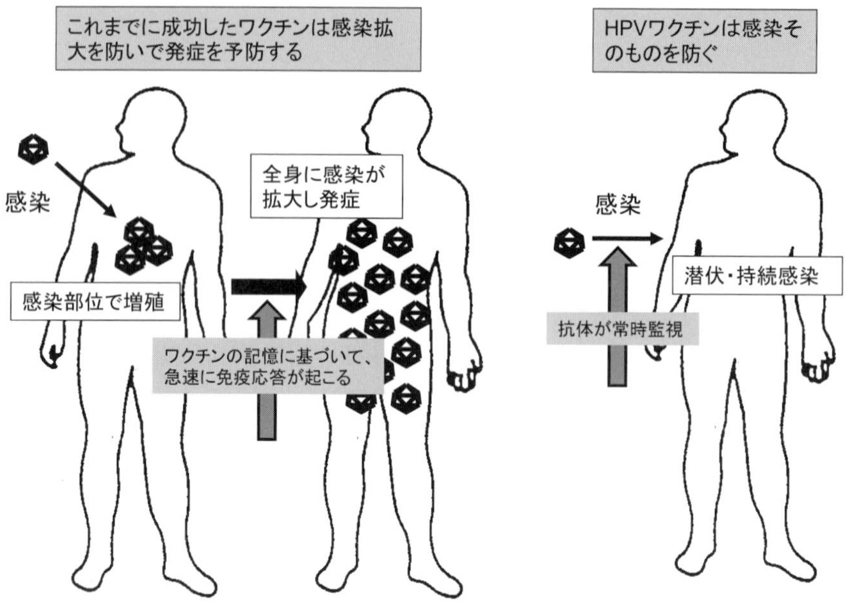

図９　HPV ワクチンの特徴
これまでのワクチンは発症予防を目的とするが，HPV ワクチンは感染を常に阻止することをめざしている．

コンジローマの発症を有意に減少させたことから，2009 年 9 月に米国 FDA は 9 − 26 歳の男性を対象とする接種を承認した．

WHO は 2009 年 4 月に，発展途上国を含めた世界全体での HPV ワクチンの使用を推奨し，各国のワクチン接種プログラムに導入し，その財政的基盤を作ることの重要性を強調している[21]．また WHO は，各国の政策立案者に向けた HPV ワクチン導入のためのガイドラインを示している[3]．現在，発展途上国においては GAVI（The Global Alliance for Vaccines and Immunization）の財源により，20 カ国以上で HPV ワクチンの接種が行われている．

8.　HPV 感染予防ワクチンの課題

HPV ワクチンは，これまでに成功した他のウイルスワクチンと異なる特徴がある．「二度罹り無し」といわれるウイルスは感染局所で一次増殖し，ウイルス血症を介して全身に広がり，様々な臓器で大量に増えて病気を引き起こすが，やがて免疫系が働いて体からウイルスを排除し，治癒する．メモリー T 細胞に免疫記憶が残るので，二度目の感染では免疫系が迅速に立ち上がり，一次増殖の段階でウイルスを排除する．この機構を利用し，予めメモリー T 細胞に免疫記憶を与えるのがワクチンである．つまり，ワクチンは感染を防げないものの，発症を防ぐ効果がある．HPV は一度感染すると潜伏することが多いとすると，ワクチンによって誘導される抗体は感染そのものを防がなければならない．ワクチンによって誘導された血清中の抗 HPV 中和抗体が生殖器粘膜に滲みだして感染を防ぐと説明されているが，どの程度の中和抗体価があれば感染阻害効果を持つか不明である．ワクチン接種後に急速に上昇した血清中の中和抗体価は徐々に低下し，1 年半後に平衡に達すると報告されているが，追加免疫の必要性は今後の検討課題である．

また，VLP によって誘導される中和抗体は極めて型特異性が高い．高リスク HPV の感染予防効果は，サーバリックスもガーダシルも HPV16，18 型に限定されており，他の 13 の型には効果がない．従って，ワクチン接種を受けても，子宮頸癌を予防するには検診を受診し続ける必要がある．全ての高リスク HPV への対応が残された最大の課題である．我々は HPV16 型 L2 蛋白質の粒子表面領域に結合する抗体が中和活性を持つことを見出した．この領域のアミノ酸配列は全ての高リスク HPV で良く保存されており，全ての高リスク HPV を対象とするワクチン抗原に応用する研究を続けている[22, 23]．

おわりに

ウイルスは，強い感染力と極めて能率の良い増殖能を持つものか，あるいは潜伏・持続感染して宿主と共存するものに分けられる．前者は宿主に強い病後免疫を残すことになり，2 度目の感染は起こらない．従って，生態系に常に新たな感受性宿主の供給が無いと生存できない．言い換えれば，一定の頻度で子供が生まれる規模の人口を持つ集団で維持されるウイルスである．後者は，いったん感染すれば宿主が生存する限りウイルスも維持される．性行為感染のように少量のウイルスで，個体から個体へと能率良く伝搬する経路を持てば，ヒト集団の中で安定に維持されるのであろう．HPV はそのようにして長い間ヒト集団に存在してきたと思われる．また，HPV の遺伝子型の多さは，このウイルスが宿主に免疫応答を誘導せず，免疫系による排除を受けにくいことと関連しているのかもしれない．潜伏・持続感染型ウイルスの生活環を知るには，宿主細胞の要因を知ることが重要となる．今後，角化細胞の分化による表皮形成の分子機構の理解がすすめば，高リスク型 HPV と低リスク型 HPV の生活環の違いが明らかにされ，HPV 持続感染の阻止や感染細胞排除の方法も開発されるに違いない．

参考文献

1. zur Hausen H. : Papillomaviruses and cancer : from basic studies to clinical application. Nature review 2 : 342-350, 2002.
2. 神田忠仁，柊元巌：ヒトパピローマウイルスと子宮頸がん．ウイルス 56：219-230, 2006.
3. Cervical cancer, human papillomavirus (HPV), and HPV vaccines - key points for policy-makers and health professionals. WHO/RHR/08.14 Geneva, Switzerland : WHO Press, 2007.
4. Munoz, N., et al. : Against which human papillomavirus types shall we vaccinate and screen? The international perspective. Int J Cancer 111 (2) : 278-85, 2004.
5. 前濱俊之他：日本婦人科腫瘍学会雑誌．25（2）：92-97, 2007.
6. Asato, T. et al. : A large case-control study of cervical cancer risk associated with human papillomavirus infection in Japan, by nucleotide sequencing-based genotyping. J Infect Dis. 189 : 1829-1832, 2004.
7. Onuki, M., et al. : Human papillomavirus infections among Japanese women : age-related prevalence and type-specific risk for cervical cancer. Cancer Sci. 100 (7) : 1312-6, 2009.
8. Ishii, Y. et al. : Mutational analysis of human papillomavirus type 16 major capsid protein L1 : the cysteines affecting the intermolecular bonding and structure of L1-capsids. Virology, 308 : 128-136, 2003.
9. Sato, K. et al. : Human Papillomavirus Type 16 P670 Promoter is Negatively Regulated by CCAAT Displacement Protein. Virus Genes, 35 : 473-481, 2007.
10. Castle,PE. Et al. : Human papillomavirus prevalence in women who have and have not undergone hysterectomies. J Infect D. 194 : 1702-1705, 2006.
11. Moscicki, A.B., et al. : Regression of low-grade squamous intra-epithelial lesions in young women. Lancet 364 (9446) : 1678-83, 2004.
12. Jacobs, M.V., et al., Distribution of 37 mucosotropic HPV types in women with cytologically normal cervical smears : the age-related patterns for high-risk and low-risk types. Int J Cancer 87 (2) : 221-7, 2000.
13. Hildesheim, A. et al. : Effect of human papillomavirus 16/18 L1 viruslike particle vaccine among young women with preexisting infection : a randomized trial. JAMA 298:743-753, 2007.
14. Breitburd, F. et al. : Immunization with virus-like particles from cottontail rabbit papillomavirus (CRPV) can protect against experimental CRPV infection. J Virol. 69 : 3959-3963, 1995.
15. Paavonen, J. et al. : Efficacy of a prophylactic adjuvanted bivalent L1 virus-like-particle vaccine against infection with human papillomavirus types 16 and 18 in young women : an interim analysis of a phase III double-blind, randomised controlled trial. Lancet 369:2161-2170, 2007.
16. FUTURE II study group : Quadrivalent vaccine against human papillomavirus to prevent high-grade cervical lesions. N Engl J Med. 356:1915-1927, 2007.
17. Paavonen, J., et al., Efficacy of human papillomavirus (HPV) -16/18 AS04-adjuvanted vaccine against cervical infection and precancer caused by oncogenic HPV types (PATRICIA) : final analysis of a double-blind, randomised study in young women. Lancet, 374 (9686) : 301-14, 2009.
18. Munoz, N., et al., Safety, immunogenicity, and efficacy of quadrivalent human papillomavirus (types

6, 11, 16, 18) recombinant vaccine in women aged 24-45 years : a randomised, double-blind trial. Lancet 373 (9679) : 1949-57, 2009.
19. Romanowski, B., et al., Sustained efficacy and immunogenicity of the human papillomavirus (HPV) -16/18 AS04-adjuvanted vaccine : analysis of a randomised placebo-controlled trial up to 6.4 years. Lancet 374 (9706) : 1975-85, 2009.
20. Villa, L.L., et al., High sustained efficacy of a prophylactic quadrivalent human papillomavirus types 6/11/16/18 L1 virus-like particle vaccine through 5 years of follow-up. Br J Cancer 95 (11) : 1459-66.2006.
21. Human papillomavirus vaccines. WHO position paper. Wkly Epidemiol Rec, 2009.
22. Kondo, K. et al. : Modification of human papillomavirus-like particle vaccine by insertion of the cross-reactive L2-epitopes. J Med Virol 80 : 841-846, 2008.
23. Kanda, T. and Kondo, K. : Development of an HPV vaccine for a broad spectrum of high-risk mtypes. Human Vaccine, 5:1-3, 2008.

Ⅰ-11 Human T-lymphotropic virus 1 (HTLV-1)

近畿大学医学部細菌学教室
義江 修

1. はじめに

成人T細胞白血病(adult T-cell leukemia/ATL)は1977年に高月らによりはじめて報告されたT細胞白血病である[1]. 通常の急性T細胞白血病は小児に発生するが, ATLは中年以降の成人にみられる. また患者の出身が九州地方にかたよっているという特徴を示す. そのため当初からウイルス感染が原因ではないかと疑われた. 1979年, 三好らはATL由来のT細胞株MT-1をはじめて樹立し, またその後さらにATL細胞と正常臍帯血リンパ球との共培養から後者に由来するT細胞株MT-2を樹立し, ATL細胞による正常T細胞の形質転換を示した. そして1981年, 日沼らは, (1)蛍光抗体法によりMT-1細胞にはATL患者血清と特異的に反応する抗原(ATL cell-associated antigen/ATLA)が存在すること, (2)電子顕微鏡によりMT-1は未知のC型レトロウイルスを産生していること, そして(3)九州出身の健常人は高頻度でATLA抗体を保有すること, を明らかにした. そしてATLA, すなわちこの未知のC型レトロウイルスがATLの原因であるとしてadult T-cell leukemia virus (ATLV)と名付けて報告した[2]. 一方, 米国のGalloらはヒトのT細胞株HUT-102(菌状息肉腫mycosis fungoidesの患者から樹立されたことになっているが, 現在ではATL由来と考えられる)から新規のレトロウイルスを発見し, human T-cell leukemia virus (HTLV)と名付けて1980年に報告していた. ただし, 病気との関係は不明であった. 彼らはさらに1982年には毛髪状細胞白血病(hairy cell leukemia)の患者由来の細胞株MOからHTLVと近縁のレトロウイルスを発見し, HTLV-IIと命名した(元のHTLVはHTLV-Iになった)[3]. 1983年, 吉田らはMT-2由来ATLVの全遺伝子構造を決定し, さらに1984年にはATLVとHTLV-Iが同一ウイルスであることを証明した[4]. その結果, ウイルスの名称はHTLV-Iに統一されることになった. ただし本稿では正式なウイルス命名法に従いアラビア数字を用いたHTLV-1と表記する. さらに1985年, de Theらは熱帯痙性対麻痺(tropical spastic paraparesis/TSP)とHTLV-1感染との関係をはじめて報告し, また1987年, 納らも本邦のHTLV-1感染者に多発する慢性進行性脊髄症をHTLV-I関連脊髄症(HTLV-I-associated myelopathy/HAM)と命名して報告した[5]. 現在, これらは同一の疾患と考えられている. その後, HTLV-1感染は眼疾患(HTLV-1ブドウ膜炎)をはじめ, 関節炎, 呼吸器疾患, 筋炎などの様々な炎症性疾患の原因となりうることが報告されている[1].

以上の研究史からも分かるように, ヒトTリンパ向性ウイルス1型(HTLV-1)はヒトで発見された初めてのレトロウイルスであり, 成人T細胞白血病(ATL)やHTLV-1関連脊髄症(HAM)の原因ウイルスである. またHTLV-1の発見はその後のMontagnierらあるいはGalloらによる同じくヒトのレトロウイルスであるエイズウイルス(human immunodeficiency virus/HIV, やはり1

型と2型がある）の発見（1983年）にも大きく貢献した．ただしHIVとは異なり，HTLV-1は細胞から独立した状態（cell-free）ではほとんど感染性を示さず，生きた感染細胞を介してのみ感染する．そのためこのウイルスはおもに家族内感染によって維持されてきた．またウイルスキャリアーも地球上の限られた地域に偏在している．

HTLV-1感染者はキャリアーの状態で長く経過し，その後に一部のキャリアーからATLやHAMが発症する．このウイルスは発癌遺伝子（oncogene）を持たず，また組込みにより宿主細胞の原発癌遺伝子（proto-oncogene）を活性化させることもない．しかしHTLV-1は他の動物レトロウイルスには存在しない特異なゲノム領域を持っており，ここでコードされるTaxは強力な転写活性化作用を示すことにより，感染T細胞に持続的な増殖能を誘導する[4]．そして長い年月にわたって遺伝子変異が蓄積することでATLが発症してくると考えられている．またHAMの発症にはHTLV-1に対する宿主の免疫応答が密接に関わっていると考えられている[5]．なおATLについては最近ではadult T-cell leukemia/lymphoma（ATLL）という呼称が正式であり，以下こちらを使うことにする．

2. HTLV-1,-2の疫学

HTLV-1は初めて発見されたヒトのレトロウイルスであり，さらに近縁ウイルスとしてHTLV-2が存在する．HTLV-1とHTLV-2とは約70%の相同性を示す．ただし，HTLV-2についてはいまだに特定の病気との密接な関連は明らかでない．また最近ではHTLV-3とHTLV-4も報告されている[6]．旧世界ザルにはこれらに近縁のウイルスsimian T-lymphotropic viruses（STLVs）が存在するが，新世界ザルには存在しない．HTLV-1とHTLV-2はともに人類の間できわめて限られた分布を示す．本邦ではHTLV-1キャリアーはおもに南西日本に偏在して約120万人存在する．本邦以外でキャリアーが存在するのは，オセアニア，赤道アフリカ，カリブ海諸島，北部イラン，北欧（ラップ人）などである．ウイルスゲノムのうち最も変化に富むlong terminal repeat（LTR）領域の塩基配列の比較からHTLV-1は1a，1b，1cの3つの主要型に分類される．HTLV-1aは全世界に広がるコスモポリタン型であり，これはさらに4亜型，Transcontinental（A），Japanese（B），West African（C），North African（D）に分類される．一方，HTLV-1bは中央アフリカ型，HTLV-1cはオセアニア型である[7]．一方，HTLV-2キャリアーは北米や中南米のアメリカ大陸先住民の一部に見いだされる．このような特異な分布は人類集団の系譜関係や移動と密接に関係すると考えられる．さらにHTLVとSTLVは起源を同じくし，これらの共通の祖先は狭鼻猿類と広鼻猿類が分岐した後に出現したと考えられる．そのためHTLVと人類のつながりは非常に古く，人類の起源とともにHTLVは存在していたと考えられる．そして人類が地球上に広く分散していく過程でともに地球上に拡散し，その後これらのウイルスは特定の集団では保存され，他の多くの集団では消滅していった，と考えられる．興味深いことに，HTLV-1やHTLV-2のキャリアーが存在する地域はほとんどが僻地か近年に至るまで隔離されてきたような地域であり，またその住民の多くが先史時代から連続して居住する人々（先住民）である．そして自然状態でのHTLV感染は，母子間での母乳を介した垂直感染やおもに夫から妻への性的接触を介した水平感染というように，ほとんどが家族内感染に限られ，そのためこれらのウイルスは特定の集団内でほとんど遺伝子と同様にして伝達されてきたと考えられる．

HTLV-1やHTLV-2は細胞から独立した状態（cell-free）ではほとんど感染能がないとされ，通常は生きた感染細胞を介して感染する（cell-dependent transmission）[1]．すでに述べたように，自然状態での感染ルートは母乳（母から子）および性的接触（おもに夫から妻）である．それは体液中に存在する感染リンパ球がウイルスの運び屋となるからである．さらにキャリアーからの輸血（医原性感染）や禁止薬物の廻し打ちによっても感染が起こる（経血液感染）．本邦では輸血用血液でのHTLV-1抗体スクリーニングにより，医原性感染はほとんど阻止されるに至っている．また長崎県では全県的なキャリヤーの母親からの授乳阻止運動が行われ，それによって母子感染の頻度を大幅に低下させることに成功している[8].

3. HTLV-1の遺伝子発現と複製

HTLV-1はオンコウイルス亜科に属し，マウス白血病ウイルスなどと類似したC型レトロウイルスである(図1)[4]．ウイルスゲノムは約9-kbよりなり，gag-pro-pol-env-pXの各遺伝子領域と両端の末端反復配列(long terminal repeat/LTR)が存在する．両端のLTRは約750-bpで，U3，R，U5の3領域よりなる．発癌性の動物白血病ウイルスと異なり，HTLV-1は細胞由来の発癌遺伝子をもたないが，代わりにenv遺伝子の3' 側に約1.5-kbからなるpX領域が存在する．pX領域はマウス白血病ウイルスなどの通常のレトロウイルスには見られない領域で，HTLV-1の複製調節に関与するp40Taxとp27Rexや機能不明のp21などをコードしている．ウイルスゲノムの5' 側LTRからは，(1) gag-pro-polをコードする全長mRNA（ウイルスゲノムRNAにも対応する），(2) envをコードする1回スプライスmRNA，(3) taxやrexをコードする2回スプライスmRNAが転写される[4]．さらに3' 側のLTRからは，(4)非スプライスあるいは1回スプライスのanti-sense RNAが転写され，HBZ (HTLV-1 bZIP factor)をコードする(図2)[9].

Taxは分子量約40-kDのタンパクで，c-AMP responsive element binding protein (CREB)を介して5' 側のウイルスLTRからの転写を促進する(図3)．LTRのU3領域にはTax RE (Tax responsive element)として作用するCREを含む21-bpからなる3回反復配列が存在する．Taxはそれ自体としてはDNAに結合しない．しかしながら，細胞側の様々な機能分子，特にCREB，nuclear factor-κB (NF-κB)，serum responsive factor (SRF)，CREB binding protein (CBP/p300)などの転写因子と相互作用し[4, 10]，それによって多数の細胞遺伝子の発現を促進あるいは抑制する(表1)．その結果，TaxはHTLV-1感染T細胞の細胞増殖を強力に促進する．一方，Rexはおもに感染細胞の核小体に局在し，Rex RE (Rex responsive element)を有するウイルスmRNAに結合してスプライシングを阻止するとともに核より細胞質への輸送を促進する(図3)．すなわち，Rexはスプライスされないゲノム RNAおよび

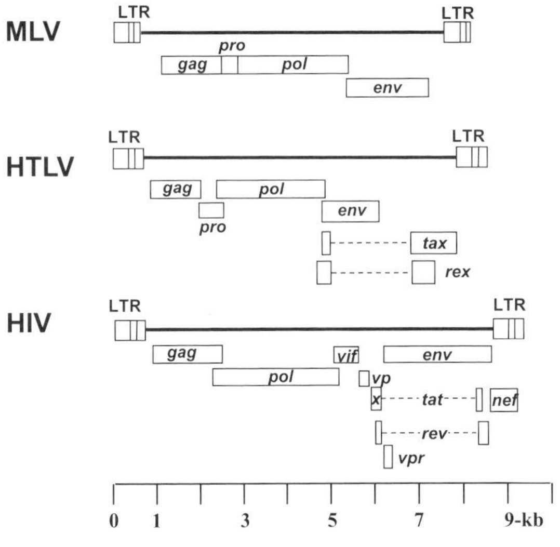

図1　代表的なレトロウイルスのゲノム構造の比較
MLV, murine leukemia virus
HTLV, human T-lymphotropic virus
HIV, human immunodeficiency virus

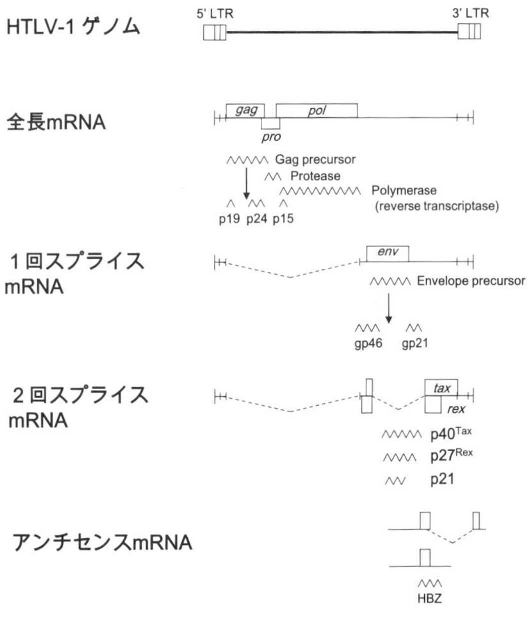

図2　HTLV-1ゲノムから転写されるmRNAと産生されるウイルスタンパク

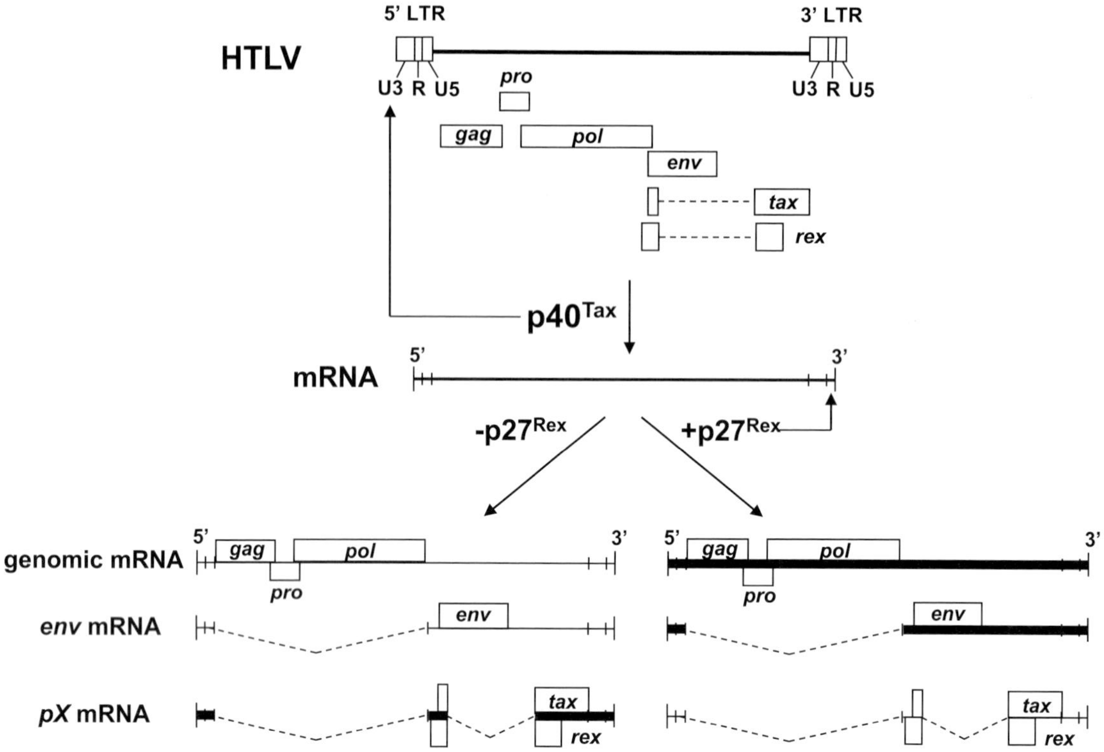

図 3　p40^Tax と p27^Rex によるウイルスの転写調節機構太線で示した mRNA が主に産生される.

gag-pro-pol をコードする mRNA が核から細胞質に輸送されることを促進する．さらに 1 度スプライスされた env mRNA の輸送も Rex により促進される．感染初期には Rex は存在せず，そのため 2 回スプライスされた 2.1-kb の mRNA がおもに転写されて Tax と Rex が産生される．Tax はウイルス LTR の 21-bp エンハンサー領域に作用し，ウイルス遺伝子の発現を促進する．やがて Rex が蓄積してくると，今度は非スプライスおよび 1 回スプライスされたウイルス mRNA の発現が増加し，2 回スプライスされたウイルス mRNA の発現は抑制される．その結果，ウイルスのゲノム RNA や構造タンパクが選択的に産生される．このようにして Tax と Rex の作用によりウイルス遺伝子の発現が段階的に進行する[4]．

さらに gag-pro-pol をコードする mRNA から逆転写酵素(RT)を翻訳するには 2 回のリボゾームフレームシフトを必要とする[4]．1 回目は gag と pro の間のフレームシフト，2 回目は pro と pol の間のフレームシフトである．フレームシフトには特有の RNA 塩基配列が関与し，いずれも －1 のシフトを行う．この塩基配列をフレームシフトシグナルと呼ぶ．このようにして gag-pro-pol の mRNA から 3 種のタンパクが生成されることになる．すなわち，gag-pro-pol の mRNA からはおもに Gag タンパクが生成されるが，1 度フレームシフトを起こすと Gag-Pro の融合タンパク，さらに 2 度フレームシフトを起こすと Gag-Pro-Pol の融合タンパクが生成される．そして，それぞれの融合タンパクは pro 遺伝子産物であるウイルスプロテアーゼによって特異的に切断される．すなわち，プロテアーゼを含む融合タンパクは自己分解により Gag と Pro，Pro と Pol の間で特異的に切断され，さらに Gag は membrane antigen（p19MA），capsid antigen（p24CA），nuclear capsid（p15NC）の各成分に切断される（図 2）．このようにして，ウイルスの各構成成分はそれぞれの必要量に応じた比率で産生される．

3' 側 LTR から読まれるアンチセンス鎖の非スプライスあるいは 1 回スプライス mRNA はとも

表１．HTLV-1 Tax により発現が誘導，増強，抑制される細胞遺伝子と Tax の作用するシス配列

転写 / 翻訳因子		サイトカイン / その他		ケモカイン		受容体 / 膜分子		細胞周期 / アポトーシス		シグナリング / その他		薬剤耐性	
c-Fos	⑥	IL-1 α	①	CCL1/I309		IL-2R α	①	Cyclin D1	①③⑧	Lyn		MDR1	⑤
c-Jun		IL-1 β	⑤⑯	CCL2/MCP-1	①	IL-2R β		Cyclin D2	①⑧	Lck ↓	⑰	MRP	
JunD		IL-2	①⑦	CCL3/MIP-1 α		IL-15R α	①	Cyclin E1	①	ZAP70			
Fra-1	②	IL-3		CCL4/MIP-1 β		IL-21R	②	Cyclin E2	①	MGMT			
Egr-1	⑥	IL-4	①⑤⑦	CCL5/RANTES	①	MHC-I		Cyclin A		RNA pol III	③		
Egr-2	⑥	IL-5	②⑫	CCL20/LARC	①	MHC-II	⑮	Cdk2	①	COL1A1			
NF- κ B2	①	IL-6	①	CCL22/MDC	①	OX40	①	Cdk4	①	TIMP-1	②		
c-Rel	①	IL-9	①	CXCL8/IL-8	①②	OX40L	①	Cdk6	①	COX-2			
c-Myc	①	IL-10	①⑦	CXCL10/IP-10		FasL	⑦	p18INK4c ↓	⑰	Vimentin	①		
IRF-4		IL-13		CXCL12/SDF-1		TNFRSF9	①	p19INK4d		Fuc-TVII	③		
SEA-2		IL-15	①	XCL1/Lymphotactin		ICAM-1	③	p21Waf1		I κ B α	①		
A20	①	IL-21	①②			VCAM-1	①	p27Kip1		NF-1			
E2F1	①	GM-CSF	①			LFA-3		PCNA		iNOS			
E2F4		G-CSF	①⑤			L-Selectin		Bcl-xL	①	Thioredoxin	①		
STAT1		TNF- α	①			E-Cadherin		Bcl3	①	DHFR	⑧		
STAT5		TNF- β	①			SFA-1		Bax ↓	⑰	MMP-9	①④		
TR3/nur77	②	PDGF	④⑪			GD-2		p53 ↓	⑰	Caveolin-1	①③		
Twist	①③	TGF- β	②			Fibronectin	①	DNA pol β ↓	⑰				
ZNF268 ↓	③	NGF				Galectin-1		hTERT *					
XBP-1		IFN γ				Galectin-3		TRAIL	①				
miR-146a	①	PTHrP	④⑨					PCNA					
		Osteopontin	②										
		Proenkephalin	②										

↓：発現が抑制される遺伝子．＊hTERT の場合は細胞バックグラウンドに依存して増強あるいは抑制される．
シスサイト：① NF- κ B/Rel，② AP-1，③ CRE，④ Sp1，⑤ NF-IL6，⑥ CArG box，⑦ NF-AT，⑧ E2F，⑨ Ets-1，⑩ AP-2，⑪ Egr-1，⑫ GATA-4，⑬ Gli2，⑭ Myb，⑮ NF-Y，⑯ PU.1，⑰ E-box

にHBZをコードする（両者に間ではN末端の数アミノ酸が異なる）（図2）．HBZはTaxによる5' 側LTRからの転写を抑制する．さらにHBZは細胞の増殖を促進し，トランスジェニックマウスでは腫瘍を発生し，またATLLでは全例で発現が確認されるなど，Taxとは異なるメカニズムでATLLの発生に重要な役割を果たしていると考えられている[9]．

4. HTLV-1によるT細胞の形質転換

HTLV-1とHTLV-2はともに正常T細胞を形質転換（不死化）する能力を示す．しかしながら，これらのウイルスはウイルス粒子としての感染効率がきわめて低い．そのため生きた感染細胞を介して標的細胞に伝播される必要がある．これは実験的にはHTLV-1やHTLV-2に感染したT細胞株と正常T細胞を共培養することによって行われる．その際，HTLV感染細胞株はその増殖を阻止するためにX線やマイトマイシンCにて処理しておく．さらに新しく形質転換したT細胞の増殖を促進するためにIL-2を添加することも行われる．興味深いことに，HTLV-1はおもにCD4陽性T細胞を形質転換し，一方，HTLV-2はおもにCD8陽性T細胞を形質転換するとされる．HTLV-1やHTLV-2の細胞受容体としてはヘパラン硫酸グリコサミノグリカンや細胞膜グルコース輸送分子Glut-1が報告されている[11]．

HTLV-1感染により誘導されるT細胞の増殖にはTaxが主要な役割をはたす[4, 10]．TaxはCREB，SRF，NF-κBなどの転写因子を活性化し，それによって様々な細胞遺伝子の発現を促進する．またTaxはCBP/p300を取り合うことにより一部の細胞遺伝子の発現を抑制する．一般的にTaxが転写を活性化する遺伝子の多くは細胞増殖を促進し，転写を抑制する遺伝子の多くは細胞増殖を抑制する，という関係がある（表1）．例えば，TaxはIL-2やIL-2レセプターα（IL-2Rα）の発現を誘導する．それによってHTLV-1感染細胞はIL-2依存性に増殖するようになる．またTaxは細胞周期の制御機構に作用する（図4）．すなわちTaxはcyclin-dependent kinases（CDKs）

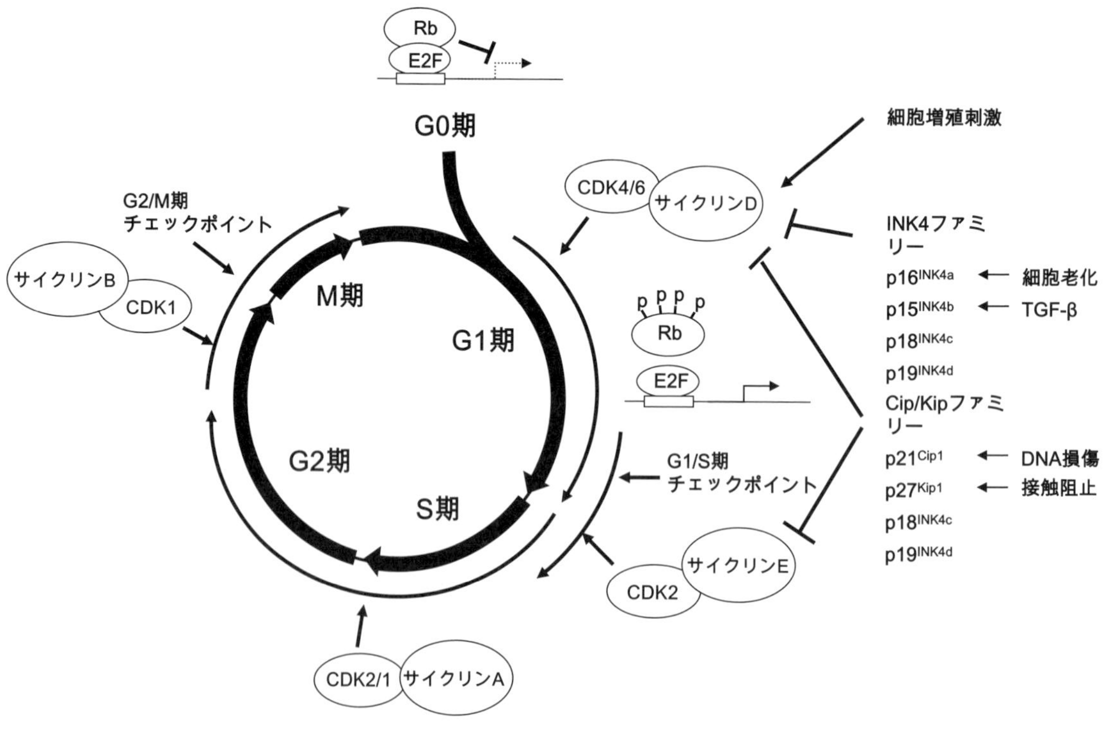

図4　細胞周期の制御機構

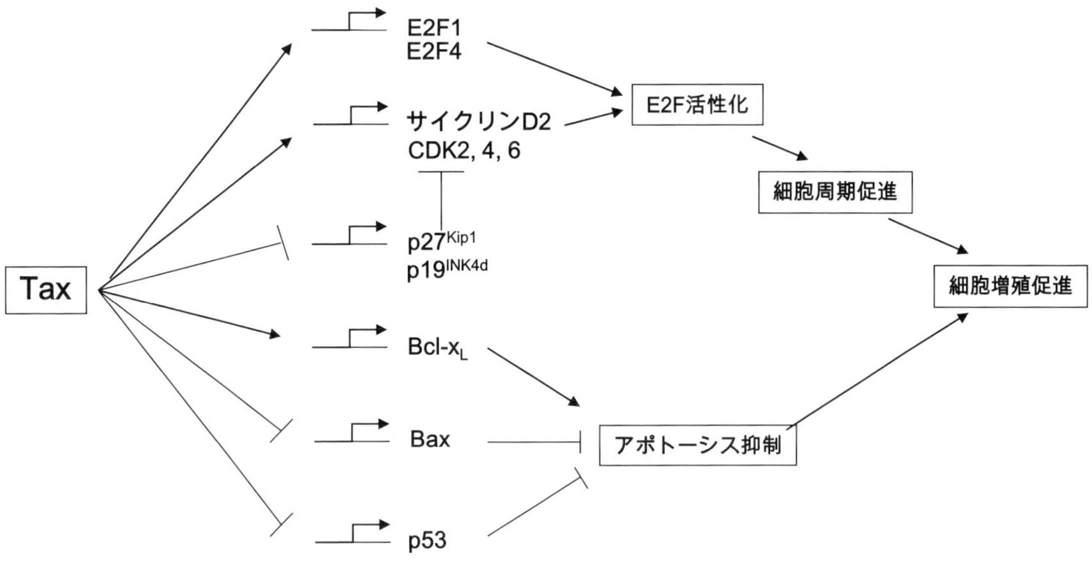

図５ HTLV-1 Tax によるＴ細胞の増殖促進とアポトーシス抑制の分子機構

を活性化し，それによって腫瘍抑制遺伝子産物Rbをリン酸化し，それによってE2Fを活性化して細胞周期を動かす．またTaxはINK4ファミリーのp19INK4dやCip/Kipファミリーのp27Kip1といったCDK inhibitorsの発現を抑制することによっても細胞周期の進行を促進する(表1)．さらにTaxは感染Ｔ細胞の細胞死(アポトーシス)も抑制する(図5)．すなわちTaxはBcl-xlの発現を促進し，またBaxの発現を抑制することによってアポトーシスを抑制する(表1)．さらにTaxはp53の作用を抑制することによってもアポトーシスを抑制する．このようにTaxは細胞周期を回転させるとともに細胞死を抑制し，それによってHTLV-1感染Ｔ細胞の持続的増殖(不死化)を誘導すると考えられる．しかしながら，Taxを正常Ｔ細胞に強制発現させても腫瘍化までには至らない．またTaxは宿主の細胞傷害性Ｔ細胞の主要な標的抗原でもある[12]．さらにATLL細胞ではTaxはほとんど発現していない．そしてATL細胞では様々なゲノム異常が起こっている[13]．Taxは感染Ｔ細胞の増殖と生存を促進するとともに，p53の作用抑制やDNA修復を行うDNAポリメラーゼβの転写を抑制することによって染色体の不安定性も引き起こす．その結果として宿主Ｔ細胞に複数の重要な遺伝子変異が蓄積することにより最終的にTax非依存性のATLLが発症すると考えられる(図6)．さらに，HTLV-1のアンチセンス側でコードされるHBZはTaxと異なりATLLでも発現されている[9]．HBZはATLL細胞の増殖を促進し，トランスジェニックマウスでは腫瘍形成を誘導する．またJunDとヘテロダイマーを形成して染色体テロメアの維持に重要なhuman telomerase reverse transcriptase (hTERT)の発現を誘導する[14]．これらのことから，HBZはATLLの段階でも重要な役割をはたしているウイルス側の因子と考えられる．

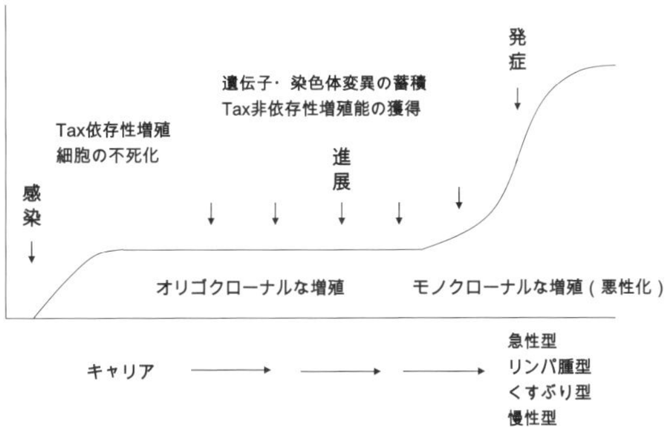

図６ ATLL の多段階発癌過程

5. 成人T細胞白血病/リンパ腫(adult T-cell leukemia/lymphoma：ATLL)

成人T細胞白血病/リンパ腫(ATLL)はおもに母乳からのHTLV-1感染に起因するきわめて予後不良な白血病/リンパ腫で，九州や四国などの日本の南西部において40歳以上の成人に発生する．本邦では年間600～700人の患者が発症している[1]．HTLV-1キャリアーの生涯発症率は3～5%である．小児に発症する通常のT細胞白血病は胸腺細胞に由来する未熟なT細胞であるが，ATLLはおもにCD4陽性かつCD25（Tac抗原）陽性の活性化された成熟ヘルパー型T細胞である．またほとんどがCD45RA^{-}CD45RO^{+}のメモリーT細胞由来である．ただしまれではあるが，CD4^{-}CD8^{-}，CD4^{+}CD8^{+}あるいはCD8^{+}のATLLも存在する．ATLLの病型としては，(1)急性型(acute)（55%），(2)リンパ腫型(lymphoma type)（20%），(3)慢性型(chronic)（20%），(4)くすぶり型(smoldering)（5%），の4型に分類される．また，くすぶり型の代わりにおもに皮膚病変からなる皮膚型を加える分類もある．急性型は急激な経過をたどり，予後はきわめて悪い．特徴的な臨床所見として，全身的なリンパ節腫大(～60%)，肝腫大(～60%)，紅斑，結節，腫瘤形成などの様々な皮膚浸潤(～50%)，脾腫大(～20%)などがみられる．ただし，骨髄への浸潤は軽度である．そのため通常の白血病と異なりATLLでは造血障害の程度は低い．一方，リンパ節が発生母地であるため高度の免疫不全を起こしやすい．そのほか急性型では高カルシウム血症が高頻度に認められ(～40%)，またカリニ肺炎などの日和見感染を起こしやすい．リンパ腫型は末梢血中には白血病細胞はほとんど見られず，非ホジキン型リンパ腫の病態を示す．慢性型はゆっくりした臨床経過をたどるが，末梢血中には高頻度に白血病細胞が見いだされ，時に皮膚病変，リンパ節腫脹，肝・脾腫大，を示す．くすぶり型はきわめてゆっくりした臨床経過を示し，末梢血中の白血病様細胞(いまだ完全には白血病クローンに進展していない)はわずかであるが，皮膚症状などをともなうことがある．ATLL細胞はまずリンパ節で発生・増殖し，それが輸出リンパ管・胸管を通って循環血液中に出現することによって白血病化すると考えられる．慢性型やくすぶり型から急激に悪化して急性型の症状を呈する症例が見られ，急性転化(crisis)と呼ぶ．また，ATLL患者では様々な胃腸症状(悪心，嘔吐，腹部膨満感，下痢)が見られ，死後の剖検では，急性型やリンパ腫型では高頻度に胃や腸管への白血病細胞の浸潤が見られる．肝臓でも門脈領域にしばしば白血病細胞の浸潤が見られる．またATLL患者は細胞性免疫が低下した状態のため，しばしばカリニ肺炎，真菌感染症，サイトメガロウイルス感染症などの重度の日和見感染症を発症し，また高率に糞線虫の感染がみられる．

検査室所見として，まず末梢血中に花弁様核を示す異常細胞(flower-like cell)が見られる(図7)．急性型やリンパ腫型では血清中のlactate dehydrogenase（LDH)が上昇し，血清LDHが高値を示すほど一般に予後が悪い．その他，予後悪化要因として高頻度に高カルシウム血症が見られ，これはATLL細胞が産生するparathyroid hormone-related protein/PTHrPの作用によるもの

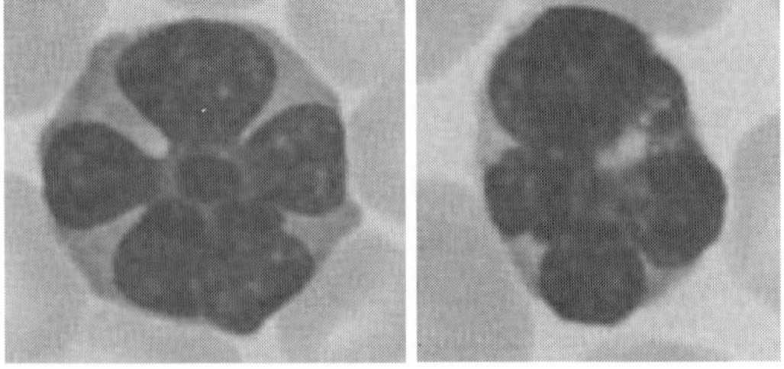

図7　ATLL特有のFlower-like cell（花弁状細胞）

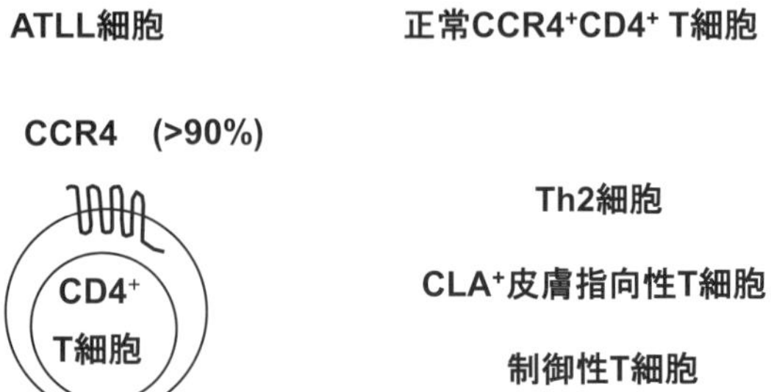

図8　ATLL細胞は高頻度でCCR4を発現する

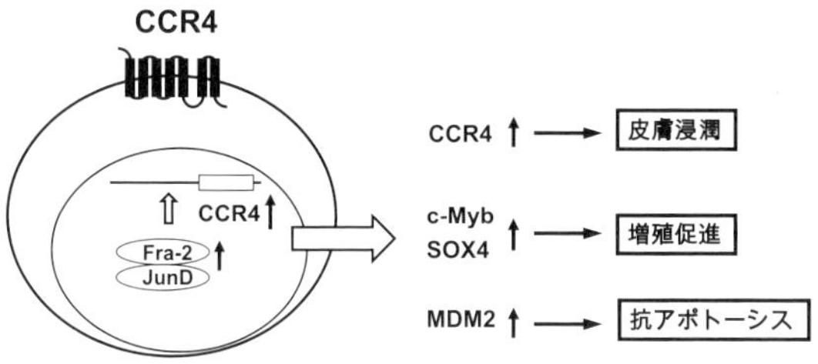

図9　ATLL 細胞での構成的な Fra-2 発現

と考えられる．さらに ATLL 細胞は直接に破骨細胞に作用してその分化を促進することも示されている．さらに血清中に可溶性 IL-2R α の高度上昇が見られ，これも病勢とよく相関する．ATLL の診断としては，まず血清中の抗 HTLV-1 抗体を間接凝集法，enzyme-linked immunosor-bent assay（ELISA），ウエスタンブロット法などで確認する．さらに白血病細胞での HTLV-1 プロウイルスの存在を polymerase chain reaction（PCR）で検出し，さらに細胞ゲノムへの HTLV-1 の単クローン性の組込をサザンブロット法で証明できれば白血病細胞の単クローン性増殖を証明できる．

筆者らはほとんどの ATLL 症例で白血病細胞はケモカイン受容体 CCR4 が陽性であることを初めて報告した[15]．CCR4 は CC ケモカイン thymus and activation-regulated chemokine（TARC/CC17）と macrophage-derived che-mokine（MDC/CCL22）の共有レセプターであり，Th2 型のメモリー T 細胞，cutaneous lym-pho-cyte antigen（CLA）陽性の皮膚指向性 T 細胞，制御性 T 細胞などで選択的に発現されている（図 8）．そのため，ATLL に見られる高頻度の皮膚浸潤には ATLL 細胞での CCR4 発現が密接に関係すると考えられる[16]．また CCR4 の発現は HTLV-1 のコードする転写因子 Tax によっては誘導されない．そのためほとんどの ATLL は CCR4 陽性の T 細胞から由来することが示唆される．さらに，我々は患者由来の ATLL 細胞での CCR4 発現が正常人の $CD4^+CD25^+$ T 細胞と比べてしばしば著しく増強していることから，ATLL 細胞での CCR4 発現には ATLL そのもので重要な働きをしている転写因子が関与していると考え，ATLL 細胞での CCR4 発現の転写解析を行った．その結果，ATLL 細胞では AP-1 ファミリーの転写因子のひとつ Fra-2 が異常発現しており，Fra-2 は JunD とヘテロダイマーを形成することにより，ATLL 細胞の増殖や CCR4 発現を促進するほか，c-Myb，MDM2，SOX4 などの原癌遺伝子を含む多数の遺伝子の発現を誘導していることを明らかにした（図 9）[17]．そのため，CCR4 は ATLL の腫瘍マーカーでもあると言える．

6. HTLV-1 関連痙性脊髄症（HTLV-1-associated myelopathy/HAM）

HTLV-1 関連脊髄症（HAM）は HTLV-1 感染者約 1000 人に 1 人の割合で発症する慢性進行性の脊髄症で，両下肢の歩行障害（痙性不全麻痺）と排尿障害（膀胱直腸障害）を主要症状とする[5]．患者の血清および髄液中には HTLV-1 に対する高い抗体価が証明される．また通常の神経変性疾患と異なり，治療においては炎症を抑える副腎皮質ホルモンによく反応する．病理所見としては，炎症細胞浸潤が脊髄の全長で認められる．特に胸髄の中下部で最も強く，左右対称に瀰漫性に広がり，また側索錐体路から前側索，後索内側部で強い．T 細胞とマクロファージが主体の細胞浸潤が小血管周囲から実質にかけて見られ，それにともなって周囲の脊髄実質での髄鞘や軸索の変性脱落がみられる．活動性の病巣では $CD4^+$ T 細胞と $CD8^+$ T 細胞の両サブセットが浸潤しており，経過とともに $CD8^+$ T 細胞が主体となり，さらに強いグリオーシスと血管周囲の繊維性肥厚が見られる．HAM 患者では HTLV-1 に対する液性免疫が亢進している．また HAM 患者末梢血からは Tax を認識する細胞傷害性 T 細胞が高率に分離される．さらに HAM 患者は無症候性キャリアーに比較して末梢血での高いウイルス量を示す．これらの結果から，HAM 患者では HTLV-1 に対する強い免疫応答が生じていることが示唆される．病巣部でのプロウイルス量は浸潤 $CD4^+$ T 細胞数に比例しており，また HTLV-1 プロウイルスは血管周囲に浸潤している T 細胞に限局して検出される．すなわち，神経細胞やグリア細胞などの神経組織自体には HTLV-1 は感染しておらず，HTLV-1

は本来の宿主であるCD4$^+$T細胞に感染している．病巣でのウイルス感染細胞は浸潤しているT細胞であり，そこでウイルス抗原の発現が起こっており，それに対する局所での免疫応答がHAMの病態形成を引き起こすと考えられる．すなわち，周囲の髄鞘や軸索の変性破壊は免疫応答に巻き込まれて起こるby-stander機序によると推定される．HLA-A02を持つキャリアーはHAMを発症しにくく，一方，DRB1-0101を持つキャリアーは発症し易い．またstromal cell-derived factor-1/SDF-1，tumor necrosis factor-α/TNF-α，IL-15などの遺伝子多型によってもHAM発症リスクが異なることが報告されている．またウイルスについてもコスモポリタン型Aサブグループの感染者でHAM発症リスクが有意に高いとされる．

おわりに

ATLLの病因としてHTLV-1が発見され，特にTaxによる転写調節作用を中心にHTLV-1のT細胞増殖機構やその他の生物作用が明らかになってきた．そして今日でもTaxにより発現が促進あるいは抑制される遺伝子の報告が後を絶たない．しかしながら，ATLL細胞は生体ではほとんどTaxを発現していない．そのためTaxの作用は感染初期やHAMの発症には重要であるが，ATLLの発症にはむしろ長い年月の間に蓄積した遺伝子変異が重要であると考えられる（図6）[13]．そして，このような多段階の発癌過程ではTaxによる感染T細胞の増殖促進とともに染色体不安定性の誘導が必須と考えられる．しかしながら，ATLLの発症には実際にどのような遺伝子異常が関わっているのかについてはまだ十分に解明されていない．またATLLではウイルス遺伝子のHZBが常に発現しており，そのためHBZはATLLの発症にとって必須の役割をはたしていると考えられる[9]．

ATLLにおける高頻度のCCR4の発現はATLLの起源細胞や病態生理を理解するうえで大変示唆に富む（図8）[15]．CCR4はTh2細胞や制御性T細胞など選択的に発現することが知られており，そのためATLLはこれらのT細胞サブセットに由来するという可能性が高い．さらにCCR4はCLA陽性皮膚指向性メモリーT細胞の皮膚浸潤に密接に関与することが知られており，ATLLでの高頻度の皮膚病変はCCR4発現と関係すると考えられる[16]．それではHTLV-1はCCR4陽性のTh2細胞や制御性T細胞に選択的に感染するのであろうか．あるいは，HTLV-1はそのような区別なくさまざまなT細胞サブセットに感染するが，Th2や制御性T細胞に由来する感染細胞は体内での生存／増殖に有利であり，そのためCCR4陽性クローンが優先的に生き残ってくるのであろうか．これらの可能性の検証は今後の研究によるが，Th2細胞や制御性T細胞の方が宿主免疫応答を抑制し，白血病細胞の生体内での生存に有利であろうことは容易に推測される．さらに我々はATLLでのCCR4発現にはAP-1ファミリーのFra-2の異常な構成的発現が関与しており，Fra-2はJunDとヘテロダイマーを形成してATLLの細胞増殖や発癌遺伝子発現に関与していることを明らかにした[17]．また我々は，HTLV-1感染T細胞はTaxの作用でCCR4のリガンドであるCCL22を大量に産生し，そのためHTLV-1感染T細胞の周囲にはCCR4陽性のT細胞が選択的に呼び集められ，HTLV-1はCCR4陽性T細胞に選択的に伝播する可能性を示している[18]．すなわち，HTLV-1の感染は最初からCCR4陽性T細胞に対する指向性が高いということになる．

ATLLやHAMの発症を防ぐには，まずもってHTLV-1の感染を阻止するのがもっとも有効な方法である．事実，長崎県では全県的なレベルでキャリアーの母親からの授乳をとめる運動を行い，それによって母子感染の防止に多大な成果をあげている[8]．このような介入によって，これまで長くおもに家族内で維持されてきたこのウイルスも今後急速に消滅していくと考えられる．しかしながら世界的には低開発国を中心にHTLV-1を高頻度で保持する人類集団が多数存在し，そのような集団での一律な授乳禁止措置は必ずしも現実的ではない．そのため感染阻止に有効なワクチンの開発も依然重要である．またATLLは化学療法がほとんど効かないきわめて予後の悪い白血病・リンパ腫であり，有効な治療法の開発が切に望まれる．最近，同種骨髄移植による治療も試みられ，かなりの成果をあげている．またATLLでの高頻度なCCR4発現を利用して，ヒト型抗CCR4抗体を用いた新たなATLL治療法の開発も行われている[19]．

参考文献

1. Uchiyama, T. Human T cell leukemia virus type 1（HTLV-1）and human diseases. Annu Rev Immunol 15, 15-37, 1997.
2. Hinuma, Y., Nagata, K., Hanaoka, M., Nakai, M., Matsumoto, T., Kinoshita, KI, Shirakawa, S., and Miyoshi, I. Adult T-cell leukemia：antigen in an ATL cell line and detection of antibodies to the antigen in human sera. Proc Natl Acad Sci USA 78, 6476-6480, 1981.
3. Gallo RC. History of the discoveries of the first human retroviruses：HTLV-1 and HTLV-2. Oncogene 24, 5926-5930, 2005.
4. Yoshida, M. Molecular approach to human leukemia：Isolation and characterization of the first human retrovirus HTLV-1 and its impact on tumorigenesis in Adult T-cell Leukemia. Proc Jpn Acad, Ser. B 86, 117-130, 2010.
5. Nagai, M., and Osame, M. Human T-cell lymphotropic virus type I and neurological diseases. J Neurovirol 9, 228-235, 2003.
6. Mahieux, R., and Gessain, A. The human HTLV-3 and HTLV-4 retroviruses：New members of the HTLV family. Pathologie Biologie 57, 161-166, 2009.
7. Yamashita, M., Ido, E., Miura, T., and Hayami, M. Molecular epidemiology of HTLV-I in the world. J Acquir Immune Defic Syndr Hum Retrovirol 13（Suppl 1）, S124-131, 1996.
8. Hino, S., Katamine, S., Miyata, H., Tsuji, Y., Yamabe, T, and Miyamoto, T. Primary prevention of HTLV-1 in Japan. J Acquire Immune Defic Syndr Hum Retrovirol 13（Suppl 1）, S199-203, 1996.
9. Matsuoka, M. HTLV-1 bZIP factor gene：Its roles in HTLV-1 pathogenesis. Molecular Aspects of Medicine, 2010.
10. Boxus, M., Twizere, J., Legros, S., Dewulf, J., Kettmann, R., and Willems, L. The HTLV-1 Tax interctome. Retroviol 5, 76（1-24）, 2008.
11. Jin, Q., Agrawal, L., VanHorn-Ali, Z., and Alkhatib, G. Infection of CD4+ T lymphocytes by the human T cell leukemia virus type 1 is mediated by the glucose transporter GLUT-1：Evidence using antibodies specific to the receptor's large extracellular domain. Virol 349, 184-196, 2006.
12. Kannagi, M., Harashima, N., Kurihara, K., Ohashi, T., Utsunomiya, A., Tanosaki, R., Masuda, M., Tomonaga, M., and Okamura. Tumor immunity against adult T-cell leukemia. J. Cancer Sci 96, 249-255, 2005.
13. Oshiro, A., Tagawa, H., Oshima, K, Karube, K., Uike, N., Tashiro, Y., Utsunomiya, A., Masuda, M., Takasu, N., Nakamura, S., Morishima, Y., and Seto, M. Identification of subtype-specific genomic alterations in aggressive adult T-cell leukemia/lymphoma. Blood 107, 4500-4507, 2006.
14. Kuhlmann, A, Villaudy, J., Gazzolo, L., Castellazzi, M., Mesnard, J, and Duc Dodon, M. HTLV-1 HBZ cooperates with JunD to enhance transcription of the human telomerase reverse transcriptase gene（hTERT）. Retrovirol 4, 92, 2007.
15. Yoshie, O., Fujisawa, R., Nakayama, T., Harasawa, H., Tago, H., Izawa, D., Hieshima, K., Tatsumi, Y, Matsushima, K., Hasegawa, H., Kanamaru, A., Kamihira, S., and Yamada, Y. Frequent expression of CCR4 in adult T-cell leukemia and human T-cell leukemia virus type 1-transformed T cells. Blood 99, 1505-1511, 2002.
16. Ishida, T, Utsunomiya, A., Iida, S., Inagaki, H., Takatsuka, Y., Kusumoto, S., Takeuchi, G., Shimizu, S., Ito, M., Komatsu, H., Wakita, A., Eimoto, T., Matsushima, K, and Ueda, R. Clinical significance of CCR4 expression in adult T-cell leukemia/lymphoma：its close association with skin involvement and unfavorable outcome. Clin Cancer Res 9, 3625-3634, 2003.
17. Nakayama, T., Hieshima, K., Arao, T., Jin, Z., Nagakubo, D., Shirakawa, A., Yamada, Y., Fujii, M., Oiso, N, Kawada, A., Nishio, K, and Yoshie, O. Aberrant expression of Fra-2 promotes CCR4 expression and cell proliferation in adult T-cell leukemia. Oncogene 27, 3221-3232, 2008.
18. Hieshima, K., Nagakubo, D., Nakayama, T., Shirakawa, A., Jin, Z., and Yoshie, O. Tax-inducible production of CC chemokine ligand 22 by human T cell leukemia virus type 1（HTLV-1）-infected T cells promotes preferential transmission of HTLV-1 to CCR4-expressing CD4+ T cells. J Immunol 180, 931-939, 2008.
19. Yamamoto, K., Utsunomiya, A., Tobinai, K., Tsukasaki, K., Uike, N., Uozumi, K., Yamaguchi, K., Yamada, Y., Hanada, S., Tamura, K., Nakamura, S., Inagaki, H., Ohshima, K, Kiyoi, H., Ishida, T., Matsushima, K., Akinaga, S., Ogura, M., Tomonaga, M, and Ueda, R. J Clin Oncol 28, 1591-1598, 2010.

Ⅰ-12　肺　　炎

大阪大学　微生物病研究所
大石和徳

1. はじめに

呼吸器感染症は，多様な微生物による上気道，下気道の感染症である．これらの呼吸器感染症には呼吸器親和性の病原性ウイルス，細菌等による感染・炎症が関与している．本稿では主要な呼吸器病原性菌としてインフルエンザウイルスと肺炎球菌に焦点をあて，これらの病原微生物が相互にかかわり合って惹起する肺炎の分子病態とその予防について記述する．

2. ウイルス性肺炎

インフルエンザウイルス，パラインフルエンザウイルス，RSウイルス，アデノウイルスなど多くのウイルスが肺炎を惹起することが知られている．一般に，ウイルス性肺炎での胸部X線陰影は辺縁の不鮮明なスリガラス陰影を呈し，非区域性であることが多い．

2-1. インフルエンザウイルス

インフルエンザウイルスはオルソミクソウイルス科に属する1本鎖RNAウイルスで，粒子内の核蛋白複合体の抗原性の違いからA・B・Cの3型に分けられ，このうち臨床的な問題になるのはA型とB型である．A型ウイルス粒子表面には赤血球凝集素(HA)とノイラミニダーゼ(NA)という糖蛋白があり，HAには16の亜型が，NAには9つの亜型がある．これらは様々な組み合わせをして，ヒト以外にもブタやトリなどその他の宿主に広く分布している．ウイルス表面のHAとNAは同一の亜型内でわずかな抗原性を毎年少しずつ変化させている．これを連続性抗原変異(antigenic drift)という．一方，A型は全く異なる亜型，新型インフルエンザに変わることがある．これを不連続性変異(antigenic shift)と呼ぶ．1918年のスペインかぜ(H1N1)，1957年のアジアかぜ(H2N2)，その後1968年に香港かぜ(H3N2)が新型インフルエンザとして出現した．

2-2. 高病原性トリインフルエンザA (H5N1)

高病原性鳥インフルエンザA（H5N1)のヒト感染事例が2004年から2005年にかけてアジア諸国に広がり，引き続き2006－7年には中東諸国，中央アジア，アフリカへとさらに拡大している．2010年8月31日時点では，全世界で505例が確定例として報告され，59.4%という高い致命率を示している[1]．

鳥型インフルエンザウイルスはシアル酸レセプターSAα 2,3 Galを認識し，一方ヒト型インフルエンザウイルスはシアル酸レセプターSAα 2,6 Galを認識する．鳥型SAα 2,3 Galリセプターは，主に末梢気道の無繊毛円柱上皮に存在し，ヒト型のSAα 2,6 Galリセプターは主に咽頭，気管，気管支に存在することが報告されている．この結果は，ヒトがH5N1ウイルスに曝露されても，ウイルスはそのレセプターが豊富に存在する末梢気道まで到達できず，結果的にヒト－ヒト感染が起こりにくいことを示唆している[2]．さらに，ヒトから分離されたH5N1ウイルスが鳥型リセプターだけでなく，ヒト型リセプターにも低効率ながら結合することも報告されており，H5N1ウイルスがヒトへの親和性を高めている可能性が指摘されている．

ヒトH5N1感染例では血液中の可溶性IL-2，IL-6，IFNγの増加が認められ，血球貪食症候群との関連性が示唆されている．ヒトH5N1感染症の主要な肺所見はdiffuse alveolar damageと肺間質のリンパプラズマ浸潤と線維性変化である[3]．さらに，ヒトH5N1感染症の致死例においては高いウイルス量と血中のリンパ球減少，IP10，MCP-1，IL-8，IL-6，IL-10などの高サイトカイン血症が認められ，さらにはウイルス量とこれらの血清サイトカイン濃度が相関することが報告されている[4]．ヒトH5N1感染症においては，生体内でのウイルスの過剰な増殖が高サイトカイン，ケモカイン血症を誘導し，サイトカインストームを形成していることが示唆される．

2-3. 2009年パンデミックインフルエンザ

1968年以降，A/H3N2，A/H1N1およびB型が世界における流行株になっていたが，2009年3月にメキシコで豚由来の新型インフルエンザA(H1N1)が発生し，瞬く間に世界中に拡散し，2009年6月にはWHOはパンデミック宣言をした．このパンデミックウイルス(pdmH1N1)は，ヒト，鳥，ブタ由来のウイルス遺伝子が再集合体を形成することにより発生したとされている．その特徴的な臨床像は，5歳から60歳までの年代における重症肺炎であった[5]．とくに，成人の肺炎ではウイルス性肺炎が主体であり，しばしばARDSを合併し重症化した．Itoらは，パンデミックウイルス(pdmH1N1)と季節性H1N1ウイルスとを比較し，pdmH1N1がより動物の肺内で増殖することを示した[6]．また，pdmH1N1ウイルスによる肺炎症例の剖検肺の免疫組織学的検討から，pdmH1N1ウイルスが鳥型SAα 2,3 Galリセプターに結合し，肺胞II型細胞に感染することが示唆されている．これらの結果はpdmH1N1ウイルスの一次性肺炎を起こしやすい特徴をよく説明している．

我が国においては，pdmH1N1ウイルスに約2000万人が罹患したと推定されており，罹患年齢では15歳未満がその80%を占めていた．また，202例の死亡例が報告され，その年齢分布は40歳から80歳台の中高年の成人であった．我が国においては海外に比較してpdmH1N1罹患による致命率は極めて低率であったが，この結果は我が国における抗インフルエンザ薬の早期処方に起因すると推察されている．

3. 細菌性肺炎

細菌性肺炎とは呼吸器病原性菌により惹起される肺実質感染症で，臨床的には発熱，喀痰，咳嗽，呼吸困難などの症状を呈し，胸部単純X線写真で浸潤陰影がみられる．市中肺炎の起炎菌としては肺炎球菌が最も頻度が高く，インフルエンザ菌，黄色ブドウ球菌，モラキセラ・カタラーリス，ストレプトコッカス・ミレーリーグループ，嫌気性菌等がこれらに続く．

3-1. 肺炎球菌

肺炎球菌はその表層に莢膜多糖体を有し，その血清型は少なくとも93種類存在する．本菌を保有する宿主はヒトである．肺炎球菌はレンサ球菌属に属する通性嫌気性グラム陽性双球菌である．遠位端がやや尖った(ランセット型)グラム陽性の双球菌を呈する場合が多い．ほとんどの臨床分離株は菌表層に莢膜を有している．

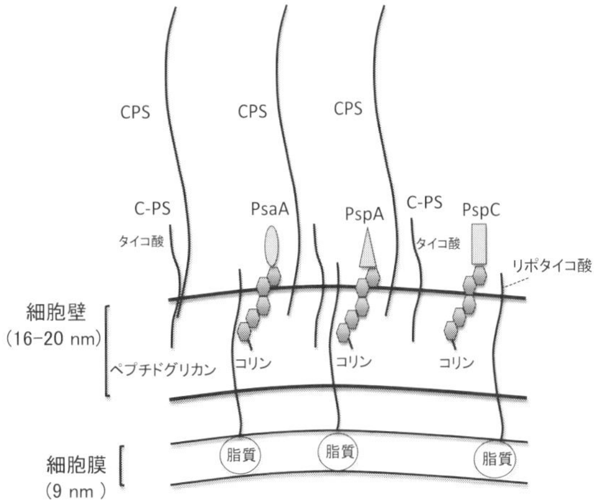

図1

莢膜ポリサッカライド(capsular polysaccharide：CPS)はオリゴサッカライドの繰り返し構造から成っており，共有結合でペプチドグリカンおよびC－ポリサッカライド(cell wall polysaccharide)と結合している(図1)．肺炎球菌の細胞壁は，他の連鎖球菌と同様に，ペプチドグリカンとタイコ酸から構成されている．また，菌表層にはPsaA，PspA，PspCなど複数のコリン結合性タンパク質が存在している．

3-2. 肺炎球菌による鼻咽頭の菌定着と肺炎

全世界では肺炎球菌による感染症によって年間120万人の乳幼児が死亡しているとされている．肺炎球菌はヒトの上気道で他の常在菌と共生している．本菌の上気道への定着率は健常成人で10%，健常小児の20－40%，集団生活小児では60%以上と報告されている．一端発病すると主に飛沫感染によりヒト－ヒト間の伝播を起こしうる．

一般に，小児肺炎では患児の喀痰採取が困難なこと，血液培養の陽性頻度が低いことから，その起炎菌の決定は困難である．Madhiらは，南アフリカの乳幼児を対象とした肺炎球菌コンジュゲートワクチンの二重盲検試験において，その呼吸器ウイルス関連肺炎の予防効果を示した[7]．この結果は，乳幼児における呼吸器ウイルス肺炎における肺炎球菌の重要な役割を示唆している．一方，成人において，我が国において肺炎は第四位の死因であるが，このうち1/4～1/3を肺炎球菌肺炎が占め，細菌性肺炎に限れば2/3を肺炎球菌が占めるとされている．肺炎球菌性肺炎患者の多くは喫煙や慢性閉塞性肺疾患(COPD)，慢性肝疾患，脳血管障害などのリスク因子を有している．成人における肺炎球菌性肺炎の重症度は様々であるが，本菌は成人の重症市中肺炎の重要な起炎菌のひとつである．また，我が国では菌血症を伴う肺炎球菌性肺炎は全体の10%以下であり，インフルエンザ菌やモラキセラ・カタラーリスと同様にCOPDの増悪の原因菌としても重要である．

3-3. 呼吸器ウイルスと肺炎の関連性

肺炎の重症化に，インフルエンザウイルス感染後の二次性肺炎の重要性が注目されている．一方，最近になってMorensらは1918インフルエンザパンデミック(スペインかぜ)における犠牲者には二次性細菌性肺炎が高頻度で，とくに肺炎球菌と連鎖球菌による混合感染の頻度が高かったことを明らかにしている[8]．また，2009年に発生したパンデミックH1N1による米国の犠牲者の剖検肺組織中にも肺炎球菌が高頻度に検出されている[27]．さらに，アルゼンチンにおける流行では，疑い例を含むpdmH1N1肺炎の325例中9%が肺炎球菌性肺炎であり，さらに肺炎球菌二次感染は死亡のリスク因子であったと報告されている[9]．これまでの研究からインフルエンザウイルス感染後の肺炎球菌による二次感染を促進する要因として，インフルエンザウイルス感染による気道上皮細胞障害，インフルエンザウイルスのノイラミニダーゼ活性によるシアル酸剥離，炎症性サイトカインによる肺炎球菌の受容体の一つであるplatelet-activating factor receptor遺伝子の発現増強などが報告されていた[11]．一方，近年の研究から新たなインフルエンザウイルス感染後に誘導されるサイトカイン応答が二次性肺炎の発症に関与していることが明らかとなっている．図2にはC57BL/6にインフルエンザウイルス(0～10^4 pfu)を経鼻感染させ，その5日後に肺炎球菌($6x10^5$ cfu)を経鼻接種した場合のマウス生存率を示している．PBS全投与後の肺炎球菌チャレンジではマウス生存率は80%であったが，イン

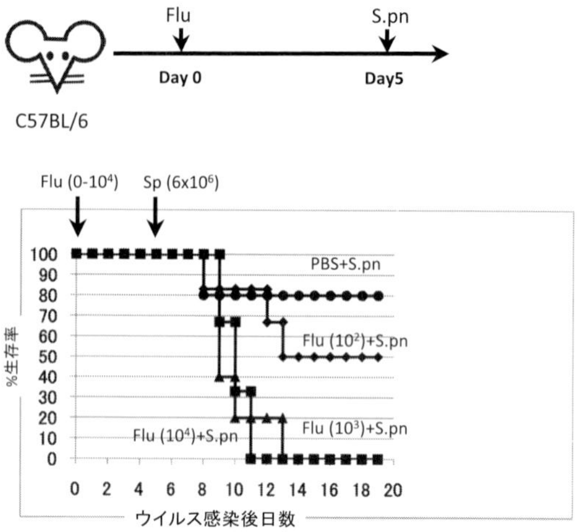

図2

フルエンザウイルスの10^3～10^4 pfuを全投与後の肺炎球菌チャレンジでは全てのマウスが死亡した．すなわち，インフルエンザウイルス感染後に肺炎球菌経鼻感染によるマウス致死性が顕著に高まることが明らかである．

このような，インフルエンザウイルス感染後の二次性肺炎の発症機序に関して，多くの研究が報告されている．まず，インフルエンザウイルス感染後に誘導されるI型インターフェロンがマクロファージからのCXCケモカイン産生を抑制することで好中球による肺炎球菌のクリアランスが阻害されるという報告がある[10]．またインターフェロンγが肺胞マクロファージに作用し肺炎球菌に対する貪食機能を抑制することが明らかとなっており[11]，さらにインフルエンザウイルス感染後に誘導されるIL-10産生による好中球の機能抑制が二次性肺炎球菌性肺炎に関与しているという報告もある[12]．またToll-like receptorの脱感作によるマクロファージおよび上皮細胞由来のサイトカイン産生抑制が感染局所への好中球の誘導を阻害すること[13]なども二次性細菌性肺炎の原因として考えられている．このように二次性細菌性肺炎のメカニズムには様々な宿主および微生物側因子が関与していることが推察される．

4. 肺炎球菌ワクチン

肺炎球菌感染症において，その主要な感染防御機構は菌の血清型特異的抗体による補体依存性のオプソニン活性である．このため23種の血清型由来のCPS抗原を含む23価肺炎球菌ポリサッカライドワクチン（23-valent pneumococcal polysaccharide vaccine：PPV23）が1983年に米国で承認され，我が国でも1988年以降臨床応用されている．しかしながら，PPV23は乳幼児に免疫原性が無いため，CPS抗原にジフテリア毒素変異体（CRM_{197}）を結合させ，T細胞性依存性抗原にした7価肺炎球菌コンジュゲートワクチン（7-valent pneumococcal conjugate vaccine：PCV7）が2001年に米国で承認された．我が国では2009年に臨床承認されている．

CPS抗原をベースとしたPPV23とPCV7の問

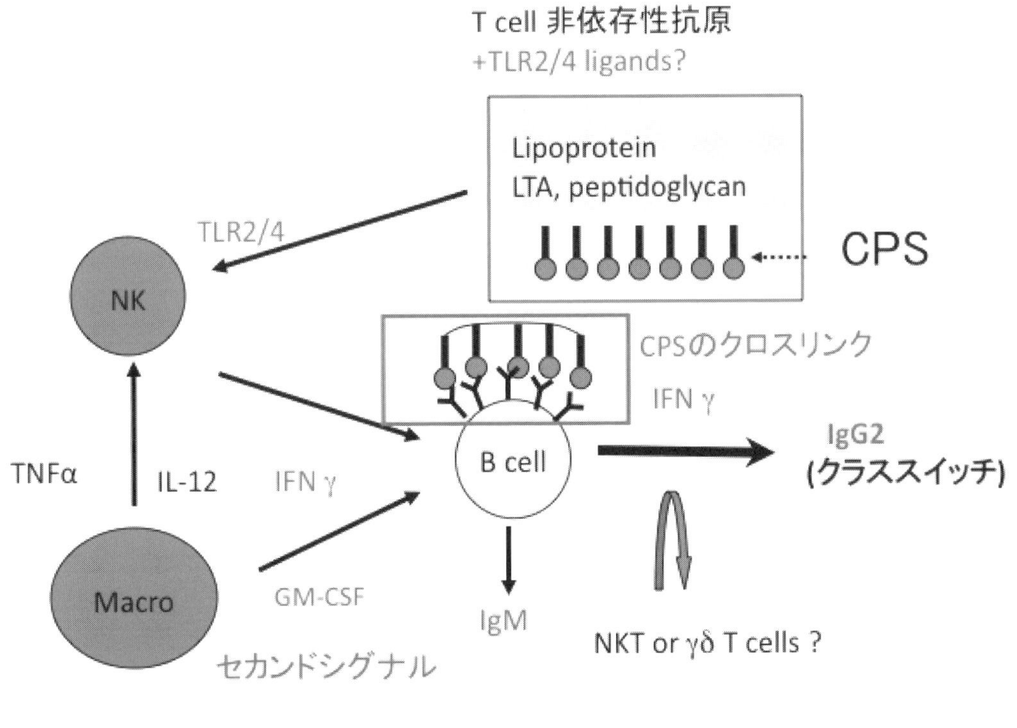

図3A

題点は，CPS抗体の機能が血清型特異的であることから多価ワクチンでなくてはならず，コストが高いことが問題として挙げられる．このような問題点を解決するためには，免疫メモリーを誘導できるT細胞依存性のタンパク質抗原を用いることが考えられる．肺炎球菌蛋白質ワクチン抗原として，PspA，PsaA，PspCなどが新規ワクチン抗原候補として報告されている．

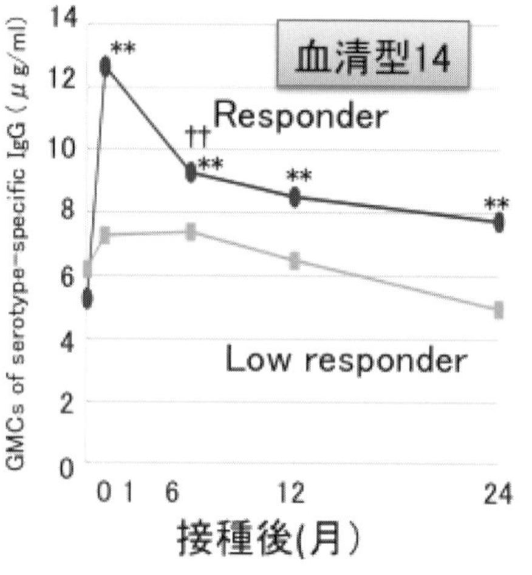

図3B

4-1. 肺炎球菌ポリサッカライド抗原の特異抗体誘導機序

CPS抗原はT細胞非依存性抗原であり，2回目の接種以降にメモリーB細胞を誘導できない．CPSは細胞増殖活性を持たず，B細胞レセプターにクロスリンクすることでB細胞を活性化するTI-2抗原として知られている．SnapperらはCPS抗原とクロスリンクしたCPS特異的B細胞はある程度のクローナルな増殖はするものの，特異抗体産生のためには抗原非特異的なセカンドシグナルの供給が必要であることを指摘している(図3A)[14]．そのセカンドシグナルとは，a) NK細胞，マクロファージなどからIFNγやGM-CSFなどの産生，あるいはb)他の細胞の非存在下でB細胞のレベルで作用する菌体構成成分(LPS, リポ蛋白質，ポーリンタンパク質，菌体DNA)による直接的作用である．さらに彼らはPPV23やPCV7によるマウスモデルにおける血清中CPS特異的抗体誘導機構にTRLを介したセカンドシグナルの必要性についても報告している[15]．PPV23にはTLR2リガンドのみならずTLR4リガンドも混入していることを明らかにされた．PPV23に含まれるTLR2リガンドは易熱性であることから，リポテイコ酸，ペプチドグリカン，リポプロテインが想定される一方，TLR4リガンドは熱耐性で非タンパク質因子と考えられている．

4-2. CPS特異IgG抗体と補体依存性オプソニン活性

PPV23およびPCV7によるポリサッカライドワクチン接種後の免疫原性のマーカーとして，ELISAによる血清型特異的IgG抗体濃度とMultiplex opsonophagocytic assay（血清型別オプソニン活性）が測定可能である(図4)[16, 17]．図3Bには，慢性肺疾患患者におけるPPV23接種後の血清型14に対する血中特異IgG抗体濃度の推移を示した[16]．PPV23接種1ヶ月後に血中特異IgGはピークに達し，緩やかに減少することがわかる．また，慢性肺疾患患者

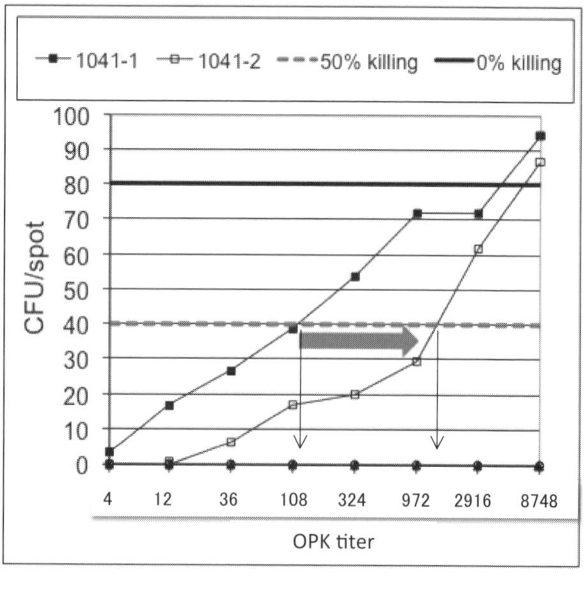

図4

においては，約30%に低応答者(low responder)が存在する．

オプソニン活性の測定においては，血中の血清型特異抗体が補体依存性に肺炎球菌を貪食殺菌する．図4には高齢者におけるPPV23接種前および2ヶ月後の血清型23Fに対する血中オプソニン活性について示した．接種前後でオプソニン活性が増強されていることがわかる．

4-3. PPV23およびPCV7の臨床効果

2008年のWHOによるPPV23のPosition paperによれば，肺炎球菌ワクチンは免疫不全のない高齢者では侵襲性感染症をある程度予防するものの，すべての原因による肺炎の予防効果は明らでない．しかしながら，これまでにPPV23が成人肺炎の重症度，死亡リスクを低下させる効果が報告されており，PPV23には成人の肺炎に対しては，発症予防より重症化阻止ワクチンとしての意義があると考えられる．また，最近では我が国における高齢者に対する肺炎予防効果が報告されている[18]．

一方，欧米諸国において，乳幼児に対するPCV7の定期接種が普及し，その後含有される血清型による侵襲性感染症は激減した[19]．さらに，乳幼児に対するPCV7の定期接種導入後に，集団免疫効果として成人における侵襲性感染症の減少が報告されている．とりわけ，85歳以上では28%，75歳～84歳まででは35%，65～74歳まででは29%の減少が認められている[20]．また，ガンビアの乳幼児におけるPCV9二重盲検試験では，PCV9は初回のX線診断肺炎エピソードを37%減少させ，さらに死亡率を16%減少するとされている[21]．さらに，Eskolaらは乳幼児を対象としたPCV7の二重盲検試験を実施している[22]．ワクチン血清型の急性中耳炎に対する臨床効果は57%で，PCV7の中耳炎に対する効果は中等度と評価されている．

4-4. PspA経鼻粘膜ワクチン

臨床上分離される肺炎球菌のPspA Familyは，Family 1, 2が98%以上を占める．PspA特異的抗体は異なるFamilyに対しても交叉反応を示す事が知られており，マウスへの感染実験においても交叉的に防御効果を示すことが明らかにされている．また，PspAの病原因子としての機能として，肺炎球菌菌体表面への補体C3の結合を阻害することが知られており，PspA特異的抗体はPspAの補体活性阻害作用に拮抗的に作用する．そこで，我々はマウスモデルを場として，PspA経鼻粘膜ワクチンの臨床応用を目的とした研究を実施した[23]．

我々は，PspA（2.5 μg）とPam3CSK4（TLR2 agonist），Poly（I：C）（TLR3 agonist），LPS（TLR4 agonist）あるいはCpG1826（TLR9 agonist）10 μgを併用でC57/B6マウスに1週間間隔で3回経鼻接種し，その最終免疫の1週間後に血中，Bronchoalveolar lavage fluid（BALF）中，鼻洗浄液(NW)中のPspA特異抗体レベルをELISA法で測定した．

PspAとPam3CSK4, Poly（I：C），LPSまたはCpG1826の経鼻接種群において，血中PspA特異的IgG抗体がPspA単独投与接種群と比較して高かった．それぞれのTLR agonist間におけるPspA特異的IgG抗体濃度に差はなかった．PspA単独投与群ではBALFおよびNW中のPspA特異的IgGは，ほとんど検出されなかったものの，図5に示すように，PspA+Pam3CSK4, Poly（I：C），LPSまたはCpG1826鼻腔投与群において，BALFおよびNW中のPspA特異的IgGはPspA単独投与群と比較して有意に誘導されていた($P<0.05$)．BALF中のPspA特異的IgGサブクラスは，血中と同様の傾向を示していた．また，BALFおよびNW中のPspA特異的IgAも，PspA単独投与群と比較して有意に誘導されていた($P<0.05$)．

最終免疫から2週間後に肺炎球菌WU2株(血清型3)あるいはEF3030株(血清型19)を経鼻接種し，肺炎球菌を経鼻感染後の肺内菌数を比較した．WU2株の非致死量の2.0×10^6 cfuを経鼻感染させ，接種後3時間の肺内菌数を測定した[3]．PspA+Pam3CSK4，Poly（I：C），LPSまたはCpG1826鼻腔投与群における感染3時間後の肺内菌数は，PspA単独投与群およびPBS投与群と比較して有意な菌数の減少を示した($P<0.05$)．

次に，免疫マウスでの肺炎球菌鼻腔定着に対する抑制効果を比較するため，弱毒で経鼻感染後に

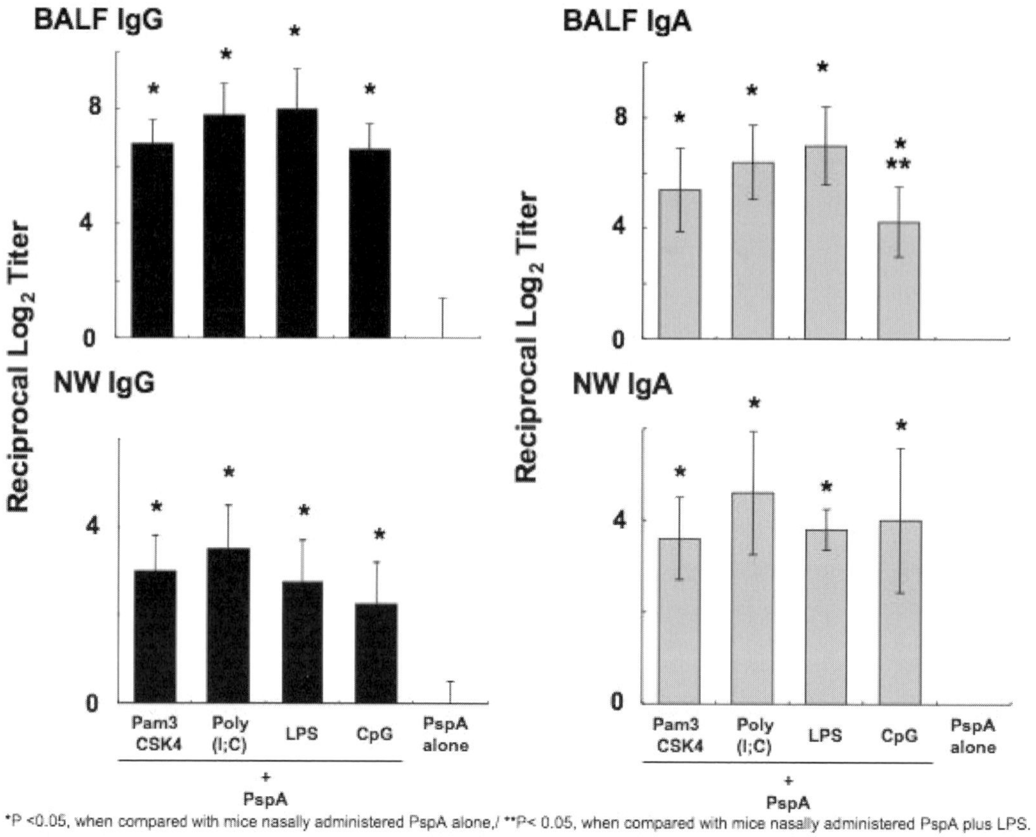

図5

マウス鼻腔に定着しやすい肺炎球菌 EF3030 株を感染実験に用いた．PspA+ 各 TLR agonist 投与群における NW 中菌数は，PspA 単独投与群および PBS 投与群と比較して有意な減少を示した（$P<0.05$）．

WU2 株を用いた非致死的な肺炎モデルおよび EF3030 株を用いた鼻腔菌定着モデルにおいて，肺内および鼻洗浄液中菌クリアランス促進効果には気道に産生されていた PspA 特異的 IgA および IgG が関与していると考えられる．さらに，我々は PspA 特異的 IgA が EF3030 株の気道クリアランスに重要な役割を果たす事も明らかにしている[24]．

4-4. 粘膜アジュバントとしての TLR agonist

気道の免疫系は，病原体や常在菌に対する免疫応答を調節しており，常在菌に対しては不応答である．NALT 中には樹状細胞をはじめとする様々な粘膜独自の単核細胞が上気道には存在しており，これらの細胞により抗原特異的な免疫応答が誘導されると考えられる．しかしながら，樹状細胞のどのフェノタイプが重要であるかは未だ明らかになっていない．

最近，RIG-I-like receptors（RLR）および NOD-like receptors（NLRs）がワクチンの免疫原性に関与する事が明らかになった．TLR3 および melanoma-associated gene 5（MDA5）のリガンドとして知られている poly（I：C）は，TLR3 よりも主に MDA5 を介してアジュバント効果を発揮することが報告されている[25]．NLRs は微生物および自己由来の粒子や結晶分子を認識する細胞質内に存在するレセプターであるが，アジュバントとして利用されている水酸化アルミニウム（Aluminum hydroxide；alum）は NLR pathways

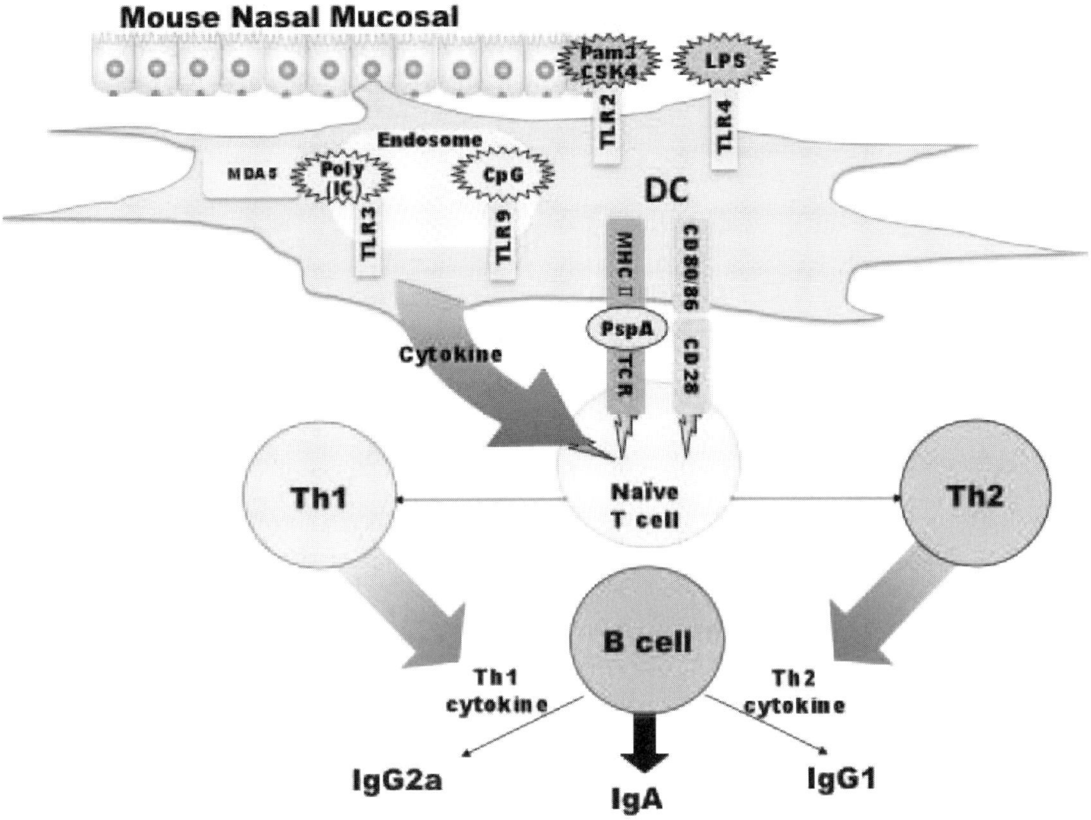

図6

を活性化し液性免疫応答を促すと考えられている[26]．これらの知見から，微生物の刺激による樹状細胞を含む抗原提示細胞上のTLR，RLR，またNLRの活性化は，同時に経鼻接種された抗原に特異的な獲得免疫に重要な役割を担うものと考えられる．図6に示すように，Pam3CSK4およびLPSは，それぞれNALT中樹状細胞のTLR2およびTLR4を活性化させ，Poly（I：C）はcytoplasmのMDA5およびエンドソーム内のTLR3を活性化し，CpGはNALT DCsのエンドソーム内のTLR9の活性化を介して，経鼻接種によるPspAのDCへの抗原提示を促進し，結果的に気道および血中のPspA特異的抗体産生を誘導したと推察される．

参考文献

1. WHO. Confirmed human cases of avian influenza A (H5N1). http://www.who.int/csr/disease/avian_influenza/country/en/
2. Yamada S, et al. Haemagglutinin mutations responsible for the binding of H5N1 influenza A viruses to human-type receptors. Nature 444：378-82, 2006.
3. Kortewag C, Gu J. Pathology, molecular biology, and pathogenesis o avian influenza A（H5N1）infection in humans. Am J Pathol.172：1155-1170, 2008.
4. De Jong MD, et al. Fatal outcome of human influenza A（H5N1）is associated with high viral load and hypercytokinemia. Nature Med 12：1203-7, 2006
5. Perez-Padilla R, et al. Pneumonia and respiratory failure from swine-origin influenza A（H1N1）in Mexico. N. Eng. J. Med. 361：680-689, 2009.
6. Itoh Y, et al. In vitro and in vivo characterization of new swine-origin H1N1 influenza viruses. Nature. 460：1021-1025, 2009.
7. Madhi SA, Klugman KP：Vaccine Trialist Group. A role for *Streptococcus pneumoniae* in virus-associated pneumonia. Nat Med. 10：811-813, 2004.
8. Morens DM, et al. Predominant role of bacterial

pneumonia as a cause of death in pandemic influenza : implications for pandemic influenza preparedness. J Infect Dis. 198 : 962-970, 2008.
9. Estenssoro E, et al. Pandemic 2009 influenza A in Argentina : a study of 337 patients on mechanical ventilation. Am J Respir Crit Care Med. 182 : 41-48, 2010.
10. Shahangian A, Chow EK, Tian X, et al. Type I IFNs mediate development of postinfluenza bacterial pneumonia in mice. J Clin Invest 119 : 1910-1920, 2009.
11. Sun K, Metzger DW. Inhibition of pulmonary antibacterial defense by interferon-gamma during recovery from influenza infection. Nat Med 14 : 558-564, 2008.
12. van der Sluijs KF, et al. IL-10 is an important mediator of the enhanced susceptibility to pneumococcal pneumonia after influenza infection. J Immunol 172 : 7603-7609, 2004.
13. Didierlaurent A, et al. Sustained desensitization to bacterial Toll-like receptor ligands after resolution of respiratory influenza infection. J Exp Med 205 : 323-329, 2008.
14. Snapper CM, et al. A model for induction of T-cell-independent humoral immunity in response to polysaccharide antigen. J Immunol 157 : 2229-2233, 1996.
15. Sen G, et al. In vivo humoral immune response to isolated pneumococcal polysacchride are dependent on the presence of associated TLR ligands. J Immunol 175 : 3084-3091, 2005.
16. Chen M.et al. Comparative immune response of patients with chronic pulmonary diseases during the 2 year period after pneumococcal vaccination Clin. Vaccine. Immunol 14 : 139-145, 2007.
17. Burton RL, Nahm MH.Development and validation of a fourfold multiplexed opsonization assay (MOPA4) for pneumococcal antibodies. Clin Vaccine Immunol 13 : 1004-1009, 2006.
18. Kawakami K, et al. Effectiveness of pneumococcal polysaccharide vaccine against pneumonia and cost analysis for the elderly who receive seasonal influenza vaccine in Japan. Vaccine, 2010. (in press)
19. CDC. Invasive pneumococcal disease in children 5 years after conjugate vaccine introduction---eight states, 1998-2005. MMWR 57 : 114-148, 2008
20. Lexau CA, et al. : Changing epidemiology of invasive pneumococcal disease among older adults in the era of pediatric pneumococcal conjugate vaccine. JAMA. 294 : 2043-2051, 2005.
21. Cutts FT, et al : Efficacy of nine-valent pneumococcal conjugate vaccine against pneumonia and invasive pneumococcal disease in The Gambia : randomised, double-blind, placebo-controlled trial. Lancet. 365 : 1139-1146, 2005.
22. Eskola J, et al. Efficacy of a pneumococcal conjugate vaccine against acute otitis media. N Eng J Med 344 : 403-409, 2003.
23. Oma K, et al.Intranasal immunization with a mixture of PspA and a Toll-Like Receptor Agonist induces specific antibodies and enhances bacterial clearance in the airways of mice. Vaccine 27 : 3181-3188, 2009.
24. Fukuyama Y, et al. Secretory IgA antibodies play an important role in the immunity to Streptococcus pneumoniae. J Immunol, 185 : 1755-1762, 2010.
25. Kumar H, et al. Cutting edge : cooperation of IPS-1- and TRIF-dependent pathways in poly IC-enhanced antibody production and cytotoxic T cell responses. J Immunol 180 : 683-687, 2008.
26. Eisenbarth SC, et al. Crucial role for the Nalp3 inflammasome in the immunostimulatory properties of aluminium adjuvants. Nature 453 : 1122-1126, 2008.

Ⅰ-13　ヘリコバクター・ピロリ感染症

杏林大学医学部感染症学
神谷　茂

各論Ⅰ

Helicobacter pylori は1982年オーストラリアのWarren & Marshallにより慢性胃炎患者の胃粘膜より分離されたヘリコバクター属細菌である[1]．*H. pylori* は急性および慢性胃炎を引き起こすとともに，非ステロイド性抗炎症剤（NSAID）投与とは関係しない殆どの胃十二指腸潰瘍の原因となる．また，本菌感染と胃癌や原発性胃MALTリンパ腫の発症との関連性も報告されている．ヘリコバクター属細菌として現在までに20種を越える *Helicobacter* species（種）が分類されている（表1）．*H. pylori*，*H. mustelae*，*H. nemestrinae*，*H. felis* などはウレアーゼ活性をもち，それぞれヒト，フェレット，アカゲザル，ネコなどの胃に棲息し，胃炎等を引き起こすため胃ヘリコバクターgastric helicobacterと呼ばれている．ヒト胃より検出されるヘリコバクターとして *H. pylori* の他に *H. heilmanii*，*H. felis* が知られている．一方，*H. cinaedi*，*H. fennelliae*，*H. pullorum* などは腸管より，*H. bilis*，*H. hepaticus* は肝，胆道系から検出されるため腸肝ヘリコバクターentero-hepatic

表1．ヘリコバクター属構成菌種

菌種	宿主	主な存在部位	ウレアーゼ
H. acinonyx	チータ	胃	＋
H. bilis	マウス，イヌ	腸管	＋
H. bizzozeronii	ヒト，イヌ	胃	＋
H. canadiensis	ヒト	腸管	－
H. canis	ヒト，イヌ	腸管	－
H. cholecystus	ハムスター	肝臓	－
H. cinaedi	ヒト，ハムスター	腸管	－
H. felis	ネコ，イヌ	胃	＋
H. fennelliae	ヒト	腸管	－
H. heilmannii	ヒト	胃	＋
H. hepaticus	マウス	腸管	＋
H. muridarum	マウス，ラット	腸管	＋
H. mustelae	フェレット，ミンク	胃	＋
H. nemestrinae	アカゲザル	胃	＋
H. pametensis	トリ，ブタ	腸管	－
H. pullorum	ヒト，ニワトリ	腸管	－
H. pylori	ヒト，アカゲザル，ネコ	胃	＋
H. rappini	ヒト，イヌ，ヒツジ，マウス	腸管	＋
H. rodentium	マウス	腸管	－
H. salomonis	イヌ	胃	＋
H. trogontum	ラット	腸管	＋
H. westmeadii	ヒト	不明	－

helicobacterと呼ばれている．下痢症，炎症性腸疾患，肝炎，肝癌，慢性胆嚢炎，原発性硬化性胆道炎との関連性が推定されている[2)]．

1. 疫学

1）感染経路

ヒトが*H. pylori*の唯一かつ重要な保菌動物である．本菌の感染は特に保育園や幼稚園で共通にみられるものである．これらの所見は*H. pylori*のヒトからヒトへの直接伝播を示唆している．本菌のヒトへの主たる感染経路として口－口感染(oral-oral transmission)と糞－口感染(fecal-oral transmission)が考えられているが，どちらがヒトへの感染に深く関与しているかについては不明である．

a）口－口感染

同一食品を複数の人が同一の食器を使用して摂食する場合，食品中に汚染した菌および感染者の唾液中の菌が未感染者に経口的に感染する．*H. pylori*感染者の胃液は食道へ逆流するため，感染者の唾液からは本菌が検出される．一般に歯垢および唾液からの*H. pylori*の分離培養は極めて困難であるが，PCR法により本菌を検出可能である(報告者により異なるが，検出率は20－70%程度)．また，*H. pylori*感染者の嘔吐物より培養法およびPCR法により本菌が検出されている[3)]．

b）糞－口感染

本菌感染者の糞便中に存在する*H. pylori*が水や食品に汚染し，これらを摂食することによりヒトへ感染する．*H. pylori*は胃内に定着するが多くの菌は下部腸管に運ばれる．本菌は嫌気的状態の大腸の中ではその形態をらせん状菌(helical form)から球状菌(coccoid form)へと変化させる．coccoid formは“生きているが，培養できない菌”(viable but non-culturable microorganism)であり，VNC菌と呼ばれる．Coccoid formの生物学的は不明であるが，環境中での生残型(survival form)であるという仮説がある．

*H. pylori*の糞便からの培養は通常困難であるが，*H. pylori*感染者の下痢便より培養およびPCR法によりそれぞれ50%および69%の割合で本菌が検出されたとの報告もある[3)]．下痢の際には*H. pylori*の腸管内停滞時間が短いために，本菌の糞便からの分離培養が可能となったものと考えられている．*H. pylori* DNAがPCR法により各種水源(河川水および上水道)より検出される．これらの結果は本菌に汚染した水がヒトへの感染を誘導する可能性を示している．特に衛生環境の劣悪な開発途上国では水を介した感染が重要であると考えられている．

c）その他

家畜，飼いネコ，家蝿が*H. pylori*の媒介体となり，これらの糞が水や食品に汚染してヒトへ伝播する可能性がある．飼いネコの胃内から*H. pylori*が組織学的検査および培養検査により高率に検出されたという報告がある[4)]．家蝿により*H. pylori*が伝播される可能性が示されたが，*H. pylori*陽性糞便に家蝿を24時間接触させても，家蝿から本菌が全く検出されなかったとの報告もある[5)]．

2）感染率

a）世界における*H. pylori*感染率

*H. pylori*感染率は一般に開発途上国で高く，先進国で低い[6)]．アルジェリア，象牙海岸，ペルー，パプアニューギニアなどの感染率は10歳までに50－70%を示し，成人で80%以上の高値を示す．一方，アメリカ，フランス，オーストラリアなどの先進国では10歳での本菌感染率は10－20%と低く，40歳でも30－40%程度である．これらの結果は*H. pylori*感染が衛生環境の悪い国々で高頻度で起こっていることを示している．

b）日本における*H. pylori*感染率

わが国の*H. pylori*感染率は若年者では10－30%程度と低率であるが，50才以上の成人では開発途上国型で高い感染率(80%以上)を示す[7)]．これは昭和30年までの良好でない衛生状態の中で生まれ育った世代では*H. pylori*の感染が容易に起こったためであると推測される．

c）民族・経済状態と*H. pylori*感染率

黒人，ヒスパニックの感染率は白人のそれに比べ全年齢を通じ有意に高い．また本菌感染率は米国白人の場合，高所得者層で低く，低所得者層で高かったが黒人の場合はこのような差は認められなかった[8)]．

d)年齢と *H. pylori* 感染率

H. pylori 感染率は年齢とともに上昇する．本菌は5－10歳までの小児期に感染し，胃内に定着・持続感染する．保育園や幼稚園での集団生活が長いと本菌感染率が高くなることが報告されている[9]．10歳以後も *H. pylori* 感染はおこるがその頻度は低い．基本的に小児期での感染が全人口の *H. pylori* 感染率を規定しているものと考えられる．

e)性差と *H. pylori* 感染率

H. pylori 感染率は男女間で差はほとんど認められない．性別よりも民族や生活環境の相違が本菌感染率の大きく影響する．

f)家族間の感染

両親が *H. pylori* 陽性の場合の子供の本菌感染率は40%であり，両親が本菌陰性の場合，子供の感染率は3%にすぎなかったとの報告がある[8]．その他の報告でも本菌の，親(とくに母親)から子への本菌の伝播が明らかにされている．

2. 細菌学的性状

1)形態

H. pylori は0.5～1.0 μm×3～5 μm大のグラム陰性らせん状細菌である(図1)．弯曲の周期は約2.6 μm前後であり，一端に5～7本の鞭毛をもつ．この鞭毛は幅約30nmで，幅12nmの内部フィラメントとまわりは菌体外膜から伸びる鞘状の膜に覆われている(有鞘性鞭毛)．鞭毛の断端は球状に膨らみ terminal bulb とよばれている．らせん状の菌体と複数の鞭毛により *H. pylori* は胃粘液層を活発に運動することが可能である．嫌気状態，栄養枯渇，抗菌薬処理などにより，らせん状菌は球状菌(coccoid form)へ形態変化する．

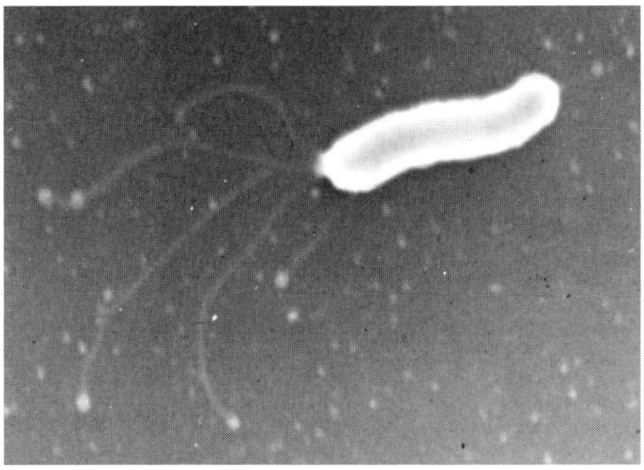

図1　*H. pylori* の走査型電子顕微鏡像

2)遺伝子構造

H. pylori の遺伝子構造の全貌は既に26695株(英国の胃炎患者由来株)，J99株(米国の十二指腸潰瘍患者由来株)，HPAG1株(スウェーデンの慢性萎縮性胃炎患者由来株)およびG27株(イタリアの患者由来株，疾患名は不詳)の4菌株において明らかにされている[10, 11]．26695株，J99株，HPAG1株およびG27株のゲノムサイズはそれぞれ，1667857，1643831，1596366および1652983であり，HPAG1株が最もゲノムサイズが小さい．いずれの菌株にも1500前後の open reading frame (ORF)が存在する．4菌株の間には相違している遺伝子領域が多数存在しており，本菌が遺伝学的に高度な多様性をもつことが明らかとなっている．

3)生物学的性状

本菌は微好気性細菌であり，5～10% O_2 存在下の微好気状態で発育する．多くの菌株は酸素耐性をもつため10% CO_2 存在下でも発育する．至

表2．*H. pylori* の生物学的性状

テスト		反応
ウレアーゼ		＋*
カタラーゼ		＋
オキシダーゼ		＋
アルカリフォスファターゼ		＋
エステラーゼ		＋
炭水化物からの酸産生		－**
硝酸塩還元		－
TSI培地での硫化水素産生		－
インドール		－
発育	25℃	－
	37℃	＋
	0.5%グリシン	＋
	1.0%グリシン	－
	1.5% NaCl	－
薬剤感受性	ナリジクス酸	R***
	セファロチン	S

*＋：90%以上の菌株が陽性，－：90%以上の菌株が陰性
**：グルコース分解酵素遺伝子をもつが，通常の糖分解試験は陰性となる．
***R：抵抗性，S：感受性

表３　*H. pylori* の病原因子

病原因子	作用
細菌側病原因子	
鞭毛	菌の運動性をつかさどる
ウレアーゼ	尿素を分解してアンモニアを産生し，胃酸を中和する
アドヘジン	胃上皮細胞への菌の付着に関与する
カタラーゼ	抗貪食作用
superoxide dismutase（SOD）	抗貪食作用
VacA	胃上皮細胞の空胞化，タイトジャンクションの脆弱化，T 細胞抑制作用
cag pathogenicity island（PAI）	サイトカイン産生の誘導，TypeIV 分泌装置の形成
CagA	細胞骨格の変化，タイトジャンクションの機能不全，細胞の伸長化，細胞運動性の変化
OipA	oipA"on" 状態が胃粘膜障害と関係する可能性
LPS	胃上皮細胞との免疫交差反応を惹起する
熱ショック蛋白（HSP）	付着因子としての作用および免疫交差反応の惹起
NapA	白血球活性化因子
DupA	十二指腸潰瘍の発症に関与する可能性
宿主側病原因子	
サイトカイン（IL-6, IL-8 など）	炎症惹起
活性酸素	胃粘膜細胞の障害
一酸化窒素（NO）	O_2 と反応しパーオキシナイトレート（DNA 障害あり）が生成される
DNA/RNA 編集酵素（AID*）	発癌抑制遺伝子の変異の誘導

* activation-induced cystidine deaminase

適発育温度は 37℃である．本菌の培養には血液，ヘミン，血清，でんぷん，チャコールなどの添加物を必要とする．血液寒天培地上のコロニーには弱い溶血活性が認められる．本菌は強力なウレアーゼ活性をもち，尿素を分解し，アンモニアを産生する（表2）．このアンモニアは胃酸を中和して，*H. pylori* の胃内定着を可能にする（*H. pylori* の至適 pH は 6 ～ 8 である）．アミノ酸または TCA 回路の中間代謝物を基本的なエネルギー源とし，呼吸によりエネルギーを獲得する．グルコース分解酵素遺伝子をもつが通常の糖分解試験では陰性となる．その他，ウレアーゼ陽性，オキシダーゼ陽性，ナリジクス酸（30 μg）耐性，セファロチン（30 μg）感受性などを同定の目安とする．

4）病原因子

H. pylori 感染に際しての病原因子は菌側因子と宿主側因子に分けられる[12]（表3）．以下に主な病原因子について解説する．

a）細菌側病原因子

i）ウレアーゼ

ウレアーゼにより産生されるアンモニアは VacA サイトトキシン活性を増強するとともに，アンモニアと好中球ミエロパーオキシダーゼによって生じる HOCl（次亜塩素酸）とが反応して産生されるモノクロラミン（NH_2Cl）は DNA 障害性をもつ[13]．

ii）アドヘジン（付着因子）

H. pylori の胃上皮細胞および胃粘液への付着は本菌の胃内定着の重要なステップとなる．本菌のアドヘジン（付着因子）として Bab，*ice*，AlpA/B，HopZ，スルファチド結合アドヘジン，SabA などがこれまでに報告されている[14]．Bab（blood group antigen-binding adhesin）は血液型抗原の一種 Lewis^b と結合するアドヘジンであり，*babA2* 遺伝子にコードされている[15]．*bebA2* 陽性菌株が感染した場合，好中球浸潤，胃粘膜萎縮，腸上皮化生などの胃粘膜病変が認められる．また，胃癌患者より分離される *H.pylori* 株では Lews^b の発現率が高い．本菌表層に存在するシアル酸結合性アドヘジン（sialic acid-binding adhesin：SabA）はレセプターである sialyl-dimeric-Lewisx glycosphingolipid（sLex）と結合する[16]．本菌感染に基づく炎症反応時，胃上皮細胞表面の sLex 発現は亢進し，菌体表層の SabA と結合する．

iii）VacA サイトトキシン

全ての *H. pylori* 株は *vacA* 遺伝子をもち，

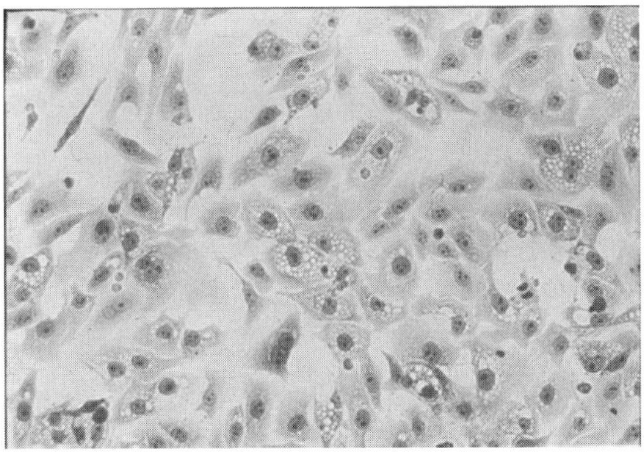

図 2　VacA サイトトキシンによる Vero（サル腎由来）細胞の空胞化（vacuolation）.

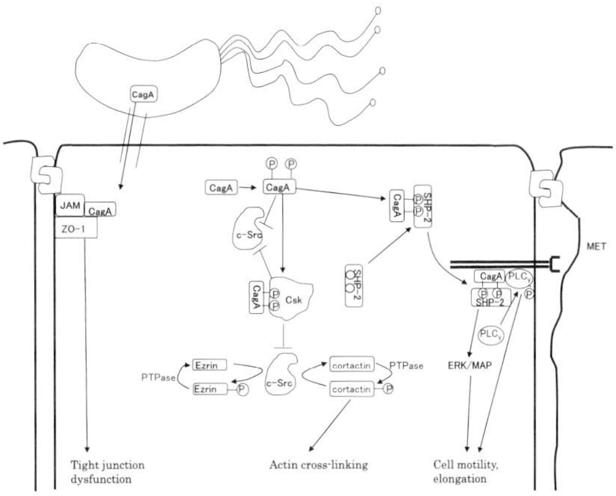

図 3　CagA の細胞内移入と細胞内反応

VacA サイトトキシン蛋白を産生するが，約 40%（東アジア由来株では 80 ～ 90%以上）の *H. pylori* は，活性型 VacA であり，上皮細胞に空胞化（vacuolation）を引き起こす（図 2）．VacA の 139kDa 前駆体蛋白はシグナル領域（33 個のアミノ酸），87kDa サイトトキシン，50kDa の外膜関連領域から成る．VacA のレセプターが receptor protein tyrosine phosphatase β（RPTP β）であり[17]．RPTP β を欠損したマウスへ VacA を経口投与しても潰瘍が形成されないことが報告されている（RPTP β を発現したマウスでは潰瘍形成あり）[18]．*vacA* 遺伝子は signal 領域（s1, s2），intermediate 領域（i1，i2）および mid 領域（m1，m2）のモザイク構造により異なるタイプを示す．s1/i1/m1 は活性型であり，s2/i2/m2 は不活化型となる．s1/i1/m2 は弱毒性を示し，s1/i2/m2 は空胞化を示さない．s1/i1/m1 や s1/i1/m2 タイプの菌株と胃癌や消化性潰瘍との関連が知られている[19]．VacA は上述の空胞化毒素活性の他，細胞膜上における孔形成性，上皮細胞のタイトジャンクション脆弱化作用，マクロファージのファゴゾーム成熟の抑制，アポトーシス誘導能，T 細胞の増殖抑制作用（Th1 の downregularion に傾く）などの様々な作用をもつ[20]．

iv）*cagA* および *cag*PAI（pathogenicity island）

約半数（東アジアでは 80 － 90%以上）の菌株は *cagA*（cytotoxin-associated gene）遺伝子をもつ．*cagA* 上流の遺伝子群（35 － 40kb）は *cag* 遺伝子（A ～ T）のほかに *vir*，*tra* などの DNA トランスファー関連遺伝子や *ptl*（百日咳毒素の輸送に関与する）遺伝子を含むため，特に *cag*pathoge-nicity island（PAI）とよばれている．*cag*PAI にはⅣ型分泌装置（type Ⅳ secretion system：TFSS）を形成する遺伝子が存在する[21]．これらの遺伝子にコードされた蛋白が本菌の内膜から外膜を貫くシリンジ状 TFSS を形成する．CagA 蛋白は *H. pylori* の TFSS により本菌に付着した上皮細胞内に移入される（図 3）[22, 23]．細胞内に入った CagA は，細胞間連結に必要なタイトジャンクションの足場蛋白 ZO-1 およびタイトジャンクションにおける接着分子 JAM に作用し，タイトジャンクションの機能不全を引き起こす[24]．一方，細胞内に移入した CagA 蛋白は細胞内 Src キナーゼにより，C －端領域の EPIYA（グルタミン酸－プロリン－イソロイシン－チロシン－アラニン）モチーフのチロシン残基がリン酸化される[22]．チロシンリン酸化 CagA は直接もしくは Csk 活性化を介して c-Src を抑制する．この結果，細胞骨格の形成に必要な cortactin および ezrin の c-Src によるリン酸化が阻害され（脱リン酸化が亢進し），アクチンの連結が亢進し，hummingbird phenomenon とよばれる細胞の伸長化が引き起こされる[25]．また，チロシンリン酸化 CagA は細胞内シグナル伝達分子である SHP-2 チロシンフォスファターゼ（細胞増殖，細胞形態変化，細胞運動亢進などに重要な役割を果たしている）と特異的に結合した後，PLC γ（phospholipase）や

ERK/MAP（extracellular signal-regulated kinase/mitogen-activated protein kinase）を介して細胞の運動性（scatte-ring）や hummingbird phenomenon が誘導される[26, 27, 28]．CagA 以外にも TFSS を介して宿主細胞内に移入される分子として細菌壁成分のペプチドグリカンである γ-D-glutamyl-*meso*-diamino-pimelic acid（iE-DAP）が報告されている[29]．iE-DAP は細胞内で nucleotide-binding oligomerization domain 1（NOD1）と結合し，NF-κB の活性化を引き起こし，炎症性サイトカインや β－デフェンシンなどを含む多くの遺伝子の転写を誘導する[19]．

v）*dupA*

日本，韓国，コロンビアでの分離 *H. pylori* 菌株 500 株（胃炎（Gi）由来 120 株，十二指腸潰瘍（DU）由来 140 株，胃潰瘍（GU）株 110 株，胃癌（Gca）130 株）を対象に，疾患特異性を示す遺伝子が検索された結果，DU との関連性が認められた遺伝子が *dupA*（duodenal ulcer promoting gene A）と命名された[30]．*dupA* 陽性 *H. pylori* 感染は DU 発症のリスクを高める一方，萎縮性胃炎および胃癌発症のリスクを低下させる要因となり得ることが想定されている．

b）宿主側病原因子

H. pylori の胃上皮細胞への付着や胃内定着は胃上皮細胞および免疫担当細胞より TNFα，IL-6，IL-8 などのサイトカイン分泌を誘導する．また本菌感染は活性酸素や iNOS（誘導性 NO 合成酵素）を介した NO 産生を誘導する[31, 32]．活性酸素や NO には DNA 障害作用が認められ，胃粘膜障害の一因となる．

3. 病原性

1）胃炎

H. pylori 感染は急性胃炎および慢性胃炎の原因となる．*H. pylori* 感染直後の胃粘膜は好中球浸潤主体の急性胃炎を引き起こすが，数週間で単核球と好中球による浸潤像を呈する慢性活動性胃炎となる．本菌感染による慢性炎症は胃粘膜の萎縮および腸上皮化生を誘導する．

2）胃・十二指腸潰瘍

胃粘膜の防御因子として胃粘液，微小循環，プロスタグランディンなどが知られている．*H. pylori* 感染はこれらの粘膜防御機構を破綻させ胃粘膜を酸による傷害に対して脆弱にしていることが胃潰瘍の発症基盤となることが想定されている．一方，十二指腸潰瘍発症における *H. pylori* 感染の関与については十分解明されていない．*H. pylori* 感染が胃酸分泌抑制作用やガストリン低下作用をもつソマトスタチンの分泌を刺激することが酸分泌亢進を引き起こすことが想定される[33]．また，十二指腸粘膜に胃上皮化生がみられた場合，*H. pylori* は胃上皮に付着し十二指腸炎を引き起こすことも十二指腸潰瘍発症の基盤となることが想定される．*H. pylori* 感染は胃・十二指腸潰瘍の治癒遷延因子および再発因子となることが知られている．

3）胃癌

疫学的解析により胃癌患者では有意に *H. pylori* 陽性率が高いことが知られ，1994 年，WHO は本菌を胃癌の確実発癌因子グループ 1 と認定した．スナネズミへの *H. pylori* 感染が胃癌病変を誘導することも報告されている[34]．臨床的には，胃癌への内視鏡的粘膜切除術が行われた患者において，*H. pylori* 除菌群ではその後の胃癌発生率が有意に低下することも知られている[35]．2008 年，わが国での多施設研究において，早期胃癌の内視鏡的切除を行った患者（除菌群（n=272）および非除菌群（n=272））を対象として 3 年間のフォローアップ結果が報告された[36]．フォローアップ間に胃粘膜における異時性発癌を示した患者は除菌群で 9 名であったのに対し，非除菌群で 24 名であった（intention-to-treat 解析による異時性発癌のオッズ比 =0.353，p=0.009）．この結果より，*H. pylori* の除菌が胃癌の発生を予防することが示された．発癌メカニズムに関する知見として，DNA/RNA 編集酵素として知られている activation-induced cystidine deaminase（AID）と胃癌との関連性が報告された[37]．*cagA* 陽性 *H. pylori* は胃上皮細胞への感染後，AID の誘導および発癌抑制遺伝子 *TP53* の変異を引き起こすことが明らかにされるとともに，*H. pylori* 陽性の胃癌組織には78％（21/27）の高率でAID蛋白が発現されていた．

4) 胃MALTリンパ腫

*H. pylori*陽性の胃MALT（mucosa-associated lymphoid tissue）リンパ腫患者に本菌の除菌を行うと，リンパ腫の縮小と組織学的悪性度の改善が認められるとの多くの報告がある[38]．

5) その他の疾患

*H. pylori*感染が胃・十二指腸以外の疾患（慢性蕁麻疹，特発性血小板減少性紫斑病，鉄欠乏性貧血，動脈硬化症など）の発症とリンクすることが報告されている．*H. pylori*陽性の特発性血小板減少性紫斑病（ITP）患者に本菌の除菌を行うと，約1/3の症例で血小板の増多が認められることが明らかにされている[39]．

4. 診断

*H. pylori*の診断には胃内視鏡検査で採取した胃生検材料を用いる侵襲的検査法と胃生検材料を用いない非侵襲的検査法とがある[40]（表4）．

表4　*H. pylori*の存在診断法

1）侵襲的診断法
a）培養法
b）鏡検法
c）迅速ウレアーゼテスト
d）PCR法
2）非侵襲的診断法
a）抗体検査法（血清，尿，唾液）
b）尿素呼気テスト
c）便中抗原測定検査

1) 侵襲的検査法

a) 分離培養法：胃生検材料よりの本菌の分離培養のために選択薬（バンコマイシン，ポリミキシンB，トリメトプリムなど）を含んだ検出用培地を使用する．37℃ 3 − 7日間の微好気培養（$O_2$5％，$CO_2$10％，$N_2$85％）により，1 − 2mm大の透明なコロニーが形成される．

b) 組織鏡検法：ヘマトキシリン・エオジン染色，アクリジンオレンジ染色，鍍銀染色などを行い，らせん状の本菌の存在を確認する．本菌に対する抗体を用いた免疫染色は特異的な鏡検法となる．

c) 迅速ウレアーゼテスト：胃生検中の*H. pylori*のウレアーゼを検出する検査法である．尿素を含む培地に生検材料を添加し，室温で1 − 2時間静置し，培地の色調変化をみる．本菌のウレアーゼにより尿素がアンモニアに変化し，培地を橙から赤へ変化させる（陽性）．

2) 非侵襲的検査法

a) *H. pylori*抗体検査：血清および尿中の*H. pylori*抗体を，ELISAで検出する方法である．胃生検材料を用いない非侵襲的検査法で，疫学的調査等に有用である．

b) 尿素呼気テスト urea breath test：生体に無害な^{13}Cでラベルした尿素を被検者に飲ませる．胃粘膜中の*H. pylori*による尿素の分解後，$^{13}CO_2$は呼気に排出される．呼気中の放射活性を測定し，本菌の存在を判定する．胃粘膜全体における*H. pylori*の存在を診断できる利点を有する．

c) 糞便中*H. pylori*抗原検出試験：糞便中の本菌（殆どがcoccoid form）の存在をELISAにて調べる検査法である．

5. 治療

日本ヘリコバクター学会は2009年，「*H. pylori*感染の診断と治療のガイドライン」を改訂した．本ガイドラインでは*H. pylori*の一次および二次治療レジメン（いずれも1週間投与）が推奨されている．一次除菌レジメンとして胃酸分泌阻害作用をもつプロトンインヒビター（PPI）（オメプラゾールOPZ，40mg/day，分2，またはランソプラゾールLPZ，60mg/day，分2，またはラベプラゾールRPZ，10mg/day，分2）と2種類の抗菌薬（アモキシシリンAMPC，1.5g/day，分2，クラリスロマイシンCAM，400mg/dayまたは800mg/day，分2）が使用される．一次除菌治療での除菌率は80 − 90％を示すが[41]，近年CAM耐性菌が増加しており（20 − 30％程度），問題となっている．一次除菌に失敗した患者に対する二次レジメンとして，PPI（同上）＋AMPC（同上）＋メトロニダゾールMNZ（0.5g/day，分2）が適用されている．

平成12年11月より *H. pylori* 陽性の胃・十二指腸潰瘍患者に除菌のための診断および治療が保険適用されることとなったが，平成22年6月より適応疾患が胃・十二指腸潰瘍の他に，胃MALTリンパ腫，特発性血小板減少性紫斑病（ITP），早期胃癌に対する内視鏡的治療後胃が追加された．

6. 予防

本菌の感染経路が完全に解明されていないため，有効な予防法は確立されていない．口－口感染を防ぐため，本菌陽性者と食器や洗面具を共用しない．また，糞－口感染を防ぐため，新鮮な食材を清潔な調理用品を使って調理することに努める．感染予防のためのワクチンは開発されていない．

参考文献

1. Warren JA, Marshall BJ：Unidentified curved bacilli on gastric epithelium in chronic gastritis. Lancet i：1272-1275, 1983.
2. Solnick JV, Schauer DB：Emergence of diverse *Helicobacter* species in the pathogenesis of gastritis and enterohepatic diseases. Clin Microbiol Rev 14：59-97, 2001.
3. Parsonnet J, Shmuely H, Haggerty T：Fecal and oral shedding of *Helicobacter pylori* from healthy infected adults. JAMA 282：2240-2245, 1999.
4. Handt LK, Fox JG, Stalis IH *et al.*：Characterization of feline *Helicobacter pylori* strains and associated gastritis in a colony of domestic cats. J Clin Microbiol 33：2280-2289, 1995.
5. Osato M, Ayub K, Le H-H *et al.*：Houseflies are unlikely reservoir or vector for *Helicobacter pylori*. J Clin Microbiol 36：2786-2788, 1998.
6. Taylor DN, Blaser MJ：Epidemiology of *Helicobacter pylori* infection. Epidemiol Rev 13：42-59, 1991
7. Asaka M, Kimura T, Kubo M *et al.*：Relationship of *Helicobacter pylori* to serum pepsinogen in an asymptomatic Japanese population. Gastroenterology 102：760-766, 1992.
8. Malaty HM, Evans DG, Evans DJ Jr *et al.*：*Helicobacter pylori* in Hispanics：Comparison with blacks and whites of similar age and socioeconomic class. Gastroenterology 103：813-816, 1992.
9. Kikuchi S, Kurosawa M, Sakiyama T *et al.*：Long-term effect of *Helicobacter pylori* infection on serum pepsinogen. Jpn J Cancer Res 91：471-476, 2000.
10. 神谷　茂：*Helicobacter pylori* の遺伝子構造と病原性. 細菌誌 55：629-648, 2000.
11. Dong Q-J, Wang Q, Xin Y-N, Li N, Xuan S-Y：Comparative genomics of *Helicobacter pylori*. World J Gastroenterol 15：3984-3991, 2009.
12. 神谷　茂：*Helicobacter pylori* 感染とその病態．感染・炎症・免疫，35：190-199, 2005.
13. Suzuki H, Mori M, Suzuki M et al.：Extensive DNA damage induced by monochloramine in gastric cells. Cancer Lett 115：243-248, 1997.
14. Kamiya S, Yamaguchi H：Adherence of *Helicobacter pylori* to gastric cell. In Yamamoto Y, Friedman H, Hoffman P（eds）：*Helicobacter pylori* infection and immunity. 121-134, Kluwer Academic/Plenum Publishers, New York, 2002.
15. Gerhard M, Lehn N, Neumayer N et al.：Clinical relevance of the *Helicobacter pylori* gene for blood group antigen-binding adhesin. Proc Natl Acad Sci USA 96：12778-12783, 1999.
16. Mahdavi J, Sonden B, Hurtig M et al.：*Helicobacter pylori* SabA adhesin in persistent infection and chronic inflammation. Science 297：573-578, 2002.
17. Yahiro K, Niidome T, Kimura Met al.：Activation of *H. pylori* vacA toxin by alkaline or acid conditions increase its binding to a 250-KD, receptor protein-tyrosine phosphatase β. J Biol Chem 274：36693-36699, 1999.
18. Fujikawa A, Shirasaka D, Yamamoto S et al.：Mice deficient in protein tyrosine phosphatase receptor type Z are resistant to gastric ulcer induction by VacA of *Helicobacter pylori*. Nat Genet 33：375-381, 2003.
19. Atherton JC, Blaser MJ：Coadaptation of *Helicobacter pylori* and humans：ancient history, modern implications. J Clin Invest 119：2475-2487, 2009.
20. Blaser MJ, Atherton JC：*Hellicobacter pylori* persistence：biology and disease. J Clin Invest 113：321-333, 2004.
21. Covacci A, Telford JL, Giudice GD et al.：*Helicobacter pylori* virulence and genetic geography. Science 284：1328-1333, 1999.
22. Stein M, Rappuoli R, Covacci A et al.：Tyrosine phosphorylation of the *Helicobacter pylori* CagA antigen after *cag*-driven host cell translocation. Proc Natl Acad Sci U S A 97：1263-1268, 2000.
23. Asahi M, Azuma T, Ito S et al.：*Helicobacter pylori* CagA protein can be tyrosine phophorylated in gastric epithelial cells. J Exp Med 19：593-602, 2000.
24. Amieva MR, Vogelmann R, Covacci A et al.：Disruption of the epithelial apical-junctional complex by *Helicobacter pylori* CagA. Science 300：1430-1434, 2003.
25. Selbach M, Moese S, Backert et al.：The *Helicobacter pylori* CagA protein induces tyrosine dephosphorylation of ezrin. Proteomics 4：2961-2968, 2004.
26. Higashi H, Tsutsumi R, Muto S et al.：SHP-2 tyrosine phosphatase as an intracellular target of

Helicobacter pylori CagA protein. Science 295：683-686, 2002.
27. Higashi H, Nakaya A, Tsutsumi R et al.：*Helicobacter pylori* Cag A induces Ras-independent morphogenetic response through Shp-2 recruiment and activation. J Biol Chem 279：17205-17216, 2004.
28. Bourzac KM, Guilemin K：*Helicobacter pylori*-host cell interactions mediated by type Ⅳ secretion. Cell Microbiol 7：911-919, 2005.
29. Viala J, Chaput C, Boneca IG et al.：Nod1 responds to peptidoglycan delivered by the *Helicobacter pylori cag* pathogenicity island. Nat Immunol 5：1166-1174, 2004.
30. Lu H, Hsu P-I, Graham DY et al.：Duodenal ulcer promoting gene of *Helicobacter pylori*. Gastroenterology 128：833-848, 2005.
31. Mooney C, Keenan J, Munster D, Wilson I, Alardyce R, Gagshaw P et al.：Neutrophil activation by *Helicobacter pylori*. Gut 32：853-857, 1991.
32. Wilson KT, Ramanujam KS, Mobley HL, Musselman RF, James SP, Meltzer SJ：*Helicobacter pylori* stimulates inducible nitric oxide synthase expression and activity in a murine macrophage cell line. Gastroenterology 111：1524-1533,
33. Moss SF, Legon S, Bishop AE, Polak JM, Calam J：Effect of *Helicobacter pylori* on gastric somatostatin in duodenal ulcer disease. Lancet 340：930-932, 1992.
34. Watanabe T, Tada M, Nagai H *et al.*：*Helicobacter pylori* induces gastric cancer in Mongolian gerbils. Gastroenterology 115：642-648, 1998.
35. Uemura N, Okamoto S, Yamamoto S *et al.*：*Helicobacter pylori* infection and the development of gastric cancer. N Engl J Med 13：784-789, 2001.
36. Fukase K, Kato M, Kikuchi S, Inoue K, Uemura N, Okamoto S, Terao S, Amagai K, Hayashi S, Asaka M, Japan Gast Study Group：Effect of eradication of *Helicobacter pylori* on incidence of metachronous gastric carcinoma after endoscopic resection of early gastric cancer：an open-label, randomised controlled trial. Lancet 372：392-397, 2008.
37. Matsumoto Y,Marusawa H, Kinoshita K et al.：*Helicobacter pylori* infection triggers aberrant expression of activation-induced cytidine deaminase in gastric epithelium. Nature Med. 13：470-476, 2007.
38. Bayerdorffer E, Neubauer A, Rudolph B et al.：Regression of primary gastric lymphoma of mucosa-associated lymphoid tissue type after cure of *Helicobacter pylori* infection. Lancet 345, 1591-1594, 1995.
39. Emilia G, Longo G, Luppi M *et al.*：*Helicobacter pylori* eradication can induce platelet recovery in diopathic thrombocytopenic purpura. Blood 97：812-814, 2001.
40. 加藤元嗣, 穂刈　格, 杉山敏郎, 他：*H. pylori* 感染症の診断と除菌判定, 臨床医, 27：28-33, 2001.
41. Asaka, M., Kato, M., Sugiyama, T., Satoh, K., Kuwayama, H., Fukuda, Y., Fujioka, T., Takemoto, T., Kimura, K., Shimoyama, T., Shimizu, K., Kobayashi, S.：Japan Helicobacter pylori Eradication Study Group 2003. Follow-up survey of alarge-scale multicenter, double-blind study of triple therapy with lansoprazole, amoxicillin, and clarithromycin for eradication of *Helicobacter pylori* in Japanese peptic ulcer patients. J. Gastroenterol. 38, 339-347.

Ⅰ-14　性感染症

産業医科大学泌尿器科
松本哲朗

1. はじめに

性感染症(Sexually transmitted infection：STI)は性行為で伝播するすべての感染症を指し，多種多様の感染症が含まれる広い疾患概念である．現在では，30種類以上の微生物が性行為によって伝播することが知られている．細菌に属するとものとして，梅毒の原因となる *Treponema pallidum*, 淋菌(*Neisseria gonorrhoeae*)などがあり，細菌以外にも，マイコプラスマ(*Mycoplasma genitalium* など)やクラミジア(*Chlamydia trachomatis*)などは非淋菌性尿道炎，子宮頚管炎などの原因となる．ウイルスでは，性器ヘルペスが単純ヘルペスウイルス(Herpes simplex virus：HSV)に原因し，尖圭コンジローマの原因はヒトパピローマウイルス(Human papilloma virus：HPV)である．また，後天性免疫不全症候群(AIDS)はHuman immunodeficiency virus：HIVによって起こる．さらに，数種類の肝炎ウイルスも性行為により伝播することがある．また，原虫や寄生虫なども性感染症の原因となることもある(表1)．最近では，淋菌感染症や性器クラミジア感染症，性器ヘルペス，尖圭コンジローマなどの症状が出やすい性感染症とともに，HIV感染症をはじめとし，感染の時期がはっきりせず，無症状で経過する無症候性性感染症が注目されている．HPVやHSVなども無症候性感染者がかなりいることが指摘されており，これらの原因微生物のスクリーニングや対策が重要視されるようになってきた．

性病予防法が廃止され，いわゆる感染症法が施行されたが，その中でいくつかの性感染症が4類感染症に含まれている．全数把握の疾患と定点観測の疾患に分類され，全数把握の疾患には，HIV感染症と梅毒が指定され，定点観測の疾患には，淋菌感染症，性器クラミジア感染症，性器ヘルペスウイルス感染症，尖圭コンジローマなどの疾患があげられている．最近では，淋菌性尿道炎や非淋菌性尿道炎が増加傾向にあり，若年者にその傾

表1　主なSTIの原因微生物

病原体		疾患
細菌		
	Treponema pallidum	梅毒
	Neisseria gonorrhoeae	淋菌感染症
	Hemophilus ducreyi	軟性下疳
	Calymmantobacterium granulomatis	ソケイ肉芽腫
マイコプラスマ		
	Mycoplasma genitalium	尿道炎，子宮頚管炎
	Mycoplasma hominis	尿道炎，子宮頚管炎
クラミジア		
	Chlamydia trachomatis	尿道炎，子宮頚管炎 性病性リンパ肉芽腫
ウイルス		
	Herpes simplex virus	性器ヘルペス
	Human papilloma virus	尖圭コンジローマ
	Human immunodeficiency virus	エイズ
	Hepatitis B virus	B型肝炎

男性

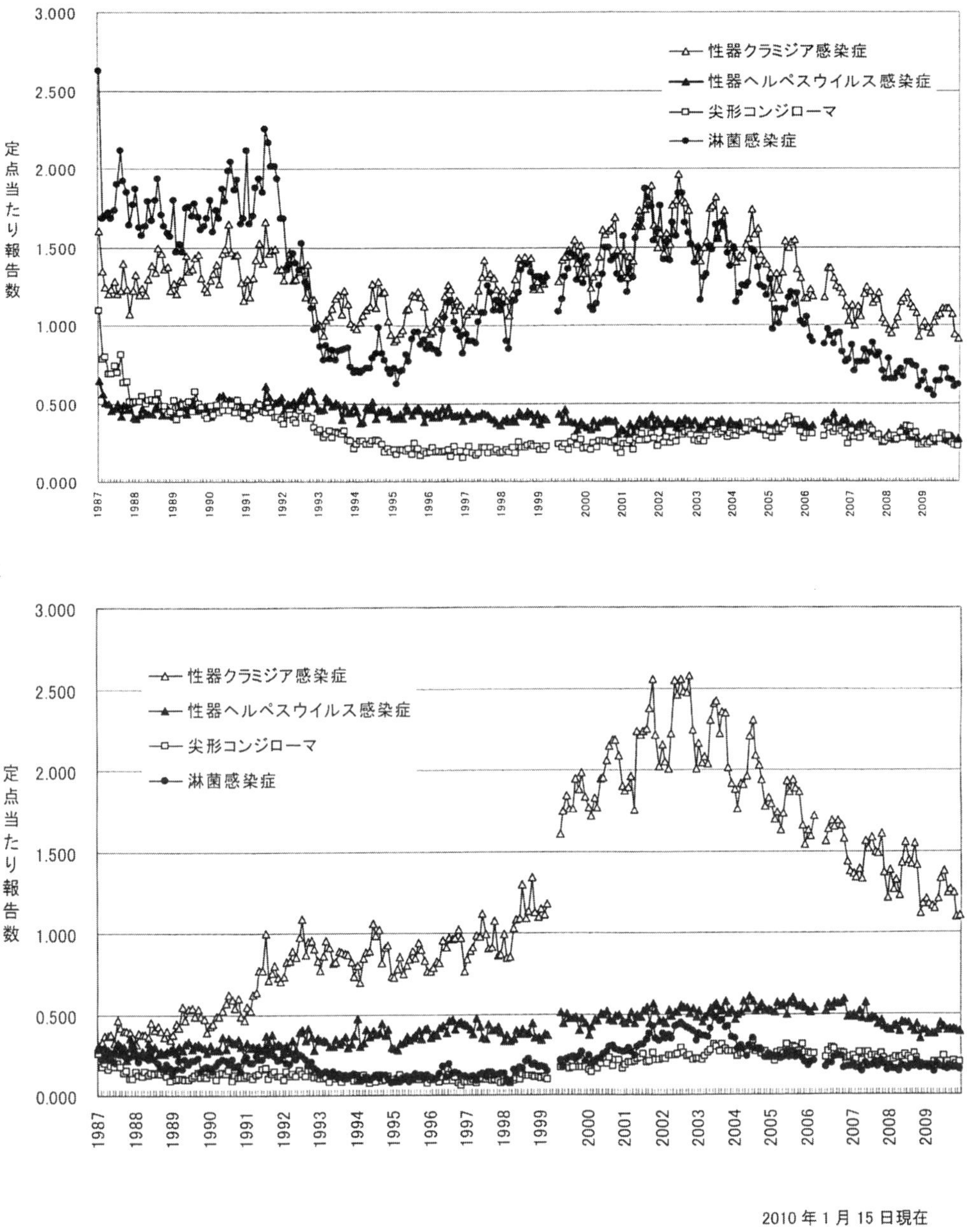

図1　性感染症定点報告数の推移（1999年4月～2007年12月）

向が強く，性教育とともに性感染症教育の重要性が指摘されている．このような性感染症に関する最近の話題を中心に述べる．

2. 性感染症の動向

厚生労働省では，性感染症の定点観測を行っている．男女ともクラミジア感染症と淋菌感染症の

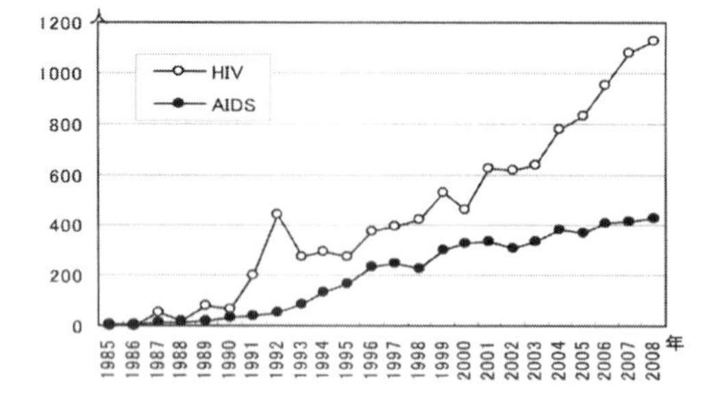

図2－1　HIV感染者及びAIDS患者報告数の年次推移

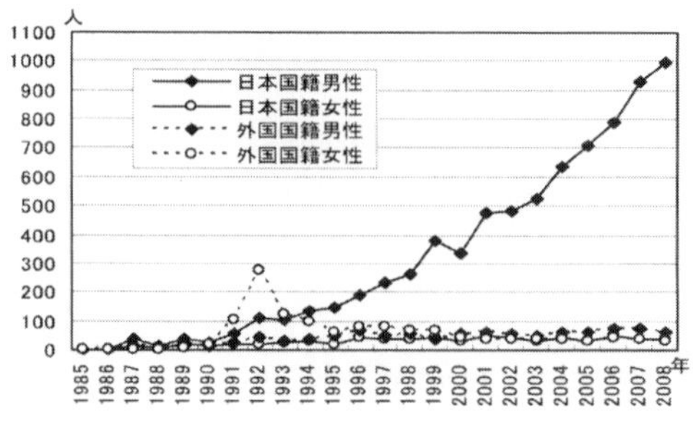

図2－2　HIV感染者報告数の国籍別，性別年次推移

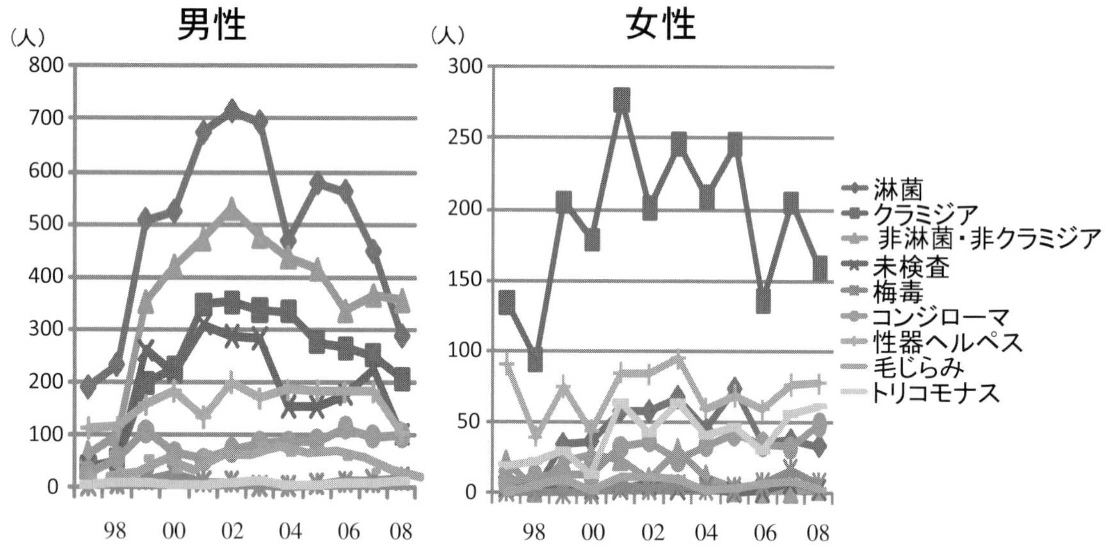

図3　各疾患の年次推移

再増加が見られていたが，2002年ごろをピークとして減少傾向に転じている．減少の原因ははっきりしないが，若者の性に関する欲求の低下，性感染症に関する啓発事業の成果，経済の悪化による性産業の業績低下などが考えられている（図1）[1]．一方，HIV感染症は，性行為によって感染したと思われるものが増加している．特に，男性の同性間交渉によるHIV感染症が増加している．また，国内での感染が増加し，対策の必要性が叫ばれている（図2）[2]．

一方，淋菌感染症の問題点としては，性風俗の変化による感染部位の多様化と多剤薬剤耐性淋菌の増加が指摘されている．特に，ペニシリン系，キノロン系，テトラサイクリン系，マクロライド系などの薬剤に加え，経口用セフェム系薬剤にも耐性となっている．性風俗の変化としてはオーラルセックスの増加に伴って，咽頭・口腔内の感染が増加している．また，オーラルセックスの増加による淋菌の口腔・咽頭への定着が薬剤耐性淋菌の増加の一因となっていると考えられており，咽頭・口腔内の淋菌感染に関する治療法の標準化が必要である．

我々は，北九州地域での性感染症の動向調査を1997年より行っている．厚生労働省の定点調査と同様に，性感染症は全般的に増加していたが，2002年ごろからやや減少している．我々の調査で，女性における性感染症の症例数が少ないのは，協力施設に産婦人科が少ないためであり，女

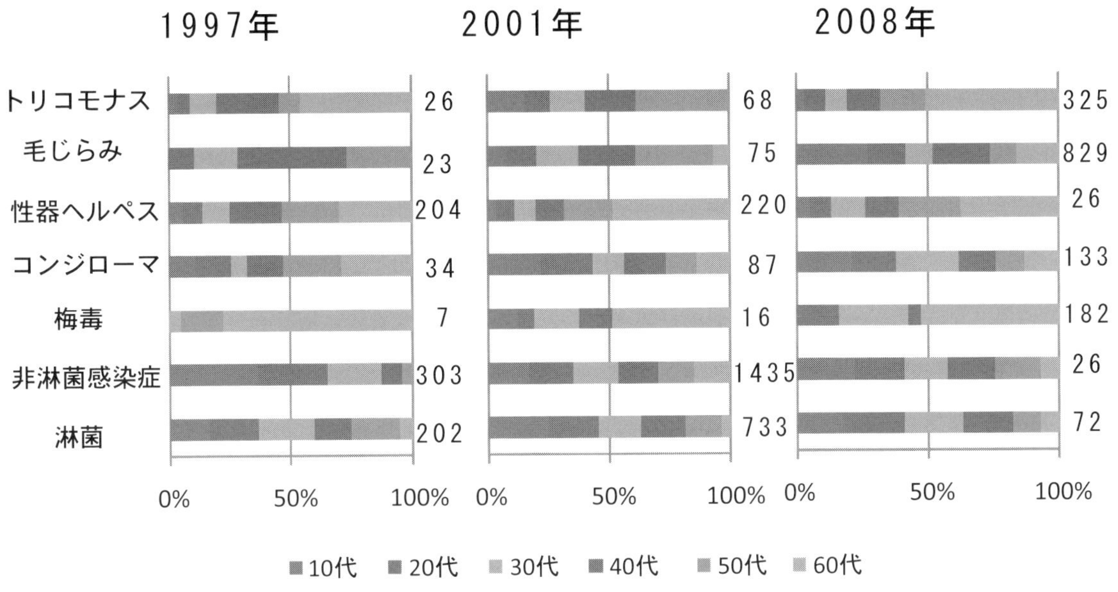

図4　疾患別年齢分布

性が男性より性感染症の感染率が少ないためではない(図3). 年齢別にみてみると, 10歳代, 20歳代では, 淋菌感染症が多くを占めており, また, 若年者層における淋菌およびクラミジア感染症は明らかに頻度の増加傾向がみられる. これらの性感染症に関するスクリーニング法の確立とこれらの年齢層に対する, さらなる啓発活動の充実が必要である(図4).

3. 性感染症に関する診療ガイドライン

種々の分野で, 診療のガイドラインを作成し, エビデンスに基づいた診療の標準化の動きが盛んである. 日本性感染症学会では, 1996年より, 性感染症の診断・治療のガイドラインを発表し, 数回にわたり改訂を行っている. 1996年の第1版では, CDCのガイドラインに準拠したガイドラインが作成されたが, 保険上の問題やわが国の実情に合わない点が散見され, 1999年から2000年にかけて, 大幅な改訂が行われた. 1999年には, 梅毒, 性器クラミジア感染症, 性器ヘルペスウイルス感染症, 尖圭コンジローマ, 淋菌感染症, HIV感染症/エイズについて作成され, 2000年には陰部伝染性軟属腫, 軟性下疳, A型肝炎, B型肝炎, C型・G型肝炎, トリコモナス感染症, 細菌性腟症, 性器カンジダ症, 赤痢アメーバ症, ケジラミ, 非クラミジア・非淋菌性尿道炎などが加えられた. さらに, 2001年には改訂が必要となり, HIV感染症/エイズ, 性器クラミジア感染症, 性器ヘルペス, 尖圭コンジローマ, 淋菌感染症などの疾患について改訂された. また, 2002年には, これらのガイドラインが合本化されるにあたり, 最新情報を盛り込むために, 補追が行われた. この中で, 淋菌感染症に関する補追が最も多く, 薬剤耐性淋菌の蔓延が急速に起こっており, 経口薬の使用には, 問題があること, スペクチノマイシンの淋菌性精巣上体炎や咽頭炎, 骨盤内感染症に対する使用法に問題があり, セフォジジムの使用が合理的であることなどが明記された. また, その後, セフトリアキソンの多剤耐性淋菌に対する効果が確認され, 保険適用となった[3]. その後, 検査と治療に関する新しい方法の導入により, 頻繁な改訂が必要となり, 2年ごとに行われている.

4. 主な性感染症の特徴

性感染症の中で, 淋菌感染症, 性器クラミジア感染症，性器ヘルペス，尖圭コンジローマなどの疾患の特徴を以下に述べる．

1）淋菌感染症

淋菌（*Neisseria gonorrhoeae*）による感染症で，男性の尿道炎と女性の子宮頚管炎が最も多い．男性では，淋菌が管内性に上行し，精巣上体炎を起こすこともあるが，クラミジアほど多くない．女性では，クラミジア同様，淋菌も骨盤内炎症を起こすことがあり，淋菌性骨盤内感染症と呼ばれる．また，最近，オーラルセックスの増加に伴い，咽頭での保菌や感染が問題となっている．咽頭での保菌・感染は，検査や治療上の問題が大きく，注意深い対応を迫られている．男女とも，性器に淋菌が証明された患者の20～30％に淋菌の咽頭部での検出がみられている．さらに，淋菌性結膜炎や直腸炎なども見られることがある．また，播種性淋菌感染症（Disseminated gonococcal infection：DGI）として，菌血症や関節炎が見られることもある．DGIはHIV感染症の免疫不全状態で多いとされているが，薬剤耐性が原因となるDGIも散見されるようになった．さらに，最近，淋菌による重症の結膜炎も経験されている．従来，細菌性結膜炎の治療には，ニューキノロン系薬剤の点眼薬が用いられ，効果的であった．しかし，淋菌の薬剤耐性の結果，ニューキノロン点眼薬が無効で重症化している．多くは，淋菌の自家接種によることが，性器の感染から直接感染することもありうる（表2）．

男性の淋菌性尿道炎では，排尿痛，外尿道口の発赤や膿性尿道分泌物などが主な症状であり，潜伏期間は2～7日と比較的短く，診断は尿道分泌物や初尿検体でのグラム染色標本の鏡検で行われ，比較的容易である．しかしながら，潜伏期間が2週間以上の症例や症状・所見のはっきりしない症例も散見され，塗沫・鏡検のみでなく，核酸増幅法など感度の高い検査が必要な場合も多い．しかし，昨今の薬剤耐性淋菌の増加により培養検査の重要性が増している．また，治療無効例や再発例では，培養・薬剤感受性検査が必要である．淋菌は比較的死滅しやすい細菌であり，培養検査の検体は早急に培地に塗布し，CO_2インキュベーターなどへ移す必要がある．

淋菌感染症での最も大きな問題は，薬剤耐性菌の増加である．淋菌の薬剤耐性機構は，表3に示すように，β－ラクタム耐性，テトラサイクリン耐性，キノロン耐性などがあり，これらの異なった機構による耐性が同時に認められ，多剤耐性となっている点が重要である．β－ラクタム耐性には，Penicillinase-producing *N. gonorrhoeae*（PPNG）が古くから知られている．PPNGは，淋菌のプラスミド上に耐性遺伝子が存在し，TEM-1型のβ－ラクタマーゼを産生し，ペニシリンを分解するため，ペニシリン耐性となった淋菌である．しかし，PPNGは，現在では数％以下と少なく，増加傾向は見られていない．β－ラクタム耐性の中で，PPNGに代わって，増加しているのは染色体に耐性遺伝子が存在するペニシリン耐性菌でCMRNG：Chromosomally mediated resistant *N. gonorrhoeae*と呼ばれるものである．これは，ペニシリンの抗菌ター

表2　淋菌感染症

・淋菌性尿道炎
・淋菌性精巣上体炎
・淋菌性子宮頚管炎
・淋菌性骨盤内感染症（PID）
・淋菌性咽喉頭炎
・淋菌性結膜炎
・淋菌性直腸炎
・播種性淋菌感染症（DGI）

表3　淋菌の抗菌剤耐性

β-lactam耐性
・PPNG（Penicillinase producing *Neisseria Gonorrhoeae*）
プラスミド獲得によるβ-lactamase（TEM-1）産生菌の出現
・CMRNG（Chromosomally-mediated resistant *Neisseria gonorrhoeae*）
染色体に存在するPBPまたは外膜タンパク質遺伝子の変異
・CZRNG（Cefozopran resistant *Neisseria Gonorrhoeae*）
染色体に存在するPBP遺伝子の他菌種とのキメラ化
Tetracycline耐性（染色体性，プラスミド性）
外膜タンパク質遺伝子の変異
薬剤排出システムの亢進（高度耐性*tet*M）
Quinolone耐性（染色体性）
DNA gyrase遺伝子の点変異
Topoisomerase Ⅳ遺伝子の点変異
外膜タンパク質遺伝子の変異，薬剤排出システムの亢進

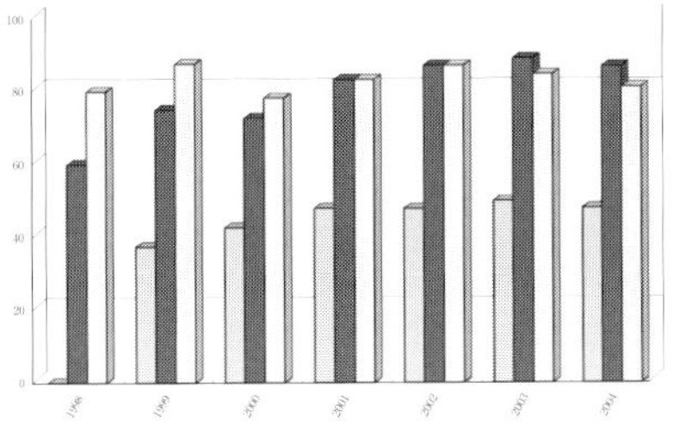

□：oral cephem （Cefdinir），■：fluoroquinolone
□：tetracyclines （Tetracycline）

図5　薬剤耐性淋菌の年次的変遷

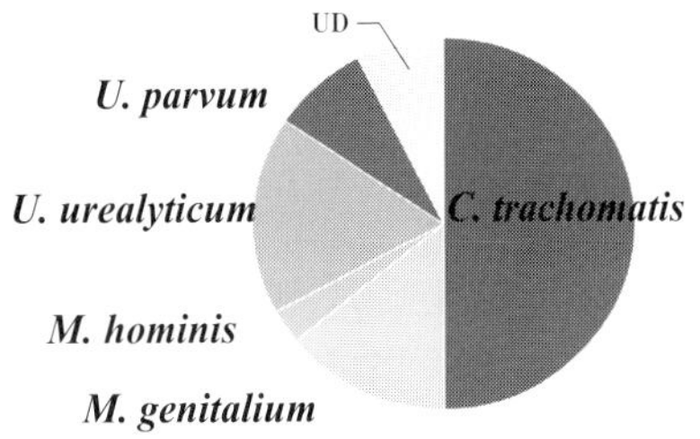

（出口ら，マイコプラズマ研究会，2002,7）

図6　NGUにおける微生物の検出頻度

ゲットであるPenicillin-binding protein（PBP）の変化と外膜蛋白の遺伝子変化によると考えられている．最近，ペニシリンとともに多くのセフェム系薬剤に耐性を示す新しいタイプの薬剤耐性淋菌が発見され，増加している[4]．この耐性は染色体に存在するPBP遺伝子の他菌種との組み換えが起こり，キメラ状態になったことが原因となる薬剤耐性である．セフォゾプランに対する感受性が，鮮明な2峰性に分かれ，セフォゾプランによる検出が容易なため，Cefozopran-resistant *N. gonorrhoeae*（CZRNG）と命名されている[5]．この種類の薬剤耐性は，ペニシリン系とともに経口用および多くの注射用セフェム系薬剤にも耐性である．わが国ではキノロン耐性菌が増加し，大きな問題であるが，このようなセフェム系薬剤にも耐性を示す菌が増加している．この薬剤耐性淋菌に抗菌力を有し，保険適用を有する薬剤はセフトリアキソン，セフォジジム，スペクチノマイシンの3薬剤のみとなっている．これらの注射薬を使用する以外に有効な治療法が無いのが現状である．現時点における淋菌の薬剤耐性菌頻度を図5に示す．ペニシリン系薬剤に100%，キノロン系薬剤に70～80%，テトラサイクリン系，マクロライド系薬剤にも70～90%の頻度で耐性である．経口用および注射用セフェム系薬剤にも，約40%の頻度で耐性菌がみられる．

また，最近の傾向として，オーラルセックスの増加に伴う咽頭での淋菌の感染・保菌が問題である．性器の淋菌の約30%には，咽頭からの淋菌やクラミジアの検出がなされている．従って，性感染症による尿道炎で淋菌が検出された症例では，咽頭の検査が必要となる．咽頭の淋菌検査には，培養法が用いられるが，汎用されている性器の淋菌培養にThayer Martin培地では，口腔内の細菌の増殖があり，鑑別の困難なことがあるので，New York City培地やTrimethoprimを含有したModified Thayer Martin培地を用いた方が有利である．また，TeicoplaninとLincomycinを添加したModified Thayer Martin培地なども報告されている[6]．PCR法は，口腔内に存在する他のナイセリア属の細菌との交差反応があることが知られており，用いるべきではない．TMA法やSDA法は，交差反応が無いため，使用可能であり，感受性，特異度も高い検査法である．

2)非淋菌性尿道炎

非淋菌性尿道炎の原因の多くは，*C. trachomatis*である．しかしながら，最近の傾向は，非淋菌性尿道炎における*C. trachomatis*の検出頻度が減少し，他の微生物による非淋菌性尿道炎が増加していることである．マイコプラズマ属を含めた非淋菌性尿道炎における検出微生物を検討した結果では，*C. trachomatis*の検出率は50%であり，*Myco-*

表4　精巣上体炎におけるクラミジアの検査率と陽性率

年齢	N	クラミジア検査 PCR検査数（検査率）	クラミジア検査 PCR陽性数（陽性率）
～25	15	8（53.3）	4（50.0）
～35	16	12（75.0）	3（25.0）
～45	8	4（50.0）	1（25.0）
45～	34	7（20.6）	0（0）

plasma genitalium が 14.2 %，*Ureaplasma urealyticum* が 17.2 % であり，その他，*U.parvum*，*M. hominis* などが検出されている(図 6)．

i)クラミジア性尿道炎

性器クラミジア感染症では，一般家庭への浸透が問題である．クラミジア性尿道炎は，淋菌性尿道炎に比し，潜伏期間は 1~3 週間と長く，症状も弱い．非淋菌性尿道炎において，*C. trachomatis* の検出率は 50％程度であるが，淋菌性尿道炎においても，*C. trachomatis* が 20 ～ 30％程度検出され，混合感染が比較的多く認められる．クラミジア性尿道炎の症状は軽い排尿痛や尿道部不快感などであり，尿道分泌物も漿液性で，量も淋菌性尿道炎に比し，少ない．下着の汚れで気づくこともある．また，クラミジアによる精巣上体炎や前立腺炎も存在し，尿道からの感染の拡大による．ことに，若年者には，この傾向が強く，20 ～ 30 歳代では，クラミジアによる精巣上体炎が多い．我々の調査では，小児を除く，25 歳以下の若年者で精巣上体炎患者での PCR 法による *C. trachomatis* の初尿検体からの検出率は約 50％であり，年齢が高くなるほど検出率が低下している(表 4)．クラミジアによる精巣上体炎では，一般に症状は軽度であり，発熱もはっきりしないこともある．クラミジア感染症は女性に対して，卵管妊娠，卵管性不妊症，流早産などの重大な問題を引き起こすことがあり，女性の場合，合併症や後遺症が複雑で，重大な問題となることが多い．

ii)非淋菌性・非クラミジア性尿道炎

非淋菌性・非クラミジア性尿道炎の病原微生物については，未だに不明な点が多い．最近，*M. genitalium* の意義が検討され，クラミジア性尿道炎との臨床的な相違点は少ないものの，クラミジアの検出されない尿道炎の起炎微生物の一つとして考えられるようになってきた[7]．*M. genitalium* に有効な薬剤は，クラミジアとほぼ同様であるが，薬剤感受性の検討結果からは，アジスロマイシンやシタフロキサシンなどが推奨される[8]．

iii)尿道炎症候群の診断と治療

尿道炎症候群は，排尿痛と尿道分泌物を症状とする症候群であるが，排尿痛や尿道分泌物を主訴とする尿道炎はいくつかの原因で起こる．性感染症として起こるものは性感染症性尿道炎とし，他の原因でおこるものと区別される．性感染症によるものは，原因微生物により淋菌性，淋菌クラミジア性，非淋菌・クラミジア性，非淋菌・非クラミジア性に分けられる．これらの尿道炎症候群では，起炎微生物により，治療法が異なるため原因菌の正確な診断が必要となる．淋菌は尿道分泌物または初尿のグラム染色鏡検が簡単で，迅速な検査法となるが，培養または核酸増幅法などによる確認が必要である．無効例や再発例などでは，核酸増幅法では薬剤感受性が不明であるので，培養および薬剤感受性検査が薦められる．また，淋菌感染症においても，クラミジアの合併があるため，同時にクラミジアの核酸増幅法による検索が必要となる．淋菌もクラミジアも検出されない場合，有効な検査法が無いため，経験的な治療法となる．マイコプラスマ属など非淋菌性・非クラミジア性尿道炎の原因となる微生物の簡便で，精度の高い検査法の開発と承認が求められる．

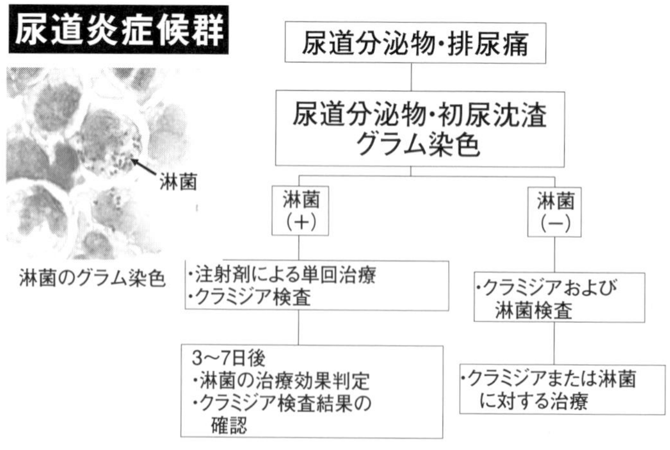

図7　尿道炎症候群

淋菌性尿道炎とクラミジア性尿道炎では，潜伏期間，発症や排尿痛，分泌物の程度に差があり，こ

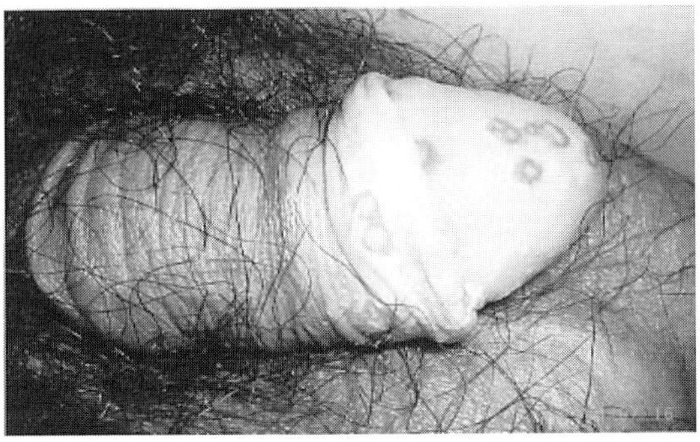

図8　性器ヘルペス（初感染）

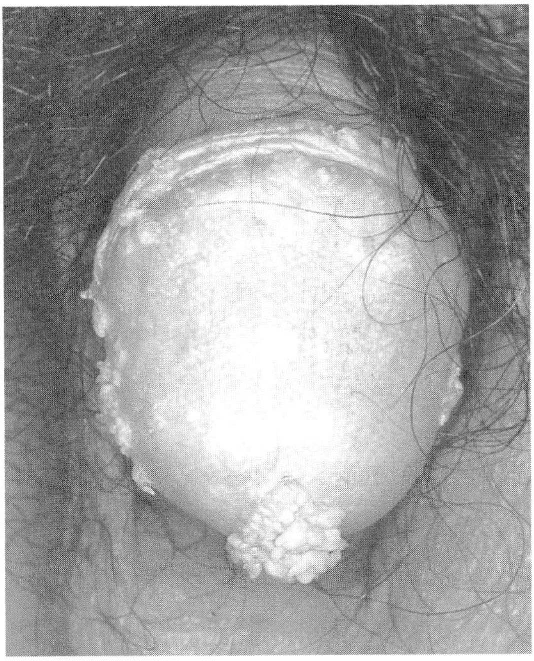

図9　尖形コンジローム

れらにより大まかに鑑別できる．しかしながら，最近では症状の軽い淋菌性尿道炎もあり，検鏡，培養，核酸増幅法などで検索する必要がある．尿道炎症候群では，初診時尿道分泌物ないし初尿のグラム染色を行い，特徴的なグラム陰性双球菌を白血球の内外に認めれば淋菌感染症の診断が得られる．その際，淋菌が証明されたら，淋菌に有効なセフトリアキソン，セフォジジムまたはスペクチノマイシンの単回投与を行う．咽頭や口腔内の淋菌感染が増加している現状では，咽頭・口腔内感染にも有効なセフトリアキソンが奨められる．淋菌性尿道炎の治療開始に際して，同時にクラミジアの検査を行っておくことも重要である．クラミジアの検査結果が判明する数日後に必ず再診させ，クラミジアの有無を判定するとともに，淋菌感染症の治療効果を判定する．クラミジアが陽性の場合，この時点で，クラミジアの治療を開始する．クラミジアの治療は，ニューキノロン系，テトラサイクリン系，マクロライド系などの薬剤から選択し，7～14日間治療する．また，初診時，グラム染色で淋菌が証明されなかった場合，当然，クラミジアの検査を行う．また，グラム染色の鏡検では，証明できない淋菌感染症も存在するので，淋菌が陰性であっても，培養または核酸検査による淋菌の検査を行っておく必要がある（図7）．

4) 性器ヘルペスウイルス感染症

HSV1型，2型で起こる性器の有痛性発疹性疾患である．初感染，初発，再発の3型に分類されるが，初感染がはっきりしない場合もある．単純ヘルペスウイルスは，神経節に潜伏することが知られており，潜伏感染したウイルスが何らかの刺激により，再活性化し，再発性病変を形成することがある．通常，強い痛みを伴う潰瘍性または水疱性病変を作るのが特徴であるが，初発例の方が再発例より症状が強い．男性では，環状溝周囲，包皮，亀頭部などの皮膚に痛みを伴う小水疱から融合し，びらんを形成する．また，大腿部，臀部，肛門周囲，会陰部などにも病変を作ることがある．初感染では，最初かゆみや違和感を伴った水疱が形成され，次第に融合し，円形のびらんを作り，1週間前後で最も重症化する（図8）．また，鼠径リンパ節腫脹，発熱などの見られることがある．尿道炎を併発し，尿道分泌物や排尿困難なども見られる．一般に2～6週で，自然治癒する．再発例では同様の部に病変を作るが，症状は軽く，治癒までの期間も短い．症状が無く，無症候性であるにもかかわらず，ウイルスを排出している患者がかなりいることが，最近問題となっている．泌尿器科を受診する性器ヘルペスの患者は，多くないが，中には疼痛とともに，無菌性髄膜炎を併発し，神経因性膀胱を発症し，尿閉や排尿困難などの症状を呈することがある．治療には，抗ヘルペスウイルス薬を使用する．頻回の再発に対して，抗ヘルペスウイルス薬の長期投与が保険適用となり，使用できるようになった．

5)尖圭コンジローマ

HPVによりおこる特有な尤贅を形成する疾患で，疼痛，その他の症状はほとんどみられない．HPVの6型ないし11型の感染による．男性では，亀頭部，冠状溝，包皮，陰嚢部などに発生し，乳頭状，鶏冠状の外観を呈する(図9)．HPVは女性では，子宮頸癌，男性では陰茎癌の病原因子としの意義が明らかになり，これらの癌における発症と感染の関係に注目が集まっている．尖圭コンジローマと癌の原因となるHPVには違いがある．最近では，ハイブリダイゼーション法のキットが販売されており，HPVの検出とともに型別も可能で，有用である．治療法は外科的切除が主に行われるが，イミキモドクリームの使用も可能となった．

5. おわりに

性感染症の増加している先進国は少ないと言われているが，わが国は性感染症が著明に増加している．これには，種々の原因が関与していると思われるが，国全体としての取り組みも弱いと思われる．予防に対する教育や啓発活動をはじめとして，国全体が真剣に取り組む必要がある．サーベイランスの強化とともに，性感染症の正確な知識の普及が待たれる．

参考文献

1. 性感染症に関する予防，治療の体系化に関する研究，平成21年度総括研究報告書．
2. 厚生労働省エイズ動向調査委員会．
3. 性感染症診断・治療ガイドライン．日本性感染症学会編．2008
4. Akasaka S, Muratani T, Yamada Y et al：Emergence of cephems and aztreonam high-resistant Neisseria gonorrhoeae which does not produce ?-lactamase. J. Infect. Chemother 7：49-50, 2001.
5. Muratani T, Akasaka S, Kobayashi T et al：Outbreak of cefozopran（penicillin, oral cephems, and aztreonam)-resistant Neisseria gonorrgoeae in Japan. Antimicrob. Agents Chemother. 45：3603-3606, 2001.
6. 西山貴子，雑賀威，小林寅吉吉，他：咽頭材料からのNeisseria gonorrhoeaeの検出用培地，変法Thayer Martin寒天培地(m-TM)の有用性．感染症学雑誌 75：573-575, 2001.
7. Deguchi T, Maeda S：Mycoplasma genitalium：another important pathogen of nongonococcal urethritis. J. Urol. 167：1210-1217, 2002.
8. Hamasuna R, Jensen JSO；Osada Y, Antimicrotid susceptisilities of Mycoplasma genitalium strains examined by broth dilution and quantitative PCR. Antimicrob. Agents Chemother. 53：4938-4939, 2009.

Ⅰ-15　寄生虫感染症

杏林大学医学部感染症学講座寄生虫学部門・教授
小林　富美恵

各論Ⅰ

1. 世界の寄生虫感染症と日本の現況

20世紀半ばに世界の寄生虫流行状況を調べたStollは，あまりに酷いその状況を「この，虫だらけの世界！」と表現した[1)]．それから半世紀以上が経過して多くの先進国で寄生虫疾患が激減したが，世界全体を見渡すと，回虫，鞭虫，鉤虫などの腸管寄生蠕虫類の感染者数は10億人以上[2)]，マラリア3.5～5億人[3)]，住血吸虫症2億700万人[4)]，リーシュマニア症1200万人[5)]と，極めて多くの人々が寄生虫疾患に苦しんでおり（表1），この感染症が今もなお世界的脅威であることが認識される．

日本にもかつては，回虫，鉤虫，鞭虫，日本住血吸虫，フィラリア，マラリア原虫などが広く分布し，それらを病因とする寄生虫疾患が全国的に蔓延していたが，戦後の経済発展とそれに伴う生活水準の向上，環境整備，医療の発達，および，官民一体となっての全国規模の寄生虫対策により，わが国はこれらの寄生虫疾患の制圧に成功した．しかし，海外渡航が容易になったことやグルメ嗜好が盛んになったことなどから，輸入寄生虫感染症や食品媒介性寄生虫症の増加などの新たな問題が生じている．

本項では，まず，新興・再興感染症としての寄生虫症について触れ，次に原虫疾患の中からマラリアを，蠕虫疾患のなかから住血吸虫症をとりあげ，それらの分子病理，ワクチン開発の現状，予防対策などについて概説する（なお，「原虫」とは単細胞性の寄生虫を，「蠕虫」と

表1　寄生虫症の統計概要[1)]

疾病名	年間感染者数	年間死亡者数（2004年度）
原虫感染症		
マラリア[2)]	3.5～5億人	888.3千人
アメーバ赤痢	5000万人（発症）	100.0千人
リーシュマニア症[3)]	1200万人	46.8千人
シャーガス病	760万人～1000万	11.3千人
アフリカ睡眠病[4)]	5万～7万人	52.3千人
蠕虫感染症		
回虫症[5)]	8億人	2.5千人
鞭虫症	6億人	1.8千人
鉤虫症	6億人	0.2千人
住血吸虫症	2億700万人	41.1千人
リンパ系フィラリア症	1億2000万人	0.3千人
オンコセルカ症	1700万人	0.1千人
糞線虫症	300万～1億人	

1）文献[1, 2, 3, 4, 5, 12)]より抜粋して引用．
2）アフリカでは45秒に1人の子供がマラリアで死亡している．
3）リーシュマニア症の発症数は年間50～150万人．
4）睡眠病は1998年には30万人～40万人の感染者がいたと推計されている．
5）回虫，鞭虫，鉤虫などのように年間感染者数が多くても死亡者数が少ない寄生虫疾患をneglected tropical diseases（NTD：「顧みられない熱帯病」）と呼ぶ．NTDは直接命を奪うことは少ないが，子供の成長を妨げ，成人の能力を奪い，他の病気に感染する危険性を高めるなど，生涯にわたって深刻な被害を及ぼす．

は多細胞性の寄生虫を示す）．

1-1　新興・再興寄生虫感染症

新興・再興感染症（emerging and reemerging infectious diseases）出現の要因として，人口の増加，貧困・低栄養・老齢化，地球の温暖化・難民の発生[6]のほか，生活習慣の変化，交通機関の発達，都市化，自然環境の破壊，流通機構の拡大やヒトの性行動の変化などがあげられる．新興および再興寄生虫感染症の増加についても，概ね同じ要因によるものと考えられる．

1-1-1　新興寄生虫感染症

ここ20～30年の間に新たにヒトの疾患として認識された新興寄生虫感染症として注目される原虫疾患（動物性の単細胞生物が病因である疾患）には，クリプトスポリジウム症，サイクロスポーラ症，バベシア症，ミクロスポリジアに属する原虫による感染症の他，アカントアメーバなどの自由生活性アメーバによる感染症などがある[7]．これらのうち，前4者はHIV/AIDSなど免疫不全者の日和見感染症として重要であるが，健常者の感染も報告されている．クリプトスポリジウム症は1976年に米国で下痢患者に初めて見出されたが，その後，1993年にミルウォーキーで上水道汚染によって一度に40万人以上の感染者が発生し，また，わが国においても1996年に埼玉県越生町で9140人にのぼる集団発生が起こった．バベシア症は，欧州，米国，アフリカ，アジアなどで散発的に報告されていたが，1999年にわが国最初の症例が報告された[8]．この症例は，溶血性貧血治療のためステロイドの投与を受けていた患者が輸血によってバベシアに感染し発症したものである．一方，新興感染症として最近わが国で注目される蠕虫疾患（条虫類・吸虫類・線虫類などの多細胞性の動物が病因である疾患）には，ホタルイカの生食によって感染する旋尾線虫症や，渓流魚などの生食後に発症がみられるドロレス顎口虫症などがあり，いずれも1990年代より症例数が増加している．

1-1-2　再興寄生虫感染症

現在注目される再興寄生虫感染症としては，マラリア，赤痢アメーバ症，アメリカトリパノソーマ症，シャーガス病，リーシュマニア症，トキソプラズマ症などの原虫疾患と，住血吸虫症，エキノコックス症などの蠕虫疾患とがある．マラリアは，かつて世界保健機関（World Health Organization；WHO）のマラリア根絶計画が功を奏して感染率などが著明に減少したが，1950年代後半から特効薬のクロロキンに対する薬剤耐性マラリア原虫[9]や殺虫剤耐性媒介蚊が出現して世界中に拡散した．赤痢アメーバ症は，1970～1980年代に主に先進諸国において明瞭に増加したという点で特徴的であり[7]，男性同性愛者間の伝播が増加の要因とされている．わが国においても同性愛者間に病原性アメーバが高率に分布するが，心身障害者施設などの施設内アメーバ感染も増加している[7]．

1-2　輸入寄生虫症

諸国間の国際交流の活発化，航路の発達やジャンボジェットなどの大型高速輸送機の開発は，ヒトと物の大量かつ短時間での国際間の移動を可能にしたが，同時にこれらを介した寄生虫疾患の拡大の危険性も高くした．例えば，世界中で毎年1

表2　主要輸入寄生虫症

疾患名	感染源
主要輸入原虫症	
マラリア	ハマダラカ
アフリカトリパノソーマ症	ツェツェバエ
シャーガス病	サシガメ
リーシュマニア症	サシチョウバエ
アメーバ赤痢*	嚢子汚染飲食物
ランブル鞭毛虫症*	嚢子汚染飲食物
クリプトスポリジウム症*	汚染飲食物
サイクロスポーラ症*	汚染飲食物
ブラストシスチス症*	汚染飲食物
主要輸入蠕虫症	
無鉤条虫症*	嚢虫寄生牛肉
有鉤条虫症*	嚢虫寄生豚肉
包虫症*	虫卵摂取
住血吸虫症	セルカリアの経皮感染
リンパ系フィラリア症	カ
オンコセルカ症	ブユ
回虫症*	虫卵摂取
鞭虫症*	虫卵摂取

*国内感染例もある．
文献[11]より抜粋・改変して引用．

億2500万人の旅行者が様々な目的でマラリアの流行地を訪れるが，そのうちの3万人が帰国後マラリアを発症するといわれている[10]．本来国内に存在しないか制圧されたと考えられる寄生虫症で，国際間のヒトの往来や輸入生鮮食品を介して国内に持ち込まれたもの(特に，海外で罹患し国内で発症)を輸入寄生虫症と呼び，主に先進諸国で問題となっている．この状況は，昨今の海外旅行ブームおよび国際交流の活発化に伴って，年間海外渡航者数が1600万人に及び(2008年度)，かつ，外国人来日者数が900万人を超える(2007年度)わが国においても例外ではない．表2にわが国における主要な輸入寄生虫症[11]をあげたが，この中で最も症例数が多いのはマラリアで，死亡例も認められ問題になっている．旅行者下痢症の主な原因とされるランブル鞭毛虫症や赤痢アメーバ症も多く，また，ときにはカラ・アザールを含むリーシュマニア症やトリパノソーマ症，住血吸虫症などの重篤な疾患も見出されている．

1-3　輸入マラリア

マラリアは熱帯，亜熱帯地域を中心に約110ヶ国に分布し，世界総人口の約半数が流行地に居住し感染の脅威にさらされている．WHOの推計[12]によると，2004年の総人口64.3億人のうち総死亡数は5868万人だが，そのうち1376万人が感染症によるものであった．これを疾患別にみると，マラリアによる死亡者数は89万人で，呼吸器感染症(425万人)，下痢症(216万人)，AIDS (204万人)，結核(146万人)に次いで主要な死亡原因となっている．さらに，地球の温暖化によるマラリア流行地の拡大と感染者の増加が懸念されている．

わが国の土着のマラリアは1961年に八重山諸島における自然感染例1例を最後に根絶された[11]．従って，我が国における症例は輸入マラリアとして扱われる．1999年4月1日施行の「感染症の予防及び感染症の患者に対する医療に関する法律(‘感染症法’)」(2007年6月1日改正施行され，現在は‘改正感染症法’)により，マラリアは全医師による届出が義務づけられた全数把握の4類感染症となった(4類の寄生虫症には他にエキノコックス症が，5類にはクリプトスポリジウム症，ジアルジア症，アメーバ赤痢がある)．この法律に基づく感染症発生動向調査によれば，輸入マラリアの届出数は1999年～2001年で年間100例を超えていたが，幸いなことにその後減少し，現在では年間50例～60例である[13]．我が国における輸入マラリア症例の特徴は三日熱マラリアと熱帯熱マラリアが多いことだが，2000年代になって熱帯熱マラリアの比率が徐々に増えて三日熱マラリアのそれを度々上回るようになり，2008年ではマラリア症例の63%を占めるなど割合も最大になっており憂慮されている[13]．輸入熱帯熱マラリア患者の中には適切な診断と治療が得られずに死亡する例が散発しており，致死率が他の先進国に比べて高く(3.3%)，問題となっている．

以上のようにマラリアは，わが国においても注目すべき寄生虫疾患であると同時に，地球規模での対策が急務となっている最重要寄生虫疾患である．分子病理，ワクチン開発などに関する以下の項では，マラリアを中心に概説する．

2.　寄生虫感染の分子病理

2-1　マラリアの病原体

人体には熱帯熱マラリア原虫，三日熱マラリア原虫，四日熱マラリア原虫，卵型マラリア原虫の4種が感染し病因となる．このうち，熱帯熱マラリア原虫はときに致命的な症状を起こすが，他の3種の感染で重症化することは稀である．

2-2　マラリアの分子病理

脳性マラリアは熱帯熱マラリアに併発頻度の高い最も危険な合併症の一つで，急速に昏睡に陥ることを主徴とし，意識障害，譫妄，昏睡，痙攣等をきたすが(図1)，他の3種のマラリアでは，患者はこのような重症化に陥らない．そこで，熱帯熱マラリアに特異な病理発現機構の解析が分子病理学的に進められている[14, 15]．熱帯熱マラリア原虫が感染すると感染赤血球の膜表面に60×100nm程の電子密度の高い小突起・knobが多数出現する[16](図2)．感染赤血球膜表面におけるこのkonbの形成は，他の3種のマラリア原虫には観察されない．このknobには，*Plasmodium falciparum* erythrocyte membrane protein 1

各論Ⅰ

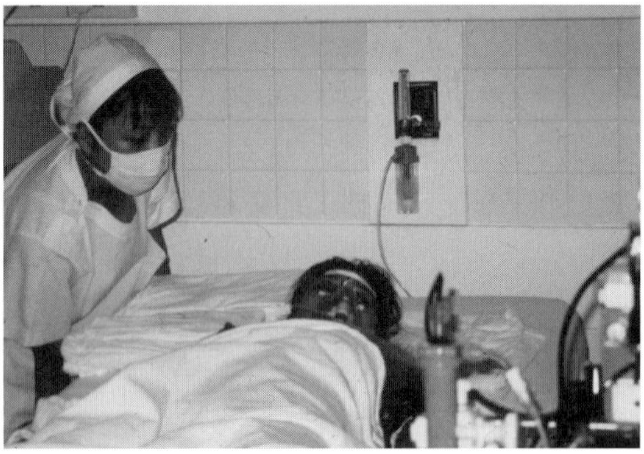

図１　脳性マラリア患者
脳性マラリアは急速に昏睡に陥ることなどを主徴とするが，迅速な診断と的確な治療が施されれば治癒する（ベトナム・ホーチミンのCenter for Tropical Diseasesにおいて許可を得て撮影）．

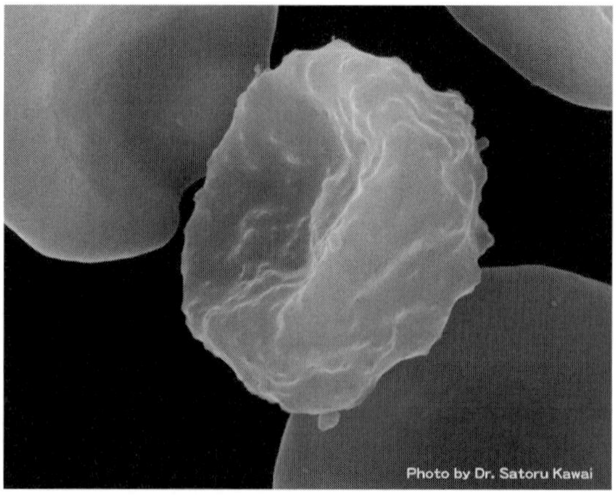

図２　マラリア原虫寄生赤血球膜上に出現したknob
中央の赤血球膜上の小突起がknobである．熱帯熱マラリア原虫では，このknobに局在する原虫由来の分子PfEMP-1などが血管内皮細胞膜上のレセプター分子と結合し，毛細血管内に塞栓を生じさせる．写真は，サルマラリア原虫*Plasmodium coatneyi*を感染させたニホンザル*Macaca fuscata*の赤血球（獨協医科大学・川合覚博士のご厚意による）．

（PfEMP1），PfEMP2，PfEMP3やknob-associated histidine-rich protein（KAHRP）などのマラリア原虫抗原が含まれる[14]（図3）．これらの中で特にPfEMP1は，マラリア原虫感染によってその発現が増強された内皮細胞上の細胞接着分子intercellular adhesion molecule 1（ICAM-1），CD36，thrombospondin（TSP）などに対してリガンドとして働き，感染赤血球を内皮細胞と結合させる．そのため，感染赤血球は脳毛細血管腔に集合し，毛細血管腔を閉塞することにより脳に低酸素状態をもたらし，適切な治療が施されない場合には死の転帰をとることになる．また，脳毛細血管腔に集合した感染赤血球の溶血により，図3に示す経過を経て最終的にはペルオキシダントが脳を傷害し，昏睡から死に至ることも示唆されている[17]．

PfEMP1は膜貫通型蛋白で，細胞外領域にN-terminal segment（NTS），Duffy-binding-like（DBL），cysteine-rich inter-domain region（CIDR），C2などのドメインを持つ[15]．DBLドメインのサブタイプであるDBL2 β /C2ドメインが脳内毛細血管上のICAM-1と結合することが，脳性マラリアの主な引き金となる．さらに，DBL2は胎盤内の細胞に発現するchondroitin sulphate A（CSA）と結合する．これによって感染赤血球が胎盤内に付着し，胎盤の血管が詰まって流産となったり，出産される胎児の体重が著しく減少するなどの「胎盤マラリア」が起こり，多くの母児の命が奪われている．一方，重症マラリア患者の感染赤血球は，非感染赤血球膜上のcomplement receptor 1（CR1）という受容体と結合して“ロゼット（rosette，円花飾り）”と呼ばれる赤血球凝集塊を形成し血栓栓塞症をさらに悪化させるが，このCR1のリガンドもまたDBLのサブタイプのDBL1である．このように，PfEMP1はマラリアの病理に深く関与する原虫由来分子である[15]．

3. 分子寄生虫学とワクチン開発

分子生物学，免疫学，分子遺伝学などの最新の手法を駆使して寄生虫感染症に関する情報を獲得し，より効果的なワクチンの開発に生かそうとする研究が盛んである．ヒトの寄生虫症におけるワクチン開発は，現在のところ，再興感染症の熱帯熱マラリアと住血吸虫症を中心に試みられている．マラリアにおいてはクロロキン耐性など各種薬剤耐性のマラリア原虫株が世界中に拡がり対策が困難になっていることから，また，住血吸虫症においては中間宿主貝撲滅が困難なことなどから

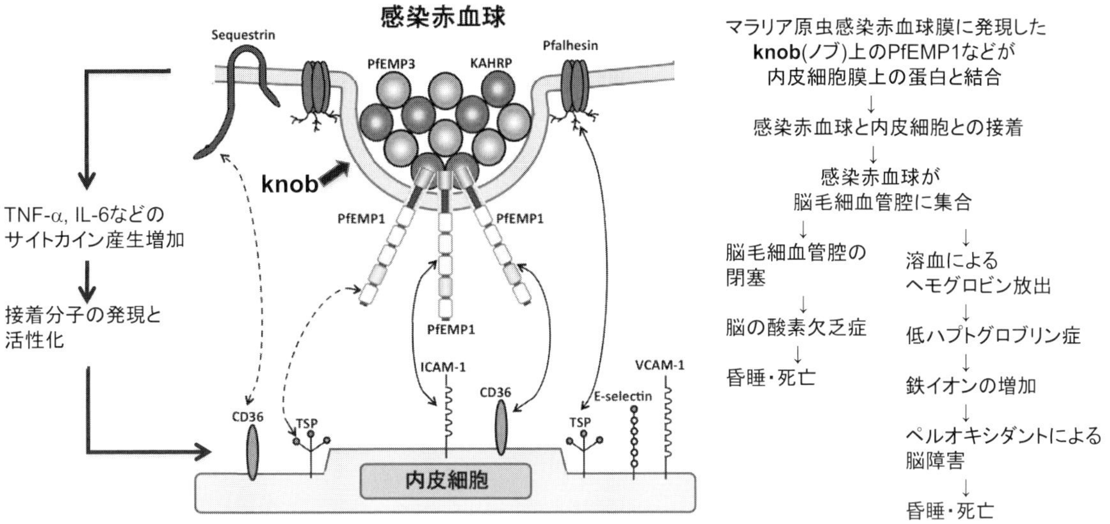

図３　脳性マラリアの病理発現機構（文献[14, 15, 17]より引用，一部改変）

PfEMP1 : *Plasmodium falciparum* erythrocyte membrane protein 1
KAHRP : knob-associated histidine-rich protein
Pfalhesin : parasite-modified form of the native RBC anion transport protein Band 3
ICAM-1 : intercellular adhesion molecule-1
CD36 : cluster of differentiation 36
TSP : thrombospondin
IL-6 : interleukin-6
TNF-α : tumor necrosis factor-α

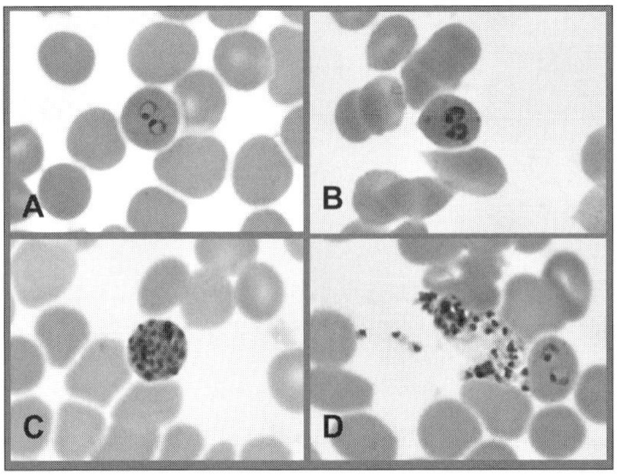

図４　熱帯熱マラリア原虫（*Plasmodium falciparum*）の薄層塗抹標本像（ギムザ染色）

A）輪状体．原虫が指輪のような形態を示すところから，リングフォームとも呼ばれる．多くの熱帯熱マラリア症例ではこの輪状体のみが末梢血に認められる．B）輪状体からやや発育が進んだ状態．C）分裂体．悪化した重症マラリアでは，末梢血にこのステージが出現する場合がある．D）遊離メロゾイト．赤血球が破壊され，メロゾイトが血液中に遊離した像．

ワクチンを開発することが急務であるが，我々人類は未だ実用化に至るまでのワクチンを手にしていないのが現状である．

3-1　マラリアワクチン

3-1-1　マラリア原虫の生活環

マラリア原虫は複雑な生活環を有する．感染ハマダラカがヒトを吸血すると，その唾液腺内のスポロゾイトがヒトの血液内に侵入する．スポロゾイトは数分で肝細胞に侵入し，肝内型原虫となって１週間から１ヶ月ほどで数千にまで分裂・増殖する．この時期，ヒトは無症状である．その後，肝細胞が破裂して多数のメロゾイトが血液中に放出される．このメロゾイトは次に赤血球に侵入して輪状体，栄養体，分裂体へと発育・増殖し（図4），赤血球が破裂すると，放出されたメロゾイトは新たな赤血球に再び侵入して同様のサイクルを48～72時間周期で繰り返す．臨床症状の発現に関与するのはこの赤内型原虫である．一部のメロゾイトは雌雄の生殖母体に分化し蚊に吸われて有

表3　マラリアワクチン候補抗原とその標的およびエフェクター機構

ワクチンの種類	標的となる発育ステージ	ワクチン候補抗原	エフェクター機構
感染阻止ワクチン	スポロゾイト	CSP, TRAP/SSP2, SALSA, STRAP	抗体（肝細胞への侵入阻止）
	肝内型原虫	LSA-1 and -3, CSP, SALSA, STRAP	細胞傷害性 T 細胞
発病阻止ワクチン	メロゾイト	MSP-1, -2, -3, -4 and -5, EBA-175, SERA/SERP * AMA-1, RAP-1 and -2, ABRA, DBP（P. vivax）	抗体（赤血球への侵入阻止）
	赤内型原虫	RESA, SERA/ SERP , EMP-1, -2 and -3, GLURP	ADCC, サイトカイン, 抗体（内皮細胞への付着阻止）
伝播阻止ワクチン	有性生殖期原虫	Pfs25, Pfs28, Pfs48/45 and Pfs230	抗体（受精・発育・蚊の中腸上皮細胞への侵入阻止）

* 遊離メロゾイト表面に弱く結合．文献[18, 19]より改変して引用．

略語

CSP : Circumsporozoite protein
TRAP : Thrombospondin-related adhesive protein
SSP2 : Sporozoite surface protein 2
SALSA : Sprozoite and liver-stage antigen
STRAP : Sporozoite threonine- and asparagine-rich protein
LSA-1 : Liver-stage antigen-1
MSP-1 : Merozoite surface protein -1
EBA-175 : Erythrocyte binding antigen-175
SERA : Serine repeat antigen
SERP : Serine-rich protein
AMA-1 : Apical membrane protein-1
RAP-1 : Rhoptry-associated protein-1
ABRA : Acidic-basic repeat antigen
DBP : Duffy-binding protein
RESA : Ring erythrocyte surface antigen
EMP-1 : Erythrocyte membrane protein-1
GLURP : Glutamate-rich protein
Pfs : 25-kDa *P. falciparum* transmission-blocking target antigen

性生殖を営み，最終的に形成されたスポロゾイトが蚊の唾液腺に移行して感染型となる．

このようにマラリア原虫はその発育過程において宿主体内で様々に形態を変化させ，その都度異なる抗原性を示すため，それぞれの発育期に対応するワクチンが考えられている[18, 19]．研究の進んでいるワクチン候補抗原と，それらに対応するエフェクター機構を表3に示した．

3-1-2　感染阻止ワクチン

ヒトへの感染型であるスポロゾイトや肝内型原虫を標的とするワクチンは感染阻止ワクチンと呼ばれる．Circumsporozoite protein（CSP）はスポロゾイト表面に存在する蛋白で（表3），特異抗体はスポロゾイトの肝細胞への侵入を阻止する．CSP の中央にはアスパラギン－アラニン－アスパラギン－プロリンの4つのアミノ酸が約40回反復する領域（NANP 反復配列）が存在しその領域の抗原性が強いことなどから，NANP 反復配列に基づいた組換えワクチンや化学合成ワクチンが作製され，1980 年代後半には大がかりな野外試験が実施されたが，有効な結果は得られなかった．液性免疫のみに依存した初期のワクチン戦略が反省され，その後，B 細胞エピトープのみならずT 細胞エピトープも組み込まれたワクチンや，それらの複数個を結合させたワクチン（多価抗原ペプチド；multiple antigen peptide；MAP）などが作製されるようになった．それらのうちのひとつである RTS, S ワクチン[20]は，NANP 配列 19 回分と 2 箇所のヘルパー T 細胞エピトープおよび 1 個所の細胞傷害性 T 細胞エピトープを含むアミノ酸残基を hepatitis B surface（HBs）抗原との融合タンパクとして発現させたもので，現在，最も開発が進んでいるワクチンである．これまでに第II相臨床試験が終了し，約50%の感染防御効果が認められた[21]．充分な効果とはいえないが，第II相臨床試験まで進んだマラリアワクチンの中では，唯一効果が認められたワクチンであり，2009年5月からアフリカにおいて第III相臨床試験にはいっている[22]．

一方，CSPはスポロゾイトのみならず肝内型原虫にも発現されているため(表3)，CSP特異的な細胞傷害性T細胞は，原虫感染肝細胞膜上にMHCクラスIと共に提示された原虫抗原ペプチドを認識し，肝内型原虫を攻撃できると考えられる．スポロゾイトを標的とするワクチンに完璧な殺原虫効果が期待されるのに対して(その一部でも肝細胞に侵入すると数千倍に増殖するため)，肝細胞期を標的としたワクチンではその一部が生残しても次の発育期である赤血球期における原虫数を減少させるためワクチン候補抗原としての意義は大であり，CSPのワクチン候補抗原としての期待は高い．肝内型原虫に特異的な抗原としてはliver stage antigen-1（LSA-1)などがある．

3-1-3 発病阻止ワクチン

赤血球期の原虫(赤内型原虫や血液中に放出されたメロゾイト)を標的としたワクチンは発病阻止ワクチンと呼ばれる．赤血球期では原虫数の減少そのものが症状の軽減に直結するからである．メロゾイト表面にはmerozoite surface protein-1（MSP-1)，erythrocyte binding antigen-175（EBA-175)やserine repeat antigen（SERA)が，またその内部の細胞内小器官にはapical membrane protein-1（AMA-1)などが存在する(表3)．MSP-1とSERA[23]は我が国の研究者を含め内外の多くの研究者によって精力的に研究が進められてきたワクチン候補抗原で，いずれも特異的抗体は*in vitro*で原虫の増殖を阻害する．特に，MSP-1はそのC末端の上皮成長因子(epidermal growth factor；EGF)用ドメインに対するモノクローナル抗体が原虫増殖阻止能を有することや，その組換えタンパクをサルに免疫すると感染防御効果が認められることなどが明らかにされたが，多様な抗原多型性を示す[24]ことから，有効なワクチン効果を得るには解決すべき問題点も多い．

一方，前項に記した様に，熱帯熱マラリア原虫感染赤血球膜上のknobにはPfEMP-1が存在し脳性マラリアの起因分子となっていることから，これを標的とするワクチンは脳性マラリアの予防につながるanti-pathologicalなワクチンとなることが期待される．しかし，PfEMP-1の遺伝子である*var*遺伝子はゲノム中に50～150コピー存在して遺伝子ファミリーを構成し，高頻度に抗原変異を起こすことが明らかとなっており[25]，そのワクチン化には更なる研究が必要とされる．

3-1-4 伝播阻止ワクチン

前項までの2種のワクチンが，マラリア原虫のヒト体内での発育期を標的としているのに対し，媒介蚊体内での原虫の発育を阻害することを目的とするのが伝播阻止ワクチンである．ヒト体内のマラリア原虫の雌雄の生殖母体は，蚊に吸血されて蚊体内に移行すると赤血球膜から出て受精し，約20分後にはチゴートとなり，その後約1日かけて運動性のあるオーキネートとなる[26]．この間，原虫は宿主細胞外に存在していわば裸の状態である．その後，オーキネートは中腸壁を穿通して宿主細胞内にはいり，数週間をかけてヒトに感染性をもつ数千のスポロゾイトになる．

Pfs25やPfs28[27]（表3)は熱帯熱マラリア原虫のオーキネート膜表面に分布するタンパクで，生殖母体には存在しない．これらの組み換えタンパクに対する抗体は，マラリア原虫の蚊体内での発育を高率よく阻止する[28]．つまり，このタンパクの接種によってヒト体内に産生された抗体が，蚊の吸血時に生殖母体とともに蚊体内に取り込まれ，オーキネートが蚊の中腸に侵入することを阻止することによりそれ以上の発育を阻害させ，最終的には熱帯熱マラリアの伝播が阻止されることが期待されるのである．新たな発想により創出されたこれらのマラリアワクチンについては，今後の発展が待たれている．

3-1-5 ポストゲノムマラリアワクチンの開発

2002年に公開されたマラリアゲノム情報[29]を新規ワクチン候補抗原の探索に利用しようとする研究が盛んとなってきた．これらの中で，現在，最も有望視されるのは，「コムギ胚芽無細胞蛋白質合成法」を用いた研究である[30]．熱帯熱マラリア原虫の遺伝子は，エキソンのA+T含量が70%を超えるという特異な構造を有しており，大腸菌を用いた組換え蛋白質合成系では極めて合成効率が悪い．愛媛大学のマラリア研究グループは，真核細胞のコムギを用いた本法がマラリア原虫の組換え蛋白質合成法として効率も良く有用であることを，伝播阻止ワクチン候補抗原Pfs25をモデルとして用いて証明した[31]．ビル・メリンダ・ゲイツ財団の助成を得て，熱帯熱マラリア原虫の約5,400個の遺伝子のうち6割を占める機能未知分子の中に新規ワクチン候補抗原を見出そうと，勢力的に研究が進められている．

3-2　住血吸虫症ワクチン

住血吸虫症は，WHOの定める重要熱帯病のうちマラリアに次いで重要視されている疾患で，ヒトの蠕虫症のなかでは唯一ワクチン開発の対象とされ，様々な検討がすすめられている．本症の分布は世界74ヶ国におよび，約2億人の感染者の存在が推定されている[4]（表1）．ヒトに感染する住血吸虫には，アジアに分布する日本住血吸虫やメコン住血吸虫，アフリカおよび南米に分布するマンソン住血吸虫，アフリカ，中近東に存在するビルハルツ住血吸虫などがある．住血吸虫はマラリア原虫とは異なって多細胞から成り，ヒトへ感染した直後のシストソミュラは約0.3～0.5mm，成虫は種によって全長10mm～25mmに達する．宿主はこの様な大型の寄生虫に対しても様々な防御免疫応答を惹起してこれを排除しようと試みるが，住血吸虫は，自己の体表構造の変化，宿主の主要組織適合性抗原や血液型物質を体表に結合しあるいは合成するなどして宿主の排除を回避する．

3-2-1　住血吸虫症ワクチンの必要性

住血吸虫症には駆虫効果の優れた治療薬としてプラジカンテルがある．住血吸虫症による死亡数は1995年までは約80万人とされていたが[32]，2000年～2002年[33]のWorld Health Reportによれば1万1千人～1万5千人と激減した．この著明な死亡率の低下は1997年東京で開催された'国際寄生虫対策会議'で既に報告されており[34]，この頃までにプラジカンテルの利用が世界中に広まった結果と考えられる．しかし，感染者数や感染リスク人口は依然として高いままで，2004年の死亡者数は4万1千人と再び増加するなど[12]，この治療薬の登場後もなお世界における住血吸虫症の流行は続いている．その理由は，熱帯地域の発展途上国における経済発展政策優先主義や住民の教育問題などから中間宿主である淡水産巻貝の撲滅が殆ど不可能で，個人レベルの治療に成功してもすぐに再感染をおこしてしまうことが一因となっている[35]．プラジカンテルに替わる特効薬をもたない今日，本治療薬の有効性の低下，即ち，薬剤耐性寄生虫出現の可能性も高く，住血吸虫症ワクチンの開発研究が緊急の重要課題である．

3-2-2　2種の住血吸虫症ワクチン

住血吸虫のセルカリアは，ヒトに経皮感染すると直ちに尾部を離脱し体表構造の異なるシストソミュラへと転換し，その後数週間を経て成虫となる．従って，感染防御を目的としたワクチン開発においては，シストソミュラが最適な標的となる．また，住血吸虫症（図5）は，ヒト体内で産出された虫卵が血行性に体内の各臓器に至り，毛細血管で塞栓することが病態の本質であるので，虫

図5　日本住血吸虫症患者
日本住血吸虫症患者．患者は27歳，男性．発育障害，腹水貯留が顕著である．フィリピン，レイテの症例．

表4　マンソン住血吸虫症ワクチン候補抗原とその性状

抗原分子の名称	分子量 (kDa)	発現されている発育ステージ	特徴	防御率 (inbred mice)
Sm23	23	成虫，シストソミュラ，虫卵	膜蛋白	40-50%
Sm14	14	成虫，シストソミュラ	脂肪酸結合蛋白	65% *
Sm28-GST	28	成虫，シストソミュラ，虫卵	酵素	30-60%
Sm28-TPI	28	成虫，シストソミュラ，虫卵	酵素	30-60%
Sm97-Paramyosin	97	成虫，シストソミュラ	筋蛋白	30%
IrV-5	62	成虫，シストソミュラ，虫卵	筋蛋白	50-70%
SmTSP-2 (tetraspanin D)	−	成虫	−	57-64%

文献[36, 37]より引用，一部改変

*In outbred mice.

略語　*Sm*, *Schistosoma mansoni*;　GST, Glutathione S-transferase;
TPI, Triose phosphate isomerase;　IrV, irradiated vaccine antigen;
TSP, tetraspanin;

卵(あるいは産卵数を低下させるという意味で成虫も)を標的としたワクチンは，虫卵性肉芽腫形成を抑制するなどが期待出来るanti-pathological vaccineということになる．

3-2-3　住血吸虫症ワクチン候補抗原

マンソン住血吸虫(*Schistosoma mansoni*; Sm)に存在する抗原分子のうち，遺伝子のクローニングがなされ，解析を進めるべきワクチン候補としてWHOが提唱した6抗原[36]と，その後開発されたワクチン候補抗原tetraspanin D（TSP-2)[37]を表4に示した．前者6抗原は，それぞれ組換えタンパクとしてマウスに免疫して行われた防御効果判定ではあまり高い防御率を示す結果は得られなかったが，多価抗原ペプチド(multiple antigenic peptide；MAP)やDNAワクチンなどの試みに対して期待が寄せられている．

Glutathione S-transferase（GST)はN末端側にT細胞エピトープを有し，その免疫によりマンソン住血吸虫の感染を防御するが，日本住血吸虫感染については防御効果を示さない．しかし，GSTは虫卵産生抑制効果を有することから，主な病態である虫卵性肉芽腫形成による肝の繊維化を減少させるanti-pathological vaccineとしての有効性が考えられている．Triose phosphate isomerase (TPI)はT細胞エピトープとB細胞エピトープ4本から成る合成ペプチドMAP-4が，Sm23は同様にして調製されたMAP-3が好成績を示している．

Paramyosinは筋タンパクの1種で，マンソン住血吸虫感染に対する防御免疫が成立したマウスの血清が強く認識する標的抗原としてクローニングされた．筋組織に分布する本分子が如何にして強い抗原性を有するのか不明であったが，その後，体表外被にも分布することが証明された．日本住血吸虫のparamyosinについては，感染防御能をもつモノクローナルIgE抗体[38]の標的抗原遺伝子のクローニングを行ったところ，本分子が標的分子として同定されたことから注目された．組み換えparamyosinを用いてブタへの免疫実験が中国で実施され，このワクチン候補分子による防御免疫の誘導が確認されている[39]．ウシやブタなどの家畜はヒト以外の終宿主(保虫宿主)として日本住血吸虫の生活環に関与しているので，これら保虫宿主の感染率の低下は，最終的にヒトにおける感染率の低下に結びつくと期待されるのである．一方，最近開発されたSmTSP-2は比較的防御効果が高いことから，現在，勢力的に研究が進められている．

以上，マラリアと住血吸虫症におけるワクチン開発の理論と現況について記したが，原虫・蠕虫のいずれにおいても寄生虫症におけるワクチン開発に当たっては，多価抗原ペプチドにおける成分の選定やヒトに使用可能な効果的なアジュバントの開発などに加えて，寄生虫抗原の遺伝的多型性や防御免疫機構の解明など基礎的分野の研究の蓄積が必須であることを忘れてはならない．

表5　寄生虫症関連ウェブサイト

1．世界の寄生虫症流行情報
世界保健機関（WHO）・International Travel and Health -2010- http://www.who.int/ith/en/
米国疾病予防対策センター（CDC）・Travelers Health http://www.cdc.gov/travel
厚生労働省・海外で健康にお過ごしいただくための情報サイト（FORTH） http://www.forth.go.jp/
外務省・在外公館医務官情報・世界の医療事情 http://www.mofa.go.jp/mofaj/toko/medi/index.html
2．最新の感染症情報
世界保健機関（WHO）・Weekly Epidemiological Report http://www.who.int/wer/en
米国疾病予防対策センター（CDC）・Morbidity and Mortality Weekly Report http://www.cdc.gov/ にアクセスし，'MMWR' をクリック
Global Atlas of Helminth Infections（GAHI）：Mapping this wormy world, 2010. http://www.thiswormyworld.org/
3．寄生虫症のコンサルテーション（医療関係者向け）
日本寄生虫学会 http://jsp.tm.nagasaki-u.ac.jp/
4．文献「寄生虫症薬物治療の手引き－2010－改訂第7.0版」のダウンロード
熱帯病治療薬研究班 http://www.med.miyazaki-u.ac.jp/parasitology/orphan/index.html

4. 寄生虫感染の予防対策

4-1　マラリアの予防対策

海外渡航者が熱帯アフリカなどのマラリア流行地域に1ヶ月滞在した場合のマラリアの罹患危険率は2～3%とされており[40)]，マラリアは感染リスクの高い疾患である．マラリアの感染防止にはベクターであるアノフェレス属の蚊の習性を知り，それによる刺咬を避けることが最も重要である．即ち，ハマダラカは夜間吸血性であるため，日没後の外出を避けること，また，外出時には長袖・長ズボンを着用すること，殺虫剤や昆虫忌避剤を効果的に使用すること，室内への蚊の侵入を防ぐことなどで感染のリスクは大幅に軽減される．マラリアの高度流行地に滞在する場合には，予防内服を考慮することが必要となる．予防内服は感染そのものを阻止するのではなく，主にマラリア原虫の赤血球内での発育を阻止することにより発症を抑制するものである．クロロキン耐性マラリアが世界中に蔓延しているため，予防内服の際には滞在地における薬剤耐性マラリアの存在や種類・程度を知っておく必要がある．わが国や欧米各国の関係機関はマラリアに関する様々な情報を公表しているが(表5)，特に，WHOが毎年発行するInternational Travel and Healthは，国・地域別にマラリア感染リスク(薬剤耐性熱帯熱マラリアの存在に関する情報など)や(図6)推奨される予防内服薬を提示している．本書はWHOより購入することも可能だが，インターネットにより最新版の内容を入手することが出来る[41)]．

4-2　輸入寄生虫症全般に対する対策

海外旅行予定者から相談があった場合には感染症に対する配慮を怠らないように注意をする．特に熱帯・亜熱帯地域には多くの寄生虫症が蔓延している．寄生虫のヒトへの感染は細菌などと異なり特定の発育期虫体のみが感染するので，その感染経路を知ることが現地での感染予防に役立つ．ヒトへの感染経路としては，1)水や飲食物による経口感染，2)蚊やダニなどの節足動物の刺咬による感染，3)水や土壌中の幼虫の経皮感染，4)ヒトからヒトへの泡沫感染や接触感染などがあるので，飲食物を生で摂取しないこと，虫刺されに注意することなどを心がける．一方，医師および医療関係者は，海外旅行が増加している現在，疑わしい症状を呈する患者に対しては全ての患者に海外渡航歴を問診し，渡航先で感染可能な寄生虫を含む感染症の検査を行う必要がある．検査，診断，治療などに困難を生じる場合には，大学や研究所などの専門の機関や日本寄生虫学会に相談すると良い．また，インターネットを介する情報検索の普及は，世界各地に蔓延する各種寄生虫症の疫学状況などの情報を瞬時にして個々のレベルで入手することを可能にした(表5)．医師・研究者および医療関係者がまずこれら最新の状況を把握していくことが，現状では，わが国における最も

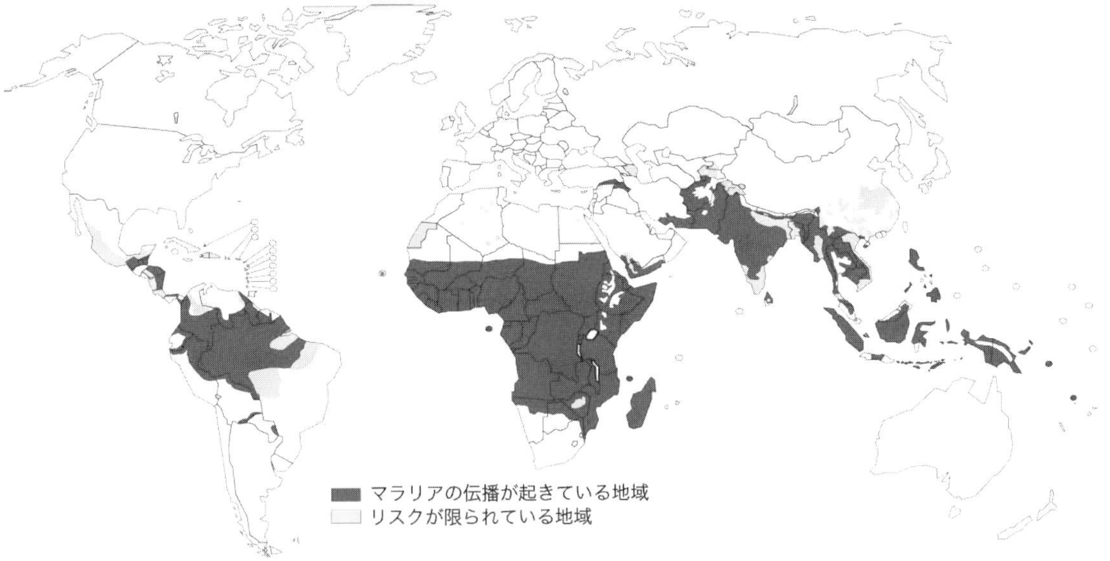

図6　世界のマラリア流行地域－2009－

マラリアは熱帯・亜熱帯地域を中心に約110ヶ国に分布．世界総人口の約半数が流行地に居住し，毎年3.5億～5億人の感染者が発生する．（WHO：International Travel and Health, 2010[41]より一部改変して引用）

効果的な寄生虫症対策のひとつであるといえよう．

参考文献

1. Stoll NR：This wormy world. J Parasitol 33：1-43, 1947.
2. Hotez PJ：A plan to defeat neglected tropical diseases. Scientific American 302：90-96, 2009.
3. CDC：Health Information for International Travel 2010 (Travelers'Health - Yellow Book 2010). The 2010 Online Edition, Table of Contents, Chapter-2：Malaria and Chapter-5：Other Infectious Diseases Related to Travel.
<http://wwwnc.cdc.gov/travel/yellowbook/2010/table-of-contents.aspx>にアクセスし，それぞれ該当する項目をクリックする）
4. WHO：Fact Sheet；June 2010. <http://www.who.int/mediacentre/factsheets/en/>
5. 橋口義久：　リーシュマニア症．WORLD FOCUS-感染症等情報.<http://www.npo-bmsa.org/wf071.shtml>
6. Louria DB：Emerging and re-emerging infections：The social variables.　Internatl J Infect Dis 1：59-62, 1996.
7. 竹内 勤：原虫感染症－概論－，特集：新世紀の感染症学(上). －ゲノム・グローバル時代の感染症アップデート－. 日本臨牀 61（増2）：585-591, 2003.
8. 斉藤あつ子，他：本邦におけるヒトへのBabesia寄生のはじめての証明．感染症誌　73：1163-1164, 1999.
9. Payne D：Spread of chloroquine resistance in Plasmodium *falciparum*. *Parasitol* Today 3：241-246, 1987.
10. WHO：International Travel and Health 2010. <http://www.who.int/ith/chapters/en/index.html> にアクセスし，Chapter 7 Malariaをクリックする．
11. 大友弘士，水野泰孝：寄生虫症，原虫症の変遷，特集：新世紀の感染症学(上)－ゲノム・グローバル時代の感染症アップデート－．日本臨牀 61（増2）：60-67, 2003.
12. WHO：February 2009. "Estimated total deaths by cause and WHO Member State, 2004"
<http://www.who.int/entity/healthinfo/global_burden_disease/gbddeathdalycountryestimates2004.xls>
13. 国立感染症研究所：感染症情報センター IDWR（感染症発生動向調査 週報）．年別報告数一覧，2010年3月6日現在報告数 <http://idsc.nih.go.jp/idwr/ydata/report-Ja.html>
14. Cooke B, et al.：Falciparum malaria：sticking up, standing out and out-standing. Parasitol Tod 16：416-420, 2000.
15. Kraemer SM, et al.：*var* genes, PfEMP1 binding, and malaria disease. Curr Opinion Microbiol 9：1-7, 2006.
16. Aikawa M, et al.：Electron Microscopy of knobs in *Plasmodium falciarum*-infected erythrocytes. J Parasitol 74：435-438, 1983.
17. 相川正道：現在話題のマラリア研究．化学療法の領域 14：815-820, 1998.
18. Carvalho LJM, et al.：Malaria vaccine：Candidate antigens, mechanisms, constraints and prospects. Scand J Immunol 56：327-343, 2002.

19. Hoffman SL, Miller LH：Perspectives on malaria vaccine development. In：Hoffman, SL, ed. Malaria vaccine development：A multi-immune response approach. Washington, DC：American Society for Microbiology Press, pp 1-13, 1996.
20. Stoute JA, et al.：A preliminary evaluation of a recombinant circumsporozoite protein vaccine against *Plasmodium falciparum* malaria. RTS, S Malaria Vaccine Evaluation Group. N Engl J Med 336：86-91, 1997.
21. Bejon P, et al.：Efficacy of RTS,S/AS01E vaccine against malaria in children 5 to 17 months of age. N Engl J Med 359：2521-2532, 2008.
22. Nayar A：Malaria vaccine enters phase III clinical trial-Success in large-scale studies could see drub to market by 2012-. Nature, Published online 27 May 2009. < http://www.nature.com/news/2009/090527/full/news.2009.517.html>
23. 堀井俊宏：SERAマラリアワクチン開発の現状, 特集：最近のワクチン. 最新医学 57：1961-1967, 2002.
24. Tanabe K, et al.：Allelic dimorphism of a surface antigen gene of the malaria parasite *Plasmodium falciparum*. J Mol Biol 195：278-287, 1987.
25. Borst P, et al.：Antigenic variation in malaria. Cell 82：1-4, 1995.
26. Carter R, Graves PM：Gametocytes. In Malaria -Principles and practice of malariology, Ed. Wernsdorfer WH, McGregor I, Churchill Livingstone, New York, pp253-305, 1988.
27. Kaslow DC, et al.：A vaccine candidate from the sexual stage of human malaria that contains EGF-like domains. Nature 333：74-76, 1988.
28. Stowers AW, et al.：Structural conformers produced during malaria vaccine production in yeast. Yeast 18：137-150, 2001.
29. Gardner MJ, et al.：Genome sequence of the human malaria parasite *Plasmodium falcparum*. Nature 419：498-511, 2002.
30. 坪井敬文, 他：ポストゲノムマラリアワクチン抗原探索の切り札－コムギ胚芽無細胞蛋白質合成法－. 蛋白質核酸酵素 54：1041-1046, 2009.
31. Tsuboi T, et al.：Wheat germ cell-free system-based production of malaria proteins for discovery of novel vaccine candidates. Infect Immun 76：1702-1708, 2008.
32. Anon：Report of a National Water Quality Seminar, Romania, WHO-EURO, Rome, 1995. <http://www.who.int/water_sanitation_health/dwq/en/S01.pdf> と入力後に down load される文献中の Table. 2
33. WHO：The World Health Report 2002. World Health Organization, Geneva, 2002.
34. Bebehani, K：Global parasitic control. An overview of current progress and future prospects preparatory meeting, Tokyo, 11-12 December, 1997.
35. 小島荘明：住血吸虫症, 特集：最近の感染症－人類の脅威としての不滅の感染症－. 綜合臨牀 50：503-508, 2001.
36. Bergquist NR, Colley DG：Schistosomiasis vaccine：Research to development. Parasitol Today, 14：99-104, 1998.
37. McManus DP, Loukas A：Current status of vaccines for schistosomiasis. Clin Microbiol Review, 21：225-242, 2008.
38. Kojima S, et al.：Production and properties of a mouse monoclonal IgE antibody to *Schistosoma japonicum*. J Immunol 139：2044-2049, 1987.
39. Chen H, et al.：Vaccination of domestic pig with recombinant paramyosin against *Schistosoma japonicum* in China. Vaccine 18：2142-2146, 2000.
40. Reid D, et al.：Health risks abroad：General consideration. In：Textbook of Travel Medicine and Health, 2nd ed (ed by DuPont HL, Steffen R), pp3-10, BC Decker, London, 2001.
41. WHO：International travel and health 2010. World Health Organization, Geneva, 2010. <http://www.who.int/ith/en>

Ⅰ-16　スーパー抗原活性をもつ細菌毒素と病原性

常磐大学人間学部健康栄養学科教授
内山竹彦

病原性毒素として古くから知られていたいくつかの蛋白性細菌産物が，T 細胞活性化作用を示すことが明らかにされ[1]，1989 年にはスーパー抗原（superantigen）として分類されるようになった[2, 3]．これらの毒素の T 細胞活性化能と病原毒素活性が密接にリンクすることが明らかになった今日，スーパー抗原は，感染症や炎症・免疫疾患の発症機序や病原因子を解析するとき，考慮すべき重要な因子の 1 つとなっている．

本稿では，スーパー抗原とそれに起因する疾患について説明する．

1．スーパー抗原の分類と病原性

スーパー抗原は，細菌性，ウイルス性，植物性の 3 群に大別される．スーパー抗原の中心的生物活性である T 細胞活性化作用がいくつかの感染症の発症機序に密接に関与する．

1）細菌性スーパー抗原と病原性

スーパー抗原が関与する疾患として黄色ブドウ球菌感染症のトキシックショック症候群（toxic shock syndrome, TSS），新生児の TSS である新生児 TSS 様発疹症（neonatal TSS-like exanthematous disease, NTED），それに全身性エルシニア菌感染症が確立しており，A 群レンサ球菌感染症例えば猩紅熱にも関与があると考えられる．

黄色ブドウ球菌スーパー抗原としては，TSS の原因毒素（TSS toxin-1, TSST-1）と食中毒の原因毒素でもある腸管毒素（staphylococcal enterotoxins A-R, SEA-SER）が知られている（表 1）．TSS や NTED は主に TSST-1 による疾患であるが，SEA ら腸管毒素群（streptococcus pyogenes）もこれらの疾患を惹起しうる．最近の黄色ブドウ球菌のゲノム解析により，staphylococcal enterotoxin-like toxins（sets）と命名されたスーパー抗原と構造が類似した蛋白をコードする遺伝子群が複数種 pathogenicity island にタンデムに配列していることが明らかにされた（set1 ～ set5, set6 ～ set15, set16 ～ set26 はそれぞれ別の菌株に存在している）[4, 5]．これらの蛋白の生物活性についての解析は始まったばかりである．A 群レンサ球菌スーパー抗原は，発熱毒素（streptococcal pyrogenic exotoxin A-K, SpeA-SpeK），上記と別の系統の毒素（streptococcal mitogenic exotoxin Z 1-24, SMEZ1-SMEZ24）らが挙げられる[6]．エルシニア菌（*Yersinia pseudo-tuberculosis*）が産生するスーパー抗原 YPM（Y. pseudotuberculosis-derived mitogen）は全身性エルシニア菌感染症の最も重要な毒素である[7]．さらに 21 世紀になってヒトにあまり病原性が強くない C 群や G 群レンサ球菌（Streptococcus dys-galactiae ら）もスーパー抗原，例えば *Streptoco-ccus disgalactiae*-derived mitogen（SDM）[8] を産生することが明らかになってきた．

スーパー抗原は分子量 2 万ダルトン前後の 2 つの球状ドメインからなる水溶性の単純蛋白であり，その遺伝子は染色体，プラスミド，ファージなどにコードされている[3]．SEA, SED, SEE の間，SEB, SEC, SpeA, SSA の間では，それぞれ，

表1　細菌性スーパー抗原の分類と病原性，応答性Ｔ細胞のTCR Vβ選択性

スーパー抗原	ヒトのＴ細胞のTCR Vβ表現
細菌性スーパー抗原	
黄色ブドウ球菌由来	2，4
TSST-1	1，5，6，7，9，18
SEA	3，12，13，14，15，17，18
SEB	3，6，12，15
SEC1	3，6，12，15
SEC2	12，13，14，15，17
SEC3	5，12
SED	5，6，8，18
SEE	3，12，13，14
SEF	
SEH	1，5，6，9，23
SEI	
SEJ	9
SEK	7，5，22
SEL	7，5，22
SEM	
SEN	5，7，9，22
SEO	
SEP	5，6，21
SEQ	3，11，12，13.2，14
SER	
Set（1-26）	
Ａ群レンサ球菌由来	2，12，14，15
SpeA	1，2，2，10
SpeC	2，4，6，12
SpeG	2，7，9，23
SpeH	
SpeI	2，3，12，14，17
SpeJ	
SpeK	1，3，15
SSA	2，4，7，8
SMEZ-1	2，4，8
SMEZ-2	8
SMEZ（3，4，7-9，11，13-17，24）	
SMEZ（5，10，12，18，20-23）	
Ｇ群レンサ球菌由来	
SDM	1，23
SpeGG	
マイコプラズマ由来　MAM	17
エルシニア菌由来　YPM	3，9，13
ウイルス性スーパー抗原	
マウス感染性レトロウイルス	
MMTV（MF），（SHN），（SW），（JYG），（C3H），（GR），（DDD），（V），（4）	
マウス内因性レトロウイルス	
Mtv-1，2，6，7，8，9，11，13，43，44，MAI	
植物性スーパー抗原	
イラクサ根茎　UDA	

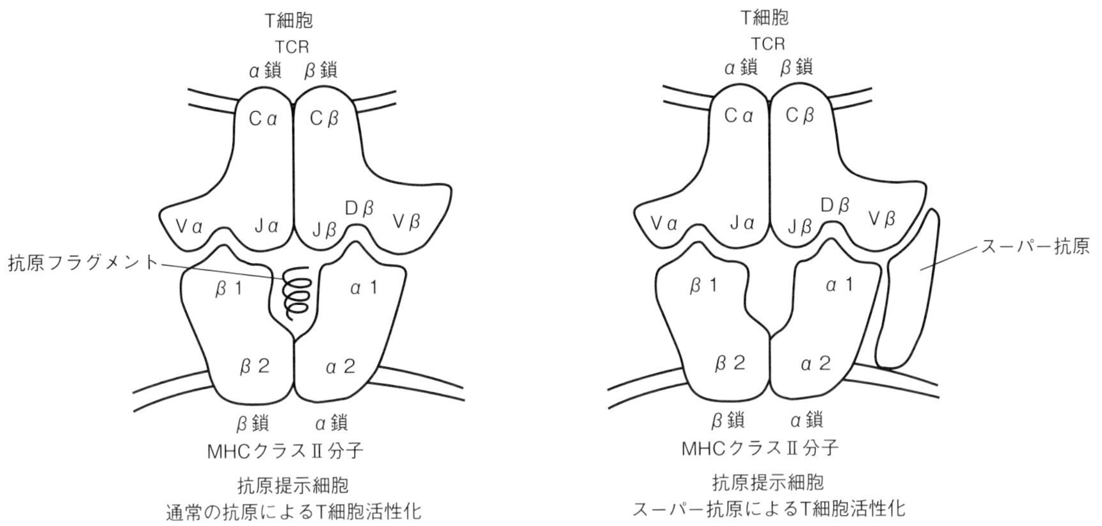

図1　T細胞活性化機序－TCR・MHCクラスⅡ分子・抗原3分子複合体モデル

通常の免疫抗原は抗原提示細胞に取り込まれてアミノ酸10個前後のペプチドに細断されて，MHCクラスⅡ分子α鎖とβ鎖からなる抗原結合小構内に結合する．T細胞はTCRのα鎖可変部(Vα，Jα)とβ鎖可変部(Vβ，Dβ，Jβ)の全てを関与させてMHCクラスⅡ分子・抗原ペプチド複合体を認識する．一方，スーパー抗原は直接に抗原提示細胞の表面で小溝側部で主に多様性の少ないα鎖α1部位に結合する．$CD4^+$，$CD8^+$ T細胞はTCRの可変部Vβ部位のみを関与させてスーパー抗原を認識する．
TCR：T細胞受容体

アミノ酸配列の相同性が高い．これらの細菌性スーパー抗原は細菌毒素としても分類されているが，組織培養系で強いMHCクラス・分子結合性とT細胞活性化作用を示すのみで，ジフテリア毒素ら標準的細菌毒素と異なり，直後の細胞障害活性は示さない．しかし，実験動物に投与したときはT細胞依存性の毒性を示す．

2)ウイルス性スーパー抗原と病原性

感染性乳癌原性レトロウイルスと，これらのウイルス遺伝子がDNAとして宿主細胞遺伝子にintegrateされている内因性レトロウイルス遺伝子がスーパー抗原をコードしていることが1991年に見出された[9]．これらのスーパー抗原はDNAプロウイルスの3'末端側long terminal repeat (LTR)のopenreading frame (ORF)にコードされている(表1)．ヒト感染症ウイルスでは狂犬病ウイルス，サイトメロウイルス，EBウイルスあるいは内因性レトロウイルスがスーパー抗原をコードし，感染症や自己免疫病に関与するという魅力ある報告がなされたが，確認は成功していない．最近になって，インスリン依存型糖尿病の原因因子として内在性レトロウイルスの可能性が報告されたが，否定的報告もある[10]．

3)植物性スーパー抗原と病原性

即時型過敏症の原因ともなるイラクサの根茎から分離されたレクチン(Urtica dioica agglutinin, UDA)ただ1つが報告されている(表1)．

2. スーパー抗原のT細胞活性化作用

1)スーパー抗原のT細胞活性化作用

TSST-1やSEAらは微量(ピコグラム濃度)でヒトT細胞に活性化シグナルを与え，細胞分裂や種々のリンホカイン(interleukin-2, tumor necrosis factor, interferon-γら)の大量産生を誘導する[1]．

2)生体のスーパー抗原結合構造

生体のスーパー抗原結合構造は主要組織適合(major histocompatibility complex) MHCクラスⅡ分子である(図1)．通常の免疫抗原はマクロファージらの抗原提示細胞に取り込まれアミノ酸数10前後のペプチドに断片化されて，α鎖とβ鎖から構成される抗原結合小溝内に結合する．スーパー抗原は細胞に取り込まれることなく直接に細胞表面でMHCクラス・分子の小溝外側部にクラス・分子のアイソタイプやハプロタイプの別なく結合する[11]．T細胞がスーパー抗原により活性化されるためには，スーパー抗原は抗原提示細胞上のMHCクラスⅡ分子へ結合することが必須である．

3）T細胞のスーパー抗原認識装置：スーパー抗原の概念

1989年にWhiteらは黄色ブドウ球菌のSEBはT細胞の通常の抗原に対するレセプター（T cell receptor, TCR）β鎖の特定の可変部Vβ選択的に莫大な数のT細胞を活性化する細菌産物をスーパー抗原と呼ぶことを提唱した[2]．彼らが示したSEBに応答するマウスVβ 8+T細胞を例として説明しよう．

TCRの抗原認識の多様性は，計算上ではα鎖遺伝子の多様性（Vα遺伝子群とJα遺伝子群間のランダムな組み換えにより約1 × 10^4通り）とβ鎖遺伝子の多様性（Vβ遺伝子群，Dβ遺伝子群，Jβ遺伝子群間のランダムな組み換えにより約1 × 10^3通り）の積から1 × 107通り以上となる．さらに遺伝子組み換え時に設計図にはないDNA塩基の付加が生じ，実際の多様性の数は10^{10}通りが生じる．最終的には，自己抗原応答性T細胞が胸腺で除去されるので，末梢リンパ組織では10^9通り以上存在すると想定される．通常の免疫抗原によって活性化されるT細胞クローンの種類は，抗原認識には全可変部が関与するので，交差反応の多さを考慮して全体の$1/10^6$ほどなのに，SEBは全クローンの約20％を占めるVβ 8+T細胞を一括して活性化する（図1）．今日，各スーパー抗原によって活性化されるヒトやマウスT細胞のVβが決定されている（表1）．

3. 細菌性スーパー抗原の毒性発現機序－T細胞依存性について

多くの研究によって，TSSやNTEDらの発症は原因外毒素のスーパー抗原活性化に起因することが明らかにされてきた（図2）．その根拠について考察してみよう（表2）．

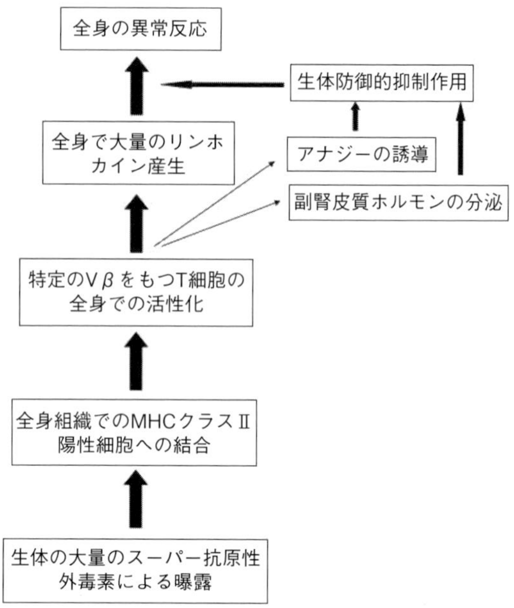

図2　細菌性スーパー抗原による病的反応誘導とその調節

生体は応答性T細胞のアナジーの誘導や副腎皮質ホルモンの分泌らによりスーパー抗原による障害を回避する機構も準備している．

TSS症例の綿密で多角的な観察は多くの情報を提供する．TSSの死亡症例の病理組織所見では，病原菌の侵襲をともなわずに，全身性リンパ節異常（リンパ球の増多あるいは減少，マクロファージの貧食機能の亢進，組織球の増多）や無菌性炎症像が見られる．細菌性スーパー抗原は毒素と呼ばれるが，組織培養系で強いT細胞活性化作用を示し，上記の観察結果は細菌性スーパー抗原性に因る疾患の発症機序にはスーパー抗原応答性T細胞が過剰に産生したサイトカインが関与することを示している[1, 13]．SEAらブドウ球菌性腸管毒素は経口摂取したときに，ヒトに対して強い催吐作用を示し，食中毒の原因毒素として確立している．この作用がスーパー抗原活性に起因するかどうかはまだ不明である．TSS[12, 13]やNTED14-16）の急性期患者の末梢血にはTSST-1応答性のVβ 2+T細胞の選択的増加が見られる．

表2　細菌性スーパー抗原のＴ細胞活性化作用がTSSの発症機序において主役を演じると考える根拠

感染症患者	動物実験	スーパー抗原性外毒素の生物活性
1. TSS患者の剖検例：リンパ組織でのリンパ球増加あるいは減少，組織球の増加，食細胞の機能亢進像等の所見が見られる	1. 外毒素の連続投与はウサギに致死性ショックを惹起し，ヒトのTSSと類似した病理組織像を惹起する	1. すべて強力なＴ細胞活性化作用を示し，IL-2，IFN-γ，TNF-α，βの産生を誘導する
2. TSS患者の剖検例：多臓器の無菌性リンパ球浸潤性炎症像が見られる	2. 外毒素とD-ガラクトースアミンの併用投与はマウスに致死的ショックを誘導し，CD4＋Ｔ細胞の除去は外毒素の作用を解除する	2. 生体の結合構造はMHCクラスⅡ分子であり，Ｔ細胞はアクセサリー細胞上の外毒素-MHCクラスⅡ分子複合体を認識して活性化される
3. 急性期TSS患者やNTED患児の末梢血中にTSST-1応答性TCR Vβ2＋Ｔ細胞の増加が見られる	3. マウスへの外毒素の投与は数時間内に血中にIL-2, TNF, IFN-γなどの産生を誘導する	3. 特定の外毒素の刺激に対して，特定のVβエレメントを表現する莫大な数のＴ細胞クローン種が一括して活性化される
4. TSSの臨床像はIL-2の大量投与による副作用所見と多くの点で類似する	4. 抗TNF抗体や抗IFN-γ抗体の投与は外毒素による致死的ショックを解除する	4. 細胞融解や機能障害といった直接的細胞障害は見られない
5. TSS, 猩紅熱, エルシニア感染症ら，スーパー抗原性外毒素による疾患の臨床症状は類似する点が多い	5. MHCクラスⅡ結合性は保持するがＴ細胞活性化能を失った変異外毒素は動物に対して毒性を失う	
	6. 外毒素によってＴ細胞トレランスになったマウスは外毒素による致死性ショックに抵抗性を獲得する	

表3　TSS，NTED，猩紅熱，全身性エルシニア菌感染症，泉熱，川崎病の臨床症状

臨床症状	TSS	NTED	猩紅熱	エルシニア感染症	泉熱	川崎病
高熱	＋＋＋	＋＋＋	＋＋＋	＋＋＋	＋＋＋	＋＋＋
皮膚発疹	＋＋＋	＋＋＋	＋＋＋	＋＋＋	＋＋＋	＋＋＋
手掌，足底の紅斑	＋＋	＋＋＋	＋＋＋	＋＋＋	＋＋＋	＋＋＋
手足の硬性浮腫	＋＋＋		＋＋＋	＋＋＋	＋＋＋	＋＋＋
皮膚落屑	＋＋＋		＋＋＋	＋＋＋	＋＋＋	＋＋＋
鼻咽頭の発赤	＋＋＋		＋＋＋	＋＋＋	＋＋＋	＋＋＋
苺舌	＋＋＋		＋＋＋	＋＋	＋＋＋	＋＋＋
リンパ節腫脹	＋		＋	＋＋	＋＋＋	＋＋＋
関節腫脹	＋			＋	＋	＋
冠動脈病変				＋		＋＋
腎不全				＋＋		
ショック	＋＋＋					

TSS，NTED，エルシニア感染症はスーパー抗原性疾患として確立している．泉熱はエルシニア感染症と同一と考えられている．猩紅熱にもスーパー抗原が関与していると思われる．川崎病はNTED，猩紅熱，泉熱と臨床症状がきわめて類似している．

さらに，TSS患者に見られる皮膚紅疹や硬性浮腫らは，担癌患者に大量のIL-2を投与したときにも見られる．

乳のみマウスに細菌性スーパー抗原を連続注射するとwasting状態が惹起されるが，Ｔ細胞除去マウスではその発症が阻止される．さらに，スーパー抗原をショック誘発剤と併用投与すると致死性ショックが惹起されるが，抗CD4抗体や，スーパー抗原応答を規定するTCR Vβに対する抗体，抗TNF抗体，抗IFN-γ抗体らの投与によってマウスの致死性ショックの発症が阻止される．

4. スーパー抗原性病原因子が関与する細菌感染症

スーパー抗原が関与するいくつかの疾患について説明しよう．これらの疾患は臨床症状が類似している(表3)．

各論Ⅰ

表4　NTED患児抹消血中のVβ2⁺T細胞の増幅

患者	生後日数	T cells (×10³/μl)	T細胞（%）				Vβ2⁺T細胞中のCD45RO＋細胞（%）
			Vβ2	Vβ3	Vβ9	Vβ12	
Acute phase							
10	5	6.1	24.5	6.6	1.8	0.4	21.4
11	4	2.2	27.2	4.0	4.4	0.5	35.3
12	5	13.1	27.3	5.0	2.3	2.8	22.0
20	4	4.5	20.8	5.0	5.9	1.4	21.0
20	6	10.7	25.9	6.1	6.1	3.0	70.8
Recovery phase							
10	19	5.8	9.1				28.5
11	19	5.2	10.2	6.0	5.5	2.5	42.8
Control							
1	5	2.5	8.9	5.7	3.9	1.8	0.4
2	5	4.3	12.0	8.2	1.9	2.3	0.2
3	5	3.3	10.8	8.3	3.7	0.8	0.1
4	5	3.4	8.1	6.8	2.9	0.8	0.2

文献14から引用

1）TSS

TSSは1978年に米国のToddらによって報告された急性全身性の症状を示す黄色ブドウ球菌感染症である[17]．1980年前後に米国で女性の生理用タンポンからの感染によるTSSの大発生があり，1984年まで2,000人以上の患者数が報告された．かなり高い致死率であった．最も頻度の高い原因外毒素TSST-1は1981年に発見された．わが国では，病院でのメチシリン耐性黄色ブドウ球菌保菌者は増加の一途であり，したがってMRSA感染症の発生も増加が憂慮されている．TSS発症の急性期にはTSST-1応答性Vβ 2+T細胞の著しい増加が生じることがPCR法[12]とフローサイトメーター[13]を用いて明らかにされ，TSSの発症機序にはT細胞の過剰活性化が関与しているという我々が最初に提唱した仮説[1]が証明された．我々の経験した症例[13]は出産直後の婦人であり，MRSAによる産褥熱の一部としてTSSが生じていることを示唆している．

2）新生児TSS様発疹症

東京女子医大の高橋・仁志田らは生後3～5日目の新生児に発熱と皮膚発疹，血小板減少を呈する新しい疾患を1995年に報告した．その後多くの施設から，患児はすべてTSST-1を産生するMRSAの保菌者であることが報告され，スーパー抗原の関与が考えられた．1996年から高橋らと著者らの共同研究が始まり，患児末梢血は，急性期ではTSST-1応答性Vβ 2+T細胞が増加，回復期では低下することが明らかにされた（表4）[14, 15]．このVβ 2+T細胞は活性化抗原CD45ROの表現が見られ，患児ではT細胞がTSST-1によって活性化されていることを示している．この新生児疾患は基本的に成人のTSSと同じ発症機序と思われるが，TSSの診断基準が適用できず，新生児TSS様発疹症と呼ばれる．胎盤を通して母体から胎児へ移行する抗TSST-1 IgG抗体が新生児のNTED発症を防止しているので[15]，婦人のTSST-1ワクチン接種は母体のTSS発症と新生児のNTED発症を防止するために有効であろう．2000年から2005年までに全国の新生児病棟でおこなったNTEDの発生状況の調査では，2000には未熟児と正常分娩児計240名，2002年には151名，2005年には139名と減少傾向が続いているようだ[16]．NTEDは正常分娩の患児では特別な治療なしでも重症化することなく経過するが，未熟児の場合は重症化することが多く，死亡も見られる．バンコマイシン投与が有効である．未熟児室はMRSAが蔓延しており[18]，MRSAの除菌が急務であろう．

3）全身性エルシニア感染症

エルシニア菌（Y. pseudotuberculosis）は人獣共通感染症の起炎菌で，野ネズミやタヌキらの野生

表5 わが国における全身エルシニア菌感染症の集団発生事件

No.	発生年	月	発生場所		患者数	菌型
1	1977	4	広島県	中学校	57	5b
2	1977	10	岐阜県	保育園	84	1b
3	1981	2	岡山県	小学校	535	5a
4	1982	1	岡山県	山間部住民	628	4b と 2c
5	1982	2	岡山県	市街地住民	61	5b
6	1984	7	三重県	中学校	39	5a
7	1984	11	和歌山県	小学校，保育園	63	3
8	1984	11	岡山県	山間部住民	11	4b
9	1985	4	島根県	小学校，幼稚園	8	4b
10	1985	4	新潟県	小学校	60	4b
11	1986	3	千葉県	小学校	518	4b
12	1987	5	広島県	山間部住民	5	3
13	1988	5	長野県	山間部学生	34	3
14	1991	6	青森県	小，中学校	732	5a

事例1，2，3，14ではじめ泉熱として診断された後に，*Y. pseudotuberculosis* 菌が分離された

動物が保菌動物となっている．エルシニア菌はおもに飲み水を介してヒトに感染して，急性全身性感染症と限局性腸炎を惹起する．全身性エルシニア感染症の発症因子として1993年にYPMが発見された[7]．

その臨床症状は猩紅熱にきわめて類似している．この疾患は大都市ではほとんど見られないが，千葉県(1986年)や青森県(1991年)での大集団感染のように，地方都市や山間部に集団感染が数多く発生している(表5)．世界レベルでは，この疾患はアジアに多く，欧米にはほとんど見られない．欧米にはYPM非産生菌(O：1a型)の分布が多いためであろう．今日ほとんど発生がない「幻の疾患」となりつつある泉熱は全身性エルシニア菌感染症と同一疾患と考えられる(表3)．本疾患は川崎病と臨床症状が類似しており，初め川崎病と診断されて，のちにエルシニア菌感染症と判明することが地域によっては10%ほど存在する．

4)猩紅熱

猩紅熱はA群レンサ球菌による小児の感染症である．TSSと発熱や皮膚発疹らが類似するが，全身性の多臓器不全はほとんど見られない．死亡例がほとんどないために，解析もあまりされないが，発生は少なくはないようである．

5)劇症型A群レンサ球菌感染症

1986年以降にA群レンサ球菌の軟部組織への激しい侵襲を特徴とする致死性の高い感染症が数多く報告された．この感染症はstreptococcal TSS (STSS)あるいは劇症型A群レンサ球菌感染症と呼ばれている．本疾患はわが国でもときどき報告され，1994年には30以上の症例が報告された[19]．筆者は，この疾患の発症機序は，黄色ブドウ球菌によるTSSと異なり，病原菌の組織侵襲性と溶血毒らの組織傷害性外毒素が強く関与し，同時に，生体に散布され，大量に増殖した菌が産生したスーパー抗原が異常反応の誘導を倍加すると考えている[20]．

5. スーパー抗原性疾患の探索

スーパー抗原が関与する疾患はあとどれくらい存在するのだろうか．わが国で見いだされた小児疾患の川崎病は猩紅熱やエルシニア菌感染症に臨床症状がきわめて類似し，その発症にスーパー抗原性感染因子が関与している可能性がある．そのほかにもいくつかの疾患(インスリン依存型糖尿病，クローン病)についてスーパー抗原の関与が論じられているが不明な点が多い[10]．

参考文献

1. Uchiyama T, Kamagata Y, Yan XJ, et al：Study of

the biological activities of toxic shock syndrome toxin-1：II. Induction of the proliferative responjse and the interleukin 2 production by T cells from human peripheral blood mononuclear cells stimulated with the toxin. Clin Exp Immunol 68：638-647, 1987.
2. White J, Herman A, Pullen AM, et al：The V β specific superantigen staphylococcal enterotoxin B：stimulation of mature T cells and clonal deletion in neonatal mice. Cell 56, 27-35, 1989.
3. 内山竹彦 スーパー抗原と感染症 47-61. 岩波口座・現代科学の基礎 11 感染と生体防御(竹田美文, 渡邊武編)
4. Baba T, Takeuchi F, Kuroda M, et al：Genome and virulence determinants of high virulence community-acquired MRSA. Lancet 359：1819-1827, 2003.
5. Kuroda M, Ohta T, Uchiyama T, et al：Whole genome sequencing of methicillin-resestant staphylococcus aureus. Lancet 357：1225-1240, 2001.
6. Proft T, Moffatt SL, Weller KD, et al：The streptococcal superantigen SMZZ, exhibits wide allelic variation, mosaic structure, and significant antigenic variantion. J Exp Med 191：1765-1776, 2000.
7. Uchiyama T, Miyoshi-Akiyama T, Kato H, et al：Superantigenic properties of a novel mitogenic substrance produced by Yersinia pseudotuberculosis isolated from patients manifesting acute and systemic symptoms. J Immunol 151：4407-4413, 1993.
8. Miyoshi-Akiyama T, Zhao JZ, Kato H et al：Streptococcus dysgalactiae-derived mitogen (SDM), a novel bacterial superantigen：characterization of its biological activity and predicted tertiary structure. Mol Microbiol 47：1589-1599, 2003.
9. Held W, Acha-Orbea H, Robson H, et al：Superantigens and retrobiral infection：insights from mouse mammary tumor virus. Immunology Today：15：184-190, 1994.
10. 内山竹彦：スーパー抗原－Crohn 病とインスリン依存型糖尿病の発症機序にスーパー抗原は関与するか：医学のあゆみ 200：1184, 2002.
11. Uchiyama T, Tadakuma T, Imanishi K, et al：Activation of murine T cells by toxic shock syndrome toxin-1. The toxin-binding structures expressed on murine accessory cells are MHC class II molecules. J Immunol 143：3175-3182, 1989.
12. Choi Y, Lafferty JA, Clements JR, et al：Selective expansion of T cells expressing V β 2 in toxic shock syndrome. J Exp Med 172：981-984, 1900.
13. Matsuda Y, Kato H, Yamada R, et al：Early and definitive diagnosis of toxic shock syndrome by delection of marked expantion of T-cell-receptor V β 2-positive T cells. Emerg Inf Dis 9：387-389, 2003.
14. Takahashi N, Nishida H, Kato H, et al：Exanthematous disease induced by toxic shock syndrome toxin-1 in the early neonatal period. Lancet 351：1614-1619, 1998.
15. Takahashi N, Kato H, Imanishi K, et al：Immunopathological aspects of an emerging neonatal infectious disease induced by a bacterial superantigen. J Clin Invent 106：1409-1415, 2000.
16. Takahashi N, Uehara R, Nishida N, et al：Clinical features of neonatal toxic shock syndrome-kike exanthematous disease emerging in Japan. J Infect 59：194-200.
17. Todd JK：Toxic shock syndrome. Clin Microbiol Rev 1：432-446, 1998.
18. Kikuchi K, Takahashi N, Piao Chuncheng, et al：Mol. Epidemiology of methicillin-resetant staphylococcus aureus strains causing neonatal toxic shock syndrome-like exanthematous disease in neonatal and perinatal wards. J Clin Microbiol 41：3001-3006, 2003.
19. 清水可方, 五十嵐英夫, 村井貞子ほか：本邦における劇症Ａ群レンサ球菌感染症の現状と診断基準 . 感染症学雑誌 72：258-265, 1998.
20. Miyoshi-Akiyama T, Zhao JZ, Kikuchi K, et al：Quantitative and qualitative comparison of virulence troits, inducing murine eathality, amerng different M type of Group A streptococci. J Inf Dis 187：1876-1877, 2003.

Ⅰ-17　敗血症

東京大学 環境安全研究センター
刈間理介

1. 敗血症の定義と臨床像

敗血症とは，感染した微生物およびその毒素が，感染した局所から全身へと拡がり，全身に激しい炎症反応を惹起した病態である．敗血症で認められる全身的な炎症反応は，外傷や手術などの感染症以外の原因により生体に強い侵襲が加わった際に認められる生体の反応および障害と，多くの共通点を有している．これは，これらの炎症反応が，炎症性サイトカインをはじめとする多くの共通の炎症性メディエーターを介して生ずるためと理解されており，これらの全身性の炎症反応に対し，1991年の米国の呼吸器学会と集中治療学会の合同会議により全身性炎症性症候群(systematic inflammatory response syndorome：SIRS)という概念が提唱された[1]．この合同会議において，この概念に基づき，「敗血症(sepsis)」とは感染が原因となってSIRSの項目のうちの2つ以上を満たす」症状を呈した病態であるとし，さらに「敗血症のうち臓器障害，乳酸アシドーシス・意識障害などの臓器血液灌流低下，または低血圧を伴うもの」を「重症敗血症(severe sepsis)」と定義し，十分な輸液負荷に関わらず低血圧(収縮期圧が90mmHg未満または通常時の収縮期圧よりも40mmHg以上の低下)を「敗血症性性ショック(septic shock)」と定義した．

その後，上記の「敗血症」の定義に基づくと，軽度で治療が容易な感染症においてもSIRSの定義を満たす症例が「敗血症」の範疇に含まれるなど，その定義の見直しの必要性が求められ，2001年に欧州の集中治療学会等も加わり敗血症の定義に関する合同カンファレンスが開かれた．その結果，基本的には「敗血症とは感染に起因するSIRSである」というそれまでの定義を肯定しつつ，さらに表1に示した「感染が確定または感染が強く疑われ，それにともなう全身的指標，炎症の指標，血行動態の指標，臓器障害の指標，組織灌流障害の指標のうち複数を認めるものを敗血症と診断する」という新たな定義が示されている[2]．なお，「重症敗血症」の定義については，1991年に提唱された定義が継承された．さらに，「敗血症性ショック」の定義については，成人については1991年に提唱された定義に加え「平均動脈血圧が60mmHg未満」という基準が加えられている．

この2001年の新しい「敗血症」・「重症敗血症」・「敗血症性ショック」の定義に基づき，Vincentらは欧州24カ国の集中治療室(ICU)入院患者に対する大規模な調査を行った結果，ICU入院患者で「敗血症」と診断された症例のうち79%が臓器障害等を伴う「重症敗血症」であり，39%に「敗血症性ショック」を認めたと報告している[3]．

今日でも特に臓器障害等を合併した重症敗血症を合併した症例では死亡率は高く，2000年以降の敗血症症例を対象とした最近の報告においても，臓器障害等を合併した重症敗血症の死亡率は30～40%という報告が多い．敗血症では，最初の1～2日間は敗血症性ショックに伴う循環不全が主な死因となり，3日目以降は種々の要因によって進行する多臓器障害(multiple organ dys-

表１　敗血症の診断基準（文献２）

１．敗血症（sepsis）感染が確定または強く疑われ，以下の徴候のいくつかを呈するもの（2SD：標準偏差の２倍）	
全身的指標 ・発熱（深部温＞38℃） ・低体温（深部温＜36℃） ・心拍数＞90回／分または年齢平均の2SD ・頻呼吸 ・精神状態の変化 ・著明な浮腫または体液過剰（24時間で＞20mL/kg） ・血糖値＞120mg/dL（糖尿病患者を除く） 炎症所見 ・白血球数＞12,000/mL ・白血球数＜4,000/mL ・白血球数正常で未熟白血球が10％を超える ・CRP＞基準値の2SD ・血清プロカルチトニン値＞基準値の2SD	循環の指標 ・低血圧（収縮期血圧（SBP）＜90mmHg，平均血圧＜70mmHg， または成人でSBPが通常時の40mmHgを超える低下， 小児でSBPが年齢の正常値の2SDを超える低下） ・混合静脈血酸素飽和度（SvO2）＜70％ ・心係数（ＣＩ）＞3.5L/min/m2 臓器障害の指標 ・低酸素血症　（PaO2/FIO2＜300） ・急性の乏尿　（尿量＜0.5mL/kg/hr） ・血清クレアチニン値が２時間で0.5mg/dLを超える上昇 ・凝固異常（プロトトンビン時間（PT）＞1.5国際標準比，または 活性化部分トロンボプラスチン時間（APTT）＞60secs） ・イレウス（腸管蠕動の消失） ・血小板数＜10万/mL ・血清総ビリルビン値＞4mg/dL 組織灌流障害の指標 ・血中乳酸値＞1mmol/L ・皮膚毛細血管のリフィーリング減少または斑状の皮膚所見
２．重症敗血症（severe sepsis）	敗血症のうち臓器障害，乳酸アシドーシス・意識障害などの臓器血液灌流低下，または低血圧を伴うもの
３．敗血症性ショック（septic shock）	成人では，敗血症のうち，十分な輸液負荷に関わらず，収縮期血圧が90mmHg未満かつ平均動脈圧が60mmHg未満の低血圧を認めた状態，または通常時の収縮期血圧よりも40mmHg以上の低下を認めた状態小児では，敗血症のうち，頻脈・末梢の脈圧の低下・意識の変化・末梢毛細血管リフィーリングの２秒を超える遅延・四肢の斑状皮膚所見または冷感・尿量低下を認めた状態

function syndrome：MODS）が主な死因となる．敗血症性ショックは敗血症患者の20～50％に合併し，心原性ショックや出血性ショックとは異なり，初期の段階では心拍出量の増大と全身の末梢血管の減少を特徴とするhyperdynamic shockを呈す．また，このhyperdynamicな状態でも心筋の収縮力は障害されており，この段階で病態の改善が得られないと，心筋障害が進行し心拍出量も低下するため，全身の血行動態はhypodynamicの状態に血行動態は移行していく．このhypodynamicな状態に陥った場合の敗血症症例の予後は特に不良である．

敗血症におけるMODSでは，呼吸器障害，肝障害，腎障害，中枢神経系障害，心血管系障害，線溶凝固系障害などの合併を認める．敗血症では，3臓器以上の機能障害を合併した患者の死亡率は60～80％と特に高い．このうち，呼吸器障害が重症化すると急性呼吸不全症候群（acute respiratory distress syndrome：ARDS）を，また重篤な線溶凝固系障害は播種性血管内凝固症候群（disseminated intravascular coagulopathy：DIC）をきたし，治療に難渋する．先述のVincentらの調査によると，ICUにおける敗血症患者のうち各臓器障害の合併率は心血管系障害（63％），腎障害（51％），呼吸器障害（50％），中枢神経系障害（41％），線溶凝固系障害（20％），肝障害（12％）の順であり，このうち線溶凝固系障害を合併した症例では53％が死亡している[3]．

敗血症の原因微生物については，Martinらの1979年から2000年の22年間のアメリカ合衆国における救急病院500施設を対象とした疫学調査によれば，細菌感染が原因となったものが全体の約90％を占め，過去にはグラム陰性桿菌が原因となったものが多かったが，近年ではグラム陽性球菌によるものが増加しており，1990年以降はグラム陰性桿菌よりもグラム陽性球菌による敗血症症例が多くなっている[4]．これには，メチシリン耐性黄色ブドウ球菌（MRSA）やペニシリン耐性肺炎球菌（PRSP）などの抗生物質耐性菌がグラム陽性球菌を中心に多く発生してきていることが関係していると考えられる．また，Martinらの調査によれば，近年では真菌が原因となった敗血症が増加傾向にあり，2000 年においては敗血症全体の 6％が真菌によるものであった．一方，2002 年における Vincent らの欧州の ICU に入院した患者のうちの敗血症合併症例に関する調査では，グラム陽性球菌検出症例が 40％（うち MRSA 感染が 14%），グラム陰性桿菌検出症例が 38%であり，混合感染症例も 18%を認めている[3]．さらに Vincent らの調査では，カンジダを主とした真菌検出症例が 17%と Martin らの報告に比べて明らかに高率であった．これは，両調査において対象とした症例が，救急病院入院患者と ICU 入室患者の違いによることが一因であると考えられる．

2. 敗血症の原因となる微生物の産生物質

グラム陽性球菌では，細胞壁の 30 ～ 70%がペプチドグリカン(peptidoglycan：PepG)により構成され，さらにその外側に宿主細胞との付着に関与するタイコ酸(teichoic acid)，および細胞膜からペプチドグリカン層を貫きリポタイコ酸(lipoteichoic acid：LTA)が伸び出す構造をしている(図 1A)．このうち，特に PepG および LTA に強い炎症を惹起作用が認められ，グラム陽性球菌による敗血症の主な原因物質と考えられている．

グラム陰性桿菌では，細胞壁のペプチドグリカン層の発達が悪く，細胞壁の外側に外膜が形成されている．この外膜を構成しているリポ多糖(lipopolysaccharide：LPS)は，生体に強い炎症を

各論 I

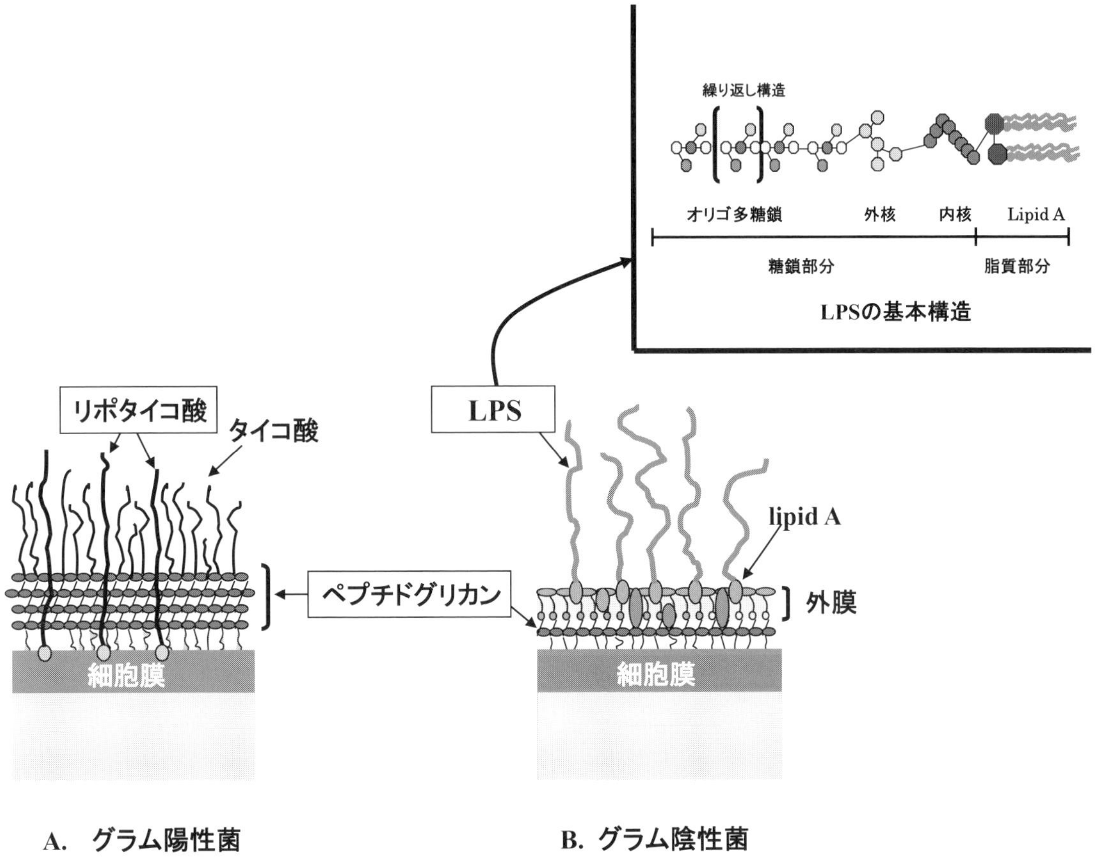

図 1　グラム陽性菌およびグラム陰性菌の細胞壁の構造と LPS の基本構造

惹起する作用を持ち，グラム陰性桿菌による敗血症の主な原因物質として知られ，エンドトキシン(endotoxin)と呼ばれている．一部の例外を除きLPSはオリゴ糖鎖・Rコア・および脂質成分であるlipid Aの3つの構造により構成されている(図1B)．このうちLPSの活性のほとんどがlipid Aの部位に認められ，人工的に合成されたlipid Aを単独で投与しても，in vivoおよびin vitroにおいて，LPSを投与した時と同様な生物学的反応を惹き起こすことができる．

さらに，ブドウ球菌が産生するtoxic shock syndrome toxin-1 (TSST-1)などの細菌由来のスーパー抗原や，細菌に特徴的なDNAモチーフであるCpG DNAなどにもショックを誘発する作用が知られている．それ以外にも細菌が産生する細胞毒性をもつ物質が知られており，これらの様々な細菌産生物質が敗血症の病態に関与している可能性がある．しかし現段階では，LPSおよびPepG，LTA以外の細菌産生物質が，敗血症の病態生理の発現にいかに関与しているかは明らかにされていない．

一方で，真菌における病原因子の解明は，細菌に比べ総じて遅れている．現在，真菌の産生する炎症起因物質としては，カンジダ菌のカンジトキシン(canditoxin)やアスペルギルス菌のフミガトキシン(fumigatoxin)などのタンパク性毒素や，種々の糖タンパク性毒素などが知られているが，真菌による敗血症発症機序には不明な点が多く，今後の研究の展開が期待される．

3. 微生物産生毒素に対する宿主細胞のシグナル伝達機構

現在，多くの微生物産生物質の刺激が，細胞のtoll-like受容体(TLR)ファミリーに属する受容体により認識されていることが知られている．Toll分子はショウジョウバエの胚発生における背腹極性の確立に関与するタンパク質として同定された分子であり，Tollが欠損したショウジョウバエは真菌や細菌に易感染性を示すことから，Tollが感染防御反応に関わる分子であることが推測された．その後，ヒトやマウスにおいてもTollのホモログ分子が同定され，TLRと名づけられ，哺乳類においても病原体認識に関わる可能性が注目されてきた．現在，哺乳類のTLRファミリーには11種類の分子が報告されており，またBリ

表2　TLRファミリーとそのリガンド

TLR1/TLR2複合体	Tri-acyl lipopepetide（細菌，マイコバクテリア） Neisseria meningitides 可溶性因子	TLR5	Flagellin（細菌）
TLR2	Peptidoglycan（グラム陽性球菌） Lipoarabinonannan（マイコバクテリア） A-phenol 可溶性 modulin（Staphylococcus *epidermidis*） Glycoinositolphospholipids（Trypanosoma *curuzi*） Porins（ナイセリア） Heat Shock Protein 70（HSP70）	TLR2/TLR6複合体	Lipoteichoic acid（グラム陽性球菌） Zymosan（真菌） Diacyl lipopeptides（マイコバクテリア）
		TLR7	Single-stranded RNA（ssRNA）（ウイルス）
		TLR8	Single-stranded RNA（ssRNA）（ウイルス）
		TLR9	CpG DNA（細菌） DNA（ウイルス） Pigment hemozoin（マラリア）
TLR3	Double-stranded RNA（dsRNA）（ウイルス）	TLR10	不明
TLR4	Lipopolysacchadide（LPS）（グラム陰性桿菌） Glycoinositolphospholipids（Trypanosoma curuzi） Heat Shock Protein 60（HSP60） Taxol	TLR11	Profilin-like タンパク（Toxoplasma *gondi*）

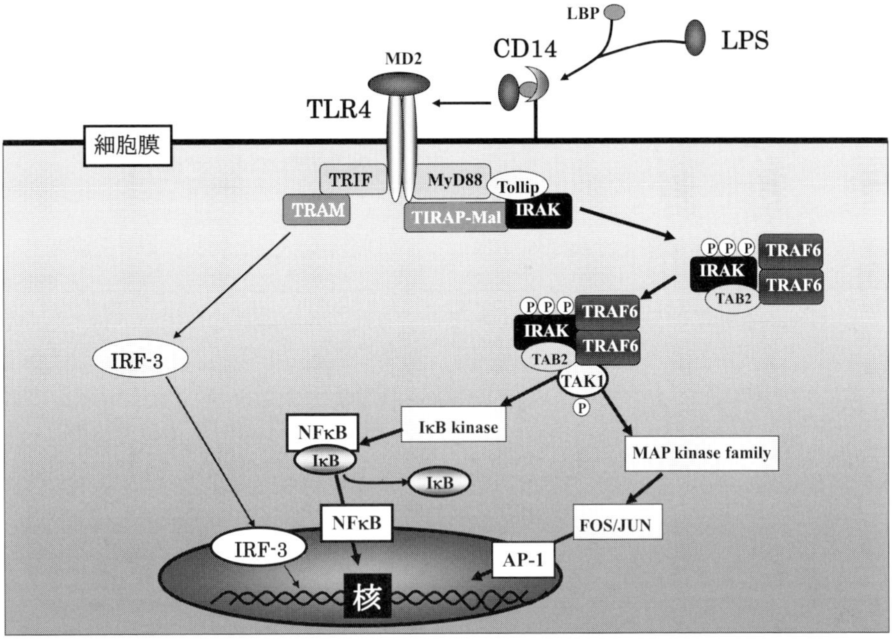

図2　TLR4を介したLPSのシグナル伝達系

ンパ球に発現するRP105も細胞外構造がTLRと高いホモロジーを有し，Bリンパ球によるLPS刺激認識に関与していることが報告されている．

これらのTLRに関する研究の中で，以前よりLPS刺激に対して反応性を示さないマウスとして知られてきたC3H/HeJマウスおよびC57BL/10ScCrマウスにおいてTLR4遺伝子に変異が存在することが明らかとなり，さらには，審良らによりTLR4の遺伝子欠損マウスがLPS刺激に対して通常の免疫反応を示さないことが証明されたことから，TLR4がLPSの受容体であることが確認された[5]．また審良らは，TLR2遺伝子欠損マウスを用いて，グラム陽性球菌のPepGの受容体がTLR2であることも明らかにしている．

その後，三宅らによりTLR4はMD2と複合体を形成しており，MD2の遺伝子欠損マウスが致死量のLPS投与に対し抵抗性を示すことが報告され，MD2が細胞のTLR4によるLPS認識において不可欠な分子であることが示された[6]．また，TLR4がLPSの受容体であることが確認される以前から，LPSは1mg/ml以下の濃度で細胞を刺激するためには，肝で産生される急性相タンパクであるLPS結合タンパク(LPS binding protein：LBP)と複合体を形成し，単球/マクロファージおよび好中球に発現しているGPIアンカー型タンパクであるCD14と結合する必要があることが知られていた．さらに，血清中にはマクロファージなどから遊離した可溶性CD14（sCD14)が存在しており，血管内皮細胞や線維芽細胞などのCD14を自ら発現していない細胞は，このsCD14と結合したLPS-LBP複合体を認識し活性化されることも明らかにされていた．

現在，11種類のTLRファミリー受容体のうち，TLR10を除く全てに関してそのリガンドが明らかになっている(表2)．これらのTLRファミリーに属する受容体が刺激されると，そのシグナルはすべてMyD88を介した共通のシグナル伝達経路を通じてIκBキナーゼを活性化しIκBと結合して不活性の状態にあったNuclear Factor-κB（NFκB）/IκB複合体を分解することにより，NFκBが活性化され核内に移行する(図2)．NFκBは細胞の炎症反応に中心的に関与する転写因子であり，NFκBの転写活性により，TNFα・IL-1・IL-6・IL-8などの炎症性サイトカインや，E－セレクチン・P－セレクチン・ICAM-1・VCAM-1などの白血球の接着に関わる接着分子，

COX-2などの炎症性プロスタグランディン誘導酵素，およびinducible NO synthetase（iNOS）など，様々な炎症性メディエーターおよびその誘導酵素が産生される．また，TLRファミリーのシグナル伝達経路内のTAK1がリン酸化されることによりMAPキナーゼ系も活性化され，FOS/JUNキナーゼの活性化を経て，別の転写因子であるActivator Protein-1（AP-1）が活性化される．AP-1はNFκBと協働的に作用し炎症性メディエーターの産生を促進する．

TLRファミリーの細胞内ドメインはIL-1受容体の細胞内ドメインと高いホモロジーを有しており，TLRファミリーからのシグナル伝達において，TIRAP以降のシグナル伝達分子群は，IL-1のシグナル伝達経路と共通している．したがって，NFκBの活性化により産生されたIL-1は，TLRファミリーと共通のシグナル伝達経路を通して，さらにNFκBやAP-1の活性化に関与する．また，IL-1と並んで生体の強い炎症反応の惹起に関わる重要なメディエーターであるTNFαは，これらのシグナル伝達経路とは異なるTRADD，TRAF2などのシグナル分子群を介して，やはりNFκBやAP-1を活性化し，炎症反応の増強に関与する．このように，LPSをはじめとする微生物産生因子の刺激によりTLRを介して細胞から産生・放出されたTNFαやIL-1などのメディエーターが，さらに炎症反応の惹起に関わる転写因子であるNFκBを活性化することで，生体における強い炎症反応が増幅されることとなる．

一方で，このようなすべてのTLRファミリーに共通して存在するMyD88を介したシグナル伝達経路の他に，個々のtoll-like受容体が有する特異的なシグナル伝達経路の存在も認められている．例えば，TLR3やTLR4では，TRIFを介したシグナル伝達経路により，遅発性のNFκBの活性化やIRF3の活性化などのMyD88に依存しないシグナル伝達経路の存在が明らかにされている．例えばCpG DNAによるTLR9を介した刺激では，NFκBの活性化による炎症惹起よりもTh1免疫反応が主として誘導されることが知られている．このように，個々のTLRが有する固有のシグナル伝達経路により，刺激因子に対する反応の様相が異なることにも注目する必要がある．

4. 敗血症におけるショックおよび臓器障害の発生機序

敗血症では，感染した微生物の産生した毒素に反応して，全身の組織の細胞が様々な炎症性メディエーターを過剰に産生し，様々な急性炎症反応が強く惹起される．これらの急性炎症反応が複雑に関与し，ショックや多くの臓器の障害が生じる．敗血症のショックや臓器障害に関与する炎症性メディエーターにはTNFαやIL-1などの炎症性サイトカイン，IL-8やMCP-1などのケモカイン，PAFや種々のプロスタグランジンなどの脂質メディエーター，一酸化窒素（NO）や種々の活性酸素，C5aなどの補体因子など，様々な因子が挙げられる．また，自律神経反応や種々のホルモンの変化も，敗血症の病態に強く関与している．さらに近年，DNAの立体構造維持に重要な役割を果たすDNA結合蛋白質として知られていたHigh Mobility Group Box 1（HMGB 1）が，炎症刺激や細胞の壊死により細胞外に放出され，NFκBを活性化し各種の炎症性メディエーターの産生誘導による炎症の増幅や線溶凝固系反応の亢進などに関わることが明らかにされ，敗血症における遅発性致死的因子として注目されている[7]．遅発性因子としては，HMGB 1のほか，敗血症においてHeat Shock Protein（HSP）の血中濃度が上昇することが知られている．HSPは様々なストレス刺激に応答して細胞で産生され，ストレスに対する臓器保護的に機能するタンパク質であると理解されてきたが，近年，HSP60やHSP90がマクロファージを活性化し炎症反応を増幅する作用を有することが報告されている．特に，HSP60については，マクロファージの活性化においてTLR2およびTLR4を受容体としていることが報告されている．

敗血症における臓器障害の進展には，各々の臓器に特有の機序がある．しかし，

1）末梢血管の弛緩による組織血流分配の不均衡と組織の浮腫増大および心機能障害による組織への酸素供給障害

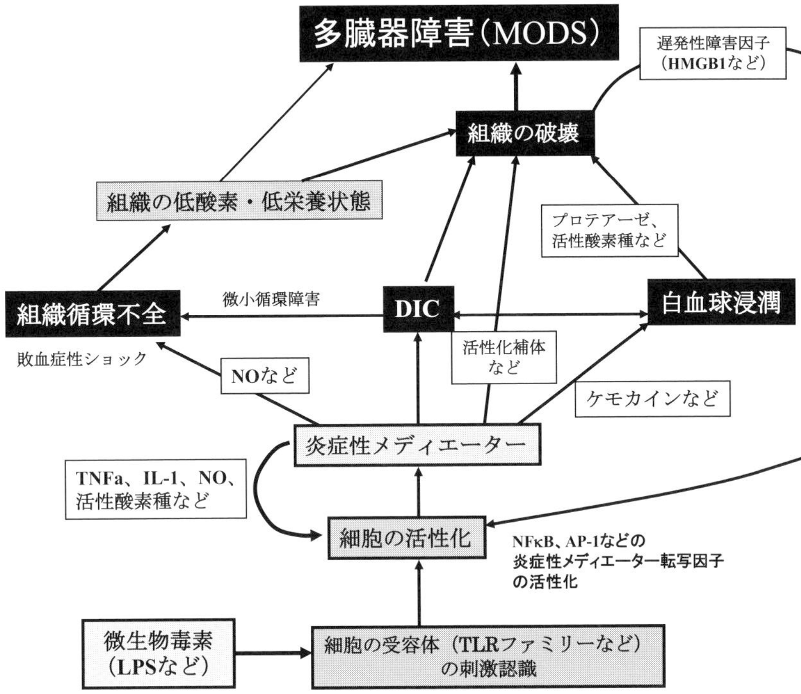

図３　敗血症における多臓器障害（MODS）の発生機序

2）組織への白血球浸潤とタンパク分解酵素（プロテアーゼ）や活性酸素などの組織障害性メディエーターの放出による組織破壊
3）血管内皮障害とそれに伴う線溶凝固系の異常によって生じる微小血栓の多発（DIC）による微小循環障害

は，多くの臓器障害の進展機序に共通して関わっており，特に重要な病態である（図３）．敗血症における多彩な臨床症状の惹起において特に重要な初期のメディエーターであるTNFαやIL-1βや，遅発性メディエーターであるHMGB1やHSPなどについても，これらのメディエーターが臓器障害進展に関与する機序には，上記の３つの病態が強く関わっている．

1．敗血症性ショックと組織血流分配の不均衡

現在，末梢組織でのNOの過剰産生が，敗血症における末梢血管の弛緩と血圧低下（敗血症性ショック）の中心的な原因と考えられている．NOは，様々な組織でL-arginineを基質としてNO合成酵素（NOS）により産生される．このNOSには，生理的な条件下で持続的に産生され細胞内Ca^{2+}濃度依存的に働くconstitutive NOS（cNOS）と，様々な刺激により産生誘導され細胞内Ca^{2+}濃度に非依存性に機能するinducible NOS（iNOS）が存在する．cNOSはさらに，血管内皮性NOS（eNOS）と神経性NOS（nNOS）の２種類が知られており，主として生理的な状態での血管緊張性の調節，血小板凝集や白血球接着の抑制，神経伝達などに関与している．一方，iNOSはLPSなどの病原物質や炎症性サイトカインの刺激などにより産生が誘導され，敗血症における血圧低下の原因となる高濃度のNO産生は，主としてiNOSの働きによるものである．

NOが血管平滑筋の弛緩させる主な機序は，NOが細胞内の可溶性guanylyl cyclaseを活性化し，cyclic GMP（cGMP）の細胞内濃度を増加させることによる．また，この細胞内cGMPの増加によりアドレナリンなどの血管収縮性作動物質に対する血管平滑筋の反応性が低下することも，血管の弛緩に関与している．血管平滑筋が弛緩すると，組織内の血流は弛緩した血管において増加

するが，組織の細胞に酸素や栄養分を供給している毛細血管は血管平滑筋を持たないため弛緩せず，その結果として組織に流入した血液は比較的太い動静脈吻合を介して，組織に酸素や栄養分を供給することなく静脈血へと移行する．さらに炎症に伴う血管透過性の亢進による組織の浮腫が加わり，組織の細胞へ酸素供給障害が増幅する．さらに，全身性の炎症の持続に伴い心筋障害をきたし心機能の低下が加わることにより，さらに組織への血液供給は障害され，臓器の障害が進行する．

NOの作用には，血管平滑筋弛緩作用の他に，DNA合成酵素やミトコンドリアの酸素代謝酵素を阻害し細胞を直接障害する作用や，NFκBの活性化を促進し炎症を増幅する作用のほか，スパーオキシド(O^{2-})と反応して極めて細胞障害性が強い過酸化窒素酸($ONOO^-$)の産生に関わることも知られている．これらのNOの作用に対して，敗血症におけるNOの産生を抑制することで敗血症の病態の改善が期待された．しかし，LPS投与マウスにNOSの拮抗阻害剤であるN^G-monomethyl-L-arginine（L-NMMA）を投与したin vivo実験では生存率むしろ悪化することが報告されている[8]．また，敗血症におけるNOの産生に特に関わっているとされるiNOSの遺伝子欠損マウスにおけるLPS投与実験においても致死率の差は認められていない[9]．

一方で，eNOSは生理的状態においても発現し，生体における組織の微小血流の調節に係り，血栓形成の抑制や血管内皮への血球の付着の抑制に関わっている．このようにeNOSは，生体における微小循環の維持に重要な役割を担っており，先述の敗血症モデルマウスにL-NMMAを投与した実験で，むしろL-NMMA投与により生存率が悪化した理由として，L-NMMAがiNOSのみではなくeNOSの作用も抑制してしまったためであると考察されている．さらに，eNOS遺伝子を強制発現させたトランスジェニック・マウスを用いた実験で，LPS投与に対してeNOを強制発現させたマウスでは，通常のマウスに比して生存率が有意に高く，血圧の低下も小さく，肺の血管におけるICAM-1およびVCAM-1の発現が抑制され，白血球の肺への浸潤が減少していたことが報告されている．なお，この報告と対照的に，eNO遺伝子欠損マウスにおいて，むしろwild-typeのマウスよりも血圧低下が小さく，iNOSの発現が抑制されていたという報告もあり，敗血症の病態におけるeNOの係りについては更なる検討が求められている．

2. 白血球浸潤と組織障害

敗血症では，病原体が感染した局所のみならず，全身のさまざまな臓器で白血球の浸潤とそれに伴う組織障害を認める．この組織への白血球の浸潤と活性化に重要な役割を担っているのがケモカインと接着分子である．

ケモカインのうち，CXCL8（IL-8）は好中球に対する強い遊走活性化作用を有しており，ウサギの敗血症モデルにおいて，抗IL-8抗体がLPS投与による肺の白血球集積と機能障害を有意に抑制することが報告されている．また，CCケモカイン受容体であるCCR4遺伝子欠損マウスでは，LPS投与によるマウスの死亡率が有意に低下しており，TNFα，IL-1β，CCL3（MIP-1α）の血中濃度の上昇が有意に抑制されることが認められている．このように敗血症の様々な病態に種々のケモカインが白血球の遊走・活性化などを通して関与しているものと考えられるが，IL-8を除く他のケモカインの敗血症における病態への関わりについては不明な点が多いというのが現状である．

白血球のうち敗血症における臓器障害に特に強く関与しているのが好中球である．活性化された好中球は第一段階として，血管内皮細胞に発現するＰ－セレクチンとＥ－セレクチンおよび好中球表面に発現するＬ－セレクチンなどのセレクチン・ファミリーの働きにより，血管内皮細胞と弱く接着する．次に，NFκBの活性化などにより血管内皮細胞に発現したICAM-1やVCAM-1などの接着分子が好中球に発現したβ１－インテグリンおよびβ２－インテグリンと作用することにより，好中球は血管内皮細胞と強く接着する．β２－インテグリンにはCD11a／CD18(LFA1)，CD11b／CD18（Mac1)，CD11c／CD18（X150/95）などが含まれる．

血管壁に接着した好中球は，さらに血管壁を通過して組織内へ浸潤し，種々のタンパク分解酵素

(プロテアーゼ)や活性酸素を放出し，組織を破壊する．好中球エラスターゼは好中球の産生するタンパク分解酵素の代表的なもので，細胞膜タンパクや組織の結合タンパクを非特異的に広範に分解する作用がある．また，好中球やマクロファージなどから産生されるスーパーオキシド(O^{2-})は，それ自身に組織破壊作用があるうえに，速やかに過酸化水素(H_2O_2)に変換され，強い組織障害性を有するヒドロキシラジカル(・OH)，次亜塩素酸(HOCl)やペルオキシナイトレート($ONOO^-$)などが生成される．さらに，これらの活性酸素や$ONOO^-$にはIκBキナーゼを活性化する作用があり，NFκBの活性化を促進して，炎症性メディエーターの産生を増大させ炎症を増幅させる．

白血球以外でも，例えば活性化された補体系も組織障害に関与する．特に，活性化補体の複合体であるC5b6789には強い細胞障害性が認められる．またC4aやC5aは好酸球からヒスタミンを放出させ血管透過性を亢進させることにより組織の浮腫を増幅させるほか，C5aはIL-6などと協働して好中球を活性化し臓器障害の進展に強く関与することが注目されてきている．

3. 線溶・凝固系障害による微小血栓形成と病的出血

敗血症では血管内皮細胞が障害され，その結果として線溶・凝固系障害をきたしDICの合併を高頻度に認める．DICでは，微小血管内に多発性に血栓が形成されることにより組織の微小循環が障害され，組織への酸素供給障害と壊死をきたす．また，微小血栓の形成に際して血小板や凝固因子が浪費され，創部や消化管，気道などの異常な出血をきたし，しばしばその治療に難渋する．

凝固因子の活性化経路には内因性経路と外因性経路が存在するが，敗血症におけるDICの発症に重要なのは一般に外因性経路である．病原体毒素やTNFαをはじめとする炎症性メディエーターが血管内皮細胞や活性化マクロファージに作用すると，細胞表面に組織因子(tissue factor：TF)が表出される．このTFが第VII因子を活性化されることにより，一連の外因性経路が活性化されトロンビンが形成され，さらにフィブリノゲンがフィブリンに変化することにより，微小血栓が形成されていく．

一方で，生体には過剰な血栓形成を制御する機構として形成された血栓を溶解する線溶系が存在する．線溶系の血栓溶解作用は主としてプラスミノーゲンの作用によるが，敗血症ではその阻害物質であるプラスミノゲンアクティベーター阻害因子－1 (plasminogen activator inhibitor-1：PAI-1)やPAI-2の活性が亢進し，生体内の血栓を除去する機能が低下する．

また，生体には不必要な血栓凝固の形成を抑制する抗凝固系が機能しており，この抗凝固系に属する因子としてアンチトロンビン，組織因子経路阻害因子(tissue factor pathway inhibitor：TFPI)，プロテインCなどが知られている．敗血症の患者では，アンチトロンビン(antithrombin：AT)やプロテインCの活性低下を認める．このうちATは，トロンビンと複合体を形成することで，トロンビンの除去を促進するほか，活性化した第IXa因子，第XIa因子，第XIIa因子などを不活化する作用や，トロンビン受容体を介したトロンビンの炎症増幅作用を抑制する抗炎症作用を有する．またTFPIは，主として血管内皮細胞で産生されるセリンプロテアーゼ阻害物質であり，Xaの存在下でTF/VIIa複合体を直接的に不活化することにより抗凝固作用を示す．

プロテインCは，肝で産生される抗凝固因子であり，通常は不活性の状態で血中を循環しているが，トロンビンと血管内皮表面に表出したトロンボモジュリン(thrombomodurin：TM)との相互作用により活性化され，補因子である非結合型プロテインSの存在下に第V因子，第VII因子の作用を阻害し，トロンビン形成を抑制する．さらに，血管内皮細胞には血管内皮プロテインC受容体(endothelial protein C receptor：EPCR)が存在し，活性型プロテインCはEPCRを介してNFκBの活性化を抑制することにより，過剰な炎症を抑える作用を有する．敗血症においては，肝におけるプロテインCの産生が低下し，またプロテインCの活性化に必要なTMの血管内皮細胞での発現がTNFαなどの作用により抑制される．さらに，敗血症では，プロテインSに高い親和性をもつC4b結合タンパク(C4b binding protein：C4bBP)が増加するため，活性

各論 I

型プロテインCの作用発現に必要な非結合型プロテインSが減少する．

以上の知見に基づき，敗血症症例に対してAT，TFPI，プロテインCを補充投与して，病態の改善をはかろうとする試みがなされた．その結果，プロテインCについては敗血症患者1,500例以上を対象とした大規模な多施設臨床試験において，リコンビナント・ヒト活性化プロテインC（recombinant human activated protein C：rh-APC）製剤投与により28日間生存率の有意な改善が認められ，現在rh-APC製剤は広く国際的に有効性を認知された唯一の敗血症における分子標的治療薬となっている[10]．

5. 敗血症における抗炎症反応

生体内には，過剰な炎症反応の亢進に対して，これを抑制しようとする内因性の抗炎症反応が存在する．この抗炎症性反応に関わるメディエーターにはIL-4，IL-10，IL-13，TGF-βなどのサイトカイン・成長因子の他に，糖質コルチコイド，PGE_2などが含まれる．またIL-1受容体拮抗物質（IL-1Ra），可溶性IL-1受容体type II（sIL-1R II），可溶性TNF受容体p55（sTNFR p55），可溶性TNF受容体p75（sTNFR p75）などのサイトカイン受容体拮抗物質や可溶性サイトカイン受容体なども，炎症亢進に反応して生体内で産生され，炎症性サイトカインの作用を抑制する．なお，これらの可溶性サイトカイン受容体のうち，sIL-1R IIは可溶性受容体の濃度に関係なくIL-1の作用を阻害するが，sTNFR p55やsTNFR p75は高濃度ではTNFαの作用を阻害するのに対し，低濃度ではTNFαの担体として機能することにより，TNFαの炎症性作用を増強することが知られている．

一方で，TNFα，IL-1，IL-6，活性酸素類，NO，C5aなど敗血症に際して産生される多数のメディエーターには白血球や血管内皮細胞にアポトーシスを誘導する作用がある．また，敗血症においては，強力なアポトーシス誘導因子であるFasリガンド（Fas-ligand：FasL）の産生も増加する．好中球やマクロファージ，および血管内皮細胞でのアポトーシスの誘導は，敗血症における過剰な炎症反応を抑制する意味をもつ．しかし，好中球・マクロファージのみならず，Tリンパ球・Bリンパ球・免疫樹状細胞などを含めた広範な強いアポトーシスは，生体の感染防御機能を低下させることとなる．

敗血症患者の治療が長期化すると，患者の免疫機能が低下し，当初の病原微生物とは異なる真菌や抗生剤耐性菌などの二次感染を合併し，治療がさらに困難になることをしばしば経験する．これは，敗血症における初期の強い炎症反応に拮抗して惹起されたアポトーシスも含む抗炎症反応の結果，生体防御反応が抑制されることが主な原因と考えられている．近年ではSIRSと対照する意味で，このような抗炎症反応が亢進した結果，免疫機能が低下した病態を代償性抗炎症反応症候群（compensated anti-inflammatory response syndrome：CARS）と呼ばれている．

6. 敗血症治療に対する分子医学的アプローチ

過去20年あまりの間に敗血症に対する病態解明が飛躍的に進んできたのにもかかわらず，敗血症，特に臓器障害を合併した重症敗血症の救命率については満足のいく改善が認められない状況を受けて，2004年に集中治療および感染症関係の11学会が合同でそれまでに集積された敗血症治療に関するエビデンスに基づく敗血症治療指針である「Surviving Sepsis Campaign Guideline」が作成された[11]．この指針は，小児の敗血症治療も含めた52項目の治療法について推奨度AからDまでの4段階で示している．この指針の中で，特記すべき事項の例として，敗血症性ショックに対する大量の副腎皮質ステロイド剤の投与は行わない（推奨度A）とした一方で，低濃度の副腎皮質ステロイド剤の持続静脈投与は有効（推奨度B）とされている．また，腎血流量維持のための低濃度ドーパミン持続静脈投与は無効（推奨度D）とされている．この指針の中で，これまでに記してきた敗血症の病態の発現にかかわる様々なメディエーターについてその分子を標的とした治療法として認知されているのは唯一リコンビナント・ヒト活性化プロテインC（rh-APC）補充療法のみである．

表3 これまでの敗血症におけるメディエーター分子を標的とした臨床治験

(2010年8月現在)

1. 第3相臨床治験において効果が認められたもの リコンビナント活性化プロテインC 2. 第2相臨床治験において効果が認められたガ, 第3相臨床治験は実施されていないもの 抗TNFa Fab抗体(CytoFab) 3. 第2相臨床治験において効果が認められたが 第3相治験では認められなかったもの 抗LPSモノクロナール抗体(HA-1A) bacterial permeablity increasing protein(BPIP) 抗TNFaモノクロナール抗体 リコンビナントPAFアセチルヒドロラーゼ	4. 第2相臨床治験または第2相治験相当の臨床治験において効果が認めらなかったもの 抗腸管細菌共通抗原抗体(T88) デキストラン結合ポリミキシンB(体内投与) 可溶性TNFp55受容体-Fc融合タンパク リコンビナントIL-1受容体アンタゴニスト PAF受容体アンタゴニスト C-GSF インターフェロン-g ブラジキニン イブプロフェン ペントキシフィリン アンチトロンビン-III tissue factor pathway inhibitor(TFPI) 5. むしろ治療成績を悪化させたもの 可溶性TNFp75受容体-Fc融合タンパク L-NMMA(NOS阻害剤)

なお,この「Surviving Sepsis Campaign Guideline」については,その後いくつかの批判もあり,現在,再検討作業が進められている.

敗血症に対する分子レベルでの病態解明が進んできたことを受けて,1990年代から敗血症における炎症性メディエーターの作用を抑えて病態を改善しようとする分子標的治療の試みが数多くなされてきた[12].これまでに,抗lipid A抗体,抗TNFα抗体,sTNFR p55-Fc融合タンパク,sTNFR p75-Fc融合タンパク,IL-1Raなどを用いた第2相または第3相多施設臨床試験が実施されてきた(表3).しかし,これらの臨床試験ではいずれも敗血症症例の有意な生存率の改善は認められなかった.この結果の一因として,これらの臨床治験の対象となった敗血症症例の重症度や治療開始時期が不均一であったことが考察される.したがって,LPS,TNFα,IL-1βといった敗血症における炎症カスケードの初期段階の分子を対象とした治療では,治験の対象となった敗血症症例に対する抗メディエーター剤の投与の時期が遅すぎた可能性も考えられる.現在,敗血症における初期の炎症カスケードに関わる分子標的治療としては,抗TNF-Fab抗体,TLR4拮抗剤,TLR4のシグナル伝達分子であるTAK1阻害剤などの臨床治験が進められている.

実際の臨床の現場では,敗血症を合併した症例に対して本格的な治療が開始されるのは,すでにある程度敗血症の病態が進行した段階であることが少なくない.その意味から,ケモカインやプロテアーゼ,凝固因子,およびHMGB1などの敗血症の炎症カスケードにおける中間および後半の段階に関わる分子を標的とした抗メディエーター治療が有効な可能性がある.先に述べたrh-APC補充療法は,まさにこの炎症カスケードの中間・後半に位置するメディエーターを対象としたものであり,2001年に公表された第3相多施設臨床試験の結果では,28日間の死亡率が対照群に対し投与群では有意な減少を認めたことが報告され[10],先述のように「Surviving Sepsis Campaign Guidekine (SSC Guideline)」において唯一の分子標的治療法として認知されている.しかし,このrh-APC補充療法についても,その後2003年に公表された別の第3相多施設臨床試験の結果では,28日間の死亡率に対照群と有意差を認めなかったことが報告されている.また,同じ抗凝固因子であるAT-Ⅲ補充療法およびTFPIに対する多施設臨床試験ついても,これまでに28日間の死亡率の改善に対照群と有意な差は認められていない.さらに,我が国では以前から,複数のプロテアーゼ阻害剤が敗血症およびDICの治療に使用されてきたが，その臨床的効果についても明らかではない．また，敗血症患者に対し血液濾過(Hemofiltration)を行うことにより，産生された血中の炎症性メディエーターを除去しようとする治療法について，我が国を中心にその効果を積極的に評価する報告があるが，いまだその有効性について国際的な認知には至っていないのが現状である．

現在，敗血症における遅発性メディエーターを標的とした治療で，特に大きな期待がもたれているのがHMGB1の産生および作用発現を抑制しようとする試みである[13]．すでに動物実験においては，抗HMGB1抗体投与やHMGB1拮抗剤投与により敗血症モデル動物における生存率の改善が認められている．また，体外循環によるHMGB1吸着カラムを用いた吸着療法の試みも始められている．

一方で，これらの敗血症の病態発現に関与するメディエーター自体を標的とした治療法に加え，近年，NFκBを中心とした炎症性メディエーター産生に関わる転写因子の活性を制御する治療についても関心がもたれてきている．2002年にエチルピルビン酸がLPS投与による敗血症モデルラットの生存率を改善することが報告され，さらに同年，エチルピルビン酸がNFκBの活性化を抑制する作用を有することが報告された．その後，NFκBの活性化を抑制することにより炎症性メディエーターの産生を抑制する物質としてエチルピルビン酸の治療への応用が注目されてきている[14]．その中で，ブタにLPSを投与して敗血症状態を作成し，その12時間後にエチルピルビン酸を持続静注することにより生存率の改善を得たことが報告されている．また，エチルピルビン酸には敗血症モデル動物においてHMGB1の産生を抑制する作用も認められている．

1990年代に積極的に試みられたTNFαやIL-1などの敗血症の病態惹起に中心的な役割を果たすメディエーターを標的とした治療法開発の試みがすべて失敗に終わったことは，敗血症の病態に関する基礎研究の進歩に相反して，臨床の場での敗血症治療の困難さを改めて認識させられる結果となった．

しかし，この5年間をみても，TLRを介する微生物の刺激因子に対する細胞内シグナル伝達経路の解明，HMGB1を始めとする新たなメディエーターの敗血症の病態への関与に関する知見，NFκBを中心とした炎症性メディエーター産生に関わる転写因子活性の制御に関する研究の進歩など，今後の臨床効果に寄与することが期待される基礎研究の成果は確実に蓄積されてきている．さらには，近年，血清IL-6濃度の迅速測定法の開発など，敗血症症例の病態把握に関する技術も明らかに進歩してきた．

今後期待される敗血症の治療戦略としては，まず，近年開発されてきている迅速測定法を用いた血中サイトカイン濃度などのプロファイルを把握し，より明確に対象症例の病態を均一化・階層化した上での分子標的治療に関する臨床治験の実施と結果の解析が必要である．また，重症敗血症が様々な臓器の炎症と機能障害から形成された複合的な病態であるという観点に立ち，生存率のみではなく，心機能や線溶凝固機能など，より詳細な角度から治験の効果を分析することも不可欠である．これらの点については，特に1990年代に行われた敗血症に対するメディエーター治療のための多施設臨床治験において，十分な検討が行われていたとは言い難い．したがって，過去に期待する成果が得られなかったメディエーター治療についても，改めて検討する余地が残されている．

次に，敗血症は極めて多数のメディエーターが関与して発現される病態である．その意味から，これまでの多施設臨床治験で行われてきた単一のメディエーターのみを標的とした治療効果の判定ではなく，TNFαやIL-1などの炎症カスケードの初期メディエーター，プロテインC・活性化補体・HMGB1などの炎症カスケードにおける中間的および遅発性メディエーター，さらにはNFκBを中心とした炎症性メディエーター産生に関わる転写因子など，複数の分子を標的とした「カクテル治療」の開発について検討する必要がある．

これらの取り組みにより，特にMODSを合併した重症敗血症の救命率が高まっていくことを強く期待する．

参考文献

1. American College of Chest Physicians/Society of

Critical Care Medicine Consensus Conference : definitions for sepsis and organ failure and guidelines for the use of innovative therapies in sepsis. Crit Care Med 1992 ; 20 : 864-74.
2. Levy MM, Fink MP, Marshall JC, Abraham E, Angus D, Cook D, et al. 2001 SCCM/ESICM/ACCP/ATS/SIS International Sepsis Definitions Conference. Crit Care Med 2003 ; 31 : 1250-6.
3. Vincent JL, Sakr Y, Sprung CL, Ranieri VM, Reinhart K, Gerlach H, et al. Sepsis in European intensive care units : results of the SOAP study. Crit Care Med 2006 ; 34 : 344-53.
4. Martin GS, Mannino DM, Eaton S, Moss M. The epidemiology of sepsis in the United States from 1979 through 2000. N Engl J Med : 2003 ; 348 : 1546-54.
5. Takeuchi O, Hoshino K, Kawai T, Sanjo H, Takada H, Ogawa T, et al. Differential roles of TLR2 and TLR4 in recognition of gram-negative and gram-positive bacterial cell wall components. Immunity 1999 ; 11 : 443-51.
6. Nagai Y, Akashi S, Nagafuku M, Ogata M, Iwakura Y, Akira S, et al. Essential role of MD-2 in LPS responsiveness and TLR4 distribution. Nat Immunol 2002 ; 3 : 667-72.
7. Lotze MT, Tracey KJ. High-mobility group box 1 protein (HMGB1) : nuclear weapon in the immune arsenal. Nat Rev Immunol 2005 ; 5 : 331-42.
8. Cobb JP, Natanson C, Hoffman WD, Lodato RF, Banks S, Koev CA, et al. N omega-amino-L-arginine, an inhibitor of nitric oxide synthase, raises vascular resistance but increases mortality rates in awake canines challenged with endotoxin. J Exp Med 1992 ; 176 : 1175-82.
9. MacMicking JD, Nathan C, Hom G, Chartrain N, Fletcher DS, Trumbauer M, et al. Altered responses to bacterial infection and endotoxic shock in mice lacking inducible nitric oxide synthase. Cell 1995 ; 81 : 641-50.
10. Bernard GR, Vincent JL, Laterre PF, LaRosa SP, Dhainaut JF, Lopez-Rodriguez A, et al. Efficacy and safety of recombinant human activated protein C for severe sepsis. N Engl J Med 2001 ; 344 : 699-709.
11. Dellinger RP, Carlet JM, Masur H, Gerlach H, Calandra T, Cohen J, et al. Surviving Sepsis Campaign guidelines for management of severe sepsis and septic shock. Crit Care Med 2004 ; 32 : 858-73.
12. Rice TW, Bernard GR. Therapeutic intervention and targets for sepsis. Annu Rev Med 2005 ; 56 : 225-48.
13. Sunden-Cullberg J, Norrby-Teglund A, Treutiger CJ. The role of high mobility group box-1 protein in severe sepsis. Curr Opin Infect Dis 2006 ; 19 : 231-6.
14. Fink MP. Ethyl pyruvate : a novel anti-inflammatory agent. J Intern Med 2007 ; 261 : 349-62.

各論 I

Ⅰ-18　プリオン病

東京大学名誉教授
山内一也

1. プリオン病の特徴と種類

プリオン(prion：proteinaceous infectious particle，感染性蛋白粒子)はウイルス，細菌と同様に病原体の種類を示す名前として提唱されたもので，それにより起こる病気がプリオン病とよばれている．感染症は外来性の微生物により引き起こされる．プリオン病も，当初はウイルス感染症の一つと考えられていた．しかしプリオン説では，病原体としてのプリオンは外から侵入するものではなく，身体の中に産生される蛋白質が異常化したものという，まったく新しい概念にもとづいている．

プリオン蛋白質(prion protein：PrP)はヒトでは第20番染色体に存在するPrP遺伝子が産生する．これは正常プリオン蛋白質(cellular prion protein：PrP^{C})と呼ばれ，多くの種類の組織，とくに脳には多量に存在している．一方，プリオン病の動物の脳の中には異常プリオン蛋白質(scrapie-type prion protein：PrP^{Sc})が存在している．これはPrP^{C}の立体構造が変わったものとみなされている．プリオン説ではこのPrP^{Sc}が病原体であって，核酸は含まれていないと考えられている．すなわちプリオンの構成成分は，正常な蛋白質の構造が変化して異常となった蛋白質ということになる．

ウイルスなどの微生物は感染した動物の体内で自己増殖する．プリオン説では，PrP^{Sc}が身体の中に入るとPrP^{C}をPrP^{Sc}に変えるために，PrP^{Sc}が増えてくるものと説明されている．現象だけを見ると，これは感染した病原体が増殖することと同等といえる．

蛋白質を病原体の本体とするプリオン説の考えを支持する状況証拠は多く蓄積してきている．そのひとつとして，PrP遺伝子が破壊されたノックアウトマウスでの実験成績がある．このマウスではPrP^{C}の産生はみられず，スクレイピーを接種されてもまったく発病しない．すなわち，PrP^{C}の存在が発病に不可欠ということになる．しかし，決定的証明となるはずの，PrP遺伝子から組み換えDNA技術で産生されたPrP^{C}の立体構造を変化させて感染性のPrP^{Sc}を作り出す実験はまだ成功していない．

PrP^{Sc}が病原体の本体か，それとも病的産物であるかという議論はわずかながら続いているものの，プリオン病の名称は定着したとみなせる．代表的なプリオン病は表1にまとめた．

一方，プリオン病の名称が提唱される以前から伝達性海綿状脳症という名称が広く用いられてきた．これは，空胞の出現を特徴とする脳症で実験的に動物に病気を伝達させることができるものを意味する．プリオン病は病原体の種類にもとづく名称で，伝達性海綿状脳症は病態にもとづくものであって，この2つは同義語として用いられている．ただし，プリオンを病原体とする説は確立されたものではないため，国際機関では伝達性海綿状脳症の用語を用いている．

表1 プリオン病の種類

病名	動物	原因
クロイツフェルト・ヤコブ病（CJD）	ヒト	
孤発性		不明
遺伝性		プリオン遺伝子変異
感染性		
クールー		食人風習
医原性		医療行為
ゲルストマン・シュトロイスラー・シャインカー病（GSS）		プリオン遺伝子変異
致死性家族性不眠症（FFI）		プリオン遺伝子変異
変異型クロイツフェルト・ヤコブ病（v-CJD）	ヒト	感染（BSE）
スクレイピー	ヒツジ，ヤギ	感染
伝達性ミンク脳症	ミンク	感染（スクレイピー）
ウシ海綿状脳症（BSE）	ウシ	感染（飼料）
ネコ海綿状脳症	ネコ，チータ，トラ，ライオン	感染（飼料）
動物園ウシ科動物伝達性海綿状脳症	クーズー，ニアラ	感染（飼料）
慢性消耗病	北米産シカ類	感染

2. クロイツフェルト・ヤコブ病（CJD）

1）孤発性プリオン病

CJDの80－90%がこのタイプであって，全世界でほぼ100万人に1人の割合に起こっている．発症年令は50－75才で発病から死亡までの期間は平均6ヶ月である．孤発性の原因は不明であるが，PrP遺伝子の体細胞変異もしくは，自発的に起こるPrP^{Sc}への変換の蓄積の結果ではないかと推測されている．

2）遺伝性プリオン病

最初に見いだされたのは，ゲルストマン・シュトロイスラー・シャインカー病（Gerstmann Straussler Scheinker disease：GSS）で，PrP遺伝子コドン102のプロリンからロイシンへの変異による．その後，ヒトPrP遺伝子の変異が多く見いだされてきた．

もうひとつの遺伝性プリオン病として致死性家族性不眠症がある．ここではPrP遺伝子コドン178にアスパラギン酸からアスパラギンへの変異が見られる．

遺伝性プリオン病の発病機構としては，アミノ酸変異のあるPrP^{C}が異常化しやすい可能性，もしくは異常化したのち蓄積しやすいといった可能性が推測されている．

3）感染性プリオン病

①クールー

クールーは食人の際の感染により広がったと考えられている．疫学的調査から，最初ひとりの，おそらくはCJDの患者から経口または調理の際の傷口を介して感染が広がったCJDの亜型と推測されている．疫学的所見から垂直感染は起きていないと推測されている．これまでに2500人以上の患者が見いだされている．しかし，食人の風習がなくなった1956年以後に生まれた人では発生はほとんどなくなり，1959年以後に生まれた人ではまったく発生はない．現在でも年間数例の発生がみられているが，これらはすべて40才以上の人に限られており，1956年以前に感染したものと推測されている．

②医原性CJD

CJDの感染性が存在する中枢神経組織もしくはそれ由来の産物が医療行為により健康な人に投与されると感染が伝播されることがある．これが医原性CJDであり，角膜移植，脳下垂体由来の成長ホルモンまたは性腺刺激ホルモンの投与，硬膜移植，脳外科手術などで報告されている．とくに問題になっているのは成長ホルモン投与と硬膜移植である．成長ホルモンによるCJDは，2009年11月までにフランスで109名，英国で56名，米国で28名，ニュージーランドで6名，オランダ，ブラジル，で各2名が見いだされている．

日本では硬膜移植によるCJDが薬害ヤコブ病として大きな問題になった．厚生省のサーベイランスでは，硬膜移植歴のあるCJD患者117例が登録されている．日本には乾燥硬膜は1973年から輸入されていた．1987年にアルカリ処理が行われるようになり，CJD病原体の感染性低下に

表2　変異型CJDの特徴

	平均発症年令（歳）	初発症状	死亡までの平均的経過（月）	脳病変	脳波異常（PSD*）
孤発性CJD	65	急速な痴呆 異常行動	4.5	海綿状変性	＋
変異型CJD	29	異常感覚 精神症状	14	海綿状変性 クールー斑	−

* PSD（periodic synchronous discharge）：周期性同調性放電

クールー斑　　多量のPrP^{Sc}の蓄積

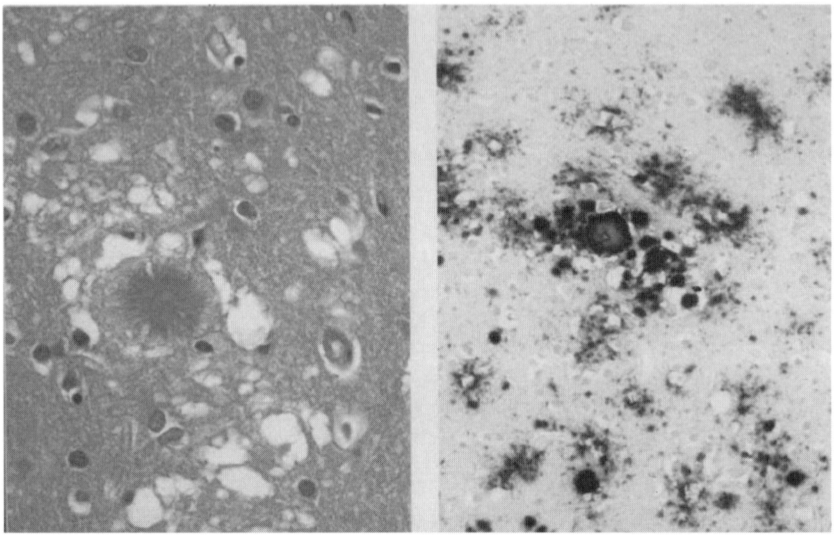

H. E. 染色　　免疫組織化学染色

図1　（Dr. J. Ironsidet 提供）

役立ったとみなされているが，日本で問題になっている例の多くは1983－87年にアルカリ処理が行われていない硬膜の移植を受けており，硬膜からの感染が疑われている．移植から発病までの平均期間は10年2ヶ月で，最長例は23年である[1]．

4）変異型（variant）CJD（v-CJD）

v-CJDは1996年に初めて見いだされ，英国政府がBSE感染による可能性が否定できないと発表したことで，全世界にBSEパニックを引き起こした．その特徴は表2にまとめたように，発病年齢が孤発性CJDよりもはるかに若く，臨床経過も長い．しかも脳にはPrP^{Sc}の蓄積によるクールー斑が見いだされる（図1）．

当初，BSEが多発した英国に限局してBSE発生後10年くらいから発生しはじめたという疫学的所見からBSE感染が疑われたのであるが，その後，患者の脳乳剤のPrP^{Sc}のWestern blotパターンがBSEウシの脳乳剤と同様であることが明らかにされた．さらに，ヒトPrP遺伝子導入マウス，ウシPrP遺伝子導入マウス，もしくはカニクイザルの脳内に患者の脳乳剤を脳内接種した場合，潜伏期や脳内病変分布のパターンなどの病態がBSEウシの脳乳剤を接種した場合に非常によく似ていることから，BSEとv-CJDは同じ病原体の感染により起きたものと結論されている．

v-CJD患者は2010年5月現在，英国で172例，フランス25例，スペイン5例，アイルランド4例，米国3例，オランダとポルトガルで各2例，イタリア，カナダ，サウジアラビア，日本で各1例の合計217例が見いだされている．英国以外の例でも，多くは英国在住の経験があるため，英国で感染したことが疑われている．

英国での年次別発生数には減少の傾向が見られ（図2），発生のピークは過ぎたという楽観的見方が生まれている．しかし，これまで遺伝子型が調べられたvCJD患者は，すべてPrP遺伝子コドン129がメチオニン・ホモの人たちであって，10年位の潜伏期での発症と考えられているが，輸血による感染が疑われている1名がヘテロ（メチオニン・バリン）であり[2]，また2名のバリン・ホモの健康人のリンパ組織でPrP^{Sc}が見いだされた[3]．これらの人は発病していないが，感染していると考えられることから，今後，長い潜伏期ののちに，このような遺伝子型の患者の間での発生による第2のピークが来るという慎重な見解も出

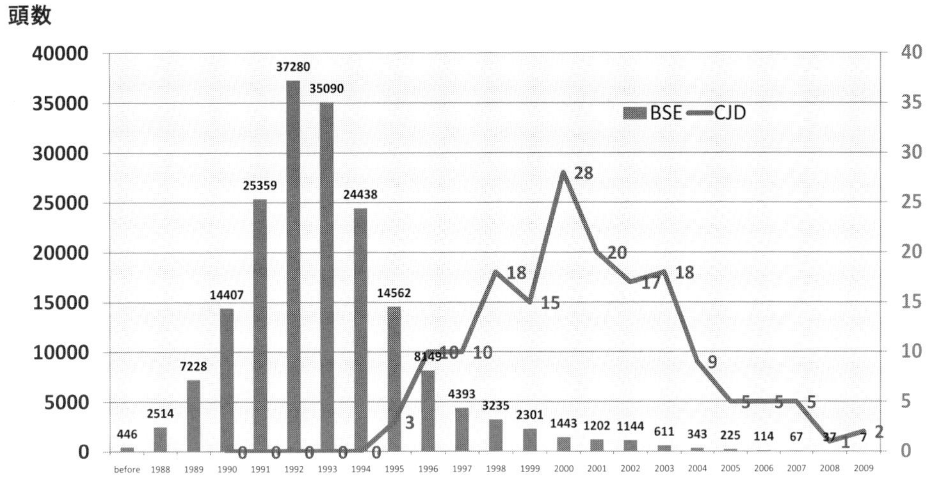

＊サーベイランスは1990年5月から開始

出展：OIE World Health Situation (http://www.oie.int/eng/info/en_esbru.htm) Last update:12-oct-2009
National CJD Surveillance Unit website (http://www.cjd.ed.ac.uk/) Last update:2-Nov-2009

図2 英国におけるBSE発生頭数およびvCID発生者数

されている.

一方，BSE病原体をヒトPrP遺伝子導入トランスジェニックマウスに接種した際に，脳乳剤のWestern blotパターンがv-CJDとは異なり孤発性CJDの特徴を示す例が見いだされ，孤発性CJDと診断されている患者の中にv-CJDが含まれている可能性も指摘されている[4].

3. ウシ海綿状脳症（Bovine spongiform encephalopathy：BSE）

BSEは1986年に英国で発生が初めて確認された．BSE病原体の起源は不明であるが，食用動物の食肉の部分をとった後のくず肉を粉末とした肉骨粉を家畜の餌としていたことから，ヒツジのくず肉の中に含まれていたスクレイピーがウシに感染したことによるという見解が疫学的検討から提唱されている.

起源は不明であるが，BSE病原体は餌を介して経口感染により広がったと考えられている．ウシの間での水平感染は血液，排泄物などに病原体が見つからないことから理論的に起こり得ないとみなされる．現実に農場での発生状況でも水平感染が起きている疫学的証拠は見つかっていない．母子感染も，胎盤，胎児，血液，乳腺，乳などに

表3 世界におけるBSE発生状況（OIE資料）
2009年10月現在

	初発年	発生数	
		2009年	累計
英国	1986	12	184,600
アイルランド	1989	9	1,646
ポルトガル	1990	8	1,069
スイス	1990	0	464
フランス	1991	10	1,011
オランダ	1997	—*	85
ベルギー	1997	0	133
ルクセンブルク	1997	0	3
リヒテンシュタイン	1998	0	2
デンマーク	2000	1	16
スペイン	2000	18	760
ドイツ	2000	2	419
ギリシア	2001	0	1
イタリア	2001	2	144
チェコ	2001	2	30
スロバキア	2001	—	24
日本	2001	1	36
スロベニア	2001	0	8
フィンランド	2001	0	1
オーストリア	2001	0	6
ポーランド	2002	4	67
イスラエル	2002	0	1
カナダ	2003	0	18
米国	2005	0	2
スウェーデン	2006	0	1
総計		57	190,544

（*—：未報告）

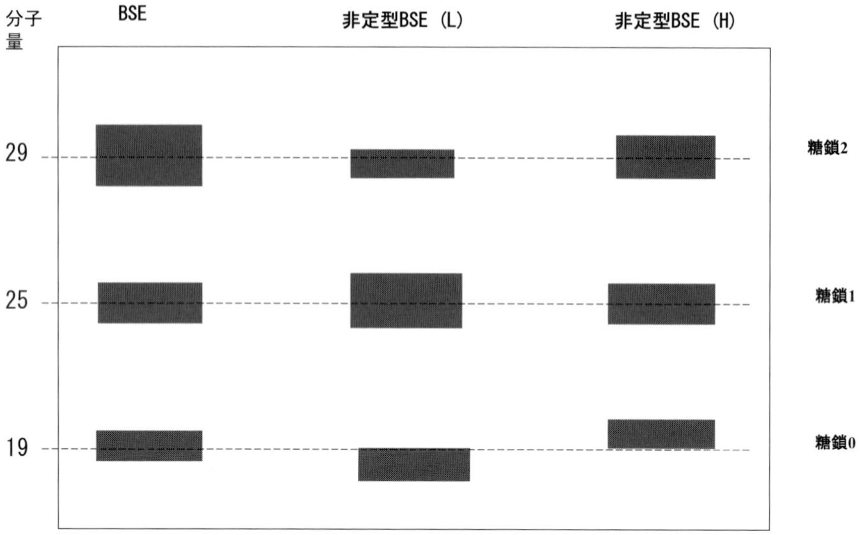

図 3　非定型 BSE の特徴

病原体が見つからないことから，その可能性はほとんどないと考えられている．農場でも母子感染が起きている疫学的所見はない．

世界各国における BSE の発生状況は表 3 にまとめたように，日本を含む 25 カ国で発生が確認されている．これらの BSE の主な感染源は，1996 年以前に英国から輸入した肉骨粉または生体ウシと推測されている．

長い間，BSE は 1 株のみが流行を起こしていると考えられてきた．しかし，2003 年に，日本の 8 例目(23 ヶ月齢)の BSE は，PrP^{Sc} のウエスタン・ブロットのパターンがこれまでの BSE とは異なっていたために，非定型 BSE とみなされた．その後，日本では 24 例目(169 ヶ月齢)も非定型と判定された．ほかの国でも非定型 BSE が見いだされ，現在までに 49 例になっている．非定型 BSE の PrP^{Sc} のウエスタン・ブロットのパターンには，従来の定型 BSE と比較して，糖鎖 2 本の分子のバンドの量が減少して糖鎖 1 本のバンドの量が増加している傾向が見られる．また分子サイズが大きいものと小さいものがあることから，前者が H 型，後者が L 型と分類されている(図 3)．非定型 BSE はフランス(12 例)，ポーランド(7 例)，オランダ(4 例)，イタリア(2 例)，ドイツ(2 例)，米国(2 例)，日本(2 例)，カナダ(1 例)，スウェーデン(1 例)，スイス(1 例)，英国(1 例)が見いだされている．このうち，フランス，ポーランド，オランダ，ドイツでは H 型と L 型の両方が報告されている．日本の 2 例は L 型，米国の 2 例は H 型である．

これらのうち，米国の 1 例では，PrP 遺伝子のコドン 211 にグルタミン酸からリジンへのアミノ酸置換(E211K)が見いだされた[5]．この変異は CJD の多発家系に見られる E200K に相当するが，非定型 BSE で PrP 遺伝子に変異が見られたのはこの 1 頭だけのため，遺伝性 BSE かどうかは分からない．

イタリアの 1 例はマウス，ウシ，カニクイザルへの脳内接種で感染性が確認され，とくにウシとサルでは，定型 BSE の場合よりも潜伏期がかなり短い点が注目されている[6]．日本とドイツの例はウシ型 PrP 遺伝子を導入したトランスジェニックマウスへ伝達されている[7, 8]．

人への感染性は不明であるが，感染の可能性があるという前提で，従来の BSE と同様の対策が必要である．これらの非定型 BSE はすべて BSE 検査で見いだされたものである．すなわち，BSE 検査で陽性のウシを食用にまわさない全頭検査が非定型 BSE 対策にも役立つことになる．

4. プリオン病の診断

1) 基本的問題

プリオン病の確定診断はPrP^{Sc}の検出に依存している．しかし，感染した動物の脳内にはPrP^{C}も存在しており，PrP^{C}とPrP^{Sc}の間にはアミノ酸配列や抗原性に差は見いだされていない．そのため，まず，蛋白質分解酵素 Proteinase K で処理してPrP^{C}を分解した後に残るPrP^{Sc}のコア部分を PrP 抗体を用いて Western blot や ELISA などで検出する方法が行われている．

BSE ウシでは脳，脊髄にPrP^{Sc}が蓄積することから，検査材料は剖検により採取しなければならない．スクレイピーでは扁桃でもPrP^{Sc}が検出されるので，生検で扁桃を採取して生前診断を行うことが可能であるが，BSE では死後の診断しかできない．BSE ウシが見いだされた場合，同じ餌を与えられていたウシの多くが疑似患畜とされて検査を受けることになり，検査用の脳組織を採取するために殺処分される．そのため，尿や血液についての代理マーカーによる生前診断法の開発研究が進められている．

孤発性 CJD の患者では髄液中に神経組織由来の 14 － 3 － 3 蛋白が検出される．これはヘルペス脳炎などでも見いだされるもので CJD 特異的ではないが，孤発性 CJD の補助診断に用いられている．しかし，BSE ではこの方法は利用できない．

2) 迅速 BSE 検査

ウシの脳について数時間以内にPrP^{Sc}を検出する迅速 BSE 検査キットは，1999 年に EU 委員会により Prionics 社，BioRad 社(開発はフランス原子力庁研究所)，Enfer 社の 3 種類のキットが承認されて以来，いくつもが開発されている．日本では，Plateria kit（BioRad 社），Enfer TSE Test（Enfer 社），FRELISA BSE（富士レビオ社），ニッピブル BSE 検査キット(ニッピ社)が採用されている．

これらはいずれも，PrP^{Sc}がもっとも蓄積する脳幹部のかんぬき部分の組織を採取し，まず Proteinase K 処理でPrP^{C}を分解したのち，抗 PrP モノクローナル抗体を反応させてPrP^{Sc}を検出するもので，検査に要する時間は 5 － 8 時間と短時間であるため，屠畜場での検査に広く利用されている．

日本で 2002 年 10 月から開始された全頭検査では迅速検査で陽性となったサンプルについては，通常の Western blot 法と免疫組織化学検査で確認を行い，いずれかで陽性と判定されたウシは焼却処分される．

3) マウス・バイオアッセイ

検査サンプルを近交系マウス(主に C57BL もしくは RIII 系)の脳内に接種して感染性を調べる方法である．病原体の濃度により潜伏期は異なるが，RIII マウスでは平均 300 日，C57BL マウスでは 400 日あまりで発病する．この発病が BSE 感染によることを確認するために，病理組織学的に空胞の存在と免疫組織化学検査でPrP^{Sc}の蓄積を確認することが必要である．非常に長期間を要する試験であるが，検出感度は通常の Western blot 法の場合の 1000 倍くらいと高い．

ウシへの脳内接種によるウシ・バイオアッセイではマウスの 500 倍の検出感度となる．これはマウスとウシの間の種の壁を示すものと考えられる．この種の壁を克服するために，マウス PrP 遺伝子がノックアウトされたマウスにウシ PrP 遺伝子を導入したトランスジェニックマウスが作出されている．このマウスは BSE 病原体に対してウシよりも 10 倍高い検出感度を示すと報告されている[9]．

一方，これらのアッセイ・システムとはまったく異なる発想から CJD 病原体を検出する方法が開発されている[10]．これは，マウスの腹腔内に CJD 病原体を接種した場合，最初にPrP^{Sc}の蓄積が見いだされるのがリンパ系組織の濾胞樹状細胞であることに着目したものである．マウス PrP 遺伝子をヒト PrP 遺伝子に置き換えたマウス(ノックインマウス)を作出し，CJD 病原体を腹腔内接種することにより，30 日目には脾臓の濾胞樹状細胞でPrP^{Sc}の蓄積を免疫組織化学検査で検出することができる．この方法は上述の脳内接種の場合に比べてきわめて短い期間で判定できるだけでなく，腹腔内には脳内の場合よりも大量のサン

各論 I

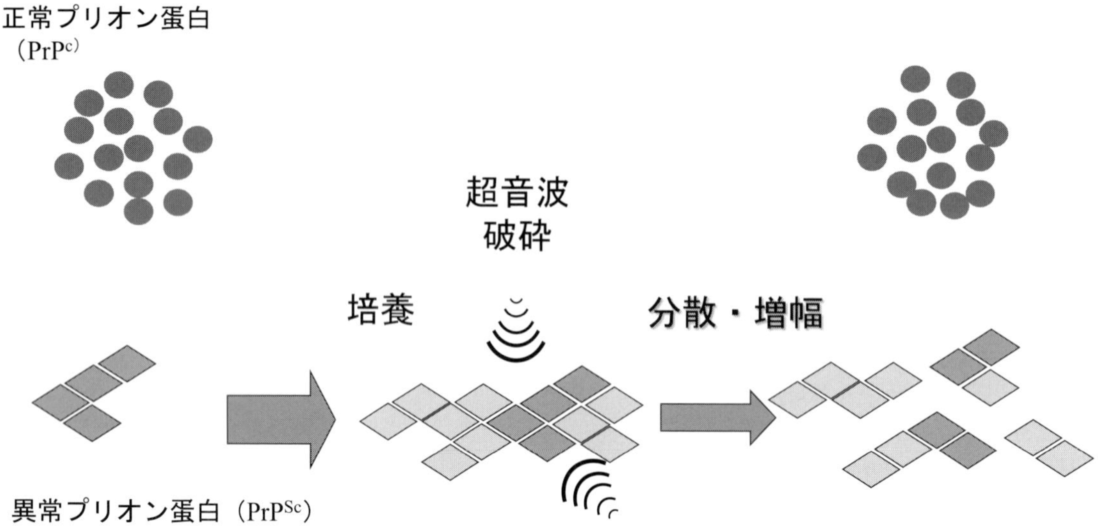

図４　異常蛋白反復増幅法（PMCA：Protein Misfolding Cyclic Amplification）

プルの接種が可能であるという利点があり，とくに血液製剤などについてのCJD病原体検出への利用が期待されている.

ウシPrP遺伝子のノックインマウスも開発されており，BSEの高感度検出法として研究に用いられはじめている.

4）異常蛋白反復増幅法（PMCA：protein misfolding cyclic amplification）

これは試験管内でPrP^{Sc}を増幅するものである[11]．その概略は図4に示すように，試験管内で検査サンプル中のPrP^{Sc}と過剰に加えたPrP^{C}（正常動物の脳）を反応させ，形成されたPrP^{Sc}を超音波で分散させ，ふたたびPrP^{C}を反応させる操作を繰り返した後，PrP^{Sc}をWestern blotで検出する．この方法は理論的には無限に増幅させることができるため，きわめて高感度の検査法として期待されている．スクレイピー感染ハムスターでは，PMCAにより潜伏期中の血液でもPrP^{Sc}の検出が報告されている．BSEへの応用も進んでいる.

5. BSEの発病機構

英国では子ウシを用いた大規模なBSE経口感染実験が行われた[12]．BSEウシの脳100グラムを経口投与し，2－4カ月毎に5頭を解剖して50以上の臓器についてマウス・バイオアッセイにより感染性の検出を試みたものである．臨床症状は35ヶ月目に出現した．感染性は最初6ヶ月目に回腸遠位部に見いだされた．感染性は，ほかの臓器では見いだされないまま，32ヶ月目に脳，脊髄，末梢神経節（三叉神経節，背根神経節）に見いだされた．同じ時期に脳では免疫組織化学によりPrP^{Sc}が検出された．典型的な空胞病変は36ヶ月後に見いだされた.

主要な組織については，ウシ・バイオアッセイによる感染性の検出も行われたが，マウス・バイオアッセイで陰性であった扁桃に低いレベルの感染性が見いだされた以外は，マウスの場合と同じ結果であった．これらの成績をまとめて図5に示した.

免疫組織化学検査で調べた結果，回腸ではパイエル板の濾胞に限局してPrP^{Sc}が検出されている．これらの結果から，経口で摂取されたBSE病原体は回腸のパイエル板のおそらく濾胞樹状細胞に蓄積し，末梢神経系を経由して中枢神経系に伝播されるものと推測されている．その後，ドイツと日本で行われた子ウシへの経口感染実験でも潜伏期間中に末梢神経にPrP^{Sc}の蓄積が確認され

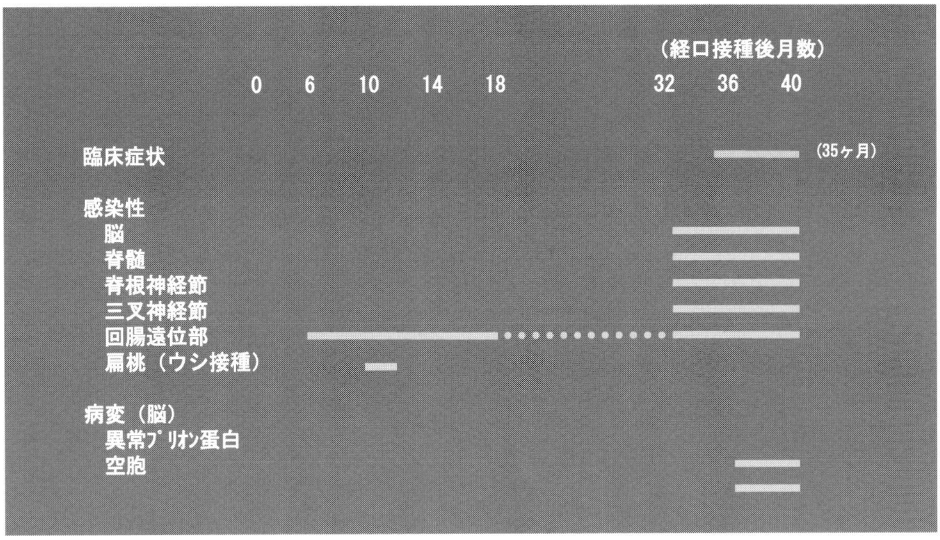

図5 BSEの発病過程

ている[13, 14].

6. CJDの発病機構

マウスにCJD病原体を脳内接種した場合，PrP^{Sc}はまずリンパ組織に見いだされ，ついで脳内に出現する．リンパ組織でのPrP^{Sc}の蓄積が見られる時期にはとくに病変や症状は認められず，脳内で蓄積するようになって発病にいたる．

発病したマウスの脳内ではPrP^{Sc}の蓄積が見られるが，一方でPrP^{C}の減少も起きている．発病の原因がPrP^{Sc}の蓄積によるものか，それともPrP^{C}の消失によるものかは明らかでない．

ヒトにおけるプリオン病の発病にはPrP遺伝子の多形性が関係している．表4に示したようにv-CJDはPrP遺伝子コドン129がメチオニンのホモ接合体に限られている[15]．これに対して成長ホルモンによる医原性CJDではバリンのホモ接合体の方が高い感受性を有しているらしい[16]．さらに成長ホルモンCJDではヘテロ接合で長い潜伏期の後の発病の傾向が見られており，2種類のPrP^{C}の存在する人では潜伏期が長くなる可能性が考えられる．

表4 コドン129の多型性とCJD

遺伝子型	日本		英国		
	一般人	孤発性CJD	一般人	孤発性CJD	v-CJD
Met/Met	164 (92)	50 (82)	39 (37)	16 (73)	35 (100)
Met/Val	15 (8)	11 (18)	54 (51)	1 (5)	0
Val/Val	0	0	13 (12)	5 (23)	0

数字は実数，( ) 内はパーセント (文献15)

7. BSEにかかわる公衆衛生対策

1) 食肉の安全対策

特定危険部位(脳，脊髄，眼，回腸遠位部，脊椎)の除去と迅速BSE検査によるBSE陽性ウシの摘発という二重の対策が実施されている．特定危険部位が選定された根拠は農場で発病したウシの各組織についてマウス脳内接種実験で感染性の分布を調べた結果にもとづいている．そののち，前述の感染実験の成績を参考にして人への暴露リスクを評価するために，各組織に含まれる推定感染量を子ウシに経口接種した場合の50%感染単位(50% calf oral infectious dose : $CoID_{50}$)で示した分布が表5のようにまとめられている[17]．

2) 医薬品の安全対策

医薬品は食品と異なり注射などで投与されることがあり，また濃縮されることもある．そこで，食品の場合とは異なり理論的危険性にもとづく予防原則が

表５　１頭のBSE発症ウシにおける感染性の分布（推定）

	重量	感染性	
	g/1 頭	CoID50*/g	CoID50/1 頭
脳	500	50	25,000
脊髄	200	50	10,000
背根神経節	30	50	1,500
三叉神経節	20	50	1,000
扁桃	50	0.005	0.25
回腸遠位部	800	5	4,000
総計	1,600		41,500

*CoID50: 50% calf oral infectious dose
（文献 17）

表６　EU 医薬品審査庁による臓器分類（スクレイピー感染ヒツジの成績）

カテゴリー１（高度感染性）	脳 *，脊髄 *，眼 *
カテゴリー２（中等度感染性）	回腸 *，リンパ節，近位結腸（頭に近い部分） 脾臓，扁桃 *，硬膜，松果体，胎盤 脳脊髄液，下垂体，副腎
カテゴリー３（低感染性）	遠位結腸（尾に近い部分），鼻粘膜，末梢神経節 * 骨髄，肝臓，肺，膵臓，胸腺
カテゴリー４（検出可能な感染性なし）	凝血，糞便，心臓，腎臓，乳腺，乳汁 卵巣，唾液，唾液腺，精嚢，血清，骨格筋 睾丸，甲状腺，子宮，胎児組織，胆汁，骨 軟骨組織，結合組織，毛，皮膚，尿

*BSE ウシで感染性が検出された臓器

適用されている．化粧品も同様に取り扱われている．

この場合には，世界保健機関による臓器分類の表をEU 医薬品審査庁が修正したものが広く利用されている(表6)．これは，スクレイピーを発病したヒツジとヤギの成績がもとになっている．この表のカテゴリー1，2の組織(脳，脊髄，眼，腸，扁桃，リンパ節，脾臓，松果体，硬膜，脳脊髄液，下垂体，胸腺，副腎)を医薬品，化粧品の原料として用いることが禁止されている．そのほかの組織については，原産国のBSE リスクの程度に応じてケースバイケースの対策が講じられている．

前述のように，BSE ウシでこれまでに感染性が見いだされた部位は，脳，脊髄，回腸，末梢神経節，扁桃に限られている．したがって，感染性が証明されていない組織も，スクレイピーの場合を参考にして対策が施されていることになる．

3) v-CJD 患者にかかわる血液製剤の問題

これまでに孤発性CJDでは，血液や血液製剤を介して病気が伝播されたとの報告は皆無である．

ところが，v-CJD 患者で発病8ヶ月前にたまたま摘出されていた虫垂にPrP^{Sc}が検出された．また，v-CJD 患者の扁桃の生検組織でもPrP^{Sc}が検出された．これまで孤発性CJD 患者の剖検例からのマウス伝播実験では虫垂と扁桃に感染性は見いだされたことはなかった．これらの結果からv-CJD では孤発性CJD とは異なる病原体の体内での動態が推測されたわけである．とくに，虫垂と扁桃はいずれもリンパ組織であるため，白血球にプリオンが付着して血液汚染を引き起こす理論的危険性が問題になった．そこで，潜伏期中のv-CJD 患者が多数存在すると考えられる英国では，血液製剤の原料はBSE 発生のない国から輸入し，輸血用の血液はフィルターで白血球を除去するという対策がたてられている．

日本では暫定的措置として，1980 年以降1996年まで英仏に1日以上の滞在歴がある人，1997年以降は6ヶ月以上の滞在歴のある人，そのほかEU 諸国についても1980 年からの滞在歴が，国により6ヶ月または5年以上の人からの献血を拒否している．これまでv-CJD 患者の血液中にPrP^{Sc}や感染性は見いだされてはいない．したがって，これらの対策は理論的危険性に対する予防原則にもとづくものである．

一方，ヒツジのBSE モデルでは輸血による感染の伝播が実験的に明らかにされた[18]．BSE 発症ウシでは扁桃にPrP^{Sc}は検出されないが，ヒツジがBSE に感染した場合には，v-CJD の場合と同様に扁桃で PrP^{Sc} が検出される．そこで，ヒツジに BSE 病原体を接種した後，その血液を健康なヒツジに輸血したところ，潜伏期の中期の血液の輸血で感染の伝播が見いだされたのである．リンパ組織に PrP^{Sc} の蓄積が見られるプリオン病では輸血による可能性のあることが示唆されたことになる．

参考文献

1. Sato, T., Masuda, M., Utsumi, Y., Enomoto, Y., Yamada, M., Mizusawa, H. & Kitamoto, T. : Dura matter related Creutzfeldt-Jakob disease in Japan : Relationship between sites of grafts and clinical features. In "Prions. Food and Drug Safety", Kitamoto, T.（ed.）, Springer-Verlag, pp 31-40, 2005.
2. Peden, A.H., Head, M.W., Ritchie, D.L., Bell, J.E. & Ironside, J. : Preclinical vCJD after blood transfusion in a PRNP codon 129 heterozygous patient. Lancet, 364, 527-529, 2004.
3. Ironside, J.W., Bishop, M.T., Connolly, K., Hegazy, D., Lowrie, S., Le Grice, M., Ritchie, D.L., McCardle, L.M. & Hilton, D.A. : Variant Creutzfeldt-Jakob disease : prion protein genotype analysis of positive appendix tissue samples from a retrospective prevalence study. BMJ, 332, 1186-1188, 2006.
4. Asante, E.A., Linehan, J.M., Desbruslais, M., Joiner, S., Gowland, I., Wood, A.L., Welch, J., Hill, A.F., Lloyd, S.E., Wadsworth, J.D.F. & Collinge, J. : BSE prions propagate as either variant CJD-like or sporadic CJD-like prion strains in transgenic mice expressing human prion protein. EMBO J., 21, 6358-6366, 2002.
5. Clawson, M.L., Richt, J.A., Baron, T., Biacabe, A.-G., Czub, S., Heaton, M.P., Smith, T.P.L. & Laegreid, W.W. : Association of a bovine prion gene haplotype with atypical BSE. PLos One, volume 3, issue 3, e1830, 2008.
6. Comoy, E.E., Casalone, C., Lescoutra-Etchegaray, N., Zanusso, G., Freire, S., Marce, D., Auvre, F., Ruchoux, M.-M., Ferrari, S., Monaco, S., Sales, N., Caramell, M., Leboulch, P., Brown, P., Lasmezas, C.I. & Deslys, J.-P. : Atypical BSE（BASE）transmitted from asymptomatic aging cattle to a primate. PLos One, volume 3, issue 8, e 3017, 2008.
7. Buschmann, A., Gretzschel, A., Biacabe, A.-G., Schiebel, K., Corona, C., Hoffmann, C., Eiden, M.,Baron, T., Casalone, C. & Groschup, M.H. : Atypical BSE in Germany-Proof of transmissibility and biochemical characterization. Vet. Microbiol., 117, 103-116, 2006.
8. Masujin, K., Shu, Y., Yamakawa, Y., Hagiwara, K., Sata, T., Matsuura, Y., Iwamaru, Y., Imamura, M., Okada, H., Mohri, S. & Yokoyama, T. : Biological and biochemical characterization of L-type-like bovine spongiform encephalopathy（BSE）detected in Japanese black beef cattle. Prion,2, 123-128, 2008.
9. Safar, J.G., Scott, M., Monaghan, J., Deering, C., Ddorenko, S., Vergara, J., Ball, H., Legname, G., Leclerc, E., Solforosi, L., Serban, H., Groth, D., Burton, D.R., Prusiner, S.B. & Williamson, R.A. : Measuring prions causing bovine spongiform encephalopathy or chronic wasting disease by immunoassays and transgenic mice. Nature Biotech., 20, 1147-1150, 2002.
10. Kitamoto, T., Mohri, S., Ironside, J.W., Miyoshi, I., Tanaka, T., Kitamoto, N., Itohara, S., Kasai, N., Katsuki, M., Higuchi, J., Muramoto, T. & Shin, R.W. : Follicular dendritic cell of the knock-in mouse provides a new bioassay for human prions. Biochem. Biophys. Res. Commun., 294, 280-286, 2002.
11. Castilla, J., Saa, P., Morales, R., Abid, K., Maundrell, K. & Soto, C. : Protein misfolding cyclic amplification for diagnosis and prion propagation studies. Methods Enzymol., 412, 3-21, 2006.
12. Wells, G.A.H., Konold, T., Arnold, M.E., Austin, A.R., Hawkins, S.A.C., Stack, M., Simmons, M.M., Lee, Y.H., Gavier-Widen, D., Dawson, M. & Wilesmith, J.W. : Bovine spongiform encephalopathy : the effect of oral exposure dose on attack rate and incubation period in cattle. J. Gen. Virol., 88, 1363-1373, 2007.
13. Hoffmann, C., Ziegler, U., Buschmann, A., Weber, A., Kupfer, L., Oelschegel, A., Hammerschmidt, B. & Groschup, M.H. : Prions spread via the autonomic nervous system from the gut to the central nervous system in cattle incubating bovine spongiform encephalopathy. J. Gen. Virol., 88, 1038-1055, 2007.
14. Masujin, K., Matthews, D., Wells, G.A.H., Mohri, S. & Yokoyama, T. : Prions in the peripheral nerves of bovine spongiform encephalopathy-affected cattle. J. Gen. Virol., 88, 1850-1858, 2007.
15. 立石潤：人のプリオン病.「人と動物のプリオン病」, 品川森一，立石潤，山内一也監修，近代出版，2003, pp. 67-68.
16. Brandel, J.-P., Preece, M., Brown, P., Croes, E., Laplanche, J.-L, Agid, Y., Will, R. & Alperovitch, A. : Distribution of codon 129 genotype in human growth hormone-treated CJD patients in France and the UK. Lancet, 362, 128-130, 2003.
17. Comer, P.J. & Huntley, P.J : Exposure of the human population to BSE infectivity over the course of the BSE epidemic in Great Britain and the impact of changes to the Over Thirty Month rule. J. Risk Res., 7, 523-543, 2004.
18. Hunter, N., Foster, J., Chong, A., McCutcheon, S., Parnham, D., Eaton, S., MacKenzie, C. & Houston, F. : Transmission of prion diseases by blood transfusion. J. Gen. Virol.,83, 2897-2905, 2002.

各論Ⅰ

Ⅰ-19　腸管出血性大腸菌

北里大学北里生命科学研究所・細菌感染制御学研究室
阿部章夫

序論

現在，多くの感染症がワクチンや抗生物質・化学療法剤によって制御され，人類に多大なる恩恵をもたらしていることに疑問の余地はない．しかしながらその一方で，感染症の世界的流行は依然として起きているのが現状であり，その要因の一つとして経済のグローバル化があげられる．発達した航空網を通じて，人類は世界中のありとあらゆる地域へ瞬時に移動することが可能となり，それとともに人類に脅威を与える病原体も世界規模で伝播するようになった．このような背景から，地域的に散発していた感染症もパンデミックに発展する危険性が一気に増大した．一例をあげると，パンデミックインフルエンザA（H1N1）は2009年4月にメキシコでの流行が確認された後，世界的に流行・伝播した．2009年6月，世界保健機関（WHO）はこのインフルエンザによる感染は世界的大流行（パンデミック）であることを宣言し，2009年12月20日までに少なくとも11,516人の死者をだしている．結果的に経済のグローバル化に伴う移動・流通機構の発展は，新興感染症（emerging disease）や再興感染症（re-emerging disease）を世界的に拡大させるリスクファクターとなった．WHOの定義によると，新興感染症はこれまでに知られていない新たに同定された感染症で，限局的あるいは世界的規模で公衆衛生上の問題となる感染症である．SARSコロナウイルス，HIV，血清型O157腸管出血性大腸菌（enterohemorrhagic *E. coli*, EHEC）などが新興感染症に分類される．一方，再興感染症は人類が完全に制圧したと思われた病原体が再び公衆衛生上の問題となる感染症で，マラリア，ジフテリア，結核菌による感染などが挙げられる．

WHOの報告によると米国での病原体による食品汚染の経済的損失は毎年56－94億ドルにものぼり，また，1992年に英国でおきたサルモネラ感染症における経済的損失は6－8億ドルと推定された．これら経済的損失には医療費や感染に伴う労働力低下等すべてのコストが含まれているが，食品汚染は先進国においても深刻な社会問題となっている．先進国において食品汚染をさらに深刻にしているのは流通網の発達によるところが大きく，米国でのEHECによる食中毒はハンバーガーチェーン店の流通機構を通じて急速に拡大していった．本論では新興感染症のなかでも我が国でも猛威を振るったEHECに焦点を当て，その疫学，病原性発揮のメカニズムとその制御を中心に解説する．

1．腸内細菌叢と下痢原性大腸菌

ヒトの糞便の約1/3は細菌で占められ，糞便1グラム中には約1兆個，500種類もの菌属が存在する．しかしながら糞便中の腸内細菌の70－80%は培養困難であり，腸内細菌叢の全体像を把握するには限界があった．これまでの微生物のゲノム解析では単一の菌種を分離培養し，そこからゲノムDNAを調整して解析が行われていたが，メタゲノム解析と呼ばれる新たな手法を用いて未知の腸内細菌の解析が行われつつある．メタゲノム解析では菌の分離・培養を行わないで腸内細菌からゲノムDNAを調製し，ヘテロなゲノムDNA集団を直接シークエンシングする手法である．これにより，従来では困難であった難培養微生物のゲノム情報を得ることが可能となった．メタゲノム解析の結果，成人ではバクテロイデス属，*Eubacterium* 属，*Ruminococcus* 属が優位であり，一方，乳児では *Clostridium* 属，*Bifidobac-terium* 属，ラクトバチルス属が優位であった[1]．腸内の環境は嫌気的状態なので90%以上が嫌気性細菌で占められるが，残りの10%は好気性細菌・通性嫌気性細菌であり，腸球菌や大腸菌等である．健常人の腸内に存在する多くの大腸菌は非病原性であるが，一部の大腸菌は下痢を惹起することが知られており，下痢原性大腸菌と総称される．下痢原性大腸菌は6種に分類され，それぞれ特定のO抗原(血清型)をもつ．O抗原はグラム陰性細菌の外膜に存在するLPS（lipopo-lysaccharide，リポ多糖類)が抗原決定基となっている．ちなみにO157は157番目に同定されたO抗原である．下痢原性大腸菌は非病原性の大腸菌がプラスミド，ファージ，トランスポゾン等のいわゆる動く遺伝因子を介して病原性遺伝子を外来より取り込んで病原性を獲得したものと考えられている．病原性遺伝子のなかには複数の遺伝子が連座している場合もあり，病原性遺伝子塊(pathoge-nicity island，PAI)と総称される．下痢原性大腸菌の定義と病原性は以下の通りである．

1. 腸管侵入性大腸菌(enteroinvasive *Escheri-chia coli*，EIEC)

EIECの病原遺伝子は赤痢菌と同様に220 kbpのプラスミド上の病原性遺伝塊(pathogenicity island)にコードされている[2]．EIECは大腸や直腸部位に散在するM細胞よりトランスサイトーシスによって粘膜下層に到達する．菌はいったん常在マクロファージに侵入後，細胞死を誘導してマクロファージの殺菌排除機構から回避しつつ，上皮細胞の基底面から侵入し，細胞内で増殖しながら近接上皮細胞への感染を繰り返す．これらの感染形態は病原性遺伝子塊上にコードされるIII型分泌装置に依存している．この分泌装置は菌体外に突出した針状構造を有し，宿主細胞内にエフェクターと呼ばれる機能性分子を注入する．エフェクター遺伝子の大部分も病原性遺伝子塊にコードされており，宿主細胞に移行したエフェクターの相乗作用によって感染現象が誘導される．EIECの潜伏期間は12～72時間で赤痢様の下痢を惹起し，粘血便，発熱，腹痛，嘔吐を伴う．EIECに汚染された食品または水を摂取することで感染し，ハンバーガーひき肉，加熱殺菌していないミルクやチーズでの感染例が報告されており，赤痢菌と同様に約10菌数で感染することが知られている．わが国でのEIEC分離例の大部分は，海外渡航者の下痢からである．

2. 毒素原性大腸菌(enterotoxigenic *E. coli*，ETEC)

ETECはヒト以外の動物からも分離されるが，宿主特異性が高いので家畜由来のETECはヒトに感染しない．この宿主特異性を決定しているのはCFA（colonization factor antigen)と呼ばれる定着因子であり[2]，これまでにI型からIV型が同定され，CFA欠損株では下痢を惹起しないことが明らかとなっている．また，最近の研究では，2パートナー分泌装置によって菌体外に分泌されるEtpAがETECのべん毛先端部に結合し，べん毛に局在したEtpAが上皮細胞付着因子として機能することが明らかになっている[3]．このようにETECではCFAとEtpAが初期付着因子として機能しており，一方，上皮細胞へのより強固な付着を成立させる因子として外膜タンパク質のTiaとTibAが同定されている[2]．ETECは腸管に付着した後，コレラ毒素に類似したエンテロトキシンを産生することで下痢を惹起することが知られており，60℃，10分間の加熱で失活する易熱性エンテロトキシン(heat-labile enterotoxin，LT)と100℃，30分間の加熱でも失活しない耐熱性エンテロトキシン(heat-stable enterotoxin，ST)が報告されている．分離菌株のなかではST産生菌が最も多く，次いでST-LT両産生菌，LT産生菌の順に分離される．LTはコレラ毒素と類似の作用を示し，細胞内アデニル酸シクラーゼを活性化し，細胞内cAMPを増加させる．一方，STはグアニル酸シクラーゼを活性化し，細胞内cGMPを上昇させる．嚢胞性線維症の原因遺伝子産物であるcystic fibrosis trans-membrane conductance regulator（CFTR，嚢胞性線維症膜コンダクタンス制御因子）は電解質の輸送に関与するCl^-チャネルである．LTの作用によりcAMP濃度が上昇すると，cAMP依存性プロテインキナーゼA（PKA）が活性化され，CFTRのリン酸化を誘導する．CFTRのリン酸化により塩素イオンのチャネルが開口してCl^-が腸管腔に分泌されるが，このときにH_2Oの腸管腔への流出も誘導されるので下痢を発症することになる．STもcGMPを上昇させ同様な機構でCFTRに作用すると考えられているが，CFTRの活性化については不明な部分が多い．成人ボランティアの感染実験より，感染成立には10^6～10^{10}菌数が必要で，大量の菌数投与では24時間以内に下痢が惹起されることが報告されている．感染は多くの場合，汚染された水を介して起きると考えられており，開発途上国における乳幼児下痢症の主要な起因菌である．また，わが国の下痢原性大腸菌による食中毒事例のなかでは，ETEC感染による発生件数がもっとも多い．

3. 腸管凝集付着性大腸菌（enteroaggregative *E. coli*，EAEC）

EPECは培養細胞に局所的に付着（localized adherence，LA）するのに対し，EAECは凝集性の付着（aggregative adherence）を示すために，enteroaggregative E. coliと呼ばれている[2)]．EAECはaggregative adherence fimbriae（AAF）を介して培養細胞に付着することが知られており，AAFの遺伝子は100 kbpのプラスミド上にコードされている[2)]．EAECはSTに類似したEAST1（heat-stable enterotoxin 1）を産生することで下痢を起こすと考えられているが，その他の病原因子としてセリンプロテアーゼ活性を有するPet（plasmid-encoded toxin）が同定されている．Petはオートトランスポーター機構によって菌体外に分泌した後，クラスリンを介したエンドサイトーシスによって宿主細胞内に取り込まれる．宿主内に移行したPetは宿主側因子のspectrinとfodrinを分解することで，アクチン細胞骨格の破壊を誘導する．EAEC感染の特徴は遷延性下痢を起こすことであり，3歳以下の乳幼児が感染した場合，平均17日を経て下痢が惹起される．開発途上国の乳幼児下痢症から分離される場合が多く，わが国でのEAEC下痢症は散発的で集団発生事例は少ない．

4. びまん性付着大腸菌（diffusely adherent *E. coli*，DAEC）

DAECはHeLaやHEp-2培養細胞に拡散性の付着パターンを示し，AfaとDr（Afa/Dr）ファミリーが付着に関与している[2)]．Afa/Dr付着因子のファミリーはdecay-accelerating factor（DAF，崩壊促進因子）やcarcinoembryonic antigen-related cell adhesion molecule（CEACAM）に結合することが知られており，菌の付着下部にDAFとCEACAMを凝集させる．これによりカルシウム依存性のシグナル伝達経路が活性化され，付着下部での細胞骨格の再編成が促進されることで，微絨毛の伸長と破壊が誘導される．Afa/Dr以外の病原因子としてsecreted autotransporter toxin（Sat）が同定されており，菌が付着した細胞のタイトジャンクション破壊に関与している．DAEC感染の特徴として生後18ヶ月から5歳までの子供に下痢を惹起することが知られているが，下痢発症のメカニズムについては不明な部分が多い．

5. 腸管病原性大腸菌（enteropathogenic *E. coli*，EPEC）

EPECは培養細胞上に集落を形成するようなマイクロコロニーと呼ばれる付着の形態を示す[2)]．マイクロコロニーは束状性線毛（bundle-forming pilus，BFP）によって形成され，その遺伝子はEAF（EPEC adherence factor）プラスミド上にコードされている．EPECはBFPを介して小腸の上皮細胞微絨毛に初期付着を成立させた後，上皮細胞に深くのめり込んだような密着付着（intimate adherence）を示す．この付着の過程で上皮細胞微絨毛の破壊や顆粒化が観察され，これらの組織病理学的壊変はattaching and effacing（A/E）傷害と呼ばれ[2)]，EPECとEHECの下痢発症に直接関与している．A/E 傷害形成に関与する約 40 個の遺伝子は，染色体上の LEE（locus of enterocyte effacement）と呼ばれる 35 kbp の病原性遺伝子塊に存在する[4]．LEE 領域の GC 含量（38.4%）は，ゲノムの GC 含量（50%）と比較すると極端に低いことから，EPEC は LEE 遺伝子塊を水平伝播により獲得したと考えられている．LEE はセレノシステインの tRNA 遺伝子に挿入されており，この部位は外来遺伝子挿入のホットスポットとして知られている．事実，尿路病原性大腸菌（uropathogenic *E. coli*）では LEE とは異なった機能の病原性遺伝子塊がこの領域に挿入されている．EPEC の潜伏期間は 12 ～ 72 時間で，水溶性下痢，血便を呈するが，通常発熱は観察されない．EPEC は開発途上国における乳幼児下痢症の起因菌であり，わが国では毎年 5 ～ 10 件前後の EPEC による食中毒が発生している．

6. 腸管出血性大腸菌（enterohemorrhagic *E. coli*, EHEC）

EHEC 感染で分離される代表的な血清型として，26，103，111，128，145，157 等があげられる[5]．我が国で大流行を起こした EHEC は血清型が O157 であったために，血清型 O157 の EHEC を便宜的に O157 と呼ぶことがある．また，EHEC O157：H7 と記載される場合もあるが，これは H 抗原（べん毛抗原）を併記したものである．ベン毛を持たず運動性がない菌株は，O157：H− あるいは O157：NM（non-motile）と記載される．本論では特に断りがない限り，EHEC O157：H7 を EHEC と略記する．

2. EHEC の疫学

1977 年に子供の下痢症から分離された大腸菌は，アフリカミドリザルの腎臓由来の培養細胞（Vero 細胞）に対して細胞傷害を有していたので，ベロ毒素産生性大腸菌（Vero toxin producing *E. coli*, VTEC）と命名された．このベロ毒素を解析した結果，志賀毒素（Shiga toxin, Stx）であることが解ったので，VTEC は志賀毒素産生大腸菌（Shiga toxin-producing *E. coli*, STEC）とも呼ばれるようになった．このように病原性解析の進展で様々な呼ばれ方をしているが，現在では腸管出血性大腸菌（EHEC）という呼び方が一般化しつつある．

EHEC 感染が世界的に知られるようになったのは，1982 年に米国オレゴン州とミシガン州で同時に起きた集団食中毒事件に端を発している．これらの 2 事例は同じファーストフードチェーン店のハンバーガーを喫食したことで起きたものであり，47 名の食中毒患者を出し，患者糞便より EHEC が検出された．1993 年にはシアトル周辺で 700 人以上のハンバーガー食中毒事件が発生して多くの死者と患者を出した．EHEC による食中毒の特徴として，生産・流通システムが発達している先進国で発生する場合が多く，上記事例ではハンバーガーチェーン店の流通網を通じて飛び火的に全国に拡散していった．

EHEC による食中毒は米国，カナダ，英国で多数報告されているが，我が国での EHEC 感染による最初の死亡例は，1990 年に埼玉県浦和市の幼稚園で起きた集団感染においてである．EHEC 感染で園児数十人が腹痛，下痢，発熱を訴え，溶血性尿毒症症候群と脳症の合併症で 4 歳と 6 歳の園児 2 人が死亡した．さらに園児の家族や幼稚園職員に感染が拡大し，計 200 名以上の二次感染者を出した．このときの感染源は飲料用井戸水であった．園内の便所タンクの亀裂から漏れた汚水が井戸水に混入し，それを飲用したことが感染の原因と判明した．その 6 年後の 1996 年には，EHEC 感染による世界的に類を見ない大規模食中毒事件が発生した．旧厚生省の調査では EHEC 感染は同年 5 月に岡山県で起きた集団食中毒発生を始めとして，7 月には大阪府堺市での小学校給食による食中毒から EHEC の二次感染が拡大し，計 1 万人以上の患者を出した．翌年 1997 年には全国での感染例が 700 人弱に減少し，以後，EHEC 感染による大流行は起きていない．しかしながら，2008 年のサーベイランスでは EHEC 感染症患者および無症状病原体保有者が 4,330 例報告され（国立感染症研究所感染症情報センター「病原微生物検出情報月報」），いったん下火になった EHEC 感染者数は近年になって徐々に増加の傾向にあるので十分な警戒が必要である．

3. EHECの生活環と酸耐性の環境要因

EHECは羊や豚から検出される例もあるが，一般的に牛が自然界における保有動物(reservoir)である(図1)．EHECは3週齢以上の牛に感染しても発症しないが，大腸に定着したEHECは増殖を繰り返して糞便中に10^2-10^6 CFU/gもの菌を排出するために，汚染源を拡大させる結果となっている．2000年の米国のサーベイランスによると，検査した牛(計327頭)の糞便から28%という高率でEHECが検出され，米国における牛とその周辺環境のEHEC汚染は深刻な数字になっている[6]．検査時の当初は，多くとも10%弱の牛がEHECに感染しているのではないかと推定されていたが，その推定をはるかに超える汚染度であった．また，EHECが牛糞便中から排出されるサイクルは，季節によって大きく変動する．英国でのサーベイランスによると糞便中のEHEC検出率は春先には38%に上昇するが，逆に冬場では4.8%に減少しており，カナダとオランダで実施されたサーベイランスでも同様な結果が得られている．EHECによる食中毒は夏場に向かって増加傾向にあり，保有動物からのEHECの排出サイクルと一致した傾向にある．このような背景から，EHEC食中毒の制御は保有動物である牛から如何にEHECを排除していくのかが課題となっている．

EHECによる食中毒は，汚染した牛のひき肉や乳製品を使用した料理で加熱が不十分な場合に起きるが，乾燥サラミやソーセージ等からの感染例の報告もなされている．また，通常の細菌では増殖しにくい酸性度の高いヨーグルトやアップルサイダーからの感染例も報告されている．EHECは最低10菌数でヒトに感染を成立させることが知られているが，これは胃酸の攻撃に曝されても殺菌されない酸耐性をあらかじめ獲得しているからである．少ない菌数で感染が成立するために，湖での水泳による感染例の報告や二次感染者を容易に出すのがEHEC感染の特徴である．EHECの酸耐性機構については長い間不明であったが，意外にも牛に与える穀物飼料が酸耐性に関与することが明らかになった[7]．第二次世界大戦後，米国では牛を早く成長させるために，干し草や牧草の代わりにトウモロコシを主体とした穀物飼料が多用されるようになった．穀物飼料を与えられた

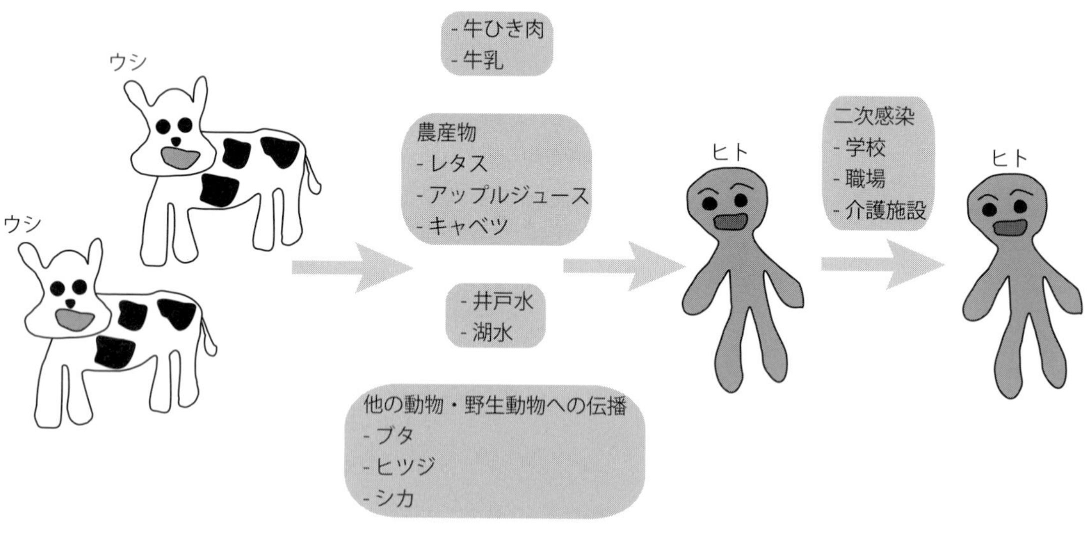

図1　EHECの生活環とヒトへの伝播
EHECの自然界における保有動物は牛である．汚染された牛のひき肉や乳製品を介してヒトへ伝播する．EHECは少ない菌数で感染するので二次感染者を生み出しやすい．また，EHECを保菌した牛は糞便中に菌を排出し続けるために，牛から牛へ，さらには他の家畜や野生動物にも伝播する．糞便による汚染は周辺環境に拡散し，井戸水や湖水の汚染，農作物の汚染を引き起こす．

牛では，穀物中の消化しきれないデンプン成分が大腸まで到達する．そのデンプンが大腸部位で醗酵すると，酢酸エステルや酪酸エステルを生じ，大腸内 pH を低下させる原因をもたらす．大腸菌は穏やかな酸性条件下であらかじめ生育させると，胃酸のような強い酸性条件に曝されても殺菌されない酸耐性を獲得する．穀物飼料を与えることで大腸内環境が酸性に傾くために，EHEC は保有動物内で酸耐性の性質を獲得すると考えられている．一方，干し草や牧草を与えている牛では大腸内 pH の低下が認められず，EHEC の酸耐性獲得もほとんど認められなかった．このように牛の生育条件の変化も，EHEC の感染制御に影響を及ぼすことが示唆されている．

4. 感染源をめぐる社会問題

我が国で起きた EHEC 集団食中毒は，その規模も世界的に類を見ない感染事件であったが，感染源の食材をめぐり社会問題へと発展していった．我が国で EHEC の感染源として特定，あるいは推定されたものは，井戸水，牛肉，牛レバ刺し，ハンバーグ，牛ステーキ，サラダ，かいわれ大根，シーフードソース，シカ肉，キャベツ，白菜漬け，日本そば，メロンなどである．1996 年に大阪府堺市で起きた集団食中毒は，かいわれ大根が食中毒の原因とされた．この感染源を巡って国側が逆転敗訴する控訴審判決が東京高裁で開かれた(2003 年 5 月)．旧厚生省がかいわれ大根をほぼ原因食材とした中間発表のために，かいわれの出荷数が激減したとして，かいわれの生産業者が国に損害賠償を求めた訴訟である．2001 年 5 月の東京地裁の一審判決では「原因食材として，かいわれの可能性が最も高いとした国の判断には合理性があり，再発防止の観点から公表は必要だった」として請求を棄却している．しかしながら，高裁判決では「原因食材と断定していない段階で中間報告を公表し，誤解を広げ食品にとって致命的な評価の棄損を招いた」と，不確定な中間報告を公表したことに対して，国の違法性を認め賠償を命じている．一方でこの高裁の判決文において，当時の厚生労働大臣の公表は「消費者の利益を重視した措置として歴史的意義がある」ことも認めている．薬害エイズ事件，サリドマイド事件等，我が国の対応が遅いために多くの被害者を出してきたこれまでの経緯をふまえると，感染や薬害の拡大を未然に防ぐための早急な対応は非常に重要である．国民の利益を最優先にしながら情報公開が世論に与えるインパクトにどう対処していくのかについて問題提起となった食中毒事件であった．

5. 感染防御における国際的な取り組み

1982 年に米国でおきた EHEC 食中毒事件は，オレゴン州とミシガン州という地理的に離れた場所で同時期に発生した．感染源はファーストフードチェーン店のビーフハンバーガーであり，食品産業の流通網を通して迅速に拡大していった．この感染事件を重く見た FDA（米国食品医薬品局），USDA（米国農務省），CDC（米国疾病管理予防センター）は共同で EHEC 感染の制御に乗り出した．まず初めに CDC が疫学調査で感染形態を明らかにして EHEC を同定し，感染対策・同定法の確立を行った．FDA は過去の食中毒事件を調査し，その感染源が牛の大腸内に存在することを明らかにし，食肉工場の衛生対策の改善を検討した．さらに USDA が食肉加工工場における衛生状態を管理するために，HACCP システムの導入を行った．HACCP システムとは Hazard Analysis Critical Control Point（危害分析に基づく重要管理点方式）のことで，米国のアポロ計画における宇宙食の微生物学的安全性を高度に保証するシステムとして，米国航空宇宙局，米国陸軍，ピルスビリー社が共同で規格したものである．HACCP は食品の安全性に重点を置いた衛生管理・監視システムのことで，食品の生産，製造，加工，輸送，調理等における微生物汚染の危害を予測し，それを監視して制御するシステムのことである．最終製品の監視とランダムな検査に重点を置いていた従来の食品衛生管理とは大きく異なる．HACCP システムでは原材料から最終製品に至る全ての工程を管理対象として，品質管理に特に重要な工程(Critical Control Point，重要管理点)について，誰もが実施できる方法で確認することで製品の安全な製造を可能とするものである．HACCPは以下の7項目から構成される．1)病原細菌による食品汚染を科学的に分析し，その制御法を設計して危害分析を行う．2)生産工程のなかで最も注意を必要とする重要管理点を決定する．3)衛生管理状態を判断するための基準を作成する．4)どのような方法で判断するのかについて，モニタリング法を決定する．5)基準を逸脱した場合の改善措置を決める．6)衛生管理に間違いや手抜かりはないかについて検証手順を作成する．7)これらの手順や判断結果を記録に残しておくための維持管理方法を作成する．HACCPが考案されたのは1960年代であるが，EHECによる新興感染症が大流行したために，HACCPは再認識されるようになり，1993年には国連食料農業機関・WHO合同食品規格委員会が食品管理の基準として採択したことで国際的な基準となった．現在，食肉や水産食品を対象として，米国，カナダ，EU（欧州連合）でHACCPシステムに基づく法的強制力のある衛生管理規制が実施されている．また，これらの国々へ食肉・水産食品を輸出する場合にはHACCP規格をクリアしなければならず，我が国でも厚生労働省が食品関連業界にHACCPシステムの導入を推進している．

6. 感染と発症

上述したようにEHECは保有動物のなかで酸耐性を獲得するために，胃を生菌のまま通過し，感染部位の大腸に到達する．EHEC感染の潜伏期は3～5日で通常の食中毒より発症が遅く，感染初期には激しい腹痛で始まる水様性下痢を呈することが多い．下痢は頻回かつ少量で感染後1－2日で血便となる場合があるが，発熱はEPEC感染と同じようにまれである．出血性大腸炎の時点で制御できれば通常1週間程度で軽減するが，溶血性尿毒症症候群（hemolytis uremic syndrome，HUS）や脳症などの重篤な合併症を起こした場合は，予後が悪く死亡する例が多い．HUSは血栓性微小血管炎を主な所見とする急性腎不全で，1)血栓形成に伴う血小板減少，2)血栓部位を赤血球が通過する際に物理的に破壊されて惹起される貧血，3)糸球体および細動脈で生じた血栓形成に伴う腎機能傷害を特徴とする．脳症はHUSに前後して発症する場合があり，脳の浮腫，微小血栓と微小出血を伴う．頭痛，傾眠，不穏，多弁，幻覚などが予兆として観察され，その後，数時間から12時間の間に痙攣や昏睡などの重症脳神経系合併症が起こる場合がある．重症合併症の頻度は出血性大腸炎患者の6～7%で，子供と高齢者で重症化しやすいが，成人の場合は軽度の下痢か発症せずに一時保菌者になることが多い．

7. EHECのゲノム解析と病原因子

1996年に大阪府堺市で大流行を起こしたEHEC O157：H7堺株のゲノム全塩基配列は2001年に明らかにされ[8)]，ゲノム全長は5498 kbp，GC含量50.5%，蛋白質として翻訳される領域（open reading frame，ORF）は5361個であった．また，不完全ながら先に報告されたEHEC EDL933株と堺株のゲノムは非常に類似していた[9)]．EHECのゲノムサイズは大腸菌K-12株のそれと比較すると859 kbp大きく，EHECとK-12株はゲノム全体で4100 kbpの領域が保存され，この領域に大腸菌としての性質がコードされている．一方，EHECに特異的なORFは1632個同定され，EHEC固有の性質，病原性を規定する蛋白質がコードされており，ゲノムの比較解析から病原遺伝子の絞り込みが可能となった．EHECのゲノム上にコードされる固有な遺伝子すべてが病原性に関与するわけではないが，ゲノムインフォマティクスの応用は，細菌の病原性解析を飛躍的に進展させる原動力となっている．これまでに明らかにされたEHECの病原因子，生体内環境への適応因子は以下の通りである．

1. 環境への適応

EHECは自然界では牛の腸内に存在し，ヒトに感染すると大腸内で定着・増殖し下痢を惹起する．EHEC感染過程で特に重要なのは，この病原細菌が酸耐性を獲得することである．酸耐性機構は非病原性大腸菌にも存在するので厳密には病原因子ではないが，胃酸に対して抵抗性を示すことで，EHECは少ない菌数で感染成立を可能としている．この酸耐性にはEHECの培養定常期

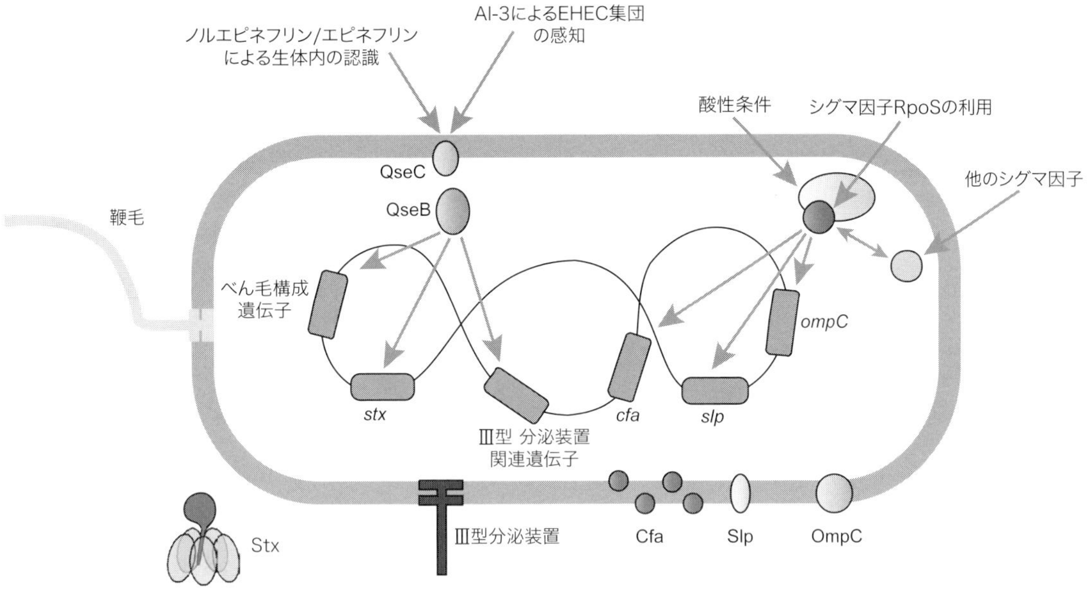

図2　EHECの環境への適応
EHECが少ない菌数で感染する理由として酸耐性があげられる．これにはシグマ因子のRpoSが関与しており，酸耐性に関与する因子であるCfa，Slp，OmpCなどの転写を制御している．また，生体内環境を速やかに感知するためのシステムとして，quorum sensingがあげられ，EHECではAI-3と呼ばれるautoinducerが関与する．ノルエピネフリン，エピネフリン，AI-3は膜に局在しているQseCヒスチジンセンサーキナーゼに直接結合すると推察されている．これによりQseCが活性化され下流に存在するQseBレスポンスレギュレーターをリン酸化する．これによりQseBは活性化型に変換され，遺伝子の発現を制御する．このようにEHECではAI-3や生体内のホルモン濃度に依存して，ベン毛運動，III型分泌装置，Stx産生が制御されている．

の遺伝子を制御するシグマ因子であるRpoSが関与しており[10]（図2），また多くの病原因子がRpoSに制御されている．大腸菌のシグマ因子は複数個存在し，それらを使い分けることで環境に適応した遺伝子発現を可能としている．EHECの遺伝子発現をマイクロアレイで解析をしたところ，少なくとも26遺伝子が酸性条件下で特異的に発現していることが明らかになった[11]．このなかでもシクロプロパン脂肪酸合成に関わるCfa，外膜蛋白質の構成因子であるOmpC，外膜リポ蛋白質の構成因子であるSlp等が酸耐性に関わる因子として同定されている．シクロプロパン脂肪酸は多くのバクテリアがもつリン脂質の構成因子の一つで，培養定常期に発現することが知られていたが，この脂肪酸合成に関わる*cfa*遺伝子を欠損させると酸耐性が極端に減少することが明らかになった．シクロプロパン脂肪酸はバクテリアの脂質二重膜の修飾に関わる因子と推定されていたが，現在ではEHECの酸耐性に関わる因子として認識されている[12]．

外界の環境変化に適応するEHECのシステムとして，quorum sensing（QS）が挙げられ（図2），quorumとは「議会における定足数」を表す単語で，バクテリアがある一定の菌数を超えた時に，特定の遺伝子が発現される制御系である[13]．QSによりEHECは宿主内環境を感知し，病原因子の速やかな発現を可能としている．QSにはautoinducer（AI）と呼ばれる低分子物質（AI-1，AI-2，AI-3）が関与しており，これらの分子は菌体外に分泌される．菌体外のAI濃度がある一定のしきい値を超えた時に，センサー蛋白質と結合することで外界のシグナルをバクテリア内に伝達する．外界に存在するシグナルの濃度を感知することで，バクテリア集団の大きさ・密度を認識している．AI-1はホモセリンラクトンと呼ばれる物質で，緑膿菌においてはバイオフィルム形成やエキソトキシンの分泌を制御している．AI-2の生合成に関わる*luxS*遺伝子はグラム陰性だけではなくグラム陽性細菌にも広く保存されており，AI-2によりグラム陰性と陽性の垣根を超えた腸内細菌間のクロストークが可能となっている．AI-2の本体は*Vibrio harveyi*ではホウ素を含有するfuranosyl borate diesterで[14]，サルモネラでは2-methyl-2,3,3,4-tetrahydroxytetrahydrofuranであることが明らかになっている[15]．また，EHECで新たに報告されたAI-3[16]の構造については不明であるが，III型分泌装置[17]，志賀毒素[18]，ベン毛構成蛋白質[19]の発現を制御しており，最近の研究では赤痢菌，サルモネラ，非病原性大腸菌がAI-3を産生することが報告されている．興味深い点として，EHECはAI-3だけではなくノルエピネフリンやエピネフリンのようなホルモンを感知して，III型分泌装置やベン毛運動の制御を行っていることである．その後の研究でAI-3/ノルエピネフリン/エピネフリンの各分子は，EHECのセンサーキナーゼであるQseCに直接結合することで，下流にシグナルを伝達することが明らかになった[20]．このようにEHECでは宿主のホルモンあるいは他の腸内細菌が産生しているAI-3を速やかに感知し，病原因子の発現を同調することが可能であるために，少ない菌数で感染が成立すると考えられる．

2. 志賀毒素の作用機序と宿主内移行

EHECにおいて毒素が発見された当初，Vero培養細胞に傷害を示したので，ベロ毒素(Verocytotoxin, VT)と命名され，さらにこの毒素はVT1とVT2に大別された[21]．その後の解析でVT1は志賀毒素(Shiga toxin, Stx)であったのでStx1と再定義され，VT2は志賀毒素と比較してアミノ酸配列が異なるものの立体構造・作用機序は同じであったのでStx2と再定義された．EHECはこれらの毒素を一方のみ，あるいは両者を発現している．Stxは1つのAサブユニットと5つのBサブユニットから構成される典型的なA-B型毒素であり，Aサブユニットが毒素本体，Bサブユニットが細胞への付着に関与する．Bサブユニットはドーナツ型のペンタマー構造を形成し，その上部にAサブユニットのC末端がドーナツの中心部位に挿入されたかたちでBサブユニットと相互作用している[21]．Stxの作用機序としてBサブユニットが細胞表面に存在するスフィンゴ糖脂質であるGb3 (globotriaosylceramide)に結合し，毒素全体がエンドサイトーシスによって細胞内に取り込まれる．これまでStxはクラスリン分子に覆われた小胞のかたちで細胞内に移行すると推察されていたが，Stxはクラスリン非依存的に移行することが明らかとなった．これについてはサブユニットBがGb3レセプターに結合する際に生じるチューブ状の細胞膜陥入によって毒素全体が取り込まれることが明らかになり，エンドサイトーシスの新たなモデルとして注目されている[21]．細胞膜陥入によって細胞質内に移行したStxは，trans-Golgi netwark (TGN)によりゴルジ体から小胞体へ逆行的に移行するが，詳細な機構については不明な部分が多い．最終的にAサブユニットはBサブユニットから遊離し，宿主のプロテアーゼ処理で少し短くなったA1フラグメントになる．このA1フラグメントが60Sリボソームの亜粒子である28Sリボソームに結合し，rRNAの5’末端から4324番目のアデノシンのN－グリコシド結合を加水分解してアデニンを遊離させる．この作用でEF-1に依存したアミノアシルtRNAの60Sリボソームへの結合が遮断され，蛋白質合成が阻害され細胞死が誘導される[21]．StxはHUS発症に関与する重要な病原因子として，詳細に解析がなされているが，下痢発症には直接関与しない．下痢発症には後述するIII型分泌装置を介したA/E傷害の形成が必須である．

3. HUSとStxの関連

EHECに感染後，溶血性大腸炎を惹起した患者の約15%は，HUSに移行することが報告されており，さらにStx2をもつ菌のほうがStx1をもつそれよりもHUSに進行するケースが高いことが知られている[21]．また，感染患者の血液中にはStx1に対する抗体価の上昇は認められるが，Stx2に対する抗体価の上昇はほとんど認められない．しかしながら何故，Stx2のほうがStx1よりも強い病原性を示すのかについての詳細は不明である．HUSの発症にはStxによる細胞傷害やアポトーシス誘導ばかりではなく，サイトカインの異常産生による生体防御反応の亢進も深く関わっており，その過程は複雑である．Stx は Gb3 発現細胞に傷害性を示し，そのなかでも腎組織への傷害が顕著である．糸球体毛細血管係蹄の支持組織はメサンギウム細胞から構成され，Stx はこのメサンギウム細胞や腎尿細管細胞等の Gb3 発現細胞に作用して，蛋白質合成阻害による細胞死を誘導する．また，HUS を発症した患者の腎臓組織では広範囲なアポトーシスの誘導が確認されている．さらに G-CSF の増大による白血球増多症も HUS の特徴であり，白血球数が 235,000/mm^3 まで増加した症例も存在する[22]．HUS の発症に伴い TNF－α，IL-1 α と β，IL-8 等の炎症性サイトカイン産生量が増大する．単球に精製 Stx1 を *in vitro* で添加すると TNF－α の発現が増大することが確認されており，Stx がサイトカイン産生に直接影響することが知られている[23]．さらに IL-1 や LPS を添加した培養細胞では Stx に対する感受性が増加することが報告されており，サイトカイン産生が Stx の毒性をさらに増強させることが報告されている．このように HUS や脳症の合併時にはサイトカインの異常亢進と細胞傷害が同時に惹起されるので，多角的な治療法が必要とされる．

4. HUS とファージタイプの関連について

1997 年から 2001 年にかけて行われた 16 歳未満の子供を対象とした英国のサーベイランスでは，ファージタイプ(PT)の 2 と 21/28 をもつ EHEC が他の PT と比較して有意に HUS を発症することが明らかとなった[24]．また，糞便中に 10^3－10^4 CFU/g 以上の菌を排出している牛については EHEC 感染を拡大させるリスクファクターの一つとなっており，Super-shedder と定義されている[25]．これらの牛から排出される EHEC のファージタイプについて解析を行ったところ，PT 21/28 と相関していることが明らかとなった．このように PT は EHEC の病原性や牛の Super-shedder と密接に関与しており，ファージタイピングは感染制御の観点からも重要視されている．

5. A/E 傷害の形成と下痢発症

EPEC と EHEC は腸管上皮細胞に付着する際に微絨毛の破壊を誘導し，また，菌の付着下部にアクチンを主とする細胞骨格形成因子を凝集させることで台座様構造(pedestal-like structure)を形成する(図 3)[2]．このように EPEC/EHEC は宿主の細胞骨格を再編成させることで，腸管微絨毛の破壊を誘導するとともに腸管上皮に深く潜り込んだような強固な付着を成立させ，これらの組織病理学的壊変は A/E 傷害と呼ばれている[26]．A/E 傷害の形成には染色体上の病原性遺伝子塊の LEE が関与しており[4]，この領域には III 型分泌装置，Intimin，Tir（translocated Intimin receptor)，Esp（EPEC-secreted protein)，Map などの遺伝子がコードされている．EHEC は生後 3 週間以降の牛には病原性を示さないが，生後間もない牛に EHEC を経口感染させると投与後 18 時間で下痢を惹起する[27]．一方，A/E 傷害の形成が欠損した EHEC 株では下痢を惹起しないことから，A/E 傷害は下痢発症に必須であることが明らかとなっている[28]．また健常成人をボランティアとした EPEC 感染実験においても，A/E 傷害の形成は下痢発症に必須であることが明らかになっている[29]．

6. III 型分泌装置とエフェクターの宿主移行

これまでの研究で A/E 傷害の形成は III 型分泌装置に依存した現象であることが明らかになっている．グラム陰性菌の分泌装置は I 型から VII 型まで報告されているが[30－36]，EHEC のエフェクターの宿主内移行には III 型分泌装置が関与している．この分泌装置は EHEC/EPEC だけではなく，エルシニア属，緑膿菌，赤痢菌，サルモネラ属，クラミジア，百日咳菌，植物病原細菌等においても高度に保存されている[37]．III 型分泌装置は外膜・内膜を貫通する基部構造と，菌体外に突出したニードル構造から構成され，この装置によって分泌されるタンパク質はペリプラズム移行せずに直接菌体外に分泌されることが知られている．一方，Sec 膜透過装置によって分泌されるタンパク質は，内膜を越えてペリプラズムに移行する過程で N 末端側のシグナル配列が切断を受けて短くなった成熟タンパク質として菌体外に分泌

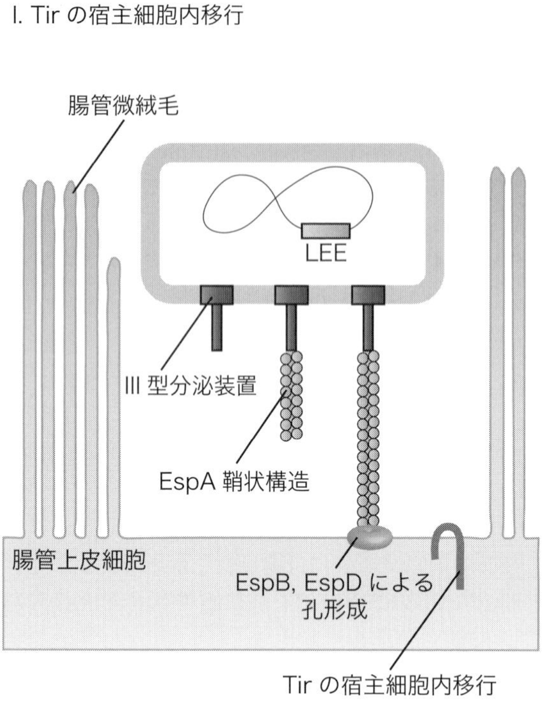

図３　EHEC の A/E 傷害形成の機構
EHEC は腸管上皮細胞に付着後，III 型分泌装置を介して複数のエフェクターを宿主内に移行させる．そのなかでも Tir は宿主に移行後，膜貫通ドメインを介して細胞形質膜に局在する．Tir の細胞外ループ領域とバクテリア膜蛋白質の Intimin が結合することで宿主のシグナル伝達経路は活性化され，バクテリア付着下部に細胞骨格に関わる様々な因子を蓄積することで，台座様構造を形成する．

されるが，III 型分泌装置の分泌タンパク質はこのような切断を受けない[38, 39]．III 型分泌装置によって分泌されるタンパク質のなかでも宿主細胞内に直接移行するものはエフェクターと総称される．エフェクターは宿主の細胞質内で宿主側因子と相互作用することで，宿主のシグナル伝達，恒常性に影響をおよぼし，病原性発揮に関与する[40]．エフェクター移行には孔形成因子が関与しており，EPEC/EHEC では EspB と EspD が同定されている（図 3）．これらの因子は III 型分泌装置によって宿主細胞膜上に移行後，ヘテロ複合体を形成し細胞膜に孔をあけると考えられているが，孔形成のメカニズムについては不明である．菌体内で産生されたエフェクターは，エフェクターに固有なシャペロンと相互作用し，シャペロンと III 型分泌装置基部に存在する ATPase が相互作用することで，エフェクターの効率的輸送に関与すると推察されている[41]．分泌装置の基部に位置する ATPase はヘキサマーからなるリング構造をとっており，エフェクターを分泌装置に装填するために機能している．一方，エフェクターを外部に分泌するエネルギーはプロトン駆動力に依存していることが，最近の研究で明らかになっている[42, 43]．EHEC/EPEC において，赤痢菌やサルモネラの III 型分泌装置と大きく異なる点としてニードル先端部に伸長可能な鞘状構造をもつことであり，この構造は III 型分泌タンパク質である EspA の重合によって形成される（図 4）[44]．EHEC/EPEC はエフェクターを腸管上皮細胞に移行させることで強固な付着を成立させるが，腸管上皮微絨毛の表面は glycocalyx と呼ばれる糖衣で覆われ，外界とのバリアーとして機能している．この糖衣の厚さは約 0.5 µm であるが，EspA 鞘状構造はこれを越えるに十分な長さを有してい

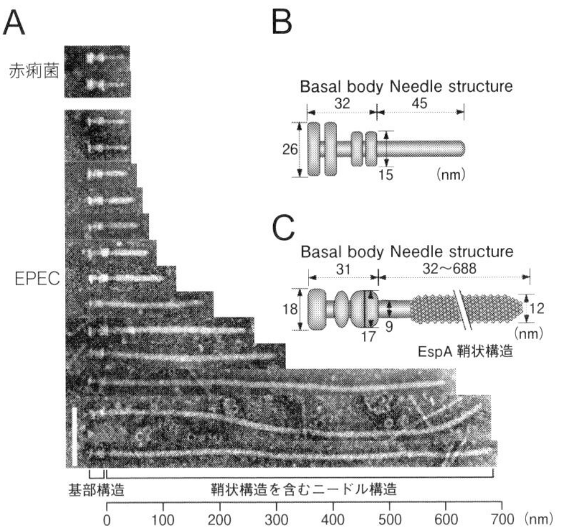

図４　III 型分泌装置の超微形態

(A)　赤痢菌と EPEC の III 型分泌装置の超微形態.
(B)　赤痢菌 III 型分泌装置のモデル図.
(C)　EPEC III 型分泌装置のモデル図. EPEC ではニードル構造の先端部に伸長可能な鞘状構造が巻き付いている. この鞘状構造は III 型分泌装置によって菌体外に分泌される EspA が重合することで構成される.

ることから, EHEC/EPEC は鞘状構造を獲得することで上皮細胞へのエフェクターの効率的移行を可能にしている. EHEC/EPEC の下痢発症は, 数十種のエフェクターの相加・相乗作用によって誘導されるので[45], エフェクターの網羅的解析が重要である.

7. A/E 傷害形成に関与するエフェクター

EHEC/EPEC が誘導する台座様構造の形成には, Tir エフェクターが直接関与しており[46], このエフェクターは III 型分泌装置によって宿主内に移行後, 細胞膜上に局在する. Tir には 2 つの宿主細胞膜貫通領域が存在し, 貫通領域で囲まれた 110 アミノ酸残基からなるループ領域が細胞外に露出しており[47], このループ領域に菌の外膜蛋白質である Intimin が結合することで, EHEC/EPEC は上皮細胞に強固な付着を成立する (図 5). Tir と Intimin の相互作用は台座様構造の形成に必須であり, Tir あるいは Intimin の欠損株ではこの構造は形成されない. Intimin 欠損株を Hep-2 培養細胞に感染させると Tir-Intimin の相互作用は起きないが, Tir は宿主細胞膜上に移行する. これに Intimin C 末端側の 181 アミノ酸残基を固定したラテックスビーズを添加すると, ラテックスビーズ下部に台座様構造が形成されることから, Intimin の C 末端側の 181 アミノ酸残基が Tir と相互作用することが明らかとなった[48]. さらに X 線結晶構造解析の結果より, Tir と Intimin, それぞれの分子が 2 量体を形成して相互作用していることが推察された[49]. 一方, EPEC と EHEC では宿主内での定着部位が異なり, 前者は小腸に, 後者は大腸に定着することが報告されている. 定着部位の差異については, Intimin C 末端の 280 アミノ酸領域内に Tir との相互作用とは別に, 宿主レセプターを認識する領域の存在が示唆されており, EPEC と EHEC ではこの領域のアミノ酸配列が異なるために, 宿主特異性が生じていると推察されている[50].

8. 台座様構造の形成に関与する宿主側因子

Tir-Intimin の相互作用における台座様構造の形成過程では[46], まず, Tir-Intimin の相互作用により Tir のクラスタリングが形成されること, 次いで細胞質に局在している Tir の C 末端領域にアクチン重合に関与する宿主側因子が順次結合していくことで, 菌の付着下部にアクチンを主とする台座様構造が形成される[40] (図 5). EPEC の Tir は Src キナーゼのファミリーである c-Fyn によって C 末端の 474 番目のチロシン残基がリン酸化され[51], このリン酸化チロシンと周辺領域の 12 アミノ酸残基を認識してアダプター蛋白質である Nck が結合する[52] (図 5). この 474 番目のチロシン残基を他の残基に置換してリン酸化修飾を阻害すると Nck が結合できなくなり, A/E 傷害の形成は阻害される. 次いで Tir と相互作用した Nck は宿主側因子の N-WASP (neural-Wiskott-Aldorich syndrome protein) と結合し[53], Nck と結合した N-WASP は活性化型に変換され, C 末端側領域を介して Arp2/3 複合体と結合する. Arp2/3 は 7 つのタンパク質からなる複合体で, アクチン重合核の形成因子として機能する. 以上, EPEC ではリン酸化 Tir を介して Nck, N-WASP, Arp2/3 複合体を菌の付着下部に凝集させることで, アクチン細胞骨格による台座様構

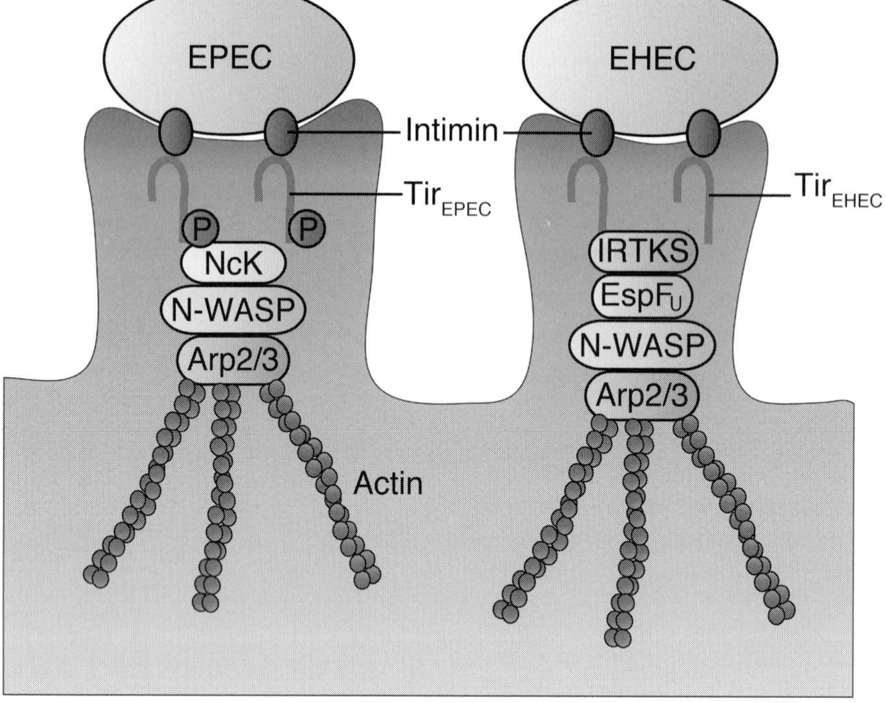

図５　台座様構造の形成に関わる宿主側因子
EPEC においては，Tir-Intimin 相互作用に伴い宿主側因子が菌の付着下部に蓄積するが，これには Tir C 末端側の 474 番目のチロシン残基のリン酸化が必須である．この修飾により Tir とアダプタータンパク質の Nck が結合可能になる．Nck の関与によって N-WASP と Arp2/3 複合体が菌の付着下部に蓄積し，アクチン重合核が形成される．一方，EHEC の Tir はリン酸化による修飾を受けず，また Nck とも結合しないが，Tir C 末端側に宿主側因子である IRTKS が結合する．さらにエフェクターである $EspF_U$ が IRTKS と N-WASP のアダプタータンパク質として機能することで，Arp2/3 複合体を含むアクチン重合核を菌の付着下部に凝集させる．

造を形成する．

台座様構造の形成については，EHEC では異なった機構で誘導されることが明らかとなっており，その最たる相違として EHEC の Tir は感染時にリン酸化されず，また，Nck を必要としないことである[52)]（図５）．EPEC では台座様構造の形成に関わる全因子は LEE 領域内に存在する．大腸菌 K12 株に EPEC LEE を導入し，その組換え菌株を培養細胞に感染させると A/E 傷害が形成される．一方，EHEC の LEE を大腸菌 K12 株に導入した場合は，A/E 傷害が形成されないことから，Nck と類似の機能をもつエフェクターが LEE 領域外に存在すると推察されていた．解析の結果，$EspF_U$ と N-WASP が相互作用することで Arp2/3 複合体がバクテリア付着下部に凝集することが明らかとなった．しかしながら $EspF_U$ と Tir との直接的な相互作用は認められず，両者の相互作用を媒介する因子については長い間，不明であった．最近の研究で，宿主側因子の insulin receptor tyrosine kinase substrate（IRTKS）が，EHEC Tir の C 末端にある Asn-Pro-Tyr（NPY_{458}）配列に結合することが明らかになった(54，55)．さらに IRTKS の SH3 ドメインは $EspF_U$ と相互作用することから，EHEC では IRTKS が Tir と $EspF_U$ の相互作用を仲介するアダプタータンパク質として機能し，N-WASP-Arp2/3 複合体を菌の付着下部に凝集させることを明らかにした[54)]．

Tir による台座様構造の解析は多くの場合，培養細胞で行われたものであり，*Citrobacter roden-*

tiumin を用いた *in vivo* の感染実験では異なった結果が得られている[56]．*C. rodentium* は EHEC/EPEC と同様に LEE を保持しており，マウスに感染させると台座様構造を形成することから，EHEC/EPEC のモデル菌株として使用されている．*C. rodentium* の Tir も EPEC と同じようにチロシン残基のリン酸化修飾受け，このチロシン残基を他残基に置き換えた Tir 変異株は，培養細胞において台座様構造を誘導しない．しかしながら Tir 変異株をマウスに経口投与すると台座様構造が形成されることから，Tir のチロシン残基のリン酸化は *in vivo* において必須ではないことが明らかになっている[56]．このように Tir によって惹起されるシグナル伝達については，培養細胞と *in vivo* の感染実験で得られる結果に矛盾が生じており，慎重な解釈が必要である．

9. Tir 以外のエフェクターの機能

EPEC/EHEC のエフェクターとして LEE 領域にコードされる EspF ～ H，Map，Tir が同定されており，さらに LEE 領域外のエフェクターとして Nle（non-LEE-encoded effector）が報告されており，各分子の機能と種々の性質について，Table I にまとめた．A/E 傷害の形成に関わるのは Tir エフェクターであり，EPEC/EHEC は Tir-Intimin の相互作用によって腸管上皮細胞に強固な付着を形成後，Tir 以外のエフェクター分子群を宿主細胞内に移行させることで，上皮細胞のタイトジャンクションの破壊，細胞骨格の再編成・機能障害，NF-κBp65 の核移行阻害，ミトコンドリア・アポトーシスの脱制御を誘導する．このように EPEC/EHEC の下痢発症は単一の病原因子によって惹起されるのではなく，細胞内に

各論 I

Table I
EPEC/EHEC にコードされるエフェクターの機能

エフェクター	遺伝子座	機能	宿主内での局在	宿主側因子
Tir	LEE	台座様構造の形成，腸管微絨毛の破壊	細胞膜	Nck（EPEC），IRTKS/IRSp53（EHEC），14-3-3tau，IQGAP1，α-Actinin，Talin，Cortactin，Vinculin，Cytokeratin 18
EspF	LEE	アポトーシス，タイトジャンクション（TJ）の破壊	TJ 周辺の膜	SNX9
$EspF_U$	LEE	EHEC での台座様構造の形成	台座様構造	N-WASP
EspG	LEE	GEF-H1 の活性化によるストレスファイバーの過形成と微小管の破壊，膜透過性の亢進	微小管	Tubulin
EspH	LEE	アクチン細胞骨格の破壊，マクロファージの貪食阻害	細胞膜	RhoGEF
EspZ	LEE	機能不明		
Map	LEE	TJ の破壊，ミトコンドリアの機能障害	ミトコンドリア	EBP50/NHERF1
EspJ	non LEE	機能不明	ミトコンドリア，台座様構造	
NleA	non LEE	TJ の破壊，COPII の阻害によるタンパク質分泌の阻害	ゴルジ体	COPII（Sec24）
NleB	non LEE	NF-κBp65 の核移行阻害	細胞質	
NleC	non LEE	機能不明		
NleD	non LEE	機能不明		
NleE	non LEE	NF-κBp65 の核移行阻害	細胞質	
NleF	non LEE	機能不明		
NleG	non LEE	機能不明		
NleH	non LEE	アポトーシスの阻害，カスパーゼ-3 の阻害	細胞質	Bax-1 inhibitor-1
NleL	non LEE	機能不明		
EspO	non LEE	機能不明		
Cif	non LEE	パパイン様の加水分解活性，G2/M arrest	細胞質	

移行した複数種のエフェクターの相乗・相加作用によって誘導される．

10. EHEC 感染の制御・治療

EHEC 感染についてはHACCP システムのような安全性の基準で国際レベルでの対応がなされており，一方，一般家庭におけるEHEC 感染の対処法については，厚生労働省ホームページの食中毒・食品監視関連情報（http：//www.mhlw.go.jp/topics/syokuchu/）で詳細に解説がなされている．EHEC もサルモネラや腸炎ビブリオなどの食中毒細菌と同様に，加熱や消毒により死滅するので，食中毒対策を確実に実施することで予防が可能である．EHEC は75℃，1 分間以上の加熱で死滅するので加熱調理で感染を防ぐことが可能であるが，前述したように少ない菌数で食中毒を起こすので十分な注意が必要である．また，同ホームページでは一次，二次医療機関の従事者へEHEC 感染症治療の手引きを公開している．EHEC 下痢症は適切な抗菌剤の投与が基本であり，厚生科学研究事業による全国調査では，抗菌剤が早期投与された患者ほどHUS 発症率が低かったとの報告がなされている．しかしながら一方では，ST 合剤（トリメトプリムとスルファメトキサゾールを混合したもの）の使用でHUS が悪化したという米国での症例や，*in vitro* の実験では，抗菌剤がEHEC を破壊することでベロ毒素放出が増加した報告もなされている．このようにEHEC の殺菌排除で症状を悪化させる可能性も示唆されており，国ごとの治療指針は異なっている．厚生労働省から出されている使用例として，抗菌剤は経口投与を原則とし，小児においてはホスホマイシン，ノルフロキサシン，カナマイシン，成人においてはニューキノロン，ホスホマイシンの投与があげられている．投与期間は3～5日間とし，長期投与は避けるよう指示が出されている．また，EHEC 感染の治療方法としてStx の毒性を軽減するような薬剤あるいはプロバイオティクスが考案されている．Stx はGb3 に結合してエンドサイトーシスによって細胞内に取り込まれるが，合成Gb3 でStx の毒性を中和する治療薬が開発されている．そのなかでもSUPER TWIG はシリコンを母核にGb3 を付加したもので，シリコン原子数を変化させることでGb3 の付加数を調節することが可能である[57]．このなかでもシリコン母核にGb3 を6 つ付加させたものがEHEC O157：H7 感染におけるStx 毒性を中和させることがマウスの感染実験で明らかにされている[57]．また，Gb3 の分子骨格を有するLPS を発現する組換え型大腸菌を投与することで，Stx 中毒が緩和された報告例もあり[58]，HUS 発症に関与するStx の中和法については種々の取り組みがなされている．

おわりに

EHEC の病原因子論は，III 型分泌装置とエフェクターを取り巻く領域の発展とともに熟成されていった．III 型分泌装置というニードル状の装置から，エフェクターと呼ばれる病原因子が細胞内に注入され感染現象が惹起されるという概念は，細菌学に大きなパラダイムシフトをもたらした．エフェクター分子は細胞のなかで宿主側因子と相互作用して，ドラスティックな生体反応を引き起こすことから，分子細胞生物学者がイナゴの群れのようにエフェクター領域になだれ込み，感染現象に関与する宿主側因子を次から次へと同定していった．1990 年代後半はエフェクター解析を主とする細菌学者にとっては受難続きであったが，そのような苦い反省から，分子細胞生物学的な手法を身につけた細菌学者が生き残りを賭けて，エフェクター研究に戻っていったのである．2000 年に入るとEHEC のゲノム解析が林らを中心とする日本人研究チームによって展開され[8]，さらに戸辺らによってEHEC エフェクターの網羅的同定が報告された[45]．今後のEHEC 研究に多大なる恩恵をもたらす情報が日本から発信された意義は非常に大きく，これらの情報共有により，EHEC 研究が世界的規模で再加速することになった．

エフェクター解析において苦労する点は，1 つの菌が宿主内に送り込むエフェクターは複数種存在していることである．EHEC では異なった性質をもつ50 種類以上のエフェクターが宿主細胞に移行することで，下痢という現象が惹起される．数多くのエフェクターの相乗・相加作用によって下痢という現象が惹起されるので，EHECが惹起する下痢の病原因子論については未完成な部分が残されている．しかしながら，エフェクターと相互作用する宿主側因子が次々と同定され，下痢のメカニズムが断片的にではあるが再構築されている事実を考えると，EHECを取り巻く病原因子論は次の10年間で確実に進歩しているはずである．また，筆者らのグループではIII型分泌装置阻害剤の開発を進めており，新たな薬剤標的としてもIII型分泌装置は注目されている．このようにEHECの病原因子論は急速な勢いで展開しつつあるが，その一方で，我が国のEHEC感染者数は徐々に増加傾向にある．我が国では過去にEHECの感染源をめぐって大きな社会問題に発展したが，感染源については再考する時期が来ており，早急なサーベイランス体制の確立が望まれる．

参考文献

1. Hattori M & Taylor TD (2009) The human intestinal microbiome : a new frontier of human biology. *DNA Res* 16 (1) : 1-12.
2. Croxen MA & Finlay BB (Molecular mechanisms of Escherichia coli pathogenicity. 8 (1) : 26-38.
3. Roy K, *et al.* (2009) Enterotoxigenic *Escherichia coli* EtpA mediates adhesion between flagella and host cells. *Nature* 457 (7229) : 594-598.
4. McDaniel TK, Jarvis KG, Donnenberg MS, & Kaper JB (1995) A genetic locus of enterocyte effacement conserved among diverse enterobacterial pathogens. *Proc Natl Acad Sci U S A* 92 (5) : 1664-1668.
5. Paton AW, Manning PA, Woodrow MC, & Paton JC (1998) Translocated intimin receptors (Tir) of shiga-toxigenic escherichia coli isolates belonging to serogroups O26, O111, and O157 react with sera from patients with hemolytic-uremic syndrome and exhibit marked sequence heterogeneity. *Infect Immun* 66 (11) : 5580-5586.
6. Elder RO, *et al.* (2000) Correlation of enterohemorrhagic *Escherichia coli* O157 prevalence in feces, hides, and carcasses of beef cattle during processing. *Proc Natl Acad Sci U S A* 97 (7) : 2999-3003.
7. Diez-Gonzalez F, Callaway TR, Kizoulis MG, & Russell JB (1998) Grain feeding and the dissemination of acid-resistant *Escherichia coli* from cattle. *Science* 281 (5383) : 1666-1668.
8. Hayashi T, *et al.* (2001) Complete genome sequence of enterohemorrhagic *Escherichia coli* O157 : H7 and genomic comparison with a laboratory strain K-12. *DNA Res* 8 (1) : 11-22.
9. Perna NT, *et al.* (2001) Genome sequence of enterohaemorrhagic *Escherichia coli* O157 : H7. *Nature* 409 (6819) : 529-533.
10. Price SB, *et al.* (2000) Role of rpoS in acid resistance and fecal shedding of *Escherichia coli* O157 : H7. (Translated from eng) *Appl Environ Microbiol* 66 (2) : 632-637 (in eng) .
11. Arnold KW & Kaspar CW (1995) Starvation- and stationary-phase-induced acid tolerance in *Escherichia coli* O157 : H7. *Appl Environ Microbiol* 61 (5) : 2037-2039.
12. Chang YY & Cronan JE, Jr. (1999) Membrane cyclopropane fatty acid content is a major factor in acid resistance of *Escherichia coli*. *Mol Microbiol* 33 (2) : 249-259.
13. Bassler BL (1999) How bacteria talk to each other : regulation of gene expression by quorum sensing. (Translated from eng) *Curr Opin Microbiol* 2 (6) : 582-587 (in eng) .
14. Chen X, *et al.* (2002) Structural identification of a bacterial quorum-sensing signal containing boron. (Translated from eng) *Nature* 415 (6871) : 545-549 (in eng) .
15. Miller ST, *et al.* (2004) *Salmonella typhimurium* recognizes a chemically distinct form of the bacterial quorum-sensing signal AI-2. *Mol Cell* 15 (5) : 677-687.
16. Sperandio V, Torres AG, Jarvis B, Nataro JP, & Kaper JB (2003) Bacteria-host communication : the language of hormones. *Proc Natl Acad Sci U S A* 100 (15) : 8951-8956.
17. Sperandio V, Mellies JL, Nguyen W, Shin S, & Kaper JB (1999) Quorum sensing controls expression of the type III secretion gene transcription and protein secretion in enterohemorrhagic and enteropathogenic *Escherichia coli*. *Proc Natl Acad Sci U S A* 96 (26) : 15196-15201.
18. Sperandio V, Torres AG, Giron JA, & Kaper JB (2001) Quorum sensing is a global regulatory mechanism in enterohemorrhagic *Escherichia coli* O157 : H7. *J Bacteriol* 183 (17) : 5187-5197.
19. Sperandio V, Li CC, & Kaper JB (2002) Quorum-sensing *Escherichia coli* regulator A : a regulator of the LysR family involved in the regulation of the locus of enterocyte effacement pathogenicity island in enterohemorrhagic *E. coli*. *Infect Immun* 70 (6) : 3085-3093.
20. Clarke MB, Hughes DT, Zhu C, Boedeker EC, & Sperandio V (2006) The QseC sensor kinase : a bacterial adrenergic receptor. *Proc Natl Acad Sci U S A* 103 (27) : 10420-10425 (in eng) .
21. Johannes L & Römer W (2009) Shiga toxins-from cell biology to biomedical applications. *Nat Rev Microbiol* 8 (2) : 105-116.
22. Vierzig A, Roth B, Querfeld U, & Michalk D (1998) A 12-year-old boy with fatal hemolytic-uremic-syndrome, excessive neutrophilia and elevated endogenous granulocyte-colony-stimulating-factor

serum concentrations. *Clin Nephrol* 50 (1) : 56-59.
23. Sakiri R, Ramegowda B, & Tesh VL (1998) Shiga toxin type 1 activates tumor necrosis factor-alpha gene transcription and nuclear translocation of the transcriptional activators nuclear factor-κB and activator protein-1. *Blood* 92 (2) : 558-566.
24. Lynn RM, *et al.* (2005) Childhood hemolytic uremic syndrome, United Kingdom and Ireland. *Emerg Infect Dis* 11 (4) : 590-596.
25. Chase-Topping M, Gally D, Low C, Matthews L, & Woolhouse M (2008) Super-shedding and the link between human infection and livestock carriage of *Escherichia coli* O157. *Nat Rev Micobiol* 6 (12) : 904-912.
26. Moon HW, Whipp SC, Argenzio RA, Levine MM, & Giannella RA (1983) Attaching and effacing activities of rabbit and human enteropathogenic *Escherichia coli* in pig and rabbit intestines. *Infect Immun* 41 (3) : 1340-1351.
27. Dean-Nystrom EA, Bosworth BT, Cray WC, Jr., & Moon HW (1997) Pathogenicity of *Escherichia coli* O157 : H7 in the intestines of neonatal calves. *Infect Immun* 65 (5) : 1842-1848.
28. Dean-Nystrom EA, Bosworth BT, Moon HW, & O' Brien AD (1998) *Escherichia coli* O157 : H7 requires intimin for enteropathogenicity in calves. *Infect Immun* 66 (9) : 4560-4563.
29. Tacket CO, *et al.* (2000) Role of EspB in experimental human enteropathogenic *Escherichia coli* infection. *Infect Immun* 68 (6) : 3689-3695.
30. Dautin N & Bernstein HD (2007) Protein secretion in gram-negative bacteria via the autotransporter pathway. *Annu Rev Microbiol* 61 : 89-112.
31. Johnson TL, Abendroth J, Hol WG, & Sandkvist M (2006) Type II secretion : From structure to function. *FEMS Microbiol Lett* 255 (2) : 175-186.
32. Koronakis V, Eswaran J, & Hughes C (2004) Structure and function of TolC : The bacterial exit duct for proteins and drugs. *Annu Rev Biochem* 73 : 467-489 (in eng) .
33. Llosa M, Roy C, & Dehio C (2009) Bacterial type IV secretion systems in human disease. *Mol Microbiol* 73 (2) : 141-151.
34. Marlovits TC & Stebbins CE (2010) Type III secretion systems shape up as they ship out. *Curr Opin Microbiol* 13 (1) : 47-52.
35. Pukatzki S, McAuley SB, & Miyata ST (2009) The type VI secretion system : Translocation of effectors and effector-domains. *Curr opin in microbiol* 12 (1) : 11-17.
36. Simeone R, Bottai D, & Brosch R (2009) ESX/type VII secretion systems and their role in host-pathogen interaction. *Curr opin in microbiol* 12 (1) : 4-10.
37. Hueck CJ (1998) Type III protein secretion systems in bacterial pathogens of animals and plants. *Microbiol Mol Biol Rev* 62 (2) : 379-433.
38. Natale P, Bruser T, & Driessen AJ (2008) Sec- and Tat-mediated protein secretion across the bacterial cytoplasmic membrane-distinct translocases and mechanisms. *Biochim Biophys Acta* 1778 (9) : 1735-1756.
39. Xie K & Dalbey RE (2008) Inserting proteins into the bacterial cytoplasmic membrane using the Sec and YidC translocases. *Nat Rev Microbiol* 6 (3) : 234-244.
40. Bhavsar AP, Guttman JA, & Finlay BB (2007) Manipulation of host-cell pathways by bacterial pathogens. *Nature* 449 (7164) : 827-834.
41. Akeda Y & Galan JE (2005) Chaperone release and unfolding of substrates in type III secretion. *Nature* 437 (7060) : 911-915.
42. Minamino T & Namba K (2008) Distinct roles of the FliI ATPase and proton motive force in bacterial flagellar protein export. *Nature* 451 (7177) : 485-488.
43. Paul K, Erhardt M, Hirano T, Blair DF, & Hughes KT (2008) Energy source of flagellar type III secretion. *Nature* 451 (7177) : 489-492.
44. Sekiya K, *et al.* (2001) Supermolecular structure of the enteropathogenic *Escherichia coli* type III secretion system and its direct interaction with the EspA-sheath- like structure. *Proc Natl Acad Sci U S A* 98 : 11638-11643.
45. Tobe T, *et al.* (2006) An extensive repertoire of type III secretion effectors in *Escherichia coli* O157 and the role of lambdoid phages in their dissemination. *Proc Natl Acad Sci U S A* 103 (40) : 14941-14946.
46. Kenny B, *et al.* (1997) Enteropathogenic *E. coli* (EPEC) transfers its receptor for intimate adherence into mammalian cells. *Cell* 91 (4) : 511-520.
47. de Grado M, *et al.* (1999) Identification of the intimin-binding domain of Tir of enteropathogenic *Escherichia coli*. *Cell Microbiol* 1 (1) : 7-17.
48. Liu H, Magoun L, Luperchio S, Schauer DB, & Leong JM (1999) The Tir-binding region of enterohaemorrhagic *Escherichia coli* intimin is sufficient to trigger actin condensation after bacterial-induced host cell signalling. *Mol Microbiol* 34 (1) : 67-81.
49. Luo Y, *et al.* (2000) Crystal structure of enteropathogenic *Escherichia coli* intimin-receptor complex. *Nature* 405 (6790) : 1073-1077.
50. Adu-Bobie J, Trabulsi LR, Carneiro-Sampaio MMS, Dougan G, & Frankel G (1998) Identification of immunodominant regions within the C-terminal cell binding domain of intimin α and intimin β from enteropathogenic *Escherichia coli*. *Infect Immun* 66 (12) : 5643-5649.
51. Phillips N, Hayward RD, & Koronakis V (2004) Phosphorylation of the enteropathogenic *E. coli* receptor by the Src-family kinase c-Fyn triggers actin pedestal formation. *Nat Cell Biol* 6 (7) : 618-625.
52. Campellone KG, Giese n N, Tipper o JJ, & Leong JM (2002) A tyrosine-phosphorylated 12-amino-acid sequence of enteropathogenic *Escherichia coli* Tir binds the host adaptor protein Nck and is required for Nck localization to actin pedestals. *Mol Microbiol* 43 (5) : 1227-1241.
53. Gruenheid S, *et al.* (2001) Enteropathogenic *E. coli*

Tir binds Nck to initiate actin pedestal formation in host cells. *Nat Cell Biol* 3（9）：856-859.
54. Vingadassalom D, *et al.*（2009）Insulin receptor tyrosine kinase substrate links the *E. coli* O157：H7 actin assembly effectors Tir and EspF$_U$ during pedestal formation. *Proc Natl Acad Sci U S A* 106（16）：6754-6759.
55. Crepin VF, *et al.*（2010）Dissecting the role of the Tir:Nck and Tir:IRTKS/IRSp53 signalling pathways in vivo. *Mol Microbiol* 75（2）：308-323.
56. Deng W, Vallance BA, Li Y, Puente JL, & Finlay BB（2003）Citrobacter rodentium translocated intimin receptor（Tir）is an essential virulence factor needed for actin condensation, intestinal colonization and colonic hyperplasia in mice. *Mol Microbiol* 48（1）：95-115.
57. Nishikawa K, *et al.*（2002）A therapeutic agent with oriented carbohydrates for treatment of infections by Shiga toxin-producing *Escherichia coli O157*：H7. *Proc Natl Acad Sci U S A* 99（11）：7669-7674.
58. Paton AW, Morona R, & Paton JC（2000）A new biological agent for treatment of Shiga toxigenic *Escherichia coli* infections and dysentery in humans. *Nat Med* 6（3）：265-270.

Ｉ-20　食　中　毒

国立医薬品食品衛生研究所
宮原美知子

食中毒とは，食品の摂取によって毒物等を取り入れた結果起こる病的状態である．今日では化学物質が製品として作られ，食品中にこれら合成化学物質が汚染される又は添加される時代となった．その結果，自然毒や微生物やウイルスの感染によるばかりでなく合成化学物質もまた食中毒の原因となっている．その食中毒病因物質は表１のように分類されている．厚生労働省は毎年，食中毒情報を公表しているが，2009年(平成21年)について食中毒発生事件は表２の様に発表された．事件数で見ると細菌で約51％さらにウイルスを原因とするものと併せて約79％の感染症関連食中毒事件が発生している．大部分の食中毒は感染性微生物により発生しているのが現状である．さて，本書では感染症項目の食中毒であることから，細菌やウイルスを原因とした食中毒について詳説したい．

2003～2009年(平成14年～平成21年)の病因物質別食中毒発生状況年次推移を表３に示した．特に発生事件数の多いサルモネラ属菌，ブドウ球菌，腸炎ビブリオ，腸管出血性大腸菌，その他の病原大腸菌，ウエルシュ菌，カンピロバクター・ジェジュニ／コリとノロウイルスの８種類の発生事件数推移については図１にグラフで示した．1997年９年５月30日には，食品衛生法施行規則の一部が改正され，小型球形ウイルスを食中毒事件票による報告の対象とする事になり，食中毒事件票病因物質種別の欄中に小型球形ウイルスを加えた．また，1996年に腸管出血性大腸菌が伝染病予防法(明治30年４月１日法律第36号)に基づく指定伝染病に指定されたことに伴い，腸管出血性大腸菌を，病因物質の種別において，その他の病原大腸菌と分けて分類することとした．1999年４月１日より「感染症の予防及び感染症の患者に対する医療に関する法律」(いわゆる感染症新法)が施行され，それにともなって同年12月28日に食品衛生法施行規則も一部改正施行された．これまで，病原微生物を病因物質とする飲食に起因する健康被害のうち，旧伝染病予防法で指定されていたコレラ，赤痢等によるものについては，食品等に対する調査等についても，旧伝染病予防法に基づく対応が先行してなされていた．しかしながら，感染症新法の施行を踏まえ，今後，病因物質の種別に係わらず，コレラ，赤痢等旧伝染病予防法に基づく疾病等であっても，飲食に起因する健康被害については，食中毒である事を明確にするため，食中毒事件票の一部が改正され，コレラ菌，赤痢菌，チフス菌及びパラチフスＡ菌の４菌種が追加された．また，小型球形ウイルスは2003年８月29日にノロウイルスと名称が変更された．その後も感染症法は2003年11月５日，2007年６月10日さらに2008年５月12日と改正されているが，食中毒に関わる改正は2007年の病原体分類と疾病分類の見直しと分類毎の規制である．食中毒発生の傾向をみると，2000年前後ではサルモネラ，腸管出血性大腸菌O157やカンピロバクターのような人畜共通感染症の病原微生物での発生も多かった．これは食生活の欧米化つまり肉食が多くなっている事と関連していると思われた．また，従来の魚介類を中心とした食生活

表1 食中毒病因物質

1	サルモネラ属菌	
2	ぶどう球菌	
3	ボツリヌス菌	
4	腸炎ビブリオ	
5	腸管出血性大腸菌	
6	その他の病原大腸菌	
7	ウエルシュ菌	
8	セレウス菌	
9	エルシニア・エンテロコリチカ	
10	カンピロバクター・ジェジュニ／コリ	
11	ナグビブリオ	
12	コレラ菌	
13	赤痢菌	
14	チフス菌	
15	パラチフスA菌	
16	その他の細菌	エロモナス・ヒドロフィラ，エロモナス・ソブリア，プレシオモナス・シゲロイデス，ビブリオ・フルビアリス，リステリア・モノサイトゲネス等.
17	ノロウイルス	
18	その他のウイルス	A型肝炎ウイルス等.
19	化学物質	メタノール，ヒスタミン（魚やその加工品におけるヒスタミン生成菌による），ヒ素，鉛，カドミウム，銅，アンチモン等の無機物，ヒ酸石灰等の無機化合物，有機水銀，ホルマリン，パラチオン等．カビ毒.
20	植物性自然毒	麦角成分（エルゴタミン），ばれいしょ芽毒成分（ソラニン），生銀杏及び生梅の有毒成分（シアン），彼岸花毒成分（リコリン），毒うつぎ成分（コリアミルチン，ツチン），朝鮮朝顔毒成分（アトロピン，ヒヨスチアミン，スコポラミン），とりかぶと及びやまとりかぶとの毒成分（アコニチン），毒きのこの毒成分（ムスカリン，アマニチン，ファリン，ランプテロール等），やまごぼうの根毒成分（フィトラッカトキシン），ヒルガオ科植物種子（ファルビチン），その他植物に自然に含まれる毒成分.
21	動物性自然毒	ふぐ毒（テトロドトキシン），シガテラ毒，麻痺性貝毒（PSP），下痢性貝毒（DSP），テトラミン，神経性貝毒（NSP），ドウモイ酸，その他動物に自然に含まれる毒成分.
22	その他	クリプトスポリジウム，サイクロスポラ，アニサキス等.
23	不明	

の場合も混在しているためか腸炎ビブリオによる食中毒もきわめて多く発生していた．しかしながら，ノロウイルスが1998年(平成10年)の食中毒発生統計上も明らかにされるようになり，2004年以降食中毒患者発生の原因物質のトップの座を占めるようになった．また，食中毒事件発生数では，1997年以降1人事例の届出も受け入れることにより増加したカンピロバクターが2003年以降では原因物質のトップの座を占めることが多くなっている．ノロウイルスの患者の特定に関しては検査法の技術開発における発展も寄与していると思われる．

細菌性の食中毒の原因菌分類には感染型と毒素型がある(図2)．感染型は更に感染侵入型と感染毒素型に分類されている．

感染侵入型：感染型は生きた菌を飲食により摂取することから始まる．pH3以下の過酷な条件にある胃を通過した菌は腸管に進入し，標的である腸管上皮細胞に定着する．さらにこの定着がひきがねとなり，標的細胞の中への侵入が始まる．細胞の中は正常な状態では無菌であるので，いったん侵入した菌は生態防御系の抵抗にあうこともなく増殖し食中毒症状を引き起こす．サルモネラや赤痢菌(S. dysenteriaは毒素を産生し，感染毒素型されるが，その他の赤痢菌はこの分類である.）がこのような分類にあてはまる．

感染毒素型：感染後に増殖して毒素を産生し，この毒素により症状を引き起こす．この型の食中毒

表２　原因物質別食中毒発生状況（2009 年）

原因物質		総数		
		事件	患者	死者
総　数		1,048	20,249	-
細　菌		536	6,700	-
	サルモネラ属菌	67	1,518	-
	ぶどう球菌	41	690	-
	ボツリヌス菌	-	-	-
	腸炎ビブリオ	14	280	-
	腸管出血性大腸菌（VT 産生）	26	181	-
	その他の病原大腸菌	10	160	-
	ウェルシュ菌	20	1,566	-
	セレウス菌	13	99	-
	エルシニア・エンテロコリチカ	-	-	-
	カンピロバクター・ジェジュニ／コリ	345	2,206	-
	ナグビブリオ	-	-	-
	コレラ菌	-	-	-
	赤痢菌	-	-	-
	チフス菌	-	-	-
	パラチフスＡ菌	-	-	-
	その他の細菌	-	-	-
ウイルス		290	10,953	-
	ノロウイルス	288	10,874	-
	その他のウイルス	2	79	-
化学物質		13	552	-
自然毒		92	290	-
	植物性自然毒	53	195	-
	動物性自然毒	39	95	-
その他		17	19	-
不　明		100	1,735	-

菌は多く，腸炎ビブリオ，腸管出血性大腸菌，ウェルシュ菌やコレラ菌などがこの分類にあてはまる．

毒素型：毒素型は生きた菌を摂取しなくても毒素を摂取する事により食中毒症状が出現する．2000 年夏に起きた雪印乳業の食中毒事件もいったん製造工程中の牛乳タンク中で黄色ブドウ球菌が大増殖し，生成した毒素は耐熱性であるため殺菌製品中にはいり，大規模な食中毒事件となった事が明らかにされている．また，ボツリヌス菌もこの分類に含まれるが，嫌気性菌（酸素のない状態で増殖する）である上に芽胞菌（増殖する栄養型と増殖しない耐久休眠状態である芽胞型の状態になりうる）であることから，いっそうの注意を必要とする．1984 年におきた「からしレンコン」事件では 36 名の患者が発生し，うち 11 名が死亡するという大事件であった．次に細菌性とウイルス性食中毒の病因物質について 16 項目にわけて解説する．

サルモネラ属菌：通性嫌気性菌，グラム陰性桿菌．サルモネラは多くの血清型に分類されている．国立感染症研究所感染症情報センター（IDSC）の報告では，1988 年までは，*Salmonella enterica* subsp. *enterica* serobar Typhimurium（*S.* Typhimurium）の血清型がサルモネラ属菌での発生検出第１位を占めていた．ところが，1989 年以来，*S.* Enteritidis が血清型では発生の第１位を占め，また，サルモネラ食中毒が年次別発生事件数の病因物質別でも 2000 年まではほぼ１位を占めるようになった（1997 年と 1998 年は腸炎ビブリオが１位であった）．鶏の *S.* Enteritidis 汚染が世界規模で広がった結果が，日本での鶏卵 *S.* Enteritidis 汚染につながりサルモネラ食中毒の増加となっている．世界保健機構（WHO）も鶏卵の *S.* Enteritidis 汚染に対してたびたび緊急会議を開き，また，世界各国に鶏卵のサルモネラ汚染に対する警告を発している．*S.* Enteritidis 食中毒の発生は平成８年度地域保健推進特別事業報告によると原因食で 57％は卵関連食品であったが，調理場及び器具等への２次汚染の結果と思われる発生も多くなっている．

表４には IDSC の病原微生物検出情報（IASR）による 2006 ～ 2009 年（平成 18 ～ 21 年）のサルモネラ血清型を示した．*S.* Enteritidis は１位を占めており，その検出数も多い．1999 年に乾燥イカ加工品による *S.* Oranienburg 食中毒の広域集団発生が報告され，2001 年までこの血清型の発生が多くみられた．1998 年 10 月に卵によるサルモネラ食中毒の発生防止のために，食品衛生法施行規則等が改正された．鶏の殻付き卵については賞味期限などの表示義務化及び製造，加工，調理基準の設定が，液卵については企画基準の設定が行われたほか，卵選別包装施設の衛生管理要領およ

表 3　原因物質別食中毒発生状況（2003 − 2009 年）

物質別 ＼ 年次	2003 年		2004 年		2005 年		2006 年		2007 年		2008 年		2009 年	
	事件数	発生率（%）	事件数	発生率（%）	事件数	発生率（%）	事件数	発生率（%）	事件数	発生率（%）	事件数	発生率（%）	事件数	発生率（%）
総数	1,585	100	1,666	100	1,545	100	1,491	100	1,289	100	1,369	100	1,048	100
細菌（総数）	1,110	70.0	1,152	69.1	1,065	68.9	774	51.9	732	56.8	778	56.8	536	51.1
サルモネラ属菌	350	22.1	225	13.5	144	9.3	124	8.3	126	9.8	99	7.2	67	6.4
ブドウ球菌	59	3.7	55	3.3	63	4.1	61	4.1	70	5.4	58	4.2	41	3.9
ボツリヌス菌	0	0.0	0	0.0	0	0.0	1	0.1	1	0.1	0	0.0	0	0.0
腸炎ビブリオ	108	6.8	205	12.3	113	7.3	71	4.8	42	3.3	17	1.2	14	1.3
病原大腸菌	47	3.0	45	2.7	49	3.2	43	2.9	36	2.8	29	2.1	36	3.4
腸管出血性大腸菌	12	0.8	18	1.1	24	1.6	24	1.6	25	1.9	17	1.2	26	2.5
その他の病原大腸菌	35	2.2	27	1.6	25	1.6	19	1.3	11	0.9	12	0.9	10	1.0
ウエルシュ菌	34	2.1	28	1.7	27	1.7	35	2.3	27	2.1	34	2.5	20	1.9
セレウス菌	12	0.8	25	1.5	16	1.0	18	1.2	8	0.6	21	1.5	13	1.2
エルシニア・エンテロコリチカ	0	0.0	1	0.1	0	0.0	0	0.0	0	0.0	0	0.0	0	0.0
カンピロバクター・ジェジュニ / コリ	491	31.0	558	33.5	645	41.7	416	27.9	416	32.3	509	37.2	345	32.9
ナグビブリオ	2	0.1	0	0.0	0	0.0	0	0.0	1	0.1	1	0.1	0	0.0
コレラ菌	0	0.0	0	0.0	0	0.0	0	0.0	0	0.0	3	0.2	0	0.0
赤痢菌	1	0.1	1	0.1	0	0.0	1	0.1	0	0.0	3	0.2	0	0.0
チフス菌	0	0.0	0	0.0	0	0.0	0	0.0	0	0.0	0	0.0	0	0.0
パラチフスA菌	0	0.0	0	0.0	0	0.0	0	0.0	0	0.0	0	0.0	0	0.0
その他細菌	6	0.4	9	0.5	8	0.5	4	0.3	5	0.4	4	0.3	0	0.0
ノロウイルス	278	25.0	277	24.0	274	17.7	499	33.5	344	26.7	303	22.1	288	27.5
その他のウイルス	4	0.4	0	0.0	1	0.1	5	0.3	4	0.3	1	0.1	2	0.2
化学物質	8	0.5	12	0.7	14	0.9	15	1.0	10	0.8	27	2.0	13	1.2
自然毒（総数）	112	7.1	151	9.1	106	6.9	138	9.3	113	8.8	152	11.1	92	8.8
植物性自然毒	66	4.2	99	5.9	58	3.8	103	6.9	74	5.7	91	6.6	53	5.1
動物性自然毒	46	2.9	52	3.1	48	3.1	35	2.3	39	3.0	61	4.5	39	3.7
その他	1	0.1	5	0.3	8	0.5	7	0.5	8	0.6	17	1.2	17	1.6
不明	72	4.5	69	4.1	77	5.0	53	3.6	78	6.1	91	6.6	100	9.5

各論 I

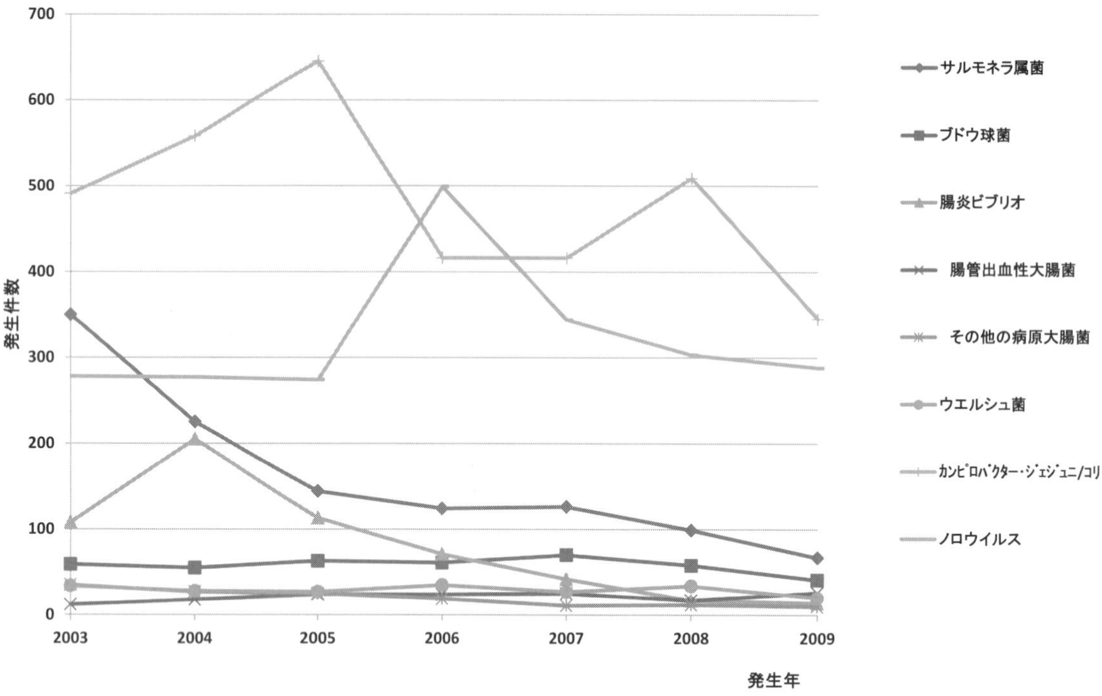

図１　主な細菌・ウイルスでの病因物質別食中毒事件発生状況推移（2003 － 2009 年）

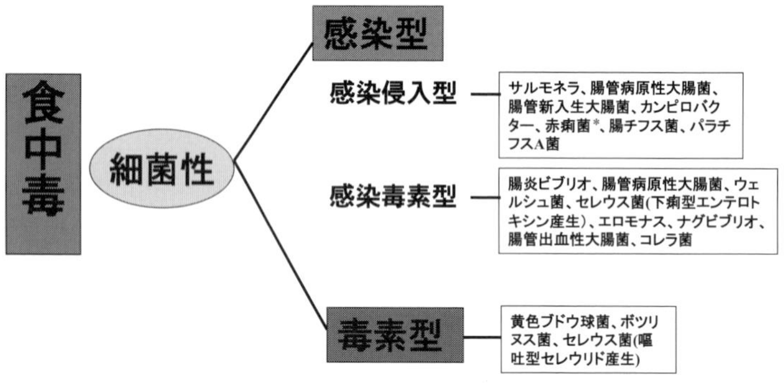

＊（Shigella flexneri, S. boydii, S. sonneiは感染侵入型であるが，S. dysenteriaeは感染毒素型に分類さる）

図２　細菌性食中毒原因菌の分類

び「家庭における卵の衛生的な取り扱いについて」の策定など総合的対策が推進されてきた．表３や図１にもみられるようにサルモネラ食中毒の発生件数は減少傾向にあり，対策が功を奏してきたと思われる．

S. Typhimurium については，欧米で多剤耐性株 *S.* Typhimurium DT104 が問題となっている．日本でも 1986 年より分離されてきているが，*S.* Enteritidis でみられたような急激な増加は現在まではみられていない．また，2000 年に分離されたフルオロキノロン耐性 *S.* Typhimurium はその後も数例報告されており，多剤耐性株とともに今後の動向に注意が必要である．

サルモネラの発生は８月から９月がピークとなる夏場に多い．また，食中毒事件が減少傾向とはいえ，500 人を超える患者が発生した大規模事件も 2002 年に３件と 2007 年にも１件起きている．サルモネラ属菌は，少数菌での発症が報告されていること，また，下痢等の腸内感染にとどまらず敗血症等の全身感染に移行して患者を死に至らしめることもあるので今後とも注意が必要である．

ぶどう球菌：通性嫌気性菌，グラム陽性球菌．ぶどう球菌はミクロコッカス科に属する芽胞を形成しない菌で，現在 34 菌種に分類されているが，食中毒の原因菌種としては黄色ブドウ球菌

表4 サルモネラ検出状況，血清型上位15，2006～2009年 ヒト由来（地研・保健所集計）

順位	2006年		2007年		2008年		2009年	
1	Enteritidis	360	Enteritidis	576	Enteritidis	341	Enteritidis	204
2	Typhimurium	73	Typhimurium	95	Infantis	105	Infantis	76
3	Infantis	67	Thompson	83	Typhimurium	82	Thompson	57
4	Saintpaul	65	Montevideo	82	Saintpaul	70	Saintpaul	44
5	Thompson	43	Saintpaul	72	Braenderup	65	Typhimurium	35
6	Newport	33	Infantis	72	Thompson	60	Bareilly	30
7	Agona	31	Braenderup	52	Montevideo	49	Montevideo	19
8	Litchfield	25	Litchfield	27	Stanley	22	Schwarzengrund	17
9	Montevideo	20	Newport	22	Litchfield	19	I 4:i:-	15
10	Virchow	20	Schwarzengrund	20	Schwarzengrund	16	Poona	12
11	Hardar	20	Agona	19	Newport	16	Manhatten	10
12	Stanley	16	Stanley	17	Agona	12	Hardar	10
13	Paratyphi B	16	I 4:i:-	17	Nagoya	12	Nagoya	9
14	Corvallis	13	Bareilly	17	Virchow	11	Agona	8
15	Poona	12	Hardar	17	I 4:i:-	9	Litchfield	8
16	Others	290	Others	282	Others	192	Others	131

病原微生物情報（2010年5月26日作成）より

(*Staphylococcus aureus*)に限られている．ヒトをはじめ各種動物の皮膚，口腔内，気道上部及び腸管等の粘膜に常在菌叢として存在し，食品を汚染する機会が多い．食品中で増殖した黄色ぶどう球菌が耐熱性のエンテロトキシンを産生し，ヒトがこのエンテロトキシンを食品と共に摂取することにより発症する．黄色ブドウ球菌は食塩濃度10～15%でも増殖がみられるため，食塩による増殖制御はできないが，10℃以下の温度では増殖が抑制されるので，温度管理によって菌増殖を制御することが出来る．黄色ブドウ球菌食中毒は1970年代～1980年代前半にかけて多発していたが，その後減少傾向となり，1990年代後半には全細菌性食中毒発生の中で2～5%となり，食中毒病因菌としては対策の中心には考えられていなかった．ところが，毒素型の分類のところでもふれたが，平成12年夏には乳製品を原因とする13,420人(最終届出患者数)の大規模食中毒事件が発生した．このため，黄色ブドウ球菌は毒素型食中毒を起こす原因菌として食品衛生上重大な注意を払わなければならないとして再認識される結果となった．毒素型である黄色ブドウ球菌食中毒は感染型の食中毒に比べ，潜伏時間が短く，喫食後1～6時間程度で発症するのが通常である．症状としては，悪心・嘔吐さらに下痢や発熱を伴う．健常者が罹患した場合には特別の治療を行わなくても6～24時間程度で症状は消失し，予後良好である．原因食品として2000年夏の事件は低脂肪乳等加工乳及びに乳飲料であったが，一般的にはおにぎりが多く，調理パンや菓子なども原因となっている．手指の傷や化膿創のある人の調理取り扱い禁止や調理人の調理作業事前手洗いの励行及び手袋の着用，調理衣服の整えが重要である．

黄色ブドウ球菌食中毒は潜伏時間が短いので推定原因食品が残されていることが多く，原因食品中で菌が増殖しているため，患者は食品中のエンテロトキシンと多数の生菌を同時に摂取していることが多い．患者検体(吐物や便)と推定原因食品の両方から生菌が分離され，そのコアグラーゼ型や毒素型が一致して原因食品の判定を行ってきていた．しかし，2000年夏の事件では，生菌は検出されないまま，エンテロトキシンのみが低濃度で検出され，耐熱性であるエンテロトキシンは食品が加熱殺菌されても毒素活性が保たれ，この食品を摂取したヒトに食中毒を引き起こしたことが判明した．この事件をきっかけに黄色ブドウ球菌の生菌の検出管理だけではなく，エンテロトキシンの検出管理も行う必要があることが分かった．また，雪印乳業が総合衛生管理製造過程(HACCP)承認制度により製造している製品が食中毒事件を引き起こしたため，厚生省(現厚生労働省)は2000年11月6日に，「総合衛生管理製造過程(HACCP)承認制度実施要領の改訂について(生衛発第1634号)」を都道府県知事宛に通知し，さらなる管理徹底を促した．

ボツリヌス菌：偏性嫌気性菌，グラム陽性桿菌，芽胞形成菌．ボツリヌス菌（*Clostridium botulinum*）が産生する毒素によって神経麻痺症状が発現する．ボツリヌス症は食餌性ボツリヌス症，乳児ボツリヌス症，創傷性ボツリヌス症と成人の乳児型ボツリヌス症の4つに分類されるが，食中毒として分類されるのは食餌性ボツリヌス症の場合だけである．1955～2009年までのボツリヌス菌による食中毒事件は92件発生し，患者数は合計353名であったが，そのうち死者68名で，致死率は19％であった．他の食中毒と比べるとボツリヌス食中毒は，発生件数は少ないが致死率が高い．食餌性ボツリヌス症は食品がボツリヌス菌の芽胞に汚染され，低酸素状態に置かれたときに菌が増殖して毒素を産生し，その毒素に汚染された食品を摂取して発症する．ボツリヌス菌芽胞は土壌，河川，海底や湖底の沈積物，哺乳類や鳥類の腸管などに広く分布している．魚介類は自然界のみならず，捕獲後の加工過程においても芽胞の汚染を受ける機会が多い．日本では東北，北海道地方を中心に自家製のイズシあるいはこれに類似する魚類の発酵食品を原因食品として発生している．それ以外の発生事例は市販食品が原因食となっている．1969年宮崎で発生した西ドイツ産キャビアによるもの，1984年14都府県において発生した熊本産カラシレンコンによるもの，1998年東京都で発生したイタリア産グリーンオリーブによるものなど原因食品が流通した広い地域で発生が見られ，患者数が比較的多いのが特徴である．最近，2003年から2009年までボツリヌス菌による食中毒事件は2件のみであった．

腸炎ビブリオ：通性嫌気性菌，グラム陰性短桿菌．腸炎ビブリオ（*Vibrio parahaemolyticus*）は1950年，大阪で発生した「シラス中毒事件」の原因菌として，日本で初めて発見された．極寒地を除く世界各地の沿岸海域に生息するが，20℃を超える海水温度が腸炎ビブリオを海水から検出できるかどうかの境界海水温であり，日本の沿岸では5月下旬から10月上旬まで位が海水からの検出可能時期であり，それに伴って，食中毒発生時期も6月から10月であり，8月がピークとなっている．この菌は食塩不含培地には発育しない．1～8％食塩加培地で発育するが至適食塩濃度は2－3％である．腸炎ビブリオによる発症には神奈川現象陽性である溶血性を示す耐熱性溶血毒thermostable direct hemolysin（TDH）と神奈川現象陰性であるTDH関連溶血毒TDH related hemolysin（TRH）等が中心的役割を果たす事が報告されている．腸炎ビブリオに汚染された水産魚介類を刺身や寿司などで生食するわが国の食習慣がこの菌による食中毒の発生要因となっていると考えられる．腸炎ビブリオは血清型O抗原とK抗原で分類されている．

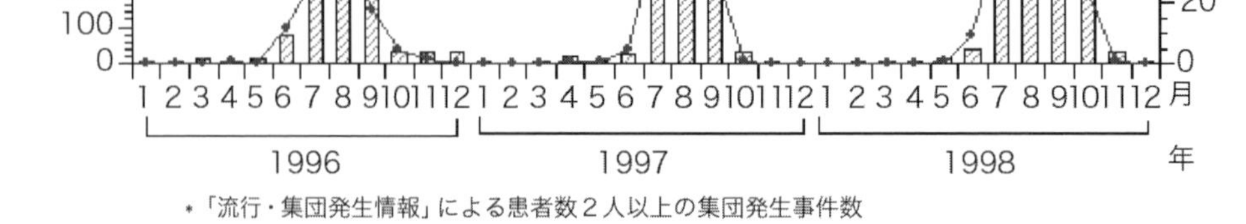

*「流行・集団発生情報」による患者数２人以上の集団発生事件数
（病原微生物検出情報「地研・保健所集計」：1999年５月25日現在報告数

図３　腸炎ビブリオ月別検出状況，1996年１月～1998年12月

魚介類中心の食生活から肉類へと移行するに伴って，近年，腸炎ビブリオの食中毒の発生は減少傾向にあったが，1994年から再び増加を示し，1997及び1998年には発生事件数で1位となった．しかし，その後また減少に転じている．この推移に伴い，血清型もO4：K8からO3：K6へと流行する血清型も変化している．そしてO4：K68血清型も流行すると思われたが，2009年においてもO3：K6が腸炎ビブリオ食中毒事件では主である．1994年に東南アジアから始まったこのO3：K6型流行は世界的な広がりを持ち，韓国，日本，北アメリカから南アメリカまで同血清型の検出や食中毒の発生が見られ，南アメリカでは2009年も流行が続いている．

患者からの原因菌の検出は容易であるが(TDH陽性菌の検出等)，推定原因食品中の原因菌は検出が困難であった．これは，摂取された少数菌の腸炎ビブリオが腸管内で増殖し，毒素を産生して発症に至るためと考えられている．このため，腸炎ビブリオは感染毒素型の食中毒菌として分類されている．

2001年7月1日より，切り身，むき身の生食用鮮魚介類加工品や生食用冷凍鮮魚介類については腸炎ビブリオ最確数g当たり100以下であることや4℃以下で保存することなどが食品衛生法により規制された．また，鮮魚介類等の洗浄には水道水と同等以上の衛生的な水を使用し，いけす等には飲用適な水を利用した人工海水や滅菌海水を使用することとした．こうした対策が功を奏したのか1998年以降は腸炎ビブリオ食中毒発生件数は減少を続けている．しかし，2007年9月にはTDH産生腸炎ビブリオに汚染された低塩分のイカの塩辛が室温保存され，摂取により，腸炎ビブリオ食中毒事例が日本各地の12自治体で発生した．上記の衛生管理が引き続き必要であると考えられる．2009年では腸炎ビブリオ食中毒事件の発生は14件であり，腸炎ビブリオの食中毒事件発生がピークであったと考えられる1998年の発生件数の約1.7%にまで減少している．

腸管出血性大腸菌：腸管出血性大腸菌については腸内細菌感染症の項で中心にとりあげるとのことなので詳細はそちらで．1982年にアメリカ合衆国で起きたハンバーグでの集団下痢症の発生が最初の集団感染例であった．日本では，1990年に起きた埼玉県での事件が始めての例であったが，1996年夏に全国各地での集団感染事件が起きた．特に堺市の学校給食での事件は患者数14,153人で死亡者3名の大惨事であった．この菌は本来，牛などの腸管に棲みついているが，日本での発生原因食は多岐にわたり，1996年にはこの菌が既に日本各地のさまざまな食材に棲みついていることが明らかになった．堺市の事件以来，給食施設等では提供した食品を－20℃の冷凍で2週間保存することが義務付けられるようになって食中毒の原因食品の特定される例が増加した．2009年には結着肉ステーキでの食中毒事件が広域にわたって発生した．

その他の病原大腸菌：通性嫌気性菌，グラム陰性短桿菌．大腸菌(*Escherichia coli*)の血清型は菌体O抗原と鞭毛H抗原を組み合わせた抗原式で表している．血清型と病原性とは相関関係があり，病原性菌株は通常ある特定の血清型に属する．病原大腸菌は次のように分類されている．腸管病原性大腸菌(enteropathogenic *E. coli*)，腸管侵入性大腸菌(enteroinvasive *E. coli*)，腸管毒素原性大腸菌(enterotoxigenic *E. coli*)，腸管出血性大腸菌(enterohaemorrhagic *E. coli*)，腸管凝集接着性大腸菌(enteroaggregative *E. coli*)及び分散接着性大腸菌(diffusively adhesive *E. coli*)の6種類に分類されている．1998年以来，腸管出血性大腸菌については食中毒統計としては残り5種類の病原大腸菌とは別に発生の集計がなされている．その他の病原大腸菌は以下のような病原性機序によって分類されている．腸管病原性大腸菌は腸粘膜上皮細胞に細胞骨格障害を生じる志賀毒素非産生性の下痢原性大腸菌である．衛生状態の悪い地域での乳幼児胃腸炎の最も重要な原因菌である．また，成人では大量菌摂取，基礎疾患を持つ患者や老齢者などで感染例が報告されている．腸管侵入性大腸菌は生化学，血清学的性状，遺伝学的及び病原性でも赤痢菌に類似している．最近ではその発生はほとんど報告されていない．腸管毒素原性大腸菌はエンテロトキシン(LT，STのいずれかあるいは両方)を産生する．コレラ様の下痢症状を引き起こす旅行者下痢症の主要原因菌となっている．腸管凝集接着性大腸菌と分散接着性大腸菌は特定細胞への接着性が異なることから分類された．腸管凝集接着性大腸菌は感染によって持続性下痢症状を示す．分散接着性大腸菌はO126：H27大腸菌による病原菌の検出報告があるが，多くの場合は，non-typableあるいはラフ型として記載されていると推定される．腸管病原性大腸菌と類似しているので判別が難しい．これらの菌で汚染された食品をヒトが摂取して，腸まで達した菌は上記分類における様々な毒素を産生して作用し，が報告されて食中毒症状を引き起こす．その他の病原大腸菌の共通症状は主に腹痛，下痢であるが，発熱，吐き気，嘔吐を伴う事もある．

ウエルシュ菌：嫌気性菌，グラム陽性菌，非運動性桿菌，芽胞形成菌．ウエルシュ菌（*Clost-ridium perfringens*）は年に数例～39例の食中毒が報告されている．ウエルシュ菌によるヒトの感染症はエンテロトキシンによる腸炎，ガス壊そ，壊死性腸炎などが知られているが，食中毒としては扱われるのはエンテロトキシン性腸炎である．発病機序としては，次のように考えられる．土壌中に常在するウエルシュ菌は食品を汚染する．嫌気状態におかれた食品中でこの菌は異常増殖し，大量となった生菌（10^7個以上）を含む食品の摂取によって腸管でエンテロトキシンを産生し，そのエンテロトキシンによって下痢が発現する．また，エンテロトキシンは芽胞形成時に産生される．健康成人の血清中にはウエルシュ菌エンテロトキシンの抗体が高率に含まれていることから，ヒトは日常的にエンテロトキシンにさらされていることが推定される．食肉中のウエルシュ菌検出率は高いが，特に鶏肉での場合には飛び抜けて検出率が高い．食肉への加工中に二次汚染の機会が多いとの報告がある．食中毒事例1件当たりの発生患者数が多いのがウエルシュ菌である．2002～2007年で1件当たり500人以上の患者発生事例は12例あったが，そのうちの6例はウエルシュ菌によるものであった．

セレウス菌：通性嫌気性菌，グラム陽性大桿菌，芽胞形成菌．セレウス菌（*Bacillus cereus*）の食中毒には嘔吐型と下痢型とがある．日本では，嘔吐型が，欧米では下痢型が多い．嘔吐型では食品中で増殖して産生したセレウリド（嘔吐毒）が症状発症の元になる毒素型の食中毒であるが，下痢型では腸管侵入後に増殖する過程で産生したエンテロトキシン（下痢毒）が発症原因となり，感染毒素型の食中毒に分類される．嘔吐型の食中毒は以下のように起きる．食品中に含まれたセレウス菌は芽胞を形成して調理加熱によって他の菌が死んでも，生き残り，長時間の放置によって適当な温度（40℃以下位）になると芽胞から栄養型へ変身して増殖し，セレウリドを産生する．セレウリドは加熱や酸などの処理にも強く，いったん産生したセレウリドは除去することが困難である．焼きめし，焼きそば，ゆでたうどん，スパゲッティなど穀類の調理食品で多く発生している．下痢型のセレウス菌による食中毒は以下のように発生する．食肉，食肉製品あるいは肉スープなどの動物性食品が原因となり，栄養型の菌が大量に含まれている食品を摂取すると腸管に達した菌がエンテロトキシンを産生し，この作用によって発症する．どちらのタイプの食中毒も少量菌摂取では発症しない．セレウス菌は自然界に広く分布することから，様々な食品素材を汚染している．セレウス菌の増殖と芽胞の発芽を抑える食品の衛生管理が発症防止には重要である．

エルシニア・エンテロコリチカ：通性嫌気性菌，グラム陰性小桿菌．エルシニア・エンテロコリチカ（*Yersinia enterocolitica*）は4℃以下の低温でも増殖できることから，冷蔵保存でもゆっくりながら菌が増殖して問題となる．保菌動物としては豚，犬や猫に多い．発症期間が長く4～15日とされている．回復した感染患者からの排菌が比較的長期（回復後40日後にも排菌例がある）にわたっていると報告されている．年間報告数は10例未満であるが，食肉処理，販売店での処理での食肉そのものの汚染に加え，調理器具や調理人からの2次汚染，また，冷蔵保存での接触による汚染の拡大など食品汚染原因はいろいろとあげられ，改善が望まれる．

カンピロバクター・ジェジュニ/コリ：微好気性菌，グラム陰性らせん状菌，スクリュー様の動きが特徴．我が国においては食中毒原因菌としてカンピロバクター・ジェジュニとコリの2種のみが食中毒統計に集められている．乳幼児や学童の下痢症の原因としてカンピロバクター腸炎は主因となっている．カンピロバクターによる食中毒事件は1997年食中毒事件発生の10%を越えて以来増加し，以後毎年，食中毒事件発生件数の20%前後を占めている．原因食品が不明である場合が多いが，判明した場合では，鶏肉関連がほとんどであった．1999年の地研・保健所で実施された食品等の検査結果の報告では，鶏肉及び食鳥処理施設のふき取り材料からカンピロバクター・ジェジュニ/コリが高頻度に分離されているので，カンピロバクターに汚染した鶏肉及びその二次汚染により食中毒が起こると思われる．英国ではバーベキューによって生焼けの鶏肉を食べてカンピロバクターの食中毒が頻繁に起きるのでバーベキュー病とよばれている．カンピロバクター・ジェジュニ腸炎罹患後に患者の10～30%にギランバレー症候群を続発させる．カンピロバクター・ジェジュニ細胞壁LPS（リポポリサッカライド）構造と神経細胞表面に存在するガングリオシド構造との分子相同性のために抗体が筋－神経接合部に結合し，運動ニューロンの機能が障害されて筋力低下が起こるとされている．

ナグビブリオ：*Vibrio cholerae* non-O1をナグビブリオとよんでいる．*Vibrio cholerae* O1はコレラ菌である．コレラ毒素はナグビブリオでは産生しないのがほとんどであったが，1992年にインドで初めて検出されたナグビブリオO139はコレラ毒素を産生し，コレラと同様の激しい下痢症状を起こす．そのため，ナグビブリオO139は食品衛生法上コレラ菌と同様の規制を受けている．また，ナグビブリオはコレラ菌と同様に汽水域に生息する．様々な毒素を産生し，引き起こされる症状も様々である．

コレラ菌：通性嫌気性，グラム陰性短桿菌．コレラ菌（*Vibrio cholerae* O1）は多くのVibrio属菌と異なり，好塩菌ではない．感染症新法によって二類感染症に分類され発生の場合には届出がされているが，1999年12月の食品衛生法の改正に伴い，2000年からの食中毒統計にも記載されるようになったが食中毒としての発生件数は少ない．2007年の感染症法改正では四種病原体で3類疾病分類と指定されている．診断後ただちに医者が届け出ることが規定されているが，検疫感染症からは除かれた．しかし，感染症発生動向調査によれば，発生例の中には海外渡航暦の無い国内例が増加の傾向にある．コレラの典型的症状は激しい水溶性下痢と脱水症状である．O1抗原はA，B及びCの3部分抗原からなっているが，その抗原型により，小川型と稲葉型に分類されている．国内例では稲葉型が主流になってきている．

赤痢菌：通性嫌気性菌，グラム陰性短桿菌．赤痢菌（*Shigella*）は以下の4菌種に分けられる．*S. dysenteriae*, *S. flexneri*, *S. boydii* 及び *S. sonnei* である．*Shigella* は *E. coli* と血清学的にも生化学性状でも類似点が多く，両菌の分離同定は難しい．感染症発生動向調査によると毎年1000名前後の患者が発生し，感染症新法で二類感染症に位置付けられていることから，届出がなされていた．また，2007年の感染症法の改正で，四種病原体で3類疾病分類となって，届出がなされている．2001年11月下旬から起きた赤痢の西日本を中心とした広域的な大発生は輸入生ガキが *S. sonnei* に汚染されていて，その生ガキ摂取が原因であった．2006年～2010年4月までの集計では，*S. sonnei* によるものが約76%で，*S. flexneri* によるものが約20%の細菌性赤痢発生状況にある．また，国内発生例は全発生患者数の55%であった．一方，発展途上国への旅行者ではより重篤な症状を引き起こす *S. dysenteriae* や *S. boydii* での赤痢の発生がみられる．*S. dysenteriae* は志賀毒素を産生し，消化器症状後に溶血性尿毒症症候群を引き起こすことがある．

チフス菌及びパラチフスA菌：通性嫌気性菌，グラム陰性桿菌．チフス菌（*Salmonella* Typhi）とパラチフス菌A（*S.* Paratyphi A）は感染症新法で二類となり，2007年の改正で四種病原体で3類疾病に分類され，患者発生の場合には届出がなされている．腸チフスは亜急性疾患で，1～2週間の潜伏期間後に38℃以上の発熱，白血球減少，皮膚のバラ疹などが表れ，多くの場合脾腫を伴う．患者の約10%は腸穿孔及び腸出血により死亡する．一方，無症状感染者は一時的あるいは長期排菌者となり，環境及び食品を汚染し，チフス症流行の感染源となった例もあり，注意が必要である．パラチフス症は腸チフス症に類似しているが，腸チフス症より軽症のことが多い．

その他の細菌：近年欧米で発生が頻発し注目されているリステリア・モノサイトゲネスについての

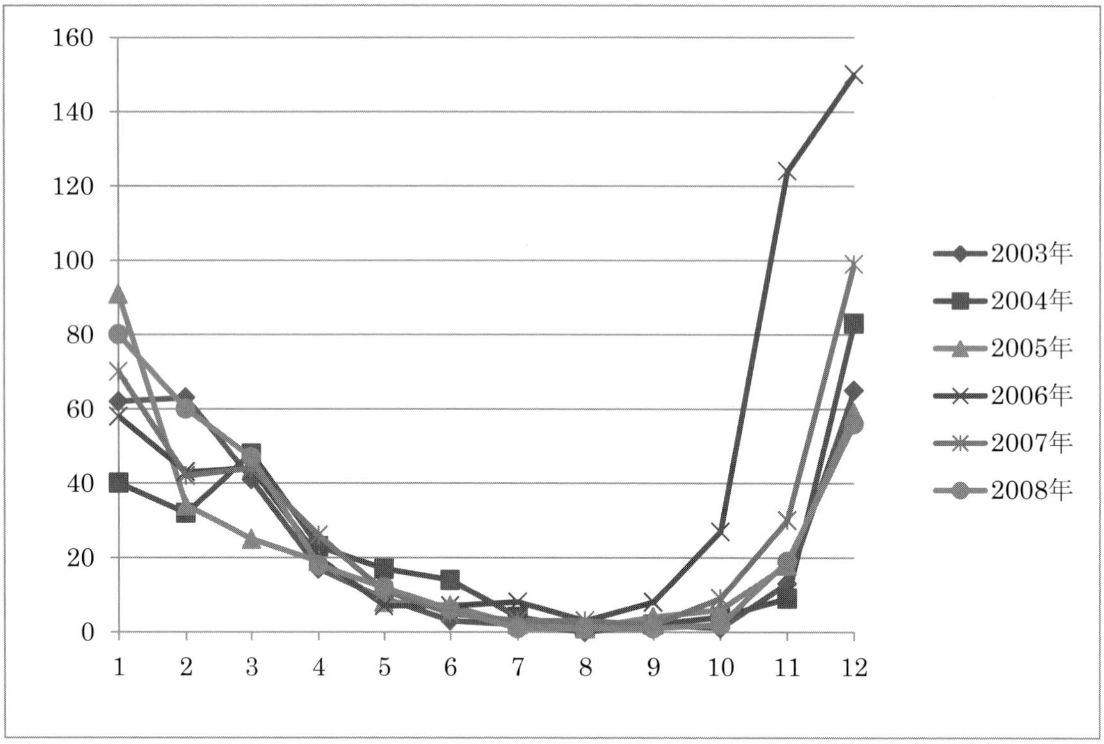

(厚労省 HP　ノロウイルス Q&A 最終改定 2009 年 12 月 8 日情報より)

図 4　ノロウイルス発生件数季節推移 2003 － 2008 年

み説明する．

リステリア・モノサイトゲネス：通性嫌気性菌，グラム陽性短桿菌．リステリア・モノサイトゲネス（*Listeria monocytogenes*）は 0 ～ 45℃と発育温度域が広い．この性質は，低温保存の食品中でも増殖できることより，食品衛生上温度管理の問題を引き起こすことになる．わが国では，人畜共通感染症を引き起こすこの菌は食肉中から高頻度（約 35％）に検出される．また，老齢者，妊婦，及び免疫系の低下したヒトに感染が起こりやすい．食中毒事件における症状は，発熱，頭痛，筋肉痛などの他，嘔吐，下痢，腹痛などの胃腸炎症状を呈する．特に，妊婦への感染が起きた場合，経胎盤の垂直感染が起こる．胎児が感染した場合には胎児の死亡による流産となる早期型と分娩後の新生児脳髄膜炎を発症する遅延型がある．日本ではリステリア・モノサイトゲネスによる食中毒発症は未だ確認はされていないが，米国では，この菌による食中毒発症の中で致死率が 20％であり，食中毒原因菌の中で最も致死率が高いことから注意を喚起すると共に，ready-to-eat 食品でのゼロ・トレランスつまり 25 g サンプル中に検出されてはならない基準を設け，規制を行っている．フランスでは 1992 年に豚舌ゼリー寄せで，279 名発症，死者 85 名の大規模な集団発生事件があった．ソフトタイプのチーズによる食中毒事件もスイス，デンマーク，フランスで起こっており，リステリア症は致死率の高い食品媒介感染症として EU では監視と管理がなされている．

次にウイルス性食中毒の原因物質について説明する．

ノロウイルス：ヒトに急性胃腸炎を起こすロタウイルスより小さい球形のウイルスは従来小型球形ウイルス（Small round virus, SRV）と総称されていた．その中でもオハイオ州 Norwalk で患者便から検出されたウイルスにちなんで，の Norwalk virus と名付けられ，粒子表面に不定形のスパイク構造を持つ一群のウイルスを Norwalk

様ウイルス(SRSV)と呼んでいたが，2003年8月29日にノロウイルスと名称を変更した．小・中規模ノロウイルス食中毒事例では推定原因食品はカキが主因とされているが，大規模事例では，カキ関連事例は少ない．図4に2003～2008年までのノロウイルスの週別検出報告数を示した．ノロウイルスは特に11月後半から12月が検出のピークを示している．毎冬季に多発している小・中規模ノロウイルス食中毒の被害拡大を防止するために，1999年10月1日より，生食用カキの包装容器に採取海域の表示が義務づけられている．

その他のウイルス：A型肝炎ウイルス等がこの分類に示されている．1998年以降その他のウイルスの分類で食中毒統計にのせられているが，発生の報告数は少ない．患者の糞便中に排泄されたウイルスが，食品や飲料水を汚染し，食中毒が発生する．典型的症状は黄疸を伴う急性肝炎であるが，慢性化はしない．小児では不顕性～軽症ですむことが多いが，成人は重症化しやすい．感染症動向調査によれば，男性の感染が多いが，40～64歳の男性では劇症肝炎を発症した数例の報告がある．2002年国外例では，中国での感染が急増している．2002年3－4月にはA型肝炎ウイルスによる食中毒が東京都で2事例報告された．握り寿司や中国産ウチムラサキが推定原因食品であった．A型肝炎ウイルスは潜伏期が約1ヶ月と長く，発症前にウイルスが排泄されるので，原因食が保存されていない，感染経路が特定できないなど状況把握が困難である．調理者は手洗いを徹底して行うなど普段からの衛生管理が必要である．また，加熱して食するものは，食品の中心部まで充分加熱することが重要である．広域に流通する輸入食品では，感染拡大が起きやすい．このため，患者の早期届出と，生産地の当ウイルス肝炎流行状況の情報把握が必要である．

参考資料

厚生労働省ホームページ　食中毒・食品監視関連情報
国立感染症研究所感染情報センター
病原微生物検出情報(IASR)
及び感染症発生動向調査(週報：IDWR)

各論 II
生活習慣病

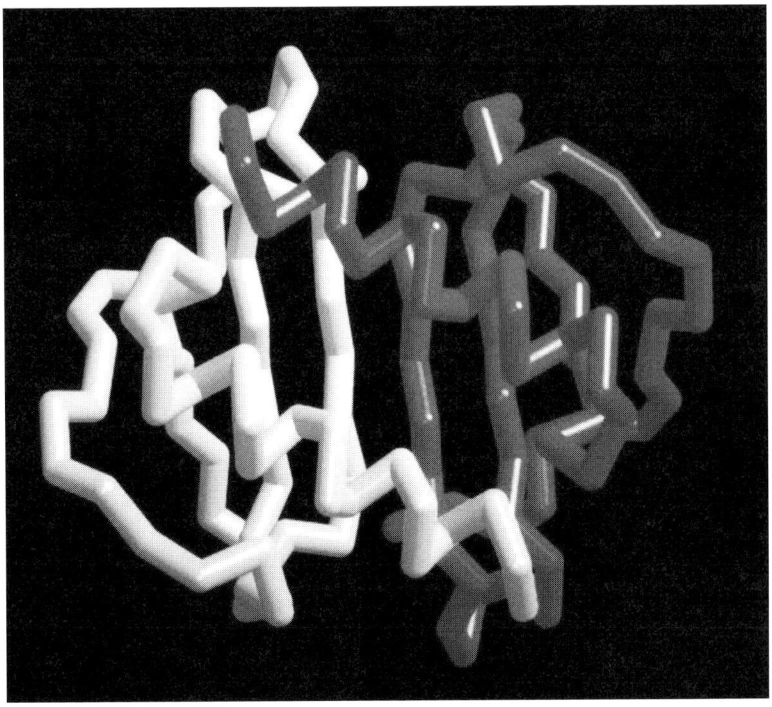

Ⅱ-1 老　化

高知女子大学 健康栄養学部 健康生態学
和田安彦

不老長寿は古代からの人類の長年の夢である．しかし，一般に分裂制限のない1倍体の原核細胞とは異なり，我々を含む2倍体の(有性生殖をもつ多細胞)生物は寿命をもち，死ぬことが運命づけられている．よって，不老不死は無理としても，「PPK（ピンピンコロリ)」すなわち障害期間を出来るだけ短くして，「健康寿命」を延ばしたいというのが，長寿高齢化社会を迎えた人々の理想(successful aging)である．

同じ年齢の老人でも，しわ，体型，姿勢・動作，記憶力などが大分異なり愕然とさせられることがある．それぞれの動物種には固有の寿命があることから，遺伝子によって老化が規定されていることも事実であるが，同じ種の個体間でみると，環境条件により老化の程度が大きく影響を受けることも明らかである．双子あるいは近交系動物の寿命の個体差から推定される，遺伝因子の寿命の長さへの寄与度はわずか25～30%程度とされており[1]，生活習慣を含めた環境要因の大きさが伺える．

人口集団の老化に与える環境要因について見てみると，技術革新による経済発展と共に平均寿命の延びが認められたり[2]，ソビエト連邦崩壊前後の経済の自由化により15歳平均余命が短縮する[3]，といったように社会・経済・心理的影響を敏感に受ける．人口集団の老化過程に影響を与える巨大な環境圧力に比べたら，医療の力は微々たるものである[2]．

わが国は第2次大戦後急速に平均寿命を伸ばし，男女計で世界一(2009年：男79.59年，女86.44年)を(特に医療関係者は)誇っている．しかし，たとえば1970年から1990年までの65歳平均余命の伸び(男3.72年，女4.68年)の中身を見てみると，およそ3分の1は障害期間の延長であった[4]．真に優れた保健医療には(高齢化が進展したとしても)本来，障害期間を短くすることが期待される．国民医療費の44%を占める70歳以上高齢者医療費15.5兆円(2009年度)の有効性に疑問，すなわち「寝たきり」を増やしているのではという疑念を出されても仕方がない．

このようなマクロ的指標で老化を見ると，予防医療の重要性が見えてくる．老化促進(制御)メカニズムと環境要因を解明し，物質的基礎を与えることが，基礎老化学あるいは老化の分子予防環境医学に期待されている．

1. 老化の諸説を理解する上での前提

老化研究をまず二つに分けると考えやすい．第一に，老化の定義の一つに「時間とともに瞬間死亡率[注]」が増加すること」というものがあるが，その死亡率を上げる原因となる生体の各種生理機能の低下やさらには生理機能の破綻である老化関連

[注] 1982年に英国人Gompertzは，死亡率［M(t)］は年齢(t)とともに指数関数的に増加し，Gompertz曲線［$M(t)=\beta\exp(\alpha t)$］［β，出生時初期死亡率；α，年齢特異的加速死亡率］として表されることを発見した．生存曲線はGompertzの分布：$F(t)=\exp\{-\beta/\alpha\ (\exp(\alpha t)-1)\}$となる．図1と付録CD内のシミュレーション参照．

各論Ⅱ

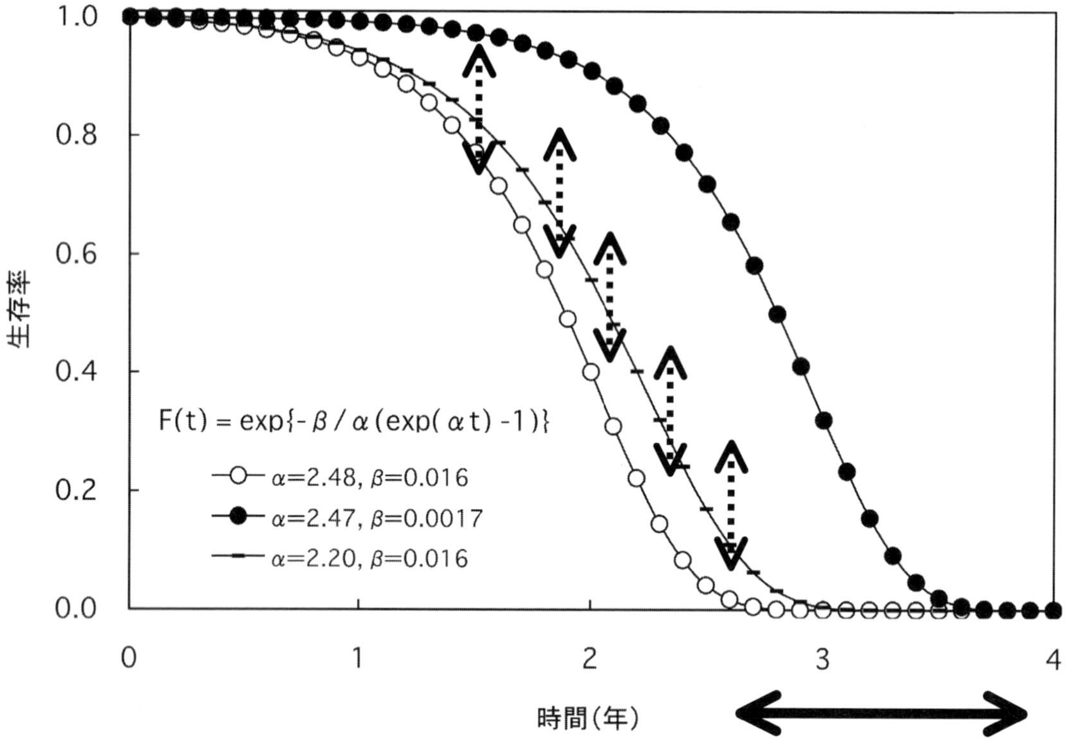

図 1　Gompertz の分布にもとづく生存曲線と老化制御の 2 つの方向性
生存曲線は実際のカロリー制限マウスの生存曲線に同分布を当てはめて描いたもの．カロリー制限群：●，対照群：○，仮想例：−．

疾患(もしくは生活習慣病)発生に共通の，生涯にわたる持続的な要因を探ること，第二番目に，生物の種によって大まかに規定されている寿命，すなわち「最大寿命」を左右する要因について解明するというものである(図 1)．

当然のことながら，常に要因と老化との因果性を考慮する必要がある．すなわち関連が認められたからと言って，単に老化の結果でありマーカーにすぎないものもあれば，交絡による見かけだけの関連である場合もある．さらに，長期時間経過の存在という老化の特異性により，老化の結果がさらに別の老化の原因となることもありうる．

集団における老化の結果としての平均寿命は，動物実験ではまさに生存期間の平均である(世代生命表に基づく平均寿命)．それに対してヒトの集団では，研究者の寿命との関係で「現状生命表に基づく平均寿命」であることが多い．なお「明治時代では人生 50 年」というような表現は，平均寿命とは別の「平均死亡時年齢」を指している可能性が高く，リスク一定かつ人口の定常状態という前提が無い場合は，情報的価値が低い．

実験対象によっては寿命の計り方すら異なる．線虫，ハエ，ヒトなどの多細胞生物の寿命はもちろん個体の生存期間である．単細胞生物の出芽酵母は，母細胞から小さな娘細胞が分裂して“出芽”するが，母細胞が分裂を停止するまでに生み出された娘細胞の個数(出芽痕の数)によって寿命を計る場合(分裂寿命，replicative lifespan)と，非分裂状態での酵母細胞の生存時間を計る場合(経時寿命，chronological lifespan)がある[5]．単細胞動物のゾウリムシは有性生殖のあと，二分裂による無性的な増殖を繰り返したのち死滅するが，これをクローン寿命と呼び，そこまでの分裂回数で寿命を計る．培養正常二倍体細胞の寿命は，細胞の植え継ぎ(継代)を行うなかで，細胞集団の培養液中での増殖が減速し，細胞が死滅するまでに，継代を行うことが出来た回数，あるいはそれまでに細胞集団の数が2倍になることを繰り返した回数（細胞集団の倍加数：population doubling level：PDL）によって計る．

多細胞動物の場合，老化の研究対象レベルが細胞，組織，臓器系，システムとしての個体，個体集団のそれぞれの段階がある．また同じ組織や臓器の中でも対象が細胞以外の構造物か，細胞成分か，さらに細胞成分については再生可能性の程度を知っておくことが重要である．細胞は再生可能性で3種に分類される[6]．(1) Fixed postmitotics（固定性分裂終了細胞群）には神経細胞，筋細胞などが含まれ，成熟後は分裂しない．(2) Reverting postmitotics（可逆性分裂終了細胞群）には肝細胞，尿細管上皮細胞などが含まれ，更新日数は30日以上個体寿命以下である．(3) Intermitotics（増殖性分裂細胞群）には表皮，小腸上皮などが含まれ，更新日数は30日以内である．ヒトの組織はこれらの混合型であるのに対し，線虫，ハエの成虫は生殖細胞を除くほとんどすべての細胞が分裂終了細胞であり，この違いを十分考慮する必要がある．なお，生殖細胞には加齢変化はあるが，生命誕生から受け継がれてきたものと考えると基本的に不死であり，基礎老化研究の対象は主として体細胞ということになる．

また，実験条件，環境条件も当然ながら重要であり，とくに個体内から取り出した細胞を in vitro で培養するような「細胞老化研究」では，個体老化をどの程度反映するのかが，常に議論となる．

さて，どうして，あるいはどのようにして生物は老化して行くのかという老化のセオリーはこれまで多数が提唱されてきたが，大きく2つに分かれる．一方は老化そのものが遺伝的にプログラムされている，とする立場である．もう一つは加齢と共に障害が蓄積し，生体機能が次第に低下していき，死に至る，というものである．以下にその主なものを概説する．

2. 老化研究における重要な現象の発見と老化の諸説

1）細胞寿命起源論

そもそもなぜ生物には死があるのか，という素朴な疑問に進化の観点から答えようとするものがある．「細胞は無限の増殖能を持つのが本来の姿で，進化とともに分裂を抑制する機能を獲得していったと考えられる」という「細胞寿命起源仮説」である[7]．すなわち，真核生物が2倍体化と有性生殖を獲得し多細胞化するとともに，その過程で細胞分裂にブレーキをかける機構が備わり，その進化産物として細胞周期，アポトーシス，不死化等の機構も出来てきた，というものであり，老化の本質を考える上で示唆に富む．

2）細胞老化（分裂寿命：Hayflick limit）という in vitro での現象（限界仮説）

1950年代，ほ乳類の組織から取り出した正常細胞をウシ胎児血清を添加した人工的環境下で培養できるようになったが，Hayflick らは，この培養細胞がある一定の回数分裂増殖を繰り返した後に，増殖を停止し不可逆的な増殖停止状態に入る現象を発見した[8]．細胞分裂に限りはないと信じていた当時の人々にとって彼らの主張は驚きであった．さらに，細胞提供者の年齢とその後の分裂可能回数（PDL）には逆相関がみられ，ウェルナー症候群のような早老症患者由来の細胞は PDL が著しく少ないことなどから，この細胞老化は個体の老化を反映する，と主張した．また，老化は部分的にしろ遺伝的にプログラムされていることを示唆しているとも考えられた．これには反論が数多く出された．すなわち，そもそも分裂に限界が生ずるのは培養条件の不備によるのではないか，個体差が大きく，70歳代の高齢者の皮膚繊維芽細胞でもさらに PDL は30～60程度あるので，個体老化は反映しないのでは，というようなものである．実際，新しい培養条件により，分裂寿命が消失することや，健常人の細胞による再検討により，余命と PDL とに相関が見られないという報告も出され，個体老化の直接の原因としては疑念がもたれることとなった．しかし，近年のガン研究，細胞周期研究，テロメア研究の進歩により，再び重視されるようになった．すなわち，正常細胞においてガン遺伝子の活性化などゲノムに危険な状態が発生した際に，細胞は細胞老化とまったく類似の状態(これを premature senescence と呼ぶ)に誘導され，ガン化を防いでいるという可能性が明らかとなったからである(後述)．

3)細胞老化の染色体末端粒(テロメア)仮説(内因性細胞老化仮説)

テロメアは染色体末端の特異な DNA 配列をもつ構造物である．すなわち TTAGGG の 6 塩基配列を 1 単位とし，ヒトの場合約 2000 単位(約 12kb)の反復配列をもつ．真核細胞の直鎖状の DNA は，その鋳型の 3' 末端の複製が不完全であり，複製の度に短くなっていく．Hayflick の細胞老化のモデルにおいて，実際に調べられた分裂一回あたりのテロメア配列の短縮はヒトでは 50 ～ 200 塩基対である．この不完全な DNA 複製から生命維持に必要な遺伝子をこのテロメアが保護しているらしい，しかし細胞分裂により，いずれこのテロメアが使い尽くされ，ゲノムの不安定化を防ぐため細胞老化のシグナルが発せられるのではないか，というのが細胞老化のテロメア仮説である[9]．これは実際，テロメアの短縮を防ぐ伸長酵素(テロメラーゼ：ヒトでは生殖細胞と幹細胞でのみ発現されている)を強制的に発現させたヒト正常繊維芽細胞は細胞老化を示さなくなる(不死化する)ことから直接証明された[10]．Hayflick の限界を説明する細胞分裂の「回数券」と一時考えられた．

しかし，ヒトの細胞種や培養条件によってはテロメラーゼの強制発現だけでは細胞を不死化できない場合があることが分かってきた．また，齧歯類ではヒトの場合と異なり，正常な体細胞でもテロメラーゼを発現しており，細胞分裂によるテロメア短縮が見られない．それにも関わらず，またテロメア長もヒトの 10 倍程度もあるにのにも関わらず，細胞老化を来すことも示された．これらのことから，テロメア以外の機序でもたらされる細胞老化の存在が分かってきた(外因性細胞老化説：後述)．

一方，テロメラーゼ欠損マウスを用いた実験では，6 世代目になってやっとゲノム不安定性，p53 依存性の細胞死・細胞増殖停止(後述)による細胞不足という悪影響が現れた[11]．このことから，マウスの細胞ではテロメア短縮による細胞老化(すなわちテロメア依存型・内因性細胞老化)は(1 世代の時間経過内では)存在しないと，現在考えられている．

なお，ヒトの疫学調査では，60 歳を対象とした追跡調査により，テロメアの短いヒトほど余命が短いという結果が報告された[12]．しかし，バイオマーカーとしての価値は多くの人が認めるが，やはりテロメア長と余命との間の直接の因果性には疑問が呈されている．

4)遺伝子の拮抗的多面作用(antagonistic pleiotropy)

自然淘汰によって生殖年齢において最適化された遺伝子群も，高齢時では有害に働くことがあり，その場合は自然淘汰が働きにくいので残る可能性がある．老化はその最適化された遺伝子群の副次的産物である，という理論である．

5)ヘテロ保因者の加齢による老化説

未知のものまで含めると何らかの劣性疾患の因子をヘテロの状態でほとんどのヒトが保有していると考えられる．加齢と環境要因が重なるとその影響がでてくる，すなわち老化の原因となる，との考えである[13, 14]．進化論からするとそのような突然変異の存在は，集団における遺伝子の多様性という観点からみて必要なのかもしれない．

以上は，プログラム説の主なものである．次に障害蓄積説としてまとめられる説について述べる．

6)老化のフリーラジカル説

総論 2 で詳しく述べられているように，様々な外因および，炎症や代謝経路等において発生する内因性の活性酸素種が DNA 損傷，タンパク質の変化，脂質膜の過酸化等を引き起こすが，その際修復されないで残った有害影響が加齢と共に蓄積して老化を引き起こすというものである．種々の動物の比較で，組織の抗酸化能の大きさが寿命と相関し，抗酸化能が老化速度を規定するという考えからHarmanによってこの仮説が提唱された[15]．ただしこの場合，因果性の証明は慎重を要する．すなわち，もともと短寿命として遺伝的に決められた種では，抗酸化能が低くても障害の蓄積の程度が生体機能を脅かすまでには至らならないのでは，という批判に答えなければならない．これまでの各種状況証拠から，酸素ラジカルは老化関連疾患を含む老化過程の原因の一つと考えられている．後述のように一酸化窒素NOも含め，外因性細胞老化あるいはストレス反応性老化の重要な要因ともなっている(12)酸化ストレス説の項)．ただし，種の最大寿命を決定するまでの影響力をもつかどうかについては懐疑的な見方が主流である．すなわち，後述するカロリー制限によるマウスの寿命延長効果に寄与する酸化ストレス減少の役割は，比較的小さいことが分かっている[16]．また，最近の活性酸素消去酵素ノックアウトマウスを用いた実験結果でも，酸化ストレス増大にもかかわらずマウスの寿命短縮は認められなかった[17]．ヒトを対象とした「抗酸化サプリメント」の無作為割付試験を多数集めて評価したところ，死亡率の改善は認められず，ベータカロチン，ビタミンA，ビタミンEについてはかえって死亡率の増加が認められた[18]．このように，老化のフリーラジカル説は酸化ストレス説とともにパラダイムの変換が求められている．ましてや安易な「アンチエイジング」ブームは批判されるべきである．

7) 老化の突然変異説

体細胞内のDNAの変化が時間とともに蓄積し遺伝情報が乱れ，それにより細胞機能が変化したり死滅することが老化の原因とするものである．突然変異は修復との動的関係の中で決まり，その蓄積頻度はごく小さく，変異を検出するには敏感な実験系が必要であった．現在，この目的のため大腸菌の遺伝子を組みこまれたマウスの系が確立されている．これによると，臓器あるいはマウスの系統によってその速度は異なるものの，確かに年齢とともに変異が増加する傾向が見られた[19]．しかしどの程度突然変異が蓄積したら障害がでてくるかは未だ不明であり，老化の原因としてどのくらい関与するかの答えは，今後の研究を待つ必要がある．

むしろ，近年テロメアとの関連で重要性が再評価されているのが，染色体突然変異などの染色体不安定性である．ヒトの疫学調査で，染色体変異の一つ姉妹染色体分体交換の頻度とライフスタイルの良否，老化指標との間には有意な関連が示されており，老化のマーカーとして有用である[20]．染色体異常がガンの原因であると同時に，老化の原因でもある可能性は高く，その定量的評価が期待される．

8) 発現遺伝子の活性化と不活化の加齢による弛み(エピジェネティックな変化の老化による影響)

発生・分化の後，個々の成熟細胞の遺伝子発現パターンの大部分は変わらず，安定である．これを担っているのがDNAに結合するタンパク質とDNAのメチル化である．極端な例として，メスの体細胞では，発生の段階で父・母由来のX染色体のうちの一方がランダムに不活化され(Lyonization)，生涯その状態が維持される．このX染色体の不活化が加齢により解除されるかを，X染色体上の遺伝子を用いて調べられた．その結果，報告により結論が分かれた．少なくとも生存に重要なハウスキーピング遺伝子では，安定性が高いと考察されている[21]．

DNAのメチル化は老化によって変化することが明らかにされたが，種や臓器や遺伝子によって傾向が異なり，老化との関連は現在のところ明らかではない．

9) タンパク質合成エラーによる老化のカタストロフィ説

加齢によりタンパク質の合成の正確さが低下すると，アミノ酸配列が異なる異常タンパク質が作られる．タンパク質合成装置自体もタンパク質であるので，さらに異常なタンパク質を合成するようになり，結局悪循環に陥り，最終的に細胞機能の低下と細胞死(破綻)につながる，というのが老化のカタストロフィ説である[22]．アシルtRNA合成酵素とリボゾームの情報伝達の正確さ(fidelity)の加齢変化が詳細に検討された．その結果，いずれも加齢に伴う著しい変化は見られな

各論Ⅱ

かった．このように本説は否定的となったが，加齢にともない異常タンパク質の分解除去能が低下することが明らかになってきたことと，小胞体におけるタンパク高次構造のエラー修復に関する知見の蓄積から，修復の破綻という形で再び，老化の原因の可能性として注目を集めている(後述の小胞体ストレス説の項)．

10）膜老化仮説

個体の老化は環境変化に対して恒常性を維持しにくくなることと考えられ，システムとしての情報伝達の機能不全がその重要な要因であり，その情報伝達機能を担うのが細胞表面あるいは内部の生体膜であるから，その膜の機能低下が個体老化の原因であるとする立場である[23]．加齢にともなう，神経細胞，心筋細胞での Na^+，K^+－ATPase機能の低下と，それによる静止膜電位の深さの減少が報告されているが，その分子機構はほとんど解明されていない[23, 24]．システムとしての個体の老化を説明するため，これからの重要研究課題であると思われる．

以上は，障害蓄積説の主なものだが，最後にプログラム説と障害蓄積説を合わせた，「環境因子によって引き起こされる生体反応が原因となる老化」説としてまとめられるものを述べる．これらは，近年進歩したガン研究や老化関連疾患の研究から大いに影響を受けている．

11）テロメア非依存型細胞老化説（外因性細胞老化説）

2)の限界仮説の項で述べたように，正常細胞においてガン遺伝子の活性化などゲノムに危険な状態が発生した際に，細胞は細胞老化をおこす分裂回数に達していなくとも，細胞老化とまったく類似の外観を示し分裂停止状態になる．しかしそればかりでなく，細胞老化で活性化することで知られている一連の細胞周期停止因子(CDKインヒビターである $p16^{INK4a}$ からRbに至る経路)も上昇することが発見された．この現象はガン抑制機構の一つと推測され，premature senescenceと名付けられた[25]．テロメア非依存型・外因性の細胞老化とも呼ばれる．

3)の細胞老化のテロメア仮説の項で述べたように，テロメアの長いマウス，ラットの細胞では，本項の外因性細胞老化のみが，ガン抑制バリアとして機能するのに対し，ヒトではテロメア依存型(内因性)・非依存型(外因性)の２つのガン抑制機構を発達させたと考えられている．ただし，in vitroでのヒト繊維芽細胞の中には，内因性細胞老化しか示さない，ストレスに強い株も存在することも知られている．

外因性細胞老化は活性型Rasのようなガン遺伝子だけでなく，その他の因子によっても影響を受けることが知られている．すなわち，放射線などのＤＮＡ損傷を起こすもので促進され，染色体リモデリング遺伝子であるBMI-1（発生初期の転写抑制因子），Sirt1（p53などを基質とするNAD依存性脱アセチル化酵素Sirt2ファミリー）などの発現によって逆に外因性細胞老化は抑制される[26]．

12）ストレス応答による老化説（酸化ストレス説）

総論３のストレス応答の章に詳しく述べられているように，ガン抑制遺伝子p53タンパクは外界からの様々なストレスに対する反応の方向性を決める「要」の因子である．そのp53を(結果的に)恒常的に過剰発現させた変異マウス($p53^{+/m}$)には，ガン発生抑制と同時に，寿命短縮と完全な早老症の表現型がもたらされるという報告は，多くの人々，特に老化を研究するものにとって大きな驚きであった[27]．p53を介したガン抑制は，老化の促進という代償を避けて通れないという結論であった．その後，ストレスに反応して発現する完全型p53を追加導入された「スーパーp53マウス」の実験では，ガン抑制のみで老化促進は認められなかった．刺激にのみ反応してp53が発現する場合，副作用が抑えられるのであろう．

現在，ストレス研究で，紫外線，電離放射線，活性酸素種(ROS)など様々なストレスに反応する経路が明らかにされており，その代表的なものがストレス反応性MAPキナーゼのp38である．細胞内のストレスの蓄積あるいは比較的弱い慢性的ストレスに反応し，(in vitroで)細胞老化を引き起こすと考えられている[28]．これが真実であ

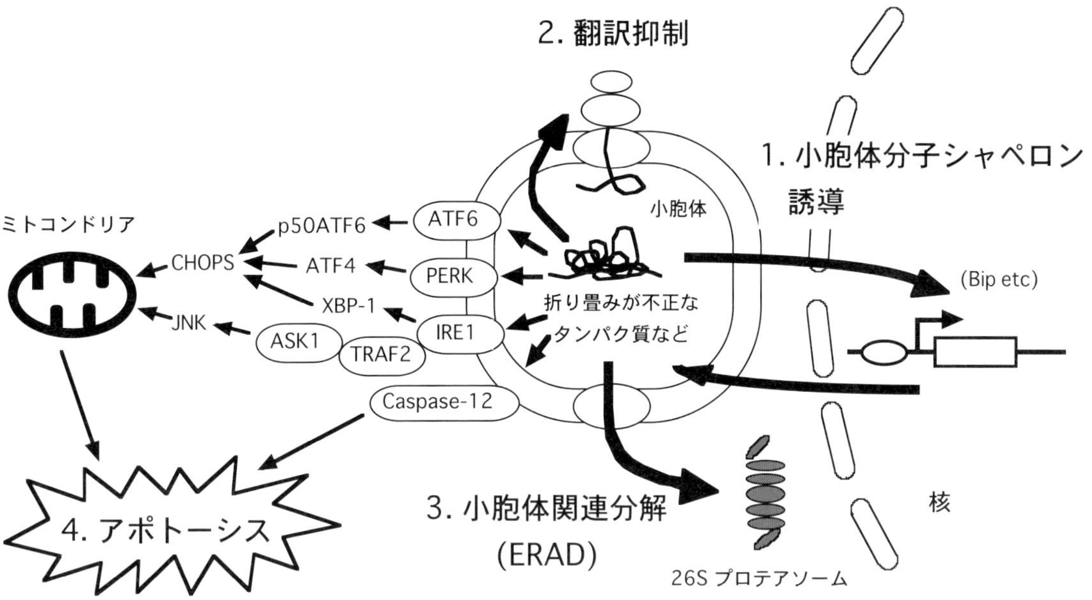

図2 小胞体ストレスに対する4つの応答経路(文献30)の図を改編)

るなら，このp38過剰発現マウス等が，現代社会における慢性的ストレス下の人間のよきモデルである可能性がある．社会心理的ストレスを含めて，さまざまな慢性ストレスが個体老化にどの程度寄与するかの定量的研究が待たれる．

なお，酸化ストレス説と関連して「ホルミシス仮説」がある．ホルミシスとは，高用量では生体に対して毒性を示すストレスが低容量ではかえって有益な効果をもたらす現象のことである．ホルミシス効果を有すると言われるストレスとして放射線，酸化ストレス，アルコールなどがあるが，近年ではカロリー制限や運動もその効果が関与すと考えられている[29]．

13) 小胞体ストレス説

これまでは主として細胞分裂可能な細胞種に当てはまる内容であったが，高度に分化した固定性分裂終了細胞の老化要因についての研究は比較的少ない．本項で述べるのはその中の一つで，近年重要性が認識されている進歩の著しい研究分野である．先に9)の項目で触れたように，異常タンパクの蓄積による「タンパク毒性」が老化の原因ではないかとする立場である．

高齢者や老化関連の神経変性疾患の神経組織では異常タンパクの蓄積が見られることが多いが，これが老化のマーカーではあっても，真の老化原因であるかは別である．しかし，たとえばアミロイドのようなタンパク質凝集体は細胞に対して障害性を持つことが分かり，さらにタンパク質の合成・修飾・折り畳み，輸送，品質管理等に中心的役割をはたす小胞体(endoplasmic reticulum：ER)での異常タンパク質蓄積(ストレス)が小胞体に負荷をかけ，その反応によりアポトーシスが引き起こされることが知られるようになって，老化の原因の可能性として再び注目されつつある．

小胞体ストレスに対する反応は4つが知られている[30]（図2）．1) Bipなどの小胞体分子シャペロンを誘導して小胞体での折り畳み容量を増やし，変性タンパク質の凝集を防止し，修復を行う．2)タンパク質への翻訳を抑制する．3)異常タンパク質を選別しサイトゾルへ戻し，ユビキチン化し，26Sのプロテアソーム(タンパク質分解酵素複合体)により分解する(小胞体関連分解ERAD：ER-associated degradationと呼ばれる)．4)以上によっても対処不能な場合はアポトーシスにより細胞を除去する．アポトーシスの経路の開始は3つの小胞体膜上のストレス伝達物質，すなわちinositol requiring 1（Ire1），RNA-dependent

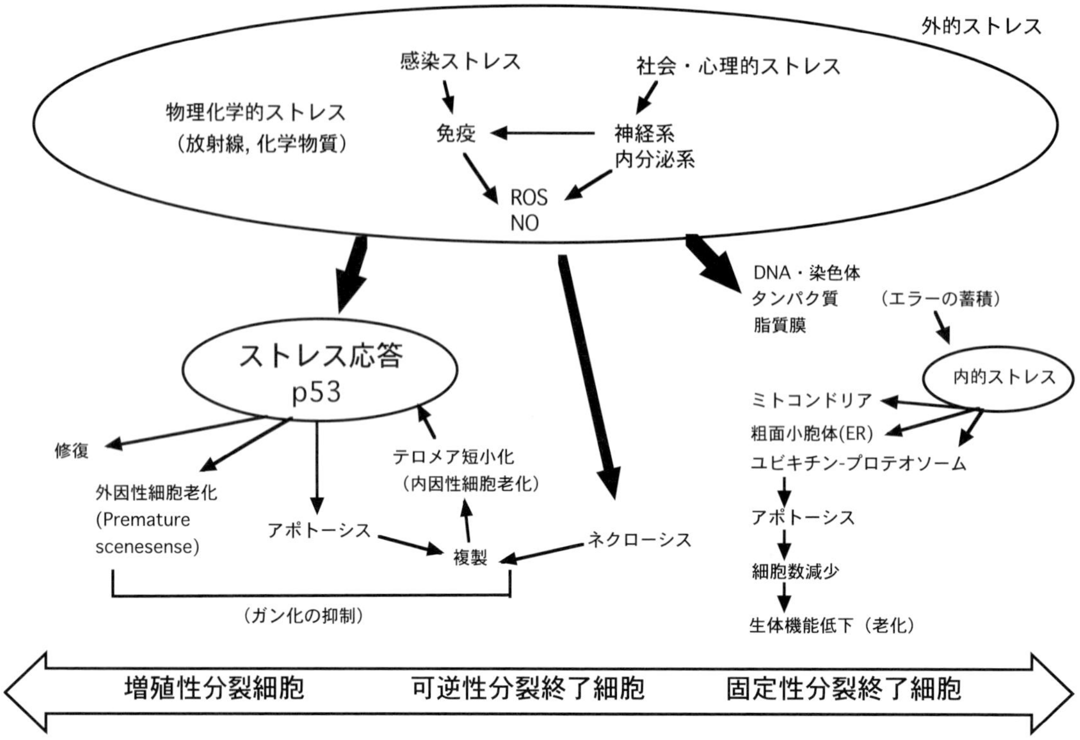

図３　日々の環境撹乱因子（ストレス）に対する生体反応，およびそれらによって引き起こされる老化

protein kinase-like ER kinase（PERK），activating transcription factor 6（ATF6）が知られている．これらからATF4，X-box binding protein 1（XBP1）等を介し，CCAAT/enhancer-binding protein homologous protein（CHOP），Jun N-terminus kinase（JNK：ストレス応答性キナーゼ）等の信号がミトコンドリアに伝わり，アポトーシスにいたる，あるいはCaspasse 12からの経路が知られている．さらに最近は炎症などによって生ずる一酸化窒素NOが小胞体Ca^{++}レベルを下げ，それにより異常タンパクの蓄積が起き，アポトーシスに至るという経路も知られてきた．また，老化にともなうミトコンドリア機能の低下によりラジカルが漏れ出て，細胞の酸化ストレスが増すとともに，ATP産生が減り，エネルギー依存的な小胞体・プロテアソームでのタンパク質品質管理が低下し，アポトーシスが引き起こされるという考えも出されている．

以上の知見は，主としてパーキンソン病などの変性疾患あるいは糖尿病モデルにおける，小胞体が高度に発達した分泌型タンパク質を産生する細胞，すなわち小胞体ストレスに対して脆弱性を持つと考えられる細胞を用いて得られてきたものであるが，アミロイドーシス，アルツハイマー型認知症，プリオン病など異常タンパク質が蓄積する病態に共通するメカニズムとしても注目されている．今後，これら以外の種々の細胞においてどのような環境条件，遺伝的条件でこのようなストレス反応が誘発されるのか，生理的な個体老化においてどの程度これらの機序が関与するか，の検討がなされて行くと思われる．

これまでに述べた，日々の老化促進・寿命短縮圧力による老化のメカニズムをまとめたものが図3である．

3. 老化制御と長寿に関連する遺伝子

老化の速度を介入により人為的に変化させ，その違いが生じるメカニズムを追求することで老化の本質に迫ろうとする研究，もしくは実用的立場からの試みが，古来の不老長寿の薬への夢から始まって，現在に至るまで続けられている．抗酸化物質の投与によって，ある程度の寿命延長が見られたが，それは栄養素不足条件下での病的状況の改善の結果であった，というように，対象や環境条件の違いによる再現性に乏しい．これまでのところ，栄養素サプリメントあるいは薬物による老化遅延の試みはほとんどが失敗に終わっている．遺伝子改変をともなわない，比較的生理的な介入で，酵母から齧歯類まで幅広い生物種にわたり再現性良く，平均寿命のみならず最大寿命の延長が認められ，老化遅延効果があるとされている唯一の方法が，カロリー制限とそれに類似する冬眠である．

一方，1980年代後半から酵母，線虫，ハエ，マウスなどのモデル動物で種々の「長寿変異体」が同定された．それらの多くが栄養条件に代表される環境の悪化を感知して何らかの生体適応を行う（その結果，長寿となる）ためのシグナル伝達経路上の遺伝子であった．しかも，その経路は概ね進化的に保存されたものであることが明らかにされた[31]．このことは，真核生物において老化が遺伝的に制御された生理現象であることを意味する．また，これらの一連の老化遺伝学研究ではカロリー制限（食餌制限）の手法も用いられ，これによりカロリー制限による寿命延長メカニズのみならず，老化の分子レベルでの理解が飛躍的に進展した．

1）カロリー制限（食餌制限）

恒温動物における摂食量の制限と長寿命との関連が認識されたのは，20世紀初めころからで，餌の少ない家畜の寿命が長いという観察から始まる．1930年代に初めてラットを用いた動物実験での寿命延長効果の報告がされ，腫瘍発生抑制によると考えられた．その後，肥満が社会問題となった1970年代の米国で，飼育栄養条件等を調えた本格的な研究が再開された．その結果，食餌制限の効果は個々の栄養素の多少とは関係せず，総摂取エネルギーの減少にのみよることが判明し，カロリー制限（エネルギー制限）と呼ばれるようになった[注1)]．さらに，作用機序の本質は，腫瘍抑制だけでなく，むしろ老化の速度自体の遅延であるとの認識が広まった．事実，齧歯類において腫瘍以外の多くの老化関連疾患の発症を遅延・抑制し，しかも自己免疫疾患モデルマウスやわが国で開発された老化モデルである老化促進マウス（SAM）の病態ないし老化をも抑制し[32]，結果的に寿命を延長した．制限開始時期が，生殖可能な週齢，成熟後の月齢のいずれであっても老化遅延が認められる．

一方，不利かもしれない点として生殖能力の低下と体温低下がある．マウスを1日1回の給餌で飼育した場合，日周性に体温が外気温近くまで低下し，給餌時間の数時間前から体温が上昇することを繰り返す（仮性冬眠）（図4）．この体温低下が起きないように30℃環境下[注2)]で飼育すると，通常の22℃飼育のカロリー制限群に比べて摂取カロリーが更に少ないのにも関わらず，寿命延長効果が縮小した[16]（図5）．このことからカロリー制限による寿命延長のメカニズムとして，体温低下に関連した何らかの生体適応現象（生存モードへの遷移）が，低い摂取カロリー自体よりも本質的であることが判明した．しかも，心拍数と体温低下の関係を見ると，心拍数の変化が体温変化に先行して起こっていることから（図4，右），生体が何らかの積極的な生体適応をしていることも示唆された．このことは，自由摂取と飢餓とを繰り返す断続的飢餓において，期間トータルの摂取カロリーがほとんど低下しないのにも関わらず，マウスの寿命延長効果が認められたという最近の報告とも一致する[33]．すなわち，栄養環境の悪化に対する生体反応が重要と考えられる．更にこれらの事実から，カロリー制限の老化抑制効果に寄与する，代謝レベルの減少と酸化的ストレスの

注1) 齧歯類での制限は自由摂取の80～40％程度のカロリー投与で行うことが多い．ここで示した実験は40％で行ない，対照群は自由摂取の80％（制限群の半分）とした．制限群の体重は対照群の半分程度となった．

注2) マウスにとって最も熱産生の必要が少ないthrmoneutral zoneの環境である．従って摂取カロリーを22℃の場合よりさらに下げて，同程度の体重になるようにした．酸化的ストレス指標は22℃の制限群と同等かむしろ低かった．

各論Ⅱ

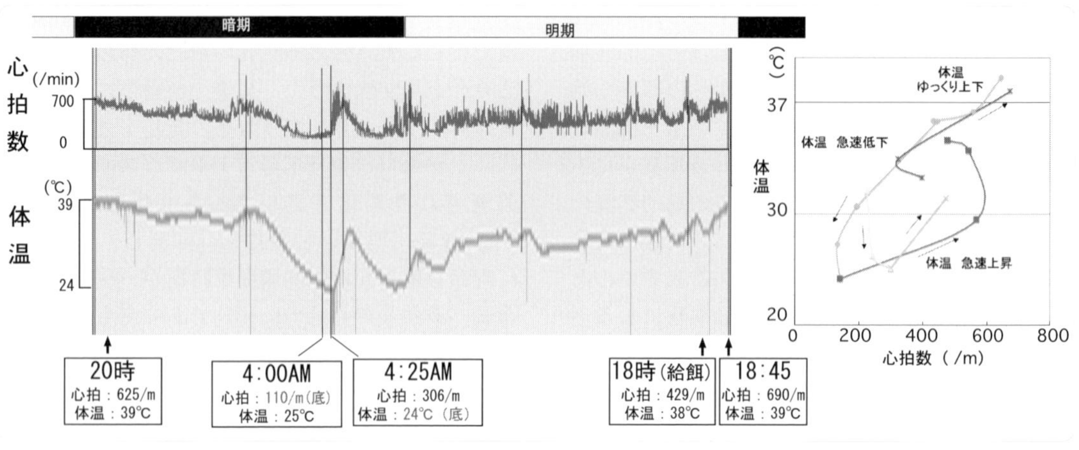

図４　カロリー制限マウスの体温・心拍数の日内変動(典型例の１日：左)と，心拍数の変化が体温より先行するヒステリシス的関係(右)
マウス腹腔内の温度心電図テレメーターによる，無拘束での長時間記録.

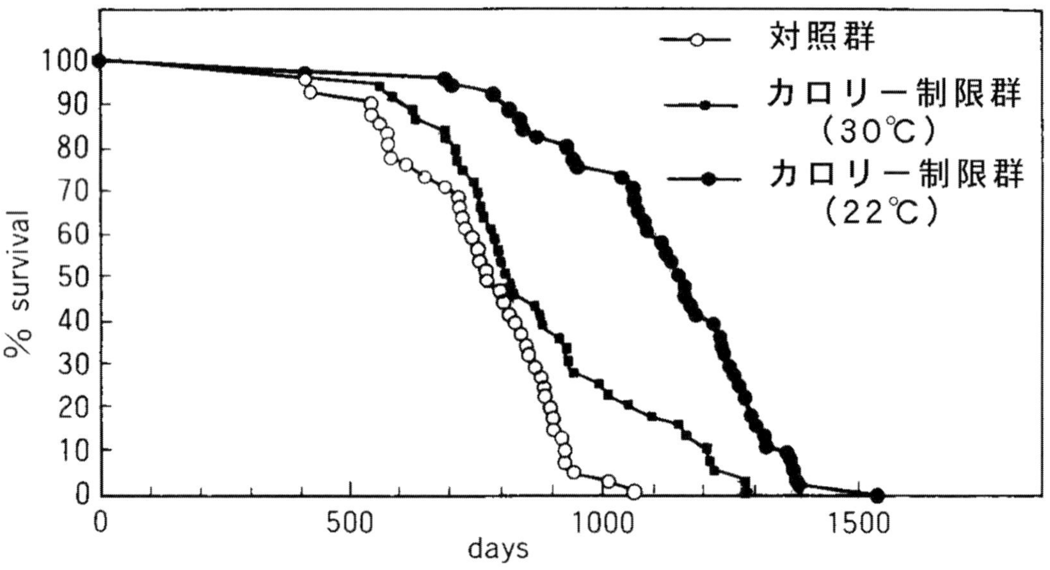

図５　マウスの生存曲線に与えるカロリー制限と環境温度の影響
対照群：407kj/week,　カロリー制限群(30℃)：175kj/week,
カロリー制限群(22℃)：235kj/week.

低下の役割は，比較的小さいと考えられる.

2)長寿関連遺伝子とカロリー制限との関連および分子機構

齧歯類でのカロリー制限による寿命延長効果は数十％に留まるが，酵母，線虫，ハエの寿命延長は２～３倍にものぼり，栄養条件の悪化のみならず，温熱ストレス，酸化ストレスなどの環境変化に大きく反応する．比較的生体反応機構が単純なことや寿命が短いこともあり，これらは老化研究のモデル動物として使われてきた．これらの「長寿変異体」がカロリー制限を受けた際に寿命の更なる延長が見られない場合，かつその遺伝子発現がカロリー制限によって高まる場合は，その遺伝

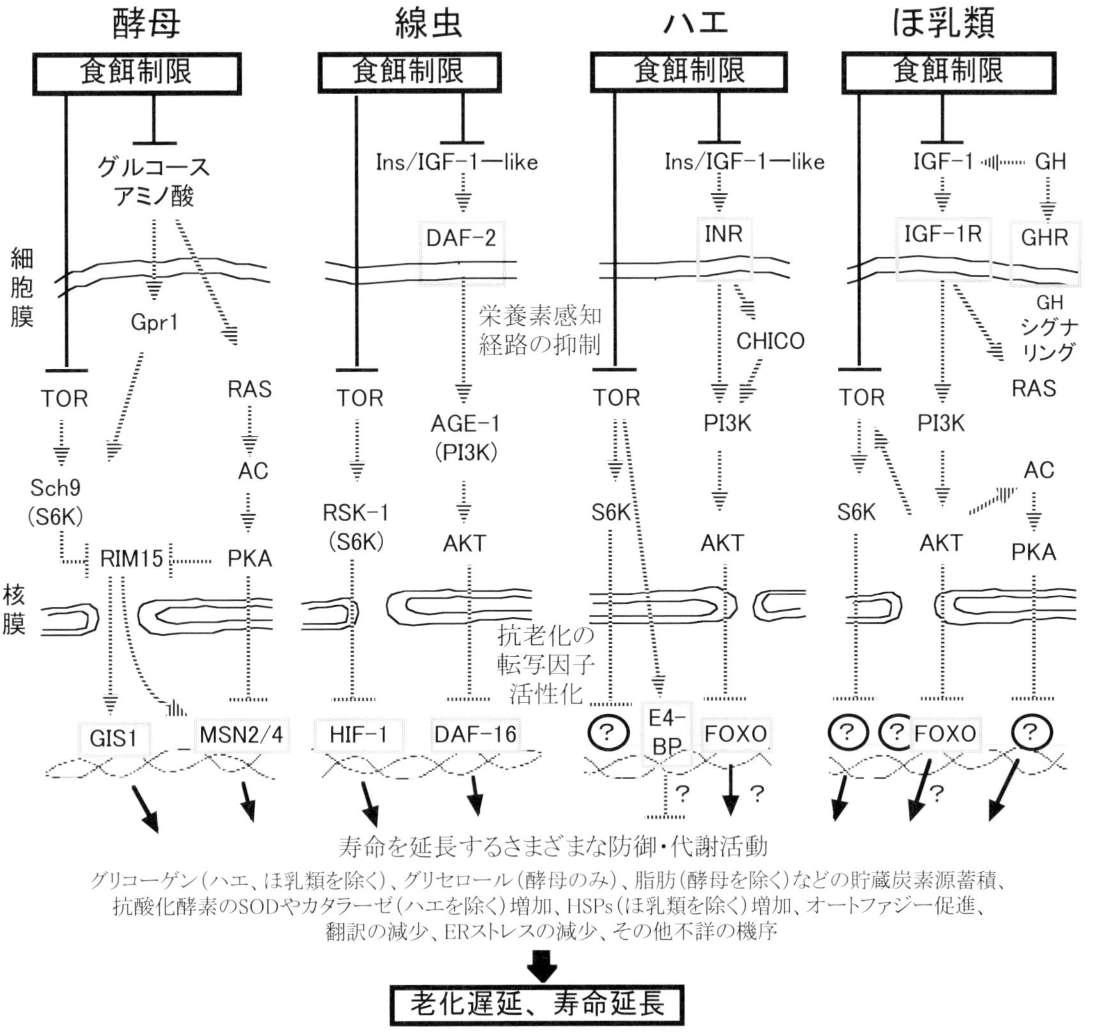

図６　種々の動物種間で保存された，寿命を制御する栄養素感知経路の想定図（文献34）の図を改編）

子が老化を制御している可能性が高いと考えられる．このような方法を用いて1990年代から老化制御のシグナル伝達経路が明らかにされてきた[5, 34, 35]．

カロリー制限下の齧歯類やサルでは空腹時血糖値，インスリン値とともにinsulin-like growth factor I（IGF-I）が低下する．これらおよび下流のシグナル系であるinsulin receptor substrate（IRS），phosphatidylinositol-3 kinase（PI3K），Akt（protein kinase B），核内のforkheadファミリーの転写因子（DAF-16，FOXOなど）は概ね進化的に保存されているが，最近このインスリン／IGF-Iシグナル伝達系が進化的に老化の制御に重要な役割を果たしていることが明らかになってきた．すなわち，線虫やハエで，この伝達系のレベルを低下させる遺伝子変異は，寿命を延長させる効果を持つ．またマウスにおいてもこの伝達経路最下流の詳細はまだ不明だが，成長ホルモン-IGF-I系の異常（低下）が，寿命延長をもたらすことが見いだされた[31]．（図6）最近，ヒトにおいてもこの経路上の遺伝子（*FOXO3A*など）の変異と寿命との関連が，複数のコホートもしくは百寿者を用いた疫学研究で明らかにされた[35, 36, 37]．

近年，酵母においてカロリー制限による寿命延長効果に関連する制御因子Sir2（silent information regulator 2）が見つかった．すなわちこの遺伝子*SIR2*に変異があるとカロリー制限の効果が消失することが分かった．またこの*SIR2*を1コピー余分にもつ酵母は長寿命変異体となる．このSir2はNAD-dependent histone deacetylase活性を示すことから，NAD（nicotinamide adenine dinucleotide）に表される細胞内のエネルギー状態を感知するセンサーとして働き，その信号をゲノム制御へ変換する役割をもつと想定されている．すなわち，利用可能なNADのレベルに従って脱アセチル化酵素の活性を変え，クロマチン構造の活性・不活性のレベルを変えることにより，テロメア領域やリボゾームDNA領域における転写抑制（silencing）の状態を調節し，これが老化速度に関連すると考えられている．さらに，酵母とは全くかけ離れた生物の線虫においても，Sir2のオルソログ[注]である*sir2.1*を強制発現させた場合，長寿命となり，さらにこのSir2の効果がインスリン／IGF-Iシグナル伝達系を介するものであることも判明した．ほ乳類においても酵母のSir2類似のファミリー（Sirt1など）が発見され，進化的に保存された形でSir2がグルコース代謝調節系と老化速度とを結びつけている可能性が出てきた[38]．現在，このタンパク質はsartuinと総称され研究が進められているが，ほ乳類における役割は複雑で，今後の発展が待たれる．

最近，酵母，線虫，ハエ，齧歯類のモデル動物全てで保存されているTOR（target of rapamycin）シグナリング経路の，老化制御に果たす役割の詳細が明らかになってきた．TOR kinaseは主要なアミノ酸・栄養素のセンサーであり，食餌が豊富なとき，成長を促進するとともにオートファジーなどの解体・回収経路を抑制する．この経路の抑制により酵母からマウスまでの幅広い種で寿命が延長する[39]．TOR kinaseはリボゾームのS6 kinase（S6K）を活性化することによりタンパク質への翻訳を促進するが，このS6Kの抑制によってもモデル動物の寿命が延長することが判明している．その経路の下流にはセリン・スレオニンキナーゼであるRIM15や転写因子のGIS1，HIF-1，翻訳抑制因子の4E-BPなどが関与している（図6）．この経路は他の栄養素感知経路と比べ，食餌制限との関連性が一貫して最も強い．

酵母とマウスで共通する経路として，（Ras），adenylate cyclase（AC），protein kinese A（PKA）がある．type 5 adenylate cyclase（AC5）を壊されたマウスでは酵母と同様，ストレス耐性が高まり寿命が延長することが確かめられている．酵母では転写因子のMSN2，MSN4の関与が知られているが，マウスでは関与する転写因子の詳細は不明である（図6）．

AMP kinase（AMPK）は栄養素とエネルギーのセンサーであり，細胞内のAMP/ATP比の上昇を感知すると異化作用を活性化し，同化作用を抑制する．線虫でのAMPKの過剰発現は寿命を延長し，AMPK活性を上げることが知られている糖尿病薬metforminをマウスに投与するとその寿命が延長する．線虫に対し食餌制限を中年以降に開始すると，AMPKとおそらくDAF-16の活性化を介して寿命が延長する[35]．

以上のような栄養を感知する種々の経路のうちどれが老化制御に関与するかは，食餌制限の仕方（カロリー制限か断続的飢餓か）や開始時期（年齢）によって異なることと，複雑な経路同士の微妙なバランスによって老化が制御されていることが明らかになってきており，薬物等による安易な介入の危険性も懸念されている[40]．また，ほ乳類のように複雑な動物では特有の老化制御機構についても考慮する必要がある．例えば，前述のようなカロリー制限マウスの体温と心拍数の関係（図4）から，心臓を介する神経内分泌系による全身制御メカニズムの存在が想定される．冬眠との関連も含めて，全身システムに関する研究も望まれる．

ヒトでのカロリー制限による抗老化作用の可能性について知るため，霊長類を用いた研究が1980年代後半から始められた．30%のカロリー制限を大人のサルに20年間続けた結果，がんや循環器疾患の発症が半減し，糖尿病，加齢に伴う免疫力低下，筋肉萎縮，脳萎縮などが抑制され，低い死亡率（おそらく平均寿命は延長）であった．ただし，最大寿命延長を確認するためには更に十数年が必要である[41]．またヒトでのコホート調

[注] 種間で相同遺伝子を比較するときにオルソログorthologと呼ぶ．

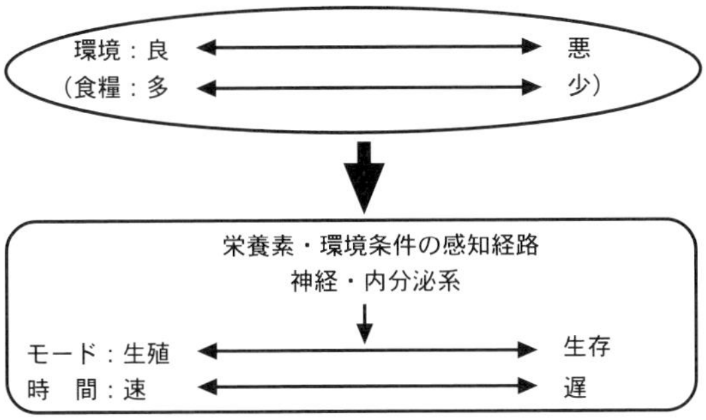

図７　環境変化に応じた，生物学的時間軸の調節による生命存続のための最適化

査で，（カロリー制限の有無は不明だが）カロリー制限マーカーの一つである低体温を有する群は，対照群に比して生存率の高いことも示されている[42]．これらのことからヒトでの効果も期待されている．

酵母，線虫，ハエなどのモデルを用いた寿命関連遺伝子の研究の発展は，野生環境下のほとんどを占める栄養素不足の過酷な条件を再現した実験によってもたらされた[5]．カロリー制限の研究成果とあわせて見ると，進化の過程で生物が獲得してきた生命存続のための最適化戦略としての，環境変化に応じた寿命調整という考えが浮かび上がってくる（図７）．環境が悪く食糧が乏しいときは生殖よりも個体の生存を優先し，生物学的時間経過を遅らせて環境改善の機会を待ち（生存モード），その時がやってきたら豊富な食糧により子孫をたくさん育てることにより生命の連続性を確保する（生殖モード），というものである．

老化制御の研究は，進化の大きな視点から，限りある資源環境の中に生きる生物としての人間の本来のあり方を教えてくれているのではないか．

4. おわりに

老化研究の流れを振り返ってみると，ここ20年間の老化の遺伝学の発展に伴う分子機構の解明により，老化は単に外因によるエラー蓄積の結果ではなく，環境と生体の相互作用，すなわち攪乱に対する生体反応の結果でもあることが理解されてきた．すなわち，老化が偶然に左右される予測可能性の低い過程という理解から，内因と外因の相互作用からある程度予測可能，すなわち制御可能な過程であるという認識へと変わった．このように老化学は他の分野と合わさって進歩してきた．

逆に，老化学も他の分野を統合するプラットフォームとしての役割を担っている．すなわち，複雑な個々の生体現象の積み重ねの結果が寿命にどう反映されるかを見る，あるいはin vitroの研究で得られた知見を，個体寿命という観点から捉え直す．これにより因果関係がより明確になると考えられる．今後，個々の加齢現象を個体あるいは生物集団（生態系）の中のシステムとして統合することにより，老化の本質の理解が深まるものと思われる．

参考文献

1. Finch CE, Tanzi RE：Genetics of aging. Science 278：407-411, 1997.
2. Thomas McKeown, The role of medicine：dream, mirage or nemesis?：Blackwell, Oxford, 1979.
3. Bobak M, Marmot M East-West mortality divide and its potential explanations：proposed research agenda. BMJ 312：421-425, 1996.
4. Tsuji I, Minami Y, Fukao A, Hisamichi S, Asano H, Sato M：Active life expectancy among elderly Japanese. J Gerontol A Biol Sci Med Sci 50：M173-176, 1995.
5. Fabrizio P, Longo VD：酵母における経時老化研究から進化医学へ. 実験医学 23：2880-2889, 2005.
6. Cameron IL, Thrasher JD：Interdisciplinary Topics Gerontology, Vol. 10, Karger, Basel, 1976, pp.108-129.
7. Takagi Y：Clonal life cycle of Paramecium in the context of evolutionally aquired mortality. Macieira-Coelho A (ed.) In Immortalization, Splinger-Verlag, Berlin, 1999, pp.81-101.
8. Hayflick L, Moorhead PS：The limited in vitro lifetime of human diploid cell strains. Exp Cell Res 25：585-621, 1961.
9. Harley CB：Telomere loss：mitotic clock or genetic time bomb? Mutat Res 256：271-282, 1991.
10. Bodnar AG, Ouellette M, Frolkis M, Holt SE, Chiu CP, Morin GB, Harley CB, Shay JW, Lichtsteiner S, Wright WE：Extension of life-span by introduction of telomerase into normal human cells. Science 279：349-352, 1998.
11. Blasco MA, Lee HW, Hande MP, Samper E, Lansdorp PM, DePinho RA, Greider CW：Telomere shortening and tumor formation by mouse cells lacking telomerase RNA. Cell 91：25-34, 1997.
12. Cawthon RM, Smith KR, O'Brien E, Sivatchenko A,

各論Ⅱ

Kerber RA：Association between telomere length in blood and mortality in people aged 60 years or older. Lancet 361：393-395, 2003.
13. Koizumi A, Nozaki J, Ohura T, Kayo T, Wada Y, Nezu J, Ohashi R, Tamai I, Shoji Y, Takada G, Kibira S, Matsuishi T, Tsuji A：Genetic epidemiology of the carnitine transporter *OCTN2* gene in a Japanese population and phenotypic characterization in Japanese pedigrees with primary systemic carnitine deficiency. Hum Mol Genet 8：2247-2254, 1999.
14. Xiaofei E, Wada Y, Dakeishi M, Hirasawa F, Murata K, Masuda H, Sugiyama T, Nikaido H, Koizumi A：Age-associated cardiomyopathy in heterozygous carrier mice of a pathological mutation of carnitine transporter gene, *OCTN2*. J Gerontol A Biol Sci Med Sci 57：B270-278, 2002.
15. Harman D：Aging：a theory based on free radical and radiation chemistry. J Gerontol 2：298-300, 1956.
16. Koizumi A, Wada Y, Tuskada M, Kayo T, Naruse M, Horiuchi K, Mogi T, Yoshioka M, Sasaki M, Miyamaura Y, Abe T, Ohtomo K, Walford RL：A tumor preventive effect of dietary restriction is antagonized by a high housing temperature through deprivation of torpor. Mech Ageing Dev 92：67-82, 1996.
17. Zhang Y, Ikeno Y, Qi W, Chaudhuri A, Li Y, Bokov A, Thorpe SR, Baynes JW, Epstein C, Richardson A, Van Remmen H：Mice deficient in both Mn superoxide dismutase and glutathione peroxidase-1 have increased oxidative damage and a greater incidence of pathology but no reduction in longevity. J Gerontol A Biol Sci Med Sci. 64：1212-20, 2009.
18. Bjelakovic G, Nikolova D, Gluud LL, Simonetti RG, Gluud C：Mortality in randomized trials of antioxidant supplements for primary and secondary prevention：systematic review and meta-analysis. JAMA 297：842-57, 2007.
19. 小野哲也：老化の突然変異説の現状．基礎老化研究 27：23-38, 2003.
20. Morimoto K, Miura K, Kaneko T, Iijima K, Sato M, Koizumi A：Human health situation and chromosome alterations：sister chromatid exchange frequency in lymphocytes from passive smokers and patients with hereditary diseases. Basic Life Sci 29：801-811, 1984.
21. Tsukada M, Wada Y, Hamade N, Masuda H, Koizumi A：Stable Lyonization of X-linked *pgk-1* gene during in normal tissues and tumors of mice carrying Searle's translocation. J Gerontol 46：213-216, 1991.
22. 後藤佐多良，高橋良哉：タンパク質の加齢変化，折茂肇ら編，新老年学第2版：東京大学出版会，東京，1999，pp.22-31.
23. Tanaka Y, Ando S：Synaptic aging as revealed by changes in membrane potential and decreased activity of Na^{+},K^{+}-ATPase. Brain Res 506：46-52, 1990.
24. Wada Y, Shinbo A, Tsukada M, Iijima T, Koizumi A：Electrophysiological evidence of an increase in cold tolerance of cardiac muscles in mice after energy restriction. Mech Ageing Dev 97：35-43, 1997.
25. Serrano M, Lin AW, McCurrach ME, Beach D, Lowe SW：Oncogenic *ras* provokes premature cell senescence associated with accumulation of p53 and $p16^{INK4a}$. Cell 88：593-602, 1997.
26. 板鼻康至：ヒトとマウスの内因性および外因性細胞老化．実験医学 21：780-786, 2003.
27. Tyner SD, Venkatachalam S, Choi J, Jones S, Ghebranious N, Igelmann H, Lu X, Soron G, Cooper B, Brayton C, Hee Park S, Thompson T, Karsenty G, Bradley A, Donehower LA：p53 mutant mice that display early ageing-associated phenotypes. Nature 415：45-53, 2002.
28. 石川冬木：細胞老化の適応的な側面．実験医学 21：762-768, 2003.
29. 伊藤雅史，野澤義則：ファイトケミカルと細胞シグナル伝達――ホルミシス，ゼノホルミシス仮説からみた考察．基礎老化研究 33：9-12, 2009.
30. Araki E, Oyadomari S, Mori M：Endoplasmic reticulum stress and diabetes mellitus. Intern Med 42：7-14, 2003.
31. Tatar M, Bartke A, Antebi A：The endocrine regulation of aging by insulin-like signals. Science 299：1346-1351, 2003.
32. Kohno A, Yonezu T, Matsushita M, Irino M, Higuchi K, Higuchi K, Takeshita S, Hosokawa M, Takeda T：Chronic food restriction modulates the advance of senescence in the senescence accelerated mouse（SAM）. J Nutr 115：1259-66, 1985.
33. Anson RM, Jones B, de Cabo R：The diet restriction paradigm：a brief review of the effects of every-other-day feeding. Age 27：17-25, 2005.
34. Fontana L, Partridge L, Longo VD：Extending healthy life span -- from yeast to humans. Science 328：321-6, 2010.
35. Kenyon CJ：The genetics of ageing. Nature 464：504-12, 2010.
36. Willcox BJ, Donlon TA, He Q, Chen R, Grove JS, Yano K, Masaki KH, Willcox DC, Rodriguez B, Curb JD：FOXO3A genotype is strongly associated with human longevity. Proc Natl Acad Sci U S A 105：13987-92, 2008.
37. Flachsbart F, Caliebe A, Kleindorp R, Blanché H, von Eller-Eberstein H, Nikolaus S, Schreiber S, Nebel A：Association of FOXO3A variation with human longevity confirmed in German centenarians. Proc Natl Acad Sci U S A 106：2700-5, 2009.
38. Bitterman KJ, Anderson RM, Cohen HY, Latorre-Esteves M, Sinclair DA：Inhibition of silencing and accelerated aging by nicotinamide, a putative negative regulator of yeast sir2 and human SIRT1. J Biol Chem 277：45099-45107, 2002.
39. Harrison DE, Strong R, Sharp ZD, Nelson JF, Astle CM, Flurkey K, Nadon NL, Wilkinson JE, Frenkel K, Carter CS, Pahor M, Javors MA, Fernandez E, Miller RA：Rapamycin fed late in life extends lifespan in genetically heterogeneous mice. Nature 460：392-5, 2009.

40. Honjoh S, Yamamoto T, Uno M, Nishida E : Signalling through RHEB-1 mediates intermittent fasting-induced longevity in *C. elegans*. Nature 457 : 726-30, 2009.
41. Colman RJ, Anderson RM, Johnson SC, Kastman EK, Kosmatka KJ, Beasley TM, Allison DB, Cruzen C, Simmons HA, Kemnitz JW, Weindruch R : Caloric restriction delays disease onset and mortality in rhesus monkeys. Science 325 : 201-4, 2009.
42. Roth GS, Lane MA, Ingram DK, Mattison JA, Elahi D, Tobin JD, Muller D, Metter EJ : Biomarkers of caloric restriction may predict longevity in humans. Science 297 : 811, 2002.

Ⅱ-2　喫煙と生活習慣病

国立がん研究センターがん対策情報センターがん情報・統計部
雑賀公美子，祖父江友孝

はじめに

たばこは南米を中心として宗教的に用いられる薬草であったが，新大陸発見後16世紀に欧州に持ち込まれ，嗜好品として広がった．その後19世紀から20世紀にかけて，機械工業の発達により，紙巻たばこの大量生産が始まり，その税収が社会の発達段階において非常に大きな財源となった．また，戦争において兵士の間で喫煙習慣が広まったことによって，今日まで続く流行が始まった．

たばこの健康影響については，たばこが欧州に持ち込まれた頃からすでに議論があった．現在ではたばこの健康影響に対し疑念をもつ人は少なく，能動喫煙の影響だけでなく，禁煙の効果や環境たばこ煙による室内空気汚染・受動喫煙や禁煙支援のアプローチなどたばこに関する様々なテーマについて研究されており，ガイドラインなども作成されている．

慢性の経過をたどるがん・循環器系疾患は，日本では戦後の復興につれて公衆衛生上の問題となり，現在では，がん死亡は全死亡の約3割，脳血管疾患や心疾患による死亡も全死亡の約3割を占めている[1]．生活習慣の改善により，疾病の発生や進行を防ぐ一次予防のための具体的な施策が，日本の健康日本21や健康増進法などにおいて整備，実施されつつある．特に喫煙は改善可能な生活習慣の代表であり，疾病の発生および進行に強く関連している．欧米では早くから喫煙対策が進められ，喫煙者割合の減少，肺がんをはじめとした喫煙関連の疾患の減少が確認されている．

しかし一方，喫煙習慣はその普遍性と歴史的・社会的背景の特殊ゆえに喫煙対策の難しさが指摘される．社会的背景を考慮し，世界における将来の喫煙による負荷を軽減するべく，締約国が自国において実施するたばこの規制のための措置に関する枠組みを提供することにより，喫煙対策を総合的に進めるため，世界保健機構（World Health Organization：WHO）によるたばこ規制枠組条約（Framework Convention on Tobacco Control：FCTC）が2003年に採択され，2005年に発効した．締約国は，たばこ消費の削減のため，広告および販売への規制や密輸対策が求められる．2009年時点では168カ国が締約国であり，日本もその一つである．

1．たばこ・喫煙状況の動向（図1）

厚生労働省の国民健康・栄養調査[2]では，毎年成人喫煙率の調査をおこなっている．成人男性の平均喫煙率は1985年では59.7%であったのが，減少傾向を示し，2008年には，36.8%となった．女性は男性ほどの変化は見られず，2008年の平均喫煙率は9.1%である．年齢階級別では，2008年の男性では40歳代が51.9%，30歳代が48.6%と高い．女性の喫煙率は，30歳代で18.0%，20歳代で14.3%と，若年層で高い．また，日本たばこ協会の報告[3]によると，紙巻きたばこの総販売本数は，戦中戦後に一時的に販売本数が少ない時

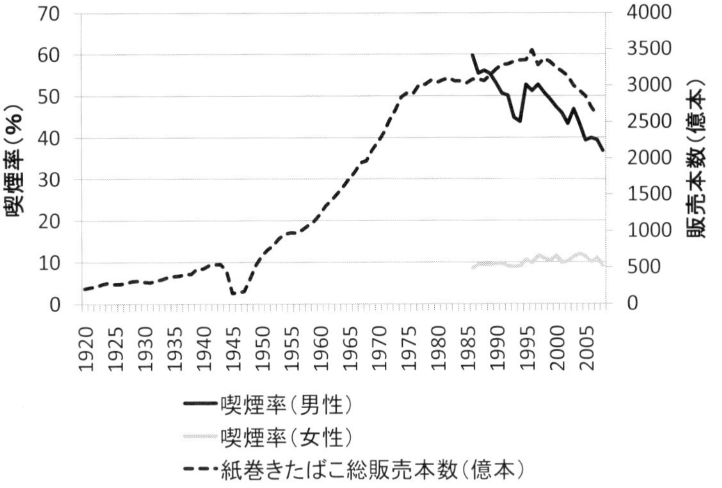

図1　喫煙率およびたばこ販売本数の推移
出典：厚生労働省　国民健康・栄養調査
社団法人　日本たばこ協会

期があるが，1970年代半ばまでに急激に増加した．しかし，男性の喫煙率の低下に従い，1990年代後半から減少傾向を示し，2009年の総販売本数は2,339億本であった．

2. 喫煙と関連する生活習慣病(表1)

がん，脳卒中，心疾患は40歳前後から死亡率が増加し，全死因の中でも上位を占め，40～60歳くらいの働き盛りに多い疾患として，1957年に厚生省の成人病予防対策協議連絡会で，「成人病」と定義された．これら三大成人病は，喫煙，飲酒をはじめ食事，運動という生活習慣との関連が深く，また生活習慣の改善により予防が可能である．三大成人病と関連する高血圧，糖尿病，高脂血症も生活習慣と深く関与しており，患者数も増えていることなどから，生活習慣の改善により，これらの疾患にかからないようにする一次予防がさらに重視されるようになった．1996年厚生省の公衆衛生審議会成人病難病対策部会において「生活習慣病」という言葉と概念が導入され，健康日本21および健康増進法へと続く法整備により，生活習慣と慢性疾患とを中心にした日本の保健政策の方向性が示された．

喫煙と生活習慣病の関連については，さまざまな研究が行われてきた．米国における1964年のSurgron General報告[4]は，世界で最初のたばこキャンペーンのきっかけとなったものであり，報告の中では，たばこが健康に対して有害であり，喫煙者が非喫煙者よりも死亡率が高く，肺がんのリスクが高いこと，喫煙が慢性気管支炎の主なリスク要因であることや，喫煙と肺気腫や冠動脈性心疾患との関連が示されている．また，喫煙期間が長いとリスクが上昇することや，禁煙によるリスクの低下についても示唆されている．Surgeon General報告は，その後も定期的に出版され，2006年の最新版までに，十分な根拠のもと喫煙と関連があるとされた疾患がまとめられてきた[5][6]．また，喫煙とがんとの関連については国際がん研究機関(International Agency for Research on Cancer：IARC)がたばこの煙の発がん性について評価を行っている[7]．表1に喫煙が十分な根拠のもと因果関係があると認められた疾患および症状を示した．

3. 喫煙と関連のある疾患の動向(図2)

図2に1995～2008年の全死亡，悪性新生物(がん)，肺がん，心疾患，脳血管疾患，肺炎，慢

表1　喫煙と因果関係のある疾患

	能動喫煙				受動喫煙
	Surgeon General	IARC	母親の喫煙	若年での喫煙	
がん					○（動物実験）
口腔	○	○			
咽頭	○	○			
食道	○	○（腺がんおよび扁平上皮がん）			
胃	○	○			
大腸（結腸・直腸）		○			
肝臓		○			
腎臓	○	○（腎細胞）			
膵臓		○			
喉頭	○	○			
肺	○	○			○（実験／非喫煙者）
子宮頸部	○	○			
卵巣		○（粘液性）			
前立腺	○				
腎う・尿管		○			
膀胱	○	○			
白血病（骨髄性）	○	○			
循環器系疾患・心疾患					
腹部大動脈瘤	○				
アテローム性動脈硬化	○				○（動物実験）
脳卒中	○				
冠動脈性心疾患	○				○
血栓形成促進					○
内皮細胞機能不全					○
呼吸器疾患					
慢性閉塞性肺疾患	○				
肺炎	○				
加齢による肺機能低下の促進	○				
咳，痰，喘鳴，呼吸困難などの呼吸器症状	○			○	○（子ども・両親からの曝露）
肺機能低下，肺の成長不良			○（子どもの）	○	○（子ども・母親からの曝露）
下部呼吸器疾患					○（子ども・両親からの曝露）
喘息					○（学童児・両親からの曝露）
鼻炎					○
生殖関係					
生殖能力の低下	○（女性）				
乳幼児突然死症候群（SIDS）			○		○
胎児の成長阻害および低出生体重児			○		○（妊娠中の曝露）
早期破水，前置胎盤，胎盤早期剥離			○		
早期産			○		
その他					
核性白内障	○				
健康状態の不良 ・欠勤の増加および医療サービス受容の増加 ・創傷治癒や呼吸器合併症に関連した外科処置に対するリスクの増加	○				
股関節骨折	○				
骨密度低下	○				
ピロリ菌陽性の人の消化性潰瘍	○				
内耳疾患（急性・再発中耳炎，中耳の滲出液）					○（子ども・両親からの曝露）

出典：A report of the surgeon general, 2004 and 2006
IARC monographs on the evaluation of carcinogenic risks to human, IARC monographs, volume 83

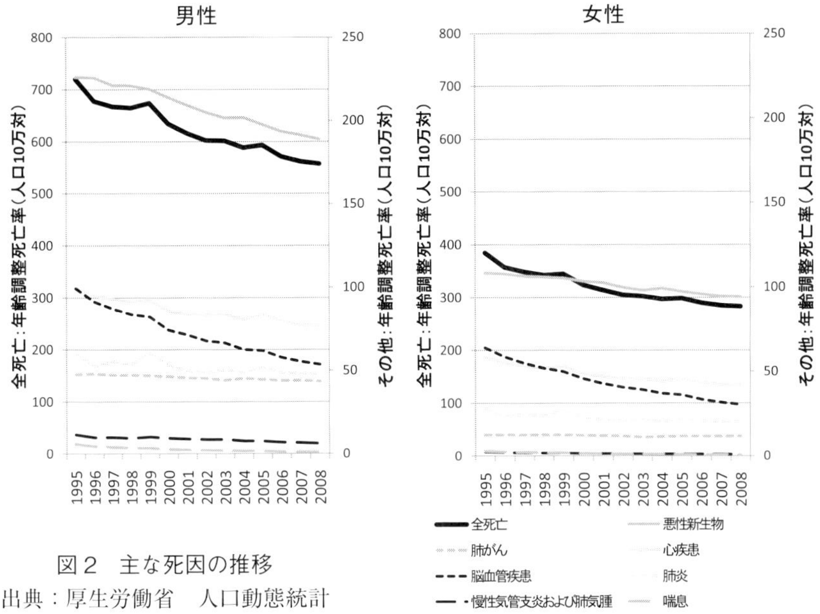

図２　主な死因の推移
出典：厚生労働省　人口動態統計

性気管支炎および肺気腫，喘息による年齢調整死亡率を示した[1]．年齢調整は昭和60年モデル人口を用い，10万人あたりの死亡数として示している．全死亡は，男女とも減少している．死因別では悪性新生物がもっとも高く，年齢調整死亡率は緩やかな減少傾向にあるが，日本の死因の第1位である．心疾患と脳血管疾患は，1995年においては男性でほぼ同じ，女性では脳血管疾患の方が少し高かったが，脳血管疾患の減少により，現在では男女とも心疾患の死亡率の方が高い．心疾患は，1995年の国際疾病分類および死亡診断書の改訂に伴う影響を受けたが，ほぼ一定で推移している．その他，喫煙と関連している疾患である肺がん，肺炎，慢性気管支炎および肺気腫，喘息の死亡率はゆるやかに減少している．

4. 喫煙の健康影響

疾病に関連する要因による健康への負荷を評価する試みが一般的に行われるようになり，世界保健機構(WHO)発行の世界健康報告(World Health Report：WHR)や疾病対策センター(Centers for Disease Control and Prevention：CDC)発行の疫学週報(Morbidity and Mortality Weekly Report：MMWR)に報告されるようになった．最近では，WHOが世界レベルでの健康リスクによる負荷を推計するプロジェクトを行っており，2009年発行の報告書[8]によると，2004年時点で，たばこによる死亡者数は全世界で510万人であり，全死亡者に占める割合は8.7%と，高血圧(12.8%)に次いで高い．経済状況別でみると，高収入国では150万人(原因第1位，全死因の17.9%)，中収入国では260万人(原因第2位，全死因の10.8%)，低収入国では100万人(原因第7位，全死因の3.9%)である．

日本では，国内での代表的なコホート研究のデータを併合した日本人における喫煙による負荷を推計した研究が報告されている[9]．この研究で用いられたデータは，1980年代から1990年代前半にかけて行われた3つの大規模コホート研究である厚生労働省コホート，文部科学省コホート，および大阪府・愛知県・宮城県の3府県コホートのデータを併合したものである．米国のSurgeon general報告(2004年版)とIARCのモノグラフにおいて喫煙と関連があるとされた疾患を「喫煙関連疾患」と定義し，喫煙が原因とされるものの割合を算出している．その結果，男性では全死因の27.8%，女性では6.7%が喫煙に起因するものであると推計された．また，すべてのがんに占める喫煙起因の割合は男性で38.6%，女性で5.2%であり，循環器系疾患に占める喫煙起因の割合は男性で23.0％，女性で8.0％，呼吸器疾患に占める喫煙起因の割合は男性で23.4％，女性で5.1％と推計された．この推計によると，2005年時点で喫煙による死亡は男性16.3万人，女性3.3万人となる．

5. 喫煙対策の背景・歴史

たばこ・喫煙の歴史

日本にたばこが広まったのは，16世紀前後であり，きせるで刻みたばこを燻らせる文化が生まれた．明治維新後，紙巻たばこが輸入されたことで喫煙習慣が広がり，明治中頃には未成年の喫煙が問題視されるようになった．こうした社会情勢の変化を背景に，未成年者喫煙禁止法が1900年（明治33年）に施行され，現在に至っている．また，第二次世界大戦時兵士へのたばこ配給があり，国内から戦地の兵隊に家族の絵入りのたばこを送るなど，兵隊と喫煙は密接な関係にあった．たばこがコミュニケーションとなり，戦時期に日本人男性における高喫煙率の基盤が形成されたと考えられる．国内では，戦況の悪化に伴う物不足でたばこも配給制となった．戦後の混乱期には，配給，米軍物資の横流しの他，闇市のたばこもあったが，闇たばこは高価で，正規の製品は品薄であり，結果的に喫煙抑制となったと考えられる．この影響は，出生年別の喫煙率の推移にも表れており，1940年前後出生の男性で生涯喫煙率が低いことが報告されている．

増加するたばこ消費による税収は日本でも重視され，1875年煙草税則が施行されたが，当時主流の刻みたばこは横流しも多く，税収効率が思わしくなかった．日清戦争後の補償および日露戦争の財源確保を目的として，たばこに関する税制は強化され，葉煙草専売法を経て煙草専売法に至り，葉たばこの生産からたばこ製品の販売まで，たばこ生産・消費の経路を全て国が管轄する専売制となり，民営工場の官営化も行われた．終戦直後には，たばこ生産・消費が急速に伸びるにつれ税収も確保され，戦後の復興を支えた財源の一つであった．

日本における近年の健康政策

日本では，国民が健康に生活できる社会を目指し，2000年から「21世紀における国民健康づくり運動（健康日本21）」が行われている．健康日本21の目的は，壮年期死亡の減少，健康寿命の延長および生活の質の向上を実現することであり，一次予防の重視，健康づくり支援のための環境整備，健康に関連する具体的な指標の目標値の設定および評価，国，都道府県，市町村などさまざまな実施主体による連携を基本方針としている．たばこに関する指標および目標は，喫煙が及ぼす健康影響についての知識の完全な普及，未成年喫煙率0％，公共の場および職場における分煙の徹底および分煙に関する知識の普及，禁煙支援プログラムの普及である．この健康日本21推進のための法的基盤を含む環境整備を目的として，2003年に健康増進法が施行された．健康増進法第25条においては，多数の者が利用する施設の管理者に対し，受動喫煙を防止するために必要な措置を講ずるように求めている．また，厚生労働省健康局長通知により，対象となる施設，受動喫煙防止措置の具体的方法等を示した．その後たばこの広告規制が強化され，たばこのパッケージの注意文言が改正されるなどの対策が行われた．禁煙治療については，2006年に保険適用が認められた．さらに，2007年に「がん対策基本法」が施行され，この法律に基づき，がん対策を総合的に推進するため，「がん対策推進基本計画」が決定された．この計画は2007年から5年間を対象としており，目標の一つに，がんによる死亡者を20％減少することが挙げられている．この目標実現のための計画として，3年以内に未成年者の喫煙率を0％にすることが設定され，成人識別機能の付いた自動販売機が導入された．

たばこ規制枠組み条約（Framework Convention for Tobacco Control：FCTC）

2003年5月21日，第56回世界保健総会において，WHO初の公衆衛生上の国際条約となる「たばこ規制枠組み条約（FCTC）」が採択された．この条約は，喫煙の害が公衆衛生上健康に深刻な影響を及ぼす世界的な問題であり，国際的対応が必要であるとの観点から作成されたものである．喫煙と受動喫煙を減らすため，締約国が自国，地域また国際的に実施するたばこ規制の枠組みを提供することで，喫煙および受動喫煙が健康，社会，環境および経済に及ぼす影響から現在および次世代の人々を保護することを目的としている．具体的には，締約国はたばこの課税対策と価格政策の実施や，受動喫煙対策，たばこ製品の含有物の規制，情報開示などが義務付けられている．その他，たばこの不正取引の規制や，未成年の喫煙対策，禁煙治療の支援も義務付けられている．日本は，この条約に2004年に署名，批准し，締約国となっている．

たばこ対策上の施策

WHOが世界179カ国の喫煙状況およびたばこ対策状況を総合的に分析し，「WHO2008年世界のたばこの流行に関する報告」[10]に結果を示した．この報告においては，各国のたばこ対策が，たばこ規制枠組み条約(FCTC)を遵守する支援を行うための重要で効果的なたばこ対策上の6つの施策(MPOWER)に基づいて分類されている．6つの施策とは，1. 監視(Monitor)：たばこの使用と予防策の監視，2. 保護(Protect)：たばこの煙からの保護，3. 支援(Offer)：禁煙の支援，4. 警告(Warn)：たばこの危険性の警告，5. 施行(Enforce)：たばこの広告，販促，後援の禁止，6. 引き上げ(Raise)：たばこ税の引き上げである．

おわりに

喫煙と生活習慣病について，たばこ・喫煙状況と生活習慣病の動向，喫煙の健康影響，そしてたばこと喫煙対策について概説した．

WHOでは，さまざまな健康指標の国際比較が可能なデータ収集に向けたプロジェクトがあり，すでに米国では国レベルでのがん罹患の報告や関連因子の推移も報告されている．喫煙対策についても，ガイドラインが作成され，ガイドラインに基づいた評価を行っている．生活習慣病対策は，喫煙などの関連因子と疾病の両方の情報が把握されて成り立つものである．日本の疾病登録についてみると，国レベルのがん登録は現在整備途上であり，循環器疾患登録も目的や登録の方法が異なるなど国レベルでの把握には課題が多い．関連因子の実態調査および疾病の把握のための基盤整備・拡充は，日本の生活習慣病対策の大きな課題の一つである．

参考文献

1. 人口動態統計，厚生労働省大臣官房統計情報部編
2. 国民健康・栄養調査，厚生労働省
3. たばこ統計情報，(社)日本たばこ協会
4. U.S. Public Health service. Smoking and Health : Report of the Advisory Committee to the Surgeon General of the Public Health Services. Department of Health, Education, and Welfare ; Washington, D.C. 1964.
5. The health consequences of smoking : a report of the Surgeon General. Department of Health and Human Services, Centers for Disease Control and Prevention, Office on Smoking and Health ; Washington, D.C. 2004.
6. The health consequences of involuntary exposure to tobacco smoke : a report of the Surgeon General. U.S. Department of Health and Human Services, Centers for Disease Control and Prevention, Office on Smoking and Health ; Washington, D.C. 2006.
7. Tobacco smoke and involuntary smoking : IARC Monographs on the evaluation of carcinogenic risks to humans, vol. 83 ; Lyon. 2002.
8. Global health risks : mortality and burden of disease attributable to selected major risks ; Geneva, World Health Organization, 2009.
9. Kota Katanoda et al. Population attributable fraction of mortality associated with tobacco smoking in Japan : A pooled analysis of three large-scale cohort studies. Journal of Epidemiology 2008 ; 18 (6) : 251-264.
10. 2008年WHO世界のたばこの流行に関する報告．MPOWER政策パッケージ；Geneva, World Health Organization, 2008.

Ⅱ-3　飲　酒

和歌山県立医科大学医学部(公衆衛生学教室)
竹下達也

1. 日本人の飲酒の歴史と最近の飲酒行動

日本人とお酒とのつき合いには，長い歴史がある．少なくとも縄文時代中期にはヤマブドウなどの果物を発酵させた酒を嗜んでいたとされている．酒酔いの陶酔感の神秘性から，古来お酒は神事と深く結びついてきた．その後，麹によるお酒の大量生産が可能になり，飛鳥時代以降お酒は庶民にも急速に普及することになった．日本の酒宴の多くは無礼講であったようで，平安時代に既にその記述がみられている[1]．ロドリゲスは17世紀初めに著した「日本教会史」の中で，日本人が宴会を盛り上げるために飲酒を強要する様を詳細に描写している[1]．このように日本文化とお酒は切っても切り離せないのであるが，日本人の中にお酒の「飲める」タイプと「飲めない」タイプがあること，つまりアルコール感受性の個人差が存在することは，古くは兼好法師が徒然草において記述している．

日本人15歳以上の1人あたりアルコール消費量は，2003年には7.6 L/年であった．一方ヨーロッパでは，フランスが14.8L/年，ドイツが10.2 L/年，イタリアは8.0 L/年であった[2]．欧米各国では多くの国が7.0～12.0 L/年の間に分布し，OECD諸国の平均は9.6 L/年であった．以下に述べるように日本人の半数近くが*ALDH2*遺伝子の低活性型または非活性型であることを考慮すると，日本人は体質の割に飲酒量が多い国民と考えるべきである．大量飲酒者(毎日純アルコール換算150ml以上を飲む者)は1997年に240万人，アルコール依存症者は2005年の患者調査において19,100人と推定されており，飲酒の深刻な健康影響がうかがわれる[3]．

2. アルコール代謝とアルコール感受性を決定する遺伝素因

体内に摂取されたエタノールの代謝経路を図1に示す．主に肝臓において，第一段階でアルコール脱水素酵素(ADH)によってアセトアルデヒド(AcH)に変換され，さらに第二段階でアルデヒド脱水素酵素(ALDH)によって酢酸に代謝される．一部のエタノールは，ミクロソームエタノール酸化系(MEOS)によってもAcHに変換される．MEOSの主体はチトクロームP450の2E1というサブタイプであり，飲酒による酵素活性の亢進が知られている．

東アジアにおいて高頻度にみられるアルコール

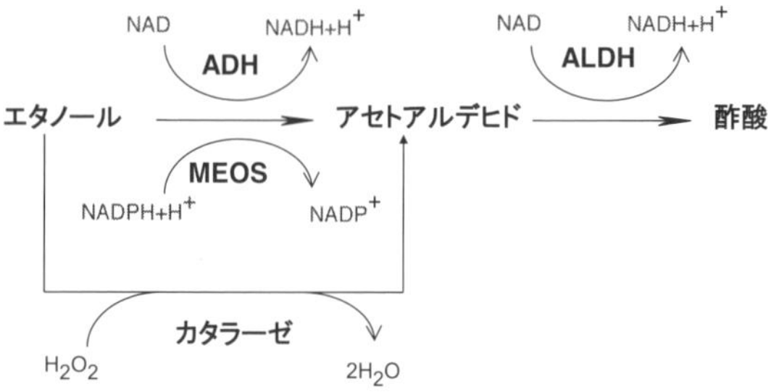

図1　アルコールの代謝経路

高感受性が，主にALDH2遺伝子の多型により規定されていることが明らかにされてきた[4,5]．変異型アレル(ALDH2*2)ではALDH2遺伝子のエキソン12に一塩基置換GAA→AAAが生じ，その結果ALDH2変異型ペプチドでは487番目のアミノ酸がGlu→Lysに変化している[6]．

3. 日本人集団におけるALDH2遺伝子型とアルコール感受性，飲酒行動との関連性

日本人の職域男性において，ALDH2遺伝子型頻度は，*1/*1型55％，*1/*2型38％，*2/*2型7%であった[7]．通常量の飲酒では，*1/*1型では，いつもフラッシングが出現する人は10%以下であるのに対して，*1/*2型と*2/*2型では，80%以上の人がいつもフラッシングが出現していた(図2)．さらにビールをコップに1/4杯という少量飲酒でのフラッシングは，*1/*2型では19%にすぎないが，*2/*2型では79%が常に出現すると答えた．動悸や頭痛，眠気などの症状も，*2/*2型が最も頻度が高く，*1/*2型がこれに続き，*1/*1型が最も低い頻度であった．以上の結果から，日本人のアルコール感受性は，ALDH2遺伝子型により3つのグループに大別されることが明らかになった．アルコール感受性の諸症状は，肝臓において迅速に代謝できず血中および末梢組織において高濃度となったAcHの生理活性作用によると考えられている．その機序は図3のように説明されている[8]．*1/*2型と*2/*2型の間のアルコール感受性の差は，この分子疫学的研究によって初めて集団レベルで明らかになった．*1/*2型では*1/*1型の10%程度の活性しか存在しないと考えられている．

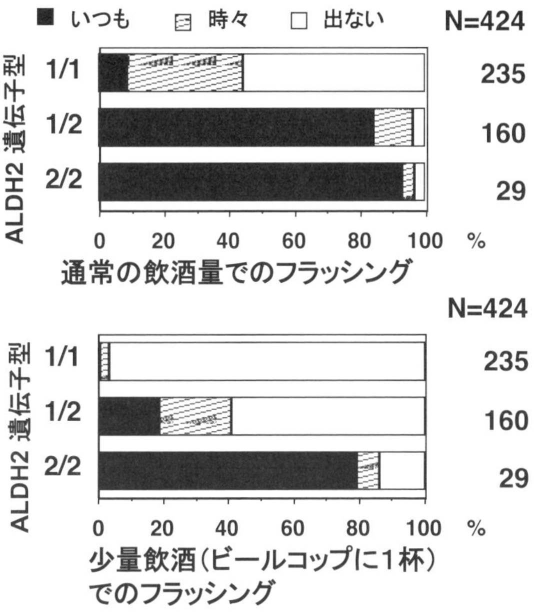

図2　ALDH2遺伝子型と飲酒時症状との関係

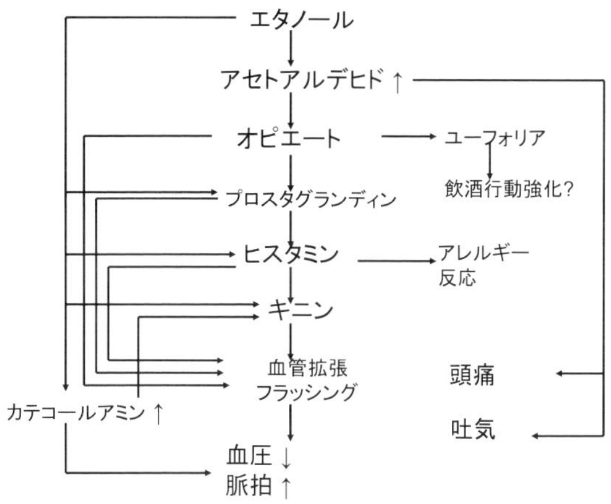

図3　飲酒時症状の発現機序[8]

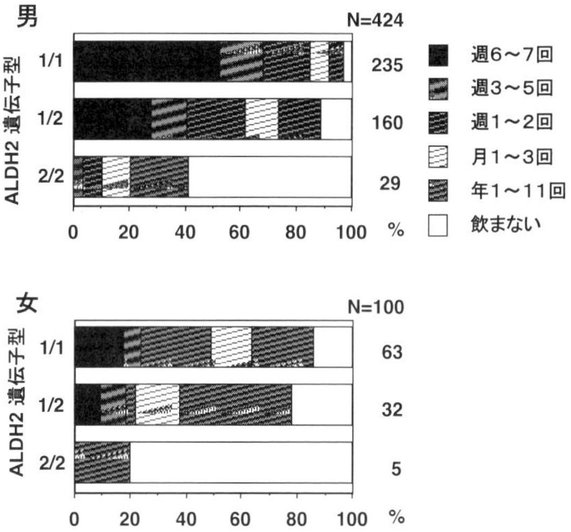

図4　ALDH2遺伝子型と飲酒頻度との関係

飲酒行動もALDH2遺伝子型によって強い制御を受けている．同じ職域男性において，毎日飲酒者の頻度は，*1/*1型が52%，*1/*2型が28%，

表1　アルコール感受性スクリーニングテスト(ALST)[9]

項目と重みづけ係数			
あなたはお酒を飲んだときに次のような症状がありますか.			
	いつも	時々	ない
顔が赤くなる	3.8	1.1	0.0
顔以外が赤くなる	1.6	1.1	0.0
心臓がドキドキする	2.3	1.3	0.0

ALST ≦ 3.1，>3.1 が，それぞれ活性型，不活性型と判定される

*2/*2 型が 0%となり，変異型アレルの数が多くなるほど習慣的飲酒者の頻度が減少することが示された(図4) 7)．1日平均飲酒量も，*1/*1 型が純エタノール換算で 28 ml（日本酒約1合に相当)，*1/*2 型が 13 ml，*2/*2 型が 1 ml となり，3つの遺伝子型間で飲酒行動に明瞭な差がみられた.

上に述べた *ALDH2* 遺伝子型とアルコール感受性の症状のデータを用いて，3項目の質問からなるアルコール感受性スクリーニングテスト(ALST)が開発された(表1)[9]．この質問表によって *1/*1 型とそれ以外の2つの遺伝子型とを 90%近い精度で判別しうる．飲酒経験のある 20 歳代から 50 歳代の年齢層では疫学調査にも十分応用可能である.

4. 飲酒の健康影響

飲酒の主要な健康影響を表2に示す．多量飲酒が様々な臓器に障害を及ぼすことがわかる．疫学研究のメタ解析において，飲酒量と総死亡率の関係は，軽度飲酒群の総死亡率が最も低くなるため，J 字型ないし U 字型の曲線となっている[10]．疾患ごとにみると，高血圧は中等度飲酒(日本酒 1.5 － 2 合位)から相対リスクとの関連がみられる．脳血管疾患も多量飲酒(2.5 合以上)で相対リスクとの関連がみられる．口腔咽頭がん，食道がん，肝臓がん，乳がんなどの飲酒関連がんは，軽度飲酒(1.5 合以下)でも相対リスクとの関連がみられ，飲酒量の増加とともに相対リスクが上昇する．他方，虚血性心疾患は軽度飲酒，中等度飲酒，多量飲酒で相対リスクがそれぞれ 0.82, 0.84，0.88 となっており，いずれの飲酒量でも動脈硬化性疾患に対しては予防的に作用している．これら主要な生活習慣病への影響の総和として，J 字型(U 字型)曲線になっているものと考えられる.

表2　飲酒の主要な健康影響

有害影響	神経系	アルコール依存症，急性アルコール中毒，アルコール離脱症候群，多発ニューロパチー，胎児性アルコール症候群
	循環器系	高血圧，脳血管疾患，アルコール性心筋症
	消化器系	Mallory-Weiss 症候群，急性膵炎，慢性膵炎，アルコール性肝障害(脂肪肝，肝炎，肝線維症，肝硬変)
	悪性新生物	口腔・咽頭がん，喉頭がん，食道がん，肝臓がん
	その他	痛風，飲酒誘発性気管支喘息，外傷，交通事故など
予防的影響	循環器系	虚血性心疾患

5. アルコール依存症の発症リスクと関連する遺伝素因

アルコール依存症は，飲酒の健康影響の中で，最も深刻なものの1つである．東アジアにおいては，*ALDH2* 遺伝子型がアルコール依存症の発症リスクと強く関連している．アルコール依存症患者における *ALDH2* 遺伝子型頻度は，*1/*1 型が 88%，*1/*2 型が 12%であり，一般集団における頻度と著しく異なっている(図5)[11]．*2/*2 型のアルコール依存症は海外で1例報告があるのみである.

東アジアでは，エタノール代謝の第一段階で働くアルコール脱水素酵素の主要な遺伝子の1つである *ADH1B*（以前は *ADH2* と呼ばれていた)にも高頻度の多型が存在する．変異型の *ADH1B*2* の産物は代謝速度が速い．東アジアのアルコール依存症患者においては，*ADH1B*1/*1* 型(代謝速度が比較的遅い)の頻度が高く，アルコール依存症の発症リスクと強く関連している[11]．従って，東アジアにおいては，*ALDH2* 遺伝子型と *ADH1B* 遺伝子型の両方がアルコール依存症の発症リスクに強く関連している．*ADH1B* 遺伝子型は飲酒後

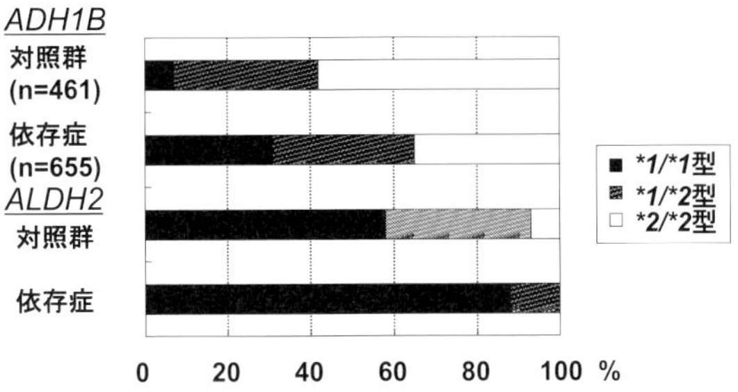

図５　ADH1B，ALDH2 遺伝子型とアルコール依存症との関連性[11)]

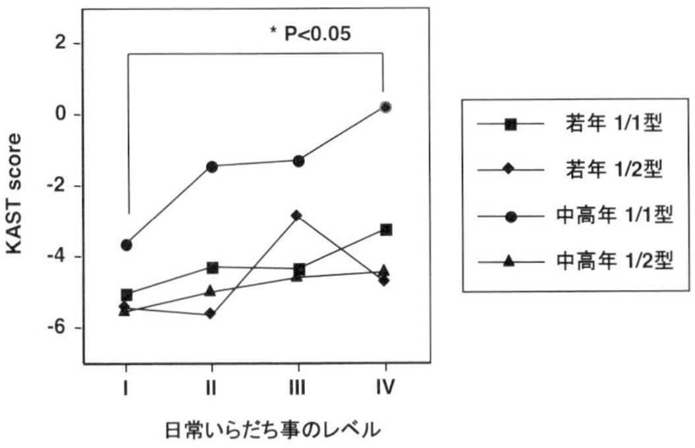

図６　年齢，ALDH2 遺伝子型，日常いらだち事と問題飲酒行動との関連性[13)]

の血中 AcH 濃度には有意な影響を与えないが，通常の飲酒行動に対しては軽度に影響を及ぼす[12)]．*ADH1B* 遺伝子型がアルコール感受性に与える影響は軽度であるが，習慣的飲酒から依存性に至る過程のどこかで *ADH1B* 遺伝子型が依存性の獲得に関連するものと考えられる．米国におけるアルコール依存症の大規模な遺伝子連鎖解析においても，*ADH1B* 遺伝子近傍に強い連鎖が報告されている．

職域男性において，久里浜式アルコール依存症スクリーニングテスト(KAST)で評価された問題飲酒行動は，*ALDH2* 遺伝子型および慢性ストレスとの関連性の解析が行われた(図６)[13)]．慢性ストレスは日常いらだち事尺度によって測定された．40 歳未満の若年者では，*1/*1 型，*1/*2 型ともに慢性ストレスによる問題飲酒行動スコアの上昇はみられなかった．40 歳以上の中高年者では，*1/*1 型では慢性ストレスの増加に伴い問題飲酒行動スコアの上昇がみられたのに対して，*1/*2 型ではそのような相関はみられなかった．*1/*1 型の中高年でストレスの多い人は，問題飲酒やその延長線上のアルコール依存症の予防対策の重要なターゲットであることが明らかになった．

6. *ALDH2* 遺伝子型と発がん関連健康指標

上部消化管のがんや肝臓がんなどの飲酒関連がんの発がん機序は明らかではないが，１つの機序として，エタノールの代謝産物である AcH が究極的発がん物質であるという仮説が有力である．AcH は，揮発しやすく極めて反応性が高い．*In vitro* において培養細胞に染色体変異や遺伝子突然変異を誘発する遺伝毒性物質である．

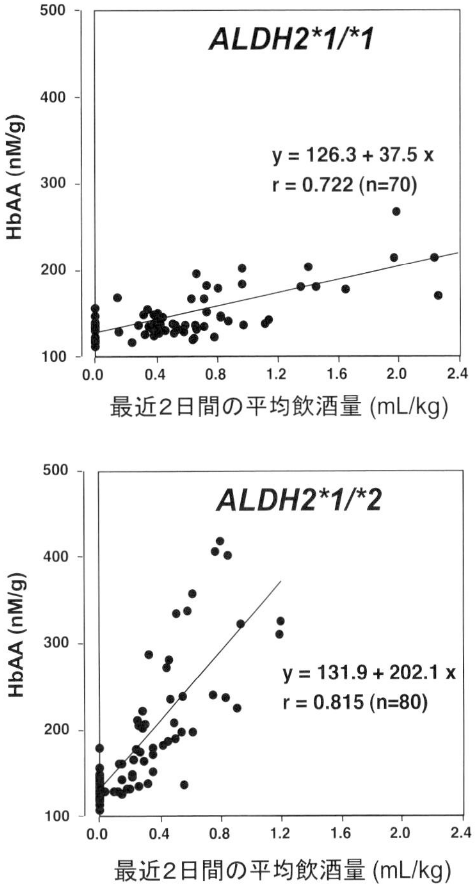

図７　ALDH2 の２つの主要な遺伝子型別の最近２日間の飲酒量とヘモグロビン結合アセトアルデヒド量（HbAA）との関連性[14)]

赤血球ヘモグロビンに可逆的に結合したAcH(HbAA)を高速液体クロマトグラフィー（HPLC）と蛍光検出器を用いて感度良く測定する方法が開発されている．この方法により，職域男性においては，とくに*ALDH2*の**1/*2*型では，過去２日間の平均飲酒量とHbAA量の間に高度の相関がみられ，平均１合程度の飲酒でもHbAA量の上昇がみられた(図7)[14]．**1/*2*型では軽度の飲酒であっても多量のAcHに内的に曝露することが示唆される．

姉妹染色分体交換(SCE)は鋭敏なDNA損傷の指標の１つである．職域男性において，**1/*2*型および**2/*2*型の習慣的飲酒者(ほぼ毎日飲酒)でのみSCE頻度の有意な上昇が観察された[15]．また，**1/*2*型の習慣的飲酒者では，多核白血球の酸化的DNA損傷量も有意な増加がみられている[16]．これらの健康指標に関する結果は，*1/*2型における習慣的飲酒による発がんリスク上昇の可能性を示している．

7. *ALDH2*遺伝子型と飲酒関連がんの発症リスク

アルコール依存症患者を専門病院において追跡している研究において，*ALDH2*の**1/*2*型は**1/*1*型にくらべて，13.5倍食道がんの相対リスクが高いことが報告されている[17]．一般病院における食道がん患者の研究では，**1/*2*型は**1/*1*型にくらべて相対リスクが7.5倍となっていた[18]．口腔咽頭喉頭がんも飲酒関連がんであるが，先のアルコール依存症患者の研究で，**1/*2*型は**1/*1*型にくらべて，18.5倍相対リスクが高いという結果であった[17]．一般総合病院の口腔がん患者では，飲酒者において**1/*2*型は**1/*1*型にくらべて相対リスクが2.9倍という報告がある[19]．口腔咽頭喉頭がんでは喫煙の寄与も大きいと考えられるが，飲酒，とくにAcHの関与の可能性も高いと考えられる．さらに，アルコール依存症患者あるいは多量飲酒者においては，上部消化管に同時にあるいは短期間に複数のがんが発生する，重複がんの症例がかなりみられる．この重複がん患者の3/4以上が*ALDH2*の**1/*2*型であり[17]，やはりAcHが発がんポテンシャルの上昇に関与している可能性が高い．

肝臓がんも飲酒関連がんの１つであり，飲酒習慣の相対リスクは２－３倍と有意に上昇がみられている[20]．しかし上部消化管がんと異なり，*ALDH2*遺伝子型の頻度は患者と対照で差がみられず，AcHの関与を示唆する結果は得られなかった．肝臓がんでは，B型肝炎ウイルスやC型肝炎ウイルスの感染が最も重要な病因であり，上部消化管がんとは異なる機序を考える必要があるのかもしれない．

8. *ALDH2*遺伝子型と飲酒誘発喘息

日本では，飲酒誘発喘息の頻度が高いことが報告されてきた．経験的にお酒に弱い人が飲酒に引き続いてこの喘息発作をおこしやすいといわれていた．最近の報告では，気管支喘息患者の中での飲酒誘発喘息発作の相対リスクは，**1/*2*型が**1/*1*型にくらべて4.6倍，**2/*2*型が**1/*1*型にくらべて13.2倍となっていた[21]．最近，**2/*2*型の喘息患者で，ごく少量の飲酒の後に重篤な喘息発作をおこした症例が報告されている．AcHの免疫系への刺激作用が考えられる．日本でアレルギー性疾患が増加しつつある現状を考え合わせると軽視できない問題である．

9. テーラーメイドの予防医学

以上のように，*ADH1B*遺伝子型および*ALDH2*遺伝子型は，アルコール感受性，飲酒行動，アルコール依存症，上部消化管がん，飲酒誘発喘息など，様々な健康事象，健康影響に関わっていることが明らかにされてきた．この遺伝子―環境交互作用の大きな特徴として，飲酒行動の抑制により健康影響の予防が可能である，という点があげられる．

*ALDH2*遺伝子型ごとに重点的に予防すべき健康影響が異なっている(表3)．*ALDH2*の**1/*1*型では，アルコール依存症，アルコール性肝障害，高血圧，脳血管障害等の予防が重要である．**1/*2*型では，これらに加えて上部消化管がんや飲酒誘発喘息に注意が必要である．また**2/*2*型では，飲酒に起因する問題は免れるが，動脈硬化

表３　テーラーメイドの予防医学

ALDH2 遺伝子型	飲酒行動	健康影響
*1/*1 型	抑制がかからない	アルコール依存症 アルコール性肝障害 高血圧，痛風
*1/*2 型	抑制がかかるが不完全	がん（食道がんなど） 飲酒誘発アレルギー 高血圧，痛風 （一部は アルコール依存症 アルコール性肝障害）
*2/*2 型	ほぼ完全に抑制がかかる	飲酒によるストレス解消ができない 飲酒による動脈硬化予防が期待できない

性疾患の相対リスク上昇の可能性が指摘されている．飲酒以外の生活習慣による動脈硬化予防に重点を置く必要がある．また飲酒できないため，他の形でのストレス解消が重要となる．

*1/*1 型と *1/*2 型では，アルコール感受性が異なるため相互理解がむずかしい．日本社会に多い「つき合い酒」において，とくにお酒が弱い相手に対して無理な飲酒をさせることがなくなるような飲酒健康教育が重要であろう．このような飲酒健康教育の上でも，各人が自分自身の *ALDH2* 遺伝子型を知ることにより，自分および隣人とのつき合いにおいて，それぞれが適度なペースで楽しく健康的に飲むような社会風土をつくっていくことが可能になると期待される．

Takeshita らの質問紙によるアルコール感受性スクリーニングテスト（ALST）やエタノールパッチテストにより簡便なスクリーニングは可能であるが，より精度の高い飲酒による危険の予知予測のためには PCR 法による *ALDH2* 遺伝子型検査が必要である．また，アルコール依存症の危険予知の上では，*ADH1B* 遺伝子型検査も合わせて実施した方が精度の高い予知が可能になる．しかし遺伝子型検査で得られる情報は遺伝子情報であるため，個人情報保護，生命保険等の差別の防止などのしっかりした管理体制を構築しなければならない．*ALDH2* および *ADH1B* 遺伝子型について，希望者が容易に遺伝子型検査を受けられるようになり，テーラーメイドの予防医学の先駆けとして普及することを期待したい．

10. アルコール依存症の予防対策

アルコール依存症は，他の生活習慣病と異なり，大量飲酒という生活習慣を変容できないことそのものが，この疾患の本態である．肝障害などの臓器障害は，外来あるいは入院治療により軽快しうるが，治療を休止すると再発の危険が高くなる．またこの疾患は，患者本人のみでなく家族等の隣人にも心理社会的影響を及ぼすことが大きな問題である．

そこで患者がグループを作って互いに励まし合いながら断酒を継続する，という自助グループ活動が進められてきた．歴史的には，米国における AA（アルコホリクス・アノニマス）が 1935 年に始められたのが最初である．AA は，キリスト教の支援を受けている．またその名の意味する通り，各人は正式に名を名乗らずニックネームで互いを呼び合う．

日本では，昭和 30 年前後に東京と高知で断酒会が発足し，その後次第に全国的な組織に発展して今日に至っている．日本の断酒会活動の多くは宗教的な背景はなく，名を名乗り合って断酒会という組織運営を行って大きな成果をあげている．また，日本の断酒会は，家族同伴で参加するという特徴がある．家族同伴での参加により家族の絆を取り戻すことが，断酒を長期間にわたり維持する上で強いサポートとなる．

11. 未成年者の飲酒対策

1908 年（明治 41 年）に未成年禁酒法が制定され，飲酒は成人に限定されている．しかし最近の未成年者を対象とした調査では，月に 1 − 2 回以上の頻度で飲酒する者の割合は，中学生で 13.0%，高校生の男子で 31.1%と依然として高頻度である[22]．未成年者に，アルコール依存症，急性アルコール中毒をはじめとする深刻な健康影響の十分な理解をはかることが大切である．さらに，自動販売機をなるべく置かない，コンビニエンスストアでの酒類の販売を控えるなど，アルコール業界および社会全体としての取り組みが必要である．

参考文献

1. 熊倉功夫. 日本人の酒の飲み方. In：石毛直道(編), 論集　酒と飲酒の文化. 平凡社, 東京, 1998.
2. OECD. 図表で見る世界の保健医療. OECDインディケーター（2005年版）. 明石書店, 東京, 2006.
3. 財団法人　厚生統計協会. 国民衛生の動向. 厚生の指標　臨時増刊. 56：1-512, 2009.
4. Harada S, Agarwal DP, Goedde HW. Aldehyde dehydrogenase deficiency as cause of facial flushing reaction to alcohol in Japanese. Lancet ii：982, 1981.
5. Mizoi Y, Tatsuno Y, Adachi I, Kogame M, Fukunaga T, Fujiwara S, Hishida S, Ijiri I. Alcohol sensitivity related to polymorphism of alcohol-metabolizing enzymes in Japanese. Pharmacol Biochem Behav 18：127-133, 1983.
6. Yoshida A, Huang I, Ikawa M. Molecular abnormality of an inactive aldehyde dehydrogenase variant commonly found in Orientals. Proc Natl Acad Sci USA 81：248-261, 1984.
7. Takeshita T, Morimoto K, Mao X, Hashimoto T, Furuyama J. Characterization of the three genotypes of low Km aldehyde dehydrogenase in a Japanese population. Hum Genet 94：217-223, 1994.
8. Eriksson CJ. The role of acetaldehyde in the actions of alcohol（update 2000）. Alcohol Clin Exp Res 25（Suppl 5）：15S-32S, 2001.
9. Takeshita T, Morimoto K. Development of a questionnaire method to discriminate between typical and atypical genotypes of low Km aldehyde dehydrogenase in a Japanese population. Alcohol Clin Exp Res 22：1409-1413, 1998.
10. Holman CDJ, English DR, Milne E, Winter G. Meta-analysis of alcohol and all-cause mortality：a validation of NHMRC recommendations. Med J Aust 164：141-145, 1996.
11. Higuchi S, Matsushita S, Murayama M, Takagi S, Hayashida M. Alcohol and aldehyde dehydrogenase polymorphisms and the risk for alcoholism. Am J Psychiatry 152：1219-1221, 1995.
12. Matsuo K, Hiraki A, Hirose K, Ito H, Suzuki T, Wakai K, Tajima K. Impact of the alcohol-dehydrogenase（ADH）1C and ADH1B polymorphisms on drinking behavior in nonalcoholic Japanese. Hum Mutat 28：506-510, 2007.
13. Takeshita T, Maruyama S, Morimoto K. Relevance of both daily hassles and the ALDH2 genotype to problem drinking among Japanese male workers. Alcohol Clin Exp Res 22：115-120, 1998.
14. Takeshita T, Morimoto K. Accumulation of hemoglobin-associated acetaldehyde with habitual alcohol drinking in the atypical ALDH2 genotype. Alcohol Clin Exp Res 24：1-7, 2000.
15. Morimoto K, Takeshita T. Low Km aldehyde dehydrogenase（ALDH2）polymorphism, alcohol-drinking behavior, and chromosome alterations in peripheral lymphocytes. Environ Health Perspect. 104（Suppl.3）：563-567, 1996.
16. Nakajima M, Takeuchi T, Takeshita T, Morimoto K. 8-Hydroxy-guanosine in human leukocyte DNA and daily health practice factors：Effects of individual alcohol sensitivity. Environ Health Perspect 104：1336-1338, 1996.
17. Yokoyama A, Muramatsu T, Ohmori T, Yokoyama T, Matsushita S, Higuchi S, Maruyama K, Ishii H. Alcohol and aldehyde dehydrogenase gene polymorphisms and oropharyngeal, esophageal and stomach cancers in Japanese alcoholics. Carcinogenesis 22：433-439, 2001.
18. Yokoyama A, Kato H, Yokoyama T, Tsujinaka T, Muto M, Omori T, Haneda T, Kumagai Y, Igaki H, Yokoyama M, Watanabe H, Fukuda H, Yoshimizu H. Genetic polymorphisms of alcohol and aldehyde dehydrogenases and glutathione S-transferase M1 and drinking, smoking, and diet in Japanese men with esophageal squamous cell carcinoma. Carcinogenesis 23：1851-1859, 2002.
19. Nomura T, Noma T, Shibahara T, Yokoyama A, Muramatsu T, Ohmori T. Aldehyde dehydrogenase 2 and glutathione S-transferase M1 polymorphisms in relation to the risk for oral cancer in Japanese drinkers. Oral Oncol 36：42-46, 2000.
20. Takeshita T, Yang X, Inoue Y, Sato S, Morimoto K. Relationship between alcohol drinking, ADH2 and ALDH2 genotypes, and risk for hepatocellular carcinoma in Japanese. Cancer Lett 149：69-76, 2000.
21. Matsuse H, Shimoda T, Fukushima C, Mitsuta K, Kawano T, Tomari S, Saeki S, Kondoh Y, Machida I, Obase Y, Asai S, Kohno S. Screening for acetaldehyde dehydrogenase 2 genotype in alcohol-induced asthma by using the ethanol patch test. J Allergy Clin Immunol 108：715-9, 2001.
22. 鈴木健二. 未成年者の飲酒問題. 医学のあゆみ 222：733-736, 2007.

インターネット情報

1) 健康日本21（21世紀における国民健康づくり運動）
http：//www.kenkounippon21.gr.jp/
2) 財団法人　健康・体力づくり事業財団　健康ネット
http：//www.health-net.or.jp/
3) アルコール薬物問題全国市民協会（ASK）
http：//www.ask.or.jp/
4) National Institutes of Health, National Institute on Alcohol Abuse and Alcoholism
http：//www.niaaa.nih.gov/

Ⅱ-4　肥満・メタボリックシンドローム

富山大学医学部公衆衛生学
稲寺秀邦

はじめに

日本肥満学会は，脂肪組織が過剰に蓄積した病態である「肥満」と，肥満に起因ないし関連する健康障害を合併するか，臨床的にその合併が予測され，医学的に減量を必要とする病態である「肥満症」とを区別している．近年，わが国でも肥満症が増加し，それに伴う高血圧，脂質異常症，耐糖能異常などの生活習慣病の重複が問題となっている．特に内臓脂肪蓄積を基盤として代謝異常が集積した病態は，動脈硬化性疾患の危険因子として注目され，メタボリックシンドローム（metabolic syndrome 以下 MS）と呼ばれる概念として定着している．MS 患者では，動脈硬化を主体とした大血管の病変である大血管障害（macroangiopathy）が進展し，虚血性心疾患，脳梗塞などが発症しやすい．これと並行して糖尿病が発症し高血糖が持続すると，細小血管障害（microangiopathy）が進展し，腎症，網膜症，神経症が発生する．

脂肪細胞には白色脂肪細胞と褐色脂肪細胞があるが，脂肪細胞といえば通常，白色脂肪細胞をさす．白色脂肪細胞が過剰なエネルギーを中性脂肪として細胞内に蓄積することを主な機能とするのに対して，褐色脂肪細胞は熱産生を介したエネルギー消費の機能を持つ．肥満は白色脂肪が過剰に蓄積した状態であり，肥満者の脂肪組織では脂肪細胞の肥大（中性脂肪蓄積量の増大）と脂肪細胞数の増加が認められる．脂肪組織には脂肪滴を有する成熟脂肪細胞のみならず，前駆脂肪細胞や血管構成細胞，マクロファージなどの細胞が含まれる．肥満から肥満症や MS に至るメカニズムは多彩であるが，アディポカインの分泌異常，全身の軽度の炎症，酸化ストレス，ミトコンドリア機能不全，小胞体ストレスなどが病因と考えられている．

近年，細胞生物学・分子生物学的手法により，肥満症における脂肪組織の病態や脂肪細胞の分化機構について多くの知見が集積している．本稿では，肥満症・MS の病態について，最近の知見を中心に概説する．

1. 疫学

WHO の診断基準は，Body Mass Index（BMI）が 30 を超える者を肥満，BMI が 25 から 30 までの者は過体重とする．一方わが国では，BMI が 25 を超える者を肥満と判定する．BMI が 30 以上の者は，欧米諸国では男女とも約 30%と著しく高いが，わが国では男性で 3%，女性で 4%程度に過ぎない．

わが国の 30 歳以上の成人 15 万人以上を対象としたコホート研究の結果では，BMI が 25 を超える肥満者では，耐糖能異常，高血圧，脂質異常症などの発症危険率が，正常体重群に比較すると約 2 倍に上昇する[1]．さらに日本人は欧米人に比べると，BMI が 25 に満たない者でも糖尿病や循環器疾患のリスクが高い[2]．以上の理由から，日本人では BMI が 25 を超える者は肥満と判定する．

わが国における肥満の動向を経時的に把握する

ための公的統計資料として，国民健康・栄養調査がある．それによると，BMI が 25 を超える肥満者の割合は，男性では 15.2％（1976 年）から 29.7％（2006 年）へと過去 30 年間で約 2 倍へと著しい増加を示している．一方，女性では 21.1％（1976 年）から 21.4％（2006 年）と横ばい状態であった．わが国においてはこのように，男性の肥満者が増加しており，公衆衛生学的にも肥満流行国になることを阻止する対策をたてる必要に迫られている．そのためには肥満症の成り立ちを，分子レベルで明らかにすることが必要である．

2. 肥満症における脂肪細胞

脂肪細胞は脂肪組織の主要な構成細胞であり，過剰なエネルギーを細胞内に中性脂肪として蓄積し，エネルギー必要時には中性脂肪を分解し脂肪酸（Free Fatty Acid：FFA）を放出する．また，脂肪細胞は種々のホルモンやサイトカインを分泌することが明らかにされており，これらの生理活性物質はアディポカイン（アディポサイトカイン）と総称される（図 1）．脂肪組織はこのように個体のエネルギーバランスを制御する内分泌器官としての役割をはたしているが，肥満症では炎症の場となり，種々の病態の形成に関与する．

肥満，特に内臓型肥満者はインスリン抵抗性を基盤とした MS を引きおこす．MS の原因となる肥満は，脂肪細胞の肥大によって生じる．肥大した脂肪細胞はインスリン抵抗性を惹起する，resistin，tumor necrosis factor（TNF）α，interleukin（IL）-6，retinol-binding protein 4（RBP4），FFA 等を多量に産生・分泌する．一方，インスリン抵抗性を改善する善玉アディポカインである adiponectin（アディポネクチン）の分泌は低下する（図 1）．その結果，肥満者ではインスリン抵抗性が高まる．近年，アディポネクチンをはじめとして，流血中のアディポカイン濃度を測定することにより，インスリン抵抗性など，肥満にともなう病態の評価が試みられている[3]．

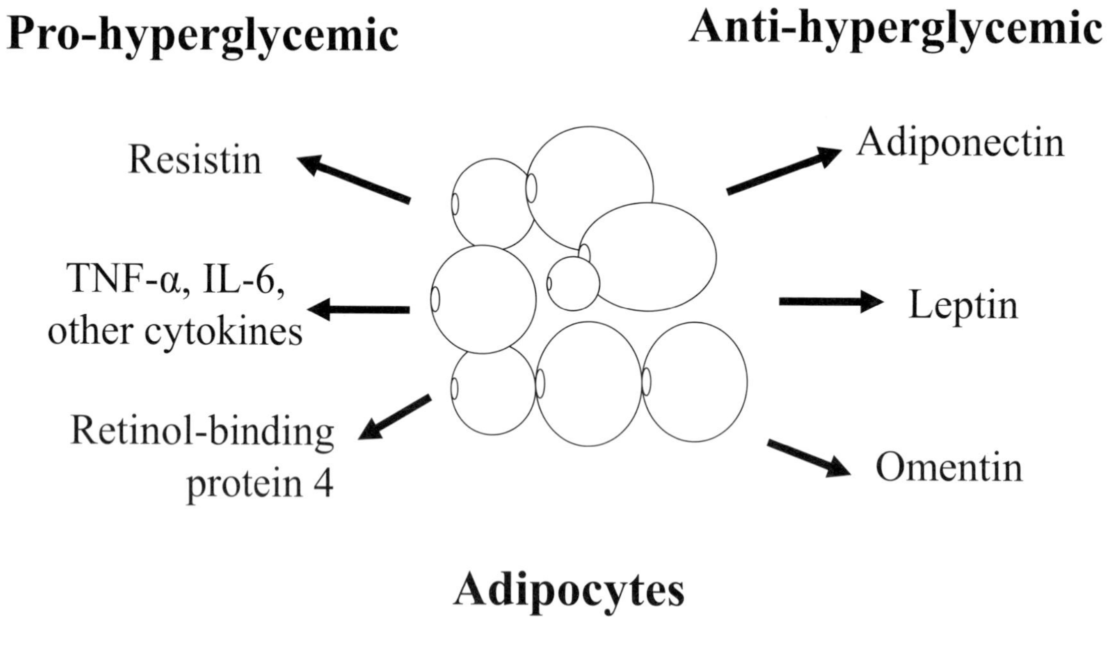

図 1　アディポカインとその生理作用

脂肪細胞から分泌される主なアディポカイン．脂肪細胞からは，インスリン抵抗性を惹起し，血糖値を上昇させる方向に働く resisitin，TNF-α や IL-6 などの炎症性サイトカイン，retinol-binding protein 4 が分泌される．一方 インスリン抵抗性を改善し，血糖値を低下させる方向に働く adiponectin，leptin なども分泌される．

3. 脂肪細胞の分化調節機構

脂肪細胞の分化とは，幹細胞から運命決定された前駆脂肪細胞が，脂肪細胞の形質を獲得する過程である．脂肪細胞が分化し，獲得する形質のうち最も重要なものが，生体の余剰なエネルギーを中性脂肪として蓄え，必要に応じてそのエネルギーを他の組織に供給する機能である．

脂肪細胞の分化にかかわる因子として，C/EBP（CCAAT/enhancer-binding protein）ファミリーやPPAR（peroxisome proliferator-activated receptor）などが報告されている．脂肪細胞の分化の初期段階には主にC/EBP β と δ が，最終段階には，C/EBP α とPPAR γ が関与する（図2）．

脂肪細胞サイズの制御においては，PPAR γ が中心的な役割を果たしている．PPAR γ は脂肪組織に多く発現し，脂肪細胞の分化や脂肪蓄積の主調節因子として働く．PPAR γ は，リガンド応答性の核内受容体型の転写因子であり，RXR（retinoid X receptor）とヘテロダイマーを形成して PPRE（peroxisome proliferators response element）と呼ばれる標的遺伝子の発現調節領域に存在する特定の配列に結合する（図2）．PPAR/RXRのヘテロダイマーにPPARまたはRXRのアゴニストが結合すると，コリプレッサーが解離しコアクチベーターの会合が起こり，転写活性化能を獲得する[4]．

インスリン抵抗性改善薬であるチアゾリジン誘導体は，PPAR γ の活性化を介してその作用を発揮する．チアゾリジン誘導体によりPPAR γ が活性化すると，脂肪細胞の分化により小型脂肪細胞が新たに増加する一方，アポトーシスにより大型脂肪細胞は減少し，脂肪細胞は全体として小型化する．それによりインスリン抵抗性惹起分子であるTNF α やFFAの分泌が低下し，インスリン感受性ホルモンであるアディポネクチンの分泌が増加する．また脂肪細胞の脂肪蓄積が強力に促進することにより，骨格筋や肝臓における中性脂

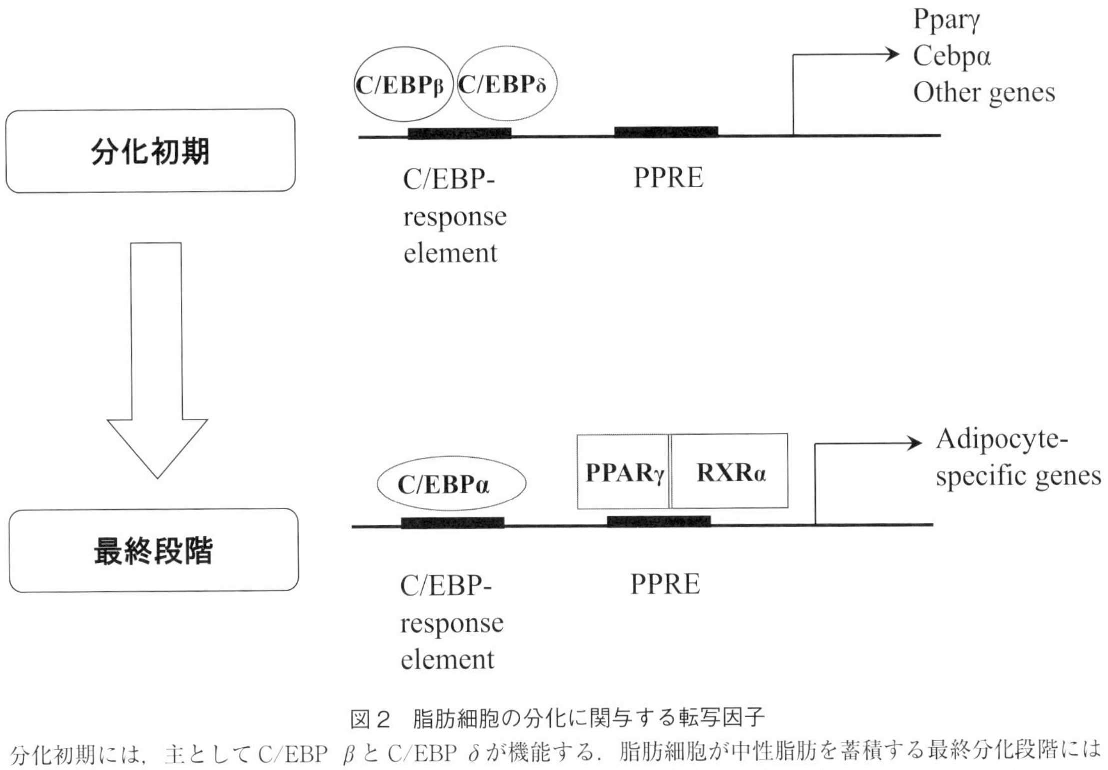

図2 脂肪細胞の分化に関与する転写因子

分化初期には，主としてC/EBP β とC/EBP δ が機能する．脂肪細胞が中性脂肪を蓄積する最終分化段階には主にC/EBP α，PPAR γ が関与する．PPAR γ はRXRとヘテロダイマーを形成し，peroxisome proliferators response element（PPRE）と呼ばれる特定の配列に結合し，脂肪蓄積に関連する遺伝子の発現を誘導する．

肪の蓄積(異所性脂肪の蓄積)が抑制され，全身のインスリン抵抗性は改善する．

4. アディポネクチンとその受容体

脂肪組織は生理状況に応じて種々のアディポカインを産生・分泌し，糖・脂質代謝，動脈壁の恒常性の維持に重要な役割を果たしているが，肥満にともないアディポカインの産生異常がおこり，MSの病態形成に深く関わる．なかでもアディポネクチンは，正常のヒト血中に5-10μg/mlという高濃度で存在し，様々な生理機能を有している．

血液中のアディポネクチン濃度はBMIと逆相関し，生体のインスリン感受性と正相関する．アディポネクチンはインスリン感受性増強ホルモンであり，アディポネクチン濃度が高いほど，糖尿病発症のリスクは軽減する．低アディポネクチン血症は，MSや肥満に関連した高血圧の進行にも直接関与する[5]．抗炎症作用も有する善玉アディポカインであるアディポネクチンの低下が，肥満やMSにおける病態の起点として重要な意義を有している[6]．

血中アディポネクチンが低値となるアディポネ

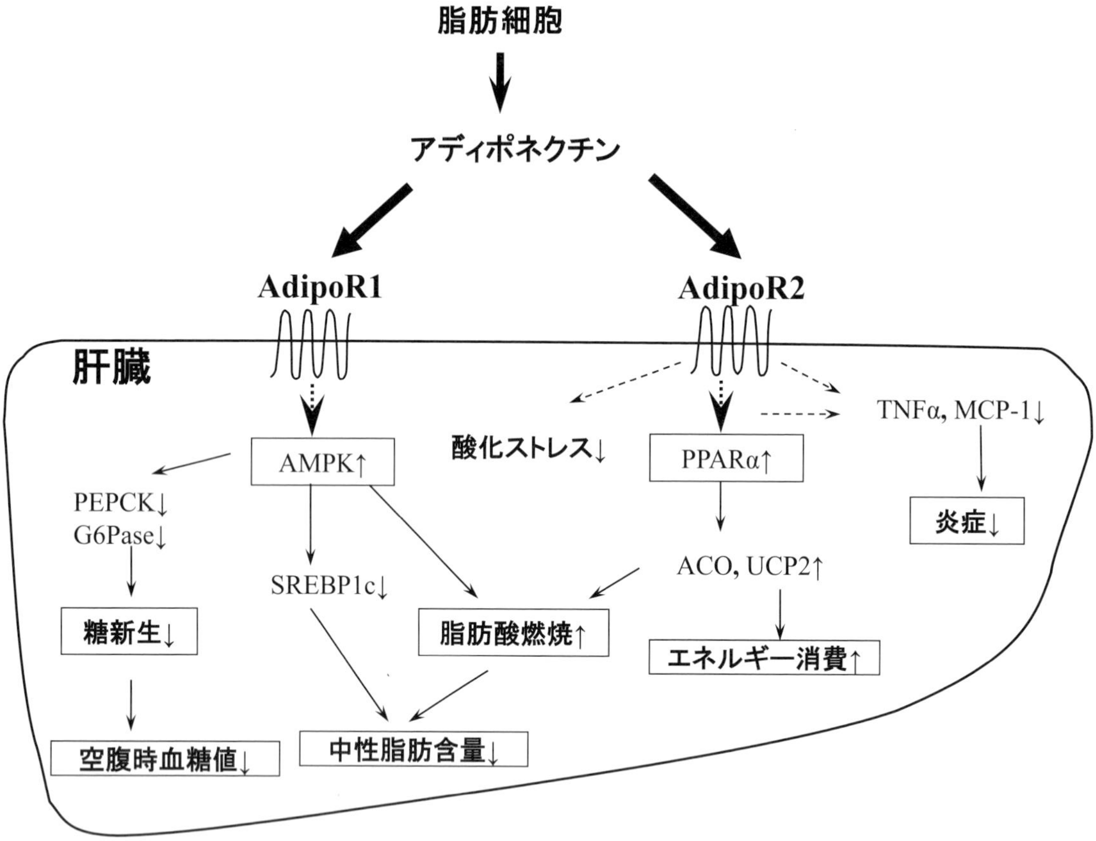

図３　Adiponectinの作用分子機構

Adiponectinは細胞膜に存在する１型受容体，２型受容体に結合する．１型受容体(AdipoR1)に結合すると，AMPキナーゼの活性化がおこり，糖新生の低下や脂肪酸の燃焼がおこる．２型受容体(AdipoR2)に結合するとPPAR αが活性化され，エネルギー消費の増加が起こるとともに炎症は抑制される．AMPK, AMP-activated protein kinase; PPAR, peroxisome proliferators-activated receptor; PEPCK, phosphoenolpyruvate carboxykinase; G6Pase, glucose-6-phosphatase; SREBP, sterol regulatory element binding protein; ACO, acyl-CoA oxidase; UCP, uncoupling protein; TNF, tumor necrosis factor; MCP, monocyte chemoattractant protein.

クチン遺伝子SNP（single nucleotide polymorphism）の遺伝子型を有するヒトは，インスリン感受性が低下し，糖尿病発症のリスクは高まる[7]．アディポネクチン欠乏をきたす脂肪萎縮マウスや肥満2型糖尿病モデルマウスへのアディポネクチンの投与実験などにより，アディポネクチンはインスリン感受性を正に調節することが明らかにされている．以前よりヒトやマウスにおいて，脂肪組織がないにもかかわらずインスリン抵抗性を呈する脂肪萎縮性糖尿病が存在することが知られていた．脂肪萎縮性糖尿病マウスのインスリン抵抗性が，正常な脂肪組織の移植により完全に改善することも，移植した脂肪細胞よりアディポネクチンが分泌されることにより説明できる．

低アディポネクチン状態は，脂肪組織局所において，インスリン抵抗性誘導因子であるTNFαの産生を高める．アディポネクチンは急性にはAMPキナーゼを活性化し，慢性にはPPARαを活性化し，インスリン抵抗性を改善する（図3）．また動脈硬化のモデルであるapoE欠損マウスに，アディポネクチンを過剰発現させると，脂質蓄積の低減と抗炎症作用などにより，動脈硬化巣の形成は約60%に抑制される[8]．

アディポネクチンの受容体として，1型と2型（AdipoR1，R2）が知られている（図3）．マウスの2つの受容体をノックアウトすると，アディポネクチンの結合と生理作用が消失することから，AdipoR1，R2は生体内におけるアディポネクチンの主要な受容体であることも明らかにされた[9]．受容体欠損マウスでは，インスリン抵抗性を呈する[9]．アディポネクチン受容体の作動薬，アディポネクチン抵抗性改善薬は，インスリン抵抗性やMS等の生活習慣病の根本的な治療法開発への道を切りひらくことが期待されている．

5. 脂肪組織における炎症－慢性炎症としての肥満症

内臓脂肪型肥満を背景として発症するMSの基盤病態として，全身の軽度の慢性炎症が注目されている．MSでは，内臓脂肪組織において脂肪細胞の肥大とともに血管新生やマクロファージ浸潤などにより，脂肪組織の再構築（リモデリング）ともいうべきダイナミックな変化がおこる（図4）．MSの上流に位置する病態として，脂肪組織そのものの炎症性変化があり，肥満者の脂肪組織では脂肪細胞自身の変化のみならず，マクロファージや好中球，T細胞などの免疫担当細胞が浸潤する．その結果，脂肪組織に慢性的な炎症が生じ，全身の糖・脂質代謝が障害を受ける[10]（図4）．

脂肪細胞や肝細胞では肥満にともない，過剰なグルコース，FFAの流入がおこり，細胞内の酸化ストレスや小胞体ストレスが増大し，I-κB kinase（IKKβ）/NF-κB経路やc-jun NH2-terminal kinase（JNK）経路が活性化される[11, 12]．活性化されたJNKはIRS-1のセリン残基をリン酸化することにより，正常に起こるIRS-1のチロシンキナーゼカスケードを障害し，インスリン抵抗性を惹起する．肥大化した脂肪細胞では，TNFα，IL-6などの炎症性サイトカインの産生が亢進し，アディポネクチンの産生が減少する．以上のように，アディポカイン産生調節の破綻には，脂肪細胞の肥大にともなう酸化ストレスや小胞体ストレスが関与する．

肥満脂肪組織の低還流に起因する低酸素は，小胞体ストレスを介して炎症反応を引き起こす．肥満モデルマウスの脂肪組織は低酸素状態にあり，そのためNADPHオキシダーゼが増加し，活性酸素の産生が高まる．また肥満にともない，脂肪細胞の小胞体ストレスが増大し，JNKの活性化を介してインスリンシグナルは抑制される．脂肪細胞の肥大化により，MAPK（mitogen-activated protein kinase）の負の制御因子であるMKP-1（MAPK phosphatase-1）の発現が低下し，その結果ERK（extracellular signal-related kinase）の持続的な活性化により，脂肪細胞の炎症性変化が惹起される．以上のように，脂肪細胞の肥大化の過程には多くの細胞内ストレスシグナルが活性化されており，これらの複雑なクロストークにより炎症が起こり，アディポカイン産生の破綻が生じる[13]．

肥大化した脂肪細胞からは，ケモカインのひとつであるMCP-1（monocyte chemoattractant protein-1）が多く発現・分泌される．その結果マクロファージが脂肪組織に浸潤し，脂肪細胞と相互作用することによって炎症が引きおこされ，イ

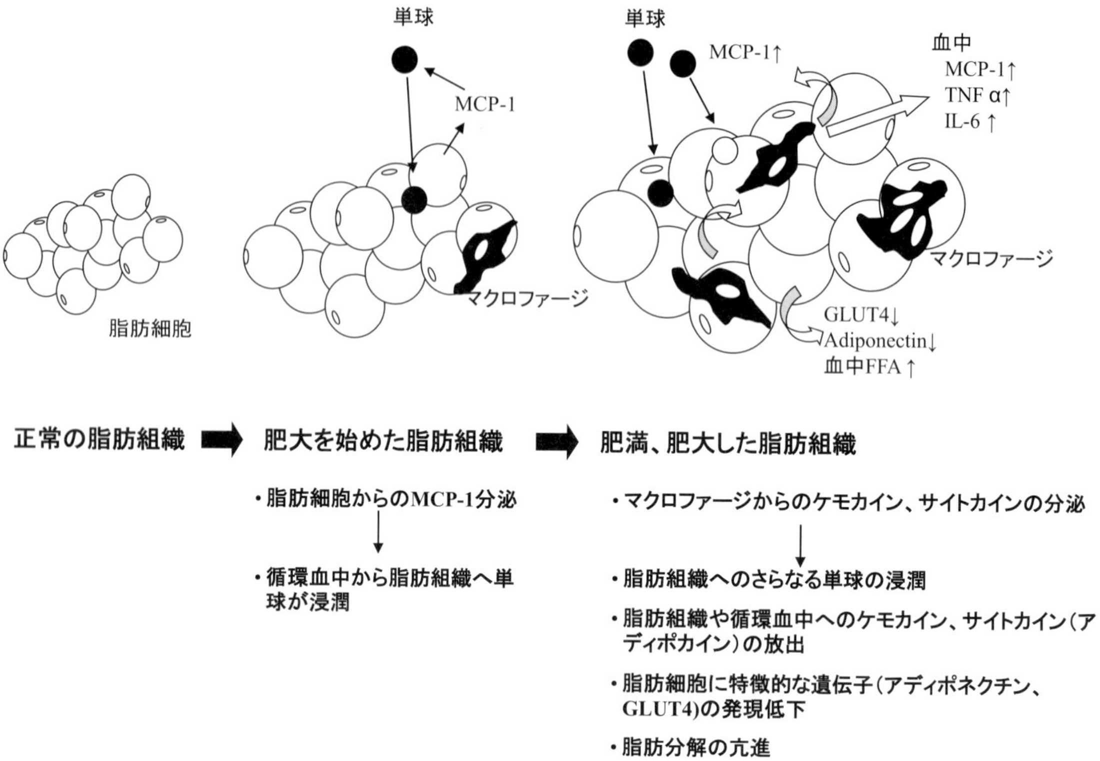

図4　肥満にともなう脂肪組織の慢性炎症

脂肪細胞が肥大すると，脂肪細胞からケモカイン MCP-1（monocyte chemoattractant protein-1）が分泌される．その結果，脂肪組織に単球が遊走し，マクロファージへと分化する．肥満者の脂肪組織では炎症反応が起こり，脂肪組織のリモデリングが生じ，インスリン抵抗性が惹起される．

ンスリン抵抗性が惹起される（図4）．実験的に脂肪細胞特異的に MCP-1 を過剰発現するマウスを作成すると，脂肪組織におけるマクロファージの浸潤と TNF α の産生増加が認められ，全身のインスリン感受性は悪化する[14]．肥満の脂肪組織へのマクロファージ浸潤には，MCP-1 とその受容体である CCR（C-C chemokine receptor）2 シグナルだけでなく，単球走化性を有するオステオポンチンや CXCL（CXC chemokine ligand）14 などによるシグナルが協調して作用する．

50 年近く前より，FFA がインスリン抵抗性をもたらすことが知られていた（Randle 仮説）が，そのメカニズムは十分に明らかではなかった[15]．マウス由来の脂肪細胞 3T3-L1 細胞 とマウスマクロファージ RAW264 を共培養し飽和脂肪酸を添加すると，TLR4（Toll-like receptor 4）を介して，炎症反応が促進する．TLR4 は，グラム陰性菌の細胞壁の構成成分であるリポポリサッカライドの受容体であるが，脂肪酸は TLR4 を介して炎症性サイトカインシグナルを活性化する．実際，TLR4 欠損マウスに高脂肪食の負荷を行うと，脂肪組織における炎症性サイトカイン遺伝子の発現が抑制され，血糖値も低く維持される[16]．すなわち，個体レベルでも飽和脂肪酸は，TLR4 シグナルを介して脂肪組織の炎症性変化を増悪する．一方，魚油などに多く含まれる n-3 多価不飽和脂肪酸である EPA（eicosapentaenoic acid）はマクロファージの炎症性変化を抑制することにより，脂肪細胞からのアディポネクチン産生が増加し，脂肪組織における炎症性変化は軽減する．

脂肪組織には，性質の異なる 2 種類のマクロファージが存在する．非肥満の脂肪組織では，非活性型の M2 マクロファージが存在し，抗炎症性サイトカイン IL-10 や NO の生合成を抑制するアル

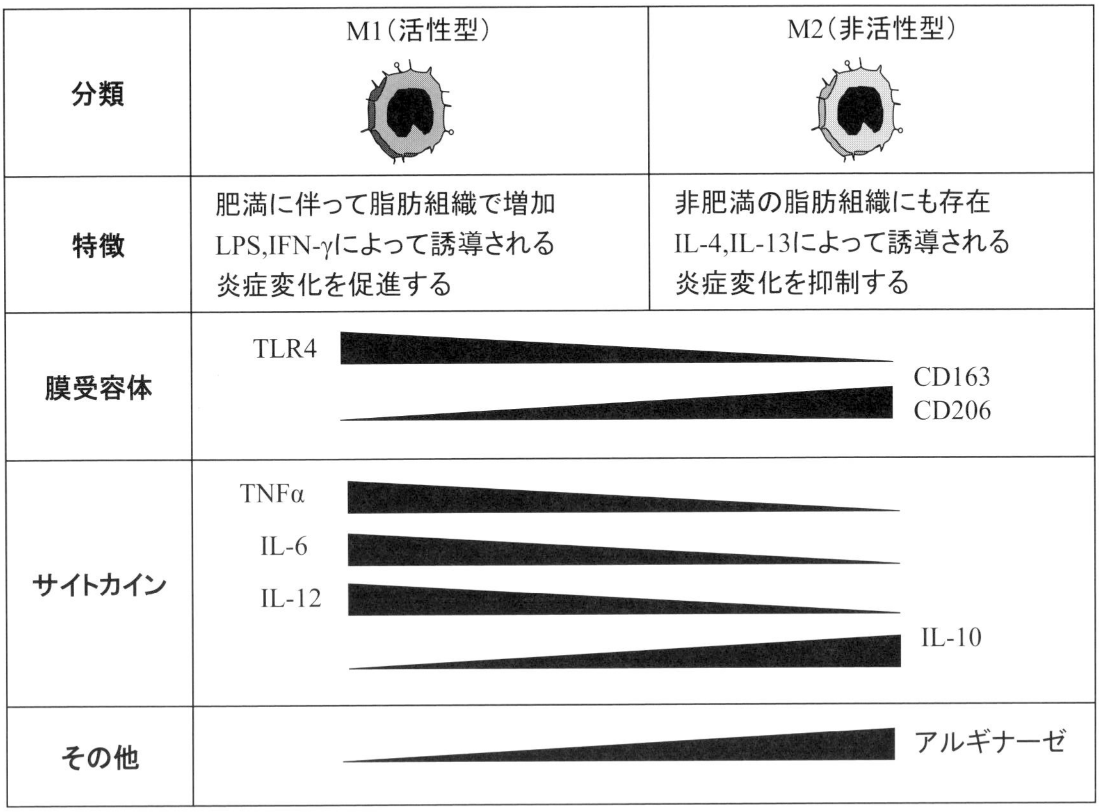

M1（活性型）
M2（非活性型）
分類
特徴
肥満に伴って脂肪組織で増加
LPS,IFN-γによって誘導される
炎症変化を促進する
非肥満の脂肪組織にも存在
IL-4,IL-13によって誘導される
炎症変化を抑制する
膜受容体
TLR4
CD163
CD206
サイトカイン
TNFα
IL-6
IL-12
IL-10
その他
アルギナーゼ

図5　M1 マクロファージと M2 マクロファージの比較

ギナーゼを産生することにより炎症性変化は抑制されている（図5）．一方肥満の脂肪組織では，活性型の M1 マクロファージが存在し，多くの炎症性サイトカインを分泌して脂肪組織の炎症性変化を促進する[17]．肥満者の脂肪組織においては，好中球や T 細胞が浸潤するが，肥満症の病態形成における役割については現在のところ十分明らかではない．

6. 最近の話題

6.1. ヒトにおける褐色脂肪細胞の存在と起源

これまでヒト成人においては，褐色脂肪細胞は存在しないと考えられてきたが，最近ヒト成人にも機能を有する褐色脂肪細胞が存在することが報告された[18]．今後，褐色脂肪細胞の熱産生を促進する薬剤が開発されれば，肥満症の新たな治療薬になることが期待される．

褐色脂肪細胞の起源についても新たな知見が得られている．最近，褐色脂肪細胞は白色脂肪細胞とは異なる前駆細胞に由来し，筋細胞と同じ前駆細胞に由来することが明らかにされた[19]．筋細胞と共通の前駆細胞に，転写因子 PRDM（PR domain containing）16 が働き，さらに BMP（bone morphogenetic protein）7 が協調して作用することにより，褐色脂肪細胞に分化する（図6）．

6.2. Environmental obesogen

近年多くの環境化学物質が脂肪細胞の分化を促し，脂肪蓄積すなわち肥満促進的に働くことが明らかになり，obesogen と総称されている[20]．Obesogen として，tributyltin，triphenyltin，phthalates，bisphenol A 等複数の化学物質が候補に挙げられている[20]．われわれも有機スズ化合物である tibutyltin が，環境中に存在する微量濃度で脂肪細胞の分化を誘導することを報告している[21]．

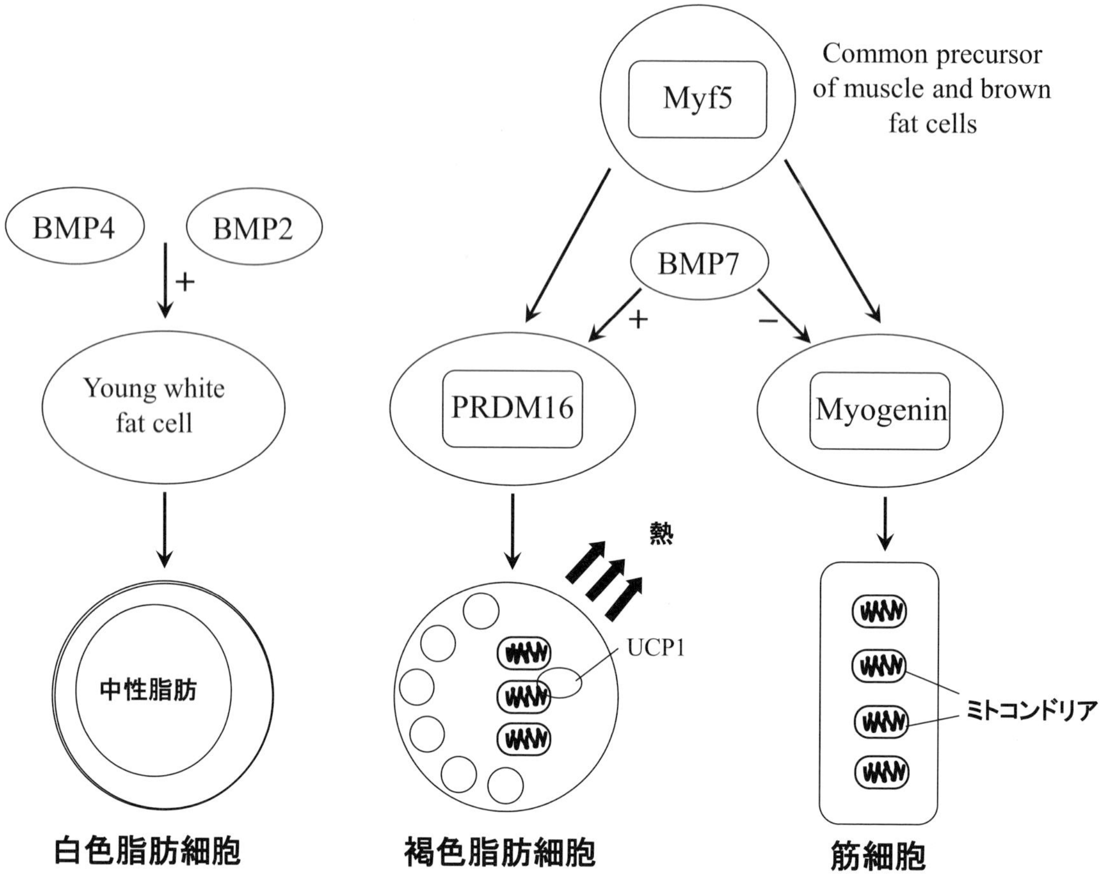

図６　褐色脂肪細胞の起源
褐色脂肪細胞は，白色脂肪細胞とは異なる前駆細胞に由来し，筋細胞と同じ前駆細胞由来であると考えられている．褐色脂肪細胞の分化には，PRDM16やBMP7が関与する．BMP, bone morphogenetic protein; PRDM16, PR domain containing 16; UCP, uncoupling protein.

これまで，肥満の原因は，専らエネルギーの過剰摂取・運動不足等の生活習慣要因が原因であると考えられてきたが，今後は環境中に存在するobesogenがヒト肥満の要因としてどの程度関与しているかについて，疫学的に明らかにする必要がある．

参考文献

1. 日本肥満学会編：III　診断基準　肥満症ガイドライン2006 肥満研究　12：10-15, 2006.
2. WHO Expert Consultation：Appropriate body mass index for Asian populations and its implications for policy and intervention strategies. Lancet 363：157-163, 2004.
3. Inadera H. The usefulness of circulating adipokine levels for the assessment of obesity-related health problems. Int. J. Med. Sci. 5：248-262, 2008.
4. Lefterova MI, et al., New developments in adipogenesis. Trends Endocrinol. Metab. 20：107-114, 2009.
5. Ohashi K et al., Adiponectin replenishment ameliorates obesity-related hypertension. Hypertension 47：1108-1116, 2006.
6. Kadowaki T et al., Adiponectin and adiponectin receptors. Endocr. Rev. 26：439-451, 2005.
7. Hara K et al., Genetic variation in the gene encoding adiponectin is associated with an increased risk of type 2 diabetes in the Japanese population. Diabetes 51：536-540, 2002.
8. Okamoto Y et al., Adiponectin reduces atherosclerosis in apolipoprotein E-deficient mice. Circulation 106：2767-2770, 2002.
9. Yamauchi T et al., Targeted disruption of AdipoR1

and AdipoR2 causes abrogation of adiponectin binding and metabolic actions. Nat. Med. 13：332-339, 2007.
10. Schenk S et al., Insulin sensitivity：modulation by nutrients and inflammation. J. Clin. Invest. 118：2992-3002, 2008.
11. Furukawa S et al., Increased oxidative stress in obesity and its impact on metabolic syndrome. J. Clin. Invest. 114：1752-1761, 2004.
12. Ozcan U et al., Endoplasmic reticulum stress links obesity, insulin action, and type 2 diabetes. Science 306：457-461, 2004.
13. Hotamisligil GS. Endoplasmic reticulum stress and the inflammatory basis of metabolic disease. Cell 140：900-917, 2010.
14. Kanda H et al., MCP-1 contributes to macrophage infiltration into adipose tissue, insulin resistance, and hepatic steatosis in obesity. J. Clin. Invest. 116：1494-1505, 2006.
15. Randle PJ et al., The glucose fatty-acid cycle. Its role in insulin sensitivity and the metabolic disturbances of diabetes mellitus. Lancet 1：785-789, 1963.
16. Saberi M et al., Hematopoietic cell-specific deletion of toll-like receptor 4 ameliorates hepatic and adipose tissue insulin resistance in high-fat-fed mice. Cell Metab. 10：419-429, 2009.
17. Lumeng CN et al., Obesity induces a phenotypic switch in adipose tissue macrophage polarization. J. Clin. Invest. 117：175-184, 2007.
18. Virtanen KA et al., Functional brown adipose tissue in healthy adults. N. Engl. J. Med. 360：1519-1525, 2009.
19. Seale P et al., PRDM16 controls a brown fat/skeletal muscle switch. Nature 454：961-968, 2008.
20. Grun F et al., Minireview：the case for obesogens. Mol. Endocrinol. 23：1127-1134, 2009.
21. Inadera H et al., Environmental chemical tributyltin augments adipocyte differentiation. Toxicol. Lett. 159：226-234, 2005.

Ⅱ-5 悪性腫瘍
a. 悪性腫瘍の分子疫学

名古屋大学大学院医学系研究科予防医学
浜島信之

1. がん分子疫学

疫学研究の目的は，要因と結果(疾病の発生もしくは疾病発生に強く関連する生体指標)の関連を人集団で測定することである．分子疫学研究(molecular epidemiology)とは，要因または結果に分子レベルの生体指標(biomarker)を用いた場合を指す．例えば，ピロリ菌抗体値と胃がん発生率との関連を測定する研究や，喫煙習慣と血中ペプシノーゲンを用いた胃粘膜萎縮との関連を調べる研究などである．血圧や心電図所見と心筋梗塞発症との関連は，要因として生体指標を用いてはいるが分子疫学とは通常呼ばない．その生体指標は分子に関する測定値ではないからである．分子疫学の中で，血清成分(Last 編の A Dictionary of Epidemiology 第 4 版では血清抗体となっている)を生体指標として用いる場合を血清疫学(seroepidemiology)と呼び，遺伝子型を要因の生体指標として用いる場合を遺伝子疫学(genetic epidemiology)と呼ぶ．分子疫学のうち，悪性新生物もしくはその前駆病態を対象とした研究をがん分子疫学と呼ぶ．

分子疫学研究，特に急速に発展してきた遺伝子多型を用いての遺伝子疫学研究は，従来の質問票調査に比べ疾病発生機序に近づいた疫学研究として，基礎医学研究者の理解が得られやすいという利点を持つ．更に，生活習慣との関連の強さに影響する遺伝子型の発見は，生活習慣是正による予防対策の対象者特定に役立つものであり，多くの疫学者が関心を持つようになってきた．

2. 遺伝子疫学の研究デザイン

関連を測定する方法としては，従来の疫学研究デザインである症例対照研究やコホート研究が通常用いられる．研究目的は，1)遺伝子型の相対危険度を求める，2)遺伝子型別に環境要因曝露の相対危険度を求める，3)遺伝子環境交互作用の値を求めることである．

1) 症例対照研究

症例対照研究では，がん患者を症例とし，その研究対象となったがんを持たない者(一般には，非がん病院受診者や住民中の非がん者)を対照として，その 2 群で遺伝子型検査と生活歴調査を行う．遺伝子型は変わることがないので，どの時点の採血でも結果に影響は与えない．遺伝子型が予後因子とならないのであれば，新発生がん患者を対象とした症例対照研究(incident case-control study)でなくとも，有病者を対象とした症例対照研究(prevalent case-control study)でもよいことになる[1]．もちろん，予後因子とならないとは言い切れないことが多く，新発生がん患者の登録が容易であればこれを症例にするのが通常である．ただ，疾病リスクを上昇させる遺伝子型が予後不良に作用する場合には，prevalent case-control study では相対危険度の推定値は 1 に近づくため，prevalent case-control で得られた値が有意に 1 より大きければ，実際にはそれより大きな相対危険度であると推測される.

血液成分濃度のように変化する生体指標とがん発生との関連を調べる場合は，症例対照研究は適さない．がんに罹患したためその生体指標に変化が生じたのかもしれず，そうであれば原因ではなく結果を見ていることになるからである.

2) コホート研究

コホート研究は，がんに罹患していない対象者を登録し，追跡調査によりがん罹患者を特定していく研究手法である．要因曝露(生活習慣)については登録時または過去の状況を調べ，生体指標を測定するための検体は登録時に採取する．生体指標の測定が安価であれば登録時に測定を行うことが得策である．安価でなければ検体を保管し，追跡調査が終了した時点で症例と対照について保存された検体から生体指標を測定する(nested case-control study と呼ばれる)．登録時で生体指標を測定をしたほうがよいか，追跡調査が終了した時点で測定したほうがよいかについては，検査費用，検体保管費用，がん症例の発生率を考慮に入れ決定する.

3) 遺伝子疫学の新しい手法

通常，生活習慣と遺伝子型との間には関連がないと想定されることから，これを前提にして遺伝子環境交互作用(gene-environment interaction)を，対照を用いず症例だけから推定しようとする case-only study が考案された[2]．遺伝子環境交互作用とは，遺伝子型によって環境曝露に対する相対危険度の値が異なることを指し，相対危険度の比を交互作用の指標として用いる．例えば，遺伝子型Aの対象者での喫煙の相対危険度が2であり，遺伝子型Bの対象者での値が6の場合，交互作用は6/2で3となる．この値が1から離れるほど，環境と遺伝子型が組み合わさった時に疾病に罹患しやすい(またはしにくい)ことを意味する.

case-only study では，遺伝子型に関する相対危険度も要因曝露に関する相対危険度も計算できないが，対照群を設定し，遺伝子型の情報のみ，もしくは要因曝露の情報のみ収集し，収集された情報に関する相対危険度と交互作用を推定する incomplete case-control study というデザインも考案されている[2].

また，遺伝子疫学では遺伝子型を数十万同時に検討を行う genome-wide association study (GWAS) という手法が登場し[3]，従来の検定を用いた統計手法では対応できない状況が生まれてきた．これまでの立場にたって多重比較の補正法で p 値を切り下げると統計学的検出力が非常に小さくなり，統計解析の意味をなさなくなる．そのため，p 値にかわる false discovery rate (FDR)[4] や false positive report probability (FPRP)[5] などの新しい指標が考案され，また quantile-qualntile plot, genome-wide Manhattan plot などの表示方法が考案されている[3].

3. がん遺伝子多型研究

これまでに多くの遺伝子多型が検討されてきた．これらをがん発生の生物学的機序に基づいて分類すると以下のようになる.

1) 発がん物質の活性酵素と解毒酵素

体内に入った発がん物質の多くは，活性化酵素により DNA 分子に結合しやすい分子となり，ついで解毒酵素によりその活性を失った物質に代謝され排泄される．例えば，チトクローム p450 1A1 (CYP1A1)はベンゾ(a)ピレンを酸化する過程で，DNA 塩基に結合しやすいエポキシド基を生成する．エポキシドはグルタチオン S 転移酵素によりグルタチオン結合分子となり，DNA への結合能を失い排泄される[6]．DNA に結合した分子(adduct)は，それを取り除くため後に述べる DNA 修復酵素により修復されるが，修復の過程で塩基配列がかわることがある．特定の部分の塩基配列変更が蓄積されていくと，その細胞はがん化していく.

活性化酵素の酵素活性が高い個体や解毒酵素の活性の低い個体では，活性化された発がん物質濃度が上昇し，特に喫煙者など発がん物質の取り込みの多い者においては，がんになりやすい遺伝体質であると想定される．発がん物質による発がん機序は動物を用いた多くのモデルがあり，活性化酵素や解毒酵素の酵素活性に影響を与える遺伝子型が発がんリスクの規定要因であると考えるこの

表1　発がん物質の活性化酵素と解毒酵素に関する遺伝子多型

遺伝子名	多型名	発現または活性	日本人での頻度（N= 対象者数）	報告者，報告年
主に発がん物質を活性化すると考えられている酵素の多型				
CYP1A1	MspI（T6235C）	T < C	T: 0.668, C: 0.332（N=375）	Nakachi et al, 1991
	Ile462Val（A4889G）	Ile < Val	Ile: 0.777, Val: 0.223（N=622）	Oyama et al, 1997
CYP1B1	Ala119Ser	Ala&Leu < others	Ala: 0.882, Leu: 0.118（N=361）	
	Leu432Val		Leu: 0.846, Val: 0.154（N=324）	Watanabe et al, 2000
CYP2D6		*1，*2 > *10 > *5	*1: 0.398, *2: 0.123, *5: 0.062, *10: 0.370（N=162）	Ishiguro et al, 2003
CYP2E1	RsaI c1/c2	c1 < c2	c1: 0.799, c2: 0.201（N=612）	Oyama et al, 1997
NAT1		*10 > others	*10: 0.418, その他：0.582（N=122）	Katoh et al, 1998
NAT2		*4 > others	*4: 0.698, その他：0.302（N=376）	Oyama et al, 1997
主に発がん物質を解毒化すると考えられている酵素の多型				
GSTM1		null < present	null: 0.513, present: 0.487（N=622）	Oyama et al, 1997
GSTT1		null < present	null: 0.520, present: 0.480（N=200）	Murata et al, 2001
GSTP1	Ile105Val	Ile > Val	Ile: 0.842, Val: 0.158（N=257）	Kihara et al, 1999
NQO1	C609T	C > T	C: 0.579, T: 0.421（N=241）	Hamajima et al, 2002

モデルは，一般的にも非常にわかりやすく，最も早く遺伝子多型研究に登場して来た．

表1にこれまでに知られている遺伝子多型のうち，発がんリスクとの関連が検討されてきた代表的な多型を示す．アレル頻度は民族により大きく異なる多型が存在する[7]．ここでは日本人で報告され，知る範囲で最も対象者数が多い研究からの報告を選んだ．多型が疾病発生のリスクに関与するためには，少なくとも生成物である酵素，リガンド，受容体などに質的量的な違いに基づく機能差が生じなければならない．これはmRNAの量や生成物濃度，酵素活性などで測定される．表1では，これらの指標からいずれのアレルで機能が高いか示す．機能を推測するために異なる指標が用いられ，それが一致しないこともあるので注意が必要である．例えば，転写因子の結合に差があったり，mRNAが上昇したりしても，血液中の生成物の濃度にははっきりした差が認められないことがある．機能の違いについての報告が見当たらなかったものについては，表1の中で空欄のままとなっている．

これらの遺伝子多型は喫煙関連がんについてかなり多くの研究が行われており，結果は必ずしも一致しない．がん発生機序に基づいており考え方が明快ではあるが，当初報告されたほど関連は強くないと考えられている．GSTM1は発がん物質を解毒する作用と同時に，野菜に含まれがん抑制作用のあるイソチオシアネイトを細胞外に排泄する作用があるため[8]，GSTM1遺伝子を持つ者（present型，non-null型もしくは（+）型と表記される）は発がん物質にも相対的に強いが，がん抑制物質にも影響を受けにくいという側面がある．GSTM1 null型の者は喫煙習慣によりリスクは上がるが，野菜摂取によりがん予防効果も期待できるということかもしれない．生活習慣を考慮に入れずに遺伝子型とがんリスクとの関連を測定していると評価を誤る可能性がある．

2）DNA修復酵素

DNA分子は多様な分子により傷つけられる．この傷を修復する機序により4つの類型に分けられる[9]．1)塩基が酸化還元を受けたり，小分子が結合した場合：塩基を切除して修復する(base-excision repair)，2)大きな分子が塩基に結合した場合：ヌクレオチドを切除して修復する(nucleotide-excision repair)，3) 2本鎖DNAの間に塩基のミスマッチが存在する場合：ミスマッチを修復する(mismatch repair)，4) 2本鎖DNAが切断された場合：2本差を結合する(double-strand-break repair)．

先に述べたDNA結合能の高い発がん物質が多量に細胞内で生成され，DNA分子を傷つける頻度が上昇しても，DNA修復能が高ければ発がんのリスクは上昇しないと想像される．逆にDNA

表 2　DNA 修復酵素や合成酵素に関する遺伝子多型

遺伝子名	多型名	発現または活性	日本人での頻度（N= 対象者数）	報告者，報告年
DNA 修復酵素				
Base excision repair				
OGG1	Ser326Cys	Ser > Cys	Ser: 0.529, Pro: 0.471（N=240）	Ito et al, 2002
XRCC1	Arg194Trp		日本人に関するデータなし	
	Arg399Gln	Arg ≒ Gln	Arg: 0.757, Gln 0.243（N=500）	Matsuo et al, 2003
Nucleotide excision repair				
XPD	Asp312Asn	Asp > Asn	日本人に関するデータなし	
	Lys751Gln	Lys > Gln	Lys: 0.948, Gln: 0.052（N=240）	Hamajima et al, 2002
Double-strand-break repair				
BRCA2	Asn372His		Asn: 0.799, His: 0.201（N=154）	Ishitobi et al, 2003
	Met784Val		Met: 0.935, Val: 0.065（N=154）	Ishitobi et al, 2003
XRCC3	Thr241Met		日本人に関するデータなし	
DNA 合成に関わる酵素				
MTHFR	C677T	C > T	C: 0.667, T: 0.333（N=778）	Morita et al, 1997
	A1298C	A > C	A: 0.809, C: 0.191（N=243）	Matsuo et al, 2001
MS	A2756G	A > G	A: 0.809, G: 0.191（N=243）	Matsuo et al, 2001
TS	VNTR	2R < 3 R	2R: 0.145, 3R: 0.840, others: 0.015（N=494）	Hishida et al, 2003
SHMT1	C1420T		C: 0.911, T: 0.089（N=494）	Hishida et al, 2003

修復能が低ければ，発がん物質濃度が低くても発がんリスクは相対的に高くなりうる．DNA 修復酵素の遺伝子型の違いによる発がんリスクの差は，疫学調査によらなければ知ることができないが，その際には発がん物質の曝露量を考慮に入れたデザインが必要となる．

これまでに比較的多数の研究で報告されている DNA 修復酵素の遺伝子多型を表 2 に示す．これまでの DNA 修復酵素の遺伝子多型研究をレビューして，Goode らは 1）8-oxoguanine DNA glycosylase（OGG1）Ser326Cys の酵素活性の低い Cys アレルは種々のがんでリスクを上昇させる，2）XRCC1 Arg194Trp の Trp アレルは種々のがんでリスクを低下させる，3）BRCA2 Asn372His の His アレルは乳がんのリスクを増加させると述べている[9]．ただし，BRCA2 Asn372His に関してはわが国では関連は認められておらず，Met784Val の Val アレルを持つ女性で乳がんリスクが高かったと報告されている[10]．XPD については疫学研究の結果は一貫してはないが，DNA 修復能力（DNA repair capacity：DRC）においては表 2 にあるような差が認められている．

3）DNA 合成とメチル化に関与する酵素

食品中にある葉酸は DNA 合成および DNA のメチル化に必須であり，そのためこの代謝経路に関与する遺伝子多型とがんリスクとの関連が多くの研究により検討されてきた[11]．

葉酸から生成される tetrahydrofolate（THF）は serine hydroxymethyltransferase（SHMT）により serine から炭素 1 つを取り込み glycine として 5,10-methylene THF に合成される．次いで methylenetetrahydrofolate reductase（MTHFR）により 5-methyl THF に代謝される．methionine synthase（MS）は 5-methyl THF からメチル基を homocysteine に移し，methionine とする．methionine は DNA のメチル化に利用されるため，methionine の増減は DNA のメチル化に影響与え，遺伝子発現制御機構を乱すと考えられる．また，5,10-methylene THF は thymidylate synthase（TS）により炭素 1 つを渡し dUMP を dTMP にする（図 1）．

各遺伝子多型による活性の違いは表 2 に示したとおりである．SHMT1 C1420T については，活性にどのように影響するか明瞭ではない．これら遺伝子多型と発がんリスクとの関連の強さは，代謝の基質である葉酸の摂取量により異なることが想定されるが[12]，わが国では通常の食事で葉酸が欠乏することはない．

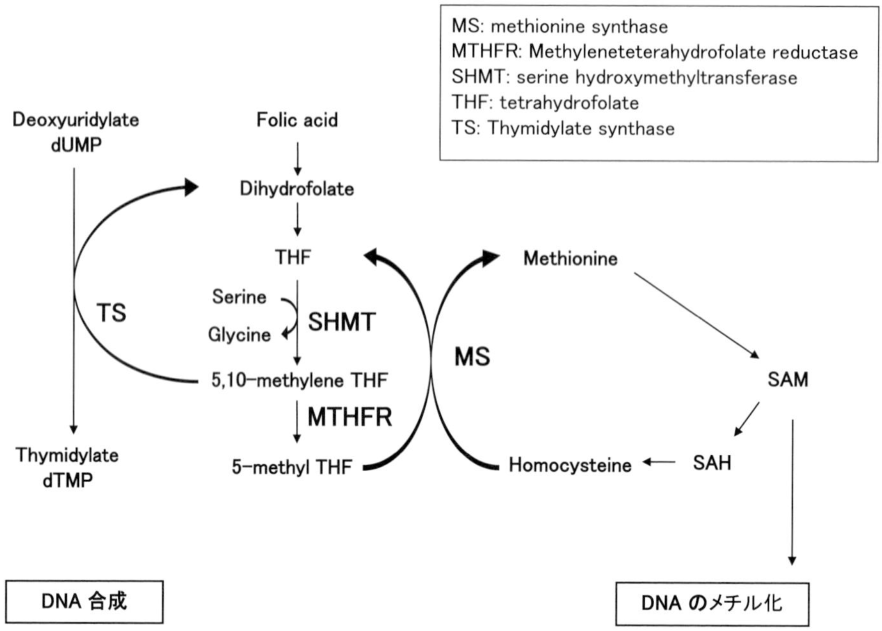

図 1

表 3　サイトカイン遺伝子多型

遺伝子名	多型名	発現または活性	日本人での頻度（N= 対象者数）	報告者，報告年
IL-1A	C-889T	C < T	C: 0.915, T: 0.085（N=241）	Hamajima et al, 2001
IL-1B	C-511T		C: 0.509, T: 0.485（N=335）	Kato et al, 2001
	T-31C		T: 0.558, C: 0.442（N=531）	Hamajima et al, 2002
	C3954T		C: 0.961, T: 0.039（N=218）	Takamatsu et al, 2000
IL-1RN	86-bpVNTR	4R < 2R	4R: 0.946, 2R: 0.041, others: 0.013（N=241）	Hamajima et al, 2001
IL-2	T-330G	T < G	T: 0.677, G: 0.323（N=443）	Togawa et al, 2005
IL-4	T-33C	T > C	T: 0.705, C: 0.295（N=452）	Togawa et al, 2005
IL-6	C-634G	C > G	C: 0.754, G: 0.246（N=2,293）	Tanaka et al, 2005
IL-8	T-251A	T < A	T: 0.720, A: 0.280（N=448）	Hamajima et al, 2003
IL-10	T-819C	T > A	T: 0.695, A: 0.305（N=444）	Hamajima et al, 2003
IL-13	C-1111T	C < T	C: 0.834, T: 0.166（N=448）	Togawa et al, 2005
MPO	G-463A	G > A	G: 0.898, A: 0.102（N=437）	Katsuda et al, 2003
TNF-A	T-1031C	T > C	T: 0.840, C: 0.160（N=575）	Kamizono et al, 2000
	C-863A	C > A	C: 0.860, A: 0.140（N=575）	Kamizono et al, 2000
	C-857T		C: 0.823, T: 0.173（N=575）	Kamizono et al, 2000
	G-308A	G < A	G: 0.983, A: 0.017（N=575）	Kamizono et al, 2000
	G-238A		G: 0.980, A: 0.020（N=575）	Kamizono et al, 2000

4) サイトカインおよび炎症に関する酵素

サイトカインは炎症や免疫に重要な役割を持つ物質で，その遺伝子多型は炎症性疾患やアレルギー性疾患などでよく調べられてきた[13]．近年になり，胃がんや大腸がんなどでは慢性炎症が発がん機序に重要であることがわかってくると，がんについてもサイトカインの遺伝子多型との関連が調べられ始めた．

表 3 にはこれまでに炎症性疾患等で比較的よく調べられてきた遺伝子多型を示す．インターロイキン 1B については既に胃がん，乳がん，悪性リンパ腫，多発性骨髄腫について報告があり[14]，その他のがんについても関連についても検討が行われている．

ミエロパーオキシダーゼ(MPO)は多核球に含まれる殺菌酵素で，ベンゾピレンや芳香族アミンのような発癌物質を活性化する共に，DNA切断，DNA修復阻害に関与する．MPO G-463A多型では，Aアレルの発現はGアレルに比べ25分の1程度しかなく，肺がんのリスクを下げるとの研究が多い[15]．

腫瘍壊死因子αの遺伝子であるTNF-Aにはプロモータ領域に5つの遺伝子多型がよく知られている(表3)．日本人では-308Aアレルと-238Aアレルの頻度が少なく[16]，研究としてはT-1031C(C-863Aとほぼ完全にリンクしている)とC-857Tの組み合わせによって検討されている．インターロイキン同様，胃がんなど炎症が発がん機序に関与するがんでは，この遺伝子多型との関連が考えられる．

5)性ホルモン合成酵素，分解酵素，受容体の遺伝子多型

性ホルモン関連がんにおいては，合成酵素，分解酵素，受容体に関与する遺伝子多型が，がんリスクに関連しうる．

乳がんではCYP17，CYP19，17β-HSD，CYP1A1，CYP1B1，COMT1，GSTM1，ERが検討されている[17]．前立腺がんではCYP17，CYP19，SRD5A2，HDS32，AR，AIB1，ERが検討されている[18]．詳細については本書の別項を参照していただきたい．

6)シグナル伝達に関与する遺伝子

細胞の分裂，分化，アポトーシスなどを引き起こすシグナル伝達に関与する分子が多く特定され，その遺伝子多型とがん発生リスクとの関連が検討されている．アポトーシスに関与するTP53の遺伝子多型Arg72Proは多くの研究が行われているが，がん発生リスクとの関連については結論に至っていない[19]．近年，乳がんとFGFR2遺伝子多型，胃がんとPSCA遺伝子多型の関連がGWASにより報告され，日本人においても同様な結果が確認されている[20,21]．

7)ハイリスク行動に関連する遺伝子

飲酒習慣はアルデヒド脱水素酵素2(ALDH2)遺伝子多型Glu487Lysにより強く影響を受ける．487LysLysの遺伝子型を持つ者はエタノールから生成されるアセトアルデヒドを解毒できず，ほとんど飲酒することができない．487GluLys型の者は酵素活性が低いため，通常は多量に飲酒することができない．同量のアルコール飲酒であれば487GluGlu型に比べ，アルデヒド濃度は血中で20倍程度，唾液中で2～3倍高くなり，飲酒による疾病罹患リスクはその分高くなる[22]．飲酒習慣はこの多型に強く依存している．

では喫煙習慣を規定する遺伝子型はあるのであろうか．一卵性双生児では二卵性双生児より喫煙習慣の一致率が高いという事実は以前から知られていたが[23]，脳内の刺激伝達物質であるドーパミンやセロトニンの代謝酵素や受容体の遺伝子多型が喫煙率と関連を持つという報告は最近得られ始めたところである[24]．喫煙行動は社会状況により影響を受けるので，遺伝子多型との関連がうまく測定できる集団とそうでない集団があり，必ずしも一貫した結果が得られているわけではないが，遺伝的素因が関与するという知見は興味深いものである．

4. 健康診断での遺伝子多型検査

遺伝子型は変えることができないことから，予防の対象となる要因ではない．しかし，生活習慣と疾病発生との関連の強さが遺伝子型により異なるという知見は，予防活動での利用への道を開くものである．

ALDH2の487GluLys型の人は飲酒関連疾患の高危険度群であり，飲酒量を減らす必要がある．単なる説明よりも遺伝子型検査を実施して意識を高めた上で説明したほうが，行動変容に役立つかもしれない．

喫煙者を禁煙させるのはかなり難しい．呼気中CO濃度や尿中のコチニン濃度などの生体指標を調べ，喫煙者に見せるという手法は関心を高め，禁煙行動を誘導する方法として時に用いられる．

米国でGSTM1の遺伝子型を知らせてその後の禁煙率を追跡するという研究が行われた．通知を受けた群は対照群にくらべ有意に禁煙率が高まったという報告がある[25]．CYP2D6を用いた他の

研究では効果がなかったと報告されている．わが国でもその効果を確認する研究が行われたが，がん病院受診者では効果が認められたものの，一般集団では効果は認められなかった[26]．

5. 遺伝子疫学以外のがん分子疫学

遺伝子型以外の生体指標を用いた疫学研究はがんの分野でも多くの発見をもたらした．特に，感染症とがんリスクとの関連を多数集団で検討するには抗体検査は必須である．肝炎ウイルスと肝臓がん，ヒトT細胞白血病ウイルス(HTLV)と成人T細胞白血病(ATL)，ヘリコバクターピロリ菌と胃がんとの関連は血清疫学が大きな役割を果たした．

がん原性物質への曝露量または感受性を調べる目的で，末梢血白血球のDNA付加体量，姉妹染色分体交換(SCE)，小核形成や，尿中の変異原性物質濃度などが用いられてきた．血中の女性ホルモンレベル(エストラジオールなど)，抗酸化物質濃度(カロチン，リコペンなど)，脂質(コレステロールなど)，免疫能力(NK細胞など)など，発がん機構に関与する物質を測定し，発がんリスクとの関連を調べる疫学調査も多く行われ，有用な情報を提供してきた．

Proteomicsにより多数の蛋白質の発現状況が一度に測定できるようになると，個人の発がんリスクが詳細に推定できると期待され，がん分子疫学が更に発展すると思われる．

6. 遺伝子疫学の登場による疫学モデルの修正

疫学研究の対象が感染症から慢性疾患に移った時に，疫学は多要因説に対応した理論を開発した．曝露のない集団でも疾病が発生し，これを基準にして曝露のある集団での発生率を表現する相対危険度は，まさにこれに答える疫学指標であった．要因はかならずしもすべて把握されているわけでないし，曝露量を正確に把握することができるのはまれである．また人の体質に関してはほとんど全くといってよいほど情報を得ることができなかった．そのようなデータセットの中では，把握できていない要因の影響は確率論的に影響する

表4　要因に対する確定的な疾病発生と確率的な疾病発生リスク

(1) 確定的な疾病発生

要因 A	要因 B	要因 C	発生	集団1	集団2
−	−	−	なし	57,000	27,000
−	＋	−	なし	20,000	20,000
−	−	＋	なし	10,000	20,000
−	＋	＋	なし	3,000	3,000
＋	−	−	なし	4,000	12,000
＋	＋	−	あり	3,000	9,000
＋	−	＋	あり	2,000	6,000
＋	＋	＋	あり	1,000	3,000
合計				100,000	100,000
発生率（%）				6.0	18.0

(2) 要因Aが測定されていない場合

要因 B	要因 C	集団1 対象者数	集団1 発生数	集団1 発生率（%）	集団2 対象者数	集団2 発生数	集団2 発生率（%）
−	−	61,000	0	0.0	39,000	0	0
＋	−	23,000	3,000	13.0	29,000	9,000	31.0
−	＋	12,000	2,000	16.7	26,000	6,000	23.1
＋	＋	4,000	1,000	25.0	6,000	3,000	50.0
合計		100,000	6,000	6.0	100,000	18,000	18.0

(3) 要因Bまたは要因Cしか測定されていない場合

要因 B	要因 C	集団1 対象者数	集団1 発生数	集団1 発生率（%）	集団2 対象者数	集団2 発生数	集団2 発生率（%）
−		73,000	2,000	2.7	65,000	6,000	9.2
＋		27,000	4,000	14.8	35,000	12,000	34.3
	−	84,000	3,000	3.6	68,000	9,000	13.2
	＋	16,000	3,000	18.8	32,000	9,000	28.1

という前提が必要であった．

遺伝子型に関する情報が得られ，遺伝子環境交互作用，遺伝子遺伝子交互作用が研究の中心になってくるにつれて，これまでの確率的因果関係論から，確定的な因果関係論に接近しうるのではないかという期待が生まれてきた[27]．要因が組み合わさった時に確定的に疾病発生が起きることを想定した場合を，表4 (1)に示す．今，疾病発生に十分ではないが必要な要因Aが把握されていないとすれば，(2)のように要因Bと要因Cを持つ者で確率的に疾病が発生しているように見える．要因Aを持つ者では要因Bと要因Cはいずれかがあれば疾病が発生するこの例で，要因Bと要因Cのいずれかしか把握されていなければ，(3)にあるよう要因を持たない者でも疾病発生があり，相対危険度が計算される．集団1での相対危険度は要因Bで5.4，要因Cで5.3，集団2での相対危険度はそれぞれと3.7と2.1である．確定的に決定されている場合であっても確率的に要因を分析ができるということをこの例は示している．更に，要因A，B，Cの分布の異なる集団では相対危険度の値がかわるということ示しており，遺伝子多型研究での相対危険度が広い範囲に分布するという現象を説明することもできる．

金貨を投げて表がでるか裏がでるかを予測することができないのは，投げる時に初期条件と金貨が上昇下降する環境の条件が不明だからであって，それが与えられれば現在の物理学から十分に表裏の予測は可能である．これと同様に，遺伝体質，感染の有無や栄養状況などの過去の曝露から形成された体質，現在の要因曝露量がわかれば，疾病罹患の有無はかなり確定的に予測できるのではないかという類推が働く．遺伝子型決定技術，蛋白発現検査技術，曝露量測定技術の発達は，確率的にしか取り扱うことができなかった生活習慣病の発生をかなり確定的決定できるのではないかという考えを呼び起す．もちろん，実際にどの程度確定的に因果関係が決定できるは現時点では不明であるが，以前の疫学研究では到達できなかったところまで因果関係を深めることができるようなろう．技術革新が疫学の因果関係モデルにも影響を与え始めたということは，多要因説への発展に匹敵する進展が，疫学研究に起きはじめていることを示唆するものである．

参考文献

1. Hamajima N, Matsuo K, Yuasa H. Adjustment of prognostic effects in prevalent case-control studies on genotype. J Epidemiol 11：204-210, 2001. Corrections. 11：288, 2001.
2. Andrieu N, Goldstein AM. Epidemilogic and genetic approaches in the study of gene-environment interaction：an overview of available methods. Epidemiol Reviews 20：137-147, 1998.
3. McCarthy MI, Abecasis GR, Cardon LR, et al. Genome-wide association studies for complex traits：consensus, uncertainty and challenges. Nat Rev Genet 9：356-369, 2008.
4. Storey JD, Tibshirani R. Statistical significance for genomewide studies. PNAS 100：9440-9445, 2003.
5. Wacholder S, Chanock S, Garcia-Closas M, et al. Assessing the probability that a positive report is false：an approach for molecular epidemiology studies. J Natl Cancer Inst 96：434-442, 2004.
6. Hecht SS：Tobacco smoke carcinogens and lung cancer. J Natl Cancer Inst 91：1194-1210, 1999.
7. Hamajima N, Takezaki T, Tajima K. Allele frequencies of 25 polymorphisms pertaining to cancer risk for Japanese, Koreans, and Chinese. Asian Pacific J Cancer Prev 3：197-206, 2002.
8. Thornalley P. Isothiocyamates：mechanisim of cancer chemopreventive action. Anti-Cancer Drug 13：331-338, 2002.
9. Goode EL, Ulrich CM, Potter JD. Polymorphisms in DNA repair genes and associations with cancer risk. Cancer Epidemiol Biomarkers Prev 11：1513-1530, 2002.
10. Ishitobi M, Miyoshi Y, Ando A, et al. Association of *BRCA2* polymorphism at codon 784 (Met/Val) with breast cancer risk and prognosis. Clin Cancer Res 9：1376-1380, 2003.
11. Friso S, Choi S-W. Gene-nutrient interactions and DNA methylation. J Nutr 132：2382S-2387S, 2002.
12. Ma J, Stampfer MJ, Giovannucci E, et al. Methylenetetrahydrofolate reductase polymorphism, dietary interactions, and risk of colorectal cancer. Cancer Res 57, 1098-1102, 1997.
13. Dinarello CA. Biological basis for interleukin-1 in disease. Blood 87：2095-2147, 1996.
14. 浜島信之，湯浅秀道：インターロイキン1βにかかわる遺伝子多型と疾病リスク．日本公衛誌 50：194-207, 2003.
15. Kihohara C, Otsu A, Shirakawa T, et al. Genetic polymorphisms and lung cancer susceptibility：a review. Lung Cancer 37：241-256, 2002.
16. Kamizono S, Hiromatsu Y, Seki N, et al. A polyporphism of the 5' flanking region of tumour necrosis factor α gene is associated with thyroid-associated ophthalmopathy in Japanese. Clin

各論Ⅱ

Endocrinol 52：759-764, 2000.
17. Mitrunen K, Hirvonen A. Molecular epidemiology of sporadic breast cancer. The role of polymorphic genes involved in oestrogen biosynthesis and metabolism. Mutat Res 544：9-41, 2003.
18. Hsing AW, Reichardt JKV, Stanczyk FZ. Hormones and prostate cancer：current perspectives and future directions. Prostate 52：213-235, 2002.
19. Imyanitov EN. Gene polymorphisms, apoptotic capacity and cancer risk. Hum Genet 125：239-246, 2009.
20. Kawase T, Matsuo K, Suzuki T, et al. FGFR2 intronic polymorphisms interact with reproductive risk factors of breast cancer：results of a case control study in Japan. Int J Cancer 125：1946-1952, 2009.
21. Matsuo K, Tajima K, Suzuki T, et al. Association of prostate stem cell antigen gene polymorphisms with the risk of stomach cancer in Japanese. Int J Cancer 125：1961-1964, 2009.
22. Matsuo K, Hamajima N, Shinoda M, et al. Gene-environment interaction between aldehyde dehydrogenase-2（ALDH2）polymorphism and alcohol consumption for the risk of esophageal cancer. Carcinogenesis 22：923-916, 2001.
23. Carmelli D, Swan GE, Robinette D et al：Genetic influence on smoking – a study of male twins. N Engl J Med 327：829-833, 1992.
24. Batra V, Patkar AA, Berrettini WH, et al. The genetic determinants of smoking. Chest 123, 1730-1739, 2003.
25. McKinney EF, Walton RT, Yudkin P et al：Association between polymorphisms in dopamine metabolic enzymes and tobacco consumption in smokers. Pharmacogenetics 10：483-491, 2000.
26. Hishida A, Terazawa T, Mamiya T, et al. Efficacy of genotype notification to Japanese smokers on smoking cessation – an intervention study at workplace. Cancer Epidemiol 34：96-100, 2010.
27. Rothman K, Greenland S. Causation and causal inference. In "Modern Epidemilogy Second Edition", pp7-28, Lippincott-Raven Publishers, Philadelphia, 1998.

Ⅱ-5 悪性腫瘍
b.　癌の遺伝子診断法

東京医科歯科大学 難治疾患研究所 ゲノム応用医学研究部門（分子細胞遺伝）
稲澤譲治

はじめに

日本人の死亡原因の第一位の疾病である癌は，一部の遺伝性腫瘍を除き，体細胞に起きた遺伝子異常が原因で発症する生活習慣病の一つである．そのほとんどは多段階的な遺伝子の変異を経てこれが蓄積することにより，浸潤や転移性，薬剤耐性など悪性の形質を獲得して人を死へと導く．ヒトゲノム解析研究の急速な進展により，2003年4月にはヒトゲノム塩基配列の全容が明らかにされた．この情報をもとにヒトゲノムの一塩基多型(single nucleotide polymorphism, SNP)やコピー数多様性(copy number variation, CNV)の詳細が明らかになり，ゲノム多様性と疾患罹病性や薬物代謝などとの関連が明らかにされてきている．さらに，DNAチップやマイクロアレイによる網羅的な遺伝子発現やゲノムコピー数異常の解析法が標準的な技術として利用されるようになった．次世代型高速シーケンサーが開発され個人ゲノムシーケンス情報に基づく癌の病態解析も急速に進んでいる．癌臨床の場においても，癌細胞の存在確認や病型分類，悪性度判定や予後予測，分子標的治療薬選択のためのエビデンスとして，さらに遺伝性腫瘍の確定診断と遺伝カウンセリングの情報取得などにおいて染色体検査や遺伝子診断は必須のものとなっている．

1.　癌の染色体・ゲノム・遺伝子の異常

癌遺伝子は癌細胞の増殖に対してアクセルとして働き，癌抑制遺伝子はブレーキとして働く．癌抑制遺伝子はさらにP53遺伝子やRB遺伝子のように細胞増殖に直接影響するもの[Gatekeeper]と，BRCA1遺伝子やATM遺伝子などのようにDNA修復やゲノムの完全性(integrity)に関わるもの[Caretaker]に分けられる[1]．癌細胞では，癌遺伝子の機能が活性化されたり，癌抑制遺伝子の機能が失われたりする．癌のゲノム異常は，①機能獲得性変異(gain of function mutation)と，②機能喪失性変異(loss of function mutation)に大別され，前者は癌遺伝子に，後者は癌抑制遺伝子に起こることが多い．いずれの場合も，癌の遺伝子診断では，塩基レベル～染色体レベルのゲノムの構造や機能の異常として検出することができる．癌遺伝子の機能獲得性変異には，遺伝子内変異(intragenic mutation)，遺伝子増幅(gene amplification)（表1），染色体転座(chromosome translocation)（表2）の三つのパターンが知られている．一方，癌抑制遺伝子の機能喪失性変異は主に，遺伝子内変異，染色体欠失(chromosome deletion)であり，さらにこれに転写プロモーター領域のDNAメチル化などのエピジェネティック(epigenetic，後生的)な遺伝子制御異常が加わる場合が知られている．DNAメチル化解析も癌の遺伝子診断において重要な項目の一つとなっているがこれに関しては別項に譲る．

表1　遺伝子増幅を起こす癌関連遺伝子

癌遺伝子名	染色体座位	癌腫（頻度）	遺伝子の機能
ERBB1/EGFR	7q21.3	膠芽腫（50%），扁平上皮癌（10-20%）	RTK ※
EHER2/NEU/ERBB2	17q12	胃・卵巣・乳癌（10-25%）	RTK，アダプター蛋白
FGFR1	8p12	乳癌（10%）	RTK
FGFR2	10q26	乳癌	RTK
MET	7q31	胃癌（20%）	RTK
KRAS	12p12.1	肺・卵巣・膀胱癌（5-10%）	低分子Gタンパク質
NRAS	1p13.2	頭頸部癌	低分子Gタンパク質
MYC	8q24	種々の白血病・固形癌（10-50%）	転写因子
MYCL	1p32	非小細胞肺癌（10%）	転写因子
MYCN	2p24.1	神経芽腫・肺癌	転写因子
AKT1	14q32.3	胃癌（20%）	セリン/スレオニンキナーゼ
CCND1	11q13	乳癌・扁平上皮癌（40-50%）	G1サイクリン
MDM2/CDK4	12q13	肉腫（40%）	CDK（TP53拮抗蛋白）
CCNE1	19q13.1	胃癌（15%）	サイクリン
ALT2	19q13.1-13.2	膵・卵巣癌（30%）	セリン/スレオニンキナーゼ
AIB1/BTAK	20q13	乳癌（15%）	受容体コアクチベーター
MYB	6q22	大腸癌，白血病	転写因子
ETS1	11q23.3	悪性リンパ腫	転写因子

※RTK，受容体型チロシンキナーゼ
Weiberg RA著“The Biology of Cancer”より改変の上転載

表2　代表的な腫瘍特異的染色体転座と再構成を起こす切断点遺伝子

造血器腫瘍	染色体転座	転座切断点遺伝子	転座切断点遺伝子
AML/M2	t(8;21)(q22;q22)	*AML1*	*MTG8*
AML/M2（M4）	t(6;9)(p23;q34)	*DEK*	*CAN*
AML/M3	t(15;17)(q22;q21)	*PML*	*RARα*
AML/M4Eo	inv(16)(p13q22)	*PEBP2β*	*MYH11*
CML	t(9;22)(q34;q11)	*BCR*	*ABL*
Pre-B-ALL	t(1;19)(q23;p13)	*PBX1*	*E2A*
B-CLL	t(14;19)(q32;q13)	*BCL3*	*IgH*
B-lymphoma	t(14;18)(q32;q21)	*BCL2*	*IgH*
Burkitt's	t(8;14)(q24;32)	*MYC*	*IgH*
Burkitt's	t(2;8)(p11;q24)	*MYC*	*Igκ*
Burkitt's	t(8;22)(q24;q11)	*MYC*	*Igλ*
T-ALL	t(8;14)(q24;q11)	*MYC*	*TCRα/δ*
T-ALL	t(1;14)(p32;q11)	*SCL/TAL1/TCL5*	*TCRα/δ*
Ki-1リンパ腫	t(2;5)(p23;q35)	*ALK*	*NPM1*
骨軟部腫瘍	**染色体転座**	**転座切断点遺伝子**	**転座切断点遺伝子**
Ewing腫瘍	t(11;22)(q24;q12)	*EWS*	*FLI1, ERG, ETV1*，他
滑膜肉腫	t(X;18)(p11;q11)	*SYT*	*SSX1, SSX2, SSX3*
横紋筋肉腫	t(2;13)(q35;q14)	*PAX3*	*FKHR*
円形細胞型脂肪肉腫	t(12;16)(q13;p11)	*TLS/FUS*	*CHOP*

2. 癌遺伝子のドライバー変異(driver mutation)と乗客変異(passenger mutation)

癌細胞に検出する遺伝子異常のなかでも癌細胞の増殖や転移・浸潤などの悪性形質に直接的に関与する遺伝子変異をドライバー変異(driver mutation)と呼び，これに対し，癌細胞のゲノム不安定性に便乗して惹起された意味の乏しい遺伝子変異を乗客変異(passenger mutation)と呼ぶことがある．癌細胞の悪性形質はあたかも特定のドライバー変異遺伝子に対して強く依存しているかのような振る舞いを示し，ドライバー変異の遺伝子産物に対する特異的阻害は分子標的治療薬の基本コンセプトになっている．慢性骨髄性白血病細胞(chronic myelocytic leukemia, CML)のイマチニブ，肺非小細胞癌の変異 EGFR 阻害剤ゲフィチニブ，さらに乳癌の抗 HER2/NEU（ERBB2）抗体であるトラスツズマブなどはその代表である．

3. 染色体・遺伝子異常の検出法

一般に染色体・ゲノム異常の解析には，1）DNA の一次構造解析，2）遺伝子の発現解析，3）エピジェネティックな遺伝子制御異常として DNA メチル化を調べる方法などがある．また，それぞれの解析方法は，ハイブリダイゼーション技術や PCR（polymerase chain reaction），DNA シーケンス法を基本にするものが多い．それぞれの手法によって解析の対象，扱うことができるサンプルの量や数が異なっており，解像度も 1 塩基対（bp）のレベルから数百万塩基対（Mb）の染色体レベルまで幅がある．さらに，ゲノム異常に基づく遺伝子の機能変化として mRNA 発現量を reverse transcriptase（RT）-PCR 法で定量的に計測したり，転写された mRNA を逆転写酵素で相補 complimentary（c）DNA に変換してその DNA サイズや塩基配列から遺伝子変異や転座再構成の有無を検出する場合などがある．多く遺伝子診断法の中から塩基レベル～染色体レベルの異常を検出するのに最適のツールを選んで使い分ける必要がある．（表 3）

4. ヒト染色体検査の解像度

細胞分裂中期の染色体をギムザ染色液で分染（G 分染法）するとハプロイドセット（22 種類の常染色体と X，Y）当たり約 320 のバンドに区分される．（図 1）前中期細胞の細長い染色体ではさらに細かい染色体バンドを描画した高精度分染が可能になり，ハプロイドセット当たり 400，550，850 バンドと解像度を上げることができる[2]．現在では，ヒトゲノムプロジェクトで明らかにされた配列データをもとに，個々の染色体の物理的な大きさ，含まれている蛋白コード遺伝子やマイクロ RNA などの数が明らかになっている．ヒトの染色体は顕微鏡で観察された大きさにしたがって染色体番号が付されたが、実際には 21 番染色体が最小である．また，個々の染色体の遺伝子数

表 3　主な癌の染色体・遺伝子診断法

方法	用途	解析対象と特徴
Southern blot 法	遺伝子再構成検出にもっとも一般的	染色体転座切断点の遺伝子再構成や遺伝子増幅，免疫グロブリン（Ig）遺伝子などの遺伝子再構成の検出
PCR 法	既知の遺伝子の構造，点突然変異	Ig, TCR 遺伝子再構成，染色体転座切断点などの検出
PCR-SSCP 法	既知の遺伝子の点突然変異	癌遺伝子や癌抑制遺伝子の点突然変異などの検出
DNA シーケンス法	遺伝子の配列決定	癌遺伝子や癌抑制遺伝子の点突然変異などの検出
Northern blot 法	遺伝子の mRNA 発現	mRNA の発現量と大きさの検出（比較的大量のサンプルが必要）
RT-PCR	既知遺伝子の mRNA 発現	mRNA の発現量（少量のサンプルでも測定可能）
リアルタイム PCR 法	既知遺伝子の mRNA 発現量やゲノムコピー数変化	q（quantitative）-PCR ともいう．RT-PCR を基本にするが検出法が異なり高い定量性が担保されている．多検体処理も可能
FISH 法	染色体，間期核での転座や染色体コピー数異常の検出	間期核 FISH 法は染色体標本の作成が難しい固形腫瘍でも応用可能．間期核 FISH は数 100 個の細胞核を対象とできるため定量解析が可能になる．
アレイ CGH 法	ゲノムコピー数異常の解析	全ゲノム領域の網羅的コピー数異常の検出
DNA チップ法，マイクロアレイ法	既知遺伝子の網羅的発現解析	体系的な遺伝子発現解析，発現解析による予後診断への応用

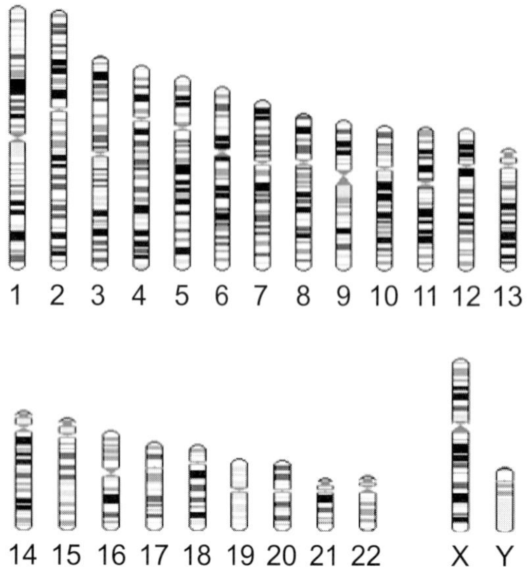

図1　ヒト染色体の模式図．正常男性核型は，46,XY，女性核型は46,XXと表記する．
（Ensemblホームページより引用改変（http://www.ensembl.org/index.html）

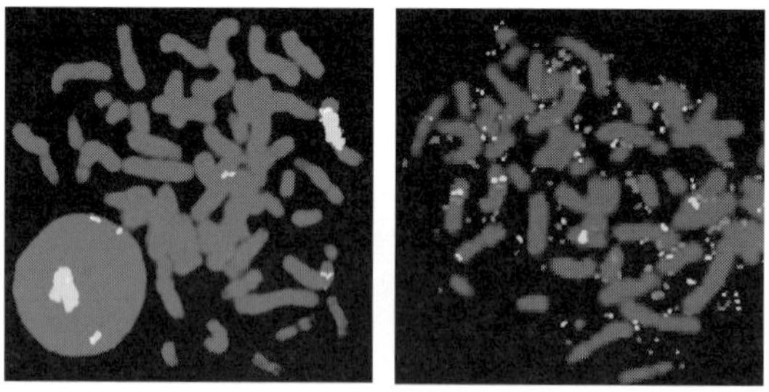

図2　癌の分裂中期細胞に検出した遺伝子増幅の染色体変化
（左）homogenously staining region（HSR）
（右）double minute chromosome（dmin）

は必ずしも大きさに準じていない．ヒトゲノム全体の物理的サイズは約3,000Mbであり，400バンドレベルの染色体バンドは約7～8Mb（3,000Mb/400=7.5Mb）である．850バンドの高精度分染では1バンドは約4Mbであり，したがって染色体の解像度は5～10Mbレベル程度と言える．しかし，染色体検査では，造血器腫瘍や骨軟部腫瘍の病型特異的転座異常や染色体長腕，短腕のレベルの染色体欠失や重複などの異数性（aneusomy）を検出するには非常に有効な検査法である．また，遺伝子増幅はhomogeneous staining region（HSR）やdouble minute chromosome（dmin，またはDM）などの異常染色体として観察する場合がある．（図2）

5. FISH（Fluorescence *in situ* hybridization）法

染色体検査は分裂する生きた細胞を試料に染色体標本を作製して，顕微鏡観察により形態学的に染色体構造や数の異常を判定する方法である．生きた細胞をサンプルにするという特性と検査実施者の技能に依存することから最も自動化が難しい臨床検査の一つとされている[3]．一方，染色体だけでなく間期核を対象に蛍光シグナルとして染色体や遺伝子の異常を検出することができるFISH法は，染色体標本の作製が難しい上皮細胞由来の固形癌や化学療法中の患者の骨髄細胞の間期核を試料として用いることが可能である．さらに，間期核のマルチカラーFISH法では，一度に複数のDNAプローブを区別して検出できることから，プローブの組み合わせにより染色体転座や増幅，欠失などの変化を正確に判定することができる．実際，CMLにおいてフィラデルフィア（Ph）染色体転座の存在確認による細胞遺伝学的寛解の判定や，乳癌の*HER2/NEU*（*ERBB2*）増幅の検出，さらに肺腺癌の*EGFR*増幅の確認などに間期核FISH法が利用されており，その結果は，イマチニブ，ゲフィチニブ，トラスツズマブなど分子標的治療薬の投与決定のエビデンスにもなっている．

6. 染色体転座と癌遺伝子再構成

造血器腫瘍や一部の骨軟部腫瘍ではその腫瘍病型に特異的な染色体異常が明らかにされている．1971年にはRowleyによりCMLに出現するPh染色体が9番染色体と22番染色体の相互転座t（9;22）（q34;q11）であることが明らかにされた．その後，バーキットリンパ腫のt(8;14)（q24;q13）や急性骨髄生白血病（AML-M1）のt(8;21)（q22;22）をはじめとする病型特異的な染色体転座が次々と発見された．現在まで総計300以上の

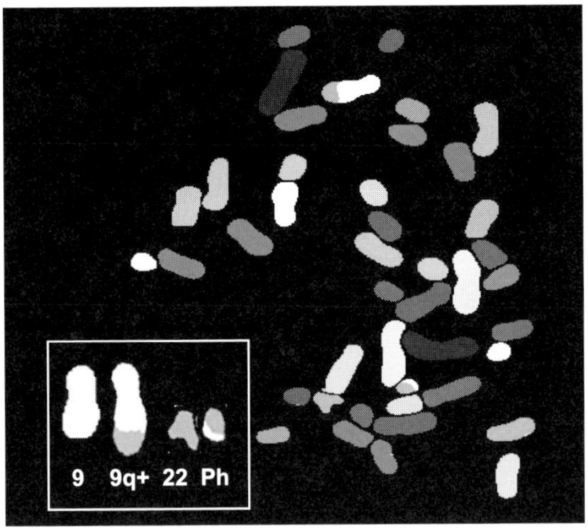

図3 慢性骨髄性白血病細胞(CML)の95%以上で染色体転座t(9;22)(q34;q11.2)が起こりフィラデルフィア(Ph)を検出する.

反復性の染色体転座と100を超える再構成遺伝子が明らかにされている.その中には①CMLの*BCR/ABL*転座のようにキメラ遺伝子を形成(図3)するものや,②バーキットリンパ腫の*IgH/MYC*ように免疫グロブリン遺伝子のエンハンサー下流に*MYC*が転座して活性化される再構成パターンなどが知られている.これらの病型特異的染色体異常の存在は癌細胞のクローナリティーを証明するものであり,逆に染色体検査やPCR法などにおいて癌特異的染色体転座や遺伝子再構成を検出することは当該異常を有する癌の確定診断や化学療法後の残存癌細胞の存在診断やモニタリングのバイオマーカーとして利用されている.各種癌の染色体異常のデータベースとして,Mitelman Database of Chromosome Aberrations in Cancer (http://cgap.nci.nih.gov/Chromosomes/Mitelman)を閲覧することができる.

7. 遺伝子増幅と癌遺伝子の活性化

ヒト体細胞ゲノムの常染色体は父母由来の1対2本が存在しており,個々の遺伝子は2コピー存在している.癌細胞では自身の生存や増殖に有利に働く原癌遺伝子(proto-oncogene)などの癌関連遺伝子が増幅して機能を亢進させていることがある.本邦においては「HER2(ERBB2)過剰発現が確認された転移性乳癌または術後補助化学療法」における抗ERBB2抗体薬や「切除不能進行大腸癌のEGFR高発現症例」における抗EGFR抗体薬などの分子標的治療薬の保険適用が承認されている.これらHER2やEGFRの過剰発現の有無は通常ホルマリン固定後のパラフィン切片を用いた免疫組織染色によって判定されるが,治療効果との関連性や免疫染色の再現性は必ずしも一定ではないことが気づかれている.このことから,当該標的遺伝子の活性化の評価はFISHで増幅を確認すべきとの見解もある[4].

8. アレイcomparative genomic hybridization(CGH)

CGHは「比較ゲノムハイブリダイゼーション」と邦訳され,細胞から抽出したゲノムDNAをプローブに,染色体コピー数の変化を測定するゲノム解析法である.(図4)染色体標本を用いる染色体CGH法につづいてアレイCGH法が開発された.現在ではBACクローンをスポットしたBACアレイやオリゴDNAによるDNAチップを用いたアレイCGH法がひろく利用されている[5].このアレイCGH法を用いると数十キロ塩基対の微細なゲノムコピー数異常を正確に判定できるとともに,多項目の癌関連遺伝子の増幅や欠失を一度に検出することができることから,癌の個性診断法としての利用に期待がかかる.本法は,癌のみならず既知の染色体異常症の診断技術として,また,原因不明の先天異常症の潜在的ゲノム異常の探索にも利用されており,従来の染色体検査の代替・補完技術としてその実用化が図られている.さらに,一塩基多型(SNP, single nucleotide polymorphism)を基本情報にアレルを識別してヘテロ接合性消失(LOH, loss of heterozygosity)の判定とコピー数変化を併せて検出するDNAチップも開発され,研究用に実用化されている.また,アレイCGH法が開発され,1kbから数Mbにわたる大きなサイズのゲノムDNAのコピー数変化であるCopy number variation (CNV)の存在が明らかになり,癌を含む生活習慣病との関連が注目されてきている[6, 7, 8].

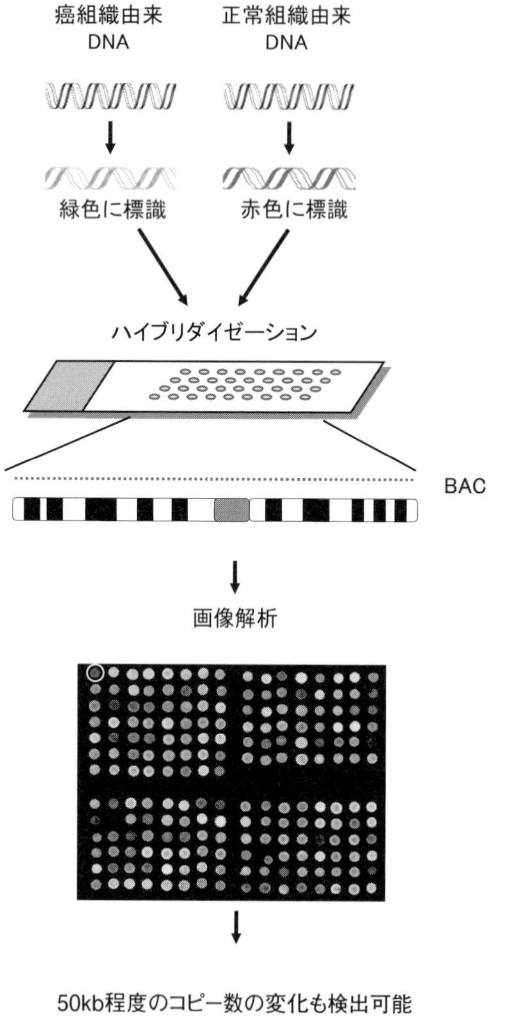

図4　アレイ CGH による染色体コピー数異常の検出

おわりに

先端的ゲノム解析技術が日進月歩で開発されてきている．その一つである次世代型超高速シーケンサーは，従来型の約 100 倍の処理能力，経費は約 100 分の 1 と驚くべき性能であり，さらに一層高いパフォーマンスのシーケンサーも開発されてきている．米国国立癌研究所(NCI)ならびに同国立ヒトゲノム研究所(NHGRI)は，先端的なゲノム解析技術を用いた応用研究を実施して包括的，集学的に癌の分子基盤を理解するためのプロジェクトである「癌ゲノムアトラス・パイロットプロジェクト」(The Cancer Genome Atlas，TCGA)を始動させた[9]．本プロジェクトは民間を含む 17 研究施設を含むコラボレーションであり，それぞれが臨床サンプルの収集，ゲノム機能の解析，ゲノムシーケンス，データ処理の統合化といった役割を分担している．TCGA のゴールは，癌に起きたゲノム変化のあらゆる局面から体系的に探索し，その成果をもとに，癌の診断，治療，予防法の改善を図ることにある．2008 年 4 月には，主要な 8 種類の癌に関してゲノム異常カタログを作成するための国際プロジェクト「国際癌ゲノムコンソーシアム」(International Cancer Genome Consortium：ICGC)が発足し，8 カ国 11 機関が解析に着手している．日本においては理研，国立癌センター，医薬基盤研究所の 3 施設がこれに参加し，肝炎ウイルス関連肝臓癌のゲノム解析を推進している．今後，これら成果にもとづき種々の分子標的治療薬が開発され，日常の臨床において遺伝子診断結果(エビデンス)に基づく癌治療薬剤の選択が一層定着するものと予想される．

参考文献

1. Weinberg RA. The Biology of Cancer. Garland Science, Taylor & Francis Group. NY, USA. 2007.
2. Shaffer LG, Slovak ML, Campbell LJ. ISCN2009. An International System for Human Cytogenetic Nomenclature (2009) Basel：Karger, 2009.
3. 阿部達生監修，稲澤譲治編：臨床 FISH プロトコール－目で見る染色体・遺伝子診断法，細胞工学　別冊　実験プロトコールシリーズ．秀潤社，1997.
4. Sauter G. et al., Guidelines for human epidermal growth factor receptor 2 testing：biologic and methodologic considerations. *J Clin Oncol.*, 27：1323-1333, 2009.
5. Inazawa J. Inoue J, Imoto I. Comparative genomic hybridization (CGH) -based arrays pave the way for identification of novel cancer-related genes. Cancer Science 95：559-63, 2004.
6. Beckmann JS, Estivill X, Antonarakis SE. Copy number variants and genetic traits：closer to the resolution of phenotypic to genotypic variability. Nature Rev. Genet. 8：639-46, 2007.
7. Human Genome Structural Variation Working Group. Completing the map of human genetic variation. Nature 447：161-165, 2007.
8. 稲澤譲治．ヒトゲノムのコピー数変化(Copy number variation：CNV) と 疾 患．Cancer Frontier 9：43-49, 2007.
9. The Cancer Genome Atlas. http：//cancergenome.nih.gov/

Ⅱ-5 悪性腫瘍
c.　がんの化学予防

京都府立医科大学・立命館大学
西野輔翼

はじめに

がん予防のための対策としては色々な方法があり，一般に一次予防(がんが発生しないようにするための予防)と二次予防(がんが発生しても，そのがんで死ぬことがないようにするための予防，早期発見・早期治療を目標としたがん検診はその一例である)に分類されている．

がんの化学予防に関しては，一次予防に主体を置いて研究が進められてきたが，実際には一次予防効果を示す場合，二次予防にもつながることが多い．また，二次予防の場合，継続できるケースが多いが，一次予防はすぐにやめてしまう人が圧倒的に多い．これらの現実的なことを考えれば，二次予防の研究に重点を移していくことが合理的であるかもしれない．実際のところ，法的な規制があるため，現時点ではがん化学予防で実用化可能なのは二次予防「薬」しかありえない(がん一次予防に有効な機能性「食品」が開発できたとしても，その効能を表示することは決して認可されることはない)という背景もあり，今後の研究方針を考えるにあたっては慎重な検討が必要であろう．

当然のことではあるが，がん化学予防物質に関する研究の動向は，がん研究全体の進捗状況を反映させながら常に変化してきた．最近では，ヒトゲノム研究を基盤として大きく進展し続けているがん研究の成果を取り込んで予防物質を開発することが重点課題として位置づけられている．このような方向性は，分子標的がん化学予防物質の開発や，一塩基多型(SNPs)解析の結果に基づいて個々人に最適なテーラーメイド化学予防を可能にするための研究を活性化することにつながってきており，極めて重要である．

1.　がん化学予防の概念

がんの化学予防とは，化学物質を用いてがんの発生を抑制することであり，Wattenbergらの研究グループやSpornらの研究グループなどによって，1970年代に提唱された結構古い概念である．

がんの一次予防に使われる化学予防物質には，blocking agents（DNAに変異を引き起こす化学物質が産生されるのを阻害するもの，及びDNAに変異が起こる段階を阻害するもの)と，suppressing agents（DNAに変異が起こってしまった後，細胞が実際にがんとしての特性を獲得するに至るまでの一連の過程において，そのいずれかの段階で進行を阻害するもの)とがある．化学予防物質の種類によっては，これらの両方の作用を併せ持っているものもある．

がんの二次予防に使われる化学予防物質ということになると，生体内ですでにがん化してしまった細胞が存在している状況において有効であることが求められるので，がん化学療法で用いられる制がん剤との境界はきわめて曖昧になる．(ただ，作用ターゲットとしては多彩なものを選択できるため，学問的には興味深い分野であり，今後の発展性は十分にある．また，予防薬という標榜をせずとも，制がん剤の一種ということで開発を進めるのも良い方法かもしれない．いずれにしても固い考え方からは脱却して，自由な発想で現実的な開発を考えることが重要である．）

がんは遺伝子の疾患であると言われるようになってからすでにかなりの期間が過ぎたが，遺伝子だけで総てが解決できるわけではないことも事実である．たとえば，同じように遺伝子の変化が起こっているのにもかかわらず，発症する場合と，しない場合とがあり，個人差のあることが古くから認識されている．その理由として指摘されているのは，がん発症に影響を及ぼす修飾因子(modifier)が存在している点である．修飾因子には，生体(ヒト)側の内在的因子と，生体外から働きかける環境因子の二つがある．

内在的因子の一つとして注目されているのがSNPsである．SNPsの型の差によって発がんリスクに差がでてくることがあるため，それを利用してリスク評価が可能になる．そして，リスクが判定できれば，そのリスクを回避するための方法を開発する研究へと進むことが可能となる．これらの研究が総合的に進展し，データベースを構築することができれば，SNPsの差のパターンに基づいて，個々人に最適な対応方法を選択することも可能になる．いわゆるテーラーメイドのがん化学予防を実現させることができるわけであり，重視されているのである．

一方，生体外から働きかける環境因子としては，多彩なものがあり，喫煙，食事パターンをはじめとするライフスタイルが，ありふれたものではあるが特に重要視されている．その他にも農薬や添加物の問題など，気にしはじめればきりがないほどである．

ここで注目すべきことは，環境因子の中には発がんに対して抑制的に働いているものもあるという点である．たとえば，緑黄色野菜や果物を多く摂取することによって，発がんのリスクが低減することを示唆する疫学的研究結果が集積している．そして，緑黄色野菜や果物に含有されている成分の中に，がん予防効果を発現することに寄与していると考えられる化合物も多数単離されている．これらの研究結果は，がん化学予防の概念が実用化の可能性のあるものとして考え続けられてきた背景としても大きな役割を果たした．しかし，残念ながら実用化のレベルまで到達できた研究は現時点においては皆無であり，この研究分野の難しさを浮き彫りにしている．

幸いなことに二次予防に使える化合物に関しては，いくつかのものが得られている．それらはいずれも「薬」として使用されるため，開発にあたってのルールも明白であり，実際に承認を受けて販売されるに至った例もある．

2. がん化学予防の開発プロセス

がんの化学予防物質の開発は，細胞レベルや動物レベルでの実験的研究から，ヒトでの有効性を証明する臨床試験に至るまで，多くのステップがあり，きわめて長時間を要する課題である．図1に，開発の簡単なフローチャートを提示したが，あくまで目安であり，開発プロセスの順序が入れ替ることもしばしば起こる．特に，がん予防を目的として開始されたものではなく，全く別のプロジェクトとして行なわれている臨床研究の経過中に偶然見出されたがん予防物質の場合，発がん抑制機序の解析などは，後追いで行なわれることになり，開発スケジュールは大きく異なってくる．

がん予防物質開発の出発点としては，疫学的な研究結果に基づいている場合と，研究室で分子標的化学予防物質として新規に合成したものや，新

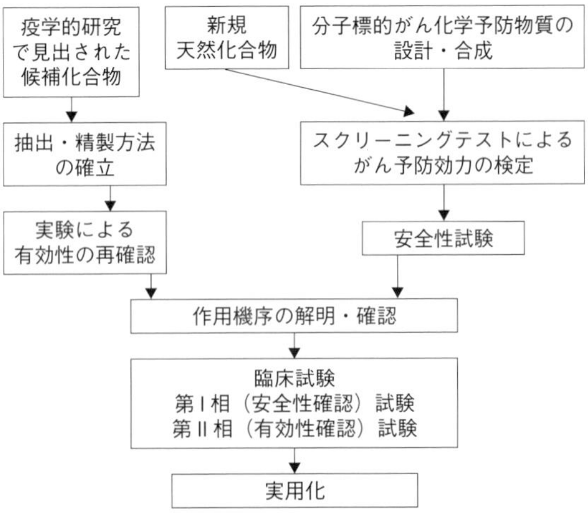

図1　がん化学予防物質開発のフローチャート

規に見出された天然化合物を実用化しようとする場合とがあり，それらの開発スケジュールは始めの時点では当然異なっているが，途中からは同じプロセスを進むことになる．

3. がん化学予防物質

表1に例示したように，がん化学予防物質として，天然化合物とともに，合成化合物が多数提案されていることがわかる．合成化合物の中には，有効な天然化合物の誘導体として合成されたものも含まれている．合成化合物の場合，効力が高く，特異性も明確な化合物を選択できる点や，安定的な供給が可能であるという利点もあるため，今後ますます発展するものと予測される．一方で，天然化合物の多くのものが安全性の点で優れていることが多いため，それらをうまく組み合わせて用いることにより十分な効力も確保しながら，実用性の高いものを開発する試みが続けられている．

以下に，幾つかの例をとりあげて，開発の経過や，今後の展望について紹介する．なお，これらの例はがん化学予防研究のほんの一部を取り上げたにすぎず，研究の広がりは膨大であることということをあらかじめことわっておきたい．

古くから，ビタミンAに発がん抑制効果のあることが示唆されてきた[1～3]が，1971年にBollagら[4]は，ビタミンAを臨床的に投与することを開始した．その結果，皮膚の前がん状態であるactinic keratosisや，基底細胞がんに対しては有効であるが，それ以外のがんには無効であること，また，ビタミンAの副作用は重篤なもので，到底臨床上使用できるものではないことが明らかとなった．このような経緯から，ビタミンAによる制がんの研究は，副作用の少ないビタミンA類似体の開発へと移行して行くことになった．

代表的なものとしてはN-（4-hydroxyphenyl）-retinamide，etretinate，isotretinoin等が注目されているビタミンA類似体としてあげることができる．これらは，一般に情報伝達系のモジュレーターとして作用するがん化学予防物質として分類されており，現在，臨床試験による効力検定が進められているが，いずれも結論は得られていない．

表1　がん化学予防化合物

天然化合物	合成化合物
β-carotene	N-（4-hydroxyphenyl）-retinamide
α-carotene	etretinate
lycopene	isotretinoin
retinoic acid	polyprenoic acid（E5166）
curcumin	KNK-41
EGCG	DHEA analog 8354
genistein	flucinolone acetonide
resveratrol	sulinduc
ursolic acid	nimesulide
oleanolic acid	cerecoxib
glycyrrhetinic acid	ibuprofen
myo-inositol	ketoprofen
vitamin B12	piroxicam
folic acid	tamoxifen
vitamin C	toremifen
vitamin E	oltipraz
vitamin D	butylated hydroxyanisole
calcium	difluoromethylornithine
selenium	carbenoxolone
lactoferrin	FTI-276

日本においてもビタミンA類似体の開発が進められ，その例としては非環式レチノイドの一種であるpolyprenoic acid（E5166）などがある．E5166は肝がん治療後に高率に発生する二次原発性肝がんの予防に有効であることが証明され[5]，高く評価されている．その後も追加実験が行われ，一応再現性があったとのことであるが，その効力は期待されたほど高いものではないようである．興味深いことに，非環式レチノイドはいくつかの食品素材中にも存在することが明らかにされ，現在さらなる研究が進められているところである．

ビタミンA類似体の研究はさらに進化し続けており，第二世代に移行して構造的にはビタミンAからかけはなれているようなものまで開発されている．それらはレチノイダル化合物と呼ばれており，たとえば，KNK-41（レチノイダルブテノライド）などが開発されている．KNK-41は，細胞周期の進行を抑制しG0/G1期への集積をもたらすことが明らかにされ，また，がん抑制遺伝子であるRB遺伝子やWaf 1遺伝子の発現を促進することも証明された．今後，さらに安全性に優れ，効力が高いレチノイドが開発されるものと予測され，期待がよせられている．

各論Ⅱ

さて，ビタミンAの副作用を回避する方法として，レチノイドの開発を行うことと並んでビタミンA前駆体であるカロテノイドを利用することが考えられた．

その理由は，カロテノイドの中でもっともプロビタミンA活性の高いβ－カロテンをヒトに大量に投与しても，ビタミンAへの変換は一定量以上行われないようにコントロールするシステムがあるようであり，ビタミンA過剰症が起こらないということが知られていたことによる．すなわち，ビタミンAではなく，プロドラッグとしてβ－カロテンを投与すれば副作用を回避できることになるわけである．さらに，疫学的な研究結果に基づいてβ－カロテンのがん予防効果が示唆された[6]ことから，大規模な研究が展開される事になった．

ところで，β－カロテンは元々ビタミンA前駆体として利用することから始まったのであるが，その後プロビタミンA活性のないカロテノイドにも発がん抑制作用があることが明らかとなり，ビタミンAに変換されてから作用するのではなくカロテノイド自体に作用があると考えられるようになった．そしてその延長線上に一つのブレークスルーがあった．すなわち，カロテノイドの中にはβ－カロテンよりも強力な発がん抑制作用を示すものがあることが見出されたのである．たとえば，α－カロテンがその例である．すなわち，ICR雌マウスの背部皮膚にイニシエーターとしてDMBA，プロモーターとしてTPAを塗布した場合に生じる腫瘍数に対するα－カロテンの抗プロモーター作用を検定した結果，有意な抑制効果を示すことが証明され，しかもその効果はβ－カロテンよりもはるかに強力であることが明らかとなったのである．α－カロテンの抗発がんプロモーター活性がβ－カロテンよりも強力であることは，その他の実験系でも確認された．すなわち，イニシエーターとして4-nitroquinoline 1-oxide（4NQO），プロモーターとしてグリセロールを用いたddYマウス肺二段階発がんの実験系において，プロモーション段階で，α－あるいはβ－カロテンを0.05%の濃度になるように飲料水に添加し経口投与すると，α－カロテンでは平均肺腫瘍数が有意に減少したが，他方β－カロテンの場合，この条件下ではまったく効果が認められなかった．さらに，C3H/He雄マウスにおける自然発症肝がんに対しても，α－カロテンはβ－カロテンよりも強力な抑制効果を示した[7]．このように，β－カロテン以外にも評価すべきカロテノイドが実際にあることが確認されたことから，さらに他の種々のカロテノイドについても発がん抑制効力を検討する価値は十分にあると考えられた．そして，α－カロテンのほかにも，リコピン，ルテイン，ゼアキサンチン，β－クリプトキサンチン，カプサンチン，アスタキサンチン，フコキサンチンなどがβ－カロテンよりも強力な発がん抑制効果を示すことが明らかにされた．また，複数のカロテノイドを組み合わせて用いた場合，相乗効果が得られる場合もあることが見出された．

以上のような結果に基づいて，β－カロテンのみによるがん予防を推進するのではなく他のカロテノイドと共に用いるという方法を確立するべきであろうと考えられるようになった．このような方向性は，大量のβ－カロテンを単独で投与した場合，ヘビースモーカーにおける肺がんのリスクが減少するのではなく，その逆に増加するという全く予期しなかった結果が報告された[8, 9]ことをきっかけとして決定的なものとなった．すなわち，一種類のカロテノイドを大量に用いてがん予防を行うことは危険な場合もあり得ることが認識され，なるべく少ない量の種々のカロテノイドをコンビネーションで用いる安全性の高い方法の開発へと研究の流れが変わったのである．

そして，実際に種々のカロテノイドの混合物（複合カロテノイド）が副作用のない優れた肝発がん抑制効果を持っていることを示す臨床試験結果が得られたこともあって，研究の方向としては間違っていないであろうと考えられるようになった．この研究の概要は以下のとおりである[10]．

ウイルス性肝硬変（LC）は肝細胞がん（HCC）の高危険群で年率約7%の高頻度でHCCを発生する．LCからHCC発生を予防するために，肝硬変で血中濃度が低下することが明かとなっている炭化水素系カロテノイド群（リコペン，β－カロテン，α－カロテン）にα－トコフェロールを加えた複合カロテノイドサンプルを経口投与して，その効果を検討した．その結果，複合カロテノイドがHCCの発生予防に有効であることが示唆された．

続いて，LCでは，リコペン，β－カロテン，α－カロテンとともにβ－クリプトキサンチンの血中濃度も低下していることを考慮に入れて，さらなる効力改善のためにβ－クリプトキサンチンも追加して併用投与する新しい臨床試験が実施された．すなわち，従来の複合カロテノイド経口投与に加えて，β－クリプトキサンチンを1本(190 m l)あたり3 m g含有するように強化したミカンジュースを1日1本摂取させる臨床介入試験が行われた．(なお，このミカンジュースには，イノシトールも1本あたり1 g含有されるように強化しているが，その理由はイノシトールが優れた肝がん抑制効力を示すことが別途に行われた実験によって証明されていたことによる．)その結果，表3に示したように，併用することによって優れた効果が得られることを証明することができた[10]．

表3　複合カロテノイドおよびβ - クリプトキサンチン強化ミカンジュースによる肝がん予防

グループ	(n)	肝がん発生率	(阻害%)
対照群	(45)	22.2[a]	
複合カロテノイド投与群	(46)	13.0	(41%)
複合カロテノイドおよびβ - クリプトキサンチン強化ミカンジュース投与群	(24)	4.2[a]	(81%)

投与期間：2.5 年
[a]p=0.05

さて，カロテノイドの作用機序として注目されているのは，フリーラジカル連鎖反応阻害作用である．しかし，それ以外にもがん抑制遺伝子の発現促進作用や免疫賦活作用の重要性なども指摘されており，多彩な機能を持っていることは確実である．したがって，網羅的に活性を評価することが求められているが，その方法の一つとしてDNAアレイの活用がある．ヒトゲノム研究の成果を活用したDNAチップの開発は急速に進歩しており，すでに標準的な解析方法の一つとして定着しているので，この方法を用いて多くのデータが蓄積してきた．たとえばβ－クリプトキサンチンについて解析した結果，かなり早期に発現が誘導される遺伝子のあることが見出されたが，その一方で遅れて誘導されるものもあることがわかった．なお，β－クリプトキサンチンがRB遺伝子の発現を促進することも明らかとなっており，その重要性についての評価を行うことが今後の課題である．

ここで注意すべき点は，このような多彩な作用の発現パターンは，それぞれのカロテノイドごとに特性が見られ，個々で異なっているということである．すなわち，この点から考えても種々のカロテノイドをコンビネーションで用いることの妥当性が支持されるわけであり，実用化の現場においては重要な情報となる．また，種々の作用機序を持つ他の構造の異なる化合物をカロテノイド群と組み合わせて用いるという方法も考えられる．このような組み合わせ方法の開発は，効果を増強させることができるというメリットばかりではなく，単品が持っている欠点を抑えたり，補完しあったりできるということもあるため，今後ますます重視されるようになると考えられる．

がんの発生に炎症が関与している場合があることは以前より指摘されており，がんの化学予防を考える場合のターゲットの一つとして位置付けられてきた．

非ステロイド性抗炎症剤(NSAIDs)は抗炎症，解熱，鎮痛の目的で古くから用いられてきたが，近年になってその作用機序としてプロスタノイド生合成のキー・エンザイムであるcyclooxygenase (COX)の阻害が重要であることが明らかにされた．そして，COX阻害作用のある古典的なNSAIDsであるaspirinを心筋梗塞の予防を目的として服用したグループにおいて，大腸がんによる死亡のリスクが低いことが見出された[11]ことから，がんの化学予防におけるCOX阻害剤の利用はトピックス的な注目を集めることとなった．さらに，familial adenomatous polyposis (家族性大腸腺腫症：FAP)患者にsulindacを投与することによって，ポリープが減少することも報告された[12]．また，ヒト大腸がん組織において，まわりの正常組織と比較して，プロスタノイドの濃度が高値であることが以前より報告されている[13～

[14]ことや，COX type2（COX-2）の発現が増強していること[15]も証明されたことから，大腸がん予防にCOX阻害剤を利用するという方向性は確定的なものとなった．さらに，動物実験によっても，COX阻害作用を示す種々のNSAIDsが，化学発がん剤で誘発される大腸がんを抑制することが古くから報告され[16]，これまでに多くの研究成果が蓄積されてきた．また，FAPのモデル動物であるmultiple intestinal neoplasia（MIN）マウスに発生するポリープをsulinduc[17]，piroxicam[18]，nimesulide[15]などが抑制することも証明された．そして，がん抑制遺伝子の一つであるadenomatous polyposis coli遺伝子（apc）をノックアウトしたマウスに発生する大腸腫瘍においてCOX-2の発現が増強していること，さらにCOX-2遺伝子（ptgs2）をさらにノックアウトしてapcおよびptgs2のダブルノックアウトマウスを作製したところ大腸腫瘍の発生が抑制されることが証明され[19]，COX-2が大腸発がんにおいて重要な役割を果たしていることが強く示唆された．以上のような研究経過に基づいて，COX阻害剤を用いた大腸がん予防が臨床的に現実性のある課題となった．

しかし，ここで問題となる点は，COX阻害剤の副作用である．すなわち，消化管障害や血小板凝集抑制作用などの副作用に対する解決策が必要となる．特に，消化管潰瘍は頻度が高く，重篤な症状を引き起こす危険性があり，問題の大きな副作用である．日本人の場合，欧米人よりもよけいにこの副作用が問題になる傾向にあり，その対策は特に重要である．そこで，副作用の少ないCOX阻害剤が注目されるようになった．COXにはtype1（恒常的に発現しており，胃粘膜を保護する役割などを果たしている）とtype2（炎症などの場合に発現誘導される）とがあるが，大腸がんに関与しているのは上述したようにtype2と考えられること，およびCOX-2選択的阻害剤は，従来のCOX阻害剤のようにtype1を阻害することがなく，type1による胃粘膜保護作用は温存されることから副作用が比較的少ないこと，の2点の理由から，大腸がん予防にはCOX-2選択的阻害剤を用いるのが適切であろうと提案されるに至った．そして実際に，celecoxibやnimesulideなどのCOX-2選択的阻害剤に関する臨床研究が重点的に進められ，celecoxibがFAP患者のポリープを有意に減少させることが報告された．この結果などを総合的に評価して，米国食品薬品局（US-FDA）は，celecoxibを大腸ポリープ予防に用いることを承認した．（ちなみに，US-FDAが承認した予防薬としては，乳がん予防用のtamoxifenに次いで2番目のものであり，注目を浴びた．）残念ながら，その後，celecoxibの安全性に問題点があることが指摘されるなど，いまだに未完成な部分が残っており，この分野における開発の難しさが再認識されている．このような状況であることから，より安全性の高い大腸発がん予防用の合成COX-2選択的阻害剤の競争的開発が，日本の研究グループも加わって，さらに広範囲に重点的に続けられており，今後の進展が期待される．このような経過については，本書の別の項目でも紹介されているので参照していただきたい．

ところで，食品や生薬に含有されている天然のCOX阻害物質に関する研究も地道ながら確実に進展してきていることにも注意を払うべきであろう．結局，これらの天然素材の方が，合成薬よりも実用性が高いという結果になる可能性も十分に有る．そのような視点から研究を進めることがより重要であると主張している研究グループさえあり，今後この競争的開発がどのように進展するのかは予測困難である．いずれにしても色々な視点から研究を進めることが有意義であることは明らかであり，この分野が多方面から注目されはじめていることは幸いである．

食品や生薬に含有されている天然のCOX阻害物質に関する研究の具体的な例としては，香辛料，果物などに含有されている天然化合物に関するものがある．すでに，クルクミン，カテキン類，アピゲニン，ケンフェローロ，バイカレイン，ノビレチン，レスベラトロール，rosmarinic acid，rosmanol，epiromanol，ウルソール酸，オレアノール酸，ベルベリンなどにCOX阻害活性のあることが明らかにされ，がん予防に利用できる可能性が実験結果に基づいて示唆されている．

たとえばクルクミンに関しては，皮膚発がんプロモーションを抑制することが最初に証明され[20]，さらに続いてその他の臓器における発がんも抑制することが明らかにされた．そして，クルクミンの安全性が極めて高いことも古くから知られているばかりでなく再確認されたこともあり，実用化の可能性の高い化合物として注目され，すでに臨床試験も開始されている．

カテキン類に関しても多くの実験的研究が行われ，それらのデータを基盤として，現在臨床試験が実施されている．

COX阻害物質を含有している素材は多岐にわたり，ウコン，ショウガ，緑茶，カモミール，オレガノ，ローズマリー，バジル，柑橘類，ぶどう，黄柏などがその例である．面白い素材としては，ホップがある．ビールには必須であり，日常生活においてなじみのある素材であるが，単なる香や味だけの機能だけではなく，生体機能調節作用物質も含有しているのである．たとえばホップ特有の苦み成分であるhumuloneがCOX-2の誘導および酵素活性に対して強力な阻害活性を示すことが明らかにされ，注目されている．

甘草も興味深い素材であり，生薬として用いられると共に，天然甘味料として種々の食品に添加されており，応用範囲が広いことから，その研究も多くのグループによって多角的に行われてきた．そして，種々のCOX阻害物質を含有していると共に，イソリクイリチゲニンなどのlipoxygenase（LOX）阻害物質も含有していることが明らかとなった．そして，イソリクイリチゲニンが大腸前がん病変の発生を抑制することが証明[21]され，さらに，皮膚および肺における発がんプロモーションを抑制することも証明された．なお，甘草の薬効成分，甘味成分として知られているglycyrrhizinに関しては，肝発がん抑制効果のあることが古くからすでに証明されている．したがって，甘草はがん予防において利用価値の高い素材と評価できる．興味深いことに，甘草のカルス培養によって有効成分を安価に大量生産する方法の開発や，甘草成分の誘導体を開発してがん予防に利用しようという試みが始められており，その展開に注目が集まっている．

がんの一次予防に役立っているのではないかと古くから考えられてきた化合物群として，がん原性物質を不活化する酵素群（いわゆるphase II enzymes）を誘導するものがある．たとえば，ブロッコリーなどのアブラナ科の野菜類に含有されているイソチオシアネート類およびその関連化合物として合成されたoltiprazや，ニンニクなどのアリウム属の野菜類の成分である含硫化合物類などはその代表例である．ニンニク抽出物に関しては，中国における胃がんのハイリスクグループに対する抑制効果を評価するための臨床試験が進行中である．

ホルモン依存性に発生するがん（例えば乳がんや前立腺がん）の予防に関しては，ホルモン拮抗物質が有効である可能性は早くから指摘され，多くの研究が行われてきた．その結果として，anti-estrogenの一つであるtamoxifenが，乳がん予防の薬剤として米国で認可されたことは，すでに述べたとおりである．現在，さらに安全性の高い化合物の開発が進められているところである．また，大豆に含有されているイソフラボノイド類（ゲニステインなど）にもanti-estrogen様作用があり，日本人の女性に乳がんが少ないのは，大豆製品を多く摂取していることが関与しているのではないかという仮説が出されている．将来，臨床試験にまで進む可能性のある候補物質の一つとして注目されている．

葉酸，ビタミンB12，ビタミンB6などは安全性が高く，しかも十分効果も期待できるため，一部ではすでに臨床試験に取り上げられているが，実際には良くない結果も得られたりして結果はばらついており，今後これらの候補化合物に関する臨床試験を効率良く進めることが可能な体制を整えることが重要であろう．

4. 臨床試験

表2にこれまでに実施された臨床試験の例の一部を示した．すでに，前項で紹介したように，多くの研究はまだ確定的な結論が出ていない．中には，むしろ発がんを促進してしまったケース[8, 9]もあり，この分野の研究の困難さが浮彫りとなっている．

このような状況も踏まえて，臨床試験における評価をすべてがんの発生を指標として行うのではなく，より早期に評価を終了できるintermediate

各論Ⅱ

表２　がん化学予防の臨床試験に取り上げられた化合物の例

臓器	対象となる疾患	化合物
皮膚	基底細胞がんの既往	retinoic acid, β-crotene
口腔	白斑症	retinoic acid, β-crotene, curucumin
肺	喫煙者	β-crotene
	異型上皮	folic acid and vitamin B12
乳腺	乳がん術後	tamoxifen, N-（4-hydroxyphenyl）-retinamide
子宮頚部	異形成	β-crotene, retinoic acid
肝臓	肝がん術後	polyprenoic acid（E5166）, vitamin K2
	ウイルス性肝硬変	multi-carotenoids
大腸	大腸腺腫の既往	cerecoxib, wheat brann, lactobacillus, lactoferrin
	家族制大腸腺腫症	sulindac, DFMO
	大腸がんの既往	calcium, β-crotene
胃	胃がんのハイリスク群	garlic extract
	健常ボランテイア	vitamin C

biomarkerをsurrogate end points（代理指標）として積極的に取り入れていくことが望ましいのではないかという提案がなされている．例えば，前がん病変の消失などを指標とすることなどは，これまでにも取り入れられているので，このような方法をさらに広範囲に活用していくことが推奨されているのである．そして，より簡便で，かつ信頼性も高い新規のintermediate biomarkerを開発していくことが今後の重要な課題となっている．今後，臨床評価を実施するべき候補化合物はますます増加すると予測されるので，このような研究の流れは当然といえる．

おわりに

現時点で，tamoxifenおよびcelecoxibについては，米国においてすでに実用することが認可されるに至っていることは，紹介したとおりである．今後，このようなケースが増えていくことを期待したい．

がん化学予防は，発がんリスクの高いグループを対象にした臨床試験によって確立されていくことが多い．すでに，明確なハイリスクグループが知られており，責任遺伝子が解明されているケースもあるので，このような場合の対策は急ぐ必要があるため，優先的にがん予防試験を行うことにするのが適切であろう．さらに，がんのリスクと相関する一塩基多型が，今後数多く確定されていくものと予測されており，このようなケースへの対策が大きな課題になってくるのも確実である．その前提として，適切なリスク評価が可能な基盤を構築しておくことが必要であり，がんのリスクと相関する一塩基多型を網羅的に効率良く解析できるDNAチップの利用などが取り入れられている．このような研究方向は，テーラーメイドのがん化学予防を実現させることにつながるものであり，重要である．

また，ハイリスクグループを対象とした研究から得られたデータは，一般健常人におけるがん予防対策を考える場合にも役立つ場合がある．たとえば，食品成分のがん予防効果が確認された場合には，参考データとして極めて有用である．
ところで，一般に食品や生薬に含有されている活性成分はほとんどの場合一つであることはなく，複数混在しており，この点は特に注意を払うべきであろう．それらが，各成分の効果を高めると共に，欠点を抑えたり，補完したりして，全体で見ると極めて優れた効果を現すことが多いのである[22]．しかも，それぞれの素材は単品で用いられることはなく，レシピの一素材として用いるのが一般的である．したがって，系としては多因子性の大変複雑なものとなる．そして，このような複雑系こそが，現実的に利用可能なわけであり，有効成分の相互作用の解明が今後の重要な課題となってくる．これらの基礎的データは，現在開発が進められているがん予防のための機能性食品を完成させるためには必須であり，重要である．

参考文献

1. Fujimaki, Y. : Formation of gastric carcinoma in albino rats fed on deficiant diets. J. Cancer Res. 1926 ; 10 : 469-477.
2. Lasnitzki, I. : The influence of a hypervitaminosis on the effect of 20-methylcholanthrene on mouse prosta glands grown in vitro. Br. J. Cancer 1955 ; 9 : 434-441.

3. Saffiotti, U., Momtesano, R., Sellakumar, A.R. et al. : Exprimental cancer of the lung. Inhibition by vitamin A of the induction of tracheobronchial squamous metaplasia and squamous cell tumous. Cancer 1967 ; 20 : 857-864.
4. Bollag, W. : Effects of vitamin A acid on transplantable and chemically induced tumors. Cancer Chemother. Rep. 1971 ; 55 : 53-58.
5. Muto, Y., Morikawa, H., Ninomiya, M., et al. : Prevention of second primary tumors by an acyclic retinoid, polyprenoic acid, in patients with hepatocellular carcinoma. N. Engl. J. Med. 1996 ; 334 : 1561-1567.
6. Peto, R., Doll, R., Buckley, J.D., et al. : Can dietary β -carotene materially reduce human cancer rates? Nature 1981 ; 290 : 201-208.
7. Murakoshi, M., Nishino, H., Satomi, Y., et al. : Potent preventive action of α -carotene against carcinogenesis : Spontaneous liver carcinogenesis and promoting stage of lung and skin carcinogenesis in mice are suppressed more effectively by α -carotene than by β -carotene. Cancer Res. 1992 ; 52 : 6583-6587.
8. The Alfa-Tochopherol, Beta Carotene Cancer Prevention Study Group : The effect of vitamin E and beta carotene on the incidence of lung cancer and other cancers in male smokers. N. Engl. J. Med. 1994 ; 30 : 1029-1035.
9. Omenn, G.S., Goodman, G.E., Thornquist, M.D., et al. : Effects of a combination of beta carotene and vitamin A on lung cancer and cardiovascular disease. N. Engl. J. Med. 1996 ; 334 : 1150-1155.
10. Nishino H, Murakoshi M, Tokuda H, Satomi Y : Cancer prevention by carotenoids. Arch Biochem Biophys., 2009 ; 483 : 165-168.
11. Thun, M.J., Namboodiri, M.M., Heath, C.W., Jr. : Aspirin use and reduced risk of fatal colon cancer. N. Engl. J. Med. 1991 ; 325 : 1593-1596.
12. Giardiello, F.M., Hamilton, S.R., Krush, A.J., et al. : Treatment of colonic and rectal adenomas with sulindac in familial adenomatous polyposis. N. Engl. J. Med. 1993 ; 328 : 1313-1316.
13. Bennett, A., Del Tacca, M. : Proceedings : Prostaglandins in human colonic carcinoma. Gut 1975 ; 16 : 409.
14. Bennett, A., Del Tacca, M., Stamford, I.F., Zebro, T. : Prostaglandins from tumours of human large bowel. Br. J. Cancer 1997 ; 35, 881-884.
15. Nakatsugi, S., Fukutake, M., Takahashi, M., et al. : Suppression of intestinal polyp development by nimesulide, a selective cyclooxygenase-2 inhibitor, in Min mece. Jpn. J. Cancer Res. 1997 ; 88 : 1117-1120.
16. Narisawa, T., Sato, M., Tani, M., et al. : Inhibition of development of methylnitrosourea-induced rat colon tumors by indomethacin treatment. Cancer Res. 1981 ; 41 : 1954-1957.
17. Beazer-Barclay, Y., Levy, D.B., Moser, A.R., et al. : Sulinduc suppresses tumorigenesis in the Min mouse. Carcinogenesis 1996 ; 17 : 1757-1760.
18. Jacoby, R.F., Marshall, D.J., Newton, M.A., et al. : Chemoprevention of spontaneous intestinal adenomas in the ApcMin mouse model by the nonsteroidal anti-inflammatory drug piroxicam. Cancer Res. 1996 ; 56 : 710-714.
19. Oshima, M., Dinchuk, J.E., Kargman, S.L., et al. : Suppression of intestinal poluposis in Apc △ 716 knockout mice by inhibition of cyclooxygenase 2 (COX2) . Cell 1996 ; 87 : 803-809.
20. Huang, M.T., Ma, W., Yen, P., et al. : Inhibitory effects of topical application of low doses of curucumin on 12-O-tetradecanoylphorbol-13-acetate-induced tumor promotion and oxidized DNA bases in mouse epidermis. Carcinogenesis 1997 ; 18 : 83-88.
21. Baba, M., Asano, R., Takigami, I., et al. : Studies on cancer chemoprevention by traditional folk medicines XXV. Inhibitory effect of isoliquiritigenin on azoxymethane-induced murine colon aberrant crypt focus formation and carcinogenesis. Biol. Pharm. Bull. 2002 ; 25 : 247-250.
22. Newmark, T.M., Schulick, P. : Beyond Aspirin, Hohm Press, 2000 ; 1-316.

各論 II

Ⅱ-5 悪性腫瘍
d. 感染・炎症関連発がん

三重大学大学院医学系研究科[1]，鈴鹿医療科学大学薬学部[2]
平工　雄介[1]，川西　正祐[2]

1. はじめに

炎症とがんとの関連についての研究は古く，1863年にRudolf Virchowがかんの原因は慢性炎症であるとの仮説を提唱して以来，現在まで約1世紀半にわたる歴史を有する．1907年には，Johannes Fibigerは線虫が寄生したアブラムシを摂取したラットで，感染に伴う慢性刺激により胃がんを人工的に作ることに成功し，この業績で1926年にノーベル賞を受賞した．しかし，この実験は再現性が得られなかったため，長く疑問視

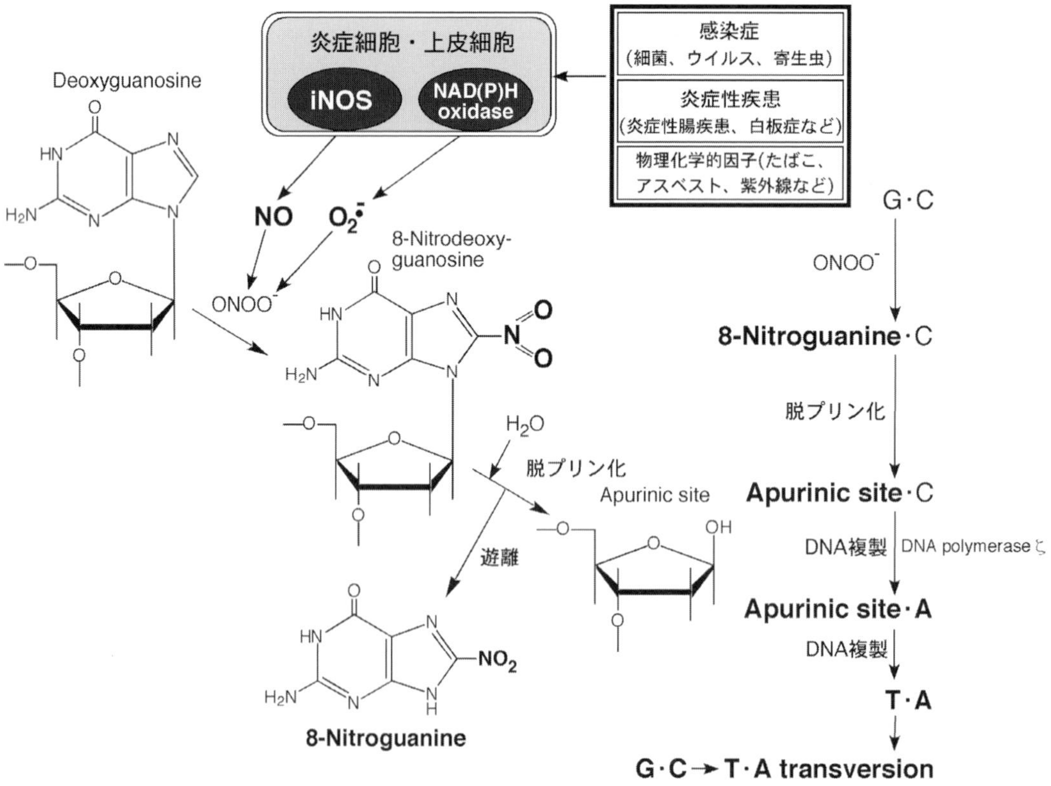

図1

表1　ヒトに発がんをもたらす感染症

感染要因	発がん部位	がん症例数	世界のがん症例数に対する割合(%)
Helicobacter pylori	胃	490,000	5.4
パピローマウイルス	子宮頸部など	550,000	6.1
B 型肝炎ウイルス C 型肝炎ウイルス	肝臓	390,000	4.3
EB ウイルス	リンパ腫，上咽頭	99,000	1.1
HHV-8	カポジ肉腫	54,000	0.6
HTLV-1	白血病	2,700	0.1
ビルハルツ住血吸虫	膀胱	9,000	0.1
タイ肝吸虫 (*Opisthorchis viverrini*)	肝内胆管，胆道系	800	
その他		65,700	0.7
	感染関連発がんの総数	1,600,000	17.7
	がん症例の総数（1995）	9,000,000	100.0

上記の感染症は IARC で Group 1（ヒトに発がん性を有する）と評価されている.

表2　発がんをもたらす炎症性疾患および環境因子

原因	発がん部位
アスベスト	中皮腫，肺
喫煙	肺
口腔扁平苔癬，白板症	口腔
炎症性腸疾患 (クローン病，潰瘍性大腸炎)	大腸，直腸
慢性膵炎	膵臓
逆流性食道炎，バレット食道	食道
紫外線	皮膚

されてきた．近年，種々の疾病や環境因子により惹起される慢性炎症の発がんへの関与が，ますます多くの研究者の関心を集めている．実際に多くのがんが感染および炎症を起こした部位から発生する．国際がん研究機関(International Agency for Research on Cancer, IARC)の報告では，感染症が全世界の発がん要因の約 18%に寄与すると推定されている[1]（表1）．感染症は発がん因子のうち約 35%を占める食品因子，約 30%を占めるタバコに次いで重要な発がん因子である．最近では，慢性炎症は世界のがんの約 25%に寄与するとの推算がある．日本では，肝癌をもたらすC型肝炎ウイルス，胃癌をもたらす *Helicobacter pylori*，子宮頸癌をもたらすパピローマウイルスなど，感染症による発がんへの寄与が先進国の中では比較的大きい(約 20%)と推定されている．発展途上国では感染症の発がんへの寄与がさらに高く，30%以上にのぼる地域もある．細菌やウイルスのみならず，寄生虫感染症にも発がんをもたらす疾患が存在する．さらに，感染と直接関係しない慢性炎症性疾患も発がんに関与する(表2)．例えば，炎症性腸疾患では罹患者の大腸がんのリスクが高い．物理化学的要因も炎症関連発がんの原因となる．2005 年に大きな社会問題となったアスベスト曝露では肺癌および悪性中皮腫が惹起される．しかし，感染・炎症関連発がんの包括的分子機構は未だ明らかではない．

感染・炎症に関連する発がんにおいては，炎症過程において，細胞増殖刺激および NF-κB などの転写因子によるアポトーシスの抑制を介した細胞増殖の促進が発がんに重要であると考えられている．加えて，慢性的な感染や炎症条件下では，マクロファージなどの炎症細胞および上皮細胞から NAD(P)H オキシダーゼにより産生されるスーパーオキシド(O_2^-)に加え，誘導性 NO 合成酵素(iNOS)発現により NO が過剰に生成される．このような活性酸素種および活性窒素種が DNA や蛋白などの生体分子の損傷や修飾をもたらし，感染・炎症関連発がんに重要な役割を果たすと考えられる．ヒトのがんはイニシエーション，プロモーション，プログレッションと呼ばれる多段階を経て発生すると考えられている．種々の環境因子による DNA 損傷は突然変異をもたらし，がん原遺伝子の活性化およびがん抑制遺伝子の不活化を起こして，発がんの各段階において重要な役割を果たすと考えられる．グアニンの酸化により生成される DNA 損傷塩基 8 − オキソデオキシグアノシン(8-oxodG)は，正しく修復が行われないと DNA 合成時に相補鎖にアデニンが挿入されて G:C → T：A トランスバージョンをはじめとする突然変異を起こす[2]．また NO と O_2^-が反応する

各論 II

と極めて反応性の強いペルオキシナイトレート（ONOO⁻）が生成される．ONOO⁻はグアニン残基と反応して8－ニトログアニンを生成する．DNA中で生成された8－ニトログアニンは化学的に不安定であり，遊離してアプリン部位（apurinic site）を形成する[3]．アプリン部位はDNA複製時にアデニンと対合しやすく，再度複製時にそのアデニンがチミンと対合した結果，G：C → T：Aトランスバージョンが起こる（図1）．川西らは抗8－ニトログアニン抗体を独自に作成して免疫組織学的研究を行い[4]，種々の動物モデルおよび臨床検体において，炎症関連発がんに先駆けて8－ニトログアニンががん好発部位で生成されることを世界で初めて明らかにした[5, 6]．また，忠実度の低いDNAポリメラーゼζがニトロ化DNA損傷の修復エラーに伴う突然変異に関わる可能性があるという知見を示している[7]．これらの研究成果をもとに，感染・炎症関連発がんの分子機構について以下に詳述する．

2. タイ肝吸虫

タイ肝吸虫は主にタイ東北部を中心とした地域に分布するが，この地域では肝内胆管癌の罹患率が高いことが重要な健康問題である．この地域では肝吸虫に汚染された魚の生食の習慣があり，肝内胆管癌の罹患率が高い．タイ肝吸虫のメタセカリアは宿主であるコイ科の魚の筋肉組織中に存在しており，汚染された魚の摂取によりヒトの消化管に取り込まれる．メタセカリアは消化管内でより成熟した個体となり，総胆管を上行して肝内胆管に至り，慢性炎症を起こして胆管癌の発症をもたらすと考えられている．

川西らはタイ・コンケーン大学との共同研究を行い，タイ肝吸虫をハムスターに感染させた動物モデルを作成して肝組織におけるDNA損傷について検討した．その結果，急性期（感染後21－30日）では炎症細胞と肝内胆管上皮細胞で8－ニトログアニンおよび8-oxodGが顕著に生成されるが，慢性感染（90日以降）では炎症細胞でのDNA損傷はほぼ消失し，胆管上皮細胞でDNA損傷が持続することを明らかにした．胆管上皮細胞におけるDNA損傷は感染回数を増やすことで増強された[8]．また，肝吸虫感染動物におけるDNA損傷は抗寄生虫薬プラジカンテルによりほぼ消失した[9]．さらに，タイ肝吸虫の抗原が胆管上皮細胞の細胞膜にあるTLR2を介してNF-κB活性化およびiNOS発現を誘導し，DNA損傷をもたらすことが判明した[9]．NF-κBは実験動物において炎症関連発がんのプロモーター作用を有することが報告されており[10]，転移を含めた発がん過程の多くの段階で関与する可能性が考えられる[11]．さらに，タイの肝内胆管癌患者を対象とした研究では，腫瘍およびその周囲の組織における8－ニトログアニンや8-oxodGの生成が癌の浸潤性と関連する[12]．タイ肝吸虫感染者および肝内胆管癌患者を対象とした分子疫学的研究では，8-oxodGの尿中排泄量および白血球中の存在量が健常者，肝吸虫感染者，胆管癌患者の順に統計学的有意差をもって増加した[13]．これらの結果から，8－ニトログアニンなどのDNA損傷塩基が炎症関連発がんの有用なバイオマーカーとなりうる可能性が示された．

3. *Helicobacter pylori* と胃癌

Helicobacter pylori（*H. pylori*）は胃粘膜上皮に感染するグラム陰性菌で，活動性胃炎，消化性潰瘍，MALTリンパ腫および胃癌の病因として知られる．*H. pylori* には先進国の25－50%および発展途上国の70－90%の人口に感染が認められ，全世界では20億人が感染していると推測される．*H. pylori* 感染患者の胃粘膜ではiNOSの発現が認められることから，胃がん発生には炎症が重要な役割を果たしていると考えられる．川西らは，*H. pylori* 感染のある胃炎患者の胃粘膜の生検標本を用いて免疫組織染色を行った結果，8－ニトログアニンおよび8-oxodGの生成が胃腺上皮細胞に強く認められた[14]．一方，*H. pylori* 感染のない胃炎患者では炎症細胞のみにDNA損傷を認め，腺上皮細胞ではDNA損傷を認めなかった．さらに *H. pylori* 除菌を行った胃炎患者では胃腺上皮細胞におけるDNA損傷はほぼ完全に消失した．したがって，*H. pylori* 感染によりDNA損傷をもたらし，上皮細胞の増殖が促進され，発がんにつながると考えられる．これらの結果から，8－ニトロ

グアニンは *H. pylori* 感染による胃癌のリスク評価および除菌効果の判定のバイオマーカーとして応用できる可能性があることを示している．

胃上皮細胞由来の培養細胞において *H. pylori* は toll-like receptor-4（TLR4）の発現を上昇させ，また *H. pylori* は自身の TLR4 導入細胞への接着を促進することが報告されている．一方，TLR2 および TLR5 導入細胞では *H. pylori* 感染により NF-κB 活性が上昇したが TLR4 導入細胞では上昇が認められないという報告もある．TLR4 はグラム陰性菌の外膜構成成分のエンドトキシンであるリポ多糖（LPS）をリガンドとして NF-κB などの転写因子の発現をもたらす．NF-κB は iNOS を含めた遺伝子の発現に関わるので，*H. pylori* は TLR を介して上皮細胞における iNOS 発現誘導および 8－ニトログアニン生成をもたらし発がんに関与する可能性があると推察される．

また，胃癌の発症には CagA 蛋白陽性の *H. pylori* に感染するとリスクが高い．CagA は *H. pylori* が有する type Ⅳ 分泌装置を介して胃上皮細胞に注入され，チロシンリン酸化を受けて Ras-MAP キナーゼ経路の活性化による細胞増殖の促進などをもたらす[15]．また，CagA がミトコンドリアに移動して電子伝達系に影響を及ぼし，活性酸素種の生成をもたらすとの知見もある[16]．これらの CagA の機能が協働的に作用して，胃癌の発生や進展に寄与すると考えられる．

Activation-induced cytidine deaminase（AID）とは，リンパ球の抗体遺伝子のシトシンの脱アミノ化により体細胞超変異とクラススイッチ組換えを起こし，抗原に応じた多様な抗体の産生に関わる分子である．最近では AID の炎症関連発がんへの関与が報告されている．*H. pylori* による胃炎患者の腺上皮細胞や胃癌患者の腫瘍組織では AID 発現が認められる[17]．慢性炎症条件下では，標的臓器で NF-κB 依存性に AID 発現が誘導され，突然変異を誘発して発がんに寄与すると考えられている．

4. 肝炎ウイルスと肝癌

我が国では肝癌は年々増加し，年間約 3 万人が死亡している．肝細胞癌は約 8 割が C 型肝炎ウイルス（HCV）感染と関連している．最近では，肝癌への進展に HCV 感染による炎症が極めて重要な役割を果たすと考えられている．慢性 C 型肝炎では鉄過剰状態にあり，鉄摂取を抑えた栄養学的療法で肝障害が改善することから，肝炎増悪因子として鉄が考えられ，鉄の存在下で生成する活性酸素種が関与する可能性がある．またウイルスコアタンパクにより細胞内で活性酸素が産生されることを示す報告もある[18]．最近では，肝癌の発症に AID が関連することが報告されている．ヒトの正常肝では AID の発現をわずかしか認めないが，慢性肝炎と肝硬変患者の肝組織および肝細胞癌患者の腫瘍組織と周囲の非腫瘍組織では有意にその発現が上昇していた[19]．

実際に C 型肝炎などの慢性肝疾患患者の肝細胞では酸化 DNA 損傷塩基の 8-oxodG の生成および iNOS の発現が認められるという報告があり，酸化・ニトロ化ストレスが肝炎ウイルスによる発がんに重要な役割を果たすと考えられる．足立らは，C 型肝炎ウイルスに感染した慢性肝炎患者の肝生検標本を用いて免疫組織染色を行った結果，8－ニトログアニン生成が肝細胞の核で強く認められ，iNOS 発現は細胞質で観察された．またインターフェロンによる肝炎の治療効果が認められた場合においては，肝細胞における 8－ニトログアニン生成の抑制が見られた[20]．また，B 型肝炎のモデルマウスでも同様に肝細胞での 8－ニトログアニン生成を認めている．これらの知見は，8－ニトログアニンが発がんリスクの評価のみならず，疾患の治療効果の判定に応用できる新規バイオマーカーとなりうることを示している．

5. ヒトパピローマウイルスと子宮頸癌

子宮頸癌は女性の癌として世界で 2 番目に多く，発展途上国の多くの地域では最も重要な癌である．ほとんどの子宮頸癌の症例では高リスク型ヒトパピローマウイルス（HPV）が検出される．2008 年にドイツの Harald zur Hausen 博士が HPV の発見でノーベル医学・生理学賞を受賞したのは記憶に新しい．IARC はこれまで高リスク型である HPV-16, 18 を group 1（ヒトに発がん性を有する）の発がん因子として評価していたが，

各論Ⅱ

最近では他の高リスク型HPVであるHPV-31, 33, 35, 39, 45, 51, 52, 56, 58, 59についてもgroup 1と評価している[21]. 低リスク型のHPV-6, 11は外性器に形成されるコンジローマの原因である. HPV感染は子宮頸部の上皮における前がん病変である子宮頸部異形成を誘発し, 一部は子宮頸癌に進展する. 近年HPVに対するワクチンが開発され, 2010年からは我が国でも実用化されており, 子宮頸癌の予防が可能になっている.

HPVによる発がん機構はこれまでウイルス蛋白のE6およびE7により説明されてきた. E6蛋白はがん抑制遺伝子の産物であるp53およびE6-associated protein (E6AP)と複合体を形成し, p53はE6APによりユビキチン化を受けて分解される. またE6蛋白はテロメラーゼ触媒サブユニット(hTERT)の転写を促進して細胞寿命を延長させる. E7蛋白はがん抑制遺伝子産物であるRbの不活化, およびサイクリンAおよびEの発現を介してDNA合成系を活性化させ, 細胞増殖を促進させる. しかし, これらのウイルス蛋白のみでは細胞のがん化をもたらすには不十分であり, さらなる因子の関与が必要であるという知見がある[22].

現在のところ, HPV単独で炎症反応を起こすというエビデンスはないが, 慢性炎症がHPV感染による発がんに重要な役割を果たすことを示唆する知見がある. 疫学調査ではHPV感染女性の子宮頸部に慢性炎症がある場合には子宮頸癌に至るリスクが増加するという報告がある[23]. また, HPVと他の病原体と同時に感染すると子宮頸部の発がんリスクが増加するという疫学調査もある. HPV陽性患者でherpes simplex virus(HSV)-2に対する血清抗体価の高い患者では, 子宮頸癌のリスクが上昇する[24]. 以上の知見から, 子宮頸癌の発症には他の病原体の重複感染などによる慢性炎症が重要な役割を果たす可能性がある.

平工らは子宮頸部異形成の患者より子宮頸部の生検標本を得て実験を行った結果, 異形成細胞の分布に一致して8－ニトログアニンの生成を認め, その生成は異形成のグレードに従い有意に増強した. 一方, 低リスク型HPVに起因するコンジローマではほとんどその生成を認めなかった[25]. またがん抑制遺伝子産物のp16の発現が異形成および子宮頸癌の組織で認められ, 子宮頸癌のマーカーとなりうるという報告がある[26]. E7蛋白はRb蛋白に結合して転写因子のE2Fを放出し, p16の発現を誘導すると考えられている. 我々の研究では, p16は異形成およびコンジローマの両者で発現し, その強さに統計学的有意差を認めなかった. したがって, p16は単なるHPV感染のマーカーであり, 発がんリスクを反映するバイオマーカーとしては8－ニトログアニンの方が優れていると考えられる[25]. したがって, HPVによる子宮頸部の発がんにおいては, 慢性炎症を介したDNA損傷が起こり, 引き続いてウイルス蛋白による細胞増殖の異常が起こってがんの発生・進展につながると考えられる.

6. Epstein-Barrウイルスと上咽頭癌

Epstein-Barrウイルス(EBV)の感染は上咽頭癌やバーキットリンパ腫の重要な危険因子であり, 全世界の発がん要因の1%以上を占める. 上咽頭癌は上皮性の腫瘍で特に中国東南部などで発生頻度が高い. この地域では, 上咽頭癌の頻度は100,000人年あたり25－50人にのぼり, 欧米諸国に比べて約100倍高い. 流行地域における上咽頭癌のほとんど全ての症例で腫瘍細胞におけるEBVの感染が認められる. ただし成人ではほとんどEBVに感染しているため, 発がんにはEBV感染に加えて環境因子および食餌性因子が関与すると考えられる. 伝統的な中国南部の塩漬け魚や他の保存食品には発がん物質であるニトロソアミンを含み, 重要な発がん因子と考えられる. IARCは塩漬け魚をGroup 1の発がん因子と評価している. 疫学調査では, 漢方薬の使用が上咽頭癌を増加させることが報告されているが, おそらくEBVの活性化あるいはEBVによりトランスフォームした細胞へのプロモーション作用によると考えられる. また, EBV活性化を促すホルボールエステル類が, 中国東南部に繁茂するナンキンハゼ(*Sapium sebiferum*)の下の土壌中で検出されている. しかしながら, これらの環境因子の発がんへの寄与は十分解明されていない.

EBウイルス膜蛋白latent membrane protein 1

（LMP1）は epidermal growth factor receptor（EGFR）の発現および核内への蓄積を誘導する．EGFR は核内で signal transducer and activator of transcription-3（STAT3）と相互作用し，iNOS の発現を誘導する[27]．三重大学と中国・広西医科大学との共同研究により，EBV 感染を伴う咽頭炎患者の咽頭粘膜上皮細胞では 8－ニトログアニンの生成が認められ，上咽頭癌患者の腫瘍細胞ではさらに強くなることが明らかとなった[28]．また，LMP1 は全ての上咽頭癌患者の癌細胞で認められ，EGFR とリン酸化 STAT3 は上咽頭癌患者の腫瘍細胞で強く発現していた．インターロイキン－6 は STAT3 の活性化を誘導するが，上咽頭部の組織中のマクロファージで発現していた．さらに，LMP1 発現培養細胞では EGFR は核に蓄積しており，インターロイキン－6 添加によりリン酸化 STAT3 と iNOS の発現および 8－ニトログアニンの生成を認めた[28]．これらの結果から，EBV 感染により核内で EGFR と STAT3 が複合体を形成し，iNOS 発現および DNA 損傷をもたらし発がんに寄与することが推定された．

7．アスベストと肺癌・悪性中皮腫

アスベストは繊維性珪酸塩鉱物の総称であり，蛇紋石族[クリソタイル（白石綿）]と角閃石族[クロシドライト（青石綿），アモサイト（茶石綿）など]に分けられる．アスベストは耐熱性，耐摩擦性，化学的安定性に優れており，建築業をはじめとして多くの産業で使用されてきた．現在アスベスト曝露による中皮腫や肺がんなどの健康障害が重大な社会問題となっている．クロシドライトやアモサイトはクリソタイルに比して発がん性が強い．アスベストの使用量の 9 割以上はクリソタイルが占める．クロシドライトやアモサイトは重量比で約 30%の鉄を含有するが，クリソタイルでは多くて数%程度である．近年報道等で問題となった尼崎市のアスベストを扱っていた工場の周辺では，住民の悪性中皮腫の罹患率が有意に増加したという疫学調査がある[29]．国内における中皮腫の死亡者数は，厚生労働省が統計を取り始めた 1995 年に比して増加傾向にあり，2007 年には 1068 人にのぼる．アスベストによる発がんには数十年という長い年月を要するが，アスベストの輸入量は 1970 年代が最大であったことから，将来の中皮腫の死者数の増加が強く懸念される．アスベストによる発がん機構については様々な機序が報告されており，アスベスト繊維による機械的刺激や炎症，細胞分裂の異常，MAP キナーゼなどのシグナル伝達経路の活性化，アスベスト自身からの活性酸素生成などが発がんに関わる可能性が提唱されている[30]．しかしアスベストによる発がん機構については，現在でも十分解明されていない．

アスベスト曝露によってヒトの肺組織で慢性炎症が誘発され，発がんに関与する可能性が考えられる．これまでの研究では，ヒトの中皮腫および中皮の過形成の組織において，炎症関連分子である iNOS および COX-2 の発現が認められている．アスベストを気管内投与した実験動物では肺組織で iNOS 発現が観察されている．疫学調査では，アスベストに曝露されたヒトの白血球および尿中で，酸化的 DNA 損傷の指標である 8-oxodG の生成量が有意に増加するという報告がある．動物実験ではラットにクロシドライトを腹腔内投与すると，大網において 8-oxodG 生成量が有意に増加し，突然変異として特に G：C → T：A トランスバージョンが最も多く観察された[31]．

我々はアスベストを気管内投与したマウスの肺組織における DNA 損傷について検討した結果，特に気管支上皮細胞の核で 8－ニトログアニンの生成を認めた．またクリソタイルより発がん性の強いクロシドライトの方が気管支上皮で，特に低用量で 8－ニトログアニンを有意に強く生成し，アスベストの DNA 損傷性が発がん性の強さと合致するという極めて注目すべき知見を得た[32]．以上の結果から，アスベストにより惹起された慢性炎症により活性窒素種が産生され，8－ニトログアニンが生成されて発がんに関与すると考えられた．今後は，アスベストの発がん機構に関する研究を推進し，過去に曝露を受けた個人の発がんリスクの評価法と発症予防法の開発が急務である．

参考文献

1．IARC, Chronic infections, In：*World Cancer Report*,

Stewart, B.W., Kleihues, P., pp.56-61, IARC Press, Lyon, 2003.
2. Shibutani, S., Takeshita, M., Grollman, A.P., Insertion of specific bases during DNA synthesis past the oxidation-damaged base 8-oxodG, *Nature* 349：431-434, 1991.
3. Yermilov, V., Rubio, J., Ohshima, H., Formation of 8-nitroguanine in DNA treated with peroxynitrite in vitro and its rapid removal from DNA by depurination, *FEBS Lett.* 376：207-210, 1995.
4. Pinlaor, S., Hiraku, Y., Ma, N., Yongvanit, P., Semba, R., Oikawa, S., Murata, M., Sripa, B., Sithithaworn, P., Kawanishi, S., Mechanism of NO-mediated oxidative and nitrative DNA damage in hamsters infected with *Opisthorchis viverrini*：a model of inflammation-mediated carcinogenesis, *Nitric Oxide* 11：175-183, 2004.
5. Kawanishi, S., Hiraku, Y., Oxidative and nitrative DNA damage as biomarker for carcinogenesis with special reference to inflammation, *Antioxid. Redox Signal.* 8：1047-1058, 2006.
6. Kawanishi, S., Hiraku, Y., Pinlaor, S., Ma, N., Oxidative and nitrative DNA damage in animals and patients with inflammatory diseases in relation to inflammation-related carcinogenesis, *Biol. Chem.* 387：365-372, 2006.
7. Wu, X., Takenaka, K., Sonoda, E., Hochegger, H., Kawanishi, S., Kawamoto, T., Takeda, S., Yamazoe, M., Critical roles for polymerase ζ in cellular tolerance to nitric oxide-induced DNA damage, *Cancer Res.* 66：748-754, 2006.
8. Pinlaor, S., Ma, N., Hiraku, Y., Yongvanit, P., Semba, R., Oikawa, S., Murata, M., Sripa, B., Sithithaworn, P., Kawanishi, S., Repeated infection with *Opisthorchis viverrini* induces accumulation of 8-nitroguanine and 8-oxo-7,8-dihydro-2'-deoxyguanine in the bile duct of hamsters via inducible nitric oxide synthase, *Carcinogenesis* 25：1535-1542, 2004.
9. Pinlaor, S., Hiraku, Y., Yongvanit, P., Tada-Oikawa, S., Ma, N., Pinlaor, P., Sithithaworn, P., Sripa, B., Murata, M., Oikawa, S., Kawanishi, S., iNOS-dependent DNA damage via NF-κB expression in hamsters infected with *Opisthorchis viverrini* and its suppression by the antihelminthic drug praziquantel, *Int. J. Cancer* 119：1067-1072, 2006.
10. Pikarsky, E., Porat, R.M., Stein, I., Abramovitch, R., Amit, S., Kasem, S., Gutkovich-Pyest, E., Urieli-Shoval, S., Galun, E., Ben-Neriah, Y., NF-κB functions as a tumour promoter in inflammation-associated cancer, *Nature* 431：461-466, 2004.
11. Luo, J.L., Maeda, S., Hsu, L.C., Yagita, H., Karin, M., Inhibition of NF-κB in cancer cells converts inflammation- induced tumor growth mediated by TNFα to TRAIL-mediated tumor regression, *Cancer Cell* 6：297-305, 2004.
12. Pinlaor, S., Sripa, B., Ma, N., Hiraku, Y., Yongvanit, P., Wongkham, S., Pairojkul, C., Bhudhisawasdi, V., Oikawa, S., Murata, M., Semba, R., Kawanishi, S., Nitrative and oxidative DNA damage in intrahepatic cholangiocarcinoma patients in relation to tumor invasion, *World J. Gastroenterol.* 11：4644-4649, 2005.
13. Thanan, R., Murata, M., Pinlaor, S., Sithithaworn, P., Khuntikeo, N., Tangkanakul, W., Hiraku, Y., Oikawa, S., Yongvanit, P., Kawanishi, S., Urinary 8-oxo-7,8-dihydro-2'-deoxyguanosine in patients with parasite infection and effect of antiparasitic drug in relation to cholangiocarcinogenesis, *Cancer Epidemiol. Biomarkers. Prev.* 17：518-524, 2008.
14. Ma, N., Adachi, Y., Hiraku, Y., Horiki, N., Horiike, S., Imoto, I., Pinlaor, S., Murata, M., Semba, R., Kawanishi, S., Accumulation of 8-nitroguanine in human gastric epithelium induced by *Helicobacter pylori* infection, *Biochem. Biophys. Res. Commun.* 319：506-510, 2004.
15. Hatakeyama, M., *Helicobacter pylori* and gastric carcinogenesis, *J. Gastroenterol.* 44：239-248, 2009.
16. Handa, O., Naito, Y., Yoshikawa, T., CagA protein of *Helicobacter pylori*：a hijacker of gastric epithelial cell signaling, *Biochem Pharmacol* 73：1697-1702, 2007.
17. Matsumoto, Y., Marusawa, H., Kinoshita, K., Endo, Y., Kou, T., Morisawa, T., Azuma, T., Okazaki, I.M., Honjo, T., Chiba, T., *Helicobacter pylori* infection triggers aberrant expression of activation-induced cytidine deaminase in gastric epithelium, *Nat Med* 13：470-476, 2007.
18. Okuda, M., Li, K., Beard, M.R., Showalter, L.A., Scholle, F., Lemon, S.M., Weinman, S.A., Mitochondrial injury, oxidative stress, and antioxidant gene expression are induced by hepatitis C virus core protein, *Gastroenterology* 122：366-375, 2002.
19. Kou, T., Marusawa, H., Kinoshita, K., Endo, Y., Okazaki, I.M., Ueda, Y., Kodama, Y., Haga, H., Ikai, I., Chiba, T., Expression of activation-induced cytidine deaminase in human hepatocytes during hepatocarcinogenesis, *Int J Cancer* 120：469-476, 2007.
20. Horiike, S., Kawanishi, S., Kaito, M., Ma, N., Tanaka, H., Fujita, N., Iwasa, M., Kobayashi, Y., Hiraku, Y., Oikawa, S., Murata, M., Wang, J., Semba, R., Watanabe, S., Adachi, Y., Accumulation of 8-nitroguanine in the liver of patients with chronic hepatitis C, *J. Hepatol.* 43：403-410, 2005.
21. IARC, Human papillomaviruses, In：*IARC Monographs on the Evaluation of Carcinogenic Risks to Humans, vol. 90*, pp.45-636, IARC Press, Lyon, 2007.
22. Duensing, S., Munger, K., Mechanisms of genomic instability in human cancer：insights from studies with human papillomavirus oncoproteins, *Int. J. Cancer* 109：157-162, 2004.
23. Castle, P.E., Hillier, S.L., Rabe, L.K., Hildesheim, A., Herrero, R., Bratti, M.C., Sherman, M.E., Burk, R.D., Rodriguez, A.C., Alfaro, M., Hutchinson, M.L., Morales, J., Schiffman, M., An association of cervical inflammation with high-grade cervical neoplasia in women infected with oncogenic human papillomavirus (HPV), *Cancer Epidemiol. Biomarkers Prev.* 10：1021-

1027, 2001.
24. Smith, J.S., Herrero, R., Bosetti, C., Munoz, N., Bosch, F.X., Eluf-Neto, J., Castellsague, X., Meijer, C.J., Van den Brule, A.J., Franceschi, S., Ashley, R., Herpes simplex virus-2 as a human papillomavirus cofactor in the etiology of invasive cervical cancer, *J. Natl. Cancer Inst.* 94：1604-1613, 2002.
25. Hiraku, Y., Tabata, T., Ma, N., Murata, M., Ding, X., Kawanishi, S., Nitrative and oxidative DNA damage in cervical intraepithelial neoplasia associated with human papilloma virus infection, *Cancer Sci.* 98：964-972, 2007.
26. Wang, J.L., Zheng, B.Y., Li, X.D., Angstrom, T., Lindstrom, M.S., Wallin, K.L., Predictive significance of the alterations of p16INK4A, p14ARF, p53, and proliferating cell nuclear antigen expression in the progression of cervical cancer, *Clin. Cancer Res.* 10：2407-2414, 2004.
27. Lo, H.W., Hsu, S.C., Ali-Seyed, M., Gunduz, M., Xia, W., Wei, Y., Bartholomeusz, G., Shih, J.Y., Hung, M.C., Nuclear interaction of EGFR and STAT3 in the activation of the iNOS/NO pathway, *Cancer Cell* 7：575-589, 2005.
28. Ma, N., Kawanishi, M., Hiraku, Y., Murata, M., Huang, G.W., Huang, Y., Luo, D.Z., Mo, W.G., Fukui, Y., Kawanishi, S., Reactive nitrogen species-dependent DNA damage in EBV-associated nasopharyngeal carcinoma：The relation to STAT3 activation and EGFR expression, *Int. J. Cancer* 122：2517-2525, 2008.
29. Kurumatani, N., Kumagai, S., Mapping the risk of mesothelioma due to neighborhood asbestos exposure, *Am. J. Respir. Crit. Care Med.* 178：624-629, 2008.
30. Robinson, B.W., Lake, R.A., Advances in malignant mesothelioma, *N. Engl. J. Med.* 353：1591-1603, 2005.
31. Unfried, K., Schurkes, C., Abel, J., Distinct spectrum of mutations induced by crocidolite asbestos：clue for 8-hydroxydeoxyguanosine-dependent mutagenesis in vivo, *Cancer Res* 62：99-104, 2002.
32. Hiraku, Y., Kawanishi, S., Ichinose, T., Murata, M., The role of iNOS-mediated DNA damage in infection- and asbestos-induced carcinogenesis, *Ann. NY Acad. Sci.* 1203：15-22, 2010.

Ⅱ-5 悪性腫瘍
e. 胃癌予防

神戸大学大学院医学研究科消化器内科学分野
東 健

1. はじめに

1981年以来，悪性新生物はわが国の死因の第一位であり，年々その数は増加中である．その中で，胃癌の死亡率は大きく低下し，2007年の時点で，男では肺癌に次いで第二位に，女では大腸，肺に次いで第三位に後退している．しかし，罹患率では2004年の時点で依然第一位であり，胃癌予防対策は現在もわが国の大きな課題の一つである．わが国ではこれまで，胃癌予防対策として胃癌検診を中心とした早期発見，早期治療につとめてきた．しかし，その後 *Helicobacter pylori*（*H. pylori*）が1982年に発見され[1]，胃癌との関連が明らかにされてきており，胃癌の発症に感染症という新たな展開が生じた．本稿では，胃癌に対する予防対策の新たな展開について概説する．

2. 胃癌の疫学的変遷

わが国の2007年の胃癌死亡数は，男3万3143人，女1万7454人であった．年齢調整死亡率の推移をみると，男女とも1965年から大きく低下している．この頃から全国的に胃癌検診が普及しはじめてきたことから，胃癌検診の死亡率低下傾向を反映したものであろうか．しかし，胃癌検診の受診率は10数%にとどまっており，このような大きな胃癌死亡率の低下は胃癌検診のみでは説明できないと考えられている．胃癌の死亡率や罹患率の低下は，戦後の食生活や冷蔵庫の普及を中心とした食品の保存方法の変化を大きく反映しているのではないかとみられている．

3. 胃癌の病因

これまで，胃癌の発生原因には悪性腫瘍に加え他の多くの慢性疾患と同じように，宿主因子と環境因子，さらにそれらの相互作用が関与すると考

表1 食品，栄養と胃癌

証拠の程度	抑制因子	無関係	高危険因子
確実 (Conbincing)	野菜類，果物類 冷凍・冷蔵保存		
おそらく (Probable)	ビタミンC	アルコール コーヒー 紅茶 硝酸塩	食塩 塩蔵すること
可能性がある (Possible)	カロテン類 アリュウム化合物 全粒穀類 緑茶	砂糖 ビタミンE レチノール	でんぷん類 焼き肉・魚
不十分 (Insufficient)	繊維 セレン にんにく		薫製・乾燥などの保存肉 ニトロソアミン類

資料：World Cancer Research Fund/American Institute for Cancer Research[12)]

えられている．特に，日本人のアメリカ移民の研究により，胃癌発生には環境因子の影響がより大きいと考えられてきた．

これまでに行われた多くの胃癌に関する疫学的研究からいくつかの高危険因子や抑制因子が明らかにされてきた．1997年にWorld Cancer Research Fund と American Institute for Cancer Researchが公表した食品，栄養と癌予防に関する膨大な報告書では，野菜類，果物類，冷凍・冷蔵保存を確実な抑制因子とし，ビタミンCをおそらく抑制作用がある因子，食塩と塩蔵にすることをおそらく胃癌リスクを高める因子としている(表1)[2]．また，胃癌リスクを下げる可能性がある因子としてカロテン類，アリュウム化合物，全粒穀類，緑茶をあげ，逆に胃癌リスクを上げる可能性がある因子として，でんぷん類，焼肉・魚をあげている．さらに，証拠不十分であるが胃癌リスクを下げる因子として，繊維，セレン，にんにくを，胃癌リスクを上げる因子として燻製・乾燥などの保存肉とニトロソアミン類をあげている．アルコール，コーヒー，紅茶，硝酸塩についてはおそらく胃癌リスクに関係がないとし，砂糖，ビタミンEとレチノールは胃癌リスクに関係がない可能性があるとしている．胃癌の一次予防としては上記のリスクに対し抑制的に働く食品を摂り，リスクを上げる食品を避けることになる．肉類はあまりたくさん食べず，魚や野菜をよくとる日本人の食生活は，癌の一次予防として理想に近いものと考えられる．ただ，塩分の摂取量がまだ多いようである．厚生労働省は10gを目標としているが，世界癌研究基金とアメリカ癌研究会では塩分摂取の目標を6g以下にしている．

また，環境因子として，食事以外に*H.pylori*感染の関与が明らかにされてきた．

4. *H.pylori* 感染と胃癌との関係

a) 疫学的解析

1982年に*H.pylori*が発見されてから，胃炎，胃癌についての観点が大きく変化してきた．*H. pylori*感染と胃癌との関連は，多くの疫学的検討から示された．特に，胃癌が発症する以前に保存していた血清を用いて，抗*H.pylori*抗体を測定し，

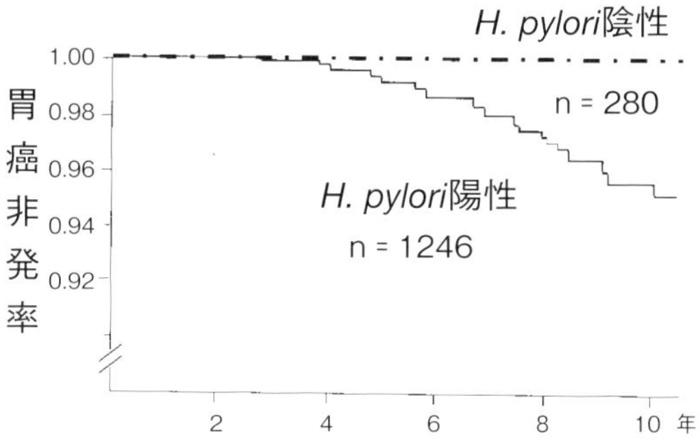

図1　*H. pylori* 感染と胃癌

平均3－14年の観察により，その間に発症した胃癌群と年齢をマッチさせたコントロール群との比較検討した大規模なprospective studyにおいて，*H.pylori*感染と胃癌との関連を認めている．そのオッズ比は2.8－6.0であった[3,4]．これらの疫学的調査結果を踏まえ，*H.pylori*感染と胃癌との関連はWHOの下部組織である国際癌研究機関(IARC：International Agency for Research on Cancer)から，肺癌における喫煙や，肝細胞癌におけるB型肝炎ウイルスとの関連と同様に1群のdefinite carcinogenに認定されている[5]．また，2000年には日本の上村らのprospective studyにより，約8年の経過観察で，*H.pylori*感染陽性胃炎患者からは約4.7%の胃癌が生じたが，*H.pylori*感染陰性者からは胃癌の発症が認められなかったという報告がなされ，*H.pylori*感染と胃癌との密接な関係が明らかにされてきた(図1)[6]．

b) 動物 *H.pylori* 感染モデル

スナネズミ(Mongolian gerbil)は，*H.pylori*が安定して感染する動物モデルとしてHirayamaらによって報告されてから，*H.pylori*感染モデルとして最もよく用いられている[7]．この感染モデルを用い，化学発癌物質誘発胃発癌への*H.pylori*感染の影響が検討されている．化学発癌として MNU (*N*-methyl-*N*-nitrosourea)を使用した実験では，*H.pylori*感染後10ppmのMNU投与群で36.8%，逆に30ppmMNUを先に投与し*H.pylori*を感染させた群で33.3%の発癌が認められたが，MNU単独群あるいは*H.pylori*感染単独群では癌の発生は確認されなかった．したがって，*H.*

各論Ⅱ

pylori 感染は胃発癌を有意に促進することが明らかになった．また，この系では高分化型腺癌，低分化型腺癌，印環細胞癌いずれも生じていた[8]．MNNG（*N*-methyl-*N*'nitro-*N*-nitrosoguanidine）を用いた検討でも同様な結果であった[9]．スナネズミの感染モデルにより，*H.pylori* は胃発癌に対して強い promoter 作用を持つことが認められた．

c）*H.pylori* 感染の病態

しかしこれまで，*H.pylori* 感染における胃発癌メカニズムについては十分解析されていなかった．*H.pylori* 感染は慢性胃炎の原因であり，*H.pylori* 感染が持続することにより，萎縮性胃炎に進展し，分化型胃癌が発症すると考えられている．また，未分化型癌においても *H.pylori* 感染は強く関与しており，表層性胃炎から萎縮を介することなく別な経路が考えられている．近年，*H.pylori* 感染による胃粘膜上皮細胞内の変化が明らかにされ，胃発癌メカニズムの解明が進められている．

d）胃発癌の *H.pylori* 菌体因子 *cag* pathogenicity island（*cag* PAI）

H.pylori のゲノムには本来 *H.pylori* のものではない外来性の遺伝子群が存在している．これは病原性大腸菌など多くのグラム陰性菌に共通した現象であり，これらの細菌では，この外来性遺伝子群を持つことで病原性を発揮することが認められており，この遺伝子群を pathogenicity island (PAI) と呼んでいる．*H.pylori* では，病原因子の一つである細胞空胞化毒素関連蛋白 (CagA) の遺伝子 *cagA* がこの PAI 内に位置しており，*cag*PAI と呼ばれている（図 2）[10]．これまで，*cag*PAI を有する菌株の感染が十二指腸潰瘍や胃癌と関連することが報告されてきており，*cag*PAI を持つ株は病原性の強い株であると考えられている[11]．欧米では *cag*PAI を有する株は約 60%であるが，日本ではほとんどの株が *cag*PAI を持っている[12]．

e）*H.pylori* 感染における CagA の作用

H.pylori の *cag*PAI 内には 4 型分泌機構の遺伝子が存在し（図 3），*H.pylori* が胃粘膜上皮細胞に

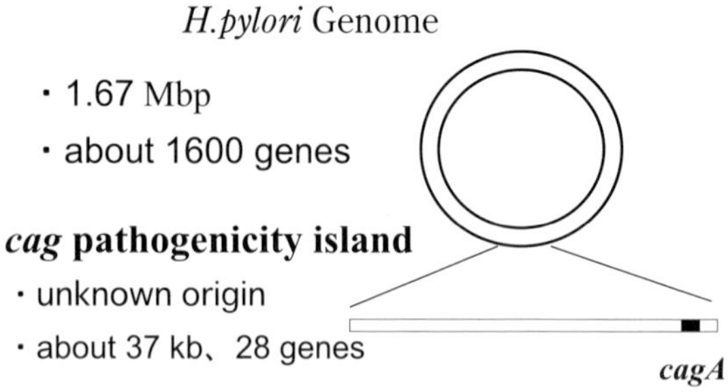

H.pylori Genome

・about 1600 genes

・unknown origin
・about 37 kb、28 genes

図 2

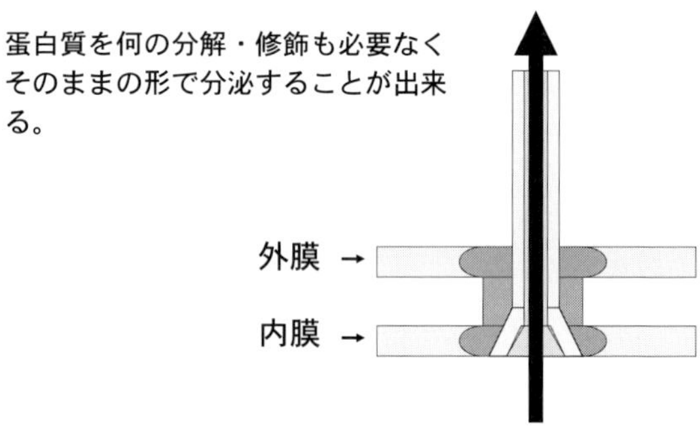

蛋白質を何の分解・修飾も必要なくそのままの形で分泌することが出来る。
外膜
内膜

図 3　4 型分泌機構

接着すると，4 型分泌機構が *H.pylori* の細胞膜から上皮細胞膜へ針をさすように突き刺さり，その内腔を通して CagA が *H.pylori* から胃粘膜上皮細胞内へと注入される[13]．上皮細胞内に注入された CagA は上皮内でチロシンリン酸化を受け，チロシンリン酸化された CagA が，細胞の増殖や分化に重要な役割を担う src homology 2 domain（SH2 ドメイン）を有する細胞質内脱リン酸化酵素である src homology phosphatase-2 (SHP-2) と結合することが認められた[14]．CagA との結合により SHP-2 のチロシンフォスファターゼ活性は著しく増強される．これまでに，CagA によって脱制御された SHP-2 は Ras 非依存的に Erk MAP キナーゼの持続的活性化を引き起こすことが認められた．Erk の持続活性化は細胞の運動性ならびに細胞周期制御に重要な役割を果たすことが知られており，CagA-SHP-2 複合体による Erk の持続的活性化は異常増殖シグナル生成に関与することが推察される．したがって，*cag*PAI を持つ *H.pylori* の感染は，ヒト上皮細胞

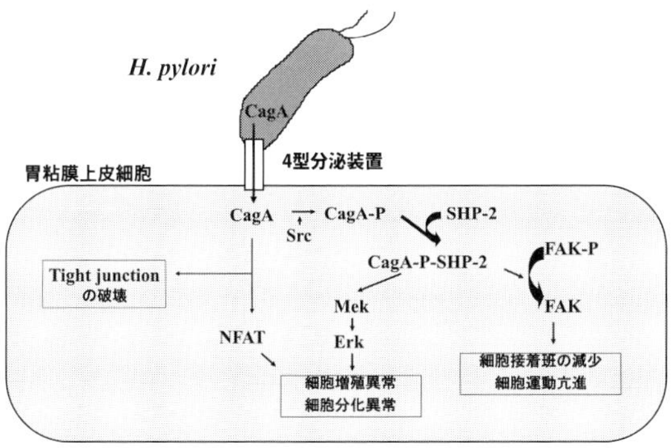

図４　*H. pylori* 感染の分子メカニズム

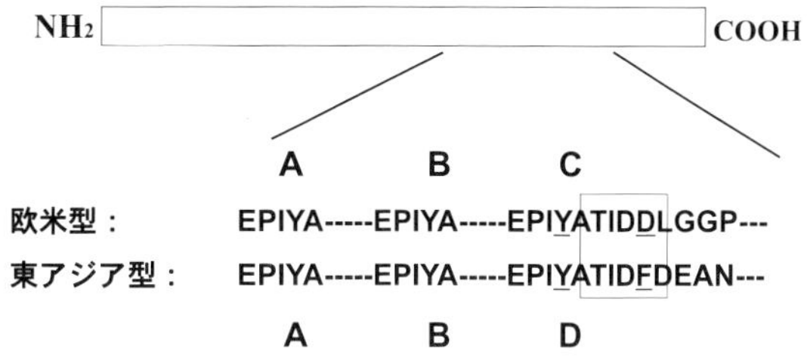

図５　CagA 分子多型

下線のチロシン残基(Y)がリン酸化部位，□で囲われた部位がSHP-2結合部位，欧米型と東アジア型ではSHP-2総合部位の１つのアミノ酸が異なる(DとF)

のシグナル伝達系を刺激し，細胞の分化や増殖に影響を及ぼすと考えられる(図4)．また．本反応は実際のヒトの胃粘膜上皮細胞内で生じていることを我々は内視鏡下胃粘膜生検組織を用いた検討で明らかにした[15]．すなわち，持続する *H.pylori* の感染により，持続的に胃粘膜上皮細胞には細胞内のシグナル伝達系が刺激され胃癌発生に関与すると考えられる．

f）CagA の多型

cagA 遺伝子は *cagA* の3′領域のチロシンリン酸化部位に一致し，多型性を示すことが認められた．CagA のチロシンリン酸化部位は972番目のチロシン残基であり，CagA の SHP-2 結合部位はチロシンリン酸化部位下流のアミノ酸配列 pY-A-T-I-D-F であることを認め，同部位に東アジア株に特異的な配列を認めた(図5)[16]．また，東アジア型の CagA は欧米型の CagA に比べ SHP-2 との結合が有意に強いことが示された．

我々は CagA の多型の臨床的意義を検討するため，胃癌の発症率の異なる福井県と沖縄県の菌株を比較検討した．福井株65株(慢性胃炎株36株，胃癌株29株)と沖縄株67株(慢性胃炎株42株，胃癌株25株)の *cagA* 遺伝子の塩基配列を決定するとともに組織学的解析を行った．福井株の全ては東アジア型の CagA であったが，沖縄では胃炎株の6株(14.3%)は CagA 陰性で，8株(19.0%)が欧米型，28株(66.7%)が東アジア型の CagA であった(表2)．慢性胃炎株では，東アジア型の CagA 感染例において，欧米型の CagA 感染例に比べ胃粘膜萎縮度が有意に高度であった．また，福井のすべて及び沖縄のほとんどの胃癌株が東アジア型の CagA を有していた．したがって，東アジア型 CagA を有する *H. pylori* 感染は胃粘膜萎縮及び胃発癌に関与することが考えられた．CagA の多型の国際的分布と胃癌死亡率を見てみると，東アジア型の CagA の頻度と胃癌死亡率とが相関していることが認められた(表3)[17]．さらに，沖縄の胃炎株における欧米型 CagA は SHP-2 結合部位を１ヶ所持つ A-B-C 型であるが，沖縄の胃癌株で欧米型の CagA を持つ２株の E-P-I-Y-A 繰り返し部位を検討したところ，１株は A-B-C-C，もう１株は A-B-C-C-C と，C が２回及び３回繰り返し認める特異な欧米型であった．欧米型の CagA でも SHP-2 結合部位が繰り返されていると SHP-2 との結合も強くなり，東アジア型に近い働きをするものと考えられる．最近，Argent らも南アフリカの株を用いて，CagA のリン酸化部位が多いほど in vitro 感染において胃粘膜上皮細胞の細胞骨格の変化を強く及ぼすことを示し，胃癌株で CagA リン酸化部位の個数が多いことを示している[18]．したがって，CagA のリン酸化及び引き続いて生じる CagA と SHP-2 との結合によって生じる胃粘膜上皮細胞内でのシグナル伝達系の変化が胃発癌に重要な役割を担っていると考えられる．

cagA トランスジェニックマウス

最近，Ohnishi らは *cagA* トランスジェニックマウス作製に成功し，*H.pylori* の oncoprotein としての CagA の細胞内の作用を明らかにした[19]．

表２　CagA のチロシンリン酸化部位多型性

	胃炎			胃癌		
	陰性	東アジア型	欧米型	陰性	東アジア型	欧米型
福井県	0	35	0	0	29	0
沖縄県	6	28	8	0	23	2

表３　世界各国の CagA 多型と胃癌死亡率

国	CagA 多型		胃癌死亡率
	東アジア型	欧米型	（男性人口 10 万あたり，2000 年）
欧米諸国			
アイルランド	0	3	13.07
オーストリア	0	1	14.12
イタリア	0	1	27.84
イギリス	0	1	17.66
アメリカ	0	6	6.15
オーストラリア	0	3	8.64
東アジア			
日本	123	12	58.39
韓国	5	0	36.71
中国	20	0	24.56
アジア			
ベトナム	10	0	12.83
タイ	13	9	3.31
インド	0	3	3.83

表４　*cagA* トランスジェニックスマウスの表現型（72 週齢）

	CAG-cagA	HK-cagA
消化管（胃，十二指腸，小腸）		
過形成性ポリープ	21/182	5/115
癌	4/182	1/115
白血病		
骨髄性	5/182	0/115
B 細胞性	10/182	2/115
T 細胞性	1/182	0/115

CAG-cagA：チキン β アクチンとグロビン遺伝子の融合プロモーターを用いたトランスジェニックマウス
HN-cagA：プロトンポンプ β サブユニット遺伝子のプロモーターを用いたトランスジェニックマウス

Ohnishi らは，チキン β アクチンとグロビン遺伝子の融合プロモーターを用いて全身に発現させるものと，プロトンポンプのプロモーターを用い胃に特異的に発現させる 2 種類の *cagA* トランスジェニックマウスを作製した．組み入れた *cagA* 遺伝子は SHP-2 との結合が強い東アジア型であり，さらに SHP-2 結合部位が 2 か所ある A-B-D-D 型の *cagA* 遺伝子を用いた．このトランスジェニックマウスは生後 12 週に胃・小腸粘膜に過形成が生じ，生後 72 週で 8.8％に胃・小腸に過形成ポリープ，1.7％に胃・小腸癌が発症することが示された（表 4）．胃特異的発現を目的にプロトンポンププロモーターを用いた系において，消化管の他の部位でも発現されていたために，小腸にも過形成性ポリープや癌が発症した．さらに，興味深い点は，全身に発現させるために作製したチキン β アクチンとグロビン遺伝子の融合プロモーターを用いたトランスジェニックマウスでは，72 週令で 8.8％に白血病が発症した．これまでに，SHP-2 は骨髄系およびリンパ系細胞の発育に必要で，小児の白血病で SHP-2 遺伝子の変異が報告されており[20, 21]，CagA が骨髄およびリンパ系細胞に発現し SHP-2 と結合することにより，SHP-2 の本来の機能が損なわれ白血病が発症してきたと考えられる．しかも，このトランスジェニックマウスでは粘膜に炎症が認められず，CagA の作用だけで発癌することが示された重要な知見である．

H.pylori 除菌による胃癌予防効果

胃癌が感染症であるのであれば，胃癌は予防することが出来る癌であるはずである．そこで問題になるのは，*H.pylori* 感染者を除菌することによって胃癌の発症を予防することが出来るかである．スナネズミの発癌モデルを用いた *H.pylori* 感染実験では，*H.pylori* 除菌による胃癌発症抑制効果は示された．一方，ヒトにおける介入試験についても，エビデンスが次々と報告されてきている．

一つは中国からの 1630 名の前向きランダム化されたプラセボとのコントロール研究で，*H. pylori* 除菌治療後 8 年の経過により胃癌の発症率は除菌群の方が低かったが有意差は認められなかった(除菌治療群 0.86%，プラセボ群 1.35%)．しかし，腸上皮化生，萎縮，異形成が認められていない症例においては *H.pylori* 除菌群からは胃癌の発症が見られず，プラセボ群から 6 例の胃癌が発症し，除菌により有意に胃癌発症の減少を認めたと報告された [22]．この報告は，早い時期における除菌治療において，有意に胃癌発症が抑制されることを示していると考えられる．

引き続き日本からの報告で，1120 名の胃潰瘍患者の除菌後 8.6 年(平均 3.4 年)の経過を観察したところ，除菌成功群から 8 名，除菌不成功群から 4 名胃癌の発症が認められたと報告された．Kaplan-Meier 解析では 5 年後の胃癌発症のリスクは除菌成功群で 2.00%，除菌不成功群の 6.41% に比べ有意に胃癌の発症が抑制された(図 6) [23]．

さらに，最近，Fukase ら Japan Gast Study Group が，早期胃癌の内視鏡的治療後の異時性二次発癌に対する *H.pylori* 除菌効果を，多施設共同でのオープンラベルの無作為比較試験で報告した [24]．新規に診断され内視鏡治療予定の早期胃癌例及び既に早期胃癌で内視鏡治療を施行され経過観察されている 544 例を無作為に，除菌治療する群と，除菌治療をしない群に割り付け，6 ヶ月，1 年，2 年，3 年後と内視鏡的に経過を観察し，異時性胃癌の発症を検討している．最終的に解析されたのは除菌群 255 例とコントロール群 250 例であり，3 年まで経過が終えたのは除菌群 157 例とコントロール群 167 例であった．3 年間の経過で異時性胃癌は，除菌群で 9 例，コントロール群で 24 例発症し，全て早期癌で発見され，性，年齢，発症部位，組織型，深達度，大きさにおいて両群間に差は認めなかった．胃癌の発症は割り付け時の full ITT (intention to treat)で，オッズ比が 0.353 (95 % CI：0.161-0.775、p=0.009)と除菌群で有意に低く，最終解析 505 例による modified ITT で，1000 人・年で除菌群 14.1，コントロール群 40.5 と除菌群で優位に低かった(ハザード比 0.339，95% CI：0.157-0.729，p=0.003)．異時性胃癌の累積発症率は有意にコントロール群で高かった(図 7)．この報告は，早期胃癌が発症している高リスク群における *H.pylori* 除菌の異時性胃発癌抑制を世界で初めて明らかにしたものと

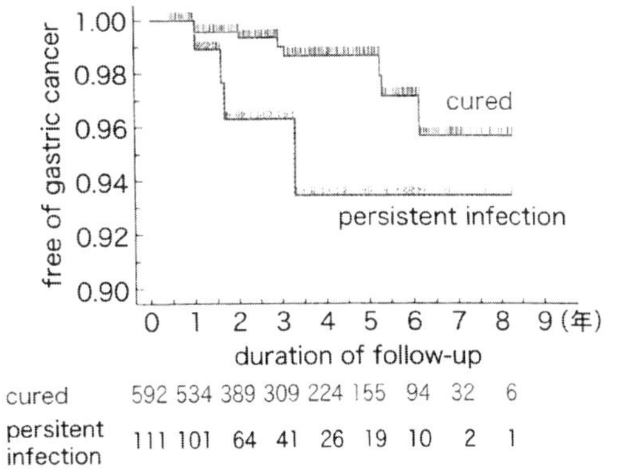

図 6　胃潰瘍患者の *H. pylori* 除菌による胃発癌抑制効果
(文献 23 より改変)

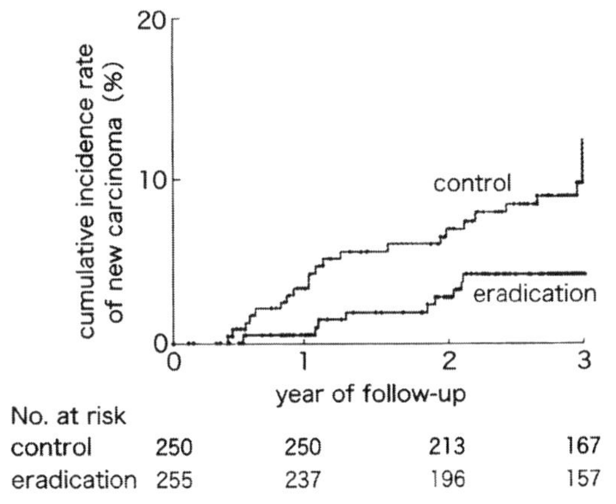

図 7　異時性胃癌の発症
(Fukase K, et al：Lancet 372：392-397, 2008[26] より引用改変)

して，世界的にも大きく注目され，2010年6月には我が国において，早期胃癌に対する内視鏡的治療後胃における*H.pylori*除菌療法が保険適用になった．

5. 胃癌発生の遺伝的因子

a)ゲノムと個体差

食生活以外に，胃癌発症には，著しい男女差や家族内集積性，人種差などがあることから，性ホルモンや遺伝といった個体因子の影響も考えられている．

近年のヒトゲノムプロジェクトの進展で，ヒト全ゲノムの塩基配列の決定およびゲノム地図の作成というシークエンス主体の時代から，得られたヒトゲノム情報を利用し，ゲノムがどのような機能を持ち，生体をどのように制御するかを個体レベルで解明するゲノム機能学の時代に突入した．一般に疾患に対する感受性，抵抗性などの個体差は，そのヒトが生まれ持った遺伝子によって決められている部分が多く，個体差はDNA配列の多型にかかわってくる．DNAの塩基配列は平均200-500塩基対(bp)にひとつの割合で多型性を示すと推定されている．DNAの多型はメンデルの法則にしたがって受け継がれていくため遺伝子解析のよいマーカーとなる．多型性を解析するのに，特定の塩基配列を認識する制限酵素でDNAを切断すると無数のDNA断片の長さの多型が認められる制限酵素断片長多型restriction fragment length polymorphism（RFLP），短い塩基配列の繰り返しであるvariable number of tandem repeat（VNTR），マイクロサテライトマーカーが開発され，さらに塩基配列決定と解析技術の進歩により，1塩基による多型性(single nucleotide polymorphisms；SNPs)が次々と明らかにされてきた．これら多型性DNAマーカーにより染色体の地図の作成が可能になり，これらを用いて遺伝病家系を連鎖解析することにより遺伝病の原因遺伝子の染色体座位が決定され，さらに原因遺伝子が単離されてきた．一方，癌においては，遺伝因子と環境因子が相互に作用する多因子性遺伝疾患であり，癌リスクの個体差における遺伝的背景因子を解析することが精力的に行われている．この場合，多型性DNAマーカーを用いて，一般人口と胃癌群とを解析し，遺伝子パターンの癌における関連性を検討する方法がとられている．そこで多くのDNAマーカーのうち，候補遺伝子にねらいをつけ解析することから遺伝子解析がはじめられる．

表5 IL-1ゲノタイプと胃癌

locus		ゲノタイプ	オッズ比
IL-1B	−31	C/C	1.0
		C/T	1.8
		T/T	2.5
IL-1B	−511	C/C	1.0
		C/T	1.8
		T/T	2.6
IL-1B	+3954	C/C	1.0
		C/T	1.0
		T/T	0.6
IL-1RN		1/1	1.0
		1/2	1.2
		1/3, 4, 5	1.8
		2/2	3.7
		2/5	0

(El-Omar EM *et al*, 2000[18] より改変引用)

b) IL-1遺伝子ゲノタイプと胃癌

SNP s解析の一つの例として，これまでに，炎症性サイトカインのひとつで強い胃酸分泌抑制作用を有するIL-1遺伝子のゲノタイプ胃癌とのあいだでの相関が報告されている．IL-1遺伝子には，IL-1 β遺伝子の転写開始部位から－31，－511，+3954の塩基にシトシン－チミン(C-T)の置換によるゲノタイプと，IL-1RN遺伝子の第2イントロン部位に存在する86bpの繰り返し(2〜5回の繰り返しが存在する)による多型が存在している．この多型において，IL-1 βの－31部位がT／Tのホモの場合，胃癌の相対危険率が2.5倍に－511部位がT／Tのホモの場合，胃癌の相対危険率が2.6倍に，IL-1RN遺伝子の多型部位の繰り返しが2回のホモの2/2の場合胃癌の相対危険率が3.7倍に高くなると報告された(表5)[25]

c) *H. pylori*感染とHLA

*H. pylori*感染において，胃腺窩上皮や胃小窩上皮細胞でクラスII HLA抗原(HLA-DR)の発現の

表６　HLA-DQA1 の対立遺伝子頻度と胃粘膜萎縮

		対立遺伝子							
		0101	0102	0103	0201	0301	0401	0501	0601
H.pylori 陽性萎縮性胃炎	n＝85	0.165	0.094*	0.188	0.006	0.388	0.024	0.118	0.018
H.pylori 陽性表層性胃炎	n＝36	0.153	0.306	0.208	−	0.236	0.042	0.042	0.014
H.pylori 陽性分化型胃癌	n＝44	0.193	0.057**	0.273	−	0.386	0.034	0.045	0.011
H.pylori 陰性健常者	n＝46	0.174	0.228	0.174	−	0.315	0.054	0.043	0.011

＊：*H.pylori*（−）健常者に対し，$x^2 = 8.86$，$P < 0.005$；*H.pylori*（＋）表層性胃炎に対し，$x^2 = 17.08$，$P < 0.005$
＊＊：*H.pylori*（−）健常者に対し，$x^2 = 11.18$，$P < 0.005$；*H.pylori*（＋）表層性胃炎に対し，$x^2 = 19.01$，$P < 0.005$
（Azuma T *et al*, 1998[19]）より改変引用）

増強が報告され，*H. pylori* 感染における宿主の細胞性免疫の関与が考えられている．クラスII HLA には HLA-DR, -DQ, -DP の３種類がある．これら分子は抗原ペプチドと結合し，T 細胞に抗原を提示する．HLA の遺伝子の特徴は，それぞれの遺伝子座が多型性に富んでいることがあげられる．HLA の対立遺伝子は互いに少しずつ塩基配列が異なり，違いのある部位は立体構造上抗原ペプチドと結合する溝に集中している．HLA の型が異なると，その HLA 分子が提示できる抗原が異なるのである．したがって，特定のペプチドに対する免疫応答は，そのペプチドと結合できる HLA をもつ個体では強く起こるが，そのペプチドと結合能が弱い HLA の場合では，免疫応答ができないことになる．我々は，異なった HLA タイプは病原に対し，異なった免疫反応が生じると考え，*H. pylori* 感染における胃粘膜萎縮について，宿主の HLA の関与を検討したところ，対立遺伝子 HLA-DQA1*0102 の頻度が *H. pylori* 感染陽性萎縮性胃炎および胃粘膜萎縮を背景とする *H. pylori* 感染陽性分化型胃癌で，*H. pylori* 感染陽性表層性胃炎および *H. pylori* 感染陰性健常者に比べ有意に低く，対立遺伝子 HLA-DQA1*0102 が胃粘膜萎縮に抵抗性に関与していることが考えられた（表６）[19]．また，対立遺伝子 HLA-DR*04051 を持つゲノタイプの頻度は逆に *H. pylori* 感染陽性分化型胃癌で，*H. pylori* 感染陽性表層性胃炎及び *H. pylori* 陰性健常者に比べ有意に高く，対立遺伝子 HLA-DR*04051 を有する者の胃癌発症の危険性が高いことが示された（表７）[26]．以上の検討の結果，同じ *H. pylori* 感染においても萎縮性胃炎や胃癌の発症には宿主側の背景遺伝的要因が関与していることが認められる．これらの遺伝的背景因子の違いにより，胃癌発症の個体差を遺伝子診断できれば，オーダーメイド医療としての胃癌予防へとつながると期待される．最近，次世代シークエンサーが次々と開発され，現在ではヒトのゲノム解析が極めて短時間かつ低コストで可能になってきており，今後，胃癌発症の遺伝的リスクが解明されることが期待される．

表７　対立遺伝子 HLA-DQB1＊04051 を有するゲノタイプと胃癌との関連

	H.pyluri 感染	n	DRB1＊04051 を持つゲノタイプ（%）
健常対照者	（−）	42	5(11.9)
	（＋）	79	12(15.2)
胃癌	（−）	70	24(34.3)*

＊：*H. pylori*（−）健常者に対し，$P = 0.0089$，
H. pylori（＋）健常者に対し，$P = 0.0066$

H. pylori 感染と他の環境因子との関係

Machida-Montani らは非噴門部胃癌における *H. pylori* 感染と他の環境因子を検討した結果，*H. pylori* 感染がオッヅ比 8.2 と最も高く，他の環境因子として喫煙（オッズ比 2.8），味噌汁（2.1），米（2.5）があげられた．また，*H. pylori* 感染にこれら環境因子が加わることにより，オッズ比が更に上昇することが示された[27]．

さらに，スナネズミを用いた動物実験においても，塩分と *H. pylori* 感染との関係が検討されている．７週齢雄性スナネズミを用い，A 群：MNU（*N*-methyl-*N*-nitrosourea）（20ppm）＋ *H. pylori* ＋ 10％ NaCl，B 群：MNU ＋ *H. pylori*，C 群：MNU ＋ 10％ NaCl，D 群：MNU，E 群：*H. pylori* ＋ 10　％ NaCl，F 群：*H. pylori*，G 群：10％ NaCl において，胃癌の発生促進効果は，A 群の MNU ＋ *H. pylori* 感染＋高塩群が 32.1％と最

各論Ⅱ

も強く，次いでＢ群の MNU ＋ *H. pylori* 感染群の 11.8％で，MNU ＋高塩群や他の群では発癌促進効果が認められなかった[29]．したがって，*H. pylori* 感染は食塩より強力な発癌促進作用があり，食塩は *H. pylori* 感染の発癌促進作用を補助することが認められた．

胃癌リスクファクターとして，*H. pylori* 感染が最も強い因子であり，次いで食塩が続くと考えられる．近年，食塩摂取は減少してきていることを考えると *H. pylori* 感染対策が胃癌対策として最も重要視されるべきであると考えられる．

7. おわりに

わが国において胃癌死亡率は低下傾向を示しているが，現在なお日本人が最もかかりやすい癌である．今後は胃癌の一次予防対策として，食生活の改善と *H. pylori* 除菌を含めた感染対策を推進することが重要であると考えられる．

参考文献

1. Warren JR, Marshall BJ. Unidentified curved bacilli on gastric epithelium in active chronic gastritis. Lancet i：1273-1275, 1983.
2. World Cancer Research Fund/American Institute for Cancer Research：Stomach cancer. In：Food, Nutrition and the Prevention of Cancer：a global perspective. American Institute for Cancer Research, Washington DC, 1997 pp148-175.
3. Parsonnet J, Friedman GD, Vandersteen DP, Chang Y, Vogelman JH, Orentreich N, Sibley RK. *Helicobacter pylori* infection and the risk of gastric carcinoma. N Engl J Med 325：11127-11131, 1991.
4. The Eurogast Study Group. An association between *Helicobacter pylori* infection and gastric cancer. Lancet 341：1359-1362, 1993.
5. IARC. Schistosomes, Liver Flukes and *Helicobacter pylori*. Monographs on the Evaluation of Carcinogenic Risks to Humans. IARC Sci Publ 61：1-241. 1994.
6. Uemura N, Okamoto S, Yamamoto S, Matsumura N, Yamaguchi S, Yamakido M, Taniyama K, Sasaki N, Schlemper RJ. Helicobacter pylori infection and the development of gastric cancer. N Engl J Med 345：829-32, 2001.
7. Hirayama F, Takagi S, Yokoyama Y, Yamamoto K, Iwao E, Haga K. Establishment of gastric *Helicobacter pylori* infection in Mongolian gerbils. J Gastroenterol 31：24-28, 1996.
8. Sugiyama A, Maruta F, Ikeno T, et al. *Helicobacter pylori* infection enhances N-methyl-N-nitrosourea-induced stomach carcinogenesis in Mongolian gerbil. Cancer Res 58：2067-2069, 1998.
9. Shimizu N, Inada K, Nakanishi H, Tsukamoto T, Ikehara Y, Kaminishi M, Kuramoto S, Sugiyama A, Katsuyama T, Tatematsu M. *Helicobacter pylori* infection enhances glandular stomach carcinogenesis in Mongolian gerbils treated with chemical carcinogens. Carcinogenesis 20：669-676, 1999.
10. Covacci A, Telford JL, Del Giudice G, Parsonnet J, Rappuoli R. *Helicobacter pylori* virulence and genetic geography. Science 284：1328-1333, 1999.
11. Blaser MJ, Perez-Perez GI, Kleanthous H, Cover TL, Peek RM, Chyou PH, Stemmermann GN, Nomura A. Infection with *Helicobacter pylori* strains possessing cagA is associated with an increased risk of developing adenocarcinoma of stomach. Cancer Res 55：2111-2115, 1995.
12. Ito Y, Azuma T, Ito S, Miyaji H, Hirai M, Yamazaki Y, et al. Analysis and typing of the *vacA* gene from *cagA*-positive strains of *Helicobacter pylori* isolated in Japan. J Clin Microbiol 35：1710-1714, 1997.
13. Asahi M, Azuma T, Ito S, Suto H, Nagai Y, Tsubokawa M, et al. *Helicobacter pylori* CagA protein can be tyrosine phosphorylated in gastric epithelial cells. J Exp Med 191：593-602, 2000.
14. Higashi H, Tsutsumi R, Muto S, Sugiyama T, Azuma T, Asaka M, et al. SHP-2 tyrosine phosphatase as an intracellular target of *Helicobacter pylori* CagA protein. Science 295：683-686, 2002.
15. Yamazaki S, Yamakawa A, Ito Y, Ohtani M, Higashi H, Hatakeyama M, Azuma T. The CagA Protein of *Helicobacter pylori* is translocated into epithelial cells and binds to SHP-2 in human gastric mucosa. J Infect Dis 187：334-7, 2003.
16. Higashi H, Tsutsumi R, Fujita A, Yamazaki S, Asaka M, Azuma T, et al. Biological activity of the *Helicobacter pylori* virulence factor CagA is determined by variation in the tyrosine phosphorylation sites. Proc Natl Acad Sci USA 99：14428-33, 2002.
17. Azuma T, Yamazaki S, Yamakawa A, Ohtani M, Muramatsu A, Suto H, et al. Variation in the SHP-2 binding site of Helicobacter pylori CagA protein is associated with gastric atrophy and cancer. J Infect Dis 189：820-827, 2004.
18. Argent RH, Kidd M, Owen RJ, Thomas RJ, Limb MC, Atherton JC. Determinants and consequences of different levels of CagA phosphorylation for clinical isolates of *Helicobacter pylori*. Gastroenterology 127：514-523, 2004.
19. Ohnichi N, Yuasa H, Tanaka S, et al. Transgenic expression of *Helicobacter pylori* CagA induces gastrointestinal and hematopoietic neoplasms in mouse. Proc Natl Acad Sci USA 105：1003-1008, 2008.
20. Qu CK, Nguyen S, Chen J, Feng GS. Requirement of Shp-2 tyrosine phosphatase in lymphoid and hematopoietic cell development. Blood 97：911-914, 2001.

21. Tartaglia M, Niemeyer CM, Fragale A, et al. Somatic mutations in PTPN11 in juvenile myelomonocytic leukemia, myelodysplastic syndromes and acute myeloid leukemia. Nat Genet 34：148-150, 2003.
22. Wong BC, Lam SK, Wong WM, Chen JS, Zheng TT, Feng RE, et al. Helicobacter pylori eradication to prevent gastric cancer in a high-risk region of China. JAMA 291：187-194, 2004.
23. Take S, Mizuno M, Ishiki K, Nagahara Y, Yoshida T, Yokota K, et al. The effect of eradicating Helicobacter pylori on the development of gastric cancer in patients with peptic ulcer disease. Am J Gastroenterol 100：1037-1042, 2005.
24. Fukase K, Kato M, Kikuchi S, et al. Effect of eradication of Helicobacter pylori on incidence of metachronous gastric carcinoma after endoscopic resection of early gastric cancer：an open-label, randomised controlled trial. Lancer 372：392-397, 2008.
25. El-Omar EM, Carrington M, Chow WH, et al. Interleukin-1 polymorphisms associated with increased risk of gastric cancer. Nature 404：398-402, 2000.
26. Azuma T, Ito S, Sato F, et al. The role of the HLA-DQA1 gene in resistance to atrophic gastritis and gastric adenocarcinoma induced by *Helicobacter pylori* infection. Cancer 82：1013-1018, 1998.
27. Ohtani M, Azuma T, Yamazaki S, Yamakawa A, Ito Y, Muramatsu A, Dojo M, Yamazaki Y, Kuriyama M. Association of HLA-DRB1 gene locus with gastric adenocarcinoma in Japan.　Dig Liver Dis 35：468-72, 2003.
28. Machida-Montani A, Sasazuki S, Inoue M, et al. Association of Helicobacter pylori infection and environmental factors in non-cardia gastric cancer in Japan. Gastric Cancer 7：46-53, 2004.
29. Nozaki K, Shimizu N, Inada K, et al. Synergistic promoting effects of Helicobacter pylori infection and high-salt diet on gastric carcinogenesis in Mongolian gerbils. Jpn J Cancer Res 93：374-381, 2002.

Ⅱ-5 悪性腫瘍
f. 大腸癌

東京医科歯科大学大学院　先端医療開発学系分子腫瘍医学
湯浅　保仁

はじめに

大腸癌は欧米で多く，近年日本でも急増している重要な癌である．大腸癌の主な危険要因は赤みの肉，アルコール摂取，肥満であり，一方，身体活動，食物繊維，デンプンの摂取などは予防的要因である．

発癌の過程は，発癌物質などによって癌化に関連した遺伝子(癌遺伝子，癌抑制遺伝子，DNA修復遺伝子)に多段階に変異がおこることにより開始・進行すると考えられている．また，遺伝する癌では原因遺伝子も特定しやすく，さらに遺伝子診断への応用も可能である．大腸癌では遺伝子レベルでの機構解析が進んでおり，遺伝性の癌も多い．遺伝性大腸癌の一つ，家族性大腸腺腫症の原因は，癌抑制遺伝子APCの生殖細胞変異であり，腺腫の形成に関与している．APCの異常は散発性大腸癌の70%以上でも検出されており，重要である．もう一つの主要な遺伝性大腸癌であるLynch症候群(遺伝性非腺腫症性大腸癌ともいう)の原因遺伝子のほとんどは，DNAミスマッチ修復遺伝子である．散発性大腸癌の一部でもミスマッチ修復機構の異常が見られるが，その原因の多くは遺伝子変異ではなく，ミスマッチ修復遺伝子の一つhMLH1のプロモーター領域のメチル化というエピジェネティックな変化である．このように大腸癌の遺伝子異常の多くが明らかにされつつあり，遺伝子診断も可能となった．さらに，非ステロイド系抗炎症剤による大腸腫瘍発症予防も試されている．

1. 遺伝性大腸癌の発癌機構

(1)家族性大腸腺腫症(FAP) [1,2]

FAPは，常染色体性優性に遺伝する疾患で，発症頻度は約1/10,000－1/20,000人と計算されている．10代から大腸に多数の腺腫ができ，治療しないとほぼ100%に大腸癌を発症する．FAPの原因遺伝子は，癌抑制遺伝子APCである(表1)．APC遺伝子は15個のエクソンからなり，2843個のアミノ酸をコードする．APCタンパク質は分子量約300kDaで，図1に示すようにβ-カテニンなどの重要なタンパク質と結合する性質を持つ．

疾患	原因遺伝子	染色体座位	生殖細胞変異の頻度	一般大腸癌での異常
家族性大腸腺腫症(FAP)	*APC*	5q21	多い	多い
Lynch症候群 (遺伝性非腺腫症性大腸癌)	*hMLH1*	3p21	多い	少ない (ほとんどがメチル化)
	hMLH3	14q24.3	まれ	なし
	hMSH2	2p21-22	多い	まれ
	hMSH6	2p21	少ない	まれ
多発性大腸腺腫	*hMYH*	1p32.1-34.3	少ない	なし

表1　遺伝性大腸腫瘍の原因遺伝子およびその異常

β-カテニンは，図2に示すWntシグナル伝達経

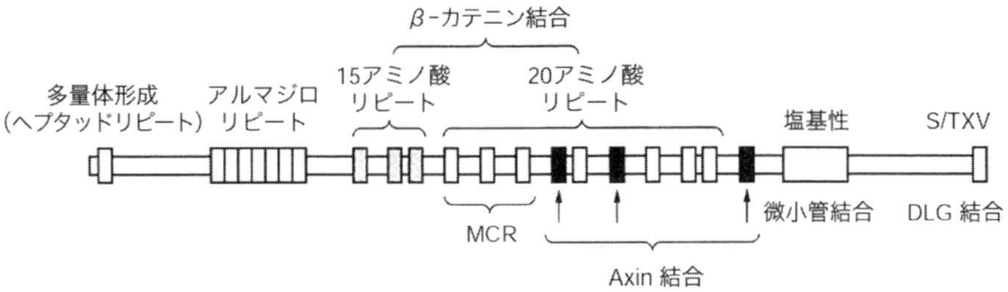

図1　APC タンパク質の構造と機能

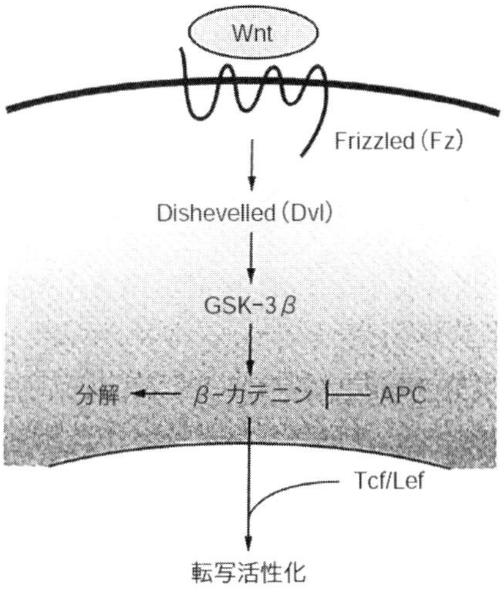

図2　APC と Wnt シグナル伝達経路

路の一員である．Wnt 経路は形態形成などに働いていて，Wnt→レセプター Fz→Dvl→GSK-3 βと伝わり，GSK-3 βの活性がさがる．するとβ-カテニンが分解されずに安定化して，Tcf/Lef ファミリーの転写因子と結合し，核へ移行して標的遺伝子の転写を活性化する．APC タンパク質はβ-カテニンと結合してその分解を促進する．しかし，APC に変異がはいるとβ-カテニンと結合できなくなり，β-カテニンが安定化して下流の転写活性化が強まる．

APC 遺伝子の変異では，1―10 数塩基の小さな欠失または挿入が多く，結果としてフレームシフト変異となる．次に多いのは 1 塩基置換によるナンセンス変異である．興味深いことにコドン 1250―1450 の間に生殖細胞変異があると腺腫の数が多い(密生型)．一方，N 末端側のコドン 157 までに変異があると，腺腫の数が 100 個以下と少なくなる(attenuated type)．

FAP の腺腫では一方の APC 遺伝子に生殖細胞変異(germline mutation)があり，さらにもう一つの対立遺伝子も体細胞変異(somatic mutation)か欠失(loss)が検出されており，2 ヒットの異常がおこっている．APC 遺伝子に異常がおこると，β-カテニンを介した転写活性化，または細胞形態の変化などにより腺腫が発生すると考えられる．

APC 遺伝子をヘテロに破壊したノックアウトマウス(APC+/-)では，小腸・大腸に多数の腺腫が発生するので，APC 遺伝子の異常が腺腫形成の原因であることは間違いない．また，腺腫からの癌化には，癌抑制遺伝子 p53 の変異が関与していると考えられている．

(2) Lynch 症候群(遺伝性非腺腫症性大腸癌)[2,3)]

Lynch 症候群(遺伝性非腺腫症性大腸癌，HNPCC ともいう)は常染色体性優性遺伝する疾患で，発生頻度ははっきりとはわかっていないが，1/200―1/2,000 人という計算があり，FAP よりは多い．大腸の腺腫が FAP のように多発することはないが，大腸癌の発症率が高い．その他に子宮体癌・卵巣癌なども多く見られる．

原因遺伝子は複数報告されているが，ほとんどは表1に示すミスマッチ修復遺伝子であり，とくに hMLH1 と hMSH2 が多くを占める．Lynch 症候群におけるミスマッチ修復遺伝子の生殖細胞変異の1例を図3に示した[4)]．ある Lynch 症候群患者の正常細胞 DNA を PCR-一本鎖 DNA 高次構造多型(single strand conformation polymorphism, SSCP)法で解析したところ，hMLH1 遺伝子のエ

各論 II

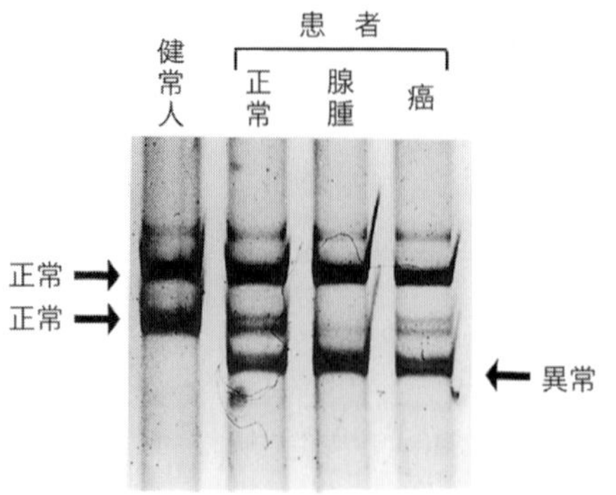

図３　hMLH1 遺伝子の PCR-SSCP 解析
DNA 修復遺伝子 hMLH1 のエクソン 16 を解析した．ある患者(Lynch 症候群)では，正常細胞でも異常バンドがあり，生殖細胞変異の存在を示唆する．さらにこの図から，患者の腺腫と癌は，下のほうの正常バンドが薄くなっていることもわかる．

クソン 16 で異常を検出した(図３，２番目のレーン)．この異常をさらにシークエンス解析して，スプライシングのドナー部位に T から C への変異を検出し，エクソン 16 全体が欠損することを明らかにした．これが生殖細胞変異である．さらにこの患者の大腸腺腫と癌を同様に解析した結果，ともに正常対立遺伝子の１本が薄くなるか消失していることがわかった．故に，これらの腺腫と癌では，２ヒットに hMLH1 遺伝子が不活化されており，ミスマッチ修復機構が異常となる[4]．

まれではあるが，ミスマッチ修復遺伝子に生殖細胞変異が検出されない Lynch 症候群患者で，hMLH1 または hMSH2 遺伝子に先天的なメチル化が検出された[5]．germline epimutation と呼ばれ，メチル化により hMLH1 または hMSH2 が発現しないので，やはり Lynch 症候群が発症すると考えられる．

DNA ミスマッチ修復機構は，図４に示すように塩基のミスマッチや，数塩基までの挿入または欠失によりできたループを修復する．大腸菌では mutS，L，H の３種類のコンポーネントにより修復を行う．ヒトのミスマッチ修復遺伝子は，大きく２種類に分けられ，大腸菌の mutS と配列が似ている群(hMSH2，hMSH6)と，mutL に似ている群(hMLH1，hMLH3，hPMS1，hPMS2)とがある．１塩基のミスマッチと小さいループは，hMSH6 と hMSH2 の複合体により認識され，より大きいループは hMSH3 と hMSH2 の複合体により認識される(図４)．さらに hMLH1 と hPMS2，hMLH3 などが加わり修復が行われる[5,6]．しかし，このミスマッチ修復機構のどれかに異常がおこり，正常に機能しないと DNA の異常をきたす．DNA の異常としては，１ー数塩基のくり返し配列(microsatellite という)のくり返し数が増えたり減ったりすることが多い．マイクロサテライトはヒト DNA 中に多数存在し，シトシン(C)とアデニン(A)が連続した CA リピートが有名である．マイクロサテライト構造は，DNA 複製時にすべり(slippage)現象によりくり返し数の異常がおこりやすい．DNA ミスマッチ修復遺伝子産物がこれを修復しているが，それに異常がある Lynch 症候群や一部の散発性の癌では修復でき

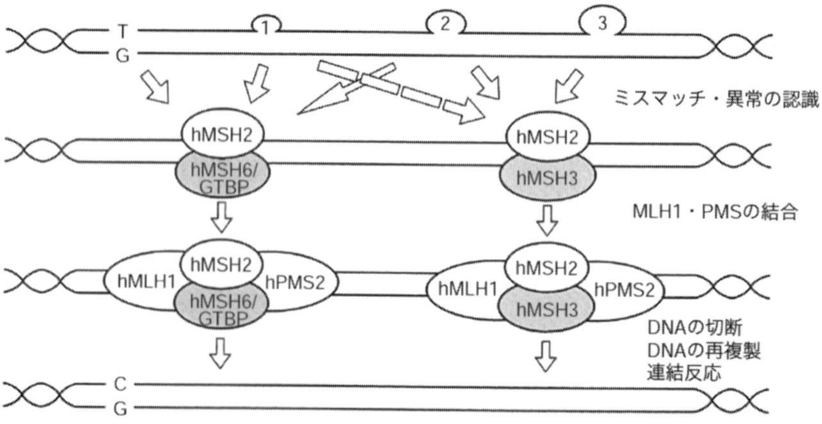

図４　ヒト DNA ミスマッチ修復機構(仮説)

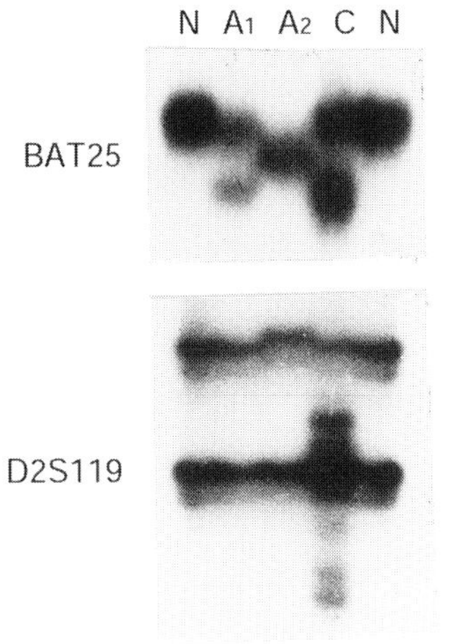

図5　Lynch 症候群患者の大腸癌腫瘍における MSI の例
BAT25 と D2S119 はマイクロサテライトマーカー．同一患者の正常細胞(N)，腺種(A_1,A_2)，癌(C)由来 DNA を PCR で増幅して電気泳動を行った．

ない．この現象をマイクロサテライトの不安定性(MSI)と呼ぶ．

MSI の実例を図5に示す[7]．マイクロサテライトを挟んで PCR を行い電気泳動した結果，正常細胞(N) DNA に対して腺腫(A)や癌(C)の DNA では，移動度の異なるバンドが見られ，MSI を示す．ある癌の MSI が陽性か否かの判定には，通常6個以上のマイクロサテライトマーカーを調べて，30％以上に異常があれば強陽性(MSI-High)，1個以上だが 30％未満の異常なら弱陽性(MSI-Low)，全て異常がなければ MSI stable（陰性）とする[8]．Lynch 症候群の癌では MSI-High のことが多い．

我々は Lynch 症候群の発癌機構を以下のように考えている．まず，ミスマッチ修復遺伝子の異常により，ミスマッチなどが修復できなくなる．その結果，その細胞 DNA では MSI が広汎におこる．マイクロサテライト構造はヒトの DNA 中では遺伝子と遺伝子の間やイントロン内にあることが多く，異常になってもすぐ癌化には結びつかないと考えられる．そこで，遺伝子のコード領域中に繰り返し構造のある遺伝子が探されて，Lynch 症候群の癌で異常があるかどうか調べられた．その結果，コード領域に1つの塩基が 7-10 回くり返している配列を持つ遺伝子がいくつか見

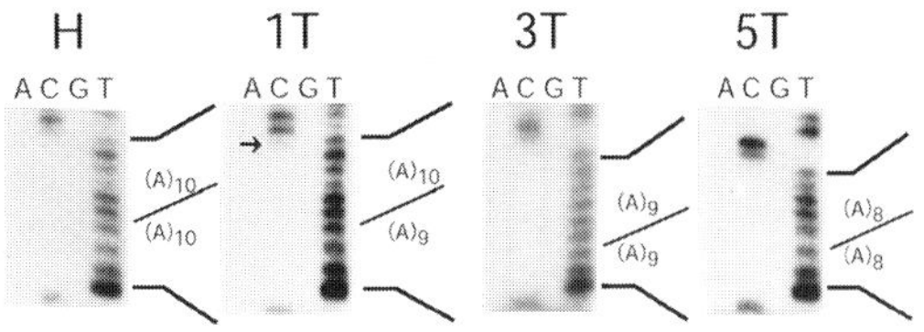

図6　TGF-βRⅡ遺伝子中の(A)$_{10}$配列のシークエンシング解析
逆方向にシークエンシングしているので，A は T としてでている．H は健常者．1T，3T，5T は Lynch 症候群の癌．1T の矢印は一方のアレルの A 1個の欠損により上のバンドがずれたことを示す．

つかった[5]．例えば，TGF-βⅡ型受容体(TGF-β RII)遺伝子中には，アデニン(A)が 10 回連続しているくり返し構造があり，Lynch 症候群の癌で高率に異常が検出された(図6)[9]．この異常は癌だけでなく，Lynch 症候群の大腸腺腫でも高率に見つかった．TGF-βの系は大腸上皮細胞において増殖を抑制する働きをしているが，TGF-β RII の異常で抑制がかからなくなり，腺細胞が増殖する可能性がある[4]．

一般の大腸癌や FAP の場合，p53 遺伝子に異常がおこると腺腫が癌化すると考えられている．しかし，Lynch 症候群では p53 遺伝子の異常は非常に少ない．アポトーシスを促進する働きを持つ BAX 遺伝子にグアニン(G)が8回繰り返している配列があることがわかり，我々が Lynch 症候群の腫瘍についてこのくり返し構造を調べたところ，癌では異常が多く，腺腫では少なかった．また，異常のなかった癌の1例では p53 遺伝子に異常があった．従って，Lynch 症候群の腺腫から癌化する段階では，BAX などが p53 の代わりに関与しているのかもしれない[10]．

(3) MUTYH 関連大腸腺腫症

近年，遺伝性大腸腺腫症に関与する新たな原因遺伝子 MUTYH が報告された(表1)[11,12]．以前から，遺伝性の大腸腺腫症で APC 遺伝子の生殖細胞変異が検出されない症例があり，新たな原因遺伝子の存在が考えられていた．MUTYH が原因の大腸腺腫症は，劣性遺伝形式を示し，MUTYH の変異は対立遺伝子の両方で見られる．MUTYH は塩基除去修復に関与しており，DNA

の酸化損傷によりできた8-oxoguanine（8-oxoG）が，Aとミスマッチを作った時に除去する機能を持つ．しかし，MUTYHに変異があると除去できないため，G:CからA:Tへの点突然変異が頻発することになる．結果として，APC遺伝子にGからAへの体細胞点突然変異がおき，APCが働かなくなり，腺腫が多発すると考えられる．MUTYHの変異は大腸腺腫症の数%に検出されているが，すべて生殖細胞変異で，体細胞変異は検出されていない．MUTYHに異常のある腺腫から癌も発症する．

2. 散発性（非遺伝性）大腸癌の発癌機構

（1）APC型

散発性大腸癌の70―80%でAPC遺伝子の体細胞変異または欠失が検出されており，これらではAPCが発癌，特に腺腫形成に関与していると考えられる．APCの異常が直接癌化に関係することから，gatekeeper型とも言われる．遺伝性大腸癌ではFAPがモデルとなる．

APC遺伝子の変異はエクソン15の一部に集中しており，コドン1309―1550の領域はmutation cluster region（MCR）と呼ばれている（図1）．図7にPCR-SSCP解析例を示した．2例とも腺腫内に癌が見つかった腺腫内癌である．図7で明らかなように，2例とも腺腫と癌で全く同じ異常パターンを示しており，腺腫から連続的に癌に移行していると考えられる．

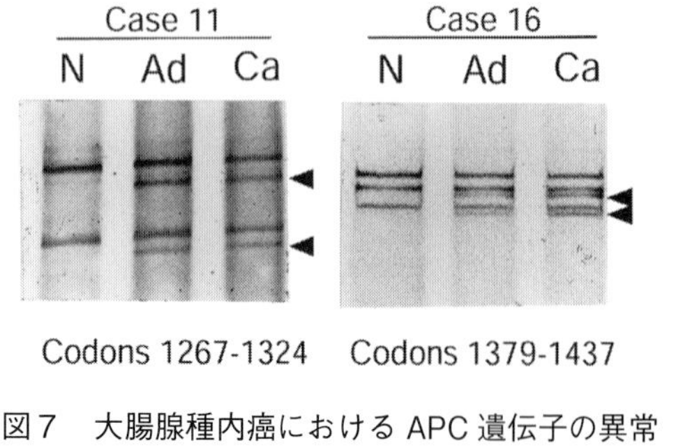

図7　大腸腺種内癌における APC 遺伝子の異常
エキソン15中のコドン1267-1324と1379-1437において，PCR-SSCP解析を行った．矢印で示す異常バンドが腺種（Ad）と癌（Ca）で検出された．N：正常

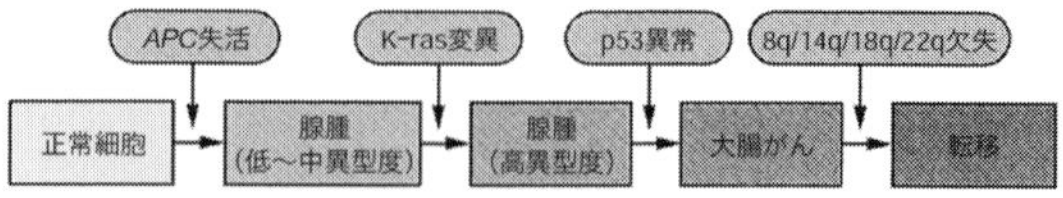

図8　大腸がんの多段階発がん過程のモデル

大腸癌について，癌遺伝子・癌抑制遺伝子・染色体欠失を調べると，ほとんどで複数の遺伝子異常が検出される．また，癌が進行するほど異常を示す遺伝子数が増える．以上から，発癌には多段階の過程があり，各々の段階にいずれかの癌関連遺伝子の異常が関与していると考えられた．これが癌の多段階発癌モデルであり，APC型の大腸癌はこのモデルが最もよく解析された例として有名である（図8）[13]．

ある正常大腸粘膜細胞にAPCの2ヒットの異常がおこると腺腫ができる．次に癌遺伝子K-rasの点突然変異がおこると異型度が悪くなり，大きく成長する．さらに癌抑制遺伝子p53の異常（点突然変異と欠失）により癌化する．さらに18qの染色体欠失により転移するようになる．この染色体部位には何らかの癌抑制遺伝子が存在すると考えられるが，SMAD4などが候補である．

（2）MSI型

散発性大腸癌の多くは，APC型の発癌過程を経ると考えられているが，10%ぐらいはLynch症候群と似た発癌過程を経ると考えられる．これらでは，MSIが陽性で，APC遺伝子の変異頻度は低い．ミスマッチ修復の異常は，自動車の機能ではメンテナンスに例えられており，caretaker型の発癌過程とも言われる．

我々は散発性大腸癌69例について調べ，22例（32%）にマイクロサテライトの異常が，またその中の7例でTGF-βRII（A）10の異常を検出した．これら7例は全て近位の大腸に存在していた．以上から近位大腸癌の一部では，Lynch症候群と同じように散発性でもミスマッチ修復の異常，マイクロサテライトの不安定性，TGF-βRII遺伝子の異常がおこって腫瘍化すると推論している[14]．但し，散発性大腸癌でのミスマッチ修復遺伝子の異常の機構は，Lynch症候群とは異なり，hMLH1遺伝子のプロモーター領域の高メチル化による発現抑制によることが多い[15]．すなわち，MSI陽性の散発性大腸癌では，hMLH1やhMSH2遺伝子そのものの異常(突然変異や欠損)はほとんど検出されない．かわりに，これらの癌のほとんどでhMLH1のプロモーター領域の高メチル化が見られる．

メチル化は近年注目されている現象である[16]．この場合は遺伝子の配列そのものには変化がないのでエピジェネティック(epigenetic)な異常という．癌抑制遺伝子のいくつかやhMLH1でよく見られる．これらの遺伝子のプロモーター部分(RNA合成を調節している領域)の塩基Cにメチル基がつくと(メチル化)，RNA合成酵素が結合できなくなったり，DNAとタンパク質の複合体であるクロマチンがコンパクトになって，RNA合成がおこらなくなる．当然，タンパク質もできないので，機能がなくなる．メチル化によりhMLH1 RNAの合成が抑制され，hMLH1タンパク質もできないのでミスマッチ修復機構が異常となり，MSI陽性となる．メチル化が多い状態を，CpG island methylator phenotype (CIMP)といい，MSI陽性大腸癌に多い．また，MSI陽性大腸癌では，癌遺伝子の1つであるBRAFの変異が高頻度に見つかる．BRAF変異を持つ特徴的病変として，serrated (鋸歯状) adenomaが報告されている[17]．

3. 大腸癌の遺伝子診断

(1)遺伝子診断の方法

遺伝子診断の方法には，PCR法，直接シークエンス法，SSCP法，サザンブロット法などがある[18]．直接シークエンス法では，目的の部分をPCRで増幅後，塩基配列を決定する．変異の内容を塩基レベルで確認できるので非常によい方法だが，操作が煩雑で多検体のスクリーニングには適さない．図9に癌抑制遺伝子APCの大腸癌での解析結果を示す．正常細胞(N)ではコドン1322はGAAでグルタミン酸をコードするが，ある患者の大腸癌(T)ではGの他にTのバンドもあり，TAAではアミノ酸合成が停止する．

点突然変異を検出するのによく使われているPCR-SSCP法では，調べたい部分をPCRでまず

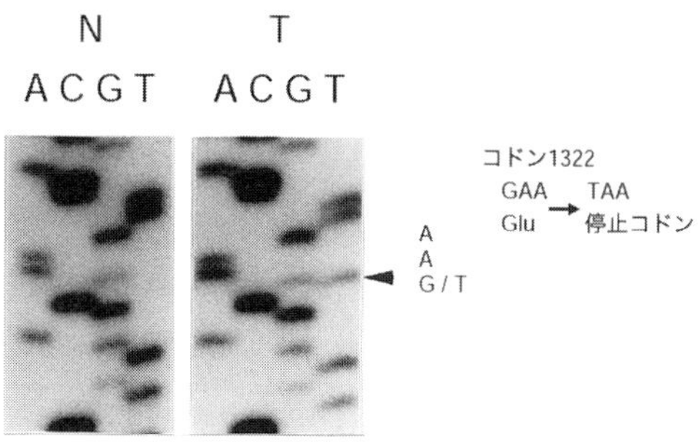

図9 APC遺伝子のシークエンス解析
(N)は正常細胞．(T)は大腸癌細胞．大腸癌細胞ではGとTの両方のバンドが見られ，点突然変異があることを示す．

増幅する．その産物の一部をとって熱で一本鎖に変性させる．一本鎖DNAは，DNA濃度が低いと相補的な鎖と結合せずに，一本鎖の中で一部結合して高次構造を形成する．もし，患者からのDNAに点突然変異があると，高次構造に変化がおきて電気泳動をすると健常人のとは違う移動度を示す．実例を図3に示した[4]．患者では正常細胞でも，健常人には見られないバンドがあり，生殖細胞(germline)変異があることがわかる．

染色体欠失の解析例を，やはり図3で説明する．この患者の大腸腺腫と大腸癌のDNAをさらにPCR-SSCP法で調べたところ，正常由来バンドの一本が非常に薄くなっていた．この正常バンドの消失をヘテロ接合性の消失(LOH)と呼び，hMLH1遺伝子のこの領域を含む染色体またはその一部が欠失していることを示す．

以上で述べてきた検出法では，全て電気泳動を行う．しかし，多検体の遺伝子診断を迅速化・自動化するためには，電気泳動は不適当である．そこで，近年注目されているのがDNAマイクロアレイ法またはDNAチップと呼ばれる方法である．これは，スライドガラス上に密にcDNAの一部かオリゴヌクレオチドをスポットし，調べたいRNAかDNAに蛍光標識したものをハイブリダイゼーションして，蛍光検出装置で結果をみる．本法はRNA発現量の解析，変異の検出，DNA多型，さらにはシークエンス決定などにも使える．さらに，最近は機器の開発などにより超高速シークエンシングが可能となり，遺伝子診断への応用が期待される[19]．

各論II

(2)遺伝子診断で何がわかるか？

1）散発性(非遺伝性)大腸癌[18,19]

遺伝子診断による癌の検出が期待される．大腸癌の対象として便があり，便からDNAを抽出してK-ras，p53遺伝子などの異常や，メチル化異常を調べることによって大腸癌の有無を検索できる．しかし，まだ研究的段階である．

2）遺伝性大腸癌[1-3]

一般の大腸癌に対して，家族性大腸腺腫症・Lynch症候群などの遺伝する大腸癌では，現在でも遺伝子診断はたいへん有用である．原因遺伝子であるAPCやDNAミスマッチ修復遺伝子を調べて，原因となる変異を検出すれば確定診断ができる．また，ある遺伝性大腸癌家系で原因となる変異がわかっていれば，他の家系構成員についてこの変異の有無を調べることにより保因者かどうかの診断ができる．すなわち，発症前でも診断が可能である．

4. 非ステロイド系抗炎症剤(NSAID)による大腸癌の発症予防

NSAIDの一つであるアスピリンを服用していると，大腸癌や腺腫の発症が減少することが示されてきた．そこでNSAIDであるsulindacやcelecoxibが家族性大腸腺腫症患者に対して化学予防(chemoprevention)薬として検討された．その結果，これらの服用により腺腫の数や大きさが減少するという効果が見られた[20]．さらに一般人の中から大腸癌または腺腫の既往者に対してアスピリンの予防的効果が検討され，やはり腺腫の再発を減少させた[21-23]．

NSAIDの大腸腫瘍に対する予防的効果の機序については，まだはっきりとは解明されていない．NSAIDは，シクロオキシゲナーゼ(COX) 1と2の阻害剤である．COXはアラキドン酸からプロスタグランジンの生成に関与しているので，プロスタグランジンを介した細胞増殖やアポトーシスにNSAIDは効いているのかもしれない．一方，COXを阻害しない濃度でも大腸腫瘍抑制効果が見られたので，COX非依存性の機序もあるようである．

おわりに

以上述べてきたように，大腸癌・腺腫における遺伝子異常は多くが解明されつつあり，他臓器の癌の遺伝子解析のモデルともなっている．また家族性大腸腺腫症やLynch症候群では，家系構成員において遺伝子診断も行われ，NSAID服用による予防も期待される．

大腸癌と遺伝子多型の関係も多数報告されている[2]．APC-I1307K, HRAS1-VNTR, MTHFR, NAT1, NAT2, GSTM1などであるが，1個ずつの多型の影響は大きくなく，今後さらなる研究が必要である．

参考文献

1. 岩間毅夫，宮木美知子：家族性大腸腺腫症：APC遺伝子．家族性腫瘍，宇都宮譲二・樋野興夫・湯浅保仁・恒松由記子編，pp.189-197, 中山書店，1998.
2. Jasperson KW, Tuohy TM, et al.: Hereditary and familial colon cancer. Gastroenterology 138, 2044-2058, 2010.
3. 馬場正三，湯浅保仁：遺伝性非腺腫症性大腸癌：MSH2, MLH1, PMS1, PMS2遺伝子．家族性腫瘍，宇都宮譲二・樋野興夫・湯浅保仁・恒松由記子編，pp.273-279, 中山書店，1998.
4. Akiyama Y, Iwanaga R, et al.: Transforming growth factor- β type II receptor gene mutations in adenomas from hereditary nonpolyposis colorectal cancer patients. Gastroenterology 112, 33-39, 1997.
5. Boland CR, Goel A: Microsatellite instability in colorectal cancer. Gastroenterology 138, 2073-2087, 2010.
6. Palombo F, Iaccarino I, et al.: hMutS β, a heterodimer of hMSH2 and hMSH3, binds to insertion / deletion loops in DNA. Current Biology 6, 1181-1184, 1996.
7. Akiyama Y, Sato H, et al.: Germline mutation of the hMSH6/GTBP gene in an atypical hereditary nonpolyposis colorectal cancer kindred. Cancer Research 57, 3920-3923, 1997.
8. Boland CR, Thibodeau, SN et al.: A National Cancer Institute Workshop on microsatellite instability for cancer detection and familial predisposition: Development of international criteria for the determination of microsatellite instability in colorectal cancer. Cancer Research 58, 5248-5257, 1998.
9. Lu S-L, Akiyama Y, et al.: Mutations of the transforming growth factor- β type II receptor gene and genomic instability in hereditary nonpolyposis colorectal cancer. Biochem. Biophys. Res. Commun.

216, 452-457, 1995.
10. Yagi OK, Akiyama Y, et al.: Proapoptotic gene BAX is frequently mutated in hereditary nonpolyposis colorectal cancers but not in adenomas. Gastroenterology 114, 268-274, 1998.
11. Sieber OM, Lipton L, et al.: Multiple colorectal adenomas, classic adenomatous polyposis, and germline mutations in MYH. N. Engl. J. Med. 348, 791-799, 2003.
12. Halford SE, Rowan AJ, et al.: Germline mutations but not somatic changes at the MYH locus contribute to the pathogenesis of unselected colorectal cancers. Am. J. Pathol. 162, 1545-1548, 2003.
13. Fearon ER. and Vogelstein B.: A genetic model for colorectal tumorigenesis. Cell 61, 759-767, 1990.
14. Akiyama Y, Iwanaga R, et al.: Mutations of the transforming growth factor-β type II receptor gene are strongly related to sporadic proximal colon carcinomas with microsatellite instability. Cancer 78, 2478-2484, 1996.
15. Kane MF, Loda M, et al.: Methylation of the hMLH1 promoter correlates with lack of expression of hMLH1 in sporadic colon tumors and mismatch repair-defective human tumor cell lines. Cancer Research 57, 808-811, 1997.
16. Esteller M, Corn PG, et al.: A gene hypermethylation profile of human cancer. Cancer Research 61, 3225-3229, 2001.
17. Leggett B, Whitehall V.: Role of the serrated pathway in colorectal cancer pathogenesis. Gastroenterology 138, 2088-2100, 2010.
18. 古庄敏行他編集：臨床 DNA 診断法，金原出版，1995
19. Ahlquist DA: Molecular detection of colorectal neoplasia. Gastroenterology 138, 2127-2139, 2010.
20. Labayle D, Fischer D, et al.: Sulindac causes regression of rectal polyps in familial adenomatous polyposis. Gastroenterology 101, 635-639, 1991.
21. Sandler RS, Halabi S, et al.: A randomized trial of aspirin to prevent colorectal adenomas in patients with previous colorectal cancer. N. Engl. J. Med. 348, 883-890, 2003.
22. Baron JA, Cole BF, et al.: A randomized trial of aspirin to prevent colorectal adenomas. N. Engl. J. Med. 348, 891-899, 2003.
23. Chan AT, Giovannucci EL: Primary Prevention of Colorectal Cancer. Gastroenterology 138, 2029-2043, 2010.

Ⅱ-5 悪性腫瘍
g. 肺　　癌

浜松医科大学第一病理学講座
椙村春彦

肺癌は，現在主要国の悪性腫瘍のうち，その頻度，発生頻度の傾向，予後の悪性度，治療の困難さなどからいっても，人類のもっとも重要な疾病のひとつであるといっても過言ではない．その原因として，古くから，喫煙習慣や，石油原料燃料の廃棄物との関連などおおくの解析結果が蓄積されている．また，病理学的には扁平上皮癌と腺癌という，非常に単純化したみかたをすれば，病理学的形態ばかりでなく，原因論までふくめて，大きな相違のある病態が容易に認識できること．さらに，小細胞がんという治療反応性の異なるかなりはっきりした entity があることなど，分子疫学的な比較を論じる際にも皮肉ないいかたをすれば，論じやすい面がある．その面で，多くの消化管腫瘍で，病理形態学的な亜型を病因論にとりいれるのはそれほどやさしくない．

環境の影響という点からいっても，たしかにわれわれの空気中のなかの癌原物質を測定したり，その暴露量をモニターしたりすることはやさしくはないが，喫煙のように，量的なものまでふくめ，記録しやすく，いっぱんには自己申告が比較的信頼できるといった情報があるため，多くの研究がされてきて，またされつつあるのは前述のとおりである．一方，おなじ肺癌の病因を論ずるにしても，いわゆる受動喫煙(環境タバコ煙，environmental tobacco smoke)，食事中の脂肪摂取量，交通機関の内燃機関による排出ガスの暴露量，といった問題をあつかった論文に接すると，データのとりあつかいそのものが研究者の立場からいえば非常にフラストレーションのおこりやすい状況であることが想像される．

したがって，本稿では，肺癌について，近年非常に詳細にまた，一見クリアカットにみえる分子腫瘍学的知見の一部を紹介させていただくが，わかることしか活字になっていないということを認識したうえで，日常臨床や研究で遭遇する肺癌の未知の，あるいはとっかかりそのものが非常にやりにくいような問題に挑戦していただきたいし，また筆者自身もはなはだ微力ではあるがそのつもりである．

1. 肺癌の遺伝的感受性にまつわる諸問題

肺癌に家族集積性があるかどうかについては，大腸癌，胃癌，乳癌などにくらべてそれほど知られていないが，古くからなされてはいる．また，最近でも，北欧の大規模な研究が発表された[1]．まだ，ドイツでも population based の症例対照研究が従来のとくに喫煙と関連のある肺癌の家族集積性についての再確認をしている[2]．ただ，大腸癌，胃癌，乳癌などと，非常に異なるのは肺癌を主たる構成分とする家系が知られていないという点であり，非常に少数の anecdotal な報告が散見されるのみである[3]．同じ肺腫瘍でも，小児におこる pulmonary blastoma という極めてまれな疾患は遺伝性があり，DICER1 という遺伝子の生殖細胞系列の変異が明らかになった[39]．成人に起こる肺腫瘍の家族性という状況は大腸や乳腺はもとより，胃癌とも状況が異なるといってよい．さ

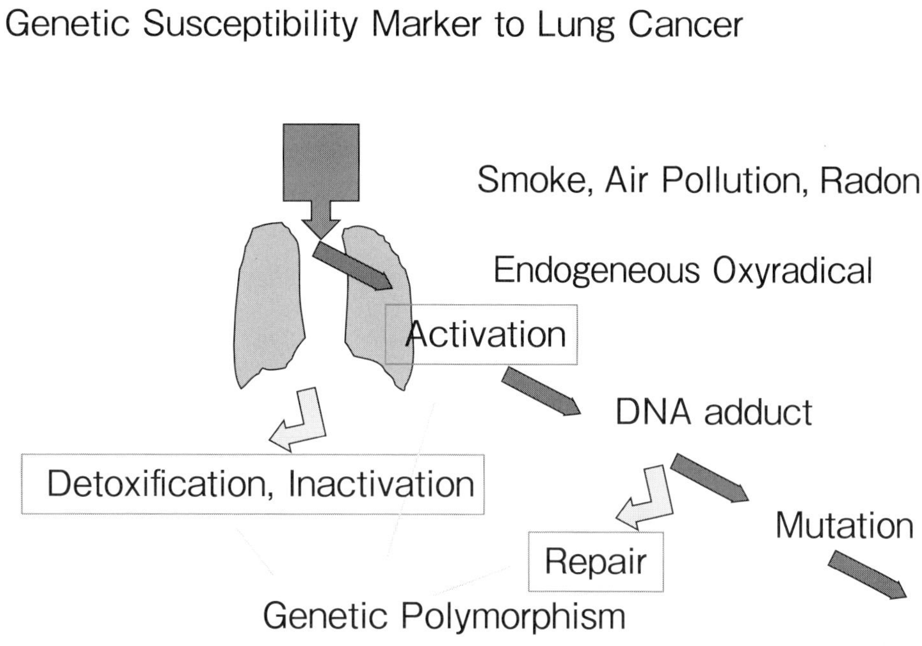

図1　肺癌の分子予防

らに，喫煙習慣の家族集積や喫煙行動の遺伝的関与まで考慮すべきである．つまり家族集積性といっても遺伝子ばかりのばなしではない…と実は初版では述べていたのだが，喫煙行動を含むaddiction自体が遺伝的影響をうけるということが今や通説になっていて[40]，ごく最近肺がんの病因の最初の起点を，喫煙依存しやすい遺伝的素因におくというスキームが提言された[41]．もともと肺がんの遺伝的感受性の研究は，別項でも詳しくのべられているように，P450をはじめとする環境中発がん前駆物質の活性化にかかわる酵素の多型が遺伝的感受性に影響するという化学発がん理論から導かれる候補遺伝子の研究から始まった[4]（図1）．いっぽう逆に解毒にかかわる遺伝子は，その酵素をもたないヒトがいるという点で非常に重要である[5]．さらに種々のDNA修復酵素が想定されている．なかでも，DNA付加体と呼ばれる，発がん物質により修飾された塩基は，毒性や変異誘発性があり，これらを同定あるいは定量することは暴露の評価に必須であるが，これらを除去する酵素群がとくに重要な研究対象となっているのである．この酵素群の多型を系統的に記載し，とくに機能的差のあるものを症例対照研究で評価することがおこなわれつつある[6, 7, 8, 9]．肺癌に限らず人間のからだは絶えず，外部あるいは，内部の要因で，そのDNAは傷をうけている．それでも数十年は，癌として発症してこないのは，それらの傷がやはり絶えず修復されているからであると考えられる．これらの遺伝子についてはその肺癌などへの感受性が順次検討されている．とくに，XPD（ERCC2）の多型の一部にはアミノ酸変化をともない，機能的差の検証されているものがあり，多くの研究がなされている[10, 11]．XRCC1についても複数の結果が発表されている[12, 13, 14]．

修復酵素のひとつに，OGG1という8－ヒドロキシグアニンを取り除く酵素が知られている．8－ヒドロキシグアニンは，酸化的DNA障害により生ずる，グアニンの8位にヒドロキシ基に置換されたものである．動物モデルでは，この遺伝子をknock outすると，肺や肝臓にこの修飾塩基がふえてくる[15]．また，ヒトでも喫煙者などで，8ヒドロキシグアニンを測定すると量的上昇をみるという報告がある[16]．OGG1にはいくつかの多型が知られており，そのなかのアミノ酸置換をともなう多型は大腸菌における修復の補填検出をおこなうと約，7倍くらいの機能差がみとめられいる[17]．この多型のヒトがんの感受性に対する寄与は種々の癌で検討されている．酸化的DNA障害はあまねく存在するものであるが，喫煙，ヘリコバクター感染など非常につよい障害がおこると信じられている環境因子もおおく，肺癌では喫煙その他の環境要因の影響の強い組織型のがんで，遺伝的感受性に優位な関連をみとめている[18]．肺癌については，いくつかの関連ありとする報告が，Caucasianを対象とした研究でも発表されつつある．多型と癌の感受性を論じる場合，人種による頻度の差があるのが普通で，むしろ，複数の人種で関連ありとされた多型はきわめて少ない[19]．人種，ethnicityという言葉の概念にまつわる議論はここでは省く．この多型のリスクの強さをたとえば，知られているCYP1A1の多型によるリスクに比べるとそれほど大きくないのではないかと思われる．さらに実際にこの多型は消化管のがんなどで，種々のリスクを検討してみると，この多型そのものではなく，既知の食生活や喫煙歴のリスクを修飾するようである[20, 21]．ほかのがんでもそうであるが，外部要因は多岐にわたり，8ヒドロキシグアニンの修復という点でもそのほかの遺伝子も当然関与している[22]．

APlyaseだけでも8種類知られており，また，そのほかのDNA付加体が前者のあるものの作用，つまり余分な塩基を除去するという作業に影響をあたえることも知られている．DNA damageに対する修復機構は複雑かつ精密に制御されているようであり，塩基除去修復のステップにかかわる酵素欠損による遺伝病が注目をあつめている．

DNA single strand break repairはその欠損による遺伝性疾患が有名であるが，single strand breakそのものは，活性酸素をはじめいろいろな状況下で生じるし，また塩基除去修復の過程で，中間産物として生じたりする．この修復の過程は後者の場合はAPE 1がはたらきそのあとはBER（塩基除去修復）の担当酵素に手渡される．

逆に前者の場合は，ADP-ribose polymerase PARP-1 or 2が関与する．3’側のphosphateをAPE1がとりのぞき，さらにXRCCと相互作用つついてpolynucleotide kinaseがはたらき，5’側，3’側両者を修復する．つぎにpolymerase betaがgapをうめる．最後にDNAのphospho-diester-bondを保持するためにDNA ligase Ⅲ aあるいはlongpatch repairの場合はligase 1が働く[23]．肺は当然これらの機構をかく乱するような外部の要因，内部の要因にさらされているわけであるが，実際にこれらの遺伝子の機能差が肺癌のようなcommonな癌の機構に影響しているかどうかは全く不明である．前述のように肺癌について，少しずつこのタイプの遺伝子多型が検討されつつある．すでにあげたもの以外ではXPAはnucleotide excision repairにかかわるDNA結合蛋白であり，DNA障害の認識にかかわるといわれる．

この5’領域にSNPがみつかり，Spitzのグループはこの多型が，肺癌のリスクにかかわる可能性を695例の肺癌と，年齢，性，人種，喫歴歴をマッチさせた対照群695例で検討した．その結果，Galleleを持つ例が，Caucasianや，メキシカンアメリカンでは有意な防御傾向（odds ratioが1以下になることをしめした[24]．

この5’SNPの機能的影響とくにNERに対する機能差の証明は推測の域をでないが，ひとつひとつ検証されつつある．とくに喫煙者といった，あるいていどの環境要因によるリスクを修飾する遺伝的多型であることが期待されている．

さて，以上のような研究戦略を候補遺伝子アプローチ（candidate approach, hypothesis driven）と呼ぶのに対し，今回の改訂でのべなくてはいけないのは，特に作業仮説をもたない，むしろ仮説を生み出すための（hypothesis generating）研究手法でありagnostic approachなどとも言われる．一般にはヒトゲノム上の多型を数十万，数百万といった数を一度に症例対照研究を行う．これらの多型はすでにdata base上にあるものが使われ，Genome Wide Association Study（GWAS= ジーバスあるいはジーヴァスと言われる）．いくつかの会社がSNP同定のためのchipを販売している．この方法論は扱う情報量が多いだけに種々の統計学的pitfallがあり，一般には非常に多くの症例対照数が要求される．多くの肺がんを含む生活習慣病，免疫疾患，心臓疾患などで成果をあげている．肺がんについても近年になって，多くのGWASの結果が発表され，その結果有力視されてきたものに喫煙行動や脳内のニコチン作用に関係する遺伝子の中あるいは近傍の多型がある．GWASについてはhttp：//www.genome.gov/26525384で，主な研究状況が検索できるようになっている．GWASの探索基本原理はいわゆるcommon polymorphism – common disease という仮説であり，minor allele frequency が5%以上のものを探索する．最近は，よりrareな遺伝子多型でおこる疾患（missing heritability）を探索しようというもあり，次世代，次次世代の大規模なシークエンス装置を用いてchipに搭載されていないようなvariantを探すこころみががんの感受性分野でも行われることが予想されている．

2. 肺癌とmutation spectrum

肺癌の原因には種々の化学物質，放射線などが知られており，それを含む混合物としてもっとも有名なのが，タバコ煙，内燃機関の排気ガスなどである．Harrisらは，ヒト発癌機構を統一的に説明するような総説をいくつか書いているが，これらの癌の原因としての根拠（assessment of causation）として，Bradford-Hill criteriaを引用している．そこではコッホの4原則にならって，ある分子機構あるいは特定の環境内化学物質が確かにヒト癌の原因であるというための必要にして十分な証拠をあげている[25]．たとえば，日光あるいは紫外線が皮膚癌の原因である根拠アフラトキシンが肝臓癌の，tobacco smokeが気管支上皮癌の原因であることを支持する，疫学的，実験的証拠はなにかという条件である．まず，相関関係の強さとしてのconsistency（整合性）があること．たとえば，P53の変異と喫煙量に用量反応相関があること．つぎに特異性である．例として，非喫煙者の肺癌ではcodon 157の変異が稀であることなどをあげている．また時間的関係（temporality）も重要で，そこでは，後述のように気管支上皮の異形成などにも変異がみられることをあげている．もっともおおくの証拠が蓄積されえいる，生物学的合理性（biological plausi-bility）のなかには，in vitroで付加体をつくったり，変異をおこすこと，代謝経路の活性や個体差と付加体形成量が相関すること，細胞形質転換作用があること（transformation activity）といった具合である．同様にアフラトキシンと肝細胞癌，紫外線と皮膚癌についてもP53の変異スペクトラムや，そのスペクトラムを生ずるにいたる分子機構が，in-vitroで再現できることなどと総括している．動物による発癌実験疫学的な観察結果．いずれもあつかう物質の量的な不自然さ，実験動物の代謝系の違いによる外挿の困難さ，因果関係の間接性への疑問など病気あるいは癌の原因についてアプローチに苦慮していた研究者にしてみれば，非常に説得力のある便利な考え方である．

P53はもっとも高頻度にヒトの上皮性腫瘍で頻繁に変異がおこる遺伝子であり，そのmutationのおこりやすいhotspotはがんの種類によっても，また，想定される原因によって特徴があるというのが，mutation spectrumあるいはcarci-nogen fingerprintの考え方である．

Mutation spectrumについて，議論されるのは高頻度におこる遺伝子，前述のP53をはじめ，APC，p16などが多い．腫瘍が多くの変異を蓄積していく過程で，その後期にみられるような遺伝子変異はおそらくは原因に関連するというよりも，腫瘍の増殖の際の選択と考える方が考えやすいので，初期病変のmutation spectrumはより意義があるとおもわれる．肺癌の気管支上皮の発がん過程は上皮内病変においてもその変化が蓄積されていて，上記のような仮説の信憑性がよりたかまっているのが現状である．

肺の気管支上皮における発がん過程の研究は，おなじグループの長年のin vitroにおける発がん実験系設立への努力をはじめとする根気を要する作業のおかげであるが，すくなくとも一部はヒトで実際におこっていることの説明であると信じられている．

P53のヒト腫瘍発生における役割についての分子生物学的議論は，さまざまな場面で深くかつ詳細におこなわれており，ここでは触れない予防あるいは感受性という視点から研究がされているP53コドン72の多型について簡単にふれる．アミノ酸の変化する多型Pro/Argであるために，機能的差あるいは，環境相関を考慮したうえでのリスク評価についての論文がある[26, 27]．また．いっぽう非常にbluntなnegative dataも発表されている[28]．最近では肺癌のloss of heterozygosityの検討から，コドン72Argをもった遺伝子のほうがより脱落しやすいといった知見もあり[29]，生物学的意義をもった多型と考えらる研究はつづいている．肺癌の感受性とのかかわりについて，初期の症例対照研究はあるが，差がないという所見も公表されている．

P53は血清中の抗体が生じることがあり，この抗体をつかえば，癌の発生や，再発などの監視につかえるのではないかというこころみがなされている．本邦でも，これを1次スクリーニングにつかって精査をした結果がんをみいだしたという報告がある．すべての検診同様，有用性の真の評価というのは厳密な検証がひつようであるが，近年のプロテオミクスを診断や早期発見に用いる傾向のはしりともいえ，また，vinyl chloride，radon，aflatoxin B1といったものに，たとえば職業的曝露がありうるような環境下では有用な指標(biomarker)になりうると期待されている．

APC，P16ともに肺癌の早期病変における変化が報告され[30, 31]，ごく初期にmethylationなどepigeneticな変化がおこっているという知見は重要視されており，そのような初期変化を内視鏡下で同定すれば，予防戦略の一つになりうる．P16は，細胞周期進行を抑制する分子であるが，腫瘍におけるいわゆるaberrant methylationが重喫煙者の非腫瘍部にもみられること[32]，非小細胞性肺癌では予後と関係するということ，plasma中に検出されることなど期待が大きい[33]．

これらの議論は肺扁平上皮がんについて行われることが多い．

小細胞癌は腫瘍の形態ばかりでなく，その抗ガン剤に対する感受性のちがいなどが特徴的な一群であるのはいうまでもないが，その原因についてあまり，論じられることが少ない．われわれのdataでは，CYP1A1の遺伝子型，GSTM1遺伝子の欠損などによる遺伝要因が非常に高いという結果であったが，追試はされていない．喫煙との関係からみても，より関係が深い(扁平上皮がん)としてある文献もあり原因論の面からも興味深い．推定にすぎないが，遺伝と環境要因の相互作用の特有のphenotypeの可能性もあると思われる．そのphenotypeの面では，carcinoid（typicalおよびatypicalとも），large cell neuroendocrine carcinomaなどとの異同を包括的発現研究の手法で追求しているグループは内外をとわず多い．Cancer genome anatomyの蓄積が，分子疫学的視点から解析されるようになると，mutation spectrumの原因追求としての情報はますます有用かつ，大量になってくることは必須である．ここでも，近年の大規模シークエンスの成果が発表されている．小細胞がんのゲノムを全部読むというような作業で，たばこによる上記の様な遺伝子変化の“signature”の全貌が詳細に解明された．膨大な遺伝子変異，再構成その他の変化という情報がたとえば治療などにどのように応用可能であるかというのは今後の問題であろうが，この大規模dataが日常臨床でつかわれるというのがいわゆるパーソナルゲノム時代のイメージである[42]．

3. 肺腺癌の分子病理と予防戦略

喫煙習慣の減少により肺癌の減少傾向がみられているという論文，腺癌の頻度が上昇し，それはタバコ特異的ニトロソアミンがフィルター付きタバコにより影響がおおきくなったとする文献が存在する．一方，フィルターによって，タバコ成分がより肺のより奥の肺胞いきまで到達するようになるということはないというdataもある．はじめに述べたようにセカンドハンド喫煙(second-hand smoke)とかenvironmental tobacco smoke (ETS)といわれる環境中に存在するたばこ由来の発がん物質についての議論は多い．本邦では受動喫煙と言う言葉がよく使われる．配偶者，職場での喫煙記録をもとに解析をするほかに，個体そのものが，喫煙に限らず，環境発がん物質にどのくらい暴露しているかを測定するという分野があり，molecular dosimetryとよばれる．組織，血液，ヘモグロビン，頬粘膜など種々の検体が使用されるが，DNAに化学物質が共有結合して，変異のもとになるDNA付加体というものが長年研究されている．ごく最近，質量分析器の進歩もあり，ヒト組織中に多数のDNA付加体(adduct)を同時に検出するという技術・概念が発表され

adductome approachとよばれて着々と知見が蓄積しつつある．たとえば，肺腺癌の原因について，おおくの疫学的研究は相対危険度をオッズ比であらわすと扁平上皮癌ほど高くはないが，有意に上昇しているとする．また，病理の立場からいうと，肺腺癌，扁平上皮癌の区別というのは，分かりやすい症例はだれがみても分かりやすいが，低分化の腺癌などで，分類しにくい場合があるということは誰でも経験していることであり，たとえば電子顕微鏡的に精査すれば大部分の症例は腺扁平上皮癌とせざるをえないといった発表すらあるのである．当然，分子病理学的検討や，分子疫学的検討も，腺癌の亜分類ある程度念頭におくべきであるがそのような研究は比較的すくない．土屋らは，腺癌の形態を，多臓器にみられる腺癌の形態なども熟知したうえで，分類し，それぞれに分子病理学的特徴を記載している[34]．したがって，喫煙もふくめ病因を論じる際は腺癌の病理学的な分類を明確にしなければならないのであるが，adductomeの方法論を用いれば，あらたな原因が分子生物学的な痕跡としてみつかる可能性がある．当然，受動喫煙のためではないかと想像するひともいる．never smoker（生涯非喫煙者）におこる肺がん(腺癌が大部分)の原因究明に役立つであろう．

現在，喫煙などとの相互作用を念頭におき，おおくの分子疫学的なリスクマーカーが，相関研究association studyの形ですすめられている．いままで，大部分の研究は，喫煙(シガレット，噛みタバコをふくめ)つよい環境要因のある状況下で遺伝的素因の存在がクローズアップされている．これらの研究は当初，家族性大腸ガン，乳ガン，Li-Fraumeni症候群といった腺癌がその主体となるような例の連想から，さらに，rodent model等若年層に発生する腺癌に遺伝的要因を期待してはじめられたものも多い．ヒト肺腺癌について遺伝的素因の存在を証明している論文は意外に少なく，肺癌全体について相関研究をおこなうと扁平上皮癌のみで，差がでるといったものが多い．Kohnoらは，腺癌の症例対照DNA研究を，十数種類の候補遺伝子多型を検討し，いくつか有意なマーカーを見いだしている[35]．

肺腺癌は，mouseの系統差で，肺腺癌の発生が異なるというモデルがあり，congenic breedingなどの方法で，かなり狭いゲノム領域までしぼられていることもあり，ヒトのその該当する領域あるいはその領域の候補遺伝子の検定は極めて重要である．

しかし，該当候補多型が一つの症例対照セットで相関があるとされても，複数の集団での検証をもとめられることも多い[36]．またGWASのように多数のSNPの比較をする場合はBonferoniの検定がもとめられる．

もちろん，マーカーそのものの生物学的合理性は極めて重要で，新知見として影響力のある専門誌などへの掲載の決めてになるようである．

肺腺癌の発ガン過程への追求は，本邦で非常にちいさな病変を同定すること，その病理学的，生物学的記載と性格付けをするという作業つまり，胃癌などでたどってきたのと同様の方法がとられている．現在詳細な研究がなされつつあるのは腺腫様過形成adenomatous hyperplasiaである．

adenomatous hyperplasia病変の前癌病変としての意義は形態学的な病理学的記載と，綿密な予後の追跡から現在でも研究が進んでいる．分子病理学的特徴を記載するためには，病理ブロックからの遺伝子解析や染色体解析が必要になる．

われわれは，パラフィンブロックに特化したFISH法を開発した．

その方法で，adenomatous hyperplasiaの染色体数を，各染色体セントロメアに特異的なプローブをhybridizeすることによりカウントしてみると，非常にちいさな病変でかつ，肺胞上皮の異型や，間質の増生，血管の誘導という現象が著しくおきないうちに染色体の数的異常がおこっていることがわかった．早期の染色体異常は，喀啖細胞などの解析で，扁平上皮癌などでは検索されているが，肺胞上皮由来の病変での検索は少ない．また染色体の異数性は，固形腫瘍の一般的な特徴であるにもかかわらず，それが，腫瘍の進展にともなう二次的な変化なのか，早期からおこる変化なのかについての結論はまだでていない[37]．

腫瘍の遺伝子変化を調べる場合，retino-blastomaなどで知られる2ヒット論(Knudson)を念頭にかたられることが多いが，実際の固形腫瘍ではごく初期あるいは小さな病変の段階から，

各論Ⅱ

各染色体の数は増えていることが大部分であるというみかたもあり．したがって，従来の遺伝子解析とくに染色体を網羅的にLOHを検出していくという手法では，真のdosageの減少をみることはできない．染色体のpoly-ploidationをおこす原因の探求は，分子予防医学的にも極めて重要な課題である．

気管支上皮由来の腫瘍のごく初期にくらべ，腺癌の初期の分子生物学的プロフィールはそれほどわかっていない．P16のmethylationなどepigeneticな変化がこれら小病変にもおこっているのかどうかは極めて，興味深い．

4. 肺癌の予防にかかわるその他の事項

前述のように，喫煙行動や依存といったことの背景にある遺伝的要素を重視する考え方がとくに米国にはある．本邦ではほとんどdataがないせいかもしれないが，socialあるいは，psychologicalな影響が複雑にからみあっている人間行動を遺伝子多型で説明するbehavior geneticsの分野そのものに懐疑的なものも多く，結果の解釈やその適用は限定的であろう．いずれにせよ，遺伝的感受性はもちろんそこに発生する腫瘍の個性やそれにたいするベストな治療も集団(人種，民族といったときとしてあいまいな概念も含め)によって異なり，その複雑な関係のなかで戦略をたてるのが環境医学である．肺がんはその事情が典型的にあらわれている疾患といってよい．

また，既知のリスクに対し防護的に働く習慣の探索もおこなわれている．もっとも本邦で頻繁に議論されるのはたとえば，緑茶が肺癌を予防するかといった仮説であるが[38]，これらの説はいずれにせよ大規模なゲノムコホート研究が，疫学的情報をきちんと評価しながらすすめられれば，あきらかになるであろうし，本書でうたいあげているような未来の医療の基礎がかたちづくられると思われる．

参考文献

1. Li, X. & Hemmi nki, K. Familial and second lung cancers：a nation-wide epidemiologic study from Sweden. Lung Cancer 39, 255-263, 2003.
2. Bromen, K., Pohlabeln, H., Jahn, I., Ahrens, W. & Jockel, K.H. Aggregation of lung cancer in families：results from a population-based case.control study in Germany. Am J Epidemiol 152, 497-505, 2000.
3. Nanki, N. et al. Occurrence of bronchioloalvedar cell carcinoma in two brothers：comparison of clinical features and immunohistochemical findings Intern Med 41,1002-1006, 2002.
4. Sugimura, H. et al. Biochemical and molecular epidemiology of cancer. Biomed Environ Sci 4, 73-92, 1991.
5. Mohr, L.C, Rodgers, J.K. & Silvestri, GA. Glutathione S-transferase M1 polymorphism and the risk of lung cancer. Anticancer Res 23, 2111-2124, 2003.
6. Goode, E.L., Ulrich, CM. & Potter, J.D. Polymorphisms in DNA repair genes and associations with cancer risk. Cancer Epidemiol Biomarkers Prey 11,1513-1530, 2002.
7. Butkiewicz, D. et al. Genetic polymorphism in DNA repair genes and risk of lung cancer. Carcinogenesis 22, 593-597, 2001.
8. Field, J.K. & Youngson, J.H. The Liverpool Lung Project：a molecular epidemiological study of early lung cancer detection. Eur Respir J 20, 464-479, 2002.
9. Wood. ME, Kelly, K, Mullineaux, L.G. & Bunn, PA, Jr. The inherited nature of lung cancer a pilot study. Lung Cancer 30,135-144, 2000.
10. Benhamou, S. & Sarasin. A. ERCC2/XPD gene polymorphisms and cancer risk. Mutagenesis 17, 463 469, 2002.
11. Gao, W.M. et al. Association of the DNA repair gene XPD Asp312Asn polymorphism with p53 gene mutations in tobacco-related non-small-cell lung cancer. Carcinogenesis 4, 4, 2003.
12. Chen, S et al. DNA repair gene XRCC1 and XPD pdymorphisms and risk of lung cancer in a Chinese population. Carcinogenesis 23,1321-1325, 2002.
13. David-Beabes, G.L. & London. S.J. Genetic polymorphism of XRCCI and lung cancer risk among African-Americans and Caucasians. Lung Cancer 34, 333-339, 2001.
14. Divine, K.K. et al. The XRCC13 399 glutamine allele is a risk factor for adenocarcinoma of the lung. Mutat Res 461. 273-278, 2001.
15. Klungland A. et al. Accumulation of prermutagenic DNA lesions in mice defective in removal of oxidative base damage. Proc Natl Acad Sci U S A 96, 13300-13305, 1999.
16. Rozalski, R., Gackowski, D., Roszkowski, K.,Foksinski, M. & Olinski, R. The level of 8-hydroxyguanine, a possible repair product of oxidative DNA damage. is higher in urine of cancer patients than in control subjects. Cancer Epidemiol Biomarkers Prey 11,1072-1075, 2002.
17. Arai, K. et al. Cloning of a human homolog of the yeast OGG1 gene that is involved in the repair of oxidative DNA damage. Oncogene 14, 2857-2861, 1997.

18. Sugimura, H. et al. hOGGl Ser326Cys polymorphism and lung cancer susceptibility. Cancer Epidemiol Biomarkers Prey 8, 669-674, 1999.
19. Le Marchand, L. D., Donlon, T, Lum-Jones, A., Seifried, A. & Wilkens, L.R. Association of the hOGGI Ser326Cys polymorphism with lung cancer risk. Cancer Epidemiol Biomarkers Prev 11, 409-412, 2002.
20. Takezaki, T. et al. hOGG1 Ser (326) Cys polymorphism and modification by environmental factors of stomach cancer risk in Chinese. Int J Cancer 99, 624-627, 2002.
21. Kim, J.I. et al. hOGG1 Ser326Cys polymorphism modifies the significance of the environmental risk factor for colon cancer. World J Gastroenterol 9, 956 960, 2003.
22. Hazra, T.K., Izumi, T, Kow, Y.W. & Mitra, S. The discovery of a new family of mammdian enzymes for repair of oxidatively damaged DNA, and its physiological implications. Carcinogenesis 24. 155-157, 2003.
23. Mohrenweiser, H.W, Wilson, D.M, 3rd & Jones, I.M Challenges and complexities in estimating both the functional impact and the disease risk associated with the extensive genetic variation in human DNA repair genes. Mutat Res 523, 93-125, 2003.
24. Wu, X. et al. XPA polymorphism associated with reduced lung cancer risk and a modulating effect on nucleotide excision repair capacity. Carcinogenesis 24, 505-509, 2003.
25. Hussain, EP. & Harris, C.C. Molecular epidemiology of human cancer : contribution of mutation spectra studies of tumor suppressor genes. Cancer Res 58, 4023-4037, 1998.
26. Liu, C. et al. Differential association of the codon 72 p53 and GSTM1 polymorphisms on histological subtype of non-small cell lung carcinoma. Cancer Res 61, 8718-8722, 2001.
27. Lasky, T. & Silbergeld E. P53 mutations associated with breast, colorectal, liver. lung and ovarian cancers. Environ Health Perspect 104 1324-1331, 1996.
28. Weston, A. & Godbold, J.H. Polyrmorphisms of H-ras-1 and p53 in breast cancer and lung cancer : a meta analysis. Environ Health Perspect 105 Suppl 4, 919-926, 1997.
29. Papadakis, ED., Soulitzis, N. & Spandidos, D.A. Association of p53 codon 72 polymorphism with advanced lung cancer the Arg allele is preferentially retained in tumours arising in Arg/Pro germline heterozygotes. Br J Cancer 87.1013-1018, 2002.
30. Jarmalaite, S., Kannio, A., Anttila, S., Lazutka, J.R. & Husgafvel-Pursiainen, K. Aberrant p16 promoter methylation in smokers and former smokers with nonsmall cell lung cancer. Int J Cancer 106. 913-918, 2003.
31. Harden, S.V. et al. Gene promoter hypermethylation in tumors and lymph nodes of stage I lung cancer patients. Clin Cancer Res 9,1370-1375, 2003.
32. Toyooka, S. et al. Smoke exposure. histologic type and geography-related differences in the methylation profiles of non-small cell lung cancer. Int J Cancer 103. 153-160, 2003.
33. An, Q. et al. Detection of p16 hypermethylation in circulating plasma DNA of non-small cell lung cancer patients. Cancer Lett 188,109-114, 2002.
34. Hashimoto, T. et al. Different subtypes of human lung adenocarcinoma caused by different etiological factors. Evidence from p53 mutational spectra Am J Pathol 157, 2133-2141, 2000.
35. Sunaga, N.et al. Contribution of the NQO1 and GSTT1 polymorphisms to lung adenocarcinoma susceptibility. Cancer Epidemiol Biomarkers Prey 11, 730-738, 2002.
36. Yanagitani, N. et al. Localization of a human lung adenocarcinoma susceptibility locus possibly syntenic to the mouse Pasl locus, in the vicinity of the D12S 1034 locus on chromosome l2p11.2-pl2.1. Carcinogenesis 23. 1177-1183, 2002.
37. Rajagopalan, H., Nowak. MA., Vogelstein, B. & Lengauer, C. The significance of unstable chromosomes in colorectal cancer. Nat Rev Cancer 3, 695-701, 2003.
38. Le Marchand. L. Cancer preventive effects of flavonoids - a review. Biomed Pharmacother 56. 296-301, 2002.
39. DICER1 mutations in familial pleuropulmonary blastoma.Hill DA, Ivanovich J, Priest JR, Gurnett CA, Dehner LP, Desruisseau D, Jarzembowski JA, Wikenheiser-Brokamp KA, Suarez BK, Whelan AJ, Williams G, Bracamontes D, Messinger Y, Goodfellow PJ.Science. 2009 ; 325 (5943) : 965.
40. Li MD, and Burmeister M. New insights into the genetics of addiction. Nat Rev Genet. 2009 ; 10 : 225-231.
41. Amos CI, Spitz MR, Cinciripini P : Chipping away at the genetics of smoking behavior (Nature Genetics, 2010 ; 42 (5) 366-368.
42. Pleasance ED, Stephens PJ, O' Meara S, McBride DJ, Meynert A, Jones D, Lin ML, Beare D, Lau KW, Greenman C, Varela I, Nik-Zainal S, Davies HR, Ordoñez GR, Mudie LJ, Latimer C, Edkins S, Stebbings L, Chen L, Jia M, Leroy C, Marshall J, Menzies A, Butler A, Teague JW, Mangion J, Sun YA, McLaughlin SF, Peckham HE, Tsung EF, Costa GL, Lee CC, Minna JD, Gazdar A, Birney E, Rhodes MD, McKernan KJ, Stratton MR, Futreal PA, Campbell PJ. A small-cell lung cancer genome with complex signatures of tobacco exposure. Nature. 2010 ; 463 (7278) : 184-90.

Ⅱ-5 悪性腫瘍
h. 乳癌(リスク診断と予防)

大阪大学大学院医学系研究科　乳腺・内分泌外科
＊(現)兵庫医科大学　乳腺・内分泌外科
三好康雄＊

1. はじめに

近年，癌予防の重要性がますます認識されるようになってきている．欧米ではすでに薬剤による乳癌の予防効果が証明されており，リスクの高い女性を対象に化学予防(chemoprevention)が実践されている．乳癌の約5－10%は家系内に乳癌が集積する家族性乳癌で，単一遺伝子の変異が発症に強く関与している．一方，乳癌の9割以上を占める散発性乳癌の場合は，遺伝的な背景に加え疫学研究によって明らかにされている種々のリスクファクター（環境要因)が乳癌の易罹患性に影響していると推測される．従って，乳癌のリスクを診断する場合，家族性乳癌と散発性乳癌では別のアプローチが必要であり，またリスクの程度も異なるため，予防を前提としたマネージメントの方法も違ってくる．つまり，個々の女性のリスクを正しく診断し，リスクの程度に応じた乳癌の予防を行なっていくことが重要である．本稿では散発性乳癌と家族性乳癌における，リスク因子ならびにそれを用いたリスク診断法を中心に解説し，さらに欧米で行われている予防法に関してレビューを行なう．

2. 乳癌の化学予防

Tamoxifenは，乳癌の治療薬として最も汎用されているホルモン剤であるが，術後療法としてtamoxifenを投与された女性では反対側の乳癌の発生率が減少することから，乳癌の予防薬としての有効性が示唆された．1998年Breast Cancer Prevention（P-1）Trialにより，tamoxifen投与群ではplacebo群に比べて乳癌の発生率が半分に減少することが示され，化学予防として有効であることが証明された(リスク比：0.51，95%信頼区間：0.39－0.66)[1]．しかも発生した乳癌のエストロゲン受容体(ER)の解析結果から，tamoxifenによって予防されるのは，ER陽性乳癌に限定され，ER陰性乳癌では予防効果がないことも明らかとなった．この結果を基に，アメリカではFDAによりtamoxifenの予防投与が認可され，既に乳癌の予防が現実のものとなっている．しかし，tamoxifenは子宮内膜癌や深部静脈血栓症のリスクを上昇させるため，効率よく化学予防を行なうには，ハイリスクの女性を選別してtamoxifenを投与する必要がある．その後tamoxifenと同様SERMs（selective estrogen receptor modulators)であるraloxifeneにも乳癌の予防効果が明らかにされ[2]，tamoxifenならびにraloxifeneによる化学予防が実践されている．NCCNガイドラインによると，家族性乳癌家系でない女性に関してはGailモデルを用いて乳癌の罹患リスクを推計し，35歳以上で5年のGailリスクが1.7%以上で10年以上の生命予後が期待される女性を化学予防の対象としている[3]．そして，閉経前の女性にはtamoxifenが，閉経後の女性にはtamoxifenあるいはraloxifeneが推奨されている．Gailモデルでは，従来の疫学研究によって明らかにされたリスクファクター，つまり，年齢，出産

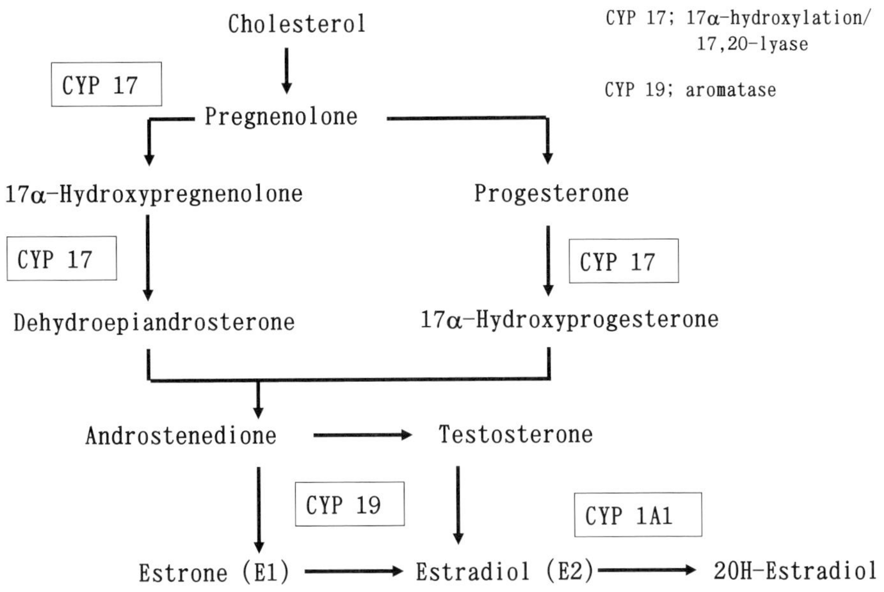

図1 エストロゲンの合成，分解経路

歴（初回出産年齢），家族歴，初潮年齢，乳腺生検歴に基づいて乳癌のリスクを推計しているため，特にER陽性乳癌のリスクを計算しているわけではない．Tamoxifen，raloxifeneによる予防効果が得られるのはER陽性乳癌であり，ER陰性乳癌では効果が期待できないため，化学予防を効率良く行うには，ER陽性乳癌のハイリスク群を選別して行う必要がある．それには古典的なリスクファクターだけでは評価は不十分であり，より正確なリスクファクター，特にER陽性乳癌のリスクファクターを同定することが重要である．

3. 散発性乳癌のリスクファクター

3.1 遺伝子多型と乳癌の易罹患性

遺伝子多型は，各個人に存在する塩基配列の違いであり，存在する部位によってコードするアミノ酸に違いが生じたり，プロモーター領域では遺伝子の発現に影響する場合がある．もしその差が乳腺細胞の増殖や分化に影響すれば，その結果として乳癌の罹患性に関与すると推測される．これらの遺伝子多型は，家族性乳癌家系におけるBRCA1，BRCA2遺伝子変異と異なり，浸透率は低いと予想されるが，一般集団における頻度は高く，通常散発性乳癌のリスクファクターとしてとらえられている．近年，多くの遺伝子多型が分子疫学的アプローチにより検討され，乳癌の易罹患性と相関する遺伝子多型が同定されてきた．ケース（乳癌女性）とコントロール（健常女性）の間でgenotypeを比較し，variant alleleを有する女性（carrier）は，有しない女性（non-carrier）に対して罹患リスクが上昇するか，あるいは低下するか，オッズ比で検討される．エストロゲンの合成や分解に関与する酵素，発癌物質の代謝に関与する酵素，DNA修復遺伝子や癌遺伝子，癌抑制遺伝子などの多型に関し，乳癌との相関が報告されている．このうち，エストロゲンの合成や分解に関与する遺伝子の多型は，卵巣や末梢脂肪組織でのエストロゲン産生量に影響する可能性が考えられ，エストロゲンを介して乳癌の罹患性に影響すると推測されるため，最も注目される遺伝子多型である．エストロゲンの作用は，ERを介しているため，エストロゲン代謝酵素の遺伝子多型は，ER陽性乳癌のリスクファクターである可能性が考えられる．図1のエストロゲンの代謝経路に示すように，最も生理活性の強いestradiol（E2）の産生や分解には，複数の酵素が関与している．そのうち，多くの検討がなされているのが，合成に関与するCYP17とCYP19，分解に関与するCYP1A1とCOMTの遺伝子多型である．

CYP17(cytochrome P450C17 α）は，17 α -hydroxylation と 17, 20-lyase 活性を有し，pregnenolone から dehydroepiandrosterone へ，また progesterone から 17 α -hydroxyprogesterone への変換を行ない，エストロゲンの precursor の産生に関与する酵素である(図 1)．CYP17 遺伝子には 5' 非翻訳領域に遺伝子多型(1931 T；wild allele（A1)あるいは 1931 C;variant allele（A2))が存在する．散発性乳癌患者 239 人と健常女性 195 人を対象に case-control study で乳癌の易罹患性を検討した結果，全女性を対象とした場合は A2 allele と乳癌の易罹患性に相関は認められなかった．しかし，55 歳以上の乳癌患者に関しては，A2 allele を有する女性で，有意に乳癌の罹患性が上昇していた(オッズ比；1.82, 95％信頼区間；1.07 − 3.12）[4)]（表 1)．海外における報告では，Bergman-Jungestrom ら，および Spurdle らによって A2 allele carrier で若年発症の乳癌リスクの上昇が報告されている．さらに進行癌で相関を認めた報告もみられる．しかしながら，CYP17 の遺伝子多型と乳癌の罹患リスクに相関を認めなかった報告も多く，この多型がどの程度乳癌の罹患性に影響するか，明らかにはされていない．

CYP19（aromatase P450)は，図 1 に示すように，アンドロゲンからエストロゲン(androstenedione から estrone（E1)，また testosterone から

表 1　CYP17 遺伝子多型と乳癌の易罹患性

報告者	人種	ケース／コントロール	リスク群	オッズ比（95%信頼区間）
Feigelson et al.	Asian, Latino, African-American	40/285	A_1[a]／A_2[b] +A2/A2（進行癌）	2.52（1.07-5.94）
Dunning et al.	English	835/591	A1/A2+A2/A2	1.10（0.89-1.37）
Weston et al.	Caucasian	76/148	A1/A2+A2/A2	0.80（0.45-1.43）
	African-American	20/35	A1/A2+A2/A2	1.40（0.44-4.38）
	Hispanic	27/57	A1/A2+A2/A2	1.93（0.75-5.01）
Helzlsouer al.	Caucasian	109/113	A2/A2	0.89（0.41-1.95）
Haiman et al.	—	463/618	A1/A2+A2/A2	0.85（0.65-1.12）
Bergman -Jungestrom et al.	Swedish	109/117	A1/A2+A2/A2（年齢 <36）	2.0（1.1-3.5）
Huang et al.	Taiwanese	123/126	A2/A2	1.41（0.66-3.01）
Hamajima et al.	Japanese	144/166	A2/A2	0.81（0.39-1.68）
Spurdle et al.	Australian	369/284	A2/A2（年齢 <40）	1.63（1.00-2.64）
Miyoshi et al.	Japanese	239/195	A2/A2（年齢 >55）	1.82（1.07-3.12）
Mitrunen et al.	Finnish	479/480	A1/A2+A2/A2	0.92（0.69-1.22）
Feigelson et al.	Asian, Latino, African-American, Japanese	1508/850	A2/A2（進行癌）	1.45（0.96-2.20）
Wu et al.	Chinese	188/671	A2/A2	1.06（0.65-1.74）

[a]A1 allele（1931T）　[b]A2 allele（1931C）

E2)への変換を触媒する酵素で，エストロゲン産生の key enzyme の一つである．主として，閉経前の女性では卵巣の，閉経後の女性では末梢脂肪組織の aromatase がエストロゲン産生に関与する．また乳癌組織では腫瘍内の aromatase がエストロゲンの局所産生として重要な働きをしていることが示されている．CYP19 のイントロン 4 には，TTTA の 4 塩基の繰り返し数が 7 から 13 までの多型が存在し，さらに繰り返し数が 7 の allele には TCT の 3 塩基が欠損した多型((TTTA) 7 (-3bp))が報告されている．我々の検討では，(TTTA) 7 (-3bp) allele carrier で有意に乳癌の罹患リスクが上昇していた(オッズ比；1.51，95%信頼区間；1.02-2.25)[5]．海外における報告では，リピート数 12，11，10，8 に関して，carrier で乳癌の罹患リスクが上昇することが報告されているが，一方，Siegelmann-Danieli らは，リピート数 12 の allele carrier で，リスクの減少を認めている(表 2)．その他，コドン 39（Trp あるいは Arg)，コドン 264（Arg あるいは Cys)，あるいは 3' 非翻訳領域(C あるいは T)の多型と乳癌の罹患性の相関が報告されている．

CYP1A1 は，エストロゲンの C-2 に水酸基を付加する酵素で，付加体(2-hydroxy estrogen)にはエストロゲン作用がないことから，この遺伝子の多型は，エストロゲンの分解を介して乳癌の罹

表 2　CYP19 遺伝子多型と乳癌の易罹患性

報告者	人種	ケース／コントロール	リスク群	オッズ比（95%信頼区間）
(TTTA) n；				
Kristensen et al.	Norwegian, Swedish	182/252	(TTTA)$_{12}$	2.42（1.03-5.80）
Siegelmann -Danieli et al.	Caucasian (TTTA) 12	348/145 0.29（0.12-0.69）	(TTTA)$_{7}$	1.47（0.99-2.17）
Healey et al.	British	599/433	(TTTA)$_{10}$	1.56（0.63-3.83）
Haiman et al.	Caucasian	462/618	(TTTA)$_{10}$	2.87（1.20-6.87）
Miyoshi et al.	Japanese	204/200	(TTTA)$_{11}$	1.39（0.99-1.95）
Baxter et al.	British	327/253	(TTTA)$_{10}$ (TTTA)$_{8}$	7.97（1.02-62.43） 1.63（1.11-2.39）
コドン 39（Trp to Arg)；				
Miyoshi et al.	Japanese	204/200	Trp/Arg+Arg/Arg	0.39（0.17-0.89）
コドン 264（Arg to Cys)；				
Miyoshi et al.	Japanese	204/200	Arg/Cys+Cys/Cys	0.75（0.50-1.12）
Lee et al.	Korean	389/346	Arg/Cys+Cys/Cys	1.5（1.1-2.2）
コドン 408 (Silent, C to T)；				
Miyoshi et al.	Japanese	204/200	A1/A2+A2/A2	0.81（0.45-1.47）
3' 非翻訳領域（C to T)；				
Kristensen et al.	Norwegian, Swedish	163/236	CT+TT	1.67（1.17-2.40）
Haiman et al.	—	461/619	TT	0.87（0.60-1.27）

患性と相関する可能性が考えられる．CYP1A1にはコドン462にIleあるいはValの遺伝子多型が，また3'非翻訳領域にT（6235T；wild allele（A1））あるいはC（6235C；variant allele（A2））の遺伝子多型が存在する．我々の検討では，コドン462のVal allele carrierは，有意に乳癌罹患リスクが減少していた（オッズ比；0.66，95%信頼区間；0.45 − 0.96）[6]．しかし，海外の検討では，乳癌全体の罹患性との相関は認められていないが，白人の喫煙者を対象とした場合には，Val allele carrierでリスクが上昇することが報告されている（表3）．さらに，血清中のpolychlorinated biphenyl（PCB）値の高い女性でもVal alleleと乳癌の罹患リスクの相関が認められている．また，3'非翻訳領域の多型（6235T/C）に関しては，日本人で検討した結果，C allele（A2）carrierで乳癌の罹患リスクが有意に低下していた（オッズ比；0.60，95%信頼区間；0.41 − 0.88）[6]．海外の報告では，白人を対象とした場合，いずれも有意差を認めていない．しかし，非白人系のブラジル人での検討では，我々と同様C allele carrierでリスクの減少が報告されているものの，逆にアフリカ系アメリカ人および閉経後の台湾女性では，C allele carrierのリスクの上昇が認められている（表3）．CYP1A1は，エストロゲンの分解に関与するばかりでなく，種々の発癌物質の代謝にも関与している．海外の報告では，喫煙者や血中のPCB値の高い女性で多型とリスクの相関が認められていることから，エストロゲンの分解ばかりでなく，環境中の発癌物質の代謝を介して乳癌の罹患性に影響している可能性も推測される．

近年遺伝子多型を網羅的に解析し，乳癌の罹患性と相関する遺伝子多型を同定する試み（Genome-wide association study）が報告されている．Eastonらは，266,722の遺伝子多型を解析し，ケースとコントロールで頻度に差のあった多型を12,711同定した[7]．このなかからさらに30の遺伝子多型を抽出して検討した結果，P値 <10 − 5を示した多型を6つ同定した．これらの多型のオッズ比はいずれも1.07 − 1.26であり，単独の遺伝子多型が乳癌の罹患性に与える影響はそれほど大きくはないものの，大多数の症例での検討から得られた結果であり，しかもアレル頻度は比較的高いため（0.28 − 0.46），一般集団における乳癌リスクに与えるインパクトは大きいと考えられる．

3.2 遺伝子多型とER陽性乳癌の易罹患性

エストロゲン代謝酵素の遺伝子多型と乳癌の易罹患性に関する検討は数多く報告されているが，ER陽性乳癌のリスクと相関するのか，あるいはER陽性，ER陰性乳癌両方のリスクと相関するのか明らかにすることが重要である．我々は，CYP19のイントロン4（TTTAn）およびCYP1A1の3'非翻訳領域（6235T/C）の多型に関して検討した．その結果，CYP19の（TTTA）7（-3bp）allele carrierでは，ER陽性乳癌の罹患リスクが有意に上昇していたが（オッズ比；1.72，95%信頼区間；1.10 − 2.69），ER陰性乳癌の罹患リスクとは相関しなかった[8]．また，CYP1A1の6235C allele carrierは，ER陽性乳癌のリスクが減少する傾向が認められたが（オッズ比；0.65，95%信頼区間；0.42 − 1.02，P=0.06），ER陰性乳癌のリスクとは相関しなかった（表4）．しかもCYP19の（TTTA）7（-3bp）allele carrierかつCYP1A1の6235C allele non-carrierは，ER陽性乳癌の罹患リスクがさらに上昇していた（オッズ比；3.00，95%信頼区間；1.56 − 5.74）（表5）．従って，これらの遺伝子多型はER陽性乳癌のリスクファクターとして有用であり，しかも遺伝子多型を組み合わせることで，より正確にリスクを診断することが可能と考えられた．

3.3 血清エストロゲンレベルとER陽性乳癌の易罹患性

血中のエストロゲンレベルが乳癌の易罹患性に相関することは，疫学研究によって明らかにされている．ER陽性乳癌の場合，エストロゲンの増殖刺激を受けると予想されるため，エストロゲンレベルはER陽性乳癌の発生や進展に影響すると考えられる．欧米では，主として閉経後の女性を対象とし，後ろ向きおよび前向きの検討によって，血中のE1とE2の高い女性で乳癌のリスクが上昇することが示されている[9〜11]．しかし，ER陽性乳癌のリスクと相関するのか，あるいはER陽性，陰性乳癌両方のリスクと相関するのか，

表3　CYP1A1 遺伝子多型と乳癌の易罹患性

報告者	人種	ケース/コントロール	リスク群	オッズ比(95%信頼区間)
コドン 462（Ile to Val）；				
Ambrosone et al.	Caucasian	176/228	Ile/Val+Val/Val	1.61（0.94-2.75）
		31/53	Ile/Val+Val/Val（喫煙者（閉経後））	5.22（1.16-23.56）
Taioli et al.	Caucasian	29/175	Ile/Val+Val/Val	1.1（0.3-4.0）
Bailey et al.	Caucasian	164/162	Ile/Val+Val/Val	1.38（0.62-3.11）
	African-American	59/59	Ile/Val+Val/Val	1.02（0.98-1.05）
Ishibe et al.	—	466/466	Ile/Val+Val/Val	0.88（0.58-1.33）
			Ile/Val+Val/Val（喫煙者）	3.61（1.11-11.7）
Moysich et al.	Caucasian	154/191	Ile/Val+Val/Val	1.79（0.91-3.55）
			Ile/Val+Val/Val（血清 PCB[a] 高値）	2.9（1.18-7.45）
Huang et al.	Taiwanese	150/150	Val/Val	1.75（0.26-2.12）
Basham et al.	Caucasian	1948/1365	Ile/Val+Val/Val	0.9（0.7-1.1）
Miyoshi et al.	Japanese	195/272	Ile/Val+Val/Val	0.66（0.45-0.96）
Laden et al.	—	367/367	Ile/Val+Val/Val（血清 PCB 高値）	1.36（0.60-3.12）
3'非翻訳領域(6235 T to C)；				
Taioli et al.	Caucasian	30/183	A1[b] /A2[c]	1.7（0.6-4.9）
	African-American	21/85	A2/A2	9.7（2.0-47.9）
Bailey et al.	Caucasian	164/162	A1/A2+ A2/A2	1.37（0.78-2.41）
	African-American	59/59	A1/A2+ A2/A2	0.51（0.24-1.10）
Ishibe et al.	—	466/466	A1/A2+ A2/A2	1.05（0.74-1.50）
			A1/A2+A2/A2（喫煙者）	5.65（1.50-21.3）
Huang et al.	Taiwanese	150/150	A1/A2+ A2/A2	1.98（1.01-3.99）
Krajinovic et al.	French-Canadian	135/201（Caucasian）	A1/A2+ A2/A2	1.3（0.4-4.3）
Miyoshi et al.	Japanese	195/272	A1/A2+A2/A2	0.60（0.41-0.88）
Amorim et al.	Caucasian	79/123	A1/A2+A2/A2	1.01（0.47-2.16）
	Non-Caucasian	49/133	A1/A2+A2/A2	0.30（0.12-0.76）

[a]polychlorinated biphenyl　[b]A1 allele（6235 T）　[c]A2 allele（6235 C）

各論 Ⅱ

表4　CYP19，CYP1A1 遺伝子多型と ER 陽性乳癌の易罹患性

ER 陽性乳癌

多型	ケース (n=156)	コントロール (n=191)	調整オッズ比[a] (95%信頼区間)
CYP19 (TTTA) $_{7\,(-3bp)}$			
Non-carrier	77 (49)[b]	117 (61)	1.00
Carrier	79 (51)	74 (39)	1.72 (1.10-2.69)[c]
CYP1A1^{6235}C			
Non-carrier	77 (49)	74 (39)	1.00
Carrier	79 (51)	117 (61)	0.65 (0.42-1.02)[d]

ER 陰性乳癌

多型	ケース (n=88)	コントロール (n=191)	調整オッズ比[a] (95%信頼区間)
CYP19 (TTTA) $_{7\,(-3bp)}$			
Non-carrier	53 (60)	117 (61)	1.00
Carrier	35 (40)	74 (39)	1.11 (0.65 -1.90)
CYP1A1^{6235}C			
Non-carrier	37 (42)	74 (39)	1.00
Carrier	51 (58)	117 (61)	0.88 (0.51-1.51)

[a] 年齢，家族歴，出産歴，BMI で調整したオッズ比　[b] (%)
[c] $P<0.05$　[d] $P<0.1$

表5　CYP19，CYP1A1 遺伝子多型の組み合わせと ER 陽性乳癌の易罹患性

ハイリスクアレルの数[a]	ケース (n=156)	コントロール (n=191)	調整オッズ比[b] (95%信頼区間)
ER 陽性全乳癌			
0	46 (29)[c]	67 (35)	1.00
1	64 (42)	100 (52)	0.89 (0.53-1.48)
2	46 (29)	24 (13)	3.00 (1.56-5.74)[d]
ER 陽性閉経前乳癌			
0	29 (32)	34 (38)	1.00
1	37 (40)	46 (50)	0.87 (0.43-1.77)
2	26 (28)	11 (12)	2.29 (0.92-5.68)[e]
ER 陽性閉経後乳癌			
0	17 (27)	33 (33)	1.00
1	27 (42)	54 (54)	1.28 (0.54-3.03)
2	20 (31)	13 (13)	5.37 (1.74-16.63)[d]

[a] CYP19 の TTTA$_{7\,(-3bp)}$ allele carrier と CYP1A1 の C6235 allele non-carrier
[a] 年齢，家族歴，出産歴，BMI で調整したオッズ比　[c] (%)　[d] $P<0.005$
[e] $P<0.1$

という点に関する検討は少ない．日本人女性を対象に，血清中の E1 レベルに関して乳癌の易罹患性との相関を検討した．その結果，血清 E1 値の高い女性は，低い女性に比べ，有意に ER 陽性乳癌の罹患リスクが上昇していた（オッズ比；23.79，95%信頼区間；3.50 − 161.59）[12]．しかし，ER 陰性乳癌のリスクとは相関が認められなかった（表6）．また乳癌の臨床病理学的因子の検討から，血清 E1 レベルの高い女性に発生する乳癌は，ER 陽性率が高く，組織学的異型度の低い傾向が認められた．このように血清 E1 レベルは，閉経後女性の ER 陽性乳癌のリスクファクターとして有用であることが示唆された．

3.4　血清アディポネクチンレベルと乳癌の易罹患性

Body mass index（BMI）が乳癌のリスクファクターであることは，疫学研究によって明らかにされている．閉経後の女性では主として末梢の脂肪組織においてエストロゲンが産生され，BMI と血中エストロゲンレベルが相関することから，BMI はエストロゲンを介して乳癌の罹患性に影響すると考えられてきた．しかし BMI はエストロゲンレベルとは独立して乳癌の罹患性と相関し，また，大腸癌など乳癌以外の癌の罹患性とも相関することから[13]，エストロゲン以外のファクターを介して乳癌の罹患性に影響している可能性が推測される．近年脂肪細胞は，アディポサイトカインと呼ばれる種々の生理活性物質を分泌することが明らかにされた．その一つであるアディポネクチンは，脂肪細胞からのみ分泌され，血管平滑筋細胞や血管内皮細胞の増殖，糖および脂肪の代謝やインスリン感受性に関与するペプタイドである．血中のアディポネクチンレベルは，BMI と逆相関することが知られており，アディポネクチンの欠乏は，動脈硬化や 2 型糖尿病の発症につながることが示されている．アディポネクチンと乳癌の罹患性との相関を検討した結果，血清中のアディポネクチンレベルの低

表6　血清E1レベルとER陽性乳癌の易罹患性

E1レベル(pg/ml)	ケース	コントロール	調整オッズ比[a] (95%信頼区間)
全乳癌			
<5.0	12（17）[b]	25（34）	1.00
5.0≦，<8.0	16（23）	24（33）	1.69（0.55-5.17）
8.0≦	43（60）	24（33）	4.14（1.44-11.87）[c]
ER陽性乳癌			
<5.0	4（10）	25（34）	1.00
5.0≦，<8.0	9（21）	24（33）	5.62（0.80-39.70）
8.0≦	29（69）	24（33）	23.79（3.50-161.59）[d]
ER陰性乳癌			
<5.0	8（28）	25（34）	1.00
5.0≦，<8.0	7（24）	24（33）	0.97（0.25-3.85）
8.0≦	14（48）	24（33）	1.45（0.41-5.15）

[a] 年齢，家族歴，初潮年齢，出産歴，閉経年齢，BMIで調整したオッズ比
[b] (%)　[c] P<0.01　[d] P<0.005

表7　血清アディポネクチンレベルと乳癌の易罹患性

アディポネクチンレベル (pg/ml)	ケース	コントロール	調整オッズ比[a] (95%信頼区間)
全乳癌			
>10.6	17（17）[b]	33（33）	1.00
6.9<，≦10.6	36（35）	33（33）	2.79（1.23-6.35）[c]
≦6.9	49（48）	34（34）	3.63（1.61-8.19）[d]
ER陽性乳癌			
>10.6	10（20）	33（33）	1.00
6.9<，≦10.6	20（40）	33（33）	2.85（1.06-7.67）[c]
≦6.9	20（40）	34（34）	2.52（0.90-7.00）[e]
ER陰性乳癌			
>10.6	5（11）	33（33）	1.00
6.9<，≦10.6	14（32）	33（33）	3.13（0.91-10.75）[e]
≦6.9	25（57）	34（34）	5.92（1.85-18.90）[d]

[a] 年齢，家族歴，初潮年齢，出産歴，BMIで調整したオッズ比　[b] (%)
[c] P<0.05　[d] P<0.005　[e] P<0.10

い女性は乳癌の罹患性が有意に上昇することが明らかとなった（オッズ比；3.63，95%信頼区間；1.61－8.19）[14]（表7）．乳癌との相関は，閉経前と閉経後の両方にみられ，また，ER陽性乳癌，ER陰性乳癌ともにアディポネクチンレベルと罹患性は相関した．このように，血清アディポネクチンレベルの低い女性はER陽性，ER陰性乳癌両方のリスクが高く，BMIはアディポネクチンを介して乳癌の罹患性に影響している可能性が示唆された．

今回示したリスクファクター（遺伝子多型，血清E1レベル，血清アディポネクチンレベル）は，いずれも多変量解析によって従来の疫学的なリスクファクターである，家族歴，初潮年齢，出産歴，閉経年齢，およびBMIとは独立した因子であることが確認された．従って，疫学的なリスクファクターに，これらのリスクファクターを組み合わせることで，より正確に乳癌の罹患リスクを診断することが可能である．特に，遺伝子多型はER陽性乳癌の，血清E1レベルは閉経後のER陽性乳癌のリスクファクターであることから，化学予防の対象となるER陽性乳癌のハイリスク群を選別するのに有用と考えられる．

3.5　遺伝子多型とtamoxifenの予防効果

Tamoxifenは主としてCYP3A4/5によりN-desmethyl tamoxifenに変換され，さらにCYP2D6でendoxifenに変換される．CYP2D6には遺伝子多型が存在し，CYP2D6★4は酵素活性のないタイプであることから，この遺伝子多型を有する女性ではendoxifenへの変換が低下している．そして，endoxifenは，tamoxifenより抗エストロゲン作用が強力なことが知られており，endoxifenへの変換が低いとtamoxifenによる効果が低下する可能性が考えられる．実際，tamoxifenの予防効果を検討したItalianトライアルにおける解析では，乳癌発症群でのCYP2D6★4/★4の頻度は8.7%であり，コントロール群での0.7%に比べ有意に高頻度であった[15]．このように，CYP2D6の酵素活性が低下する遺伝子タイプの女性では，tamoxifenの予防効果が劣る可能性があり，今後この点を明らかにすることが必要である．

4.　家族性乳癌の遺伝子診断と予防

全乳癌の約5－10%は，家系内に乳癌が多発する家族性乳癌であり，そのうち卵巣癌も合併す

る家系は，家族性乳癌・卵巣癌家系と呼ばれている．家族性乳癌の多くは単一遺伝子の変異によって発症すると考えられ，原因遺伝子としてBRCA1，BRCA2遺伝子が同定されている．臨床像の特徴としては散発性乳癌に比べて，発症が若く(平均46歳)，異時性，同時性の両側性乳癌が高頻度で(37%)，他臓器癌，特に卵巣癌を合併する頻度が高いことが明らかにされている[16]．家族性乳癌家系の女性では乳癌の罹患リスクが高いため，欧米ではすでにBRCA1，BRCA2の遺伝子診断が日常診療として行われており，その結果保因者であった場合には，積極的に予防的処置がとられている．以下，日本人の家族性乳癌家系におけるBRCA1，BRCA2遺伝子変異の解析結果を解説する．

4.1 日本人におけるBRCA1，BRCA2遺伝子変異の頻度および浸透率

Ikedaらは発端者(乳癌患者)の第1度近親者(親，子，あるいは姉妹)に1人以上の乳癌が存在する101家系(家族性乳癌家系)，および1人以上の卵巣癌患者が存在する12家系(家族性乳癌・卵巣癌家系)を対象に，BRCA1，BRCA2遺伝子変異を検索した．その結果，BRCA1遺伝子には15家系(13.3%)で，またBRCA2遺伝子では21家系(18.6%)に蛋白の機能に異常をきたすと考えられる変異が認められた[17]．36家系における変異の内訳は，nonsense変異が16例，frameshift変異が19例，splice部位の変異が1例であった(表8)．そして，3ケ所の変異では複数の家系(BRCA1のcodon 63のnonsense変異が4家系，BRCA2のcodon 1858のframeshift 変異が7家系，codon 2835のnonsense変異が4家系)において同一の変異が認められ，そのうちBRCA1のcodon 63とBRCA2のcodon 1858の変異は同一の祖先から派生した変異(founder mutation)と考えられた．海外における報告では，これらの変異が認められていないことから，日本人に特有のfounder mutationと考えられる．またBRCA1のcodon 934のnonsense変異も日本人のfounder

表8　日本人に認められたBRCA1，BRCA2遺伝子のgermline mutation

家系数	Exon	Codon	Necleotide	塩基変化	変異の種類
BRCA1					
4	5	63	307	T → A	nonsense
1	11	290	988	del T	frameshift
1	11	374	1239	del A	frameshift
1	11	445	1451	del TG	frameshift
1	11	503	1626	A → T	nonsense
1	11	934	2919	C → T	nonsense
1	11	1041	3241	C → G	nonsense
1	11	1112	3453	ins GGCTA	frameshift
1	11	1125	3493	del CT	frameshift
1	11	1155	3581	ins A	frameshift
1	11	1214	3759	G → T	nonsense
1	16	1618	4971	del C	frameshift
BRCA2					
1	5	-	-	GT → AT	splicing site
1	11	1827	5707	del ATTAA	frameshift
7	11	1858	5802	del AATT	frameshift
1	11	1882	5873	C → A	nonsense
1	11	1924	5999	del TTCA	frameshift
1	11	2052	6383	C → G	nonsense
1	11	2135	6633	del CTTAA	frameshift
1	11	2172	6744	del A	frameshift
1	13	2318	7180	C → T	nonsense
4	20	2835	8732	C → A	nonsense
1	20	2863	8817	ins A	frameshift
1	20	3026	9304	C → T	nonsense

mutationとして報告されている[18]．さらにSuganoらの報告でも，135家系の遺伝子変異を検索した結果，17家系(12.6%)にBRCA1遺伝子変異が，19家系(14.1%)にBRCA2遺伝子変異が見出された[19]．このように日本人の家族性乳癌においては，約3割にBRCA1あるいはBRCA2の遺伝子変異を有すると考えられる．2つの報告から，家系内に3人以上の乳癌患者のいる家系，発症年齢が40歳未満の若年発症を含む家系，両側性乳癌の家系では，遺伝子変異を有する確率が高いと予想される．

変異の同定された家系における解析の結果，BRCA1変異保因者の場合70歳までに乳癌に罹患するリスクは78%，また，BRCA2変異保因者では80%と推測された[20]．一方，卵巣癌の罹患リスクは，BRCA1変異保因者の場合40%と算出された．海外の報告では，BRCA1，BRCA2変異保因者の乳癌の罹患リスクは，それぞれ64－85%，80－84%であり，卵巣癌の罹患リスクは，BRCA1変異保因者で22－63%，BRCA2変異保因者で21－27%と報告されている．

4.2　BRCA1，BRCA2変異保因者における予防的乳房切除の現状

BRCA1，BRCA2遺伝子の変異保因者におけるtamoxifenの予防効果に関しては，現在のところ明確な結論は出ていない．BRCA2乳癌におけるER陽性率は散発性乳癌と同等であるものの，BRCA1乳癌においてはER陽性率が低いため，BRCA1乳癌におけるtamoxifenの予防効果は低いと予測される．化学予防に比べより確実に予防効果が得られるのが，予防的乳房切除術である．欧米では以前より家族性乳癌家系の女性を対象に，両側乳房の予防的切除術が行なわれてきた．Hartmannらの報告では，予防的乳房切除による乳癌の予防効果は92%で，乳癌死も90%回避されている[21]（表9）．一方，BRCA1，BRCA2変異の保因者における予防的乳房切除術の成績に関しては，Meijers-Heijboerら[22]，Hartmannら[23]によって報告されているが，いずれの報告においても予防的乳房切除群において乳癌の発生はみられておらず，BRCA1，BRCA2の変異保因者においても乳房切除の予防効果は90%以上と推測されている(表9)．手術方法は乳頭，乳輪を含めて切除する方法(total mastectomyまたはskin sparing mastectomy)，あるいは乳頭，乳輪を温存して全乳腺組織を切除する方法(subcutaneous mastectomy)が行なわれ，同時に腹直筋や広背筋による筋皮弁，あるいはバッグ(prostheses)を用いた再建術が行われることが多い．最近の報告では，以前に比べtotal mastectomyが施行される頻度が高くなっているようである．Metcalfeらは，予防的乳房切除を施行した家族性乳癌家系あるいはBRCA1，BRCA2変異保因者99例を報告している[24]．それによると，手術を受けた平均年齢は43.1歳で，89%はtotal mastectomyを施行されており，subcutaneous mastectomyは11%であった．そして，61.6%が再建術を受けていた．一方，家族性乳癌以外で予防的乳房切除を受けていた女性では，54.2%がsubcutaneous mastectomyであった．Subcutaneous mastectomy法では乳頭，乳輪下に乳腺組織が残存し，また皮下の乳腺組織も完全に切除するのは難しいため，この残存乳腺組織に癌が発生する可能性がある．従って，家族性乳癌の場合，より予防効果の高い術式であるtotal mastectomyが選択されること

表9 予防的乳房切除術の効果

報告者	対象 (n)	経過観察期間 (中央値)	予防効果（%） (95%信頼区間)
Hartmann et al.	High risk (n=639)	14年	92.0（76.6-98.3）
Meijers-Heijboer	BRCA1，BRCA2 変異保因者（n=76）	2.8年	100（64-100）
Hartmann et al.	BRCA1，BRCA2 変異保因者（n=26）	13.4年	100（68.0-100）

各論Ⅱ

が多いと考えられる．さらに乳癌を発症したBRCA1，BRCA2変異保因者では対側乳癌のリスクも高い．特に50歳未満で乳癌と診断されたBRCA1変異保因者では10年のフォローアップで40％に対側乳癌を発症していることから[25]，対側乳癌の発症に対する予防処置も十分考慮することが必要である．

BRCA1，BRCA2の変異保因者では卵巣癌のリスクも有することから，予防的卵巣切除も施行されている．卵巣切除は卵巣癌の予防効果だけでなく，エストロゲンレベルを低下させることで，乳癌の予防効果も期待される．Rebbeckらは，予防的卵巣切除を受けたBRCA1，BRCA2変異保因者99人の検討から，乳癌の発生率が有意に減少（ハザード比；0.47，95％信頼区間；0.29－0.77）することを報告している[26]．しかも予防的卵巣切除を施行する年齢によって乳癌の予防効果が異なり，年齢が若い程予防効果が高いことが示されており，予防的卵巣切除による乳癌の予防効果は，40－70％と考えられている．

以上述べたようにBRCA1，BRCA2の変異保因者に関しては，予防的乳房切除術が最も予防効果が高い．しかし，乳房の予防切除を受けた女性の意識調査から，不安は有意に軽減したものの，再建乳房に関して不満が生じていることが浮き彫りとなった．Schragらによると，BRCA1あるいはBRCA2に変異を有する30歳の女性の場合，予防的乳房切除によるlife expectancyの延長は，2.9－5.3年，予防的卵巣切除では0.3－1.7年と計算されている[27]．Grannらも同様のモデルを用いて検討した結果，予防的乳房切除で3.5年，予防的卵巣切除で2.6年，さらに予防的卵巣切除+tamoxifenの予防投与で4.6年と予測している[28]．しかし，生活の質を考慮した場合（quality-adjusted life expectancy），予防的乳房切除は2.6年に減少し，逆に予防的卵巣切除は4.4年に延長，さらに予防的卵巣切除+tamoxifenの予防投与は6.3年であった．Roosmalenらも同様に，30歳のハイリスク（乳癌リスク85％）の場合，予防的卵巣切除でquality-adjusted life expectancyは10.7年延長し，予防的乳房切除の9.8年より良好であると述べている．予防的乳房切除は，最も予防効果が高く，最良のlife expectancyが期待できる．しかしbody imageの喪失などマイナス面を考慮すると，予防的卵巣切除による乳癌のマネージメントも選択対象とすべきであろう．特に40歳未満の女性では予防的卵巣切除の効果も比較的高く，tamoxifenとの併用によりさらに効果の増強が期待されることから，今後BRCA1，BRCA2変異保因者のマネージメントとして施行される頻度が増えるのではないだろうか．

Kurianらのモデルによると，25歳の変異保因者が70歳で生存している確率はBRCA1で53％であるが，40歳で予防的卵巣切除を施行した場合には15％改善され，一方BRCA2では70歳の生存確率71％が40歳で予防的乳房切除を行なうことによって7％改善すると予想されている[29]．このようにBRCA1では予防的卵巣切除の方が，そしてBRCA2では予防的乳房切除の方がより生存に寄与しており，両方施行した場合の予後の改善は，BRCA1，BRCA2変異保因者でそれぞれ24％，11％と推測されている．

4.3 BRCA1，BRCA2変異保因者を対象としたMRIによるサーベイランス

通常乳癌検診では，1年に1回の視触診に1年あるいは2年に1回のマンモグラフィーが併用される．しかし，BRCA1，BRCA2の変異保因者は乳癌のリスクが非常に高いため，より綿密なスクリーニングが必要とされる．Scheuerらは，165人のBRCA1，BRCA2の変異保因者のサーベイランスの結果を報告している[30]．それによると，24.1ヶ月の経過観察で，12人に乳癌が発見された．6人は画像検査（マンモグラフィー5人，magnetic resonance imaging（MRI）1人）で発見されているが，残り6人は，検診施行後，次の検診までの間に乳癌が見つかっている．従って，スクリーニングの感度は50％である．BRCA1，BRCA2乳癌は閉経前の女性に発生することが多いために乳腺密度が高いことや，また石灰化を伴う頻度が低いためにマンモグラフィーによる検出率が劣る可能性が考えられる．さらにBRCA1乳癌は生物学的悪性度が高いと推測されており，癌の増殖速度が早いために検診の間で発見されることが多いのかもしれない．

MRIは乳腺の密度に影響されることがなく微

小な病変を高感度に検出することが可能であることから，BRCA1，BRCA2の変異保因者のスクリーニングとして注目されている．Hagenらは，445人のBRCA1変異保因者と46人のBRCA2変異保因者を対象に，MRIとマンモグラフィーでスクリーニングを行なった結果を報告している[31]．それによると，乳癌を発症した25人のうち，20人がスクリーニングで発見され，診断時のMRIによる感度は86%，マンモグラフィーでの感度は50%であり，MRIの方が良好であった．さらに，Granaderらによる文献報告の集計では，BRCA1，BRCA2変異保因者における乳癌の発見率は，マンモグラフィーで0.010（95%信頼区間：0.005 － 0.016）であったのに対し，MRIでは0.027（95%信頼区間：0.015 － 0.040），両者を併用すると，0.031（95%信頼区間：0.018 － 0.045）に向上していた[32]．

このようにBRCA1，BRCA2の変異保因のスクリーニングではマンモグラフィーよりMRIの方が優れており，今後MRIを導入していくことが重要と思われる．Kurianらのモデルによると，マンモグラフィーにMRIを併用した場合には予防的乳房切除術に匹敵する予後の改善が期待されている[29]．同時に乳癌ばかりでなく，卵巣癌のスクリーニングも行っていくことが重要である．

5. 結語

家族性乳癌家系ではBRCA1，BRCA2の遺伝子診断を行い，変異保因者に対しては，MRIを併用したサーベイランスが必要と考えられる．さらに予防的乳房切除や予防的卵巣切除によって，乳癌と卵巣癌のリスク軽減が可能である．今後我が国においてもこのようなマネージメントを提供してくことは，乳癌治療に携わる医師の責務と思われる．その際重要なのは，必要な情報提供と意志決定の支援体制の確立を行っていくことである．今後早急に社会的なコンセンサスを得ると同時に，遺伝子医療の実現のために必要なinfrastructureの整備が望まれる．散発性乳癌に関しては，化学予防の有効なER陽性乳癌のハイリスク群を選別する診断法の確立が有用である．さらに，より予防効果が高く，また有害事象の少ない薬剤の導入も今後必要である．子宮体癌のリスクの低いSERMであるraloxifeneに加え，アロマターゼ阻害剤は，将来乳癌の化学予防薬として期待される．

参考文献

1. Fisher B, Costantino JP. Tamoxifen for prevention of breast cancer : report of the national surgical adjuvant breast and bowel project P-1 study. J Natl Cancer Inst 91 : 1891A-1892, 1999.
2. Cauley JA, Norton L, Lippman ME, et al. Continued breast cancer risk reduction in postmenopausal women treated with raloxifene : 4-year results from the MORE trial. Multiple outcomes of raloxifene evaluation. Breast Cancer Res Treat 65 : 125-134, 2001.
3. http://www.nccn.org/professionals/physician_gls/f_guidelines.asp#detection
4. Miyoshi Y, Iwao K, ikeda N, et al. Genetic polymorphism in CYP17 and breast cancer risk in Japanese women. Eur J Cancer 36 : 2375-2379, 2000.
5. Miyoshi Y, Iwao K, Ikeda N, et al. Breast cancer risk associated with polymorphism in CYP19 in Japanese women. Int J Cancer 89 : 325-328, 2000.
6. Miyoshi Y, Takahashi Y, Egawa C, et al. Breast cancer risk associated with CYP1A1 genetic polymorphisms in Japanese women. Breast J 8 : 209-215, 2002.
7. Easton DF, Pooley KA, Dunning AM, et al. Genome-wide association study identifies novel breast cancer susceptibility loci. Nature 447 : 1087-1093, 2007.
8. Miyoshi Y, Ando A, Hasegawa S, et al. Association of Genetic Polymorphism in CYP19 and CYP1A1 with Oestrogen Receptor Positive Breast Cancer Risk. Eur J Cancer 39 : 2531-2537, 2003.
9. Zaridze D, Kushlinskii N, Moore JW, et al. Endogenous plasma sex hormones in pre-and postmenopausal women with breast cancer : results from a case-control study in Moscow. Eur J Cancer Prev 1 : 225-230, 1992.
10. Toniolo, PG, Levitz M, Zeleniuch-Jacquotte A, et al. A prospective study of endogenous estrogens and breast cancer in postmenopausal women. J Natl Cancer Inst 87 : 190-197, 1995.
11. Thomas HV, Key TJ, Allen DS, et al. A prospective study of endogenous serum hormone concentrations and breast cancer risk in post-menopausal women on the island of Guernsey. Br J Cancer 76 : 401-405, 1997.
12. Miyoshi Y, Tanji Y, Taguchi T, et al : Association of serum estrone levels with estrogen receptor-positive breast cancer risk in postmenopausal Japanese women. Clin Cancer Res 9 : 2229-2233, 2003.
13. Bergstrom A, Pisani P, Tenet V, et al. Overweight as an avoidable cause of cancer in Europe. Int J Cancer 91 : 421-30, 2001.

14. Miyoshi Y, Funahashi T, Kihara S, et al. Association of serum adiponectin levels with breast cancer risk. Clin Cancer Res 9 : 5699-5704, 2003.
15. Bonanni B, Macis D, Maisonneuve P, et al. Polymorphism in the CYP2D6 tamoxifen-metabolizing gene influences clinical effect but not hot flashes : data from the Italian Tamoxifen Trial. J Clin Oncol 24 : 3708-3709, 2006.
16. 池田宜子，三好康雄，野口眞三郎．遺伝性乳癌．癌の臨床 46 : 437-442, 2000.
17. Ikeda N, Miyoshi Y, Yoneda K, et al. Frequency of BRCA1 and BRCA2 germline mutations in Japanese breast cancer families. Int J Cancer 91 : 83-88, 2001.
18. Sekine M, Nagata H, Tsuji S, et al. Mutational analysis of BRCA1 and BRCA2 and clinicopathologic analysis of ovarian cancer in 82 ovarian cancer families : two common founder mutations of BRCA1 in Japanese population. Clin Cancer Res 7 : 3144-350, 2001.
19. Sugano K, Nakamura S, Ando J, et al. Cross-sectional analysis of germline BRCA1 and BRCA2 mutations in Japanese patients suspected to have hereditary breast/ovarian cancer. Cancer Sci 99 : 1967-1976, 2008.
20. Ikeda N, Miyoshi Y, Yoneda K, et al. Frequency of BRCA1 and BRCA2 germline mutations detected by protein truncation test and cumulative risks of breast and ovarian cancer among mutaton carriers in Japanese breast cancer families. J Korean Breast Cancer Soc 5 : 194-201, 2002.
21. Hartmann LC, Schaid DJ, Woods JE, et al. Efficacy of bilateral prophylactic mastectomy in women with a family history of breast cancer. N Engl J Med 340 : 77-84, 1999.
22. Meijers-Heijboer H, van Geel B, van Putten WL, et al. Related Articles, OMIM Breast cancer after prophylactic bilateral mastectomy in women with a BRCA1 or BRCA2 mutation. N Engl J Med 345 : 159-164, 2001.
23. Hartmann LC, Sellers TA, Schaid DJ, et al. Efficacy of bilateral prophylactic mastectomy in BRCA1 and BRCA2 gene mutation carriers. J Natl Cancer Inst 93 : 1633-1637, 2001.
24. Metcalfe KA, Goel V, Lickley L, et al. Prophylactic bilateral mastectomy : patterns of practice. Cancer 95 : 236-42, 2002.
25. Verhoog LC, Brekelmans CT, Seynaeve C,et al. Contralateral breast cancer risk is influenced by the age at onset in BRCA1-associated breast cancer. Br J Cancer 83 : 384-386, 2000.
26. Rebbeck TR, Lynch HT, Neuhausen SL, et al. Prevention and Observation of Surgical End Points Study Group. Prophylactic oophorectomy in carriers of BRCA1 or BRCA2 mutations. N Engl J Med 346 : 1616-1622, 2002.
27. Schrag D, Kuntz KM, Garber JE, et al. Life expectancy gains from cancer prevention strategies for women with breast cancer and BRCA1 or BRCA2 mutations. JAMA 283 : 617-624, 2000.
28. Grann VR, Jacobson JS, Thomason D, et al. Effect of prevention strategies on survival and quality-adjusted survival of women with BRCA1/2 mutations : an updated decision analysis.J Clin Oncol 20 : 2520-2529, 2002.
29. Kurian AW, Sigal BM, Plevritis SK. Survival analysis of cancer risk reduction strategies for BRCA1/2 mutation carriers. J Clin Oncol 28 : 222-231, 2010.
30. Scheuer L, Kauff N, Robson M, et al. Outcome of preventive surgery and screening for breast and ovarian cancer in BRCA mutation carriers. J Clin Oncol 20 : 1260-1268, 2002.
31. Kvistad KA, Maehle L, Holmen MM, et al. Sensitivity of MRI versus conventional screening in the diagnosis of BRCA-associated breast cancer in a national prospective series. Breast 16 : 367-374, 2007.
32. Granader EJ, Dwamena B, Carlos RC. MRI and mammography surveillance of women at increased risk for breast cancer : recommendations using an evidence-based approach. Acad Radiol 15 : 1590-1595, 2008.

Ⅱ-6 高　血　圧

千葉大学大学院医学研究院公衆衛生学
羽田　明

1. 高血圧の疫学

高血圧の5%程度は腎疾患など原因がわかっている二次性であるが，残りの95%は原因不明の本態性である．本態性高血圧は「血圧が高い」という表現型でひとくくりにされているが，異なった複数の原因が相加的あるいは相乗的に関与して発症にいたる疾患群，すなわち多因子疾患であると考えられる．わが国の一般集団における罹患率は30歳以上の20%程度，60歳以上ではほぼ50%に達すると推定されている．また，高血圧が関連する死亡は世界中で1350万人であり，高血圧は，脳卒中や虚血性心疾患のリスクの約半分を負うとされている[1]．

血圧値は多因子による量的形質であり，複数の遺伝要因と環境要因により決定されている．我々は日常会話でも「高血圧の家系」と使う様に，直感的に遺伝要因が関与していることを認識している．遺伝要因の関与の程度は遺伝疫学的研究で推測できる．Longiniらは，ミシガン州の住民を対象として，同居している血縁者と非血縁者，別居している血縁者の組み合わせから，血圧値における遺伝要因の関与量(heritability，遺伝率という)を計算した[2]．彼らの結論は，収縮期血圧の42%，拡張期血圧の30%は遺伝要因により決定されるというものであった．他の双生児や家系の解析による研究でも30 − 40%程度であるとするものが多く，環境要因は残りの60 − 70%ということになる．これまでの疫学研究から明らかになってきた環境要因として，肥満[3-4]，過剰な食塩摂取[5]，過度の飲酒[6-8]，運動不足[9-10]などがある．アメリカの「Healthy People（http：//www.healthypeople.gov/）」，わが国の「健康日本21（http：//www.kenkounippon21.gr.jp/）」などの目標指向型健康施策によって，これらの環境要因に対する一次予防を進めようとしている．アメリカでのこれまでの取り組みで，タバコに関しては大きな効果が得られつつあるが，ほぼ全世界的に急速に増加している肥満は抑えることができていない．肥満，飲酒はその程度と血圧上昇の関連ははっきりしているので，肥満に対する有効な対策を進めることがそのまま，高血圧発症予防につながる．わが国では，2003年の健康増進法の成立に伴い，同法第7条に基づく国民の健康増進の総合的な推進を図るために基本的な方針を定め，これに基づき「健康日本21」を改正したが，2012年を最初の目標達成年としている．「健康日本21」では厚生労働省の基本的な指標を基に，都道府県，さらに市町村が独自の課題を含めて目標値を設定した．厚生労働省が指標を示した項目として(1)栄養・食生活，(2)身体活動・運動，(3)休養・こころの健康づくり，(4)たばこ，(5)アルコール，(6)歯の健康，(7)糖尿病，(8)循環器病，(9)がん，があるので，機能すれば高血圧は減少するはずである．わが国は急速な高齢化，肥満の進行などの増加要因があるが，一方，サイレントキラーとしての高血圧の認識，それに伴う降圧剤による治療の普及(二次予防)による減少要因もある．本症は脳出血，脳梗塞，虚血性心疾患の最も大きな危険要

各論Ⅱ

因であり，その発症予防は公衆衛生上，極めて重要である．

2. 高血圧の遺伝要因

伝統的に多因子疾患の遺伝要因は，小さな遺伝要因の集合により構成されている（ポリジーン仮説）と説明されてきたが，Vogel と Motulsky は数個の主要効果遺伝子が遺伝的な多様性の大部分を担い，ほかの小さな効果を持った遺伝子群は主要効果遺伝子の発現修飾などにより遺伝的背景として働いているというモデルを提唱している[11]（図1）．Lander は生活習慣病などの多くのありふれた疾患の易罹患性を決定する遺伝子の違い（遺伝子多型）は，頻度が高いとする Common disease/common variant（CD/CV）仮説を提唱した[12]．この仮説は，ヒトゲノム，ヒト遺伝子多型の解析により多因子疾患の遺伝要因を解明するという戦略の理論的根拠になっている．CD/CV 仮説に対して，ありふれた疾患の遺伝要因は，多くの遺伝子における多種類で稀な遺伝子変異（1% 以下）によって構成されているとする Common disease/rare variant（CD/RV）仮説も提唱されていて，現在のゲノム戦略の是非に関する論争が続いている[13]．最近のゲノム医学研究手法の進歩と解析結果により，本態性高血圧に CD/CV 仮説に合致する遺伝子および多型が多く存在するという可能性は低くなってきた．

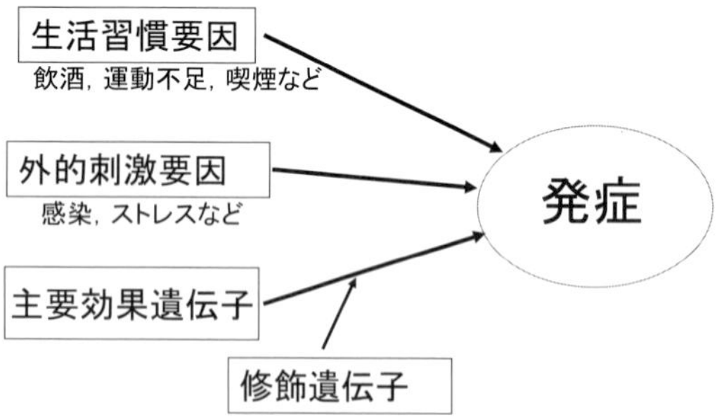

図1　多因子疾患発症のモデル

3. 単一遺伝子による高血圧[14]

一般集団における血圧値に関与する遺伝子を明らかにすることは，多くの要因が関与するため，非常に難しい．一方，単一遺伝子による高血圧または低血圧の原因遺伝子は，ある程度以上の大きさの疾患家系があれば，ヒトゲノム全体を対象にした連鎖解析法により染色体上の位置を容易に決めることができるようになった．通常は以下の戦略をとる．まず，全ゲノムをカバーするマイクロサテライト DNA 多型（検出するための蛍光標識した PCR プライマーのセットは市販されている）による連鎖解析で，候補遺伝子のゲノムにおける位置を決定する．次に，その領域のマイクロサテライト多型解析を追加するとともに，周辺に局在する既知の遺伝子領域の SNPs（single nucleotide polymorphisms，一塩基多型）による関連解析により，原因遺伝子を見つけだす．このような連鎖解析の結果，これまでに 20 個近くの遺伝子の変異が血圧値を変動させることが分かった．このうち半数近くの遺伝子変異が高血圧を引き起こす．今のところ，すべて腎臓の Na 再吸収に関与している遺伝子である．分類すると，①血中ミネラルコルチコイドホルモンに影響する遺伝子変異，②腎のイオンチャンネルとトランスポーターの異常，③Ⅰ型偽性低アルドステロン症，④Ⅱ型偽性低アルドステロン症，に分かれる．①として隣接するアルドステロン合成酵素遺伝子とステロイド 11-β水酸化酵素遺伝子の不均衡交叉によるキメラ遺伝子ができることにより，アルドステロンが過剰産生され高血圧になるグルココルチコイド反応性アルドステロン症（GRA），11βハイドロキシステロイド脱水素酵素欠損症が知られている．②として，上皮性 Na チャンネル遺伝子（epithelial Na^+ channel：*ENaC*）のサブユニットの異常である Liddle 症候群，サイアザイド感受性 Na-Cl cotransporter（TSC）遺伝子の異常である Gitelman 症候群，Bartter 症候群がある．③は Na チャネルのサブユニットである *SCNN1A, SCNN1B, SCNN1G* 遺伝子の異常，④は *WNK1, WNK4* 遺伝子が原因であることが分かっている．当初は，単一遺伝子が原因となる高血圧を解析することにより，本態性高血圧の原因が明らかにされると期待されていたが，これまでの結果からは否定的である．しかし，血圧上昇のメカニズムが明らかになってきたことで，降圧剤などの薬剤開発には利用できる可能性がある．これらの遺伝子変異で説明できるのは高血圧患者200人に1人程度と推定されている．

4. 本態性高血圧の遺伝子解析手法

本態性高血圧の疾患感受性を決める遺伝子(関連遺伝子)を明らかにする取り組みは，おもに血圧値に関与する生体物質およびその代謝経路の構成成分の遺伝子を候補遺伝子として解析されてきた(候補遺伝子アプローチ)．しかしその後，全ゲノムを対象に代謝経路などの知識を使わず，遺伝学的手法により，関与する遺伝子領域を明らかにすることが可能となってきた．これには二つの手法がある．ひとつは従来から試みられてきた連鎖解析法であり，他方は最近の急速なヒトゲノムデータの蓄積，遺伝子タイピング手法の技術的進歩，統計解析手法の開発を背景とした，全ゲノム関連解析(GWAS：genome-wide association study)である．まず，多因子疾患の連鎖解析法では，単一遺伝子病のように大家系を利用することができないため，allele sharing methodと呼ばれる方法をとる．最もよく使われているのは，同胞(兄弟姉妹)で高血圧を発症しているペアを集め，候補遺伝子領域あるいは全ゲノムをカバーするマイクロサテライトDNA多型をタイピングする．発症に関与する遺伝子の近くにある多型であればその遺伝子型が同胞間で有意に多く一致するという理論に基づいている．これを罹患同胞対法とよぶ．それに対して後者のGWASは，2003年のヒトゲノムの全塩基配列の決定，2005年のヒトハプロタイプの解析を経て，全ゲノムを網羅し，ハプロタイプを代表するSNPsを抽出することが可能になったことから，実際に使うことができるようになった．GWAS自体は，わが国の理研と東大医科研で日本人のSNPsを明らかにし，その知見を基に世界で先駆けて始め，心筋梗塞，慢性関節リウマチなどで関連遺伝子を見つけ出すという成果を上げた．しかし，その後の欧米の複数の企業と研究所が集中的に資本投下し参画したことで，生活習慣病の関連遺伝子研究では後れをとることになってしまった．ただ，GWASではCD/CV仮説が正しい事を前提にしているので，CD/RV仮説が当てはまるような疾患や，原因が極めて多様な疾患では，関連遺伝子が明らかにならないと考えられている．

5. アンジオテンシノーゲン遺伝子

本態性高血圧の候補遺伝子アプローチによる研究は数多く実施され，多くの遺伝子の関与が報告されている．しかし，複数の研究機関で再現されたものは少ない．その中ではアンジオテンシノーゲン遺伝子(*AGT*)がある程度，再現された結果が得られているので，記載する．これは，血圧値に大きな影響のあるレニン・アンジオテンシン系の構成成分の遺伝子であるため，候補遺伝子として解析された．米国ユタ州とフランスで収集した罹患同胞対で，検討された．利用された遺伝子多型は，遺伝子の3'側に存在しているマイクロサテライトDNA多型であるCAリピートである．同胞対はユタ州ソルトレークシティの244組，パリの135組の合計379組による連鎖解析が行われ，有意な結果となった．次に，原因となる遺伝子変異を探すため，この遺伝子に存在するSNPsを検索し，個々のSNPsの関連解析が行われた．この時点で検出されたSNPsは15種類であったが，第2エクソンの174番目と235番目のアミノ酸変異(T174M，M235T)を来すSNPsにおいて有意差がみられた．174の変異は235Tのアレルでしかみられないため，M235Tが発症と関連する遺伝子多型であろうと推測された[15]．また，AGTの血中濃度は235Tのホモでは235Mのホモより20%程度高く，発症機序と関係あるのかもしれないとしている．日本人におけるこの多型の遺伝子頻度は白人集団よりも有意に高いが，両人種とも高血圧群において235Tが有意に高頻度であることがわかった[16]．その後の研究で，プロモーター領域に存在する多型，G-6A（-6番目の塩基がグアニンまたはアデニン)がM235Tとほぼ100%連鎖していることが分かった．すなわち-6Aのアレルは235Tであり，-6Gのアレルは235 Mで

各論Ⅱ

あった．AGT濃度が高いことが，高血圧を引き起こすとすれば，このプロモーターの変異が原因である可能性が高いと考えられる．実際，プロモーター活性を *in vitro* で調べたところ，-6Aの場合，-6Gよりも活性が高いことがわかり，G-6Aの多型が高血圧発症に直接関係している変異で，M235Tは，遺伝子進化の歴史上，ほぼ同時に発生した変異であると考えられる[17]．また，-6A，235Tはゴリラ，チンパンジーなどの霊長類の遺伝子型であること，ヒトでもアフリカでは90%，日本人では70－80%，白人では30－40%の遺伝子頻度であることから，高血圧の危険要因となる遺伝子型こそが，人類が元々持っていた遺伝子型である可能性が高い．この変異が食塩による血圧上昇と関係があるとすれば，次のような仮説も成り立つ．すなわち人類が発祥したとされるアフリカ内陸部は食塩の乏しい環境であり，少量の食塩で血圧を保つのが重要であった．このような環境では目的にかなった遺伝子型であったが，食生活の変化などによって食塩を自由に摂取できる環境になり，-6Aは高血圧に罹患しやすい遺伝子型となったというものである．これは遺伝子の変化が環境の変化に追いついていないともいえる．同様のことは，糖尿病においても言われている（倹約遺伝子仮説：Thrifty genotype model）．

6. *AGT* 遺伝子多型と食塩感受性

AGT の遺伝子型が高血圧発症に関連があるらしいとの遺伝学的知見から，そのメカニズム解明が次の課題となる．最も考えやすいのが，食塩を過剰に摂取すると血圧が上がりやすい（塩分感受性）という体質に関与しているのではないかという仮説である．そこで，まず高血圧発症予防を目的とした臨床研究の効果と遺伝子型の関連が，1509人の白人集団を対象に生活習慣に介入することで検討された[18]．参加者の拡張期血圧は83-89mmHgであったが，これを食塩制限群，体重減量群，食塩制限と減量の両者を行った群，特別な介入をしない群の4つに分け，3年間の追跡をおこなった．その結果，-6AのホモであるAA型では，食塩制限によって有意に高血圧発症が少なかったが，GG群では有意差はみられなかった．また3年間に食塩制限群では無介入群に比べて，どの遺伝子型でも拡張期血圧減少が観察されたが，減少の絶対値でみるとAA群はGG群より有意に大きいことがわかった．減量でも同様であったため，高血圧発症における食塩制限，減量の効果に *AGT* の遺伝子型が関与しているとした．また，高血圧患者を対象とした減塩指導で，235Tのアレルを持った群（TT型とTM型の合計，-6のAA+AGとほぼ同じ）では，235Mのホモ群（MM型）よりも効果が有意に大きかったことも報告している[19]．日本人集団を対象とした研究では，就寝時に血圧が下がる現象がみられない集団（non-dipper型血圧変動とよび，食塩感受性との関連が指摘されている）には235のTT型が有意に多いとの結果が報告されている[20]．

7. ゲノムワイド連鎖解析によるアプローチ

ゲノムワイドのマイクロサテライト多型による連鎖解析が，血圧値あるいは本態性高血圧を対象として行われているが，連鎖した遺伝子座の報告で一定した知見は得られていない．国家的プロジェクトとして総人口29万人の国民の多くが協力して研究が進められているアイスランドで，deCode社が，第18番染色体長腕に，ロッドスコア4.60を得た部位があると報告している[21]．この研究ではアイスランドの120家系，490人の高血圧症例を対照に，ゲノム全体で904個のマイクロサテライトDNAマーカーを使ってスクリーニングしている．また，これまでの報告と重なる部分として2p11，11q12，17q21，18q22を挙げている．

8. GWASによるアプローチ

GWASによる多因子疾患解析を大々的に報告したのは，2007年にイギリスのThe Wellcome Trust Case Control Consortium（WTCCC）によるものであった[22]．この報告では，双極性障害，虚血性心疾患，クローン病，高血圧，リウマチ様関節炎，1型糖尿病，2型糖尿病の7つの公衆衛生上，重要である頻度の高い疾患に関する解析をおこなった．疾患ごとに2000例の患者群を3000例の対照群と比較した関連解析を全ゲノムにわたる50万個のSNPsで関連解析をした．高血圧以外の6疾患ではp値が5×10^{-7}以下のSNPsが明らかになったのに対し，高血圧では検出することができなかった．

その後，中国，エストニアとドイツ，アメリカなどでGWASによる高血圧解析がおこなわれているが，今のところ一定の結果が出ていない．結果が出ない原因として，遺伝子の効果が他の疾患群に比べて小さい事が考えられるので，規模をさらに大きくして，解析した結果が2009年，アメリカを中心とした2グループから報告された．ひとつ[23]は約3万人の患者を対象として解析し，そこで得られたトップ10のうち，他の集団でも再現できたものを結果としている．それによると，収縮期血圧に対して*ATP2B1, CYP17A1, PLEKHA7, SH2B*の4遺伝子，拡張期血圧に対して，*ATP2B1, CACNB2, CSK-ULK3, SH2B3, TBX3-TBX5, ULK*の6遺伝子，高血圧に対して*ATP2B1*の1遺伝子を関連遺伝子としている．もう一つ[24]のグループは34,433人を対象としているが，*CYP17A1, CYP1A2, FGF5, SH2B3, MTHFR, c10orf107, ZNF652, PLCD3*の8遺伝子を結果としている．この両者で共通しているのは，*CYP17A1, SH2B3*の2遺伝子のみである．このうち，*CYP17A1*は高血圧も症状の一つである副腎皮質過形成の原因遺伝子として知られていて，影響の少ない変異が本態性高血圧の原因の一つであるらしい．糖尿病などの他の疾患群では，独立した集団でのGWAS解析結果がほとんどオーバーラップしていることを考えると，高血圧の関連遺伝子に関しては，GWASによるこれ以上の結果を期待するのは無理かもしれない．残念ながらこれまでのGWAS解析で*AGT*は検出されていないので，高血圧集団全体に大きな影響力を持つ遺伝子では無いと言わざるを得ない．

先にも書いたようにGWASはCD/CV仮説に基づいた解析手法である．この手法でほとんど遺伝子が検出できない事実は，あまりにも異質性に富んだ疾患群で，そもそも血圧が高いというだけでまとめて解析するのは無理なのだと考えられる．これまで成功していると考えられている2型糖尿病にしても，確定的な7遺伝子で，遺伝要因全体の5%しか説明できない事がわかっている．現在，遺伝子解析技術はさらに急速に進歩していて，全ゲノムシークエンスを個々の患者でも解析できるようになるのに，それほど時間はかからないのは間違いない．そうなれば，CD/RVであっても，関連遺伝子が明らかになることが期待できる．現時点では，糖尿病にしても，発症予測にはほとんど役に立たないことが明らかであるが，今後，まれで大きな要因を持つ関連遺伝子が明らかになれば，個々の家系においては，発症リスクをある程度計算できるようになるかもしれない．

9. 発症予防に向けた展望

今後，原因となる遺伝子とその変異が明らかになったとしても，実際の発症予防につなげるためには多くの課題を解決する必要がある．関与する複数遺伝子間の相互関係，遺伝子と生活習慣との相互関係を明らかにすることはもちろんであるが，遺伝情報を発症予防に使うためには，社会的ルール作りが欠かせない．遺伝情報は情報保護の対象であり，疾患に関連しているという情報が漏れれば，保険，雇用，結婚などで不当で無意味な社会的差別がまかり通る可能性がある．これまで述べてきたように，高血圧などの生活習慣病にかかりやすい体質がわかったとしても，個々には肥満，飲酒などの要因に比べればはるかに小さいことが予想され，発症予防には使えても，その情報だけで問題となることはあり得ないはずである．研究の成果を応用して，個々人の健康増進につなげるためには，冷静にメリット，デメリットを考えた上での国民のコンセンサスを得て，必要ならば法制化も考えていかなければならないだろう．

参考文献

1. Lawes CM, Vander Hoorn S, Rodgers A. International Society of Hypertension. Global burden of blood-pressure-related disease, 2001. Lancet 371, 1513-1518, 2008.
2. Longini IM Jr, Higgins MW, Hinton PC, Moll PP, Keller JB. Environmental and genetic sources of familial aggregation of blood pressure in Tecumseh, Michigan. Am J Epidemiol 120, 131-144, 1984.
3. Stamler R, Stamler J, Riedlinger WF, Algera G,

Roberts RH. Weight and blood pressure. Findings in hypertension screening of 1 million Americans. JAMA 240, 1607-10, 1978.
4. MacMahon S, Cutler J, Brittain E, Higgins M. Obesity and hypertension : epidemiological and clinical issues. Eur Heart J 8 Suppl B, 57-70, 1987.
5. Dahl LK, Heine M, Tassinari L. Possible role of chronic excess salt conmsumption in the pathogenesis of essential hypertension. Am J Cardiol 8, 571-575, 1961.
6. DeFrank RS, Jenkins CD, Rose RM. A longitudinal investigation of the relationships among alcohol consumption, psychosocial factors, and blood pressure. Psychosom Med 49, 236-249. 1987.
7. Klatsky AL, Friedman GD, Siegelaub AB, Gerard MJ. Alcohol consumption and blood pressure Kaiser-Permanente Multiphasic Health Examination data. N Engl J Med 296, 1194-1200, 1977.
8. Gordon T, Kannel WB. Drinking and its relation to smoking, BP, blood lipids, and uric acid. The Framingham study. Arch Intern Med 143, 1366-1374, 1983.
9. Jennings G, Nelson L, Nestel P, Esler M, Korner P, Burton D, Bazelmans J. The effects of changes in physical activity on major cardiovascular risk factors, hemodynamics, sympathetic function, and glucose utilization in man : a controlled study of four levels of activity. Circulation 73, 30-40, 1986.
10. Kokkinos PF, Narayan P, Colleran JA, Pittaras A, Notargiacomo A, Reda D, Papademetriou V. Effects of regular exercise on blood pressure and left ventricular hypertrophy in African-American men with severe hypertension. N Engl J Med. 333, 1462-1467, 1995.
11. Speicher M, Antonarakis S, Motulsky A. Vogel and Motulsky's, Human Genetics : Problem and Approaches 4th Edition 2010, Springer Verlag, Motulsky A. Human Genetics : Problems and Approaches, 3rd ed. 1996, Springer Verlag
12. Lander ES. The new genomics : global views of biology. Science 274, 536-539, 1996.
13. Wright A, Charlesworth B, Rudan I, Carothers A, Campbell H. A polygenic basis for late-onset disease. Trends Genet 19, 97-106, 2003.
14. Lifton RP, Gharavi AG, Geller DS. Molecular mechanisms of human hypertension. Cell 104, 545-556, 2001.
15. Jeunemaitre X, Soubrier F, Kotelevtsev YV, Lifton RP, Williams CS, Charru A, Hunt SC, Hopkins PN, Williams RR, Lalouel JM. Molecular basis of human hypertension : Role of angiotensinogen. Cell 71, 169-180, 1992.
16. Hata A, Namikawa C, Sasaki M, Sato K, Nakamura T, Tamura K, Lalouel JM. Angiotensinogen as a risk factor for essential hypertension in Japan. J Clin Invest 93, 1285-1287, 1994.
17. Inoue I, Rohrwasser A, Helin C, Jeunemaitre X, Crain P, Bohlender J, Lifton RP, Corvol P, Ward K, Lalouel J-M. A nucleotide substitution in the promoter of human angiotensinogen is associated with essential hypertension and affects basal transcription in vitro. J Clin Invest 99, 1786-1797, 1997.
18. Hunt SC, Cook NR, Oberman A, Cutler JA, Hennekens CH, Allender PS, Walker WG, Whelton PK, Williams RR. Angiotensinogen genotype, sodium reduction, weight loss, and prevention of hypertension. Trials of hypertension prevention, phase II. Hypertension 32, 393-401, 1998.
19. Hunt SC, Geleijnse JM, Wu LL, Witteman JC, Williams RR, Grobbee DE. Enhanced blood pressure response to mild sodium reduction in subjects with the 235T variant of the angiotensinogen gene. Am J Hypertes 12, 460-466, 1999.
20. Fujiwara T, Katsuya T, Matsubara M, Mikami T, Ishikawa K, Kikuya M, Ohkubo T, Hozawa A, Michimata M, Suzuki M, Metoki H, Asayama K, Araki T, Tsuji I, Higaki J, Satoh H, Hisamichi S, Ogihara T, Imai Y. T+31C polymorphism of angiotensinogen gene and nocturnal blood pressure decline : the Ohasama study. Am J Hypertens 15, 628-632, 2002.
21. Kristjansson K, Manolescu A, Kristinsson A, Hardarson T, Knudsen H, Ingason S, Thorleifsson G, Frigge ML, Kong A, Gulcher JR, Stefansson K. Linkage of essential hypertension to chromosome 18q. Hypertension 39, 1044-1049, 2002.
22. Wellcome Trust Case Control Cosortium. Genome-wide association study of 14,000 cases of seven common diseases and 3,000 shared controls. Nature 447, 661-678, 2007.
23. Levy D, Ehret GB, Rice K et al. Genome-wide association study of blood pressure and hypertension. Nat Genet 41, 677-687, 2009.
24. Newton-Cheh C, Johnson T, Gateva V et al. Genome-wide association study identifies eight loci associated with blood pressure. Nat Genet 41, 666-676, 2009.

Ⅱ-7　動脈硬化症

金沢大学大学院医学系研究科臓器機能制御学・循環器内科学
川尻剛照，山岸正和（教授）

はじめに

虚血性心疾患(狭心症，心筋梗塞)，脳血管疾患(脳梗塞，脳出血，頚動脈狭窄症)，大動脈疾患(大動脈瘤，大動脈解離)，末梢血管疾患(閉塞性動脈硬化症，腎動脈狭窄症)など様々な心血管疾患の発症・進展に際しては，内在する動脈硬化や随伴する血栓症が第一義的に重要な役割を果たす．この際，Framingham 研究[1]や MRFIT[2]など海外の疫学研究により，危険因子の概念が明らかとされ，高脂血症，高血圧，糖尿病(耐糖能障害)，喫煙などの集積が動脈硬化発症と関連することが示された．本邦における虚血性心疾患の絶対数は欧米諸国の 3 分の 1 程度と少ないことが知られているが，J-LIT[3]や NIPPON DATA 80[4]など大規模な疫学調査から，少なくとも危険因子に関しては，海外の疫学研究結果と同様の知見が得られている．

生物の歴史上，生命の危機は外傷，感染症，飢餓であり，それらを克服すべく人類は進化してきた．しかし，人類の生活環境はその進化の速度以上に急速に変化し，生命の危機に対する防衛策が逆に動脈硬化という病態を引き起こしたと想定される．すなわち外傷に対する組織の修復・増殖・再生，血液凝固システム，感染症に対する免疫・炎症反応，飢餓に対するエネルギー貯蔵システムと同様に，これらのシステムが正常への復帰を逸脱して機能する故に動脈硬化という病態を形成すると考えられる．

1. 動脈硬化性疾患の疫学

本邦においても食生活の欧米化や高齢者の増加にともない，心疾患と脳血管疾患は加速度的な増加傾向にある．生活習慣の是正が十分でない現状から，動脈硬化を原因とした心脳血管疾患は今後も増加することが容易に想像され，その治療と予防戦略の確立は急務である．

わが国では昭和 33 年以降，「悪性新生物」「心疾患」「脳血管疾患」が三大死因となっており，平成 16 年においても「心疾患」「脳血管疾患」は死因の第 2 位と第 3 位を占める．平成 16 年における粗死亡率(人口 10 万対)は，全死因 815.2 に対し心疾患は 126.5，うち急性心筋梗塞は 35.2，その他の虚血性心疾患は 21.3 であり，脳血管疾患は 102.3，うち脳梗塞は 62.4 であった．従って，全死亡のうち「動脈硬化」が直接死因であった頻度は 14.6%であり，末梢血管疾患による死亡，心不全など「動脈硬化」が間接的死因であったものや直接死因に至らなかったものを含めれば，「動脈硬化」は悪性新生物に匹敵する国民病と言える(表 1)[5]．

NIPPON DATA 80 は，30 歳以上の成人 10,546 人を対象とし，脳心血管疾患死亡率を明らかにするため，1980 年に開始された疫学調査である．10 年間あたりの死亡率を冠動脈疾患，脳卒中の疾患別に，またそれぞれについて性別，年齢，随意時血糖値，喫煙の有無，収縮期血圧，総コレステロール値により死亡率を表したリスクチャートが発表された(図 1A，B)[6]．かかる基礎

表1　性別にみた主な死因別死亡数・粗死亡率（人口10万対）・年齢調整死亡率（人口10万対）　平成16年

死因	死亡数			粗死亡率（人口10万対）			年齢調整死亡率（人口10万対）	
	総数	男	女	総数	男	女	男	女
全死因	1,028,602	557,097	471,505	815.2	904.4	730.1	588.3	297.1
悪性新生物	320,358	193,096	127,262	253.9	313.5	197.1	202.0	99.2
心疾患	159,625	77,465	82,160	126.5	125.8	127.2	80.6	44.2
急性心筋梗塞	44,463	24,180	20,283	35.2	39.3	31.4	25.3	11.5
その他の虚血性心疾患	26,822	14,834	11,988	21.3	24.1	18.6	15.5	6.7
不整脈および伝導障害	20,274	10,070	10,204	16.1	16.3	15.8	10.7	5.7
心不全	51,588	21,047	30,541	40.9	34.2	47.3	21.2	14.9
脳血管疾患	129,055	61,547	67,508	102.3	99.9	104.5	62.5	37.0
くも膜下出血	14,737	5,543	9,194	11.7	9.0	14.2	6.6	7.4
脳内出血	32,060	17,643	14,417	25.4	28.6	22.3	19.0	9.3
脳梗塞	78,683	36,697	41,986	62.4	59.6	65.0	35.1	19.2
肺炎	95,534	51,306	44,228	75.7	83.8	68.5	48.8	20.4
不慮の事故	38,193	23,667	14,526	30.3	38.4	22.5	28.7	11.1

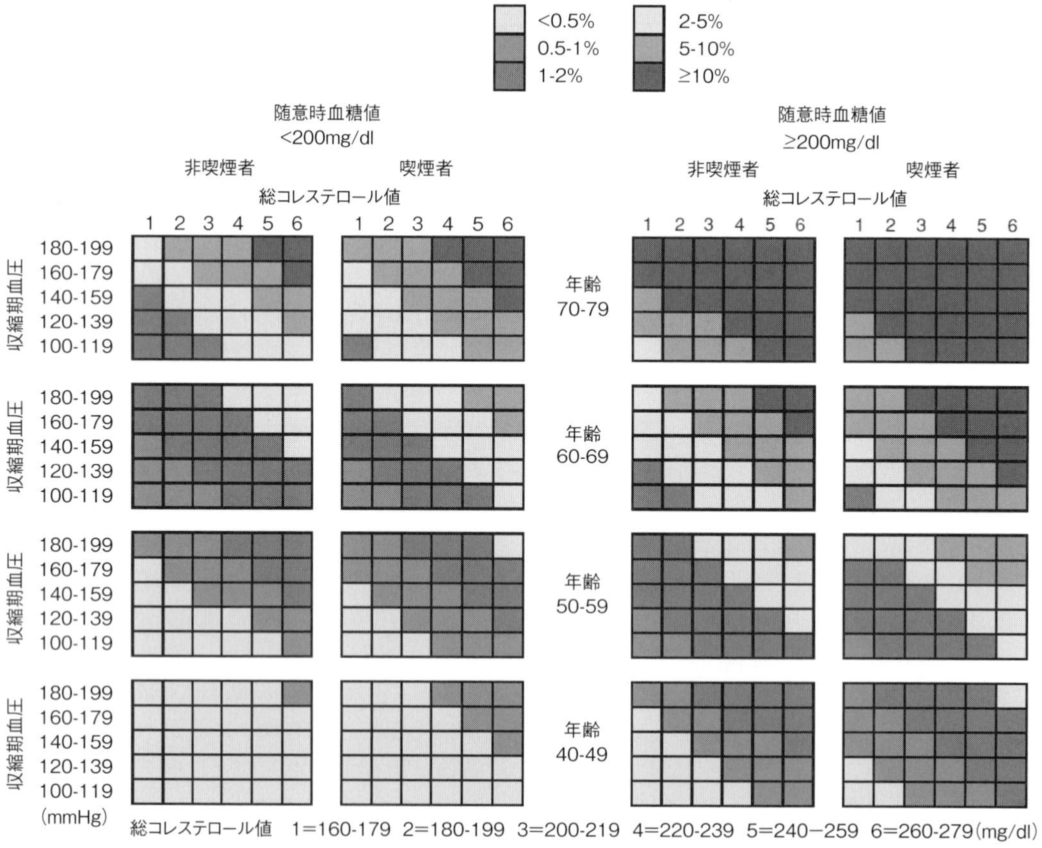

図1A　冠動脈疾患死リスクチャート（日本人男性10年間当りの死亡率）
（文献6改訂引用）

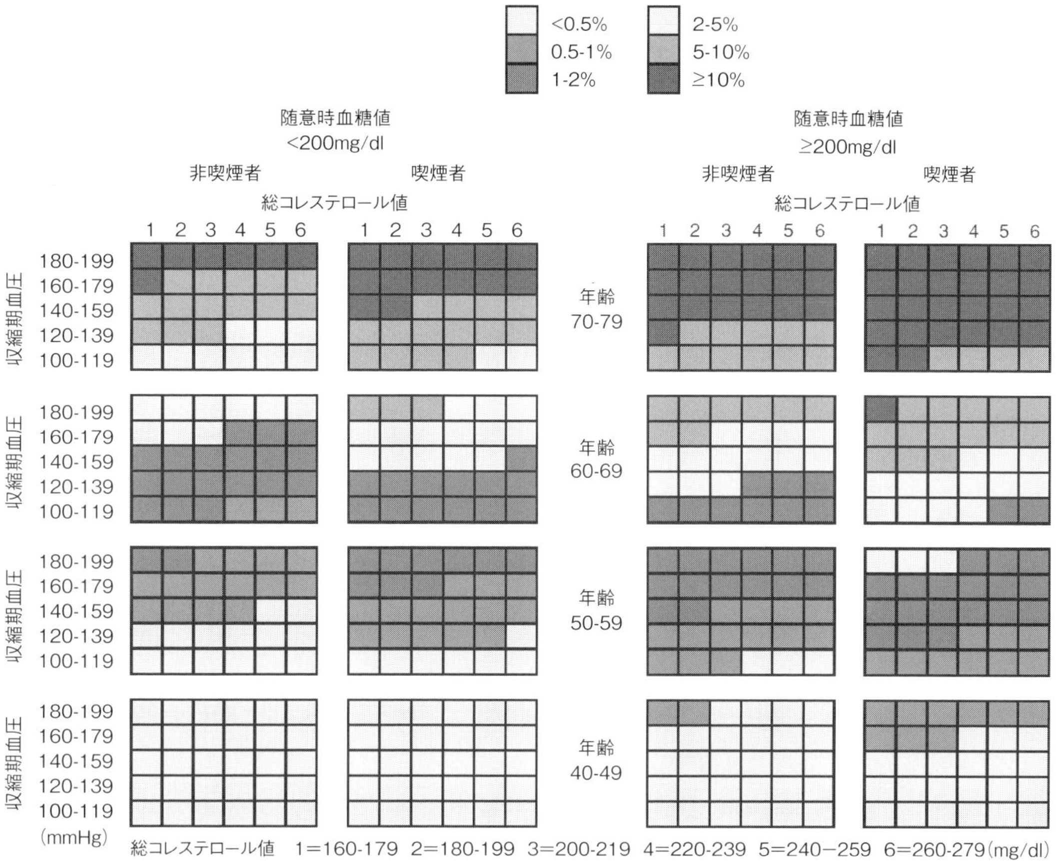

図１B　脳卒中死リスクチャート（日本人男性10年間当りの死亡率）
（文献6改訂引用）

表２　動脈硬化性疾患予防ガイドライン　2007 年度版

治療方針の原則	カテゴリー		脂質管理目標値（mg/dL）		
		LDL-C 以外の主要危険因子	LDL-C	HDL-C	TG
一次予防（まず生活習慣の改善を行った後，薬物治療の適応を考慮する）	Ⅰ（低リスク群）	0	<160	≧ 40	<150
	Ⅱ（中リスク群）	１～２	<140		
	Ⅲ（高リスク群）	３以上	<120		
二次予防（生活習慣の改善とともに薬物治療を考慮する）	冠動脈疾患の既往		<100		

脂質管理と同時に他の危険因子（喫煙，高血圧や糖尿病の治療など）を是正する必要がある．
LDL-C 以外の主要危険因子　加齢（男性≧ 45 歳，女性≧ 55 歳），高血圧，糖尿病（耐糖能異常を含む）
喫煙，冠動脈疾患の家族歴，低 HDL-C 血症（40mg/dL）
糖尿病，脳梗塞，閉塞性動脈硬化症の合併はカテゴリーⅢとする．
家族性高コレステロール血症については別に考慮する．

資料を基に，動脈硬化性疾患予防ガイドライン2007が作成された(表2)．男性の冠動脈疾患については，年齢，随意時血糖値，喫煙，収縮期血圧，総コレステロール値のいずれの危険因子もほぼ同程度の重みを持つのに対し，同じ男性でも脳卒中については年齢と収縮期血圧が特に重要であり，危険因子の関与の度合いが異なることが明確である．

2. 動脈硬化の発生機序

病理学的に初期の動脈硬化は幼少期より認められるが，臓器への血流障害を来すまでには年余の歳月を要する．動脈硬化は血管の弾力性の低下，血管壁の肥厚と血管内腔狭窄を特徴とし，その生ずる部位と病理学的特徴から分類される．すなわち，①大動脈とその主要分枝の弾性動脈と冠・腎・脳動脈などの中型の動脈の内皮細胞下にコレステロール沈着を伴う粥状動脈硬化，②筋型動脈の中膜の平滑筋壊死，石灰化，線維化を特徴とするメンケベルグ型中膜硬化，③腎輸入細動脈，脳内動脈などの小型動脈に硝子性内膜肥厚と内腔の狭小化を特徴とする細動脈硬化の三種類である．この中でも，粥状動脈硬化(atherosclerosis)は狭心症や心筋梗塞，脳梗塞，閉塞性動脈硬化症などの原因となるため，臨床的に最も重要である．1990年初頭にRossらが提唱した「傷害反応仮説」は，動脈硬化の発生機序として現在でも受け入れられている[7](図2)．

血管内皮は，血管トーヌスの調整や血管壁への血小板の凝集・血栓形成の抑制などにより血行を維持する機能を有する．生理的環境では，血管内皮細胞は一酸化窒素(NO)やプロスタサイクリン(PGI2)，エンドテリン(ET-1)の放出を介して血

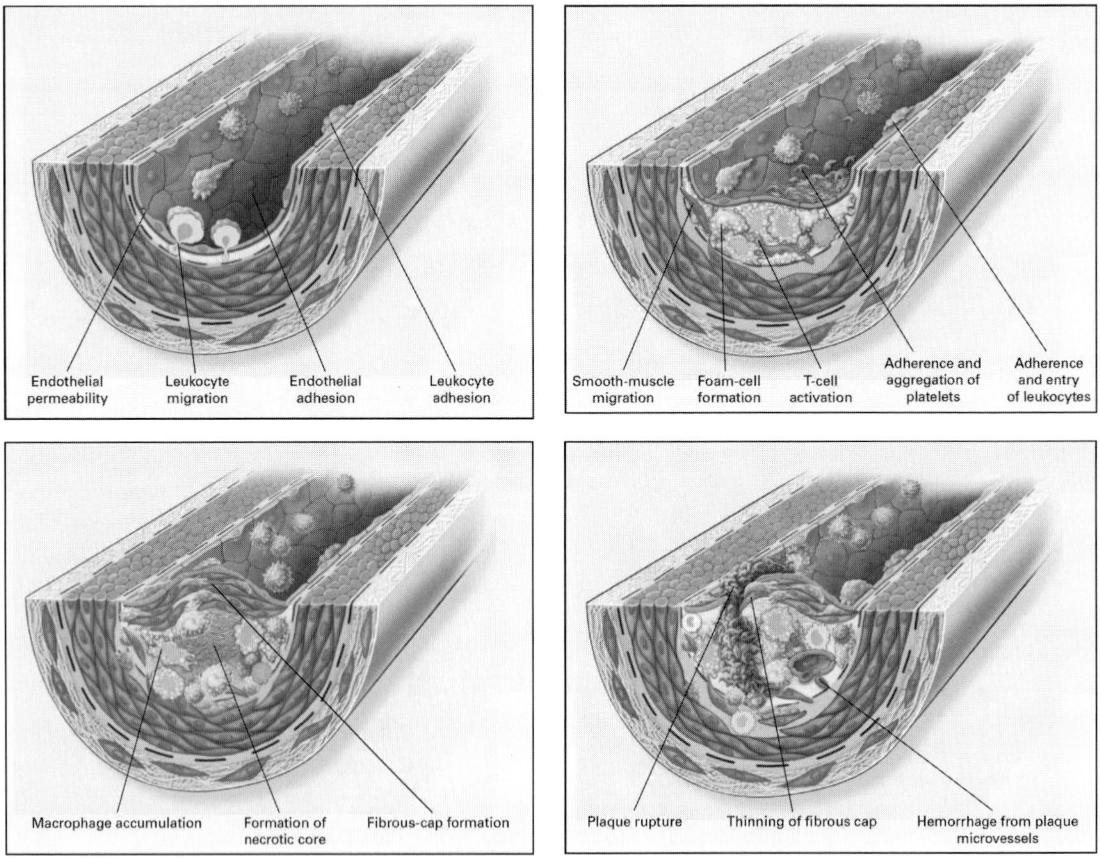

図2　動脈硬化の発生機序（文献7より改訂引用）

管トーヌスと酸化ストレスを低く維持し，局所のアンジオテンシン－Ⅱ活性を制御している．血管内皮細胞は血管透過性，血小板や白血球の接着・凝集，血栓形成をも積極的に制御している．

しかしながら，高脂血症，高血圧，糖尿病(耐糖能障害)，喫煙などの動脈硬化の危険因子が存在すると血管内皮細胞が障害され，血管拡張因子の生理活性が低下し，血管収縮因子の分泌が増加する．このような病態生理学的環境では，さまざまな接着因子の発現が増加し，炎症惹起性物質や凝固因子の合成が増加し，酸化ストレスが増大し，その結果，血管内皮依存性血管拡張反応が傷害され血管トーヌスが亢進する．臨床的に動脈硬化を認めないが，危険因子を多く有する症例ほどアセチルコリンやブラジキニンへの血管拡張反応が低下，すなわち血管内皮細胞が障害されていることが多くの臨床研究により証明されている．また，血管内皮細胞傷害が，動脈硬化の危険因子を有する患者や虚血性心疾患患者の予後と独立して相関することが明らかとされている．したがって，血管内皮細胞障害は単に動脈硬化プラークの形成に関係するのみならず，その臨床経過をも修飾する可能性がある．

障害された血管内皮細胞は透過性が亢進し，VCAM-1 (vascular cell adhesion molecule-1) など接着因子が単球と接着し内皮下へ侵入し，血管内皮細胞や平滑筋細胞が産生するMCP-1 (monocyte chemoattractant protein-1)などのサイトカインはケモカイン受容体CCR2などを介して作用し，単球の侵入を更に助長する．単球は酸化LDLの存在下，M-CSF (macrophage colony-stimulating factor)などの作用を受けて泡沫細胞へと形質転換し，脂肪線条(fatty streak)を形成する．血行力学的変化を受けやすい分枝などに存在する内皮細胞下には泡沫細胞が多数認められ，平滑筋細胞やコラーゲンに富んだ細胞外器質は次第に肥厚し，内部にさらに炎症細胞や脂質が集積し，動脈硬化粥腫へと進展する．最近，かかる細胞遊走や分化における新しい分子機構も明らかとされつつある．胎生期における細胞遊走・分化において重要な役割を果たすEphB2，ephrinが，ヒト動脈硬化組織に発現し，またSDF-1により誘起される細胞遊走を抑制することが明らかにされた[8]．また，この際，前述したCCR2に加えて，従来あまり重要視されていなかったCXCR2などの役割も再評価されつつある[9]．

粥腫内の細胞から分泌されるサイトカインや成長因子により，細胞外器質がさらに沈着し，血管を狭小化させるまで粥腫が増大する．次第に粥腫内部は壊死し，粥腫内に発達した新生血管は粥腫内出血の原因となる．粥腫内の細胞が分泌するサイトカインやマトリックスメタロプロテイナーゼ(MMP)は繊維帽(fibrous cap)を菲薄化させ，最終的に線維帽が破裂した時には組織因子などの内容物が血液と接触することにより血栓が形成される．血流が途絶される結果，臨床的には急性心筋梗塞や脳梗塞を発症する．

著者らは，MMP-1やMMP-9などのmRNAが破裂した頚動脈粥腫や拡張病変である大動脈瘤にも発現が亢進しており，正常部と比較しMMPの阻害物質であるTIMP (tissue inhibitors of metalloproteinase)との比も有意に高いことを報告した[10, 11]．動脈硬化基質の分解や再構成，線維性皮膜の脆弱化など，動脈硬化病変の不安定化に関わる因子として注目されよう．

血管内皮細胞の傷害の修復・再生システムや免疫反応が，いわば暴走し形成される粥状動脈硬化は，細胞生物学的には「炎症」そのものと考えられる．

3. 動脈硬化と代謝異常

肥満が心血管疾患の危険因子であることは，Framingham研究でも明らかとされている[1]．生体は飢餓に備え，エネルギーを貯蔵するシステムが巧妙に作られているが，飽食の時代において，このシステムが正常を逸脱して機能することで，高脂血症や高血圧，糖尿病などの動脈硬化の危険因子が形成される．

メタボリックシンドロームの概念は1980年代後半，Reabenらによるシンドローム X，Kaplanらによる死の四重奏という症候群の提唱に始まる．同様の病態にDeFronzoらはインスリン抵抗性症候群と命名し，リスク集積や動脈硬化発症要因として上流にインスリン抵抗性があると考え重要視した．本邦からは松澤らが内臓脂肪症候群を

各論Ⅱ

表３　メタボリックシンドロームの診断基準の比較

	WHO（1998）	IDF（2005）	AHA/NHLBI（2005）	日本８学会（2005）
肥満，腹部肥満	①腹部肥満： ウエスト・ヒップ比 ≧0.90　または BMI≧30	①腹部肥満： 臍部ウエスト周囲径 ≧94cm（男性） ≧80cm（女性）	①腹部肥満： ウエスト周囲径 ≧102cm（男性） ≧88cm（女性）	①内臓脂肪蓄積： 臍部ウエスト周囲径 ≧85cm（男性） ≧90cm（女性）
糖代謝	②高インスリン血症または空腹時血糖≧110mg/dL	②空腹時血糖 ≧100mg/dL または過去に２型糖尿病の確定診断	②空腹時血糖 ≧100mg/dL または過去に２型糖尿病の確定診断	②空腹時血糖 ≧110mg/dL
脂質代謝	③TG≧150mg/dL またはHDL-C ＜35mg/dL	③TG≧150mg/dL ④またはHDL-C ＜40mg/dL（男性） ＜50mg/dL（女性）	③TG≧150mg/dL ④HDL-C ＜40mg/dL（男性） ＜50mg/dL（女性） またはフィブラート剤服用	③TG≧150mg/dL またはHDL-C ＜40mg/dL
高血圧	④血圧≧ 140/90mmHgまたは降圧薬服用	⑤血圧≧ 130/85mmHgまたは降圧薬服用	⑤血圧≧ 130/85mmHgまたは降圧薬服用	④血圧≧ 130/85mmHg
その他	⑤微量アルブミン尿			

AHA/NHLBIは上記のうち３項目，他は必須項目に加え２項目（下線は必須項目）

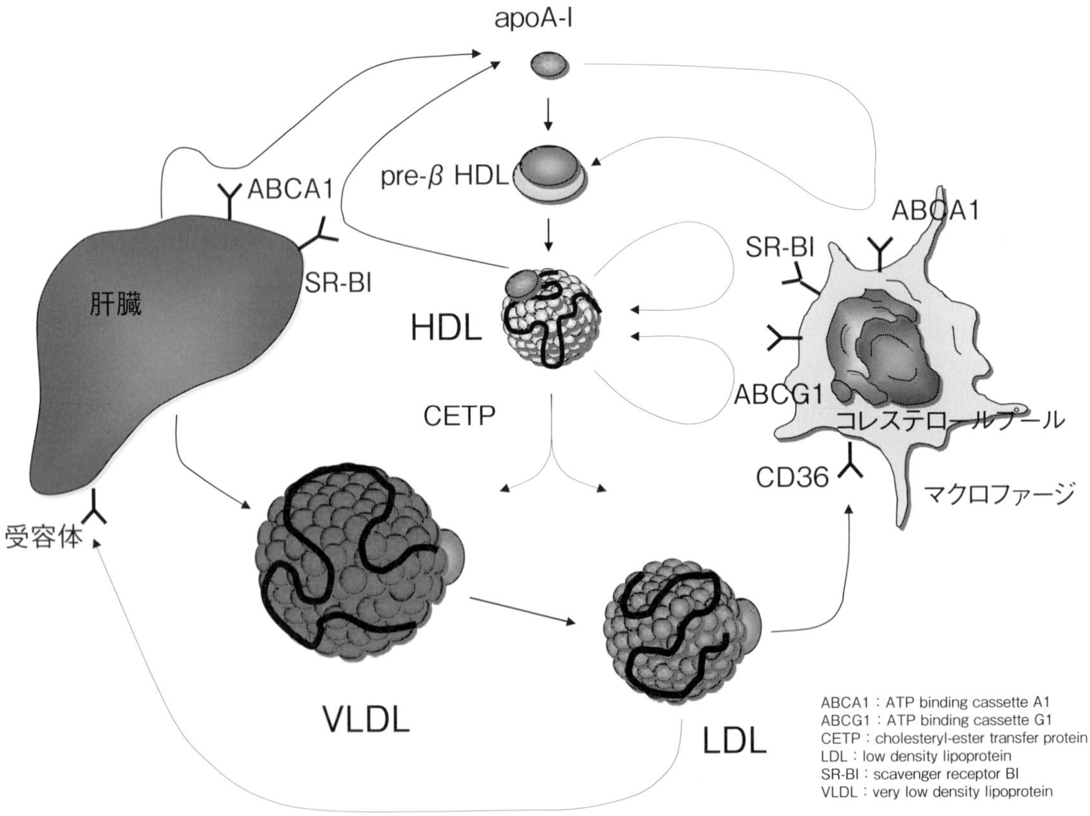

図３　リポ蛋白代謝と動脈硬化の関係

提唱し，内臓脂肪蓄積が上流に存在し，内臓脂肪が分泌する様々なアディポサイトカインの分泌減少・分泌過剰が脂質異常症や高血圧，耐糖能異常発症に関与し，これらが複合し動脈硬化性疾患を発症させると提唱した．

メタボリックシンドロームの環境因子として，動物性脂肪やショ糖などの単純糖質の過剰摂取，食物繊維の摂取不足，運動不足とそれに伴う肥満，不規則なライフスタイルに起因する自律神経異常などが指摘されている．遺伝因子に関しては少なくとも単一の異常(遺伝子異常)によって説明することは困難で，PPAR（peroxisome proliferator-activated receptor）s，SREBP（sterol regulatory binding protein），LXR（liver X receptor）s などの転写因子，レプチンやアディポネクチンなどのアディポサイトカイン，11β-hydroxysteroid dehydrogenase 1 型などが候補と考えられている．

1998 年，WHO が最初にメタボリックシンドロームの診断基準を提唱し，以後 NCEP ATPIII 基準，国際糖尿病学会(IDF)基準，本邦 8 学会協同基準などが発表された(表 3)．本邦の診断基準が，内臓脂肪蓄積を必須項目としているのに対し，IDF，NIH，アメリカ心臓協会，世界心臓連合，国際動脈硬化学会，国際肥満学会が共同で Harmonizing the Metabolic Syndrome という勧告を発表し[12]，内臓脂肪蓄積を必須項目とせず糖代謝や脂質代謝，血圧など他の基準と同等に扱うことに言及している．非肥満者で危険因子の集積した人がかなり多く，この集団の心血管疾患発症率が高いことが理由の一つである．さらに腹囲の診断基準値として，本邦の基準のみ男性より女性の基準が大きい．著者らは，内臓脂肪蓄積以外のメタボリックシンドローム診断基準要素を二つ以上有する腹囲カットオフ値として男性 89.8cm，女性 82.3cm を提唱し[13]，国際的にも受け入れられつつある[12]．いずれにせよ，メタボリックシンドロームの疾患概念は，過栄養と運動不足がもたらす複数の代謝異常が相互に作用し，動脈硬化を進行させることに注意を喚起するものであり，動脈硬化の予防の観点から重要である．

低比重リポ蛋白(LDL：low-density lipoprotein)コレステロールは，肝臓で合成されたコレステロールを末梢細胞へ提供するリポ蛋白であるが，動脈硬化性疾患の頻度・重症度と正相関を認め，動脈硬化惹起性リポ蛋白である．一方，高比重リポ蛋白(HDL：high-density lipoprotein)コレステロールは末梢細胞から肝臓へのコレステロール転送(コレステロール逆転送系)に関与しているため，抗動脈硬化的と考えられている(図 3)．

高 LDL コレステロール血症は L アルギニン / NO 系を障害することで血管内皮機能を障害し，内因性 NO の競合的合成阻害物質である ADMA (asymmetric dimethylarginine)の合成も促進し，血管内皮障害を促進させる．一方，レニン・アンジオテンシン系(RAS)もまた血管内皮機能に重要な役割を果たすことが知られる．高 LDL コレステロール血症は，AT1（アンジオテンシンⅡタイプ 1)受容体を活性化し血管を収縮し，神経体液性因子の活動性を高め，反応性酸化物質の放出，NO の生理活性低下，血管細胞のアポトーシスなどにも関連し，さらに酸化 LDL 受容体やさまざまな接着因子，炎症惹起性サイトカインの増加などとも関連する．

4. 動脈硬化の診断

動脈硬化の診断法として，①症状に基づく問診，②動脈の触診，血管雑音の聴取，黄色腫などの診察，③血圧測定や生化学検査による動脈硬化の危険因子の評価，④動脈硬化に関連した血清学的マーカーの測定，⑤単純レントゲン検査，(運動負荷)心電図検査，眼底検査，心臓超音波検査，血管超音波検査(頚動脈など体表面超音波検査，冠動脈など血管内超音波検査)，CT 検査(冠動脈，末梢動脈)，MRI 検査(冠動脈，末梢動脈)，シンチグラフィ検査(脳血流，心筋血流，腎・末梢動脈)，末梢血管抵抗測定検査(CAVI，PWV)，血管造影検査(冠動脈，脳血管，大動脈，末梢血管)，OCT などの画像検査などがある．

動脈硬化は，無症状で潜在する期間が長く，シンチグラフィ検査や末梢血管抵抗測定検査など血流や血管の障害の程度を反映する検査に対し，超音波検査や CT 検査は動脈硬化そのものを可視化する点で早期の病変に対しても有効である．

超音波法は何より簡便で非侵襲的である特徴を

各論Ⅱ

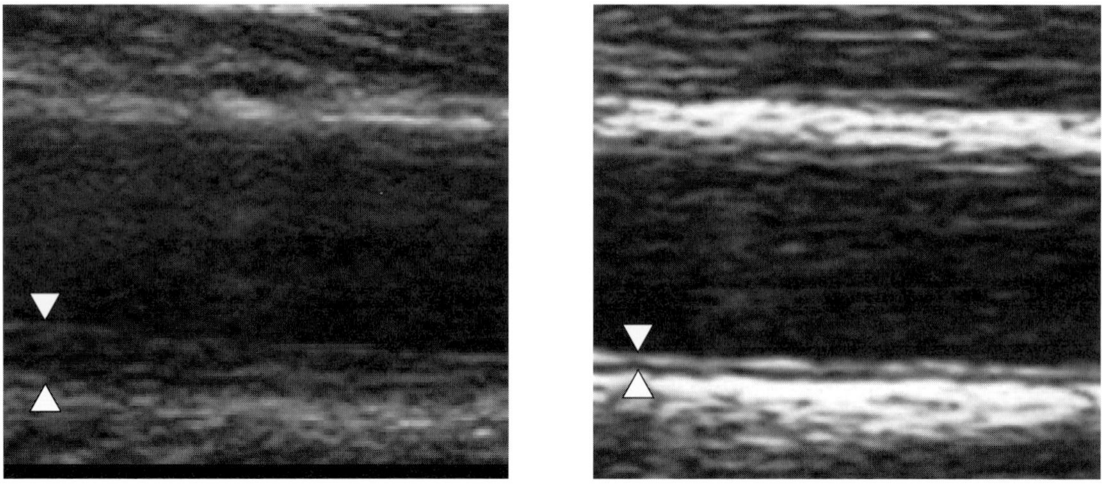

CD-ROM 図１　頚動脈超音波画像
内膜中腹複合体層　（左）1.1mm　（右）0.4mm

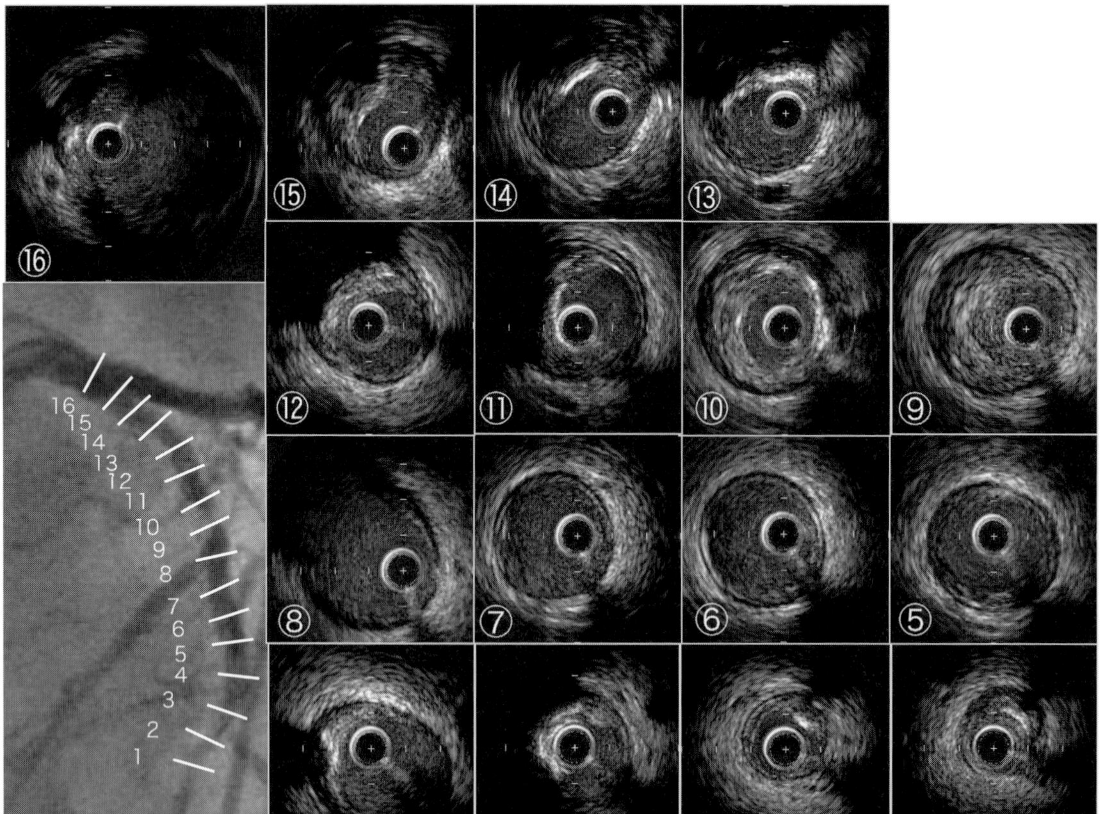

CD-ROM 図２　急性心筋梗塞患者の冠動脈血管内超音波画像
⑨が責任病変

有し，頸動脈など体表面に近い血管病変の診断に早くから用いられてきた．近年，血管(主に冠動脈)内にプローブを挿入し，血管内腔側から動脈硬化病変を描出する血管内超音波装置も臨床に欠かすことのできない診断装置となった．超音波法では，内膜と中膜は通常一層の膜状の構造物として描出され，内膜中膜複合体と呼び，その厚さを内膜中膜複合体厚と呼んでいる(CD-ROM 図 1)．頸動脈における内膜中膜複合体厚は全身，特に主幹冠動脈の粥状動脈硬化病変を反映するとされる[14]．体表面超音波で狭窄率や動脈硬化面積を求めることも可能であるが，任意の横断面を描出できるため，再現性に問題がある．血管内超音波法では，ガイドワイヤーに沿って軸方向に観察するため，分枝など解剖学的ランドマークを定めれば再現性は極めて高く，血管造影では求められない動脈硬化粥腫指標を算出可能である[15]．プローブを一定速度で引き抜くことにより，軸方向に横断面を積分することで動脈硬化体積を求めることも可能である(CD-ROM 図 2)．近年の動脈硬化の臨床試験では，体表面超音波検査で求められる内膜中膜複合体厚や血管内超音波法で求められる冠動脈プラーク体積などがサロゲートエンドポイントとして用いられる機会が増えた．さらに最近では，組織性状の異なる境界面で生じる音響インピーダンスの差を利用した超音波後方散乱信号法や，radiofrequency 信号データをデジタル化し，組織標本から得られたデータベースとの対比により組織パターン化する技術(virtual histology)が開発され，既に臨床応用されている．

一方，近年長足の進歩を遂げているのが冠動脈CT検査である．動脈硬化は全身性疾患であるが，最初のイベントが急性冠症候群である場合が多い．心臓は意識的に静止させることが出来ない「動く臓器」であり，このことが長年CT検査の障壁となっていた．撮像時間の短縮，複数断面の同時撮像(256 列，320 列など)や心電図同期などの技術的進歩により，冠動脈の評価に耐えうる画像診断が可能となった．高度な石灰化病変の評価やプラークの定量性に課題は残るものの，侵襲的検査(血管造影)との溝を埋める検査として浸透してきた．

また，心血管イベント発症率と炎症マーカーである血中 CRP 濃度が，代表的冠危険因子であるコレステロール値と独立して相関することが示された[16]．

5. 動脈硬化性疾患の予防

動脈硬化は古典的危険因子が明確であり，その予防と治療の原則は危険因子の是正である．すなわち，食事療法・運動療法による減量，高血圧，高脂血症，糖尿病の薬物・非薬物療法，禁煙などであり，これらの是正により早い時期から血管内皮機能が改善することが知られている．

糖代謝，脂質代謝異常の改善には，特に食事療法が重要である．特に肥満を伴っている場合には摂取カロリー制限が基本であり，活動度にあわせ，一日摂取カロリーを標準体重(kg)（22 × 身長(m)^2) × 25 ～ 30kcal に制限する．筋肉の異化を防ぐため蛋白質は標準体重(kg) × 1.0 ～ 1.2 (g)摂取し，糖質 60%に対し脂肪を 15%に制限する．塩分は水分を蓄積させるため，高血圧治療には一日塩分摂取量は 6g に制限する．運動療法は高度な動脈硬化がないことを確認または十分な血行再建を行った後，軽度の有酸素運動の継続を基本とする．

6. 動脈硬化性疾患の治療

動脈に高度な狭窄や閉塞を来した症例には，血行再建術(経皮的血管形成術，冠動脈・末梢動脈バイパス術，人工血管置換術)が施行されるが，動脈硬化の成り立ちを考えれば姑息的治療である．

HMG-CoA 還元酵素阻害剤(スタチン)は，コレステロール合成の律速酵素である HMG-CoA 還元酵素を競合的に阻害し，HMG-CoA からメバロン酸の合成を阻害する薬物である．スタチンは現在，最も多くの大規模臨床試験により心血管イベント抑制効果を証明された薬剤である．スタチンにはコレステロール低下とは独立した，さまざまな多面的薬理作用が存在する(表 4)．これらを説明する一つの機序として，コレステロールと同様，メバロン酸経路の下流に存在するゲラニルピロリン酸やファルネシルピロリン酸などのイソプ

各論Ⅱ

表4　スタチンの多面的薬理作用

抗血栓作用		
	↓	トロンボキサンA2
	↑	組織プラスミノーゲン活性化因子
	↓	PAI-1
	↓	組織因子
抗炎症作用		
	↓	CRP
	↓	接着因子
	↓	反応性酸化物質
抗酸化作用		
	↓	NAD(P)H 酸化活性
血管内皮機能の改善，血管拡張作用		
	↑	一酸化窒素
	↓	エンドテリン1
	↓	アンジオテンシン1受容体
	↑	EPC
	↓	vasa vasorum
細胞成長阻害		
	↓	平滑筋細胞肥大，分化

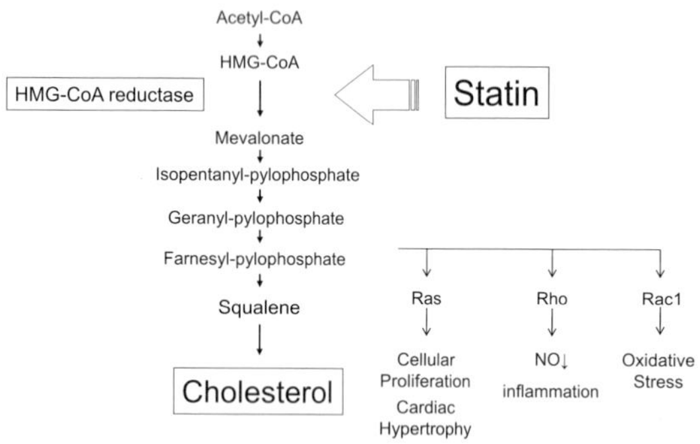

図4　スタチンのコレステロール低下作用と多面的薬理作用

レノイド産生抑制が考えられる．イソプレノイドはプレニル化と呼ばれる蛋白の脂質修飾に必須であり，small GTP 結合蛋白(Rho，Ras，Rac など)をプレニル化することにより small GTP 結合蛋白の細胞膜への結合性を高め，そのキナーゼ活性に重要な役割を果たす．スタチンはイソプレノイド産生抑制を介して，間接的に small GTP 結合蛋白の活性を調整し，さまざまな細胞の増殖や分化を制御していると考えられる(図4)．

1990 年代より，スタチンを用いた大規模脂質介入試験が行われ，LDL コレステロール基礎値の多寡に関わらず，LDL コレステロールを低下させればさせるだけ心血管イベントが低下することが示された．近年の血管内超音波法を用いた脂質介入研究では，動脈硬化プラークの退縮も証明されるようになった[17]．炎症マーカー CRP は動脈硬化性疾患の予知マーカーとして位置づけられ，スタチンにより低下することも知られている．JUPITAR 試験は，LDL コレステロールが比較的低く(130mg/dL 未満)，CRP 高値(0.2mg/dL 以上)である動脈硬化性疾患未発症の健康成人を対象とし，無作為にスタチンとプラセボを投与した結果，心筋梗塞，非致死性脳卒中，不安定狭心症による入院，血行再建術の施行，心血管疾患による死亡などの複合エンドポイントがスタチン群で有意に低下した[18]．

HDL はコレステロール逆転送に関係したリポ蛋白であり，コレステロール逆転送系に着目した治療法の開発が期待される(図3)．HDL の主要な構成蛋白であるアポ A-I の変異体(アポ A-I ミラノ)は，低 HDL コレステロール血症と関連するが，アポ A-I ミラノとリン脂質の複合体を5週間に渡り5回静脈注射したところ，ヒト冠動脈プラークが退縮した[19]．アポ A-I 類似ペプチド投与やアポ A-I 遺伝子導入された動物実験ではプラーク退縮の報告もある[20]．コレステリルエステル転送蛋白(CETP：cholesteryl-ester transfer protein)は HDL 中のコレステリルエステルをアポ B 含有リポ蛋白へ転送する蛋白であり(図3)，その欠損症は著しい高 HDL 血症を呈する[21]．CETP 阻害剤(Torcetrapib)が開発され，有意に HDL コレステロール値を上昇させたが，逆に心血管イベントを増加させ開発が中断された[22]．Torcetrapib によるアルドステロン増加，血圧上昇が関与した可能性もあるが，CETP 阻害が抗動脈硬化的か否かを結論するためには，その他の CETP 阻害剤の開発を待たなければならない．

レニン・アンジオテンシン系(RAS：renin-angiotensin system)はアンジオテンシノーゲンを基質に，アンジオテンシン変換酵素(ACE：angiotensin converting enzyme)などのアンジオテンシンの産生酵素群およびその受容体よりなるホルモンシステムである．ACE はブラジキニンの分解酵素でもあり，ACE 阻害剤は NO やプロスタグランジンの合成を促進し，抗動脈硬化的に働く可能性がある．また，アンジオテンシンⅡは血圧に依存しない動脈硬化促進効果を有し，ACE阻害剤やアンジオテンシン受容体拮抗剤などRAS系阻害剤が降圧とは独立した抗動脈硬化作用を有する可能性がある[23]．

1980年代後半よりRASが循環ホルモンとしてとは別に，心血管調節にかかわる組織に存在し，「組織RAS」と呼ばれている[24]．アンジオテンシン標的臓器を制御し，血圧上昇，食塩貯留の方向に作用し，インスリン抵抗性に伴いメタボリックシンドローム発症とも関係している．RAS系阻害剤が新規糖尿病発症を抑制するとの報告もあり[25, 26]，血圧のみならず糖尿病などの危険因子の制御にも有効である可能性がある．

おわりに

疫学研究により動脈硬化性疾患の古典的危険因子が明らかとされ，また実験病理学によりその詳細なメカニズムも解明されてきた．メタボリックシンドロームに着目した特定検診に代表されるように，食事・運動療法などの非薬物療法による動脈硬化性疾患の一次予防が行われている．また概説したとおり，さまざまな薬物を用いた古典的危険因子の是正により，動脈硬化性疾患の予後は格段に向上した．一方，分子メカニズムに立脚したいくつかの新しい薬剤が開発中であり，遺伝子制御を目的としたいくつかの薬剤も治験段階にある．動脈硬化は病理学的には血管の炎症であり，今後，炎症の制御という観点からの新規治療・予防法の開発が期待される．

参考文献

1. Kannel WB et al.：A general cardiovascular risk profile：the Framingham study. Am J Cardiol. 1976；38：46-51.
2. Multple risk factors intervention trial. JAMA 1982；248：1465-1477.
3. Matsuzaki M et al. Large scale cohort study of the relationship between serum cholesterol concentration and coronary events with low-dose simvastatin therapy in Japanese patients with hypercholesterolemia. Circ J 2002；66：1087-1095.
4. Okamura T et al. What cause of mortality can we predict by cholesterol screening in the Japanese general population? J Intern Med. 2003；253：169-180.
5. 厚生労働省：心疾患・脳血管疾患死亡統計の概況　人口動態統計特殊報告 http：//www.mhlw.go.jp/toukei/saikin/hw/jinkou/tokusyu/sinno05/index.html
6. NIPPON DATA 80 Research Group. Risk assessment chart for death from cardiovascular disease based on a 19-year follow-up study of a Japanese representative population -NIPPON DATA 80- Circ J. 2006；70：1249-1255.
7. Ross R. Atherosclerosis -An inflammatory disease. New Engl J Med. 1999；340：115-126.
8. Sakamoto A et al. Expression and function of ephrin-B1 and its cognate receptor EphB2 in human atherosclerosis：from an aspect of chemotaxis. Clin Sci 2008；114：643-650.
9. Yamagishi M et al. Sustained upregulation of inflammatory chemokine and its receptor in aneurysmal and occlusive atherosclerotic disease：results from tissue analysis with cDNA maicroarray and real-time reverse transcriptional polymerase chain reaction methods. Circ J. 2005；69：1490-5.
10. Higashikata T et al. Application of real-time RT-PCR to quantifying gene expression of matrix metalloproteinases and tissue inhibitors of metalloproteinases in human abdominal aortic aneurysm. Atherosclerosis. 2004；177：353-60.
11. Higashikata T et al. Altered expression balance of matrix metalloproteinases and their inhibitors in human carotid plaque disruption：results of quantitative tissue analysis using real-time RT-PCR method. Atherosclerosis. 2006；185：165-72.
12. Alberti KGMM et al., Harmonizing the metabolic syndrome. Circulation 120,1640-1645, 2009.
13. Oka R et al. Reassessment of the cutoff values of waist circumference and visceral fat area for identifying Japanese subjects at risk for the metabolic syndrome. Diabetes Res Clin Pract. 2008；79：474-481.
14. Ogata T et al. Atherosclerosis found on carotid ultrasonography is associated with atherosclerosis on coronary intravascular ultrasonography. J Ultrasound Med 2005；24：469-474.
15. Yamagishi M et al. Coronary disease morphology and distribution determined by quantitative angiography and intravascular ultrasound--re-evaluation in a cooperative multicenter intravascular ultrasound study（COMIUS）. Circ J. 2002；66：735-40.
16. Ridker P. High-sensitivity C-reactive protein potential adjunct for global risk assessment in the primary prevention of cardiovascular disease. Circulation. 2001；103：1813-1818.
17. Takayama T et al. Effect of rosuvastatin on coronary atheroma in stable coronary artery disease：multicenter coronary atherosclerosis study measuring effects of rosuvastatin using intravascular ultrasound in Japanese subjects（COSMOS）. Circ J. 2009；73：2110-7.
18. Ridker PM et al. Rosuvastatin to prevent vascular

events in men and women with elevated C-reactive protein. N Engl J Med. 2008；359：2195-207.
19. Nissen SE et al. Effect of recombinant ApoA-I Milano on coronary atherosclerosis in patients with acute coronary syndromes：a randomized controlled trial. JAMA. 2003；290：2292-300.
20. Kawashiri M et al. Combined effects of cholesterol reduction and apolipoprotein A-I expression on atherosclerosis in LDL receptor deficient mice. Atherosclerosis. 2002；165：15-22.
21. Inazu A et al. Increased high-density lipoprotein levels caused by a common cholesteryl-ester transfer protein gene mutation. N Engl J Med. 1990；323：1234-8.
22. Barter PJ et al. Effects of torcetrapib in patients at high risk for coronary events. N Engl J Med. 2007；357：2109-22.
23. Chujo D et al. Telmisartan treatment decreases visceral fat accumulation and improves serum levels of adiponectin and vascular inflammation markers in Japanese hypertensive patients. Hypertens Res. 2007；30：1205-10.
24. Zhu A et al. Effect of mineralocorticoid receptor blockade on the renal renin-angiotensin system in Dahl salt-sensitive hypertensive rats. J Hypertens. 2009；27：800-5.
25. Julius S et al. Outcomes in hypertensive patients at high cardiovascular risk treated with regimens based on valsartan or amlodipine：the VALUE randomised trial. Lancet. 2004；363：2022-31.
26. McMurray JJ et al. Effect of valsartan on the incidence of diabetes and cardiovascular events. N Engl J Med. 2010；362：1477-90.

Ⅱ-8 糖 尿 病

岐阜大学 大学院医学系研究科内分泌代謝病態学分野[1]
大学院連合創薬医療情報研究科[2]
保健管理センター[3]
山本 眞由美[1,2,3]，武田 純[1]

概念

身体の全血液中に溶けているブドウ糖は数グラムに過ぎない．食事や運動による糖の流入や糖の消費が繰り返されても，このブドウ糖濃度はほぼ一定に保たれている．身体内では，ブドウ糖を脳や筋肉へ安定供給し，肝臓や脂肪へ貯蓄する動きが，ダイナミックかつ迅速に調節されているからである．この調節の中で重要な役割を担っているのが膵臓から分泌されるインスリンである．インスリンの分泌不足か抵抗性あるいはその両方によるインスリン作用の不足によって慢性高血糖が出現し，種々の特徴的な代謝異常を伴う疾患群が糖尿病である．長期間の代謝異常は血管障害などの合併症をひきおこし，無症状からケトアシドーシス・昏睡に至るまでの様々な病態を示す．発症には遺伝因子と環境因子がともに関与しているので，これらを中心に総述する．

1. 疫学

WHOの推定では世界の糖尿病患者の総数は2000年に約1億7100万人，2015年に約2億2000万人，2025年に約3億人，2030年には約3億6600万人に増え続けると予測されている[1)]．先進国よりも発展途上国が多いアジア，アフリカ，中南米，中東での増加が著しいのが特徴である(表1)．我が国でも糖尿病患者の増加は著しい．厚生労働省の糖尿病実態調査による糖尿病の頻度推定では，①糖尿病が強く疑われる人(ヘモグロビンA1c（HbA1c)が6.1％以上，または，質問票で現在糖尿病の治療を受けていると答えた人)と②糖尿病の可能性を否定できない人(HbA1cが5.6％以上6.1％未満で，①以外の人)は，1997年①約690万人②約680万人，2002年①約740万人②約880万人，2007年①約890万人②約1320万人と増加し続けている[2)]．特に②，いわゆる糖尿病予備軍がわずか10年間で倍増していることは，今後も患者数の増加が予想され，早期診断や予防方法の進歩が喫緊の課題である．

表1　2000，2030年における推定糖尿病患者数の上位10カ国

順位	2000年 国	2000年 糖尿病患者数(100万人)	2030年 国	2030年 糖尿病患者数(100万人)
1	インド	31.7	インド	79.4
2	中　国	20.8	中　国	42.3
3	アメリカ	17.7	アメリカ	30.3
4	インドネシア	8.4	インドネシア	21.3
5	日　本	6.8	パキスタン	13.9
6	パキスタン	5.2	ブラジル	11.3
7	ロシア	4.6	バングラディシュ	11.1
8	ブラジル	4.6	日　本	8.9
9	イタリア	4.3	フィリピン	7.8
10	バングラディシュ	3.2	エジプト	6.7

(Diabetes Care 27 : 1047-1053, 2004)

2. 社会的背景

日本医師会，日本糖尿病学会，日本糖尿病協会の3組織が2005年2月に「糖尿病対策推進会議」を設立した．2007年8月には日本歯科医師会が，2008年2月には健康保険組合連合会および国民健康保険中央会が加入し，糖尿病対策に積極的に取り組んでいる会議である[3]．具体的には，健康診断受診率の向上，病診連携の活性化，糖尿病の正しい情報啓発などの活動を，各都道府県単位で進めている．

3. 分類と診断

2010年5月に「糖尿病分類と診断基準に関する委員会報告」が発表され[4]，「新たな糖尿病の分類と診断基準」が同年7月1日から施行された．1999年の「糖尿病の分類と診断基準の改訂」から10年を経過し，我が国でのエビデンスも集積され，国際的にも新しい診断基準策定の動きがあることから，より科学的で実践的な診断基準が策定された．本分類は，図1のように成因(発症機序)と病態(病気)の両面から分類している．成因分類には，1型，2型，その他の特定の機序・疾患によるもの，妊娠糖尿病，という用語を用い(表2)，遺伝子異常が明らかにされた糖尿病は「遺伝素因として遺伝子異常が同定されたもの」として，別に取り扱うことになった(表3)．慢性高血糖の確認をより正確にするために，空腹時血糖値，75g糖負荷試験(OGTT)2時間血糖値の判定基準(表4)，診断手順(表5)，臨床診断のフローチャート(図2)が示され，75gOGTTの実施をけして躊躇すべきでない(表6)とされている．妊娠糖尿病は，重要かつ特別な配慮が必要で，非妊娠時の糖尿病とは異なるため診断基準は別に定められている(表7)．尚，妊娠糖尿病は，「妊娠中に発症したか，初めて発見された耐糖能低下」で，治療にインスリンが必要か否か，その異常が分娩後も継続するかどうか，妊娠前から耐糖能低下が存在した可能性，などは問わない．なぜなら，妊娠中は，軽い耐糖能低下でも周産期に母児の異常をきたしやすく，糖尿病と同じように厳格に管理する必要があること，このような例では将来，糖尿病を発症するリスクが高いこと，が知られているからである．

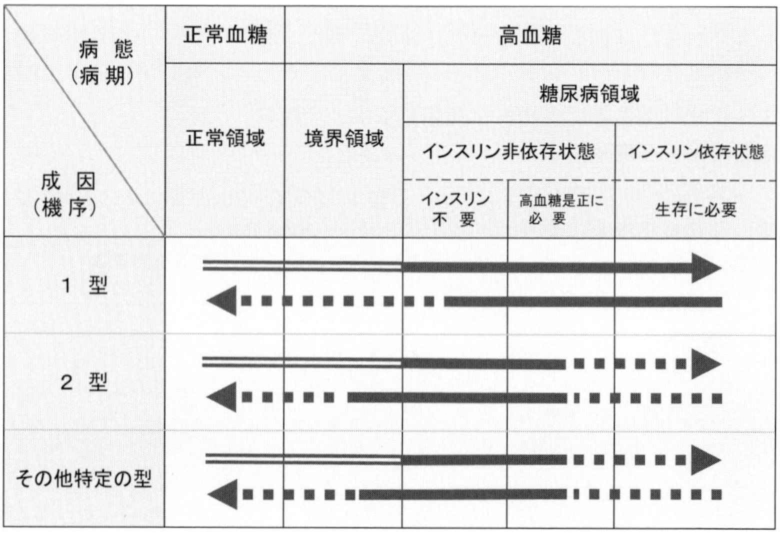

(www.jds.or.jp/jds_or_jp0/uploads/photos/626.pdf)

図1　糖尿病における成因(発症機序)と病態(病期)の概念

4. 成因と molecular pathogenesis

糖尿病の主な成因は，インスリン分泌低下とインスリン抵抗性で，前者はインスリンを分泌する膵ランゲルハンス島(膵島)β細胞の減少あるいは機能不全，後者はインスリンの標的細胞での感受性低下による．

1型糖尿病の成因と molecular pathogenesis

1型糖尿病は，インスリン分泌低下の典型的病態で膵β細胞の破壊的病変によりインスリンの欠乏が生じる．最終的にはインスリンの絶対的欠乏に陥ることが多い．発病初期に患者血中には抗

表2　糖尿病と糖代謝異常*の成因分類

Ⅰ．1型（膵β細胞の破壊，通常は絶対的インスリン欠乏に至る）
　A. 自己免疫性
　B. 特発性
Ⅱ．2型（インスリン分泌低下を主体とするものと，インスリン抵抗性が主体で，それにインスリンの相対的不足を伴うものなどがある）
Ⅲ．その他の特定の機序，疾患によるもの（詳細は表2参照）
　A. 遺伝因子として遺伝子異常が同定されたもの
　　（1）膵β細胞機能にかかわる遺伝子異常
　　（2）インスリン作用の伝達機構にかかわる遺伝子異常
　B. 他の疾患，条件に伴うもの
　　（1）膵外分泌疾患
　　（2）内分泌疾患
　　（3）肝疾患
　　（4）薬剤や化学物質によるもの
　　（5）感染症
　　（6）免疫機序によるまれな病態
　　（7）その他の遺伝的症候群で糖尿病を伴うことの多いもの
Ⅳ．妊娠糖尿病

注：現時点では上記のいずれにも分類できないものは分類不能とする
＊一部には，糖尿病特有の合併症をきたすかどうかが確認されていないものも含まれる

（www.jds.or.jp/jds_or_jp0/uploads/photos/626.pdf）

表3　その他の特定の機序，疾患による糖尿病と糖代謝異常*

A. 遺伝因子として遺伝子異常が同定されたもの
（1）膵β細胞機能にかかわる遺伝子異常
　インスリン遺伝子（異常インスリン症，異常プロインスリン症，新生児糖尿病）
　HNF4α遺伝子（MODY1）
　グルコキナーゼ遺伝子（MODY2）
　HNF1α遺伝子（MODY3）
　IPF-1遺伝子（MODY4）
　HNF1β遺伝子（MODY5）
　ミトコンドリアDNA（MIDD）
　NeuroD 1遺伝子（MODY6）
　Kir6.2遺伝子（新生児糖尿病）
　SUR1遺伝子（新生児糖尿病）
　アミリン
　その他
（2）インスリン作用の伝達機構にかかわる遺伝子異常
　インスリン受容体遺伝子
　（インスリン受容体異常症A型
　妖精症
　Rabson-Men-denhall症候群ほか）
　その他

B. 他の疾患，条件に伴うもの
（1）膵外分泌疾患
　膵炎
　外傷／膵摘手術
　腫瘍
　ヘモクロマトーシス
　その他
（2）内分泌疾患
　クッシング症候群
　先端巨大症
　褐色細胞腫
　グルカゴノーマ
　アルドステロン症
　甲状腺機能亢進症
　ソマトスタチノーマ
　その他
（3）肝疾患
　慢性肝炎
　肝硬変
　その他
（4）薬剤や化学物質によるもの
　グルココルチコイド
　インターフェロン
　その他
（5）感染症
　先天性風疹
　サイトメガロウィルス
　その他
（6）免疫機序によるまれな病態
　インスリン受容体抗体
　Stiffman症候群
　インスリン自己免疫症候群
　その他
（7）その他の遺伝的症候群で糖尿病を伴うことの多いもの
　Down症候群
　Prader-Willi症候群
　Turner症候群
　Klinefelter症候群
　Werner症候群
　Wolfram症候群
　セルロプラスミン低下症
　脂肪萎縮性糖尿病
　筋強直性ディストロフィー
　フリードライヒ失調症
　Laurence-Moon-Biedl症候群
　その他

＊一部には，糖尿病特有の合併症をきたすかどうかが確認されていないものも含まれる
（www.jds.or.jp/jds_or_jp0/uploads/photos/626.pdf）

GAD抗体などの膵島細胞構成成分に対する自己抗体が証明でき，膵島にはT細胞を中心としたリンパ球の浸潤（膵島炎：insulitis）がみられるため，膵β細胞を構成する分子を標的とする細胞傷害性T細胞が作られ，これが膵β細胞を直接攻撃すると考えられている．自己免疫の存在が証明できない特発性症例，急激に発症する非自己免疫性劇症型，自己抗体が存在するものの比較的緩除に進行するslowly progressive 1型糖尿病などもある．

A．1型糖尿病の疾患感受性遺伝子（HLA）

1型糖尿病は，①同胞における発症率が一般人口に比べて高い，②一卵性双生児における1型糖尿病の一致率が30～50％と高い，③罹患同胞対法を用いたゲノムスキャンでいくつかの疾患感受性遺伝子座が同定されている（表8）ことから，遺伝因子の関与が示唆されている．その中でも免疫応答に深く関与するヒト白血球抗原（human leukocyte antigen：HLA）分子をコードするHLA

表4　空腹時血糖値および75g経口糖負荷試験（OGTT）2時間値の判定基準
（静脈血漿値，mg/dl，カッコ内はmmol/l）

	正常域	糖尿病域
空腹時値	＜110（6.1）	≧126（7.0）
75gOGTT 2時間値	＜140（7.8）	≧200（11.1）
75g OGTTの判定	両者をみたすものを正常型とする	いずれかをみたすものを糖尿病型*とする
	正常型にも糖尿病型にも属さないものを境界型とする	

* 随時血糖値≧200mg/dl（≧11.1mmol/l）および
HbA1c≧6.5%（HbA1c（JDS）≧6.1%）の場合も糖尿病型とみなす.

正常型であっても，1時間値が180mg/dl（10.0mmol/l）以上の場合には，180mg/dl未満のものに比べて糖尿病に悪化する危険が高いので，境界型に準じた取り扱い（経過観察など）が必要である.

*OGTTにおける糖負荷後の血糖値は随時血糖値には含めない.

（www.jds.or.jp/jds_or_jp0/uploads/photos/626.pdf）

表5　糖尿病の診断手順

臨床診断：

1）初回検査で，①空腹時血糖値≧126mg/dl，②75gOGTT2時間値≧200mg/dl，③随時血糖値≧200mg/dl，④*ＨｂA1c≧6.5%（HbA1c（JDS）≧6.1%）のうちいずれかを認めた場合は，「糖尿病型」と判定する．別の日に，再検査を行い，再び「糖尿病型」が確認されれば糖尿病と診断する**．但し，HbA1cのみの反復検査による診断は不可とする．また，血糖値とHbA1cが同一採血で糖尿病型を示すこと（①～③のいずれかと④）が確認されれば，初回検査だけでも糖尿病と診断してよい.

2）血糖値が糖尿病型（①～③のいずれか）を示し，かつ次のいずれかの条件がみたされた場合は，初回検査だけでも糖尿病と診断できる.
・糖尿病の典型的症状（口渇，多飲，多尿，体重減少）の存在
・確実な糖尿病網膜症の存在

3）過去において，上記1）ないしは2）の条件がみたされていたことが確認できる場合には，現在の検査値が上記の条件に合致しなくても，糖尿病と診断するか，糖尿病の疑いを持って対応する必要がある.

4）上記1）～3）によっても糖尿病の判定が困難な場合には，糖尿病の疑いをもって患者を追跡し，時期をおいて再検査する.

5）初回検査と再検査における判定方法の選択には，以下に留意する.
・初回検査の判定にHbA1cを用いた場合，再検査ではそれ以外の判定方法を含めることが診断に必須である．検査においては，原則として血糖値とHbA1cの双方を測定するものとする.
・初回検査の判定が随時血糖値≧200mg/dlで行われた場合，再検査は他の検査方法によることが望ましい.
・HbA1cが見かけ上低値になり得る疾患・状況の場合には，必ず血糖値による診断を行う（表5）

疫学調査：
糖尿病の頻度推定を目的とする場合は，1回だけの検査による「糖尿病型」の判定を「糖尿病」と読み替えてもよい．なるべくHbA1c≧6.5%（HbA1c（JDS）≧6.1%）あるいはOGTT2時間値≧200mg/dlの基準を用いる.

検診：
糖尿病およびその高リスク群を見逃すことなく検出することが重要である．スクリーニングには血糖値，HbA1cのみならず，家族歴，肥満などの臨床情報も参考にする.

*HbA1cは，JDS値に0.4%を加えた値で表記する.
** ストレスのない状態での高血糖の確認が必要である.

（www.jds.or.jp/jds_or_jp0/uploads/photos/626.pdf）

遺伝子は重要である．全ゲノム解析でもHLAの寄与率が特に高いことが明らかになっており，1型糖尿病とHLAの関連は人種差・種差を越えて認められることが証明されている．ClassⅠ（ほとんどすべての細胞に発現しCD8陽性（細胞傷害性）T細胞を拘束する）およびClassⅡ（抗原提示細胞に発現しCD4陽性（ヘルパー）T細胞を拘束する）HLA遺伝子は第6染色体短腕p21.3の主要組織適応遺伝子複合体（major histocompatibility complex：MHC）領域に存在し，ヒトのMHCはHLA－遺伝子複合体とも呼ばれる．HLAの中でもHLAClassⅡのDR，DQが1型糖尿病の疾患感受性に強く関連する．日本人では血清学的タイピングのDR4（DRB1*0405のアレル），DR9（DRB1*0901のアレル）が疾患感受性，DR15（DQB1*－1501，DQB1*－1501のアレル）が疾患抵抗性を示し，さらに，DRB1*0405－DQA1*0301－DQB1*0401，DRB1*0802－DQA1*0301－DQB1*0302，DRB1*0901－DQA1*0301－DQB10303が感受性ハプロタイプで，DQB1*－1501－DQA1*0102－DQB1*0602が高度の抵抗性ハプロタイプであること

表6 75g 経口糖負荷試験（OGTT）が推奨される場合

(1) **強く推奨される場合**（現在糖尿病の疑いが否定できないグループ）
- 空腹時血糖値が 110 ～ 125mg/dl のもの
- 随時血糖値が 140 ～ 199mg/dl のもの
- HbA1c が 6.0 ～ 6.4%（HbA1c（JDS）が 5.6 ～ 6.0%）のもの（明らかな糖尿病の症状が存在するものを除く）

(2) **行うことが望ましい場合**（糖尿病でなくとも将来糖尿病の発症リスクが高いグループ：高血圧・脂質異常症・肥満など動脈硬化のリスクを持つものは特に施行が望ましい）
- 空腹時血糖値が 100 ～ 109mg/dl のもの
- HbA1c が 5.6 ～ 5.9%（HbA1c（JDS）が 5.2 ～ 5.5%）のもの
- 上記を満たさなくても，濃厚な糖尿病の家族歴や肥満が存在するもの

（www.jds.or.jp/jds_or_jp0/uploads/photos/626.pdf）

表7 妊娠糖尿病の定義と診断基準

妊娠糖尿病の定義：
妊娠中に初めて発見または発症した糖尿病にいたっていない糖代謝異常

妊娠糖尿病の診断基準：
75gOGTT において次の基準の 1 点以上を満たした場合に診断する.

空腹時血糖値	≧ 92mg/dl
1 時間値	≧ 180mg/dl
2 時間値	≧ 153mg/dl

但し，表 4 に示す「臨床診断」において糖尿病と診断されるものは妊娠糖尿病から除外する.

（IADPSG Consensus Panel, Diabetes Care 33: 676-82, 2010）

表8 1 型糖尿病疾患感受性遺伝子座

遺伝子座	染色体	疾患感受性遺伝子
IDDM1	6p21.3	*HLA-DQB1, DQA1, DRB1*
IDDM2	11p15.5	*INS VNTR*
IDDM3	15q26	
IDDM4	11q13	
IDDM5	6p25	
IDDM6	18q21	
IDDM7	2q31	
IDDM8	6q27	
IDDM9	3q21-q25	
IDDM10	10cen	
IDDM11	14q24.3	
IDDM12	2q33	*CTLA4*
IDDM13	2q34	
IDDM15	6q21	
D14S70-D14S276	14q12-q21	
D16S414-D16S520	16q22-q24	
D19S247-D19S226	19q13	
D19S226	19q13	
D1S1644-AGT	1q	
IDDM17	10q25	
IDDM18	5q33-q34	*IL12B**

* 確認が必要である
□：1 型糖尿病との関連が強いと推定されるもの
INS VNTR：insulin variable number of tandem repeat
CTLA4：cytotoxic T lymphocyte associated protein 4

が報告されている[5) 6)].

B. 1 型糖尿病の疾患感受性遺伝子（HLA 以外）

第 11 染色体短腕上のインスリン遺伝子の約 400 塩基対上流に ACAGGGGTGTGGGG をコンセンサス配列とする 14 ～ 15 塩基対のオリゴヌクレオチド繰り返し配列（VNTR）が存在するが，この繰り返しが短い場合（約 40 回；クラスⅠ）感受性が増し，長い場合（約 150 回；クラスⅢ）は発症抵抗性に働く[7)]. 大半がクラス 1 を有する日本人でもサブクラスとの関連があることが報告されている[8)]. VNTR は免疫学的寛容に関係する胸腺でのインスリン遺伝子発現に関連していることが報告されている[9)]. その他，CTLA4 遺伝子，Lyp 遺伝子（PTPN22），SUMO4（small ubiqui-tin-related modifier 4）遺伝子なども 1 型糖尿病感受性遺伝子として同定された.

2 型糖尿病の成因と molecular pathogenesis

2 型糖尿病は多因子疾患とされ，遺伝素因が強く関わり，インスリン分泌障害とインスリン抵抗性が，加齢，過食，肥満，運動不足などの環境要因によって顕在化し発症する. 患者は，インスリン分泌障害とインスリン抵抗性の両方を持つが，発症に寄与する割合は個人によって異なる. 特に，日本人は，欧米人に比べて早期からインスリン分泌量が低下して

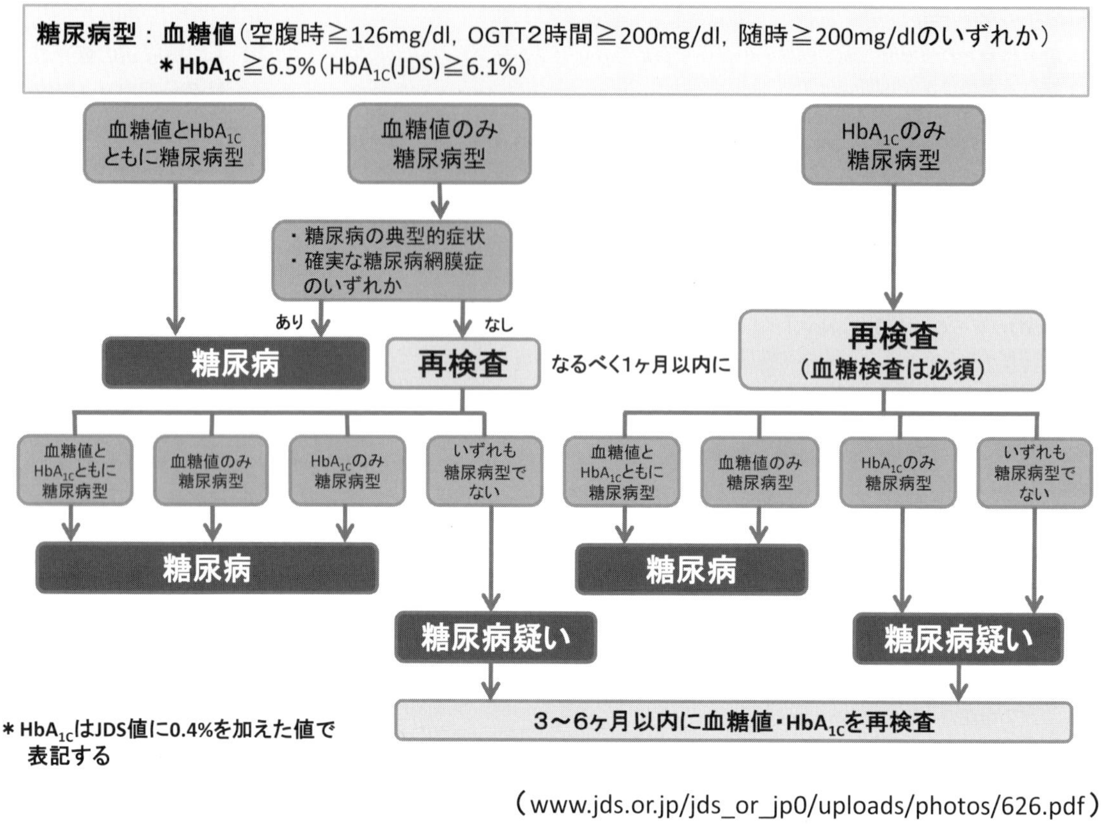

図２　糖尿病の臨床診断のフローチャート

おり，病態の主体に強く関与していると考えられている[10]．

A．疾患遺伝子探索

若年者で２型糖尿病が起こる事があり，常染色体優性遺伝形式をとるものは maturity-onset diabetes of the young（MODY）と従来から呼ばれてきたが[11]，その多くで遺伝子異常が発見されている[12]．また，家族でインスリン非依存糖尿病の生じる原因遺伝子も多数同定されており（単一遺伝子異常），第11染色体短腕に存在するインスリン遺伝子[13]，第19染色体上のインスリン受容体遺伝子[14]，ミトコンドリア遺伝子[15]，MODY2/グルコキナーゼ遺伝子[16]，MODY3/HNF（hepatocyte nuclear factor）-1 α 遺伝子[17]，MODY1/HNF-4 α 遺伝子[18]，MODY4/IPF-1 遺伝子[19]，MODY5/HNF-1 β 遺伝子[20]などである．

しかし，多くの２型糖尿病は，多遺伝子疾患（polygenic disease）であり，何らかの「遺伝子変異」によって発症するのではなく，複数の「２型糖尿病感受性遺伝子」の「多型」組み合わせによって発症リスクが規定される．これらの発症リスクは，年齢，肥満度など各種の環境因子の修飾をうけ，発症に至ることとなる．２型糖尿病の疾患感受性遺伝子検索は，候補遺伝子のサザンブロット解析から直接シークエンスによる候補遺伝子配列決定へ，さらに，連鎖解析を用いたポジショナルクローニングの手法で疾患感受性遺伝子の遺伝子座を決定し，同定後責任遺伝子の同定をする方法となってきた．現在，①連鎖解析（罹患同胞対法）による全ゲノム解析（International Genetics Consortium が進行中），②連鎖を考慮しない症例対照相関解析（候補遺伝子を用いたり，全ゲノムを対象とした SNP スクリーニングによる感受性 SNP の同定をする），③個々の遺伝子に着目せずに遺伝子グループの発現量を比較する，などの方法があり，各種成果が報告されている．この２型糖尿病疾患感受性遺伝子のひとつであるカルパイン様プロテアーゼ(カルパイン10＜calpain10：CAPN10＞)は，連鎖不均衡に依存する高密度ゲノムスキャンの方法を用いて同定された．テキサス州在住のメキシコ系アメリカ人(35歳以上の50%が，糖尿病および第1度近親者に糖尿病が認められる)を対象に，3つのイントロンのSNPsからなるハプロタイプの組み合わせ(UCSNP43, 19, 63)が有意な糖尿病発症リスク比3.02 ± 0.02(95%信頼区間1.37～6.64)が示され，原因遺伝子が単離された[21]．これら，SNPsと発症頻度の関連については人種間で異なるという結果も出ているが，カルパインは細胞内骨格の再構成やアポトーシス，細胞間の再構成(増殖，分化，転移)など，様々な生理的な役割が知られており，さらなる詳細解明や治療薬開発につながるものと期待される．

また，2型糖尿病の疾患感受性多型の効果は，gene-gene-interaction や gene-environmental interactionによる修飾をうけることも示されており，コホート集団での遺伝子多型と発症の関連研究(遺伝疫学)の発展が，今後期待される．

B. 2型糖尿病発症の環境因子探索

多くの疫学研究の成果により，環境因子としては，年齢，肥満，運動，食事，アルコール，喫煙などが報告されている．

C. インスリン情報伝達機構の変化

生体におけるインスリンの血糖降下作用は，細胞レベルではブドウ糖がインスリン標的細胞の細胞内に取り込まれる現象とも言える．インスリンが細胞膜のインスリン受容体(IR)に結合し，細胞内インスリンシグナリングを介して促通拡散型糖輸送担体(glucose transporter；GLUT)がブドウ糖を細胞内に取り込むまでの，どの段階に変化や破綻が生じてもインスリン作用が変化することになる．

a. インスリンシグナリング

インスリンがIRに結合するとチロシンキナーゼ活性が亢進して，insulin receptor substrate (IRS)-1やIRS-2などのチロシンリン酸化が促進し，このチロシンリン酸化部位にsrc homology2 (SH2)ドメインを持つ分子が結合してその下流にシグナルを伝達する(図3)．下流シグナルの代表は，Phosphoinositide 3 kinase (PI3K)経路である．PI3K調節サブユニットのp85は，IRS蛋白に結合すると触媒サブユニットのp110の活性阻害を解除して，PI3K活性が亢進，phosphatidylinositol-3,4,5-triphosphate (PIP3)を産生する．PIP3に親和性を持つセリンスレオニンキナーゼである3-phosphoinositide depen-dent kinase1 (PDK1) と Protein Kinase B (PKB；Aktとも呼ぶ)が引きよせられ，AktがPDK1によりリン酸化されて活性化する．この活性化には，スレオニン308 (T308)とセリン473 (S473)のリン酸化が必要である．T308のリン酸化はPDK1によって触媒されるが，S473のリン酸化はmTOR-rictorcomplexによってなされる．このようにインスリンによるチロシンキナーゼ活性化のシグナルは，phosphatidylinositolを介してセリン/スレオニンキナーゼの活性化へと引き継がれる．PDK1はPI3K/Aktだけでなく，atypical protein kinase C (aPKC；PKCζ/λ)も活性化させて，インスリン標的細胞でのGLUT4による糖取り込みを促進する．その他，インスリンシグナルは，Badの抑制を介した抗アポトーシス作用，脂肪細胞での脂肪酸分解抑制作用，肝での脂肪酸合成促進作用と糖新生を抑制してグリコーゲン合成促進と糖放出抑制作用，骨格筋でのグリコーゲン合成促進作用を持つ．さらに，MAPキナーゼ経路と協働して細胞増殖作用も有する．このような調節機構に脂肪細胞から分泌されたアディポカインなどの影響で破綻が生じたり，インスリンシグナルによる制御が無効になると，インスリン抵抗性が発現，インスリン作用が抑制されることが，明らかになってきている．

b. IRレベルでの変化

チロシンリン酸化したIRからのインスリンシグナルを主に調節するのは膜貫通ドメインをもたないホスホチロシンホスファターゼであるPTP1Bと言われている．PTP1Bのノックアウトマウスでは，インスリン感受性臓器でのIRのチロシンリン酸化が増大・遷延しており，全身のインスリン感受性が亢進している[22]．このノックアウトマウスでは，PTP1Bが視床下部のレプチン受容体からのシグナルカスケードのリン酸化を亢進させ，レプチン感受性を上昇させて高インス

各論Ⅱ

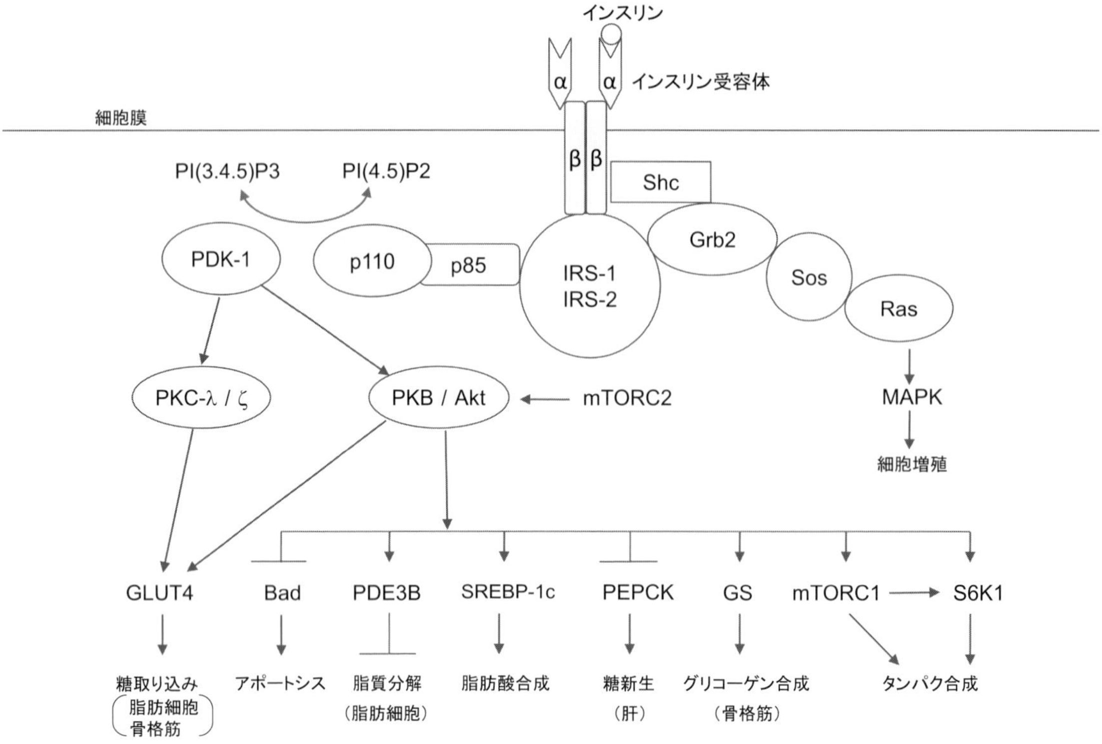

図３　インスリンの情報伝達機構と生理作用

リン感受性となっている．また，Suppressor of cytokine signaling（SOCS）-1 や SOCS-3 が IR の IRS タンパクの認識を阻害してリン酸化を抑制することも報告されている[23]．SOCS タンパクは，炎症性サイトカインの刺激で誘導されることから，肥満状態でのインスリン抵抗性に関与していることが示唆されている．

c. IRS タンパクレベルでの変化

IRS-1 や IRS-2 には，種々のセリン・スレオニンキナーゼの基質となりうるセリン残基が多数存在するが，インスリン抵抗性の病態では，IRS-1 のセリンリン酸化が亢進し，IRS-1 の 3 次構造の変化により IR による IRS-1 の認識が低下，チロシンリン酸化が抑制される．IRS-1 のセリンリン酸化は，IRS タンパクの認識に重要な phosphotyrosine binding（PTB）ドメインの近傍にある Ser307 がストレス応答性 MAP キナーゼの Jun N-terminal kinase 1（JNK1）によってリン酸化される[24]．JNK1 は，インスリン抵抗性を惹起するアディポカインで，JNK1 のノックアウトマウスは高脂肪食負荷でもインスリン抵抗性が起こりにくく，IRS-1 のセリンリン酸化も亢進せず，インスリン抵抗性に重要な働きをしている．肥満で増加する遊離脂肪酸は PKC θ を抑制し，IKK β キナーゼを活性化し，IRS タンパクのセソンリン酸化を増加させることからインスリン抵抗性を解除することも報告されている[25]．一方，インスリン抵抗性では，IRS タンパクの減少がおきている．IRS-1 はユビキノン化によるタンパク崩壊が主で，SOCS-1 や SOCS-3 が IRS タンパクに結合してユビキチンリガーゼとして機能し，IRS 蛋白の崩壊を誘導する．IRS-2 は，Foxo と sterol regulatory element binding protein（SREP）の二つの転写因子が拮抗的に働いて，インスリン抵抗性の状態における IRS-2 の mRNA を減少させている．

d. PIP_3 のレベルでの変化

インスリンによって活性化されるのは，p85 調節サブユニットと p110 触媒サブユニットからなる PI3K である．調節サブユニットは，触媒サブユニットに比べて過剰に単量体として存在しているので，シグナルを伝達するp85-p110複合体がIRSタンパクに結合するのを阻害し，インスリン依存性のPI3K活性を低下させている．また，PI3K活性の調節とは独立してp85サブユニットがPIP_3を減少させるシグナルを伝達しているので，p85が増えるほどAktの活性化などPI3K下流のシグナルが減弱することが報告されている[26]．骨格筋では，インスリン抵抗性を惹起するグルココルチコイドがp85のmRNAレベルを上げるため，このp85の増加はインスリン抵抗性に寄与していると考えられる．

e. GLUT4レベルでの変化

細胞膜でのブドウ糖輸送にかかわる膜蛋白であるGLUTは，現在までに9種類のアイソフォーム(GLUT1～GLUT9)がクローニングされ，いずれも500個程度のアミノ酸からなり，膜を12回貫通し，N末端，C末端は，細胞内に位置していることがわかっている．インスリン作用において最も重要なのはGLUT4で，骨格筋や脂肪細胞などのインスリン標的細胞に特異的に発現している．インスリンシグナルが伝わると，GLUT4は細胞内プールから細胞膜表面へ動員され(トランスロケーション)，インスリン応答性の糖の取り込み増加がおこる．現在までのところ，2型糖尿病でみられるGLUT4遺伝子異常や多型，質の異常などは明らかでない．ただし，長距離走者の下肢骨格筋ではGLUT4の量が増加していることから，運動によるインスリン感受性改善にはGLUT4量が関与していると考えられる．骨格筋のみ，あるいは，脂肪組織のみで，GLUT4を欠損させたマウスの解析では，いずれも，耐糖能低下，インスリン抵抗性をきたすため，個体の糖代謝に，組織のGLUT4が重要であることが示唆されている[27]．

D. β細胞

近年，2型糖尿病でも，比較的早期からβ細胞のアポトーシスが亢進しており，β細胞の数の減少も2型糖尿病の耐糖能低下のひとつの機序と考えられている．特に，慢性的高血糖による糖毒性，遊離脂肪酸の上昇による脂質毒性，脂肪細胞から産生されるアディポカインなどが，インスリン分泌能を低下させるだけでなく，アポトーシスも誘発する．このアポトーシス誘導には，インスリンシグナル下流のβ細胞の増殖，細胞の大きさ(蛋白合成)などを制御する経路が関与している．IRの基質IRS-2には，β細胞の生存や増殖にかかわるシグナルを伝達し，β細胞数の調節に重要なアダプター分子が存在する．これは，膵臓の発生やβ細胞の分化，機能発現に必須の転写因子である．MODY4の原因遺伝子でもあるPDX-1はIRS-2を介するシグナルによっても遺伝子発現が制御されている可能性があり，ヘテロ欠損マウスでは，β細胞のアポトーシスが増加する結果，β細胞量の低下をきたす．IRS-2シグナル下流のAktの下流には幾つかの細胞生存シグナルが存在しているため，IRS-2からAktを経由するシグナルにかかわる因子の低下やシグナルの破綻も，β細胞のアポトーシス誘導機序の一つとして重要である．β細胞のAktの活性を左右している因子には，ブドウ糖，IGF-Ⅰ，インスリン，glucagons-like peptide-1 (GLP-1)などが存在する．ブドウ糖そのものもAktを活性化するが，ブドウ糖刺激後の細胞内Ca^{2+}やcAMPの上昇によるIRS-2遺伝子発現が増強することによるといわれている．IGF-Ⅰは，IGF-Ⅰレセプターに結合後，IRS-2からPI3-K経路によりAktを活性化する．GLP-1はβ細胞の増殖や導管細胞からの分化・新生作用を有することも明らかにされ，糖尿病の新たな治療への展開が期待されているが，β細胞の生存因子としても重要で，CREBを介し，Akt依存性に主な作用を発揮する．分離ヒト膵島細胞培養系では，GLP-1はCaspase-3の発現を抑制し，Bcl-2の発現を増強させて抗アポトーシス作用を呈する．CREBはアポトーシス抑制因子であるBcl-2を誘導するが，β細胞においてはIRS-2のプロモーターに直接働き，その発現を増強することも明らかにされた．これらの刺激により活性化されたAkt下流の細胞生存シグナル(アポトーシス回避シグナル)には，XIAP (X chro-mosome-linked IAP)の活性化，Procaspase-9やBadの抑制，ユビキチンリガーゼMdm2の活性化によるp53の転写活性抑制，Bcl-2やBcl-xLの発現を低下させるFoxo-1の抑制，CREBの活性化などがある．ただ，Aktの下流シグナルには，β細胞の増殖や肥大・分化にかかわるシグナルも存在しており，これらすべてのシグナルの総合的な結果により，糖尿病発症に至るβ細胞のアポトーシス，インスリン分泌障害の経過が進むと考えるべきである．

5. インスリンの多彩な作用

インスリンには，前述したような“ブドウ糖の細胞内への取り込み”という作用のみでなく，標的細胞以外にも様々な作用をもつことが明らかになっている(図4)．

A. 肝臓

インスリンは，肝臓におけるグリコーゲンの分解抑制と合成促進，糖新生の抑制により，肝からの糖放出を抑制する．糖新生にかかわる酵素は，主に遺伝子転写レベルでの酵素発現量の制御によって調整される．インスリンは，この発現量を抑制し，インスリンに拮抗するグルカゴンやグルココルチコイドは，逆に発現量を促進する．

B. 脂肪組織

インスリンは，脂肪細胞へのグルコース取り込みを促すとともに中性脂肪の合成も促進する．インスリンは，中性脂肪の合成にかかわる酵素の遺伝子発現を増加させるとともに，中性脂肪の分解を抑制して中性脂肪を蓄積する．

C. 骨格筋

インスリンは，骨格筋のグルコース取り込みを増強するが，アミノ酸取組みも促進し，遺伝子翻訳を活性化して，タンパク合成も促進する．骨格筋に取り込まれたグルコースは，グリコーゲンに変換され蓄積されるが，インスリンには，Aktを介したグリコーゲン合成酵素の活性化も促進する．

D. 中枢神経

インスリンは，中枢性の摂食抑制作用も有している．IRS-2のノックアウトマウスでは，摂食亢進と肥満を認めるため，インスリンの摂食抑制作用は，IRS-2を介した経路によって制御されていると考えられる．また，インスリンは，肝への直接作用だけでなく，中枢神経から肝の糖産生を抑制することも，最近わかってきている．

E. β細胞

インスリンを産生するβ細胞にもIRが存在し，IRのシグナルはIGF-1受容体のシグナルと相互に作用しながら，β細胞増殖に重要であると考えられている．

F. 心血管系

血管内皮細胞も血管平滑筋細胞もともにIRをもち，インスリンは，その機能や増殖に大きく関与している．IRS-1ノックアウトマウスは血管拡張反応が減弱して血圧が上昇する．また，心臓特異的にインスリン受容体をノックアウトしたマウスでは，心臓のサイズが減少し心筋収縮力が低下する．心臓で，IRとIGF-1受容体をともにノックアウトしたマウスでは，心臓が拡張型心筋症様に変化し早期に死亡することから，インスリンとIGF-1のシグナルは，心臓の発達にも相互に作用していると考えられる．

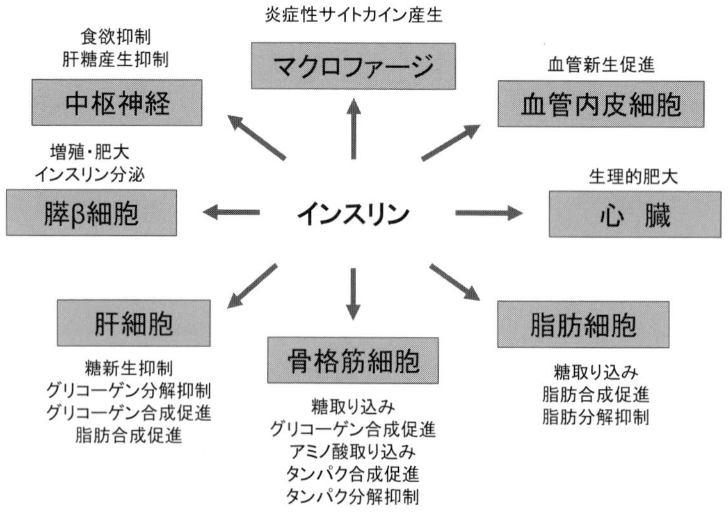

図4 各臓器における多彩なインスリン作用

6. 治療と予防

日本糖尿病学会は，糖尿病の診断と治療の指針について「糖尿病治療ガイド」を発刊した．これは糖尿病治療に関する最新の適正な情報を広く医療関係者へ普及することを目的としている．さらに，科学的根拠に基づいた医療(EBM)の実践のための「糖尿病診療ガイドライン」も2001年に発刊された．諸外国で行なわれた臨床試験が数多く含まれているが，今後は日本のエビデンスの蓄積も望まれる．糖尿病遺伝子の解析が進めば，患者個人の体質に基づいた治療法の選択を可能とするテーラーメード医療が主流となると期待される．体質診断による予防を効果的なものにするためには，検診の充実や生活習慣改善のための国家的な取り組みも重要である．たとえば，幼少児からの栄養教育，食品の栄養成分表示の義務化，スポーツ習慣形成への社会的取り組み，肥満教育の強化，薬剤開発の見直しなどである．個人個人に最善の医療を提供するテーラーメード医療の推進が，糖尿病診療向上につながると考えられる．

参考文献

1. Wild S et al.：Global prevalence of diabetes. Estimates for the year 2000 and projections for 2030. Diabetes Care 27：1047-1053, 2004.
2. 厚生労働省：平成19年国民健康・栄養調査結果の概要について. www.mhlw.go.jp/houdou/2008/12/h1225-5.html.
3. 日本医師会：日本糖尿病対策推進会議とは. www.med.or.jp/tounyoubyou/index.html.
4. 糖尿病診断基準に関する調査検討委員会：糖尿病の分類と診断基準に関する委員会報告. www.jds.or.jp/jds_or_jp0/uploads/photos/626.pdf.
5. Bennett ST et al.：Human type1 diabetes and the insulin gene：principles of mapping polygenes. Annu Rev Genet 30：343-370, 1996.
6. Awata T et al.：High frequency of aspartic acid at position 57 of HLA-DQ β-chain in Japanese IDDM patients and nondiabetic subjects. Diabetes 39：266-269, 1990.
7. Bennett ST et al.：Human type 1 diabetes and the insulin gene：principles of mapping polygenes. Annu Rev Genet 30：343-370, 1996.
8. Awata T et al.：Evidence for association between the class Ⅰ subset of the insulin gene ministellite (IDDM2 locus) and IDDM in the Japanese population. Diabetes46：1637-1642, 1997.
9. Pugliese A et al.：The insulin gene is transcribed in the human thymus and transcription levels correlated with allelic variation at the INS VNTR-ID DM2 susceptibility locus for type 1 diabetes. Nat Genet 15：293-297, 1997.
10. Fukushima M, et al. Insulin secretion and insulin sensitivity at different stages of glucose tolerance：a cross-sectional study of Japanese type2 diabetes. Metabolism 53：831-835, 2004.
11. Fajans SS：Scope and heterogenous nature of MODY. Diabetes Care 13：49-64, 1990.
12. 南條輝志男, 他：わが国における遺伝子異常による糖尿病の現況. 糖尿病 41 (Suppl 2) A29-31, 1994.
13. Steiner DF et al.：Lessons learned from molecular biology of insulin-gene mutations. Diabetes Care13：600-609, 1990.
14. Taylor SI：Molecular mechanisms of insulin resistance：Lessons from patients with mutations in the insulin-receptor gene. Diabetes 41：1473-1490, 1992.
15. Odawara M et al.：Prevalence and clinical characterizationof Japanese diabetes mellitus with an A-to-G mutation at nucleotide 3243 of the mitochondrial tRNA (Leu (UUR)) gene. J Clin Endocrinol Metab 80：1290-1294. 1995.
16. Frouel P et al.：Familial hyperglycemia due to mutations in glucokinase. Definition of a subtype of diabetes mellitus. N Engl J Med 328：697-702, 1993.
17. Yamagata K et al.：Mutations in the hepatocyte nuclear factor-1 α gene in maturity-onset diabetes of the young (MODY3). Nature 384：455-458, 1996.
18. Yamagata K et al.：Mutations in the hepatocyte nuclear factor-4 α gene in maturity-onset diabetes of the young (MODY1). Nature 384：459-460, 1996.
19. Stoffers DA et al.：Early-onset type-II diabetes mellitus (MODY4) linked to IPF-1. Nat Genet 17：138-139, 1997.
20. Horikawa Y et al.：Mutation in hepatocyte nuclear factor 1- β gene (TCF2) associated with maturity-onset diabetes of the young. Nat Genet 17：384-385, 1997.
21. Horikawa Y et al.：Genetic variation in the calpain 10 gene (CAPN10) is associated with type 2 diabetes in Mexican Americans. Nat Geneti 26：163-175, 2000.
22. Elchebly M, et al：Increased insulin sensitivity and obesity resistance in mice lacking the protein tyrosine phosphatase-1B gene. Science 283：1544-1548, 1999.
23. Ueki K, et al：Suppressor of cytokine signaling 1 (SOCS-1) and SOCS-3 cause insulin resistance through inhibition of tyrosine phosphorylation of insulin receptor substrate proteins by discrete mechanisms. Mol Cell Biol 24：5434-5446, 2004.
24. Aguirre V, et al：Phosphorylation of Ser307 in insulin receptor substrate-1 blocks interactions with the insulin receptor and inhibits insulin action. J Biol Chem 277：1531-1537, 2002.
25. Yu C, et al：Mechanism by which fatty acids inhibit insulin activation of insulin receptor substrate-1 (IRS-1) -associated phoshatidylinositol 3-kinase activity in muscle. J Biol Chem 277：50230-50236, 2002.
26. Terauchi Y, et al：Increased insulin sensitivity and hypoglycaemia in mice lacking the p85 alpha subunit of phosphoinositide 3-Kinase. Nat Genet 21：230-235, 1999.
27. Minokoshi Y, et al：Tissue-epecific ablation of the GLUT4 glucose transporter or the insulin receptor challenges assumptions about insulin action and

glucose homeostasis. J Biol Chem 278：33609-33612, 2003.

Ⅱ-9　膠原病

神戸大学大学院医学研究科内科学講座・リウマチセンター
塩沢俊一

はじめに

人などの生命体はアメーバの昔から周囲と拒絶・受容を繰り返して現在に至っている．私達が生き延びて種を維持するために進化の過程で獲得してきた防御機構はそれなりに確立したもので，私達の健康も病気もすべて，進化の長い時間をかけて獲得してきた私達自身の機構を基盤にしている．従って，もし先入観に依らないで見るならば，SLE も同じ機構の変調に因って発症するはずで，ここに「自己免疫疾患」という唐突な概念の入る余地はないと考える方が自然であろう．しかるに，MacKey は 1950 年代にノーベル賞受賞者 Burnet 博士の「クローン選択説」を受けて「自己免疫疾患」を提唱したのであるが，その後の研究は，このいわば空想の産物である「自己免疫性」の証明に拘泥されて著しく立ち遅れた．考えてみれば，新型ウイルスの構造が 2 週間で決定される現代に，なぜ膠原病だけが複雑かつ未解明のままであるのか，不思議であろう．

真実はヒトの観念を通してしか見通せない．その真実がもし，観念の想定外の方向にあったならば見落とされてしまうであろう．ウイルスの概念の誕生前のあの時代の野口英世博士の黄熱病原体発見の誤謬が一例である．ヒトがもし明鏡止水にあれば，真実は自ずと明らかになるというのが著者の立場である．膠原病が解けなかったのは，見る方向が違っていて見れども見えなかったのではないか．ここに示す私達の自己臨界点説 Self-organized criticality theory は，長い間病因が不明であった全身性エリテマトーデス ystemic lupus erythematosus（SLE）の発症病因を解明するもので，これに依れば，これまでの「自己免疫疾患説」の多くの問題点が克服されて膠原病の発症病因が明快に見通せる．

(1)膠原病の発症病因：自己臨界点説

自己臨界点 self-organized criticahty は制御工学の用語で，免疫システムの安定性には限界（臨界点）があって，システムが抗原（病原体）によって臨界点を超えた過剰刺激を受けると，破綻して必然的に膠原病が発症することを示す[2]．医学研究が分析的であるのに対して，制御工学（システム生物学）は，分子固有の構造や機能を直接問題にしない（分析しない）で，分子を単にシグナル（信号）とみてシグナル間相互作用のダイナミカル（動態的）な時間応答を研究する．

この見方からすると，SLE の発症病因は明快である．SLE は特定の抗原によって誘導されるのではなく，抗原は何でもよい．要は抗原が免疫システムに過重負荷を強いるような形でからだに侵入してくるか否かが問題で，CD4 T 細胞に過重負荷がかかると T 細胞受容体 Tcell receptor（TCR）が末梢組織で再度の V（D）J 遺伝子再構成を起こして，自己応答性を獲得して autoantibody-inducing CD4 T（*ai*CD4 T）細胞が生成する．すなわち，当初の抗原特異的応答が，この時点で抗原非特異的（自己応答性）となって多彩な自己抗体が産生されるに至る（図 1）．

各論Ⅱ

キイとなる *ai*CD4 T細胞を誘導する抗原は，その人のHLAクラスⅡ分子の抗原提示antigen presentation能力で決まる．また同様に，ループス腎炎などの組織傷害が生じるか否かも，CD8T細胞が過剰負荷の結果エフェクターCTL[註2)]．に最終分化できるかどうかに依存している．すなわち，HLAクラス1分子のantigen cross-presentation能力[註1)]によって決定される．要するに，SLEの発症には特定の病原体が関与するのではなく，抗原に対するその人のantigen presentationおよびantigen cross-presentation能力がその人におけるSLEの発症を左右するのである．

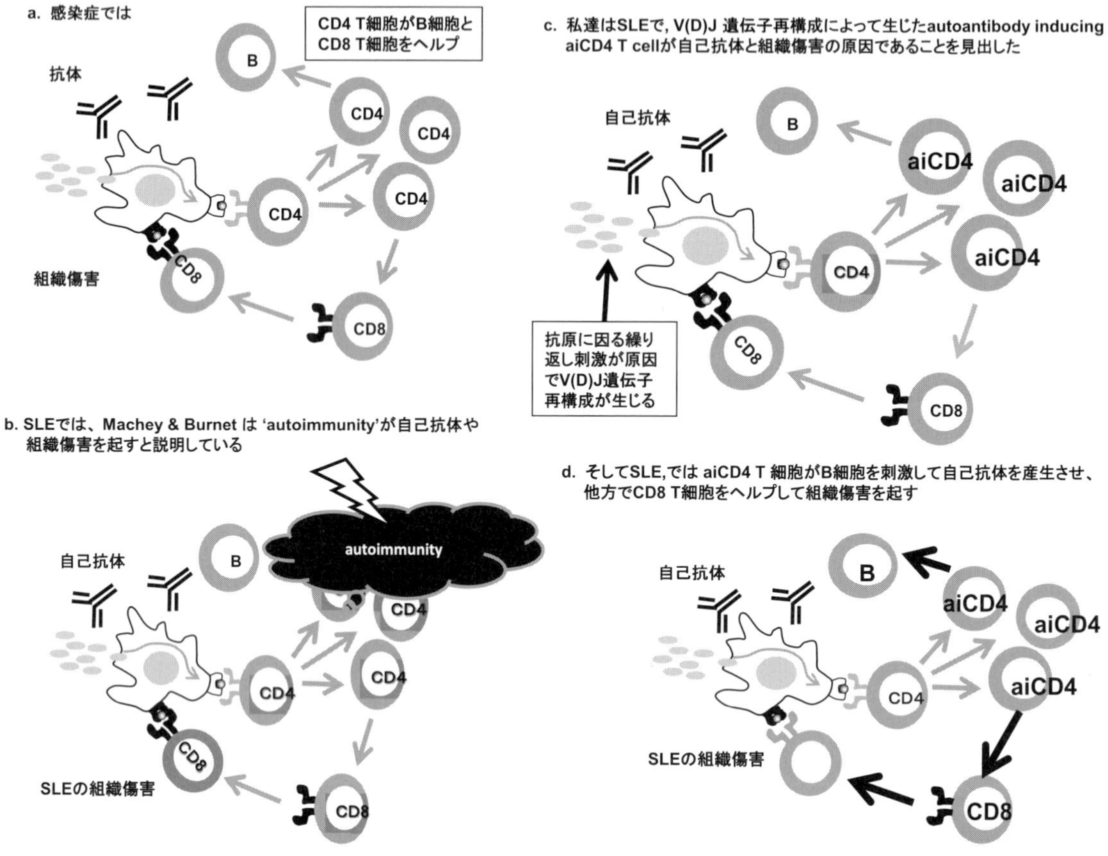

図1　自己臨界点を超える過剰刺激の結果 *ai*CD4 T細胞が生成し，これが自己抗体と組織傷害をつくる

註1：CD8 T細胞は通常HLAクラスⅠ分子上に提示された抗原ペプチドを認識して活性化される．しかしCD8 T細胞は，DCからクロスプレゼンテーションcross-presentationを介して抗原提示を受けることがある．すなわち，本来ならば，外来抗原は食胞に取り込まれた後ライソゾーム中で分解されてペプチドになりこれがHLAクラスⅡ分子上に提示されてCD4 T細胞が活性化される．これに対して，cross-presentationは，本来ならば，貪食されてライソゾームを通るべき外来抗原ペプチドが何らかの理由によって一旦細胞質を経由してHLAクラスⅠ分子上に提示される場合を指す．HLAクラスⅠ分子上に抗原提示される分子経路はまだ確定していないが，endoplasmic reticulum（ER）に入ったのちHLAクラスⅠ分子上に提示されて，この結果CD8 T細胞が活性化されると考えられる．このcross-presentationは，Zinkerngelらが提唱してノーベル賞を受賞した「抗原提示の分子機構」の基本概念に反する現象である．しかしながら最近では，実験結果が集積するにつれて，cross-presentationは決して例外的な抗原提示様式でないことが次第に認められるようになって来ている．

註2：CTLはcytotoxic T lymphocyte細胞傷害性T細胞を表す．

(2)想定される疑問に対する答え

■SLEが女性に多い理由

自己臨界点説では，CD4 TないしCD8 T細胞の能力すなわち強靭さrobustnessが発症に重要である．すなわち，ある抗原による刺激が過剰刺激となるかあるいは通常レベルの刺激となるかは，個々人のリンパ球の個性すなわち強靭さrobustnessに依存している．進化からみると，現代に生きる生命体はすべて自然淘汰の圧力を乗り越えて現在に至っている．進化的に成功し現代に生きるということは，その種が進化の圧力(自然淘汰)に抗して種の拡大に成功したということで，種の拡大は種の再生産(子供を産む)能力に依存するから，子供を産む女子の免疫力は男子のそれよりはるかにrobustである．従って，同一量の同じ抗原の負荷に対して，女子は男子より強く応答して過剰応答になりやすく，従って自己臨界点を超え(発症し)やすいと思われる．同様の理由から，細胞増殖にかかわる分子機能の遺伝的ないし機能的異常[3, 4)]もいわば体質としてSLE発症の基盤となる．

■いわゆる交差反応性の正体

膠原病では微生物抗原などとの間に交差反応性が多く指摘されている．生育途上のリンパ球は未熟であるがゆえに自己増殖力に富み従って生育の場である骨髄や胸腺で十分増殖することができて，容易に自己応答性リンパ球が輩出するが，これらは胸腺などの中枢性リンパ臓器において選別・除去されて末梢には出て来ない．

しかし，一旦成長を終えて末梢臓器に分布したリンパ球は，自ら強く増殖することをしないから，これを駆動する病原体やレトロウイルスなど内外の抗原刺激を受けてはじめて活性化される．この際の抗原刺激は，通常の場合は適度なレベルであって，こうした抗原に対する防御応答が適度に作動することによってからだは病原体から守られている．しかしながら，抗原刺激が免疫システムの臨界点を超えて過剰に働くと，からだはこれに耐え切れずリンパ球応答に変調を来すということを私達は見出した．こうした免疫系の限界に挑む類の研究は，これまでほとんどなされて来ておらず，ちょうど自動車の性能がF1レースで試されるようなもので，限界点に追い詰めてはじめてその力量が分かる場合があるに似ている．このようにして見出された変調は，過剰刺激の結果リンパ球が再びV（D）J遺伝子再構成を起こして新しい受容体を獲得して，自己応答性*ai*CD4 T細胞が生成するというものであった[2)]．

現代免疫学の教える所によれば，抗原刺激を受けて増殖したリンパ球のうち当該抗原に100%合致した受容体をもつリンパ球はnegative selectionによって除去されるから，生き残るのは当該抗原に交差反応性を示すリンパ球だけである．実際，1つの抗原刺激によって多数個のペプチドに反応するTCRをもったリンパ球が生成してくるという興味深い指摘がある[5)]．このような訳で，これまで種々の膠原病で指摘されてきた交差反応性は，実は見かけ上の交差反応であって，実際にはV（D）J遺伝子再構成をへて新たな受容体が獲得されることによって見掛け上の交差反応性が生まれるといえる．このことは，逆にみれば，膠原病でみられる交差反応性は，膠原病の発症に抗原(病原体)刺激が強く働いていることの証拠でもある．

(3)現代免疫学が教えるところの免疫応答様式

次いで，現代免疫学が教える，病原体が侵入した際の防御応答について展望する．病原体が侵入すると，最初に好中球やマクロファージなどの食細胞が作動し，病原体の共通抗原PAMPsがTLR（Toll-like receptor)等によって認識されて，第一戦の生体防御応答が生じる．病原体が第一線の防御応答系を超えてさらに侵入すると，樹状細胞dendntic cell（DC)などの抗原提示細胞から抗原提示を受けてCD4 T細胞が活性化され，活性化CD4 T細胞は強く増殖して，一方でB細胞を分化させて抗体を産生させ，他方でCD8 T細胞をエフェクターCTLに最終分化させる．そして，抗体は主として細菌を補足・不活化し，CTLはウイルス感染細胞を丸ごと殺傷・除去して，感染防御に当たる．

CD4 T細胞はしかし，こうした所定の仕事をこなした後には，大部分がアポトーシスすなわちAICD（activation-induced cell death)によって死ぬ．この際，全部が死ぬのかごく一部が残るのかは分かっていないが，少なくともヘルプ活性を発

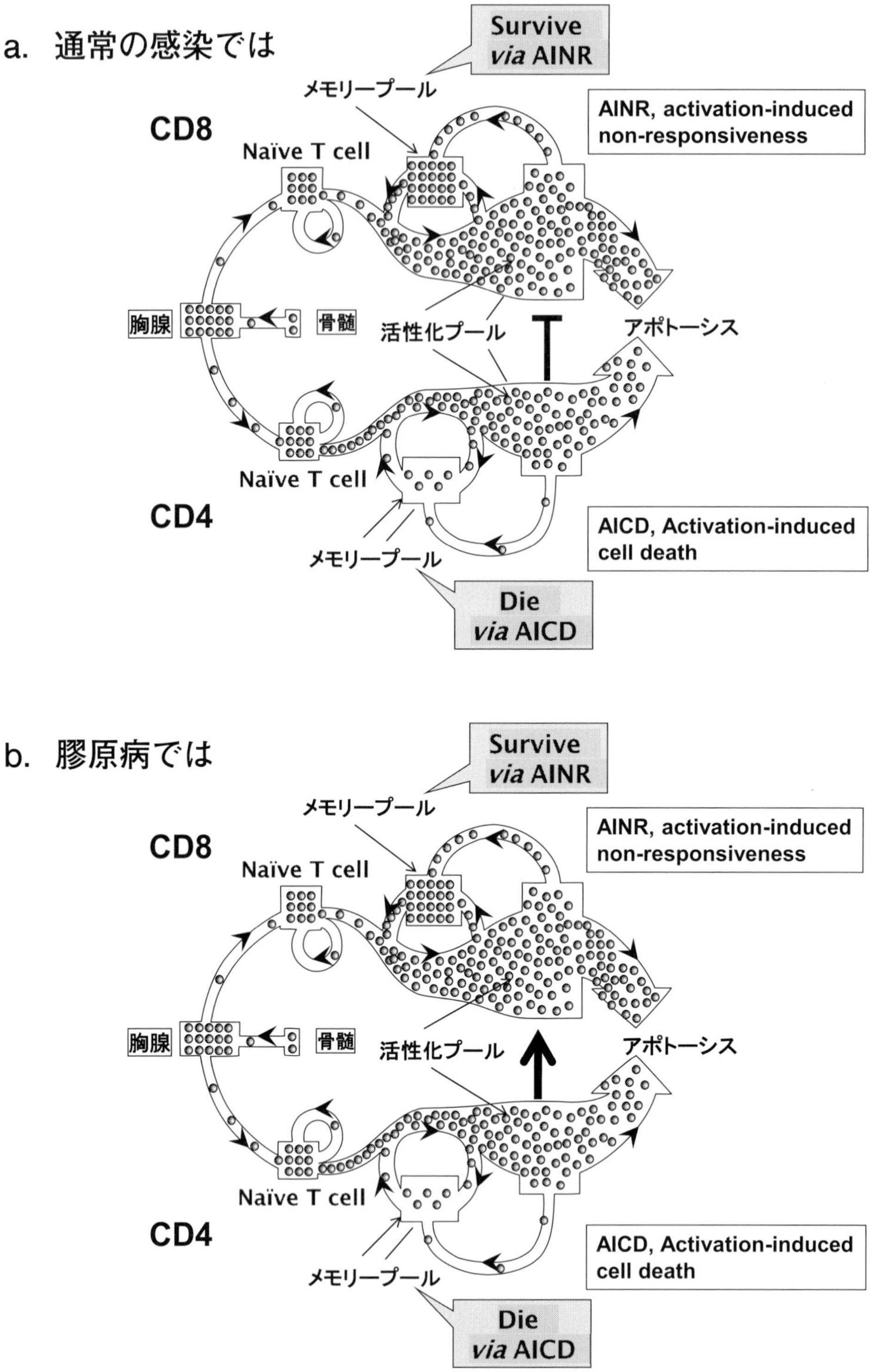

図２　a. 病原体が除去されると CD4 T 細胞は AICD により死滅し，従って CD8 T 細胞をヘルプしない
b. 病原体が除去されても CD4 T 細胞が死なないと，ヘルプを受けて CD8 T 細胞は活性を維持
（mecher MF より引用・改変，文献 6）

揮できないほど少量のCD4 T細胞しかメモリープールには残らない(図2)[6]．このことはしかし，体からみれば安全な機構であり，病原体が殲滅された後にCD4 T細胞が活性であり続けると，CD4 T細胞のヘルプの下に作動するCTLによって自身が傷害される危険がある．

この際，死すべき活性化CD4 T細胞の一部が死なないで維持されるならば，CD4 T細胞のヘルプによってCD8 T細胞が活性化され続けてエフェクター機能を獲得し，その結果自身が傷害される．他方，AICDに耐えて生き残ったCD4 T細胞は，自己応答性を獲得してリウマチ因子や抗dsDNA抗体などの自己抗体産生を指示するようになる可能性がある．このことを，以下にもう少し詳細に考察する．

a. CD8 T細胞の応答特性

ナイーブCD8 T細胞は，胸腺を出ると，IL-7, IL-15受容体を細胞上に表出して，末梢血とリンパ組織を経巡る．この段階のCD8 T細胞はエフェクター機能を持たないが，これが一旦リンパ節などで抗原と出会って増殖すると，そのクローンが拡大してエフェクター機能を獲得し，細胞傷害活性を発揮して抗原を殺傷・殲滅する．そして，抗原が除去された後には，メモリー細胞になって長期に生存する．

CD8 T細胞が最終分化を遂げてエフェクターCTLになるには，①HLAによる抗原提示，②副刺激分子を介する副刺激，および③第3刺激の3つの刺激が要る[6]．第3刺激が供給されないと，CD8 T細胞はトレランスに陥る(図2のAINR：activation-induced non-responsiveness)．トレランスに陥ったCD8 T細胞は容易には死なないが，長期間経つとその数が減り機能も低下してくる．

CD8 T細胞にエフェクター機能を獲得させる第3の刺激は，主にCD4 T細胞によって提供され，伝達分子としてinterleukin-12 (IL-12)またはinterferon α(IFNα)が機能する[註3]．第3刺激は，抗原の種類や免疫の状況が変わる毎に異なり，LCMV (lymphocytic choriomeningitis virus)感染症の場合はIFNα，臓器移植の場合はIL-12，ワクシニアウイルス感染症の場合はIL・12とIFNαの両者が第3刺激因子として機能する[6]．

第3刺激によって活性化される細胞内経路についてみると，標的細胞を融解させるグランザイムB，細胞表面のFasリガンド，細胞内STAT4 (signal transducer and activator of transcription 4)等が活性化される．すなわち，第3刺激の結果，標的細胞融解作用[7, 8]，自身のアポトーシス[7]，そしてSTAT4を介するIFNγ産生[9]などの機能，すなわち成熟したCD8 T細胞としての機能(細胞傷害性T細胞活性)が新たに獲得される．

CD8 T細胞は3つの刺激を受けると強く増殖して数日以内に7～8回の細胞分裂を経て，その後アネルギーに陥る．この状態をMescherらはAINR[10]とよび，OmenとGermainはsplit anergy[11]と呼んだ．その理由は，CD8 T細胞はここで十分量のIL-2が供給されると，AINRから回復して再び自身でIL-2を産生しながら分裂できるようになるからである[註4]．すなわち，CD4 T細胞からIL-2等のヘルプが提供されるか否かが，CD8 T細胞がトレランスのままになるか，あるいは再活性化されてエフェクターT細胞機能を獲得出来るかの分かれ目となる[註5]．この際，Bevanらはメモリー CD8 T細胞の数の維持には，

註3：第3の刺激は，LPS (lipopolysaccharide)，complete Freund's adjuvant (CFA)あるいはpoly I：Cなどのいわゆるアジュバントによっても提供される．アジュバントは細胞接触などを通じて樹状細胞dendritic cell (DC)からIL-12やIFNαなどを産生させることが出来る．サイトカインの中で第3刺激として機能する分子はIL-12とIFNαに限られていて，L-1, IL-2, IL-4.IL-7, IL-15, IL-18, TNFα，FNγ等にはその機能がない．

註4：すなわち，CD8 T細胞は，ある段階に達すると自身が産生したL-2によってオートタリンautocrineに活性化されて自立機能を獲得する[16, 18]．このAINRからのリカバリーにおいて，CD4 T細胞が産生するIL-2が非常に重要と考えられている[6]．

註5：このCD8 T細胞のAINRからの離脱には，必ずしもCD4 T細胞だけでなく，抗原提示段階における微妙な調節，すなわちOX40 (CD134)，4-IBB (CD137)など防御応答の初期において作動して抗原処理に当たる分子群も寄与している[19, 20, 21, 22]．

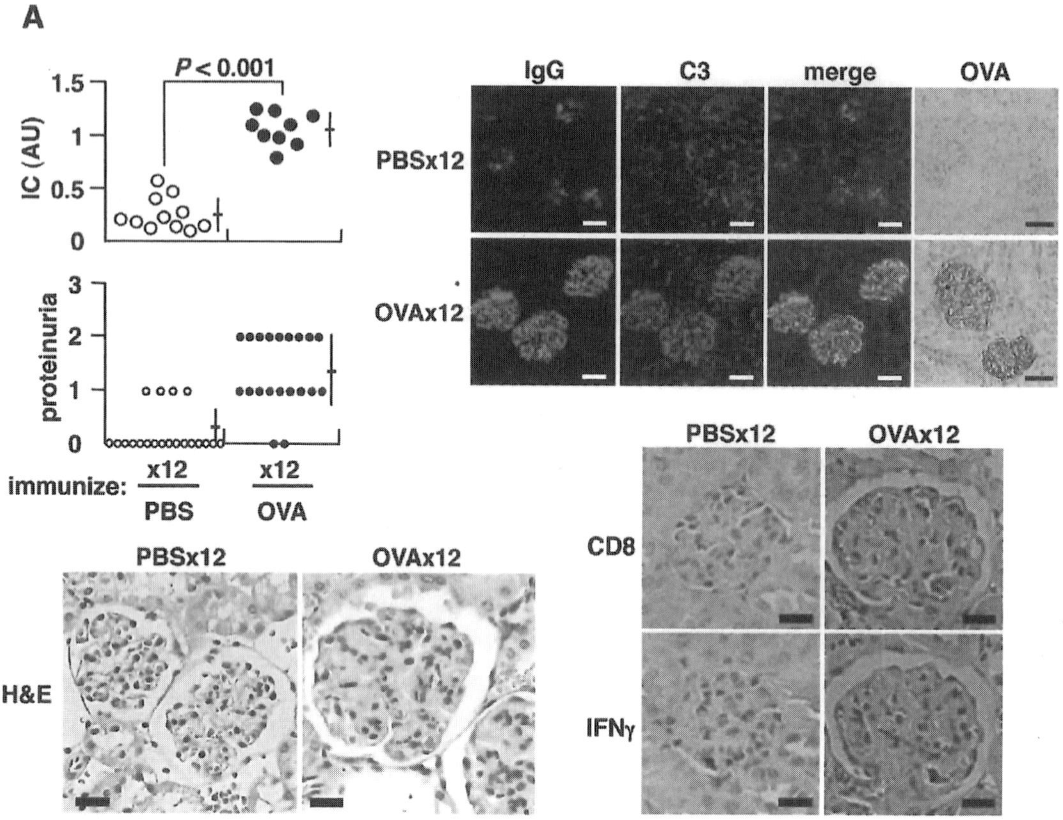

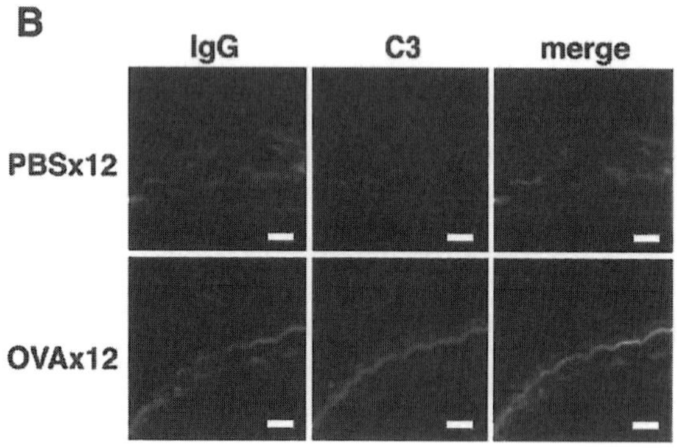

図３
抗原(OVA)によるくり返し刺激の結果，A. 蛋白尿(左上)，免疫複合体沈着を伴う腎障害(右上，左下)が生じ，腎糸球体にはIFN γ 産生性CD8T細胞すなわちエフェクターCTLが浸潤する．B. 皮膚のループスバンドテスト，すなわち，上皮基底膜に免疫複合体が沈着している．

CD4 T細胞の存在が必須であると考えている[12]．もし十分量のIL-2が供給されないなど，抗原が存在するにもかかわらずCD8 T細胞がAINR状態から脱却できない場合には，CD8 T細胞はそのままAINRの状態に止まり，やがて長い時間の経過をへてCD8 T細胞の数が減少してゆく．こうした現象は慢性ウイルス感染症の場合にみられる[13, 14, 15]．

b．CD4 T 細胞の応答特性

CD4 T細胞は，CD8 T細胞と大きく異なる．すなわち，CD4 T細胞は強く活性化されると細胞のほぼ全てがAICD機構によって死滅し，CD8 T細胞の場合のように死なないでアネルギ

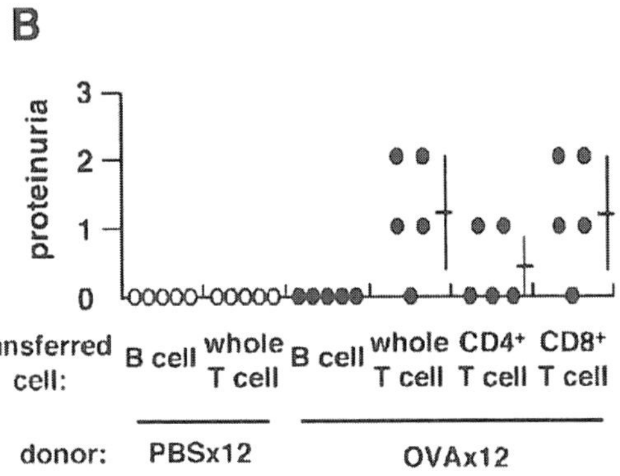

図4
CD8 T細胞の移入によってナイーブマウスに腎障害（蛋白尿）が誘導される．

一状態のまま維持されて生き残ることはない．また，CD4 T細胞は活性化されると，リンパ節を離れて末梢に出て行くが，そこで抗原と再び出会ったら，強く活性化されてAICDによって末梢組織において死滅する．この際，死ぬまでの短期間の活性化時期において，CD4 T細胞はIL-2を産生し，このようにしてCD4 T細胞から産生されたIL-2が末梢組織においてCD8 T細胞をAINRから離脱させるのである．このことは，IL-2が存在していること，および活性化CD4 T細胞が死滅することによって一旦増加したIL-2が減少するということ，の両方がCD8 T細胞の活性化には重要であり[6]，IL-2は必要なのであるが反対にIL-2が常に高値を維持したままであると却ってCD8 T細胞のエフェクター細胞への分化が阻止されるというのである[16, 17]．この理屈は一見矛盾にみえるが，病原体を処理している現場では両者が同時にバランスを取って進行しているのであり，現場からみればそう不合理ではないと思われる．

重要であるのは，CD4 T細胞はCD8 T細胞と違って，強く活性化されると大部分がAICDによって死滅するという点である．この死すべきCD4 T細胞の少なくとも一部がAICDという過酷なバリアを超えて生き残ると，生き残ったCD4 T細胞が常にCD8 T細胞をヘルプすることになって最終的に自己免疫疾患が発症すると私達は考えている．

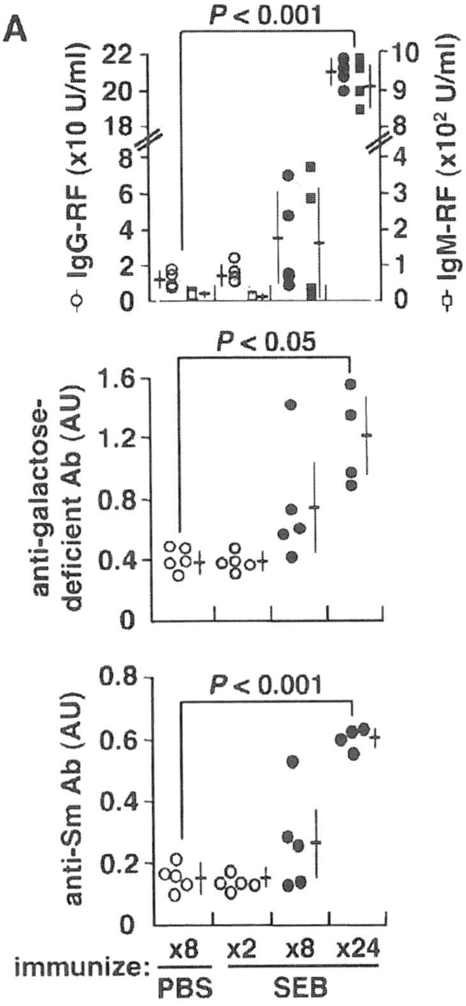

図5
SEB（Staphylococcus enterotoxin B）をくり返し免疫するとすべてのマウスに自己抗体が誘導される．

(3) 自己臨界点説の証明

a. CD8 T細胞の応答特性：エフェクターCD8 T細胞が免疫性組織傷害を起こす

積山賢と私達は，自己免疫の素因のないマウス（Balb/cマウス）をOVA等の抗原でくり返し（12回程度）免疫すると，抗dsDNA抗体，抗Sm抗体，リウマトイド因子などの自己抗体は元より，蛋白尿，血中免疫複合体および膜性増殖性糸球体腎炎などSLEと同じ組織傷害（図3A），皮膚にはSLEに特有とされるループスバンドテスト（図

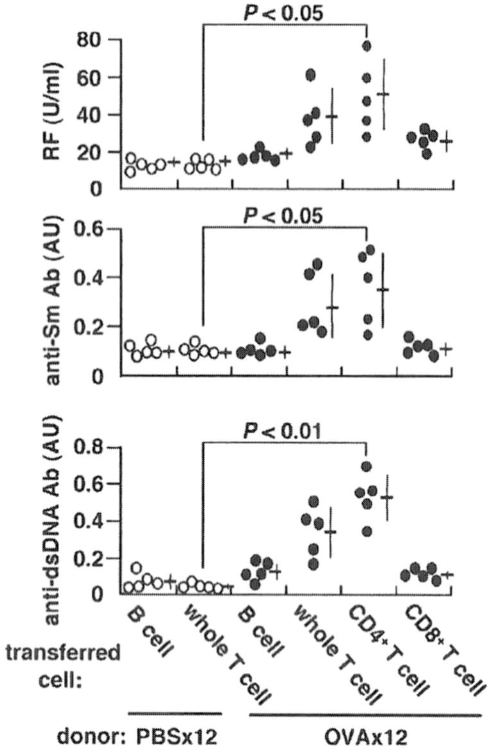

図6
OVA（ovalbumin）で12回免疫したマウスのCD4 T細胞をナイーブマウスに移入するとナイーブマウスにあらゆる自己抗体が誘導される．

3B），その他全身性臓器障害が認められるようになる．傷害はIFN γ 産生性effector memory CD8 T細胞すなわちエフェクターCTLによって生じ，この組織傷害はCD8 T細胞の移入によってナイーブマウスに再現される（図4）．すなわち，HLAクラスⅠ拘束性エフェクターCTL生成が免疫性組織傷害を惹起することが分かる．この際，CD8 T細胞のエフェクターへの最終分化は，クロスプレゼンテーションがキーとなることが，cross-presentation阻害剤のクロロキンを用いるなどして示された[2]．

それでは，抗原がcross-presentationされさえすれば常に組織傷害が生じるかといえば，そうではなくて，CTLへの最終分化には自己応答性*ai*CD4 T細胞のヘルプが要ることが，①実験的に抗CD4抗体処理してCD4 T細胞を除去すると組織傷害が生成しないことから示されるが，さらに，②ヘルプを担当するのが*ai*CD4 T細胞であって，これがCD8 T細胞をエフェクターCTLまで最終分化させることが分かった[2]．

b. CD4 T細胞の応答特性：自己臨界点を超えると*ai*CD4 T細胞になる

上述の自己応答性*ai*CD4 T細胞は以下の性質をもつ．すなわち，抗原によるくり返し刺激を受けるとCD4 T細胞は一旦陥ったアネルギーから回復し，この際マウスには100%の確率であらゆる自己抗体（抗Sm抗体，抗dsDNA抗体，リウマチ因子，ガラクトース欠損IgG反応性リウマチ因子）が産生されてくるようになる（図5）．自己抗体産生には抗原がHLA上で正しく認識される必要があることから，CD4 T細胞応答がHLAの個性に左右されることが分かる．繰り返し免疫されたマウスはあらゆる自己抗体を産生するのみならず，そのCD4 T細胞をナイーブマウスに移入すると100%の確率で移入先のマウスであらゆる自己抗体が産生されてくる（図6）．

このことは，自己抗体が「自己免疫機序」に因って生じるのではなく，通常の抗原刺激によって生じることを示している．その抗原刺激とは，そのヒトのCD4 T細胞の自己臨界点を超えるレベルの刺激をいうのであり，自己臨界点を超える刺激でさえあればあらゆる抗原が自己抗体を誘導できるといえる．

こうして自己抗体を産生するようになったマウス脾臓のCD4 T細胞を調べると，そのT細胞受容体にV（D）J遺伝子再構成が生じていた．このCD4 T細胞を移入されたナイーブマウスが100%の確率で自己抗体を産生するようになるのであるから，すなわち過剰の抗原刺激の結果生じたV（D）J遺伝子再構成によって*ai*CD4 T細胞が生成したことが分かる．すなわち，これまで自己応答性T細胞が抗原との交差反応によって生じると考えられていたのが実は間違いで，現実には自己応答性は遺伝子再構成によって新たな自己応答性TCRが生成することによって獲得されることが証明された．もし，遺伝子再構成が末梢組織で頻繁に生じると，せっかく自己応答性リンパ球が除去された形で完成した免疫システムにおいて再び自己応答性クローンが生じて大変危険であるが，それでも，CD4 T 細胞に自己臨界点を超える刺激が加わると，本来生じてはならない *ai*CD4 T 細胞が誘導されて最終的に自己抗体が現実には生成されるようになる．

おわりに：自己臨界点説の普遍性について

抗原の繰り返し刺激が毎常起こり得る現象であるのか否かという疑問が生じる．答えの一例は麻疹ウイルス感染症にみられる．麻疹はウイルスが第一回目に感染した場合に生じるのであって，第二回目以降は麻疹の症状を示さない．示さないのは麻疹に対する CTL が一回目の感染が消費されてしまって全てがメモリー T 細胞となっているからである．しかし，私達が常に麻疹ウイルスに曝されていることは，わが国で麻疹ワクチンを接種しなかった世代に急速に麻疹が拡大した一事をもってしてもよく分かる．抗原の繰り返し感作は決してまれな事象ではない．そして，この際の繰り返し刺激の原因となる抗原は，HLA が異なれば個々人で異なるが，一旦その人にとって，その人の免疫システムの自己臨界点を超える抗原が繰り返して体に侵入するならば 100%の確率で膠原病になると結論される．

自己臨界点説は，これまで信じられてきた自己免疫疾患という概念に対する実験的に明確な形での反証である．Burnet 博士による抗体応答の多様性に関するクローン選択説の輝かしい業績に便乗する形で，Mackey 博士が，それも Burnet 博士の承認をうけて又は共著の形で「自己免疫疾患」という概念を提唱した．Burnet 博士の理論によれば，自己応答性クローンは禁止されて除去されているのであるから，そこに存在する自己応答性は必然的に自己免疫疾患ということになる．しかし，Burnet 博士の免疫理論の中核はいまだ燦然と輝いておりこの点著者も大いに尊敬しているが，自己応答性クローンが真に除去されているかについては，現代免疫学はこれを否定している．むしろ，ある程度の自己応答性があってこそ，外来抗原に対する健全な応答が可能となるというのが現代の考え方である．こうした矛盾を孕む「自己免疫疾患説」にくらべて，私達の「自己臨界点説」は，「自己免疫性」を前提としないで，膠原病発症機構の根幹すなわち SLE の発症を解明している点に特徴がある．SLE の発症病因が確立されたら，他のいわゆる自己免疫疾患の病因も，自己免疫疾患の呪縛から解放されて，近い内に解明されると思われる．その際，まず問われねばならないのは，関節リウマチ rheumatoid arthritis（RA）など他の膠原病が *ai*CD4 T 細胞生成を要する病態であるか否かという疑問である．*ai*CD4 T 細胞生成を要するということは，病原体に対する通常の炎症応答を超えた病態が進行していることを示す．RA など他の膠原病においては SLE と違って多彩な自己抗体がみられないことから，*ai*CD4 T 細胞生成を要さない病態であるように私には思えるが，いずれにせよ実験的検証が必要であると思う．

参考文献

1. 塩沢俊一著，膠原病院第 4 版，丸善株式会社，2010 LIAR -4. fllfjfl 4 t. 1 4* LL. 2010.
2. Tsumiyama K, Miyazaki Y, Shiozawa S. Self-organized criticality theory of autoimmunity. PLoS ONE 4（12）: e8382, 2009.
3. Miyamoto A, Nakayama K, Imaki H, Hirose S, Jiang Y, Abe M, Tsukiyama T, Nagahama H, Ohno S, Hatakeyama S, Nakayama KI. Increased proliferation of B cells and auto-immunity in mice lacking protein kinase Cdelta. Nature 416 : 865-869, 2002.
4. Sawalha AH, Jeffries M, Webb R, Lu Q, Gorelik G, Ray D, Osban J, Knowlton N, Johnson K, Richardson B. Defective T-cell ERK signaling induces interferon-regulated gene expression and overexpression of me thylation sensitive genes similar to lupus patients. Genes Immun 9 : 368-378, 2008.
5. Wang B, Primeau TM, Myers N, Rohrs HW Gross ML, Lybarger L, Hansen TI-I, Connolly JM. A single peptide-MHC complex positively selects a diverse and specific CD8 T cell repertoire.Science 326 : 871, 2009.
6. Mescher MF, Curtsinger JM, Agarwal P, Casey KA, Gerner M, flammerbeck CD, Popescu F, Xiao Z. Signals required for programming effector and memory development by CD8 + T cells. Immunol Rev 211 : 81, 2006.
7. Curtsinger JM, Valenzuela JO, Agarwal P, Lins D, Mescher ME Type I IFNs provide a third signal to CD8 T cells to stimulate clonal expansion and differentiation. J hnmunol 174 : 4465, 2005.
8. Curtsinger JM, Lins DC, Johnson CM, Mescher ME Signal 3 tolerant CD8 T cells degranulate in response to antigen but lack granzyme B to mediate cytolysis. J Immunol 175 : 4392, 2005.

9. Nguyen KB, Watford WT, Salomon R, Hofmann SR, Pien GC, Morinobu A, Gadina M, O'Shea JJ, Biron CA, Critical role for STAT4 activation by type 1 interferon in the interferon-gamma response to viral infection. Science 297：2063, 2002.
10. Tham EL, Mescher ME Signaling alterations in activation-induced nonresponsive CD8 T cells. Immunol 167：2040, 2001.
11. Otten GR, Germain RN. Split anergy in a CD8 + T cell：receptor-dependent cytolysis in the absence of interleukin-2 production. Science 251：1228, 1991.
12. Bevan MJ. Helping the CD8（＋）T-cell response. Nat Rev Immunol 4：595, 2004.
13. Wherry EJ, Barber DL, Kaech SM, Blattman JN, Ahmed R. Antigen-independent memory CD8 T cells do not develop during chronic viral infection. Proc Natl Acad Sci USA 101：16004, 2004.
14. Welsh RM. Assessing CD8 T cell number and dysfunction in the presence of antigen. J Exp Med 193：19F-22, 2001.
15. Wherry EJ, Blattman JN, Murali-Krishna K, van der Most R, Ahmed R. Viral persistence alters CD8 T-cell immunodominance and tissue distribution and results in distinct stages of functional impairment. J Virol 77：4911, 2003.
16. Shrikant P, Mescher ME Opposing effects of IL-2 in tumor immunotherapy：promoting CD8 T cell growth and inducing apoptosis. J Immunol 169：1753, 2002.
17. Lenardo M, Chan KM, Hornung F, McFarland H, Siegel R, Wang J, Zheng L. Mature T lymphocyte apoptosis-immune regulation in a dynamic and unpredictable antigenic environment. Ann Rev Immunol 17：221, 1999.
18. Kaech SM, Hemby S, Kersh E, Ahmed R. Molecular and functional profiling of memory CD8 T cell differentiation. Cell 111：837, 2002.
19. Croft M. Co-stimulatory members of the TNFR family：keys to effective T-cell immunity? Nat Rev Immunol 3：609, 2004.
20. Watts TH. TNF/TNFR family members in costimulation of T cell responses. Annu Rev Immunol 23：23, 2004.
21. Bansal-Pakala P, Halteman BS, Cheng MH, Croft M. Costimulation of CD8 T cell responses by OX40. J Immunol 172：4821, 2004.
22. Bertram EM, Lau P, Watts TH. Temporal segregation of 4.1BB versus CD28-mediated costimulation：4-1BB ligand influences T cell numbers late in the primary response and regulates the size of the T cell memory response following influenza infection. J Immunol 168：3777, 2002.

Ⅱ-10　腎疾患

金沢大学医薬保健研究域医学系血液情報統御学　教授
和田隆志
金沢大学附属病院血液浄化療法部　准教授
古市賢吾

1. はじめに

現在，末期腎不全による透析患者は国内外で増加の一途を辿っている．実際，日本透析医学会（http://www.jsdt.or.jp）から発表された慢性透析療法の現況では2009年末のわが国の透析人口は約29万人であり，前年度に比して約8000名の増加がみられる[1]．透析症例数は人口比では世界最大であり，世界の透析症例の約1/7は日本人である．このうち糖尿病性腎症が1998年から原疾患の第1位となり44.5%を占める．さらに透析導入症例の平均年齢は67.3歳であり，透析人口全体の平均年齢は65.8歳と年々高齢化している．したがって生活習慣の改善から長期にわたる腎保護戦略の構築は重要な課題である．このため総合的に腎臓病の進展を予防あるいは抑制する腎保護（renoprotection）は医学的・社会的・医療経済的・施策的に重要な意味を持つ（厚生労働省ホームページ http://www.mhlw.go.jp）．本稿では腎臓病の発症・進展機序ならびに腎保護に重要な生活習慣病をとりあげ，疫学，社会背景とその予防／治療について考察する．

2. 慢性腎臓病（chronic kidney disease, CKD）とは？

透析医療が必要となる末期腎不全例が世界的に増加していること，これに関連する医療費が増えていること，また腎臓病は心血管系疾患の強い危険因子であり全身疾患との関連が強いことを背景に，腎臓病の早期発見・治療にむけた対策として2002年に米国でCKDという概念が提唱された．これは従来の狭義の腎疾患だけではなく，さらに広い病態あるいは症候を含む概念である[2, 3]．慢性腎臓病とは，①蛋白尿など腎臓の障害を示す所見，②腎機能低下（糸球体濾過量（GFR）＜ 60 ml/min/1.73 m^2）のいずれか，または両方が3ヶ月以上続く状態と定義されている[1]．CKDは推算GFRによりステージ分類がされている．すなわち，ステージ1（GFR ≧ 90），ステージ2（GFR 60-89），ステージ3（GFR 30-59），ステージ4（GFR 15-29），ステージ5（GFR ＜ 15）である．このうち，進行性の臨床経過をとることが予想される症例，すなわち蛋白尿を認める，もしくはGFR50未満例は591万人（5.7%）にのぼると考えられている．加えて，CKDは末期腎不全の予備軍としてだけではなく，糖尿病・高血圧と並ぶ心血管病変の危険因子であると位置付けられるようになってきた．茨城県の調査結果では，蛋白尿陽性かつ腎機能低下例（GFR<60ml/min/1.73 m^2）における心血管病死のリスクは男性で2.7倍，女性で5.0倍以上となる[4]．したがって，早期からのCKDへの総合的な対策は，末期腎不全への進展を抑制し，新規透析導入例を減少させるだけではなく，心血管病変の発症予防，ひいては生命予後の改善につながる可能性がある．

各論Ⅱ

3. 腎障害進展機序

腎臓病の発症・進展を考える際，病因に比較的特異的に関与する機序と病因を問わない共通進展機序がある．表１に腎臓病の主要な進展因子を列挙する[3, 5]．このうち糸球体において病因を問わない共通進展機序のうち，代表的な病態が糸球体過剰濾過／糸球体高血圧である．進行性の腎臓病疾患においては障害された糸球体と正常な機能を有する糸球体が混在する．後者の糸球体では代償的に肥大し濾過面積を増加させ輸入細動脈は拡張する．この状態では通常は糸球体内圧を一定に保つ自動調節機構は破綻している．そのため糸球体内圧は全身の血圧に依存して上昇するとともに(糸球体高血圧，glomerular hypertension)，糸球体濾過が増加する(hyperfiltration)．このため圧／進展刺激等により糸球体固有細胞であるメサンギウム細胞や内皮細胞による形質転換，各種サイトカイン・増殖因子・ケモカイン産生，血管作動性因子放出がみられる．その結果，最終的に細胞外基質産生が増加し糸球体硬化が促進される．

表１　腎臓病の進展因子
（文献3,5より改変引用）

原疾患の活動性
共通危険因子
高血圧
蛋白尿（1g/日以上）
尿路閉塞/逆流/感染症
鎮痛剤
ネフロン数減少（先天的，後天的）
出生時低体重
糸球体高血圧促進因子
高タンパク食
糖尿病
妊娠
過剰なアンジオテンシンⅡ
過剰なアルドステロン
高ホモシスチン血症
高インスリン血症
高リン血症
脂質異常症
慢性貧血
喫煙
肥満
凝固異常
非ステロイド系鎮痛剤使用
性差

一旦，この糸球体硬化の増幅機序が生じると残存糸球体の糸球体高血圧／過剰濾過がさらに亢進する．この糸球体硬化から生じる機能的ネフロン数の低下，交感神経亢進，体液量増加からさらに全身の高血圧が増悪することになる．その結果，糸球体高血圧がさらに増悪し糸球体硬化が促進されるという経過を辿る．本態性高血圧症例のネフロン数は正常血圧者と比較し，糸球体数が少なく，糸球体体積が大きく，細動脈硬化症がより顕著であると報告されている[6]．これは本態性高血圧症例の少なくとも一部ではネフロン数が生来少ないという仮説を支持するとともに潜在的に腎障害進展機序がすでに存在する可能性を示している．

一方，尿細管・間質障害は糸球体病変に比し，腎疾患の予後規定因子として重要と考えられている．尿細管・間質障害の機序として，病変の主座が尿細管・間質にある一次性と糸球体硬化や血管障害に伴って障害される二次性がある．いずれも組織学的に尿細管萎縮，炎症細胞浸潤や間質線維化がみられる．このうち糸球体障害に関連した機序として蛋白尿ならびに蛋白尿とともに排泄されるサイトカイン・増殖因子・補体成分・脂質が注目されている．これらが尿細管上皮細胞に作用し，サイトカイン・ケモカイン・増殖因子が間質内に産生・放出される．このため間質に炎症細胞浸潤とその活性化が生じ炎症が惹起される．さらに，虚血や低酸素状態によりこの病態は一層進展する．その結果，最終的に間質線維化が生じることにより腎機能低下に至ると推測されている．

このように糸球体障害，尿細管・間質障害，血管障害は互いに密接に関連して腎障害進展に関与し最終的に腎死(末期腎不全)に至る．

4. 生活習慣病と腎保護

表２に腎保護を目指した治療(介入)とその目標を臨床研究の評価とともに示す[3, 7]．以下に慢性腎臓病の予防ならびに腎保護を目指した代表的な生活習慣改善の各論を述べる．

表2　腎臓病の集約的治療
（文献 3,7 より改変引用）

- CKD 患者の診療は，かかりつけ医と腎臓専門医の連携を通じて集学的に行う．
- CKD の治療にあたっては，まず第一に生活習慣の改善（禁煙，減塩，肥満の改善など）を行う．
- 血圧の管理目標は 130/80mmHg 未満であり，緩徐に降圧することを原則にする．
- LDL コレステロールを 120mg/dL 未満に管理する．
- 腎排泄性の薬剤は腎機能に応じて減量や投与間隔の延長を行う必要がある．
- NSAIDs，造影剤，脱水などは，腎機能低下のリスクである．

A）高血圧コントロールと食塩摂取

a）血圧と腎

腎臓障害と高血圧との関連は非常に深い．腎臓は高血圧の臓器障害の標的臓器の代表であり，かつ腎障害は高血圧の原因となる．したがって高血圧と腎保護において，高血圧に伴う直接の腎障害である腎硬化症（良性，悪性）とすでに存在する腎疾患や妊娠腎に対する高血圧の影響の両者を考える必要がある．

末期腎不全の原因疾患として高血圧による良性腎硬化症は，もっとも新しい統計で新規透析導入者の 10.7%，全透析症例では 7.1%を占める[1]．本邦で 2009 年に作成された高血圧治療ガイドライン JSH2009 では至適血圧（収縮期血圧 <120 かつ拡張期血圧 <80mmHg），正常血圧（収縮期血圧 <130 かつ拡張期血圧 <85mmHg），正常高値血圧（収縮期血圧 130-139 または拡張期血圧 85 ～ 89mmHg），I 度高血圧（収縮期血圧 140 ～ 159 または拡張期血圧 90 ～ 99mmHg），II 度高血圧（収縮期血圧 160 ～ 179 または拡張期血圧 100 ～ 109mmHg），III 度高血圧（収縮期血圧 ≧ 180 または拡張期血圧 ≧ 110mmHg），収縮期高血圧（収縮期血圧≧ 140 かつ拡張期血圧 <90mmHg）に分類している[8]（http://www.jpnsh.org）．この分類により日本人における血圧コントロールと腎保護を長期に渡り観察したところ，男女とも血圧コントロールが末期腎不全への重要な危険因子であり，正常血圧の範囲内であることが重要であった[9]（図 1）．同様に MRFIT 試験[10]はじめ多くの研究で腎不全の予後における血圧コントロールの重要性が示されている．一方，悪性腎硬化症は血圧が 230/130mmHg 以上に急速に上昇する加速型高血圧—悪性高血圧の経過中に生じる．病理学的に輸入細動脈に代表される細動脈にフィブリノイド壊死が生じることが特徴である．小葉間動脈には層状，同心円状の線維性増殖病変により内膜が著明に肥厚したタマネギ殻様病変 onion skin appearance がみられる．糸球体では虚血性変化が主体となる．この高血圧による腎障害を最小限にするためには治療上急速な降圧が必要である．しかしながら急速に正常域まで下げる必要はなく，特に最初の 24 時間の降圧

図1　血圧コントロールと腎予後
（文献 9 より引用）

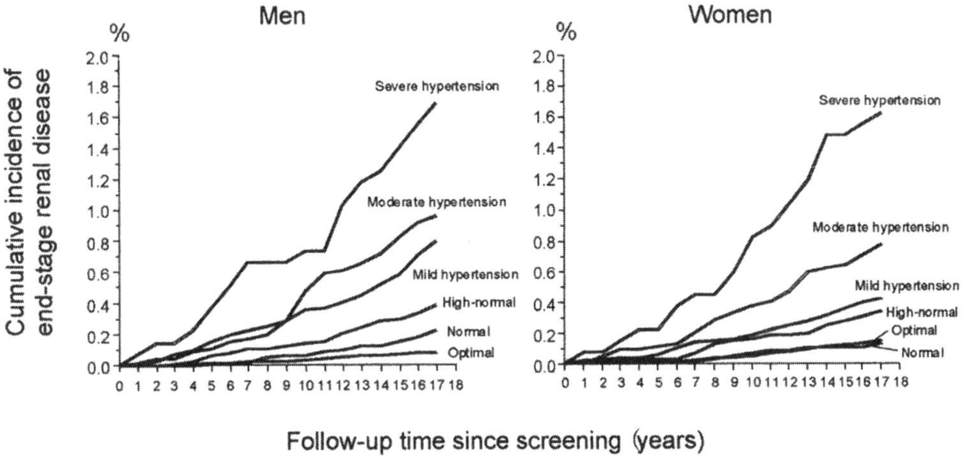

は拡張期血圧100～110mmHgまでにとどめることが重要である[8]．

b)生活習慣の改善

生活習慣においては食塩制限が重要である．食塩制限は保存期腎不全においては6g/日以下とし，CKDステージ3～5では3g/日以下はさけることが望ましい[2]．腎臓病合併例では食塩感受性が亢進し，24時間血圧をモニターすると夜間に降圧がみられないnon-dipper型を呈していることが多い．食塩制限により降圧が図られる他，降圧薬(アンジオテンシン変換酵素阻害薬やカルシウム拮抗薬)の抗蛋白尿効果が促進される．また運動・日常生活の目安は日本腎臓学会(http://www.jsn.or.jp)による腎疾患の生活指導・食事療法に詳細に記載されている[11]．

c)高血圧治療とその目標値

降圧目標値については，130/80mmHg未満とし，蛋白尿が1g/日以上の症例では忍容性があれば125/75mmHg未満を目標とすることが示されている[3，8]．その根拠となるMRFIT試験では末期腎不全への相対的危険は収縮期血圧131mmHg以上，拡張期血圧86mmHg以上でそれ以下の血圧に比し約2倍となることが示されている．さらにZecchelliらの報告[12]によると腎障害の進行は平均血圧100mmHg（130/85mmHg）未満で著明に抑制されている．加えてMDRD試験では，蛋白尿1g/日以上の症例においては忍容性があれば平均血圧92mmHg（125/75mmHg）未満を目標とすべきであることから上記の血圧目標値が設定されている[13]．実際，蛋白尿が1g/日以下では糸球体濾過率(GFR)が3～4mL/min/year，3g/日以上の症例では7～14mL/min/yearの率で低下する．降圧による腎機能低下抑制効果は高度の蛋白尿を有する例でより顕著であり，目標血圧を維持することによりGFR低下率を13mL/min/yearから7mL/min/yearへと改善したと報告されている[13]．

d)降圧薬とその選択

全身血圧のコントロールとともにレニン・アンジオテンシン系阻害による糸球体高血圧の是正が腎障害進展阻止に重要である．アンジオテンシン変換酵素阻害薬，アンジオテンシンⅡ受容体拮抗薬等により糖尿病性腎症や非糖尿病性腎障害の腎保護作用が示されている．アンジオテンシン変換酵素阻害薬，アンジオテンシンⅡ受容体拮抗薬のいずれも蛋白尿を減少させ腎保護作用を発揮する．この機序として，糸球体高血圧／糸球体過剰濾過の改善に加えてメサンギウム細胞増殖抑制や細胞外基質増生抑制効果が推測されている．ただし動脈硬化が進展し両側腎動脈狭窄を呈している例では，急速な腎機能低下がみられることもあり注意が必要である．

一方，カルシウム拮抗薬は腎機能に悪影響なく腎障害例に使用できる．カルシウム拮抗薬は一部を除いて輸入細動脈優位に血管拡張をきたす．そのため糸球体内圧を上昇させることも懸念させるが，実際は全身血圧をさげることにより糸球体内圧を下げる．最近では，全身血圧に加え，糸球体高血圧も改善させるカルシウム拮抗薬のレニン・アンジオテンシン系阻害薬との併用による抗蛋白尿効果が示されている[14]．なお利尿薬は体液貯留傾向のある時は不可欠である．降圧効果はサイアザイド系利尿薬がもっとも強いが，血清クレアチニンが2.0mg/dl以上の腎障害時にはループ利尿薬を用いる．

B)糖尿病性腎症

a)糖尿病性腎症病期分類

糖尿病性腎症による透析導入は増加の一途である．この背景には，糖尿病自体が増加していること，1型糖尿病に比べて，2型糖尿病は医療機関受診率が低いこと，本邦を含むアジア人ではCoucasianに比べて微量アルブミン尿，顕性蛋白尿の頻度が高いことが示されているなどに起因する．実際，平成20年12月に発表された国民健康・栄養調査では，糖尿病が強く疑われる890万人，糖尿病の可能性を否定できない1320万人とあわせ2210万人と報告されている．ちなみに平成14年糖尿病実態調査では，糖尿病が強く疑われる740万人と糖尿病の可能性を否定できない人との合計1620万人と報告されている．さらに，微量アルブミン尿で診断される早期腎症は全体の32%，腎症の76%を占めている．なお，第3期である顕性蛋白尿は7%，第4期の腎不全期は2.6%，第5期の透析療法期は0.4%と計42%が腎症がみられるとされ，第1期の正常アルブミン尿

表３　糖尿病性腎症の病期分類と生活指導
（文献16より改変引用）

病期	検査値 GFR 尿蛋白	生活一般	食事 総エネルギー Kcal/kg/ 日	蛋白質 G/kg 体重 / 日	食塩相当量 g/ 日	カリウム g/ 日	治療，食事，生活のポイント
第１期 （腎症前期）	正常ー高値 陰性	普通生活	25-30	1.0-1.2	制限せず注１	制限せず	糖尿病食を基本とし，血糖コントロールに勤める．蛋白質の過剰摂取は好ましくない．
第２期 （早期腎症期）	正常ー高値 微量アルブミン尿	普通生活	25-30	0.8-1.0	制限せず注１	制限せず	糖尿病食を基本とし，厳格な血糖コントロールに勤める．降圧治療．蛋白質の過剰摂取は好ましくない
第３期Ａ （顕性腎症前期）	60ml/ 分以上 蛋白尿 1g/ 日未満	普通生活	25-30	0.8-1.0	7-8	制限せず	厳格な血糖コントロール．降圧治療．蛋白制限食 注２
第３期Ｂ （顕性腎症後期）	60ml/ 分未満 蛋白尿 1g/ 日以上	軽度制限・疲労の残らない生活	30-35	0.6-0.8	7-8	軽度制限	血糖コントロール．降圧治療，蛋白制限食　注2．浮腫の程度，心不全の有無から水分を適宜制限する．
第４期 （腎不全期）	高窒素血症 蛋白尿	制限	30-35	1.0-1.2	5-7	1.5	血糖コントロール．降圧治療．低タンパク食 注４（透析療法導入）．浮腫の程度，心不全の有無から水分を適宜制限する．
第５期 （透析療法期）		軽度制限・疲労の残らない生活	HD* 35-40 CAPD: 30-35	1.1-1.3	7-8 8-10	＜1.5 軽度制限	血糖コントロール．降圧治療．透析療法または腎移植．水分制限（透析間体重増加率あ標準体重の5%以内）．

注１　高血圧合併例では7-8g/ 日以下に制限する　　注２『食品交換表を用いる糖尿病食事療法指導のてびき』巻末参考書参照

例は58％であった[15]．海外のデータでは，微量アルブミン尿による診断では2006年に報告されたDEMAND Studyでは39％，アジア人を対象としたMAP Studyでは40％となっている．この糖尿病性腎症は高血糖に代表される発症・進展因子により次第に進行し，臨床症状はその病期により異なる．糖尿病性腎症の病期分類として１型糖尿病における臨床経過をまとめたMogensen分類が古くから用いられている．一方，わが国で大多数を占める２型糖尿病に対して腎症病期分類が作成されて臨床的に用いられている[16]（表3）（http://www.jds.or.jp）．

b）糖尿病性腎症の治療と生活習慣の改善

糖尿病性腎症の治療は生活習慣の改善に密接に関連する．その内訳は血糖コントロール，高血圧合併例では血圧コントロールならびに食事療法である．加えて実際の治療にあたっては表３，４[17]のように病期・病態に応じて適切な治療法を選択することが重要である．

b-1）血糖コントロール

糖尿病性腎症は高血糖が引き金となって発症・進展するため，厳格な血糖コントロールはどの臨床病期においても最も重要な治療法である．血糖コントロールにより腎症前期ならびに早期腎症期といった糖尿病性腎症に代表される細小血管病変の進展が抑制されることは１型糖尿病を対象としたDCCT試験[18, 19]，２型糖尿病を対象としたKumamoto study[20]，UKPDS試験[21]ならびにThe ADVANCE Collaborative Groupの研究[22]といった大規模臨床試験でも示されている．このうち，UKPDS試験ではHbA1c１％低下することにより細小血管障害合併の危険率が37％減少することも示されている．さらに発症当初からインスリン強化療法により厳格に血糖コントロールすることにより１型糖尿病の腎症の進展が抑制されていた[19]．わが国で行われたKumamoto Studyでは２型糖尿病全例において，HbA1c<6.5%の血糖コントロールにより早期腎症から顕性腎症への進展がみられなかった．逆にHbA1cが８％を超えると１型糖尿病の早期腎症の発症・進展が加速するとの報告もある．この血糖コントロールの重要性は腎症初期にのみ限られたことではない．実際，進展した糖尿病性腎症を有する１型糖尿病８症例に対して膵移植を行い，血糖が正常化したのち５年，10年と経時的に腎組織を評価したFiorettoらの報告は注目に値する[23]．すなわち膵移植し血糖正常化後５年では腎病理学的には変化がみられない．しかしながら10年経過することにより糸球体や尿細管基底膜肥厚の改善，メサンギウム基質増生の改善が判明した．このことから長期にわたる血糖正常化により，一旦発症した糖尿病性腎症が寛解（remission）と退縮（regression）することが推測され血糖コントロールの重要性が改めて特筆される．なお，

2010年の日本糖尿病学会学術集会にて，糖尿病新診断基準が発表され，HbA1c値に関して，従来のＪＤＳ値に0.4%を加えた「相当値」であることを示す注釈をいれることになった．

b-2)生活習慣の改善

糖尿病性腎症に対して食事療法も重要である．蛋白制限に際し，血糖コントロールと関連してエネルギー摂取量が問題となる．現在わが国では表4に示すように病期により推奨されるエネルギーが定められている．糖尿病性腎症の発症・進展過程において糸球体過剰濾過の関与が推測される．その機序として，蛋白負荷によりNO，サイトカイン・増殖因子(TGF-beta, PDGFなど)，エンドセリン，レニン・アンジオテンシン系等の亢進／賦活化によると考えられている．この蛋白制限によりこの糸球体過剰濾過の軽減が期待される．実際，表4に示すように病期に応じた蛋白制限が推奨されている．１型糖尿病について代表的な試験として，早期腎症に対して低蛋白食(0.6g/kg体重／日)が微量アルブミン尿の改善をもたらすという報告[24]ならびに顕性腎症例に対して低蛋白食(0.6g/kg体重／日)が腎機能低下を回避したという報告[25]がある．以上の結果から１型糖尿病に関しては低蛋白食の有効性が推測される．しかしながら２型糖尿病に関しては少数例，短期間な試験が大多数を占めている．エビデンスに基づくCKD診療ガイドライン2009[2]では，１)ステートメントとして顕性腎症期以降(３～５に相当)の糖尿病性腎症の進行を抑制する可能性があること(グレードC，レベル２)，２)現在のコンセンサスとしては，顕性腎症期の場合，あるいは尿蛋白量を減らしたい場合に，0.6～0.8／kg標準体重／日の蛋白質制限を行うことが記されている．今後，一層のエビデンスの構築が求められている領域と考えられる．

表４　糖尿病性腎症の病期分類と生活指導
(文献17より改変引用)

1．生活習慣の改善
　減量，運動，たんぱく質・食塩・アルコール制限，禁煙
2．高血糖の是正：厳格な血糖コントロール（HbA1c値 <6.5%）
3．糸球体高血圧の是正：
　・レニン・アンジオテンシン系阻害薬（ACE阻害薬，アンジオテンシンⅡ受容体拮抗薬）の使用
　・全身血圧の管理：目標血圧値 <130/80mmHg（長時間作用型Ca拮抗薬，利尿薬を併用）
4．血清脂質の管理（スタチン）
5．たんぱく質制限食（0.8g/kg/日）

生活一般については第３期Ａまでは普通生活で，第３期Ｂと第５期は軽度制限により疲労の残らない生活，第４期では制限となっている[16]．運動については第１，２期では原則として糖尿病の運動療法を行う．第３期Ａでは原則として運動は可であるが病態により程度を調節することが推奨されている．第３期Ｂ以降は運動制限を行い透析期(第５期)は原則として軽運動とすることが勧められている[16]．

b-3)糖尿病性腎症における血圧コントロール

高血圧は糖尿病性腎症を含めた糖尿病による血管合併症の重要な進展因子である．高血圧を合併した糖尿病患者では130/80mmHg未満に管理することが推奨されている[2]．蛋白尿が１g/日以上の症例では平均血圧92mmHg未満(125/75mmHgに相当)とより厳格なコントロールが推奨されている．実際，顕性腎症期のGFR低下速度は血圧コントロールを良好に保つことにより低下するとの報告もある．このように全身血圧を十分に下げることが腎保護には極めて重要である．

加えて病態に応じて降圧薬の選択も重要である．糸球体障害機転を考慮すると，レニン・アンジオテンシン系阻害により全身の降圧作用に加えて腎特異的に保護作用を示すことが期待される．実際，EUCLID研究では非高血圧症例においても１型糖尿病による早期腎症例に対して，アンジオテンシン変換酵素阻害薬は腎機能低下を予防し透析導入を減少させることが報告されている[26]．さらに１型糖尿病による顕性腎症期においてもLewisらの報告[27]に代表されるようにアンジオテンシン変換酵素阻害薬の腎機能保持効果が確認されている．わが国においても，JAPAN-IDDMにおいて早期ならびに顕性腎症期におけるアンジオテンシン変換酵素阻害薬の腎保護作用が示された[28]．一方，２型糖尿病において，微量アルブミン尿を呈する正常腎機能例におけるアンジオテ

ンシン変換酵素阻害薬による腎保護作用が示されている[29]．さらにKasiskeらは1，2型糖尿病を対象として施行された100臨床試験についてメタアナリシスを行った．その結果，全身の降圧とは無関係に，他の降圧薬とは異なるアンジオテンシン変換酵素阻害薬の蛋白尿減少効果ならびに腎機能保持効果があることを示した[30]．以上の結果から，糖尿病性腎症に対する蛋白尿減少ならびに腎保護に対するアンジオテンシン変換酵素阻害薬の有用性が考えられている．

一方，レニン・アンジオテンシン系阻害効果を有するアンジオテンシンⅡ受容体拮抗薬はアンジオテンシン変換酵素阻害薬では抑制できないキマーゼ抑制効果がみられ，咳嗽といった副作用が少なく忍容性が優れている点が特筆される．高血圧を示す2型糖尿病の微量アルブミン例[31]，顕性蛋白尿例[32, 33]に対するアンジオテンシンⅡ受容体拮抗薬の腎保護作用の大規模臨床試験が報告されている．他の降圧薬と異なり，全身の降圧にくわえた腎保護作用が示された点が注目される．ただしわが国で行われたJ-MIND試験では，カルシウム拮抗薬とアンジオテンシン変換酵素阻害薬が糖尿病性腎症の蛋白尿や腎機能に対して同等の効果があることが示されている[34]．カルシウム拮抗薬の一部にはレニン・アンジオテンシン系の阻害薬同様に輸入細動脈を拡張して糸球体過剰濾過を軽減する作用も報告されている．くわえてカルシウム拮抗薬は降圧作用が優れており，今後カルシウム拮抗薬を含め，よりよい降圧薬の選択／併用療法を確立することが期待される．最近では，合剤も臨床上使用可能となっている．さらに，ARBに直接的レニン阻害薬を追加投与することで，高血圧合併2型糖尿病性腎症例における蛋白尿（アルブミン尿）の減少効果が報告されている[35]．なお，現在，正常アルブミン尿を示す腎症前期例に対して，アンジオテンシンⅡ受容体拮抗薬を投与し，微量アルブミン尿への進展について検討しているROADMAP研究が解析中である．

さらに最近，微量アルブミン尿を呈する早期腎症を有する2型糖尿病例に対し，血糖，血圧コントロールや脂質コントロールといった集約的治療，多角的強化療法が心血管病変ならびに細小血管病変改善をもたらしたとするSteno-2試験の結果が報告された[36]．実際，HbA1c 8％以下，収縮期血圧115mmHg未満およびコレステロール値198mg/dl以下の3つのコントロールが揃うことで1型糖尿病微量アルブミン尿のregressionが3倍になったと報告されている[37]．

これらを背景にして糖尿病性腎症の治療はパラダイムシフトを迎えている．すなわち，糖尿病性腎症は，寛解（remission）と退縮（regression）を目指した腎症の包括的な治療が考慮されるようになってきている．本邦においても，2型糖尿病の早期腎症例に対してやはり寛解（remission）をきたすことが示された[38]．すなわち，6年間の経過観察の結果，顕性腎症への移行は28％に対して，正常アルブミン尿への寛解（remission）は51％であった．とくに，寛解（remission）に関与する因子として，1）微量アルブミン尿が出現期間が短いこと，2）RAS阻害薬を使用していること，3）血糖コントロールが良好なこと，4）収縮期血圧が低いことが抽出されている．また，血糖HbA1c値<6.5％，血圧値<130/80mmHg，脂質（コレステロール値<200mg/dl，中性脂肪値<150mg/dl）の達成度から，寛解（remission）は2因子達成で2倍，3因子達成で6.2倍となることも示された．また，この寛解（remission）は，その後2年間の追跡期間の延長の結果，腎機能低下速度の低下に加えて，心血管イベントも抑制されている点がさらに臨床的に注目される[39]．一方，わが国においてケースコントロールスタディならびにゲノムワイドSNP解析による糖尿病性腎症関連遺伝子探索が精力的に行われている（http://snp.ims.u-tokyo.ac.jp）．臨床的に糖尿病性腎症を有する兄弟例等の解析から遺伝の関与は以前から指摘されていた．この解析から新たな病因解明がされることにより，糖尿病性腎症の発症・進展のハイリスク例に将来テイラーメイド治療を施行可能となることも予想される．今後，糖尿病性腎症治療効果の一層の改善にむけた展開が期待される．

C）脂質コントロール

腎保護ならびに動脈硬化や心疾患予防等全身の

予後改善の観点から重要である．これまでMDRD試験では低HDL-コレステロール値が腎疾患進展の独立した危険因子であることが示されている[13]．さらに高コレステロール血症(高LDL血症)ならびに恐らく高トリグリセライド血症は動脈硬化同様に糖尿病性腎症はじめ腎疾患の進展に関与すると報告されている．LDLコレステロールを120mg/dL以下に抑制することが腎保護における治療目標として妥当と考えられている(表2)．なお，スタチンには脂質低下作用のみならず抗炎症作用を介した腎保護作用も期待される．

D)禁煙と腎保護

禁煙は脂質コントロールと同様，腎保護，全身の予後改善の観点から重要である．喫煙は血管収縮，血栓性の亢進，直接の内皮細胞障害を示し腎障害進展に寄与する．実際，これまでIgA腎症，多発性嚢胞腎ならびに糖尿病性腎症の進展過程において独立した危険因子になることが示されている[40]．最近になり喫煙に伴い，腎におけるサイトカイン・ケモカイン・増殖因子の発現亢進やエンドセリンやアンジオテンシンIIを介した細胞増殖や細胞外基質増生といった分子機序が徐々に明らかになりつつある．これらの観点から腎保護に対しても禁煙が望まれる．

E)痛風と高尿酸血症

高尿酸血症，痛風は代表的な生活習慣病であり年々増加している[41]．現在，わが国において成人男性，ことに30歳以降では約30%が高尿酸血症と推測されている．さらに高尿酸血症，痛風は多くの代謝異常を複合的に合併するマルチプルリスクファクター症候群と考えられている．高尿酸血症，痛風の臓器合併症として腎は重要な位置を占めている．この腎障害は多彩な腎病理像を呈することが特徴である．その機序として，尿酸塩結晶が尿細管腔および間質へ沈着し痛風結節を形成する．そのため間質の炎症・線維化や上向性ネフロンの変性が惹起されることにより狭義の痛風腎が生じる．一方，高尿酸血症，痛風に高率に合併する高血圧，糖尿病，高脂血症等により細－大血管障害が加わり腎障害を惹起する．このように狭義の痛風腎だけではなく，臨床的に痛風症例にみられる腎障害を広義の痛風腎としている．この観点から，尿酸が直接腎障害を生じることがKangらによって報告された[42]．5/6腎摘出モデルにおいて高尿酸血症は腎機能低下を促進し，その機序としてシクロオキシゲナーゼ2やトロンボキサンA 2を介した血管障害の可能性を示している．

生活習慣上重要な点は尿路管理，肥満の解消，食事療法，飲酒制限，運動の推奨(有酸素運動)，ストレス解消ならびに他の生活習慣病の予防／治療である．尿路管理で重要なことは尿路結石の予防と管理を目的とした尿アルカリ化(尿pH6～7)である．尿をアルカリ化する食品摂取にくわえて，持続的に酸性尿がみられる場合には尿アルカリ化薬の適応となる．食事療法としては摂取エネルギーの適正化，プリン体の摂取制限，尿をアルカリ化する食品摂取，十分な水分摂取が推奨される．飲酒については酒類によるプリン体含有量とともに酒類に関係なくアルコール代謝に伴う血清尿酸値を上昇させる．血清尿酸値への影響は日本酒1合またはビール500mlまたはウイスキー60ml程度よりあらわれると考えられる．運動は適正な体重を目標にして食後1時間以降に毎日継続できるような軽い運動を行うことが望まれる．有酸素運動は血清尿酸値に影響なく高尿酸血症に合併しやすい種々の病態を改善することも期待される．降圧薬ではアンジオテンシンII受容体拮抗薬であるロサルタンが腎での尿酸排泄促進作用を有し血清尿酸値を低下させる．腎における尿酸のトランスポーターURAT1が発見されロサルタンはこのURAT1に作用する可能性が示されている．

F)腎機能低下と他の生活習慣病

種々の原因により腎機能が低下することにより他の生活習慣病やそれに伴う生命予後に重要な影響を与えることが判明している．たとえば高血圧症例において血清クレアチニン値は主要な心血管事故やそれによる死亡の独立した危険因子であることが知られている．この心腎相関の機序のひとつにインスリン抵抗性が推測されている．インスリン抵抗性が脂質・糖代謝異常を介して動脈硬化を促進することだけではなく，代償性にみられる高インスリン血症が糸球体過剰濾過／糸球体高血圧に関与しさらなる腎機能低下をきたすと推測されている．この観点からも腎保護を総合的にとらえ腎機能低下を未然に予防するがことが極めて重要である．

4. まとめ

ここ20年足らずの間に臨床的に使用できるようになったアンジオテシンⅡ受容体拮抗薬やアンジオテンシン変換酵素阻害薬により腎機能障害抑制効果が示されるようになってきた．しかしながら，末期腎不全による透析導入をいまだ減少させるにいたっていない．さらに末期腎不全から血液浄化療法に導入された方々，もしくはさらに腎移植を受けられた多くの方々の長期生命予後を目指した生活の質の向上を伴う生活習慣改善の方策とその確立も極めて重要な問題である．今後は腎機能低下を未然に防ぐ生活習慣の実践を広く啓蒙することが重要である．さらに様々な腎機能と社会背景をもつあらゆる方々の腎保護確立と生命予後改善にむけた多角的な治療戦略の構築とその発展が期待される．

参考文献

1. 日本透析医学会　図説　わが国の慢性透析療法の現況 2008年12月31日現在
2. エビデンスに基づく　CKD診療ガイドライン2009 編集日本腎臓学会　東京医学社
3. CKD診療ガイド2009 日本腎臓学会編　東京医学社
4. Irie F, Iso H, Fuaksawa N, et al. The relationships of proteinuria, serum creatinine, glomerular filtration rate with cardiovascular disease mortality in Japanese general population. Kidney Int 2006; 69, 1264-1271.
5. Brenner BM. Retarding the progression of renal disease. Kidney Int 2003; 64: 370-378.
6. Keller G, Zimmer G, Mall G, et al. Nephron number in patients with primary hypertension. N Engl J Med 2003; 348: 101-108.
7. Hebert LA, William WA, Falkenhain ME. Renoprotection: One or many therapies? Kidney Int 2001; 59: 1211-1226.
8. 日本高血圧学会高血圧治療ガイドライン作成委員会編　高血圧治療ガイドライン, 2009.
9. Tozawa M, Iseki K, Iseki C, et al. Blood pressure predicits risk of developing end-stage renal disease in men and women. Hypertension 2003; 41: 1341-1345.
10. Klag MJ, Whelton PK, Randall BL, et al. Blood pressure and end-stage renal disease in men. N Engl J Med 1996; 334: 13-18.
11. 日本腎臓学会編　腎疾患の生活指導・食事療ガイドライン　東京医学社, 1998.
12. Zucchelli P, Zuccala A, Borghi M, et al. Long-term comparison between captopril and nifedipine in the progression of renal insufficiency. Kidney Int 1992; 42: 452-458.
13. Peterson JC, Adler S, Burkart JM, et al. Blood pressure control, proteinuria, and the progression of renal disease. Ann Intern Med 1995; 123: 754-762.
14. Fujita T, Ando K, Nishimura H, et al. Antiproteinuric effect of the calcium channel blocker cilnidipine added to renin-angiotensin inhibition in hypertensive patients with chronic renal diseases. Kidney Int 2007; 72: 1543-1549.
15. Yokoyama H, Kawai K, Kobayashi M. Japan Diabetes Clinical Data Management Study Group. Microalbuminuria is common in Japanese type 2 diabetic patients: a nationwide survey from the Japan Diabetes Clinical Data Management Study Group (JDDM 10). Diabetes Care 2007; 30: 989-992.
16. 日本糖尿病学会編　糖尿病治療ガイド, 2008-2009.
17. 初学者から専門医までの腎臓学入門　改定第2版 東京医学社　日本腎臓学会編集委員会編集, 2009.
18. Diabetes control and complications trial research group. The effect of intensive treatment of diabetes on the development and progression of long-term complications in insulin-dependent dibetes mellitus. N Engl J Med 1993; 329: 977-986.
19. The diabetes control and complication trial/epidermiology of diabetes interventions and complications research group. Retinopathy and nephropathy in patients with type 1 diabetes four years after trial of intensive therapy. N Engl J Med 2000; 342: 381-389.
20. Ohkubo Y, Kishikawa H, Araki E, et al. Intensive insulin therapy prevents the progression of diabetic microvascular complications in Japanese patients with non-insulin-dependent diabetes mellitus: a randomized prospective 6-year study. Diabetes res Clin Pract 1995; 28: 103-117.
21. UK Prospective Diabetes Study Group. Intensive blood glucose control with sulphonylureas or insulin compared with conventional treatment and risk of complications in patients with type 2 diabetes (UKPDS 33). Lancet 1998; 352: 837-853.
22. ADVANCE Collaborative Group. Intensive blood glucose control and vascular outcomes in patients with type 2 diabetes. N Engl J Med 2008; 358: 2560-2572.
23. Fioretto P, Steffes MW, Sutherland DE, et al. Reversal of lesions of diabetic nephropathy after pancreas transplantation. N Engl J Med. 1998;339:69-75.
24. Dullaart RP, Beasekamp BJ, Meijie S, et al. Long-term effects of protein-restricted diet on albuminuria and renal function in IDDM patients without clinical

nephropathy and hypertension. Diabetes Care 1993; 16: 483-492.
25. Zeller K, Whittaker E, Sullivan L et al. Effect of restricting dietary protein on the progression of renal failure in patients with insulin-dependent diabetes mellitus. N Engl J Med 1991; 10: 78-84.
26. The EUCLID Study Group. Randomised placebo-controlled trial of lisinopril in normotensive patients with insulin-dependent diabetes and normoalbuminuria or microalbuminuria. Lancet 1997; 349: 1787-1792.
27. Lewis EJ, Hunsicker LG, Bain RP, et al. the effect of angiotensin-converting-enzyme inhibition on diabetic nephropathy. The Collaborative Study Group. N Engl J Med 1993;329:1456-1462.
28. Katayama S, Kikkawa R, Isogai S, et al. Effect of captopril or imidapril on the progression of diabetic nephropathy in Japanese with type 1 diabetes mellitus: a randomized controlled study (JAPAN-IDDM). Diabetes Res Clin Pract 2002;55:113-121.
29. Ravid M, Lang R, Rachmani R, et al. Long-term renoprotective effect of angiotensin-converting enzyme inhibition in non-insulin-dependent diabetes mellitus. A 7-year follow-up study. Arch Intern Med 1996;156:286-289.
30. Kasiske BL, Kalil RS, Ma JZ, et al. Effect of antihypertensive therapy on the kidney in patients with diabetes: a meta-regression analysis. Ann Intern Med 1993;118:129-138.
31. Parving HH, Lehnert H, Brochner MJ, et al. The effect of irbesartan on the development of diabetic nephropathy in patients with typw 2 diabetes. N Engl J Med 2001; 345: 870-878.
32. Lewis EJ, Hunisicker LG, Clarke WR, et al. Renoprotective effect of the angiotensin-receptor antagonist irbesartan in patients with nephropathy due to type 2 diabetes. N Engl J Med 2001; 345: 851-860.
33. Brenner BM, Cooper ME, Zeeuw DD, et al. Effects of losartan on renal and cardiovascular outcomes in patients with type 2 diabetes and nephropathy. N Engl J Med 2001; 345: 861-869.
34. J-MIND 研究グループ　鹿住　敏，芳野　原，吉川 隆一他．糖尿病性腎症の発症・進展に対する Ca 拮抗薬と ACE 阻害薬との長期効果の比較．糖尿病 1999; 42 (Suppl 1) S225.
35. Parving HH, Persson F, Lewis JB, et al. Aliskiren combined with losartan in ntype 2 diabetes and nephropathy. N Engl J Med 358: 2433-2446, 2008.
36. Gaede P, Vedel P, Larsen N, et al. Multifactorial intervention and cardiovascular disease in patients with type 2 diabetes. N Engl J Med 2003; 348: 383-393.
37. Perkins BA, Ficociello LH, Silva KH, et al. Regression of microalbuminuria in type 1 diabetes. N Engl J Med 2003; 348:2285-2293.
38. Araki S, Haneda M, Sugimoto T, et al. Factors associated with frequent remission of microalbuminuria in patients with type 2 diabetes. Diabetes 2005; 54: 2983-2987.
39. Araki S, Haneda M, Koya D, et al. Reduction in microalbuminuria as an integrated indicator for renal and cardiovascular risk reduction in patients with type 2 diabetes. Diabetes 2007; 56: 1727-1730.
40. Orth SR. Smoking and the kidney. J Am Soc Nephrol 2002;13:1663-1672.
41. 日本痛風・核酸代謝学会ガイドライン改訂委員会編 高尿酸血症・痛風の治療ガイドライン　第２版，2010.
42. Kang DH, Nakagawa T, Feng L, et al. A role for uric acid in the progression of renal disease. J Am Soc Nephrol 2002;13:2888-2897.

Ⅱ-11　炎症性腸疾患

新潟大学医歯学総合病院第三内科
鈴木健司

1. はじめに

Helicobacter pylori と C 型肝炎ウイルスの発見は，消化器分野における 20 世紀末の二つの画期的な出来事といえよう．前者は慢性胃炎・消化性潰瘍・胃癌をもたらす細菌であり，後者は慢性肝炎・肝硬変・肝癌などの原因ウイルスであることが解明され，これらの難病に対する根本的治療，すなわち抗生剤による除菌とインターフェロンによるウイルス排除が可能となった．かつての国民病であった結核が有効な抗生剤治療の開発により克服されたのと同じように，今後数十年の間に現在消化器病の大半を占めるこれらの疾患患者数は大幅に減少し，消化器病における疾病構造の変化が生じるであろう．

一方，潰瘍性大腸炎・クローン病に代表される炎症性腸疾患はいまだ原因不明の慢性難治性の腸疾患である．従来は欧米に多いとされてきたが，近年わが国においても増加の一途をたどっておりcommon disease 化している．しかもこの疾患は若年・青年に好発し，人生の最良の時期に入退院を余儀なくされるため，患者の生活の質は著しく損なわれる．さらに労働可能年齢層における社会活動の生産性をも著しく損ねることから，炎症性腸疾患は 21 世紀の新たな国民病と目されている．したがって，炎症性腸疾患の病因を解明し根本治療を早急に確立することが，われわれ消化器病専門医・研究者に求められている最重要課題である．

本稿では分子予防環境医学的側面からこの炎症性腸疾患について解説する．また，初版発行から今回改訂までの 7 年間の炎症性腸疾患に関する研究・臨床の進歩について述べ，今後の展望について考えてみたい．

2. 炎症性腸疾患の疫学

炎症性腸疾患は薬剤性腸炎や感染性腸炎などの原因が特定される特異性炎症性腸疾患と，潰瘍性大腸炎とクローン病に代表される非特異性炎症性腸疾患に大別できる．通常，後者を狭義の炎症性腸疾患として取り扱うことが多く，本稿でもこの立場で述べる．

潰瘍性大腸炎，クローン病ともに本邦では厚生労働省指定の特定難治性疾患であり，各患者には同疾患治療医療受給者証が交付されている．本疾患の医療受給者数は図 1A の如く推移しており，2008 年末で，潰瘍性大腸炎が 104,721 件，クローン病 29,301 件であり，約 13 万人の患者が存在する．北米では炎症性腸疾患患者は 100 万人近くいるとされ，本邦では丁度 10 分の 1 であるが，有病率・罹患率ともに上昇傾向がみられ，今後さらに患者数の増加が予想される．性差では潰瘍性大腸炎に差はみられず，クローン病では男性は女性の 2 倍の患者数がみられる．年齢分布では潰瘍性大腸炎は 30 歳台と 60 歳台にピークを持つ二峰性，クローン病は 25 から 29 歳にピークを持つ一峰性の分布であった(図 1B)．

炎症性腸疾患の危険因子に関して環境因子と遺

各論Ⅱ

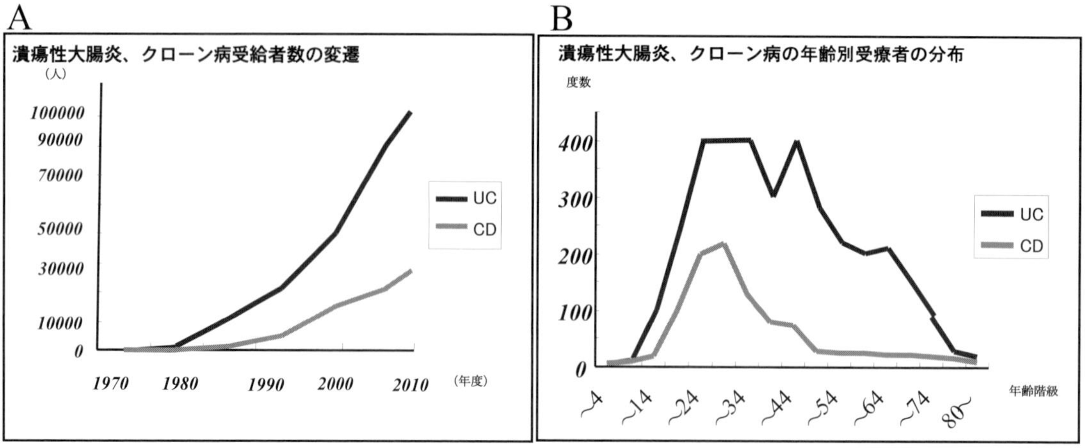

図1
守田則一：年齢・臨床経過別頻度．武藤徹一郎，八尾恒良，名川弘一，櫻井俊弘 編
炎症性腸疾患．P3-4, 医学書院，東京 1999 改変

伝因子について解析がなされてきた．

環境因子では，まず，喫煙に関して潰瘍性大腸炎では喫煙との間に負の関係が，クローン病と喫煙では正の関係が見られ，クローン病患者には禁煙が勧められる．喫煙は潰瘍性大腸炎に対して予防的に作用すると考えられており，ニコチンパッチを用いた無作為割付二重盲検試験でも再燃予防効果が示され，そのメカニズムにニコチンの関与が想定されている．経口避妊薬の使用とクローン病の発症との関係を示唆する報告がみられるが疫学的に確定されていない．地理的な要因として，炎症性腸疾患はヨーロッパでも緯度の高い北欧やイギリスに多く，南ヨーロッパやアジア，アフリカには少ないとされてきたが，現在これらの地域でも炎症性腸疾患の発症が増加している．食事因子では砂糖の摂取量と発症率が示唆されているが確定されていない．本邦でも第二次大戦後，牛乳・肉類・卵などの動物性食品を中心にし，米や線維の少ない西洋式食事に変化してきたが，潰瘍性大腸炎の増加はこれに少し遅れて始まっており，厚生労働省特定疾患難治性炎症性腸管障害調査研究班を中心に食事因子の疫学的研究が続けられている．非ステロイド性抗炎症剤は臨床的にあるいは動物実験で胃腸炎を起こすことから，炎症性腸疾患の発症要因あるいは増悪因子として注目されたが，客観的な証拠は得られていない．畜産の分野ではクローン病の病態に類似したヨーネ病というウシの慢性回腸大腸炎が知られており，本症の原因菌であるMycobacterium paratuberculosisがクローン病の感染因子として注目された．しかし，Mycobacteriumに感受性の抗生剤を用いた二重盲検試験ではクローン病治癒に有意差が証明されなかった．麻疹ウイルスあるいはそのワクチン接種とクローン病との関係が示唆されたが，現在ではその関連性は否定的である．腸内細菌叢の乱れと炎症性腸疾患発症との関係が研究されているが確定した結論は得られていない．虫垂切除は潰瘍性大腸炎発症に対し防御因子となることが示されており，これは虫垂の粘膜免疫システムにおける特殊機能と関係しているのかもしれない．幼小期の微生物への曝露は獲得免疫や免疫寛容の成立に重要であるが，近年の家族構成の少数化による感染機会の減少，生活水準向上に伴う衛生状態の改善は，幼少期の微生物への曝露機会を減らす一方で，幼小期を過ぎてから曝露機会を増加させるため，アレルギー疾患や炎症性腸疾患を含む自己免疫性疾患の増加をもたらしているとする衛生仮説が提唱されている．

炎症性腸疾患は家族内発症が高頻度であることから，複数の遺伝的素因が炎症性腸疾患に関与していると想定されている．HLA抗原に関しては再現性のある結果はない．ただし日本人の潰瘍性大腸炎においてはHLAB52およびDR2との関連が認められた．1990年頃よりPCR技術を用いた感受性遺伝子候補解析が行われた．1990年代後半からは全ゲノムに分布するマイクロサテライトマーカーを用いた罹患同胞による全ゲノム連鎖解析が行われ，炎症性腸疾患の感受性領域IBD1からIBD9まで同定された．2001年にIBD1領域からクローン病の疾患遺伝子として16番染色体上のNOD2遺伝子変異が，さらにIBD5領域からSLC22A5遺伝子が同定された．2006年以降になるとヒトゲノムプロジェクト，国際HapMapプロジェクト，一塩基多型(SNP)タイピング法などの技術革新の成果により全ゲノム相関解析(GWAS)が可能となった．GWASのインパクトは非常に大きく，IBDをはじめとした各種の疾患で多数の疾患感受性遺伝子が同定されるようになった．NOD2はマクロファージ，樹状細胞などの自然免疫担当細胞の細胞内に存在する病原体成分に対するレセプターであり，また小腸パネート細胞に高発現し抗菌物質ディフェンシン産生に重要である．NOD2変異はこれらの機能の低下をもたらすと考えられる．またオートファジー関連遺伝子ATG16L1もクローン病感受性遺伝子と同定されたが，この変異は細胞の飢餓状態における栄養源確保のための自食作用でなく，抗菌オートファジー効果の機能低下をもたらすのではないかと考えられている．以上のようなGWAS研究開始後の研究成果から改めて確認されたことは，炎症性腸疾患は腸内細菌に対する自然免疫系の機能不全が第一の要因であり，これを代償するために獲得免疫系の過剰反応が持続していくことで病態が形成されていくということであった．

3. 炎症性腸疾患とは

先に述べたように潰瘍性大腸炎とクローン病をあわせて狭義の炎症性腸疾患とするのが一般的である．現在では潰瘍性大腸炎とクローン病の間には異なった病態，発症機構があり，両者は異なった疾患と考えられている．本症は原因不明であるが，ある遺伝素因を持った患者に腸内細菌叢に対する異常な粘膜免疫反応が生じる結果発症するものと想定されている．

3.1 潰瘍性大腸炎

本症は主として大腸粘膜と粘膜下層をび慢性に傷害しびらんや潰瘍を生じる慢性の再発性疾患である．症状は下痢，粘血便，腹痛が慢性持続性にみられる．重症例では頻回の血性下痢，発熱，頻脈，食思不振，体重減少，貧血が見られる．貧血のある女性では生理の停止もみられる．病期は活動期，寛解期に分けられる．重症度は軽症，中等症，重症の3つにわける(CD-ROM1)．重症の中でも症状の特に激しく重篤なものを激症とする．臨床経過分類は再燃緩解型，慢性持続型，初回発作型，急性電撃型に分けられる．9割以上が再燃緩解型または慢性持続型を呈す．本症の年齢分布は二峰性の特徴を示すことを先に述べたが，初発年齢も同様の特徴があり，しかも20歳以下の若い人が潰瘍性大腸炎を発症すると再燃率が非常に高く慎重な治療が必要である．これは，若年発症者では腸内環境因子よりも遺伝的素因の方が発症に強く関与しているためと考えられる．潰瘍性大腸炎の病変は直腸に始まり連続性に口側に進展していくことが特徴であり，病変の拡がりを決定することが重要である．罹患範囲に基づき，直腸炎型，左側大腸炎型，全大腸炎型，右側あるいは区域性大腸炎に分類される．左側大腸炎が5～6割，全大腸炎型が2～3割である．右側あるいは区域性型はまれであるが，この型には原発性硬化性胆管炎の合併が多いとされる．経過中罹患範囲がより広く進展していく症例が少なくなく，このような症例では再燃率が有意に高いことからも，罹患範囲の決定は臨床上重要である．

潰瘍性大腸炎の診断では，持続性または反復性の粘血・血便，あるいはその既往があるという臨床症状のもとに，内視鏡検査と注腸X線検査が重要となる(CD-ROM2)．内視鏡所見としては直腸より口側へ連続して血管透見像が消失し，粘膜面が粗ぞうまたは顆粒状になる(図2)．さらには上皮細胞がもろくなり，易出血性，びらんや潰瘍あるいは偽ポリポーシスを呈する．注腸X線検査でも粘膜表面に粗ぞうまたは細顆粒状のびまん性変化，多発性のびらん，潰瘍，偽ポリポーシスを認める．その他にはハウストラの消失(鉛管像)や腸管の狭小，短縮が見られる．生検組織学的検査で病理組織学的な診断の裏づけをすることが重

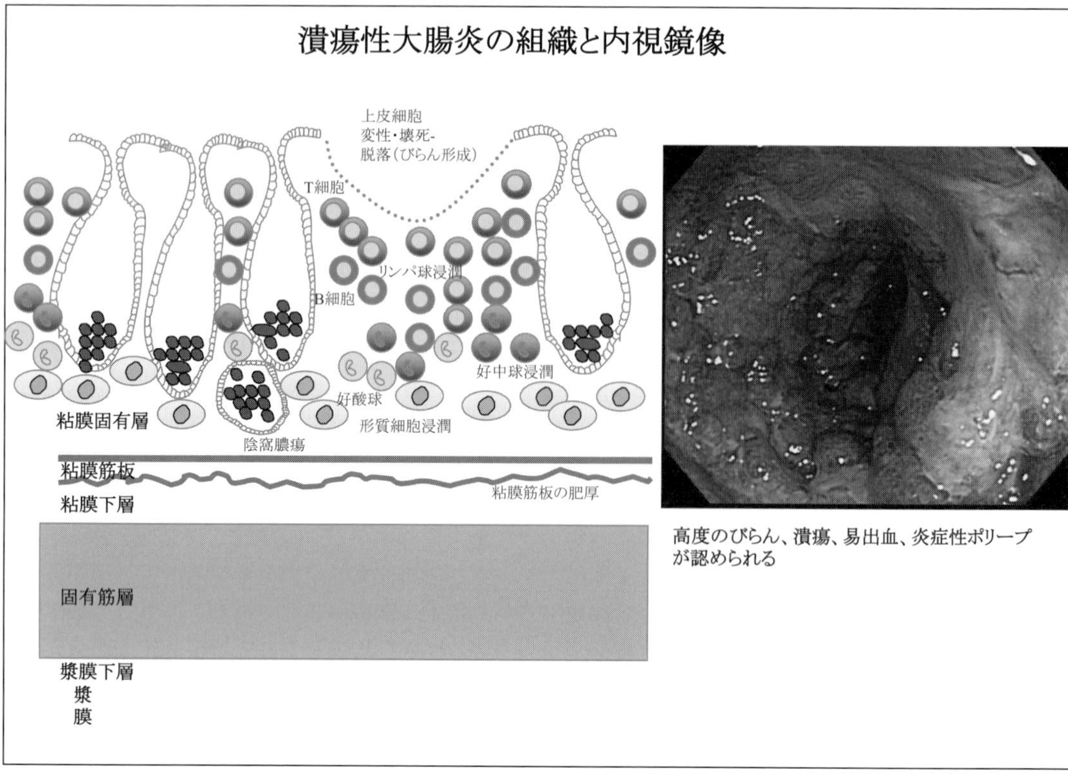

図２　潰瘍性大腸炎の組織と内視鏡像

要である．すなわち，粘膜固有層への細胞浸潤と同時に，活動期において杯細胞の減少と，びらん，陰窩膿瘍，寛解期では腺の蛇行・分岐などの配列異常，萎縮を認める．また，診断にあたっては細菌性赤痢，アメーバ性赤痢，サルモネラ腸炎，大腸結核，キャンピロバクタ腸炎などの感染性腸炎，放射線照射性大腸炎，虚血性大腸炎，薬剤性大腸炎，クローン病，腸型ベーチェット，リンパ濾胞増殖症などを除外する必要がある．合併症には大腸腸管合併症で大出血，中毒性巨大結腸症，穿孔，狭窄，瘻孔，大腸癌がある．腸管外合併症には関節炎（強直性脊椎炎，仙腸関節炎），皮膚病変（結節性紅斑，壊疽性膿皮症），肝障害，胆管炎，胆管癌，成長障害，尿路結石，血栓性静脈炎，虹彩炎結膜炎などがある．

潰瘍性大腸炎の病態を理解するうえで組織所見は重用であるので触れておく．消化管の壁構造は小腸，大腸で絨毛の有無はあるものの基本的には共通しており，内腔より粘膜固有層，粘膜筋板，粘膜下層，固有筋層，漿膜下層，漿膜よりなる．潰瘍性大腸炎は粘膜上皮に対する炎症で，炎症の主座は粘膜内（粘膜固有層から粘膜下層まで）にある（図 2）．後述するクローン病ではリンパ管を中心とする変化が主体で，それが高度になって初めて腸管上皮細胞が二次的に傷害される点が異なる．大腸粘膜固有層表面は一層の円柱状の吸収上皮細胞で覆われており，短い間隔で存在する陰窩と呼ばれる開口部から粘膜内へ落ち込んでいる．これは管状の腸腺（Lieberkuhn 腺）となり粘膜筋板まで伸びている．この腺管表面も一層の上皮細胞により構成される．この腸腺は粘液を多量に胞体内に含む杯細胞，吸収上皮細胞，神経内分泌細胞，そして小腸では Paneth 細胞を加えた細胞から構成される．潰瘍性大腸炎活動期には，粘膜内に著明な細胞浸潤がびまん性にみられる．腺管上皮では，杯細胞の減少がみられ，上皮細胞は変性，壊死をきたしびらんや潰瘍，陰窩膿瘍などを生じる．炎症が慢性化すると腺管構造の乱れや萎縮が生じる．浸潤細胞はリンパ球，マクロファージが主体で，好中球，好酸球がみられる．慢性期にも急性反応を示唆する好中球がみられることをacute on chronic inflammationという．粘膜基底部に形質細胞浸潤がみられる症例は再発しやすいとされる．粘膜筋板の肥厚がみられる．粘膜下層の病変は浮腫が主体で，細胞浸潤は粘膜固有層に比べ弱い．

3.2　クローン病

クローン病は主として若年成人に見られ，浮腫，線維化や潰瘍を伴う肉芽腫性炎症性病変からなる．1932年New YorkのMount Sinai HospitalのCrohn BBらにより回腸末端をおかす回腸末端炎として報告されたが，その後，口腔より肛門までの全消化管のどの部位にもおこりうることが分かった．消化管以外，特に皮膚にも転移性の病変が起こることがある．臨床像は病変の部位や範囲による．発熱，栄養障害，貧血，関節炎，虹彩炎，肝障害などの全身性合併症がおこりうる．

本症の好発年齢は10才代後半から20才代で，臨床症状は腹痛，下痢，体重減少，発熱，肛門病変などがよくみられる．時に虫垂炎類似の症状，腸閉塞，腸穿孔，大出血で発症する．また，腹部症状を欠き肛門病変や発熱(不明熱)で発症することもある．病変の存在部位から，病型を小腸型，小腸大腸型，大腸型などに分類する．このうち小腸大腸型が半数以上を占める．この他には直腸型，胃・十二指腸型あるいは多発アフタ型や盲腸虫垂限局型などの特殊型がある．クローン病と潰瘍性大腸炎の両疾患の臨床的，病理学的特徴を合わせ持つ，鑑別困難例をIndeterminate colitisとし，潰瘍性大腸炎およびクローン病のより疑わしい方の治療方針に従う．クローン病の活動度(重症度分類)に関してはIOIBD (International Organaization for the Study of Inflammatory Bowel Disease)スコアかCDAI (Crohn's Disease Activity Index)スコアで表示する(CD-ROM4)．

臨床所見は消化管病変と消化管外病変に分けられる．消化管ではまず腸病変として，縦走潰瘍

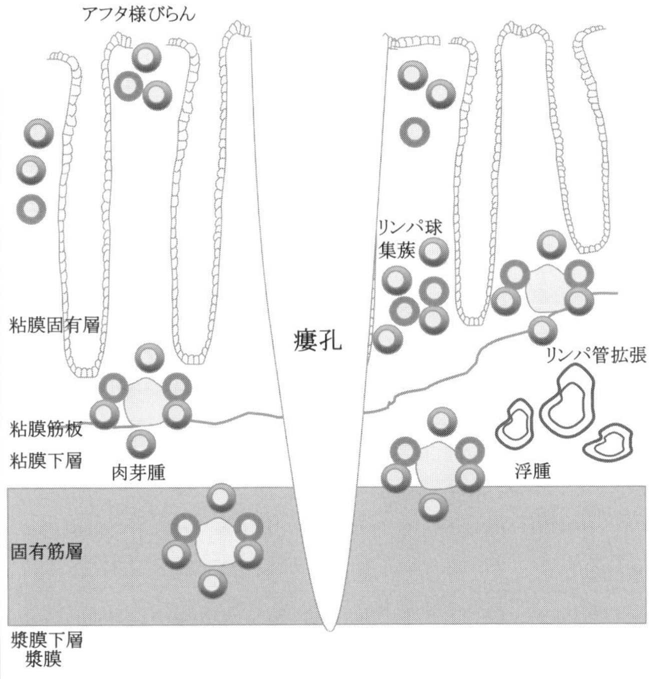

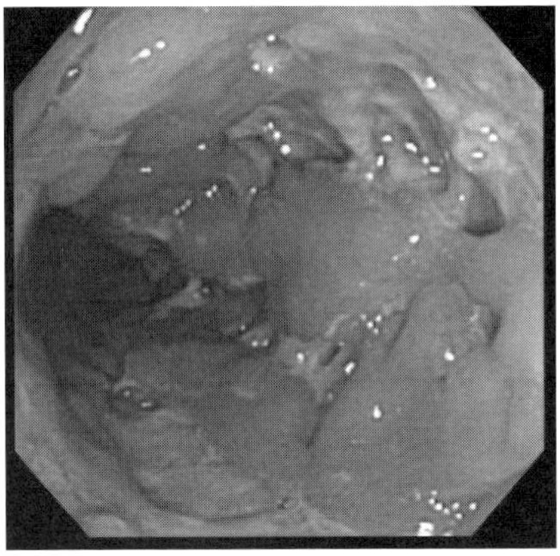

図3　クローン病の組織と内視鏡像

(腸間膜付着側)，不整形潰瘍，敷石像，腸管狭小化，狭窄がみられ，しかもその病変は非連続性または区域性(skip lesion)にみられることが潰瘍性大腸炎との相違点である(図3)．内瘻(腸－腸瘻，腸－膀胱瘻，直腸－膣瘻など)，外瘻(腸－皮膚瘻)も合併することがある．肛門病変としては難治性痔瘻，肛門周囲膿瘍，裂肛，潰瘍，肛門皮垂(skin tag)などがある．胃・十二指腸病変としては多発アフタ，潰瘍，狭窄，敷石像，胃の竹の節様所見，食道潰瘍などがみられる．消化管外病変として貧血，低蛋白血症，関節病変(腸性関節炎，強直性関節炎)，皮膚病変(結節性紅斑，壊死性膿皮症，多形滲出性紅斑，ばち状指)，口内アフタ，眼病変(虹彩炎，ブドウ膜炎など)，栄養代謝障害(成長障害，微量元素欠乏，ビタミンB12・葉酸などのビタミン欠乏，アミロイドーシスなど)，その他に原発性硬化性胆管炎，血管炎，膵炎，胆石症(回腸末端部病変による胆汁酸腸管循環の障害による)，尿路結石(脂肪吸収障害に伴うシュウ酸結石)などがある．

本症の診断は下痢，発熱，腹痛，粘血便，痔瘻などの臨床症状・所見と，小腸X線検査，注腸X線検査，内視鏡検査所見，および生検組織所見や切除標本所見を総合して判断する．細菌・寄生虫検査による除外診断も重要である．厚生省の班会議による診断基準と診断要領が参考になる(CD-ROM5)．主要所見として縦走潰瘍，敷石像，非乾酪性類上皮細胞肉芽腫，副所見として，縦列する不整形潰瘍またはアフタ，上部消化管と下部消化管の両者に見られる不整形潰瘍またはアフタが重要である．診断を誤りやすい疾患として過敏性大腸症候群，膠原病，急性虫垂炎がある．

クローン病ではリンパ管を中心とする変化が主体で，それが高度になって初めて腸管上皮細胞が二次的に傷害されると理解されている．クローン病で最も重要視される組織所見は非乾酪性類上皮細胞肉芽腫である(図3)．肉芽腫は粘膜下層や漿膜下層のリンパ管や血管周囲，筋層のAuerbach神経叢周囲，粘膜内リンパ濾胞周辺，あるいは所属リンパ節に出現する．また，肉芽腫性リンパ管炎や血管炎が生じる．リンパ管の拡張を重視する病理学者もいる．炎症細胞浸潤は潰瘍性大腸炎にみられたびまん性浸潤ではなく，リンパ球集簇を主とした，粘膜のみならず，固有筋層，漿膜までの消化管壁の全層性炎症である．狭い粘膜欠損部に深い裂孔を生じることも重要な所見である．

4. 炎症性腸疾患の発症機序

4.1 粘膜免疫システム

炎症性腸疾患の発症機序を考える上で粘膜免疫システムの理解が必要である．口から肛門に到る消化管は，われわれが飲食する際に異種抗原と最初に出会う部位であり，病原体の進入も同様に小腸・大腸などの消化管粘膜を覆う粘膜面が入り口となっている．そこでは全身系免疫機構とは異なった独自の特徴を持った粘膜免疫システムが第一線のバリアーとして存在する．粘膜面の表面積は成人では皮膚表面積の200倍以上，テニスコート1.5面分に相当し，その中の80%以上が小腸・大腸粘膜による．この粘膜免疫機構は全身のリンパ装置の70%ほどを占め，消化管関連リンパ装置GALT（Gut-associated lymphoid tissue)と呼ばれる．GALTは誘導組織(Inductive tissue)と実効組織(Effector tissue)，そして両者を結ぶ粘膜免疫循環帰巣経路(汎粘膜免疫機構common mucosal immune system：CMIS)から構成される(図4)．誘導組織はパイエル板や孤立リンパ濾胞からなり，これを介して粘膜内に入ってきた抗原刺激により，T，Bリンパ球が活性化されメモリー細胞となる．これらリンパ球はCMIS，すなわち，腸間膜リンパ節，胸管をへて大循環へ入る．そして粘膜固有層の血管の中でも特異的なホーミングレセプターをもつ高円柱上皮細胞HEV(high endothelial venule)を介して再度消化管粘膜へホーミングし，実効組織である粘膜固有層のリンパ球LPL（lamina propria lymphocyte)として，あるいは腸上皮間リンパ球IEL(intraepithelial lymphocyte)として免疫応答を行う．粘膜免疫の主体は粘膜固有層の形質細胞が産生する免疫グロブリンIgAによる．形質細胞より分泌されたIgAは二量体で，大腸上皮細胞の分泌成分(SC：secretory component あるいは polymeric Ig Receptor)と結合して腸管内腔へ分泌される．IgAは腸管内腔を覆い腸管内細菌などの外敵に対抗する．このsIgA＋B細胞の分化に関しては，

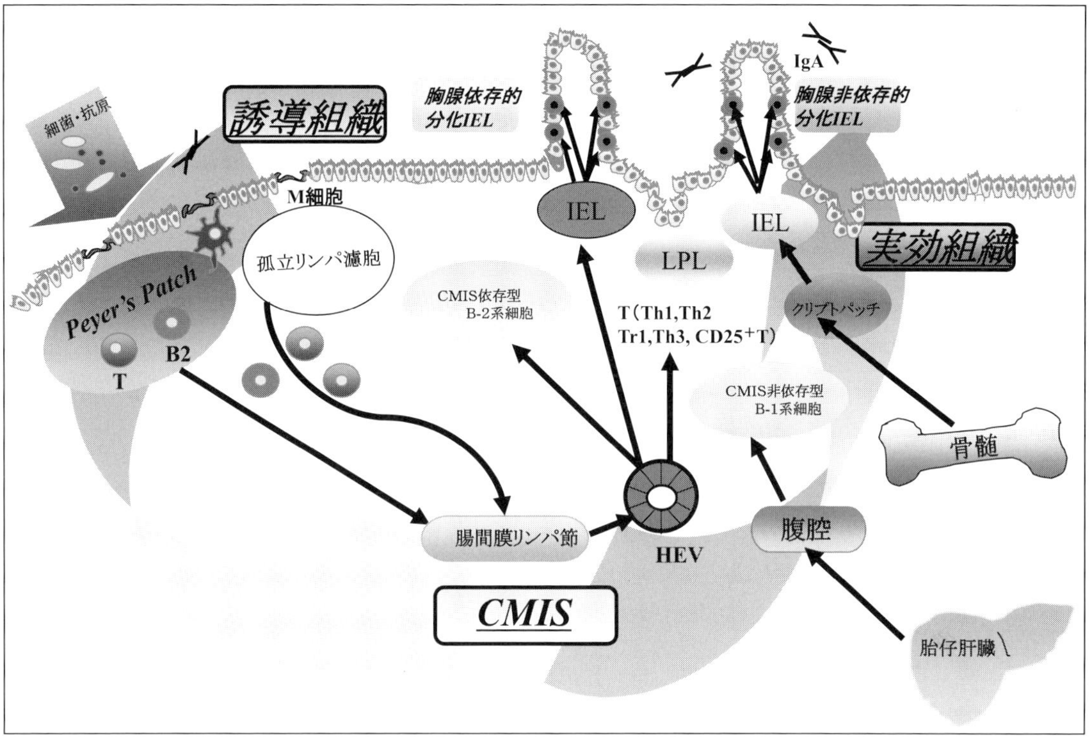

図 4　GALT（*Gut associated lymphoid tissue*）

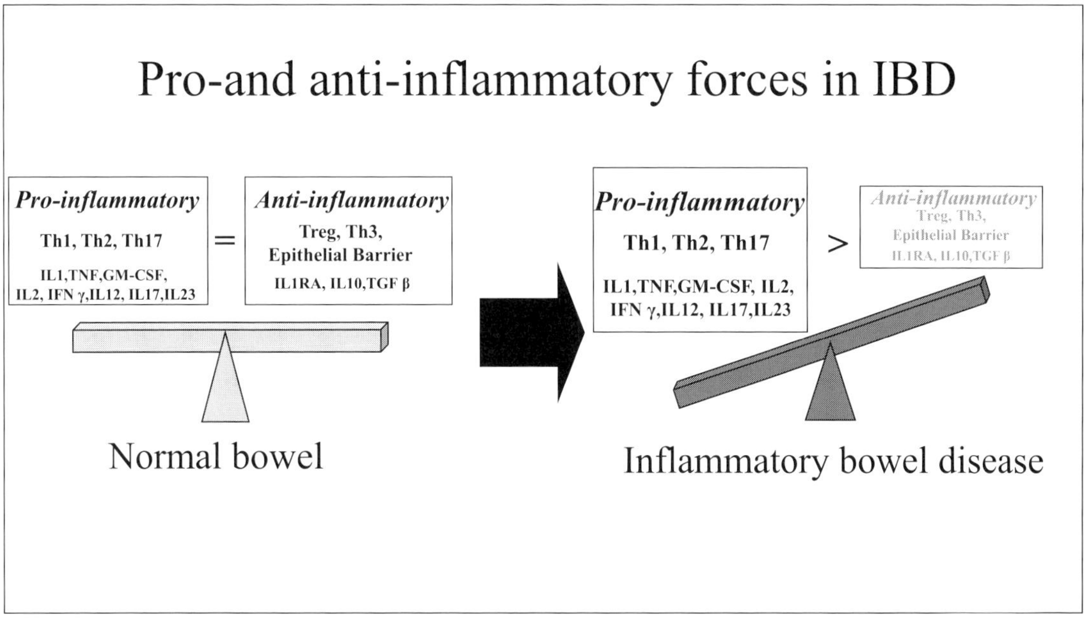

図 5

腹腔内に存在するB-1系B細胞は，通常のCMIS依存型のB-2系B細胞とは異なったCMIS独立型分化経路をたどることが示されている．また，IELの分化経路に関して，胸腺経由で分化するIELと，胸腺非依存的な分化を示すIELが存在する．後者の供給組織として絨毛基部から陰窩底部にかけて小リンパ組織が存在することが発見され，CP：crypt patchと名付けられた．粘膜免疫システムは外来抗原に対する排除反応のみならず，経口投与された抗原に対する特異的な免疫反応の抑制，すなわち免疫寛容をもたらすことが特徴となっている．この免疫寛容の成立にはClonal deletionの他に，種々の調節性T細胞の関与が示されている．TGF-βを産生するCD25＋T細胞，IL-10を産生するTr1細胞，TGF-βおよび他の抑制性サイトカインを産生するTh3細胞などである．潰瘍性大腸炎やクローン病でみられる自己抗体(pANCA，ASCAなど)はこの腸管における免疫寛容が破綻していることの反映とも言える．

上記のように，粘膜免疫システムの恒常性(ホメオスターシス)は炎症促進性の反応と抗炎症性の反応がバランスをとることで成り立っているが，これらが相対的に炎症促進性に傾いた場合に炎症性腸疾患が発症するというのが現在の基本的な考え方である(図5)．

4.2　動物実験モデルからの教訓

炎症性腸疾患研究において動物実験モデルの果たした役割は大きく，特に1990年代に遺伝子工学的手法を用いて作出された腸炎モデルより得られた知見は画期的な進歩をもたらした．腸炎モデルは表1に示すように大きく4つに分けられる．自然発症腸炎，transgenic腸炎モデル／knock out腸炎モデル，外因性物質惹起性腸炎モデル，調節性T細胞欠損マウスへのT細胞分画移入腸炎モデルである．これら腸炎モデルはヒト炎症性腸疾患に関連したいくつかの原理を明らかとした．まず，種々の遺伝子異常が最終的には病理学的に類似した腸炎を発症するということである．また，ある遺伝子異常があっても腸炎を発症するには宿主の遺伝子背景(ヒトHLAに相当するMHCの差)が感受性を決定することも示された．無菌状態では腸炎が発症せず，正常腸内細菌叢が発症に不可欠であることも明らかとなった．腸炎はeffector T細胞の過剰反応かregulatory T細胞の不全により発症する．Effector T細胞として従来Th1，Th2細胞が注目されてきたが，新たにIL17を産生するTh17細胞が腸炎における重要な役割を果たしていることが明らかとなった．このTh17細胞の誘導にIL23が重要であることも示された．多くの発症要因があるのにも拘らず，腸炎での免疫反応はTh1かTh2いずれかの反応に偏っていることも示された．腸管粘膜上皮細胞が生理的バリアーとして粘膜免疫機構と腸内細菌叢を隔絶していることも重要である．抗原提示細胞，マクロファージ，NK細胞を含めた自然免疫の遺伝子異常が腸炎発症に関与していることが確認された．以上の所見はヒト炎症性腸疾患の病態を理解するうえできわめて重要である．

4.3　粘膜免疫異常からみた炎症性腸疾患の病態

炎症性腸疾患における病態を主に粘膜免疫異常の観点からまとめてみる．末梢血中のリンパ球に関しては確定的な疾患特異的異常はない．腸管局所の粘膜内リンパ球に関して，潰瘍性大腸炎，クローン病両者で$\gamma\delta$TcR IELの著明な減少が認められる．クローン病ではIELのVβ5.2＋細胞の選択的増殖が報告されている．LPLに関しては活性化T細胞の増加がみられたが，直接的な細胞障害活性を有するcytotoxic T細胞の関与は少なく，Th細胞主体の変化と考えられた．CD4＋Th細胞はIFN－γ，TNF－αなどを産生するTh1と，IL-4，5，10などを産生するTh2細胞に分けられる．クローン病はTh1に，潰瘍性大腸炎はTh2の反応に偏倚していることが明らかとなった．また，LPLのT細胞クローンを作成しそのVβレパートリーの解析から，クローン病の初期病変部においてのみ明確なオリゴクローナリティが確認された．以上よりクローン病では何らかの限定された抗原に対する特異的反応がその発症機序に関与していることが示唆された．動物実験レベルの知見が主体となるが，先に述べた調節性T細胞の機能低下が，最終的に炎症促進に働き炎症性腸疾患発症に関与するかもしれない．今後のヒトでの詳細な解析が必要である．潰瘍性大

表 1 Animal models of mucosal inflammation

Ⅰ　Spontaneous colitis
　1. Cotton-top tamarin, SAMP1Yit mice, C3H/Hej/Bir mice
Ⅱ　Colitis occurring as a consequence of targeted mutations or the introduction of a transgene
　Barrier dysfunction
　　Mdr1a-deficient mice, N-cadherin dominant negative mice, Intestinal trefoil factor-deficient mice
　Regulatory cell defects
　　IL-2-deficient mice, IL2-R α-deficient mice, IL10-deficient mice, CRB4-deficient mice, TGF-β deficient mice
　　TGF-β RⅡ dominant-negative transgenic mice, Tg ε 26 transgenic mice
　Increased effector-cell responses:
　　Stat4 transgenic mice, TNF^{ARE}mutant mice, G-protein subunit αi2-deficient mice, IL-7 transgenic mice, TCR α-deficient mice, NF-κB pathway disruption, transfer of Hsp60-reactive $CD8^{+}$Tcells
　Other or unknown
　　MHC class Ⅱ -deficient mice, HLA-B27 transgenic rat, WASP-deficient mice
Ⅲ　Colitis induced by exogenous agents
　Enema/intramural injection: TNBS, oxazolone, acetic acid, peptidoglycan polysaccharide
　Oral: dextran sodium sulphate, indomethacin, carrageenan
Ⅳ　Colitis due to defective induction of regulatory cells
　$CD4^{+}$CD45RBhitransfer into SCID or Rag-deficient mice, bone-marrow transfer into Tg ε 26 , MAIDS colitis mice

ARE, AU-rich regulatory elements;
CRF, cytokine receptor family ; Hsp, heat shock protein;
IL, interleukin;
Mdr; multidrug- resistance gene;
NF κB, nuclear factor- κB;
Rag, ricombinase-activating gene;
SCID,severe combined immunodeficient;
Stat, signal tranducer and activator of transcription;
TCR, Tcell receptor ;
Tg ε ,CD3 ε transgenic;
TGF-β ; transforming growth factor-β ;
TGF-β R, TGF-β receptor;
TNBS, trinitorobenzene sulphonic acid;
TNF, tumor necrosis factor;
WASP, Wiskott-Aldrich syndrome protein gene ;
MAIDS, Murine acquired immunodeficiency syndrome.

Gerd Bouma and Warren Strober
THE IMMUNOLOGICAL AND GENETIC BASIS OF INFLAMMATORY BOWEL DISESE
NATURE REVIEWS IMMUNOLOGY
Vol 3 July 2003, P 521 ~ 533
BOX 2 より改編

腸炎ではpANCA：perinuclear anti-neutrophil cytoplasmic antibody 抗好中球細胞質抗体，抗大腸抗体(抗トロポミオシン抗体)などがみられる．大腸粘膜障害の機序として抗大腸抗体を介する抗体依存性細胞傷害機序が重視されている．クローン病では抗 Saccharomyces cerevisiae 抗体(ASCA)が自己抗体として重視される．

従来，潰瘍性大腸炎では自己抗体を主体とする液性免疫の過剰な応答が病態の中心をなし，クローン病では腸内抗原に対する過剰な細胞性免疫の持続が病態形成に重要と考えられてきた．このことから炎症性腸疾患はTh1/Th2 反応の不均衡から発症し，クローン病はTh1 偏倚，潰瘍性大腸炎はTh2 偏倚が発症原因ではないかと考えられてきた．しかしその後の免疫学，分子疫学などの発展から，先に述べたように炎症性腸疾患は，疾患素因を有する患者に正常腸内細菌叢などの種々の環境因子が加わって，過剰な免疫反応が持続するために発症するものと考えられるようになった．そして，腸管における免疫反応の最初の問題は発症者の腸管自然免疫が機能不全に陥ることであり，この自然免疫低下のために侵入した腸内細菌に対する獲得免疫反応の異常亢進が持続することにより，炎症性腸疾患が発症すると考えられる．例えば，クローン病の原因遺伝子としてNOD2が同定されたが，これは，マクロファー

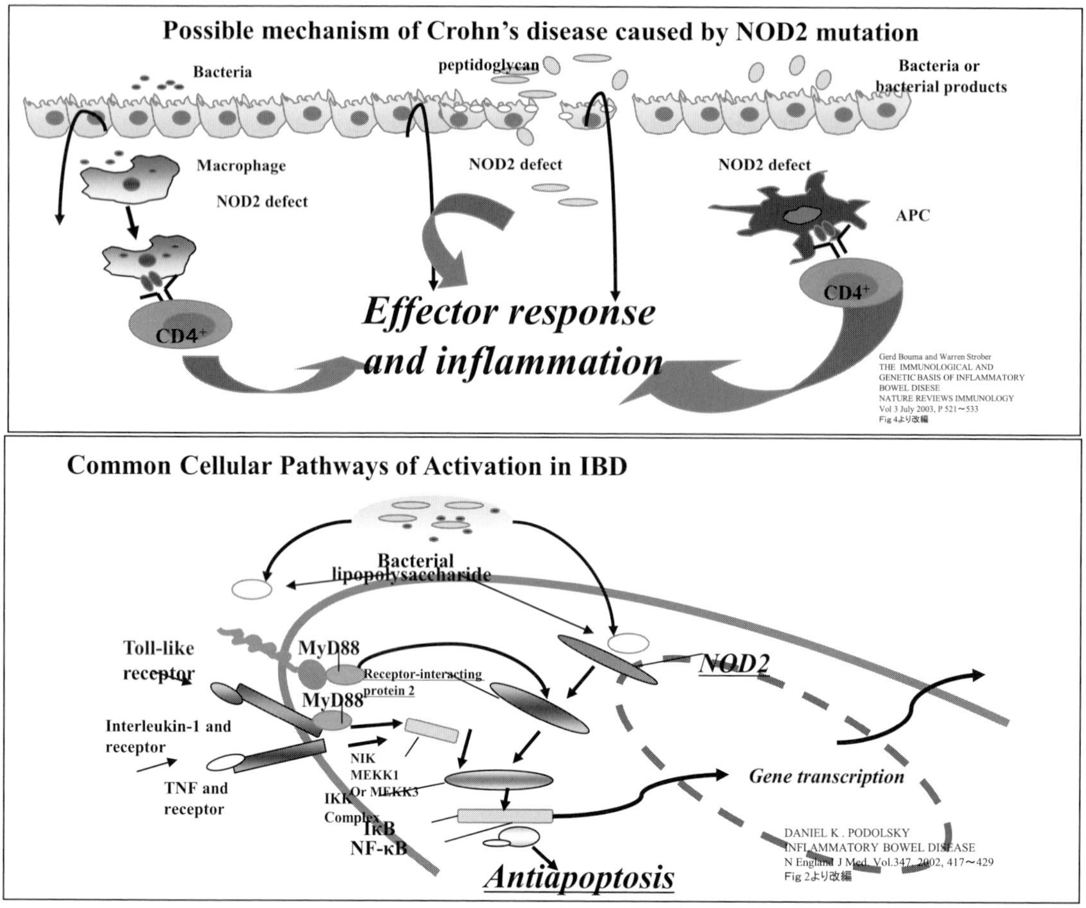

図6

ジなどの細胞内に存在する細菌成分に対するレセプターであり，この変異はマクロファージなどの自然免疫担当細胞の機能不全をもたらす可能性がある．欧米ではクローン病患者に高率にNOD2変異が確認されたが，本邦例では見られなかった(図6)．

5. 炎症性腸疾患の治療

潰瘍性大腸炎，クローン病の治療に対しては，厚生省の班会議より本邦における実際の医療に即した形で潰瘍性大腸炎治療指針案，クローン病治療指針案として具体的な治療戦略が示されている(CD-ROM3，6参照)．

5.1 潰瘍性大腸炎の治療

潰瘍性大腸炎に関する治療は，軽症や中等症ではサラゾピリン，5－アミノサリチル酸(ペンタサ，アサコール)などを使って治療し，緩解しにくい場合や早急に緩解導入したい場合にはプレドニゾロンやベタメタゾンの注腸，あるいはプレドニゾロンの経口ないし静注法を行う．直腸炎や一部の左側大腸炎の軽症は基本的に外来治療で対応できる．一方，左側大腸炎や全大腸炎の重症，劇症は入院治療が必要となる．中等症は症例に応じて判断する．重症例では絶食，完全静脈栄養を行い，サラゾピリンやペンタサに加え，ステロイド剤の経口ないし静注療法を基本に治療する．効果が不十分であればアザチオプリンや6－メルカプトプリン(MP)などの免疫調整剤の併用を行う．これで無効であれば，血球成分除去療法やサイクロスポリンの静注あるいはタクロリムスの経口内服治療が行われる．本邦においては，2010年よりクローン病に続いて潰瘍性大腸炎に対してもレミケードが保険適応となった．劇症ではプレドニゾロンの強力静注療法あるいは動注療法を行う．これでも改善しない場合や中毒性巨大結腸症では手術が行われる．潰瘍性大腸炎では初回治療が極めて大切であり，特にステロイドの使用に関しては初回より必要十分量を投与し，症状の改善とともに漸減して速やかに離脱を図るべきである．ステロイドを少量よりだらだらと漸増したために病態がこじれてしまうことがあり注意が必要である．ステロイドには寛解維持効果はない．サラゾピリンや5-ASA製剤と免疫調整剤の継続使用により寛解維持を行う．潰瘍性大腸炎は大腸に限局した病変であるので，大腸を全摘すれば根治療法となる．適応を慎重に検討することが重要で，内科治療が奏効しない症例や中毒性巨大結腸症などの腸管合併症および大腸癌・dysplasia発生例では手術が適応となる．潰瘍性大腸炎治療でステロイドを使用する例が多いが，同薬の大量投与により骨粗鬆症，精神症状，ミオパチー，易感染性，神経症状，耐糖能異常，大腿骨頭壊死などの重篤な副作用が生じうる．これらの副作用を予防するために，ステロイド総投与量が10g以上，または1ヶ月間の投与量が300mg以上のステロイド離脱不能例や200mg以上でかつ6ヶ月以上慢性持続型症例が，相対的な手術適応と考えられている．術後のQOL改善度から手術術式で大腸全摘に加えて回腸嚢を造設することが標準となっているが，術後このパウチに回腸嚢炎pouchitisがかなりの頻度で発症することが明らかとなってきた．メトロニダゾールなどが有効であることが多いが，今後長期経過で難治性pouchitisや癌化の危険性について注意する必要がある．

5.2　クローン病の治療

クローン病では術後累積再発率が高く，ポリサージャリーの結果短腸症候群となる危険性があるため，狭窄部などの病変部の小範囲切除か狭窄形成術にとどめる．潰瘍性大腸炎では大腸切除が根治術であったのと異なり，クローン病では手術は根治療法とはならない．したがって，クローン病の治療は内科治療が原則である．従来の厚労省研究班の治療指針では初回の治療は入院した上で経腸栄養療法を行なうとされてきたが，現在では軽症～中等症のクローン病は原則外来治療が可能であり，重症例で入院治療を行う．活動期には寛解導入を目的とし，寛解導入後は寛解維持を目的とした治療を行う．治療法には軽症～中等症では5-ASA製剤(大腸型ではサラゾピリンも可)を使用し，中等症～重症では経口ステロイドを使用する．メトロニダゾールやシプロフロキサシンなどの抗生剤を使う場合もある．顆粒球除去療法も保険適応となっている．ステロイド減量・離脱のためにアザチオプリンや6-MPなどの免疫調整剤を使用することがある．栄養療法は栄養補給による栄養状態の改善と臨床症状および腸管病変改善により，緩解導入・緩解維持に有効である．病気の活動性が高く，経腸栄養療法に耐えられない場合は，完全静脈栄養を行い，良くなれば在宅栄養を行なう．ステロイドや栄養療法が無効な場合は生物製剤である抗TNF α 抗体(レミケード)を使用する．レミケードの治療効果は目覚ましく，クローン病治療において革新的な薬剤である．現在では従来の治療法が無効な場合にステロイド，さらに免疫調整剤，それでだめならレミケードを使用するというステップアップ治療戦略が一般的であるが，状態が割と軽い場合からレミケードを使用するトップダウン治療のほうが治療効果が高いとする意見もある．潰瘍性大腸炎，クローン病ともに長期経過例では消化管悪性腫瘍の発生の危険性があり，内視鏡などによる経過観察が重要である．

5.3　炎症性腸疾患に対する新しい治療法の開発動向

炎症性腸疾患は原因が未だ不明であるため依然として根本治療は無いが，種々の新規治療法が検討されている．潰瘍性大腸炎に関しては，難治例に対して血球成分除去療法がステロイド集中治療に匹敵することがわが国で示されてきた．これには顆粒球除去療法のGCAP（Granulocy-teapheresis）と白血球除去療法LCAP（Leukocyteapheresis）（フィルター法，遠心法）がある．緩解導入率は約70%とされる．この治療法の原理は循環

表２　Potential therapeutic Agents For IBD

Growth hormone
Stimulates production of insulin-like growth factor 1 ; tropic for the intestinal mucosa
Heparin
Binds relevant growth factor (e.g.,fibroblast growth factor) ; blocks prothrombotic state ; has anti-thrombotic activity
Fish oil
modulates metabolism of arachidonic acid and its production
Nicotine patch
Agent in tobacco that may account for the protective effect of smoking in patients with ulcerative colitis
Tharidomide
Inhibits intracellular processing of tumor necrosis factor
Short-chain fatty acid
Presumptive optimal metabolic fuel for colonic epithelium
Elemental diet
Modulates antigenic load either directory or through altered flora
Mycophenolate mofetil Inhibits pathgenic T cell
Tacrolimus
Inhibits activation pathways in lymphocytes and other cell populations
Interleukin-11   Enhances epithelial integrity
Interleukin-10   Down regulates lymphocyte activation
Anti Interferon-γ
Antagonizes activation of macro-phages by Interferon-γ
Anti interleukin-12
Antagotenizes interleukin-12 activation of type1 helper T cells
Anti IP-10
Antagotenizes IP-10 activation of type1 helper T cells
Keratinocyte growth factor
Simulates epithelial proliferation and repair
P38 Inhibitor
Inhibits signal pathway leading to nuclear factor factor –κB
Anti-α_4 *integrin*
I nhibits leukocyte recruitment
Anti-$\alpha_4\beta_7$ *integrin*
Inhibits leukocyte recruitment
Bactericidal-perme-ability- increasing protein
Inhibits bactericidal stimulation
Rosiglitazone
Inhibits peroxisome- prolifererator- activated receptor γ
Probiotic mixture   Replaces pathogenic endogenous flora

血中の活性化白血球を除去することにより腸管の炎症を沈静化しようとするものである．本法は現在日常診療での選択肢の一つとなっている．GCAP はクローン病に対しても保険適応となった．

炎症性腸疾患に対する治療薬の開発の歴史をみると 1950 年代にサラゾピリンや 5-ASA 製剤，1970 年代に免疫調整剤，1990 年代後半から生物製剤が開発され臨床応用されてきた．特に生物製剤の一つである抗 TNF α 抗体(Infliximab)，レミケードはクローン病治療における奇跡の薬と評価されるほどの衝撃を持って登場した．クローン病においては活性化マクロファージより産生される TNF α が組織障害のキーサイトカインと考えられており，この抗体は TNF α の中和と膜型 TNF α 発現炎症細胞の殺傷により臨床効果を発揮すると考えられる．腸管皮膚瘻などを有する難治性クローン病症例に，外瘻が閉鎖するなどの有効性が

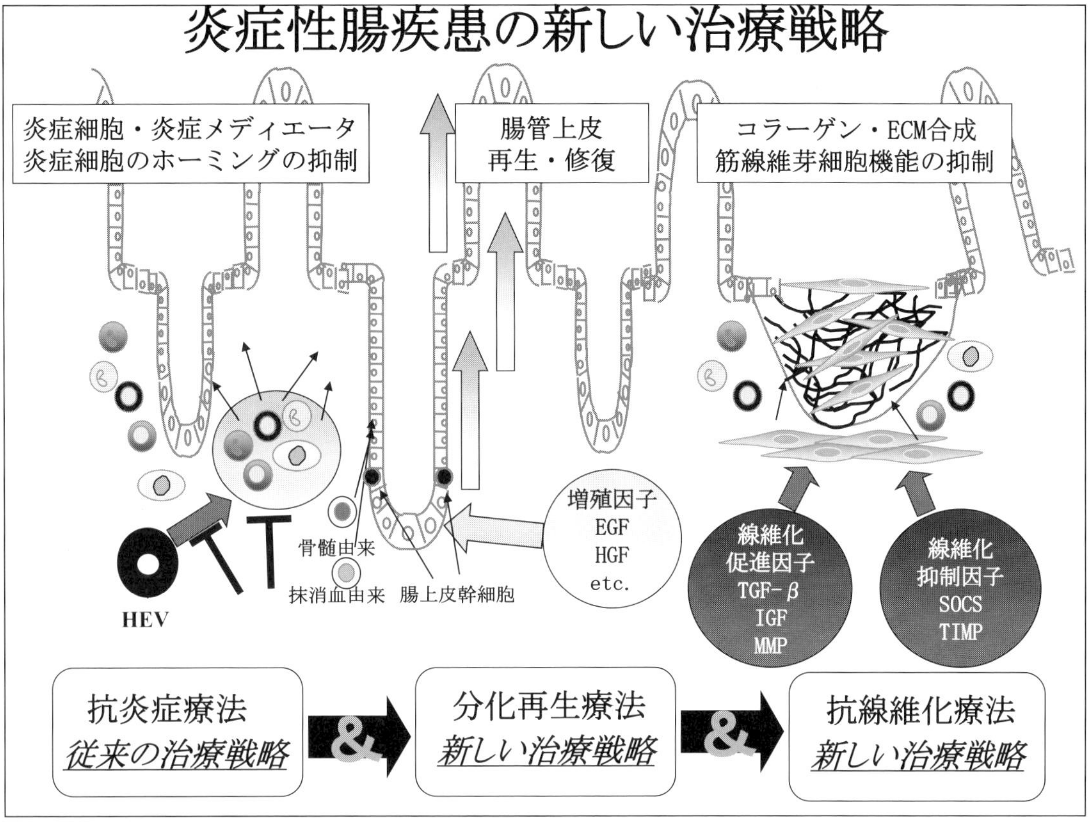

図7

認められている．Infliximabは抗原結合部位はマウスの抗体，その他をヒトの抗体部分で作成したキメラ抗体であるが，現在このようなバイオテクノロジー製剤として種々のサイトカインや抗接着因子抗体などが臨床応用に向けて臨床治験段階にある(表2)．また，先に述べたNOD2変異によるマクロファージ機能不全がクローン病の病因であるならば，血球系幹細胞への正常NOD2遺伝子導入による遺伝子治療が将来検討される可能性がある．

これまでの炎症性腸疾患治療の基本戦略は炎症細胞の活性化阻止および炎症メディエーターの制御が中心となってきた．一方，腸管上皮には恒常性維持と障害修復機構が備わっており，これらの機構を促進させることで炎症性腸疾患の新たな治療法開発を目指した研究が行われきた(図7)．腸管上皮細胞は腸管上皮陰窩底部に存在する腸管上皮幹細胞が増殖し，上皮を構成するPaneth細胞，神経内分泌細胞，杯細胞，吸収上皮細胞に分化することで維持されている．上皮細胞増殖因子EGFや表皮細胞増殖因子KGFなどの増殖因子がこの腸管上皮幹細胞に働き分化が促進されることが示された．実際，左側型潰瘍性大腸炎に対しEGF注腸療法が有効であることが報告された．本邦では肝細胞増殖因子HGFを用いた炎症性腸疾患に対する再生医療の試みがなされたが，臨床応用に際して慢性炎症状態の腸管に増殖因子を加えることで発癌につながる懸念があることから，計画は滞っている．また，骨髄由来腸管上皮細胞が実際に存在することが骨髄移植後GVHD患者で証明された．これより，骨髄由来幹細胞および末梢血幹細胞を用いた新しい治療法の開発研究が行われているが，臨床応用には至っていない．

炎症性腸疾患，特にクローン病を見た場合，QOLを損ない手術を余儀なくさせる病態として注目すべきものに消化管の線維化による狭窄症がある．創傷治癒の正常な反応として組織の線維化は生じるが，この線維化が不十分であれば瘻孔形成に繋がり，この線維化が過剰に生じた場合線維性狭窄となる．したがって，適切な組織線維化をもたらす薬剤の開発は今後の新規治療法開発のための重要な目標となる．

炎症性腸疾患をトータルに治癒させていくために，従来の炎症性腸疾患治療法の目標であった炎症制御に加え，障害腸管の組織修復・再生，および適切な腸管組織創傷治癒をもたらす線維化の制御の三つの戦略で，今後新薬開発の研究が進んでいくものと考えられる．

6. おわりに

炎症性腸疾患は原因不明であり現在根本的な治療法は存在しない．しかし，最近の粘膜免疫，分子生物学の進歩は目覚しく，特にわが国において世界をリードする研究成果が多数得られている．特にこの10年間で見られた基礎分野の研究の成果は遺伝子レベルでの病態解明に大きな進歩をもたらし，この基礎分野での成果をもとに臨床面では生物製剤による治療が病気の自然史まで変える可能性を予感させるまでとなってきた．これからの10年で炎症性腸疾患に対する研究がさらに進展し，同疾患の病因が解明され画期的な根本治療が確立されることを期待している．

参考文献

1. 朝倉均，本間照，杉村一仁著：Overview 炎症性腸疾患，日本メディカルセンター，東京，2001.
2. 武藤徹一郎，八尾恒良，名川弘一，櫻井俊弘編集：炎症性腸疾患．潰瘍性大腸炎とCrohn病のすべて，医学書院，東京，1999.
3. 高添正和編集：臨床医のための炎症性腸疾患のすべて．潰瘍性大腸炎，クローン病の最新治療戦術，メディカルヴュー社，東京，2002.
4. 清野宏，石川博通，名倉宏編集：粘膜免疫．腸は免疫の司令塔，中山書店，東京，2001.
5. 吉開泰信編：粘膜免疫学の最前線，医薬ジャーナル社，東京，2002.
6. 安藤朗，藤山佳秀．IBDの衛生仮説と腸内細菌を目的とした治療法開発．IBD Research 2：287-291, 2008.
7. 木内喜孝，高橋成一，下瀬川徹．疾患感受性遺伝子からみたクローン病．日本消化器病学会雑誌 107：855-862, 2010.
8. 久松理一，日比紀文．炎症性腸疾患治療における生物製剤の現状．日本臨床免疫学会雑誌 32：168-179, 2009.
9. 厚生労働省．「難治性炎症性腸管障害に関する調査研究班」主任研究者渡辺守．平成19～21年度総合研究報告書．2010.
10. Kirsner JB ed. Inflammatory bowel disease. 6th ed.W.B. Saunders Co, Philadelphia, 2004.
11. Targan SR, Shanahan F, Karp LC. Inflammatory bowel disease. Translating basic science into clinical practice. 1st ed. Wiley-Blackwell, 2010.
12. Podolsky DK. Inflammatory bowel disease. N Engl J Med 347：417-429, 2002.
13. BaumgartD, CardingSR. Inflammatory bowel disease：cause and immunobiology. Lancet 369：1627-1640, 2007.
14. BaumgartDC, SandbornWJ. Inflammatory bowel disease：clinical aspects and established and evolving therapies. Lancet 369：1641-57, 2007.
15. Mayer L. Evolving paradigms in the pathogenesis of IBD. J Gastroenterology 45：9-16, 2010.
16. Bouma G, Strober W. The immunological and genetic basis of inflammatory bowel disease. Nat Rev Immunol. 3：521-533, 2003.
17. Cooney R, Jewell D. The genetic basis of inflammatory bowel disease. Digestive Diseases 27：428-442, 2009.
18. Fagarasan S, Honjo T. Intestinal IgA synthesis：regulation of front-line body defenses. Nat Rev Immunol 3：63-72, 2003.
19. Inohara N, Nunez G. NODS：Intracellular proteins involved in inflammation and apoptosis. Nat Rev Immunol 3：371-382, 2003.
20. Slack JMW. Stem cells in epithelial tissues. Science 287：1431-1433, 2000.
21. Potten CS, Booth C, Hargreaves D. 小腸上皮幹細胞研究の新展開．実験医学 21：1027-1036, 2003.
22. Potten CS, Booth C, Tudor GL et al. Identificaiton of a putative intestinal stem cell and early lineage marker；musashi-1. Differentiation 71：28-41. 2003.
23. Sinha A, Nightingale JMD, West KP et al. Epidermal growth factor enemas with oral mesalamine for mild-to-moderate left-sided ulcerative colitis or proctitis. N Engl J Med 349；350-7, 2003.
24. Okamoto R, Yajima T, Yamazaki M et al. Damaged epithelia regenerated by bone marrow-derived cells in the human gastrointestinal tract. Nat Med 8：1011-7, 2002.
25. Rutgeerts P, Vermeire S, Van Assche G. Biological therapies for inflammatory bowel diseases. Gastroenterology 136：1182-1197, 2009.

Ⅱ-12　精神・神経疾患

関西労災病院医療情報部
山縣英久

1. 精神疾患

わが国では近年，社会産業構造の変化，長引く経済不況，情報化，急速な国際化などの激しい社会変化に直面しており，精神的ストレスが増大し，人々の心の健康に大きな影響を及ぼしている[1]．現代は24時間社会であり，都会を中心とした「眠らない街」やコンビニエンスストア，救急病院，製造業，マスメディア(TV，インターネット)にみられるように人々は睡眠を軽視し犠牲にして心身の健康障害を引き起こしている．さらにWHO（世界保健機構）は“No health without mental health（精神保健なくして健康なし)”をスローガンとして掲げ，各国の保健医療政策の中で精神保健(メンタルヘルス)政策を優先する必要性を強く訴えている[2]．特に国内で問題になっているのは，自殺とひきこもりの増加である．1998年以来年間3万人が自殺で亡くなり，国家的対策が急務となっているし，平成20年度の東京都「ひきこもりに関する実態調査」によれば，都内のひきこもり状態にある若者が2万5千人，予備軍が16万人(若者の5%)にものぼり男性が7割を占めるという．自殺とひきこもりは当事者の背景はどちらも複雑であり，うつ病などの精神疾患だけで片付けられない面が多い．なお労働者の過労死自殺の視点から問題点がいっそう浮き彫りになる．平成21年度における精神障害等事案の労災補償状況をみると，請求件数が1136件(初めて1000人を突破し前年比209件増加)，支給決定件数が234件(前年比35件減少)，業種別では「商品販売従事者」（前年度は「製造業」)が最多，年齢別では「30 － 39才」が最多となっている．勤労者のメンタルヘルスを考える上で大切なのは，どのような環境下に彼らが置かれているかを分析し，問題点

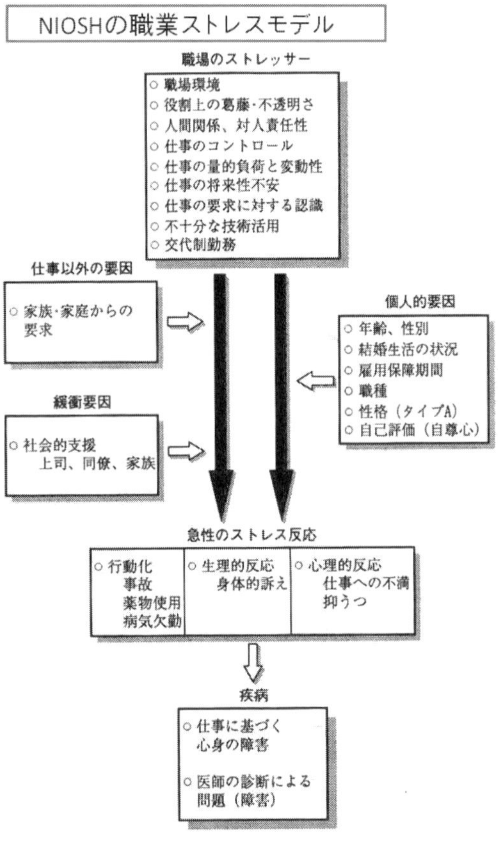

図1

表1
ICD-10（国際疾病分類　第10版1992）
第Ⅴ章（F）　F00-F99　精神および行動の障害

F0（F00－F09）	症状性を含む器質性精神障害
F1（F10－F19）	精神作用物質使用による精神および行動の障害
F2（F20－F29）	統合失調症，統合失調型障害および妄想性障害
F3（F30－F39）	気分（感情）障害
F4（F40－F48）	神経症性障害，ストレス関連障害および身体表現性障害
F5（F50－F59）	生理的障害および身体的要因に関連した行動症候群
F6（F60－F69）	成人のパーソナリティおよび行動の障害
F7（F70－F79）	知的障害［精神遅滞］
F8（F80－F89）	心理的発達の障害
F9（F90－F98）	小児期および青年期に通常発症する行動および情緒の障害
F99	特定不能の精神障害

に対する対策を立てることである．米国国立労働安全衛生研究所（NIOSH）の職業ストレスモデルはメンタルストレス対策に役立つ（図1）[3]．そこでは仕事上の要因をうけて急性ストレス反応（心理面，生理面，行動面への変化）がおき，やがてストレスに関連した病気や作業能率低下などの問題が生じる，という一連の流れを示す．その流れに影響を及ぼすものとして，仕事以外の要因や年齢・性別・性格といった個人要因，上司・同僚・家族からの支援などの緩衝要因が示されている．職場においてストレスを最も増加させる要因を明らかにし，それをいかに少なくするか，個人要因の改善，緩衝要因となるものの強化，等の工夫が必要である．

また平成17年の患者調査によると，303万人が精神疾患により入院または外来治療を受けていると推計され，入院患者数は35万人となっている．疾患別の内訳では，入院患者の6割が統合失調症，外来患者では気分障害（躁うつ病など）が3割，統合失調症と神経症性障害が2割強ずつとなっている．障害年金申請の際に精神科医が記載する診断書には傷病名の他に国際疾病分類（ICD-10）コード番号，特にF2，F3が大変重要となる．その一覧を表1に示す．ここではF0（アルツハイマー病（AD）を含む），F2，F3，F7，F8の一部について（ADは神経疾患の項で）とりあげる．

精神疾患は家族集積性，双生児間での一致率に基づくと，メンデルの遺伝形式を伴う単一遺伝子変異による発症者は少なく，遺伝的素因や環境的負荷が複数重複したうえに何かが引き金となって発症する神経発達障害を基盤とした多因子遺伝性疾患である．そこで，遺伝子多型と疾患の相関研究による様々な遺伝因子の報告が集積されているが，神経発達障害の要因として近年，シナプス形成に関わる神経発生関連因子が精力的にモデル動物や死後脳研究，脳画像研究を中心に解明されつつある[4]．これらの精神疾患の遺伝子解析は今後のヒトゲノム情報を駆使した研究に待たれる所が大きい．

(1)知的障害（精神遅滞）（F7）

知的障害（医学的な診断名は精神遅滞，平成12年から精神薄弱という用語から改名された）は18歳までに発症する運動や言語機能の障害を主症状とする疾患群である．顔貌や四肢に小奇形を伴うこともあるが，それらは健常者にもしばしばみられる小奇形である．有病率は1%前後と高く，女性に比して男性に多い．これまで最も解明の進んだ知的障害症候群の遺伝子研究分野はX連鎖性知的障害である．脳のネットワークづくりはX染色体が主役で，知的障害が男性に多いのは，男性はX染色体が1本しかないため，病的変異があれば症状が出るからである．X染色体には海馬のニューロンを作ったり，ニューロンの突起を伸ばしたり，伝達を正常にする遺伝子，ニューロン同志をつなぎ合わせる遺伝子，mRNAを運ぶ遺伝子など知能に関連する遺伝子が多い．近年遺伝子診断が可能となった女児に発症するレット症候群（F84.2）もX染色体にあり，自閉症に関連する遺伝子も20個以上ある．

X連鎖性知的障害の内，脆弱X症候群は21トリソミーであるダウン症候群について頻度が高く，その原因遺伝子はfragile X mental retardation 1（FMR1）である[5]．本疾患は特殊な培養条件下でX染色体長腕末端q27.3に観察される染色体のくびれをもとに命名された．主な特徴は男性では中等度知的障害，女性では軽度知的障害を示し，さらに男性では長頭・前額の突出，目立つ耳，関節の弛緩と大きな精巣がある．日本人の発症頻度は男性1万人に1人で，白人の4000人1人に比べて少ない．

FMR1遺伝子の5’側に位置する3塩基対(CGG)の反復回数には遺伝的多型が存在し，健常者は6から54回で，安定して受け継がれる．しかし，患者では230回以上に著明に増加し，反復回数が多くなればなるほど知的障害は重度となる．CGG反復回数が65回から100回に延長した女性保因者より過度の伸長を示す男性患者が生まれることが判明した．この様な次世代で遺伝子伸長をもたらす前変異(premutation)は，女性の生殖細胞内で大きく伸長するが，男性の生殖細胞では変化なく，発症には保因者の性が大きく関与する．健常者における前変異遺伝子の頻度は0.0015と予想され，家族性知的障害の予知に有用である．

FMR1変異による知的障害の発症機序として，FMR1タンパク質はRNA結合機能を有するが，CGG反復回数の増加によってFMR1遺伝子のメチル化が促進されて蛋白質合成が障害され，下流で発現調節される遺伝子異常を引き起こすことが示唆されている．

(2) 統合失調症(F2)

従来，精神分裂病と呼ばれてきた統合失調症は，若年者に発症する幻覚や妄想，会話や行動の異常，感情の平板化，意欲の欠如などを伴う精神疾患である．その病態を説明する仮説としてドパミン仮説とグルタミン酸仮説が有力である．ドパミン仮説においては，幻覚，妄想などの陽性症状は中脳辺縁系ドパミン経路の活性亢進が関与し，意欲欠如や自閉的生活などの陰性症状は中脳皮質系ドパミン経路の活性低下が考えられ，臨床的治療薬として実際にドパミン受容体に対する遮断薬や部分作動薬が用いられている．またグルタミン酸仮説においては，グルタミン酸のNMDA受容体にはニューロン間の結合を強化して神経シグナルを増幅させる役割があり，その遮断作用と認知機能障害および陰性症状が比例し，患者の脳脊髄液中のグルタミン酸濃度の低下も認められ，NMDA受容体神経伝達の低下が病態に深く関わるとされる．成人の有病率は1%前後である．家系を用いた連鎖解析と全ゲノムスキャンによる患者・対照研究のメタ解析結果によって，数多くの疾患感受性遺伝子の存在が示唆され精力的に研究が行われているが特定された遺伝子は少ない[4, 6]．

1) Disrupted-In-Schizophrenia 1 (DISC1)遺伝子

DISC1は5世代に渡る相互転座染色体(1；11)(q42；14.3)と統合失調症を伴ったスコットランド家系に見られた第1染色体切断領域1q42.1から単離された統合失調症関連遺伝子である[7]．851個のアミノ酸からなるDISC1蛋白質は胸腺，心臓，肝臓，腎臓などの様々な細胞の細胞質に存在するが，胎児期から神経細胞にも発現し，大脳皮質や海馬領域に強く発現している．DISC1と相互作用する結合蛋白質の同定(Ndel1，PDE4B)が進み，その機能は神経細胞移動，軸索・樹状突起・シナプスの正常な形成に必要である事がわかってきた．細胞質内のNdel1 (NUDEL)を初めとする細胞骨格を形成する蛋白質と結合して，神経細胞の突起進展に関与している．Ndel1は滑脳症の原因遺伝子となるLIS1タンパク質と結合して，大脳皮質細胞の構築に関与していることから，DISC1遺伝子の変異は大脳皮質形成に異常をきたすことによって神経発達障害を基盤に統合失調症を発症していることが示唆されている[7]．

しかし，家系内の統合失調症の発症頻度は切断されたDISC1遺伝子を持つ者の72%であることから，この遺伝子変異は統合失調症の遺伝要因ではあるが，環境因子の働きが重要であることも示唆される．

2) catechol-O-methyltransferase (COMT)遺伝子

古くから統合失調症の遺伝子座として注目されている22q 11にあるCOMTはドパミン代謝に関わる蛋白質である．大脳，線条体と中脳のドパミン神経細胞に発現し，可溶型では108番目，膜結合型では158番目のアミノ酸にVal／Metの機能的遺伝子多型が報告されている[8]．Val型の神経細胞ではドパミン代謝が促進し，ドパミン量が減少する結果細胞機能が抑制される．

この遺伝子多型を用いた患者・対照研究によると，Val型ホモ接合体は精神活動が低下している．

各論Ⅱ

しかし，COMTのイントロン1内の遺伝子多型がVal/Met多型より強く相関を示しており，未だ確立された遺伝的因子とは言い難い.

3)ゲノムコピー数変異(copy number variation：CNV)

統合失調症や自閉症において*de novo*のゲノムコピー数変異(copy number variation：CNV)の発生頻度が高いことが報告されている[9]．特に有名な領域は1p21.1（ギャップジャンクションをコードするコネキシン50遺伝子GJA8を含む)，15q11.3（プラダーウィリ症候群領域と重なり，脆弱X症候群原因蛋白質と結合するCYFIP1遺伝子を含む)，15q13.3（α7ニコチン受容体遺伝子CHRNA7を含む)，2p16.3（ニューレキシン1遺伝子NRXN1を含む)の微小欠失である．数kbから数百kbを1ユニットとするゲノム領域単位が重複や欠失を示すCNV領域は多数の遺伝子を含み，特定は困難であるが，神経発達関連遺伝子，シナプス関連遺伝子が多く，疾患との関連が示唆されている．CNVが表現型に及ぼす影響について，遺伝子量効果，遺伝子欠損，周辺遺伝子への位置効果など様々なパターンがあり，単に遺伝子量だけで病態との関連を議論する事はできず今後の研究成果が待たれる.

(3)気分障害(躁うつ病)(F3)

従来の躁うつ病は現在では気分障害(感情障害)が正式名称である．気分の変調により，苦痛を感じたり，日常生活に何らかの支障をきたしたりする状態で主にうつ病(単極性うつ病：F32，F33)と双極性障害(躁うつ病：F31)が含まれる．主な症状は過度の爽快な気分や憂うつな気分が交錯し，不眠や頭痛などの生理的変化を伴うことが多く，自然に軽快するが症状が反復し，20%の患者は自殺行動を取る危険性がある．気分障害は日常生活の過剰なストレスへの反応障害による多因子遺伝性疾患と位置付けられ，女性・中高年に多く有病率は3～5%で，しばしばみられる精神障害である．生涯のうちにうつ病にかかる可能性につ

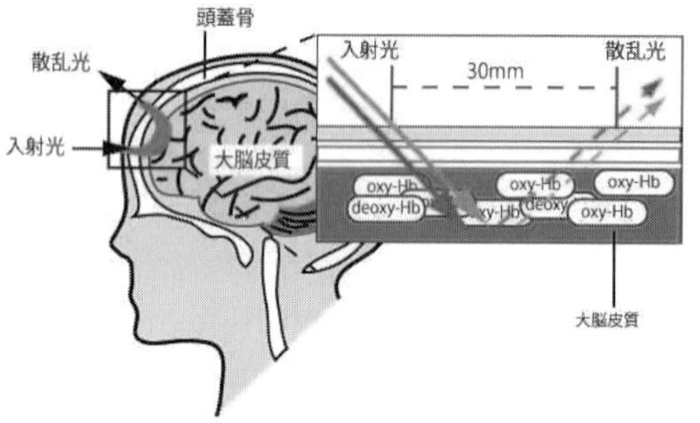

	NIRS 波形	賦活反応性
健常者		明瞭（賦活に応じて）
うつ病		減衰（初期以降）
双極性障害		遅延（大きさは保存）
統合失調症		非効率（タイミング）

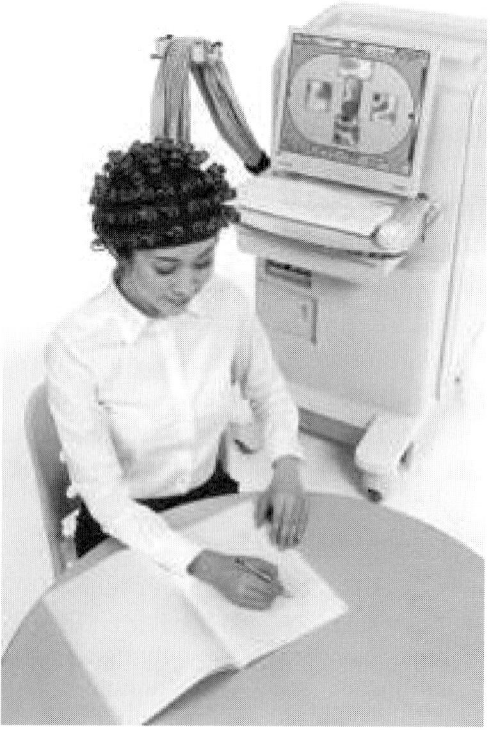

図2　光トポグラフィー（NIRS)検査装置と疾患の判別

いては，15%程度という報告が多い．脳内病態としてセロトニン・ノルアドレナリンなどの神経伝達の低下が推定されている[10]．

2009年4月，光トポグラフィー検査を用いたうつ病の鑑別診断補助が厚生労働省に先進医療として適用を受け，うつ病と双極性障害の鑑別などに活用される事となり，脳画像研究の成果として初めて精神疾患の「見える化」の実用化として話題となっている（図2）．この近赤外光を用いた脳機能測定法（NIRS）は，大脳皮質の血液量変化を推定し，非侵襲的かつ簡便であり，アルゴリズムを用いてうつ症状を呈する患者を7～8割の精度でうつ病，双極性障害，統合失調症のいずれかに判別でき，治療薬の処方計画に応用可能という[11]．

近年盛んに行われている，全ゲノム関連解析（GWAS）に限ってみると，双極性障害の候補遺伝子領域は，1q31，2q21，2q34，3p21，5q15，10q21，12p13，12q21，13q14，15q14，16p12などが報告されているが，再現性がほとんどなく，これはそれぞれが非常に効果の小さな遺伝子であり検出力がないためと考えられている．これらの内，10q21にあるAnkyrin3（ANK3）遺伝子は複数の有意な報告があり，機能面でもAnkyrinはリチウム投与により発現が変化する細胞膜裏打ち蛋白をコードする遺伝子として注目されている．近年，遺伝子発現量をもとに，双極性障害の有力な疾患遺伝子が注目された．22q11.2に遺伝子座を有し，細胞内小胞体（ER）でのストレス反応によるタンパク質の発現量が修飾されるX-box binding protein 1（XBP1）のpromoter領域（-116）に遺伝子多型が存在し，この遺伝子多型は気分障害に相関し，C型遺伝子のホモ接合体はG型遺伝子のホモ接合体に比して，発症が約4.5倍少ないと報告された[12]．機能的にもG型遺伝子は小胞体ストレスに弱く，バルプロ酸がこの働きを回復させる．日本人では発症リスクを持つG型遺伝子頻度が0.64と，C型遺伝子頻度より多い．XBP1は神経の樹状突起に存在し，局所で翻訳されて核移行する神経可塑性関連転写因子であり，さらに小胞体ストレス系が精神疾患の病態に関与するが，遺伝子多型と気分障害の相関がない報告もあり今後の展開が待たれる[13]．

2. 神経疾患

脊髄小脳変性症やハンチントン病（いずれもCAGリピート病，トリプレットリピート病）をはじめとするメンデル遺伝を伴う神経疾患の責任遺伝子が次々と明らかにされ，少なくとも500以上の遺伝性神経疾患の原因が明らかになった．多くの神経疾患の発症や経過に，環境因子が大きく関与するが，これらの疾患頻度は10万人対1～10と低く，生活習慣病としての意義は少ない．
しかし，しばしばみられる神経疾患であるパーキンソン病やアルツハイマー病は，単一遺伝子変異による疾患であると共に，生活環境因子によって発症危険頻度の高まる多因子遺伝性疾患である．また多くの神経変性疾患は特定の蛋白質が構造変化を起こし，特定の領域の神経細胞内外に蓄積する「中枢神経系のアミロイドーシス」と考えられる事がわかってきた（図3，4）[14, 15]．原因となる主要な蓄積蛋白質，病原因子が解明されることにより，これらの蛋白質の構造変化や蓄積を抑制する創薬，あるいはワクチン療法や免疫療法などによる新たな治療法の開発が期待される．

(1) パーキンソン病

パーキンソン病は加齢と共に発症頻度の高まる静止時の振戦，姿勢保持の困難，筋肉のこわばり（固縮）等の運動障害を主症状とする神経変性疾患である．まれであるが，常染色体性優性遺伝を示すαシヌクレイン遺伝子変異（PARK1&4：SNCA遺伝子）による家系やubiquitin hydrolase L1（PARK5：UCHL1遺伝子）変異による家系や，PARK8（LRRK2遺伝子）の家系，常染色体性劣性遺伝を示すPARK2（PARK2遺伝子），PARK6（PINK1遺伝子），PARK7（DJ1遺伝子）異常を伴う家系報告がある．今ではPARK3以外の遺伝子は同定されている．さらに，殆どの患者は孤発例であることから，多因子遺伝をモデルとした遺伝要因と環境要因の検索が進められている[16]．孤発例におけるリスク遺伝子の研究では，SNCA遺伝子多型（SNCAは優性遺伝性家族性パーキンソン病の原因遺伝子），GBA遺伝子変異（GBAは劣性遺伝病ゴーシェ病の原因遺伝子）保

各論Ⅱ

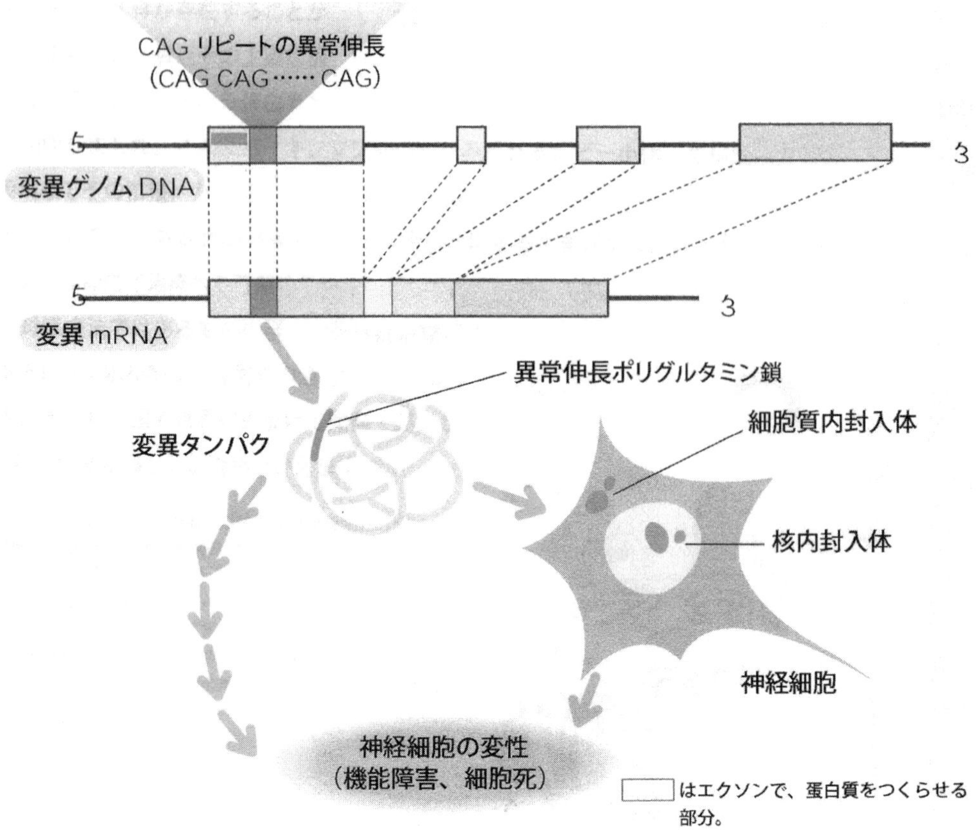

図３　CAG リピート病の発症機序

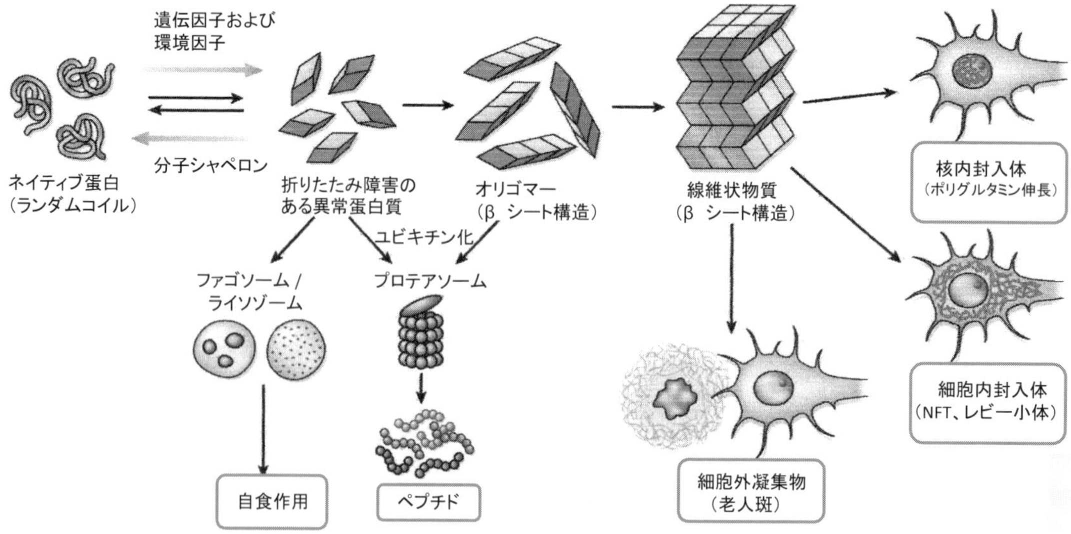

図４　蛋白質の構造変化から神経変性疾患にいたるモデル

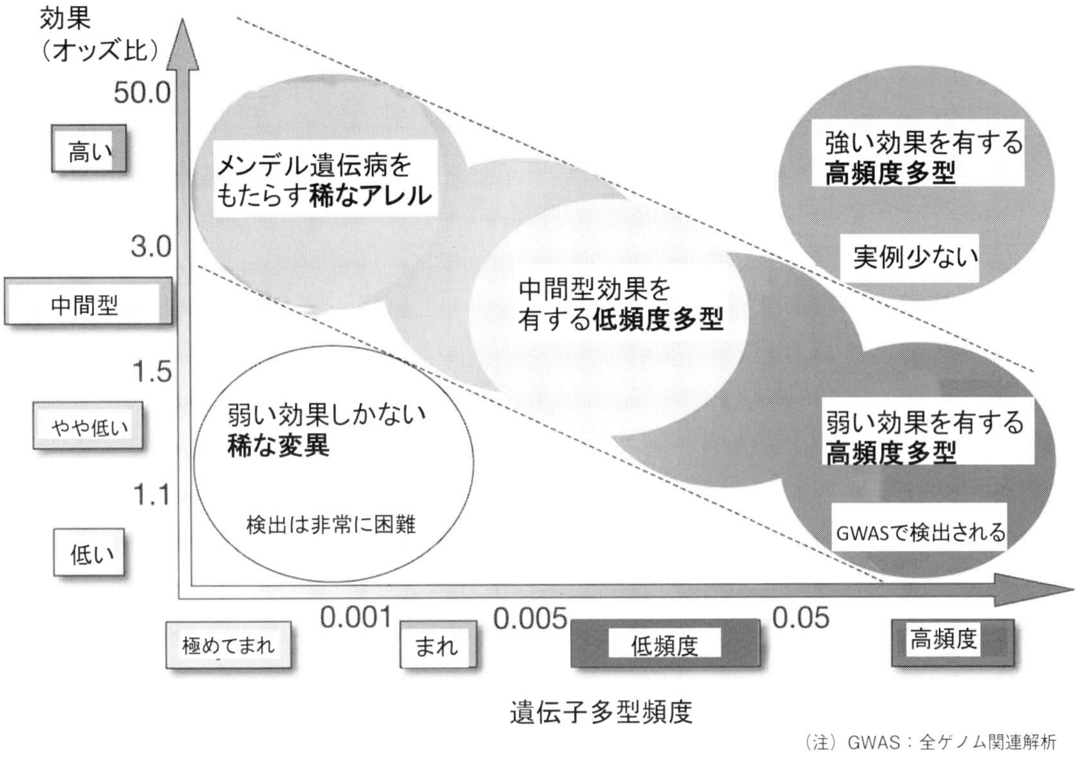

図５　遺伝要因が関与する疾患分類

因者が知られている．ありふれた疾患はありふれた遺伝子多型から由来するとする従来のCommon disease-common variant仮説から，ありふれた疾患は多数の稀な遺伝子多型に由来するcommon disease-multiple rare variant仮説へと主流が交代した(図５の右上から中央あるいは左上へ)[17]．パーキンソン病におけるSNCA遺伝子多型は前者，GBA遺伝子変異は後者でありアルツハイマー病におけるAPOE多型は前者である．

パーキンソン病の主病変は中脳黒質・線条体のドパミン神経細胞の著明な減少であり，ドパミンの補充によって臨床症状が軽快することから，ドパミン代謝に関わる遺伝子を中心に疾患遺伝子の研究が進められてきたが，近年では他の神経変性疾患と同様に蛋白質の構造異常やミトコンドリア異常に関連する経路が病態の中心となりつつある．

一方，1-methyl-4-phenyl-1, 2, 3, 6- tetrahydropyridine（MPTP)の誤った使用から発症したパーキンソン病をもとに，環境中と生体内でのMPTP類似物質としてtetrahydroisoquinolineやbeta-carbolineが同定されたが，パーキンソン病発症への関わりは不明である．また，MPTPの代謝の関わる遺伝因子の検索が精力的におこなわれているが，確実な成果は得られていない．

(2)アルツハイマー病(ICD-10分類のF00)

アルツハイマー病(AD)は1907年ドイツの病理学者Alois Alzheimerによって最初に記載された進行性の認知症を主症状とする神経変性疾患であり，物忘れに始まり，性格・行動異常を経てついには寝たきりになるため社会的に大きな問題となっている．ADは老年期認知症の原因の第１位を占め，米国のレーガン元大統領や俳優チャールトン・ヘストンがADであったされている．

1)認知症について

認知症(以前は痴呆症と呼称)とは，いったん正常に発達した知能が後天的な脳の器質障害により持続的に低下し，社会生活や日常生活に支障をきたす状態と定義され，脳が広い範囲で障害を受けた時に生ずる一般的な症候である．知能には記憶能力，思考判断力，言語機能などを含むが，認知症では，感情や意欲低下，人格障害，行動異常などを伴い，特有な症状を呈する．わが国は戦後，急速に高齢者社会を迎え，2009年の65歳以上の高齢者は2901万人(23%)とされ，その内220万人(8%)に認知症があると推定されている．軽度認知障害(MCI)を含めると成人人口の約1割が何らかの認知機能にハンディをもって生活している．これは医療だけの問題に留まらず福祉や家族のあり方，町づくりなど社会的な問題になっている．診療の際のポイントは，①認知症かどうか，②認知症の原因疾患の診断(アルツハイマー型認知症，脳血管性認知症，レビー小体型認知症，前頭側頭型認知症など)，③適切な進行抑制薬の投与や対症療法薬の選択，④デイケアなど福祉との連携を密にして家族，患者本人の疲労や虐待を防止することにある．老年期認知症の50%はAD，35%は脳血管性認知症，残りの15%が混合型や他の認知症と言われ，AD患者はすでに100万人前後(高齢者の5%弱)おり，今後ますます増加すると予測されその治療法，予防法の開発が大きな課題となっている．

2)アルツハイマー病の特徴について

アルツハイマー病(AD)は元来，初老期発症のものに命名され，老年期発症のアルツハイマー型老年期認知症と区別していたが，病理学的に差異がないと考えられ，現在では一括してADとよぶことが多い．病型分類は発症年齢65歳未満の早期発症型と65歳以上の晩期発症型，家系内発症のみられる家族性ADと遺伝背景のはっきりしない孤発性ADに分けられる．しかし常染色体優性遺伝を示す早期発症型ADは全体の3%程度であり他は多数の遺伝子が発症に関与する多因子疾患と考えられる．患者では脳は萎縮しており脳室・脳溝が拡張し，重量も軽い．萎縮は側頭葉，前頭葉に顕著である．大脳皮質では老人斑(senile plaque)と神経原線維変化(neurofibrillary tangle)が特徴であり，神経細胞の減少，海馬の顆粒空胞変性と平野小体，シナプスの消失もみら

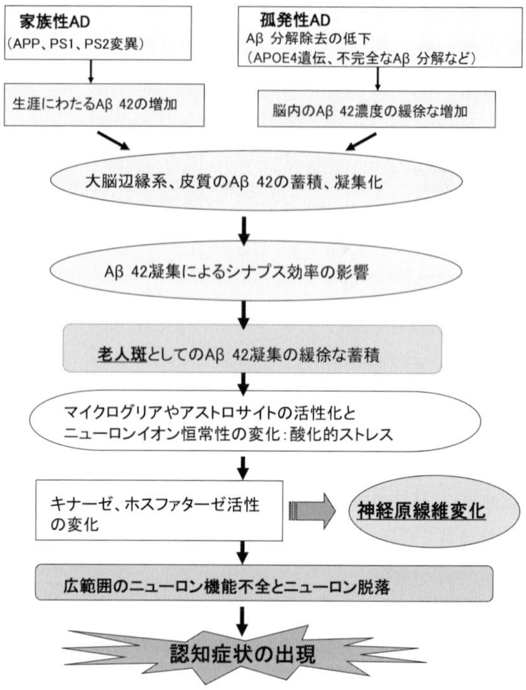

図6　アミロイド・カスケード仮説

れる[18]．ADの特徴である老人斑にはアミロイド物質が沈着しており，1984年にはその構成成分として分子量4.2kDのβアミロイド蛋白(Aβ)が単離された．Aβはアミロイド蛋白前駆体(APP)が切断酵素で切り出されて出来，重合すると老人斑として沈着する．APPは細胞膜に貫通して存在し，神経細胞(ニューロン)が成長し生存するのに必要な蛋白であり，ニューロン自身の修復や障害後の伸張に役立つと考えられているが，切り出されたAβは細胞外で凝集し始め，他の蛋白や神経以外の細胞と結合して不溶性斑を形成する．元来生理的な存在でもあるAβは体内で恒常的に合成・分泌されており，正常では速やかに分解されて蓄積や沈着は起こらないが，老化などにより産生の亢進や分解の低下がAβの蓄積を引き起こすと考えられている．このアミロイド沈着が神経細胞の脱落，シナプスの消失を引き起こし，最終的に認知症を生ずるとする説(アミロイド・カスケード仮説)が多くの研究者に支持されている(図6)[19]．もう一方のADに特徴的な神経原線維変化は，認知症を伴う他の神経変性疾患にお

いても見られることから，神経脱落における共通のメカニズムが考えられている．ニューロン内部の輸送システムとしての微小管を支えているタウ蛋白が化学的に変化し，過剰リン酸化を受けて細胞内に蓄積した構造物が神経原線維変化であり，そのためニューロン間の連絡に支障をきたし，最後は細胞死に至る．アミロイド・カスケード仮説によればＡβが基礎にあり，タウ蛋白異常リン酸化は二次的変化となる．ADはＡβの産生増加（APPからＡβへの切り出しの増加）あるいは分解除去の低下が病因とされる．

3）診断

診断においては改訂長谷川式簡易知能評価スケールHDS-Rやミニメンタルテスト MMSEなどの認知機能検査が用いられ，いずれも30点満点中20点以下を認知症と判定する．その他に脳の萎縮（特に側頭葉と海馬）を見るCT/MRIや脳の血流を測るSPECTや早期診断として今後普及が期待される脳内βアミロイドの沈着の程度をみるPIB-PET（アミロイドイメージング）などの画像検査，遺伝子変異やアポリポ蛋白Ｅの型などをみる血液検査，髄液中のタウ蛋白量の測定（正常平均320pg/ml，初期AD 400-500pg/ml，中期以降AD 600pg/ml以上）等を行う．

4）ADの危険因子

ADの危険因子としては，次項に述べる遺伝子が原因の家族性の他に，加齢，女性，ダウン症，頭部外傷の既往や教育歴（教育年数が短い方がシナプス総数が少なくAD発症に不利），重金属（特にアルミニウム）の関与などが挙げられる．逆に予防因子として抗炎症剤や女性ホルモンの服用，魚の摂取，ビタミンＥ（抗酸化作用）などがある[20]．

5）遺伝子解析

家族性ADの研究から1991年にＡβ前駆体であるAPP遺伝子のアミノ酸変異，1995年にプレセニリン１（PS1）とプレセニリン２（PS2）遺伝子のアミノ酸変異が一部家系における原因遺伝子として発見された．これらの遺伝子変異が起こると，Ｃ末端側が長く自己凝集性の高い42アミノ酸型Ａβペプチド（Ａβ42）の産生が増え，結果的にＡβの蓄積を引き起こしADが発症する．家族性ADが疑われる症例においては採血してDNAを抽出し，第21染色体上のAPP遺伝子の（変異の報告されている）エキソン16と17の変異の検索，PS1遺伝子の（アミノ酸部分の）エキソン3から12までの変異検索をダイレクトシークエンス法で解析する．PS2も同様に解析するが日本人のPS2変異の報告はなくほとんどPS1の変異である．孤発性ADのリスクとして確立されているアポリポ蛋白Ｅ遺伝子多型にはε2，ε3，ε4の3種ありアミノ酸の組み合わせがそれぞれCys/Cys，Cys/Arg，Arg/ArgでありPCRで増幅後，制限酵素で切って電気泳動によってサイズパターンにより判定される．この内アポリポ蛋白Ｅε4（APOE4）が数量依存的な発症促進因子といわれ，E4/E4，E4/E3，E3/E3の順にADのリスクが高く，さらに加齢に伴う認知機能低下のリスクもこの順で高い[21]．APP，PS1，PS2遺伝子変異と違いAPOE4を持っている人は必ずADになるわけではないが，記憶障害が認められた時点から5年以内に認知症になると予測されている．APOE4を持たないAD患者もいることからAPOE以外のリスク遺伝子（多型）が想定されているが，いずれも弱く再現性は得られていない．

6）ADの治療，予防

現在主に使われている塩酸ドネペジル（アセチルコリンエステラーゼ阻害剤）は低下した脳内アセチルコリン（神経伝達物質）量を増やしてニューロン間の伝達を円滑にする働きがあり，軽度～中等度の認知症に効果があり，また軽度認知障害（MCI）にも試みられている．レビー小体型認知症にはよく使われている．病因の基礎となるＡβの産生抑制（APPからＡβを切り出す酵素γセクレターゼ阻害薬など）あるいは分解亢進をねらったもの，さらにＡβで免疫して脳内へのアミロイド沈着を抑制するワクチン療法が実験動物レベルで進行しつつあり，人への臨床治験の成果が待たれる．

7）常時更新しているAD関連URL情報

http：//www.nia.nih.gov/Alzheimers/（米国

各論Ⅱ

国立加齢研究所より）

http：//www.alzforum.org/（アルツハイマー研究フォーラムより）

参考文献

1. 精神保健福祉白書〈2010年度版〉流動化する障害福祉施策．精神保健福祉編集委員会編集．中央法規出版2009年12月発行．
2. Prince M, Patel V, Saxena S, et al. No health without mental health. Lancet 370：859-877, 2007.
3. 永田頌史．心身医学からみた産業医学．心身医療 10：908-913, 1998.
4. 笠井清澄，加藤忠史，樋口輝彦．日本における精神疾患研究の現状と展望．医学のあゆみ 231：943-947, 2009.
5. 脆弱X症候群．トンプソン＆トンプソン遺伝医学（福嶋義光監訳）．メディカルサイエンスインターナショナル（東京）p.278-279. 2009年発行．
6. 加藤忠史，岡崎祐士．統合失調症（精神分裂病）へのポストゲノム的アプローチ．　実験医学　21：42-46, 2003.
7. Brandon NJ, Millar JK, Korth C, et al. Understanding the role of DISC1 in psychiatric disease and during normal development. J Neurosci 29：12768-75, 2009.
8. Williams HJ, Owen MJ, O'Donovan MC.Is COMT a susceptibility gene for schizophrenia? Schizophr Bull 33：635-641, 2007.
9. Tam GW, Redon R, Carter NP, Grant SG.The role of DNA copy number variation in schizophrenia. Biol Psychiatry 66：1005-12, 2009.
10. 山脇成人．気分障害の分子病態．精神障害の臨床．（上島国利ら編集）日本医師会雑誌特別号 第131巻12号．S9-S10, 2004.
11. 福田正人．うつ症状の光トポグラフィー検査．週刊医学界新聞　第2867号（2010/2/15）
12. Kakiuchi C, Iwamoto K, Ishiwata M. et al. Impaired feedback regulation of XBP1 as a genetic risk factor for bipolar disorder. Nature Genet 35：171-175, 2003.
13. Cichon S, Buervenich S, Kirov G, et al. Lack of support for a genetic association of the XBP1 promoter polymorphism with bipolar disorder in probands of European origin. Nat Genet 36：783-4, 2004.
14. Forman MS, Trojanowski JQ, Lee VM. Neurodegenerative diseases：a decade of discoveries paves the way for therapeutic breakthroughs. Nature Medicine 10：1055-63, 2004.
15. 長谷川成人．概論―因子から解明される神経変性疾患の発症基盤．実験医学 27：1318-1323, 2009.
16. Farrer MJ. Genetics of Parkinson disease：Paradigm shifts and future prospects. Nature Reviews Genetics 7：306-318, 2006.
17. Manolio TA, Collins FS, Cox NJ, et al. Finding the missing heritability of complex diseases. Nature 461：747-753, 2009.
18. Alzheimer病．トンプソン＆トンプソン遺伝医学（福嶋義光監訳）．メディカルサイエンスインターナショナル（東京）p.254-255. 2009年発行．
19. The amyloid cascade hypothesis. http：//www.alzforum.org/res/adh/cur/
20. 山縣英久，三木哲郎．認知症と代謝．内分泌・糖尿病科 23：409-413, 2006.
21. Corder EH, Saunders AM, Strittmater WJ, et al.Gene dose of apolipoprotein E type 4 allele and the risk of Alzheimer's disease in late onset families. Science 261：921-3, 1993.

各論 III
環境医学

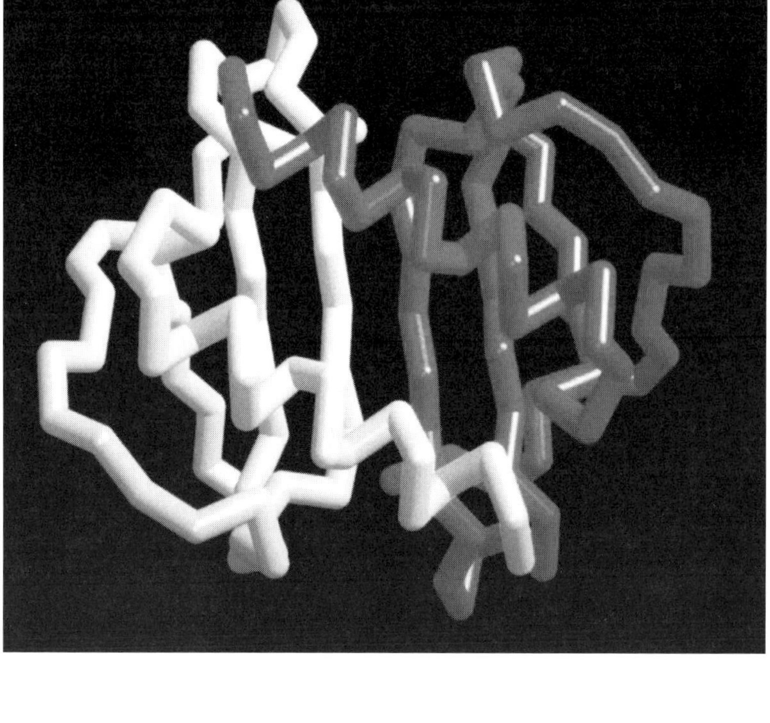

Ⅲ-1　環境汚染と健康リスク評価

国立環境研究所環境リスク研究センター
青木康展，松本　理

1. これまでの環境汚染

1－1. 公害病

第二次世界大戦終了後，我が国は戦後復興にともない未曾有の工業的発展を遂げた．その反面，現在の基準からすれば事業所からの大気及び河川・沿岸域への化学物質の排出抑制は不十分であった．環境を汚染する有害化学物質(環境汚染物質)の排出抑制策，あるいは汚染除去対策が充分に図られないまま環境汚染のレベルは上昇し，事業所周辺の大気環境や流域の水環境が人の健康に有害な化学物質によって汚染される事態が発生した．その結果，特定の事業所から排出された有機水銀やカドミウムなどの食物を通じた摂取，及び二酸化イオウなど大気汚染物質の呼吸器への曝露を原因とした疾病が発生した．これら環境汚染物質の摂取や曝露を原因とする中毒性の疾患が公害病である．

公害病の原因となる環境汚染物質を環境中に排出した企業は明確に特定され，公害病を原因とする健康被害の補償を企業に求める訴訟が住民より起こされた．1)事業所から沿岸域や河川水中に放出されたメチル水銀が魚介類に蓄積し，これを摂取した住民が発症した神経疾患である熊本水俣病(水俣湾周辺域)と新潟水俣病(阿賀野川流域)，2)亜鉛鉱山から放出され，米などに蓄積したカドミウムが主原因と考えられ，主に女性に発症した腎不全を伴う骨疾患であるイタイイタイ病(富山県神通川流域)，3)事業所からの排煙に含まれていた二酸化硫黄が主原因の喘息(いわゆる四日市喘息，三重県)，の4件の疾患の補償を求めた訴訟を四大公害裁判という．これらの疾患はわが国が戦後の高度成長期の入り口に当たる1950年代に発生したが，法的な解決には長期を要し，司法の判断が下ったのは1970年代以降であった．これらの裁判では国や県などの行政の責任も問われた．

環境基準(図表1)を設定し，大気や公共水域中の環境汚染物質の濃度が環境基準の値を上まわらないように，事業所からの排出規制などの施策を実施するという現在の環境管理の体系は，公害病の発生を契機に出来上がった．これにより，特定の地域で環境中に排出された化学物質の慢性的な曝露を原因とする大規模な中毒事例，つまり公害病が発生する事態は避けられると多くの人々が信じられるようになった．しかし，この公害病対策が多くの犠牲と当事者の努力の上で整備され，公害病対策の上に現在の環境対策が成り立っていることを忘れてはいけない．

1－2. 残留性環境汚染物質による環境汚染と対策

1962年にレイチェル・カーソンは「Silent Spring（沈黙の春）」を著し，農薬など有害化学物質による環境汚染を警告した．著書のタイトルは，環境中に散布された農薬などの影響による鳥のさえずりも聞かれない春の到来を予感し，いずれその影響が人にも及ぶことを警告したものである．現在から振り返れば，「沈黙の春」はDDTな

各論Ⅲ

図表１　大気汚染と水質汚濁に係る環境基準（一部）

1　大気汚染に係る環境基準	
二酸化いおう（SO_2）	1時間値の1日平均値が0.04ppm以下であり，かつ，1時間値が0.1ppm以下であること
一酸化炭素（CO）	1時間値の1日平均値が10ppm以下であり，かつ，1時間値の8時間平均値が20ppm以下であること
浮遊粒子状物質（SPM）	1時間値の1日平均値が0.10mg/m^3以下であり，かつ，1時間値が0.20mg/m^3以下であること
二酸化窒素（NO_2）	1時間値の1日平均値が0.04ppmから0.06ppmまでのゾーン内又はそれ以下であること
光化学オキシダント（O_X）	1時間値が0.06ppm以下であること
2　微小粒子状物質*に係る環境基準	
1年平均値が15μg/m^3以下であり，かつ，1日平均値が35μg/m^3以下であること	
3　有害大気汚染物質に係る環境基準（大気）	
ベンゼン	1年平均値が0.003mg/m^3以下であること
トリクロロエチレン	1年平均値が0.2mg/m^3以下であること
テトラクロロエチレン	1年平均値が0.2mg/m^3以下であること
ジクロロメタン	1年平均値が0.15mg/m^3以下であること
4　ダイオキシン類に係る環境基準（大気）	
ダイオキシン類	1年平均値が0.6pg-TEQ/m^3以下であること
5　人の健康の保護に関する環境基準（水質）	
カドミウム（0.01mg/l以下），全シアン（検出されないこと），鉛（0.01mg/l以下），六価クロム（0.05mg/l以下），砒素（0.01mg/l以下），総水銀（0.0005mg/l以下），アルキル水銀（検出されないこと），PCB（検出されないこと）ジクロロメタン（0.02mg/l以下），四塩化炭素（0.002mg/l以下），1,2-ジクロロエタン（0.004mg/l以下）1,1-ジクロロエチレン（0.1mg/l以下），シス-1,2-ジクロロエチレン（0.04mg/l以下），1,1,1-トリクロロエタン（1mg/l以下），1,1,2-トリクロロエタン（0.006mg/l以下），トリクロロエチレン（0.03mg/l以下），テトラクロロエチレン（0.01mg/l以下），1,3-ジクロロプロペン（0.002mg/l以下），チウラム（0.006mg/l以下），シマジン（0.003mg/l以下）チオベンカルブ（0.02mg/l以下），ベンゼン（0.01mg/l以下），セレン（0.01mg/l以下），硝酸性窒素及び亜硝酸性窒素（10mg/l以下），ふっ素（0.8mg/l以下），ほう素（1mg/l以下），1,4-ジオキサン（0.05mg/l以下）	

*大気中に浮遊する粒子状物質であって，粒径が2.5μmの粒子を50%の割合で分離できる分粒装置を用いて，より粒径の大きい粒子を除去した後に採取される粒子（いわゆるPM2.5）

ど環境中の残留性が高い有機塩素系農薬の対策の端緒となった．

DDTをはじめとした有機塩素系農薬，ダイオキシン類，PCBなどの塩素化化合物は，環境中で微生物等により生分解されにくく，生体内に濃縮されやすい特徴をもつ，人の健康に影響を与えるおそれのある化学物質であり，しばしば残留性環境汚染物質（Persistent Organic Pollutants，しばしばPOPsと略される）として類型化される．これらの化学物質は社会のなかで広範に利用されていた化学物質であり，また，ダイオキシン類のなかでも多塩素化ダイオキシンや多塩素化ジベンゾフランは，農薬の製造や廃棄物等の燃焼などにより意図せずに生成された化合物であるため，環境への排出源は多く，広範に環境汚染が進行した．汚染防止の対策を講ずる上で，発生源の同定はきわめて重要である．しかしながら，その同定が難しい場合があることも現実であり，特に，生体内で蓄積している残留性環境汚染物質の汚染源の同定は一般に困難である．

環境中に存在する残留性環境汚染物質は食物連鎖を通じた生物濃縮を受けやすい．生分解性が低く，生体濃縮性が高い化学物質は，たとえ環境中の濃度が低かったとしても，食物を経由して人に摂取される可能性があるため，その環境汚染対策は排出規制よりももっと高次の，化学物質の製造

図表2　第1種特定化学物質（環境省ホームページより）

化学物質の名称	過去の用途例等
ポリ塩化ビフェニル	絶縁油等
ポリ塩化ナフタレン（塩素数が3以上のものに限る.）	機械油等
ヘキサクロロベンゼン	殺虫剤等原料
アルドリン	殺虫剤
ディルドリン	殺虫剤
エンドリン	殺虫剤
DDT	殺虫剤
クロルデン	白アリ駆除剤等
ビス（トリブチルスズ）＝オキシド	漁網防汚剤，船底塗料等
N, N'－ジトリル－パラ－フェニレンジアミン, N－トリル－N'－キシリル－パラ－フェニレンジアミン又はN，N'－ジキシリル－パラ－フェニレンジアミン	ゴム老化防止剤，スチレンブタジエンゴム
2，4，6－トリ－ターシャリ－ブチルフェノール	酸化防止剤その他の調製添加剤（潤滑油用又は燃料油用のものに限る.），潤滑油
トキサフェン	殺虫剤，殺ダニ剤（農業用及び畜産用）
マイレックス	樹脂，ゴム，塗料，紙，織物，電気製品等の難燃剤，殺虫剤・殺蟻剤
ケルセン	防ダニ剤
ヘキサクロロブタ－1，3－ジエン	溶媒
2－（2H－1，2，3－ベンゾトリアゾール－2－イル）－4，6－ジ－tert－ブチルフェノール	紫外線吸収剤
ペルフルオロ（オクタン－1－スルホン酸）（別名PFOS）	撥水撥油剤，界面活性剤
ペルフルオロ（オクタン－1－スルホニル）＝フルオリド（別名PFOSF）	PFOSの原料
ペンタクロロベンゼン	農薬，副生成物
α－ヘキサクロロシクロヘキサン	γ－ヘキサクロロシクロヘキサンの副生成物
β－ヘキサクロロシクロヘキサン	γ－ヘキサクロロシクロヘキサンの副生成物
γ－ヘキサクロロシクロヘキサン	農薬，殺虫剤
クロルデコン	農薬，殺虫剤
ヘキサブロモビフェニル	難燃剤
テトラブロモジフェニルエーテル	難燃剤
ペンタブロモジフェニルエーテル	難燃剤
ヘキサブロモジフェニルエーテル	難燃剤
ヘプタブロモジフェニルエーテル	難燃剤

を規制することが大きな柱になる．例えば，わが国では「化学物質審査規制法」により現在28種類（図表2）の生体濃縮性が高い化学物質が第1種特定化学物質に指定され，製造・輸入が許可制（事実上の禁止）になっている．「化学物質審査規制法」はPCBによる油症の発生を契機として，国際的にも最も早期（1973年）に制定された残留性環境汚染物質の規制を目的とした法律の一つである．その後，蓄積性を有さない化学物質も規制する必要が生じたことから，改正が主に3回行われ，環境中に放出されることで人の健康や環境中に棲息する生物に有害作用を及ぼす可能性のある化学物質の製造と輸入を規制する法律として，化学物質管理体系の根幹となる法律になった．また，ダイオキシン類の環境への排出対策は「ダイオキシン類特別措置法」等により取られている．

2. 環境中への化学物質排出の現状把握

2－1. PRTR制度

様々の工業産品の製造や利用に伴い，有害性の確認された化学物質が大気や水域に放出されていることは，環境汚染として明確に認識されていなかったとしても，紛れもない事実である．しかしながら，数万余りの種類に及ぶ多様な化学物質が利用されている現状では，環境汚染対策として個々の化学物質について排出・製造規制以外の手段をとる必要がある．環境からの化学物質の曝露が人の健康や生態系に及ぼす影響が発生する可能性を低減するには，事業者，市民，行政のそれぞれが，有害性をもつ化学物質の排出削減に取り組む必要がある．排出削減の前提として，環境中への各々の化学物質排出量を知り，その情報を共有する必要がある．そこで，有害性のある多種多様な化学物質が，どの様な発生源から，どのくらい環境に排出されたか，あるいは廃棄物に含まれて事業所の外に運び出されたかのデータを把握し，集計し，公表する仕組みとして環境汚染物質排出・移動登録(Pollution Release and Transfer Register，PRTR)制度が創設された．

最初の本格的なPRTR制度は，1986年に米国で導入された「有害物質排出目録」制度であると考えられているが，わが国では1999年に公布された「化学物質排出把握管理促進法(PRTR法)」に基づき2001年度より実施されている．現在(2009年度以降)，集計の対象となっている化学物質(第一種指定化学物質)は発がん性，変異原性，慢性

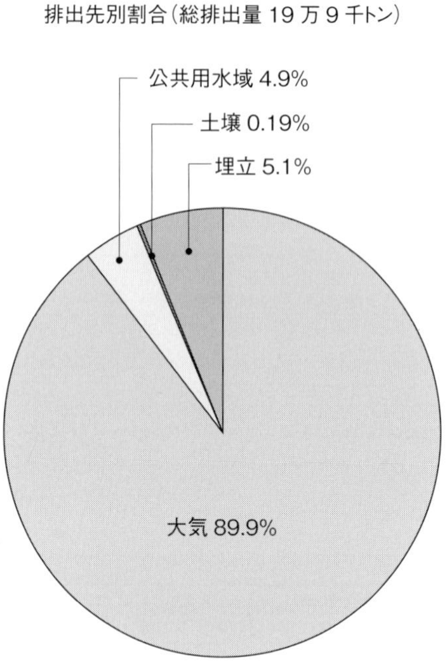

図表3：環境中への化学物質の排出(PRTR調査)
a, 排出先別の排出量割合
(2008年度，環境省ホームページより引用)

大気

①トルエン	82,069 t/年
②キシレン	38,167 t/年
③ジクロロメタン（別名塩化メチレン）	15,471 t/年
④エチルベンゼン	15,131 t/年
⑤二硫化炭素	4,000 t/年
⑥トリクロロエチレン	3,665 t/年
⑦N，N－ジメチルホルムアミド	3,439 t/年

土壌

①エチレングリコール	227 t/年
②マンガン及びその化合物	150 t/年
③o-ジクロロベンゼン	2 t/年
④クロム及び3価クロム化合物	1 t/年
⑤スチレン	0 t/年
⑥4,4'-イソプロピリデンジフェノールと1-クロロ-2,3-エポキシプロパンの重縮合物（液状のものに限る。）	0 t/年
⑦テトラクロロイソフタロニトリ（別名クロロタロニル又はTPN）	0 t/年

下水道への移動

①N，N－ジメチルホルムアミド	249 t/年
②エチレングリコール	192 t/年
③ポリ（オキシエチレン）＝アルキルエーテル（アルキル基の炭素数が12から15までのもの及びその混合物に限る。）	120 t/年
④ホルムアルデヒド	107 t/年
⑤2－アミノエタノール	100 t/年
⑥ふっ化水素及びその水溶性塩	98 t/年
⑦1,2-エポキシプロパン（別名酸化プロピレン）	70 t/年

事業所の外への移動

①トルエン	46,059 t/年
②マンガン及びその化合物	22,450 t/年
③クロム及び3価クロム化合物	12,721 t/年
④キシレン	10,695 t/年
⑤ジクロロメタン（別名塩化メチレン）	9,290 t/年
⑥エチレングリコール	8,781 t/年
⑦N，N－ジメチルホルムアミド	8,215 t/年

公共用水域

①ほう素及びその化合物	2,977 t/年
②ふっ化水素及びその水溶性塩	2,649 t/年
③亜鉛の水溶性化合物	841 t/年
④マンガン及びその化合物	613 t/年
⑤エチレングリコール	483 t/年
⑥ε-カプロラクタム	265 t/年
⑦チオ尿素	171 t/年

当該事業所における埋立処分

①マンガン及びその化合物	5,673 t/年
②鉛及びその化合物	2,892 t/年
③砒素及びその無機化合物	849 t/年
④アンチモン及びその化合物	311 t/年
⑤亜鉛の水溶性化合物	162 t/年
⑥カドミウム及びその化合物	79 t/年
⑦ニッケル化合物	27 t/年

b, 2008年度排出先別排出量上位物質（事業所等からの届出；環境省ホームページより引用）

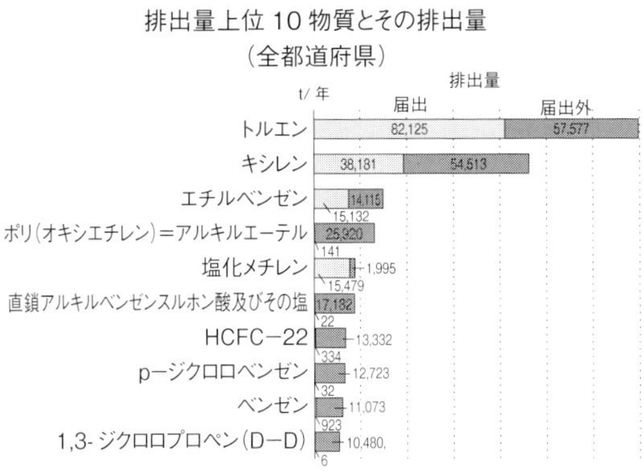

図表４　2008 年度排出量上位 10 物質の排出量
（環境省ホームページ）

毒性，生殖毒性，感作性などの観点から有害性が確認されている 462 物質である．各々の化学物質の排出量について，事業者からの報告による「届出排出量」と届出対象とならない事業所や事業所以外の排出源からの排出量を行政が推計した「届出外排出量」を合わせて集計している点がわが国の制度の特徴である．また，PRTR 法では有害性をもつ化学物質の排出削減を図るため，第一種指定化学物質のほか 100 物質（第二種指定化学物質）について，製造事業者から使用事業者へ有害性情報を提供するよう定められている（MSDS 制度）．2008 年度の集計[1)]から見ると，他の排出先に比べて多量の化学物質が大気中に放出されていることがわかる（図表 3a）．事業所からの届出排出量について排出先別上位 5 物質を見ると，トルエンやキシレンなどの揮発性のある化学物質が大気中に多量に排出されている（図表 3b）．また排出先によらず，わが国全体で環境中への排出量が多い上位 10 物質を見ると，やはりトルエンとキシレンが 1 位，2 位である[1)]．また，届出外排出の量の割合が届出排出量に比べて圧倒的に多い物質も存在する（図表 4）．合成洗剤に含まれるポリ（オキシエチレン）＝アルキルエーテル，直鎖アルキルベンゼンスルホン酸や一部の防虫剤，消臭剤の成分であるｐ－ジクロロベンゼンの多くは家庭から排出されている．また，国際がん研究機関（IARC）などの機関により人で発がん性がある物質として分類されているベンゼンの主要な排出源は自動車や航空機などの移動体である．PRTR の集計結果から有害性のある化学物質の環境への放出の実態が確認できる．

2－2. 環境モニタリング

環境中に放出された化学物質は有機化合物であれば，太陽光などの物理的因子や微生物など環境中の生物の作用により分解されるものもあり，すべてが環境中に残留しているわけではない．実際に環境中にどれだけ残留しているかを計測し，環境注の存在量をモニタリングする必要がある．

環境基準が設定されている化学物質の河川水や海域あるいは大気中濃度は随所で組織的に分析されている．しかし，環境基準が設定されていない化学物質も含め有害性が確認されている化学物質（優先取組物質，図表 5）のうち 19 種類（2010 年 5 月現在）については，大気汚染防止法に基づいて主に地方公共団体により大気中濃度が測定されている．人への有害性が明らかなことから環境基準が設定されている化学物質についてみると，ベンゼンの大気中濃度の年平均値は年次ごとに減少し（図表 6），2008 年度については 451 箇所の測定地点のうち環境基準（$3\mu g/m^3$）を超えたのは 1 箇所のみであった．トリクロロエチレン（環境基準，$200\mu g/m^3$），テトラクロロエチレン（環境基準，$200\mu g/m^3$），塩化メチレン（環境基準，$150\mu g/m^3$）については環境基準を越えた測定地点は認められなかった．有害大気汚染物質対策に対する行

図表５　地方公共団体等における有害大気汚染物質モニタリングの対象物質

揮発性有機化合物；	ベンゼン，トリクロロエチレン，テトラクロロエチレン，ジクロロメタン，アクリロニトリル，塩化ビニルモノマー，クロロホルム，1,2－ジクロロエタン，1,3－ブタジエン，酸化エチレン
アルデヒド類；	アセトアルデヒド，ホルムアルデヒド
多環芳香族化合物；	ベンゾ（a）ピレン
金属類；	水銀及びその化合物，ニッケル化合物，ヒ素及びその化合物，ベリリウム及びその化合物，マンガン及びその化合物，クロム及びその化合物

各論Ⅲ

政と企業の取り組みの成果といえる．

図表６　ベンゼンの環境基準超過地点数および年平均値の推移（環境省ホームページより）

（平成）	全測定地点数	超過地点数	超過割合（％）	年平均値
9 年度	53	26	49%	3.4
10 年度	292	135	46%	3.3
11 年度	340	79	23%	2.5
12 年度	364	74	20%	2.4
13 年度	368	67	18%	2.2
14 年度	409	34	8%	2.0
15 年度	424	33	8%	1.9
16 年度	418	23	6%	1.8
17 年度	458	18	4%	1.7
18 年度	451	13	3%	1.7
19 年度	459	3	1%	1.5
20 年度	451	1	0%	1.4

年平均値の単位：$\mu g/m^3$

3. 健康リスク評価

リスク評価とはAssessment of Risksの邦訳であり，単にリスクアセスメントと呼ばれる場合もある．International Programme Chemical Safety（IPCS）発行のEnvironmental Health Criteriaによれば[2)]，「リスクアセスメントとは考え方の枠組みであり，健康または環境面での影響評価に関する情報について，体系的に検討するための枠組みを提供する」としている．一方「リスク」とは，有害性指標（エンドポイント（End-point）と呼ばれる）の発生確率をさし，例えば，発がんリスクとはがんの生涯にわたる発症確率のことをいう．また一般には，発生確率と有害作用の甚大さをあわせた結果をリスクと呼ぶ[3)]．しかし，化学物質の健康リスク評価において，低用量域も含めて有害作用の発生確率を定量的に議論できるのは，有害性に閾値がないと考えられている化学物質であるが，現実に有害作用の発生確率からリスク評価が行われているのは，遺伝毒性を示す発がん物質のみである．他の有害作用については，化学物質の有害性から算定された許容曝露量が，実測あるいは推定の曝露量と比べてどの程度高いかを明らかにすることをリスク評価と呼んでいる場合が多い．発生確率に基づくリスク評価をより広範な有害性をもつ化学物質について行うには，今後の更なる研究が必要である[4)]．

環境モニタリングの結果から明らかなように，低濃度といえども有害性をもつ化学物質が環境中に存在していることは事実であり，その影響が如何ばかりなものか，あるいは許容の範囲内であるかを明らかにする必要がある．広い意味では健康リスクとは化学物質ばかりでなく，放射線などの物理的因子や病原体などの生物学的影響をも含めるが，本稿では化学物質の健康リスク評価について概観する．

一般にリスク評価では，図表７に示すように，1)有害性の特定（Hazard Identification），2)用量－反応評価（Dose-response Assessment），3)曝露評価（Exposure Assessment）の３つの情報に基づいて，4)リスク判定（Risk Characterization）が行われる[2)]．このようにリスク評価のプロセスは主にこの４つの要素からなるが，互いに関連性があり，完全に独立のものではない．このリスク判定の結果は，環境管理・規制の手法の選択や提案，社会や経済に与える影響の評価，対策の決定と実行といったリスク管理に反映される[3)]．

ここでは本書の性格に鑑み，有害性の特定，用量－反応評価，リスク判定を中心に概観し，曝露評価については成書を参照されたい[3, 5)]．

3－1. 有害性の特定

化学物質の毒性や作用メカニズムについてできる限りのデータを集め，対象となる化学物質が人で有害作用を示すかどうかを評価することが，「有害性の特定」の目的である．人における有害性の知見からは，化学物質の人への健康影響を評価する上で最も妥当な情報が得られる．疫学調査や症例報告からは，化学物質が人に示す有害性に関

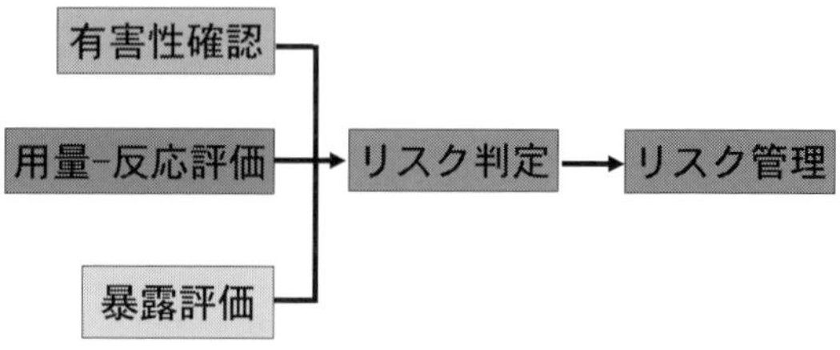

図表７　健康リスク評価の手順およびリスク評価との関係

する直接的な情報を得ることが出来る．調査の対象となった個人への化学物質の曝露量と影響が検討されている疫学調査の結果は，人への「有害性の特定」の上で最も信頼されるデータである．

しかしながら，適切な疫学調査の結果が得られている化学物質は限られている．また，従来の疫学の知見は職業曝露による健康影響について得られたものが多い．作業現場の改善により化学物質に対する曝露の機会が減少していることから，今後，職業曝露による疫学の知見はより得にくいものと考えられる．従って，多くの化学物質では，ラットやマウスあるいはウサギやイヌといった実験動物を用いた毒性試験のデータを利用して「有害性の特定」を行いリスク評価を進める必要性がこれまで以上に増すものと思われる．

化学物質の動物への投与は，投与・曝露量を段階的に変えて経口投与（強制経口投与，混餌投与，飲水投与）や吸入曝露が行われるが，リスク評価に資するデータを得るに当たっては，人の曝露形態に類似した方法により投与されることが望ましい．毒性試験では一般に，28日間反復投与試験，90日間反復投与試験といった亜急性，亜慢性毒性試験が実施されるが，必要に応じて動物（ラット・マウス）の一生（ほぼ2年間）にわたる慢性毒性試験や発がん性に関する試験，あるいは発生毒性，生殖毒性，免疫毒性試験が行われる．1投与群の動物数は一般には10匹程度（少なくとも5匹）が用いられるが，発がん性試験の場合は1群50匹が用いられる場合が多い．投与終了後の各臓器の病理学的変化ばかりでなく，投与中の体重の変化や行動の変化といった全身的な変化も注目すべき有害性指標である．血球細胞数の変化や生化学的指標（血清中の酵素活性や尿成分量など）の変化も有害性指標として重要であるが，補助的な指標と捉えられることも多く，今後の研究が求められる．多種多様な毒性試験を実施することは，化学物質の毒性を発現する標的臓器を同定する上でも必要である．試験結果をどの国でも使えるようにするためには毒性試験法の国際的標準化が必要である．またこれは，実験の再現性を担保する上でも重要であり，OECDなどの国際機関により標準化が進められている[6]．

有害性の特定に，毒性発現機構の解明は重要である．例えば，有害性確認のための試験管内試験（*in vitro* 試験）法も多数開発されてきたが，現状では，遺伝毒性試験法が他の試験管内試験に比べて突出して多用されている．これは，遺伝毒性の発現メカニズムに準拠して試験管内試験法が開発され高い信頼性を確保しているためであり，他の毒性についても試験管内の反応値と有害性指標値の間の因果関係あるいは相関性が明確になれば，将来，「有害性の特定」に対するより有効な手法となると考えられる．また，人と実験動物が同じメカニズムで有害性を示すことは，動物実験の知見に基づいて人での有害性を評価すること（しばしば人への外挿と呼ばれる）の妥当性を示すうえで重要な根拠となる．例えば，IARCがIARCモノグラフの再評価において，2, 3, 7, 8-tetrachlorodibenzo-p-dioxin（いわゆるダイオキシン）やベンゾ[a]ピレンが人で発がん性を示すとGroup 1に分類した根拠の一つが，人と実験動物が同じメカニズムで発がん性を示すことである[7, 8]．

3－2. 用量－反応評価

文字どおり，化学物質の投与量（曝露量）と有害性指標の量的関係を評価し，化学物質の有害性の強さを明らかにするプロセスである．また，動物実験の結果から人への影響を予測するプロセスとしても重要である．

化学物質を高濃度から低濃度まで様々の用量（濃度）で曝露した場合，ほとんどの毒性反応（臓器特異的な毒性，発生毒性，生殖毒性，免疫毒性あるいは遺伝毒性によらない発がん性）において，有害作用の発現（統計学的に有意な有害性指標の増加）が見られない用量が一般に存在する．この用量の最大の値を閾値と呼ぶ．閾値の存在は，非発がん物質および遺伝毒性によらない発がん性を示す化学物質のリスク評価を行う上で重要な概念である．一方，閾値が存在しない用量・反応関係の存在も推定されている．前述のように，遺伝毒性をもつ発がん物質がほぼ唯一の例であり，いかなる低用量でも何らかの確率で有害作用（発がん性）が発揮されると考えられている．動物実験に基づいてリスク評価を行う際，閾値あり及び閾値なしの場合ともに用量・反応関係の解析は重要なプロセスである．

3－2－1．閾値ありの場合における用量－反応評価

有害性指標に閾値が本当に存在することを実験的に証明することはかなり難しい．動物実験から，統計的に有意な有害作用の発現が観察される最小用量である最小毒性量（Lowest-observed-adverse-effect level, LOAEL）や，LOAEL より一段階低く有害作用の発現が見られない用量である無毒性量（No-observed-adverse-effect level, NOAEL）が求められる（図表8）．これらは化学物質の毒性の強弱を表す基本となる指標である．また，化学物質投与による影響の有害作用との関連が不明確な場合には，影響が観察された最小用量を最小影響量（Lowest-observed-effect level, LOEL），LOEL より一段階低く影響が観察されない用量を無影響量（No-observed-effect level, NOEL）とよび，利用する場合もある．NOAEL は実質的な閾値として利用される場合が多い．

しかしながら NOAEL には幾つかの難点がある．例えば，動物への投与量の設定により変わりうる値であること，用量・反応曲線の形がまったく反映されない値であること，1投与群の動物数が増えると NOAEL の値が低くなる可能性があること（動物の数が増えるとより発生確率の低い影響でも観察できるようになる）等である．そこで，NOAEL に代わって提唱された値がベンチマーク用量である．ベンチマーク用量とは IPCS によれば，対照群のレベル以上に発生率をある程度増加させる有効用量（またはその信頼限界の下限）と定義される[2]（図表8）．実際的には，次の節で詳しく説明するように，実測範囲内でのデータにモデルをあてはめて用量・反応曲線を描き，ある影響が最大反応値の 10%だけ増加するのに相当する用量（10%毒性発現推定量，ED_{10}）の 95%信頼限界の下限（LED_{10}）を求め，この LED_{10} をベンチマーク用量（BMD, Benchmark Dose の略）とする場合が多い．LED_{10} は NOAEL に近い値を取るとされる．

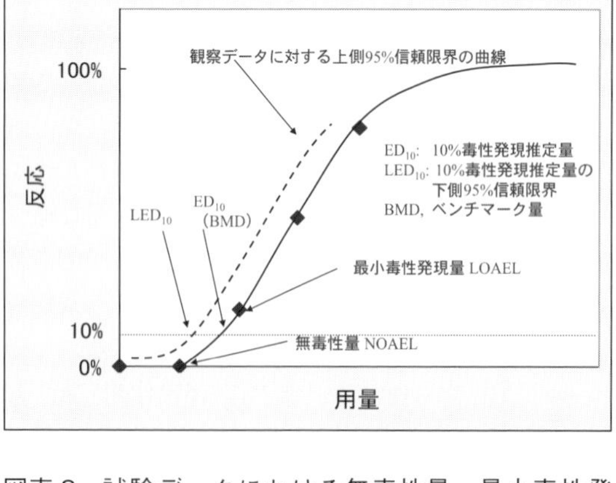

図表8　試験データにおける無毒性量，最小毒性発現量とベンチマーク量の関係の概念図（文献（2）より引用・改変）

3－2－2．発がん性の用量－反応評価

遺伝毒性を持つ化学物質による発がん性のリスクを評価する際には，一部を除き，低濃度領域にあっては曝露濃度と発現率が直線関係にあるとの前提に立って進められる[9, 10]．化学物質を単位用量あるいは単位濃度で一生涯曝露したと仮定したときの発がん率の増加分をそれぞれ，スロープファクター（Slope Factor），ユニットリスク（Unit Risk）と呼ぶ．化学物質の発がんリスクの強弱はスロープファクターやユニットリスクにより示される．用量－反応関係が直線の条件下での直線の傾きに相当する値であり，スロープファクターの単位は$(mg/kg \cdot day)^{-1}$，ユニットリスクの単位は飲料水からの曝露の場合は$(mg/l)^{-1}$，吸入曝露の場合は$(\mu g/m^3)^{-1}$となる．これらスロープファクターやユニットリスクは多くの場合，実験動物を用いた発がん実験で得られた用量－反応関係から算出されている．ベンゼンなどのように信頼性の高い疫学研究がある物質では，人における曝露量とがん（ベンゼンの場合は白血病）の発症率からユニットリスクが算出されている．

動物実験に基づく発がん性の用量－反応評価では，1）適切な動物を用いた発がん実験のデータセットを選択する必要がある．次に，選択されたデータセット（実験結果）を用いて，2）適切な数理モデル[11]を用いて LED_{10} 値を算出する．さらに，人への外挿のため，3）動物実験で得られた LED_{10} 値から人の LED_{10} 値相当量（人の同等用量（Human Equiva-lent Dose））を算出し，この人の同等用量から，4）人のスロープファクターあるいはユニットリスクを算出する．（図表9）

実験動物のデータセット選択の前提は，適切に

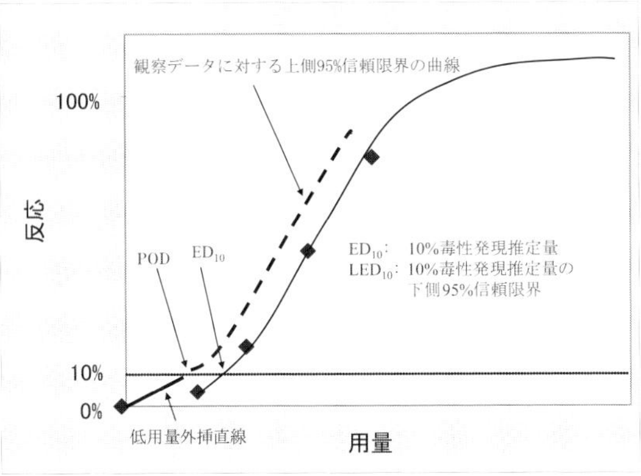

図表９　発がん性の用量－反応評価における直線外挿法

実験が計画され，実施されていることである．また，生物学的反応が人に近い動物種を用いた実験であることが望ましく，幾つかの動物種・系統・性で実験が行われている場合には，一般には最も感受性が高いデータが選択される．さらに，人の曝露経路に最もよく似た投与経路で行われた実験のデータセットが優先的に利用される．

毒物動力学に基づくモデルがないときや，その必要がないときには，選択されたデータセット(動物実験の結果)に用量－反応関係を表す適切な数学モデルをあてはめ，実験的なモデリング(カーブフィッティング)を行いベンチマーク用量を求める．米国環境保護庁は発がん物質のリスク評価の新しいガイドライン[10]において，それまでの線形多段階モデル(Linearized Multistage Model)の推奨を取りやめた．観察データから低用量側への外挿の開始点となるPOD（Point of departure)を推定する．閾値のない発がん影響では，PODとしてベンチマーク用量である．10%毒性発現推定量(ED_{10})の95%下側信頼限界値(LED_{10})が用いられることが多い．PODから低用量側への外挿は作用機序に応じて線形，非線形の外挿が選択される．線形外挿法では低用量外挿直線の傾きに相当するスロープファクターを求めることができる．ユニットリスクもスロープファクターと同様の手順で算出する．

動物実験のデータを人に外挿する際には，動物から人への用量の変換が必要になる．その際，スケーリングファクター（Scaling Factor)が用いられる．経口曝露の場合，同じ反応を起こす用量は体重のべき乗に比例するとして，

$$Y_h/Y_i = (W_h/W_i)^b$$

(Y_h：人のパラメーター（摂取量），Y_i：種iのパラメーター（摂取量），W_h：人の体重，W_i：種iの体重)

としたときに，体重比のb乗がスケーリングファクターである．リスク評価においてこれまで使用されてきたbの値は(1) b = 1，(2) b = 0.75，(3) b = 0.67，と主に3種類ある．それぞれ，同等の影響を示す用量が(1)は体重，(2)は代謝率，(3)は体表面積に依存するという考え方による．米国環境保護庁は，以前はbの値を0.67（2/3)としていたが，2005年の新しい発がんリスク評価ガイドラインでは0.75（3/4)の使用を推奨している[10]．ただし，この係数は同じ種の身体のサイズの差には使用しない，すなわち小児へのリスクの外挿には用いないとしている．ユニットリスクを求める際も，動物の10%毒性発現推定濃度の95%下側信頼限界値(LEC_{10})などのベンチマーク濃度から人の同等濃度への換算を行うが，動物と人の間での一日換気量あるいは一日飲水量の違いや曝露経路による吸収率の差などの要因を考慮する必要があり，手順はより複雑である．わが国においても，動物実験のデータに基づく用量－反応の評価から環境目標値の設定が行われたが，その実例については文献(例えば[11]；1,2－ジクロロエタンの大気環境指針値の設定)を参照されたい．

3－3．曝露評価

IPCSによれば環境からの化学物質の曝露量は，概ね以下の3種類の手法により評価されている[2]．

(1)皮膚など身体の外側境界面における曝露濃度と接触時間の両方を測定し，積分する手法(個人曝露測定法)．

(2)曝露濃度と接触時間，あるいは摂取量を個別に評価し，これらの情報を組み合わせて推定する手法(シナリオ評価法)．

(3)曝露によって生じた生体指標(バイオマーカー，体内負荷量，排泄量)によって再構築した用

量から推定する手法(再構築法).

詳しくは成書を参照されたい[2,3].

3－4. リスク判定

3－4－1. 閾値ありの場合における摂取許容量の算出

閾値ありの毒性を示すと考えられる化学物質については，多くの国際機関や政府機関により人集団への影響のリスクを最小限に抑えることを目標とした曝露レベルの算出が行われてきた．最も広く認知されている手法は，IPCSの提唱した耐容一日摂取量／許容一日摂取量(Acceptable/Tolerable Daily Intake, ADI/TDI)の算出である．米国環境保護庁による参考(参照)用量・濃度(Reference dose (RfD)・Reference concentration (RfC))も同様の概念である．許容一日摂取量と耐容一日摂取量の違いは，前者が食品添加物や農薬といった利便性を意図した化学物質の曝露を対象とするのに対して，後者は環境汚染物質に代表される利便性を生じない化学物質の曝露を対象として用いられることである．許容一日摂取量はNOAELあるいはベンチマーク値(ただし現状ではNOAELが利用されている場合が多いようである)を不確実係数で除することにより求められる．

許容一日摂取量(ADI)＝NOAEL/不確実係数

動物実験で得られたNOAELを不確実係数で除することで，データの変動性や分布あるいは不確実性を考慮にいれ，人で安全と考えられる曝露量の目安として許容一日摂取量を求めているのである．最も汎用される係数は動物試験から人への外挿(種差)に関するものと，人集団内の感受性の個人差に関するものであり，従来は両者の係数の初期設定値(デフォルト値)としてそれぞれ10を用いている．実際の許容一日摂取量の算出に当たっては種差の不確実係数と個人差の不確実係数を掛け合わせた100を用いられる場合が多いが，発がん性や催奇形性などの対象とする毒性が重篤である場合や，LOAELしかデータが得られていない場合には，さらに不確実係数としてさらに10を掛け合わせる場合もある．しかし，余りに大きな不確実係数(例えば10,000)を用いた許容一日摂取量は信頼性に乏しい．

不確実係数のデフォルト値として10を採用したことは客観的な根拠からではなく，経験によったとされ，不確実係数の妥当性についての議論は続いている．例えば，生理学的薬物動態(PBPK, Physiologocally based pharmacokineticsの略)モデルを用いて，人あるいは実験動物での化学物質の体内動態を計算により予測して，動物と人の種差や感受性の個人差を具体的な数値として提示する試みが進んでいる．IPCSが提案した手法では，図表10に示すように，種差と個体差に関する不確実係数を化学物質の生体内挙動(Toxicokinetics, TK)と標的臓器における感受性(Toxicodynamics, TD)に分割して考慮することを提唱した[2]．その後，多くの薬剤の代謝や排泄の活性の動物種差や個人差の偏差を統計的に解析し，リスク評価手法への活用を検討するなど，不確実性の吟味は続いている[12]．動物や人のTKやTDのデータが得られた場合には，種差と個体差に関する不確実係数に代わり，データから得られた係数を利用する方向に進むことが期待される．

3－4－2. 非発がん物質のリスク評価

上記で求められたADIと化学物質の曝露量を比較して，非発がん物質のリスクが評価される．両者の比をしばしばハザード比とよび，その値が1より大きいか否かはリスクの有無の大きな判断基準になる．

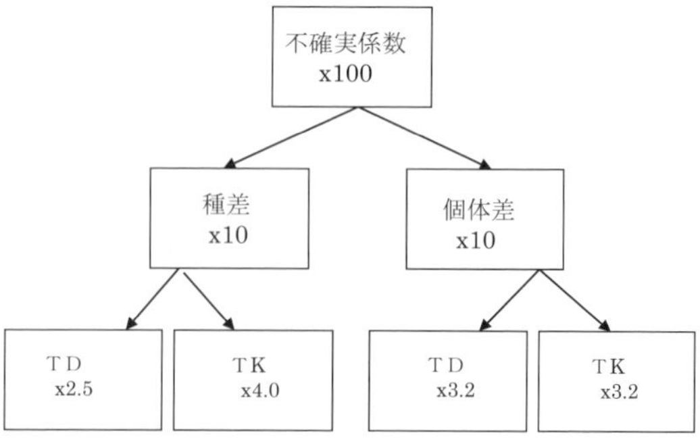

図表10　TDとTKへの不確実係数の分割，文献(2)から改図

ハザード比＝曝露量／ADI

また，NOAELと曝露量の比を取って，曝露の余裕度（MOE：Margin of exposure）を指標にする手法もしばしばとられる．

MOE = NOAEL／曝露量

遺伝毒性によらない発がん性を示す化学物質についても同様の手法でリスク評価が行われる．これらの定性的な手法は簡便で有効であるが，リスクを定量的に評価できないことが問題であり，将来に改良の余地を残している．

3－4－3．発がん性のリスク評価

スロープファクターおよびユニットリスクはともに発がんポテンシーと総称される．スロープファクターは1日あたり摂取量の単位用量あたりの発がん確率を示す値なので，曝露量とスロープファクターを掛け合わせることにより，発がんリスクが算定される．

発がんリスク（生涯発がん確率）＝　曝露量　×　スロープファクター

ユニットリスクの場合は，

発がんリスク（生涯発がん確率）＝　曝露濃度　×　ユニットリスク

となる．種々の化学物質のスロープファクターとユニットリスクが米国環境保護庁（EPA）のデータベース（IRIS）に示されている[13]．このデータベースには，前述の参考用量・濃度（RfD・RfC）も収載されており，あわせて参照されたい．

ここで説明した発がんリスクを算出する手法は，環境中に存在するような低濃度の化学物質の健康リスクを定量的に評価するためのほぼ唯一の手法である．極めて発がんリスクが低い（例えば，生涯発がん確率にして10^{-4}，10^{-5}あるいは10^{-6}のレベル）を与える曝露量あるいは曝露濃度を実質安全量（VSD，Virtually Safe Dose）と呼び，リスク管理のための措置が必要ない曝露レベルと理解されている．また，このVSD達成を目標に環境管理を進める考え方もある．

低濃度の化学物質曝露による健康リスク評価は，現在また将来の環境保健や予防医学の研究に重要な課題である．しかしながら，発展途上の研究分野であり，斬新な考え方を取り入れた，使いやすい手法の開発が望まれる．また，リスク評価結果の実証性を確保することも重要な課題である．

参考文献

1. 環境省ホームページ　http：//www.env.go.jp
2. International Programme on Chemical Safety（1999）Principles for the Assessment of Risks to Human Health from Exposure to Chemicals. Environmental Health Criteria 210　邦訳　化学物質の健康リスク評価．関沢，花井，毛利共訳．丸善，2001.
3. 中西，蒲生，岸本，宮本編　環境リスクマネジメントハンドブック．朝倉書店，2003.
4. National Research Council of The National Academies（2009）Science and Decisions. The National Academies Press. USA.
5. 竹内監修　地球環境調査計測事典，第1巻，第2巻　フジテクノシステム，2003.
6. OECD Guidelines for the Testing of Chemicals. Section 4：Health Effects. http：//puck.sourceoecd.org/vl=950442/cl=12/nw=1/rpsv/cw/vhosts/oecdjournals/1607310x/v1n4/contp1-1.htm
7. IARC（1997）IARC Monographs on the Evaluation of Carcinogenic Risks to Humans Vol 69. Polychlorinated Dibenzo-*para*-dioxins and Polychlorinated Dibenzofurans.
8. IARC（2010）IARC Monographs on the Evaluation of Carcinogenic Risks to Humans Vol 92, Some Non-heterocyclic Polycyclic Aromatic Hydrocarbons and Some Related Exposures.
9. Bolt HM（2008）The concept of "practical thresholds" in the derivation of occupational exposure limits for carcinogens by the Scientific Committee on Occupational Exposure Limits（SCOEL）of the European Union. 30, 114-119.
10. US EPA（2005）Guidelines for Carcinogen Risk Assessment. EPA/630/P-03/001F
11. 松本理，青木康展（2006）ベンチマークドース法を用いた1,2-ジクロロエタンの吸入曝露による発がんユニットリスクの算出．大気環境学会誌 41, 196-208.
12. Dorne JLCM and Renwick AG（2005）The refinement of uncertainty/safety factors in risk assessment by the incorporation of data on toxicokinetic variability in humans. Toxicol. Sci. 86, 20-26.
13. US EPA Integrated Risk Information System（IRIS）http：//www.epa.gov/IRIS/

Ⅲ-2　労働環境における健康リスク評価

前慶應大学医学部衛生学公衆衛生学教室
佐野有理
慶應大学医学部衛生学公衆衛生学教室　教授
大前和幸

1. 健康リスク評価

化学物質の健康リスクアセスメントは，有害性同定，量反応評価，曝露評価，およびリスクの確定の4段階のステップによって評価されるという考え方が，労働環境においても受け入れられてきている(図1)．第1段階である有害性の確認は定性評価であり，第2段階の量反応評価は，化学物質の量と影響発現の定量評価である．採用される定性・定量情報は人のデータを第一とするが，人の情報は少なく動物実験から得られる情報を使用せざるを得ないことが多い．動物実験でも労働曝露に類似する吸入曝露実験データが優先され，吸入以外の経路による曝露実験の優先度は低い．労働環境では，閾値のあるタイプの健康影響は，最大無毒性量(No Observed Adverse Effect Level：NOAEL)や最小毒性量(Lowest Observed Adverse Effect Level：LOAEL)を求め，種内差，種間差，曝露期間の長さ等についての不確実係数(uncertainty factor)を勘案して reference value を算出することが一般的であり，日本産業衛生学会や米国産業衛生専門家会議(American Conference of Governmental Industrial hygienists, ACGIH)の勧告する許容濃度や時間荷重平均曝露限界値(Occupational Exposure Limit-Time-weighted Average, TLV-TWA)のほとんどの物質が該当する．閾値のないタイプの健康影響では，予め受容可能な過剰発生リスクレベルを決めておき，平均相対リスクモデル等の数理モデルにより過剰発生リスクレベルに相当する曝露レベルを実質安全量(Virtually safety Dose, VSD)として reference value とすることが一般的であり，日本産業衛生学会の生涯過剰発がんリスクに対応する参照値が該当する．

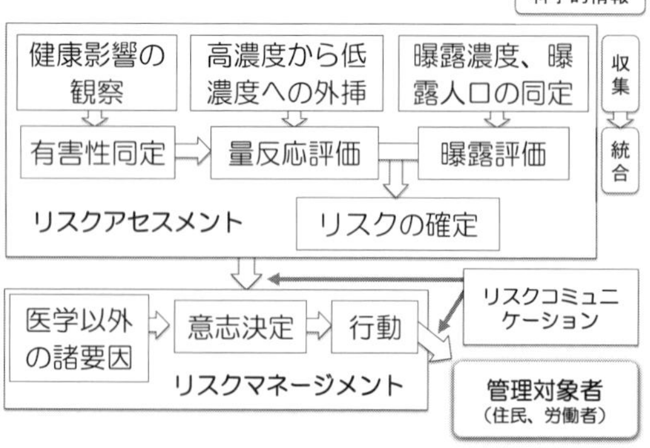

図1　健康リスクアセスメント

2. ヒトへの外挿と種差

リスクアセスメントにおける有害性の確認は，各種毒性試験(反復投与毒性試験，発がん性試験，遺伝子毒性試験等)の結果や化学物質に関する情報，ヒトからの情報に基づいて総合的に評価する過程であるが，これらの毒性試験成績がヒトに直接外挿できるかどうかについては以降の過程でも評価は行われていない．また実験動物とヒトとの間に化学物質の代謝経路や中間活性物質の生体に及ぼす影響に種差が存在するため，ヒトでの生体影響反応の予測が困難となる場合がしばしばある．

以下では，労働環境で使用されている化学物質の中でその生体影響反応に種差が存在する物質について分子生物学的側面から概説を行う．

2.1　2,2-Dichloro-1,1,1-tryfluoroethane (HCFC-123)

HCFC-123 は成層圏のオゾン層破壊係数の高い第一世代の chlorofluorocarbons（CFCs）の代替物質として冷媒や溶剤に用いられるようになった化学物質である．使用に先立ち，代替フルオロカーボン国政共同安全性確認試験（Programmed for Alternative Fluorocarbon Toxicity Testing）によりラットを用いた大規模な安全性評価が行われ，総合的に判断してその毒性は低いと結論されていた．しかし 1997 年にベルギーの工場でエアコンのピンホールから漏出した HCFC-123 と 2-chloro-1,1,1,2-tetrafluoroethane（HCFC-124）の混合冷媒曝露後数週間で発生した肝機能障害の症例報告[6]があり，さらに日本においても HCFC-123 を冷媒として用いる小型コンテナ製造作業者に，急性肝機能障害発生の報告[7]があった．

一般的に脂肪族化合物からハロゲン基を取り除く経路には主に還元的脱ハロゲン化，酸化的脱ハロゲン化がある．両者とも主として CYP2E1，CYP2B，CYP3A により触媒される．図 2. に

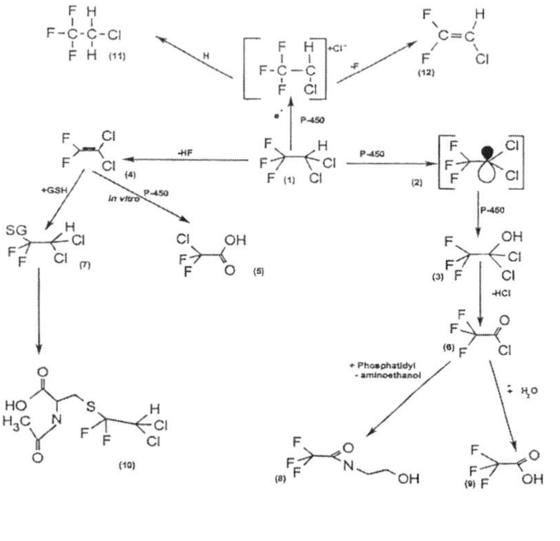

図 2　HCFC-123 の代謝

HCFC-123 の代謝経路を示す．

HCFC-123 は halothane（1-bromo-1-chloro-2,2,2-trifuroethane）の構造類似物質であり，その代謝経路と肝毒性は類似している．Halothane の代謝においては酸化的，及び還元的経路で蛋白やその他の細胞高分子成分に結合能を持つ活性中間代謝産物が産生され，直接的に肝細胞障害を発生させるが，その肝障害の程度と発生の機序には種差が見られる．ラットにおいては halothane による肝障害は主として還元的脱ハロゲン化の経路をとるが，モルモットとヒトでは主に酸化的脱ハロゲン化経路によって引き起こされる．また複数回の halothane 曝露では免疫学的機序による halothane 肝炎と呼ばれる広範囲な肝細胞壊死を伴う重篤な肝障害が引き起こされることが報告されている．HCFC-123 は，酸化的脱ハロゲン化経路では halothane と共通の活性中間代謝産物 trifluoroacetyl chloride を生成し，これは水と共に反応して trifluoroacetic acid（TFA）を形成し，また肝蛋白のアミノ酸残基や posphatidyl amino-ethanol と共有結合する．TFA-protein adduct は抗原として作用し，免疫学的機序により肝障害を引き起こす．ベルギーで発生した肝障害患者の肝生検検体からは TFA-protein adduct を，また血清からは halothane 肝炎と関連のある CYP2E1 と *p58* 蛋白に対する自己抗体が検出されている．

モルモットに 0，30，100，300ppm の HCFC-123 を 4 週間吸入曝露したところ，曝露群で 100ppm より量反応性に肝組織の門脈域の脂肪変性が観察され，300ppm では体重増加が有意に抑制された．肝重量，血清肝機能指標の変化，およびペルオキシゾーム増殖は観察されなかった[8]．一方ラットの肝細胞を用いた in vitro 曝露実験では，活性中間代謝産物と共に free radical が産生され，脂肪過酸化によって肝細胞障害を発生させる機序が報告[9]されているが，PAFT の 2 年間，5000 ppm までの吸入曝露実験では肝ペルオキシゾームにおける β 酸化活性の増加と血清脂質，血糖値の減少，寿命の短縮を伴わない良性腫瘍の増加，肝臓の相対的重量増加を認めたのみであり，4 週間，20000 ppm 曝露でも AST，ALT の増加以外には組織学的所見も含めて顕著な肝細胞障害は認めなかった．以上のように HCFC-123 によ

る肝障害には明らかな種差が存在する．

2.2 Trichloroethylene（TCE）

TCE の発がん性に関する疫学研究は多数あるが，TCE 曝露が肝と胆道のがんおよびリンパ造血系の腫瘍とりわけ非ホジキンリンパ腫の発生率が有意に増加したとする Anttila et al.[10]のコホート研究と，腎がんの発生率が有意に増加したとする Henschler et al.[11]のコホート研究以外はいずれの研究もヒトでの発がん性については否定的な結論を出している．IARC では肯定的な疫学研究の結果を重視し，Group2A（ヒトに対する発がん性がおそらくあり，かつその証拠が十分な物質）に分類しているが，日本産業衛生学会では 2A とするのは時期尚早であって，当面は 2B と評価している．また，TCE の発がん性には明らかな種差が存在する．TCE の曝露によりマウスでは肝細胞がんの発生が報告されているが，ラットでは肝細胞がんの発生は報告されていない．またマウスではでは腎腫瘍が発生したという報告はないが，ラットでは発生が示唆されている．この種差の解明には代謝の面からの研究が進められてきた．

TCE の代謝経路を図 3 に示す．TCE は major pathway として主として CYP2E1 により chloral hydrate（CH）に代謝される．CH は trichloro-acetic acid（TCA）もしくは trichloroehanol（TCOH）に代謝される．この系での TCE 代謝の Vmax はマウス＞ラット＞ヒトであり代謝速度に種差及び性差が存在する[12]．

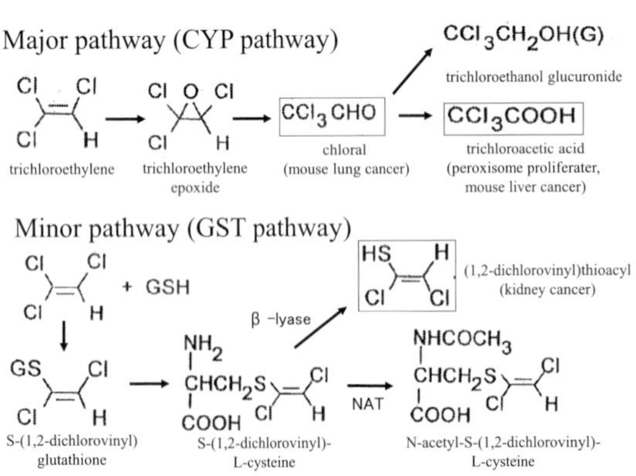

図 3　トリクロロエチレンの代謝

肝細胞がんのプロモーション作用を引き起こす．TCE の肝細胞がんの発がん性は，TCE が非変異原性化学発がん性を示すペルオキシゾーム増殖薬であることより，プロモータ的な機構が作用していると考えられている．この major pathway で産生される TCA がペルオキシゾーム増殖を誘導する．ペルオキシゾーム増殖薬の肝細胞発がんのメカニズムについては，細胞増殖，ペルオキシゾーム増殖薬受容体，がん遺伝子などの関与についての検討が進んでいる．また，ペルオキシゾーム増殖の作用によりペルオキシゾームにおける脂肪酸の β 酸化が促進され，活性酸素類が増加する．この活性酸素による DNA の酸化的損傷が発肝がんのメカニズムに関与しているという報告もある．

一方，minor pathway では glutathione S-transferase（GSH）の触媒作用より GSH 抱合を受け，S-（1,2-dichlorovinyl）glutathione（DCVG）に代謝される．DCVG はシステインを結合し DCVC となり，腎臓に運ばれて N-acetylation により，NAcDCVC あるいは β-lyase によって電子親和性の高い chlorothioketene となる．Chlorothioketene はタンパク質や DNA をアルキル化して細胞毒性や発がん性を発揮すると言われている．

雄のラットではグルタチオン結合や β-lyase の活性が雌のラットやマウスより高く，このことから β-lyase によって生成される chlorothioketene が腎がん発生に深く関わっている可能性が示唆できる．Chlorothioketene による腫瘍発生のメカニズムについて Lash ら[13]は 2 つのパターンで進行するのではないかと述べている．1 つ目はミトコンドリア機能不全，タンパク質アルキル化，酸化ストレスなどによって生ずる細胞毒性に対する修復機構の破綻による腫瘍化である．2 つ目は，DNA アルキル化や DNA 鎖損傷により遺伝子変異が生じがん化するものである．しかし，ヒト腎での β-lyase 活性はマウスとラットに比べると著しく低いと言われているものの，NAcDCVC は代謝によってヒトでは 1,2-DCVC が，ラットでは 2,2-DCVC が産生されるが，これら 2 つの異性体のうち，1,2-DCVC のほうが発がん性，細胞毒性が強い．従って DCVC を介する経路だけでは腎がん発生のメカニズムの説明とヒトでの発がん性の評価をするには不十分である．TCE の変異原性は minor pathway で産生される GSH 抱合体を除き，各種試験の結果より否定的である．

2.3　Dichloromethane（DCM）

DCM は洗浄剤，フィルム現像溶剤，フォーム製造用発泡剤などとして，産業界で広く用いられている化学物質である。DCM の代謝経路を図 4 に示す．CYP2E1 の経路では，中間代謝産物である dichloromethanol，formyl chloride を経て最終的に一酸化炭素，二酸化炭素が産生される。一方 GSTT1 の経路では，S-chloromethyl glutathione，formaldehyde，formic acid を経て二酸化炭素が生産される。これら 2 経路のうち，DCM 低濃度曝露においては CYP2E1 による代謝が主代謝経路であるが，この系が飽和すると，GSTT-1 による代謝が行われる．

実験動物に対する *in vivo* での毒性試験では，マウスにおいて肺胞・気管支がん，肝細胞腺腫，肝細胞がんの増加が認められたがラットでは良性の乳腺腫瘍の増加は見られたものの，悪性腫瘍の有意な増加は見られていない．このように DCM の発がん性には種差があることが知られているが，これは GSTT-1 の活性が動物種によって異なるためと考えられている．細胞質中の GSTT-1 の活性はマウス＞ラット＞ヒトという順に高く，この代謝活性が高いほど GST 経路の中間代謝産物で遺伝子障害性がある formaldehyde と S-chloromethyl glutathione が多く産生される．また，ラット，マウス，ヒトの GSTT-1 の肝・肺中の mRNA 局在はマウス肝では中心小葉，特に中心静脈と胆管を囲む細胞に，肺ではクララ細胞，繊毛細胞に局在しており，また，細胞核内に非常に高濃度に蓄積していた．一方，ラット，ヒトではそのような局在，核への集積は見られず均等に広がっており，GSTT-1 の局在には種差が見られる[14]．

また *in vitro* では変異原性試験は軽度陽性であり，遺伝子障害性としては，代謝産物である formaldehyde による DNA-protein crosslink（DPX），RNA-HCHO 付加物（RFA）及び，S-chloromethyl glutathione による DNA-single strand break（DNA-ss）の形成が観察されている．DPX の遺伝子障害性のメカニズムは DNA 複製の障害である．DPX は DNA 複製の際に複製フォークを中止させ，娘鎖の一方に欠失を引き起こしたり，染色体異常を誘発する．Casanova et al.[15] は，F344 ラット，B6C3F1 マウス，SG ハムスター，ヒトの肝細胞に，DCM を曝露し，代謝産物である formaldehyde によって産生される DPX と RFA の産生濃度をみたところ，DPX はマウス肝細胞のみで検出されたが，他の肝細胞では高濃度の DCM 曝露でも検出されなかった．また RFA は GSTT1 遺伝子が null でない動物で検出され，その量はマウスでラット，ヒト，ハムスターでそれぞれ 4 倍，7 倍，14 倍であった．

以上より DCM の量反応アセスメントにあたっては，発がんに関連する GSTT-1 の活性レベルと局在，遺伝子障害性の種差，およびヒトにおいては GSTT-1 の多型の存在によりハイリスク集団が存在することを留意する必要がある．疫学研究では DCM がヒトに対して発がん性を示す十分な証拠があるとはいえないこと，代謝および発がん性の種差が大きいこと，低濃度曝露レベルではヒトへの遺伝子障害性を示す可能性が小さいと考えられること等の理由により，IARC および日本衛生学会はその発がん性の分類を 2B としている．

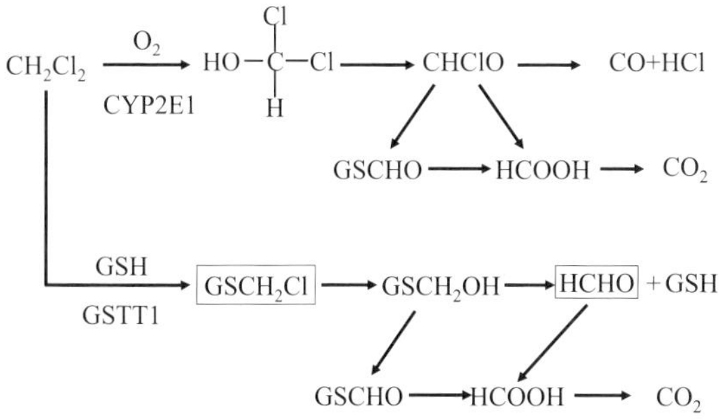

図 4　ジクロロメタンの代謝

2.4　1,3-Butadiene

Epoxide の 3 環構造は活性化が高くタンパク質や DNA の求核電子部位と反応するため，動物実験において発がん性物質として報告されることが多い．Epoxides は主として glutathione- S-transferase（GSH）によってグルタチオン抱合して DNA への反応性が低い mercapturic acid に代謝

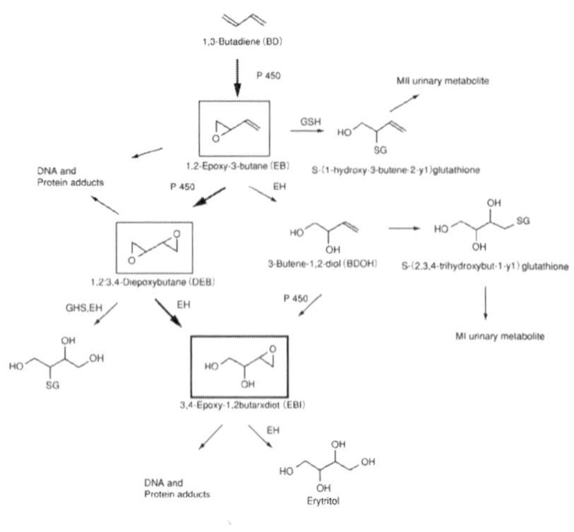

図５　1,3- ブタジエンの代謝

されるか，もしくはepoxide hydrolaseによって加水分解されて解毒される．解毒経路には種差があり，げっ歯類ではグルタチオン抱合による系が，ヒトでは加水分解による系が主である．Epoxidesの産生能(e.g., 1,3-butadiene)や解毒作用の種差(e.g., 1,3-butadiene, acrylonitrile)が発がん性の種差として検出されることがあり，その例として1,3-butadieneがある．

1,3-Butadieneは合成ゴムの原材料として広範に使用されている化学物質である．マウスとラットの両種で明らかな発がん性を示すが，マウスの方が発がん感受性が高い．1,3-Butadieneはマウス，ラット，ヒトにおいて同じ代謝経路によって変異原性と発がん性を示すepoxideに代謝される．1,3-Butadieneの代謝経路を図５に示す．1,3-Butadieneは主としてCYP2E1によって1,2-epoxi-3-butene (EB)にepoxi化される．EBはCYP2E1によって1,2：3,4-diepoxybutane (DEB)代謝され，更に3,4-epoxy-1,2-butanediol (EBD)に加水分解される．これら３つの代謝物はDNAに対する反応性代謝物であり，DNA塩基の求電子核サイトにadductを形成する．EBDの*N7*-guanine adductはEBのadductの10倍であり，1,3-butadieneに職業性に曝露したヒトのリンパ球においてはEBDの*N1*-adenine adductが観察された．またDEBはDNA-DNA cross-linksを形成することより，DEBとEBDは1,3-Butadiene曝露による変異原性及び発がんに寄与する主なepoxide化代謝物と考えられている[17]．マウスではラットやヒトに比べて，同じ1,3-butadieneの曝露量でEBへより多く酸化されることが*in vitro*と*in vivo*で観察されており，血中および組織中のEBレベルはマウスではラットの２－８倍高く，DEBは40－160倍高いことが報告されている．このDNAへの反応性代謝物の産生能の差が発がん性の種差として表れていると予測される．またマウスにおいて1,3-butadiene曝露によりマウスで発生した腫瘍でproto-oncogeneである*k-ras*やtumor suppressor geneである*p53*に突然変異が観察されている．以上より，日本産業衛生学会では1,3-butadieneはマウスとラットで明確な発がん性を示し，工場労働者のリンパ球を用いた変異原性試験で高濃度曝露者において陽性となったこと，更に疫学調査[18, 19]でリンパ肉腫，白血病等の標準化死亡比(SMR)の有意な増加が認められたことから，第１群(ヒトに対して発がん性のある物質)に分類している．

3. 労働環境分野における Custom-made 予防

化学物質のmode of actionに関わる遺伝要因が既知であれば，労働者の遺伝要因を検査することで当該化学物質に対する感受性が把握でき，適正配置などの手法により感受性(＋)の作業者の健康障害発生を未然に防止できる可能性がある．図６の表に，感受性の有・無の率をp_1, p_0とし，感受性(＋)・(－)の集団における健康影響発生率I_1, I_0を用いて健康影響発生数を示した．I_1/I_0は

		人数	発生数
リスク要因	＋	$n \times p_1$	$n \times p_1 \times I_1$
	－	$n \times p_0$	$n \times p_0 \times I_0$
		n	

p_1 :リスク要因(+)率
$p_0 = 1 - p_1$
I_1 : リスク要因(+)集団の発生率
I_0 : リスク要因(-)集団の発生率
I_1/I_0=risk ratio (RR, リスク比)

両集団からの発生数が等しい時
$n \times p_1 \times I_1 = n \times p_0 \times I_0$
$I_1/I_0 = p_0/p_1$
$RR = (1 - p_1)/p_1$

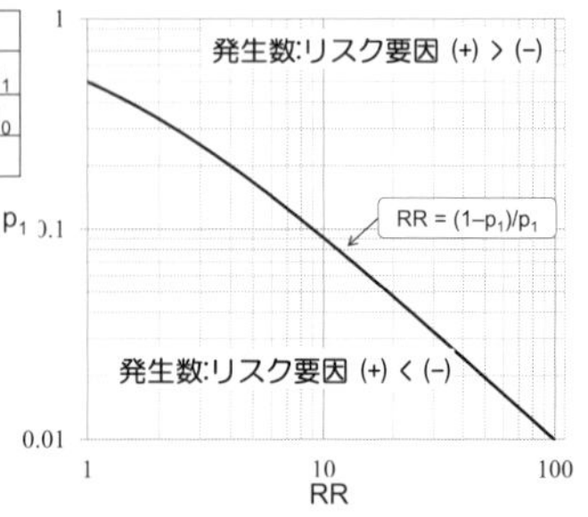

図６　リスク要因の有無による影響発生数

Dear

Thank you for attending our final selection panel and pre-employment medical examination which, as you know, involved an obligatory DNA analysis. I regret having to inform you that although you made a strong impact at interview you have been unsuccessful in your application on the basis of ***predicted genetic susceptibilities***.

Your DNA profile showed that although you have the potential for innovation and creativity, features which were apparent from your initial interview, you have at the same time ***a high risk of developing a manic-depressive psychosis*** which would seriously impair your performance and in the position to be filled, potentially put colleagues at risk. As well as this, however, you have ***a genetic susceptibility to develop liver disease on exposure to several metals*** which are found throughout our premises.

I regret that, on the basis of these results, we cannot offer you employment but ***wish you success in the future.***

Yours faithfully,

出典：Rawbone RG. OEM 1999; 56:721-24

図7　遺伝子スクリーニングによるCustom-made予防の寓話

相対危険度やOdds比のようなリスク比である．図6のグラフは，リスク比を横軸，P_1を縦軸にとり，感受性(＋)群と(－)群の健康影響発生数が同数になる場合の曲線を示した．この曲線より右上であれば，感受性(＋)群からの健康影響発生数が感受性(－)群からの発生数を上回り，左下であればその逆になる．また，労働環境では，曝露濃度が減少することでリスク比が小さくなることは明らかである．さらに，複数個の遺伝子保有によるリスク比の増大時は同時に複数遺伝子保有率の減少が併存することにも留意する必要がある．

従って，健康影響の重篤度，感受性(＋)者の割合，リスク比，労働衛生3管理によるリスク比の減少効果，および，遺伝要因により作業者を分類することに対する倫理的妥当性のtrade-offにより，労働環境におけるCustom-made予防導入の可否が検討されるべきであろう．Rawbone[20]は，「採用前検診で実施した遺伝子検査の結果，双極障害および某金属による肝障害発生のリスクが高いと判定されたことを理由に，不採用となった」という，Custom-made予防が最も先鋭的に適用される場面の寓話を示した(図7)．人類は人種差別と男女差別という遺伝子による差別を有史以来途切れることなく実践してきているという事実を労働衛生分野における遺伝子によるCustom-made予防の導入に外挿すれば，先端科学という衣をまとったスマートかつ不必要な個人差別を生み出すであろう．

参考文献

1. National Research Council：Risk Assessment in the Federal Government：Managing the Process, Washington, DC, National Academy Press. 1983.
2. US EPA, 1999. Guidelines for carcinogen risk assessment. Risk Assessment Forum, US Environmental Protection Agency, NCEA-F-0644. July 1999, Review draft.
3. Directive 1999/45/EC of the European Parliament and of the Council of 31 May 1999. Concerning the approximation of the laws, regulations, and administrative provisions of the Member States relating to the classification, packaging and labeling of dangerous preparations.
4. 日本産業衛生学会：許容濃度の勧告　産業衛生学雑誌 43：95-105, 2003.
5. Bogdanffy MS, Valentine R. Differentiating between local cytotoxicity, mitogenesis, and genotoxicity in carcinogen risk assessments：the case of vinyl acetate. Toxicol Lett. 2003 Apr 11；140-141：83-98.
6. Hoet P, Graf ML, Bourdi M, Pohl LR, Duray PH, Chen W, Peter RM, Nelson SD, Verlinden N, Lison D. Epidemic of liver disease caused by hydrochlorofluorocarbons used as ozone-sparing substitutes of chlorofluorocarbons. Lancet. 1997 Aug 23；350 (9077)：556-9.
7. Takebayashi T, Kabe I, Endo Y, Tanaka S, Miyauchi H, Nozi K, Takahashi K, Omae K. Acute liver dysfunction among workers exposed to 2,2-dichloro-1,1,1-tryfluoroethane (HCFC-123)：a case report. Appl Occup Environ Hyg. 1999 Feb；14 (2)：72-4.
8. Kabe I, Takebayashi T, Nishiwaki Y, Nakajima T, Ikeda E, Saito T, Tanaka S, Miyauchi H, Endo Y, Omae K. Four week inhalation toxicity study of 2,2 dichloro 1,1,1 trifluoroethane (HCFC-123) in guinea pigs. *J Occup* Health 2001；43：314-320.
9. Zanovello A, Ferrara R, Tolando R, Bortolato S, White IN, Manno M. Bioactivation and toxicity in vitro of HCFC-123 and HCFC-141b：role of cytochrome P450. Toxicol Lett. 2001 Oct 15；124 (1-3)：139-52.
10. Anttila A, Pukkala E, Sallmen M, Hernberg S, Hemminki K. Cancer incidence among Finnish workers exposed to halogenated hydrocarbons. J Occup Environ Med. 1995 Jul；37 (7)：797-806.
11. Henschler D, Vamvakas S, Lammert M, Dekant W, Kraus B, Thomas B, Ulm K. Increased incidence of renal cell tumors in a cohort of cardboard workers exposed to trichloroethene. Arch Toxicol. 1995；69 (5)：291-9.
12. Elfarra AA, Krause RJ, Last AR, Lash LH, Parker JC. Species- and sex-related differences in metabolism of trichloroethylene to yield chloral and trichloroethanol in mouse, rat, and human liver microsomes. Drug Metab Dispos. 1998 Aug；26 (8)：779-85.
13. Lash L, et al. Modes of Action of Trichloroethylene

for Kidney Tumorigenesis. Environmental Health Perspectives 2000；108：225-39.
14. Mainwaring GW, Williams SM, Foster JR, Tugwood J, Green T. The distribution of theta-class glutathione S-transferases in the liver and lung of mouse, rat and human. Biochem J. 1996 Aug 15；318（Pt 1）：297-303.
15. Casanova M, Deyo DF, Heck H. Dichloromethane（methylene chloride）：metabolism to formaldehyde and formationof DNA-protein cross-links in B6C3F1 Toxicol Appl Pharmacol. 1992 May；114（1）：162-5.
16. Koc H, Tretyakova NY, Walker VE, Henderson RF, Swenberg JA. Molecular dosimetry of N-7 guanine adduct formation in mice and rats exposed to 1,3-butadiene. Chem Res Toxicol. 1999 Jul；12（7）：566-74.
17. Melnick RL. Carcinogenicity and mechanistic insights on the behavior of epoxides and epoxide-forming chemicals. Ann N Y Acad Sci. 2002 Dec；982：177-89.
18. Delzell E, Sathiakumar N, Hovinga M, Macaluso M, Julian J, Larson R, Cole P, Muir DC. A follow-up study of synthetic rubber workers. Toxicology. 1996 Oct 28；113（1-3）：182-9.
19. Macaluso M, Larson R, Delzell E, Sathiakumar N, Hovinga M, Julian J, Muir D, Cole P. Leukemia and cumulative exposure to butadiene, styrene and benzene among workers in the synthetic rubber industry. Toxicology. 1996 Oct 28；113（1-3）：190-202.
20. Rawbone RG. Future impact of genetic screening in occupational and environmental medicine. OEM 1999；56：721-24.

Ⅲ-3　曝露・影響評価と生物学的モニタリング

産業医科大学医学部衛生学講座
川本俊弘

はじめに

環境が原因となる健康障害を予防することは，環境医学の大きな目標である．近年環境中の化学物質による健康への危険性が叫ばれ，リスクアセスメント・リスクマネージメントがクローズアップされている．曝露評価(exposure assessment)は，有害性の同定(risk identification)，量－反応関係(dose-response relationship)と並んでリスクアセスメントの３本柱となっている(小泉 2002)．曝露評価・影響評価は我々が環境中の有害要因にどの程度曝露し，さらにどのような影響が現れているかを調べることである．ヒトを対象とした調査研究が中心となり，さまざまな要因が関与し，リスクアセスメントの中ではもっとも難しい過程といえよう．ここでは，曝露評価・影響評価について環境化学物質を中心に述べることにする．また，代表的な曝露評価の一つである生物学的モニタリングについては，理論のみならず特殊健康診断も含めて解説する．

1. 曝露から影響へ

環境化学物質の曝露から健康影響までのながれのわかり易い例として，多環芳香族炭化水素による発がんについて述べる．タバコ煙，自動車排ガス，工場の煙突などから環境中に放出された化学物質は経気道的，経口的あるいは経皮的に体内に入り，代謝酵素によって解毒あるいは活性化される．活性化された化学物質の一部はDNAの塩基と結合し，DNA付加体を形成する．この付加体のほとんどは修復されるが，修復されなかったDNA付加体は複製の際に変異を起こす原因となる．この変異が細胞分裂を制御するような遺伝子に起こり，それが多段階に蓄積されると臨床的ながん腫が形成されると考えられている(花岡 1999)．しかしながら，この過程のすべての段階で個体差が生じる．これは遺伝子多型で代表されるような感受性の個体差が関与するが，感受性については本書の別章に譲ることにし，本章では取り上げないことにする．

2. 曝露評価

曝露評価とはまさしく化学物質に曝露されたかどうかを評価することであるが，実際には文章を書くときの5W1Hのように，Who（だれが，どの集団が)，What（なにを，どの化学物質を)，When（いつ，どれぐらいの期間)，Where（どこで)，What route（どのような経路で，経気道・経口・経皮)，How much（どの程度)曝露したかということを調べなければならない(曝露評価の5W1H)（川本他　2001)．

現在，実際に行われている曝露評価としては，まず定点測定が挙げられる．全国に一般大気汚染測定局が1,549箇所，自動車排ガス測定局が約438箇所(平成20年度末)あり，ここでは大気汚染物質の濃度が24時間連続測定されている．この測定点からの拡散を考慮に入れて，我々の曝露

各論Ⅲ

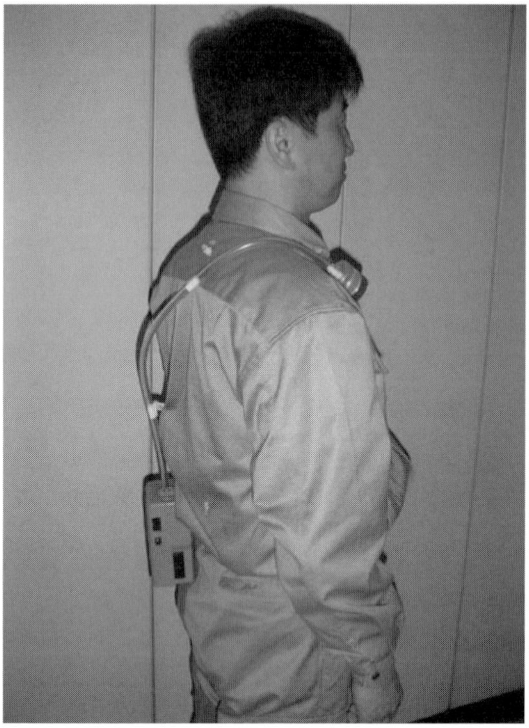

写真１　$PM_{2.5}$の個人曝露測定

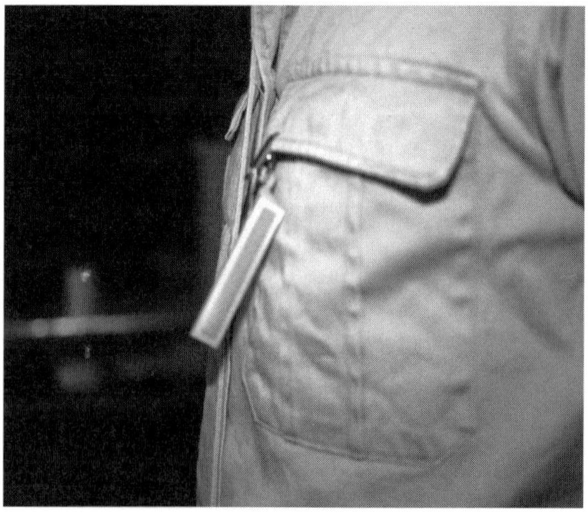

写真２　パッシブサンプラー（有機溶剤用）

量を推定するものである．また，労働衛生で用いられる作業環境測定は，作業場という空間における化学物質の幾何平均と幾何標準偏差を求めるものである．定点測定や作業環境測定では，個人個人の実際の曝露評価はできない．そこで，個人曝露量を把握するために個人曝露測定が行われる．これは，パーソナルサンプラーを一定時間装着し，このサンプラーにて採取した化学物質を測定することにより，個人ごとの曝露評価を行うものである．写真１，２に$PM_{2.5}$の個人曝露測定と有機溶剤用のパッシブサンプラーを示す．

定点測定，作業環境測定，個人曝露測定は，我々の体の外部での曝露評価であり，実際に我々の体の中に入った量を表していない．そこで生体試料を用いた曝露評価，すなわち曝露のバイオマーカー（曝露マーカー）を用いた評価が重要となってくる．WHO の IPCS（International Programme on Chemical Safety，1993）によれば，曝露マーカーとは生体試料中の外因性化学物質またはその代謝物，あるいは標的分子または細胞と化学物質との反応の産物である．具体的には，血液中・尿中化学物質，尿中代謝物，蛋白付加体，DNA 付加体などである．この代表的なものが生

表１　作業環境測定，生物学的モニタリング，個人曝露モニタリングの比較

	作業環境測定	生物学的モニタリング	個人曝露測定
測定対象試料	作業場の空気	尿・血液	呼吸域の空気
評価できるもの	作業場の環境 （曝露濃度ではない）	体内への侵入量（内部曝露量（濃度×時間）	呼吸域空気の濃度（外部曝露量）（濃度×時間）
時間の要素	時間的要素なし（10 分間の曝露も８時間の曝露も同一評価）	作業終了時のスポット尿	通常一勤務（８時間）
（法的）対象物質	粉じんと鉛，有機溶剤，特定化学物質（約 100 種）	鉛と有機溶剤（８種）	対象化学物質はなし 電離放射線
対象経路	経気道	経気道，経皮，（経口）	経気道
保護具の効果及び作業強度	反映されない	反映される	反映されない
非職業的曝露	影響されない	影響される	影響されない
測定結果の評価	第１管理区分 第２管理区分 第３管理区分	分布１，分布２，分布３	許容濃度との比較

物学的モニタリングである．表1は有機溶剤を例に「作業環境測定」「生物学的モニタリング」「個人曝露測定」を比較したものである．それぞれ利点・欠点があり，一つの方法で曝露が正確に評価できるものではないことがわかる．生物学的モニタリングについては，本章の後半で詳しく説明する．

3. 影響評価

影響評価とは化学物質曝露による個人あるいは集団の健康障害や疾病の指標となる生体の生化学的，生理学的，行動学的変化を定量的に調べることである．したがって，死亡統計，疾病統計も影響評価といえよう．しかし，死亡統計や疾病統計を用いるということは，化学物質曝露に起因する死者や患者が存在することが前提となる．予防原則に基づいて，発症する前の影響マーカー（早期影響指標）を用いて評価することが重要となる．影響マーカーの特徴は，作用機序や毒性が類似した化学物質群の曝露では生体内の生化学的，生理学的，行動学的な変化が同じであるため，特異性が低いことである．これに対し，曝露マーカーは当該化学物質やその代謝物，あるいは当該化学物質のDNAあるいは蛋白への付加体であるので特異的である．現代の我々が環境から曝露される様態は，未知の化学物質や何千，何万という既知の化学物質への長期間低濃度複合曝露である．これらの化学物質への曝露をひとつひとつ調べ，リスク評価を行うことはほとんど不可能であり，影響マーカーを用いて健康障害を早期の段階でスクリーニングする方が現実的である．このようなことから，影響マーカーへの期待は大きいが，多くの影響マーカーは感度，再現性，費用，曝露との関係など実用に向けて解決しなければならない点が多い．参考までに表2に影響マーカーあるいはその可能性のあるマーカーの一例を記す．

4. 生物学的モニタリング

生物学的モニタリングとは，「有害物質に曝露した作業者の血液，尿，呼吸などを採取して，その中の有害物質やその代謝物の濃度，あるいは早期影響を示す指標を測定することによって，ヒト

表2 影響のバイオマーカーとして可能性のあるものの一例

1）発がん性，変異原性，遺伝毒性
8-hydroxydeoxyguanine（8-OHdG），Comet assay, 尿の Ames test, sister chromatid exchange（SCE）など

2）酸化的ストレスのバイオマーカー
glutathione, 8-OHdG, 4-hydroxy-2-nonenal, Metallothionein, Isoprostane など

3）血液毒性
free erythrocyte protoporphyrin, δ-aminolevulinic acid, basophilic strippling など

5）腎毒性
β2-microgrobulin, N-actylglucosaminidase, β-galactosidase など

6）肝毒性
aminotransferase（AST, ALT），5-nucleotidase, lactate dehydrogenase, glutathione など

7）免疫毒性
IgE, リンパ球の細胞表面抗原 , Interleukins, Natural killer cell activity など

8）肺毒性
肺機能，喀痰中好酸球，呼気中一酸化窒素など

9）神経毒性
erythrocyte actylcholine esterase（AchE），神経行動学コアテストバッテリーなど

各論Ⅲ

の曝露の程度を推測すること」と定義される．しかし，生物学的モニタリング研究が，歴史的に労働衛生分野から発展したことから，労働者の職場における曝露評価の意味合いが強い．日本産業衛生学会の定義では，「労働の場において，有害因子に曝露している労働者の尿，血液等の生体試料中の当該有害物質濃度，その有害物の代謝物濃度，または，予防すべき影響の発生を予測・警告できるような影響の大きさを測定すること」となっている（日本産業衛生学会　2009）．

本章では，生物学的モニタリングを曝露評価あるいは曝露マーカーと紹介したが，生物学的モニタリングの検査項目の中には，尿中デルタアミノレブリン酸（δ-ALA）と遊離赤血球プロトポルフィリンのような影響マーカーも含まれる．

表３　鉛健康診断

（必ず行わなければならない項目）	
1	業務の経歴の調査
2	①鉛による自覚症状及び他覚症状の既往歴の調査 ②「血液中の鉛の量の検査」及び「尿中のデルタアミノレブリン酸の量の検査」についての既往の検査結果の調査
3	鉛による自覚症状又は他覚症状と通常認められる症状の有無の検査
4	血液中の鉛の量の検査
5	尿中のデルタアミノレブリン酸の量の検査
（医師が必要と認めた場合に行わなければならない項目）	
6	作業条件の調査
7	貧血検査
8	赤血球中のプロトポルフィリンの量の検査
9	神経内科学的検査

（労働省労働基準局安全衛生部労働衛生課 1989）

４－１．生物学的モニタリングの実用

生物学的モニタリングが実用化に移されるためには，下記の課題が解決されなければならい．（友国　2002）

1）ヒトにおける化学物質の体内動態（吸収，分布・蓄積，代謝，排泄）に関する知見が存在するか
2）適当な生体試料（血液，尿，呼気，毛髪，爪）が存在するか（試料の採取方法および採取時期，試料の運搬・保存法を含めて）
3）ヒトにおける曝露と反応の関係（量－反応関係）が明らかにされているか
4）適当な評価指標（生物学的曝露指標，生物学的許容値など）が確立されているか
5）簡便で，精度・再現性の高い分析法が確立されているか．

これらの課題を解決している化学物質はごくわずかしかない．

４－２．日本における生物学的モニタリングリングの実際

平成元年に鉛中毒予防規則および有機溶剤中毒予防規則が改正され，生物学的モニタリングが職域健康診断に導入された．すなわち，鉛取り扱い作業者全員の血液中鉛と尿中δ-ALAの測定が，また，キシレン，スチレン，トルエン，1·1·1－トリクロルエタン，ノルマルヘキサン，N·N－ジメチルホルムアミド，トリクロルエチレン，テトラクロルエチレンの８種類の有機溶剤を取り扱う作業者では尿中の代謝物の測定が義務付けられた．表３および４に平成元年に改定された鉛健康診断と有機溶剤健康診断の健診項目を示した．

さらに特定化学物質障害予防規則，行政指導および労働衛生試験研究による健康診断においても，いわゆる２次健康診断項目として生物学的モニタリングが用いられている（表５）．

４－３．生物学的モニタリングの注意事項

1）検査実施前の注意

ｉ）清涼飲料水などからの影響

生物学的モニタリング検査を実施するとき清涼飲料水を飲まないように指示されることがある．これは，清涼飲料水中に保存料として含まれている安息香酸ナトリウムが，体内で代謝され馬尿酸となって尿中に排泄されるため，トルエン曝露の生物学的モニタリング項目である尿中馬尿酸検査を行うと，異常な高値を示すからである．道辻ら（1987）の調査によると，某清涼飲料水１本の摂取で30分後の尿中馬尿酸値は2.5 g/Lを超すという結果が出ている．この清涼飲料水による尿中馬尿酸濃度上昇の問題は，トルエンの生物学的モニタリングのときにのみの問題であり，メチル馬尿酸などの馬尿酸以外の生物学的モニタリング検査の時には関係ない．また，清涼飲料水でも保存料として安息香酸ナトリウムを使用していないもの

についても関係がない．ちなみに安息香酸ナトリウムを添加している清涼飲料水はコカコーラ・ライト，ダイエット・ペプシなどごくわずかしかない．一方，栄養ドリンクのほとんどのものには安息香酸ナトリウムが添加されている．したがって，検査実施前の注意としては，清涼飲料水よりもむしろ栄養ドリンクの方を注意する必要がある．さらに食品の中には天然成分として安息香酸あるいはその前駆物質を含んでいるものがある．梅，あんず，チーズなどである．詳しくは筆者が日本医事新報に記載しているので参照していただきたい（川本　1996）．

日本の職域健康診断における生物学的モニタリングはクレアチンや尿比重による濃度補正を行っていない．したがって，清涼飲料水のみならず，水などの検査前の大量摂取や極端な飲水制限は避けなければならない．

ⅱ）飲酒に関する注意

有機溶剤の多くはアルコールと同じ代謝経路でも代謝される．したがって，アルコールの摂取は競合作用により有機溶剤代謝を遅くするので，受診者は検査前日から飲酒をすべきではない．

2）採尿時期の注意

鉛の生物学的モニタリング検査項目である血液中鉛と尿中δ－ALAについては試料の採取時期は特に重要ではないが，有機溶剤の尿中代謝物測定は，採尿時期が非常に重要である．これは，有機溶剤の尿中代謝物の半減期が比較的短いためである．たとえばトルエンの代謝物の馬尿酸の半減期は約1.5時間，トリクロルエチレンの代謝物のトリクロル酢酸の半減期は75時間といわれている（緒方他，1990）．また，前日の曝露が次の日の朝までにすべて排泄できていない場合は蓄積することになる．そこで，一般的には，尿中の代謝物の濃度が最も高値を示す時期に採尿すべきである．作業日が連続している場合においては，後半の作業日の当該作業終了時の尿を採取することになっている．また，非定常的な作業の場合は，作業環境，作業方法からみて長時間作業を行った後に採尿する．作業時間があまりに短い場合や有機溶剤を取り扱っていない場合は採尿をすべきではない（中央労働災害防止協会　1996）．この理由は，生物学的モニタリングの評価値が，8時間連続曝露の作業終了時の尿中濃度から決められているからである．

4－4．生物学的モニタリング結果の評価

鉛中毒予防規則，有機溶剤中毒予防規則では，測定結果を分布1，2，3に分け，評価・報告をすることになる．表6および7にそれぞれの分布区分の一覧を示した．この分布区分はあくまでもそれぞれの労働者が日常業務でどの程度の値を示すかを知るのが目的であって，決して正常，異常の鑑別を目的としたものではない．この分布区分は，まず，分布2と3の境界値が許容濃度レベルの曝露を8時間受けたときの作業終了時の尿の濃度に相当する値を目安に設定された．この分布区分の表は昭和63年の規則改正時に決定したものであるが，トルエンやキシレン，トリクロルエチレンのようにその後，日本産業衛生学会の許容濃度が下げられたものもある．生物学的モニタリングは，上述したように日常業務でどの程度の値を示すかを経年的に知るのが目的であるため，この分布区分表は現在もそのままで使われている．

事業者は生物学的モニタリングの検査結果について，その他の検査項目の結果と同様に「鉛健康診断個人票」あるいは「有機溶剤等健康診断個人票」に記入し保存するとともに，「鉛健康診断結果報告書」あるいは「有機溶剤等健康診断結果報告書」を労働基準監督署長に提出しなければならない．このとき生物学的モニタリングの検査結果が分布2，3であっても有所見者には含めない．しかしながら，分布3は鉛あるいは当該有機溶剤の吸収量が多いことが推測され，この状態を続けていくと健康影響の危険性が高くなると考えられる．したがって，過去の生物学的モニタリング結果も参考にしながら，必要と考えられる場合には「医師が必要と認めた場合に行わなければならない項目（表3および表4）」を実施する．分布2は，ほとんどの労働者に健康上影響が見られない濃度と考えられるが，鉛あるいは当該有機溶剤をある程度取り込んでいることになるので，職場改善が望まれる．分布1は当該有機溶剤取り込み量が少なく，健康影響は少ないと考えてよい（中央労働

表４　有機溶剤健康診断

（有機溶剤の種類にかかわらず共通して行わなければならない項目）
1　業務の経歴の調査
2　①　有機溶剤による健康障害の既往歴の調査
　②　有機溶剤による自覚症状及び他覚症状の既往歴の調査
　③　尿中の有機溶剤の代謝物の量の検査についての既往の検査結果の調査
　④　腎機能に関する検査，貧血に関する検査，肝機能に関する検査，眼底検査及び神経内科学的検査についての既往の異常所見の有無の検査
3　有機溶剤による自覚症状又は他覚症状と通常認められる症状の有無の検査
4　尿中の蛋白の有無の検査
（有機溶剤の種類に対応し行わなければならない項目）
5　尿中の有機溶剤の代謝物の量の検査
6　貧血検査（血色素量，赤血球数）
7　肝機能検査（GOT（AST），GPT（ALT），γ-GTP）
8　眼底検査
（医師が必要と認めた場合に行わなければならない項目）
9　作業条件の調査
10　貧血検査
11　肝機能検査
12　腎機能検査
13　神経内科学的検査

（労働省労働基準局安全衛生部労働衛生課 1989）

有機溶剤の種類と対応する検査項目

有機溶剤の種類	代謝物	肝機能	貧血	眼底
キシレン，スチレン，トルエン，1･1･1- トリクロルエタン，ノルマルヘキサン	○			
N･N- ジメチルホルムアミド，トリクロルエチレン，テトラクロルエチレン	○	○		
クロルベンゼン，オルトジクロルベンゼン，クロロホルム，四塩化炭素，1･4- ジオキサン，1･2- ジクロルエタン，1･1･2･2- テトラクロルエタン，クレゾール		○		
二硫化炭素				○
エチレングリコールモノエチルエーテル，エチレングリコールモノエチルエーテルアセテート，エチレングリコールモノブチルエーテル，エチレングリコールモノメチルエーテル			○	

（高田他 1989；川本　1990）

災害防止協会　1996；1998）．

鉛・有機溶剤の生物学的モニタリング結果の全国集計は，（社）全国労働衛生団体連合会が「総合制度管理事業に基づく鉛・有機溶剤に係る生体試料検査に関する精度管理調査（生物学的モニタリング調査）」において付帯調査として実施されている．平成 20 年度の集計結果（全国労働衛生団体連合会　2010）によると，すべての生物学的モニタリング項目（尿中プロトポルフィリンは，二次検診や血液疾患患者検体を含むので除外）において93%以上の試料が分布１であった．分布１の割合が最も高かったのが尿中デルタアミノレブリン酸の 99.5%，最も低かったのが尿中馬尿酸の 93.1%であった．逆に分布３の割合が最も低かったのが尿中２・５－ヘキサンジオンの 0.02%，最も高かったのがトリクロルエチレン作業者の尿中トリクロル酢酸の 1.26%であった．殆どの生物学的モニタリング項目において分布１の増加および分布３の減少傾向が過去３年間を通して認められた．

なお，特定化学物質障害予防規則，行政指導および労働衛生試験研究による健康診断のいわゆる２次健康診断項目として行われている生物学的モニタリングについては，分布区分に相当する値は示されていない．

表５　法的にまだある生物学的モニタリング

1. 特定化学物質障害予防規則	
アクリロニトリル	血漿コリンエステラーゼ活性値
オルトーフタロジニトリル	尿中のフタル酸の量
水銀またはその無機化合物	尿中の水銀の量
五酸化バナジウム	尿中のバナジウムの量
ニッケル化合物	尿中のニッケルの量
ニッケルカルボニル	尿中または血液中のニッケルの量
ニトログリコール	尿中または血液中のニトログリコールの量
パラーニトロクロルベンゼン	尿中アニリンもしくはパラーアミノフェノール 血液中のニトロソアミンおよびヒドロキシアミン，アミノフェノール，キノソイミン等の代謝物の量
砒素又はその化合物	尿中の砒素化合物（砒酸，亜砒酸およびメチルアルソン酸に限る.）の量
弗化水素	尿中の弗素の量の測定または血液中の酸性ホスファターゼもしくはカルシウムの量
ペンタクロルフェノール	尿中のペンタクロルフェノールの量
ベリリウム	尿中もしくは血液中のベリリウムの量
マンガン	尿中または血液中のマンガンの量
2. 行政指導に基づく健康診断	
クロルナフタリン	血液中のクロルの量
有機リン	血清コリンエステラーゼ活性値（一次健康診断）
3. 労働省の労働衛生試験研究により試薬として公表された特殊健康診断	
フェノール	血液中ならびに尿中のフェノールまたはフェノール代謝産物

表６　鉛等健康診断結果報告のための分布区分

検査内容	単 位	分布			
		1	2		3
血液中の鉛の量	μg/100ml	20 以下	20 超	40 以下	40 超
尿中のデルタアミノレブリン酸の量	mg/l	5 以下	5 超	10 以下	10 超
赤血球中のプロトポルフィリンの量	μg/100ml 赤血球	100 以下	100 超	250 以下	250 超

表７　有機溶剤健康診断結果報告のための分布区分

有機溶剤の名称	検 査 内 容	単 位	分布			
			1	2		3
11. キシレン	1. 尿中のメチル馬尿酸	g/l	0.5 以下	0.5 超	1.5 以下	1.5 超
30.N·N- ジメチルホルムアミド	1. 尿中の N- メチルホルムアミド	mg/l	10 以下	10 超	40 以下	40 超
31. スチレン	1. 尿中のマンデル酸	g/l	0.3 以下	0.3 超	1 以下	1 超
33. テトラクロルエチレン	1. 尿中のトリクロル酢酸	mg/l	3 以下	3 超	10 以下	10 超
	2. 尿中の総三塩化物	mg/l	3 以下	3 超	10 以下	10 超
35.1·1·1- トリクロルエタン	1. 尿中のトリクロル酢酸	mg/l	3 以下	3 超	10 以下	10 超
	2. 尿中の総三塩化物	mg/l	10 以下	10 超	40 以下	40 超
36. トリクロルエチレン	1. 尿中のトリクロル酢酸	mg/l	30 以下	30 超	100 以下	100 超
	2. 尿中の総三塩化物	mg/l	100 以下	100 超	300 以下	300 超
37. トルエン	1. 尿中の馬尿酸	g/l	1 以下	1 超	2.5 以下	2.5 超
39. ノルマルヘキサン	1. 尿中の 2·5- ヘキサンジオン	mg/l	2 以下	2 超	5 以下	5 超

（労働省労働基準局長 1989）

5. 日本産業衛生学会生物学的評価値

日本産業衛生学会では「生物学的許容値」を勧告している．この生物学的許容値とは，生物学的モニタリング値がその勧告値の範囲内であれば，ほとんどすべての労働者に健康上の悪い影響がみられないと判断される濃度である．生物学的許容値の利用にあたっては，その性格上から，いくつかの注意事項がある．まず，1)労働の場における有害要因曝露濃度と生物学的モニタリング値とは，個人間変動，個体間変動，喫煙や飲酒などの習慣，作業条件，作業時間，皮膚吸収，保護具の使用，労働の場以外での化学物質曝露などの様々な

表８　日本産業衛生学会が勧告した生物学的許容値

化学物質名	測定対象		生物学的許容値	試料採取時期
	試料	物　質		
アセトン	尿	アセトン	40 mg/l	作業終了前２時間以内
インジウムおよびインジウム化合物	血清	インジウム	3 μg/l	特定せず
エチレングリコールモノブチルエーテルおよびエチレングリコールモノブチルエーテルアセテート	尿	総ブトキシ酢酸	200 mg/g Cr	作業終了時
キシレン	尿	総メチル馬尿酸 (o-, m-, p-三異性体の総和)	800 mg/l	週の後半の作業終了時
クロロベンゼン	尿	4-クロロカテコール (加水分解)	120 mg/g Cr	作業終了時
コバルトおよびコバルト無機化合物	血液	コバルト	3 μg/l	週末の作業終了前２時間以内
(酸化コバルトを除く)	尿	コバルト	35 μg/l	同　上
3,3'-ジクロロ 4,4'-ジアミノフェニルメタン (MBOCA)	尿	総 MBOCA	50 μg/g Cr	週末の作業終了時
ジクロロメタン	尿	ジクロロメタン	0.2 mg/l	作業終了時
水銀及び水銀化合物（アルキル水銀化合物を除く）	尿	総水銀	35 μg/g Cr	特定せず
スチレン	尿	マンデル酸とフェニルグリオキシル酸の和	430 mg/l	週の後半の作業終了時
	血液	スチレン	0.2 mg/l	週の後半の作業終了時
テトラヒドロフラン	尿	テトラヒドロフラン	2 mg/l	作業終了時
トリクロロエチレン	尿	総三塩化物	150 mg/l	週の後半の作業終了前２時間以内
	尿	トリクロロエタノール	100 mg/l	同　上
	尿	トリクロロ酢酸	50 mg/l	同　上
トルエン	血液	トルエン	0.6 mg/l	週の後半の作業終了前２時間以内
	尿	トルエン	0.06 mg/l	同　上
鉛	血液	鉛	40 μg/100ml	特定せず
	血液	プロトポルフィリン	200 μg/100ml 赤血球または 80 μg/100ml 血液	特定せず (継続曝露１ヵ月以降)
	尿	デルタアミノレブリン酸	5 mg/l	同　上
フェノール	尿	総フェノール (遊離体，グルクロン酸抱合体，硫酸抱合体)	250 mg/g Cr	作業終了時
ヘキサン	尿	2,5-ヘキサンジオン	3 mg/g Cr（酸加水分解後）	週末の作業終了時
	尿	2,5-ヘキサンジオン	0.3 mg/g Cr（加水分解なし）	同　上
ポリ塩化ビフェニル類 (PCB)	血液	総 PCB	25 μg/l	特定せず
メチルイソブチルケトン	尿	メチルイソブチルケトン	1.7 mg/l	作業終了時
メチルエチルケトン	尿	メチルエチルケトン	5 mg/l	作業終了時または高濃度曝露後数時間以内

Cr：クレアチニン

（日本産業衛生学会　2009）

要因により，よい関連を示さない場合がある．したがって，労働の場では，許容濃度と生物学的許容値の両方を満たすことが必要である．2)有害要因曝露を最もよく代表する時期，または，有害要因吸収による健康影響の発生を最もよく予測できる時期に採取した生体試料を用いて測定した生物学的モニタリング値についてのみ，生物学的許容値を参照できる．3)表示された生物学的許容値は，当該有害要因単独の吸収を想定している．複数の有害要因に同時曝露する場合には複数有害要因の健康への相互作用および吸収・代謝・排泄過程での相互作用を加味し，各有害要因の生物学的許容値を適用する．

表8に2009年の時点で産業衛生学会が勧告している19物質(群)の生物学的許容値を示した．(日本産業衛生学会　2009)

6. ACGIHの生物学的曝露指標(Biological Exposure Indices, BEIs)

米国ではACGIH (American Conference of Governmental Industrial Hygienists)が生物学的曝露指標(BEIs)を勧告している．BEIsは測定値がその濃度以下であればほとんどすべての労働者が健康上の悪影響をきたさないとされる濃度である．BEIsは，許容濃度(Threshold Limit Values，TLVs)レベルの化学物質の吸入曝露を受けた場合に，生体試料中に検出されると推定される当該測定物の量を表す．しかしながら，鉛などのいくつかのBEIsは，TLVsとの直接関係から導き出したものではなく，健康上の悪影響との関係から導かれている．したがって，BEIsは有害な曝露と無害な曝露の間の明確な境界を示すものではない．例外として，皮膚吸収などが著しく，非全身性影響(刺激作用や呼吸障害など)のある化学物質については，防御の観点からBEIsが定められているものもある．BEIsは1日8時間，週あたり5日間の曝露に対して適用される値である(ACGIH 2010)．

参考文献

1. 緒方正名，原田　章，井上尚英，河野慶三編：有機溶剤健康診断のすすめ方．P120，全国労働衛生団体連合会．東京，1990.
2. 川本俊弘：職域健診．臨床検査．34 (9)：1053-1057，1990.
3. 川本俊弘：清涼飲料水の摂取と尿中馬尿酸．日本医事新報，3768：117，1996.
4. 川本俊弘，荻野景規：PRTR法と環境化学物質による健康影響についての調査．環境安全(東京大学環境安全研究センター)．No. 91．p27，2001.
5. 小泉昭夫　リスクアセスメント．高野健人，伊藤洋子，河原和夫，川本俊弘，城戸照彦，中谷陽二，中山健夫，本橋　豊編；社会医学事典．p204-205，朝倉書店　東京，2002.
6. (社)全国労働衛生団体連合会総合制度管理委員会労働衛生検査専門委員会：総合制度管理事業に基づく鉛・有機溶剤に係る生体試料検査に関する精度管理調査(生物学的モニタリング調査)結果報告書　平成21年度(第23回)．(社)全国労働衛生団体連合会．東京，2010.
7. 高田　勗，石川高明，埋忠洋一，輿　重治，荘司栄徳，田中喜代史，西原哲三，野崎貞彦，溝口嘉正編：産業医の職務Q & A　新々版．(財)産業医学振興財団，p126，1989.
8. 中央災害防止協会：わかりやすい生物学的モニタリング　－有機溶剤編－　中央労働災害防止協会．東京，1996.
9. 中央災害防止協会：わかりやすい生物学的モニタリング　－鉛編－　中央労働災害防止協会．東京，1998.
10. 友国勝麿：生物学的モニタリング；高野健人，伊藤洋子，河原和夫，川本俊弘，城戸照彦，中谷陽二，中山健夫，本橋　豊編；社会医学事典．p374-375，朝倉書店　東京，2002.
11. 日本産業衛生学会：許容濃度等の勧告(2009)Ⅱ．生物学的許容値．産業衛生学雑誌，51：104-105，2009.
12. 花岡知之：産業分子疫学による発がんリスクの評価．津金昌一郎監修，花岡知之編；環境発がんのブラックボックスをさぐる．P1 - 20，(財)労働科学研究所．東京，1999.
13. 原田　章，緒方正名，井上尚英，河野慶三：鉛健康診断のすすめ方．(社)全国労働衛生団体連合会．東京．p143．1990.
14. 道辻広美，大原昭男，山口恭平，藤木幸雄：清涼飲料水摂取による尿中馬尿酸への影響．松仁会医学誌．26 (1)：105-116，1987.
15. 労働省労働基準局長：有機溶剤中毒予防規則・鉛中毒予防規則の一部改正，労働衛生，30 (9)：82-86，1989.
16. 労働省労働基準局安全衛生部労働衛生課：省令改正．産業医学ジャーナル，12：60-65，1989.
17. American Conference of Governmental Industrial Hygienists：TLVs and BEIs. Signature Publications, Cincinnati, OH, p93-110, 2010.
18. International Programme of Chemical Safety. Environmental Health Criteria 155, Biomarkers and Risk Assessment：Concept and Principles. WHO 1993.

Ⅲ-4　エピジェネティクスと環境医学

東京大学大学院医学系研究科　疾患生命工学センター
健康環境医工学部門　准教授
大迫誠一郎

はじめに

目に見える異常ではないものの，胎児や新生児などのナイーブな時期に生じた体の中の変化(素因)が成熟してからも残り，病気への罹りやすさを決めているのでは，ということが最近問題になり始めている．妊娠中に薬物を服用し，その作用で先天異常(奇形)が起きるという事例は多いが，胎児環境あるいは成育過程で生じた目に見えない変化が，高血圧，糖尿病あるいは癌への罹りやすさといった成長後に初めてわかる病態の原因になるというものである．その分子的根拠として，エピジェネティクスが関係していることが示され，医学上も注目されるようになった．母胎や新生児への環境要因としては，物理的刺激，栄養素レベルの変動，外因性化学物質の曝露など様々であると考えられる．ここではエピジェネティクスの観点から，胎児期あるいは新生児期の生育環境要因が，成熟後に及ぼす影響の報告のあるいくつかの動物実験に関して触れてみたい．

1. エピゲノム情報とその遺伝様式

エピジェネティクスは，クロマチンへの後天的な修飾により，遺伝子発現が制御されることに起因する遺伝学・分子生物学の研究分野である．“エピ”とはギリシャ語で“後”の意である．クロマチン修飾としては，DNAのメチル化(塩基のうちシトシンの5位がメチル化)とヌクレオソームを構成するヒストンオクタマーのアミノ酸残基修飾(アセチル化やメチル化)が重要とされている(図1)．特定のクロマチン領域におけるこれらの修飾パターン(エピジェネティック情報)は，細胞が分裂しても娘細胞に受け継がれるため，一種の遺伝情報と見なすことができる．

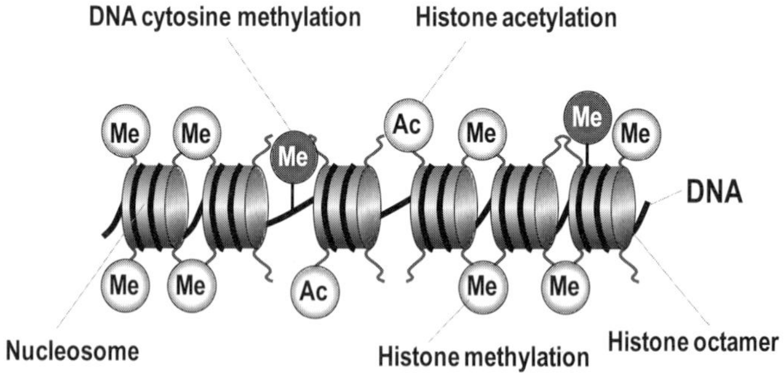

図1　エピゲノムの模式図

DNAのシトシンメチル化，ヌクレオソームを構成するヒストンオクタマー（H2A，H2B，H3，H4各々2分子から構成）を示した．ヒストンはサブユニットであるH3およびH4のアミノ末端が飛び出しており，その中の塩基性アミノ酸のリジンとアルギニンがアセチル化あるいはメチル化される．これ以外にも非翻訳RNA，スモールRNA，ポリコーム群タンパクもエピゲノムの構成要素である．

1.1　DNA メチル化

DNA のメチル化は CG という配列(CpG)のシトシンに限られており，この配列は DNA らせんのもう一方の鎖の同じ配列(逆方向)と塩基対を形成する．複製により新たに合成された DNA 鎖上のシトシンはメチル化されていない．この状態の2本鎖 DNA（ヘミメチル型 DNA)上のメチル化シトシンは，複製工場に含まれる PCNA と複合体を形成している DNA メチル転移酵素1（DNA metyltransferase 1, Dnmt1)と UHRF1（Np95)により即座に認識され，その反対側にあるメチル化されていない新規合成 DNA 鎖のシトシンをメチル化する[1]．この単純な機構で DNA 配列上のメチル化 CpG のパターン情報(メチル化ステータス)は娘細胞においても維持されることになる(図2)．CpG は染色体上の特定の領域，主にエクソン1やプロモーターに集中し，これを CpG アイランドと言う．一般的に，転写因子は，シスエレメントにメチル化された CpG がある場合，DNA と結合できないためメチル化は遺伝子の発現には負の作用を持つことになる．また細胞の分化過程においては特定の CpG アイランド全体がメチル化され，クロマチン構造のさらなる変化により遺伝子の完全な不活性化をひき起こすことが知られている．現在，Dnmt1 と数種のメチル転移酵素は報告されているが，脱メチル化酵素は存在しないものとされている．脱メチル化が起きる現象，たとえば受精直後のゲノム全体の脱メチル化に関する機構はかなり複雑な経路が想定され，研究が進行中である．これに対して後述のヒストン修飾に関しては，メチル化酵素，脱メチル化酵素ともに発見されており可逆性に富んでいる．このことからも DNA メチル化はかなり強固なエピゲノムの記憶様式であると考えられる．

1.2　ヒストン修飾

ヒストンオクタマー（H2A，H2B，H3，H4 各々2分子から構成)は，サブユニットである H3 および H4 のアミノ末端がヌクレオソームから飛び出しており，その中の塩基性アミノ酸のリジンとアルギニンがアセチル化あるいはメチル化修飾を受ける．これ以外にもリン酸化，ユビキチン

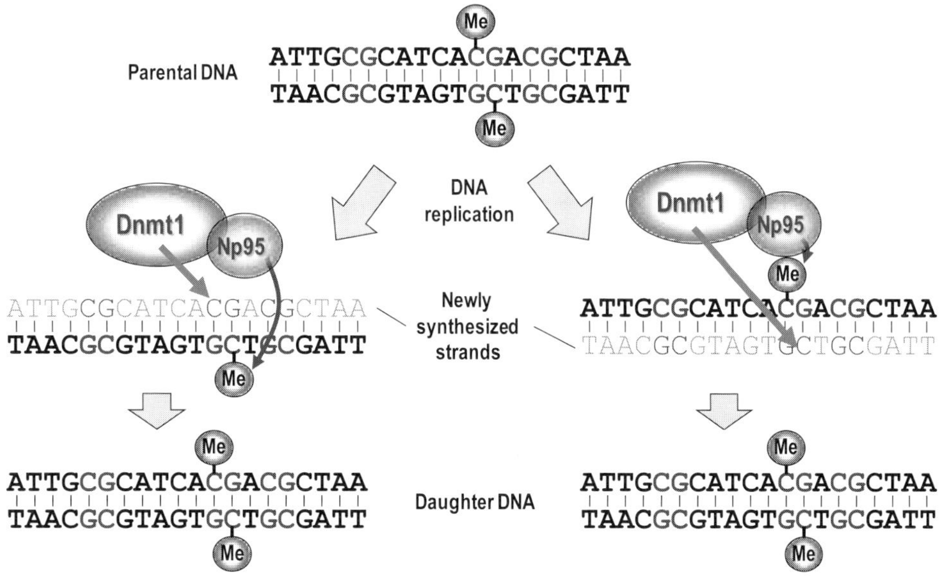

図2

DNA のメチル化パターンの継承機構．複製により新たに合成された DNA 鎖上の C はメチル化されていない．この状態の2本鎖 DNA（ヘミメチル型)を，維持メチラーゼである DNA メチル転移酵素1（DNA metyltransferase 1, Dnmt1)と Np95（UHRF1)は即座に認識し，メチル化されていない DNA 鎖の C をメチル化する．

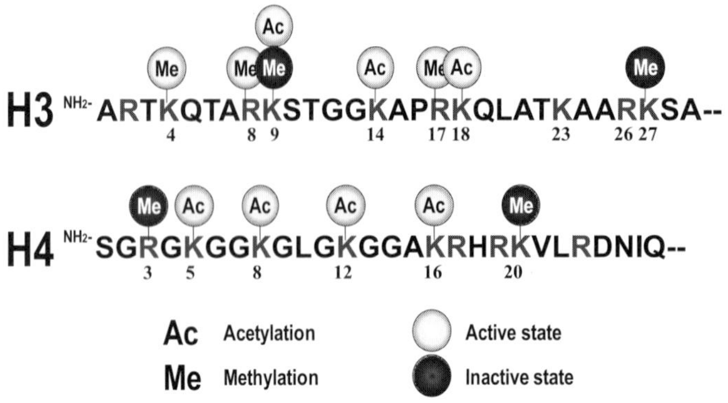

図３
ヒストン修飾の概要(ヒストン暗号仮説)．ヒストンのアミノ酸残基にあるリジン(K)あるいはアルギニン(R)の修飾の違いにより，それと結びついているDNAの転写活性化レベルに差がある．

化，SUMO化，ADPリボシル化，ビオチン化なども存在する．遺伝子に対しては大まかにはアセチル化により転写活性化状態，メチル化は不活性化状態のクロマチンに特有である．ヒストンのこのような修飾パターンは複数の修飾されうる残基があることから組合せとしては大容量の情報となりうるため，塩基配列のようにコードがあるというヒストンコード仮説も考えられたが現在は否定的である[2](図3)．しかしこのような修飾パターンが，異なるクロマチンの構造・機能を規定し，遺伝子発現レベルにバリエーションを生じさせているのは確かなようだ．ヒストン修飾パターンがどのように分裂後の娘細胞に受け継がれるかに関しては現在様々なモデルが提唱されている．そのうちのランダム分布モデルを図4に示した[3]．複製により新たに合成されたDNA上で，親DNA由来のメチル化等でマークされた古いヒストンH3-H4テトラマーが再利用される．一方，新しく合成されたヒストンH3-H4テトラマーも娘DNA上にランダムに取り込まれる．新規ヒストンのマーク(アセチル化)はヒストン脱アセチル化

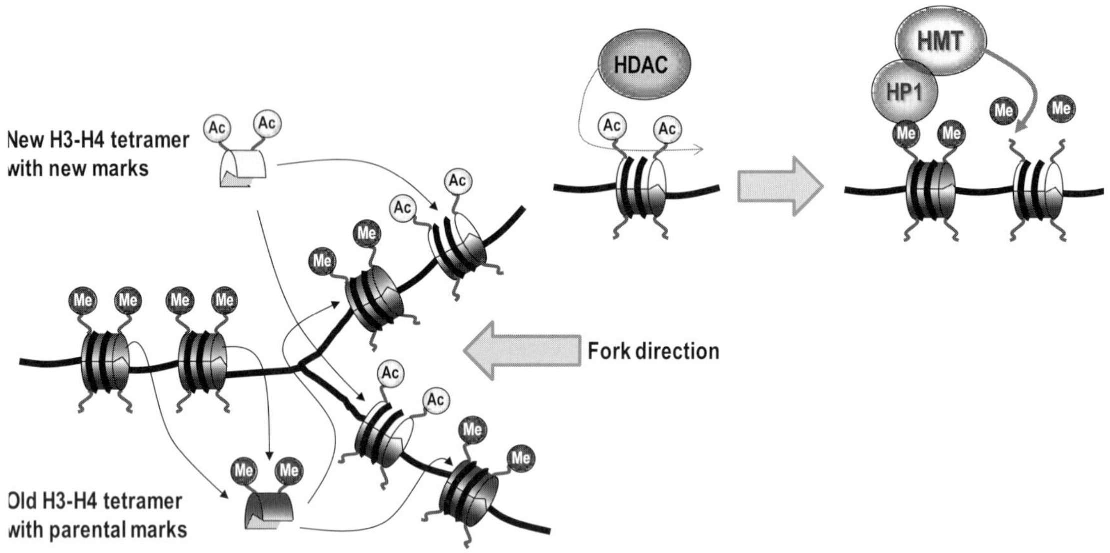

図４
ヒストン修飾パターンの継承機構モデルの一例．複製により新たに合成されたDNA上で，親DNA由来のメチル化等でマークされた古いヒストンH3-H4テトラマーが再利用される．一方，新しく合成されたヒストンH3-H4テトラマーも娘DNA上にランダムに取り込まれる．新規ヒストンのマーク(アセチル化)はHDACにより消去される．隣接する親DNA由来のヒストンマーク(メチル化)はHP1により認識され，これと複合体を形成するHMTにより新規ヒストンに同じマーク(メチル化)が付加される．

酵素（HDAC）により消去される．隣接する親DNA由来のヒストンマーク（メチル化）はヘテロクロマチンプロテイン1（HP1）により認識されるが，HP1はヒストンメチルトランスフェラーゼ（HMT）と複合体を形成することが知られている．したがって新規ヒストンに同じマーク（メチル化）が付加され，これにより特定領域のヒストン修飾パターンが受け継がれると言うモデルである（図4）．これ以外にもH3-H4テトラマーのうちダイマーが再利用される半保存的分布（Semi-conservative）モデルや新規合成DNAストランド間の相互的修飾反応である非対称（Asymmetric）モデルも存在するものと考えられている[3]．

1.3　その他のエピジェネティック因子

DNAメチル化やヒストン修飾以外にも，クロマチン高次構造を作る非翻訳RNAやマイクロRNAが遺伝性因子として働くことも報告されている[4]．クロマチン上に巨大なタンパク複合体を構成するポリコーム群（PcG）もエピジェネティックな因子として細胞の形質遺伝に関わることが知られている[5]．これら多種多様な高分子のアーキテクチャーがエピゲノムインヘリタンスを統合的に制御していると予想される．

2.　エピゲノム変化と病態

2.1　周産期エピゲノム変化と生後の病態（バーカー仮説）

エピジェネティクスとの関連性が医学上注目されているバーカー仮説について触れてみたい．英国の疫学者バーカーは，イギリスで心臓病の多発する地域は貧しい地域が多かったことから，小児期，新生児期，はては胎児期までさかのぼって原因を追究した．その結果，低出生体重児（2500g未満）で生まれた児は，成人になってから心血管障害発症，肥満，耐糖能異常，高血圧などいわゆるメタボリックシンドローム発症のハイリスク群であるという統計学的結果が出た[6, 7]．母親が妊娠中に低栄養で生まれた子供は，将来生活習慣病にかかりやすいというものである．このバーカー仮説は当初奇異な仮説に見えたが，説を裏付ける

各論Ⅲ

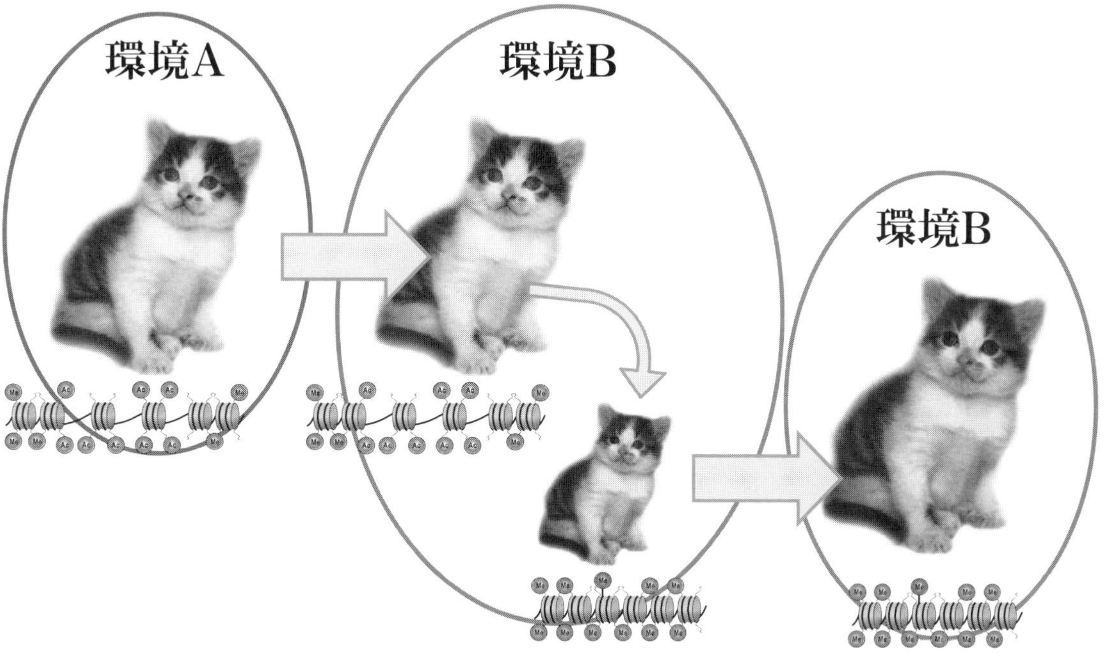

図5
環境因子により遺伝子配列は同じだが表現型の異なる子どもが生まれる．その原因は化学物質や物理刺激などの環境因子が発生過程でエピゲノムの構造を変え，それが成熟しても継承されるためと考えられる．

研究結果が続き，近年，Developmental Origins of Health and Disease（DOHaD）という概念に発展している[8]．これは「次世代の健康および疾患の素因は，受精卵環境，胎内環境，乳児期環境で決まる」という説である．DOHaDはまだ完全に証明された仮説ではないが，その分子生物学的根拠として，エピジェネティクスが考えられている．

ヒトの集団でそのようなことが分子的に証明されているわけではないが，動物実験レベルでは，胎児環境の影響がDNAメチル化やヒストン修飾に変化を与え，それが生後まで残ることで，各種の遺伝子の発現調節機構が変化することも実験的に確かめられてきた．遺伝子は全く同じでも誕生した次世代の子どもは親とは異なる形質，たぶん母親のお腹の中で感知した外部環境に応じた形質を持って生まれてくるのだと考えられる（図5）．DOHaDは仮説ではなく，ほぼ確実な現象として臨床医学上も受け入れられつつある．

2.2　成人病とエピジェネティクス

DOHaDはエピゲノム変化の周産期における変動に焦点を当てているわけだが，成熟した後の長期にわたる環境からの刺激，たとえば高栄養食の長期的摂取で発症する糖尿病や高血圧症も標的器官や臓器内の細胞におけるエピジェネティクな変化が原因であるという報告もある．また発癌のかなりの割合が後天的DNAのメチル化異常によること（エピジェネティック発癌）であることは有名である．癌遺抑制伝子が高メチル化で発現抑制されれば，癌化することは容易に想像がつく．多くの腫瘍細胞でのこのようなメチル化の事例は古くから知られていた．他の総説に詳しい．

3. 周産期環境因子によるエピゲノム変化の動物実験モデル

母体内胎児環境あるいは新生児の生育環境がDNAメチル化やヒストン修飾に変化を与え，それが生後まで残り表現型に変化が生じるという動物実験データ事例はいくつかある．下記に概略を述べる報告は，各々解析目標となる遺伝子が存在していた例であるが，技術的にはこのような場合，DNAメチル化ステータスの解析にはバイサルファイトゲノミックシークエンス法，ヒストン修飾にはクロマチン免疫沈降法（ChIP）を用いる．前者はメチル化されていないシトシン残基のみが重亜硫酸塩処理によりウラシルに変換させることを利用し，処理後のDNAのPCR増幅とシークエンスでメチル化されているCpG（Cのピークとして出てくる）を識別する方法である．後者は組織あるいは細胞をフォルマリン処理して得たタンパクとDNAとの架橋反応後の核分画をソニケーションにより分断化し，これに特異的なヒストン修飾デターミナントを認識する抗体を反応させて修飾ヒストンとDNAの複合体を回収，標的DNA領域のPCRで定量化して修飾レベルを測る方法である．

3.1　保育環境や栄養素変化による変化

母ラットの出生児に対する保育行動の違い，簡単にはより良くケアをしているか否かにより母子を群わけすることができる．そのようにして育った仔ラットの脳内のグルココルチコイド受容体（GR）プロモーター領域のエピゲノムを調べたところ，ケアの不十分だった群のほうが，CpGメチル化レベルが高く，かつヒストンH3が低アセチル化で，GR発現レベルも退く，視床下部下垂体副腎軸の反応性が高かった[9]．この報告は母親のケアが成熟後のストレスへの耐性を決めしまい，その原因としてGRなどの遺伝子にエピゲネティックな変化が生じた可能性を示唆している．Avyマウスは IAPレトロトランスポゾンがAgouti遺伝子上流に組み込まれており，毛皮が黄色く，インスリン抵抗性を示す肥満個体に成長するが，IAPエレメントが胎生期に獲得したメチル化の度合いにより表現型に違いが現れる．母親に与える葉酸の量を減少させると毛色は黄色くなり，成熟後の糖尿病罹患率が上昇するが，このときIAPエレメントは低メチル化を起こしていた[10]．これは栄養素の摂取量変化により毛色という目に見える表現型の変化がエピジェネティックな制御に起因することを示している．

3.2　化学物質曝露による変化

周産期にメチル水銀を曝露されたマウスでは，

成熟後に鬱様行動を呈するが，海馬におけるBDNF発現が低下し，プロモーター領域のDNAメチル化とヒストンH3メチル化が上昇したという報告がある[11]．また，上記のA^{vy}マウスでは，植物性エストロゲンのゲニステインの周産期投与で，IAPの高メチル化を起こし毛色が茶色くなるという[12]．さらにこのマウスでは，いわゆる環境ホルモンとして有名なビスフェノールAの胎児期曝露で，逆にIAPエレメントの低メチル化を起こし，毛色が黄色くなり，葉酸の補給で茶色にもどすことが出来たという[13]．ゲニステインとビスフェノールAが逆の効果を持ったことは，面白い知見だが，メチル化レベルをどのような分子機構で変化させているのか未だ不明である．また，ジエチルスチルベステロール(DES)は周産期の妊婦の服用で生まれた女児に膣癌が高頻度に発生したことで有名であり，胎児発生過程におけるなんらかのエピジェネティックな変化が疑われる．実験動物ではDES曝露はHoxa10発現レベルを子宮の位置的に変動させるが，このプロモーター領域のCpGが高メチル化されることが報告されている[14]．またダイオキシン類のなかで最も毒性が強く，残留性の高い環境汚染物質である2,3,7,8-四塩素化ジベンゾ-p-ダイオキシン(TCDD)を，10nMの濃度でマウスの着床前胚にin vitroで短時間曝露し，借り腹に胚移植して胎児成長を観察したところ，胎児重量の増加が対照群より低かった．この胎児から全身のDNAを回収し，インプリント遺伝子のH19-Igf2のメチル化頻度を調べたところ，父由来メチル化パターンを持つクローンが増加していた[15]．

3.3　化学発癌感受性亢進

成熟後の病態感受性として重要と思われる他の事例を著者の最近の研究も含めて下記に記載する．TCDDは上記のように極低用量で毒性を発揮する環境汚染物質であるが，細胞内の標的分子はアリールハイドロカーボン受容体(AhR)であり，TCDDの低用量毒性を仲介する分子はこれ以外にはない．AhRはベンツ[a]ピレン(BaP)やジメチルベンゾアントラセン(DMBA)といった多環芳香族炭化水素の変異原物質にも反応し，標的遺伝子であるチトクロームP450 (CYP)ファミリーの1A1や1B1といった薬物代謝第1相酵素遺伝子(CYPファミリー)の転写誘導を起こす．CYPファミリーは，自身を誘導させた変異原物質を酸化反応により化学変化させ，酸化反応により生じるエポキシ体がDNA中のグアニン残基へ共有結合して変異を起こし発癌へと至る．一方，TCDDは安定な化学物質であるため，変異原物質と異なりDNAに化学反応を起こすことはなく，ダイオキシン自体は変異原ではない．ところが，胎児期にTCDD曝露されたラットでは，成熟後にDMBAを投与されると，対照群(胎児期にTCDD曝露されていないラット)に比べて乳癌の発症率が2倍に上昇する[16]．ダイオキシンに胎児期に曝露された動物が癌にかかりやすくなると言う，この感受性亢進現象は，他の研究グループでも報告され，このようにして生まれてきた動物では，面白いことにDMBAの成熟後の曝露で，肝臓内CYPファミリーの誘導率が対照群に比べて数倍も高くなる[17]．表現を変えるなら，薬物代謝酵素の強誘導化現象が起きるわけである．胎児期にダイオキシン曝露された動物が，成熟後の変異原曝露で癌になりやすいのは，このCYPファミリーの転写誘導の異常によって，変異原物質の代謝活性化が高くなったためだと考えられるが，著者は，妊娠マウスにTCDDまたはコーンオイルを投与し，生まれた雌の成熟後肝臓ゲノムDNAを抽出し，CYP1A1プロモーター領域のCpGのメチル化頻度を解析した．その結果，胎児期にTCDD曝露を受けていないマウスに比べて，胎児期にTCDD曝露を受けたマウスでは低メチル化を起こしていることがわかった．また，CYP1A1プロモーター領域の修飾ヒストンの状態をChIPアッセイで調べたところ，ヒストンH3およびH4のアセチル化が胎児期TCDD投与群で有意に増加していた．

このように，化学物質や環境因子の影響を胎生期や生後に受けた個体では，成熟後の見た目の変化はないものの，高感受性臓器におけるエピゲノムの変化が長期にわたって残り，表現型を変えてしまう現象が明らかとなりつつある．しかし，このような変化がどのような分子機構で生じるのか現在全く解っていない．

4. 後世代影響(ラマルク遺伝の可能性)

バーカー仮説でいう「次世代」というのはなにも胎児期環境が悪かった子供ばかりではなく，そのまた子供(孫)，さらにはその子孫にまで影響するという意味で，調査対象となった第三世代でも差が認められたという[18]．本稿で紹介したような動物実験におけるエピゲノムの変化は，生殖細胞系列を介して後世代にも伝達されるかもしれないと言われている．米国のスキナーらのグループは抗菌剤のビンクロゾリンを妊娠ラットに投与し，生まれたラットの雄産仔のさらに後世代であるF2，F3，F4世代を解析した．ちなみにビンクロゾリンに変異原性はない．その結果，F2世代以降においても，ビンクロゾリンの直接曝露を受けていないにもかかわらず，対照群に比べて精子数が少なく，精巣内の生殖細胞アポトーシスレベルが高くなっていた．そして，曝露個体より後世代の精子DNAの全ゲノムレベルのメチル化解析を実施したところ，F3世代でも特定のゲノムDNA領域においてメチル化パターンの変化がF1世代と同じように継承されていることが発見された[19]．また，このようにして生まれた雄個体(F3世代)は，雌からの交配指向性も低下するらしい[20]．すなわちビンクロゾリンに先祖が曝露されたことのある雄個体は，精子数が少なく，さらには子孫を増やすチャンスが乏しくなるという実験結果である．現在このようなエピジェネティックな修飾が環境化学物質への曝露によって起こりうるのか議論があるところだが，生殖細胞系列のエピゲノムへの作用が起きうるなら説明が付くかもしれない．いずれにせよ，スキナーらの一連の報告は環境化学物質による目に見えない影響が，生物集団の進化の道筋を変えてしまうかもしれないことを示唆している．

かつて，ソビエトの植物学者のルイセンコは，接木により白トマトを赤くするという栄養雑種実験や，低温処理で秋まき型コムギを春まき型に変化させるという春化処理実験から，ラマルクの提唱した「獲得形質の遺伝」を証明したとされた．しかし，ラマルクおよびルイセンコの学説は20世紀では長らく非科学とされていたようだ[21]．上記のスキナーらのエピジェネティクス研究で検出された精子DNAメチル化パターンの継承も，バーカー仮説で論じられている表現型の後世代までの伝搬も，突然変異と自然淘汰だけでは説明できない現象である．

おわりに

集団遺伝学者木村資生の中立説が強調したことの一つに，「遺伝子と表現型は必ずしも一致せず，表現型は環境によって影響され，全く同じ遺伝子でも表現型は異なる」というものがある．個体発生あるいは成熟後においても環境とのインターラクションで表現型に差が生じるのは，経験値として，生物を取り扱う者にとっては周知の事柄だろう．しかし，どのようにしてその差が生じるか分子的エビデンスは定かでなかった．エピジェネティクスはそれを絶妙に説明できる新しい学問領域でもある．また上記のスキナーらの研究は，賛否両論あるものの，エピジェネティクスの進化論における重要性の議論に一石を投じている．今後，生殖細胞のエピゲノム変化を介した後世代影響の研究は発展するものと思われる．このような研究の進展は，医学的にも周産期医療のあり方を考える上でも重要となるだろう．

参考文献

1. Bostick, M., Kim, J. K., Esteve, P. O., Clark, A., Pradhan, S., and Jacobsen, S. E. (2007). UHRF1 plays a role in maintaining DNA methylation in mammalian cells. Science 317, 1760-1764.
2. Turner, B. M. (2002). Cellular memory and the histone code. *Cell* 111, 285-291.
3. Probst, A. V., Dunleavy, E., and Almouzni, G. (2009). Epigenetic inheritance during the cell cycle. *Nat Rev Mol Cell Biol* 10, 192-206.
4. Djupedal, I., and Ekwall, K. (2009). Epigenetics: heterochromatin meets RNAi. *Cell Res* 19, 282-295.
5. Francis, N. J. (2009). Mechanisms of epigenetic inheritance: copying of polycomb repressed chromatin. *Cell Cycle* 8, 3513-3518.
6. Barker, D. J., and Osmond, C. (1986). Infant mortality, childhood nutrition, and ischaemic heart disease in England and Wales. *Lancet* 1, 1077-1081.
7. Barker, D. J., and Osmond, C. (1986). Infant mortality, childhood nutrition, and ischaemic heart disease in England and Wales. *Lancet* 1, 1077-1081.
8. Wadhwa, P. D., Buss, C., Entringer, S., and Swanson,

J. M. (2009). Developmental origins of health and disease: brief history of the approach and current focus on epigenetic mechanisms. Semin Reprod Med 27, 358-368.

9. Weaver, I. C., Cervoni, N., Champagne, F. A., D'Alessio, A. C., Sharma, S., Seckl, J. R., Dymov, S., Szyf, M., and Meaney, M. J. (2004). Epigenetic programming by maternal behavior. *Nat Neurosci* 7, 847-854.

10. Waterland, R. A., and Jirtle, R. L. (2003). Transposable elements: targets for early nutritional effects on epigenetic gene regulation. *Mol Cell Biol* 23, 5293-5300.

11. Onishchenko, N., Karpova, N., Sabri, F., Castren, E., and Ceccatelli, S. (2008). Long-lasting depression-like behavior and epigenetic changes of BDNF gene expression induced by perinatal exposure to methylmercury. *J Neurochem* 106, 1378-1387.

12. Dolinoy, D. C., Weidman, J. R., Waterland, R. A., and Jirtle, R. L. (2006). Maternal genistein alters coat color and protects Avy mouse offspring from obesity by modifying the fetal epigenome. *Environ Health Perspect* 114, 567-572.

13. Dolinoy, D. C., Huang, D., and Jirtle, R. L. (2007). Maternal nutrient supplementation counteracts bisphenol A-induced DNA hypomethylation in early development. *Proc Natl Acad Sci USA* 104, 13056-13061.

14. Bromer, J. G., Wu, J., Zhou, Y., and Taylor, H. S. (2009). Hypermethylation of homeobox A10 by in utero diethylstilbestrol exposure: an epigenetic mechanism for altered developmental programming. *Endocrinology* 150, 3376-3382.

15. Wu, Q., Ohsako, S., Ishimura, R., Suzuki, J. S., and Tohyama, C. (2004). Exposure of mouse preimplantation embryos to 2,3,7,8-tetrachlorodibenzo-p-dioxin (TCDD) alters the methylation status of imprinted genes H19 and Igf2. *Biol Reprod* 70, 1790-1797.

16. Brown, N. M., Manzolillo, P. A., Zhang, J. X., Wang, J., and Lamartiniere, C. A. (1998). Prenatal TCDD and predisposition to mammary cancer in the rat. *Carcinogenesis* 19, 1623-1629.

17. Wakui, S., Yokoo, K., Takahashi, H., Muto, T., Suzuki, Y., Kanai, Y., Hano, H., Furusato, M., and Endou, H. (2006). Prenatal 3,3',4,4',5-pentachlorobiphenyl exposure modulates induction of rat hepatic CYP 1A1, 1B1, and AhR by 7,12-dimethylbenz [a] anthracene. *Toxicol Appl Pharmacol* 210, 200-211.

18. Barker, D. J., Shiell, A. W., Barker, M. E., and Law, C. M. (2000). Growth in utero and blood pressure levels in the next generation. *J Hypertens* 18, 843-846.

19. Anway, M. D., Cupp, A. S., Uzumcu, M., and Skinner, M. K. (2005). Epigenetic transgenerational actions of endocrine disruptors and male fertility. *Science* 308, 1466-1469.

20. Crews, D., Gore, A. C., Hsu, T. S., Dangleben, N. L., Spinetta, M., Schallert, T., Anway, M. D., and Skinner, M. K. (2007). Transgenerational epigenetic imprints on mate preference. *Proc Natl Acad Sci USA* 104, 5942-5946.

21. 中村禎里：ルイセンコ論争，みすず書房，1967.

Ⅲ-5　Nrf2 と解毒，酸化ストレス

筑波大学大学院人間総合科学研究科生命システム医学専攻
熊谷嘉人

はじめに

酸素は好気性生物が生存する上で重要な因子である一方で，感染症，虚血性疾患，慢性炎症，動脈硬化およびガン等の疾病において，酸化ストレスが重要な役割を担っていると考えられている．これまでの報告によると，酸化ストレスを生じる化学物質は親電子性を有するもの(あるいはその代謝物)が少なくない．酸化ストレスおよび親電子物質はその有害性から，化学物質の毒性発現の中心的要因という考えが認知されてきた．しかし，抗酸化応答配列／親電子応答配列の発見とそれへの結合を介した転写因子による下流遺伝子群の発現制御は，酸化ストレスおよび親電子物質に対する生体応答と毒性防御を理解する上で最近注目されている．

1. 酸化ストレス

分子状酸素は電子伝達系における電子の最終受容体として機能しており，4 電子還元を経て水を生成する．ところが，本電子伝達系が不完全な場合には，スーパーオキシド(O_2^-)，過酸化水素(H_2O_2)やヒドロキシラジカル(•OH)のような活性酸素種(ROS)が産生される(図 1)．生体では，電子伝達系に関与する分子状酸素の数%が ROS に変換される．ROS は生体内のエネルギー代謝や感染防御過程において生じるだけでなく，電子受容体と成りうる化学物質のレドックスサイクルでも産生される．ROS は分子状酸素に比べると反応性が高いことから，核酸，タンパク質および脂質のような生体高分子の酸化傷害に起因する酸素毒性の主役として認知されてきた．しかし近年になって，タンパク質のシステイン残基の酸化・還元に係わるシグナル伝達の鍵分子としての機能も見出されたことから[1]，ある程度の ROS は活性酸素シグナルの担い手として機能し，過剰量の ROS は生体にとって有害分子として働くという理解が一般化されてきた．

酸素を必要とする生物は，生体内で酸化－還元(レドックス)バランスを維持するシステムを有しているが，何らかの要因で酸化に傾いた状態を酸

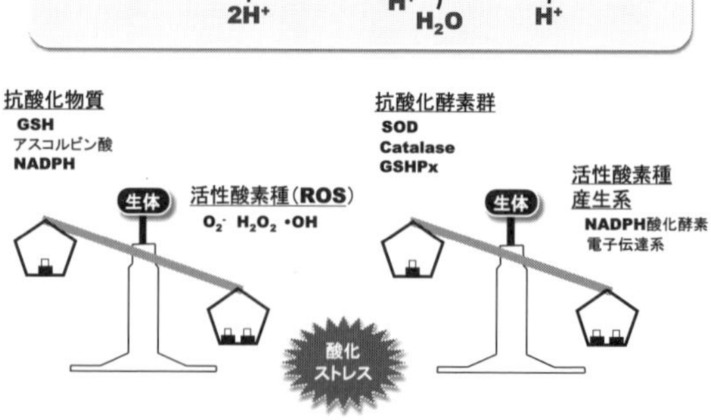

図 1　酸化ストレスに係わる酸化と抗酸化バランスの破綻

GSH，グルタチオン；SOD，スーパーオキシドジスムターゼ；catalase，カタラーゼ；GSHPx，グルタチオンパーオキシダーゼ．

化ストレスという．この原因として，産生されたROSのレベルが抗酸化物質のそれらを上回るか，あるいはROS産生に関与する生体内酵素系(NADPH酸化酵素など)の発現量が抗酸化酵素群(スーパーオキシドジスムターゼ，カタラーゼ，グルタチオン還元酵素など)のそれを上回る条件下に陥ることが考えられる．たとえば，ディーゼル排出微粒子(DEP)および大気中微小粒子中に含まれている主要多環芳香族炭化水素キノン体である9, 10－フェナントラキノン(9, 10－PQ)は，レドックスサイクルを介して細胞内で過剰なROSを産生してタンパク質の酸化傷害を引き起こし，最終的にアポトーシスを生じる[2)]．

2. 化学物質の毒性発現と解毒・排泄

図2に示すとおり，一般に薬物や環境化学物質の薬効や毒性は，代謝物に変わることにより減少し低下する．細胞内に侵入した化学物質は第1相異物代謝酵素群(チトクロムP450など)で酸化的に代謝される．つぎに第2相異物代謝酵素群(グルタチオン転移酵素，グルクロン酸転移酵素など)でグルタチオンやグルクロン酸のような極性基が導入され，最終的に多剤耐性関連タンパク質(MRP)のような第3相トランスポーターを介して速やかに細胞外に排泄される．一方，毒性発現に関しては，ある化学物質は酸化ストレスを生じるか，あるいは第1相異物代謝酵素群により親電子物質に変換され，細胞内タンパク質を酸化修飾および化学修飾することで有害性を発揮する．生体はこのような反応性に富む代謝物を無毒化するために，未反応の親電子物質を上記した異物代謝酵素群およびトランスポーターの働きにより解毒・排泄するシステムを有している．したがって，生体内での化学物質の毒性発現の有無は，親電子物質を代表とする活性中間体の生成速度とその不活性化速度のバランスによるとされている．

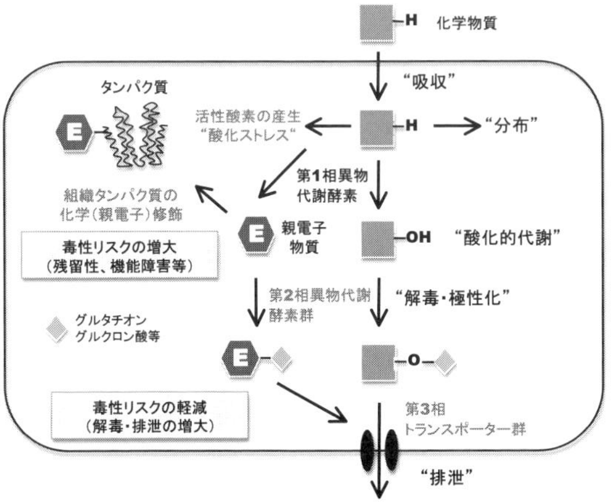

図2　化学物質の代謝を介した有害性の獲得と解毒・排泄
E, electrophile（親電子物質）

3. 親電子物質の反応性

化学発ガン剤の大半はそれ自身に発ガン性はなく，代謝活性化を介して生成した親電子物質がDNAを化学修飾することが作用本態と考えられている．親電子物質は分子中に極性の偏りによる電子密度の低い部分を有しており，電子密度の高い細胞内高分子の求核置換基(タンパク質のシステイン残基，DNAのグアニン残基など)と共有結合する[3)]．図3にその1例を示す．分子内にα，β－不飽和カルボニル基を有する化学物質はβ位の電子密度が低く，タンパク質の反応性システイン残基(チオレートイオン)の求核付加攻撃を受けてタンパク質付加体が形成される．特例を除いて，一般にC－S結合は化学的に安定であることから，細胞や組織中に長期間残留することが予想される．

ROSによるSH基の酸化で生じるSOH基およびSO_2H基は生体内抗酸化物質や抗酸化酵素で再還元される[1)]．このことは，細胞内でのシステイン残基を介した活性酸素シグナルの可逆性を支持

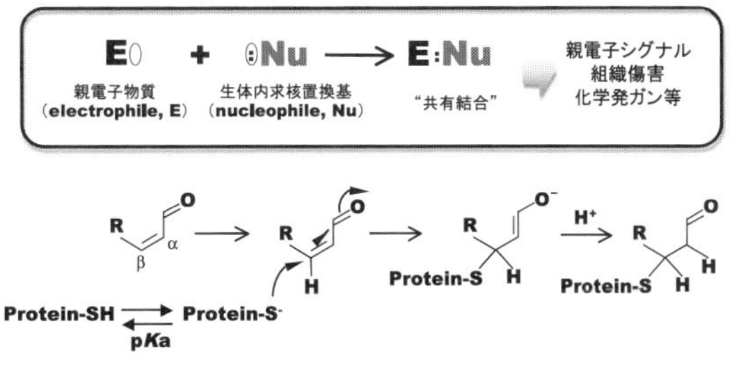

図3　反応性化学物質(親電子物質)による生体内分子の化学修飾とその影響

している．一方，システイン残基と親電子物質との共有結合で生じたC－S結合を切断するタンパク質（C－S　γ－lyase）の詳細は明らかにされていなかったが，親電子物質を特異的に認識する抗体を用いた実験により，時間依存的に細胞内タンパク質の親電子修飾が減少することが示された[4]．

4. 親電子研究の歴史

1915年，山際勝三郎らはウサギの耳にコールタールを長期間塗布することで人工的発ガン実験に成功した．その後，コールタールにはベンゾピレン，ジメチルアントラセンなどの化学発ガン剤を含んでいることが示された．1960年以降では，化学発ガン剤だけでなく薬剤や環境化学物質でも，チトクロムP450を介した代謝活性化により親電子物質が生成することが多数報告された[5]．たとえば，ベンゾピレンはチトクロムP4501A1で代謝されてジオールエポキシドに変換され，この親電子代謝物はDNAを化学修飾する．風邪薬成分であるアセトアミノフェンは大量では肝臓障害を引き起こすが，その原因は本化学物質がチトクロムP4502E1でキノンイミン体に代謝され，肝臓中タンパク質を化学修飾することによる．

このような研究背景から，親電子物質は反応性有害物質として取り扱われることが一般的な見解であったが，1990年前後に細胞内には“親電子応答配列（EpRE）”の存在が明らかにされたことから[6]，毒性学者や薬理学者だけでなく分子生物学者および細胞生物学者の注目を集め始めた．その結果，1997年に山本雅之らの研究グループより，EpREへの結合を介して抗酸化酵素群および第2相異物代謝酵素群を統括的に制御する転写因子がNF-E2-related factor 2（Nrf2）であることが立証された[7]．その2年後に同グループは，Nrf2の負の制御因子としてKelch-like ECH-associated protein1（keap1）を発見し[8]，世界に先駆けて“Keap1／Nrf2システム”の存在がわが国から世界に発信されたことは記憶に新しい．これ以降現在に至るまで，薬物，環境化学物質および産業化学物質とKeap1／Nrf2システムシステムの係り合いが世界中で研究されている[9]．さらに2007年，赤池孝章らは内在性親電子物質である8－ニトロ－cGMPの存在を明らかにし，タンパク質のS－グアニル化という新規の翻訳後修飾の実態を明らかにした[10]．興味深いことに，8－ニトロ－cGMPだけでなく，ニトロ化脂肪酸，カテコールキノン体，エストロゲンキノン体および15－デオキシ－プロスタグランジンJ2（15d-PGJ_2）のような内在性親電子物質もNrf2の活性化能を有しており，その結果，第2相異物代謝酵素群の発現を誘導することが報告されている[4, 11]．このことから，Keap1／Nrf2システムの本来の役割は，生体内で産生される親電子物質の総量規制を行うことでタンパク質の親電子修飾（たとえば，親電子シグナル）を制御することであり，その一方で，外来性異物に由来する親電子物質の解毒・排泄の制御も非意図的に関与している可能性が強い．

5. Keap1／Nrf2システム

Nrf2は塩基性ロイシンジッパー構造を有する転写因子の1つであり，幅広い臓器に発現している．図4はKeap1／Nrf2システムを介した化学物質曝露による生体防御機構を示している[12]．定常レベルでは，Nrf2はKeap1と相互作用して細胞質に存在する．Keap1はユビキチンE3リガ

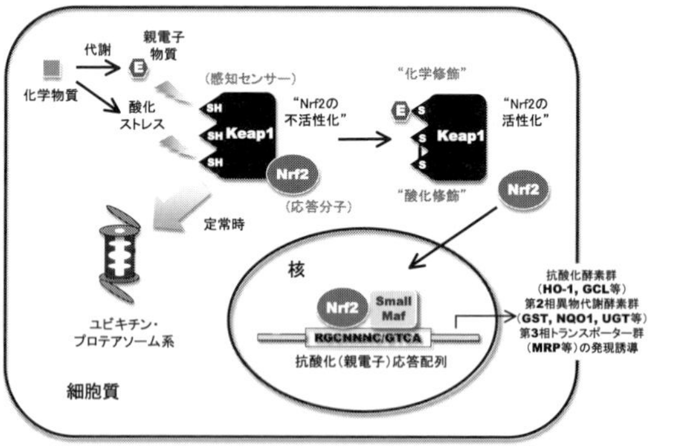

図4　Keap1/Nrf2システムを介した化学物質に対する生体防御機構

HO-1，ヘムオキシゲナーゼ1；GCL，グルタミルシステインリガーゼ；GST，グルタチオン転移酵素；NQO1，NADPHキノン酸化還元酵素1；UGT，UDT-グルクロン酸抱合酵素；MRP，多剤耐性関連タンパク質．

ーゼであるCullin3とNrf2とのアダプタータンパク質として働くことで，Nrf2はユビキチン・プロテアソーム系で速やかに分解されている．一方，化学物質が細胞内に侵入して親電子代謝物が産生されると，本物質はKeap1の分子内に存在する反応性システイン残基を化学修飾(共有結合)する．その結果，Keap1とNrf2の相互作用の変化によりNrf2の分解は減弱化し，新しく作られたNrf2が核内に移行して小Maf分子とヘテロダイマーを形成した後に抗酸化応答／親電子応答配列(ARE/EpRE)に結合することで，ヘムオキシゲナーゼ1やチオレドキシン還元酵素などの酸化ストレス防御遺伝子群，キノン還元酵素，グルタチオン転移酵素，UDP－グルクロン転移酵素のような第2相異物代謝酵素群，さらにはMRPのような第3相トランスポーター等の下流遺伝子群の発現を統括的に亢進する．すなわち，生体は経済性を犠牲にして，外来からの異物の攻撃に対する即効性を選択したと理解できる．Nrf2は炎症応答や神経変性疾患をはじめとする様々な疾患の防御機構において重要な役割を演じている．さらに，DNAアレイ解析により，Nrf2はペントースリン酸経路，抗炎症性遺伝子群の発現調節にも関与する．

6. 環境化学物質によるNrf2の活性化

酸化ストレスおよび親電子物質の産生に関与する化学物質が，Nrf2の活性化に関与する報告は数多く存在する．大気中微小粒子成分である9, 10－PQは，第2相異物代謝酵素群のひとつであるNADPHキノン酸化還元酵素1 (NQ01)よびアルドース・ケト酸化還元酵素(AKR)分子種のようなキノン還元酵素により9, 10-dihydroxyphenanthrene (9, 10－PQH_2)に代謝される．一般に，キノン体の2電子還元反応は解毒反応と理解されているが，9, 10－PQH_2は図5に示すようなレドックスサイクルを介して触媒的なROS産生を引き起こすことから，本経路が母化合物の酸化ストレスの主因である[2]．大型肉食魚類の生物濃縮を介した生体影響が危惧されているメチル水銀は親電子性を有し，細胞内タンパク質を化学修飾することで本機能を撹乱する(図6)[13]．大気中揮発性成分である1, 2－ナフトキノン(1, 2－NQ)は上皮成長因子レセプター (EGFR)のリン酸化を亢進してモルモット気管を収縮する[14]．EGFRのリン酸化は一部，プロテインチロシンフォスファターゼ1B (PTP1B)により負の制御を受けている．ところが，EGFのようなアゴニストがEGFRに結合すると，ROSが産生してPTP1Bの活性部位のチオール基を酸化修飾することで本酵素活性は一過性に阻害を受け，結果的

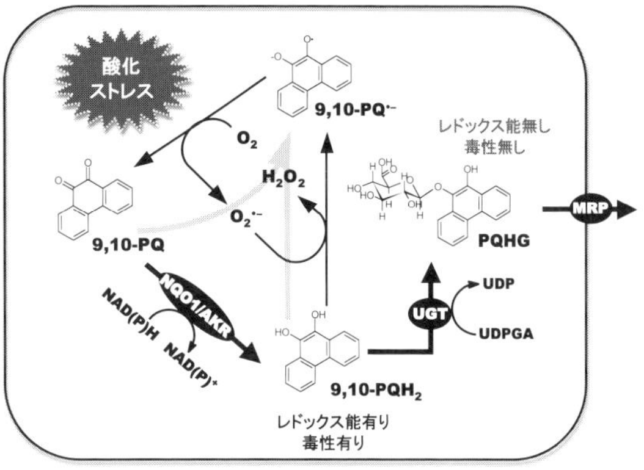

図5　多環芳香族炭化水素キノン体によるレドックスサイクルに起因する

酸化ストレスの惹起とそれに対する解毒・排泄
AKR, アルドース・ケト酸化還元酵素；UDPGA, UDP-グルクロン酸；9, 10-PQH2, 9, 10-PQの2電子還元体(9, 10-ジヒドロキシナフタレン)；9, 10-$PQ^{\cdot-}$, 9, 10-PQのセミキノンラジカル体；PQHG, 9, 10-PQのモノグルクロン酸抱合体.

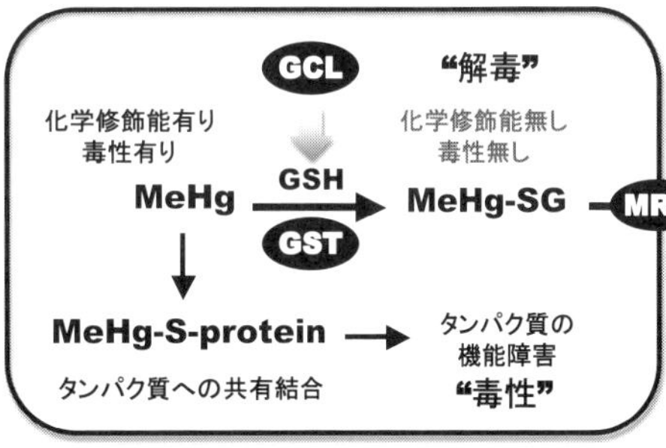

図6　メチル水銀によるタンパク質の化学修飾とそれに対する解毒・排泄

MeHg, メチル水銀；MeHg-S-protein, システイン残基を介したメチル水銀のタンパク質結合体；MeHg-SG, メチル水銀のグルタチオン抱合体.

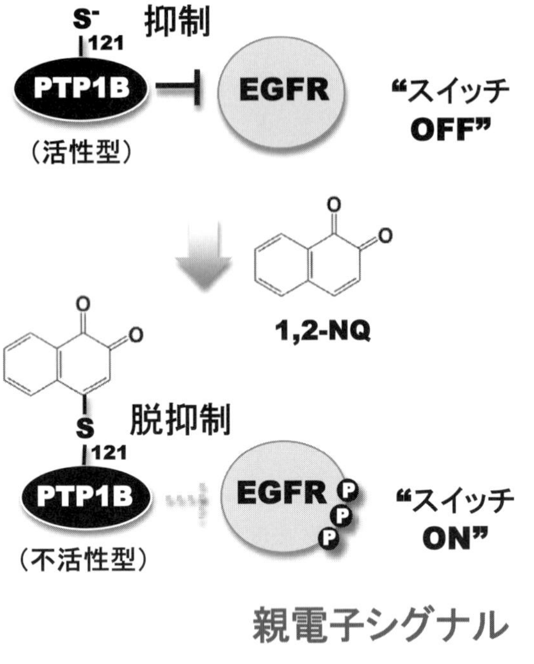

図7　1,2-NQ による化学修飾を介した PTP1B/EGFR シグナルの活性化
1,2-NQ，1,2-ナフトキノン；EGFR，上皮成長因子レセプター；PTP1B，プロテインチロシンフォスファターゼ 1B.

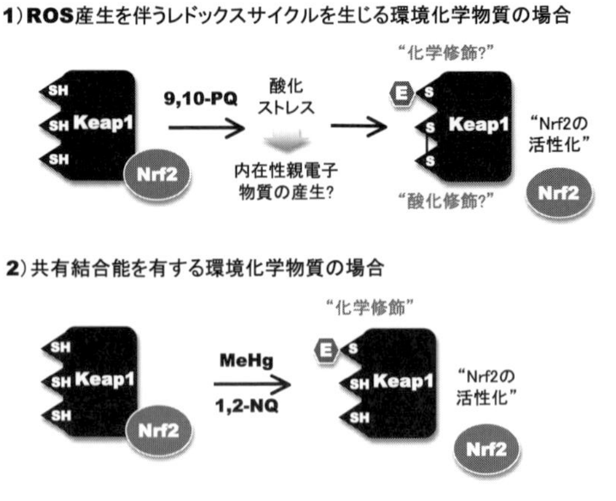

図8　Keap1/Nrf2 システムを介した化学物質の感知・応答

に EGFR のリン酸化が亢進することが知られている[15]．1, 2－NQ の場合は，PTP1B の Cys121 の化学修飾を介して本酵素活性を低下させ，EGFR の自己リン酸化は増加する（図7）[16]．このような化学物質は酸化ストレスあるいは親電子修飾を引き起こすことから，Nrf2 の活性化能が考えられた．事実，ヒ素，9, 10－PQ およびメチル水銀を細胞に曝露すると，何れの場合も Nrf2 を活性化することが明らかとなった（図8）[13, 17, 18, 19]．Keap1 には分子内に 20 個以上のシステイン残基が存在し，その中でも Cys151，Cys273 および Cys288 は高反応性チオール基として同定されている[20]．メチル水銀（外山ら，未発表データ）および 1, 2－NQ[19] は Keap1 の Cys151 に共有結合することが見出されており，これが Nrf2 活性化に寄与すると考えられる．

Nrf2 が酸化ストレスにより活性化されることは知られているが，その負の制御因子 Keap1 のセンサーとなるシステイン残基が ROS による酸化修飾（S－S 結合や SOH の生成）を生じ，結果的に Nrf2 を活性化したという直接的な証明は見当たらない．このことは，酸化ストレスで生じた ROS は Keap1 のシステイン残基の化学修飾を引き起こすような内在性親電子物質を産生し，結果的に Nrf2 の活性化に寄与していることを示唆している．この考えに一致して，ROS や一酸化窒素（NO）で産生される 8－ニトロ－cGMP やニトロ化脂肪酸は Nrf2 を活性化する[4]．Nrf2 の活性化には Keap1 の化学修飾以外にも，酸化ストレスを介したシグナル伝達に起因する Nrf2 のリン酸化が寄与することが報告されている．9, 10－PQ 曝露による酸化ストレスを介した Nrf2 の活性化機構において，内在性親電子物質の関与の有無については今後の検討が期待される．

7. 化学物質の毒性発現における Nrf2 の役割

毒性学分野での Nrf2 の関心から，Nrf2 の遺伝子欠損マウスあるいは Nrf2 をノックダウンした細胞を用いた実験が行われてきた．種々の化学物質を用いた殆どの検討において，Nrf2 欠損による感受性の増大が認められている．図9は Nrf2 欠損（あるいはノックダウン）により，防御系の低下に伴う有害性の増加を示した化学物質を示している．その大半が酸化ストレスおよび親電子代謝物の生成に係わるものであることから，有害性の

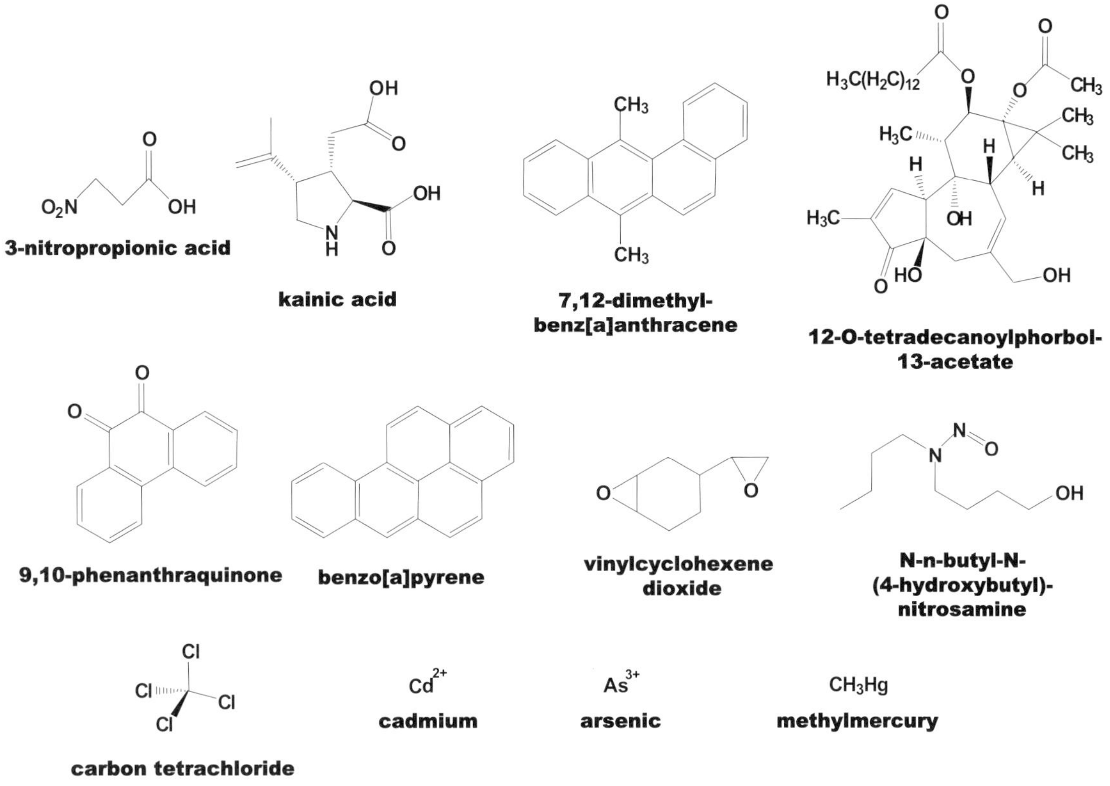

図９　Nrf2 欠損により毒性増強が観察される環境化学物質

主因はNrf2制御下の抗酸化タンパク質，第2相異物代謝酵素群および第3相トランスポーターの発現低下に起因する解毒・排泄の減少と捉えることができる．

ところで，少量のストレスが細胞の防御機構を誘導して，引き続く重篤なストレスを耐性にする現象をホルミシス効果と呼ぶ．これまでのところ，広範な植物成分がNrf2活性化能を有していることが明らかにされている．興味深いことに，化学発ガン防御剤(chemopreventive agent)はNrf2活性化能を示すものが多い．ブロッコリーやワサビ等のアブラナ科の植物に含有されるイソチオシアネート骨格を有する成分もNrf2を活性化することが見出されており，これらを細胞や動物に前処置しておくと，化学物質の有害性は有意に減弱することが報告されている[21, 22]．

おわりに

図10に酸化ストレスおよび親電子修飾を生じる化学物質に対する生体の感知・応答および生体防御の破綻についてまとめた．少量の当該化学物質の細胞内侵入はKeap1のような感知センサーが働くことで，転写因子Nrf2の活性化を引き起こし，その下流遺伝子群の発現上昇により酸化ストレスおよび親電子物質の防御に応答する．ところが，ヒ素やメチル水銀の曝露量が増加すると，Nrf2活性化は抑制されることが見出されており（新開ら，未発表データ），それに応じてこれら（半）金属の細胞内濃度は増加して細胞死が観察される[13, 18]．Nrf2欠損細胞では，ヒ素およびメチル水銀曝露で見られる細胞死は野生型のそれよりも低濃度で見られ，逆に野生型の細胞にNrf2活性化剤を前処置することにより，化学物質による毒性発現は有意に低下する．したがって，Nrf2

活性化の指標はNOAELのような化学物質の毒性に対する閾値の決定因子として重要であることが考えられる．

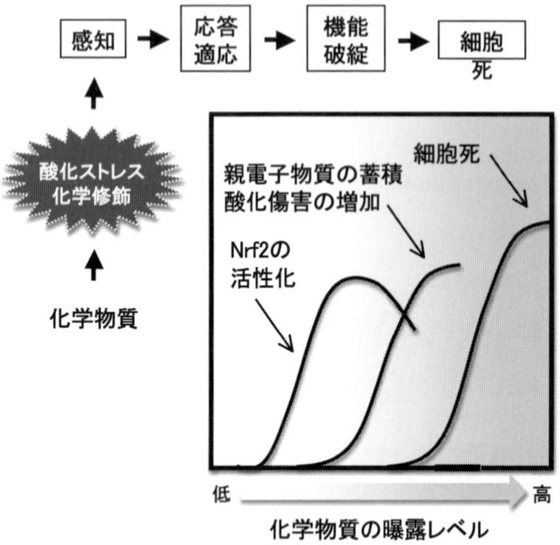

図10　化学物質に対する生体防御と毒性発現

参考文献

1. Jones DP. Radical-free biology of oxidative stress. Am J Physiol Cell Physiol 295：C849-68, 2008.
2. Taguchi K, Fujii S, Yamano S, Cho AK, Kamisuki S, Nakai Y, Sugawara F, Froines JR, Kumagai Y. An approach to evaluate two-electron reduction of 9,10-phenanthraquinone and redox activity of the hydroquinone associated with oxidative stress. Free Radic Biol Med 43：789-799, 2007.
3. Miller JA. Carcinogenesis by chemicals：an overview-G. H. A. Clowes memorial lecture. Cancer Res 30：559-576, 1970.
4. 熊谷嘉人．親電子シグナル伝達．実験医学増刊号 27：50-55, 2009.
5. Miller JA. Recent studies on the metabolic activation of chemical carcinogens. Cancer Res 54：1879-1881, 1994.
6. Rushmore TH, King RG, Paulson KE, Pickett CB. Regulation of glutathione S-transferase Ya subunit gene expression：identification of a unique xenobiotic-responsive element controlling inducible expression by planar aromatic compounds. Proc Natl Acad Sci USA 87：3826-3830, 1990.
7. Itoh K, Chiba T, Takahashi S, Ishii T, Igarashi K, Katoh Y, Oyake T, Hayashi N, Satoh K, Hatayama I, Yamamoto M, Nabeshima Y. An Nrf2/small Maf heterodimer mediates the induction of phase II detoxifying enzyme genes through antioxidant response elements. Biochem Biophys Res Commun 236：313-322, 1997.
8. Itoh K, Wakabayashi N, Katoh Y, Ishii T, Igarashi K, Engel JD, Yamamoto M. Keap1 represses nuclear activation of antioxidant responsive elements by Nrf2 through binding to the amino-terminal Neh2 domain. Genes Dev 13：76-86, 1999.
9. Osburn WO, Kensler TW. Nrf2 signaling：an adaptive response pathway for protection against environmental toxic insults. Mutat Res 659：31-39, 2008.
10. Sawa T, Zaki MH, Okamoto T, Akuta T, Tokutomi Y, Kim-Mitsuyama S, Ihara H, Kobayashi A, Yamamoto M, Fujii S, Arimoto H, Akaike T. Protein S-guanylation by the biological signal 8-nitroguanosine 3',5'-cyclic monophosphate. Nat Chem Biol 3：727-735, 2007.
11. Sumi D, Numasawa Y, Endo A, Iwamoto N, Kumagai Y. Catechol estrogens mediated activation of Nrf2 through covalent modification of its quinone metabolite to Keap1. J Toxicol Sci 34：627-635, 2009.
12. Motohashi H, Yamamoto M. Nrf2-Keap1 defines a physiologically important stress response mechanism. Trends Mol Med 10：549-557, 2004.
13. Toyama T, Sumi D, Shinkai Y, Yasutake A, Taguchi K, Tong KI, Yamamoto M, Kumagai Y. Cytoprotective role of Nrf2/Keap1 system in methylmercury toxicity. Biochem Biophys Res Commun 363：645-650, 2007.
14. Kikuno S, Taguchi K, Iwamoto N, Yamano S, Cho AK, Froines JR, Kumagai Y. 1,2-Naphthoquinone activates vanilloid receptor 1 through increased protein tyrosine phosphorylation, leading to contraction of guinea pig trachea. Toxicol Appl Pharmacol 210：47-54, 2006.
15. Tonks NK. PTP1B：from the sidelines to the front lines! FEBS Lett 546：140-148, 2003.
16. Iwamoto N, Sumi D, Ishii T, Uchida K, Cho AK, Froines JR, Kumagai Y. Chemical knockdown of protein tyrosine phosphatase 1B by 1,2-naphthoquinone through covalent modification causes persistent transactivation of epidermal growth factor receptor. J Biol Chem 282：33396-33404, 2007.
17. Taguchi K, Shimada M, Fujii S, Sumi D, Pan XQ,Yamano S, Nishiyama T, Hiratsuka A, Yamamoto M, Cho AK, Froines JR, Kumagai Y. Redox cycling of 9,10-phenanthraquinone to cause oxidative stress is terminated through its monoglucuronide conjugation in human pulmonary epithelial A549 cells. Free Radic Biol Med 44：1645-1655, 2008.
18. Kumagai Y, Sumi D. Arsenic：Signal Transduction, Transcription Factor, and Biotransformation Involved in Cellular Response and Toxicity. Annu Rev Pharmacol Toxicol 47：243-262, 2007.
19. Kobayashi M, Li L, Iwamoto N, Nakajima-Takagi Y, Kaneko H, Nakayama Y, Eguchi M, Wada Y, Kumagai Y, Yamamoto M. The antioxidant defense system Keap1-Nrf2 comprises a multiple sensing mechanism for responding to a wide range chemical compounds.

Mol Cell Biol 29：493-502, 2009.
20. Dinkova-Kostova AT, Holtzclaw WD, Cole RN, Itoh K, Wakabayashi N, Katoh Y, Yamamoto M, Talalay P. Direct evidence that sulfhydryl groups of Keap1 are the sensors regulating induction of phase 2 enzymes that protect against carcinogens and oxidants. Proc Natl Acad Sci USA 99：11908-11913, 2002.
21. Ramos-Gomez M, Kwak MK, Dolan PM, Itoh K, Yamamoto M, Talalay P, Kensler TW. Sensitivity to carcinogenesis is increased and chemoprotective efficacy of enzyme inducers is lost in nrf2 transcription factor-deficient mice.Proc Natl Acad Sci USA 98：3410-3415, 2001.
22. Dinkova-Kostova AT, Talalay P. Direct and indirect antioxidant properties of inducers of cytoprotective proteins. Mol Nutr Food Res 52：128-138, 2008.

Ⅲ-6　環境因子とアレルギー・自己免疫疾患

東京大学大学院医学系研究科分子予防医学教室
石川　昌

近年Ⅰ型アレルギーの増加が著明であることが指摘されている．1992 － 1996 年に行われた厚生省(当時)のアレルギー疾患の疫学に関する調査研究によると，国民の 3 人に 1 人は何らかのアレルギーを有しているという(図 1)．疫学調査の結果は診断技術の進歩，診断技術の変化，あるいは患者側の病気に対する意識など種々の要素により大きな影響を受けるため，その解釈には常に慎重でなければならないが，春先に多くの人がマスクをして通勤する光景は 30 年前は見られなかった光景であり，アレルギー疾患の増加は我々の実感として存在する．一般にアレルギーというと気管支喘息，アトピー性皮膚炎，アレルギー性鼻炎(花粉症)などの即時型アレルギーを意味することが多いが，広義のアレルギーではこれを 4 つのタイプに分類している(図 2)．

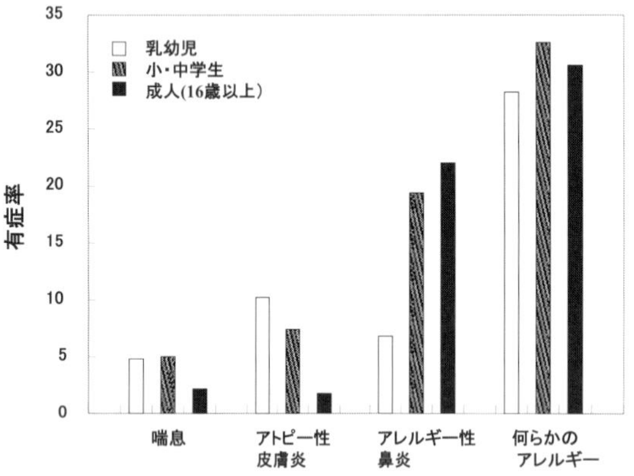

図 1　アレルギー疾患の増加

年代別に気管支喘息，アトピー性皮膚炎，アレルギー性鼻炎，その他のアレルギーの有病率を調べた．乳幼児，小中学生には気管支喘息，アトピー性皮膚炎が比較的多く，成人ではアレルギー性鼻炎が多い．これらを含めて何らかのアレルギーを持つ人は 30％に及ぶ．平成 4 年から 8 年にかけての厚生省(当時)全国調査による．

1．Ⅰ型アレルギー

Ⅰ型アレルギーでは Th2 細胞により産生が促進される IgE 抗体が中心的な役割を果たしている(図 3)．すなわち，アレルゲンを貪食した樹状細胞が成熟樹状細胞に分化し，所属リンパ節に移動するがここで初めて抗原特異的 T 細胞を活性化する．抗原特異的 Th2 細胞は IL-4 や IL-5 を産生し，IgE 抗体産生や好酸球の分化増殖を促進する．さらに産生された IgE は肥満細胞の Fc ε 受容体に結合して組織に存在し，アレルゲンが再び侵入すると脱顆粒を起こし，平滑筋の収縮，血管透過性の亢進，好酸球浸潤などのアレルギー反応の病理像を形成する．

Ⅰ型アレルギーの増加の背景には花粉症のように，戦後の植林政策によりスギ花粉がある時期に爆発的に増えたことや，保温性，保湿性の向上という居住環境の変化により，ダニやカビなどの主要なアレルゲンが増えやすい環境が形成されたこと，またディーゼル排気粒子の気管支喘息増悪作用で明らかなように，都市部における大気汚染などといった環境要因の影響が強いと考えられる．その他にもシックハウス症候群のように新建材などによる室内汚染物質の増加，動物の室内飼育，

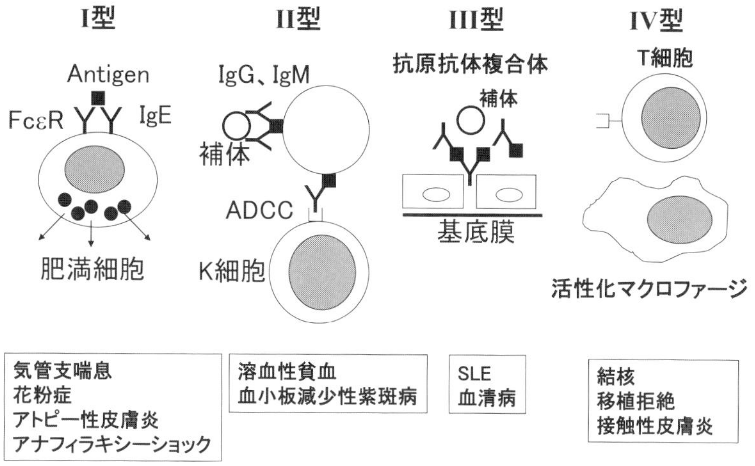

図２　アレルギーの分類

アレルギー（広義）はIgE抗体が主役のI型，抗体と補体あるいはADCC活性を主体とするII型，抗原抗体複合体を主体とするIII型，T細胞，マクロファージを主体とするIV型に分類される．

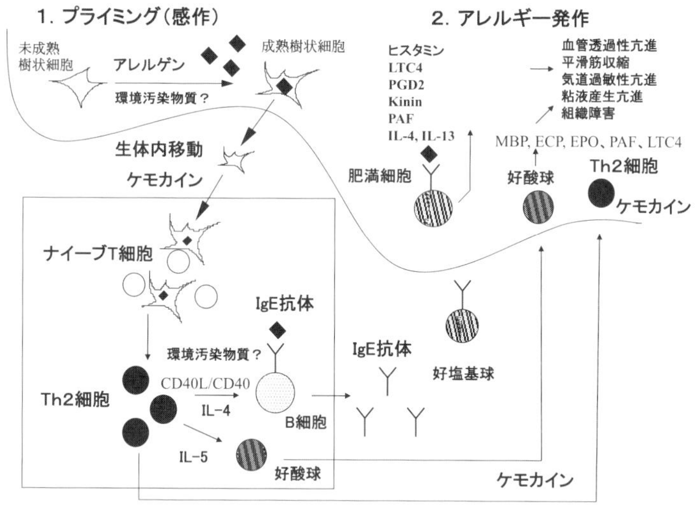

図３　Ｉ型アレルギーの成立機序

I型アレルギーではIL-4やIL-5を分泌するTh2細胞が重要な役割を果たしている．

食生活の変化，ストレスの増加など様々な環境因子がI型アレルギーの増加に関与していると考えられる．一方で，ヒトゲノムドラフト配列の解読後，遺伝子多型の包括的検索が進行するなか，I型アレルギー疾患との相関を示す遺伝子多型も数多く報告され，アレルギー疾患の遺伝要因の存在も明らかにされている．

さらに，環境ホルモンの健康に対する脅威がほぼ同じ時期に指摘されたことを反映して，アレルギー疾患の増加の原因として環境ホルモンを指摘するむきもある．内分泌撹乱物質ないし環境ホルモンは1991年にアメリカウィングスプレッドで開かれた会議において「内分泌撹乱物質による野生生物ならびに人間の健康への影響に関する研究推進」の必要性を訴える「ウィングスプレッド宣言」が採択されてから注目を集めるようになった．さらに1996年に出版されたシーア・コルボーンら[1)]の「Our Stolen Future（奪われし未来）」という著作により全世界は環境汚染物質の野生動物の生態に対する脅威に衝撃をうけたことは周知のことである．その後，ダイオキシン研究を含むダイオキシン対策が精力的に行われ，現在では，我が国における通常の環境汚染レベルでは急性毒性はもちろん，癌や奇形の発生を心配する必要はないと考えられるようになった．一方，ダイオキシンは免疫機能の低下をもたらすことも動物実験では明らかとなっているが，ヒトに対しても同じような影響があるかどうかはまだ明らかとなっておらず，引き続き研究を実施していくこととされている．環境ホルモンがⅠ型アレルギー反応を促進するという直接的な証拠は少ないのが現状で，Ⅰ型以外のアレルギー疾患における環境ホルモンの病理学的意義についてはほとんど検討されていないのが現状である．他のタイプのアレルギーにはⅡ型に属する特発性血小板減少性紫斑病やⅢ型に属するSLEなど自己免疫疾患も含まれているが，実は自己免疫疾患もこの数十年間で著明に増加していることが疫学調査により明らかにされている．

2. 自己免疫疾患

免疫系は免疫寛容という精巧な機構により，自己の成分には免疫応答を起こさないように制御さ

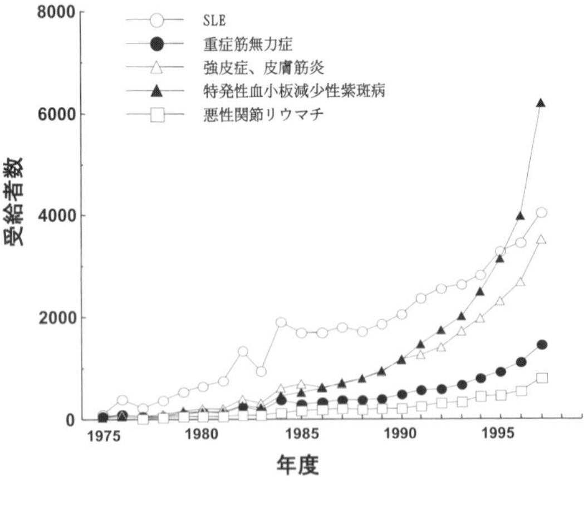

図4　自己免疫疾患の増加

SLE，ITP，強皮症・皮膚筋炎の増加が顕著である．厚生省特定疾患の疫学に関する研究班により行われた医療受給者全国調査から抜粋．

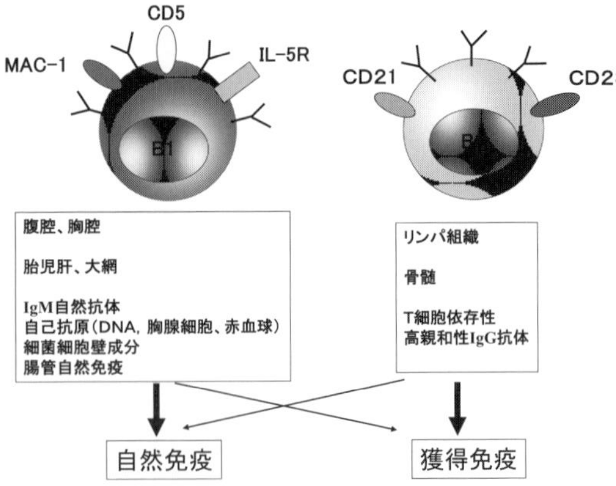

図5　B1細胞とB2細胞

B1細胞は通常のB細胞(B2細胞)と起源，局在，細胞表面抗原，抗原特異性などの点で異なり，主として自然免疫に関与すると考えられている．

れている．免疫寛容は胸腺や骨髄において自己反応性のT細胞やB細胞を除去する中枢性トレランス，アナジーとよばれる末梢における不応答化，免疫応答に対して抑制機能をもつ制御性T細胞，免疫学的隔絶といった機構により維持されているが，この免疫寛容の破綻により生ずると一般に考えられているのが自己免疫疾患である．しかしながらその破綻機序に関しては不明な点が多い．自己免疫疾患の多くは女性に多く見られる疾患で，全身性自己免疫疾患の代表であるSLEなどでは10人のうち9人が女性であり，圧倒的に女性に多く見られる疾患である．自己免疫疾患にも多くの疾患が含まれるが，厚生省特定疾患の疫学に関する研究班により行われた医療受給者全国調査では，受給者数を見る限り，この30年間のSLE，強皮症・膚筋炎，原発性血小板減少性紫斑病の増加は顕著である(図4)．内分泌撹乱物質が環境ホルモンと呼ばれるように，これらの化学物質にはエストロゲン作用を有するものが多いことから，もし環境ホルモンがヒトの病態に影響を及ぼすのであれば，女性に多く見られる，あるいは性差の見られる疾患にその影響が強く現れることが考えられる．すなわち環境ホルモンは自己免疫疾患発症に影響を与える可能性があると考えられる．事実，エストロゲンは免疫系および自己免疫疾患の発症に大きな影響を及ぼすことは多くの実

験系により確認されている[2]．

3. SLE モデルマウスとしての BWF1 マウス

BWF1 マウスは New Zealand Black（NZB）マウスと New Zealand White（NZW）マウスの F1 雑種であるが，加齢に伴いヒト SLE と酷似した所見を呈し腎不全を起こし 1 年以内に 95%以上がループス腎炎による腎不全で死亡する[3, 4]．ループス腎炎を発症したマウスでは腎臓や肺などの標的臓器において著明な単核球浸潤が認められる．これらの臓器では B 細胞ケモカイン BLC/CXCL13 の発現が著明に亢進している．この BLC 発現亢進はループス腎炎を発症しない NZB マウスや NZW マウスでは加齢マウスにおいても認めないことから，この現象は病態に関連した現象であると考えられる．BLC 産生細胞は一般にストローマ系の濾胞樹状細胞や腹腔マクロファージと考えられているが，加齢 BWF1 マウスの標的臓器における BLC は成熟ミエロイド系樹状細胞により発現されている．CD11b$^+$CD11c$^+$樹状細胞はループス腎炎がまだ発症しない 4 ヶ月頃より血中に出現し，これらを試験管内で TNF-α や IL-1β 存在下で培養すると BLC を発現することから，何らかの原因で血中に動員された樹状細胞が標的臓器において TNF-α や IL-1 の存在下で，BLC 産生性成熟型ミエロイド系樹状細胞に成熟分化するものと考えられる．

一方 BWF1 マウスでは，通常の B 細胞（B2 細胞）とは異なる起源，組織局在，細胞表面抗原をもつ B1 細胞が多く存在することが知られており，自然抗体や自己抗体を産生することから自己免疫疾患における病理学的意義が示唆されている（図 5）[5]．また，腸管粘膜における IgA の 50%以上は B1 細胞由来という報告もあり，B1 細胞は腸

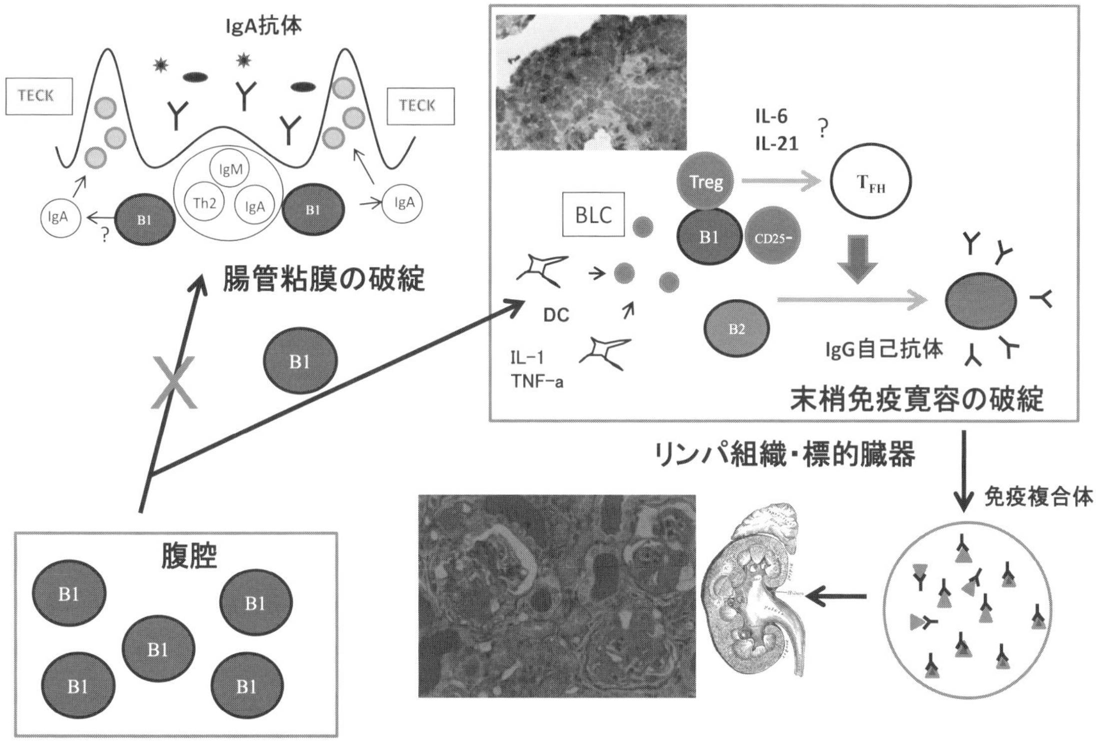

図 6　SLE モデルにおける BLC 異所性高発現の病理学的意義（仮説）

加齢 BWF1 マウスにおける BLC の異所性高発現は，腹腔から腸管粘膜への B1 細胞の生理的遊走を障害し，腸管 IgA レベルの低下に特徴づけられる腸管免疫の破綻をもたらす．一方，リンパ組織や標的臓器に遊走異常を起こした B1 細胞は自己反応性ヘルパー T 細胞を誘導し，IgG 自己抗体産生を促進する．

管免疫において重要な役割を果たしていると考えられている．興味あることにBLCはB1細胞に対してB2細胞より強い細胞走化性を示し，このSLEモデルではBLCの異所性高発現によりB1細胞の遊走異常が起きていることが明らかとなった．一方でB1細胞は強力な抗原提示能を有し，抗体産生促進性自己CD4T細胞を活性化することも明らかとなっている．また，加齢BWF1マウスでは腸管におけるB1細胞の数は減少し，著明なIgAレベルの低下が認められ，経口投与抗原に対する経口寛容も誘導されないことが明らかにされた．さらに，加齢BWF1マウスでは抑制能を保持した制御性T細胞(Treg)も増加しており，その局在異常も認められたが，既に活性化されたヘルパーT細胞には抑制作用を示さなかった．これらの成績[8～12)]から，BLCの異所性高発現によるB1細胞の遊走異常は，BWF1マウスにおけるSLE病態形成に重要な役割を果たしていることが考えられる(図6)．

4. 環境ホルモンと自己抗体産生

環境ホルモン(内分泌撹乱物質)は，「動物の生体内に取り込まれた場合に，本来その生体内で営まれる正常なホルモン作用に影響を与える外因性の物質」(環境庁)(当時)と定義されている[13)]．また当初そのエストロゲン作用が注目されたことから環境エストロゲンともよばれる．エストロゲン作用は核内に存在するエストロゲン受容体に環境ホルモンが結合し，ゲノム上にあるエストロゲン応答配列に結合し，その近傍にある標的遺伝子の転写を活性化することにより発現した種々の蛋白により発揮される．環境ホルモンの中にはダイオキシンのような非常に安定で毒性の強い化学物質も含まれており，発癌，生殖毒性，発生毒性，免疫毒性などが知られている．ダイオキシンは芳香族炭化水素受容体(Arylhydrocarbon receptor, AhR)に結合したダイオキシンが核内に移動して抗エストロゲン作用を発揮するが，近年この作用も活性化されたダイオキシン受容体がエストロゲン受容体に拮抗的に結合することにより起こることが明らかにされた[14)]．ダイオキシンのリスク評価として，様々な動物実験や事故による人体暴

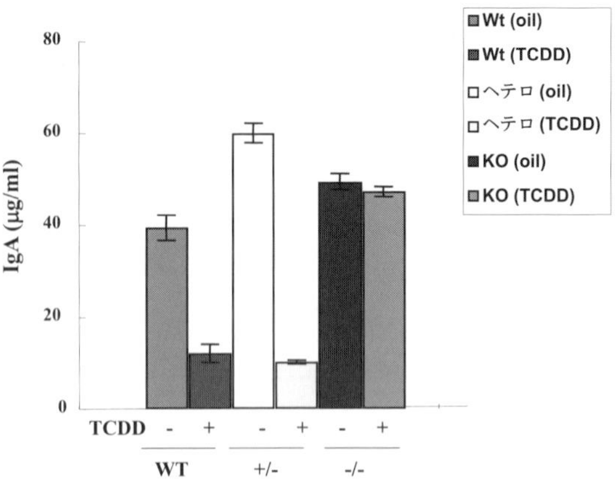

図7　ダイオキシンによる腸管IgAレベルの低下
ダイオキシンを投与した正常コントロールマウス，あるいはAhR欠損マウスの糞便中IgAレベルをELISAにより測定した．文献18)より

露の成績から生体内負荷量を基準に1日耐用摂取量が決められている．日本では現在4pg TEQ/kg/dayとされているが，これは日本人が平均的に摂取するダイオキシン量が2.6pg TEQ/kgであることを考えるとかなり近接した値となっている．またダイオキシンは脂溶性であるため母乳などを介して乳児に移行することが知られているが，このため乳児は短期間であれ，1日耐用摂取量の15～20倍のダイオキシンを摂取することになり，その健康影響が懸念される所以である．事実平成4年の厚生省の報告「アトピー性疾患実態調査報告書—育児不安とアトピー性皮膚炎—」に基づき，母乳栄養児にはアトピー性皮膚炎の子供が多くなるという報道がなされ，一部の母親に衝撃と混乱を与えた経緯がある．その後平成9年から11年にかけての「母乳中のダイオキシン類濃度等に関する調査研究」における再検討により，明らかなアレルギー疾患との相関関係は認められないという結果が出ている．動物を用いた実験ではダイオキシンは一般に液性免疫や細胞性免疫応答に対して抑制的に働くという報告が多い[15, 16)]．野原らはTh2優位の反応であるI型アレルギーの主体であるTh2サイトカイン産生に対してダイオキシンが抑制的に作用するが，IFN-γ産生に対しては促進的に作用することを報告している[17)]．しかしながら，これらの成績は比較的大

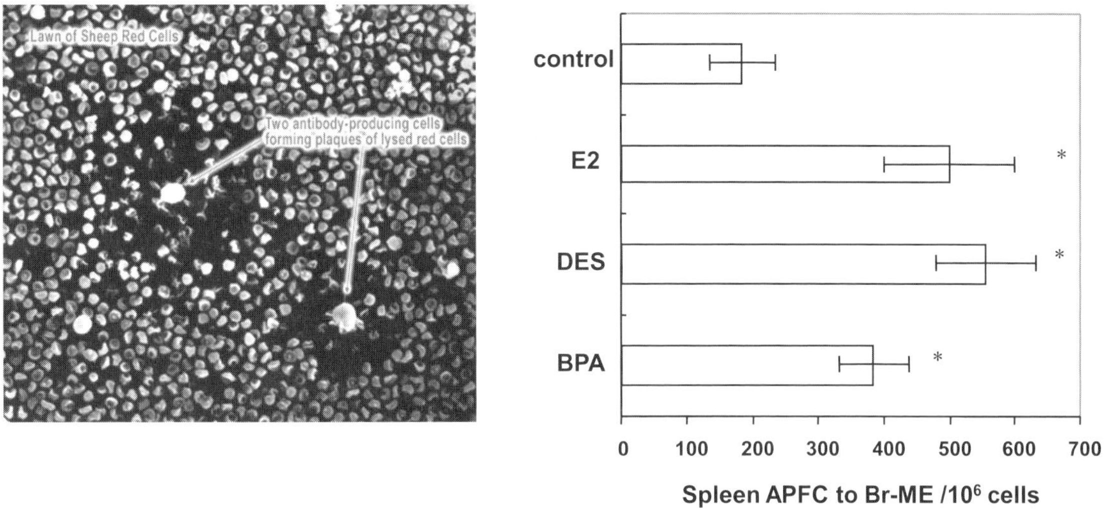

図８　環境ホルモンの抗赤血球自己抗体産生に及ぼす影響
シリコンチューブを包埋したマウスの脾臓を４ヶ月齢で取り出し，カニンガムチャンバーを用いた溶血斑測定法によりブロメライン処理した赤血球に対する自己抗体を測定した．文献21)より

容量を与えた実験から得られているので，今後は低容量長期暴露，さらに胎児や乳児に対する影響が詳細に検討される必要があると考えられる．

一方，ダイオキシンの多くが腸管を介して摂取されることを考えると，これらの物質により腸管免疫が撹乱され，気管支喘息，アトピー性皮膚炎，アレルギー性鼻炎などのアレルギー反応を修飾している可能性が考えられる．腸管粘膜組織はその総表面積が体表面積の200倍を占め，食べる，飲む，吸うという生命体の維持，存続に不可欠な生理的機能を果たしながら感染防御を司る極めて重要な生体構成要素である．腸管粘膜における感染防御において中心的な役割をはたしているのは分泌型IgA抗体だが，一方では多様な外来性抗原の摂取に際して経口寛容とよばれる抑制機序を介して，全身性の免疫応答を制御する機能を果たしていると考えられている．ところがある場合にはこのような免疫制御機構がうまく作動せず，アレルギー反応が起きてしまう場合がある．食物アレルギーと呼ばれるものがそれで，乳幼児期では卵アレルギーとか牛乳アレルギーが代表的なものである．この原因は乳幼児期の腸管免疫の未熟性に起因していると考えられるが，興味あることに食物アレルギーの子供にはアトピー性皮膚炎や気管支喘息の合併率が高く，中には卵白などの食餌抗原に対して，皮膚や呼吸器のアレルギー反応をおこす子供がいることが知られている．多くが腸管から摂取されると考えられる環境ホルモンがもし腸管粘膜における防御機構，すなわち分泌型IgA抗体産生や経口寛容に障害をもたらすとすれば，それが食物アレルギー，さらには気管支喘息やアトピー性皮膚炎を誘導する引き金になっている可能性もあるということになる．事実，我々はダイオキシンが腸管内IgAレベルを低下させると同時に，経口寛容の破綻をもたらすことを報告している[18]．図７に示すように，ダイオキシンによる腸管IgAレベルの低下はAhR依存性である．

ヒトのSLEと同様にループス腎炎はBWF1マウス雌マウスにのみに発症し，これにはエストロゲンが関与していることが明らかにされている[19, 20]．我々はこのSLEモデルマウスにおいて重要な病理学的意義を有していると考えられるB1細胞に注目し，エストロゲンおよび環境ホルモンの影響を検討した．すなわち，B1細胞はブロメライン処理赤血球に対する自己抗体を産生するので，卵巣摘出した若齢マウスの皮下にエストラジオール(E2)やジエチルスチルベステロール(DES)，ビスフェノールＡ（BpA)をつめたシリコンチューブを包埋することにより，B1細胞から産生される抗赤血球自己抗体産生に対する影響を検討した．エストロゲンを包埋したマウスにおいては数ヶ月間血中のエストロゲン濃度が保たれ，また子宮重量の増加などの生体内効果が見られることを確認したのち，E2，DES，BpAを包埋し，脾臓細胞を用いて溶血斑形成法により自己抗体産生に対する影響を検討した．その結果，E2を包埋したマウスのみならずDESやBpAを包埋したマウスにおいても，B1細胞からの抗赤血球自己抗体産生が促進されることが明らかとなった(図8)．さらにエストロゲン作用の強力なDESはIgG]抗DNA抗体や糸球体におけるIgG沈着などももたらすことも明らかとなった．これらの結果は環境ホルモンが，女性に多く，自己抗体産生を特徴とする自己免疫疾患において環境要因として関与しうる可能性を示唆するものである[21]．さらに，我々が留意しなければならないことは，乳製品の摂取量が戦後飛躍的に増加した結果，乳製品に含まれるエストロゲンそのものの摂取量も増加していることである．たとえば市販の牛乳には，妊娠牛から搾乳する酪農方式により，子宮肥大を起こすレベルの硫酸エストロンが含有されていることが報告されている[22]．したがって，環境エストロゲンよりはるかに生物活性が強いエストロゲン自体がこの数十年間の自己免疫疾患増加の環境要因として関与する可能性も考えられる．

以上述べたように，アレルギー・自己免疫疾患の増加の環境要因として環境ホルモンなどの化学物質を考える際には，個々の病態形成機序を適切な動物モデルを用いて明らかにすると同時に，腸管免疫に及ぼす影響など従来にない切り口からの検討が必要であると考えられる．また，近年のゲノムワイドな遺伝子解析により明らかにされた疾患感受性遺伝子発現に及ぼす影響を検討し，遺伝要因と環境要因との相互関係を明らかにすることも今後の重要な課題であると考えられる．

参考文献

1. シーア・コルボーン，ダイアン・ダマノスキ，ジョン・ピーターソンほか，長尾力訳，奪われし未来　翔泳社，1997.
2. Ahmed, A., S. W. J. Penhale, and N. Talal. Sex hormones. Immune reponses and autoimmune diseases. Am. J. Pathol. 121 : 531, 1985.
3. Theofilopoulos, A.N.. Murine models of systemic lupus erythematosus. Adv. Immunol. 37 : 269-390, 1985.
4. Kotzin, B. L. Systemic lupus erythematosus. Cell 85 : 303-306, 1996
5. Herzenberg, L.A. The Ly-1 B cell lineage. Immunological Rev. 93 : 81-102, 1986.
6. Murakami, M., T. Tsubata, M. Okamoto, A. Shimizu, S. Kumagai, H. Imura, T. Honjo. Antigen-induced apoptotic death of Ly-1 B cells responsible for autoimmune disease in transgenic mice. Nature 357 : 77-80, 1992.
7. Murakami M., T. Tsubata, R. Shinkura, S. Nishitani, H. M. Okamoto Yoshioka, T. Usui, S. Miyawaki, and T. Honjo. Oral administration of lipopolysaccharides activated B-1 cells in the peritoneal cavity and lamina propria of the gut and induces autoimmune symptoms in an autoantibody-transgenic mice. J. Exp. Med. 180 : 111-121, 1994.
8. Ishikawa, S., Sato T., Abe M., Nagai S., Onai N., Yoneyama H., Zhang Y-Y., Suzuki T., Hashimoto S., Shirai T., Lipp M., and Matsushima K. Aberrant high expression of B lymphocyte chemokine（BLC/CXCL13）by CD11b+CD11c+ dendritic cells in murine lupus and preferential chemotaxis of B1 cells towards BLC. J. Exp. Med. 193 : 1393-1402, 2001.
9. Ishikawa S, Nagai S, Sato T, Akadegawa K, Yoneyama H, Zhang YY, Onai N, Matsushima K : Increased circulating CD11b+CD11c+ dendritic cells（DC）in aged BWF1 mice which can be matured by TNF-alpha into BLC/CXCL13-producing DC. Eur J Immunol 32 : 1881-1887, 2002.
10. Sato T., Ishikawa S, Akadegawa K., Ito T, Yurino H., Kitabatake M., Yoneyama H., and Matsushima K. Aberrant B1 cell migration into the thymus results in activation of CD4 T cells through its potent antigen presenting activity in the development of murine lupus. Eur. J. Immunol. 34 : 3346-3358, 2004.
11. Akadegawa K., Ishikawa S., Sato T., Suzuki J., Yurino H., Kitabatake M., Ito T, Kuriyama T., and Matsushima K. Breakdown of mucosal immunity in the gut and resultant systemic sensitization by oral antigens in a murine model for SLE. J. Immunol. 174 : 5499-5506, 2005.
12. Abe J., Ueha S., Suzuki J., Tokano Y., Matsushima K., and Ishikawa S. Increased Foxp3+CD4+ regulatory T cells with intact suppressing activity but altered cellular localization in murine lupus. Am. J. Pathol. 173 : 1682-1692, 2008.
13. 松島綱治編　分子予防医学　医学書院，1999.
14. Ohtake F, Takeyama K, Matsumoto T, et al. Modulation of oestorogenreceptor signaling by association woth the activated dioxin receptor. Nature 423 : 545-550, 2003.
15. Holsapple MP, Snyder NK, Wood SC, et al. A review of 2,3,7,8-tetrachlorodibenzo-p-　dioxin-induced changes

in immunocompetence;update. Toxicol. 69 : 219-255, 1991.
16. Kerkvilet NI. Immunological effects of chlorinated dibenzo-p-dioxins. Environ. Health Perspect. 103 : 47-53, 1995.
17. Nohara K, Effects of 2,3,7,8-tetrachlorodibenzo-p-dioxin (TCDD) on T cell-derived cytokine production in ovalbumin (OVA) -immunized C57Bl/6 mice. Toxicology 172 : 49-58, 2002.
18. Kinoshita H., Abe J., Akadegawa K., Yurino H., Uchida T., Ikeda S., Matsushima K., Ishikawa S. Breakdown of mucosal immunity in the gut by 2,3,7, 8-tetraclorodibenzo-p-dioxin (TCDD) . Env. Health. Prev. Med. 11 : 256-264, 2006.
19. Roubinian, J. R., N. Talal, J.s。Greenspan, J。R。Goodman, and P. K. Siiteri. Effect of canstration and sex hormone treatment on survival, anti-nucleic acid antibodies and glomerulonephritis in NZB x NZW F1 mice. J. Exp. Med. 147 : 1568, 1978.
20. Brick, J. E., D. A. Wilson, and S. E. Walker. Hormonal modulation of response to thumus-independent and thymus-dependent antigens in auroimmune NZB/W mice. J. Immunol. 134 : 3693, 1985.
21. Yurino H., Ishikawa S., Sato T., Akadegawa K., Ito T., Ueha S., Inadera H., and Matsushima K. Endocrine disruptors (environmental estrogens) enhance autoantibody production by B1 cells. Toxicol. Sci. 81 : 139-147, 2004.
22. Ganmaa D., Tezuka H., Enkhmaa D., Hoshi K., and Sato A. Commercial cow's milk had uterotrophic activity on the uteri of young ovariectomized rats and immature rats. Int J. Cancer 118 : 2363-2365, 2006.

Ⅲ-7 大気汚染物質
a. オゾン・窒素酸化物

国際環境研究協会
小林隆弘

1. オゾン

オゾンは光化学オキシダントの90%を占める主成分である．強い酸化力を持つため目や鼻粘膜，咽喉などの粘膜組織を刺激し，流涙，喉の痛みなどの症状がでる．気候条件に左右されるが，日本における光化学オキシダント注意報(光化学オキシダント濃度の一時間値が0.12ppm以上でその状態が継続すると認められた場合に発令される)の全国発令日数は，1973年の328日をピークに減少傾向にあったが，1981年以降再び増加し，その後増減を繰り返しながら横這い状態となっていたが，2000から2009年の10年間でみると2003，2007年をのぞくと漸減の傾向が見られる．環境基準を達成している測定局の割合は極めて低く，最高値が0.06ppm以下および1時間値が0.12ppm以下であった測定局の割合は1178ある全測定局の0.1%であり低い状態が続いている．光化学オキシダント発生の要因は，揮発性有機化合物，窒素酸化物，紫外線，ヒートアイランド現象，大陸からの輸送など様々な要因が考えられているがその解明は今後の課題である．対策としては「大気汚染物質広域監視システム」による光化学オキシダントによる被害の未然防止や原因物質の揮発性有機化合物や窒素酸化物の固定発生源からの排出規制などがとられている．ここではオゾン曝露の健康影響について紹介する．

オゾンの健康影響
呼吸器におよぼす影響

オゾンは鼻孔から肺胞にいたる気道を刺激する．濃度や曝露期間により観察される影響は異なる．

強い酸化力を持つため多くの細胞構成成分と反応する．親電子的な反応を起こすためアスコルビン酸やビタミンE，チオール化合物，2重結合やアミノ基を有する化合物などと反応する．おそらく，この酸化反応が引き金となり，気道の表面にある上皮細胞，肺胞マクロファージ，知覚神経に酸化ストレスを与え，これら細胞群から多くの伝達物質が放出され，それ以降の複雑な生体反応の引き金になっていくものと考えられる．

肺機能におよぼす影響

0.3～0.4ppm以上で曝露濃度に依存して呼吸数の増加および1回換気量の減少，気道抵抗の上昇と動肺コンプライアンスの減少が観察されている．オゾンによる副交感神経の刺激がこれらの肺機能の変化に関連していると考えられるが，非迷走神経型の関与も示唆されている．気管支喘息の基本病態の一つに気道反応性が亢進した状態(気道過敏性)がある．非特異的な種々の刺激に対して気道が過度に反応して収縮を起こす状態である．高濃度の短期間曝露においては，気道は過敏になるが，低濃度でも長期の曝露により気道が過敏になることが報告されている．

形態学的変化

形態学的にみると時間経過とともに病変は変化する．比較的短い時間(12時間以内)では，線毛上皮において線毛の脱落や消失，壊死，クララ細胞の平坦化が観察される．また，肺胞においては肺胞Ⅰ型上皮細胞が影響を受けやすく脱落する．気道の上皮が傷害されると血漿や組織の成分の気道への漏出が容易になり，気道の炎症惹起の要因になる．

受けた刺激や影響に対応する生体側の反応と思われる変化もまた観察される．マクロファージや多型核白血球の浸潤が非常に早い段階から観察される．また，肺胞Ⅱ型細胞はオゾンに対する抵抗性が高く，肺胞Ⅰ型細胞が脱落すると分裂増殖をはじめ脱落したあとを被覆し修復していく．気管や気管支においては，基底細胞や線毛細胞が小型化し増加することが観察される．終末細気管支においてもクララ細胞が分裂し線毛細胞に変化していく．また，粘液分泌細胞の増加が観察される．この形態学的変化は0.12ppmあたりから観察されるとの報告があり比較的低い濃度から見られる濃度である．多型核白血球の増加という炎症性の変化が認められるオゾンの濃度も比較的低く0.12ppmから0.2ppmあたりの濃度である．肺胞マクロファージにおいても数の増加，単球様の細胞の浸潤が示唆される小型化，貪食機能やスーパーオキシド産生などの機能への影響が観察される．これらの影響が後述する肺胞マクロファージが関わる炎症反応との関係で論じられている．

生化学的な変化

抗酸化系におよぼす影響

オゾンそのものやオゾン曝露により生じた酸化物により酸化的負荷がかかるため生体側の反応として抗酸化性の酵素が誘導される．オゾン曝露により抗酸化性物質のなかでも肺の非タンパク性SH（グルタチオンなど)は高濃度オゾンの短時間曝露により減少するが，1週間ぐらいたつと抗酸化性の酵素が誘導されグルタチオン含量は増加することが報告されている．

また，長期間曝露した場合，抗酸化性の酵素であるSOD（スーパーオキシドディスムターゼ)の活性，グルタチオン量とGPx（グルタチオンペルオキシダーゼ)とGR（グルタチオンレダクターゼ)活性の増加が認められている．また，過酸化脂質の分解産物としてMDA（マロンジアルデヒド)や呼気中にペンタンが増加すること，過酸化脂質の解毒に関与している解糖系および五炭糖回路の酵素活性の増加が観察される．同時にビタミンEの欠乏食を与えるとオゾンの毒性が増加し，ビタミンEの摂取によりオゾンの毒性が軽減されることが見いだされている．これらの抗酸化系の酵素や物質の変化は濃度や曝露期間，気道の部位により異なること，各部位の傷害の受け方と必ずしも関連しないとされている．

コラーゲン合成や代謝におよぼす影響

オゾン曝露の長期曝露により細気管支から肺胞道領域に線維芽細胞の増加や結合組織線維の沈着が観察される．オゾン曝露により肺組織でタンパク質の生合成が亢進するとともに肺のコラーゲン含量が増加することが観察される．コラーゲンの合成速度も増加し，その増加はオゾンの曝露濃度や形態学的な肺の傷害スコアとよく対応していることが見いだされている．コラーゲン合成の律速酵素であるプロリン水酸化酵素とヒドロキシプロリン量の増加することも報告されている．また，コラーゲン含量の増加の前にⅠ型コラーゲンのmRNAが増加することも見いだされている．同時に長期曝露によりコラーゲンの代謝が低下することも報告されている．

ミトコンドリアやミクロソームの代謝系におよぼす影響

オゾン曝露により肺ミクロソームにおいて異物代謝系の酵素であるチトクロームP450含量の増加や，チトクロームP450還元酵素，ベンツピレン水酸化酵素，7－エトキシクマリン0－脱エチル化酵素の活性が増加することが見いだされている．この変化は気道での異物に対する防御や生成異物に対する代謝除去機構の誘導だけではなく気道上皮細胞の肥大，数の増加，分化におよぼす影響の違いが関係しているものと考えられている

肺ミトコンドリアにおいても，酸素消費量やコハク酸酸化酵素活性が増加することが観察されている．その要因としてミトコンドリアに富む肺胞

Ⅱ型細胞の増殖が挙げられている.

炎症反応増悪への活性窒素種関与の機構

オゾン曝露による炎症反応の増悪の機構として肺胞マクロファージの活性化とそれに伴う活性窒素種(RNS)の関与の機構が検討されている.

オゾン曝露により肺胞マクロファージのRNSの産生が増加すること, NO合成酵素(iNOSまたはNOS2)の誘導がかかることが報告されている. iNOSはTNF-αにより誘導される. オゾン曝露はマウス肺でのTNF-αの産生を増加させることやTNF-αのノックアウトマウスではオゾン曝露によるiNOSの誘導が観察されないことが報告されている. 肺胞マクロファージ細胞表面に二種類のTNF-αの受容体(TNFR1 (p55) とTNFR2 (p75))があるが炎症に関わるものとしてTNFR1が重要と考えられている. TNF-αが作用するとTNFR1はすみやかに脂質ラフトと会合する. カベオラ(caveolae)と呼ばれる細胞表面膜の微小な陥入構造の主要な蛋白のカベオリン(caveolin)のひとつであるCav-1は恒常的に発現しているがアミノ酸の82-101のscaffolding domainは情報伝達を制御していると考えられている. オゾン曝露はこのCav-1の発現を低下させ結果としてCav-1が抑制していた情報伝達が増加する. TNFR1-/-マウスではオゾン曝露によるCav-1発現の抑制が観察されない. 情報伝達の下流にはPI3-kinaseやp44/42 MAP-kinaseやその下流のprotein kinase B (PKB)が関わりNF-κBの活性化がおき, iNOSが誘導されると考えられている. PI3-kinaseの阻害剤はオゾン曝露によるNO産生の増加を抑制することが観察されている. また, NF-κB p50-/-マウスはオゾン曝露によるマクロファージのiNOSの誘導や, NOやperoxynitriteの産生を顕著に抑制すること, オゾンによる毒性を軽減することが報告されている.

遺伝子発現を用いた包括的影響解析

高濃度(2と5ppm)短時間(2時間)のラットへの吸入曝露の肺における遺伝子発現について588の性状のわかっているGene Arrayを用いて解析が行われ, 曝露濃度が異なる曝露においても共通に発現が増加または減少する遺伝子がそれぞれ17と25遺伝子あり, 脂質代謝に関わるFaahやPlaa, 炎症細胞である好中球の浸潤に関わるSell, DNAの修復や, 細胞増殖に関わる, Apex1, Arrb1, Arrb2, Ccne1, Ccng, 等の遺伝子の発現が増加した. また, G蛋白質連結型受容体に関わりMAP kinaseカスケードに関わる遺伝子群の発現の減少が見出されている. また, 曝露濃度に特異的に増減することから影響の強さに依存する遺伝子発現も観察された. 5ppm 2時間曝露ではJun, Nos2, MIP-2 (Cxcl2), Hspb1の発現の増加が観察されたが, 2ppm 2時間曝露では観察されない. しかし, 4から8時間曝露ではNos2, MIP-2 (Cxcl2), Hspb1の発現が観察されることが報告されていることから, 生体の受ける影響の強さに依存し遺伝子発現が影響を受けることが示唆される. また, 5ppm 2時間曝露でのJun, Hspb1の発現の増加はストレス応答カスケードが動いていることを示唆している. 一方, 2ppm 2時間曝露ではThrbやGsrの発現の増加が観察されオゾン曝露の生体影響における甲状腺ホルモンの関与が示唆される. 0.5-3ppmのオゾン曝露で血中甲状腺ホルモンの増加や甲状腺ホルモンを増加させた動物がオゾンに対し高感受性になることも報告されている. Thrbに関連してIgfbp2 (インシュリン様成長因子結合蛋白)の発現が1/15と減少する. このような変化と循環器を含めた生理機能におよぼす影響との関連の解析は今後の課題である.

呼吸器外への影響

循環機能や行動におよぼす影響

オゾン曝露は心拍数や平均血圧が低下することや房室ブロックなどの徐脈性不整脈の出現が観察された. 同時に睡眠パターン, 深部体温の低下も同時に観察されることから, その要因としてオゾン曝露が肺の副交感神経を刺激したことと推察されている. また, オゾン曝露が回転カゴ運動, 飲水や食餌摂取量の低下も観察される.

免疫系におよぼす影響

感染抵抗性におよぼす影響

オゾン曝露が感染抵抗性におよぼす影響は死亡率, 殺細菌活性, 貪食作用, ウィルス価, 組織・

形態学的な検討が行われている．細菌感染による死亡率は低濃度でも低下することが観察されている．感染抵抗性にクリアランス，気道粘膜の障壁や免疫担当細胞の活性化が関連する．

気道に沈着した粒子を粘液と線毛運動により除去する機構がある．曝露濃度と曝露期間により影響が異なるが急性曝露の初期に除去速度が低下することが報告されている．曝露期間を長くするとオゾンの濃度の低いところでは除去能を亢進させることも観察されていることから，曝露時間や濃度に依存し適応機構の発現など影響に変動があるものと推察される．粘液線毛輸送系に影響を与える要因となる気道粘液の粘度の低下もオゾンにより起きることが報告されている．粘液と線毛運動による除去機構が低下すると分泌物の滞留，感染の増大，慢性気管支炎などが引き起こされる要因となる．

また，気道粘膜の障壁は呼吸によって大気中の汚染物質や微生物などの異物が体内に侵入することを防いでいる．オゾン曝露により気道腔から血管および血管から気道腔への透過性が一次的であるが亢進することが見いだされている．気道粘膜の障壁の透過性が上昇すると細菌やウィルスといった異物の体内への侵入が容易になり，気道の炎症惹起の要因になる．

殺細菌活性，NK 活性や貪食機能についても影響のあることが見いだされている．オゾン曝露後 Listeria 菌を感染させ，残存する細菌量からクリアランス能の低下が観察されているが，長い期間（3 週間）の曝露ではこの低下は観察されない．クリアランス能に関わる肺胞マクロファージ，リンパ球，NK 細胞の殺細菌活性，NK 活性や貪食機能についても曝露期間や曝露濃度などにより影響を受けるものと推察される．肺胞マクロファージの機能において，オゾンは 1 週間曝露で Zymosan 刺激による O_2^- 産生を増加させるが H_2O_2 産生は抑制する．一方，3 週間曝露ではこの作用は観察されない．肺からの単離リンパ球の ConA 刺激に対する増殖反応においても，0.1ppm の 1 週間曝露で亢進すること，増殖に関わる IL-2 受容体である CD25 の陽性細胞は 0.1ppm の 3 週間曝露群で増加することが観察されている．

アレルギー反応におよぼす影響

喘息

オゾン曝露がアレルギー関連疾患におよぼす影響については主に喘息様病態におよぼす影響について検討され，高濃度において増悪されることが見出されている．さらに，喘息の典型的病態の一つとされる気道を過敏にすることも報告されている．

アレルギー性鼻炎やアレルギー性結膜炎

オゾン曝露がアレルギー性鼻炎やアレルギー性結膜炎におよぼす影響について実験動物のアレルギー反応モデルを用いた検討が行われている．繰り返し抗原の点鼻あるいは点眼投与による鼻アレルギー反応やアレルギー性結膜炎の増悪が報告され，鼻や眼が過敏になることや好酸球の浸潤の増加がこれらアレルギー反応の増悪に関連していることが見いだされている．増悪作用の要因として，鼻過敏，IgG 抗体産生の亢進，および好酸球の浸潤数の増加が示唆された．また，アレルギー反応成立までのどの時期にオゾン曝露の影響があるか検討され，抗原感作時では影響を与えなかったが，抗原での誘発時ではオゾン曝露により好酸球やリンパ球の増加が観察されたことから，抗原誘発時期にオゾン曝露の影響を受けやすいことが推察される．

免疫関連器官や細胞への影響

感染抵抗性やアレルギー反応におよぼす影響に関わる免疫関連器官や細胞におよぼすオゾン曝露の影響も報告されている．オゾン曝露により胸腺，脾臓の重量の低下やリンパ節の重量の増加，縦隔リンパ節細胞数の増加が観察される．

オゾン曝露による縦隔リンパ節細胞において幼若化反応の増加が観察される．胸腺細胞の細胞表面抗原は曝露期間により異なる変動を示すが，1 週間曝露で $CD4^+CD8^-$ の低下と $CD4^+CD8^+$ の増加，3 週間曝露で $CD4^+CD8^-$ の増加が見られた．脾臓 T 細胞では $CD4^+$ 細胞の比率の低下が観察されている．また，NK 活性の低下も観察されている．

また，抗原刺激に対する増殖反応の低下，抗原特異的 IgG，IgA 産生の低下も認められている．

各論 Ⅲ

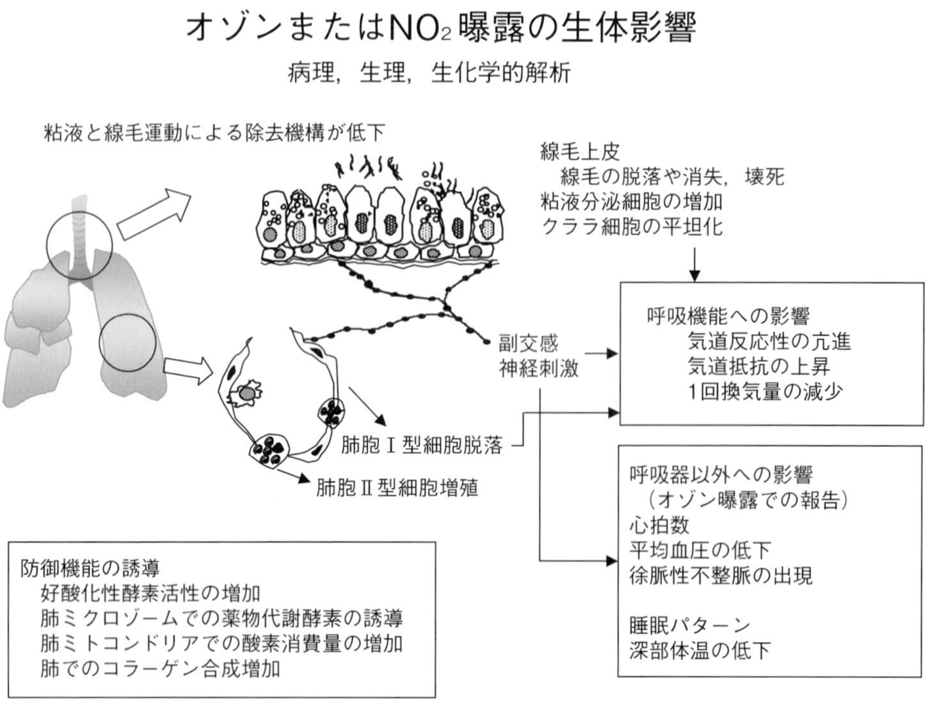
オゾンまたはNO_2曝露の生体影響
病理，生理，生化学的解析
粘液と線毛運動による除去機構が低下
線毛上皮
線毛の脱落や消失，壊死
粘液分泌細胞の増加
クララ細胞の平坦化
副交感
神経刺激
呼吸機能への影響
気道反応性の亢進
気道抵抗の上昇
1回換気量の減少
肺胞Ⅰ型細胞脱落
肺胞Ⅱ型細胞増殖
呼吸器以外への影響
（オゾン曝露での報告）
心拍数
平均血圧の低下
徐脈性不整脈の出現
睡眠パターン
深部体温の低下
防御機能の誘導
好酸化性酵素活性の増加
肺ミクロゾームでの薬物代謝酵素の誘導
肺ミトコンドリアでの酸素消費量の増加
肺でのコラーゲン合成増加

図1

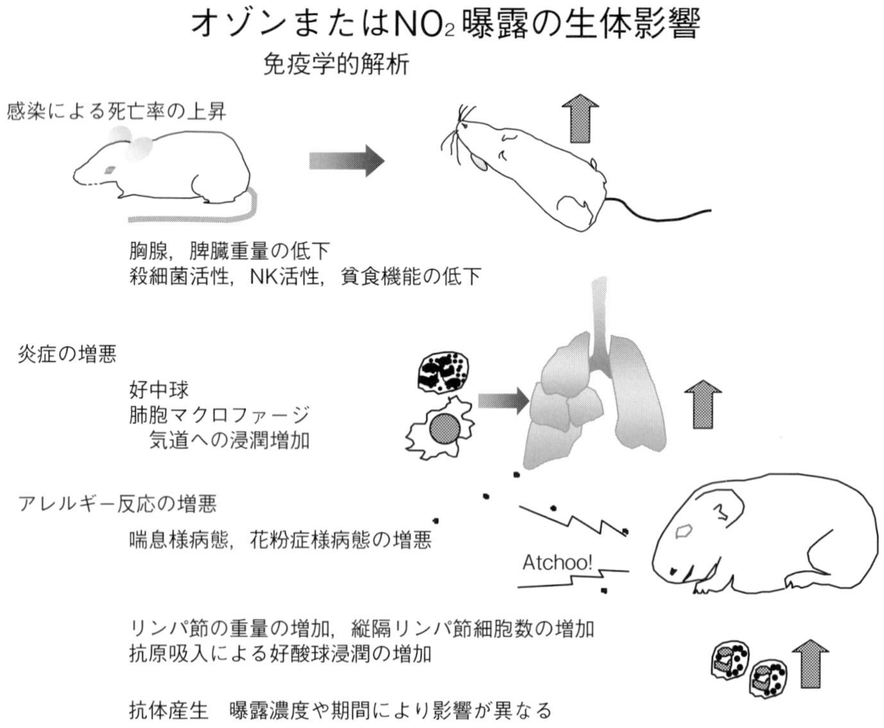
オゾンまたはNO_2曝露の生体影響
免疫学的解析
感染による死亡率の上昇
胸腺，脾臓重量の低下
殺細菌活性，NK活性，貪食機能の低下
炎症の増悪
好中球
肺胞マクロファージ
気道への浸潤増加
アレルギー反応の増悪
喘息様病態，花粉症様病態の増悪
Atchoo!
リンパ節の重量の増加，縦隔リンパ節細胞数の増加
抗原吸入による好酸球浸潤の増加
抗体産生　曝露濃度や期間により影響が異なる

図2

抗原の吸入による肺でのIgE抗体産生細胞数はオゾン間欠曝露で増加するとの報告がある一方，IgE抗体産生が低下するとの報告があり，曝露濃度や曝露期間により影響が異なる可能性が示唆されている．

遺伝毒性と発ガン性

遺伝毒性

オゾンは酸化力が非常に強いため，DNA，RNA，タンパク質と反応することから遺伝毒性を起こす可能性がある．

オゾンの変異原性は大腸菌や酵母の系では弱い変異原性が認められ，サルモネラ菌の系では変異原性は認められていない．培養細胞やリンパ球を用いたin vitroの検討では，染色体異常が起きることが明らかにされている．in vivoのオゾン曝露では検出されたりされなかったりの弱い細胞遺伝毒性があることが示唆されている．

発ガン作用

発ガン実験の結果から，雌雄ラットでは腫瘍発症率の増加は認められていない．また，マウスでは限られた系統で明確ではないが発ガン作用が報告されている．また，発ガン促進作用についても明確でないことから，発ガン性に関する評価分類は米国環境保護庁の分類ではC，IARCでは3とされている．

おわりに

オゾンについては，光化学オキシダント濃度がめざましく低下しないこともあり，その影響について濃度－影響関係や新しい指標について継続して検討が進んでいくものと思われる．オゾンの生体影響についての概略を図1と2に示した．

2. 窒素酸化物（二酸化窒素）

二酸化窒素や一酸化窒素はいろいろな物質が燃焼するとき，硝酸等の製造過程や土壌中の微生物などによる生物活動により生成する．経済活動の伸びが大きくなるにともない，これまで減少傾向にあった窒素酸化物（NOx）や硫黄酸化物（SOx）の排出量が1986年以降上昇傾向になったが，おおむね横這いの状態かやや減少傾向にあると考えられる．二酸化窒素濃度の環境基準（1時間値の1日平均値が0.04ppmから0.06ppmまでの間またはそれ以下）の上限である0.06ppm以下を達成している一般局は2007－2009年度の3年間では100%に達しているが，自排局は95.5%であった．これらの環境基準が達成されなかった自排局は埼玉県，大阪府，千葉，東京都など7都府県，特に大都市地域を中心に分布している．固定発生源対策として総量規制と移動発生源対策としての自動車と燃料について大気汚染防止法のもと逐次規制の強化がはかられている．ここでは二酸化窒素曝露の健康影響を概観するとともに，健康影響の機構についての最近の知見を紹介する．

二酸化窒素の健康影響

呼吸器におよぼす影響

二酸化窒素はカチオンラジカル様化学的性質を持ち，不飽和脂肪酸の二重結合，タンパク質のアミノ基など種々の生体を構成する物質と反応する．また，SO_2に比較すると水に対する溶解性が低いことからSO_2が上気道で吸収されるのに対し，下気道，肺胞まで到達する．0.5-5.0ppmの二酸化窒素吸入時吸入量の80%-90%ぐらいが呼吸器内に摂取される．肺を介して血液中に移行する血液中ではNO_2^-やNO_3^-として存在し，全身に分布する．

肺機能におよぼす影響

肺機能におよぼす影響としては，数ppmの二酸化窒素短期曝露により呼吸数の増加，1回換気量の減少が見いだされる．また，種により影響は異なるがモルモットでは呼吸器気流抵抗が上昇することが見いだされている．動脈血ガス中のO_2分圧（PaO_2）の低下とCO_2分圧の上昇，pHaの低下が見いだされている．

長期曝露の影響では肺気流抵抗の増加，末梢気道抵抗の増加，PaO_2の低下が観察されている．気管支喘息の基本病態の一つに気道反応性が亢進した状態（気道過敏性）がある．非特異的な種々の刺激に対して気道が過度に反応して収縮を起こす状態である．高濃度の二酸化窒素短期間曝露においては気道は過敏になるが，低濃度でも長期の曝

各論Ⅲ

露により気道が過敏になることが報告されている．

形態学的変化

二酸化窒素曝露の呼吸器への影響を形態学的にみると時間経過とともに病変は変化するが，比較的高い濃度の場合を例にとると，肺胞Ⅰ型細胞の壊死が非常に早い時期に起きる．また，毛細管内皮細胞に壊死も観察される．続いて線毛上皮において線毛の脱落や消失，肺胞Ⅱ型細胞の増生や肺胞マクロファージや多型核白血球の増加が認められ，気管支上皮の肥大や過形成が見いだされる．その後，肺胞壁において線維芽細胞や膠原線維の増生による肥厚が認められる．

生化学的変化

抗酸化系におよぼす影響

二酸化窒素はカチオンラジカル様化学的性質を持ち，親電子的な反応を起こすためアスコルビン酸やビタミンE，チオール化合物，2重結合やアミノ基を有する化合物などと反応する．二酸化窒素曝露が酸化的負荷を与えることが，過酸化脂質の分解産物としてのMDA（マロンジアルデヒド）や呼気中にペンタンが増加すること，などから示唆されている．曝露濃度と期間に依存して増加することも報告されている．

肺の非タンパク性SH（グルタチオンなど）は生体の還元ポテンシャルを維持する重要な役割を持っている．肺内の還元型グルタチオン含量は概ね増加するとの報告が多い．抗酸化性の酵素の誘導については，GPO（グルタチオンペルオキシダーゼ），GR（グルタチオンレダクターゼ），G6PD（6－ホスホグルコン酸脱水素酵素），ICD（イソクエン酸脱水素酵素）活性のいずれも増加することが報告されている．

コラーゲン合成や代謝におよぼす影響

二酸化窒素の長期曝露により気管支肺接合部から近接肺胞領域にかけて線維化が起きることが観察されている．結合組織はコラーゲンやエラスチンなどのタンパク質やヘキソサミン，シアル酸，ムコ多糖類などから成り立っている．合成と代謝のバランスにより肺における総量が決まると考えられる．肺コラーゲン含量については濃度および曝露期間によって異なると思われ，低下が観察されるという報告から変化しない，増加するとの報告まで様々である．肺コラーゲンの低下が観察される場合，尿中ヒドロキシプロリン排泄量が増加すること，血清尿中ヒドロキシプロリン量の増加が観察されている．

ミクロソームの代謝系におよぼす影響

二酸化窒素の曝露により肺ミクロソームにおいて異物代謝系の酵素であるベンツピレン水酸化酵素は増加することが観察されているが低濃度では変化が認められていない．また，チトクロームP450や7－エトキシクマリン－脱エチル化酵素含量は低下することが見いだされている．

呼吸器外への影響

循環機能や行動におよぼす影響

二酸化窒素曝露が循環機能におよぼす影響や行動におよぼす影響に関する研究はいずれも非常に少ないのが現状であり，また，観察している影響も非常に高濃度曝露の場合であり今後詳細な検討が必要とされる．

免疫系におよぼす影響

感染抵抗性

二酸化窒素曝露が感染抵抗性におよぼす影響は肺胞マクロファージの貪食機能，殺菌活性の低下があること，抗体産生が低下することがあること，異物のクリアランスが低下することなどが観察されることから細菌やウィルスに対する感染抵抗性が低下することが予想される．死亡率で見た場合，二酸化窒素曝露で化膿連鎖球菌の吸入感染による死亡率が増加することが見いだされている．低濃度のオゾンと複合すると単独の場合に比べさらに死亡率の増加が観察される．また，曝露動物の肺内の菌数の減少が遅れることやマクロファージの数や集塊形成の頻度が高まることが報告されている．

アレルギー反応におよぼす影響

喘息

二酸化窒素曝露と抗原エアロゾルの吸入により

アレルギー反応に関わるIgE抗体産生は増加することや喘息様呼吸困難の症状の増悪，アセチルコリンに対する気道反応性の亢進，が高濃度曝露の場合観察される．

アレルギー性鼻炎

二酸化窒素曝露による花粉症におよぼす影響や濃度反応関係についても検討されている．1ppmから10ppmの二酸化窒素曝露下で抗原投与によるくしゃみ回数や鼻汁分泌が比較的高い濃度の二酸化窒素曝露では増加することから増悪作用を持つことが示唆された．増悪作用の要因として，二酸化窒素と上皮細胞構成成分との反応や浸潤した炎症細胞からの活性酸素種(ROS)や活性窒素種(RNS)による上皮の損傷とそれに伴う知覚神経の露出や上皮の透過性の亢進，それらに伴う鼻過敏の亢進が考えられる．二酸化窒素曝露によって物理的刺激と考えられる生理食塩水やヒスタミン刺激に対して鼻粘膜の反応性は亢進することが観察される．鼻粘膜が過敏になり，アレルギー反応時に放出されるメディエーターの刺激に対して反応しやすい状態になることが示唆される．OVA特異的IgG，IgE抗体価は，二酸化窒素曝露により増加は観察されなかった．アレルギー性炎症時に浸潤してくる好酸球は，二酸化窒素　曝露により，抗原投与，生理食塩水投与のいずれにおいても，鼻中隔上皮，上皮下において顕著に増加することが見出された．好酸球は好酸球カチオニックプロテインなどを放出し上皮などに損傷を与え上皮の透過性を上昇させ，刺激に対して過敏にさせる可能性がある．光学顕微鏡による観察の結果では清浄空気曝露群に比べ，二酸化窒素曝露群したモルモットでは鼻上皮の損傷が観察された．

アレルギー性結膜炎

二酸化窒素がアレルギー性結膜炎の増悪因子として働くか否かについてもモルモットに二酸化窒素曝露を行いながら抗原の繰り返し点眼感作によるアレルギー性結膜炎を起こさせ，二酸化窒素曝露の影響を結膜炎症状スコア，結膜内色素漏出量を指標に検討されている．二酸化窒素曝露により，抗原投与によって誘発される結膜炎症状スコアは濃度依存的に増加することが見出された．0.1や0.3ppmで影響は見られなかった．1ppmでは2週目のみスコアの増加がみとめられた．3および10ppmでは2週目から有意なスコアの増加がみとめられた．また，感作動物のアレルギー性結膜炎における結膜内色素漏出量は清浄空気曝露群に比し，0.1，0.3および1ppmでは有意な変化はみられなかったが，3および10ppm二酸化窒素曝露群では有意な増強作用がみとめられた．

OVA感作動物における抗原特異的IgG，IgE抗体産生能についてはいずれの濃度の二酸化窒素曝露群においても有意な変化はみられなかった．一方，二酸化窒素がアレルギー性結膜炎を惹起させるケミカルメディエーターの作用に対して過敏になるか否かについて，アレルギー性結膜炎の主要なケミカルメディエーターであるヒスタミンを取り上げ，検討した．10ppm二酸化窒素曝露群で有意な反応性の亢進が認められ過敏になっていることが明らかになった．

これらのことから，二酸化窒素は高濃度の暴露によりアレルギー性結膜炎の増悪因子として作用する可能性のあることが示唆された．

免疫関連器官や細胞への影響

感染抵抗性やアレルギー反応におよぼす影響に関わる免疫関連器官や細胞におよぼす二酸化窒素曝露の影響も報告されている．二酸化窒素曝露により胸腺，脾臓の重量の低下することが観察されている．二酸化窒素曝露により，肺胞マクロファージの数の増加，好中球の肺への浸潤が増加することが観察されている．また，肺胞マクロファージの貪食機能，殺菌活性，殺菌活性において重要な役割を示すスーパーオキシド産生の低下が観察される．この肺胞マクロファージの機能の低下は呼吸により侵入した細菌やウィルスに対する感染抵抗性の低下を起こす可能性を示唆している．

二酸化窒素曝露により抗体産生能は曝露時期や曝露濃度により抑制作用が見られたり，促進作用がみられたりと必ずしも一定の方向性を示さない．二酸化窒素曝露による肺への影響の過程とそれにかかわる細胞から放出される種々の因子によって免疫系が複雑に対応している結果と思われる．今後，機構も含めより詳細な検討が必要である．

遺伝毒性と発ガン性

遺伝毒性

二酸化窒素はカチオンラジカル様化学的性質を持つため，DNA，RNA，タンパク質と反応することから遺伝毒性を起こす可能性がある．

in vitroの系で二酸化窒素の変異原性は大腸菌やネズミチフス菌の系ではないか弱い変異原性が報告されている．また，培養細胞やリンパ球を用いたin vitroの検討でも，ないか弱い変異原性が報告されている．

発ガン作用

発ガン実験の結果から，二酸化窒素の単独曝露による腫瘍発症率の増加は認められていない．また，発ガン促進作用についても明確に示すものはないが，肺への腫瘍の転移が促進されることが観察されている．

おわりに

二酸化窒素については大都市や幹線道路沿いにおいて環境基準の達成が充分でない点から，健康影響について濃度－影響関係，ヒトと実験動物の感受性の違い，循環機能，脳神経系など未解明の分野の研究が必要と思われる．

Ⅲ-7 大気汚染物質
b.　ディーゼル排ガスおよび排ガス中微粒子

独立行政法人　国立環境研究所
環境健康研究領域　領域長
高野裕久

はじめに

大気汚染による環境汚染と健康被害の歴史は長い．我が国の大気汚染は，19世紀の後半に，金属の精錬作業による亜硝酸ガスの発生という鉱害から始まったとされる．20世紀に入り，日本の重化学工業は急速に発展し，石炭燃焼による硫酸の降下をもたらした．敗戦後に大気汚染は一時沈静化したが，戦後の復興により，石炭から石油へのエネルギー源の転換とともに，我が国の大気汚染は再び急速に悪化した．この時代の大気汚染は，工場の排気に由来する硫黄酸化物や降下煤塵を主体とし，四日市喘息に代表される健康被害が引き起こされた．その後，安定成長期にはいり，政策面のバックアップもあって，これらの大気汚染の問題は改善を示した．しかし，自動車に由来する汚染物質については，今なお対策は充分とは言い切れない．特に，ディーゼルエンジン自動車の排気ガスに由来するガス状成分や粒子状物質による汚染と健康影響が危惧されている．本項では，ディーゼル排ガスの組成，浮遊粒子状物質との関連，ディーゼル排ガス構成成分に関する疫学的報告，体内動態や生体影響に関する実験的報告，予防対策の可能性等について概説する．

1.　ディーゼル排ガスの組成

ディーゼル排ガスの組成は，粒子成分とガス成分の二種類に大別される．ガス成分には，比較的分子量の小さい炭化水素(C1-C10)とその誘導体，アルデヒド，ケトン，ギ酸，アセチレン，ジカルボニル，飽和脂肪酸，アルカン，アルケン，芳香族酸，メタン，メタノール，トルエン，ベンゼン，キノン，ハロゲン化物，スルホン酸塩，硝酸塩，硫酸塩，一酸化窒素，二酸化窒素，二酸化硫黄，一酸化炭素，二酸化炭素，水分等が含まれる．粒子成分は，元素状炭素を核として持つことが多いが，沸点の高い炭化水素からなることもある．一般的には，核の周囲や内部に，分子量の大きな炭化水素(C14-C35)とその誘導体，多環芳香族炭化水素，スルホン酸塩，ケトン，アルコール，飽和脂肪酸，シクロアルカン，芳香族酸，キノン，硝酸塩，硫酸塩，金属等の非常に多くの物質が存在する(図1)．なお，ディーゼル車から排出される微粒子は，「希釈空気(温度：25 ± 5℃，湿度：30 ～ 75％)により，52℃以下に希釈された排出ガスから，捕集フィルターにより捕集される粒子」と国土交通省の試験法で規定されており，捕集フィルターの材質，直径，捕集率もJIS等に基づいて規定されている．粒子状成分は，排出後，一般的に，非常に微小な粒子の形体で大気中を浮遊し，一般大気中でも，浮遊粒子状物質(suspended particulete matter：SPM)あるいは微小粒子状物質($PM_{2.5}$)等として包括的に測定することが可能である．

ディーゼル排ガス構成成分の代表的な物質に関する現在の我が国の環境基準を表1に示す．

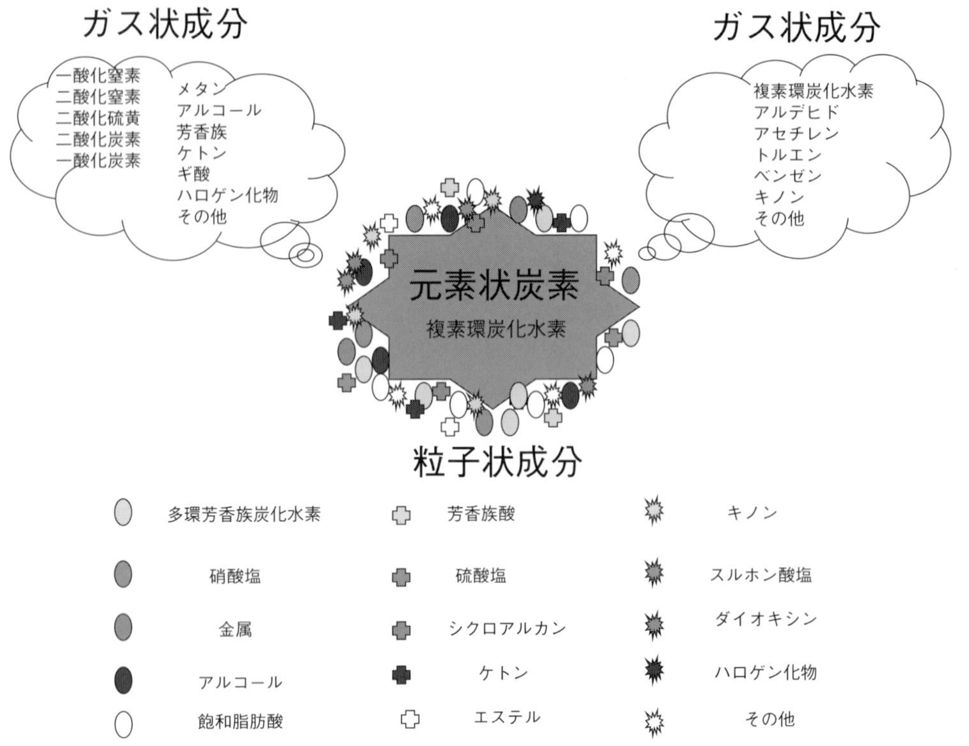

図1

表1

物質	二酸化窒素	二酸化硫黄	一酸化炭素	SPM	$PM_{2.5}$
日平均濃度	0.04-0.06 ppm	0.04 ppm	10 ppm	0.1 mg/m^3	35 $\mu g/m^3$
年平均濃度	0.02-0.03 ppm	0.02 ppm	5 ppm	0.05 mg/m^3	15 $\mu g/m^3$

2. SPM, $PM_{2.5}$とディーゼル排ガス中微粒子

SPMは，文字通り，大気中を浮遊しているミクロン単位の小さな粒子の総称である．大気中の粒子状物質に関しては，粒径が10ミクロン以下の粗大粒子(PM_{10})と2.5ミクロン以下の微小粒子($PM_{2.5}$)と呼称されることもある．粗大な粒子は，一般的に，道路ダストなどの土壌由来の粒子や海塩粒子が主で，健康影響は少ないものと考えられている．一方，微小な粒子は，ディーゼルエンジン車の排気ガス中の粒子に代表されるように，人為的燃焼を起源とする粒子が大部分を占め，金属成分，イオン成分，炭素成分，芳香族炭化水素など非常に多くの物質を含み，健康への影響が危惧されている．近年，こうした理由もふまえて，$PM_{2.5}$の環境基準が新たに設定された．

粒子状物質は，一次的な人為的発生と自然発生，ガス状物質から反応生成する二次生成をその発生源とする．粒子状物質の挙動を考える時には，発生以外に，輸送(移流，拡散)，新粒子生成，変質(蒸発，凝宿，凝集，化学反応)，除去(沈降，乾性沈着，湿性沈着)を考慮に入れる必要がある．たとえば，関東地方におけるSPMの高濃度汚染には，発生源としての自動車の総数のみならず，風向や風速(輸送)の影響が無視できない．また，二次生成(変質)も重要である．たとえば，関東地域におけるSPMの発生源として，夏期では二次生成粒子が，冬季では自動車の寄与が大きくなることを示す統計もある．一方，自動車による汚染が特に著しい地域では，一般的に，二酸化窒素とSPMの濃度は日々高い相関を示し，晩秋から初冬にかけて高濃度汚染が発生しやすいという．

ディーゼルエンジンを搭載する自動車は，ガソリンエンジンを搭載する自動車に比較し，大量の粒子状物質や二酸化窒素を排出することが知られている．首都圏等の大都市域では，ディーゼルエンジン車に由来するディーゼル排気微粒子(diesel exhaust particles : DEP)が $PM_{2.5}$ の過半数を占めているという報告さえある．DEPは，その質量の大部分は0.1～0.3ミクロンの粒径部分に存在する．しかし，極微小な粒子は，指数関数的に質量が小さくなるため，その個数分布を見ると0.005～0.05ミクロンの範囲の粒子が大部分を占めている．これらの「ナノ粒子」に関しては未だ詳細は不明であり，最近，注目が集まってきている．いずれにせよ，DEPの平均粒径は，0.2ミクロン未満と非常に小さく，空中を浮遊し，吸気により気道に進入すると肺の最も深部で酸素の取り込みに関わる肺胞領域にまで容易に達する．この粒子は，近年，より小さくなっていることを示唆するデータもある．

エンジンや運転条件で異なるが，ディーゼルエンジンを搭載する自動車の排ガス中の元素状炭素成分は31～84%の間にあり，脂溶性溶媒で抽出される成分(soluble organic fraction ; SOF)は20～60%程度とされている．DEPは，持続的にスーパーオキシドとヒドロキシルラジカルという反応性の高いフリーラジカル(活性酸素)を生成することも知られている．その生成源としては，含有されるキノンが重要と考えられている(Kumagai, 1997)．DEPは，粒子と莫大な数の化学物質の集合体ということも可能で，heterogenousな物質群であることを念頭におく必要がある．

3. 大気汚染の疫学－ディーゼル排ガス成分と沿道汚染を中心に－

職業曝露

ディーゼル排ガスの職業曝露による健康影響は，鉱山労働者，鉄道労働者，ディーゼルエンジン自動車に関連する労働者，船内労働者，農業従事者などを対象として，主に検討されている．

発癌影響

ディーゼル排ガスの職業曝露と相関する癌として，肺癌(Howe, 1983 : Garshick 1987 : Steenland, 1990, 1998 : Burns, 1991 : Guberan, 1992 : Swanson, 1993 : Emmelin, 1993 : Pfluger, 1994)と膀胱癌(Howe, 1980 : Hoar, 1985 : Silverman, 1986, 1989 : Risch, 1988 : Steineck, 1990 : Brook, 1992)を指摘する報告が多い．中には，曝露歴や，曝露量との量・反応関係が示されている報告もある．喫煙の影響は除外している報告が多いが，ベンゼンをはじめとする交絡因子の存在も指摘されている．他に，食道癌，胃癌，直腸癌との関連を示唆する報告も一部には存在する(Guberan, 1992)．

非発癌影響

上気道疾患，気管支炎，気管支喘息，胃潰瘍，胃炎，高血圧の被診断率(Batawi, 1966)，気管支炎の頻度(Jorgensen, 1970)，持続性の咳，喀痰の有症率(Reger, 1982)，一秒率の低下と持続性の咳，喀痰の有症率(Attfield, 1982)，流涙，目のかゆみ，喘鳴，咳，喀痰，呼吸困難等の有症状率(Gamble, 1987)，呼吸機能の低下(Purdham, 1987 : Ulfvarson, 1990)等と，ディーゼル排ガスの職業曝露が有意に相関するという報告が多い．しかし，これらのケースにおいて，ディーゼル排ガスの影響を特異的に判断することは，しばしば困難であり，否定的報告も散見される．注目すべき研究として，Gambleは，呼吸性の微小粒子や二酸化窒素の推計累積曝露量が，喀痰の症状とよく相関することを示している(1987)．ディーゼル機関車の乗務員が，先頭車両において，ディーゼル排ガスの高濃度曝露を受け，直後に，気管支喘息を発症した症例報告もある(Wade, 1993)．

地域集団における曝露

我が国における検討

発癌影響

Tsuganeら(1987)は，国立ガンセンターに入院した肺癌患者を対象に症例対象研究を行い，扁平上皮癌において，自動車運転手でオッズ比が有意に高値であることを指摘している．Shimizu (1977)は，名古屋市における調査で，肺癌死亡率と居住地の自動車交通量に関連性が見られたと報告しているが，家にいる時間の長い女性では関係は認められず，胃癌でも同様の傾向があることから，自動車排気の直接影響とは必ずしも考えにくいことも指摘している．

非発癌影響

ディーゼル排ガス曝露の地域集団における健康影響は，我が国においては，居住地の幹線道路からの距離や近隣道路の交通量に主たる視点を置いて検討されている．宮城県における検討(Nakatsuka, 1991)では，呼吸器症状や眼症状の有症率は，暖房器具の使用でも若干増加したが，交通量の多い道路の近傍に居住する人でより顕著に増悪している．東京や神奈川における検討(Nitta, 1993：Nakai, 1999)でも，持続性の咳や喀痰の有症率は，幹線道路の沿道に居住する人に有意に高かった．千葉県で，気管支喘息の有症率が，田園地域に比較し都市部で高く，都市部の中でも沿道部で最も高かったという興味深い報告もある(Tanaka, 1996)．

諸外国における検討

発癌影響

小児白血病の危険因子を検討する疫学研究(Savitz, 1989：Feyching, 1998)で，居住地の自動車交通量や二酸化窒素濃度と小児白血病の発症率との相関が報告されているが，ディーゼル排ガス曝露との直接関係は明らかでない．

非発癌影響

大気汚染の地域集団における健康影響に関して，諸外国で数多くの検討がある．ディーゼル排ガスに含まれる代表的大気汚染物質である，硫黄酸化物，窒素酸化物，SPMや二次的に生成される光化学オキシダント(オゾン(O_3))に関する疫学的研究を列挙する．

まず，大気汚染物質と死亡率の関連が指摘されている．マドリードにおける調査(Alberdi, 1998)では全死亡率とSPM，硫黄酸化物の濃度に，ローマにおける調査(Michelozzi 1998)では全死亡率とSPM，二酸化窒素の濃度に正の相関がある．また，メキシコシチーでは(Borja-Aburto, 1998)，死亡率とO_3および$PM_{2.5}$の濃度に正の相関がある．特に，$PM_{2.5}$の濃度は4日後の高齢者の死亡率や心臓や肺の疾患による死亡率とよく相関する．アメリカ大都市部(Woodruff, 1997)でも，PM_{10}と小児の死亡率，特に，呼吸器疾患による死亡率や突然死数が有意に相関している．総じて，SPMの健康影響が重大であることを示唆する報告が多い．

重篤な健康影響を示唆する医療機関への入院と大気汚染の関連を調査した疫学研究も多い．バーミンガムにおける検討(wordley, 1997)では，前3日間のPM_{10}濃度と呼吸器疾患と脳血管障害に基づく入院数は正相関し，前日のPM_{10}濃度と全死亡率および慢性閉塞性肺疾患や心疾患による死亡率も相関する．シドニーでは，二酸化窒素濃度と小児喘息や慢性閉塞性肺疾患による入院数が有意に相関し，SPM濃度と慢性閉塞性肺疾患による入院数，また，二酸化窒素，SPM，O_3濃度と心疾患による入院数が正の相関を示している(Morgan, 1998)．このように，呼吸器疾患による入院に対しても，二酸化窒素やO_3と同等あるいはそれ以上にSPMは大きな影響を及ぼしている．

死亡や入院以外にも，呼吸器症状による医療機関受診数と大気汚染の関連も報告されている．医療機関の受診は，症状の発現や増悪を表現するものと考えられる．サンチャゴにおける調査(Ostro, 1999)では，PM_{10}，O_3の濃度と呼吸器症状による小児の医療機関受診数は正の相関がある．ケベックにおいても，前日のPM_{10}，O_3の濃度と呼吸器症状による救急受診数は正の相関を示す(Delfino, 1998)．また，高齢者の呼吸器症状による救急受診数とO_3，$PM_{2.5}$，PM_{10}，硫化酸化物の濃度が正に相関し，その強さは，$O_3 > PM_{2.5} > PM_{10} >>$硫化酸化物の順であった(Delfino, 1997)．原因疾患をさらに細分化して検討を加えた例もある．アトランタでは，O_3の濃度の上昇と小児喘息の救急受診数は正に相関する(White, 1994)．また，バレンシア地方では，二酸化硫黄と黒煙濃度と喘息による救急受診が相関を示す(de Diego, 1999)．PM_{10}濃度と喘息，気管支炎，上気道感染症による医療機関受診数が正の相関を示すというアンカレジにおける検討(Choudhury, 1997)もある．地域差はあるが，O_3とともにSPMの濃度が，より大きな影響を呼吸器系におよぼしているとする報告が多い．

大気汚染と呼吸器症状増悪の関連を検討した疫学研究も多い．たとえば，クライストチャーチにおける慢性閉塞性肺疾患患者を対象とした検討(Harre, 1997)では，PM_{10}濃度と夜間の胸部症状発生率は正の相関を示し，二酸化窒素濃度と吸入治療薬の使用頻度も正の相関を示す．また，スイス国内の，大気汚染の程度の異なる10地域における，大気汚染と呼吸器症状の関連の長期調査(Braun-Fahrlander, 1997)では，PM_{10}，二酸化窒素，二酸化硫黄と慢性の咳，夜間の乾性咳および気管支炎症状がよく相関し，特にPM_{10}が重要であった．また，PM_{10}濃度は，アレルギーの家族歴を持つ子供において，呼吸器症状と強い相関を示している．二酸化窒素と咳，痰，喘鳴の関連を指摘したジャカルタの報告(Tri-Tugaswati, 1996)や，母親のアレルギー歴，PM_{10}と子供の咳症状の有意な関連を示したニューサウスウェールズの報告(Lewis, 1998)もある．

自覚症状の評価とともに，呼吸器疾患における鑑別診断と客観的な重症度の判定には，肺機能の測定値が重要な指標となる．マルセイユのダウンタウンと郊外の比較(Jammes, 1998)では，二酸化窒素，SPMと高気道抵抗値や低一秒率は正に相関し，気道過敏性や喘息症状とも相関は認められた．スイスの大気汚染度の異なる9地域における非喫煙成人の検討(Ackermann-Liebrich, 1997)でも，PM_{10}，二酸化窒素，二酸化硫黄の濃度と肺活量，一秒率は負の相関を示している．

これまでの報告にあるように，気管支喘息は大気汚染の影響を受けやすい疾患の代表である．疫学の調査対象を限定し，喘息患者の症状や肺機能と大気汚染の関連を検討した疫学研究も多い．たとえば，チェコの喘息児童における検討(Peters, 1997)では，二酸化硫黄，硫黄酸化物，PM_{10}の濃度と喀痰や気管支拡張剤の使用頻度が正の相関を示す．コネチカットにおける喘息児童のサマーキャンプでは，O_3と硫黄酸化物の濃度が喘息の症状と気管支拡張剤の使用頻度の増加，ピークフロー値の低下と有意な相関を示している(Thurston, 1997)．スウェーデンにおける検討では，二酸化窒素濃度と重症喘息発作の頻度は正の相関を示す(Forsberg, 1998)．南カリフォルニアの喘息児童の調査(Delfino, 1998)では，O_3，PM_{10}の濃度と喘息症状に正の相関がある．オランダのライデン大学の喘息患者における検討(Hiltermann, 1998)では，O_3，PM_{10}，二酸化窒素，黒煙の濃度と息切れなどの症状の間に，また，O_3，PM_{10}の濃度と気管支拡張剤使用との間に正の相関がみられた．オランダの児童における検討(Gielene, 1997)では，黒煙，PM_{10}，O_3の濃度と喘息症状や気管支拡張剤の使用頻度が正の相関を示し，黒煙，O_3の濃度とピークフロー値の間に負の相関が認められた．ドイツとチェコの3都市において喘息の成人と児童を対象とした研究(Peters, 1996)では，二酸化硫黄濃度と喘息症状は正の相関を，二酸化硫黄，PM_{10}濃度とピークフロー値は負の相関を示している．PM_{10}の濃度は，特に，児童に強い影響をおよぼしていた．

以上のように，ディーゼル排ガスに関連する大気汚染物質が喘息患者の症状や肺機能を増悪することを示す疫学調査は多い．また，大気汚染の影響は，総じて，成人より子供の喘息患者に強く現れていることは憂慮すべき問題である．近年，SPMの持つ健康影響に関しては，より微小な粒子が注目されてきている．たとえば，東ドイツの成人喘息における検討(Peters, 1997)では，PM濃度と咳の増加やピークフロー値の低下は有意に相関しているが，この関係はPM_{10}より$PM_{2.5}$で強く，さらに0.1 μm未満の超微小粒子で特に強い．

一方，交通量と気管支喘息の関連の調査もある．オーストリアの二酸化窒素の生成源がほとんど自動車である郊外における児童の調査(Studnicka, 1997)では，二酸化窒素濃度と喘息症状や医師による喘息の診断との間に有意な相関がある．また，オランダの6地区における児童に対する調査(van Vliet, 1997)では，呼吸器症状や喘息の診断は，フリーウェイより100m以内に住む子供に多い傾向があり，特に女児ではその影響は大きい．また，フリーウェイから300m以内に居住する児童に限定すると，気管支炎の診断とトラックの交通量には正の相関がある．さらに，学校における黒煙の濃度と症状にも相関傾向はあった．サンデイエゴの検討(English, 1999)では，交通量と喘息児童の受診率は正相関を示している．ライデン大学の喘息患者において，鼻腔洗浄液中の炎症に関わる細胞の数，好酸球から産生される有害物質であるECP，あるいはサイトカインの濃度を測定したところ(Hiltermann, 1997)，O_3の濃度と好中球数，好酸球数，サイトカイン濃度，ECP濃度は正の相関を示した．喘息以外のアレルギー疾患と交通量の関連としては，デュッセルドルフの検討で(Kramer, 2000)，主として交通に由来する二酸化窒素汚染とアレルギー性鼻炎の症状，皮膚のかゆみ，花粉，ハウスダスト，猫，牛乳に対する感作率が正の相関を示している．近隣のトラック交通量と，喘鳴，喀痰，眼症状，ハウスダストアレルギー，ペットアレルギーの正相関を示したオランダの報告(Brunnekreeef, 2000)もある．アレルギー性鼻炎に関しては，その有症率と交通量が相関するというドイツの報告(Weiland 1994)もある．また，対象をアレルギー疾患に限定しなくとも，交通量と児童の呼吸器症状の有症率が相関することを明らかにしたハーレムの報告(Oosterlee 1996)もあり，沿道に居住する児童の一秒率とトラックの交通量および黒煙量が負の相関を示すというオランダの報告(Brunekreef, 1997)もある．

以上より，大気汚染物質，特に自動車(中でもトラック？)排ガスに由来するSPMは，循環器疾患とともに，気管支喘息をはじめとする呼吸器疾患やアレルギー疾患を増悪させる可能性があることが，統計学的に示されている．しかし，大気汚染物質が，本当にこれらの疾患を増悪しうるのか否かを明らかにするためには，実験的な検討を行い，実験室レベルで増悪作用を再現し，さらに，そのメカニズムを明らかにする必要がある．生物学的妥当性の検証である．

4. ディーゼル排ガス中微粒子の生体影響に関する実験的研究

体内動態

粒子沈着の一般論

ディーゼル排ガスの曝露において，ガス体の挙動は拡散によるが，粒子の挙動は複雑である．沈着や体内動態に関する実験的研究によると，吸気により呼吸器系に入った粒子の気道への沈着には，拡散(ブラウン運動)以外に，粒子荷電による沈降，遮断，沈着，慣性による衝突の要素が関係する．まず，3～20ミクロンの粗大粒子は，鼻腔や中枢気管支の分岐部において，慣性による衝突で気道に沈着する．3ミクロン未満の粒子は，重力の作用による沈降で気道に沈着することが多くなる．これは，主として末梢気道や肺胞領域で起こり，Stokesの法則により規定される．遮断は主として繊維状粒子の気道への沈着に関連する．荷電の影響はヒトでは微弱である．0.5ミクロン未満の極微小粒子は，拡散による運動で気道への沈着が規定される．たとえば，1ミクロン程度の極微小粒子は，1秒間に13ミクロン程度の移動を示すという．具体的に，様々な粒径の球状粒子の気道における分布は，Weibelのモデルで示されている．

粒子沈着への影響因子

鼻呼吸は，乱流を起こすことにより，粒子の捕捉効率を上げている．2～20ミクロンの粒子の90%は鼻腔内で捕捉され，1～5ミクロンの粒子は，50%が気管・気管支領域にとどまり，残りの50%が肺胞領域にまで達する．口呼吸や一回換気量の拡大により下気道に達する粒子は増加する．

沈着実験

放射性同位元素でラベルしたディーゼル排ガス曝露により，実際の粒子の気道・肺への沈着量は動物実験で確認されている．ラットにおいては，15 ± 6 %（Vostal, 1981），17 ± 2 %（Vostal, 1982），13～21%（Heyder, 1986)程度とされている．しかし，Goto（1995)のボランティアにおける検討では，ディーゼル排ガス曝露により，見かけ上の粒子中多環芳香族炭化水素の沈着率は50%にのぼるともいう．Hoffmann（1989)のラットとヒトの気道モデルを用いた検討では，全体の沈着と気管・気管支の沈着はヒトの方が高い傾向があり，肺胞領域では逆に低かったという．

沈着後の動態

鼻粘膜に付着した粒子は，線毛運動により速やかに除去され，嚥下される．終末気管支レベルまでは線毛が存在するため，これらの部位までに付着した粒子は，数時間以内に除去されると考えられている．ただし，この間に粒子の構成成分は生体影響を発揮し得る．また，線毛運動や咳反射が抑制された個人においては，クリアランスの低下が予想される．肺胞領域に達した粒子は，主として肺胞マクロファージに貪食され，一部のマクロファージは間質を経てリンパ流（1～20%）にはいり，リンパ節にも至る．Creutzenberg（1990）によれば，ディーゼル排ガス曝露後のDEPの肺におけるクリアランスの半減期は932日であり，カーボンブラックや酸化チタンのそれに比しても，2倍近く長い．

ヒトへの実験的曝露

ディーゼル排ガスをヒトに実験的に曝露する研究は，欧米を中心に施行されている．古くには，ディーゼル排ガスによる結膜違和感が二酸化窒素濃度として1.3ppmから報告されている（Battigelli 1965）．近年では，Diaz-Sanchezらが，DEP（0.3mg）を健常人の鼻腔内に点鼻投与し，IgEというアレルギーに関わる免疫グロブリンの産生が増加することを示した（1994）．このIgEは，特定のスプライシングパターンに基づくものであった．彼らは，DEPの健常人への点鼻により，IL-2，IL-4，IL-5，IL-6，IL-13，IFN-gamma等の様々な炎症性サイトカインが局所で発現することを示した（1996）．さらに，ブタ草に感作された患者の鼻腔内にブタ草アレルゲンとともにDEPを点鼻すると，IL-4，IL-5，IL-6，IL-13というアレルギーに関わるTh2タイプのサイトカインが，特に，増加することを示している（1997）．アレルゲン特異的なIgEやIgG4の増加も認められている．ディーゼル排ガス全体を健常人に曝露した最近の研究では，PM_{10}濃度として0.3mgで，末梢血中の好中球や血小板の増加，血管内皮のICAM-1，VCAM-1という接着分子の発現亢進，気管支肺胞洗浄液中への炎症性細胞（好中球，肥満細胞，リンパ球等）や炎症性メディエータ（ヒスタミン，フィブロネクチン等）の浸出が増強することが示されている（Salvi, 1999）．

動物や培養細胞における毒性影響とメカニズム

ディーゼル排ガスやその成分，粒子を用いた実験的研究は，動物や培養細胞を用いて数多く行われており，疫学的知見の証明や毒性メカニズムの解明に役立っている．

発癌影響

発癌影響に関しては，ディーゼル排ガス曝露により，ラットにおいて明らかな肺腫瘍の増加が，数多く報告されているが，マウスやハムスターでは否定的知見もある．ディーゼル排ガスやその成分による変異原性についても，莫大な数の論文がその存在を指摘している．DNA付加体の形成（Iwai, 2000）やDNAの酸化的損傷（Ichinose, 1997）の重要性も指摘されている．

非発癌影響

非発癌影響の検討も多い．実験的に，DEPを大量（500マイクログラム／マウス以上）にマウスの気管内に投与すると，急性肺水腫が惹起される（Sagai, 1993）．この肺水腫や死亡率が活性酸素を不活化する酵素により低減されることから，DEPの傷害性の少なくとも一部はスーパーオキシドやそれに由来する過酸化水素，ヒドロキシルラジカルに起因すると考えられている．

ディーゼル排ガスを長期に吸入させた動物では，気道上皮の過形成や間質の繊維化，肺胞領域の軽度の形態学的変化も引き起こされる（Ichinose, 1998；Takano,1998）．

疫学的にディーゼル排ガス成分との関連が最も強く疑われる疾患のひとつである気管支喘息についても検討は多い（Takano, 1997, 1998：Ichinose, 1998, 2002：Miyabara, 1998：Sadakane, 2002）．マウスにおける検討では，DEPはアレルゲンに関連する好酸球性気道炎症を顕著に増悪する．これは，DEPがアレルギー性気管支喘息の本態を増悪しうることを実験的に示す．また，気管支喘息では，粘液産生細胞と粘液産生の増加がしばしば観察される．DEPはアレルゲンと併存することにより，粘液産生細胞を相乗的に増加させる．一方，気管支喘息では，小さな刺激に対しても気管支が収縮してしまうため，呼吸困難や喘鳴をきたすことが大きな特徴である．こういった「気道過敏性」もアレルゲンとDEPの併用気管内投与により増悪することが確認されている．アレルギー性気管支喘息や好酸球を主体とする気道炎症の患者においては，IL-5，IL-4，GM-CSFなどの

Th2リンパ球に由来するサイトカインというタンパク質が重要な役割を演じている．また，実験動物におけるタンパク質や遺伝子の変動が，ヒトで実際に見られる病気におけるそれと共通しているか否かを確認することには，大きな意味がある．なぜなら，実験動物における危険性をヒトにおける危険性にあてはめるための大きな根拠となるからである．動物実験は，ヒトと動物に共通あるいは類似するタンパク質や遺伝子の変化を確認して初めて，ヒトへの外挿に意味を持たすことができる．DEPはアレルゲンの存在下にいくつかのサイトカインの発現を亢進し，特に，Th2由来のIL-5の発現を亢進する．IL-5は好酸球を活性化する代表的なサイトカインであるため，DEPは，アレルゲンによるIL-5の発現をなお一層増幅することにより，好酸球性気道炎症を増悪しているものと考えられる．免疫組織染色では，IL-5の陽性所見はリンパ球に強く観察され，DEPとアレルゲンの併存で顕著に増加する．一方，IgEは肥満細胞という細胞に固着し，アレルゲンがそれに捕まえられると，肥満細胞はヒスタミンをはじめとする傷害性物質を放出する．IgGは好酸球に固着し，アレルゲンの捕捉により種々の傷害性蛋白質を放出する．これらの物質はヒトの気管支喘息における重要な傷害性物質である．DEPはアレルゲンに特異的なIgEとIgG抗体の産生を増強する．ここまでの結果を総合すると，DEPはアレルゲンの存在下で多種のサイトカインの局所発現を増強するが，中でもTh2由来のIL-5の発現を加速することによりアレルギー性気管支喘息を悪化しているものと考えられる．我々の実験モデルでは，IL-5により誘導，活性化された好酸球が，産生へと導かれた抗体やその他の炎症性メディエーターにより脱顆粒し，顆粒酵素により気道の傷害や粘液産生細胞の増生などが引き起こされるという気管支喘息悪化のシナリオも推測される（図2）．よりヒトの吸入様式に近づけるために，大型チャンバーを用いてディーゼル排ガスと吸入アレルゲンを併用曝露した実験でも結果は基本的に同一であり，DEPあるいはディーゼル排ガスは，濃度依存性に，アレルギー性気管支喘息を増悪することが示されている．これらの結果は，疫学的知見に根拠を与えるとともに，増悪メカニズムを明らかにしている．

アレルギー性気管支喘息の病態以外にも，DEPが種々のアレルギー反応を増悪することが明らかにされている．たとえば，DEPの単回腹腔内投与はアレルゲンに対する特異的IgE抗体産生を増強する（Muranaka, 1986）．また，DEPの繰り返し鼻腔内投与もアレルゲンに対する特異的IgE抗体産生を増強する．サイトカインに関しても，DEPとアレルゲンの繰り返し気管内投与により，縦隔リンパ節細胞のIL-2, 4産生能は増強する（Fujimaki, 1997）．さらに，DEPと抗体を産生するリンパ球であるB細胞をともに培養すると，IgE産生が増加し，この時のIgEはCH4-M2'というタイプの増加が著明である（Diaz-Sanchez, 1994）．

花粉症とDEPの関連を実験的に証明するために行われた動物実験もある（Kobayashi, 1995, 2000）．花粉症は，気管支喘息と同様に，好酸球性の炎症を主体とし，くしゃみ，鼻水，鼻づまりの症状によって表現される．鼻づまりには好酸球性の炎症が，くしゃみと鼻水には肥満細胞に由来するヒスタミンとそれを誘導するIgE抗体が重要と考えられている．DEPのモルモットへの鼻腔内投与は濃度依存性に鼻腔抵抗を増加し，鼻づまりを増悪する．DEPの鼻腔内投与は，ヒスタミンに対する鼻腔抵抗増加（鼻づまり）や鼻汁分泌（鼻水）を増悪する．また，上気道のアレルギー性炎症に関して，アレルゲンとDEPの併用鼻腔内投与や水酸化アルミニウムとの三者併用の鼻腔内投与は，鼻汁のヒスタミン濃度上昇や抗原による鼻腔内圧増加（鼻づまり），アレルゲンによる鼻汁分泌増加（鼻水）や鼻腔内微小循環の血管透過性亢進を増悪し，アレルゲン特異的な抗体産生をも増強する．これらの結果より，DEPは，ヒスタミンの産生増悪や血管透過性の亢進，あるいは好酸球性炎症の増悪を経て，花粉症を増悪するものと考えられる．

疫学的知見で述べたように，SPMの濃度は呼吸器疾患による死亡率と有意に相関する．特に，SPMの濃度は，慢性閉塞性肺疾患による死亡率や入院数と有意に相関する．これは，SPMの健康影響が，感受性の高い集団に対しては，非常に重篤なものとなりうることを示している．また，

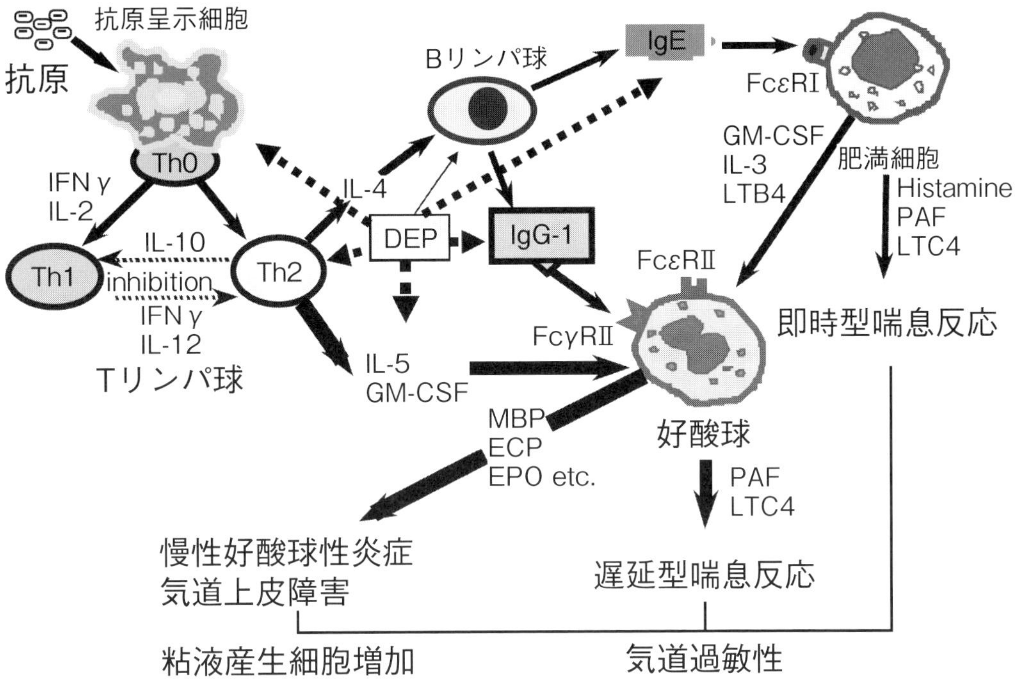

図2

これらの疫学的報告は，SPMが気管支喘息を増悪するということだけでは説明しきれない．高感受性群の代表である，慢性閉塞性肺疾患についても検討を加える必要がある．慢性閉塞性肺疾患は，肺気腫や慢性気管支炎を代表とする疾患概念である．種々のレベル(太さ)の気管支の主として炎症による狭窄を本態とする慢性の疾患であり，呼吸困難，喘鳴，咳，喀痰等の種々の呼吸器症状により表現される．また，感染症の合併を契機に急性に増悪することが，臨床的な大きな特徴である．たとえば，肺気腫の患者さんは，容易にグラム陰性菌の感染を被り，肺炎を合併し入院治療を要したり致命的経過を取ることが少なくない．換言すれば，慢性閉塞性肺疾患の増悪や死亡の原因として，感染症に関連する傷害の合併が，臨床的には最も予想しやすい．感染症による傷害は，細菌などの病原生物が産生する細菌毒素によって引き起こされることが多い．我々は，SPMの代表であるDEPが細菌毒素による肺傷害に及ぼす影響の実験的証明を試みた(Takano, 2002)．DEPと細菌毒素の併存により顕著な肺傷害(間質浮腫，肺胞出血を伴う好中球性炎症)が惹起される．ヒトの好中球の活性化や急性の肺傷害において重要な役割を演じているサイトカインやケモカインの肺における発現を検討すると，IL-1 β，KC，MCP-1，MIP-1 αなどの炎症性分子のタンパク質は，DEPと細菌毒素の併存で著明な上昇が見られ，特にMIP-1 αで相乗効果は大きかった．これらの変化は，病変の重症度とよく相関していた．この実験結果は，大気中のSPMの増加が細菌毒素による肺傷害を増悪する可能性があることを明らかにしている．また，Campbell (1981)は溶連菌群の感染による致死率を，ディーゼル排ガス曝露が増悪することを過去に示している．

SPMやDEPの健康影響は，さらに掘り下げて検討されつつある．たとえば，DEPは，NF-kappa Bという転写因子をマウスの肺中で活性化するし(Takano, 2002)，細菌毒素によるNF-kappa Bの活性化をさらに増強する．NF-kappa Bは，炎症に関わる分子の遺伝子発現を高める作用があるため，DEPは様々な炎症に関わる分子の発現を惹起する可能性がある．また，試験管内の検討でも，DEPが種々の細胞で，NF-kappa B等の活性化を経て，種々の炎症性タンパクを誘導することが知られている(Bayram, 1998 : Ohtoshi, 1998 : Steerenberg, 1998 : Takizawa, 1999 : Boland, 1999). さらに, DEPはキナーゼというタンパク質をリン酸化する酵素を活性化する(Hasimoto, 2000 : Boland, 2000). ある種のキナーゼの活性化により, アポトーシスが惹起されるため, DEPはこの作用を経て, 気道の上皮細胞やマクロファージを傷害し, 死に至らしめる可能性さえある(Hiura, 2000).

呼吸器や免疫への影響以外にも, DEPが, 循環器系, 脂肪肝, 凝固・線溶系, 内分泌系, 生殖系, 脳・神経・行動系に及ぼす影響も, 近年, 検討されつつある. また, 大気環境中の粒子を濃縮し, 動物に曝露し, 一般大気環境中のSPMの影響を検討しようとする試みも進められつつある.

5. ディーゼル排ガス中成分の低減対策とその生体影響を予防する試み

ディーゼル排ガスの毒性を低減することの困難さは, その組成の複雑性に起因する部分が少なくない. たとえば, 二酸化窒素を低減する技術は, しばしば粒子状物質の生成を増加するというジレンマを持つ. 排ガス低減の一般的技術としては, 燃料の高圧噴射による粒子状物質の選択的低減, パイロット燃料噴射による二酸化窒素の低減, コモンレール噴射システムによる排出ガス低減, 中間冷却ターボ過給等のエンジン改善があげられる. また, 後処理技術として, 酸化触媒によるSOFの低減, Diesel particulate filterによる粒子の捕集もあげられる.

一方, ディーゼル排ガスの低濃度曝露は回避が困難であろうとの考えに基づき, その後の毒性発現を予防する試みも考え得る. たとえば, 植物に由来するポリフェノールの一種を連日摂取することにより, DEPによる実験的肺傷害は改善される(Sanbongi, 2003, Yasuda, 2007). こうした予防対策も, 今後の課題であろう.

おわりに

ディーゼル排ガスの組成, ディーゼル排ガス中粒子とSPMの関連, ディーゼル排ガス構成成分に関する疫学的報告, 体内動態や生体影響に関する実験的報告, 予防対策の可能性等について概説した. 引用文献の詳細は, 参考文献と本文にあげた報告者, 報告年を参考とされたい.

参考文献

1. 近藤元治, 吉川敏一, 高野裕久：空中過酸化物とアレルギー. アレルギー 44 : 111-115, 1995.
2. 高野裕久, 近藤元治, 吉川敏一：大気汚染の現況と気管支喘息. 喘息 9 : 98-103, 1996.
3. 高野裕久, 宮原裕一, 市瀬孝道, 嵯峨井勝：ディーゼル排気微粒子によるアレルギーの増悪とその機序. 臨床免疫 29 : 1526-1532, 1997.
4. 高野裕久：ディーゼル排気微粒子はアレルゲンによる好酸球性気道炎症とサイトカイン発現を修飾する. 炎症 19 : 9-18, 1999.
5. 高野裕久, 吉川敏一, 近藤元治：大気汚染と気管支喘息. 喘息 12 : 19-25, 1999.
6. Takano H, Yoshikawa T, Ichinose T, Miyabara Y, Imaoka K, Sagai M : Diesel exhaust particles enhance antigen-induced airway inflammation and local cytokine expression in mice. Am J Respir Crit Care Med 156 : 36-42, 1997.
7. Miyabara Y, Yanagisawa R, Shimojo N, Takano H, Lim HB, Ichinose T, Sagai M : Murine strain differences in airway inflammation caused by diesel exhaust particles. Eur Respir J 11 : 291-298, 1998.
8. Miyabara Y, Takano H, Ichinose T, Lim HB, Sagai M : Diesel exhaust enhances allergic airway inflammation and hyperresponsiveness in mice. Am J Respir Crit Care Med 157 : 1138-1144, 1998.
9. Takano H, Ichinose T, Miyabara Y, Shibuya T, Lim HB, Yoshikawa T, Sagai M : Inhalation of diesel exhaust enhances allergen-induced eosinophil recruitment and airway hyperresponsiveness in mice. Toxicol Applied Pharmacol 150 : 328-337, 1998.
10. Miyabara Y, Ichinose T, Takano H, Lim HB, Sagai M : Effects of diesel exhaust on allergic airway inflammation in mice. J Allergy Clin Immunol 102 : 805-812, 1998.
11. Ichinose T, Takano H, Miyabara Y, Sagai, M. : Long-term exposure to diesel exhaust enhances antigen-induced eosinophilic inflammation and epithelial damage in the murine airway. Toxicology 44 : 70-79, 1998.
12. Lim HB, Ichinose T, Miyabara Y, Takano H, Kumagai Y, Shimojo N, Devalia JL, Sagai M : Involvement of superoxide and nitric oxide on airway inflammation and hyperresponsiveness induced by diesel exhaust particles in mice. Free Radic Biol Med 25 (6) : 635-644, 1998.
13. Hashimoto K, Ishii Y, Uchida Y, Kimura T, Masuyama K, Morishima Y, Hirano K, Nomura A, Sakamoto T, Takano H, Sagai M, Sekizawa K : Exposure to diesel exhaust exacerbates allergen-

induced asthmatic responses in guinea pigs. Am J Respir Crit Care Med 164 : 1957-1963, 2001.
14. Yoshino S, Hayashi H, Taneda S, Takano H, Sagai M, Mori Y : Effects of diesel exhaust particle extracts on TH1 and TH2 immune response in mice. Int J Immunopathol Pharmacol 15 : 13-18, 2002.
15. Yoshino S, Hayashi H, Taneda S, Takano H, Sagai M, Mori Y : Effect of diesel exhaust particle extracts on induction of oral tolerance in mice. Toxicol Sci 66 : 293-297, 2002.
16. Takano H, Yanagisawa R, Ichinose T, Sadakane K, Inoue K, Yoshida S, Takeda K, Yoshino S, Yoshikawa T, Morita M : Lung expresion of cytchrome P450 1A1 as a possible biomarker of exposure to diesel exhaust particles. Arch Toxicol 76 : 146-151, 2002.
17. Takano H, Yanagisawa R, Ichinose T, Sadakane K, Yoshino S, Yoshikawa T, Morita M : Diesel exhaust particles enhance lung injury related to bacterial endotoxin through expression of proinflammatory cytokines, chemokines, and ICAM-1. Am J Respir Crit Care Med 165 : 1329-1335, 2002.
18. Sadakane K, Ichinose T, Takano H, Yanagisawa R, Sagai M, Yoshikawa T, Shibamoto T : Murine strain differences in airway inflammation induced by Diesel exhaust particles and house dust mite allergen. Int Arch Allergy Immunol 128 : 220-228, 2002.
19. Ichinose T, Takano H, Sadakane K, Yanagisawa R, Kawazato H, Sagai M, Shibamoto T : Differences in airway-inflammation development by house dust mite and diesel exhaust inhalation among mouse strains. Toxicol Applied Pharmacol 187 : 29-37, 2003.
20. Sanbongi C, Takano H, Osakabe N, Sasa N, Natsume M, Yanagisawa R, Inoue K, Yoshikawa T : Rosmarinic acid inhibits lung injury induced by diesel exhaust particles. Free Radic Biol Med 34 : 1060-1069. 2003.
21. Yanagisawa R, Takano H, Inoue K, Ichinose T, Sadakane K, Yoshino S, Yamaki K, Kumagai Y, Uchiyama K, Yoshikawa T, Morita M : Enhancement of acute lung injury related to bacterial endotoxin by components of diesel exhaust particles. Thorax 58 : 605-612, 2003.

Ⅲ-8 内分泌撹乱化学物質
a. ダイオキシン類とポリ塩素化ビフェニル

東京大学大学院医学系研究科疾患生命工学センター・健康環境医工学部門
遠山千春
国立環境研究所環境健康研究領域
野原恵子

1. はじめに

ダイオキシン類とポリ塩素化ビフェニル（PCB；通常，ポリ塩化ビフェニルと呼ばれる）は難分解性であるため環境残留性が高く，脂溶性であるため高い生物蓄積性を示す．ダイオキシン類は主に廃棄物処理場の燃焼過程において非意図的産物として環境中に放出される環境汚染物質である．多様な生体影響や毒性を持つため，生態系やヒトの健康への影響が懸念されている物質である．PCBは，熱安定性・電気絶縁性が高く，加熱や冷却用熱媒体，電気機器の絶縁油，ノンカーボン紙の溶剤など，幅広い分野に用いられた．1960年代になって，この物質が野生生物のみならずヒトにも検出されることが判明した．1968年には，PCBが製造過程で米ぬか油に混入し，この油で調理した天ぷらなどを食した人に重篤な様々な症状が発症したカネミ油症事件により広く知られるようになった物質である．

2. ダイオキシン類の毒性と有害性

ポリ塩素化ジベンゾ-*p*-ジオキシン（poly-chlorinateddibenzo-*p*-dioxin；PCDD），ポリ塩素化ジベンゾフラン（polychlorinateddiben-zofuran；PCDF）およびPCBの3種類の化合物には，塩素数が異なる同族体，ならびに同じ塩素数でも塩素化の位置が異なる異性体がある．PCDDが75種類，PCDFが135種類，PCBが209種類である（本稿では両者をまとめて同族体と呼ぶ）．このうち，もっとも毒性が高い2,3,7,8－四塩素化ジベンゾ-*p*-ジオキシン（TCDD）と類似の毒性を有する29種類の同族体がダイオキシン類に分類され，規制対象となっている（図1）．なお，日本では化学用語としてジオキシン，日常語ではダイオキシンが用いられている．

ダイオキシン類のリスク評価に際しては，環境や食品中に含まれる個々の同族体ごと，あるいは，ヒトが実際に曝露する同族体の混合物を用いて検討がなされる．しかし，多くの同族体を個別に規制しリスク管理を行うことは現実的ではない．そこで，これら29種類について，総体として曝露量を推定しリスク評価や管理を行う手法が世界保健機関（WHO）の専門家会合において採用されている．

すなわち，TCDDの毒性を1としたときに，

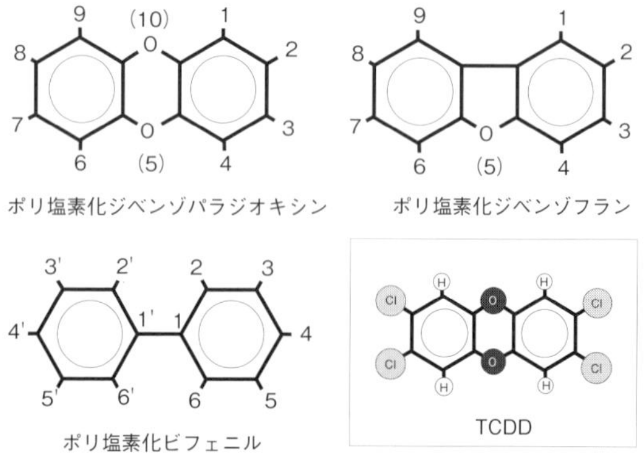

図1　ダイオキシン類の構造

表1　WHOによるダイオキシン類の毒性等価係数（TEF）（文献1）

物質名	WHO 1998 TEF	WHO 2005 TEF
塩素化ジベンゾ-*p*-ジオキシン		
2,3,7,8-TCDD	1	1
1,2,3,7,8-PeCDD	1	1
1,2,3,4,7,8-HxCDD	0.1	0.1
1,2,3,6,7,8-HxCDD	0.1	0.1
1,2,3,7,8,9-HxCDD	0.1	0.1
1,2,3,4,6,7,8-HpCDD	0.01	0.01
OCDD	0.0001	**0.0003**
塩素化ジベンゾフラン		
2,3,7,8-TCDF	0.1	0.1
1,2,3,7,8-PeCDF	0.05	**0.03**
2,3,4,7,8-PeCDF	0.5	**0.3**
1,2,3,4,7,8-HxCDF	0.1	0.1
1,2,3,6,7,8-HxCDF	0.1	0.1
1,2,3,7,8,9-HxCDF	0.1	0.1
2,3,4,6,7,8-HxCDF	0.1	0.1
1,2,3,4,6,7,8-HpCDF	0.01	0.01
1,2,3,4,7,8,9-HpCDF	0.01	0.01
OCDF	0.0001	**0.0003**
非オルト置換 ポリ塩素化ビフェニル		
3,3',4,4'-tetraCB（PCB 77）	0.0001	0.0001
3,4,4',5-tetraCB（PCB 81）	0.0001	**0.0003**
3,3',4,4',5-pentaCB（PCB 126）	0.1	0.1
3,3',4,4',5,5'-hexaCB（PCB 169）	0.01	**0.03**
モノオルト置換 ポリ塩素化ビフェニル		
2,3,3',4,4'-pentaCB（PCB 105）	0.0001	**0.00003**
2,3,4,4',5-pentaCB（PCB 114）	0.0005	**0.00003**
2,3',4,4',5-pentaCB（PCB 118）	0.0001	**0.00003**
2',3,4,4',5-pentaCB（PCB 123）	0.0001	**0.00003**
2,3,3',4,4',5-hexaCB（PCB 156）	0.0005	**0.00003**
2,3,3',4,4',5'-hexaCB（PCB 157）	0.0005	**0.00003**
2,3',4,4',5,5'-hexaCB（PCB 167）	0.00001	**0.00003**
2,3,3',4,4',5,5'-heptaCB（PCB 189）	0.0001	**0.00003**

太字は，2005年に改訂されたTEFの値．．

相対的な毒性を毒性等価係数(Toxicity Equivalence Factor)として表示する方法である．各同族体のTEFの値は，in vivoやin vitroの多岐にわたる実験データから相対的毒性強度(Relative Effective Potency)の一覧をもとに，専門家の総合的な判断により決められたものである(表1)[1]．このTEFの数値は，生物作用や毒性を有する作用の程度に応じて1から0.00001の範囲の数値が決められている．ダイオキシン類への曝露量の算出に際しては，測定試料中に含まれる個々の同族体濃度を該当の毒性等価係数に乗じて得られる値を29種類分，合算した数値が用いられる．この数値は毒性等量(TEQ：toxic equivalent)として表示される．

ダイオキシン類が社会的注目を浴びた理由の一つは，ベトナム戦争において米軍が散布した枯れ葉剤の中に夾雑物として含まれるTCDDによって奇形が多発しているとの報道がなされたことがある．このような背景の下，日本では，90年代後半には，数多くの焼却場から大気へ放出されるダイオキシン類排出量が，排出基準(80 ng/m^{3}未満；現在は，新設炉は，0.1 ng/m^{3}未満)を大幅に超過していることが報道された．国際的には，WHOによるダイオキシン類のリスク評価の見直しがなされ，新たにダイオキシン類似の毒性をもつコプラナーPCBがダイオキシン類としてリスク評価の対象となり，耐容摂取量がそれまでの値よりも厳しい値である1-4 pg TEQ/kg体重/日に定められた．日本では，1999年にダイオキシン類対策特別措置法を制定し，耐容一日摂取量を4 pg TEQ/kg体重/日に設定した．この耐容一日摂取量に基づき，環境基準や排出源からの排出基準が制定された(表2，CD参照)[2]．

事故や職業上の高用量ダイオキシン類・PCBへの曝露によってヒトに生じる急性の症状は，塩素座瘡(クロールアクネ)である(図2, CD参照)[3]．ダイオキシン類のうち，TCDDはヒトにおいて発癌を引き起こす物質として国際癌研究機関(IARC)の文書でGroup 1に格付けをされている[4]．ただし，TCDDにはDNAを傷害するイニシエーター活性はなく，プロモーター作用によって発がんに関わるとみなされている．生殖発生毒性に関しては，カネミ油症[5]と台湾油症[6]の事件がある．前者では，全身症状のみならず，子・孫の世代への影響も懸念されているが，十分な追跡調査が行われていない．後者では，妊娠中に曝露した場合，生後の成長が遅延し知能低下や生殖器の発育不全が観察されている．

1976年に生じたイタリア・セベソの農薬工場の爆発事故では，地域の住民がTCDDに曝露した．事故後，長年にわたり追跡調査が行われてきた．その結果，女親ではなく男親の血液中ダイオキシン濃度(曝露当時の推定値)と男児の出生性比との間には負の相関があり，両者の間に量反応関係があるとの疫学調査結果が報告された[7]．血中濃度約80 pg TEQ / g脂質(皮下脂肪量を20%とすると，体内負荷量が約16 ng TEQ / kg体重に相当)以上では，性比の減少は統計的に有意であった．日本をはじめ，工業国で特別に過剰な曝露を受けていない人々の体内負荷量は，血液濃度をもとに2-6 ng TEQ/kg体重と推定されていることから，安全性の幅として10倍以内の用量で性比の偏りが観察されたことになる．世界の工業国において近年，性比が女児に偏る傾向が観察される場合があるとの報告もなされており，化学物質への曝露が関連するとの推測もなされている．しかし，実験動物においては，TCDDによる出生性比への影響について様々な報告があるが結論を引き出すまでには至っていない．

PCB・ダイオキシンへの曝露が子供の学習能力に及ぼす影響について，数カ国で疫学調査がなされ，いずれも負の相関が認められている[8]．例えばオランダにおける疫学調査によると，臍帯の血液中総PCB（コプラナーPCBを含む)濃度が高いほど出生時における体重が少ない傾向があり，3歳6ヶ月時においては，PCB濃度に依存して3種類の認識能力試験の点数が低くなる傾向が認められた．しかし，母乳と人工乳，それぞれによる保育では認識能力試験の成績には違いは認められなかったことから，母乳よりも胎盤を介した曝露のほうが出生児への影響が大きいことが示唆された．米国では，ミシガン湖でPCB/ダイオキシンなどに汚染された魚を摂取した母親の血液中PCB濃度と，子供の学習記憶能力や知能指数が下がる傾向との間に疫学的因果関係が認められるとのコホート研究がある．子供の発達影響については現在も多くの研究が進行中である．

それでは実験動物では，有害性はどの程度，確認されているのだろうか．ダイオキシンのように動物種(ヒトを含む)の間で生物学的半減期に大きな差がある物質の場合，特定の影響を生じさせるための投与量は，半減期が短い動物種ほど大量の投与量が必要となる傾向がある．そこで，後述するように，体内に蓄積する濃度(体内負荷量)が同じ程度になるような実験条件で，様々な毒性影響が検討されてきた．1998年のWHOの専門家会合による耐容摂取量の再検討の際に用いられた影響指標や，その後の研究において明らかになった影響には，生殖発生，脳機能・行動，免疫機能における様々な影響が観察されることが判明した[9, 10]．

ダイオキシンの毒性の特徴として，妊娠中に低用量のTCDDに曝露したラットから生まれた仔ラットにおいて，雄では，肛門生殖突起間距離の短縮，前立腺重量の減少など，雌では，性成熟の早期化，甲状腺ホルモン代謝やレチノイド代謝のかく乱など様々な影響が生じることが判明している．また，ラットの場合，雄の生殖器官への影響は，妊娠期間20日間のうち妊娠15日目が，雌のホルモンへの作用は，授乳による新生児の時期の影響が大きいことが判明している．すなわち，これらの影響ごとに，ダイオキシンへの曝露に臨界時期(Critical Period)がある．ダイオキシン毒性の別の特徴として，上述の影響指標のほか，発がん，奇形，胸腺萎縮などへの影響は，AhRに依存して影響が出ることがAhR遺伝子をノックアウトしたマウスを用いた研究により証明されている．以上の影響は，体内のダイオキシン濃度が比較的低いレベルで生じている．不確実係数を考慮すると，これらの影響は，ヒトに対するダイオキシン類のリスク評価のための重要な実験的証拠ということができる．

3. ダイオキシン類の毒性発現メカニズム

毒性影響の背景にある毒性発現のメカニズムを明らかにすることは，ヒトと動物に共通の生命現象に関わる問題と，動物種に特有の現象を区別し，実験動物における毒性データをヒトへ外挿する際に不可欠の情報を提供する．

PCDD や PCDF などのダイオキシン類の毒性の大部分は，下記に述べるように，芳香族炭化水素受容体(AhR)との結合による活性化を介して誘導される．さらに活性化された AhR が，遺伝子上の xenobiotic response element（XRE)配列依存的に作用する場合と，非依存的なメカニズムが存在する．また PCDD や PCDF と類似した平面構造をもつコプラナー PCB は，AhR との結合・活性化を介して TCDD 類似の毒性を有することから，ダイオキシン類似 PCB と呼ばれる．他方，ノンコプラナー― PCB 類は AhR に結合せず AhR を活性化しない．ノンコプラナー― PCB については，水酸化を受けた代謝産物が DNA やタンパク質に結合してアダクトを形成することや，活性酸素を産生し，その結果 DNA 損傷などの障害をもたらすことが報告されている．

以下に AhR を介したダイオキシン類の生体応答及び毒性発現メカニズムについて概説する．

1)芳香族炭化水素受容体（arylhydrocarbon receptor, AhR）

ダイオキシン類，中でも TCDD は，細胞質に存在する芳香族炭化水素受容体(AhR)と高い親和性をもち，その毒性は AhR の活性化を介して誘導される[11, 12]．AhR は basic-helix-loop-helix (bHLH) ドメインと Per-Sim-ARNT（PAS)ドメインをもつ bHLH-PAS ファミリーに属するリガンド依存性の転写因子である．1995 年から 97 年にかけて AhR ノックアウトマウスが作製された．例えば，野生型 C57BL/6 マウスでは胎児期に TCDD に曝露すると口蓋裂や水腎症が発症し，また成獣に TCDD を投与すると肝臓肥大，胸腺萎縮，抗体産生の抑制がおこる．他方，AhR ノックアウトマウスではこれらの TCDD 毒性は現れない．これらの結果から，AhR がダイオキシン類の毒性発現を担う主要な分子であることが直接的に証明されている．

なお AhR 欠損マウスでは種々の異常がみられることから，AhR はダイオキシン類の標的となるばかりでなく，生体に本来必要な分子であると考えられる．AhR 欠損マウスでは，脾臓やリンパ節の T および B リンパ球数の減少，血管形成の異常による門脈血の供給の減少とそれに伴う肝実質細胞のサイズや肝臓重量の減少，乳腺や卵巣の発達抑制などが報告されている．すなわち，AhR はこれらの細胞または幹細胞の維持・分化や臓器の形成に役割を果たしていると考えられる．さらに最近では，免疫系において炎症や自己免疫に関与する Th17 細胞の増殖や，自己免疫抑制に働く制御性 T 細胞の分化に AhR が必要であることが報告されている[13－15]．

また AhR の生体内でのリガンド候補としては，ダイオキシン類と比較的高い親和性を持ち，動物組織から検出されるトリプトファンの代謝物やアラキドン酸の代謝物などがある．特に UV 照射によってトリプトファンから生成する 6-formylindolo［3,2-b］carbazole（FICZ)は AhR に対して TCDD よりも高い親和性を持つことが報告され，人の尿中からも検出されている．藍染に使う藍の成分として知られているインディゴやインディルビンも動物体内で検出され，AhR に比較的高い親和性をもつことが報告されている．しかし実際に生理的リガンドとして機能していることが証明されている物質はまだ見つかってない[16]．

2) XRE 配列を介した生体応答・毒性発現メカニズム

AhR は通常は細胞質に存在し，分子シャペロンである HSP90 や XAP2，p23 とヘテロ複合体を形成しているが，細胞内に入ったダイオキシン類が結合すると AhR の N 末端にある核移行シグナルが露出して活性化し，核へ移行する．核へ送られた AhR は，同じ bHLH-PAS タンパク質である arylhydrocaron receptor nuclear translo-cator (ARNT)とヘテロダイマーを形成する．AhR/ARNT 複合体は遺伝子のプロモーター領域に存在する XRE 配列に結合し，転写活性化因子である SP1 や p-TEFb などと共同して遺伝子の転写を誘導する(図 3)[11, 12]．XRE のコンセンサス配列は 5'-TNGCGTG-3' で，AhR/ARNT 複合体はこのシークエンスをセンスまたはアンチセンス DNA 鎖に含むダブルストランド DNA に結合し，遺伝子発現を誘導する．核移行シグナルと XRE

各論Ⅲ

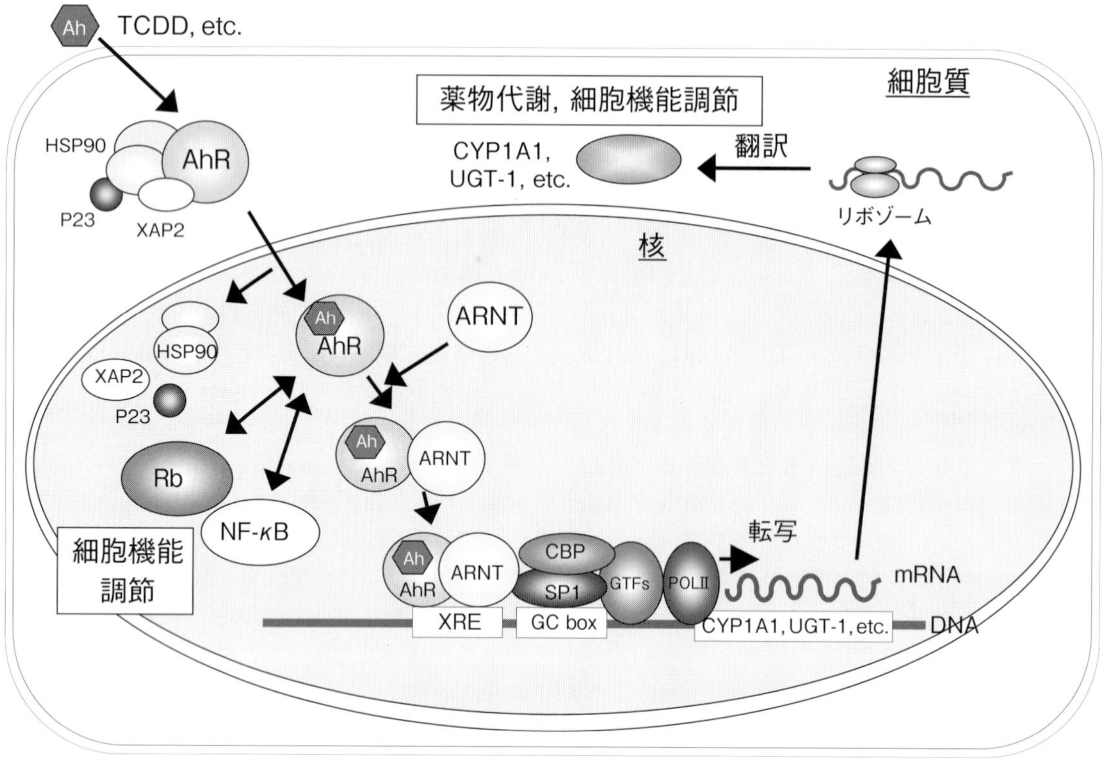

図３　ダイオキシン類の作用メカニズム模式図，詳細は本文参照．

結合領域を欠損したAhR変異体をノックインしたマウスにTCDDを曝露すると，野生型マウスへのTCDD曝露で見られる肝臓肥大，胸腺萎縮や口蓋裂がおこらなくなることから，これらの影響がAhR/ARNTの核内移行またはXREの結合を介して誘導されることが示されている[17]．このようにダイオキシン類は，AhRに結合することによってAhR/ARNTを活性化し通常は発現していない遺伝子の発現を誘導することが，毒性発現メカニズムの一つと考えられている．

ダイオキシン類によって誘導される遺伝子の中で，多くの細胞で最も強く誘導されるのはシトクロムP4501A1（CYP1A1）であるが，CYP1A1遺伝子のプロモーター領域にはマウスでは6ヶ所のXRE配列が見つかっており，それぞれが異なる程度でAhR/ARNT複合体の結合に関与すると考えられている．同じくAhRに結合してCYP1A1を誘導する3−メチルコラントレン(3-MC)やベンツ[a]ピレンなどの芳香族炭化水素よりもTCDDがはるかに強い毒性を示すのは，TCDDのAhRに対する親和性が高いことと，3-MCなどがCYP1A1によって速やかに代謝されるのに対してTCDDは代謝されないことが主な原因と考えられる．

また遺伝子の誘導とは反対に，AhR/ARNTがXRE依存的に遺伝子発現を抑制することも報告されている．例えば，TCDDがエストロゲンによるc-fos遺伝子の発現を抑制することがヒト乳癌細胞株MCF-7で報告されている．c-fosプロモーター領域のエストロゲン応答配列内のSp1結合サイトにはXRE配列がオーバーラップしており，AhR/ARNTのXREへの結合がエストロゲンによるSp1のDNAへの結合を妨害することが，遺伝子発現を阻害する原因として提案されている．またTCDDによるエストロゲンシグナルの抑制に関しては，下記3)に述べるようにAhR/ARNTがユビキチンリガーゼ複合体の構成成分となりエストロゲン受容体(ER)の分解を促進するメカニズムが最近明らかにされている．

ダイオキシン類によるAhR/ARNTの活性化

を介してプロモーター領域のXRE配列依存的に発現誘導がおこる遺伝子としては，他にCYP1B1, glutathion-S-transferase Ya, NAD（P）H：quinone reductase, class 3 aldehyde dehydrogenase, UDP-glucuronosyltransferase family 1, Cu/Zn superoxide dismutaseなどの代謝酵素，サイトカインIL-2, arylhydrocarbon receptor repressor（AhRR）の遺伝子が報告されている．しかしながらこれらの遺伝子の変動が毒性と直接結びつくわけではない．さらに，ダイオキシン類による様々な毒性発現の原因となる遺伝子発現変化は，まだほとんど明らかにされていない．

最近，TCDDの経母乳曝露によって仔マウスが水腎症を引き起こす際に，cycloxygenase-2（COX-2）の誘導が必要であること，COX-2の選択的阻害剤を投与することで水腎症毒性が完全に抑制されることが明らかとなった[18]．TCDDによるCOX-2の誘導に関しては，後述するようにノンジェノミックなメカニズムも報告されているが，TCDDによる水腎症の分子メカニズムを解明する上で手掛かりとなる遺伝子発現変化が同定されたことは重要である．

XREに依存的に誘導されるAhRRはN末端にAhRと類似の構造を持ち，ARNTとヘテロダイマーを作ってAhR/ARNTの作用を抑制しネガティブフィードバックに働く．しかし，これがどのように毒性発現の抑制に関わっているかの詳細はまだ分かっていない．

3）XRE配列を介さない生体応答・毒性発現メカニズム

遺伝子発現解析用のアレイを用いてTCDD曝露による遺伝子発現を調べると，TCDD曝露3時間後までに，プロモーター領域にXRE配列を含む遺伝子と含まない遺伝子の発現が検出される．XRE非依存的な遺伝子発現変化は，AhR/ARNTまたはAhRと他のたんぱく質との相互作用等を介して間接的に誘導されたものと考えられる．

AhR/ARNT複合体がエストロゲン非存在下でエストロゲン経路を活性化するメカニズムが明らかにされている[19]．TCDDや3-MCなどのリガンドが結合して核に移動したAhR/ARNT複合体は，エストロゲン非存在下でエストロゲン受容体（ERα，ERβ）とコアクチベーターp300をエストロゲン応答遺伝子のプロモーターにリクルートして，遺伝子発現を誘導する．内在性のエストロゲンの作用を除去するために卵巣を摘出したC57BL/6マウスにAhRのリガンドを投与すると，エストロゲン応答遺伝子であるc-fosやVEGF遺伝子が発現する．このとき，エストロゲン作用として子宮重量が増加する．またAhR/ARNT複合体は同様にアンドロゲン受容体（AR）も活性化する．

最近，AhRの新たな機能として，TCDDや3-MCによって活性化されたAhRがARNTとともにE3ユビキチンリガーゼ複合体の一員となることが発見された．AhRはERやARをトラップして，これらの分子のユビキチン化，プロテアソーム分解に働くことが示された[20]．すなわちこの場合は，上記のAhR/ARNTによるER/ARの活性化とは反対に，ER/ARシグナルが抑制される．これらの活性化と抑制が，それぞれどのような場合に生じるかについては，今後の研究課題である．

この他，ダイオキシン類によって活性化されたAhR/ARNTが核内で転写因子NF-κBと直接相互作用することによって転写が変化することや，レチノブラストーマ（Rb）タンパクと直接相互作用することよって細胞周期を抑制することが報告されている．

ノンゲノミックな作用としては，細胞質において活性化したAhRが単独でSrcキナーゼと相互作用することによって，Srcが関与するシグナル伝達経路とのクロストークが起こることや，AhRの活性化が速やかに細胞内Ca^{2+}濃度を上昇させ，その下流で炎症に関与するホスフォリパーゼA2やCox-2の誘導が起こることが報告されている．

4. ダイオキシン感受性

1）動物種差・系統差

ダイオキシン類に対する感受性は，動物種によって大きく異なる．例えば，TCDDの半数致死量は，モルモットで1 μg/kg，ラットでは22 -

各論Ⅲ

45 µg/kg，サル ＜70 µg/kg，マウス（C57BL/6）114 µg/kg，ハムスター 5,000µg/kg と報告されている．この中で，感受性が 5,000 倍異なるモルモットとハムスターの体内でのダイオキシンの半減期は約 3 倍異なるのみで，代謝速度の違いでは影響の差を説明することができない．

ダイオキシン感受性を決める要素としては，AhR とダイオキシン類との結合能がよく研究されている．ダイオキシン類に高感受性の系統の C57BL/6 マウスと低感受性の DBA/2 マウスの AhR は，それぞれ対立遺伝子 $Ah^{b\text{-}1}$ と Ah^{d} がコードするタンパク質（805 アミノ酸，～95 kDa と 848 アミノ酸，～104 kDa）である．$Ah^{b\text{-}1}$ レセプター（Kd= 0.27 pM）は Ah^{d}（Kd= 1.66 pM）より TCDD との結合能が数倍高く，そのために強い活性化が起こり，これがダイオキシン感受性差の原因と考えられている．なお Ah^{d} では 375 番目のアラニンが点変異によってバリンに変わっていることと，終止コドンの変異によって C 末端側に 43 アミノ酸の延長があることがリガンド結合能を低下させている（図 4）．

しかし，AhR とダイオキシン類との結合能のみでは説明ができない影響も多い．Holtzman ラットと Sprague-Dawley（SD）ラットでは，AhR の DNA 塩基配列に差がないにも関わらず，TCDD による胎盤異常や胎児の死亡率に差がみられることが明らかにされている．またエンドポイントによって感受性に大きな差がある例も報告されている．ダイオキシン類に高感受性と言われる Long-Evans（L-E）ラット（LD_{50}= ～ 10 µg/kg）と低感受性の Han/Wistar ラット（LD_{50}= >9,600 µg/kg）では AhR の TCDD 結合能はほぼ同程度で，L-E ラットでは Han/Wistar ラットより肝臓で AhR 量が 2 倍，ARNT 量が 3 倍高い．この両系統での TCDD による CYP1A1 の誘導，胸腺萎縮，胎児毒性はほぼ同程度であるが，急性毒性は約 1,000 倍異なっている[12)]．AhR 依存的な作用の種差の原因としては，AhR や ARNT の構造や存在量ばかりでなく，AhR と相互作用するタンパク質の種類や構造・存在量，さらに活性化した AhR による遺伝子発現変化やノンゲノミックな作用の下流で影響を受ける分子やシグナル伝達系の違いなどが考えられる．

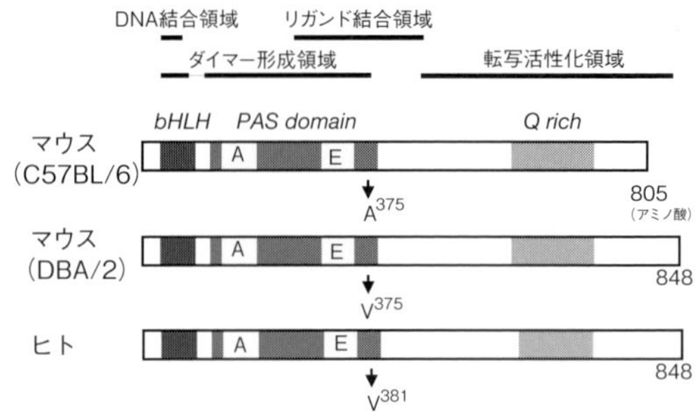

図 4　マウスとヒトの AhR の構造

bHLH: ベーシック - ヘリックス - ループ - ヘリックスドメイン，PAS: パスドメイン，Q rich: グルタミンリッチドメイン

2）組織・細胞特異性，臨界時期

同じ構造の AhR を持つ一個体の中でも，組織や細胞によってダイオキシン類に対する反応性は異なっている．マウスやラットに TCDD を経口投与した場合，肝臓では強い CYP1A1 の誘導が見られる．その原因としては，まず TCDD の組織分布があげられる．ラットに TCDD を経口投与して 1 ヵ月後まで経時的に分布を調べた実験では，濃度，絶対量とも圧倒的に肝臓への蓄積が多く，次に濃度としてはその 1/10 程度であるが脂肪組織と副腎に蓄積する．反対に脳や精巣では濃度が低い．AhR や ARNT の存在量も感受性に関与すると考えられる．ラットの各臓器のメッセンジャー RNA 量の比較では，肺，胸腺，肝臓，腎臓で AhR の mRNA が多く，心臓と脾臓では少ない．AhR と ARNT の存在量の比も，臓器や動物種によって特徴が異なることが報告されている．また細胞によって発現しているタンパク質が大きく異なることから，AhR が活性化された後の下流での反応にも細胞特異性が存在すると考えられる．さらに最近の研究では，AhR の標的遺伝子周辺のエピジェネティクス変化の関与も示されている．例えばマウスの脾臓では肝臓と比較して CYP1A1 プロモーター領域に抑制性ヒストン修飾が多くみられる．これが肝臓に比べて脾臓で CYP1A1 の誘導が小さいことの一因であることが示唆されている．

この他，ダイオキシンに対する感受性には顕著な時期特異性が報告されている．上記 3 に述べたように，例えば生殖器官の発達やホルモン作用がそれぞれ胎児期や新生児期の特定の時期の曝露によって影響を受ける，という(Critical Period)が明らかにされている．臓器を構成する機能的に重要な細胞の分化や成熟がダイオキシン曝露によって影響を受けることが，後年まで大きな影響を及ぼすものと考えられる．

3)ヒトのダイオキシン感受性

ヒトのAhRは構造上，感受性が低いDBA/2マウスのAhRと似ている(図4)．すなわち，マウスの375番目のアミノ酸に対応する381番目のアミノ酸はバリンに置換されており，848アミノ酸で構成されている．TCDDに対する親和性もDBA/2マウスのAhRとほぼ等しいことが報告されている．また胎児口蓋器官培養系で成長因子のパターン変化などを比較した場合，ヒトではC57BL/6マウスと同じ影響を引き起こすために200倍量のTCDDが必要であった．また，TCDD高感受性のC57Bl/6マウスのAhRをヒトAhRと置き換えたノックインマウスにおいても，口蓋裂の発生頻度が低感受性のDBA/2マウスに類似していることが報告されている．これらの結果から，ヒトはおおむねダイオキシン類に対して感受性が低いことが予想されている．

しかし，上述したようにAhRとTCDDの親和性と毒性が必ずしも正の相関を示さないことや，細胞・組織による影響の違い，エンドポイントごとに影響が異なる点にも注意が必要と考えられる．感受性の個人差に関連して，ヒトのAhRで554番目のコドンの多型が日本人で，また570番目のコドンに多型がアフリカ人で報告されているが，これらの多型による機能的変化は見つかっていない．ただし554番と570番の変異が重なると，AhRの転写活性化能が大きく低下することが実験的に報告されている．またARNTの多型については機能的な変化は報告されていないが，AhR/ARNTの作用を抑制するAhRRでは多型と不妊との関連が報告されている．

4. ポリ塩素化ビフェニルの毒性と有害性

市販され用いられていたPCBは上記2.で記した同族体の混合物である．塩素化レベルが3塩素化，4塩素化，5塩素化，6塩素化のビフェニルを主成分とした数種類の製品が用いられた．いずれにもダイオキシン類似PCBが含まれ，不純物としてPCDFやPCDDが含まれていた．

PCB混合物を取り扱う労働者を対象として，数多くの調査研究が行われている．これらによれば，主な健康影響として，クロルアクネや様々な皮膚症状，腹痛，吐き気，胸やけなどの症状が観察されている．血液中PCB濃度が高い場合肝機能に異常所見があったとの報告がある．一般環境に居住する住民を対象とした疫学研究では，ダイオキシン類似PCBを含むPCBへの曝露により，子どもの学習・記憶などに悪影響が発生しているとの報告がある(上記2参照)．これらのPCB混合物の毒性には，上述のAhRを介したダイオキシン類による毒性とAhRを介さない毒性が共存するとみなすことができることになる．

発がん作用について，国際がん研究機関(IARC)は，コンデンサー工場労働者や油症患者の疫学調査，および実験動物を用いた試験研究結果に基づき，PCBは，「発がん性の蓋然性あり(グループ2A)」と分類している[21]．日本産業衛生学会の許容濃度委員会では，ヒトでは，PCB取扱い作業者の事例では肝臓・膵臓・胆管がん，悪性黒色腫，胃がん，甲状腺がん，膵臓がんによる有意な過剰死亡が認められるが，各調査結果にバラツキがあるとしている．

PCBには，ダイオキシン類似PCB(従来，コプラナーPCBと呼ばれてきたものに同じ)と，それ以外のPCBがある．ダイオキシン類似PCBは，ダイオキシン類としてリスク評価・管理の対象にもなる．後になり，カネミ油症で見られる主要な症状は，PCBに加え，PCBに混在しているPCDFとポリ塩化クオーターフェニルが原因物質であることと認められた．

5. ダイオキシン類とPCBの曝露量と安全基準

それでは，ヒトはどの程度の量のダイオキシン類とPCBを体内に取り込むのであろうか．曝露量調査に基づく，我が国における一般人のダイオキシン類摂取量は，2006年には一日あたり1.06 pg TEQ/kg体重と見積もられている．ほとんどすべてが食事由来であり，環境媒体からの直接の曝露はほとんどない．これらの物質は環境中にあまねく存在し，分解されにくく，食物連鎖を通じて濃縮される．脂溶性が高く水にはほとんど溶けない．このため動物性脂肪を多く含む食品ではダイオキシン類・PCB濃度が高くなる傾向がある．

ダイオキシン類対策特別措置法では，耐容一日摂取量（TDI）と環境基準，さらに排出ガスと排出水に関する規制基準が決められている．TDIは4 pg TEQ/kg体重／日，大気は年平均値として0.6 pg TEQ/m^3以下，水質は年平均値が1 pg TEQ/L以下，底質は150 pg TEQ/g 以下，土壌は，1,000 pg TEQ/g以下（調査指標250 pg/g）と設定されている．

この耐容一日摂取量（TDI）は，生涯にわたり体内に取り込んでも健康に対する有害な影響が現れないと判断される安全基準である．TDIの値の決定に際しては，まず，動物実験における無毒性量（NOAEL），または最小毒性量（LOAEL）に相当するTCDDの体内濃度（体内負荷量）を算出し（表3），この体内負荷量をもたらす一日摂取量を数理モデルから推定する（図5，CD参照）[22]．その上で，個体差や動物種差などを考慮して，不確実係数（安全係数とも呼ばれる）で除してTDIを求めることになる．通常の不確実係数は，個体差による感受性の違いを10，動物種とヒトの種差を10，さらに癌など影響の重要性に応じて1－10の値を割り振って，全体で100－1,000を用いるのが慣例である．しかし，ダイオキシン類のリスク評価に際しては，投与量からTDI値を推定するのではなく，体内負荷量概念を適用することによって不確実係数10を用いて算出した．この方法は，当初1998年のWHOにおけるダイオキシン類のTDIの設定に用いられ[23]，我が国のTDIの設定にも用いられた（図5，CD参照）[22]．なお，国際機関や日本におけるTDIの算出根拠の詳細は，総説[24]を参照されたい．

ここで特に指摘しておきたいことは，LOAELまたはNOAELをもたらす体内負荷量とヒトの体内負荷量（2-6 ng TEQ/kg体重）との比（安全の幅：Margin of Safety）が1ないし10程度であることである（図6）．特別に過剰な曝露が無いヒトの場合でも，日常のダイオキシン摂取量はTDIの近傍にある．そもそもTDIは一生を通じて摂取した場合に影響の現れない摂取量の推定値であり，摂取量がTDIを超えたことですぐに影響が現れるわけではない．それにしても，母乳哺育の乳児の場合，摂取量はおよそ60 pg TEQ/kg体重／日と見積もられ，一生のうちの限られた時期であるとはいえ，TDIの15倍もの摂取になっている．食事及び母乳からの曝露量は幸いにしてこの20年間で半減しているが，引き続き曝露レベルを下げるための努力が必要である．

一方，PCBについては，1968年のカネミ油症事件を契機に，1972年以降「化学物質の審査及び製造等の規制に関する法律（化審法）」の第1種化学物質に指定されている．すなわち，「難分解性，高蓄積性及び長期毒性または高次捕食動物への慢性毒性を有する物質」としての性質を有し，原則として輸入と製造が禁止されている．しかしながら，蛍光灯安定器などPCBが密閉された状態の製品は引き続き使用が認められたことから，使用中や保管中にPCBが環境中に漏出したり，あるいは使用中止後に廃棄処分される危惧が高まった．このような状況を受け，2001年にPCB廃棄物処理特別措置法が制定され，PCBの廃棄処理が行われている．この廃棄物処理に携わる労働者の健康保護の観点から，日本産業衛生学会は，許容濃度および生物学的許容値（2006年度）を提案している．これによれば，総PCBとして作業環境の空気中の許容濃度は0.01 mg/m^3，生物学的許容値として血液中の総PCB濃度を25μg/Lとしている．他方，厚生労働省が定めたPCBの暫定耐容一日摂取量は5μg/kg/日である．我が国における食物からのPCB摂取量は0.011μg/kg/日ないし

（1）一般環境における曝露量が耐容量に近いこと
成人（2～6pg TEQ / kg 体重 / 日）≒
乳母（母乳）（60pg TEQ / kg 体重 /日）＞
耐容1日摂取量
（4pg TEQ / kg 体重 / 日）
（2）安全性のゆとり（Margin of Safety）が小さいこと
最小毒性量（LOAEL）
体内負荷量（～5ng TEQ / kg 組織）
＝ 10
＜
これを不確実係数 10で除すと 1

図6 ダイオキシン毒性の何が問題か？

論文	体内負荷量 (ng/kg)（10・86・100・1000）	その他
Faqi (1998)[71]	27：精巣中精子細胞数↓ 64：精巣中精子細胞数↓ 318：精巣中精子細胞数↓ テストステロン↓ 精巣組織学的変化	児動物の生殖能に関する試験なし
Mably (1992abc)[109)110)72)]	55：性行動の変化 精巣中精子細胞数↓ 精巣上体尾部精子数↓ 精巣上体重量↓ 精巣上体尾部重量↓ 腹側前立腺重量↓ 138：性行動の変化 精巣中精子細胞数↓ 精巣上体尾部精子数↓ 精巣上体重量↓ 精巣上体尾部重量↓ 腹側前立腺重量↓ 肛門生殖突起間距離↓ 精嚢重量↓ 344：性行動の変化 精巣中精子細胞数↓ 精巣上体尾部精子数↓ 精巣上体重量↓ 精巣上体尾部重量↓ 腹側前立腺重量↓ 肛門生殖突起間距離↓ 精嚢重量↓ 860：性行動の変化 精巣中精子細胞数↓ 精巣上体尾部精子数↓ 精巣上体重量↓ 精巣上体尾部重量↓ 腹側前立腺重量↓ 肛門生殖突起間距離↓ テストステロン↓ 開眼促進	児動物の生殖能に影響なし
Gray (1995)[111)]	860：精巣上体精子数↓ 射精精子数↓ 無処置の交尾メス当たりの着床数減少	
Gray (1997a)[73)]	86.8(76-97)：開眼促進 精巣上体精子数↓ 精巣上体尾部精子数↓ 陰茎亀頭重量↓ 包皮分離遅延↓ 425：開眼促進 精巣上体精子数↓ 精巣上体尾部精子数↓ 陰茎亀頭重量↓ 包皮分離遅延↓ 射精精子数↓ 腹側前立腺,精嚢重量↓ 508	テストステロン変化なし（生殖能に関する試験なし）
Ohsako (1999)[62)]	43：肛門生殖突起間距離↓ 精嚢重量↓ 172：肛門生殖突起間距離↓ 腹側前立腺重量↓ 688：肛門生殖突起間距離↓ 腹側前立腺重量↓ 精嚢重量↓	精巣上体尾部精子数及び精巣中の精子細胞数変化なし
Gehrs (1997)[65)]	86：遅延型過敏症抑制 258：遅延型過敏症抑制 860：遅延型過敏症抑制	
Narasimhan (1994)[64)]	100：抗体産生↓ 1000：抗体産生↓	
Gray (1995b)[112)]	860：雌児生殖器形態異常	
Gray (1997b)[70)]	86.8：雌児生殖器形態異常 425：雌児生殖器形態異常 508：雌児生殖器形態異常	
Rier (1993)[74)]	40：子宮内膜症 200	
Schantz & Bowman (1989)[76)]	29-38：学習行動テストの成績↓	

注1）Rier,Narasimhanの試験以外は,母動物に2,3,7,8-TCDDを投与した場合に,児動物に観察された影響である.
注2）表中には,各試験において用量依存的に認められた影響を示す.

各論Ⅲ

0.005μg/kg/日であるとの報告がある[25]．

参考文献

1. Van den Berg M, Birnbaum LS, Denison M, De Vito M, Farland W, Feeley M, Fiedler H, Hakansson H, Hanberg A, Haws L, Rose M, Safe S, Schrenk D, Tohyama C, Tritscher A, Tuomisto J, Tysklind M, Walker N, Peterson RE. The 2005 World Health Organization Re-evaluation of Human and Mammalian Toxic Equivalency Factors for Dioxins and Dioxin-like Compounds. Toxicol Sci. 93 (2)：223-241, 2006.
2. 環境省環境管理局総務課ダイオキシン対策室，(2003)ダイオキシン類2003　関係省庁共通パンフレット，環境省. <http：//www.env.go.jp/chemi/dioxin/pamph/2003.pdf>
3. パオロ モッカレリ，遠山千春　(2000)セベソにおけるダイオキシン中毒の症状．治療学，34：96-99.
4. International Agency for Research on Cancer, (1997) Polychlorinated dibenzo-dioxins and polychlorinated dibenzofurans. Vol. 69, pp.666, Lyon
5. Kuratsune, M., Yoshimura, H., Hori, Y., Okumura, M. and Masuda, Y. (eds) . (1996) Yusho-A Human disaster caused by PCBs and related compounds. pp. 361, Kyushu University Press.
6. Aoki, Y. (2001) Polychlorinated biphenyls, polychlorinated dibenzo-p-dioxins, and polychlorinated dibenzofurans as endocrine disrupters-what we have learned from Yusho disease. Environ Res. 86：2-11.
7. Mocarelli P, Gerthoux PM, Ferrari E, Patterson DG Jr, Kieszak SM, Brambilla P, Vincoli N, Signorini S, Tramacere P, Carreri V, Sampson EJ, Turner WE, Needham LL. (2000) Paternal concentrations of dioxin and sex ratio of offspring. *Lancet*. 355, 1858-1863.
8. Schantz SL, Widholm JJ, Rice DC.. (2003) Effects of PCB exposure on neuropsychological function in children. Environ Health Perspect. 111：357-576.
9. Tohyama, C. (2002) Low-dose exposure to dioxin, its toxicities and health risk assessment. Environ.Sci., 9：37-50.
10. Kakeyama M, Tohyama C. (2003) Developmental neurotoxicity of dioxin and its related compounds. Ind Health. 41：215-30.
11. Mimura, J., and Fujii-Kuriyama, Y. 2003. Functional role of AhR in the expression of toxic effects by TCDD. *Biochem. Biophys. Acta* 1619：263.
12. Okey,A.B. (2007) An aryl hydrocarbon receptor odyssey to the shores of toxicology：the Deichmann Lecture, International Congress of Toxicology-XI. *Toxicol. Sci.* 98：5.
13. Quitana, F. J., Basso, A. S., Iglesias, A. H., Korn, T., Farez, M. F., Bettelli, E., Caccamo, M., Oukka, M., and Weiner, H. L. (2008) Control of Treg and TH17 cell differentiation by the aryl hydrocarbon receptor. Nature 453：65.
14. Kimura, A., Naka, T., Nohara, K., Fujii-Kuriyama, Y., and T. Kishimoto. (2008) Aryl hydrocarbon receptor regulates Stat1 activation and participates in the development of Th17 cells. *Proc. Natl. Acad. Sci. U. S. A.* 105：9721.
15. Veldhoen, M., Hirota, K., Westendorf, A. M., Buer, J., Dumoutier, L., Renauld, J. C., and Stockinger, B. (2008) The aryl hydrocarbon receptor links TH17-cell-mediated autoimmunity to environmental toxins. Nature 453：46.
16. Nguyen, L. P. and Bradfield, C. A. (2008) The search for endogenous activators of the aryl hydrocarvbon receptor. Chem. Res. Toxicol. 21, 102-116.
17. Bunger, M. K., Moran, S. M., Glover, E., Thomae, T. L., Lahvis, G. P., Lin, B. C., Bradfield, C.A. (2003) Resistance to 2,3,7,8-tetrachlorodibenzo-*p*-dioxin toxicity and abnormal liver development in mice carrying a mutation in the nuclear localization sequence of the aryl hydrocarbon receptor. J. Biol. Chem. 278, 17767-17774.
18. Nishimura N, Matsumura F, Vogel CFA, Nishimura H, Yonemotoa J, Yoshioka W. Tohyama C. (2008) Critical role of cyclooxygenase-2 activation in pathogenesis of hydronephrosis caused by lactational exposure of mice to dioxin. Toxicology and Applied Pharmacolgy. 231：374-383.
19. Ohtake F, Takeyama K, Matsumoto T, Kitagawa H, Yamamoto Y, Nohara K, Tohyama C, Krust A, Mimura J, Chambon P, Yanagisawa J, Fujii-Kuriyama Y, Kato S. (2003) Modulation of oestrogen receptor signalling by association with the activated dioxin receptor. *Nature* 423, 545-550.
20. Ohtake, F., Baba, A., Takada, I., Okada, M., Iwasaki, K., Miki, H., Takahashi, S., Kouzmenko, A., Nohara, K., Chiba, T., Fujii-Kuriyama, Y. and Kato, S. (2007) Dioxin receptor is a ligand-dependent E3 ubiquitin ligase. *Nature* 446, 562-566.
21. International Agency for Research on Cancer, (1978) Polychlorinated biphenyls and polybrominated biphenyls. Vol. 18 p. 43-103.
22. 間正理恵，遠山千春(2003)ダイオキシン類のリスクアセスメントと最近の動向―新たな耐容摂取量と飼および食品における最大限度値の制定―，日本リスク研究学会誌　14：48-57.
23. 環境庁・厚生省　中央環境審議会環境保健部会，生活環境審議会，食品衛生調査会(1999)ダイオキシン耐容一日摂取量(TDI)について <http：//www.env.go.jp/chemi/dioxin/TDI.pdf>
24. Consultation on assessment of the health risk of dioxins；re-evaluation of the tolerable daily intake (TDI)：Executive Summary. (2000)：*Food Additives and Contaminants*, 17：223-240.
25. 日本産業衛生学会・許容濃度等に関する委員会(2006)許容濃度および生物学的許容値(2006年度)の提案理由，ポリ塩素化ビフェニル(PCB)，産衛誌，48：135-147.

Ⅲ-8 内分泌撹乱化学物質
b.　環境エストロゲン

富山大学医学部公衆衛生学
稲寺秀邦

はじめに

環境化学物質が生体のホルモン受容体との相互作用によりホルモン様作用をひきおこしたり，あるいは抑制することが指摘されて久しい．IPCS（International Programme on Chemical Safety：国際化学物質安全性計画）は，内分泌撹乱化学物質（環境ホルモン）を「外因性の物質あるいはその混合物であり，内分泌系の機能に変化を及ぼしその結果，生体またはその子孫あるいはそれらの部分集団に有害な健康影響をひき起こす物質」と定義している．

環境ホルモン問題を考えるうえで，特に重要なことは，成熟した生体と発達途上の生体とで，その反応に決定的な違いがあることである．成熟生体に対して無効か微弱，もしくは可逆的な作用であっても，胎児（仔）や新生児（仔）期の発達途上の生体ではいったん影響を受けると不可逆的に反応することがある．成人には影響を与えない微量な濃度でも，感受性の高い胎児期に経胎盤的に胎児に移行し，その影響が思春期や成人になってから顕在化する場合がある．いわゆるDevelopmental origins hypothesis（Development basis of adult disease）[1]であり，成人期に出現する異常の原因が，胎児期にあることを示している．環境ホルモンのうち女性ホルモンであるエストロゲンと類似作用を示す物質は，環境エストロゲンと総称されている．

本稿では，これまで明らかになった環境エストロゲンの種類，作用分子機構等について最近の知見を中心に概説する．

1. 環境エストロゲン

1991年アメリカのウイングスプレッドで行われた会議において，環境中の種々の化学物質が人類を含む生物にホルモン作用を示し，標的器官に深刻な影響を与える可能性について討議された．1996年にはコルボーンらにより「奪われし未来」が刊行され，環境ホルモン問題がクローズアップされた．環境ホルモンとは，環境中に存在し，生体内に取り込まれた場合に，本来その生体内で営まれている正常なホルモン作用に影響を与えうる外因性物質の総称である．ホルモン作用のうち，当初，女性ホルモンであるエストロゲン作用が注目されたことからenvironmental estrogen，xenoestrogen等の用語が用いられた．環境エストロゲンとして，ビスフェノールA，ノニルフェノール，フタル酸エステル等の物質が知られている．これまでに，エストロゲン受容体（ER）α，βに結合してホルモン作用を及ぼすか，あるいはホルモン作用を阻害するかの試験管内試験が確立しており，さらに化学物質の構造をもとに，受容体のホルモン結合部位に化学物質がはまり込むか否かをコンピューターで計算するドッキングモデルも開発されている．

環境ホルモン問題の重要事項として，低用量問題がある．低用量問題とは，ヒトの通常の曝露の範囲や標準試験法において一般に使用されている用量よりも低い用量で起こる生物学的変化のことである．従来の毒性評価で認められた無毒性量よりもさらに低い投与量で影響がみられることがある．これまで，低用量効果を認める報告[2]はあるものの，再現性のある実験結果は得られておらず，低用量域における内分泌撹乱作用を断定することには疑問が残されている．低用量域のホルモン作用は，生物学的恒常性によって打ち消されて観察されにくいことや，受容体を介して起こる低用量域のホルモン様作用は，高用量では受容体自体の発現の低下（ダウンレギュレーション）によって観察されにくいこと等が原因と考えられている．

vivoの検討における環境ホルモンの影響を左右する生物学的な要因として，受容体間のクロストークと受容体発現のダウンレギュレーション，受容体の多型とその発現量，検討時期，検討組織の相異の問題などがあり，これらを考慮した上で，結果を解釈する必要がある．さらに内在性ホルモン，植物エストロゲン，外来異物相互の競合的相互作用などが問題を複雑にさせている．近年エストロゲン受容体は，細胞膜に係留されて存在することが明らかにされ，環境エストロゲンは遺伝子に直接働きかけずに効果を発揮するnon-genomic作用を有することも明らかとなっている[3]．また一部の環境エストロゲンはepigeneticな作用をもたらすことも明らかにされている[4]．

2. DES syndromeが与えたインパクト

Diethylstilbestrol（DES）は，1938年英国のドッズにより開発された強力なエストロゲン製剤である．エストロゲン受容体のアゴニストであり，1930年代末から70年代はじめまで30年以上にわたり，妊娠中の合併症予防のために，経口可能な医薬品エストロゲン製剤としてアメリカをはじめ30ヶ国以上の妊婦に投与された．その後，胎内でDES曝露を受けた女児に思春期以降，きわめてまれな膣腺ガンが発生することが報告された[5]．症例対照研究により，女児における膣腺がんの発症との間に強い関連性を示したのは，「母親の妊娠中におけるDES投与」のみであった．

女児の膣腺がんは，経胎盤発がんと呼ばれる特異なしくみを介した遅延的な効果によりもたらされることが明らかにされた．これを契機としてDES胎内曝露児およびその母親の徹底的な追跡調査が行われ，DES体内曝露児が，がん，奇形，生殖障害など多様な影響を受けていることが示され，DES syndromeと総称されている．胎生期にDESに曝露された男児には，精巣，精子，副睾丸等に様々な異常が出現する．さらに精巣腫瘍，尿道下裂，精巣下降不全など男性生殖器の発生増加にも，DESをはじめとする環境エストロゲンの関与が推測されている．

動物にDESを曝露させる実験的研究は，環境中に普遍的にみられる様々な環境エストロゲンに曝露された時に起こることを予見するためのモデルを提供した．新生児期のマウスに投与されたDESは，成熟後のマウスに膣・子宮頚部のがんやその他の病変を引きおこすが，最近の研究では，DESは生殖器系への影響だけでなく，成人に肥満をもたらすことが動物実験により明らかにされている[6]．

DES syndromeは，出生時あるいは胎生期のホルモン環境の異常が後世に異常な変化をもたらす可能性を提示したものである．また医薬品だけにとどまらず，化学物質一般がもつ生態系や人へのリスクを社会的にどのように管理するのかといった課題に対しても，原理的示唆を与えたものといえる．

3. Bisphenol A

Bisphenol A（BPA）は，代表的な環境エストロゲンであり，ポリカーボネート製プラスチックやエポキシレジンの材料として広く用いられている．ヒトへは，食物を介して経口的に接種される．BPAは生体に様々な影響を及ぼすことが明らかにされてきた．ヒトの血液，尿中には，0.3-5 ng/ml（1-20 nM）程度検出される[7]．BPAは脂溶性であり，脂肪組織内に蓄積される．ヒトはラットに比べてBPAをグルクロン酸抱合する能力が低いため，ラットよりも感受性は高い．またBPAは代謝を受けることにより，エストロゲン活性が著明に増加する[8]．

環境エストロゲンの代表的な物質であるBPA

は，これまで主にエストロゲン作用に着目した研究がなされてきたが，最近の研究ではエストロゲン作用以外の生体障害作用も明らかにされている[9]．環境中に存在する0.1 nMや1 nM濃度の微量BPAは，脂肪細胞からのアデポカインの分泌に影響を与え，インスリン感受性増強ホルモンであるアディポネクチンの分泌を抑制する[10]．このことはBPAが，メタボリックシンドロームでみられるインスリン抵抗性の原因となりうる可能性を示唆している．周産期にBPAに曝露すると，成人マウスに耐糖能異常が発生する[11]．アメリカ人1455名の尿中BPA濃度と疾患や検査値との関連を横断的に検討すると，BPA濃度が高いと心臓疾患の診断や糖尿病発症のリスクが高まることが報告されている[12]．

何故BPAはエストロゲン作用以外にも多彩な作用を示すのであろうか．BPAはエストロゲン受容体のαタイプ，βタイプのリガンド結合領域に結合するだけでなく，細胞膜に係留されているエストロゲン受容体やGタンパク結合受容体30(GPR30)に結合する．またBPAは天然エストロゲンが結合しないestrogen-related receptor (ERR)γにも結合する[13]．ERRγの生理機能は明らかではないが，BPAがER以外の分子にも作用することが，多彩な作用を持つ要因であるものと推測される．

4. 環境エストロゲンの免疫系への影響

近年，喘息・アレルギー性鼻炎・アトピー性皮膚炎などのアレルギー性疾患の増加が報告されている．これらの疾患の発症・進展には遺伝的要因と環境要因が複雑に関与しているが，短期間に遺伝的な要因が急激に変化することは考えにくいため，近年のアレルギー性疾患の増加には環境要因の関与が大きいことは明らかである．環境要因の中でも化学物質との関連について，これまで多くの検討が行われてきた[14]．

免疫応答には雌雄差が存在し，一般にメスはオスより強い応答性を示す．ヒト成人において血中IgM値は女性のほうが高値を示すが，思春期前にはそのような差異は認められない．すなわち思春期以降の性ホルモンの分泌が免疫応答に影響を与えている．ヘルパーT細胞は，産生するサイトカインの種類によりTh1とTh2に分類され，Th1細胞は細胞性免疫を誘導し細菌やウィルスなどの感染に対して防御的な役割をもつのに対して，Th2細胞は抗体産生をおもに誘導してアレルギー疾患で優位となる．BPAはTh2細胞からのIL-4産生を促進させ，BPA曝露はアレルギー疾患の発症に関与する可能性が報告されている[15]．

全身性エリテマトーデス，関節リウマチ，橋本病などの自己免疫疾患の発症は圧倒的に女性に多いが，SLEのモデルマウスであるBWF1マウスに環境エストロゲンを投与すると，自己抗体の産生が高まることから，環境エストロゲンは自己免疫疾患の発症に影響を与える可能性がある[16]．われわれは，環境エストロゲンが，ケモカイン産生に影響を及ぼすことにより生体の免疫応答に影響を与える可能性を見出している[17]．

このように実験レベルでは，環境エストロゲンは免疫・アレルギー応答に影響を与えることが明らかとなっているが，実際，生体にどの程度の影響を及ぼしているかについては今後疫学的に明らかにされる必要がある．

5. エコチル調査

子供たちの発育は，化学物質をはじめとする環境要因の影響を受けるが，子供たちは，大人よりも環境要因に対する感受性が高い．子供たちの健全な発育を守るためには，子供の健康に環境要因が与える影響を明らかにし，環境政策に反映させることが重要である．

近年，小児に対する環境リスクが増大しているのではないかとの懸念が高まり，特に環境ホルモンをはじめとする環境化学物質に対する小児の脆弱性について大きな関心が払われるようになった．1997年に開催された先進8ヶ国の環境大臣会議においては，世界中の子供たちが環境中の有害物の脅威に直面していることが認識され，子供の環境保健に対して優先的に取り組む必要があることが宣言された(マイアミ宣言)．

環境省ではこれまで，小児環境保健重点プロジェクトとして，調査研究を実施してきた．そして2010年度より，調査の中心となるコアセンター

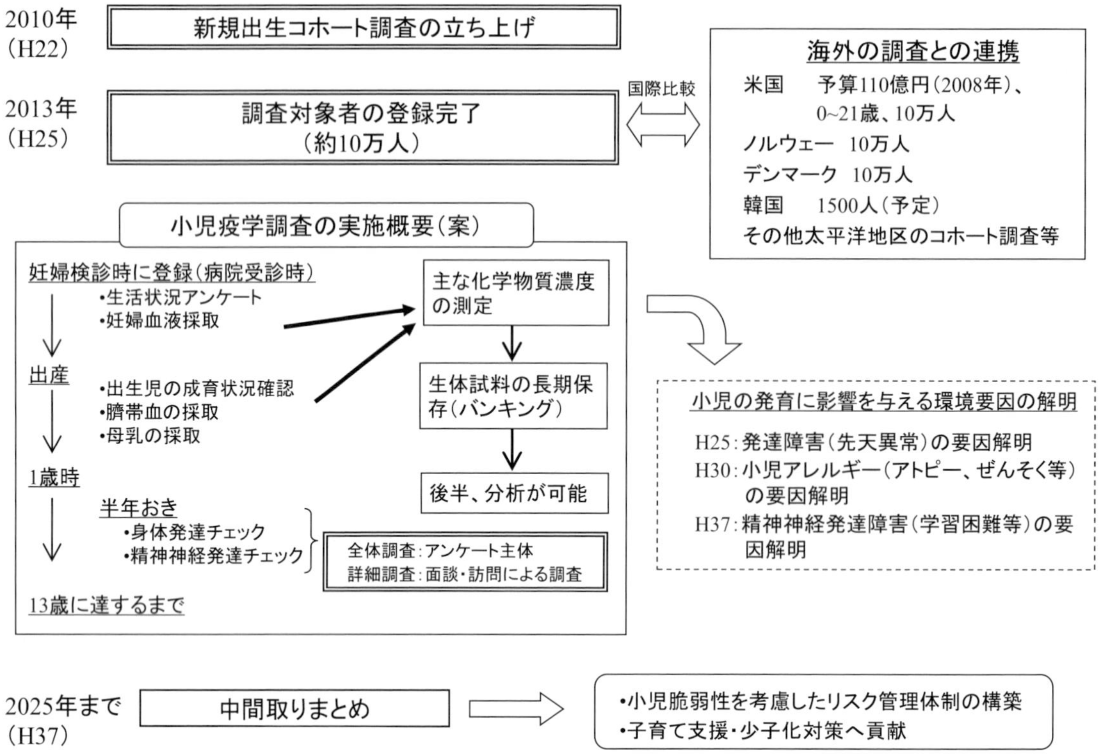

図１　エコチル調査の概要・スケジュール
環境省エコチル調査ホームページ(http://www.env.go.jp/chemi/ceh/index.html)より改変引用

を国立環境研究所におき，全国各地に15のユニットを設置し，3年間で10万人の妊婦を登録し，生まれた子供が13歳になるまでフォローする「子どもの健康と環境に関する全国調査」通称エコチル(環境の「エコ」に子どもの「チル」をつなげた造語)調査がスタートすることになった(エコチル調査ホームページ：http：//www.env.go.jp/chemi/ceh/index.html)．エコチル調査は特に，妊娠中や出生後早い時期の環境要因が，子供たちの成長や発達にどのような影響を及ぼすのかについて明らかにすることを目的としている(図1)．

試験管内での試験結果だけからは，影響の可能性やメカニズムの示唆は得られても本当のリスクの大きさは分からない．また動物実験を中心としたメカニズムの解明では，動物とヒトでは種差があることから，動物実験の結果をそのままヒトに当てはめることは難しい．実際ヒトにおいてどのような影響があるかを見極めるためには，疫学調査により十分な数の人間の健康状態と，その人の環境要因とを観察し，情報を集め解析することにより，環境要因と健康影響の関係を明らかにする必要がある．

環境省において，疫学調査の必要性について検討した結果，子供を胎児期から12歳あたりまで追いかける出生コホート(追跡)調査を実施することとなった．化学物質をはじめとする環境要因による悪影響は脆弱な子供の心身に多大な影響を与え，しかも小児の段階で受けた影響は一生涯にわたる可能性がある．小児の脆弱性に着目したリスク評価，リスク管理は環境保健行政においても最重要課題と位置づけられている．2010年度より始まるエコチル調査は，小児の健康に影響を与える環境要因を解明し，次世代の子どもが健やかに育つ環境の実現につながることが期待される．

おわりに

環境エストロゲンについてこれまでの知見を概

説した．近年，化学物質が生体にどのような作用を持つかを遺伝子の発現変化から検討するtoxicogenomicsのアプローチが広く用いられている．ヒト，マウス，線虫，メダカなどのゲノム解析が終了しており，これらの動物では，多くの遺伝子の発現変化を網羅的に解析するためのマイクロアレイが作成されている．われわれの検討では，遺伝子を絞り込み，生体での様々な情報伝達のキーとなる遺伝子を搭載したfocused arrayを用いることにより，化学物質の生体影響を簡便に評価することが可能であった[18]．

環境エストロゲンは内分泌系のみにとどまらず，生理情報撹乱物質ともいえる多彩な生体影響を及ぼす．現在，環境中にどのような化学物質がどの程度存在し，それらの化学物質が生体にどれだけ取り込まれ，どの程度影響を及ぼしているかについて，定量的な評価は十分になされていない[19]．エコチル調査等により，化学物質は環境中に存在する濃度で生態系にどれだけのリスクがあるかについて定量的な評価を行っていく必要がある．

参考文献

1. Barker DJP. In utero programming of chronic disease. Clin. Sci. 95：115-128, 1998.
2. Richter CA et al., In vivo effects of bisphenol A in laboratory rodent studies. Reprod.Toxicol. 24；199-224, 2007.
3. Watson CS et al., Nongenomic signaling pathways of estrogen toxicity. Toxicol. Sci. 115；1-11, 2010.
4. Crews D et al., Epigenetics, evolution, endocrine disruption, health, and disease. Endocrinology 147：S4-S10, 2006.
5. Herbst AL et al., Association of maternal stilbestrol therapy with tumor appearance in young women. N. Engl. J. Med. 248：878-881, 1971.
6. Newbold RR et al., Development exposure to endocrine disruptors and the obesity epidemic. Reprod. Toxicol. 23：290-296, 2007.
7. Welshons WV et al., Large effects from small exposures. III. Endocrine mechanisms mediating effects of bisphenol A at levels of human exposure. Endocrinology 147：S56-S69, 2006.
8. Yoshihara S et al., Potent estrogenic metabolites of bisphenol A and bisphenol B formed by rat liver S9 fraction：their structures and estrogenic potency. Toxicol. Sci. 78：50-59, 2004.
9. Vandenberg LN et al., Bisphenol-A and the great divide：a review of controversies in the field of endocrine disruption. Endocr. Rev. 30：75-95, 2009.
10. Hugo ER et al., Bisphenol A at environmentally relevant doses inhibits adiponectin release from human adipose tissue explants and adipocytes. Environ. Health Perspect. 116：1642-1647, 2008.
11. Ryan KK et al., Perinatal exposure to bisphenol-A and the development of metabolic syndrome in CD-1 mice. Endocrinology 151：2603-2612, 2010.
12. Lang IA et al., Association of urinary bisphenol A concentration with medical disorders and laboratory abnormalities in adults. JAMA 300：1303-1310, 2008
13. Okada H et al., Direct evidence revealing structural elements essential for the high binding ability of bisphenol A to human estrogen-related receptor-γ. Environ. Health Perspect. 116：32-38, 2008
14. Inadera H. The immune system as a target for environmental chemicals：xenoestrogens and other compounds. Toxicol. Lett. 164：191-206, 2006.
15. Yan H et al., Exposure to bisphenol A prenatally or in adulthood promotes TH 2 cytokine production associated with reduction of CD4CD25 regulatory T cells. Environ. Health Perspect. 116：514-519, 2008.
16. Yurino H et al., Endocrine disruptors (environmental estrogens) enhance autoantibody production by B1 cells. Toxicol. Sci. 81：139-147, 2004
17. Inadera H et al., Molecular analysis of the inhibition of monocyte chemoattractant protein-1 gene expression by estrogens and xenoestrogens in MCF-7 cells. Endocrinology 141：50-59, 2000.
18. Inadera H et al., Expression profile of liver genes in response to hepatotoxicants identified using a SAGE-based customized DNA microarray system. Toxicol. Lett. 177：20-30, 2008.
19. Dimanti-Kandarakis E et al., Endocrine-disrupting chemicals：an endocrine society scientific statement. Endocr. Rev. 30：293-342, 2008.

Ⅲ-8 内分泌撹乱化学物質
c. 植物エストロゲン

自治医科大学　医学部薬理学講座　環境毒性学部門
香山不二雄

1. 植物エストロゲンの概念

植物エストロゲンまたはファイトエストロゲン(Phytoestrogen)は，Phyto- 植物を意味するラテン語，estrogen エストロゲンの結合語であり，植物由来のエストロゲン様作用を有する化学物質の総称である．フラボノイド類は，植物上皮細胞に多く含まれ，ポリフェノールの構造をしており，紫外線によるDNA障害や蛋白質への障害を予防している．phytoalexins などは植物の感染症に抵抗力に付与している．また，窒素固定をする根粒菌との共生形成にも植物エストロゲンが遺伝子の転写活性化と遺伝子相互関係の形成を促進していることが報告されている．

すなわち，植物は，種々の化学物質を産生するが，その中には植物の生理学的意味は人類にとって未知であっても，植物由来の化学物質を摂取した動物にとって有毒であったり有益である生理活性物質がたくさん存在している．植物アルカロイドなどは前者の例であり，植物エストロゲンは後者の例であると考えられる．植物自身に女性ホルモン作用があるわけではなく，摂取した動物の標的臓器に働く効果から植物エストロゲンと命名された．

2. 植物エストロゲンの種類

植物ストロゲンには大豆など豆類に多いゲネスタイン，ダイゼイン，イクオールなどにはフラボノイドと呼ばれる大きな群に入る．リグナン類は，亜麻仁，ライ麦，種子類に多く，エンテロラクトン，エンテロジオールなどがある．その中には種々の生理活性を持つ物質が多くある．レスベラトロールは，スチルベン骨格を持つ物質でブドウの果皮に多い．ブドウには，ポリフェノール類が多く含まれ，抗酸化作用も有している．また，テルペノドの中にも女性ホルモン作用のあるものがある．(図1)

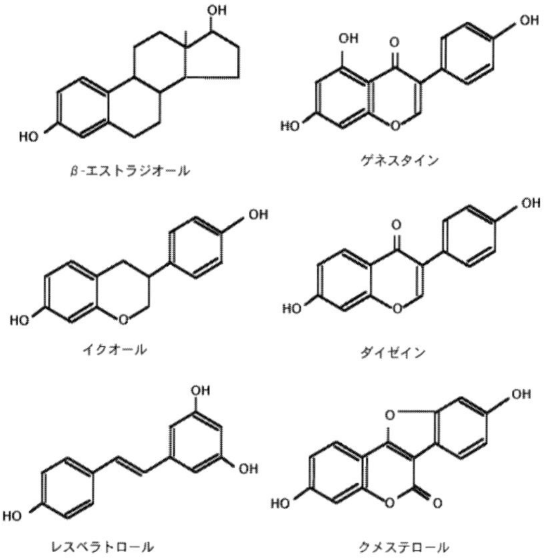

図1

3. 植物エストロゲンの体内動態と腸内細菌叢

イソフラボン類は，植物の中では大部分が配糖体として存在しており，遊離のアグリコンとして存在している遊離のイソフラボンはほとんどない．人の体内に入ると腸内細菌のβ-グルコシダーゼまたは小腸上皮で遊離のアグリコンとなり，吸収される．しかし，肝臓でグルクロン酸抱合され，血中にアグリコンとしては存在しているイソフラボンは非常に微量である．また，ダイゼインはさらに腸内細菌により修飾されエクオールになる．また，リグナンはエンテロラクトンになる．それぞれの代謝物質はそれぞれ異なるエストロゲン活性を有し，それ以外の生理活性も異なることが知られている．(図2)

植物エストロゲンの体内動態は腸内細菌の状態により大きく異なり，摂取量に依存するわけではなく，むしろ腸内細菌の状態や食事組成で大きく異なる．イギリスでの大豆蛋白ハンバーガーを食べさせる介入研究で，イクオール濃度の高い人は炭水化物摂取が多く脂肪摂取量が多いと報告されている．これは腸内細菌叢の状態が大きく異なるために，イクオールの血中濃度，尿中濃度の差に現れると考えられている．エクオールは，イソフラボンの中では最も強い女性ホルモン活性を有しており，ダイゼインからエクオールに変換できる腸内細菌叢を有するのは日本人で30－60％であり，年齢が高い方が保有者が高い傾向がある．欧米では20％以下であるという報告がある．大豆イソフラボンを習慣的に食べている集団が陽性率が高く，骨密度の維持，更年期の顔面紅潮など予防作用に，細菌叢保有者がより効果的であると考えられている．消化管からあまり吸収されない抗生剤を服用した場合，腸内細菌叢の変化は数ヶ月にもおよび，大きく異なることが報告されている．また，尿路感染症で抗生剤の治療を繰り返し

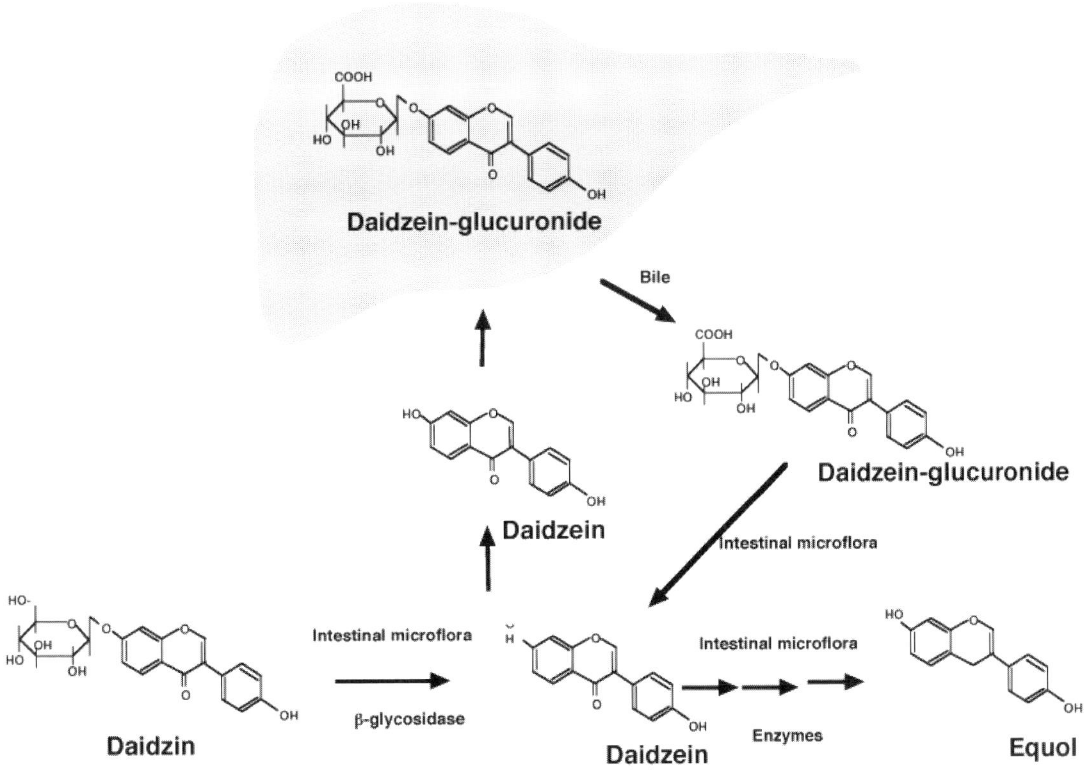

図2

各論Ⅲ

受けた女性の尿中エンテロラクトン濃度が低い報告があり，乳癌リスクが高めているのではないかと危惧されている．

4. 作用メカニズム

●レスベラトロールの生理作用

植物エストロゲンは，エストロゲン・レセプターに17β–エストラジオール(E_2)の百分の1から1000分の1の程度の親和性で結合する．特に，イソフラボン類やクメステロール，レスベラトロールはエストロゲン・レセプターβ(ERβ)に対してより強い親和性を示す．レスベラトロールはMCF-7細胞の増殖を，濃度依存的に抑制する．17－βエストラジールの増殖促進作用を細胞増殖も遺伝子活性化のレベルでも阻害する．10^{-9}MまでのE2の増殖作用を，$5x10^{-6}$Mのレスベラトロールにより阻害することができる．分子数で1000倍たくさん存在しないと拮抗しないというin vitroの結果であった．

また，ラットにレスベラトロールを経口投与する実験では，子宮などエストロジェン感受性の臓器では，ほとんど反応しなかった．むしろエストロジェンを投与により低下する血清コレステロール濃度が，レスベラトロールを同時に投与するとエストロジェンの効果を阻害することが明らかとなった．レスベラトロールは生殖器官では弱い部分的なアゴニストとして働くが，非生殖器官ではむしろアンタゴニストとして働くことが明らかとなった．

●植物エストロゲンの転写活性修飾

ヒト胎児腎臓由来細胞(293T)にERE-tk-LucおよびERαあるいはERβ発現ベクターを一過的に発現させ，E2，クメステロール，ゲネステインのERを介した転写活性化能を測定した(図3)．その結果，クメステロールおよびゲネスティンはERβ依存的な転写活性化能はE2同様であったが，ERα依存的な転写に関してはクメステロールはE2の10倍，ゲネスティンはE2の100倍濃度でE2同等の転写活性化能を示すことが明らかとなった．すなわちよりクメステロールは10倍，ゲネスティンは100倍濃い濃度が存在しないとE2と同様な遺伝子発現を起こすことができないことが明らかとなった．

さらに，女性ホルモン作用あるいは抗炎症作用が知られている植物より精製された化学物質を，上述のERE-tk-LucおよびERα ERβ発現ベクターを一過的に発現させた293T培養細胞に添加して，エストロジェン活性を検討した．フェンネル(セリ科植物)から抽出されたテルペン類であるフェルチニンにエストロジェン活性が確認され，ERαに対してはアゴニストとして促進的働きを，ERβに対してはアンタゴニストとして拮抗阻害的作用することが明らかとなった．エストロゲン・レセプターの転写制御に関わる転写因子および転写共役因子の結合および配置に関する模式図(図4)によるとER結合部位(ERE)にエストロゲンが結合したERの二量体が結合し，転写共役因子が周りに結合し，転写因子とのコンフォメーションが形成されることにより，標的遺伝子の転写が始まる．今回のフェルチニンの転写抑制メカニズムは，そフェルチニンがERに結合することにより，コンフォメーション(立体構造)が変化し，ERと転写共役因子の一種類であるTRAP220の結合が進行しなくなることが示唆された．(図5)

●レスベラトロールの作用様式

ブドウの果皮に多いレスベラトールは，スチルベン構造をしており，環境ホルモン問題で有名となったジエチルスチルベストロール(DES，商品名ホンバン)と非常に似ており，女性ホルモン作用があることが，遺伝子転写活性のレベルでも確認されている．すなわちしかし，ブドウの果皮の中に多いレスベラトロールは，植物エストロジェンとして，αレセプターよりβレセプター優位に転写活性を強く誘導することが，我々の研究でも明らかとなった(図3)．

さらに，レスベラトロールは，エストロゲン・レセプターを発現しているヒト乳癌細胞株(MCF-7)の増殖を抑制し，Bcl-2/Baxの転写活性の比を減少させる．さらに，p53依存性転写活性を増強し，NF-kB依存性の転写活性を減少させる．以上のことから，レスベラとロールは，エストロゲン感受性の癌には抑制的に働くことが作用機序からも分かってきたので，植物エストロゲン

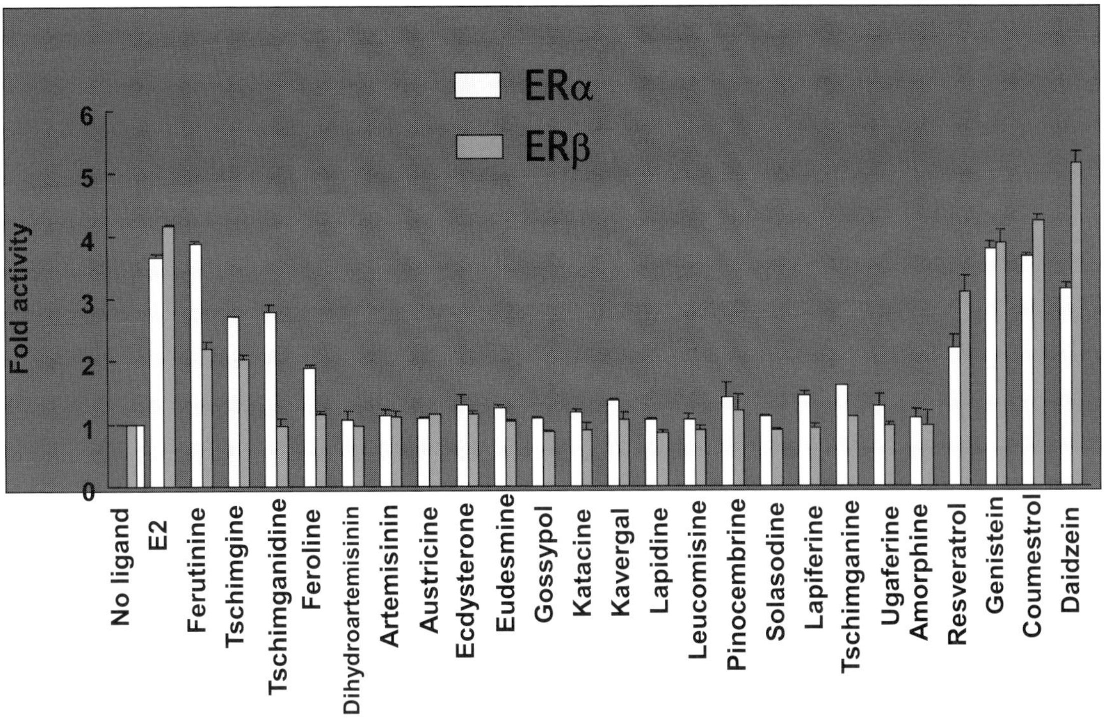

図３　ERs を介した転写レベルでのエストロゲン作用の検出

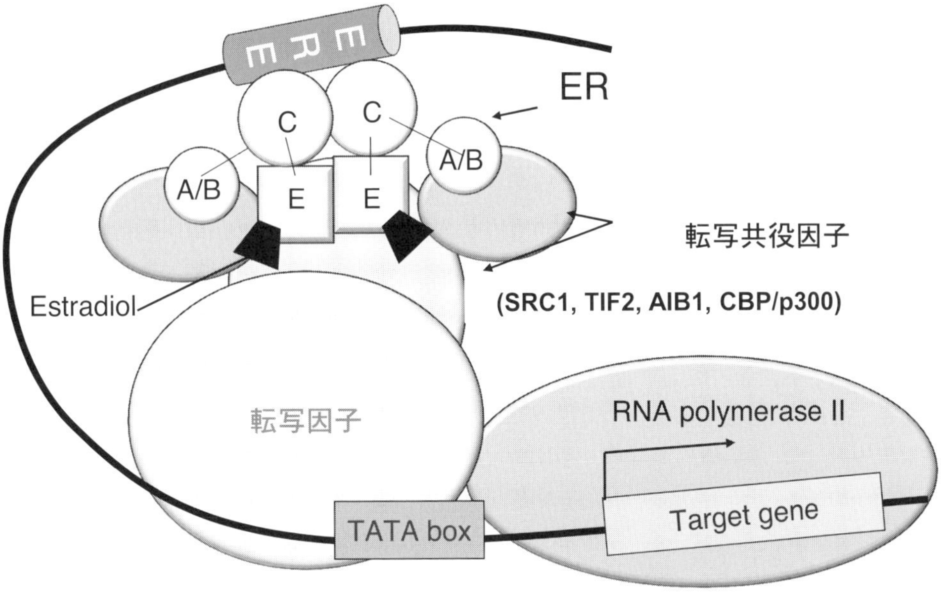

図４　エストロゲン・レセプター（ER）の転写制御

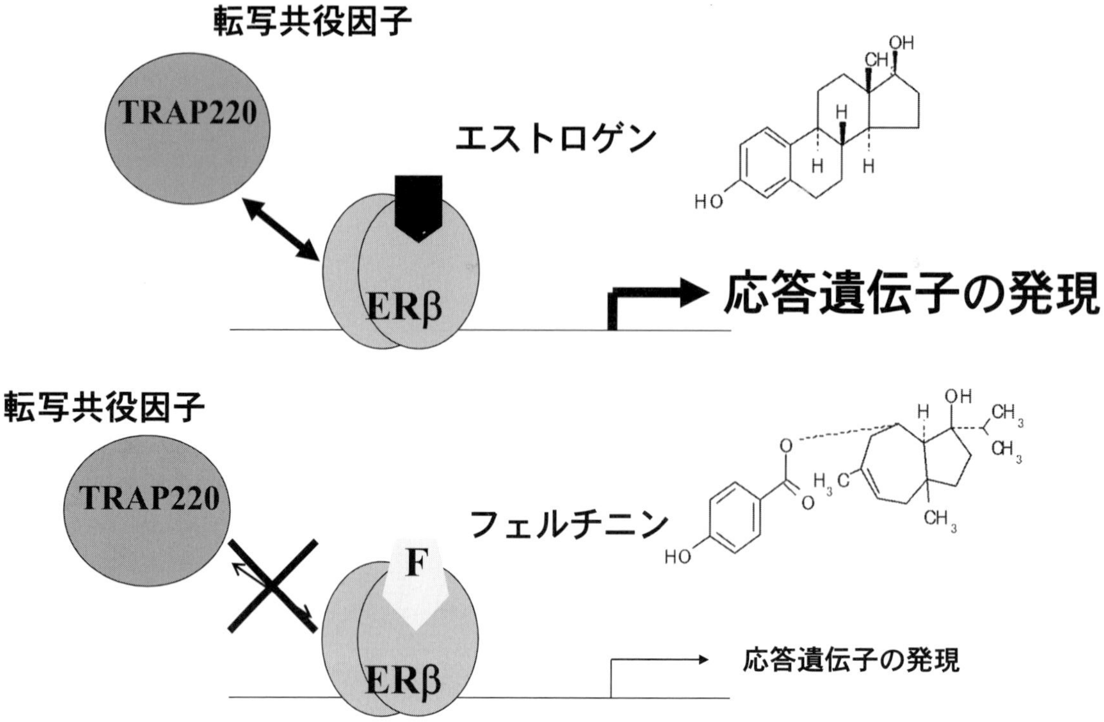

図5　フェルチニンはエストロゲン受容体(ERb)に対する拮抗作用

の中ではかなり安全なホルモン補充療法の候補の可能性が強くなった.

●転写後の制御メカニズム(Post-transcriptional 制御)

我々の研究室では，植物由来および人工のエストロゲン様物質の子宮に対する作用機序を分子レベルで研究している．特に，ここではエストロゲン依存的なmRNA分解制御機構におけるAUF1の役割について述べる．ラット子宮組織ではmRNA分解を制御するRNA結合タンパクのひとつであるAUF1はエストロゲンによってmRNA安定化制御を受け，そのmRNA蓄積量が増加することを明らかになった．さらに，タンパクレベルでもAUF1は増加することが明らかになったので，ラット子宮組織におけるAUF1の標的mRNAのスクリーニングを行い，2つの候補遺伝子を取得した．シークエンスの結果，取得された遺伝子はABIN2およびpip92/ier2のラットホモログであることが明らかになった．これらの遺伝子cDNAを取得し3'-UTRの配列を検討したところポリ(A)付加シグナル近傍にmRNA分解制御配列に特徴的なAUUUA配列を持つという共通性が見出された．(図6)

次に，これらの遺伝子のラット子宮組織での発現を検討した．ABIN2mRNA発現量はエストロゲン処理6時間後から減少し，pip92/ier2mRNAはエストロゲン処理3時間後に一過的にその蓄積量が増加するが，その後急速に減少した．転写阻害剤であるアクチノマイシンDにより転写を阻害すると，これらのmRNAはエストロゲン存在下でも安定であることが分かった.

エストロゲンによってde novo合成される因子によってmRNAの不安定化が促進されていることを示しており，エストロゲンによって発現量が増加するAUF1の関与を示唆するものと考えられた．本研究はラット子宮組織における遺伝子発現制御には転写制御とは異なる制御カスケードが存在することを示すものであり，今後，生殖組織に対する各種の環境ホルモンの作用点を考える上で重要な知見になると考えられる.

In vitroおよびin vivoの研究で，イソフラボ

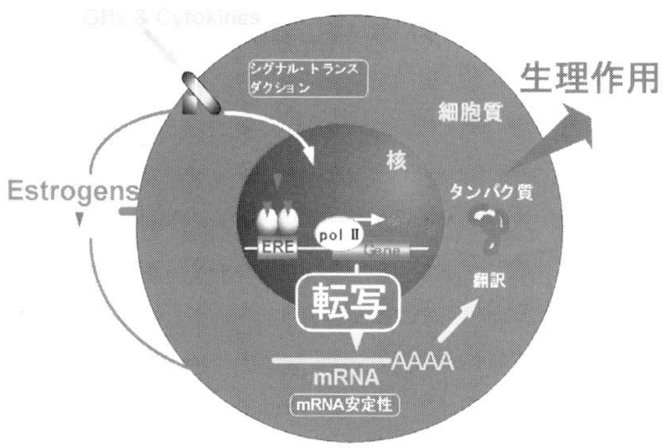

図6

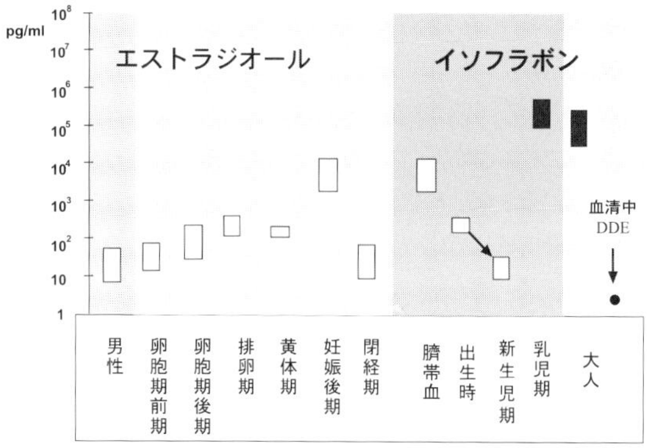

図7

ン投与によりステロイドホルモン結合蛋白(Steroid Hormone Binding Globulin, SHBG)の合成が増加し，血中濃度が増加することが示された．そのため，遊離のエストラジオールおよびテストステロン濃度が低くなることが示された．SHBG濃度の増加は遊離エストロゲン濃度の減少を引き起こし，より長い月経周期を示すようになり，これが乳ガンの罹患率の低下に寄与している可能性を，すべての研究で必ずしも同じではないが，複数の疫学研究が示している．

植物エストロゲンのよい作用をもたらす作用機序は種々のもののが関わっていると考えられる．イソフラボノイド類のチロシン・カイネースへの阻害効果，種々の細胞増殖因子の作用を修飾すること，血管新生の阻害，ステロイド代謝系酵素の阻害などが報告されている．また，ゲネスタインは腫瘍細胞株にアポプトーシスを惹起や，カタラーゼ，スパーオキサイド・ディスミューテース，グルタチオン・ペルオキしダーゼ，レダクターゼ活性を増強させる．また，ゲネスタインは腫瘍細胞株でEGFレセプターやerbB2/Neuレセプターの合成抑制を起こす．

5. ヒトへの影響

●乳幼児への影響

米国ではおよそ30%弱の乳児が大豆蛋白由来のミルクを飲んでいるが，乳児の生殖器および神経系の発達に対する影響が心配されている．小児における大豆ベースのミルクや離乳食品などでは，大豆イソフラボンは20-40mg/day体重あたり4-6mg/kg/dayになる．その中の65%以上がゲネスタインとその配糖体である．大人が中程度から大量に大豆食品を摂取しても1mg/kg以下の摂取量になると計算される．大豆フォーミュラを飲んでいる7名の血清濃度は，ゲネスタイン684+443ng/mL，ダイゼイン295+60ng/mL, この濃度は，正常のエストロジェン血清濃度の13000－22000倍である．以上のように欧米では，健康食品，代替医療からの植物エストロゲンに対する期待とともに，食品としてなじみの少ない大豆由来のイソフラボンの影響を過小に評価しているのではないかとの危惧との間に揺れ動いているのが現状である．明らかに，動物実験では皮下注射，精製物の経口摂取では，生殖器発育や性周期の早期化などが観察されている．この検討結果からはイソフラボン摂取は健康影響があるという結論になる．

妊娠後期は特に血中エストラジオール濃度は，1000倍程度に上昇している．(図7)出産時は非常に高かった児のエストラジオール濃度は急速に低下する．しかし，大豆ベースのミルクを投与すれば，血中濃度は106ピコg/mLとなり，胎児期のエストラジオール濃度の1000倍であれば，イソフラボンが弱いエストロゲン作用しか持っていなくても成長期の新生児には多大な影響があるのではないかと危惧されている．

●乳癌治療生存者および乳癌高リスク集団での危惧

骨粗鬆症，高脂血症，更年期障害に効果的であるとイソフラボンも欧米では生薬の延長としてサプリメント錠剤が大変流行している．この傾向は，女性ホルモン補充療法のリスク／ベネフィットバランス調査で有用性の限界が指摘された後は特に顕著である．しかし，米国FDAは，乳癌や子宮癌の既往や家族歴のある女性がイソフラボン錠剤を飲むことは，エストロゲン感受性の悪性腫瘍のリスクを上昇させる可能性があると警告を発している．

●イソフラボン類の摂取量と血中濃度分布とに関する調査

全国5カ所，1408名の農家女性の栄養調査と骨密度に関する調査を行った．ここで用いたのは佐々木敏らの自記式食事歴調査票を用い過去1ヶ月の食品摂取の量と頻度を半定量的に求める方式である．全国的に特に大豆食品を多く食べている所はないが，年齢が上昇すると大豆食品の摂取量が増える傾向があった．また，ビタミンKの豊富な納豆の消費は，近畿で低かったが，関東，東北，九州地方で高かった．食事調査から計算した個人のイソフラボン摂取量と血中濃度との相関関係は，あまり高くなかった．これは，イソフラボンの生物学的半減期が短く，空腹時の採血では摂取の習慣から出されて過去1ヶ月の平均摂取量推定値と相関がないのは自然であろう．しかし，長期的にイソフラボン摂取の健康影響に関しての研究では，食事調査がよりよく，代謝や吸収の個人差を検討するには血中濃度の変動を求めるには，どうしても血中濃度測定が必要である．

イソフラボン摂取量が多い集団で，骨密度が維持されるかどうかは大変科学的に興味深いとともに，予防医学的にも非常に重要な研究課題である．これまでの研究では，相関があるものとないものがある．年齢，BMIがもっとも大きな寄与因子であるが，イソフラボン摂取の多い集団は骨密度の維持の傾向は我々の研究でも見られている．しかし，大豆食品の中で納豆はビタミンKを多く含み動物実験でビタミンKも骨密度の維持に効果的であることが報告されているので，交絡因子としての調整が必要であるが，さらなる精密な調査研究が必要である．

6. まとめ

更年期障害や骨密度の維持に対して女性ホルモン製剤補充療法の代替医療として，植物エストロゲンが注目され，製剤化された抽出された植物エストロゲンはサプリメントとして種々の製品が出回っている．これまで，虚血性心疾患の予防作用，骨密度維持や更年期障害軽減，認知症の予防などが報告されているが，疫学調査では統計学的に有意な効果があるまたはないという結果が報告されている．しかし，大多数の研究で効果があると報告されているのは，ほてりに対する効果で，欧米では10 − 20％に患者に効果があると報告されている．大豆蛋白がコレステロール低下作用に使用されており，イソフラボン製剤は心血管系への良い影響があると報告されている．乳癌の予防にも効果があるとする疫学調査があるが，動物実験で，エストロゲン前投与生着させた移植乳癌細胞がイソフラボン投与により増殖することが報告されているので，今後，植物エストロゲンのサプリメントの使用を考える場合，注意深い検討をさらにする必要がある．特に，乳癌のリスクの高い集団には，現時点では勧めるべきでないと考えられる．

以上，食品として植物エストロゲンを多く含む食品を摂取することは，健康によい効果があることが期待できるが，抽出した植物エストロゲン製剤に関しては，その薬効から過度に摂取すれば悪影響があることは明らかで，安易なサプリメントとして使用されることは，危険であると考えられる．植物エスロゲンには，それぞれ種々の生理作用とそのメカニズムが解明されてきており，現時点では，レセプター・アゴニストの作用としての評価は一面を見ているにすぎないということが明らかとなってきた．現状では，植物エストロゲンおよび環境ホルモンは，個々の物質で多様な働きと生体内代謝を受けることが明らかとなってきており，植物エストロゲンおよび環境汚染物質としての環境ホルモンの物質の摂取量と代謝とを個々に評価して，リスク管理をしていくしかないのが現状である．

参考文献

1. Al-Azzawi F. and Wahab M. Effectiveness of phytoestrogens in climacteric medicine. Ann. N.Y. Acad. Sci. 2010；1205（1）：262–267.
2. A.H. Wu et. al,：Tofu and risk of brest cancer in Asian-American, Cancer Epidemiology, Biomakers and Prevention , 1996；5：901-906.
3. Ikeda K, Arao Y, Otsuka H, Nomoto S, Horiguchi H, Kato S, Kayama F. Terpenoids found in the umbelliferae family act as agonists/antagonists for ER-alpha and ER-beta：differential transcription activity between ferutinine-liganded ER-alpha and ER-beta. Biochem Biophys Res Commun 2002 Feb 22；291（2）：354-60.
4. Herman Adlercreutz,：Phytoestrogens：Epidemiology and a possible role in cancer protection, Environ. Health Perspect, 1995；103：103-112.
5. Ekbom A, Trichopoulos D, Adami HO et al. Evidence of prenatal influences on breast cancer risk. Lancet 1992. 340；1015-1018.
6. Hilakivi-Clarke L, Cho E, Onjafe I et al. Maternal exposure to genistein during pregnancy increase carcinogen-induced mammary tumorigenesis in female rat offspring. Oncol Rep 1999. 68；1413S-1417S.
7. Herman Adlercreutz,：Phytoestrogens and cancer. The Lancet Oncology, 2002；3：364-372.
8. Sakamoto T. et al. Effect of diverse dietary phytoestrogens on cell growth, cell cycle and apoptosis in estrogen-receptor-positive breast cancer cells, J. Nutr Biochem, 2010. 21：856-864.

Ⅲ-9 重金属
a. 遺伝子損傷性の金属

[1] 鈴鹿医療科学大学・薬学部
[2] 三重大学大学院医学系研究科・環境分子医学
川西正祐[1]，及川伸二[2]

1. はじめに

重金属の発がん性は多くの疫学調査や動物実験の研究などから証明されている[1, 2]．また，その発がん性の評価がIARC（International Agency for Research on Cancer）等の国際機関よりなされている（表1）．砒素化合物，6価クロム化合物，ニッケル化合物，ベリリウム化合物，カドミウム化合物などの発がん性金属化合物はIARCによりグループ1（ヒトに対して発がん性を示す）と評価されている．また，シスプラチンはグループ2A（ヒトに対して発がん性を示す可能性が高い），コバルト化合物，鉛化合物，メチル水銀化合物およびデキストリンやニトリロ三酢酸（NTA）と錯体を形成した鉄はグループ2B（ヒトに対して発がん性を示す可能性がある）と評価されている．金属による発がん機構には活性酸素が重要な役割を果たしている．川西らは，発がん性金属によるDNA損傷は活性酸素が起こすことを明らかにし，1986年に世界に先駆けて金属発がんの活性酸素説を提唱した[3, 4]．さらに，その後の培養細胞や動物を用いた実験において，発がん性金属化合物によるDNA損傷が活性酸素経由であるという報告が多数なされている．

重金属によるDNA損傷には直接的な損傷と間接的な損傷がある（図1）．6価クロムや3価の鉄，2価のコバルト等によるDNA損傷は直接的な損傷機構によるもので，この場合は，これらの重金属と過酸化水素（H_2O_2）との反応から生成されるヒドロキシルラジカル（•OH）や一重項酸素（$^1O_2$）等の活性酸素種がDNAに塩基配列特異的な損傷を与える．

抗癌剤として用いられているプラチナ化合物シスプラチンはDNAに配位結合することにより直接DNAを損傷する．また，2価のニッケルは，直接DNAを損傷する経路，と炎症を介して間接的にDNA損傷する経路が存在する．本章では，ニッケルを「III　間接的にDNA損傷を起こす重金属」の項で概説した．一方，カドミウムやベリリウムは，炎症に加えDNA修復機構の阻害等により間接的にDNA損傷が蓄積され，発がんに至ると考えられる．また，鉛はポルフィリンの代謝障害により蓄積したALAが酸化的にDNAを損傷することから，間接的にDNA損傷を引き起こす可能性がある．

以下にそれぞれの金属の一般的な生理作用と毒性について概説し，さらに重金属によるDNA損傷作用について詳細に解説する．

2. 直接DNA損傷を起こす重金属

生体内で常に生成されているH_2O_2とスーパーオキシド（O_2^-）は活性酸素の一種ではあるが，それ自体の反応性は高くないためDNAを損傷しない．しかし，金属イオンの触媒作用によりH_2O_2などから非常に反応性に富む•OH，$^1O_2$（ラジカルでないが反応性に富む励起状分子酸素），金属－酸素錯体など種々のタイプの活性酸素種が生成され，DNA損傷が起こる．

表1．IARCによる金属化合物の発がん性の評価とDNA損傷機構

金属化合物	標的臓器		発がん性評価	DNA 損傷機構
	ヒト	実験動物		
砒素化合物	皮膚，肺 （腎臓，膀胱）	mice, harnsters：（呼吸器系）	1	間接：修復酵素阻害
6価クロム化合物	肺 （胃，腸管）	rats：肺，注入部位 mice：注入部位	1	直接：酸化的DNA損傷
ニッケル化合物	鼻腔，肺 （咽頭）	rats：肺，注入部位 mice, hamsters rabbits：注入部位	1	直接：酸化的DNA損傷， 間接：炎症
ベリリウム化合物	肺	rats：肺 rabbits：骨肉腫	1	間接：修復酵素阻害
カドミウム化合物	肺，前立腺	rats：肺，精巣	1	間接：修復酵素阻害
シスプラチン		rats：白血病・皮膚癌	2A	直接：DNAと配位結合
コバルト化合物	（肺，リンパ系， 造血系）	rats：注入部位，（肺）	2B	直接：酸化的DNA損傷
無機鉛化合物	（胃，腎臓，呼吸器系， 膀胱）	mice：腎臓	2A	間接：代謝異常
メチル水銀化合物	（肝臓，食道）	mice: 腎臓	2B	間接：修復酵素阻害？
鉄－デキストラン錯体	（注入部位）	mice, rats, mbbits: 注入部位	2B	直接：酸化的DNA損傷
鉄－NTA錯体		mice, rats: 腎臓	2B	直接：酸化的DNA損傷

1：ヒトに対して発がん性を示す．2A：ヒトに対して発がん性を示す可能性が高い．2B：ヒトに対して発がん性を示す可能性がある．
（　）：疑わしい標的臓器

1．クロム（Chromium）

クロム（Cr）の3価は必須微量元素で糖脂質代謝に重要な役割を果たしており，クロムが欠乏すると成長・生殖機能低下，動脈硬化などの健康障害が起きる．また，低分子量クロム結合蛋白質（クロム含有耐糖因子）がインシュリンのグルコース変換の補助因子として働くため，クロム欠乏により耐糖能が低下する．3価クロムには弱い感作作用が認められるが毒性は低い．毒性の強い6価クロム化合物は生体膜を容易に通過し，生体侵襲作用として腐食作用，アレルギー性，発がん性がある．水溶性6価クロムによる中毒症状は，皮膚や粘膜の刺激及び腐食作用により発赤，丘疹，湿疹や鼻中隔穿孔が見られる．アレルギー反応としては，アレルギー性皮膚炎と喘息がある．

6価クロム化合物による発がん性は古くから知られている．疫学的には，クロム酸塩製造業，クロム色素製造業，クロムメッキ業などでがんが高率に発生することが認められている．がん好発部位は肺および鼻腔などの呼吸器系である．動物実験では難溶性の6価クロム化合物（$CaCrO_4$，$PbCrO_4$，$ZnCrO_4$，$SrCrO_4$）で発がん性が認められており，特に$CaCrO_4$は，発がん性が高い．呼吸器系に沈着しやすい難溶性の6価クロム化合物ががんをもたらしやすいと考えられる．マウスへの吸入実験では肺腺腫が増加し，ラットへの気管内投与や気管支内投与では肺腫瘍が発生する．IARCによる発がん性の評価は6価クロム化合物

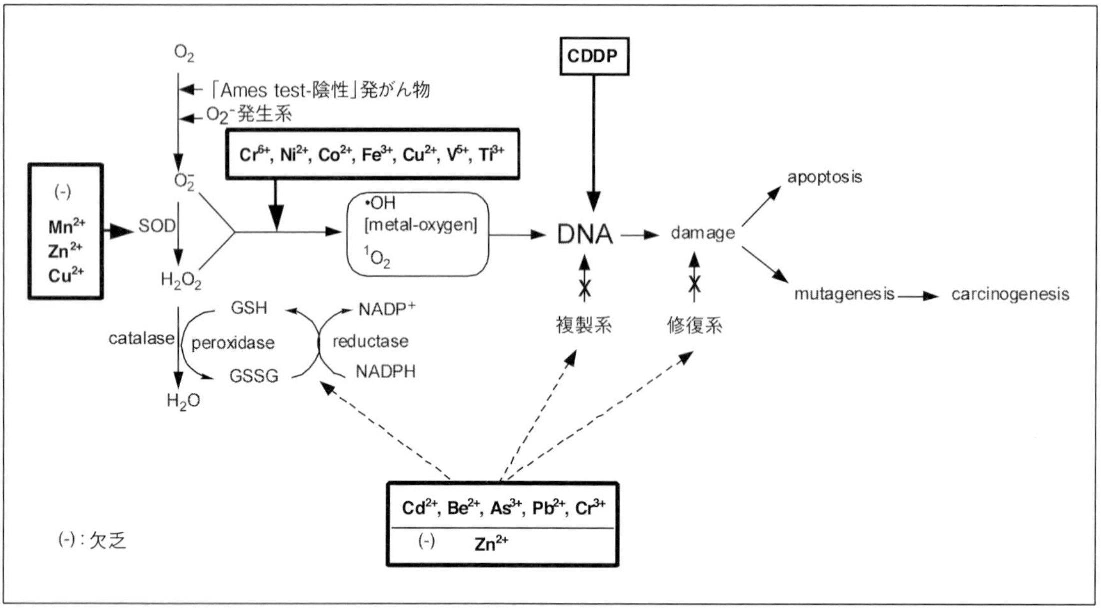

図1　微量金属の関与が推定される発がん機構

ではグループ1（ヒトに対して発がん性を示す），3価クロム化合物や金属クロムはグループ3（ヒトに対する発がん性の証拠は不十分である）と評価されている．

クロム化合物によるDNA損傷の分子機序を川西らはin vitroのDNA損傷実験で以下のように推定した．6価クロム(Na_2CrO_4)はH_2O_2や生体内還元物質の共存下で，ヒトがん関連遺伝子(c-Ha-*ras*-1がん原遺伝子および*p53*，*p16*がん抑制遺伝子)断片に対し，DNAのリン酸エステル結合及び塩基に損傷をもたらす[4]．いずれの塩基においても損傷が認められるが，グアニン残基における損傷がやや強い．このDNA損傷は•OH消去剤により抑制される．これらの結果からNa_2CrO_4のDNA損傷機構として，6価クロムがH_2O_2により5価クロムに還元され，5価クロムとH_2O_2によるフェントン様反応により•OHが生成されると考えられる．この•OHがDNA損傷をもたらす．細胞内におけるH_2O_2の生成は，主にミトコンドリアの電子伝達系から産生されたO_2^-の不均化反応によると考えられる．従って，細胞内で6価クロムが還元される過程で活性酸素種を生成し，DNA鎖切断と染色体異常を起こし発がんに関与することが推定される．これに対して3価クロム($CrCl_3$)はH_2O_2の存在下でもDNAを損傷しない．これらのDNA損傷実験の結果は，動物による発がん実験の結果とよく一致している．

6価クロムの発がん機構として，酸化的DNA損傷やDNA付加体形成等による変異原性が重視されている[5]．また，炎症の重要性を指摘する論文も発表されている[6]．

2. 銅(Copper)

銅(Cu)はヒトにとって必須であり，生体での役割はスーパーオキシドディスムターゼ(Cu/Zn-SOD)などの金属酵素に含まれ，Cu (I)とCu (II)の可逆的な荷電変化によって酸化還元反応に関与している．また，銅はチトクロムcオキシダーゼの構成成分として，電子伝達においてエネルギー代謝に重要な役割を果たしている．銅は核にも含まれており，DNAのクロマチンの高次構造に関与している．銅の欠乏症として，銅酵素セルロプラスミンのフェロキシダーゼ活性の低下による貧血が見られる．また，銅酵素リジルオキシダーゼ欠乏による血管壁の弾力性消失，ドーパミンβ−ヒドロキシダーゼ活性欠乏による神経障害などもある．銅は多くの酵素の活性中心であるため，欠乏により銅酵素に異常をきたし，種々の生体障害が現れる．銅欠乏の遺伝性疾患としてMenkes病がある．Menkes病は銅輸送ATPase：ATP7Aの異常により，小腸からの銅の取り込みが低下する．また，遺伝性の銅代謝異常疾患Wilson病は，肝臓における多量の銅の沈着と共に大結節性肝硬変を伴う．Wilson病の原因は銅輸送ATPase：ATP7Bの異常による．古くから環境汚染物質と考えられてきた銅の過剰摂取による中毒症状の報告例は少ないが，産業現場においてヒューム吸入による金属ヒューム熱や皮膚・粘膜障害が見られる．

銅の変異原性は古くから認められているが，発がん性は未だ証明されていない．しかし，肝臓に銅が異常に蓄積するLECラットでは，肝炎および肝癌の自然発生がみられる．また，ラットに硫酸銅を投与すると，骨髄細胞にDNA損傷が認められる．従って，銅は発がんや代謝異常症に深く関与している可能性がある[7]．さらに，血清銅と乳癌発生との関係では，極めて低濃度あるいは高濃度において乳癌の発生が多かった．これは，通常レベルの銅が発がん性を示すことはないが，低濃度ではSODの活性が低下することにより，また高濃度ではLECラットと同様の機構で酸化的にDNAを損傷することにより発がんの可能性が高まると考えられる．

2価の銅とH_2O_2が共存すると，強いDNA鎖の切断および塩基の損傷が認められる．塩基特異性としてはチミン，グアニンが強く損傷される．酸化的に損傷されたグアニンを認識する修復酵素を用いて損傷の塩基特異性を解析した結果，グアニンの連続配列(5'-GG-3'や5'-GGG-3')中の5'側のグアニンが顕著に損傷された．この結果は，4つの塩基の中でグアニンが損傷を受けやすく，さらにグアニン連続配列中の5'側グアニンが最も酸化されやすいと言うHOMO (highest occupied molecular orbital)の理論計算と良く一致する．in vitroの実験系では，H_2O_2の存在下で2価の銅は3価の鉄よりも強くDNAを損傷する[8]．また，銅がある種の有機発がん物質の活性化に関与している可能性が指摘されている[9, 10]．特にAmesテスト陰性の発がん物質，およびその代謝物と銅との相互作用により活性酸素が生成し，DNA損傷をもたらす[11]．川西らの知見では，ある種の発がん物質は，2価の銅イオンと生体内還元物質NADHの存在下で，ヒトがん関連遺伝子断片の塩基配列中でTとGのが隣接する配列(5'-TG-3')を強く損傷する[12]．さらに，*p53*がん抑制遺伝子のホットスポットcodon 273の相補的配列5'-ACG-3'のCとGが著しく損傷されるという非常に興味深い知見が得られた．この損傷は，•OH消去剤により抑制されないこと，H_2O_2消去剤(カタラーゼ)および1価の銅イオンのキレート剤で抑制されることから，H_2O_2とCu (I)から生成される銅－酸素錯体(Cu(I)OOH)の関与が示唆された．連続した二塩基の損傷(double base lesions)は修復されにくいことから，二塩基連続DNA損傷が発がん過程に重要な役割を果たしていると考えられる．また，Cu/Zn-SODが銅とH_2O_2によるDNA損傷を著しく増強する[13]ことも報告されている．

3. コバルト(Cobalt)

コバルト(Co)はヒトに必須の元素であり，ビタミンB12の構成成分である．ビタミンB12には強い抗悪性貧血作用があり，また動物の発育に必要な因子である．コバルトの欠乏は悪性貧血やメチルマロン酸尿を，過剰は甲状腺腫や心疾患をきたす．過去にビールの泡だちを良くするために添加されたコバルト塩による中毒症状で，甲状腺の機能障害等による高い死亡率が報告されている．

発がん性に関しては，整形外科用のコバルト含有金属を移植した部位で肉腫が発生した症例が報告されている．また，重金属工業労働者においてコバルトを含む粉塵に曝露されることで，肺癌の有意な増加が見られた．しかし，疫学研究の結果からはコバルトの発がん性の証拠は不十分である．動物実験では金属コバルトおよびコバルト酸化物に発がん性が認められている．金属コバルトはラット，マウス，ウサギへの注射あるいは皮下挿入によって限局性，まれに転移性の肉腫を誘発する．ある種のコバルト酸化物のラットへの気管内投与では肺腫瘍を誘発する．金属コバルトおよびコバルト化合物の発がん性はIARCではグループ2Bと評価され，ヒトに対して発がん性を示す可能性がある．

2価のコバルト(Co (II))は，ヒストンと特異的に結合する[14]．H_2O_2が存在すれば，全ての塩基を損傷する[15]．各塩基における損傷の強さは，グアニン＞チミン，シトシン＞＞アデニンの順である．コバルトによるDNA損傷機構として，H_2O_2との反応から生成したコバルト－酸素錯体がDNA損傷を引き起こすと考えられる．

4. 鉄(Iron)

鉄(Fe)は必須元素であり，ヘム酵素の構成成分として，酸素の運搬と貯蔵に重要な役割を果たしている．鉄欠乏の主な症状は貧血である．鉄化合物の経口毒性は極めて低いが，過剰摂取により消化管の出血や血色素症，肝臓毒性が見られる．また，医薬品としての鉄剤の過剰摂取による急性中毒として，血性の嘔吐，嗜眠状態，血性の下痢などが出現し，その後，発熱，肝障害，肺炎，昏睡，痙攣が見られ死亡する場合もある．先天的鉄代謝異常症(ヘモクロマトーシス)により鉄が蓄積され，肝硬変や糖尿病などの慢性毒性を引き起こす．非アルコール性脂肪肝では鉄の蓄積が多いと肝臓がんに成りやすい[16]．また，鉄の欠乏状態あるいは過剰状態によって酸化的DNA損傷が引き起こされ老化に関与することが示されている[17]．

鉄の異常な蓄積は，ヒトで発がんのリスクを高める可能性がある．鉄－デキストリン錯体が，鉄欠乏性貧血患者に非経口治療薬として用いられた後に，肉腫が発生した症例が報告されている．動物実験では，酸化第二鉄(Fe_2O_3)の発がん性は認められないが，ある特定の鉄錯体が発がん性を示すことが注目されている．マウス，ラット，ウサギなどでの実験で，鉄－デキストリン錯体を筋肉または皮下に反復投与すると肉腫を生じることが認められている．従って，IARCにより鉄とデキストリン錯体及びニトリロ三酢酸(NTA)錯体がグループ2B（ヒトに対して発がん性を示す可能性がある)と評価されている．NTAは洗剤のリン酸塩の代替品でキレート試薬である．鉄とNTAとの錯体(Fe(III)-NTA)は，NTAを単独で投与したときに比べ少量でラットに腎臓癌をもたらす．Fe(III)-NTAはH_2O_2の存在下で•OHを生成し，単離したDNAに対し強い酸化的損傷をもたらす[18]．Fe(III)-NTAを投与したラットの腎臓で，酸化的DNA損傷の指標である8-oxo-7, 8-dihydro-2'-deoxyguanosine (8-oxodG) が有意に増加することから，Fe(III)-NTAによるH_2O_2を介したDNA損傷が細胞内でも起こる可能性が示されている．Fe(III)-NTAの発がん機構については豊国らの体系的な研究がある[19]．

アスベスト曝露による中皮腫や肺癌などの健康障害が重大な社会問題となっている．アスベストは鉄を含む珪酸を主とする鉱物性繊維である．IARCの発がん性評価ではグループ1（ヒトに対して発がん性を示す)であるが，その発がん機構は現在でも十分解明されていない．アスベスト製造工程で肺癌が多発することは，日本においても戦前から明らかにされていた．アスベストのうち，最も発がん性の強いクロシドライトは鉄を多く含み，また脂質の過酸化をもたらす．アスベストの発がん性と鉄含有量との間に相関性が認められることから，アスベストの発がん機構のひとつに鉄を介した活性酸素生成によるDNA損傷が関与する可能性が考えられている．また，アスベストを気管内投与したマウスの肺組織における研究では，アスベストにより肺組織で慢性炎症が惹起され，炎症細胞および上皮細胞から産生される活性酸素窒素種により，変異誘発性ニトロ化DNA損傷塩基である8－ニトログアニンが生成することが示された[20]．

5. マンガン(Manganese)

マンガン(Mn)は，天然に広く分布し，ヒトにおける必須微量元素の一つである．生体内では2価と3価のマンガンが重要な役割を果たしている．マンガンの生体機能はピルビン酸カルボキシラーゼの構成元素として糖代謝に関与する．また生体内にはMn-SOD，DNA加水分解酵素(DNase)，コハク酸脱水素酵素など多くのマンガン酵素が存在する．マンガンの欠乏症はヒトでは普通の食生活においてほとんど観察されないが，動物実験では成長障害，骨格異常，生殖機能低下，中枢神経障害などの症状が現れる．

職業病として，マンガン鉱山やフェロマンガン工場などでマンガン粉塵に曝露した作業者に，中枢神経障害(慢性マンガン中毒症)及び呼吸器障害

(マンガン性肺炎)が見られる．中枢神経障害の症状は，錐体外路系症候(パーキンソン症候群様症状)を中核とした多彩な神経症状が進行性に出現する．マンガンによる神経症状の発症機構として，線状体の尾状核にマンガンが蓄積しやすく，またその部位のドーパミン含量が減少することが注目されている．ドーパミン減少の機序としては，3価のマンガンがドーパミンの自動酸化を促進する過程で活性酸素を生成し，脳内アミンの代謝障害を引き起こすことが推定されている．川西らは，ドーパミンと2価のマンガン(Mn(II))の前処理により金属依存的なDNA損傷を増強することを認めている．

マンガンの発がん性についての報告は少ないが，DNA損傷や突然変異性に関する研究は過去数多くなされている．2価のマンガンはヒトリンパ細胞において強いDNA損傷を引き起こす．また，2価のマンガンはヒドラジンの存在下でBリンパ芽球様細胞のDNAを損傷する．単離したヒトがん関連遺伝子を用いた実験から，マンガンではH_2O_2を経由しない•OHの生成によりDNAを損傷することが明らかになっている[21]．硫酸マンガン($MnSO_4$)はマウスの肺の腫瘍を増大させる．マンガンの発がん性に関してはIARCにおいても評価されていない．

6. バナジウム(Vanadium)

バナジウム(V)は地球上に広く分布し金属バナジウムと2価から5価のバナジウム塩や酸化物の形で存在し，細胞内ではおもに4価の形で存在している．バナジウムはラットなどの哺乳動物においては必須性が証明されているが，ヒトでは欠乏症が明確ではない．人体に微量(18～43mg)存在し，脂肪組織に比較的多く，肺では加齢とともに増加する．バナジウムの生体に対する作用は，哺乳類ではNa^+，K^+－ATPaseの特異的調節因子，及びコレステロール合成の抑制などである．最近では，糖尿病の治療薬にバナジウムが利用できる可能性が指摘されている．バナジウムの欠乏は，成長阻害や生殖機能低下をもたらす．

バナジウム中毒では粘膜刺激症状，呼吸器症状，舌の緑色斑点がおもに現れる．その他の症状として皮膚の蒼白や発疹，手指の振戦，血圧降下，神経衰弱，肺障害，肝炎，腎炎，心悸亢進などが認められることもある．

現在までのヒトおよび動物の研究においてバナジウムの発がん性に関するデータはほとんど報告されていない．培養細胞に5価のバナジウム(V_2O_5)を曝露した実験において弱い変異原性が観察されている．また，細胞内GSHによりバナジウムの5価が毒性の弱い4価に還元されることから，GSHによる生体還元作用が低下したときに5価のバナジウムが細胞内に蓄積し発がんに至る可能性が報告されている．バナジウムの発がん性は，IARCでも評価されておらず今後の研究が必要である．最近の研究では，バナジウムは酸化的DNA損傷および発がんを抑制するとの報告がある[22]．

7. プラチナ(platinum)化合物

プラチナ(白金；Pt)は，耐蝕性に優れ，医・歯科用材料，電極，るつぼ，装飾品等工業的に多用されている．プラチナの血中濃度は，職業的に曝露を受けていない健康人において平均0.13 μg/Lである．金属プラチナは，通常無害であるが，アレルギー性皮膚炎を引き起こすことがある．プラチナの塩化物，特に塩素と錯体を形成したときには強いアレルゲンとなる．職業性曝露として，白金鉱山労働者，精錬・加工場労働者に，アレルギー性喘息，枯草熱様発作，アレルギー性皮膚炎等のプラチノーシスが起こる．

プラチナは抗腫瘍性を持つ重金属として良く知られている．シスプラチン(cis-dichlorodiamine platinum (II)；CDDP)は，大腸菌の培養実験に白金電極を用いたところ，大腸菌の分裂・増殖が阻害されたことから，その培養液中に溶出した白金の錯体としてRosenbergらによって発見された．シスプラチンは，睾丸腫瘍においてブレオマイシン等との併用により治癒が認められることが報告されている．また，卵巣癌，頭頚部の癌，膀胱癌にも有効性が証明されている．抗腫瘍活性の作用機序として，シスプラチンは，マスタードガス等のアルキル化剤と同様にDNAの同一鎖内，または異なるDNA鎖間で架橋を形成する．また，DNA合成阻害剤でもある．川西らは，抗癌剤のシスプラチンやトポイソメラーゼ阻害剤[23]が

DNA 損傷を介して H_2O_2 を生成し，アポトーシスをもたらすことを明らかにした．最近，高濃度のシスプラチンがテロメアーゼ活性を阻害することが報告された．

シスプラチンは，副作用として強い腎毒性と神経毒性を持つ．腎毒性は，重金属結合低分子量タンパク質，メタロチオネインの誘導により軽減される．また，マウスに白血病と皮膚癌を引き起こす．シスプラチンの発がん性は，IARC によりグループ 2A（ヒトに対して発がん性を示す可能性が高い）と評価されている．このように，DNA を標的とした抗癌剤は発がんをもたらすことが多い．

3. 間接的に DNA 損傷を起こす重金属

発がん性を示す重金属の中には，直接 DNA を損傷しない金属もある．これらの金属は，炎症を引き起こすことにより，また DNA 複製や修復に関与する酵素，代謝に関与する酵素等を阻害することにより間接的に DNA 損傷に関与していると考えられる．

3-A 直接的 DNA 損傷に加え炎症を介した間接的 DNA 損傷を起こす重金属

ニッケル（Nickel）

ニッケル（Ni）のヒトにおける必須性はまだ確定されていないが，動物では必須性が証明されている．ニッケルはウレアーゼの補助因子として機能しているほか，腸管からの鉄吸収を促進している．ニッケルのヒトへの影響は，産業現場においてニッケルフュームまたは粉塵の吸入により，呼吸器障害，アレルギー性皮膚炎，喘息，中枢神経症状，肝障害，貧血などをもたらす．ニッケルカルボニル（$Ni(CO)_4$）による急性中毒は，早期にめまい，頭痛，嘔吐，呼吸困難がみられ，ついで重篤な呼吸不全と全身衰弱が現れる．また，ニッケルメッキを施した時計バンドなどによる接触性皮膚炎やニッケル作業者の皮膚炎は良く知られている．

発がん性も古くから知られており，呼吸器系のがん，特に鼻腔癌，肺癌がニッケル曝露者群に高率に発生していることが認められている．ヒト肺組織中の金属分析の結果，職業的曝露を除いても肺癌でニッケルの高濃度蓄積が認められる．難溶性の結晶性ニッケル化合物（Ni_3S_2，NiO）の発がん性は疫学的にも動物実験でも証明されている．金属ニッケルの発がん性は動物実験では証明されているが，疫学的には十分に実証されていない．水溶性の硫酸ニッケル（NiSO4）の発がん性は疫学的には重視されているが，動物実験での証明は不十分で，発がんプロモター作用があるとしても，発がん性は認められないと評価されている[24]．

IARC によりニッケルとその化合物は全体としてグループ 1（ヒトに対して発がん性を示す）の発がん物質として評価されている．

ニッケル化合物のラット気管内投与による肺癌をもたらす強さは，Ni_3S_2 > 金属ニッケル > NiO の順である．発がん性はニッケル化合物の細胞への取り込まれやすさに相関する．難溶性ニッケル化合物は，ファゴサイトーシス（貪食作用）により容易に細胞内のライソゾームに取り込まれる．ライソゾーム内は酸性（pH 3-5）なので，ニッケル化合物は可溶化され核に運ばれ，Ni(II) が DNA に配位結合し，H_2O_2 の存在下で DNA を損傷する．この損傷の活性種は $[Ni(IV)\text{-}O]_2^+$ のような金属－酸素錯体と考えられている[25]．培養細胞を用いた実験では，Ni powder，Ni_3S_2 の曝露によりグアニン残基の 8 位が酸化的に修飾された 8-oxodG 量が増加したが，NiO では増加が認められなかった．またラットに種々のニッケル化合物を経気道的に投与した結果，Ni powder，Ni_3S_2 では肺組織の DNA 中に 8-oxodG 量が増加したが，NiO では高濃度曝露でのみ 8-oxodG 量の増加が認められた．ニッケル化合物投与によりいずれの場合も肺組織に炎症が観察された．さらに，RAW264.7 細胞をニッケル化合物で曝露した結果，Ni powder，Ni_3S_2 で NO の生成が増加した．また，好中球様細胞を用いたとき，Ni powder 曝露による O_2^- の生成が有意に増加した．これらの結果から，Ni powder はラットの肺に直接的な酸化的 DNA 損傷のみならず，NO と O_2^- の生成を介して，強く DNA を損傷することが明らかになった．従って，Ni_3S_2 と Ni powder による肺癌の発生には，活性酸素生成による直接的 DNA 損傷に加えて炎症により生成されるNOおよびO2－が反応したONOO－による間接的なDNA損傷(酸化やニトロ化)が重要な役割を果たしていることが明らかになった[26]（図2）．また，NiOは炎症を介したDNA損傷のみを引き起こすと考えられる．直接・間接の両方の機構でDNAを損傷するNi3S2は，強い発がん性を示し，間接的DNA損傷のみのNiOの発がん性は比較的弱い．

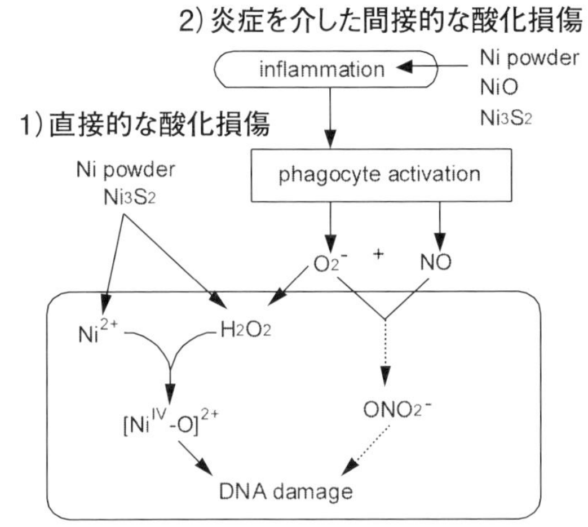

図２ ニッケル化合物によるDNA損傷機構

3-B 修復酵素など酵素系を阻害する重金属

ベリリウム(Beryllium)

地球上に微量しか存在しないが，その特性から近代産業にとって不可欠な金属である．ベリリウム(Be)は軽くて耐食性があるので航空機用部品に用いられたり，また中性子の減速能が良く耐熱性があるので原子炉に用いられる．ベリリウムの大気への放出は主に石炭や石油の燃焼による．ベリリウムの生体にとっての必須性は認められていない．過剰のベリリウムは，アルカリフォスファターゼや他のリン酸と結合する酵素を阻害すると考えられている．可溶性ベリリウム化合物による中毒症状は，直接接触したときの急性症状として接触性皮膚炎が発生する．これは，顔面，皮膚露出部に発赤を伴った粟粒大丘疹が多発し，掻痒感が強く，時にびらん，水疱形成を見る．ベリリウムによる皮下肉芽腫は創傷，火傷などの皮膚損傷部に好発し難治性である．また，ベリリウム化合物は軽くて飛散しやすいことから，吸入により肺疾患等の呼吸器症状をもたらす．ベリリウム原鉱石の採掘，精錬またはベリリウム化合物の加工等の作業従事者などの慢性中毒としては，低濃度でも高純度の酸化ベリリウムに曝露されると数カ月から数十年の潜伏期間を経て肺にびまん性間質性肉芽腫が形成され慢性ベリリウム肺を起こす．ベリリウム肺は，早期には胸部X線像にびまん性小結節性陰影が出現するが自覚症状はない．その後，呼吸困難，全身倦怠感，目の痛み，食欲不振が現れ，末期には肺野病変が増悪し呼吸困難が強くなり，予後も不良である．

疫学的にベリリウムは肺癌をもたらすことが報告されている．動物実験では，金属ベリリウムや種々のベリリウム化合物をラットに気管吸入させると肺癌の発生が増加し，ラビットに経静脈投与すると骨肉腫をもたらす．酸化ベリリウムや硫酸ベリリウムはモンキーに肺腫瘍をもたらす．従って，ベリリウム化合物はIARCでグループ1（ヒトに対して発がん性を示す）と評価されている．ベリリウムの発がん機構は未だ不明であるが，炎症に関与することが指摘されている．また，DNAポリメラーゼの5'→3'エキソヌクレアーゼ活性がベリリウムによって阻害されることにより，DNA複製時の誤りを修正できなくなり，グアニンからチミンへのトランスバージョンの突然変異を誘発する可能性が考えられる．

砒素(Arsenic)

砒素(As)は地球上に広く存在し，哺乳動物において必須性が認められている．また，古くから医薬品などに利用されていた．過去においては，梅毒の原因であるスピロヘーターに有効なサルバル酸として使用されていた．現在では三酸化二砒素が歯科用歯髄失活剤として用いられおり，さらには急性骨髄性白血病の治療薬として承認されている．しかし，砒素化合物は毒性が強く，中毒事件が多数起きており1955年の粉ミルク砒素混入事件が有名である．無機砒素の毒性は，5価より3価が強い．食品中，特に海産物に含まれる砒素の量は多いが，アルセノベタイン，アルセノシュガーなどの有機砒素として存在していることから速やかに尿中に排泄され毒性はほとんど無い．砒素化合物の慢性毒性として肝臓障害，色素沈着や白斑，皮膚障害及び手足のしびれなど末梢神経障害が知られている．

発がん性も疫学的に古くから認められている（IARC の発がん性評価：グループ 1）．砒素による皮膚癌についての Paris らの報告は，すすやコールタールと同様に古く 1822 年のことである．これまで砒素を含む鉱石を原料とする銅精練工場，三酸化砒素の製造および農薬（砒酸鉛）の製造に従事していた労働者に肺癌の多発が認められている．また，ぶどう園での農薬使用などに従事していた労働者に肺癌，皮膚癌や肝癌の多発が認められている．慢性砒素中毒患者の肝血管肉腫や白血病の症例報告がある．台湾の西南海岸地方において，砒素で汚染された井戸水を飲料としていた住民に肝臓，肺，膀胱および腎臓の癌が多発している．しかし，動物での発がん実験の成功例はほとんどない．砒素は染色体異常誘発性を示すが，変異原性を示さないので，DNA 修復機構を阻害する可能性が考えられている．5 価の砒素は，細胞の核内で 3 価に還元され，3 価の砒素とチオール（SH）基との反応の結果，DNA 修復に関連する酵素が抑制されると考えられる．また，in vivo で砒素がメチル化され，それが還元される過程で活性酸素種が生成されることにより，DNA 損傷をもたらす可能性が指摘されている．

最近，発がん機構においてがん幹細胞説が注目されている．ヒ素は幹細胞を特異的に増加させることから，ヒ素暴露によりがん幹細胞が増加する可能性が考えられる[27]．また，ヒ素によるヘッジホッグ（Hedgehog）シグナルの活性化に注目した発がん機構も報告されている[28]．

カドミウム（Cadmium）

カドミウム（Cd）は，電池やベアリング，錆止めの材料，テレビのモニター蛍光材料などに用いられている．さらには原子炉における中性子制御棒にも用いられている．カドミウムは公害として，腎障害と骨軟化症を主徴とするイタイイタイ病の発生に関与する．

カドミウム化合物の発がん性については疫学的に肺と前立腺にがんをもたらすとの報告がある．塩化カドミウム（$CdCl_2$）をラットに気管内投与させると，濃度依存的に肺癌の発生が増加する．また，$CdCl_2$ や硫化カドミウム（$CdSO_4$）をラットやマウスに皮下投与すると精巣癌の増加が認められる．ラットに皮下投与された $CdCl_2$ は局部的な肉腫や膵臓のランゲルハンス島細胞腫瘍をもたらすことがある．従って，発がん性が十分確かめられており，IARC でグループ 1（ヒトに対して発がん性を示す）と評価されている．カドミウム化合物による発がん機構は炎症，酸化的損傷や修復酵素（OGG1）の阻害が考えられている[29]．また，Wnt シグナルを重要視した発がん機構も報告されている[30]．

3-C　代謝異常を引き起こす重金属

鉛（Lead）

鉛（Pb）は，通常環境中に広く分布し，食品，水，大気の汚染によりヒトに曝露される．鉛の吸収は主に呼吸器と消化器からなされ，血液を介し各臓器に分布し，尿や糞便，汗等から排出される．しかし，骨とは強固に結合し蓄積する．生体内における鉛の機能は鉄の代謝や造血作用に関与している．鉛の欠乏症は貧血や成長障害であり，過剰症は早期にポルフィリン代謝障害が現れることが特徴的である．中毒症状は，早期にポルフィリン代謝障害や好塩基斑点赤血球が出現し，高濃度になると伸筋麻痺や鉛蒼白，鉛縁，また急性症状として鉛疝痛が認められる．伸筋麻痺は鉛中毒に特徴的な症状であり，橈骨神経領域の伸筋群の麻痺が多く，垂手（drop hand）の状態になる．また，握力の減退，手指の振戦，筋肉痛，関節痛なども見られる．鉛蒼白は蒼ざめた顔色が特徴で顔面の毛細血管の収縮によると考えられている．鉛縁は歯肉縁に暗青緑色の線状を認めるものをいい，その実体は鉛と硫化水素との反応で生成した硫化鉛であり，口腔の保健衛生が悪い場合に起こる．鉛疝痛は腸管の痙攣性収縮による間欠的な激しい痛みで嘔吐を伴う．小児は消化器からの鉛の吸収率が高いため重篤な症状を呈しやすく，鉛脳症にかかりやすい．鉛の中枢神経系への中毒作用機序のひとつに，神経伝達物質が働くときの細胞応答に密接に関係しているプロテインキナーゼ C 中のカルシウムイオンと鉛イオンが拮抗することが考えられている．

鉛化合物による発がん性の疫学研究の結果から，ヒトに対して胃，腎臓，呼吸器，膀胱にがんをもたらす可能性が示されている．動物実験では，酢酸鉛，塩基性酢酸鉛，燐酸鉛はラットやマウスに腎臓癌を起こし，酢酸鉛，塩基性酢酸鉛の経口投与は脳にグリオーマをもたらす．また，塩基性酢酸鉛のマウスへの腹腔内注射により肺腺腫が増加する．このように，鉛化合物は実験動物に対して発がん性が認められるが，ヒトに対しては発がん性の証拠が不十分であるため，IARC ではグループ 2A（ヒトに対して発がん性を示す可能性が高い）と評価している．鉛に曝露されたヒト及びラットの尿中にチミンの最終代謝産物であるベータアミノイソ酪酸（AIBA）の排泄量が増加するという報告がなされており，鉛が DNA の代謝に影響を及ぼしている可能性が示唆されている．また，直接 DNA を損傷しない鉛による発がん機構の分子機序としては，鉛曝露によるポルフィリン代謝障害（δ－アミノレブリン酸（ALA）脱水酵素活性の著しい低下）で細胞質中に蓄積した ALA が重要な役割を果たしていると考えられる．蓄積した ALA が 4,5－デオキソバレリン酸に代謝される過程で溶存酸素と銅などの生体内重金属の共存下で活性酸素種を生成し，酸化的に DNA を損傷する[31]．この DNA 損傷には 8-oxodG の生成も認められた．8-oxodG はがん関連遺伝子中に高頻度で認められる G から T へのトランスバージョンに深く関与していることが知られている．従って，鉛によるポルフィリン代謝の異常が酸化的 DNA 損傷を引き起こすことで DNA の誤複製を誘導し突然変異や発がんを誘発すると考えられる．このように間接的に鉛が DNA を損傷し，発がんに関与している可能性が考えられる．

参考文献

1. Klaassen CD ed：Casarett and Doull's Toxicology. The Basic Science of Poisons, 6th ed, McGraw-Hill, 2001.
2. Kawanishi S, Hiraku Y, Murata M, Oikawa S. The role of metals in site-specific DNA damage with reference to carcinogenesis. Free Radic Biol Med.（2002）32, 822-832. Review.
3. Kawanishi S, Oikawa S, Inoue S. Role of Metal in Oxidative DNA Damage by Non-mutagenic Carcinogen in "Genetic Response to Metals"（Sarkar ed）. pp 131-151, Marcel Dekker, Inc, 1995.
4. Kawanishi S, Inoue S, Sano S. Mechanism of DNA cleavage induced by sodium chromate（VI）in the presence of hydrogen peroxide. J Biol Chem.（1986）261, 5952-5958.
5. McCarroll N, Keshava N, Chen J, Akerman G, Kligerman A, Rinde E. An evaluation of the mode of action framework for mutagenic carcinogens case study II：chromium（VI）. Environ Mol Mutagen.（2010）51, 89-111.
6. Beaver LM, Stemmy EJ, Schwartz AM, Damsker JM, Constant SL, Ceryak SM, Patierno SR. Lung inflammation, injury, and proliferative response after repetitive particulate hexavalent chromium exposure. Environ Health Perspect. 2009 117, 1896-1902.
7. Theophanides T, Anastassopoulou J. Copper and carcinogenesis. Crit Rev Oncol Hematol.（2002）42, 57-64.
8. Oikawa S, Kawanishi S：Distinct mechanisms of site-specific DNA damage induced by endogeneous reductants in the presence if iron（III）and copper（II）. Biochimica Biophysica Acta.（1998）1399, 19-30.
9. Kawanishi S, Hiraku Y, Oikawa S. Mechanism of guanine-specific DNA damage by oxidative stress and its role in carcinogenesis and aging. Mutat Res.（2001）488, 65-76.
10. Kawanishi S, Hiraku Y, Inoue S. DNA damage induced by Salmonella test-negative carcinogens through the formation of oxygen and nitrogen-derived reactive species. Int J Mol Med.（1999）3, 169-174.
11. Oikawa S, Murakami K, Kawanishi S. Oxidative damage to cellular and isolated DNA by homocysteine：implications for carcinogenesis. Oncogene.（2003）22, 3530-35308.
12. Ohnishi S, Kawanishi S. Double base lesions of DNA by a metabolite of carcinogenic benzo［a］pyrene. Biochem Biophys Res Commun.（2002）290, 778-782.
13. Midorikawa K, Kawanishi S. Superoxide dismutases enhance H_2O_2-induced DNA damage and alter its site specificity. FEBS Lett.（2001）495, 187-190.
14. Li Q, Ke Q, Costa M. Alterations of histone modifications by cobalt compounds. Carcinogenesis.（2009）30, 1243-1251.
15. Yamamoto K, Inoue S, Yamazaki A, Yoshinaga T, Kawanishi S. Site-specific DNA damage induced by cobalt（II）ion and hydrogen peroxide：role of singlet oxygen. Chem Res Toxicol.（1989）2, 234-239.
16. Starley BQ, Calcagno CJ, Harrison SA. Nonalcoholic fatty liver disease and hepatocellular carcinoma：a weighty connection. Hepatology.（2010）51, 1820-1832.
17. Walter PB, Knutson MD, Paler-Martinez A, Lee S, Xu Y, Viteri FE, Ames BN. Iron deficiency and iron excess damage mitochondria and mitochondrial DNA in rats. Proc Natl Acad Sci U S A.（2002）; 99, 2264-2269.
18. Inoue S, Kawanishi S. Hydroxyl radical production and human DNA damage induced by ferric

nitrilotriacetate and hydrogen peroxide. Cancer Res.（1987）47, 6522-6527.
19. Toyokuni S. Role of iron in carcinogenesis：cancer as a ferrotoxic disease. Cancer Sci.（2009）100, 9-16.
20. Hiraku, Y., Kawanishi, S., Ichinose, T., Murata, M., The role of iNOS-mediated DNA damage in infection- and asbestos-induced carcinogenesis, Ann. NY Acad. Sci.（2010）1203, 15-22).).
21. Yamamoto K, Kawanishi S. Site-specific DNA damage induced by hydrazine in the presence of manganese and copper ions. The role of hydroxyl radical and hydrogen atom. J Biol Chem.（1991）266, 1509-1515.
22. Chakraborty T, Chatterjee A, Rana A, Rana B, Palanisamy A, Madhappan R, Chatterjee M. Suppression of early stages of neoplastic transformation in a two-stage chemical hepatocarcinogenesis model：supplementation of vanadium, a dietary micronutrient, limits cell proliferation and inhibits the formations of 8-hydroxy-2'-deoxyguanosines and DNA strand-breaks in the liver of sprague-dawley rats. Nutr Cancer.(2007) 59, 228-247.
23. Mizutani H, Tada-Oikawa S, Hiraku Y, Oikawa S, Kojima M, Kawanishi S Mechanism of apoptosis induced by a new topoisomerase inhibitor through the generation of hydrogen peroxide. J. Biol. Chem（2002）277, 30684-30689.
24. Goodman JE, Prueitt RL, Dodge DG, Thakali S. Carcinogenicity assessment of water-soluble nickel compounds. Crit Rev Toxicol.（2009）39, 365-417.
25. Kawanishi S, Inoue S, Yamamoto K. Site-specific DNA damage induced by nickel（II）ion in the presence of hydrogen peroxide. Carcinogenesis.（1989）10, 2231-2235.
26. Kawanishi S, Inoue S, Oikawa S, Yamashita N, Toyokuni S, Kawanishi M, Nishino K. Oxidative DNA damage in cultured cells and rat lungs by carcinogenic nickel compounds. Free Radic Biol Med.（2001）31, 108-116.
27. Tokar EJ, Qu W, Liu J, Liu W, Webber MM, Phang JM, Waalkes MP. Arsenic-specific stem cell selection during malignant transformation. J Natl Cancer Inst.（2010）102, 638-649.
28. Fei DL, Li H, Kozul CD, Black KE, Singh S, Gosse JA, DiRenzo J, Martin KA, Wang B, Hamilton JW, Karagas MR, Robbins DJ. Activation of Hedgehog signaling by the environmental toxicant arsenic may contribute to the etiology of arsenic-induced tumors. Cancer Res.（2010）70, 1981-1988.
29. Schwerdtle T, Ebert F, Thuy C, Richter C, Mullenders LH, Hartwig A. Genotoxicity of soluble and particulate cadmium compounds：impact on oxidative DNA damage and nucleotide excision repair. Chem Res Toxicol.（2010）23, 432-442.29.
30. Thévenod F, Chakraborty PK. The role of Wnt/beta-catenin signaling in renal carcinogenesis：lessons from cadmium toxicity studies. Curr Mol Med.（2010）10, 387-404.
31. Hiraku Y, Kawanishi S. Mechanism of oxidative DNA damage induced by delta-aminolevulinic acid in the presence of copper ion. Cancer Research.（1996）56, 1786-1793.

金属及び化学物質の毒性に関連するホームページアドレス

IARC（International Agency for Research on Cancer）：
http：//www.iarc.fr/

NTP（National Toxicology Program）：
http：//ntp-server.niehs.nih.gov/

ICSC（International Chemical Safety Cards）：
http：//www.nihs.go.jp/ICSC/

Ⅲ-9 重金属
b.　メチル水銀

東北大学大学院薬学研究科　生体防御薬学分野
黄　基旭，永沼　章

はじめに

メチル水銀は，生体蓄積性のある有機金属陽イオンの1種であり，水俣病の原因物質として知られている．水俣病はアセトアルデヒド製造工場において触媒として用いられた水銀が海に排出されたことによって人々に発症した公害病である．触媒として用いられたのは無機水銀であるが，ごく一部が化学反応によってメチル水銀となって排出された．無機水銀は現在でも様々な用途に使われており，その一部は環境中に排出されている．環境中に排泄された無機水銀は微生物によってその一部がメチル水銀に変換されることも知られている．メチル水銀は海洋中でプランクトン中に高度に濃縮され，さらにプランクトンを捕食する魚類に濃縮される．この捕食の連鎖関係によってメチル水銀は濃縮されていき，大型魚類中には海水中の百万倍以上の濃度のメチル水銀が蓄積することになる．メチル水銀は主に感覚麻痺，言語障害，運動失調，視野狭窄，難聴などの重篤な中枢神経障害を引き起こす．特に妊娠中の女性が魚類を多く摂取すると，メチル水銀が胎盤移行し脳が未発達な胎児に影響を与える可能性があり，世界的な社会問題となっている．

本項では，メチル水銀の毒性や生体内動態，メチル水銀毒性発現に関与する分子機構およびメチル水銀のリスク評価について概説する．

1.　メチル水銀の毒性

メチル水銀は全身的な毒性を持ち種々の臓器や機能に影響を及ぼすが，多くの動物種において，メチル水銀の主な標的器官は神経系である．ヒトにおける急性暴露時の症状としては聴力，視力，言語，歩行などの障害が認められ，重症時にはけいれんを伴い，昏睡に陥る．一方，慢性曝露では，広範な知覚障害，求心性視野狭窄，聴力低下，運動失調，言語障害，錐体路障害など，水俣病で認められたいわゆるハンター・ラッセル症候群を発症する[1]．

メチル水銀がヒトの健康に及ぼす影響として現在最も重要視されているのは妊娠中のメチル水銀暴露による胎児毒性である[2]．メチル水銀は容易に胎盤を通過するが，血液・脳関門機能が完成されていない発達中の胎児の中枢神経系は他の器官や組織に比べてメチル水銀に対する感受性が非常に高い．水俣病発症当時にも，妊娠中の母親にはほとんど症状がないにもかかわらず生まれた子が胎児性水俣病を発生していたという例が報告されている．

また，明確な神経毒性を示すメチル水銀の暴露量においては腎障害が認められることもあるが，この障害はメチル水銀から生じた無機水銀によって引き起こされた可能性が考えられる．その他のメチル水銀の毒性として，実験動物では免疫毒性や生殖毒性が知られているが，ヒトにおける影響については十分な知見はない．フィンランドの一

各論Ⅲ

地方における研究[3]やヨーロッパとイスラエルの多施設共同研究[4]では，心血管系に対する毒性も認められているが，より多くの人々を対象とした米国での研究では，冠状動脈疾患と魚介類摂取を介したメチル水銀曝露の間に関連が認められていない[5]．

2. メチル水銀の生体内動態

メチル水銀は消化管，呼吸器や皮膚から吸収されるが，環境暴露で経口摂取が主である．消化管からのメチル水銀の吸収率は高く95％以上と考えられている[6]．マウスに投与されたメチル水銀は，投与直後は腎臓と肝臓中に高濃度に蓄積し，脳中にはさほど蓄積しない．しかし，時間の経過と共に徐々に脳中濃度は上昇する．メチル水銀はSH基に対する親和性が高いため，メチル水銀の生体内動態はSH化合物の濃度や代謝輸送と密接に関係している．メチル水銀は腸管では主にシステインと結合してアミノ酸の輸送系に依存して吸収される．特に，システインと複合体を形成したメチル水銀が構造的に類似したメチオニンの輸送系を介して血液・脳関門を通過し，脳内へ容易に取り込まれることが中枢神経障害を引き起こす大きな要因となっていると考えられている[7, 8]．

血液中では，大部分のメチル水銀が赤血球中に存在し，多くのメチル水銀はヘモグロビンと結合しているがその一部はグルタチオンにも結合して存在する．肝臓や腎臓においても，一部のメチル水銀がグルタチオンと結合して存在し，肝臓中でのグルタチオンと結合したメチル水銀は胆汁中に排泄される．胆汁中に排泄されたメチル水銀・グルタチオン複合体は，主に膵臓から分泌されるγ-グルタミルトランスペプチダーゼによってグルタチオン部分が分解されて構成アミノ酸の1つであるシステインとの複合体となって腸管から再吸収され，腸肝循環が成立する．一方，血漿中のメチル水銀は主にアルブミンと結合しているが，その一部はグルタチオンとも結合していると考えられている．このメチル水銀・グルタチオン複合体は速やかに腎臓の糸球体で濾過され，尿細管壁に存在するγ-グルタミルトランスペプチダーゼによって腸管での場合と同様にグルタチオン部分が分解されて，メチル水銀・システイン複合体として腎細胞中に取込まれる[9]．

メチル水銀は尿と糞の両方に排泄される．生体内では僅かであるが無機化が起き，そのメカニズムとして腸内細菌と活性酸素種の関与が考えられている．無機水銀の腸管からの吸収率は5％以下と低いため，腸管内でメチル水銀の無機化は糞便中の排泄促進につながる．また，メチル水銀は毛髪中への蓄積性が高いことから，毛髪も排泄経路の1つと考えられている．

血液と脳やその他の臓器の水銀濃度はよく相関し，血液もしくは赤血球中のメチル水銀濃度は，曝露の良い指標であると考えられている．また，毛髪中のメチル水銀濃度も血液中のメチル水銀濃度と相関するので，曝露の良い指標となる．メチル水銀濃度の測定は容易でないが，毛髪中の水銀はほとんどがメチル水銀であることから，毛髪中の総水銀濃度を測定することによってメチル水銀曝露の指標とすることが多い．

3. メチル水銀毒性発現機構

メチル水銀毒性発現に関わる分子標的として，微小管と蛋白質合成系がよく知られている．様々な培養細胞を2～5μM濃度のメチル水銀で処理することによって微小管の脱重合が認められ，それに伴い，細胞増殖が抑制され，さらに多核細胞が出現する[10～14]．微小管の重合は細胞骨格の形成に必要であるが，メチル水銀は微小管の構成因子であるチューブリンのSH基に結合することによって，その重合を抑制する．また，微小管の重合・脱重合のバランスは，細胞の有糸分裂や中枢神経系の形成に必要なニューロンの移動などに必須であり，マウスを用いた実験でも，メチル水銀によって神経細胞の分裂が抑制されることが認められている[15]．また，イラクでのメチル水銀中毒患者の脳においてもメチル水銀による微小管の脱重合を示唆する病理的な所見が認められている．近年，1μM以下のメチル水銀で処理したヒト脳由来の培養細胞で染色体異常などのDNA損傷が認められ，それにメチル水銀による微小管の脱重合が関与している可能性が示されている[16]．

メチル水銀による神経障害症状が現れる前に，

脳や末梢神経の蛋白質合成能が低下することも知られている．特に，蛋白質合成の初期に関わるアミノアシルtRNA合成酵素がメチル水銀に高い感受性を示すことから，メチル水銀による本酵素活性の抑制が蛋白質合成能の低下に関与している可能性が考えられている[17]．一方，10mg/kgのメチル水銀を投与したラットの脳で蛋白質合成能が上昇することも報告されている[18]．このように，メチル水銀は蛋白質の合成を抑制する作用に加え，促進する作用も有すると考えられ，メチル水銀は蛋白質の合成比を撹乱させることによって，その毒性を発揮している可能性が考えられる．

4. メチル水銀による細胞死の誘導

高濃度のメチル水銀で処理した神経細胞はネクローシスによって，また，低濃度(1μM未満)のメチル水銀処理ではアポトーシスによって細胞死が引き起こされる．ラットを用いた検討においても，メチル水銀の経口投与によって中毒症状を呈したラットの小脳顆粒細胞においてアポトーシスが引き起こされることが確認されている[19]．

細胞中にメチル水銀が取り込まれる際には，細胞膜を通過する必要があり，この細胞膜がメチル水銀の影響を最初に受けることになる．細胞膜は脂質の二重層の中に様々な蛋白質が組み込まれており，これらの蛋白質がメチル水銀によって何らかの影響を受ける可能性が考えられる．実際に，Limkeらによって，メチル水銀がアストロサイトの細胞膜に存在するM3ムスカリン受容体に結合することによって細胞死を引き起こすことが報告され，本作用にはホスホリパーゼCの活性化によるイノシトールリン脂質代謝の促進が関与することが示されている[20]．また，メチル水銀はホスホリパーゼA2の発現を上昇させることによって，細胞膜からのアラキドン酸の遊離を促進させることによって細胞死を引き起こすとの報告もある[21]．

メチル水銀による神経細胞の損傷に，アストロサイトによる制御破綻が深く関与するとの知見もある．長期暴露されたメチル水銀はその大部分がアストロサイトに存在し，一部はグリア細胞などに存在する[22]．メチル水銀はNa^+依存性のトランスポーターを抑制することによって，興奮性アミノ酸であるグルタミン酸のアストロサイトへの取り込みを抑制する[23]．また，メチル水銀によってスウェリング(膨潤)されたアストロサイトはグルタミン酸やアスパラギン酸などの興奮性アミノ酸を細胞外に放出し，これによって細胞外の興奮性アミノ酸レベルが上昇するために神経細胞死が引き起こされるという機構を示唆する報告もある[24]．

カルシウムイオンは中枢神経系の細胞死において重要な役割を果たしている．生理的な条件を超えたカルシウムイオンの上昇はホスホリパーゼ，プロテアーゼおよびエンドヌクレアーゼなどの分解酵素の活性を上昇させ，ミトコンドリアの機能障害や細胞骨格の異常を引き起こす．低濃度のメチル水銀はカルシウムイオンのホメオスタシスに影響を与え，小脳顆粒細胞を含むいくつかの細胞内のカルシウムイオン濃度を上昇させることが報告されている[25]．このような作用がシナプス機能の崩壊や神経発達の遅延に影響を与えている可能性が考えられる．細胞内のカルシウムイオン濃度はミトコンドリアや滑面小胞体などの細胞小器官によって厳密に制御されている．メチル水銀は細胞内のカルシウムイオン濃度を段階的に上昇させる．まず，メチル水銀はイノシトール3リン酸(IP3)の産生を促進し，産生されたIP3が小胞体膜上のIP3受容体に結合することによって小胞体からカルシウムイオンの遊離を促進させる．次に，メチル水銀は細胞外からのカルシウムイオンの流入を促進させて細胞内のカルシウムイオンの濃度上昇に関与すると考えられている[26]．また，カルシウムイオンチャンネルの阻害剤がメチル水銀による小脳顆粒細胞の細胞毒性[27]やラットの中枢神経障害を抑制することが報告されている[28]．これらのことから，カルシウムイオンのホメオスタシスの変化がメチル水銀によって誘発される中枢神経障害の1つの原因である可能性も考えられる．

ミトコンドリアは活性酸素種の産生に関与する主要な小器官であり，活性酸素種の影響を受けやすい標的部位の1つでもある．*In vivo*および*in vitro*において，メチル水銀による毒性発現にミ

各論Ⅲ

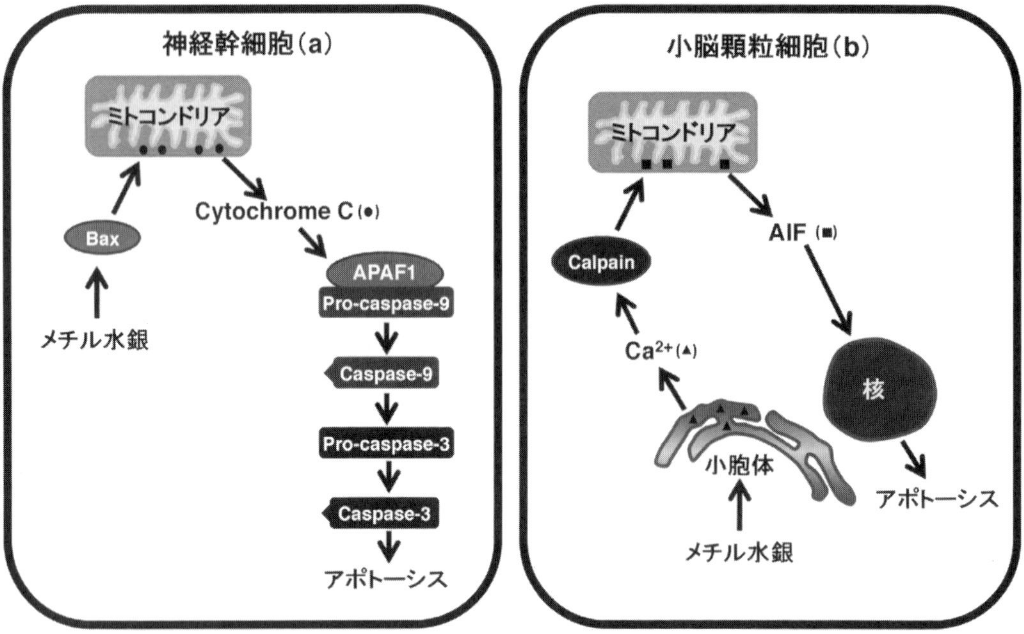

図1　メチル水銀によるアポトーシス誘導機構.
a)カスパーゼ依存的な経路　b)カスパーゼ非依存的な経路

トコンドリアが関与しているとの報告が数多くされている．メチル水銀に暴露されたラットの脳内では，活性酸素種のレベルが増加しており，同様の現象が培養細胞を用いた検討でも認められている．メチル水銀に暴露されたラットの脳から単離した神経細胞ではミトコンドリアを介した呼吸率が低下しており，これにミトコンドリア内へのK^+流入量の増加が深く関与することが示されている[29]．また，メチル水銀はミトコンドリアでのエネルギー代謝に関わるシトクロムオキシダーゼおよびコハク酸デヒドロゲナーゼなどの活性を抑制することによって，細胞のミトコンドリアを介した呼吸率を低下させているとの説もある[30]．また，ラットの脳から単離したミトコンドリアをメチル水銀で処理すると，カルシウムイオンのミトコンドリア内への流入が抑制され，ミトコンドリアからの遊離が亢進されることから[31]，メチル水銀がミトコンドリアの膜電位を低下させることによってカルシウムイオンのホメオスタシスの破綻を引き起こしている可能性も考えられる．

メチル水銀を投与したマウスの脳では活性酸素種濃度の増加[32]および抗酸化酵素Mn-SOD (manganese superoxide dismutase)活性の抑制が認められている[33]．また，Mn-SODの高発現がヒト培養細胞にメチル水銀耐性を与えるという報告もある[34]．神経培養細胞においてもメチル水銀暴露によって活性酸素種の増加およびグルタチオンの低下を伴う細胞死が認められている[35]．また，メチル水銀が引き起こすラット小脳顆粒細胞の細胞死が抗酸化剤の処理によって抑制されることから，メチル水銀による神経毒性に酸化ストレスが関与している可能性も考えられる[36]．メチル水銀はSH基と高い親和性を持ち，グルタチオンのようなチオール合成物と結合する．メチル水銀はグルタチオン前駆体であるシステインのアストロサイトへの取り込みを抑制することによって，神経細胞内でのグルタチオンレベルを低下させ，その毒性を増強しているとの報告がある[37]．何れにしろ，細胞内でのグルタチオンがメチル水銀毒性に対する防御因子として重要な役割を果たしていることは間違いない．

多くのアポトーシス誘導経路において，システインプロテアーゼであるカスパーゼが中心的な役割を果たしている．神経幹細胞およびグリア細胞ではメチル水銀によってカスパーゼ依存的にアポトーシスが誘導される[38]が，小脳顆粒細胞やアストロサイトではカスパーゼ非依存的なアポトーシス誘導も認められる(図1)．神経幹細胞でのメチル水銀によるアポトーシス誘導にはBaxの活性化を介したcytochrome Cの遊離が関与することが知られている[39, 40]．ミトコンドリアから遊離したcytochrome CはAPAF1 (apoptotic protease activating factor 1)と結合することによってカスパーゼ9を活性化し，それによってカスパーゼ3が活性化される．一方，小脳顆粒細胞でのメチル水銀によるカスパーゼ非依存的なアポトーシス誘導には，細胞内カルシウムイオン濃度の上昇を介した蛋白質分解酵素カルパインの活性化が関与し，この活性化は抗酸化剤処理によって抑制されることから，メチル水銀が細胞に与える酸化ストレスがカルパインを介したアポトーシス誘導に関与している可能性が考えられる[41]．また，カルパインが活性化された小脳顆粒細胞では，ミトコンドリア膜電位の低下に伴ってAIF (apoptosis inducing factor)がミトコンドリアから核内へ移動することによってクロマチンの凝縮および大規模なDNA断片化を引き起こすとの報告もある[42]．

リソソームは酸化ストレスによって不安定化されやすく，それによってアポトーシスが引き起こされることがある[43, 44]．最近，アストロサイトや海馬細胞をメチル水銀で処理するとリソソーム中の蛋白質分解酵素であるカテプシンが遊離し，抗アポトーシス作用を示すBcl-2分子種との結合を介してその作用を負に制御することによってアポトーシスを誘導するという可能性が示されている[45]．

微小管構成蛋白質であるTauの過剰リン酸化や沈着も神経変性疾患の原因の1つとして知られている．最近，マウスを用いた検討により，メチル水銀は大脳皮質や線条体に存在するTau蛋白質を過剰にリン酸化させることによって神経細胞死を誘導することが報告された[46]．この知見は，メチル水銀によるアポトーシス誘導に関与する新たな経路の存在を示唆するものであり，今後，更なる検討が必要である．また，前述のように，メチル水銀は微小管の重合を抑制することが知られており，この作用と微小管結合蛋白質であるTau蛋白質の過剰リン酸化に何らかの関わりがある可能性も考えられる．

5. メチル水銀のリスク評価

発達途中にある胎児の脳は成人のものより感受性が高いと考えられている．前述したように水俣病発症当時には，妊娠していた母親にほとんど症状が認められないにもかかわらず出生児が胎児性水俣病であったという例が存在する．このようなメチル水銀の胎児毒性は，マウスやラットなどを用いた実験動物においても確認されている．近年，化学物質のリスク評価において耐容摂取量を算出する際に，妊娠中の母親の曝露が出生児の健康に及ぼす影響を調査した疫学研究の結果が重視されるようになっている．日本においてもフェロー諸島の前向き研究[47]とセイシェル小児発達研究[48]のコホート調査の結果に基づいて内閣府食品安全委員会が2005年8月にメチル水銀のリスク評価を行い，妊婦において1週あたり2.0μg/kg体重というメチル水銀の耐容摂取量を決定した．日本人の食品からの水銀(総水銀)の摂取量は，厚生労働省のトータルダイエット調査によると2003年において8.1μg/人/日(体重50kgで1.1μg/kg体重/週)であり，このうち84%が魚介類からの摂取とされている．1994年から2003年の過去10年間の平均は，8.4μg/人/日(1.2μg/kg体重/週)と報告されているが，メチル水銀値は総水銀値より低いことから，一般的な日本人のメチル水銀摂取量は耐容週間摂取量2.0μg/kg体重/週よりは少ないもののその50%に達している．

一方，母乳を介した乳児のメチル水銀曝露は，胎児期曝露に比べればその影響はそれほど深刻ではないことが動物実験で示されている．イラクにおける中毒事故後の5年間の縦断研究のデータによると，母乳を介してメチル水銀に曝露した子供に運動機能の発達に遅れがみられたものの，胎児期曝露に比べれば危険性が少ないと結論づけられている．また，イラクの事例に見られた濃度より低い濃度における母乳を介したメチル水銀の慢性曝露では，子供の神経生理学的／心理学的発達に毒性影響を及ぼすという証拠はない．

メチル水銀は生物濃縮によって主に魚介類に蓄積する．魚介類中に含まれるメチル水銀のリスクは，日本人にとって非常に重要な課題である．しかし，リスク評価の際にメチル水銀摂取量に制限を設けることと，魚介類摂取を制限することの区別には注意する必要がある．メチル水銀濃度の高い魚類の摂取や魚介類の多食により過剰のメチル水銀が体内に取り込まれるが，その一方で，魚介類中にはEPAやDHAのように有用な不飽和脂肪酸をはじめ様々な栄養素も含まれている．青身の魚はメチル水銀濃度が比較的低く，不飽和脂肪酸も含有していることから，積極的に摂取すべきである．最近，米国でも不飽和脂肪酸の効果を考慮して，妊娠中も水銀蓄積濃度の低い魚類の摂取を継続することが推奨されている．

おわりに

中枢神経障害を主症状とする水俣病は，メチル水銀による環境汚染が原因となって引き起こされた公害病として世界的に良く知られている．現在，水銀による環境汚染が地球規模で進行しつつあり，水銀汚染が顕著なブラジルのアマゾン川流域などでは実際に水俣病様症状を示すメチル水銀中毒患者の存在が確認されている．また，環境中で無機水銀から生じるメチル水銀は食物連鎖によって魚肉中に濃縮されることから，魚介類を介したメチル水銀暴露による妊婦への影響が懸念されている．しかし，メチル水銀による毒性発現機構は水俣病の発症から半世紀が経過した現在も不明な点が多く，その分子機構の全容解明が求められている．これまでの研究から，メチル水銀による毒性発現機構は細胞種に依存し，特に神経幹細胞が高いメチル水銀感受性を示すことが明らかになっている．また，メチル水銀は様々な細胞死誘導経路を活性化することが明らかになっており，この作用も細胞種の特徴に依存する可能性が示唆されている．中枢神経系は様々な種類の細胞から構成されており，メチル水銀による神経毒性を正確に評価するためには各々の細胞に対する複合作用を考慮した検討が必要であろう．

参考文献

1. Hunter, D. and Russell, D.S. (1954). Focal cerebellar and cerebellar atrophy in a human subject due to organic mercury compounds. J Neurol Neurosurg Psychiatry 17, 235-241.
2. Harada, M. (1978). Congenital Minamata disease : intrauterine methylmercury poisoning. Teratology 18, 285-288.
3. Salonen, J.T. et al. (1995). Intake of mercury from fish, lipid peroxidation, and the risk of myocardial infarction and coronary, cardiovascular, and any death in eastern Finnish men. Circulation 91, 645-655.
4. Guallar, E. et al. (2002). Mercury, fish oils, and the risk of myocardial infarction. N Engl J Med 347, 1747-1754.
5. Yoshizawa, K., Rimm, E.B., Morris, J.S., Spate, V.L., Hsieh, C.C., Spiegelman, D., Stampfer, M.J. and Willett, W.C. (2002). Mercury and the risk of coronary heart disease in men. N Engl J Med 347, 1755-1760.
6. Berlin, M. (1979) Handbook on the Toxicology of Metals, Elsevier / North-Holland Biomedical Press, 519-521.
7. Aschner, M. and Aschner, J.L. (1990). Mercury neurotoxicity : mechanisms of blood-brain barrier transport. Neurosci Biobehav Rev 14, 169-176.
8. Hirayama, K. (1980). Effect of amino acids on brain uptake of methyl mercury. Toxicol Appl Pharmacol 55, 318-323.
9. Naganuma, A., Oda-Urano, N., Tanaka, T. and Imura, N. (1988). Possible role of hepatic glutathione in transport of methylmercury into mouse kidney. Biochem Pharmacol 37, 291-296.
10. Sager, P.R., Doherty, R.A. and Olmsted, J.B. (1983). Interaction of methylmercury with microtubules in cultured cells and in vitro. Exp Cell Res 146, 127-137.
11. Vogel, D.G., Margolis, R.L. and Mottet, N.K. (1989). Analysis of methyl mercury binding sites on tubulin subunits and microtubules. Pharmacol Toxicol 64, 196-201.
12. Miura, K. and Imura, N. (1987). Mechanism of methylmercury cytotoxicity. Crit Rev Toxicol 18, 161-188.
13. Miura, K., Inokawa, M. and Imura, N. (1984). Effects of methylmercury and some metal ions on microtubule networks in mouse glioma cells and *in vitro* tubulin polymerization. Toxicol Appl Pharmacol 73, 218-231.
14. Miura, K., Kobayashi, Y., Toyoda, H. and Imura, N. (1998). Methylmercury-induced microtubule depolymerization leads to inhibition of tubulin synthesis. J Toxicol Sci 23, 379-388.
15. Sager, P.R., Aschner, M. and Rodier, P.M. (1984). Persistent, differential alterations in developing cerebellar cortex of male and female mice after methylmercury exposure. Brain Res 314, 1-11.

16. Crespo-Lopez, M.E., Lima de Sa, A., Herculano, A.M., Rodriguez Burbano, R. and Martins do Nascimento, J.L. (2007). Methylmercury genotoxicity : a novel effect in human cell lines of the central nervous system. Environ Int 33, 141-146.
17. Jacobs, A.J., Maniscalco, W.M. and Finkelstein, J. N. (1986). Effects of methylmercuric chloride, cycloheximide, and colchicine on the reaggregation of dissociated mouse cerebellar cells. Toxicol Appl Pharmacol 86, 362-371.
18. Brubaker, P.E., Klein, R., Herman, S.P., Lucier, G.W., Alexander, L.T. and Long, M.D. (1973). DNA, RNA, and protein synthesis in brain, liver, and kidneys of asymptomatic methylmercury treated rats. Exp Mol Pathol 18, 263-280.
19. Nagashima, K., Fujii, Y., Tsukamoto, T., Nukuzuma, S., Satoh, M., Fujita, M., Fujioka, Y. and Akagi, H. (1996). Apoptotic process of cerebellar degeneration in experimental methylmercury intoxication of rats. Acta Neuropathol 91, 72-77.
20. Limke, T.L., Bearss, J.J. and Atchison, W.D. (2004). Acute exposure to methylmercury causes Ca^{2+} dysregulation and neuronal death in rat cerebellar granule cells through an M3 muscarinic receptor-linked pathway. Toxicol Sci 80, 60-68.
21. Shanker, G., Mutkus, L.A., Walker, S.J. and Aschner, M. (2002). Methylmercury enhances arachidonic acid release and cytosolic phospholipase A2 expression in primary cultures of neonatal astrocytes. Brain Res Mol Brain Res 106, 1-11.
22. Charleston, J.S., Body, R.L., Bolender, R.P., Mottet, N.K., Vahter, M.E. and Burbacher, T.M. (1996). Changes in the number of astrocytes and microglia in the thalamus of the monkey Macaca fascicularis following long-term subclinical methylmercury exposure. Neurotoxicology 17, 127-138.
23. Albrecht, J., Talbot, M., Kimelberg, H.K. and Aschner, M. (1993). The role of sulfhydryl groups and calcium in the mercuric chloride-induced inhibition of glutamate uptake in rat primary astrocyte cultures. Brain Res 607, 249-254.
24. Aschner, M., Vitarella, D., Allen, J.W., Conklin, D.R. and Cowan, K.S. (1998). Methylmercury-induced astrocytic swelling is associated with activation of the Na^+/H^+ antiporter, and is fully reversed by amiloride. Brain Res 799, 207-214.
25. Limke, T.L., Otero-Montanez, J.K. and Atchison, W.D. (2003). Evidence for interactions between intracellular calcium stores during methylmercury-induced intracellular calcium dysregulation in rat cerebellar granule neurons. J Pharmacol Exp Ther 304, 949-958.
26. Marty, M.S. and Atchison, W.D. (1997). Pathways mediating Ca^{2+} entry in rat cerebellar granule cells following in vitro exposure to methyl mercury. Toxicol Appl Pharmacol 147, 319-330.
27. Marty, M.S. and Atchison, W.D. (1998). Elevations of intracellular Ca^{2+} as a probable contributor to decreased viability in cerebellar granule cells following acute exposure to methylmercury. Toxicol Appl Pharmacol 150, 98-105.
28. Sakamoto, M., Ikegami, N. and Nakano, A. (1996). Protective effects of Ca^{2+} channel blockers against methyl mercury toxicity. Pharmacol Toxicol 78, 193-199.
29. Verity, M.A., Brown, W.J. and Cheung, M. (1975). Organic mercurial encephalopathy : *in vivo* and *in vitro* effects of methyl mercury on synaptosomal respiration. J Neurochem 25, 759-766.
30. Yoshino, Y., Mozai, T. and Nakao, K. (1966). Biochemical changes in the brain in rats poisoned with an alkymercury compound, with special reference to the inhibition of protein synthesis in brain cortex slices. J Neurochem 13, 1223-1230.
31. Denny, M.F., Hare, M.F. and Atchison, W.D. (1993). Methylmercury alters intrasynaptosomal concentrations of endogenous polyvalent cations. Toxicol Appl Pharmacol 122, 222-232.
32. Yee, S. and Choi, B.H. (1994). Methylmercury poisoning induces oxidative stress in the mouse brain. Exp Mol Pathol 60, 188-196.
33. Kumagai, Y., Homma-Takeda, S., Shinyashiki, M. and Shimojo, N. (1997). Alterations in superoxide dismutase isozymes by methylmercury. Applied Organometallic Chemistry 11, 635-643.
34. Naganuma, A., Miura, K., Tanaka-Kagawa, T., Kitahara, J., Seko, Y., Toyoda, H. and Imura, N. (1998). Overexpression of manganese-superoxide dismutase prevents methylmercury toxicity in HeLa cells. Life Sci 62, PL157-161.
35. Sarafian, T. and Verity, M.A. (1991). Oxidative mechanisms underlying methyl mercury neurotoxicity. Int J Dev Neurosci 9, 147-153.
36. Shichiri, M., Takanezawa, Y., Uchida, K., Tamai, H. and Arai, H. (2007). Protection of cerebellar granule cells by tocopherols and tocotrienols against methylmercury toxicity. Brain Res 1182, 106-115.
37. Shanker, G. and Aschner, M. (2001). Identification and characterization of uptake systems for cystine and cysteine in cultured astrocytes and neurons : evidence for methylmercury-targeted disruption of astrocyte transport. J Neurosci Res 66, 998-1002.
38. Toimela, T. and Tahti, H. (2004). Mitochondrial viability and apoptosis induced by aluminum, mercuric mercury and methylmercury in cell lines of neural origin. Arch Toxicol 78, 565-574.
39. Castoldi, A.F., Barni, S., Turin, I., Gandini, C. and Manzo, L. (2000). Early acute necrosis, delayed apoptosis and cytoskeletal breakdown in cultured cerebellar granule neurons exposed to methylmercury. J Neurosci Res 59, 775-787.
40. Dare, E., Li, W., Zhivotovsky, B., Yuan, X. and Ceccatelli, S. (2001). Methylmercury and H_2O_2 provoke lysosomal damage in human astrocytoma

D384 cells followed by apoptosis. Free Radic Biol Med 30, 1347-1356.
41. Dare, E., Gotz, M.E., Zhivotovsky, B., Manzo, L. and Ceccatelli, S. (2000). Antioxidants J811 and 17beta-estradiol protect cerebellar granule cells from methylmercury-induced apoptotic cell death. J Neurosci Res 62, 557-565.
42. Fonfria, E., Dare, E., Benelli, M., Sunol, C. and Ceccatelli, S. (2002). Translocation of apoptosis-inducing factor in cerebellar granule cells exposed to neurotoxic agents inducing oxidative stress. Eur J Neurosci 16, 2013-2016.
43. Kagedal, K., Johansson, U. and Ollinger, K. (2001). The lysosomal protease cathepsin D mediates apoptosis induced by oxidative stress. FASEB J 15, 1592-1594.
44. Stoka, V. et al. (2001). Lysosomal protease pathways to apoptosis. Cleavage of bid, not pro-caspases, is the most likely route. J Biol Chem 276, 3149-3157.
45. Johansson, C., Tofighi, R., Tamm, C., Goldoni, M., Mutti, A. and Ceccatelli, S. (2006). Cell death mechanisms in AtT20 pituitary cells exposed to polychlorinated biphenyls (PCB 126 and PCB 153) and methylmercury. Toxicol Lett 167, 183-190.
46. Fujimura, M., Usuki, F., Sawada, M. and Takashima, A. (2009). Methylmercury induces neuropathological changes with tau hyperphosphorylation mainly through the activation of the c-jun-N-terminal kinase pathway in the cerebral cortex, but not in the hippocampus of the mouse brain. Neurotoxicology 30, 1000-1007.
47. Grandjean, P. et al. (1997). Cognitive deficit in 7-year-old children with prenatal exposure to methylmercury. Neurotoxicol Teratol 19, 417-428.
48. Davidson, P.W. et al. (2000). Neurodevelopmental outcomes of Seychellois children from the pilot cohort at 108 months following prenatal exposure to methylmercury from a maternal fish diet. Environ Res 84, 1-11.

Ⅲ-9 重金属
c. 鉛

東京大学新領域創成科学研究科
吉永 淳

1. はじめに

鉛は数千年前から人類が利用してきた重金属であり，その生産・使用の過程で歴史的にも多くの中毒事例あるいはそれを疑わせる事例が知られている．ローマ帝国の鉛製水道管やゴブレット，江戸～明治時代の歌舞伎役者のおしろい，20世紀中盤までの米国で広く用いられた家庭用ペンキなど，鉛含有製品の使用による鉛中毒がその代表的な例である．また，鉛は代表的な作業環境汚染重金属であり，多くの中毒事故事例・職業疫学調査に基づく用量－影響関係が明らかになっている．

一般公衆にひろく鉛汚染がひろがったのは，ガソリンに添加されたテトラアルキル鉛化合物(TAL)による大気汚染であろう．なおこの大気汚染は，TALそのものによるものではなく，有鉛ガソリンがエンジン内で燃焼した結果生成し，排気管を通して大気に排出された，PbBrClなどの無機鉛化合物による汚染である．とくに第二次大戦後，世界中に拡大したモータリゼーションの波にのって，世界中の大気が鉛に汚染された．しかし1970年代中盤以降，わが国を皮切りに世界中の多くの国でガソリンの無鉛化がなされ，現在多くの先進諸国で一般環境の鉛汚染レベルは低下している．その一方で，低レベルの鉛曝露による小児の認知機能への影響が大きな問題となってきている．

本稿では，すでにTAL等有機鉛がほとんど使用されていない現状を鑑み，無機鉛に焦点を絞って解説することとした．

2. 体内動態[1)]

大気中微粒子の下部気道沈着率は粒径によって異なるが，人為起源(燃焼起源)粒子状物質の代表的な粒径(0.5μm)の場合，ほぼ40～50%が下部気道に沈着し，沈着した粒子状物質中の鉛は90%以上が血中に吸収される．一方，飲食物を介した経口曝露による鉛の吸収率は，年齢や曝露量，生理学的条件とともに変化する．実験動物においてもヒトにおいても，小児(仔)の腸管吸収率は成人(成獣)に比較して高い．曝露量が増加すると吸収率は低下し，空腹時には上昇する．ヒト成人の食物からの鉛吸収率はおおむね14%と考えられている．5μg/kg体重レベルの曝露では，2歳までの幼児の食物からの吸収率は42%と，成人の約3倍の吸収率である．鉄やカルシウムなどの栄養素の不足によって鉛の腸管吸収率が上昇する．鉛の経皮吸収は無視しうるレベルである．

吸収された鉛は，速やかに血中(赤血球中に血中鉛の96%が存在)に取り込まれて体内を循環し，軟組織，骨組織に分布する．古典的にはこの3つが鉛の体内における主要なコンパートメントとされ，それぞれにおける生物学的半減期は36日，40日，27年とされている．なお近年ではより複雑なmulti-compartment kinetic modelが提唱されている[2)]．骨中鉛は成人の体負荷量の90%以上を占め，その長い半減期から，過去の曝露を溜め込み，その後徐々に血中に鉛を放出する重要なコン

各論Ⅲ

パートメントであるとみなされるようになってきた．とくに妊娠期や老年期に骨組織からのカルシウム動員が増加するのに伴う鉛の動員は，この時期の鉛曝露源として重要となる可能性がある．

大便は主に腸管吸収されなかった鉛の排泄経路であり，一部は胆汁から排泄された体内の鉛を含む．吸収された鉛の40～70%が尿を介して排泄される．

以上に概説した鉛の体内動態は，主に実験動物や作業者，1990年代までのヒトにおける知見であり，これらに比べて曝露レベルおよび体負荷量が大幅に低下した現在では，吸収率や排泄率など，曝露レベルに依存するパラメータの数字の使用には注意が必要である．

3. バイオマーカー

鉛曝露のバイオマーカーとして一般的に用いられるのは全血中鉛濃度である．米国疾病管理予防センター（CDC）は，小児の血中鉛濃度として10μg/dLをaction levelとして1991年に設定し[3]，これを越えたら当該小児の鉛曝露を取り除くための調査・対策を開始するものとしている．現時点では，小児の血中鉛レベル評価をする際に，世界中でCDCのaction levelが参照されている．

血中鉛の生物学的半減期は比較的短いので，血液は比較的短期の鉛曝露レベルを表すものと考えられている．一方，骨は鉛の長期曝露あるいは体負荷量のバイオマーカーとして有用である．生きているヒトの骨中鉛濃度は，脛骨や指骨，膝蓋骨などを対象としてin vivo蛍光X線法で測定することができ，多くの疫学調査で使用されている．歯も骨同様，鉛を蓄積するので，とくに小児の脱落乳歯を用いて，小児の長期にわたる鉛曝露を非侵襲的に調査することも行われる．しかし口内歯の位置や，歯内の部位によって，表す曝露の時期が異なることに注意が必要である．外部汚染の問題があり，頭髪や爪の鉛濃度は曝露評価に用いることは不適切である．

鉛による影響のバイオマーカーとしては，造血系では血中5－アミノレブリン酸脱水酵素（ALA-D）活性，血中・尿中ALA，尿中コプロポルフィリン濃度，血中プロトポルフィリン濃度（ZPP）などが比較的感度よく検出でき，また鉛に特異的な影響であるために，よく測定されている．

産業衛生学会による生物学的許容値は，血中鉛で40μg/100mL（dL），血中プロトポルフィリンは200μg/100mL赤血球あるいは80μg/100mL血液，尿中ALAは5mg/Lである[4]．

感受性のバイオマーカーについては「8．毒性の修飾要因」で後述する．

4. 急性毒性

実験動物に300～4000mg/kgの複数回投与で，致死毒性が観察されているが，鉛化合物を単回投与した急性毒性試験では，これまでにLD_{50}が報告されていない[5]．

5. 慢性毒性

鉛の標的臓器・組織は造血系，神経系，腎臓，循環器など多岐にわたり，各毒性と血中鉛濃度との間の関連は比較的よく解明されているが，分子レベルでの毒性メカニズムがある程度明らかにされているのは造血系への毒性のみで，ほかは現時点では不明なことが多い．

(1) 造血系

貧血は鉛曝露による健康影響の代表的なものである．作業者のデータによれば，血中鉛濃度で50μg/dL（ヘモグロビン濃度低下）が，小児の場合20μg/dL（ヘマトクリット<35%）が，それぞれ貧血の閾値とされている．

鉛による貧血の一因はヘム合成の低下である．鉛曝露によってヘム合成系のいくつかの主要な酵素の活性が阻害される．ALA-D，コプロポルフィリノーゲン酸化酵素（COPRO-O），フェロキラターゼ（FERRO-C，鉄付加酵素）の3つの酵素がキーとなる酵素である（図1[1,6]）．

ALA-D活性が阻害されることでALAが蓄積するため，鉛曝露によって血中・尿中ALA排泄が増加する．ALA-Dは鉛曝露に敏感なため，低い曝露レベルの範囲（血中鉛>10μg/dL，成人・小児）でも活性の低下が見られる．また高レベル曝露(血中鉛 >40μg/dL, 成人)による COPRO-O 活性の抑制によって, コプロポルフィリンの尿中排泄が増加する. FERRO-C 活性抑制により, プロトポルフィリンに鉄を付加してヘムを合成する最終段階が抑制されるため, 血中・尿中プロトポルフィリン(亜鉛結合型および遊離型)濃度が増加する. FERRO-C 活性抑制は血中鉛 >20μg/dL (成人)レベルで観察される.

赤血球のピリミジン−5'−ヌクレオチダーゼ(P5N)活性も鉛曝露によって低下する. P5N 低下によって赤血球中の RNA 分解過程で生じるピリミジンヌクレオチドの排泄が阻害されて蓄積し, 溶血に至る. このような赤血球寿命の短縮が鉛曝露による貧血のもう一つのメカニズムと考えられている.

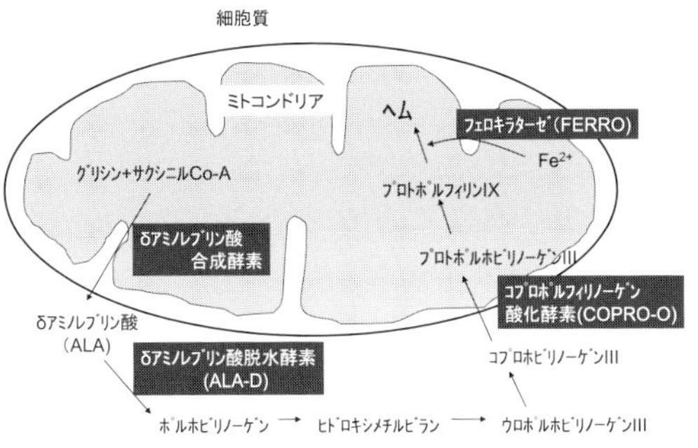

図1 ヘム合成系

(2)神経系

貧血とならぶ鉛の代表的な健康影響に神経系への影響がある. 中枢神経系, 末梢神経系, 自律神経系への影響が知られている. 成人における血中鉛濃度と神経系への影響との関連を表2にまとめた[1, 7]. これらは主に作業者のデータに基づいている. 神経系への影響には, 臨床的なものから, 行動学的影響, 神経生理学的影響まで, 曝露レベルによって幅広い影響がみとめられる.

小児においても表2にあげたような神経系への影響が, 成人よりもやや低い血中濃度でみられる. 小児において特に問題なのは, 表2に挙げたような比較的高濃度曝露による影響ではなく, より低い曝露レベルで生じる認知機能の発達への影響である. 1970 年代に米国で鉛曝露と IQ と間に負の関連があることが見出されて以来, 膨大な数の疫学調査が世界中で行われた. WHO の一組織である International Program on Chemical Safety (IPCS)はこうした疫学調査のメタアナリシスをおこない, 小児の鉛曝露と IQ の間には負の関連がある, 血中鉛濃度が 10 から 20μg/dL に上昇すると, 集団としてのフルスケール IQ の平均値はおよそ2ポイント低下する, という結果を得ている[1]. 時代が下って一般公衆の血中鉛濃度が低下してきた頃に行われたいくつかの前向きコホート研究で, 血中鉛濃度 10μg/dL 以下の方が IQ の低下がより顕著であること[8] (図2), 5μg/dL 程度まで IQ 低下があること, などが見出だされた[9] ほか, もっと低い濃度レベルでも IQ や学業試験成績などが低下することを示唆する調査もある.

表1 成人における血中鉛濃度と神経系への影響[1, 7]

血中鉛濃度 μg/dL	中枢神経系	末梢神経系	自律神経系
100	脳症(せん妄, 昏睡, 痙攣)		
90			
80			
70			
60	睡眠・情緒・記憶力・注意力の障害自覚症状		
50	中枢神経伝道速度低下(短潜時体性感覚誘発電位, 視覚誘発電位, 聴性脳幹誘発電位潜時の遅延)		
40	神経行動テストバッテリーの低下	末梢神経伝導速度の低下	副交感神経機能低下(心電図 RR 間隔短縮)
30	事象関連電位 P300 潜時 前庭・小脳・脊髄機能低下		

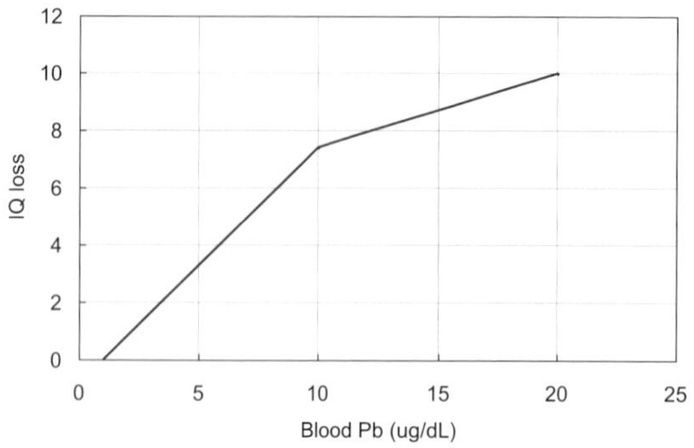

図２　小児の血中鉛濃度とIQ低下との関係
IPCSのメタアナリシス結果[1]（10μg/dL以上の部分）およびCanfieldらのデータ[8]（10μg/dL以下の部分）より作図.

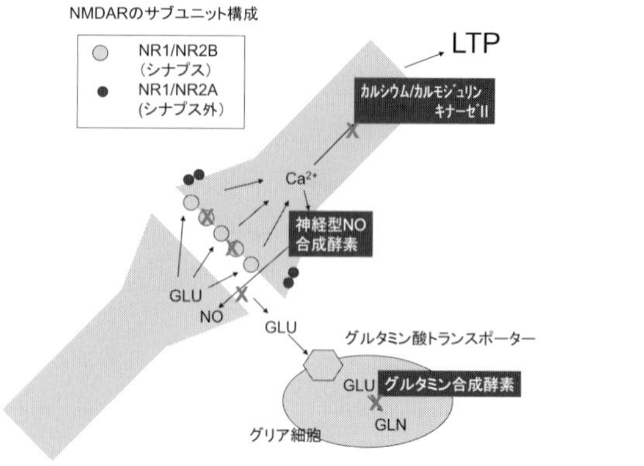

図３　グルタミン酸動作性ニューロンにおける神経伝達物質の代謝と鉛による阻害に関する仮説
Toscano & Guilarteの仮説[10]から，ニューロン部分のみを取り出して提示．図中×は鉛曝露によって阻害されるパスを示す.

これ以下ではIQ低下が起こらない，という血中鉛濃度の閾値はない，という説の当否は別として，少なくともこれまで考えられていたよりも低い曝露レベルで小児の認知機能の発達に影響を及ぼすことがこうした疫学調査から明らかになりつつある.

実験動物においても，学習や記憶などに鉛曝露による影響がみとめられている．げっ歯類では血中濃度20～30μg/dL以上で主に学習能力の低下がみられる.

このような鉛による神経系への影響メカニズムについてはいくつかの説がある[1, 2]が，現時点で確実にわかっているものはない．脳症症状は脳の毛細血管の透過性異常亢進にともなう脳浮腫が原因と考えられている．鉛によってカルシウムの恒常性が阻害され，それによって引きおこされる細胞内シグナル伝達の撹乱も神経毒性に強く関与しているものと考えられている．発達期の動物において，鉛曝露によるプロテインキナーゼC（PKC）の活性化は，グリア線維性酸性タンパク質の発現を撹乱し，脳内微小血管網の形成や，より高レベル曝露においては，脳血液関門（BBB）の形成を妨げて鉛脳症の原因になると考えられている．また，鉛によるミトコンドリアにおけるエネルギー代謝の阻害も神経系影響の原因の一つと考えられている.

小児にみられる鉛曝露による認知機能の低下のメカニズムとして，神経伝達物質系への影響に着目した研究が進んでいる．鉛のグルタミン酸動作性伝達経路への関与について（図3）[10]，海馬における長期増強（long-term potentiation, LTP）への影響が，記憶や学習との関連で注目されている．低レベルの鉛によってグルタミン合成酵素活性が大きく低下し，神経伝達物質であるグルタミン酸の代謝が変化する．さらにN－メチル－D－アスパラギン産受容体（NMDAR）のサブユニット発現が鉛曝露によって撹乱され，NMDARサブユニット構成が変化し（NR1/NR2Aが増加，NR1/NR2Bが減少），シナプスにおいて伝達物質（グルタミン酸）によるシグナル伝達が阻害される．それに伴って神経細胞内カルシウムが減少し，カルシウムによる伝達系（カルシウム／カルモジュリンキナーゼII，図3）が阻害されてLTP形成が妨げられる．さらに本来カルシウムによって活性化される神経型NO合成酵素（nNOS）の活性が低下するために，逆行性情報伝達物質であるNOの前シナプスへの供給が低下し，NMDARの働きが低下する，という多岐にわたる鉛の影響メカニズムが仮説として提出されている[10]．このように鉛はグルタミン酸動作性伝達経路において，神経伝達物質と受容体双方に影響を及ぼすことが示唆されており，鉛による学習や記憶の障害のメカニズムの一つとして有力である.

鉛曝露によってドーパミンおよびアセチルコリンの放出が阻害されることが知られており，鉛によるドーパミン動作性およびコリン動作性情報伝達の阻害と学習の障害との関連が調べられている[11]．

(3) 腎機能[2]

高レベルの急性曝露によって，核内封入体，ミトコンドリア変性などをともなう近位尿細管障害がおこる．封入体の形成は，鉛の毒性を軽減する役割があるといわれている．鉛はミトコンドリア膜および膜間スペースに存在し，ミトコンドリアのカルシウム代謝を阻害し，ミトコンドリアにおける酸化反応を阻害しているものと考えられている．

血中濃度で60µg/dLあるいはそれ以下のレベルの作業者における知見では，尿中N－アセチル－β－D－グルコサミニダーゼ(NAG)排泄の増加，血中クレアチニン・BUNの上昇，クレアチニンクリアランスの低下がみとめられている．一般公衆におけるクロスセクショナルな疫学的調査のなかには，クレアチニンクリアランスの低下や血中β2－マイクログロブリンと鉛曝露指標との関連が見出したものもある(血中濃度男性11µg/dL，女性7.4µg/dL)．

(4) 循環系

血中鉛濃度と血圧に関する数多くの疫学研究のメタアナリシスから，血中鉛が2倍になると拡張期・収縮期血圧ともおよそ1mmHg上昇する，という結果が得られた[12]が，その上昇は大きくないので公衆衛生学的には大きな意味がないと考えられている．

鉛曝露による血圧上昇メカニズムとしていくつか考えられている[2]．鉛曝露による交感神経刺激がレニン-アンジオテンシン-アルドステロン系を活性化し，血中レニンおよびアンジオテンシン変換酵素(ACE)活性を増強し，血中アルドステロン濃度を上昇させることで血圧を上昇させているものと考えられている．あるいはNa-K-ATPアーゼ活性阻害にともない，細胞内Ca濃度を上昇させて血管平滑筋の収縮に関与している可能性もある．さらに鉛曝露による酸化ストレスやグアニレートシクラーゼの発現低下によって，一酸化窒素(NO)による血管拡張効果を低下させている可能性も指摘されている．

血圧以外の循環器影響として，作業者の循環器疾患死亡率，一般公衆の不整脈や心電図上の異常との関連が調べられているが，報告により相反する結果が得られており，一定の傾向は見出されていない．

(5) 生殖・発達

鉛による生殖影響は比較的高濃度曝露においてみとめられる．

精子数の減少，異常な形態をもつ精子の増加など，男性生殖影響は血中鉛約40µg/dL以上でみられる．出生児数や受胎待ち時間など，男性の生殖能力もほぼこの鉛曝露レベル以上で低下し始める[2]．鉛は睾丸に直接作用し，セルトリ細胞やライディッヒ細胞を攻撃することで精子の量や質を低下させているものと考えられている．その結果，テストステロン濃度の低下，LH，FSHの上昇などが二次的に起こっていると考えられる．サルを用いた実験では，生後0～400日，生後300日～10歳，生後0日～10歳まで，の3群に鉛を曝露させたところ，生後300日～10歳の群以外に，精上皮に形態学的異常がみられている(この2群の血中鉛は35µg/dL)．幼少期に鉛曝露を受けると，その生殖影響が成人後にも継続する例である．

女性の生殖影響についてはあまりはっきりしていない．妊娠中の職業曝露や汚染地域における鉛曝露で流産や死産が増加するかどうかについては相反する報告がある．

6. 遺伝毒性[2]

鉛には染色体異常誘発性(clastogenic)があり，染色体欠損，小核形成，姉妹染色分体交換(SCE)などがin vitroおよびin vivo（主に作業者）の研究で見出されている．血中鉛濃度でおおむね40µg/dL以上の作業者のリンパ球で染色体欠損がみとめられている．SCEの頻度が上昇するのもおおむね同じ程度の血中鉛濃度からであると考えられる．25µg/dL以上で小核形成頻度が上昇

各論Ⅲ

するというデータがある．

これまで行われたほとんどの変異原性試験では陰性であった．

7. 発がん性

げっ歯類に対する10mg/kg程度の比較的高用量投与で，腎臓がんの頻度が高くなることが報告されている．ヒトでは血中濃度40～100μg/dL程度の高曝露作業者で，肺，消化管（胃，胆のう等），腎臓がんの標準化死亡率が上昇することが報告されている[4]．ヒトデータはほとんどが作業者のもので，鉛以外のほかの発がん物質への同時曝露の可能性があるため，確実なことは言いがたい難点がある．IARCは鉛の発がん性を2Bに分類している．

実験動物における発がんのメカニズムは現在まだ不明である．DNA合成・修復の阻害，酸化ストレスなど，non-genotoxicなメカニズムが想定されている．

8. 毒性の修飾要因

ヒトにおける鉛の体内動態に遺伝的要因がかかわっていることが明らかにされている．これまでに同定されている，鉛にかかわる遺伝子の多型には，ALA-D，ビタミンD受容体（VDR），ヘモクロマトーシス関連のHFEタンパクの，計3種類が知られている[13]．ALA-Dはすでに解説したように，ヘム合成系に働く酵素，VDRは腸管でのカルシウム吸収にかかわる活性型ビタミンDの核内受容体である．HFEは鉄代謝異常であるヘモクロマトーシスに関与するタンパクである．ALA-Dの多型によって血中鉛濃度に差がある，血漿－赤血球分配比が異なること，ALA-D，VDRの多型によって骨への鉛の分布が異なること，またVDR，HFEの多型によって，鉛の吸収率が異なることなど，鉛の体内動態が異なり，それが結果的に鉛の毒性発現に関与するものと考えられている．

こうした遺伝子の多型によって実際に鉛の毒性に差が見られた例として，ALA-D多型によって鉛体負荷量と気分の変調（abnormal mood）との関連の強さが異なった例[14]が挙げられる．

9. おわりに

現時点では鉛の有害性から保護するべきは小児の認知機能の発達であることは明白であろう．鉛のリスク管理という観点からは，現在ひろく用いられている米国CDCの10μg/dLが高すぎることは，CDC自身も2005年のaction level見直しの際に認めている．しかし，①10μg/dL以下の小児の血中鉛濃度を下げる臨床的方法がないこと，②低濃度の血中鉛をルーチン分析する分析法が確立していないこと，③IQについて閾値がみえないこと，の3点を理由にaction levelの改訂を見送った経緯がある[15]．①については，すでに存在している血中鉛が高い小児をどうするか，という問題はあるにしても，今後そのような血中鉛の高い小児をつくらない，という予防的観点から考えたら，新たな，より低い血中鉛指針値の策定を否定する理由にはならないであろう．②については，たしかに現行の血中鉛の標準的分析法である黒鉛炉原子吸光法（GFAAS）では5μg/dL未満の血中鉛の分析には困難があるかもしれないが，現在広く使われるようになったより高感度なICP質量分析法に標準法を替えることで完全に解決できる．③について，疫学的データからは閾値が見えない[16, 17]，ということである．毒性メカニズムの解明によって，動物実験データから外挿して閾値を求める方法が考えられる．そのために今後，認知機能への影響の分子メカニズムを解明すること，そして実験動物および疫学データに基づく，鉛と認知機能との用量－影響関係を明確にすること，が最優先課題となると考えられる．

参考文献

1. IPCC：Environmental Health Criteria 165 Inorganic Lead. WHO, Geneva, 1995.
2. ATSDR：Toxicological Profile for Lead, 2007.
3. CDC：Preventing lead poisoning in young children. Atlanta, GA, 1991.
4. 日本産業衛生学会：許容濃度等の勧告（2009年度）．産業衛生学雑誌 51：98-123, 2009.
5. JECFA：WHO Food Additives Series 44, WHO, Geneva, 2000.
6. 荒記，坂井，横山：鉛．荒記俊一（編） 中毒学 朝倉書店 pp. 82-88, 2002.
7. Araki S, Sato H, Yokoyama K, Murata K：Subclinical neurophysiological effects of lead：A review on peripheral, central, and autonomic nervous system effects in lead workers. Am. J. Ind. Med. 37：193-204, 2000.
8. Canfield RL, Henderson Jr. CR, Coly-Sechta DA, Cox C, Jusko TA, Lanphear RL：Intellectual impairment in children with blood lead concentrations below 10 μg/dL. N. Engl. J. Med., 348：1517-1523, 2003.
9. Jusko TA, Henderson Jr. CR, Lanphear BP, Cory-Slechta DA, Parsons PJ, Canfield RL：Blood lead concentrations <10 μg/dL and child intelligence at 6 years of age. Environ. Health Perspect., 116：243-248, 2008.
10. Toscano CD, Guilarte TR：Lead neurotoxicity：From exposure to molecular effects. Brain Res. Rev., 49：529-554, 2005.
11. Cory-Slechta DA：Relationships between lead-induced learning impairments and changes in dopaminergic, cholinergic, and glutamatergic neurotransmitter system functions. Annu. Rev. Pharmacol. Toxicol., 35：391-415, 1995.
12. Staessen JA, Christopher JB, Fagard R, Lauwerys RR, Roels H, Thijs L, Amery A：Hypertension caused by low-level lead exposure：Myth or fact? J. Cardiovasc. Risk, 1：87-97, 1994.
13. Onalaja AO, Claudio L：Genetic susceptibility to lead poisoning. Environ. Health Perspect., 108：23-28, 2000.
14. Rajan P, Kelsey KT, Schwartz JD, Bellinger DC, Weuve J, Sparrow D, Spiro III A, Smith TJ, Nie H, Hu H, Wright RO：Lead burden and psychiatric symptoms and the modifying influence of the δ-aminolevulinic acid dehydratase (ALAD) polymorphism. The VA Normative Aging Study. Am. J. Epidemiol., 166：1400-1408, 2007.
15. CDC：Why not change the blood lead level of concern at this time? http://www.cdc.gov/nceh/lead/policy/changeBLL.htm (2010.8 月にアクセス)
16. Schwartz J：Low-level lead exposure and children's IQ：a meta-analysis and search for a threshold. Environ. Res., 65：42-55, 1994.
17. Lanphear BP, Hornung R, Khoury J, Yolton K, Baghurst P, Bellinger DC, Canfield RL, Dietrich KN, Bornschein R, Greene T, Rothenberg SJ, Needleman HL, Schnaas L, Wasserman G, Graziano J, Roberts R：Low-level environmental lead exposure and children's intellectual function：An international pooled analysis. Environ. Health Perspect., 113：894-899, 2005.

Ⅲ-9 重金属
d. カドミウム

愛知学院大学　薬学部　衛生薬学講座
佐藤雅彦

カドミウム(cadmium, Cd)は，原子量が112.41，比重が8.642，融点が321℃，沸点が767℃を示す重金属であり，1817年にドイツの鉱物学者F. Strohmeyerにより発見された．主な用途は，顔料，電池，合金，メッキなどであり，そのほか自動車部品，電子機器，カメラ部品，合成樹脂の安定剤，原子炉の制御棒など，幅広く利用されている．自然界においてカドミウムは亜鉛，銅，鉛などと共存しており，これらの金属の採鉱，製錬の際に副産物として得られる．

カドミウムによる健康影響については，合金製造精錬工場や電池工場などの職場でのカドミウム曝露と，一般環境汚染による飲食物を介したカドミウムの過剰摂取によって腎臓，骨，呼吸器および循環器などに障害が認められている．わが国では，職業曝露によるカドミウム中毒のみならず，1955年に富山県神通川流域(岐阜県，三井金属神岡鉱山から排出)で，カドミウムの環境汚染により長期間カドミウムを経口摂取した結果，子供を多くもった高齢経産婦に腎障害と骨軟化症を主症状とするイタイイタイ病が発生している．しかしながら，今日，わが国において，産業職場や環境汚染によるカドミウム中毒はほとんど認められていないが，その一方で，カドミウムは米などの食品や喫煙を介して生涯にわたって身体に取り込まれるため，最近ではカドミウムの微量長期曝露による健康影響が問題となっている．

1. 急性毒性

カドミウムの経口曝露による急性毒性は，主として誤飲による場合が多く，嘔吐，腹痛，下痢，悪心がみられ，重症ではショック状態を呈することもある．カドミウムによる吸入曝露では，間質性肺炎や肺浮腫がみられ，重症では心肺機能不全で死亡することがある．主として職業曝露による場合が多く，カドミウムフュームの吸入によるものである．ただし，現在，わが国ではカドミウムによる急性中毒は認められていない．

2. 慢性毒性

カドミウムによる慢性毒性としては，腎臓，骨，呼吸器，生殖器，循環器などに障害が認められている[1, 2]．特に，腎毒性は，尿細管機能障害が特徴的で，カドミウムの慢性毒性の評価基準になっている．また，腎障害と骨病変の存在するのがイタイイタイ病であり，更年期以後の経産婦に多発し，慢性カドミウム中毒の進行した段階と考えられている[2]．わが国では，富山県婦中町，兵庫県生野，石川県梯川流域，秋田県小坂町，長崎県対馬など鉱山等によりカドミウムの汚染を受けた地域において慢性毒性が発生した．

1) 腎毒性

腎臓の尿細管機能障害(Fanconi症候群)は，主要な慢性カドミウム中毒である[1, 2]．近位尿細管機能低下が主要所見であるが，さらに進行すると遠位尿細管機能低下や糸球体機能低下もみられ，重症では尿毒症をひき起こし，死に至る．腎障害の鋭敏な指標として，尿中β_2－ミクログロブリン（β_2－MG）およびレチノール結合タンパク質(RBP)等の低分子量タンパク質やN－アセチル－β－D－グルコサミニダーゼ(NAG)などが用いられている．病理組織学的には，尿細管に変性，萎縮，消失が認められるが，糸球体に著変は認められない．

2）骨病変

イタイイタイ病患者をはじめカドミウムの慢性曝露によって骨粗しょう症を一部伴った骨軟化症が，更年期以後の経産婦にひき起こされる[1－3]．自覚症状は疼痛，特に大腿痛や腰痛で，運動時に増強する．骨X線所見の特徴は，骨改変層，骨萎縮，骨変形などである．その発症機序として，尿細管障害に基づくカルシウムおよびリン代謝異常による骨代謝障害，腎臓におけるビタミンD_3の活性化阻害による消化管からのカルシウム吸収障害などが推定されている．

3）生殖毒性

生殖毒性に関するヒトでの疫学調査では，カドミウムが男性女性を問わず生殖毒性を示す結果は得られていない．一方，実験動物を用いた研究では，カドミウム曝露による精巣の出血性炎症障害，水腫および壊死，精子の運動性低下，輸精管の壊死，セルトリ細胞の傷害，流産並びに胎仔の奇形増加が観察されている[4]．また，マウスではカドミウムによる出血を伴う精巣障害の感受性に系統差が認められている．その原因として，カドミウムの輸送に関与する亜鉛トランスポーターZIP8の血管内皮細胞での発現量の違いによることが見いだされている[5]．

環境省は内分泌攪乱（環境ホルモン様）作用を有すると疑われる70種類の化学物質のリストを作成しているが，その中にカドミウムが含まれている．カドミウムはエストロゲン受容体と結合することが見いだされており[6]，最近の知見では，カドミウムを投与したラットにおいて子宮重量の増加，子宮内膜の変化，乳腺上皮の密度上昇が観察されている[7]．また，子宮内がカドミウムに曝露されると，雌仔で乳腺の発達や思春期の開始に影響がみられる[7]．

4）発がん性

ヒトにおける疫学調査では，カドミウム曝露によって前立腺がんおよび肺がんの発症が認められている[8, 9]．1993年，国際がん研究機構(International Agency for Research on Cancer, IARC)は，カドミウムを長期に高濃度吸入曝露したカドミウム取扱い労働者において肺がんの相対リスクが高く，カドミウム曝露と肺がん死亡との間に量－反応関係が示されていることから，カドミウムをヒトにおける発がん性物質としてGroup1に分類している[8]．しかしながら，その後，カドミウムによる肺発がんの疫学調査研究に対して，曝露レベルの推定，喫煙の影響，ニッケルやヒ素の関与など種々の疑義が出されている．また，前立腺発がんについては，当初カドミウムにより前立腺がん発症率が有意に増加するとみなされていたが，その後の研究で関連性が明確でなくなっている．以上のように，現時点において，カドミウムの肺や前立腺における発がん性は疫学調査研究結果によって明確に示されたといえる状況ではない．

一方，実験動物を用いた研究では，カドミウムの曝露によってラットの肺，精巣，前立腺，造血系並びに皮下や筋肉内投与部位において腫瘍の発症が認められている[10]．しかも，カドミウムの曝露経路を吸入，注射および給餌にした場合，いずれも発がん性が確認されている[10]．

5）その他の健康影響

呼吸器疾患については，カドミウムの慢性吸入曝露によって，鼻，咽頭，喉頭の上気道の炎症および肺気腫が起こる．

循環器疾患については，高血圧患者の尿中カドミウム排泄量が対照群に比べて高いことやオランダのカドミウム汚染地域では動脈硬化症の頻度が高いことが報告されている[4]．しかしながら，その一方で，イタイイタイ病患者をはじめ国内のカドミウム汚染地域住民や職業性カドミウム曝露者に高血圧症は認められず，むしろ低血圧傾向であることが示されている[4]．実験動物を用いた研究では，ラットにおいて，カドミウムの微量長期曝露によって恒常的な高血圧や動脈硬化症が発症するが，腎毒性をひき起こすようなカドミウムの曝露では認められないことが報告されている[4]．このように，疫学調査研究によるカドミウムと循環器疾患との関連については，相反する報告があり，現時点では結論的なことが言える段階にない．これらの違いについては，腎尿細管再吸収障害の存在と高血圧調節機能とが関係している可能性がある．

また，貧血は，古くからイタイイタイ病患者で頻繁に認められてきただけでなく，経気道的にカドミウムに曝露された工場労働者においてもしばしば観察されてきた[4]．また，ヒトだけでなく，実験動物においてもカドミウムの経口曝露，皮下注射，腹腔内注射および静脈内注射などによって貧血が発症することが確認されてきた．現在，カドミウム中毒による貧血の発症機序として，溶血性貧血，鉄欠乏性貧血および腎性貧血の3つが重要であると考えられている[11]．溶血性貧血はカドミウム曝露後ごく早期から見られるものであり，赤血球に対する高濃度のカドミウムの直接的な細胞障害作用により血管内溶血が生じる．カドミウムを実験動物に経口投与すると消化管からの鉄の吸収が阻害され，鉄欠乏性貧血が発症する．腎性貧血はイタイイタイ病患者をはじめ慢性カドミウム中毒の重症例で観察される．カドミウムは造血因子エリスロポエチン(Epo)の産生細胞である腎近位尿細管細胞を障害する結果，Epoの産生を低下させ，腎性貧血をひき起こす．

3. アポトーシス誘導

カドミウムは，肝臓や腎臓など種々の組織に障害を与えるが，その毒性発現にアポトーシスが関与していることが明らかになってきた[12－14]．特に，カドミウムの曝露レベルが高い場合にはネクローシスが多く観察されるが，低い場合にはアポトーシスが発生しやすいことが認められており，カドミウムがひき起こす細胞死の様式がその曝露レベルに依存することが示されている[12, 14]．従って，カドミウムの低用量長期曝露時の毒性発現にアポトーシスが深く関与している可能性があり，アポトーシス誘導の有無は毒性評価の有用な指標と考えられる．

カドミウムによるアポトーシス誘導のメカニズムについては，まず，カドミウムがカスパーゼ－8の活性化を介して，その下流のカスパーゼ－3を活性化することによって，DNAの断片化をひき起こすと考えられている．また，カドミウムはミトコンドリアからのシトクロムCの放出を促進して，これがカスパーゼ－9およびカスパーゼ－3を活性化することによってもアポトーシスを誘導する．その他に，カドミウムが小胞体におけるイノシトール三リン酸(IP3)レセプター1型の発現を高めることによって，小胞体から細胞質へカルシウムイオンを放出し，これが引き金となってカルパインが活性化されてDNAの断片化が起こることも明らかにされている．以上のように，カドミウムはカスパーゼ－ミトコンドリア依存性の経路とカルシウム－カルパイン依存性の経路の両方によってアポトーシスを誘発すると考えられる[13]．

4. 細胞内シグナル伝達の撹乱

細胞内シグナル伝達の経路は多様であるが，カドミウムがprotein kinase Cやcyclic AMP経路に影響を及ぼすことが指摘されている[14]．カドミウムを曝露したラットの肝臓および脳や培養神経細胞(PC12)では，protein kinase C活性の上昇が認められている．カドミウムによって活性化されたprotein kinase Cがシクロオキシゲナーゼ－2の誘導をひき起こし，その結果，骨吸収を促進するプロスタグランジンE2の産生が増加することによって骨組織からのカルシウムの放出が促進される．さらに，血管内皮細胞において，カドミウムがprotein kinase Cの活性化を介してプラスミノーゲンアクチベーターインヒビター1型を合成促進することも明らかにされている．一方，培養メサンギウム細胞では，カドミウムがprotein kinase C活性を上昇させることなくmitogen-activated protein kinase (MAPK)カスケードを活性化し，癌遺伝子c-fosの発現を高める．

Cyclic AMPは刺激受容に応じてATPを基質

としてadenylate cyclaseによって合成され，protein kinase Aの活性化を通じて種々のタンパク質をリン酸化して細胞機能を調節している．カドミウムを投与したラット肝臓では，adenylate cyclase活性が上昇し，その結果，肝臓中cyclic AMPレベルの上昇が認められている．一方，腎皮質中のcyclic AMPレベルはカドミウムの投与によって低下しており，肝臓と腎臓ではカドミウムによるcyclic AMP経路への作用が異なることが示されている．また，カドミウムを投与したラットの血小板ではadenylate cyclaseが活性化され，さらにcyclic AMPの分解作用を有するphosphodiesteraseが阻害され，その結果，cyclic AMPレベルが上昇し，血小板の凝集が阻害されることが見いだされている．最近では，protein kinase Cやcyclic AMPのほかに転写因子であるNF-κBのDNAへの結合がカドミウムによって阻害されることが示されている．

以上のように，カドミウムがprotein kinase C経路やMAPK経路およびサイクリックAMP経路などシグナル伝達を攪乱して細胞機能に影響を及ぼすことが明らかにされつつある．しかしながら，カドミウムによるシグナル伝達の攪乱が*in vivo*における毒性発現にどの程度関与しているかについては不明である．

5. 遺伝子の発現・制御（DNAマイクロアレイ法）

カドミウムは，メタロチオネインをはじめ多くの遺伝子発現を促進することが知られている．最近，DNAマイクロアレイ法を用いて，カドミウムによって発現・制御される遺伝子の特定が検討されている[15]．カドミウム（40 μmol/kg）を腹腔内投与して3時間後のマウス肝臓において，Atlas Toxicology Arraysを用いたDNAマイクロアレイ法では，heme oxygenase-1，heat-shock protein-60，GADD 153，GADD 45など多種類の遺伝子発現が促進されている．また，遺伝子発現が抑制されるものとしては，CYP 2E1，CYP 2F2，CYP 7B1，epoxide hydrolase，Mn-superoxide dismutase，catalaseなどが示されている．

他にも，カドミウム慢性毒性の標的臓器である腎臓や骨において遺伝子発現の網羅的解析が検討されている[16, 17]．カドミウム（5 mg Cd/kg/day）を6週間（6 days/week）経口投与した後，4週間維持したラットの腎臓および骨において，GeneChipを用いたDNAマイクロアレイ解析では，約28,000遺伝子中それぞれ31並びに23遺伝子に変動が認められている．

このように，DNAマイクロアレイ法を利用することによって，カドミウムによる遺伝子発現の変動が多数認められた．今後，DNAマイクロアレイ法を用いた研究が盛んに行われることによって，カドミウムの毒性発現や感受性に関与する遺伝子が特定されていくものと考えられる．

6. カドミウム中毒に対するメタロチオネインの関与

メタロチオネイン（metallothionein, MT）は，システインに富む低分子量タンパク質であり，カドミウムをはじめ様々な要因によってその合成が誘導される[18]．一般に，メタロチオネインは，カドミウムをはじめ重金属の毒性軽減や蓄積並びに銅や亜鉛などの必須金属の恒常性の維持に関与していると考えられている．メタロチオネイン合成を誘導した動物や培養細胞がカドミウムに対して耐性を示すことが知られており，多くの研究が報告されている．

近年，メタロチオネイントランスジェニックマウスを用いたカドミウム毒性の研究が進められている[14, 18]（表1）．メタロチオネイン－Ⅰ遺伝子を導入したメタロチオネイン過剰発現マウスは，肝臓中メタロチオネイン濃度が野生型マウスの10倍高く，カドミウムの静脈内投与による急性の致死毒性および肝毒性が野生型マウスに比べて減弱されることが報告されている．さらに，ジーンターゲティング法によりメタロチオネイン－Ⅰとメタロチオネイン－Ⅱの発現を抑えたメタロチオネインⅠ/Ⅱ欠損マウスにおいて，カドミウムの皮下投与による急性肝毒性が野生型マウスに比べて増強されることが示されている．

カドミウムの慢性毒性に対しても，カドミウムを6ヶ月間経口投与したメタロチオネインⅠ/Ⅱ欠損マウスでは，野生型マウスに比べて腎毒性が

表１　メタロチオネインⅠ／Ⅱ欠損マウスにおけるカドミウム毒性

投与経路	投与期間	投与量	毒性標的臓器	毒性評価
腹腔内	1回	25 μmol/kg	肝臓	⬆
皮下	10週[1)]	12.5-800 μg Cd/kg	腎臓	⬆
皮下	10週[1)]	12.5-800 μg Cd/kg	肝臓	⬆
皮下	10週[1)]	12.5-100 μg Cd/kg	骨	⬆
皮下	10週[1)]	12.5-800 μg Cd/kg	血液	⬆
経口（飲水）	6カ月	30-300 ppm	腎臓	⬆
経口（食餌）	6カ月	100 ppm	腎臓	⬆
経口（食餌）	4カ月	50 ppm	腎臓	±

カドミウムの化学形：塩化カドミウム．　1）6回／週．
⬆：野生型マウスと比べて増強，⬇：野生型マウスと比べて増弱，
±：野生型マウスと同様．

著しく増強されることが見いだされている．さらに，カドミウムの長期皮下投与による腎毒性，肝毒性，骨毒性，血液毒性および免疫毒性に対する感受性も野生型マウスに比べてメタロチオネインI/II 欠損マウスの方が高いことが示されている．

培養細胞を用いたin vitroの実験系においてもカドミウムの細胞毒性に対するメタロチオネインの防御効果に関する研究が数多く報告されている[14, 18)]．カドミウムに対して耐性を獲得した細胞では，細胞内メタロチオネイン濃度が高く，カドミウム耐性と細胞内メタロチオネイン濃度との間に正の相関を示すことが見いだされている．メタロチオネイン遺伝子を導入して細胞内メタロチオネイン濃度を上昇させた細胞は，カドミウムに対する感受性が低いことや，メタロチオネインI/II 欠損マウスの初代培養細胞系(線維芽細胞と肝細胞)および不死化細胞系(線維芽細胞)ではカドミウムに対する感受性が高いことが明らかにされている．以上のように，実験動物や培養細胞系において，メタロチオネイン－Iやメタロチオネイン－IIがカドミウム毒性の軽減に重要な役割を果たしていることが示されている．

さらに最近になって，カドミウム毒性に対するメタロチオネイン－IIIの効果が検討されはじめている．ヒト近位尿細管細胞にメタロチオネイン－IIIを過剰発現させると，カドミウムによる感受性が増大することが報告されている[19)]．また，メタロチオネイン－IIIの発現を抑えたメタロチオネインIII欠損マウスにおいて，カドミウムの皮下投与による急性肝毒性が野生型マウスに比べて減弱されることが示されており，メタロチオネイン－IIIはメタロチオネイン－Iやメタロチオネイン－IIとは相反する効果を示す可能性が示唆されている[20)]．しかしながら，何れもそのメカニズムについては明らかにされておらず，カドミウム毒性に対するメタロチオネイン－Ⅲの新たな機能解明のために，さらなる研究が必要である．

7. 体内動態

経気道的に吸入されたカドミウムの吸収率は10～60%程度であり，カドミウムの腸管からの吸収率は1～7%程度である．ただし，カドミウムの腸管吸収は加齢とともに大きく変動し，鉄，カルシウム，亜鉛，銅，食物繊維等の影響を受ける．最近，腸管においてトランスフェリン非依存的な鉄の取り込みのための輸送体としてラット腸管からDivalent metal transporter 1（DMT1)が単離された[21)]．DMT1は亜鉛，マンガン，コバルト，銅，ニッケル，鉛そしてカドミウムなどの2価の金属に対してもトランスポーターとして作用することが確認されている[21)]．鉄欠乏状態のラットでは，DMT1の腸管での発現が増加することによって，カドミウムの腸管吸収が増加することが示されている[22, 23)]．一方で，カドミウムは，DMT1を発現させたCHO細胞において鉄の輸送を阻害することや，Caco－2細胞において鉄の取り込みを阻害すること，およびDMT1

のmRNAの発現を抑制することも報告されている[24－26]．

体内に吸収されたカドミウムの50～80%は肝臓と腎臓に蓄積される．非経口的に投与されたカドミウムは，一般に，肝臓に最も多く蓄積するが，その後，肝臓中カドミウム濃度は徐々に減少し，腎臓に移行する[23]．一方，経口投与されたカドミウムは，肝臓に加えて腎臓へも多く蓄積される．体内に取り込まれたカドミウムは，主に糞と尿を介して排泄されるが，肝臓に蓄積したカドミウムの一部は胆汁排泄されることから，腸肝循環があることが推測されている．

カドミウムの生物学的半減期は，一般に長く，性や年齢，カドミウムの曝露量により変動するが，ヒトが低用量カドミウムに長期曝露している場合，10～20年程度と推定されている．

8. 体内動態とメタロチオネイン

血液中から臓器に分布する過程において，カドミウムは化学形の違いにより，その後の組織分布が異なる．メタロチオネインと結合したカドミウムは腎臓に多く分布し，メタロチオネインとの非結合型カドミウムは肝臓に多く分布する．体内に吸収されたカドミウムの多くは血漿中でアルブミンと結合した形で肝臓に取り込まれる．肝臓に取り込まれた多くのカドミウムはメタロチオネインを誘導合成し，80%以上のカドミウムがメタロチオネインと結合して存在する．また，肝臓内の一部のカドミウムはグルタチオンと複合体を形成して胆汁へ排泄される．その後，肝臓でメタロチオネインと結合したカドミウムは血液中に放出され，腎尿細管で再吸収されて蓄積される．腎臓に取り込まれたメタロチオネイン結合カドミウムはリソゾームで分解され，カドミウムイオンとして

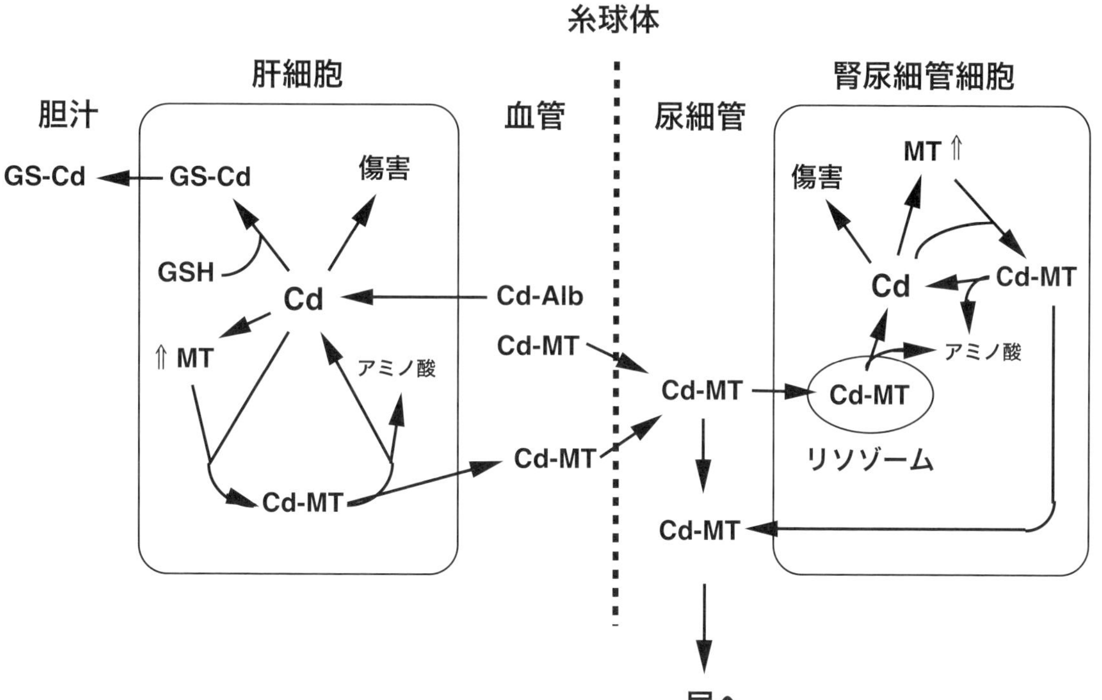

Cd，カドミウム；Cd-Alb，カドミウム－アルブミン複合体；Cd-MT，カドミウム－メタロチオネイン複合体；GSH，グルタチオン；GS-Cd，カドミウム－グルタチオン複合体．

図1　カドミウムの体内動態におけるメタロチオネインの役割

遊離する．遊離したカドミウムイオンはメタロチオネインを誘導合成して再びメタロチオネインと結合し，低毒性の状態で腎臓に蓄積する[18, 23, 27)]（図1）．

カドミウムの体内動態に及ぼすメタロチオネインの影響についても，メタロチオネインI/II欠損マウスを用いた研究が報告されている．カドミウムを連続長期曝露（経口あるいは皮下投与）したメタロチオネインI/II欠損マウスの腎臓中カドミウム濃度は，野生型マウスの1/5程度（10μg/g組織）に減少する．カドミウムを単回皮下投与した場合，メタロチオネインは，肝臓へのカドミウムの取り込みには関与しないが，肝臓中でのカドミウムの貯留には関与することが示されている．さらに，妊娠期間中にカドミウムを曝露したメタロチオネインI/II欠損マウスの胎仔へのカドミウムの蓄積が野生型マウスの場合に比べて高いことも報告されている．以上のように，メタロチオネインI/II欠損マウスを用いた検討により，カドミウムの体内動態に及ぼすメタロチオネインの関与が明らかにされつつある[18, 23, 27)]．

9. 細胞膜輸送システム

細胞内へのカドミウムイオンの取り込みがカルシウムチャネル遮断剤によって阻害されることから，カドミウムイオンはカルシウムチャネルを利用して細胞内に取り込まれることが見いだされている（図2）．また，DMT1が，カドミウムの細胞内への取り込み機構のひとつとして作用することが示されている（図2）．最近，メタロチオネインI/II欠損マウス由来の不死化線維芽細胞から樹立したカドミウム耐性細胞を用いて，細胞内へのカドミウムの取り込みにZIP8が関与することが見いだされている[28)]（図2）．さらに，ZIP8と同じZIPファミリーに属するZIP14もカドミウムの輸送に影響を及ぼすことが報告されている[29)]（図2）．

細胞内に取り込まれたカドミウムは，グルタチオン複合体として，GS-Xポンプにより細胞外へ排出される[30)]（図2）．GS-Xポンプは，多剤耐性関連タンパク質（MRP）遺伝子にコードされた輸送体タンパク質で，ATP依存性排出ポンプであ

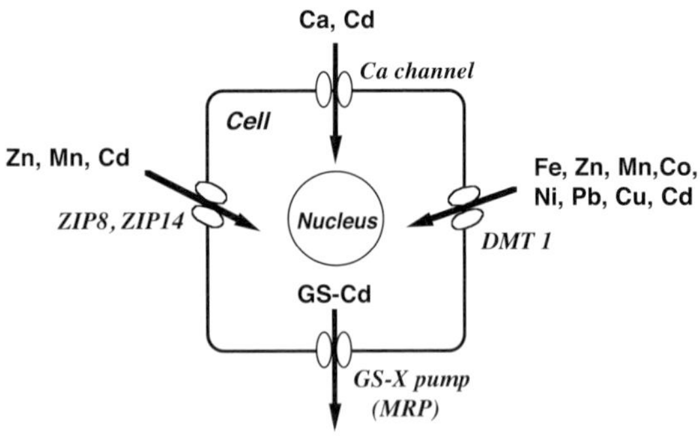

Cd，カドミウム；Ca，カルシウム；Mn，マンガン；Zn，亜鉛；Fe，鉄；Co，コバルト；Ni，ニッケル；Pb，鉛；Cu，銅；DMT1, divalent metal transporter 1；ZIP, Zrt- and Irt-related protein；GS-Cd，カドミウム－グルタチオン複合体；MRP, multidrug resistance protein.

図2　カドミウムの細胞膜輸送システム

り，システイニルロイコトリエン，酸化型グルタチオン，グルタチオン抱合体，グルクロン酸抱合体および有機アニオンなどを細胞外へ排出することが知られている[30)]．

10. 予後

カドミウム作業者では，カドミウム曝露を減少あるいは中止しても，肺機能の低下が進行する．さらに，カドミウム作業者の追跡調査により，呼吸器疾患による過剰死亡が報告されている．また，カドミウム吸入曝露による肺炎などの呼吸器疾患が回復しても，後年，肺線維症が出現することがある．

カドミウム曝露による腎近位尿細管障害が軽度の場合（尿中β_2-MGが1000μg/g creatinine以下），比較的若年期にカドミウム曝露が中止されることにより回復する．しかしながら，尿中β_2-MGが1000μg/g creatinine以上を示す腎障害の場合，カドミウム曝露が中止されてもカドミウムによる腎障害は進行・悪化することが多い．

カドミウム曝露による生命予後については，これまで多くの研究が報告されている[27, 31)]．国全体や非汚染地域の死亡率を基準として集団レベルで比較した場合，カドミウム汚染地域の死亡率は同程度もしくは低い傾向にある．一方，イタイイタイ病患者とその要観察者を対象にした場合，全

般的な予後が悪く，死亡率が有意に高いことが示されている．また，カドミウム汚染地域を腎機能障害で群分けを行った場合，尿中に1000μg/g creatinine以上のβ_2-MGを排泄している群の死亡率は非汚染地域の死亡率に比べて高く，1000μg/g creatinine未満を排泄している群の死亡率は非汚染地域の死亡率に比べて低いことが示されている．死因としては，腎疾患(腎炎，腎不全)，心血管疾患，脳血管疾患が多く，がん死亡の増加はみられていない．さらに，尿中β_2-MG高値と尿タンパク質陽性が重なると，生命予後が不良になることも示されている．このように，カドミウム曝露による生命予後については，カドミウム汚染地域内でカドミウム曝露による腎機能障害の有無により比較した場合，中等度以上の腎機能障害がみられる程度のカドミウム曝露は生命予後を悪くするが，軽微な腎機能障害あるいは腎機能に障害がおこらない程度のカドミウム曝露は生命予後をよくするという結果が出されている．その原因として，腎障害が起こらない程度のカドミウム曝露を受けているヒトは，酸化的ストレスに起因する様々な疾患がカドミウムによって誘導合成されたメタロチオネインの抗酸化作用により予防されるために生命予後が良くなるのではないかと考えられている．

11. カドミウムの安全性評価

FAO/WHO合同食品添加物専門家委員会(JECFA)は，カドミウムに曝露されているヒト集団の10%に腎尿細管機能異常をひき起こす腎皮質のカドミウム蓄積濃度(臨界濃度)が，200μg/g組織以上と推定している．さらに，カドミウムの耐用摂取量については，1993年に暫定的耐容一週間摂取量(PTWI)として7μg/kg体重(1日あたり1μg/kg体重)を超えないという基準が出されている．これは，一生涯のカドミウム摂取で腎皮質カドミウム含有量が50μg/g組織を超えないように推定された基準である．JECFAでは，2003年6月に日本でのカドミウムの疫学調査結果を踏まえてPTWIの再評価が行われた．その結果，新たに入手したデータからはPTWIを修正すべき十分な根拠が見当たらず，PTWIのカドミウムを摂取しても腎臓への悪影響のリスクが高まることはないことから，現行のPTWI(7μg/kg/week)が維持された．

実験動物における腎障害をひき起こす腎臓中カドミウム濃度については，ラットやサルを用いて検討されている[27]．ラットを用いたカドミウム亜急性毒性の投与では，腎臓中カドミウム濃度が150μg/g組織を超えると腎障害が認められる．また，サルでは，カドミウムの長期曝露による腎障害が認められた時点での腎臓中カドミウム濃度は，300-500μg/g組織であると報告されている．このように，ヒトと実験動物ではカドミウムによる腎毒性に対して感受性が異なることが示されている．

一般に，カドミウムが腎臓で過剰に蓄積するとメタロチオネインと結合しないカドミウムイオンが増加するために，腎臓の近位尿細管が障害されると考えられている．従って，腎臓中のメタロチオネイン結合カドミウムとメタロチオネイン非結合カドミウムの均衡が，腎障害発生の決定要因となっている．メタロチオネインI/II欠損マウスにおけるカドミウムの慢性腎毒性は腎臓中カドミウム濃度が10μg/g組織以下でも発症することが明らかにされている．このように，カドミウムの腎毒性発現には腎臓でのメタロチオネインの発現量に依存している可能性がある．腎臓中メタロチオネイン濃度が低い場合には，日常レベルのカドミウムの摂取でも腎毒性がひき起こされるかもしれない．ヒトの腎臓中メタロチオネインは一般に加齢とともに増加するが，一部のヒトに腎臓中メタロチオネイン濃度が極めて低いことが確認されている[32]．さらに，日本人を対象にメタロチオネイン－IIAの遺伝子多型の存在も確認されている[33]．ヒトにおけるカドミウムの慢性毒性を評価する際には，カドミウム毒性に対して一般集団に比べて感受性が高い集団(ハイリスク集団)が存在することから，一般集団とハイリスク集団を区別して行う必要がある．現在，ハイリスク集団としては，体内に鉄貯蔵が欠乏している女性や喫煙者が考えられている．低メタロチオネインレベルのヒトも，ハイリスク集団として考慮する必要があるかもしれない．

また，カドミウムの低用量長期曝露による健康

各論Ⅲ

影響は高齢者が対象となるが，一般に腎機能は加齢に伴って低下し，老年期の女性は骨粗鬆症のリスクが高いことが知られている．さらに，腎臓中カドミウムも加齢とともにその蓄積が増加することが報告されている．従って，高齢者における腎機能の低下や骨粗鬆症の発症に対してカドミウムの生涯曝露の影響を評価することはたいへん難しい問題である．

参考文献

1. Jarup, L.：Health effects of cadmium exposure：A review of the literature and a risk estimate. Scand. J. Work Environ. Health. 24：1-52, 1998.
2. Nogawa, K., Kurachi, M., Kasuya, M.：Advances in the prevention of environmental cadmium pollution and Countermeasures. pp1-252, Eiko Laboratry, Kanazawa, 1999.
3. 丸茂文昭：慢性カドミウム中毒．Biomed. Res. Trace Elements. 10：65-75, 1999.
4. 鍜冶利幸，小山　洋，佐藤雅彦，遠山千春：低用量カドミウム曝露と健康影響．(2)生活習慣病と生殖毒性．日本衛生学雑誌．57：556-563, 2002.
5. Dalton,T.P., He, L., Wang, B., Miller, M.L., Jin, L., Stringer, K.F., Chang, X., Baxter, C.S., Nebert, D.W.：Identification of mouse SLC39A8 as the transporter responsible for cadmium-induced toxicity in the testis. Proc. Natl. Acad. Sci. U.S.A. 102：3401-3406, 2005.
6. Stoica, A., Katzenellenbogen, B.S., Martin, M.B.：Activation of estrogen receptor-alpha by the heavy metal cadmium. Mol. Endocrinol. 14：545-553, 2000.
7. Johnson, M.D., Kenney, N., Stoica, A., Hilakivi-Clarke, L., Singh, B., Chepko, G., Clarke, R., Sholler, P.F., Lirio, A.A., Foss, C., Reiter, R., Trock, B., Paik, S., Martin, M.B.：Cadmium mimics the in vivo effects of estrogen in the uterus and mammary gland. Nature Med. 9：1081-1084, 2003.
8. International Agency for Research on Cancer：Cadmium and cadmium compounds. Monographs on Evaluation of Carcinogenic Risks to Humans. 58：119-237, 1993.
9. 小山　洋，鬼頭英明，佐藤雅彦，遠山千春：低用量カドミウム曝露と健康影響．(1)遺伝子傷害性と発がん性．日本衛生学雑誌．57：546-555, 2002.
10. Waalkes, M.P.：Cadmium carcinogenesis in review. J. Inorg. Biochem. 79：241-244, 2000.
11. 堀口兵剛：カドミウム中毒における貧血．日本衛生学雑誌．62：888-904, 2007.
12. Habeebu, S.S., Liu, J., Klaassen, C.D.：Cadmium-induced apoptosis in mouse liver. Toxicol. Appl. Pharmacol. 149：203-209, 1998.
13. Li, M., Kondo, T., Zhao, Q.L., Li, F.J., Tanabe, K., Arai, Y., Zhou, Z.C., Kasuya, M.：Apoptosis induced by cadmium in human lymphoma U937 cells through Ca2+－calpain and caspase-mitochondria-dependent pathways. J. Biol. Chem. 275：39702-39709, 2000.
14. 佐藤雅彦，鍜冶利幸，遠山千春：低用量カドミウム曝露と健康影響．(3)実験動物および培養細胞における毒性．日本衛生学雑誌．57：625-623, 2003.
15. Liu, J., Kadiiska, M.B., Corton, J.C., Qu, W., Waalkes, M.P., Mason, R.P., Liu, Y., Klaassen, C.D.：Acute cadmium exposure induces stress-related gene expression in wild-type and metallothionein-I/II-null mice. Free Radic. Biol. Med. 32：525-535, 2002.
16. Ohba, K., Okawa, Y., Matsumoto, Y., Nakamura, Y., Ohta, H.：Transcriptome analysis of rat kidney cells continuously exposed to cadmium using DNA microarray. J. Toxicol. Sci. 32：103-105, 2007.
17. Ohba, K., Okawa, Y., Matsumoto, Y., Nakamura, Y., Ohta, H.：A study of investigation of cadmium genotoxicity in rat bone cells using DNA microarray. J. Toxicol. Sci. 32：107-109, 2007.
18. Klaassen C.D., Liu, J., Choudhuri, S.：Metallothionein：An intracellular protein to protect against cadmium toxicity. Annu. Rev. Pharmacol. Toxicol. 39：267-294, 1999.
19. Somji, S., Garrett, S.H., Sens, M.A., Gurel, V., Sens, D.A.：Expression of metallothionein isoform 3（MT-3）determines the choice between apoptotic or necrotic cell death in Cd ＋ 2-exposed human proximal tubule cells. Toxicol. Sci. 80：358-366, 2004.
20. Honda, A., Komuro, H., Hasegawa, T., Seko, Y., Shimada, A., Nagase, H., Hozumi, I., Inuzuka, T., Hara, H., Fujiwara, Y., Satoh, M.：Resistance of metallothionein-III null mice to cadmium-induced acute hepatotoxicity. J. Toxicol. Sci. 35：209-215, 2010.
21. Gunshin, H., Mackenzie, B., Berger, U.V., Gunshin, Y., Romero, M.F., Boron, W.F., Nussberger, S., Gollan, J.L., Hediger, M.A.：Cloning and characterization of a mammalian proton-coupled metal-ion transporter. Nature. 388：482-488, 1997.
22. Park, J.D., Cherrington, N.J., Klaassen, C.D.：Intestinal absorption of cadmium is associated with divalent metal tranporter 1 in rats. Toxicol. Sci. 68：288-294, 2002.
23. Zalups, R.K., Ahmad, S.：Molecular handling of cadmium in transporting epithelia. Toxicol. Appl. Pharmacol. 186：163-188, 2003.
24. Picard, V., Govoni. G,, Jabado. N,, Gros. P.：Nramp 2（DCT1/DMT1）expressed at the plasma membrane transports iron and other divalent cations into a calcein-accessible cytoplasmic pool. J. Biol. Chem. 275：35738-35745, 2000.
25. Bannon, D.I., Abounader, R., Lees, P.S., Bressler, J.P.：Effect of DMT1 knockdown on iron, cadmium, and lead uptake in Caco-2 cells. Am. J. Physiol. Cell Physiol. 284：C44-50, 2003.
26. Tallkvist, J., Bowlus, C.L., Lönnerdal, B.：DMT1 gene expression and cadmium absorption in human absorptive enterocytes. Toxicol. Lett. 122：171-177, 2001.

27. 小山 洋, 佐藤雅彦, 遠山千春：低用量カドミウム曝露と健康影響. (4)生体負荷量・臨界濃度・生命予後. 日本衛生学雑誌. 57：624-635, 2003.
28. Fujishiro, H., Okugaki, S., Kubota, K., Fujiyama, T., Miyataka, H., Himeno, S.：The role of ZIP8 down-regulation in cadmium-resistant metallothionein-null cells. J. Appl. Toxicol. 29：367-373, 2009.
29. Girijashanker, K., He, L., Soleimani, M., Reed, J.M., Li, H., Liu, Z., Wang, B., Dalton, T.P., Nebert, D.W.：Slc39a14 gene encodes ZIP14, a metal/bicarbonate symporter：similarities to the ZIP8 transporter. Mol. Pharmacol. 73：1413-1423, 2008.
30. Ishikawa, T., Bao, J-J., Yamane, Y., Akimaru, K., Frindrich, K., Wright, C.D., Kuo, M.T.：Coordinated induction of MRP/GS-X pump and γ-glutamylcysteine synthetase by heavy metals in human leukemia cells. J. Biol. Chem. 271：14891-14898. 1996.
31. 有澤孝吉：環境カドミウム曝露の健康影響に関する縦断的研究. 日本衛生学雑誌. 56：463-471, 2001.
32. Yoshida, M., Ohta, H., Yamuchi, Y., Seki, Y., Sagi, M., Yamazaki, K., Sumi, Y.：Age-dependent changes in metallothionein levels in liver and kidney of the Japanese. Biol. Trace Element Res. 63：167-175, 1998.
33. Kita, K., Miura, N., Yoshida, M., Yamazaki, K., Ohkubo, T., Imai, Y., Naganuma A.：Potential effect on cellular response to cadmium of a single-nucleotide A -> G polymorphism in the promoter of the human gene for metallothionein IIA. Hum. Genet. 120：553-560, 2006.

Internet 情報：

食品中のカドミウムに関する情報：
http：//www.maff.go.jp/j/syouan/nouan/kome/k_cd/index.html

JECFA 情報：http：//www.fao.org/ag/agn/agns/jecfa_new_en.asp

Ⅲ-9 重金属
e. ヒ　素

聖マリアンナ医科大学予防医学・教授
高田礼子
北里大学大学院医療系研究科環境医科学群・教授
山内　博

1. 社会的背景

ヒ素化合物は中世ヨーロッパから現代においても他殺，自殺に用いられた代表的な毒物で，三酸化二ヒ素（亜ヒ酸：As_2O_3）が有名である．三酸化二ヒ素は銅製錬や非鉄精錬の副産物として生産され，農薬（ヒ酸鉛，ヒ酸カルシウム）や除草剤・枯葉剤（カコジル酸；ジメチルアルシン酸），木材防腐剤（CCA；Copper・Chromium・Arsenic）などの原料に多用された．ヒ素農薬は各国において1960年代に使用が禁止されたが，葡萄畑や果樹園で使用された．除草剤は果樹園の下草の除去，枯葉剤は綿花収穫期にそれぞれ使用されている．CCAは白蟻駆除を目的とした木材防腐剤に長く使用され，用途は住宅の土台，電柱，鉄道の枕木などに利用され，今日，廃材となったこれらの木材の焼却処理からの大気汚染そして土壌汚染が懸念されている．

近年の産業界でのヒ素化合物の需要は過去に劣らず旺盛であり，半導体産業や液晶ガラス産業で使用されている．半導体産業におけるヒ素化合物の需要には二つの傾向があり，その一つはガリウムヒ素（GaAs）やインジウムヒ素（InAs）を主体としたIII族-V族化合物半導体である．これらのヒ素系半導体物質は光通信や太陽光発電等の電子デバイスとしての需要がある．ヒトへの生体影響は製造過程（インゴットとウエファー製造）での職業性暴露が存在し，また，これらの半導体を含む製品の廃棄物処理作業にも危険が伴い，現実にGaAsに酸が作用し発生したアルシン（ヒ化水素）による急性中毒が報告されている．他方，シリコン半導体の製造にはドーパントとしてヒ素の添加が不可欠であり，アルシンが用いられている．アルシンは無機ヒ素化合物の毒性とは異なり溶血毒が特徴で，その強い毒性から産業界では有機アルシンへの転換が模索されている．液晶ガラス産業でのヒ素の使用はあまり知られていないが，ガラスの透明度増強（清澄剤）のために1%未満の三酸化二ヒ素添加がなされている．なお，発展途上国における職業性ヒ素暴露は従来型の産業である銅製錬所や非鉄精錬所の労働者に認められ，慢性ヒ素中毒の発生も存在する．

従来，ヒ素化合物による健康障害は職業性暴露，環境汚染，食品汚染，医薬品，そして自殺，他殺などが原因で発生した．過去に無機と有機ヒ素化合物は梅毒，感染症，寄生虫，強壮剤などの医薬品に多種合成され使用した．今日，三酸化二ヒ素による癌細胞へのアポトーシス作用が注目され，各国で急性白血病（APL：急性前骨髄球性白血病）の治療薬[1)]に用いられ成果が得られている．他に，硫化ヒ素（硫黄）は古くから東洋医学において様々な国において使用され，長期使用者に慢性ヒ素中毒や死亡事例が報告されている．

近年，環境性の慢性ヒ素中毒がインド，バングラディシュウ，中国，タイ，メキシコ，チリ，アルゼンチン，さらに，最近になってネパール，ベトナム，カンボジアでも発生が確認され，アジアと中南米諸国を中心に大きな社会問題となっている．慢性ヒ素中毒の発生はここ20－30年前からの地下水(井戸水)への自然由来の無機ヒ素汚染が原因している．チリとタイは鉱山操業によるヒ素汚染が深く関与している．これらの諸国における慢性ヒ素中毒患者と潜在的な患者を含めた総数は5000万人を超えていると推計結果があり[2)]，このうちインド・バングラディシュウ(4000万人以上)，中国(300万人)における被害が最も深刻である(資料1)．すなわち，環境性ヒ素暴露からの慢性ヒ素中毒は，かつて人類が経験していない規模で発生しているが，当事国や国際機関に有効な対策は見られず，被害は年々増加傾向にある．地下水への無機ヒ素汚染の原因は複雑であるが，本来，ヒ素の供給源は火山活動に起因するマグマであり，ヒ素含有の岩盤から溶出した無機ヒ素が地下水や地表水を汚染している．一方，中国貴州省ではヒ素含有量の高い石炭が使用されてきた．彼らの生活習慣では石炭を家庭内の調理や暖房に使用することから室内は無機ヒ素汚染をし，さらに，暖炉の天井でのトウモロコシや唐辛子の乾燥を行う習慣から農作物に無機ヒ素汚染が生じる．このような無機ヒ素の経気道と経口暴露から約20万人の慢性ヒ素中毒患者が発生した．

慢性ヒ素中毒の健康障害には二つの大きな問題が存在し，一般毒性としての掌と足の裏に生じる角化症，この角化症の痛みで患者は生活や労働に支障をきたし，他人からは「さぼり病」と認識され精神的な打撃も受ける．次に，ヒ素の発癌性である．発癌性の潜伏期間は30年以上とされ，現実に，チリでの無機ヒ素暴露の開始は1960年代であることから，皮膚癌や肺癌の過剰発生が観察されている[3)]．アジアや中南米諸国におけるヒ素暴露の期間は30年未満が殆どであり，今後，5年から10年を経過する時期に急激な発癌性の拡大が危惧されている．このような背景から，慢性ヒ素中毒の発生地域での発癌性の軽減を目的とした予防や改善計画の必要性が強く認識され始めた．

我が国には職業性ヒ素暴露からの健康影響の問題以外に，二つの問題が存在する(資料2)．その一つに，温泉水の長期飲水や食材に使用する習慣が広く国民に広がる傾向があり，このことはヒ素中毒学の知見から危険な行為と判断される．現在，地球規模で発生している慢性ヒ素中毒の原因は無機ヒ素であり，そのヒ素の起源は地下のマグマであり，温泉水は火山活動に密接に関連している．慢性ヒ素中毒の発生原因となっている井戸水中のヒ素濃度と化学形態は極めて温泉水と類似している．次の問題は，日本人の食文化に深く関係している海産物に高濃度含有するヒ素化合物からの生体影響である．魚介類から検出するヒ素は毒性の低いアルセノベタイン($(CH_3)_3AsCH_2COO^-$；AsB)で問題はないが，しかし，海藻類から摂取する無機ヒ素(ヒジキ)とアルセノ糖(ジメチル化ヒ素化合物：昆布・ワカメ，他)は毒性が不明確であり，科学的な検証が必要なヒ素化合物である．最近，ジメチルアルシン酸やその化合物を用いた動物実験で肯定的な膀胱癌や皮膚癌の発生が確認されている．すなわち，日本人が海藻類から摂取しているジメチル化ヒ素化合物(アルセノ糖)や無機ヒ素は，その摂取量と頻度から，生体影響を無視できない状況にある．

第一次世界大戦以後，ヒ素化合物は複数の化学兵器に使用され，このうち強い皮膚障害と死傷が生じるびらん剤のルイサイト(クロロビニルジクロロアルシン：$C_2H_2AsCl_3$)，戦闘能力に混乱を与える「くしゃみ剤」(ジフェニルクロロアルシン：$C_{12}H_{10}AsCl$，ジフェニルシアノアルシン：(C6H5) 2AsCN)が知られる．現在でも，中国と我が国にはこれらの化学兵器用のヒ素による健康障害の発生があり重大な社会問題となっている．

2. リスク評価

ヒトの生活環境や労働環境では様々なヒ素暴露が存在し健康障害が発生している．本来，自然環境や生体内，労働環境に存在しているヒ素化合物は無機ヒ素とメチル化ヒ素化合物である．近年の研究成果から，ヒ素の毒性は化学構造と化学形態の違いで異なることが明らかになった．しかしながら，我が国の法規制上は無機ヒ素およびその化合物として様々な基準が設けられており，今後，毒性の異なるヒ素を一括して規制することは学術的に矛盾があり，改正する試みが求められる．たとえば，無機ヒ素(0.03g/kg)とAsB (10g/kg)の半致死量は約300倍異なるが，これら毒性の異なるヒ素を区別する試みがない．

他方，ヒ素の排出基準にはこの様な現実も存在する．工場や鉱山，旧廃止鉱山からの排出基準は0.1mg/Lであるが，しかし，全国の温泉施設からは大量の無機ヒ素が河川に排出されるが何らの基準も定められていない矛盾がある．水道法による水質基準は0.01mg/Lである．発展途上国においては旧WHO基準の0.05mg/Lが用いられ，これに対して，ヒ素の発癌性を考慮した場合，現行の0.01mg/Lをさらに引き下げるべきとの議論もある．土壌汚染の環境基準は，検液1Lからのヒ素の基準は0.01mg以下であること，農業用地では土壌1kgから15mg未満である．一般環境における大気のヒ素基準は定められていないが，全国の定点観測所から得られる測定値から，環境中ヒ素濃度は10ng/m^{3}以下が一般的である．

職業性ヒ素暴露に対する我が国の許容濃度は0.003mg/m^3（過剰死亡リスクレベル10^{-3}），発癌性物質であり第一群に区分されている．米国の労働基準監督官会議（ACGIH）のTLV-TWA（時間荷重平均値）は0.01mg/m^{3}で，発癌性物質に分類されている．我が国のアルシンの許容濃度は0.01ppm（0.032mg/m^3）である．ACGIHの提案する職業性ヒ素暴露に対する生物学的暴露指標（BEIs）は，尿中ヒ素濃度（無機ヒ素とメチル化ヒ素；MMA，ジメチル化ヒ素；DMAの総和）35 μg As/L，これに対して，日本産業衛生学会は無機ヒ素とMMAの総和，15μg As/Lであり，両者の相違点は哺乳動物における無機ヒ素の最終代謝物であるDMAを用いるか用いないかである．すなわち，検査に必要な概念が異なり，国際化の時代において日本独自の主張の意義は，学術的な根拠を深める必要性を感じる．筆者の急性と慢性ヒ素中毒において，中毒の原因ヒ素である無機ヒ素を摂取すると，尿中への無機ヒ素と二つの代謝物（MMA，DMA）は時間の経過に従い，3種類のヒ素の変化には明確な関連性があり，すなわち，3種類のヒ素の分析は必要である．なお，結果の評価は独自の工夫をしばらく推進する必要があると考える．

2－1　ヒ素暴露の評価法とヒ素分析

急性・慢性ヒ素中毒や職業性ヒ素暴露の生物学的暴露指標として有効なものは，尿中ヒ素の化学形態別の測定である．これにより，中毒性ヒ素（無機ヒ素，MMA，DMA）と魚介類由来で無毒のヒ素（AsB）が区別される．但し，海藻類に含有している無機ヒ素（ヒジキ）やアルセノ糖（尿中代謝物はDMA）は，職業性に暴露される無機ヒ素や無機ヒ素の代謝物と同一であり，測定値を混乱させる．このことから検査に際して海藻類の摂取は最低24時間前から禁止が必要である．これらの海産物の摂取制限を行いながら，ACGIHと日本産業衛生学会許容濃度委員会は，それぞれ，無機ヒ素暴露の生物学的暴露指標値として尿中ヒ素濃度と化学形態を上述のように提案している．

半導体産業など先端産業におけるヒ素取り扱い作業場においては，作業工程や設備の特殊性から作業者への暴露形態は限局的でかつ複雑な要因を含むことから，許容濃度のみによる作業管理は十分でなく，尿中ヒ素の化学形態分析による生物学的暴露指標を最も信頼すべきである．さらに，頭髪中ヒ素の測定は経口ヒ素摂取が原因で発生した急性や慢性ヒ素中毒の指標として有効であるが，しかし，職業性ヒ素暴露では頭髪に外部汚染されたヒ素は体内性ヒ素と区別できないことから，測定値の信頼性は低いものとなる．頭髪を洗浄しないでヒ素を測定した場合，その値は作業環境のヒ素汚染指標に有効である．

ヒ素の化学形態別測定には，自動化された超低温捕集―還元気化―原子吸光分析法，高速液体クロマトグラフィー誘導結合高周波プラズマ質量分析法（HPLC-ICP-MS）等が知られ，さらに，水素化物発生－ICP-MS法など新たな分析法も検討されている．

2－2　日本人健常者の尿と頭髪中ヒ素濃度

日本人の尿中ヒ素濃度は欧米人に比較して食生活の違いから数倍高い傾向がある．その原因は海産物摂取であるが，日本の食文化に不可欠なものである．海産物を多食する健常者や漁業従事者の尿中ヒ素濃度を調査すると，中毒性ヒ素である3種類の総和が1000μg As/g creatinineを超える現象は極めて高頻度に存在する．筆者ら[4]が求めた健常者248名の平均尿中ヒ素濃度は149 ± 129 μg As/g creatinine（無機ヒ素；2.4%，MMA；1.3%，DMA；26.8%，AsB；69.1%）を示し，尿中ヒ素濃度は年齢の増加に伴い上昇する傾向にあった．この現象はヒ素の体内蓄積性ではなく，海産物の摂取増加など食習慣に依存することも明らかになった．都市に居住する健常者100名から求めた平均の頭髪中総ヒ素濃度は0.08 ± 0.04μg As/gであった[5]．

3. 生体影響

3－1 急性ヒ素中毒

急性ヒ素中毒は無機ヒ素の経口摂取による事例が大部分で，ヒトでの半致死量(LD_{50})は過去の事故や自殺事例から約2 – 3mg/kgと推測されている(成人で100 – 300mg；吸収量)．急性ヒ素中毒の発症は摂取したヒ素の物性に関係し，結晶を摂取した場合は腸管内での溶解時間から数時間を要し，これに対して，溶解したヒ素を摂取した場合は5 – 10分程度から激しい悪心と嘔吐，そして，腹痛，下痢などの消化器症状が出現し，2 – 3日で消失する(資料3)．結晶性のヒ素を多量に摂取した場合，腹部X線単純撮影でヒ素は半金属の特性から，X線非透過性物質として観察される．重症な急性ヒ素中毒や死に至る症例では，ヒ素による末梢血管の拡張から急激な血圧低下が生じショック状態となる．急性ヒ素中毒の治療薬にBritish-Anti-Lewisite (BAL)は有効であるが，一日以内の使用が最適である．大量な輸液は血圧管理と共に，ヒ素の尿中排泄を促進することから有益である．その後の症状は摂取したヒ素量に依存的に発症し，心電図異常(QT波延長，T波低下)，咽頭部乾燥感，白血球減少，皮疹(比較的汗を多くかく部位)などが認められる．肝機能障害(ATS，ALT値の上昇，なお，γ－GTP値に変化はない)は数日後から認められ，そして，重症者では2 – 3週間後から四肢の末梢神経炎が認められ，回復に数年以上の時間が必要である．また，重症者の爪には爪の成長阻害の結果として白線(ミーズ線)を認める．無機ヒ素による急性中毒では中枢神経障害は認められない．

アルシンは無色でニンニク臭がするガス状物質である．アルシン中毒では血液のヘモグロビンが破壊されるため，赤褐色のヘモグロビン尿が出現し，急性腎不全による死亡もある．重症の場合は交換輸血，血液透析などを行う．BALによるキレート剤治療に効果はない．

3－2 慢性ヒ素中毒

慢性ヒ素中毒の発症は暴露量に依存的である．米国環境保護省(US-EPA)[6]は慢性ヒ素中毒の最小影響量(Lowest Observed Adverse Effect level：LOAEL)を700 – 1400μg/day (70kgの体重として)，そして，無作用量(No Observed Adverse Effect Level：NOAEL)を0.8μg/kg/day (70kgの体重として；56μg/day)としている．筆者らの中国での慢性ヒ素中毒の疫学調査では(資料4 – 7)，一日の無機ヒ素暴露量が約0.5mgの場合，数年の継続的な暴露により発症し，主な症状は腹部・躯幹部の色素沈着と色素脱色，ついで，手掌や足底部の角化症(5 – 6年)，しかし，一日の暴露量が3 – 5mgと高い場合には，段階的な症状の出現ではなく，色素沈着や色素脱色と同時期に角化症の発症が確認されている．慢性ヒ素中毒患者のうち無機ヒ素の暴露中や暴露経験者においては，約30年を経過した患者群のなかにボーエン病・皮膚癌の発症も認めている．皮膚障害のように一律の発症ではないが末梢神経炎や循環器障害なども観察される．

従来，慢性ヒ素中毒の治療にBALの有効性は認められず，さらに，効果的な治療薬も知られていない．筆者らは中国の慢性ヒ素中毒患者に対して，ヒ素の暴露量の軽減のみで皮膚障害の改善を10年間観察した(井戸水中ヒ素濃度が0.02ppm)．患者へのヒ素暴露量を100μg/day以下とした場合，半年目から顕著な角化症の改善が認められ，1年目ではさらに回復し，しかし，5年目の調査ではさらなる改善が無く，10年目の調査では掌と足の裏の角化症による痛みの消失も確認され，同様に色素沈着と色素脱失にも改善した．しかし，慢性ヒ素中毒の十分な改善や回復を確認するに至らず，新たな取り組みの必要性を感じている．

近年，自然由来の無機ヒ素による飲料水汚染からの大規模な環境性慢性ヒ素中毒が知られたことから，新たな健康影響に関する問題が明らかになり始めた．特に，生殖・発生毒性，次世代影響についてである．本来，無機ヒ素は胎盤を通過し，胎児へ移行することは知られている．最近の研究から，自然流産，死産，早産のリスクや出生時体重の低下が報告されている．バングラデシュにおけるKwokら[7]の研究ではヒ素の曝露と先天性欠損症の間に統計的な有意差が認めらている．関連した研究として，無機ヒ素曝露の幼児及び児童の知的機能への影響について，バングラデシュ[8]や中国山西省[9]の報告があり，しかし，当該問題については，知能の低下が母親の妊娠時期の曝露によるものなのか，出生後の曝露によるものなのかについて結論は今後の重要な課題とも思われる．

胎児期や若年期のヒ素曝露による健康への影響は，メカニズムとして，主にDNA hypomethylationやステロイドホルモン類との相互作用などのエピジェネティクスな影響など新しい知見が集積され始めた．そのなかで，ヒ素は内分泌かく乱化学様物質であること，従来からの知見である免疫抑制，神経毒性にも関与が示唆される．特に，胎児のプログラミングに重要なDNA hypomethylationの抑制が低濃度ヒ素曝露でも起こりえる可能性も注目すべきである[10]．

3－3　ヒ素暴露と発癌性

ヒ素の発癌性はヒトでの疫学調査から因果関係が認められ，しかし，動物実験による証明は十分とは言えない現状にある．国際がん研究機構（IARC）は，無機ヒ素に汚染された井戸水の長期飲水者やヒ素含有の医薬品使用者での皮膚癌，ついで，高濃度の職業性無機ヒ素暴露者からの呼吸器系癌，さらに，膀胱癌を肯定している．他の癌には十分な科学的な根拠や証明がなされていないと思われる．一般的に無機ヒ素の発癌までの潜伏期は約30年以上である．

従来，ヒ素の発癌性の議論にイニシエターとプロモーター作用の問題があるが結論は得られていない．これに対して，最近の研究では，ヒ素の発癌性に影響する酸化的DNA損傷を引き起こす生体内メチル化，還元型グルタチオン（GSH）の過剰使用，そして，フリーラジカル反応などの重要性が指摘されている．生体内メチル化と酸化的DNA損傷の関係では，生体内で行われている恒常的なDNAメチル化と無機ヒ素のメチル化はメチル基供与体（S－アデノシルメチオニン：SAM））が共通していることから，ヒ素化合物の過剰摂取はDNAメチル化の反応を混乱させ，結果的に酸化的DNA損傷に発展するとの推測がある．次に，生体内でのメチル化反応には，どのヒ素も3価の形態が必要なことから，5価ヒ素の還元にGSHの役割が重要となる．例えば，無機の5価ヒ素のメチル化反応には3回のGSHによる還元反応が必要になり，GSHの過剰使用からの枯渇もDNA損傷に影響するとの見解もある．さらに，無機ヒ素の代謝物であるジメチル化ヒ素（ジメチルアルシン酸）に助がん因子の相乗作用により皮膚癌[11]や膀胱癌[12]の発生が確認され，動物実験での発癌性の証明に肯定的な進展が得られている．これらは，生体内でのジメチル化ヒ素の更なる代謝過程でのフリーラジカル反応に起因すると推測されている．他方，ヒ素化合物に限らず，癌抑制遺伝子のp53やp16遺伝子の機能と役割が注目されている[13]．さらに関連して，DNAメチル化でのDNA hypermethylationとDNA hypomethylationのそれぞれの作用について研究をすることが重要と考える．

筆者はヒ素暴露による発癌性のリスク評価に関する研究の一つとして，ヒ素暴露と酸化的DNA損傷の関係について急性と慢性ヒ素中毒患者で検討を試みた．急性ヒ素中毒の事例は，三酸化二ヒ素摂取による集団的な急性ヒ素中毒患者（52名）を対象とした．酸化的DNA損傷は尿中8－ハイ

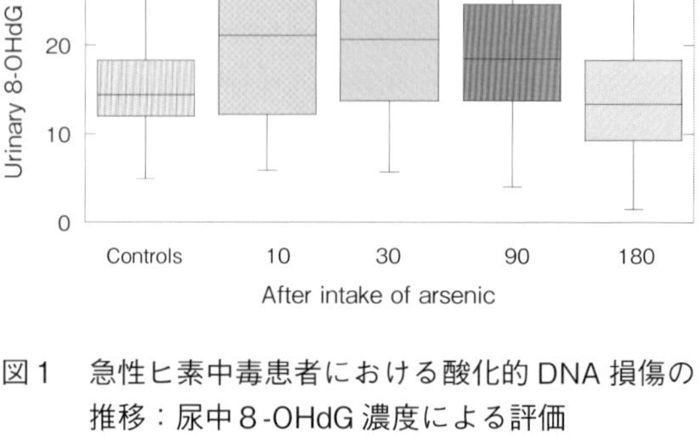

図1　急性ヒ素中毒患者における酸化的DNA損傷の推移：尿中8-OHdG濃度による評価

ドロキシデオキシグアノシン(8-OHdG)濃度から評価した(資料8). 患者の尿中8-OHdG濃度の経時的な動態を見ると, 三酸化二ヒ素の摂取後, 1週間以内の患者群の尿中に顕著な8-OHdGの検出は認められないが, 10日目から値に上昇傾向が生じ, 30日目に最高値を示した. 患者群の尿中8-OHdG濃度は体内からのヒ素の消失に伴い徐々に減少し, 約半年後には健常者の値の範囲に回復した(図1)(資料9). 一方, 中国の慢性ヒ素中毒患者で重度な角化症と色素沈着や色素脱色などの症状を持ち, 発癌性は観察されない対象者におけるDNA損傷を尿中8-OHdG濃度で評価した. 患者群の尿中8-OHdG濃度は中国および日本の健常者の値に比較して統計学的に有意な高値が認められた. これに対して, 同患者群のDNA損傷の回復を検討した結果, ヒ素暴露量を100μg/day以下とした場合, 約1年後に正常値範囲に回復が確認された. このような研究成果は, 発癌性のリスク管理, また, 発生機序の解明に応用されると考える.

4. 体内動態とメカニズム

4－1　吸収と代謝

無機ヒ素やメチル化ヒ素化合物は消化管や呼吸器系から吸収され, 消化管からのヒ素化合物の吸収率は約90%と高く, 一方, 呼吸器系からの吸収はヒ素化合物の溶解性と粒子のサイズに影響される. 皮膚からのヒ素吸収は稀であるが, アルシンや三塩化ヒ素は皮膚吸収をする.

一般的にヒ素化合物の毒作用は蓄積毒ではなく細胞毒である. ヒ素はSH基を含む酵素に対してキレート化合物を形成し, 酵素活性阻害を発生させる. この作用はメチル化ヒ素化合物に比較して無機ヒ素が強く, 特に無機の3価ヒ素(三酸化二ヒ素：LD_{50}, 30mg/kg, マウス, 経口)が最も強いとされてきた. しかし, 1999年以降, 無機ヒ素の代謝物である3価のモノメチル化ヒ素(monomethylasrsonous acid：MMA^{3+})とジメチル化ヒ素(dimethylarsinous acid：DMA^{3+})がより毒性が強いとEPA[14)]とアリゾナ大学[15)]から報告され, 3価のメチル化ヒ素化合物の毒性学的な意味合いに関して新たな議論が開始された. これに対して, AsBはSH基との結合が弱く毒作用が低いヒ素化合物として知られる(LD_{50}：10g/kg, マウス, 経口).

ヒトと実験動物の研究から, ヒ素化合物は肝臓で3価の形態でS－アデノシルメチオニン(SAM)がメチル基供与体として作用し, 図2に示したようなメチル化の作用機序も徐々に研究が進み, ヒ素―メチルトランスフェラーゼによる酵素的変換が明らかとなり[15)], 一方, グルタチオン複合体形成を介したメチル化反応も示唆され(図3), 双方共に当該分野の研究には重要と考える[16)].

各論Ⅲ

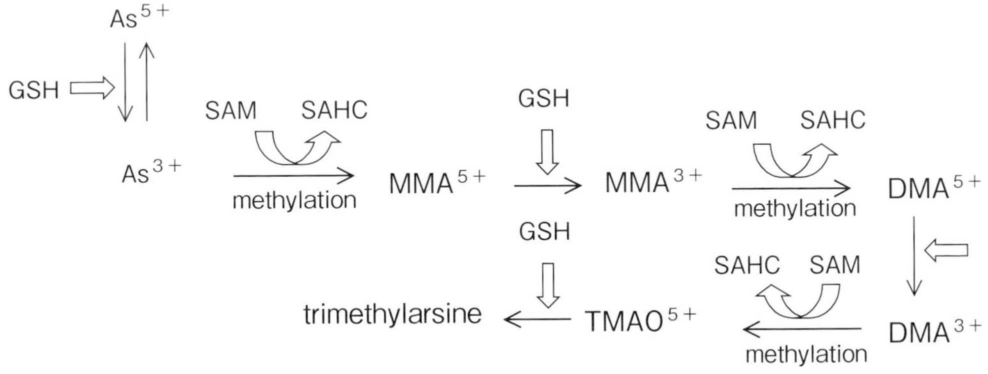

図2　哺乳動物におけるヒ素化合物のメチル化

As^{3+}, 無機の3価ヒ素；As^{5+}, 無機の5価ヒ素；MMA^{3+}, 3価のメチル化ヒ素；MMA^{5+}, 5価のメチル化ヒ素；DMA^{3+}, 3価のジメチル化ヒ素；DMA^{5+}, 5価のジメチル化ヒ素；$TMAO^{5+}$, トリメチルアルシンオキシド；SAM, S－アデノシルメチオニン

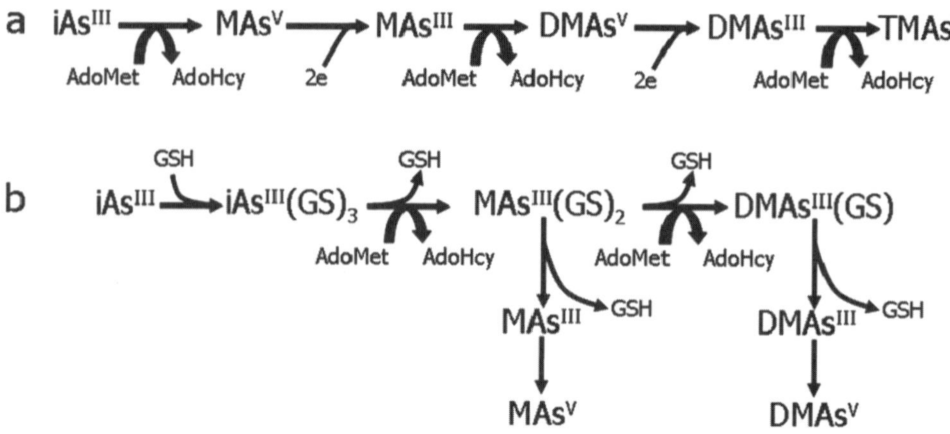

図３　無機ヒ素－グルタチオン複合体形成を介したメチル化の代謝過程式

ヒトの健康障害に影響する無機ヒ素とメチル化ヒ素化合物を整理すると，中毒の原因ヒ素の大部分は無機の３価ヒ素(arsenite, As^{3+})と５価ヒ素(arsenate, As^{5+})である．メチル化ヒ素化合物はモノ・，ジ・，トリメチル化ヒ素化合物が存在し，このうち，モノメチル化ヒ素(MMA)とジメチル化ヒ素(DMA)には３価(MMA^{3+}，DMA^{3+})と５価(MMA^{5+}，DMA^{5+})の化学種があり，細胞毒性試験から３価は５価より毒性が強いことが明らかになっている．トリメチル化ヒ素化合物で化学構造が解明されているものに，トリメチルアルシンオキシドとアルセノコリン，AsBである．ヒトでの無機ヒ素の最終代謝物はDMA^{5+}と確定されているが，これに対して，動物実験ではDMA^{5+}を過剰に投与するとさらにメチル化され，一部はトリメチルアルシンオキシドに変換されること，また，このトリメチルアルシンオキシドの一部は還元されトリメチルアルシンを生成することも確認されている．哺乳動物の体内でAsBは生成されることはなく，その由来は植物プランクトンが主体に生成した食物連鎖の結果である．AsBは化学的に安定な物質であり，哺乳動物の体内での脱メチル化はなく尿中へ排泄されている．

他方，ひじきを除いた海藻類(昆布，ワカメ，海苔，他)にはジメチル化ヒ素に糖が結合したアルセノ糖化合物が多量含有しており，日常的に摂取の機会が高いヒ素である．アルセノ糖の体内動態に関して，動物実験ではDMA^{5+}に代謝され尿中排泄することが確認されている[17]．なお，ヒジキに含有するヒ素の主体は無機ヒ素であり，このことから体内でメチル化されDMA^{5+}に変換されることから，すなわち，ほぼ全ての海藻類に共通する代謝物はDMA^{5+}である．今後，このDMA^{5+}に対する生体影響の有無に関する検討は重要な課題と考える．

４－２　分布と排泄

一般的にヒ素化合物は排泄が速やかな物質であるが，臓器と組織におけるヒ素濃度を比較すると肺，肝，腎，脾，皮膚，頭髪などに分布しやすい傾向がある[18]．このうちAsBにはヒトの頭髪や動物の体毛への蓄積性が認められない特徴がある．ヒ素化合物の脳への分布は成人では僅かであるが，しかし，脳－血液関門が未成熟な胎児や低年齢者では脳組織へのヒ素の分布は高くなる傾向がある．ヒ素化合物は胎盤を容易く通過する物質であり，胎児に移行する．胎児は羊水にヒ素化合物を排泄することから，過剰な体内蓄積性は認められないが，生体影響を否定するものではない．

ヒ素化合物は腎臓を介して尿へ大部分が排泄され，一部は糞便，頭髪，皮膚，汗からも排泄される．尿中へのヒ素排泄パターンは三相性を示し，第一相の半減期はヒトと実験動物ではやや異なるが，ハムスターで求めた値では無機ヒ素が28時間，メチル化ヒ素化合物は約5－6時間，アルセノ糖化合物は羊で17時間である．このようにヒ素化合物は排泄されやすい物質と認識される．

4－3 急性と慢性ヒ素中毒患者におけるヒ素排泄

三酸化二ヒ素摂取による急性ヒ素中毒患者の尿中ヒ素排泄パターンについて，63名から得られた結果を要約する(資料10)．摂取早期においては三酸化二ヒ素そのものである無機の3価ヒ素(arsenite；As^{3+})の排泄比率が高く(89％)，しかし，時間の経過に従い三酸化二ヒ素の最終代謝物であるジメチル化ヒ素の割合が高くなる傾向が認められた．急性ヒ素中毒の発症初期の尿中ヒ素濃度は高く1日目9029，10日目が1148μg As/g creatinine，そして，正常値範囲(50μg As/g creatinine以下)に回復したのは摂取後2－3ヶ月目であった(図4)．尿中ヒ素排泄が長期になった原因として，摂取した三酸化二ヒ素の一部が酸化され無機の5価ヒ素に変換し，そのヒ素が骨組織に蓄積したため体外排泄に時間を要したと推測される．頭髪はヒ素の排泄経路であり，中毒患者の頭髪中ヒ素濃度は三酸化二ヒ素摂取後，徐々に上昇し，1—2ヶ月目に最高値が示され，最も重症であった患者の値は2.13μg As/gを示した．体内からのヒ素の排泄に伴い，頭髪中ヒ素濃度も並行して減少する傾向が確認されている．

慢性ヒ素中毒患者の尿中ヒ素濃度は，井戸水中ヒ素濃度と摂取後の時間に依存して変化する．筆者が経験した中国の慢性ヒ素中毒患者の尿中ヒ素濃度は100－3000μg As/g creatinineの範囲が通常であった[19]．中国内陸部の患者の食習慣では，海洋性魚介類の摂取が殆どないことから，尿中アルセノベタインの検出は観察されていない．慢性ヒ素中毒患者の頭髪中ヒ素濃度は井戸水からの無機ヒ素摂取により上昇傾向を示すが，3μgAs/g未満の値が比較的多く観察された．

5. ヒトと動物との種差

無機ヒ素に対する生体内メチル化は哺乳動物に認められる反応である．ヒトでの無機ヒ素の生体内メチル化が確認され約25年を経過するが，メ

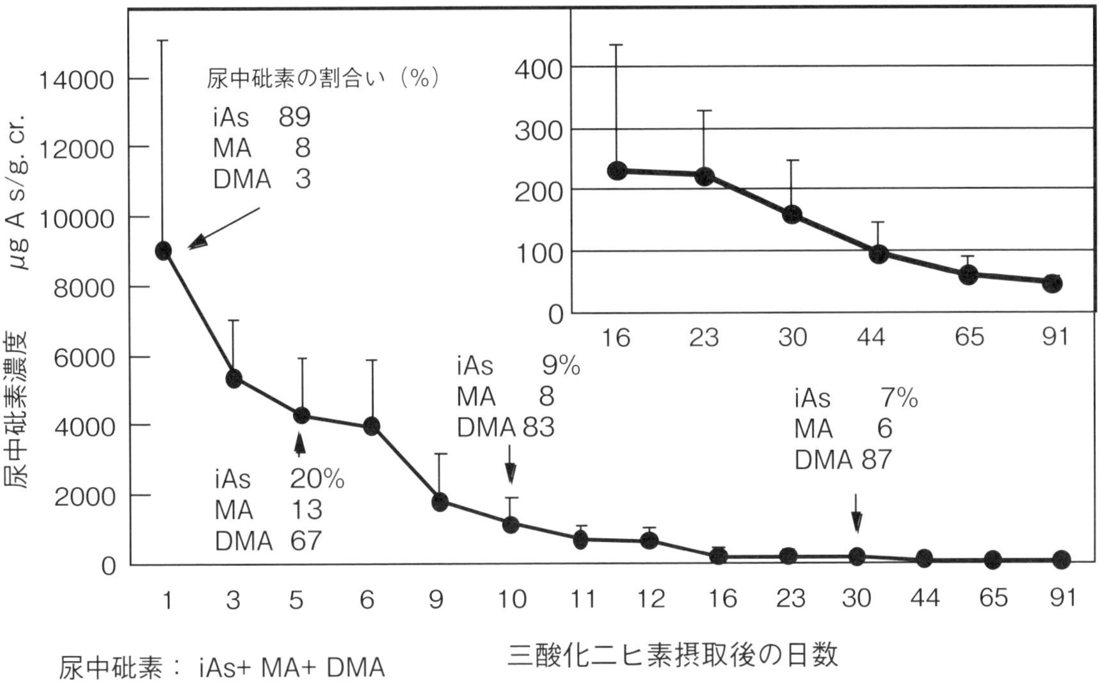

図4 三酸化二ヒ素による急性ヒ素中毒患者における尿中ヒ素濃度の経時的な推移

チル化能力の人種差，年齢差，性差など様々な問題が未解決である．人種を考慮した無機ヒ素のメチル化能力を評価した研究は僅かで，Vahterら[20]はアルゼンチンの女性のインディオでは，メチル化能力がやや低いとの報告をしている．筆者ら[21]はチリ，メキシコ，中国の慢性ヒ素中毒患者における無機ヒ素のメチル化能力を比較検討した結果，人種でやや異なる傾向を明らかにしたが，さらに，Fujiharaら[22]のアジア10カ国とアフリカ人を対象とした，メチルトランスフェラーゼの一塩基多型を調査した結果では，人種で異なる傾向を報告している．

他方，ヒトに近いとされているチンパンジーの能力は低く，さらに，マーモセットサルにメチル化能力は殆どないとする結果がある．最近，霊長類全般におけるメチル化能力を細胞レベルで比較した結果，ヒトのメチル化能力より遥かに劣ることが明らかになったが，そのメカニズムは不明である．これに対して，家畜(牛，羊)やげっ歯動物(マウス，ラット，ハムスター)，犬，ウサギを用いた無機ヒ素の代謝実験の結果から，これらの動物にメチル化能力は存在しており，すなわち，動物種によるメチル化能力に違いは存在すると理解すべきである．一般的に哺乳動物でのヒ素排泄は共通して速やかであるが，ラットのみ特別である．ラットの赤血球とヒ素化合物(主にDMA^{5+})の親和性は極めて強く，赤血球の寿命時間の結合が続き，体外排泄は緩慢となり，ヒトおよび他の動物とは異なる作用機序が存在する．

無機ヒ素化合物の発癌性はヒトの疫学研究から肯定されていて，実験動物での証明は長い研究の歴史においても達成されていない不思議な現状がある．最近，遺伝子調整した動物や二段階発がんシステムを用いた実験系において，ヒ素による発がんが認められている．A/Jマウスによる肺がん[23]，ジメチル化ヒ素化合物をヌードマウスに投与し皮膚癌[11]，そして，ラットで膀胱癌の発症が確認され[12]，動物実験での発癌性研究を進展させている．しかしながら，発癌実験に用いる適切な動物の選択に統一的な見解はなく，さらに，それらの研究結果をヒトに外挿可能であるかの評価作業も重要な課題として存在する．

参考文献

1. Zhu Q, Zhang JW, et al., Blood, 99, 1014-1022, 2002.
2. WHO, 2009. http：//www.who.int/water_sanitation_health/dwq/arsenic/en/
3. Hopenhayn-Rich C, Browning H, et al., Environ. Health Perspect. 108, 667-673, 2000.
4. Yamauchi H, Aminaka Y, et al., Toxicol Appl Pharmacol. 198, 291-296, 2004.
5. Yamauchi H, Takahashi K, et al., Am Ind Hyg Assoc J. 50, 606-612, 1989.
6. U.S.EPA, 1998. http：//www.epa.gov/iris/subst/0278.htm.
7. Kwok RK, Kaufmann RB, et al.. J Health Popul Nutr. , 24, 190-205, 2006.
8. Wasserman GA, Liu X, et al., Environ Health Perspect., 115：285-289, 2007.
9. Wang SX, Wang ZH, et al., Environ Health Perspect., 115：643-647, 2007.
10. Vahter ME, Basic Clin Pharmacol Toxicol, 102, 204-211, 2008.
11. Yamanaka K, Mizol M, et al., Biol. Pharm. Bull. 24, 510-514, 2001.
12. Wei M, Wanibuchi H, et al., Carcinogenesis. 23, 1387-1397, 2002.
13. Mass MJ, Tennant A, et al., Chem. Res. Toxicol. 14, 355-361, 2001.
14. Styblo M, Del Razo LM, et al., Chem Res Toxicol. 12, 560-566, 1999.
15. Aposhian HV, Gurzau ES, et al., Chem Res Toxicol. 13, 693-697, 2000.
16. Thomas DJ, Li J, et al., Exp Biol Med. 232, 3-13, 2007.
17. Hansen HR, Raab A, et al., Environ Sci Technol. 37, 845-851, 2003.
18. Yamauchi H, Fowler BA, John Wiley & Sons Inc, pp35-53, 1994.
19. Pi J, Yamauchi H, et al., Environ Health Perspect. 110, 331-336, 2002.
20. Vahter M, Concha G, et al：J Pharmacol. 7, 455-462, 1995.
21. Loffredo CA, Aposhian HV, et al., Environ Res. 92, 85-91, 2003.
22. Fujihara J, Soejima M., et al., Toxicol Appl Pharmacol. 243, 292-299, 2010.
23. Cui X, Wakai T, et al., Toxicol Sci., 91, 372-381, 2006.

Ⅲ-9 重金属
f.　セレン

徳島文理大学薬学部・衛生化学講座
姫野誠一郎

1.　はじめに

Se（原子量78.96）は，金属として扱われることが多いが，正確には，砒素と同様，金属と非金属の中間的な性質を持つ類金属（metalloid）に属する．周期律表で酸素（O），硫黄（S）の下に位置し，化学的性質は硫黄に類似している．しかしその反応性は硫黄より高い．成人における体内含有量は12-18mgで，必須微量元素の1つである．

微量元素としてのSeの最も際立った特徴は，人間における欠乏症と中毒症の両方が報告されていることであろう[1)]．これまでにグルタチオンペルオキシダーゼをはじめとして20種類以上のSe蛋白質が同定され，その多くが活性酸素障害の抑制に関与している[2)]．そのため，Seが欠乏すると酸化ストレスが亢進して様々な疾病のリスクが増大する．また，SeはSe蛋白質中でセレノシステイン（selenocysteine，SeCys）というアミノ酸として存在するが，このアミノ酸は21番目のアミノ酸とも呼ばれ，その特殊な生合成機構は分子生物学的にもきわめて興味深い．一方，いくつかの疫学調査により，Seの摂取量と癌のリスクが負の相関を示すことが報告され，癌の化学予防にSeを利用する動きが，特に米国を中心として進んでいる[3)]．しかし，Seは過剰に摂取すると強い毒性を示す化合物で，すでにサプリメントとして摂取したSeによる中毒例が報告されている[4)]．

このように，Seは金属中毒学のみならず，予防医学の様々な領域（栄養学，酸化ストレスの生化学，分子生物学，疫学，癌の化学予防，保健機能食品の安全性）に関わりが深い元素である．しかし，一般にSeと言えば，その抗酸化作用，あるいは抗癌作用のみに注目が集まり，元来毒性の強い元素でもあるという2面性が正確には理解されていない傾向がある．また，Seの抗癌作用については過大評価されている懸念もある．本稿では，Seの示す多様な作用を，近年急速に進んだ分子レベルでの研究の進展を紹介しつつ，概説する．

2.　微量栄養素としてのセレン

2－1.　セレンの摂取

Seは，植物性食品，動物性食品のいずれからも摂取できる[5)]．動物性食品の中では魚介類，動物の肉と内臓，卵などがSe供給源となる．植物性食品中のSe濃度は，その植物が生育した土壌中のSe濃度の影響を強く受ける．中国の東北部から南西部に至るベルト地帯の土壌中Se濃度は著しく低く，それを反映して，穀類，野菜類のSe濃度が著しく低い．この地域で克山病と呼ばれるセレン欠乏を主因とする心臓疾患が発生している．逆に，米国のサウスダコタ州では，土壌中Se濃度が高い地域があり，牧草から摂取したSeにより家畜にSe中毒症が起きている．

Seは，亜セレン酸（SeO_3^{2-}），セレン酸（SeO_4^{2-}）などの無機Se化合物，あるいはSeCys，セレノメチオニン（selenomethionine，SeMet）などのSe含有アミノ酸として存在する．動物性食品中の

各論Ⅲ

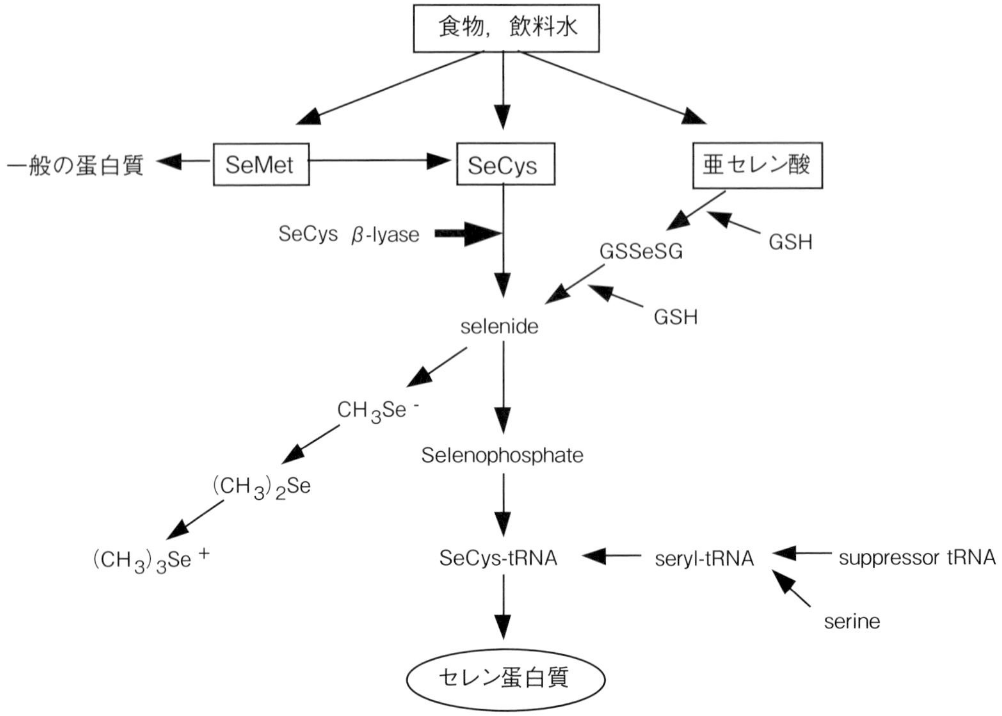

図1　生体内におけるセレンの代謝

Se は主に SeCys であり，植物性食品では主に SeMet である．

Se の栄養所要量は，中国の低 Se 地域での介入研究の結果から求められている．すなわち，様々な量の Se 化合物を与えた人々の血液中の GPx 活性をモニターし，その活性を通常レベルに回復させるに必要な Se 量を求めたところ，40 μg/day であった．現在，各国の Se 栄養所要量は，この値を基に自国と中国人との体重差を考慮して，年齢ごとに換算した値として求めていることが多い．

日本人の食事摂取基準(2010 年版)では，GPx 活性が最大となるときの Se 摂取量の 2/3 が推定平均必要量とされた．これに基づき，Se の推奨量は 18 歳以上の男性で 30 μg/ 日，18 歳以上の女性で 25 μg/ 日とされた．

これまでの複数の栄養調査により，日本人の 1 日当たり Se 摂取量は約 100 μg と推測されている．日本人の主な Se 摂取源は，魚介類，卵，肉類，小麦食品，米であり，和食，洋食いずれが中心の食生活でも，Se を十分に摂取できる状況にある．

2－2. セレンの体内動態

Se は，SeCys や SeMet などの Se 含有アミノ酸として摂取されることが多い．これまでの研究から，図 1 に示したような代謝経路が明らかになっている．無機，有機いずれの化学形で体内に入っても，最終的に selenide（Se^{2-}）という反応性の高い形に変化し，これが蛋白質への取り込み，金属との相互作用，および排泄に関与する．

SeMet は，動物体内でメチオニンとしても代謝される．したがって，SeMet の bioavailability はメチオニンの栄養レベルに影響される．また，メチオニンの代わりに様々な蛋白質の一部に SeMet が取り込まれ，これも生体内の Se プールの一部を構成している．

Se の消化管からの吸収率はどの化学形の場合にも 80％以上である．過剰の Se を摂取すると，主に selenide からメチル化の経路を経て体外に排泄される．Se 中毒を起こすと呼気中に dimethylselenide（$(CH_3)_2Se$）が排泄され，Se 中毒特有の呼気のニンニク臭の原因となる．trimethylselenonium（$(CH_3)_3Se^+$）は尿中に排泄されるが，Se を過剰に摂取したとき以外はあまり検出されない．

3. セレン蛋白質

3－1. セレン蛋白質生合成の機構

Se が体内で Se 蛋白質に取り込まれる過程は，きわめて複雑である．Se 蛋白質のポリペプチド鎖中において，Se は SeCys として存在する．図 2 に示したように，SeCys はシステインの硫黄原子が Se に置き換わったものとして命名されたが，セリンの酸素原子が Se に置き換わったセレノセリンと考えることもできる．最近の研究により，実際，生体内ではセリンの OH が SeH に置き換わって SeCys が作られることがわかった．

通常の金属蛋白質において，金属原子はポリペプチド鎖が完成した後(post-translational)に取り込まれる．しかし，Se 蛋白質では，Se がアミノ酸そのものの中に存在するため，蛋白質の翻訳と同時(co-translational)に Se が取り込まれる．蛋白質を構成するアミノ酸は 20 種類であるというのがこれまでの生化学の常識であったが，最近，21 番目のアミノ酸として SeCys が認知されている．しかし，塩基 3 個による codon は，20 種類のアミノ酸にしか対応していない．実は，SeCys に対応する codon は，3 つある終止 codon の 1 つの UGA である．

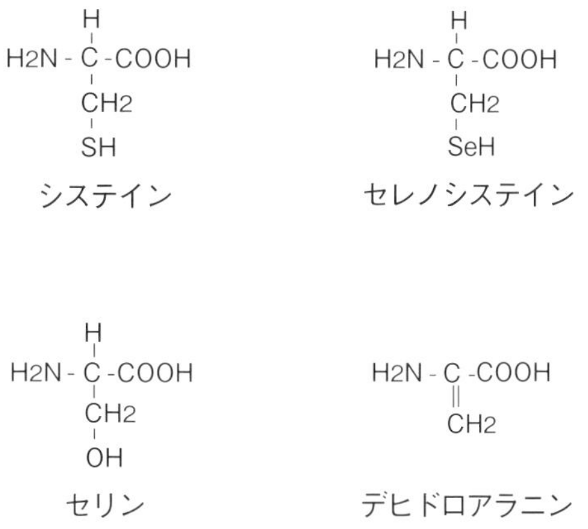

図 2 セレン蛋白質に関連するアミノ酸

mRNA 中の UGA codon を認識して SeCys を蛋白質中に取り込む機構には，UGA に対応する suppressor tRNA，3'-untranslated region に存在する特殊な塩基配列(SECIS，selenocysteine

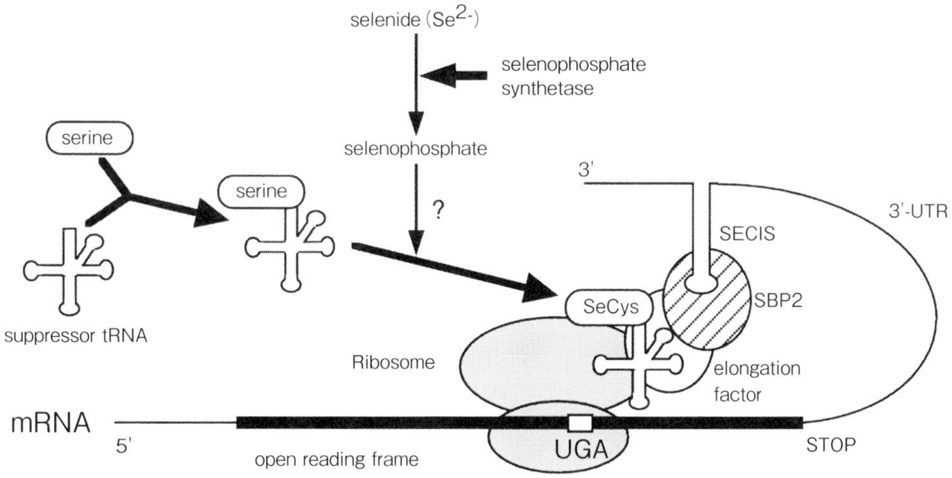

3'-UTR, 3' untranslated region
SECIS, selenocysteine insertion sequence

図 3 真核生物におけるセレン蛋白質合成機構

insertion sequence)，SECIS に結合して伸長反応を進行させる蛋白質，の3つの因子が不可欠である(図3).

tRNAの中には，suppressor tRNAと呼ばれる特殊なtRNAがあり，これは終止codonに対応するanticodonを持っていて，翻訳を終了させずに何らかのアミノ酸を取り込ませてしまう．哺乳動物にはUGAを認識してセリンを取り込ませるsuppressor tRNAが存在し，これがSe蛋白質の生合成に利用される．セリンからSeCysへの変換は，セリンがsuppressor tRNAに結合している際に行われる.

UGAを終止codonとして用いる蛋白質はたくさん存在するが，Se蛋白質においてだけUGAがSeCysの取り込みに使われる．UGAで翻訳を終了するか，SeCysを取り込ませるかを区別する機構には，Se蛋白質のmRNAの3'-untranslated regionに存在するSECISが関与している[6]．SECISはヘアピン構造を持つエレメントで，すべてのSe蛋白質mRNAに存在し，SECISを削除したmRNAからはSeCysの取り込みが行われなくなる．このSECISにSBP2と呼ばれる蛋白質が結合し，さらにelongation factorがこれに結合した複合体が形成されることで(図3)，翻訳が終了せずに，SeCysの取り込みが行われる.

suppressor tRNAに結合したセリンがどのようにしてSeCysに変換されるかについては，まだ詳細がわかっていない．しかし，そこで必要な活性型のSe分子はおそらくselenideであり，これがselenophosphateに変換された後に取り込まれると考えられている.

表1　ヒトのセレン蛋白質（文献2より改変）

略称	以前からの名称	機能，局在など
GPx1	Glutathione peroxidase	細胞質型GPx
GPx2	Glutathione peroxidase	消化管に局在するGPx
GPx3	Glutathione peroxidase	血漿，細胞外型GPx
GPx4	PHGPx	ミトコンドリア，精巣に局在
GPx6*		臭上皮に局在，GPx3のhomolog
DI 1	脱ヨード化酵素（1型）	甲状腺ホルモンの脱ヨード化
DI 2	脱ヨード化酵素（2型）	甲状腺ホルモンの脱ヨード化
DI 3	脱ヨード化酵素（3型）	甲状腺ホルモンの脱ヨード化
TR1	チオレドキシン還元酵素	細胞質に局在
TR2	チオレドキシン還元酵素	
TR3	チオレドキシン還元酵素	ミトコンドリアに局在
P	Selenoprotein P	血漿蛋白質，Seの輸送
W	Selenoprotein W	筋肉に局在
V*		精巣に局在，Selenoprotein Wのhomolog
15kDa	Sep15	小胞体に局在，蛋白質フォールディング
SPS2		selenophosphateの合成
R*		methionine sulfoxide reductase
H*		?
I*		?
K*		小胞体に局在，心臓，脳
M*		小胞体に局在，脳
N*		小胞体に局在，筋ミオパチー原因遺伝子
O*		?
S*		小胞体に局在
T*		小胞体に局在

*印はin silico cloningで同定されたもの.

3－2. セレン蛋白質の種類と機能

現在までに，人に存在するSe蛋白質(あるいはその遺伝子)は25種類が同定されている(表1)[2]．1970年代に，最初に同定されたSe蛋白質はグルタチオン(GSH)の存在下で過酸化水素や脂質過酸化物を還元する酵素であるグルタチオンペルオキシダーゼ(GPx)である[7]．GPxは量的に最も多いSe蛋白質で，体内のSeの約6割がGPxに結合している．その後，GPxには4種類のisoformがあることが明らかにされ，古典的なGPxは細胞質中に存在することから，cellular GPx（cGPx, GPx1)と呼ばれるようになった．それ以外に，消化管に存在するGPx2，主に血漿に存在する細胞外型GPx（eGPx，GPx3)，精巣に多いPHGPx (GPx4)がある．特に，PHGPxは，他のGPxが基質とすることのできないリン脂質過酸化物を直接基質とすることができること，細胞内で活性酸素産生の場となるミトコンドリアに局在することなどから，その役割が注目されている.

甲状腺ホルモンは，ヨード原子が4個結合したチロキシン(T_4)と，3個結合したトリヨードサイロニン(T_3)の2種類があるが，活性の強いのはT_3である．T_4を脱ヨード化してT_3に変換する脱ヨード化酵素もSe蛋白質である[6]．さらに，最近，細胞内外でのレドックス制御に重要な役割を果たす低分子SH蛋白質としてチオレドキシンが注目されているが，酸化されたチオレドキシンを還元する酵素であるチオレドキシン還元酵素(TR)もSe酵素であることがわかった[8]．TRには，N末端側に活性中心となるcysteine残基が存在しているが，哺乳動物のTRではそれに加えて，C末端から2番目に存在するSeCys残基が活性に必要とされる．

上記の3つのグループに加え，まだ機能が完全には解明されていない多くのSe蛋白質がある．その中で，量的に多いのは血漿中のSeの約6割が結合しているselenoprotein P (SelP)である．この蛋白質の最大の特徴は1分子中にSeCysを10個含有していることである．血漿中に分泌されることから，Seの輸送に関与している可能性が高い．最近，精製したSelPをマススペクトロメトリーで解析することにより，SeCys残基の一部からSeが失われてデヒドロアラニン(図2)になったものが同定された．このような変化が生体内でも起こっているとすれば，SelPがSeを細胞に供給する役割を果たしている可能性がある．これまで，生体内のSe蛋白質を同定するには，放射ラベルしたSe化合物を動物に投与し，Seでラベルされた蛋白質を精製する方法が最も多く使われてきた．しかし，近年，ゲノム情報が明らかになるにつれ，*in silico*でのクローニングが盛んに行われるようになった．SeCysのcodonがUGAであるため，通常の方法ではSe蛋白質をゲノム情報から同定することはできない．そこで，各Se蛋白質のSECISに共通する構造から遺伝子を検索する方法が開発されている．上述した25種類のヒトSe蛋白質は，この方法で確定されたものである．新たに同定されたSe蛋白質のうち，SelK，SelMなどは脳での機能が，SelNは筋肉での機能が注目されている．

3－3．セレン蛋白質のノックアウトマウス

Seが生体にとって必須の微量元素であることは，様々な実験結果から間接的に証明されている．武藤らは，そのことを直接証明するため，SeCysの取り込みに必要なsuppressor tRNAをノックアウトしたマウスを作成した[9]．このマウスは胎仔の間に死亡してしまうことから，すべてのSe蛋白質が合成できなくなると生体は生存できないことが初めて分子レベルで証明された．これまでに，GPx1，GPx4，SelPのノックアウトマウスが作成されているが，いずれも特に成長障害などの症状を示すものはない．しかし，パラコートなどを投与して酸化ストレスを与えた場合には，GPx1ノックアウトマウスは野生型マウスより障害を受けやすくなる．SelPノックアウトマウスでは組織へのSeの分布が明らかに抑制されていた[10]．さらにSelPノックアウトマウスをSe欠乏食で飼育すると，神経症状を示すことが観察されている．培養細胞を用いた実験で，神経細胞の増殖に必要な血清中の因子を同定した結果，SelPであった，との報告もあり，Seが神経系において果たす役割とSelPとの関係が注目されている．

Se蛋白質として初めて同定され，量的に最も多いのはGPx1であるが，Seの示す様々な生理作用をGPx1による過酸化脂質消去作用のみで説明するのは困難であった．実際にGPx1はなくてもマウスは生存可能であることから，GPx1はむしろSeの生体内プールとしての機能を持つ可能性も指摘されている．一方，線虫の全ゲノムが明らかにされたが，線虫に存在する唯一のSe蛋白質はTRであることも報告されている．今後，存在量は少量ながら，重要な働きをするSe蛋白質の機能を個々に明らかにしていくことで，Seの示す多彩な生理作用の全貌を初めて明らかにできるであろう．

4．セレン欠乏と疾患

4－1．克山病

克山(Keshan)病は，人間におけるSe欠乏症が存在することを，初めて人々に認識させた疾患である．本疾患は，中国東北部から南西部のベルト地帯に多発した心筋症である．患者は子供と妊娠可能年齢の女性が多く，急性，亜急性では高い致死率を示す．慢性型においても，心臓がボール状に肥大し，不整脈などの機能障害が続く．病理的には，心臓全体にわたって心筋の多巣性壊死と繊

維化が認められ，ミトコンドリアの構造が崩壊している．しかし，冠動脈系の病変はほとんど観察されていない．

長い間原因不明の風土病として扱われてきたが，克山病発生地域の土壌中Se濃度が非常に低く，それを反映して穀物中のSe濃度，患者の血液中，毛髪中Se濃度が著しく低いことがわかった．克山病の原因解明と抑制のため，1970年代にきわめて大規模な介入研究が行われた．食卓塩に亜セレン酸を添加した群と非添加群を毎年追跡調査した結果，疾病の発症率，致死率ともに亜セレン酸添加群で明らかに改善されたことから，Se欠乏が本疾患の根本原因である，と考えられるようになった．

しかし，克山病の発症率は変動が大きく，本疾患をSe欠乏単独で説明するのは困難である．たとえば，東北部では冬に発生が多く，患者は成人女性に多いが，南西部では夏に発生が多く，患者は子供が多い．経年変動も非常に激しい．また，動物をSe欠乏食で飼育するだけでは克山病を再現することができない．したがって，おそらくSe欠乏に加えて何らかの要因が負荷されて初めて発症するものと考えられている．

4－2. 克山病とコクサッキーウィルス

克山病を引き起こすSe以外の付加的要因はまだ不明であるが，最近，人やマウスに心筋症を起こすコクサッキーウィルスの関与が注目されている[11]．Beckらは，マウスをSe欠乏食で4週間飼育した後，心筋症を起こさないタイプのコクサッキーウィルス株(CVB3/0)を感染させると，心筋症が起こることを見出した．当初，宿主側がSe欠乏になっていることが原因であろうと考えられたが，心筋からウィルスを回収してその塩基配列を調べた結果，CVB3/0の遺伝子に6箇所変異が起こっていること，その変異によってCVB3/0の塩基配列が心筋症を起こす強毒株のコクサッキーウィルスとほぼ同じ配列となったこと，回収した変異ウィルスを通常食で飼育したマウスに感染させると，確かに心筋症が誘発されることを発見した．このことは，Se欠乏状態の宿主内で増殖している間に，コクサッキーウィルスが弱毒株から強毒株に変異しうることを示している．同様の現象が，Se欠乏マウスだけでなく，GPxノックアウトマウスでも起こったことから，活性酸素の消去能が劣った宿主において，微生物が病原性を獲得するような変異が起こりうることが示唆された．上記のマウスの知見が，克山病に当てはまるかどうかはまだわからないが，克山病患者からコクサッキーウィルスが検出されたとの報告もあり，今後の研究の進展が待たれる．

4－3. その他の心臓疾患

克山病がSe欠乏を主因とする疾患であることがわかったため，この30年の間にSe栄養状態が心疾患のリスクに影響を及ぼしているかどうかを調べる疫学調査が世界各地で実施された．中国に次いで土壌中Se濃度の低いフィンランドにおいて，血清中Se濃度が低い人では心筋梗塞の発症率が高くなることが報告されている[12]．しかし，その後，ヨーロッパ各地，米国などで同様の疫学調査が行われたにもかかわらず，Seの栄養レベルが低いと虚血性心疾患のリスクが高くなる，という明確な結果は得られていない．この原因として，フィンランドの調査では，低Se群が血清中Se濃度45μg/L以下であったのに対し，米国などでは，平均的な血清中Se濃度が高いため，低Se群は血清中Se濃度が92.5μg/L以下と設定されている点も考慮する必要がある．つまり，米国の低Se群は，フィンランドでは高Se群に相当するのである．日本も米国と同様，平均的なSe摂取レベルの高い国である．したがって，日本においてSeの栄養状態が虚血性心疾患のリスク要因となっているかどうかは，慎重な疫学調査を行わなければわからない．

一方，近年，完全静脈栄養や経腸栄養の技術が進歩した結果，これまで予想もしなかったような微量元素欠乏症が，これらの特殊栄養療法を受けている患者に発生するようになった．完全静脈栄養の患者において，心電図の異常，下肢の筋肉痛，爪の白色変化などが起こり，Seの補給によって改善された例が報告されている[13]．日本において，Se欠乏を危惧すべきハイリスクグループはこれらの栄養療法を受けている患者である，と考えてよい．

一般に，Seが抗酸化酵素の活性中心を構成することから，Se が欠乏すると酸化ストレスの亢進によって心臓疾患のリスクが高まると考えられている．しかし，克山病とそれ以外の心疾患の基礎条件としていずれも Se 欠乏が関与しているものの，発症に必要な付加的な要因が各疾患で異なっていることに注意する必要がある．すなわち，フィンランドでは Se 欠乏に加えて脂肪摂取過剰による高脂血症が問題となるが，克山病発生当時の中国ではむしろ全般的な栄養不良が問題だった．病理的にも克山病では冠動脈系に変化は観察されていない．また，完全静脈栄養を受けている患者に高脂血症が起こるとは考えにくい．いわゆる先進国型の生活習慣病としての心疾患と，克山病のような特殊な心疾患とでは，Se が関与する機構も異なっていると考えられる．

4－4．セレンと癌－疫学的アプローチ

Se と癌の関係については，これまで数多くの疫学調査が行われてきた．採用された疫学的手法も，横断研究，患者・対照研究，コホート研究，介入研究と多彩である．

Se の摂取量が少ないと癌のリスクが高まる可能性を最初に示したのは，Shamberger らによる横断研究である．米国の 19 の都市の平均的血中 Se 濃度と癌の死亡率とを比較し，負の相関があることを示した．また，Schrauzer 等は，27 カ国の平均 Se 摂取量と大腸がん，乳がんなどの死亡率が負の相関を示すことを報告し，その後の研究に強い影響を及ぼした[14]．しかし，これらの横断研究は，他の栄養因子や発癌リスクの影響を考慮していないという欠点がある．また，多くの患者・対照研究によって癌患者の血中 Se 濃度が対照群より低いことが報告されている．しかし，癌細胞は積極的に Se を取り込むことが報告されており，血中 Se レベルの低下が，癌の原因なのか結果なのか，わからない．

一方，前向きのコホート研究を用いることにより，ある時点での Se 摂取レベルの差がその後の癌発症率に及ぼす影響を調べることができる．フィンランドの Salonen[15]や，米国の Willet 等[16]は，nested case-control 法と呼ばれる他の大規模集団のコホート研究に相乗りする手法を活用し，過去の血清 Se 濃度とその後の癌発症率との関係を検討した．その結果，低 Se 群において癌（特に消化器癌）の死亡率が高くなる，という結果が得られた．しかし，その後数多くの前向きコホート研究が行われたが，血中 Se レベルが低いと癌のリスクが上昇するということを明確に示した報告はほとんどない．日本においても，胃癌と過去の血清中 Se 濃度との関係を調べた報告があるが，否定的な結果が示されている．最近，米国において，爪の中の Se 濃度を 1987 年に測定した 3 万人の追跡調査で，前立腺癌のリスクが低 Se 群で約 2 倍高かったことが報告され，注目されている[17]．しかし，癌と Se との関係については，ここに紹介した幾つかのポジティブな報告例の何倍もの否定的な報告がなされていることに注意すべきであろう．

癌の化学予防を目指した介入研究として，米国で Clark 等のグループが興味深い報告をしている[3]．皮膚癌（基底細胞癌と扁平上皮癌）の既往がある患者に対し，200 μg の Se を含む錠剤かプラセボのどちらかを 4 年半にわたって投与し，その後の 6 年間の癌発症率を調査した．その結果，Se 投与は皮膚癌の再発を抑制することはできなかった．しかし，他の癌による発症率を調べたところ，肺がん，大腸癌，前立腺癌の発症率が Se 投与群で約 50％に低下していた．また，全臓器の癌発症率と死亡率も約 50％に低下していた．本来，皮膚癌を標的にした実験計画なので，他の臓器の癌の例数が非常に少ないのがこの調査の大きな欠点ではあるが，結果として，Se を癌の化学予防に利用しよう，という動きが米国で加速されることとなった．近年，前立腺癌に対する化学予防効果を期待して米国で大規模介入研究（SELECT）が実施された．しかし，200 μg/日の Se のサプリメントを摂取し続けた人に 2 型糖尿病の発症率が上昇したことが報告されており，今後の解析結果に注目する必要がある．

4－5．セレンと癌－実験的アプローチ

化学発癌モデルや移植癌を用いた数多くの動物実験において，Se 化合物の投与が癌の成長を抑制することに成功した，と報告されている．Ip 等のグループはラットに 7，12-dimethylbenz（a）anthracene（DMBA）と高脂肪食を与えて乳癌を

誘発する実験モデルを活用し，下記のことを明らかにした[18]．

1. エサの中に亜セレン酸としてSeを2-5ppm添加したときに最も効果が高い．2. Seは発癌のイニシエーション，プロモーションのいずれの時期に与えても効果を示す．3. ビタミンEはSeの必要濃度を下げる役割を果たすが，ビタミンE単独では効果がない．4. Seの癌増殖抑制効果はSe酵素であるGPxとは無関係である．

重要なことは，Seが実験動物で示す癌増殖抑制作用は，Seの抗酸化作用では説明できない，という点である．動物の餌に最低必要なSe濃度は0.1ppmとされている．最も体内含量の多いSe酵素であるGPx1の活性は，餌のSe濃度が0.4ppmを超えるとプラトーに達し，それ以上は上昇しなくなる．したがって，2-5ppmのSeというのは，必要十分なSe濃度のさらに10倍以上の濃度である．しかも，3ppm以上のSeを含む餌を摂食し続けるとラットの体重増加が抑制される．すなわち，Seの示す腫瘍増殖抑制効果は，毒性量に近いsupranutritionalな量のSeを与えたときに，GPxなどのSe酵素の活性とは無関係に引き起こされる何らかの薬理的な効果に基づくものである．

Seの代謝産物のうち，どれが癌の増殖抑制に関与しているかを明らかにするため，Ganther等は，Seのモノメチル体であるmethyl selenol (CH_3Se^-)の前駆体となるselenobetaineや，Se-methylselenocysteineをラットに投与し，亜セレン酸の効果と比較した[19]．その結果，亜セレン酸よりSe-methylselenocysteineがより効果的にDMBAによる乳癌発生を抑制した．Seの栄養レベルが十分であるときには，Se-methylselenocysteineから生じたmethyl selenolはselenideに変換される可能性は低いこと，ジメチル体やトリメチル体には発癌抑制効果がないことから，モノメチル体であるmethyl selenolが抗癌作用において重要な役割を持つ可能性が示唆されている．

4－6. セレンによる発癌抑制の機構

Seは発癌のイニシエーションとその後の段階の両方で作用する．

イニシエーションの段階では，発癌物質とDNAとの相互作用をSeが抑制する．動物に様々なSe化合物を2-10ppmのレベルで摂取させると，DMBAやaflatoxin B_1によるDNA adductの形成が抑制される．新規合成Se化合物である*p*-xylylselenocyanate (*p*XPC) は，DMBAによるDNA adduct形成のみならず，タバコに含まれる発癌物質である4-(methylnitrosoamino)-1-(3-pyridyl)-1-butanone(NNK)によるDNAのメチル化も抑制し，実際NNKによる肺癌を抑制した．た．これらのSeの作用は，発癌物質の解毒の促進，あるいは代謝活性化の抑制によると考えられている．

一方，発癌プロモーションもSeによって抑制されるが，これは，Seの細胞増殖抑制作用によるものと考えられている．多くの研究により，培養細胞の培地中にSe化合物を数μM以上の濃度で添加すると，細胞増殖が抑制されることが報告されている．その際，亜セレン酸は癌細胞のアポトーシスとネクローシスの両方を引き起こす．一方，methyl selenolの前駆体であるSe-methylselenocysteineはアポトーシスのみを誘導する．癌細胞の増殖は，宿主となる動物の免疫能によっても影響を受ける．Seを摂取した動物や人間においてナチュラルキラー細胞の活性が増強していることが報告されている．また，リンパ球のIL-2受容体の発現がSe摂取によって亢進することも報告されている．

以上のように，Seによる発癌抑制作用は，複数の機構が関与し，発癌のイニシエーションとプロモーションを抑制している．また，これらの作用が観察されるのは，いずれの場合も，GPxなどの抗酸化酵素の活性がプラトーに達する濃度のさらに10倍以上の，毒性量に近いSe濃度である．Seの抗癌作用は，抗酸化作用に基づくというより，細胞増殖抑制作用などの薬理的な作用によっていると考えるべきだろう．

5. セレンの毒性

5－1. 動物におけるセレンの毒性

20世紀初頭にSeという元素の存在が人々に意識されたきっかけは，その生理作用ではなく，毒性であった．米国のサウスダコタ州，ネブラスカ州，ワイオミング州において，家畜が牧草中に濃縮されたSeによってblind stagger，あるいはアルカリ病と呼ばれる中毒症を起こした．blind staggerは急性型で，視力を失った家畜が回転や突進を繰り返すことから名づけられた．慢性型では，脱力，体毛の脱落，手足の変形，繁殖能力の低下などが報告されている．

実験動物にSe化合物を投与した際の毒性は，有機Se化合物より無機Se化合物の方が強い．様々な動物に亜セレン酸を投与した際のLD_{50}は2.25-13.2mgSe/kgで，この値はメチル水銀のLD_{50}とほぼ同じレベルである．無機のセレン化合物は強毒性物質なのである．実験動物におけるSeの慢性毒性としては，成長障害と肝障害，脾臓の障害が報告されている．2-10ppmの無機Se化合物を含む餌を与えると動物の成長障害が観察される．この濃度は，発癌抑制を起こす濃度である2-5ppmと非常に近い．

5－2. ヒトにおけるSeの毒性

ヒトにおけるSeの急性毒性として，Seを自殺目的あるいは誤飲した場合に死亡例が報告されている．特に米国において，無機Se化合物を含有する銃の仕上げ剤(gun bluing)を子供が誤飲して重篤な中毒症状を示す例が少なくない．

土壌中のSeに起因するSeの慢性中毒の例が中国で報告されている[20]．湖北省の恩施市周辺地域では，石炭の露天掘りが行われているが，この石炭に高濃度のSeが含まれているため，周辺の土壌，飲料水がSeで汚染され，米，野菜，とうもろこし中のSe濃度が著しく高い．換気の悪い屋内で石炭を燃焼することによる経気的な曝露も無視できない．観察された中毒症状として，手足の爪の変色と変形，脱落，皮膚の変色，脱毛，呼気のにんにく臭，神経症状，脱力感などがある．平均的なSe摂取量は，5mg/dayにも達した．

欧米諸国において，近年，サプリメントとしてSeの錠剤が販売されているが，この錠剤に誤って高濃度のSeが含まれていたために起こったSe中毒の例が報告されている．報告によると，57歳の女性が3ヶ月にわたって摂取したSeの錠剤に表示の200倍ものSeが含まれていた．現れた症状は，嘔吐，吐き気，爪の変形，頭髪の脱毛などである．これは，中国の恩施市周辺で観察されたのとほぼ同様の症状である．この事例は1984年に起こったが，1996年にも同様のサプリメントによるSe中毒例が報告されている[4]．この時には，表示値の500-1000倍ものSeが錠剤中に含まれていた．

医薬品と異なり，サプリメント中の含有物の濃度を厳密にチェックする法的なシステムはない．前述したように，通常の食事をしていれば，日本人がSe摂取不足になる可能性はきわめて低い．安易なサプリメントの摂取により，Se中毒になる愚は避けねばなるまい．

5－3. セレンの毒性発現の機序

Seの毒性発現機序は，いまだに不明の部分が多い．これまでの研究から，少なくとも亜セレン酸の毒性発現に関しては，生体内のSH化合物，特にGSHが重要な役割を果たしていることが示されている．亜セレン酸はGSHと反応してselenideにまで還元され，最終的にselenideと酸素が反応してsuperoxide（$\cdot O_2^-$）が産生される．この反応により，SH化合物が枯渇し，かつ，活性酸素が産生されるためにSeが毒性を示すものと考えられている．亜セレン酸よりSeMetの毒性が弱いのは，GSHの存在下でもSeMetはほとんど活性酸素を産生しないためであろうと考えられている．

最近，完全静脈栄養などの栄養療法において，Se欠乏を防ぐために輸液にSeを添加する場合があるが，これらの輸液にはGSHやcysteineなどのSH化合物が含まれていることが多い．亜セレン酸の代わりにセレン酸，あるいはSeMetを添加すれば，活性酸素産生が起こらないことがわかっているので，これらのSe化合物を使用する方が安全であろう．

5－4. セレン摂取の安全基準

食事から摂取するSeの安全基準については，ほとんどの国が中国での例を基に数値を決定している．恩施市周辺での慢性Se中毒の追跡調査により，爪の変形を示さなかった人々の血液中Se濃度は平均して968μg/Lであることがわかった．

この濃度は，食事からの摂取量に換算して，800 μg/day である．そこで，中国の研究者は，800 μg/day がヒトにおける Se の NOAEL である，とした．通常，ヒトにおける NOAEL から ADI を算出する際には，安全係数として 10 を用いる．しかし，Se のように，毒性があり，かつ必須であるような元素にこの方式を応用することはできない．そこで，米国では，安全係数ではなく，不確定係数(uncertainty factor)として，3（対数換算で 10 の半分)を用い，体重 70kg として 1 日の摂取基準を 350 μg とした．ほぼ同様の考え方により，日本の Se の食事摂取基準(2010 年版)においては，耐容上限量を 18 歳以上の男性で 280-230 μg/ 日，女性で 210 − 230 μg/ 日としている．

6. おわりに

10 年前は専門家だけの用語であった活性酸素という言葉が，現在はマスコミでも日常的に扱われるようになった．近年の健康食品ブーム，サプリメントブームとあいまって，活性酸素による障害を抑えるために Se が有効である，という概念が一般にも流布されるようになった．しかし，Se の生理作用に関する分子レベルでの研究が進展すればするほど，当初考えられていた，Se ＝ GPx の構成因子＝抗酸化因子，という単純な図式で Se の作用を説明することはできないことがわかってきた．

Se は essential poison である，という言い方もあるほど，必須元素としての側面と有害元素としての側面の 2 面性を持っている．それに加え，Se が示す癌の増殖抑制作用は，Se 蛋白質による生理的作用というより，毒性量に近いレベルで起こる薬理作用と考えた方がよい．Se がヒトの健康に及ぼす影響については，それがどのような dose によって起こされた現象なのかを常に留意する必要がある．

文　献

1. Himeno S, and Imura N, Selenium in Nutrition and Toxicology. in "Heavy Metals in the Environment" (Ed. by Sarkar B), Marcel Dekker, Inc. New York, p587-630, 2002.
2. Kryukov GV et al., Characterization of mammalian selenoproteomes. Science, 300：1439-1443, 2003.
3. Clark LC et al., Effects of selenium supplementation for cancer prevention in patients with carcinoma of the skin. A randomized controlled trial. Nutritional Prevention of Cancer Study Group. JAMA. 276：1957-1963（1996). Erratum in：JAMA, 277：1520, 1997.
4. Clark RF et al. Selenium poisoning from a nutritional supplement. JAMA. 275：1087-1088, 1996.
5. 姫野誠一郎，セレン，「ミネラル・微量元素の栄養学」鈴木継美，和田攻(編)，第一出版，p423-447, 1994.
6. Berry MJ et al. Recognition of UGA as a selenocysteine codon in type I deiodinase requires sequences in the 3' untranslated region. Nature. 353：273-276, 1991.
7. Rotruck JT et al. Selenium：biochemical role as a component of glutathione peroxidase. Science. 179：588-590, 1973.
8. Tamura T and Stadtman TC. A new selenoprotein from human lung adenocarcinoma cells：purification, properties, and thioredoxin reductase activity. Proc Natl Acad Sci U S A. 93：1006-1011, 1996.
9. Bosl MR et al. Early embryonic lethality caused by targeted disruption of the mouse selenocysteine tRNA gene（Trsp). Proc Natl Acad Sci U S A. 94：5531-5534, 1997.
10. Hill KE et al. Deletion of selenoprotein P alters distribution of selenium in the mouse. J Biol Chem. 278：13640-13646, 2003.
11. Beck MA et al. Rapid genomic evolution of a non-virulent coxsackievirus B3 in selenium-deficient mice results in selection of identical virulent isolates. Nat Med. 1：433-436, 1995.
12. Salonen JT et al. Association between cardiovascular death and myocardial infarction and serum selenium in a matched-pair longitudinal study. Lancet. 2：175-179, 1982.
13. 姫野誠一郎，セレン，日本臨牀　68，増刊号 1, p329-332, 2010.
14. Schrauzer GN et al. Cancer mortality correlation studies-Ⅲ：statistical associations with dietary selenium intakes. Bioinorg Chem. 7：23-31, 1977.
15. Salonen JT et al. Association between serum selenium and the risk of cancer. Am J Epidemiol. 120：342-349, 1984.
16. Willett WC et al. Prediagnostic serum selenium and risk of cancer. Lancet. 2：130-134, 1983.
17. Yoshizawa K et al. Study of prediagnostic selenium level in toenails and the risk of advanced prostate cancer. J Natl Cancer Inst. 90：1219-1224, 1998.
18. Ip C. Selenium inhibition of chemical carcinogenesis. Fed Proc. 44：2573-2578, 1985.
19. Ip C and Ganther HE. Activity of methylated forms of selenium in cancer prevention. Cancer Res. 50：1206-1211, 1990.
20. Yang GQ et al. Endemic selenium intoxication of humans in China. Am J Clin Nutr. 37：872-881, 1983.

Ⅲ-10　アスベストーシス，シリコーシス

川崎医科大学　衛生学
西村泰光，大槻剛巳，前田恵，熊谷直子

はじめに

いわゆる「じん肺」として知られる疾病群は，職場環境において無機粉じんの曝露を受け，肺に生じた線維増殖性変化を主体とする疾患であると「じん肺法(1960年制定)」に定義されている[1]．その代表的な疾患として「珪肺症：シリコーシス」と「石綿肺症：アスベストーシス」がある．前者は遊離珪酸の曝露による肺疾病であり，鉱山や石工，耐火煉瓦工場や硝子工場の従業員などに生じ，吸入粉じん中の30～40%以上の遊離珪酸によって曝露されていると考えられる．この濃度が低いものを吸入した場合には，非典型珪肺と呼ばれることもあるし，その他の珪酸化合物(滑石肺，蝋石肺，珪藻土肺など)，金属(アルミニウム肺，アルミナ肺，溶接工肺，鉄肺など)や炭素(炭素肺，黒鉛肺など)による曝露も含めて「じん肺」として取り扱われる[1]．

なお，有機粉じんによって発生する農夫肺やさとうきび肺などは，その病態が過敏性肺臓炎であり主体が線維増殖性変化とは異なるために「じん肺法」の対象疾患としては取り扱われない[1]．

症例数としては，じん肺法によって粉じん作業従事労働者は定期等のじん肺健康診断を受けることになっており1980年代半ばよりは有所見率は減少傾向にあって，現在は2%を超える程度である．じん肺法では「じん肺と合併した肺結核その他のじん肺の進展経過に応じてじん肺と密接な関係があると認められる疾病をいう」と定義されており，肺結核，結核性胸膜炎，続発性気管支炎，続発性気管支拡張症，続発性気胸そして原発性肺がんを合併症としている[1]．

本項では代表的疾病である珪肺症と石綿肺症を取り上げ，その疫学や病態などの一般的事項の記載の後，その原因となる遊離珪酸(SiO_2)やアスベストの人体への取り込みと線維増殖性変化をもたらす分子基盤の概説をする．また珪肺症では呼吸器合併症以外に自己免疫疾患の合併が知られているが，その発症機転に関連する研究の概要を，更には石綿曝露症例で生じる肺癌や悪性中皮腫といった発癌の機序に加えて，筆者らの研究室で検討しているアスベストの免疫影響と腫瘍免疫との関連についても触れてみたい．

1．珪肺症の病態

珪肺症を惹起する粉じんは遊離珪酸である．砂の成分であり地球上に非常に多く存在するため，人類が文明を発展させる中で土を掘ること，そして石や土を利用することの間で古くから曝露されてきた．炭鉱労働者，鋳物工場従事者，陶器職人，石切業，トンネル工事従事者など多くの業種で発生してきており，現在でもトンネル工事従事者の訴訟や裁判の記事が新聞紙面に報道されることもある．

珪酸は線維原性が非常に強いことが知られており，病理組織学的には結節性珪肺結節と称される典型的には3～4mmの直径の円形に近い結節を形成するのが特徴的である．これらは硝子化した

膠原線維の同心円状あるいは渦巻状の配列を有する．吸入さえた珪酸が肺胞に到達した後，肺胞マクロファージに貪食され，またリンパ流に乗って所属リンパ節に移行し線維性変化を生じる．これらがレントゲン像では比較的大きさのそろった境界明瞭な小粒状陰影として，両側上肺野優位に認められ，疾病の進展に従って密度の増加，径の増大が認められるようになり，融合も含めて径が1cmを超えるとじん肺法上でのX線写真の分類で大陰影と呼ばれる結節となり，リンパ節などでは卵殻状石灰化陰影に至ってくる[2, 3]．

進行に従って末梢気道の障害から気管支や血管周囲での珪肺結節の形成によって気道閉塞は肺循環障害が進展し，咳，痰，息切れなどの呼吸器症状の出現から，ひいては慢性呼吸不全に至るようになる[2, 3]．

2. 石綿肺の病態

石綿は天然の繊維状珪酸塩鉱物の総称であり，表に示すようにクリソタイル（白石綿）が属する蛇紋石族と，クロシドライト（青石綿）やアモサイト（茶石綿）が属する角閃石族に分類される[4]．クリソタイル繊維は細く比較的しなやかなMg塩であるのに比べ，角閃石族のアモサイトやクロシドライトはFeを含む金属塩であり，強度も強く，産業材料としては絶縁性や耐酸性，耐熱性に優れているが，生体影響という観点から考えると，この物理学的な性状（アスペクト比としての長径と短径の比が3以上であること，更に針状であることなど）とともに化学的性状（Feを含有すること）の両者が相俟って病態を形成すると考えられる．

臨床的には珪肺症とは異なり，初期には線維化は繊細で不規則で微細な線状変化として現れる．レントゲン的にも珪肺症の病変を粒状陰影と称するのに対し，石綿肺の場合には不整形陰影と呼び，両側下後部肺野に生じて外側から内側上方へ向けて進展する．程度が軽い場合には呼吸気管支周囲の線維化であるが，徐々に隣接する肺胞壁に線維性肥厚が生じ，次第に肺実質に至って肺胞腔の消失にまで及ぶ．このようになってくるとレントゲン的にも粗大な線状・網状陰影として判別できるようになり，蜂巣状陰影に至る[5, 6]．

表　アスベストの種類と化学組成

分類	化学組成
蛇紋石族（アンフィボール）	
クリソタイル（白石綿）	$Mg_6Si_4O_{10}(OH)_3$
角閃石族（サーペンタイン）	
クロシドライト（青石綿）	$Na_2(Fe^{3+})_2(Fe^{2+})_3Si_8O_{22}(OH)_2$
アモサイト（茶石綿）	$(Fe\text{-}Mg)_7Si_8O_{22}(OH)_2$: Fe>5
トレモライト	$Ca_2Mg_5Si_8O_{22}(OH)_2$
アンソフィライト	$(Fe\text{-}Mg)_7Si_8O_{22}(OH)_2$: Mg>6
アクチノライト	$Ca_2MgFe_5Si_8O_{22}(OH)_2$

文献　を改変

加えて胸膜病変が生じることも特徴であり，これは針状である物理的性状から終末気管支から繊維の先が臓側胸膜を突き破って胸膜を刺激することで起こると考えられている．びまん性胸膜肥厚や胸膜プラーク（胸膜中皮層の内側の線維性増殖）を伴い，石灰化をみせる場合もある[5, 6]．

さらに化学的性状からの特徴的な所見としてアスベスト小体が挙げられる．Feを含有するクロシドライトやアモサイトでは繊維周囲にフェリチンやヘモジデリンなどが吸着し，病理組織上，茶色の「鉄あれい状」「団子状」「ビーズ状」の変化を伴った異物として認められる．喀痰内に検出される場合もある[5, 6]．

臨床病態としては上記のような病理像からも判る通り，びまん性間質性肺炎となり，胸膜炎の合併もある．呼吸困難が主体となりばち指なども生じる．加えて，肺基底部の診察では捻髪音を聴取することになる[5, 6]．

3. 珪酸粒子の肺への取込み

吸入された珪酸粒子に対する生体反応は，肺胞マクロファージが異物として認識し処理・貪食すべく作用するところから始まる．しかし，その前に珪酸粒子自体がPL（phospholipids）やSP（surfactat protein）で構成される肺サーファクタントによって修飾を受けるところが，端緒となるようである．珪酸曝露によって肺胞タイプⅡ上皮によりこれらのサーファクタントの産生が亢進する．ただし，これらの作用は本来は珪酸による肺障害に対して防御的に働くのであるが，残念ながら一過性であり肺胞マクロファージが異物として認識してからの生体反応の結果としての肺障害

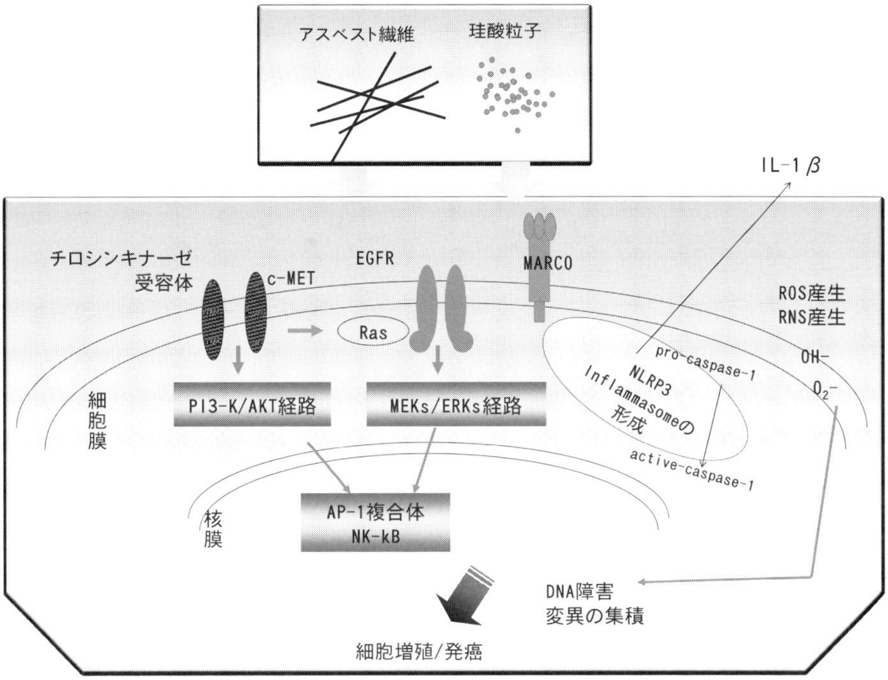

図１　アスベスト繊維や珪酸粒子に曝露された細胞における種々に細胞内シグナル伝達経路の変化

は，その後暫時生じてくる[7, 8]．

肺胞マクロファージが珪酸粒子を異物として認識し，結合して貪食する起点はマクロファージ膜表面の受容体である．中でもSR（scavenger receptor）-AI，SR-AIIそしてMARCO（macrophage receptor with collagenous structure）が重要である．その後，マクロファージは，PKC（proteinn kinase C）-δを介してMAPK（mitogen-activated protein kinse）シグナル伝達経路の活性化によるMEK（MAP/ERK kinase）/ERK（extracellular signal-regulatedkinase），JUN（jun n-terminal kinase），p38などのキナーゼ分子の活性化によって情報伝達をし，核内でのAP（activating protein）-1/NFκB（nuclear factor kappa B）の活性化によって種々のサイトカインの産生を行い局所の炎症を惹起する．一方，肺胞マクロファージ自体は同様にMAPKを介してアポトーシスに陥る．さらに，珪酸を貪食した肺胞マクロファージではlysozomeの透過性の変化が生じ，lysozomal membraneからのcathepsin Dの放出，それに伴うacidic sphingomyelinaseの活性化，ceramideの産生，ミトコンドリアの変化によるcaspasesの活性化などが連続して起こることによりアポトーシスが惹起される[7, 8]（図1）．

これらの経過を更に修飾し生体反応を，そして珪酸による組織毒性を変化させるのはフリーラジカルによる酸化ストレスである．粒子自体すなわち珪酸も物理的に破壊されることによって活性酸素種の源になる（SiO_2^*，SiO_3^{*-}，$Si^{+-}O^{*-}$）．加えて珪酸粒子を貪食した肺胞マクロファージは酸素消費が高まり，$O2^{*-}$（superoxide）やH_2O_2の産生，NO^*の合成の亢進などが認められる．これらは上記のlysozomeの変化と相俟って，活性酸素種（ROS：reactive oxygen species）による細胞毒性，組織毒性を誘導する[7, 8]．

最近，アスベストや珪酸粒子などの外来物質のみならず尿酸結晶やアルミニウム塩などの内因性物質，ひいては細菌由来のMDP（muramyl dipeptide）やβ-glucanなどによって活性化されるNLRP3（NOD-like receptor family, pryin domain containing 3）inflammasomesの役割が注目を集めている[9〜12]．上記のlysozomeによる珪酸粒子の処理が過負荷となった場合に，NLRP3 inflammasomes が形成され interleukin（IL）-1 βを前駆体から切断して活性型とする．この形成は，非活性型 NLRP3 が oligomerization を受け，NACHT-domain と PYD（pyrin domain）を介して CARD（caspase-recruitment domain）と結合して ASC（apotosis-associated splecklike protein containing CARD）と共に pro-caspase-1 を切断していく機構である．動脈硬化による結節形成などにも関与することが検討されてきており，種々の病態（感染，痛風なども含めて）での詳細な役割解明が待たれている [9～12]（図 1）．

このようにして産生された IL-1 β，さらには TNF（tumore necrosis factor）- α，MIP（macrophage inflammatory proteins）-1/MIP-2，MCP（monocyte-chemoattractant protein）-1 や IL-8 などは，変性マクロファージ周辺，あるいは珪酸粒子周辺への慢性炎症と膠原線維の増生を促し病態としての線維化の基盤を形成していく [7, 8]．

4. アスベストの肺への取込み

基本的にアスベストの肺への取込みについては前記の珪酸粒子と考え方は同様であり，特に NLRP3 inflammasomes を介した IL-1 βの産生などの機序については，生体反応として重要である．しかし，臨床病態（線維化の部位や珪酸による結節形成とアスベストによる線状の線維化の差異など）の違いに表わされるように，物理・化学的性状の違い（Fe の含有やアスペクト比という長さと線維の固さの問題など）によっておそらく類似の生体反応でも，それらの生じる度合いのバランスが異なっているものと想定される．

特にクロシドライトやアモサイトには Fe が多く含有される．これは Fenton 反応 [$Fe^{2+}+H_2O_2 \rightarrow Fe^{3+}+HO^{-}+HO^{*}$] によって hydrogen peroxide から hydroxyl radical を産生する．また 3 価の Fe は O_2^{-} によって 2 価となる（Haber-Weiss 反応）[$Fe^{3+}+O_2^{-} \rightarrow Fe^{2+}+O_2$]．これらの反応から superoxide や hydrogen peroxide からの hydroxyl radical の産生も誘導される．同様に貪食細胞からも superoxide や hydrogen peroxide は産生されているので，両者が相俟ってアスベスト含有の肺組織内での ROS の産生が高まる．この貪食細胞による ROS の産生は Fe を含有しないクリソタイルであっても（前記のごとく珪酸粒子であっても）生じ，NO の産生も伴ってくるので iNOS（inducible nitric oxide synthase）の発現亢進や活性窒素種（RNS：reactive nitrogen species）も増加してくる．これらは線維化を誘発するサイトカインの産生を惹起するとともに，DNA 障害の原

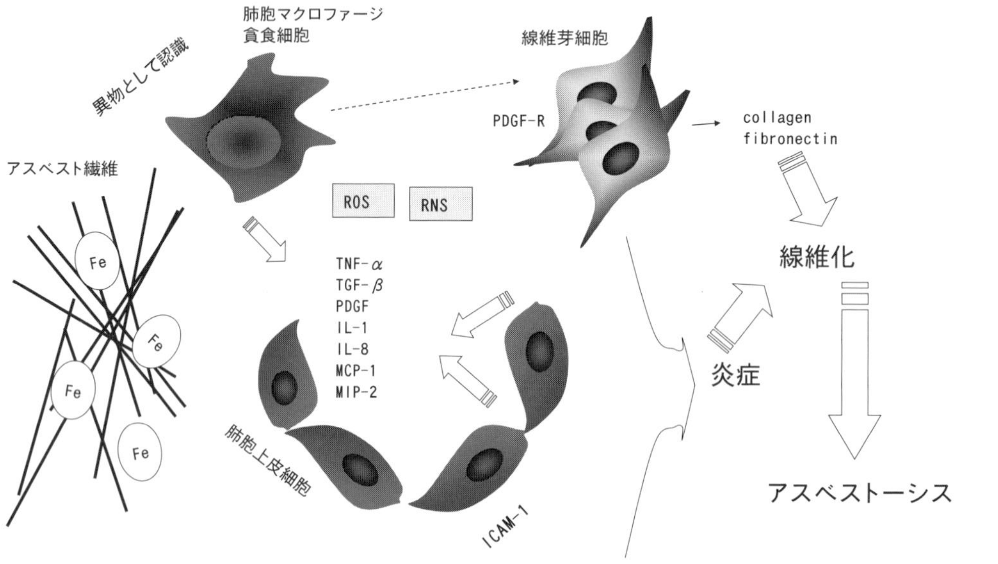

図２　アスベストーシスにおける線維化形成に関わるサイトカインあるいは活性産初腫，活性窒素種

因となり癌化の過程でも重要な因子となる[13, 14]（図2）．

サイトカインについては，TNF（tumor necrosis factor）-α や transforming growth factor（TGF）-β によって collagen や fibronectin の合成が促進され線維化に関与する．TNF-α はアスベスト肺のみならず特発性肺線維症などでも肺組織での産生亢進が認められているし，TGF-β は ROS や RNS の多い状態では産生のさらなる亢進が生じるとされている．さらには PDGF（platelet-derived growth factor）も間質細胞の増殖を刺激する，アスベスト繊維自体が線維芽細胞の PDGF 受容体発現を亢進させることの報告もあり，PDGF の情報伝達も線維化形成の一部の要因となっている[13, 14]（図2）．

TGF-β については，我々も実験的にラットの肺胞マクロファージにクリソタイルを低濃度長期曝露することによって，細胞が徐々にアポトーシスからの離脱と長期に継続する TGF-β 産生を発揮することを見出している[15]．

加えて inflammasomes を介して産生される IL-1β による collagen や fibronectin の発現・合成亢進，あるいは IL-8 による炎症の惹起と修復過程としての線維化の誘導もアスベストーシスの重要な要因である．同様にケモカインについては，珪酸の取込みの項で示したごとく，MIP（macrophage inflammatory proteins）-1/MIP-2，MCP（monocyte-chemoattractant protein）-1 などが肺胞マクロファージのみならず，線維芽細胞や肺胞上皮細胞などからも産生され，炎症形成とその後の線維化の促進に重要になってくる[13, 14]（図1）．

5. 珪酸やアスベスト曝露による癌化

珪酸曝露に伴う悪性腫瘍，中でも肺がんの合併については ROS や RNS の関与から DNA 障害が肺組織に生じることが想定されるが，Fe を含有するアスベストの曝露に比べると，これらの生体への影響がどの程度であり，かつ癌化を惹起するのに十分かどうかは議論の分かれる部分かも知れない．しかし，国際がん研究機関（IARC：International Agency for Research on Cancer）も silica を発癌物質として明示し，じん肺法においても 2003 年に肺癌が「合併症」として認定された．じん肺症の多くは珪肺症，すなわち珪酸曝露症例であることから，ここには上記の DNA 障害が機序として関与していると考えられる[1, 16, 17]．

アスベストが肺癌ならびに悪性中皮腫を生じることは広く知られている，本邦でも 2005 年夏のいわゆる「クボタショック」にて一般市民にもアスベストによる発癌が周知され，工場内での使用の問題や周辺住民での発症という観点から社会政治学的にも問題が噴出し，労災認定基準の改訂や石綿健康被害救済法の制定，施行などが行われてきた．特にアスベスト曝露後中皮腫発生までには 40 年前後の長い期間が潜伏期として横たわっており，日本でのアスベスト使用量のピークが 1974 年頃と 1988 年頃に存在していることを考えると，曝露者に対する適切な発癌予防を示せない限り，今後 10 − 20 年は症例が増加することが予想されている．また診断後の予後も現状ではかんばしくなく，予防，早期診断そして治療法の開発も含めてアスベストによる発癌については医学医療の両面で早急に対策を講じなければならない[18]．

さて，その発癌機構であるが前記の線維化でも触れた ROS や RNS の産生は DNA 障害を惹起することからアスベストによる発癌の主体をなすと考えられている．それに加えてアスベスト繊維は，細胞内に取り込まれる性質を有しており，核に至ったアスベスト繊維は直接染色体～遺伝子に傷を付けることも知られている．細胞分裂における紡錘体への附加によって染色体異常を生じるのである[19, 20]（図3）．

中皮腫で認められる発癌機転に関連する遺伝子異常としては，腫瘍抑制遺伝子の欠失あるいはエピジェネティクス異常に伴う発現低下がよく知られている．代表的な遺伝子としては細胞周期の G_1-S チェックポイントの制御に重要な染色体 9 番に存在する INK family CDK-I（cyclin dependent kinase-inhibiotr）である $p16^{ink4a}$，$p14^{ARF}$，そして細胞間接着や細胞増殖に関連があるとされている神経線維腫症 2 型遺伝子（NF（neurofibromatosis）-2/merlin）である．p16 については多くの報告が，ほぼ全例に近い組織サンプルでの欠失を

各論Ⅲ

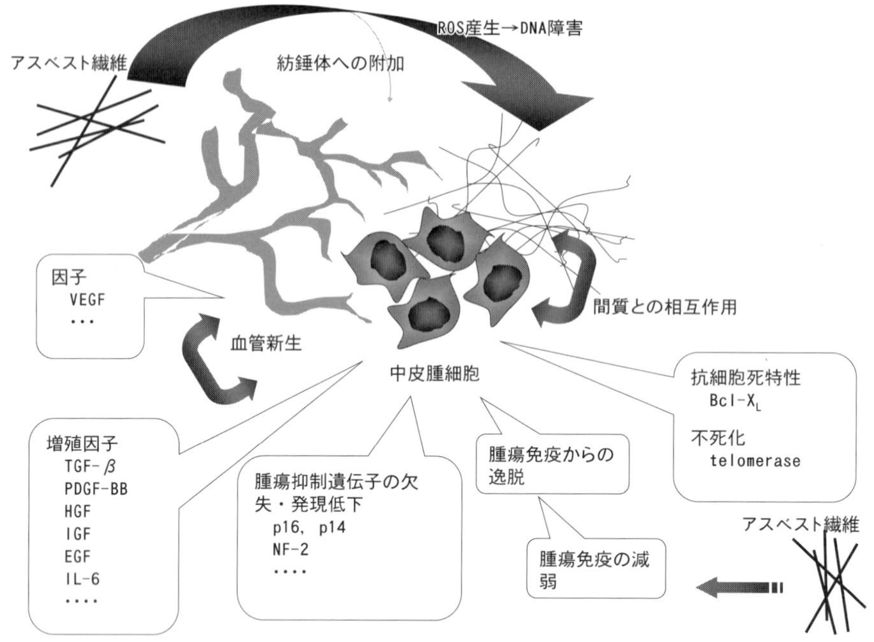

図３　悪性中皮腫細胞を取り巻く発癌関連因子(文献 19 より改変して引用)

示しており，同様にラットの腹腔にアスベスト繊維を注入して生じる実験的なアスベストによる中皮腫発癌モデルにおいても p16 の欠失は生じていることから，CDK-I の欠失は中皮腫の発症に関して根源的な遺伝子異常と捉えることが出来る．また NF-2/merlin は染色体 22 番に存在しているが，これも約半数の症例において不活化しており，新規の腫瘍抑制シグナル経路 Hippo 経路へ関連していることも報告されている．ただし代表的な腫瘍抑制遺伝子である p53 の変化は中皮腫細胞ではほとんど見られない[21] (図 3).

加えて中皮腫細胞では多くの細胞増殖因子による細胞増殖の加速化も報告されており，TGF-β，PDGF，HGF (hepatocyte growth factor)，IGF (insulin-like growth factor)，EGF (epidermal growth facotr)や IL-6 などである．また腫瘍全体の増殖については VEGF (vascular endothelial cell growth facotr)の関与が大きい腫瘍の一つとして特徴付けられており，間質細胞との相互作用もまた中皮細胞の癌化あるいはその急速な進展には関連していると考えられている．一方，これらの癌細胞としての無限増殖性の獲得に感れする抗アポトーシス特性としては Bcl-X_L の過剰発現，そして不死化という側面からは細胞の老化に伴って活性が低下するテロメラーゼの活性持続なども影響している[19] (図 3).

細胞内シグナル伝達経路については，先の Hippo 経路の重要性が近年判明してきているが，それ以外にもチロシンキナーゼ型受容体，中でも c-MET (HGF 受容体)や EGF 受容体は細胞膜直下に存在する Ras などの低分子 GTPase の作用も加わって活性化が促されている．その結果 PI3-K (phosphatidylinositol-3 kinase) /AKT 経路や MEK/ERK 経路の活性化が導かれ，NF κB と転写因子 AP-1 の活性化の誘導に伴って，細胞を増殖そして癌化の方向へ導く[22].

6. 珪酸の免疫影響

Caplan 症候群は珪肺症に慢性関節リウマチが合併した症候群である．その他，強皮症，全身性エイテマトーゼス(SLE), ANCA (anti-neutrophil cytoplasmic autoantibody)関連血管炎 / 腎炎などが珪肺症例で頻度高く合併することが知られている．これは珪酸のアジュバント効果として認識されてきた．また強皮症などでは珪酸の粒子は肺へ

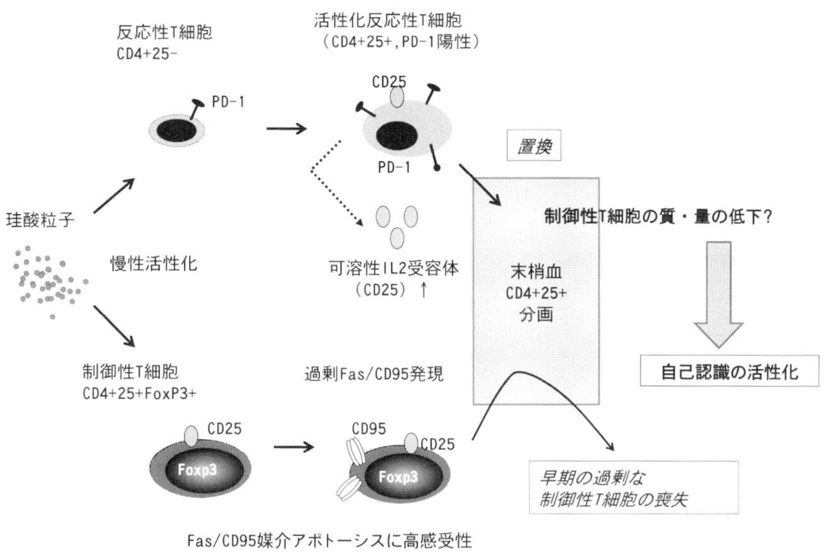

図４　珪酸粒子のＴ細胞に対する影響と，自己認識活性化への過程

と吸入された後，リンパ節などに取り込まれていくのに加えて，皮膚組織などにも至り，肺組織で生じたものと同様の機転で線維化が惹起されると考えられている[23, 24]．

我々は種々のリンパ節などに取り込まれた珪酸粒子と全身循環している種々のリンパ球との邂逅が生じる結果，免疫担当細胞には低濃度長期の珪酸曝露が生じると考え，いくつかの観点で検討を進めてきた．一つにはリンパ球の生存あるいは細胞死に深く関与する細胞死受容体Fas/CD95分子に関連する異常であり，Fas分子を中心とする解析から，珪肺症例の末梢リンパ球には，膜Fas分子の発現が低く，それゆえに珪肺症例で検出されるFas受容体刺激性(Fas媒介アポトーシス誘導性)抗Fas自己抗体によるアポトーシスにも陥りにくく，加えて細胞外でFas分子媒介アポトーシスを阻害するように作用する可溶性Fasや類似の分子を良く発現しており，体内で長期生存しているであろうと考えられる分画が存在しているようで，この中に自己認識クローンが含まれているのではないかと想定している[25, 26]．

一方，膜Fas発現が高く，そのために自己抗体によるFas媒介アポトーシスが生じていて，細胞死と骨髄からの産生を繰り返しているような分画も想定でき，これは通常のＴ細胞群である．慢性長期曝露あるいは体内繋留珪酸により前者の分画が徐々に体内で増加してくることにより将来の自己免疫疾患発症の基盤が形成されるようになっていると考えている[25, 26]．

また，これらFas分子に関連する実験室レベルでの免疫異常に関与すると考えられる項目は呼吸器病変の進行とは別枠の変化として捉えることが可能で，一部の症例では珪酸曝露後に呼吸器障害よりも免疫異常の方向で病態が出現する傾向にあることが判明した[25, 26]．

in vitro 実験系では，珪酸が緩徐ながらＴ細胞を活性化するであろうことが，Ｔ細胞活性化の早期指標であるCD69分子の発現で観察して判明した．活性化したＴ細胞は$CD4^+25^+$という表現形を持つようになるが，これは近年着目されている$CD4^+25^+FoxP3$ (forkhead box P3$)^+$という制御性Ｔ細胞と同様で，末梢血の$CD4^+25^+$分画に慢性活性化Ｔ細胞が混入し，かつこの分画の割合が変化していないとすると，本来の制御性Ｔ細胞は減弱させられていることになる．制御性Ｔ細胞は反応性Ｔ細胞が種々の抗原と反応することの高次的な制御を行う細胞であり，その質あるいは量の低下はアレルギーや自己免疫を誘発し，反対に機能亢進や数の増加では腫瘍免疫の減衰などが生じることが知られている．珪肺症例の

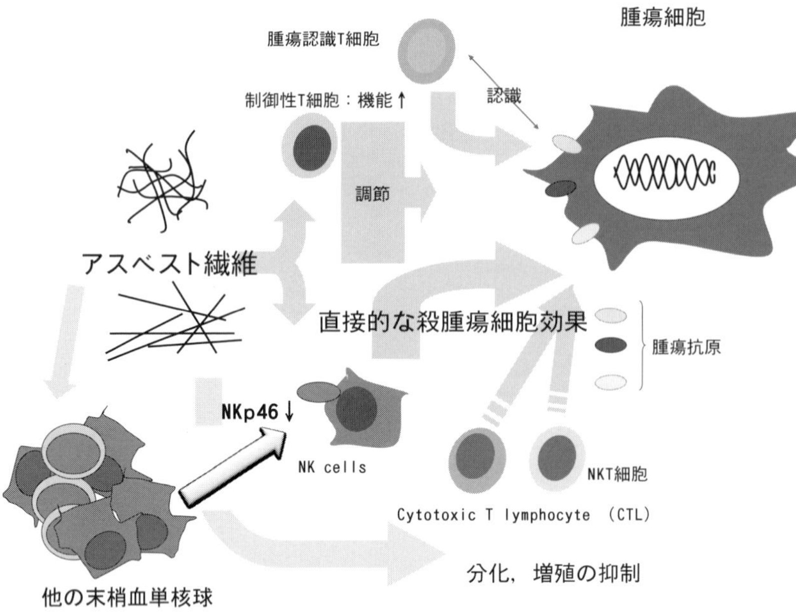

図５　アスベスト繊維の腫瘍免疫担当細胞に対する影響と腫瘍免疫の減衰

CD4⁺25⁺ 分画は，CD4⁺ 細胞の中での割合としても健常人から予測された年齢補正率より減少していたし，実際の末梢血 CD4⁺25⁺ 分画の制御性 T 細胞機能は弱められていた．また珪肺症由来の制御性 T 細胞は健常人由来の同細胞に比べて Fas/CD95 膜発現が亢進しており，このことは免疫系への刺激でマクロファージや反応性 T 細胞から産生される Fas ligand など Fas 媒介アポトーシスの惹起に対して感受性が高まっていると想定される．すなわち低濃度長期の珪酸粒子の免疫系への曝露では，反応性 T 細胞と制御性 T 細胞両者に慢性刺激が加わり，制御性 T 細胞のアポトーシスによる早期の喪失が誘導されて自己寛容の破綻につながっているようである[26]（図 4）．

7. アスベストの免疫担当細胞への影響

珪酸曝露が自己寛容の破綻を生じるであろうことはその合併症から想定できるが，アスベスト曝露の場合は，同様に考えると悪性腫瘍の合併（肺癌，中皮腫のみならず喉頭癌や消化器癌，膀胱癌なども頻度が高いと報告されている[27]）の基盤としての腫瘍免疫の減衰が生じている可能性がある．我々はこの観点で，種々の検討を加えてきた．

直接的な殺腫瘍細胞効果を有する NK（natural killer）細胞については，細胞株を用いたクリソタイルの低濃度長期曝露モデルの構築あるいは健常人より得た新鮮末梢血 NK 細胞の *ex vivo* での長期曝露での検討，さらにはアスベスト曝露症例である胸膜プラークを有する症例ならびに悪性中皮腫症例で検討した．NK 細胞活性化受容体には，NKG2 family, SLAM（signaling lymphocytic activating molecule）family, NCR（natural cytotoxicity receptor）family などが知られている．そこでこれらの NK 細胞活性化受容体に注目した末梢血 NK 細胞の機能解析を行い，細胞株では NKG2D 受容体の発現低下，そして悪性中皮腫症例の NK 細胞において NCR の一つである NKp46 の発現低下を伴う細胞傷害性低下が見られること，同様な細胞表面 NKp46 発現量の減弱がクリソタイル曝露下健常人末梢血単核球（NK 細胞をふくむ）培養中の NK 細胞において見られることを明らかにした[28, 29]（図 5）．

そこで，石綿曝露を伴う幾つかの培養環境下における NK 細胞の機能解析を行い，また，中皮腫

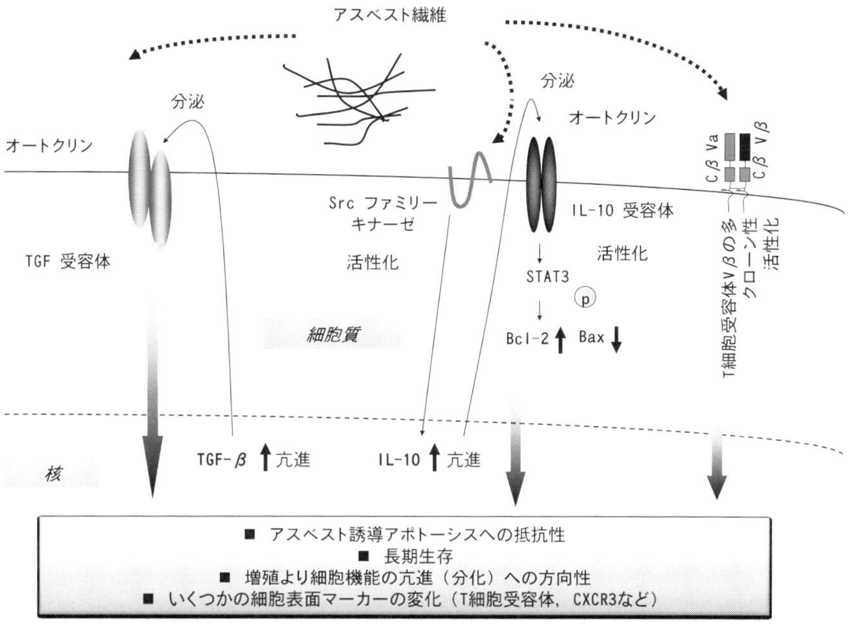

図６　細胞株モデルを用いたアスベスト繊維低濃度長期曝露の影響

症例だけでなくアスベスト曝露指標である胸膜プラーク陽性者を含めたアスベスト被曝露者の末梢血 NK 細胞の機能解析を行った．これらの中で，石綿曝露による NKp46 発現量抑制の機構解明を試行し，また NKp46 の“石綿被曝露者における抗腫瘍免疫機能を測る分子指標”としての可能性を考察した．クリソタイル曝露が健常人末梢血単核球培養時の液性因子産生への影響を介して，NKp46 mRNA レベル抑制に作用し，NK 細胞上 NKp46 発現量の減少を引き起こすこと，クリソタイル曝露による NK 細胞活性化に関わるサイトカイン産生の抑制が判明した．アスベストに曝露した NK 細胞以外の免疫担当細胞（肺胞マクロファージなども含む）による可溶性因子によって，間接的に NK 細胞にも機能減弱のシグナルが伝わると考えると，それはアスベスト繊維と NK 細胞が直接邂逅しなくてもアスベストが NK 細胞機能に影響する可能性があることを意味する．実際に，吸入された石綿の所属リンパ節への蓄積がヒトや実験動物モデルで示されており，アスベストがリンパ節内環境への影響を介して NK 細胞機能低下に作用している可能性を示唆する結果であった．また中皮腫症例だけでなく，胸膜プラークを有する症例の一部にも NKp46 発現低下を伴う NK 細胞における細胞傷害性低下が見られ，NKp46 発現量に基づくスコアは NK 細胞による殺腫瘍細胞効果と負の相関性を示しており，NKp46 発現量評価の抗腫瘍免疫評価指標としての有用性が示唆される[28, 29]（図 5）．

また CTL（cytotoxic T lymphocyte）についても実験的なクリソタイル曝露によってその分化増殖への影響を観察している．このように直接的に体内で発生してきた腫瘍細胞への攻撃を担う細胞の機能抑制をアスベスト低濃度曝露が惹起するということは，アスベスト曝露症例の腫瘍免疫能の基盤としての減弱が生じていることを示唆している．

T 細胞系についても，細胞株や新鮮末梢血 T 細胞を用いた低濃度長期曝露モデルの構築を行った．細胞株モデルとして種々のヒト由来リンパ系細胞株にアスベスト（クリソタイルを使用）を曝露し，細胞毒性について，十分な感受性を有する human T cell leukemia/lymphoma virus（HTLV）-1 不死化多クローン性 T 細胞株，

MT-2，を用いて検討を行った[30〜32]．

短期高濃度曝露において，肺胞上皮細胞や胸膜中皮細胞で報告があるようにミトコンドリア系アポトーシスの惹起や活性酸素種の産生を観察した．このような曝露条件ではMT-2細胞において，アポトーシス誘導性mitogen-activated protein kinase（MAPK）系のp38やc-Jun N-terminal kinase（JNK）のリン酸化／活性化が誘導され，その後活性酸素種の産生を伴って，ミトコンドリアの抗アポトーシス分子Bcl-2の減弱と好アポトーシス分子BAXの亢進が起こり，その後のアポトーシス・カスケードであるミトコンドリアからのチトクロームcの放出，カスパーゼ-9や-3の活性化が生じて，アポトーシスが誘導されることが分かった[30〜32]．

MT-2細胞を用いた低濃度長期曝露モデルの作成は，短期曝露では軽度のアポトーシスや細胞増殖抑制を来さない濃度のクリソタイル10 μg/mlで曝露を継続し，経時的に，クリソタイルから分離した後の高濃度曝露でのアポトーシスの出現具合を検討することで試行した．約8〜12ヶ月経た段階で，長期曝露株ではアポトーシスの出現が非常に少なくなり増殖抑制も軽度である性質に移行した．そこで，この亜株をアスベスト誘導アポトーシス抵抗性亜株（MT-2ContExp）と名付け，親株（MT-2Org）との性質の違いの検討に入った．その結果，MT-2 ContExp細胞では，Src family kinaseの活性化が生じ，下流にあるIL-10の遺伝子発現・産生が亢進され，元来IL-10受容体を有するMT-2ではオートクリン機構によって，過剰産生となったIL-10を利用し，下流のシグナル伝達経路であるsignal transducer and activator of transcription 3（STAT3）のリン酸化を誘導，その下流に存在する抗アポトーシス蛋白Bcl-2の遺伝子・蛋白発現の増加がもたらされ，アスベスト誘導アポトーシス抵抗性が獲得されてきたと考えられた．Bcl-2蛋白の重要性は，この遺伝子をsiRNA法によりサイレンスさせることにより，MT-2ContExp細胞が再びアスベスト誘導アポトーシスに感受性を回復することによって証明された（図6）．また，健常人，石綿肺（担癌状態でない症例）そして悪性中皮腫の症例の末梢血CD4陽性細胞におけるBcl-2発現が，悪性中皮腫症例でのみ他の2群に比して有意に亢進していることも確認され，アスベストのTリンパ球への作用，中でも低濃度長期曝露の影響が覗えると考えている[30〜32]．この臨床症例で認められた結果は，アスベスト曝露に担癌が加わった場合の変化である可能性もあり，なんらかの病態の指標となるかも知れない．現在は，珪酸曝露の免疫影響でも触れた制御性T細胞について詳細な検討を行っており，また近い機会に報告が出来ると思っている．

さいごに

珪酸とアスベスト曝露に関連する生体反応を，臨床病態，取込みの分子細胞学的基盤，線維化と癌化の問題さらにはそれぞれの免疫担当細胞への影響として概略を提示した．まだまだ不明な点も多く，今後とも特にアスベスト曝露症例においての中皮腫発生の観点からは，発癌予防あるいは発癌過程の遷延化，早期診断指標や方法の開発，完治症例を増加させるための集学的治療法の開発，分子標的療法の標的分子の同定などの作業を，集中的に行っていかないとならないと考えられる．またその基盤として珪酸の生体影響もある意味での対照として重要であるばかりでなく，特に自己寛容の破綻などは，いわゆる自己免疫疾患の病態解析としても興味深い処であり，今後の英知の結集が望まれる．

謝辞

本項を執筆するにあたって記載した中でも特に川崎医科大学衛生学教室で得られた検討結果は，植木絢子前教授をはじめ，我々の教室に在籍していた兵藤文則前講師，三浦由恵先生，村上周子先生，林宏明先生，高田晶子先生などの努力とともに，幡山圭代，山本祥子，坂口治子，加藤美奈子，宮原直織美各氏のサポートによって得られた成果であり深く感謝いたします．また症例検体に関連して岡山県備前市草加病院　草加勝康先生，同市　日生浦上医院　浦上更三先生，岡山労災病院　岸本卓巳先生，兵庫医科大学呼吸器・RCU科　中野孝司教授，福岡和也准教授に改めて深く感謝いたします．加えて平成18〜22年度科学技術振興調整費重要課題解決型課題「アスベスト関連疾患への総括的取り組み」研究班（代表大槻剛巳）の分担研究者の皆さま，また平成22年度特別電源所在県科学技術振興事業：ものづくり重点4分野に関する基盤技術研究「チーム研究：採血によるアスベスト曝露と中皮腫担癌のスクリーニングチップの開発」に参画いただきました岡山大学医学部呼吸器外科　豊岡伸一先生に深謝いたします．

参考文献

1. 厚生労働省ウェブサイト http://law.e-gov.go.jp/htmldata/S35/S35HO030.html
2. Cowie RL, Murray J, Becklake MR. Pneumoconioses. In Mason RJ, Murray JF, Broaddus VC, Nadel JA, eds. Textbook of Respiratory Medicine. 4th ed. Philadelphia, Pa. Saunders Elsevier, 2005, chap 61.
3. Balaan MR, Weber SL, Banks DE. Clinical aspects of coal workers' pneumoconiosis and silicosis. Occup Med. 8 : 19-34, 1993.
4. Roggli VL,Coin P. Mineralogy of asbestos, In Roggli VL, Oury TD, Aporn TA, eds. Asbestos-associated diseases, 2nd ed. New York, NY. Springer Science+Buisiness Media, Inc., 2004, chap1, pp1-16.
5. Craighead JE. Benign pleural and parenchymal diseases associated with asbestos exposure. In Craighead JE, Gibbs AR eds. Asbestos and Its diseases. New York, NY. Oxford University Press Inc., 2008, chap 6, pp139-171.
6. Freidman GK. Clinical diagnosis of asbestos-related disease. In Dodson RF, Hammar SP, eds. Asbestos. Risk assessment, Epidemiology, and Health Effects. Boca Raton, FL. CRC press. 2006, chap 7, pp309-380.
7. Hamilton RF Jr, Thakur SA, Holian A. Silica binding and toxicity in alveolar macrophages. Free Radic Biol Med. 44 : 1246-1258, 2008.
8. Thakur SA, Hamilton RF Jr, Holian A. Role of scavenger receptor a family in lung inflammation from exposure to environmental particles. J Immunotoxicol. 5 : 151-157, 2008.
9. Dostert C, Pétrilli V, Van Bruggen R, Steele C, Mossman BT, Tschopp J. Innate immune activation through Nalp3 inflammasome sensing of asbestos and silica. Science. 320 : 674-677, 2008.
10. Cassel SL, Eisenbarth SC, Iyer SS, Sadler JJ, Colegio OR, Tephly LA, Carter AB, Rothman PB, Flavell RA, Sutterwala FS. The Nalp3 inflammasome is essential for the development of silicosis. Proc Natl Acad Sci USA. 105 : 9035-9040, 2008.2.
11. Schroder K, Tschopp J. The inflammasomes. Cell. 140 : 821-832, 2010.
12. Pétrilli V, Dostert C, Muruve DA, Tschopp J. The inflammasome : a danger sensing complex triggering innate immunity. Curr Opin Immunol. 19 : 615-622, 2007.
13. Neintz NH, Mossman BT. Molecular responses to asbestos : Inductio of cell proliferation and apoptosis through modulation of redox-dependent cellsignaling pathways. In Craighead JE, Gibbs AR eds. Asbestos and Its diseases. New York, NY : Oxford University Press Inc., 2008, chap 5, pp120-138.
14. Atkinson MAL. Molecular and cellular responses to asbestos exposure. In Dodson RF, Hammar SP, eds. Asbestos. Risk assessment, Epidemiology, and Health Effects. Boca Raton, FL, CRC press, 2006, chap 4, pp91-136.
15. Nishimura Y, Nishiike-Wada T, Wada Y, Miura Y, Otsuki T, Iguchi H. Long-lasting production of TGF-β1 by alveolar macrophages exposed to low doses of asbestos without apoptosis. Int J Immunopathol Pharmacol. 20 : 661-671, 2007.
16. Finkelstein MM. Silica, silicosis, and lung cancer : a risk assessment. Am J Ind Med. 38 : 8-18, 2000.
17. Pelucchi C, Pira E, Piolatto G, Coggiola M, Carta P, La Vecchia C. Occupational silica exposure and lung cancer risk : a review of epidemiological studies 1996-2005. Ann Oncol. 17 : 1039-1050, 2006.
18. 大槻剛巳，中野孝司，長谷川誠紀，岡田守人，辻村亨，関戸好孝，豊國伸哉，西本寛，福岡和也，田中文啓．平成20年度学術大会科学技術振興研究発表「悪性中皮腫」より～概要と基礎研究からのアプローチ～．日本職業・災害医学会会誌 58 : 1-8, 2010.
19. Robinson BW, Lake RA. Advances in malignant mesothelioma. N Engl J Med. 353 : 1591-1603, 2005.
20. Toyokuni S. Role of iron in carcinogenesis : cancer as a ferrotoxic disease. Cancer Sci. 1000 : 9-16, 2009.
21. Sekido Y. Genomic abnormalities and signal transduction dysregulation in malignant mesothelioma cells. Cancer Sci. 101 : 1-6, 2010.
22. Ramos-Nino ME, Testa JR, Altomare DA, Pass HI, Carbone M, Bocchetta M, Mossman BT. Cellular and molecular parameters of mesothelioma. J Cell Biochem. 98 : 723-734, 2006.
23. Steenland K, Goldsmith DF. Silica exposure and autoimmune diseases. Am J Ind Med. 28 : 603-608, 1995.
24. Shanklin DR, Smalley DL. The immunopathology of siliconosis. History, clinical presentation, and relation to silicosis and the chemistry of silicon and silicone. Immunol Res. 18 : 125-173, 1998.
25. Otsuki T, Miura Y, Nishimura Y, Hyodoh F, Takata A, Kusaka M, Katsuyama H, Tomita M, Ueki A, Kishimoto T. Alterations of Fas and Fas-related molecules in patients with silicosis. Exp Biol Med (Maywood) . 231 ; : 522-533, 2006.
26. Hayashi H, Nishimura Y, Hyodo F, Maeda M, Kumagai N, Miura Y, Kusaka M, Uragami K, Otsuki T. Environmental dysregulation of autoimmunity : Alteration of Fas-mediated apoptosis in T lymphocytes derived from silicosis patients. In Autoimmunity, 2010 Nova Science Publishers, Inc. 2010 (in press)

各論Ⅲ

27. Rolston R, Oury TD. Other Neoplasia. In Roggli VL, Oury TD, Aporn TA, eds. Asbestos-associated diseases, 2nd ed. New York, NY : Springer Science+Buisiness Media, Inc., 2004, chap 8, pp217-230.
28. Nishimura Y, Maeda M, Kumagai N, Hayashi H, Miura Y, Otsuki T. Decrease in phosphorylation of ERK following decreased expression of NK cell-activating receptors in human NK cell line exposed to asbestos. Int J Immunopathol Pharmacol. 22 : 879-888, 2009.
29. Nishimura Y, Miura Y, Maeda M, Kumagai N, Murakami S, Hayashi H, Fukuoka K, Nakano T, Otsuki T. Impairment in cytotoxicity and expression of NK cell- activating receptors on human NK cells following exposure to asbestos fibers. Int J Immunopathol Pharmacol. 22 : 579-590, 2009.
30. Miura Y, Nishimura Y, Maeda M, Murakami S, Hayashi H, Fukuoka K, Kishimoto T, Nakano T, Otsuki T. Immunological alterations found in mesothelioma patients and supporting experimental evidence. Environ Health Prev Med. 13 : 55-59, 2008.
31. Otsuki T, Maeda M, Murakami S, Hayashi H, Miura Y, Kusaka M, Nakano T, Fukuoka K, Kishimoto T, Hyodoh F, Ueki A, Nishimura Y. Immunological effects of silica and asbestos. Cell Mol Immunol. 4 : 261-268, 2007.
32. Maeda M, Miura Y, Nishimura Y, Murakami S, Hayashi H, Kumagai N, Hatayama T, Katoh M, Miyahara N, Yamamoto S, Fukuoka K, KishimotoT, Nakano T, Otsuki T. Immunological changes in mesothelioma patients and their experimental detection. Clin Med : Circ, Resp Pulm Med. 2 : 11-17, 2008.

Ⅲ-11　カーボンナノ粒子／ナノトキシコロジー

独立行政法人国立環境研究所 RCER 環境ナノ生体影響研究所室室長
平野靖史郎

はじめに

最近の毒性関連の学会では，必ずナノトキシコロジーのセッションが設けられている．ナノ粒子は少なくても1次元が1-100 nmのサイズを持つ微小粒子状物質と定義されているが，これは，1 nm以下は原子・分子レベルのサイズであること，100 nm以上は，これまでも大気環境や労働衛生で扱ってきた粒子のサイズであること，近年のナノテクノロジー産業分野で開発されてきた物質のサイズが概ね1-100 nmの範囲にあることから，便宜上決められたものと考えておいた方がよい．さらに，ナノトキシコロジーで扱われる主たる物質，すなわちナノマテリアルは，ナノ粒子だけではなくその凝集体も含まれている．昨今，ナノサイズの粒子状物質に関して新たな安全性評価が必用とされているのは，概ね以下の理由によるものと考えられる．

1）ナノ粒子の毒性が，それと同じ組成の比較的大きい粒子に比べて高いことが，in vitro ならびに in vivo の試験においても報告されている．

2）ナノ粒子は組織透過性が高く，呼吸器，皮膚などの侵入部位から脳や生殖器など他臓器への移行が懸念されている．

3）化成品の安全性に関して，化学物質としての法的規制はあるものの，これまでに粒径や粒子形状という観点からの規制措置がとられてこなかった．

項目3）の例外は，アスベストである．規制対象となるアスベストは，アスペクト比(長径／短径)が3以上で，長径が5ミクロン以上のものと定義されており，かつ敷地境界における線維数が，大気1リットル当たり10本以下であることと大気汚染防止法で決められている．重量でなく，個数濃度で規制されているところが特徴である．

現行の化学物質に関する法規制の下では，カーボンナノ粒子を例にとれば，フラーレンやカーボンナノチューブなどのナノテクノロジーを代表するナノ粒子の安全性基準も，通常の炭素粒子(スス)と同じように扱われることになる．しかしながら，フラーレンやカーボンナノチューブなどのナノ構造を有する物質の安全性を，ススと同様に扱って良いのか疑問である．同じ化学組成の物質でも，ナノサイズの粒子やナノ構造体は特異的な毒性を示すのであろうか．ここでは，ナノトキシコロジーの考え方と代表的なナノマテリアルであるカーボンナノ粒子の生体影響を中心に紹介する．

粒子状物質における粒径や表面と毒性との関係

粒子状物質の中でも，ここでは体内において分解されにくい物質を扱うことにする．比較的溶解度の高い物質は，体内で溶解した後は通常の化学物質と基本的には同じ挙動をすると考えて良い．

さて，例として鉄を原子1個(原子経は0.14

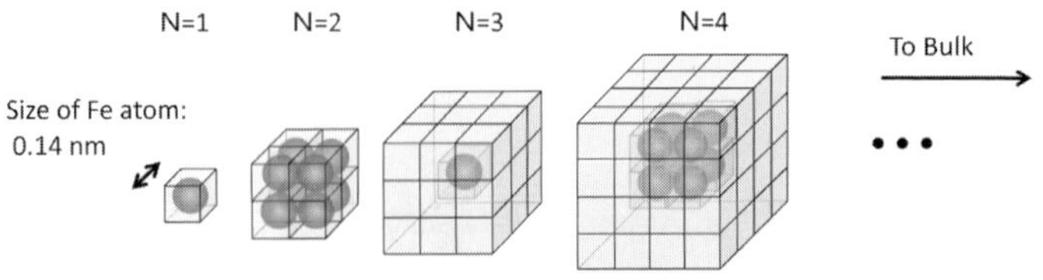

N	1	2	3	4	5	•••
Total number of atoms	1	8	27	64	125	•••
Surface atoms / total atoms	1	1	0.963	0.875	0.784	•••

図 1 (a)：鉄粒子における粒子全体と表面における原子数の関係

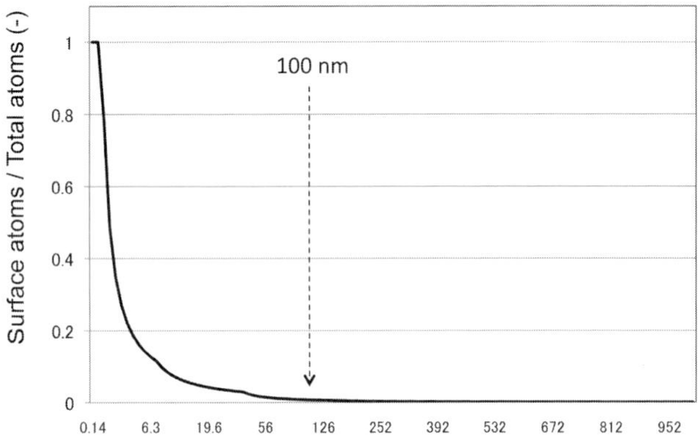

図 1 (b)：鉄粒子における粒径と粒子表面における原子数の割合との関係

nm)から取り上げてみよう．

説明を簡単にするために，鉄の原子や粒子を立方体に置き換えて考えることにする．図 1 (a)に示したように，一辺の原子数(N)を増やした場合における鉄粒子の表面における原子数と粒子全体の原子数の比を計算し，粒径との関係としてプロットすると図 1 (b)のような関係が得られる．100 nm を境にして，それより小さい粒子における表面の原子数の割合が飛躍的に大きくなることが見てとれる．

鉄粒子が生体内で不溶性とすれば，鉄粒子と接する可能性のある蛋白などの生体分子や細胞は鉄の表面としか反応することができないため，粒子内部の原子は生体反応には関与しないことになる．

従って，同じ重量(同じ原子数)の鉄粒子と生体との反応は，ナノ粒子の方が比較的大きな粒子より遥かに強くなることは想像に難くない．しかし，粒径が小さくなれば比表面積が大きくなることは当たり前のことであり，本来ナノトキシコロジーで扱うべき粒径は，30nm 以下にすべきであるという見解も示されている[1)]．これは，金属や金属酸化物の粒径が 30 nm 以下になると格子欠陥が起こりやすくなり，このことが粒子そのものの酸化還元能などを大きく変化させることが知られていることなどの理由によるものである．

ところで，30 nm とか 100 nm というスケールは，生体分子レベルではどれくらいの大きさに相当するのであろうか．脂質 2 重層を形成する細胞膜の厚さは約 10 nm である．また，アルブミンが金粒子に単層として吸着された場合，約 3.3 nm のフィルムを作ることが報告されている[2)]．このように，ナノ粒子は生体分子にほぼ匹敵するサイズであるため，観察時には光学顕微鏡ではなく，電子顕微鏡や原子間力顕微鏡などが用いられる．また，溶液に懸濁したナノ粒子の粒径分布を測定する際にも，通常の光散乱ではなく，動的光散乱法(dynamic light scattering)を用いて測定されている．

ナノ粒子の細胞内取込みついて

ナノ粒子に限らず，粒子状物質はどのような機構で細胞に取り込まれるのであろうか．一般に，1 ミクロンより大きい粒子は貪食(phagocytosis)により，また比較的小さな粒子(<100 nm)はエンドサイトーシス(endocytosis)により細胞内に取り込まれると言われている．前者は，マクロファージなどの貪食作用を持つ細胞に限られた機能であるが，細胞表面に接した粒子に対して，細胞膜が伸展することにより細胞内に粒子が取り込まれる過程を指す．一方，エンドサイトーシスは，細

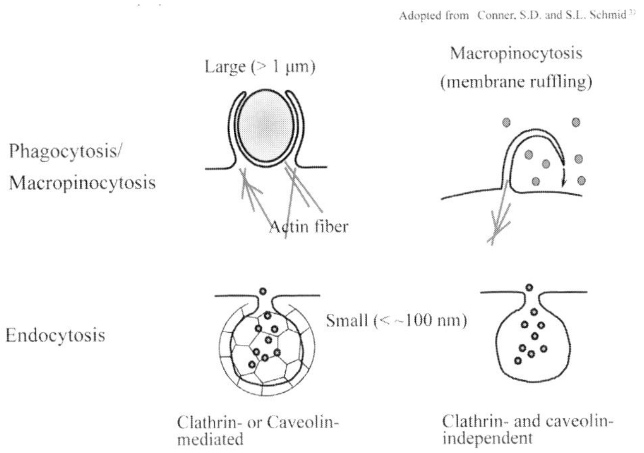

図２(a)：粒子の細胞内取り込み機構

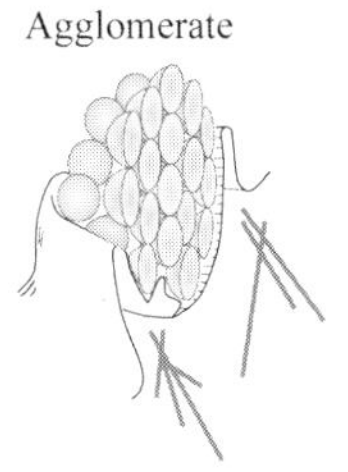

図２(b)：凝集ナノ粒子の細胞内取り込み機構

胞膜の陥入(envagination)により細胞内に粒子状物質が取り込まれる過程のことである．この陥入構造は，クラスリンやカベオリンなどの分子により裏打ちされているものやそうでないものが含まれる．その他，細胞膜の波状隆起(ruffling)により細胞膜周囲の懸濁物を取り込む過程である貪飲(macropinocytosis)等が知られている[3]．　これらの過程を図２(a)に示したが，細胞膜の伸展や隆起のためにはアクチンの重合が必用であり，貪食や貪飲機能はサイトカラシンD(cytochalasin D)等のアクチン重合の阻害剤によって低下する．ナノ粒子は100nm以下であるので，個々の粒子のサイズから判定すると，貪食作用でなくエンドサイトーシスにより細胞内へ取り込まれるものと推測できる．しかし，通常の実験条件下では，ナノ粒子は比表面積が非常に大きく不安定であるために凝集体として存在していることが多い．そのため，貪食作用によりマクロファージに多くのナノ粒子が取り込まれているという実験結果が散見される(図２(b))．

さて，粒子を細胞膜で取り囲むことと，細胞内に取り込むこととは同じではない．細胞内に粒子を取り込むためには，粒子を取り囲んだ細胞膜の先端が融合する必用がある．伸展した細胞膜の融合のためには，Syk kinase[4]やPI3 kinase[5]などのシグナル伝達分子が働いていることが知られている．また，アクチンの重合により細胞膜が隆起する過程では，粒子表面分子と貪食細胞の受容体が結合するモデル(zipper model)が考えられている．例えば，病原体の表面に結合した抗体とマクロファージの細胞膜表面上のFcに対する受容体であるFcγR，あるいは補体成分であるC3biとその細胞膜上の受容体であるCR3 (CD11b/CD18)との結合関係が挙げられる．このように，リガンドとそのレセプターの結合により貪食能が昂進する現象はオプソニン効果と呼ばれている．

ところで，バクテリアのような微生物ではない一般環境中の粒子を，貪食細胞はどのように認識しているのであろうか．詳細はわかっていないが，スカベンジャーレセプターの一種でありマクロファージに特異的に発現しているMacrophage Receptor with Collagenous Structure (MARCO)がその役割を担っているものと考えられている(図３)．なぜ，MARCOに非オプソニン粒子の

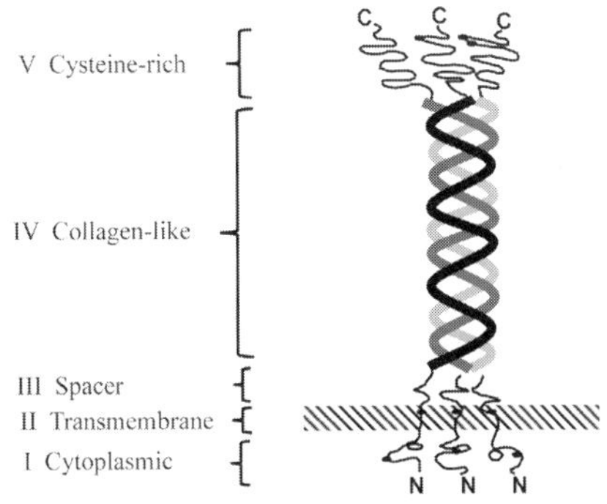

図３：Macrophage Receptor with Collagenous Structure (MARCO)の分子構造

各論Ⅲ

取り込み促進作用があるのか不明であるが，N端にあるシステインを多く含むドメインが粒子との接着に重要な役割を果たしていることがわかっている[6]．

しかし，貪食作用を持つ細胞といえども，実際に細胞が粒子と接触しなければ接着すらも起こらない．粒子状物質を培養液に添加した場合，大きな粒子は比較的速やかに沈降する．また，非常に小さな粒子は拡散により比較的速やかに細胞に達することができる．沈降速度も拡散速度も遅い粒子は，培地中に懸濁されたまま細胞になかなか到達しにくい．これらのことは，粒径により細胞に対する実効的曝露用量が異なることを示している．このようなことから，in vitro 実験においても，薬物速度論(pharmacokinetics)に準えた particokinetics の考えを導入すべきであるとの意見も出されている[7]．さらに，ナノ粒子は比表面積が大きい分だけ凝集しやすく，凝集した粒子は当然のことながら分散した粒子とは細胞に対する実効曝露量が異なるので，粒子の分散状態が細胞毒性に大きく影響することになる．

ナノ粒子の組織透過性について

貪食細胞におけるナノ粒子の取り込み過程は，ナノ粒子の組織透過性にも影響する．ナノ粒子は拡散が速いため，網内系の細胞に認識されるより速く他の組織に作用する可能性が高いと考えられている．例えば，肺胞域に沈着した粒子は肺胞マクロファージに認識され肺胞表面より除去されるが，ナノ粒子はガス状物質と同様に拡散が速いため，マクロファージに認識される前に肺胞上皮細胞や間質，さらには内皮細胞層を通過して血流にまで到達しやすいと考えられている(図4)．　ナノ粒子に限ったことではなく，一般に粒子状物質の組織透過においては，粒子が細胞内を通過するのか細胞間隙を通過するのかはっきりしていない．また，血流内においても網内系の細胞に認識されにくいことを利用して，貪食されずに標的細胞に薬剤を効率よく到達させるためにナノ粒子が用いられるようになってきた．このように，ナノ粒子の治療応用である，ナノ DDS (drug delivery system)が最近注目されている．

粒径，粒子形状と細胞毒性との関係について

ナノ粒子と比較的大きな粒子の細胞毒性の違いを調べた研究は数多く報告されており，粒径が小さい粒子ほど毒性が高いと報告されている場合が多いが，一方，粒径との関係は必ずしも無いと報告している文献も見受けられる[8]．粒子状物質における粒径と表面との関係の項でも述べたように，不溶性粒子は表面の分子のみが生体体反応に関係するので，同じ化学組成の粒子を重量ベースで換算すると，比表面積が大きい粒子の方が高い毒性を示すことは想像に難くない．図5に，異なる粒径や形状を持つ合成ゼオライトのマクロファージに対する増殖阻害効果について調べられた結果を示す[9]．増殖阻害効果は，粒子の見かけ上の外表面積ならびにアスペクト比（長径を a, 短径をそれぞれ b,c とした場合に $a/\sqrt{bc}$ となる）と良い相関関係を示している．通常，粒子の比表面積は窒素などのガス吸着量を指標とした BET (Braunauer, Emmet, and Teller)法による測定値で代用されているが，この研究では BET 値と増殖阻害は必ずしも相関を示していない．これは，蛋白などの生体分子や細胞膜

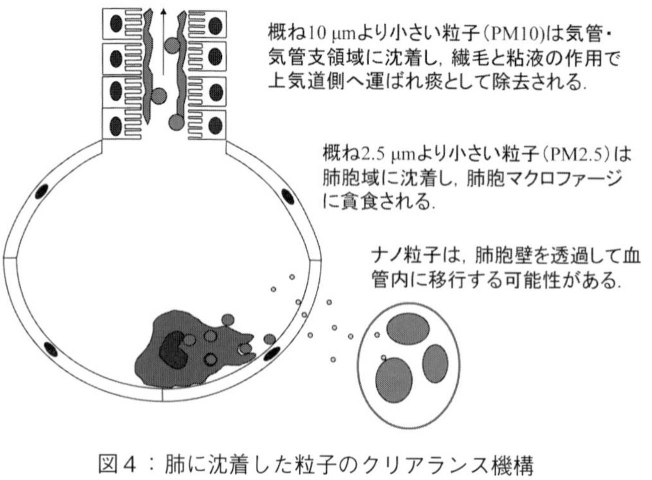

概ね10 μmより小さい粒子(PM10)は気管・気管支領域に沈着し，繊毛と粘液の作用で上気道側へ運ばれ痰として除去される．
概ね2.5 μmより小さい粒子(PM2.5)は肺胞域に沈着し，肺胞マクロファージに貪食される．
ナノ粒子は，肺胞壁を透過して血管内に移行する可能性がある．

図4：肺に沈着した粒子のクリアランス機構

Adapted from Fenoglio, I. et al.[9)]

Aspect Ratio (-)	1.0	1.2	7.1	8.1	8.2	14.8
External surface (m^2/g)	8.8	2.3	10.1	23.3	1.7	31.3

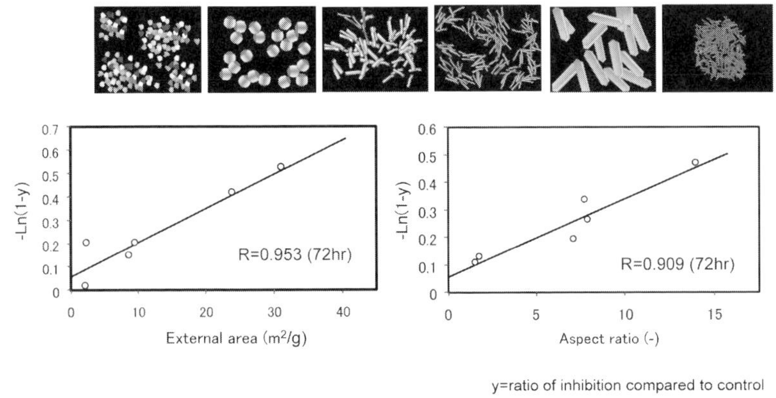

図５：ゼオライトの性状と細胞毒性（J774）との関係

が，気体分子が入り込むような小さな細孔（pore）までは認識してないことを示しているものと考えられる．

一方，アスペクト比に関してであるが，既に規制されるアスベストが，長径が５μm 以上で，アスペクト比が３以上のものに限って対象としていることとからもわかるように，生分解されにくい繊維状粒子は細胞毒性が高いと考えておいて概ね間違いはない．また，一般に，粒径が小さい粒子ほど毒性が高いと考えられている一方で，繊維状粒子の場合は長い粒子の方が短い粒子比べて強い毒性を示すことにも注目したい．繊維状粒子が，アスペクト比が小さい粒子に比べてなぜ高い毒性を示すのか議論のあるところであるが，　少なくても，繊維状粒子が細胞膜やファゴゾームにおける膜の安定性を低下させていることに一因があるものと考えられる．

現在，ナノ粒子の毒性を評価するための計量指標（metrics）を何にすべきかの論争が高まっているが，いまのところ粒子の表面積が有力視されている．いずれにしても，粒子状物質の毒性と粒子の物理化学的性質とは複雑な関係にあるので，今後の研究が期待される．

ナノ粒子の健康影響

一口にナノ粒子といっても様々な化合物が含まれるので，その生体影響も一般化することは難しい．ナノ粒子の曝露は，経気道的に起こるもの，経皮的に起こるもの，経口的に起こるものが考えられるが，いずれの曝露形態においてもナノトキシコロジーとして注目すべきは，組織透過性に関連した生体反応であろう．

例えば，生物的難分解性である粒子の吸入した場合，従前の考え方からいえば塵肺等の拘束性肺疾患が対象となるが，ナノ粒子を吸入した場合は肺胞を透過して組織内を移行することにより，血液を含めた多臓器へ影響が現れる可能性があるという点に注目すべきである．

経気道的曝露に関しては，ナノマテリアルの作業場における労働衛生の問題が大きく取り上げられている．また，経皮的曝露では，銀，酸化チタンのナノ粒子が注目されている．最近，デオドラントスプレーに銀効果をうたったものが多く市場に出回っている．一方，日焼け止めクリームなどには酸化チタンのナノ粒子が用いられている．酸化チタンは本来白色の粒子であり，皮膚に塗布すると軟膏のように白くなるが，粒径が小さくなると粒子の散乱強度が低下するので透明となることから，今ではナノ粒子を用いることが主流となっている．そのために，銀や酸化チタンナノ粒子の皮膚組織透過とその影響が懸念されている．また，食品に含まれるナノ粒子に関する健康影響に関しては，一部議論がはじめられているところである．アスベストを吸入した場合は，肺癌や中皮腫のリスクが高まることが明らかであるが，経口的にアスベストを摂取した場合の発癌性は知られていない．生物学的難分解性粒子は，経口摂取した場合はそのまま体外へ排泄されやすいことから，経気道曝露した場合とは分けて考えておく必用があるものと考えられる．

カーボンナノ粒子の生体影響について

炭素には，以下に示した5つの同素体(allotopes)が知られている．

1. 黒鉛(graphite)
2. ダイヤモンド(diamond)
3. 無定系(amorphous)
4. フラーレン(fullerene)
5. カーボンナノチューブ(carbon nanotube)

炭素の粒子は燃焼に伴い発生するため，我々は常にカーボン粒子(スス)を吸入していることになるが，これは主に無定形の炭素である．カーボンナノ粒子として，注目を集めいているものの中には，カーボンブラックの超微小粒子の他に，フラーレンとカーボンナノチューブ(単層と多層がある)が挙げられる．フラーレンやカーボンナノチューブは，分子や単体が炭素の粒子としても扱われているが，実際には凝集体(agglomerate)を形成していることが多い．カーボンナノチューブは，ラット[10]やマウスに[11] 気管内投与したところ，シリカより強い肉芽腫が起こったと報告されたため，ナノトキシコロジー分野の中でも早くより注目された．また，その後の研究において，長い線維のカーボンナノチューブの方が，短いものに比べ極めて強い炎症惹起，肉芽腫様変化，横隔膜の肥厚を起こすことが示されている[12]．また，長繊維カーボンナノチューブに曝露したマウス腹腔内に貪食不全マクロファージ(frustrated macrophage)が検出されている．さらに，p53+/- マウスにカーボンナノチューブを腹腔内に投与した場合，腹膜中皮腫が起こることが報告されている[13]．吸入したカーボンナノチューブが臓側胸膜に到達することも報告されていることから[14]，カーボンナノチューブの生体影響に関する研究は，アスベストの健康影響と対比させて論じられるようになっている．

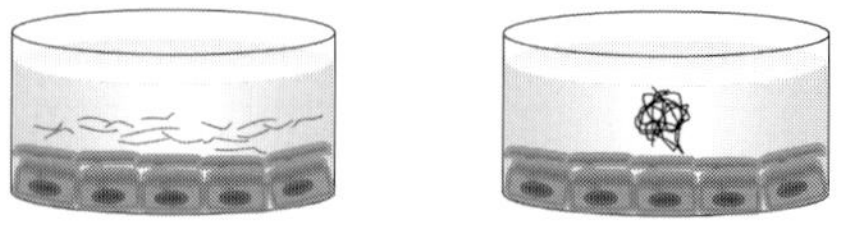

図6：培養液中における粒子の分散性は細胞への影響に大きく影響する．
右図のように粒子が凝集した状態では粒子が効率よく細胞に接することができない．

カーボンナノチューブの細胞への影響に関する報告例も増えてきているが，細胞への影響がほとんどないという結果[15]から，極めて高い細胞毒性を示すという結果[16]まで存在する．このように影響評価に対して大きく結果が異なる主な原因は，培養液中における粒子の分散状態にあると考えられる．すなわち，極めて大きな凝集体として細胞に曝露した場合と分散した状態で曝露した場合とでは，細胞に対する実効用量に大きな隔たりが生じる(図6)．一般に，カーボン粒子のように疎水性の粒子を細胞に曝露する場合は，適当な分散剤を用いることが多い．分散剤としては，血清，アルブミン，非イオン系界面活性剤などが用いられ，超音波処理によりできる限り分散させてから用いられることが多い．ナノ粒子に関しては一般化した曝露方法が決められておらず，かつ粒子の分散状態により生体影響が大きく変化することに留意しておく必用がある．

フラーレンの毒性に関しては，未だはっきりしていない．フラーレンは，対称性のよい純粋な炭素化合物であり極めて疎水性が高い．フラーレンを，テトラヒドロフランに溶解した後オオクチバスの飼育水槽に加えたところ，脳の脂質過酸化が進行したと報告されたことから[17]，その毒性が注目され始めた．また，一度，テトラヒドロフランを用いて溶解させた後に水を加えると，フラーレンが水に馴染む状態(water-miscible)となり，このようにして調製されたフラーレンは極めて高い殺菌作用を示すことが報告されている[18]．いずれにしても，フラーレン自身の毒性が高いのか，フラーレンを有機溶媒に溶解したための効果なのかはっきりしないところがある．

ところで，フラーレンやカーボンナノチューブの炭素は sp^2 混成軌道(二重結合)をとるため，本来であればベンゼンの様に平面構造が安定であるところ，サッカーボールや管腔構造をとっているために炭素－炭素結合が歪められている．そのために，炭素の二重結合の化学反応性が比較的高い．最近，カーボンナノチューブがペルオキシダーゼや多形核白血球が産生するミエロペルオキシダーゼにより生分解されることが報告され，また生分解されたカーボンナノチューブはマウスに咽頭吸引させても，通常のカーボンナノチューブを投与したときに見られるような炎症反応は見られなかったと報告されている[19]．

終わりに

ナノトキシコロジーは，高々10年程度の歴史しか持たない極めて新しい毒性学分野の研究領域である．ナノテクノロジーの進展に伴い様々なナノ構造体が生産されはじめ，それらの物質に対して安全面からの研究が必要となったことが，このようにナノトキシコロジーが注目されるようになったきっかけである．一方，本稿では触れなかったが，交通量の多い交差点では高い個数濃度として測定され，主にアイドリングしているディーゼル車から多く排出されているナノ粒子(工業用ナノ粒子に対して環境ナノ粒子と呼ばれている)の生体影響に関する研究も進められている．ただし，大気環境では直径が2ミクロン以下の粒子を微小粒子(fine particle，直径が2.5ミクロン以下の粒子であるPM2.5に対しても微小粒子と呼ぶこともある．)と定義し，直径が100 nm以下の粒子を超微小粒子(ultrafine particle)と呼称していたため，ナノ粒子という用語は，直径が50 nm以下の粒子に対して用いられていることが多い[20]．また，ここではあまり触れなかったが，ナノメディシンで用いられているナノ粒子やトレーサーやラベル物質として用いられている量子ドットなどもナノトキシコロジーの対象物質であり，研究範囲も拡大する傾向にある．分子に近いレベルまで粒子を小さくした場合，比較的大きい粒子に比べて組織透過性も含めて異なる生体影響やより強い影響が現れることが起こるのであろうか．これらのことを明らかにしていくナノトキシコロジーは，極めてチャレンジングな研究領域となっている．

参考文献

1. Auffan, M., et al., Towards a definition of inorganic nanoparticles from an environmental, health and safety perspective. Nat Nanotechnol, 2009. 4（10）: p. 634-41.
2. Rocker, C., et al., A quantitative fluorescence study of protein monolayer formation on colloidal nanoparticles. Nat Nanotechnol, 2009. 4（9）: p. 577-80.
3. Conner, S.D. and S.L. Schmid, Regulated portals of entry into the cell. Nature, 2003. 422（6927）: p. 37-44.
4. Crowley, M.T., et al., A critical role for Syk in signal transduction and phagocytosis mediated by Fcgamma receptors on macrophages. J Exp Med, 1997. 186（7）: p. 1027-39.
5. Araki, N., M.T. Johnson, and J.A. Swanson, A role for phosphoinositide 3-kinase in the completion of macropinocytosis and phagocytosis by macrophages. J Cell Biol, 1996. 135（5）: p. 1249-60.
6. Ojala, J.R., et al., Crystal structure of the cysteine-rich domain of scavenger receptor MARCO reveals the presence of a basic and an acidic cluster that both contribute to ligand recognition. J Biol Chem, 2007. 282（22）: p. 16654-66.
7. Teeguarden, J.G., et al., Particokinetics in vitro: dosimetry considerations for in vitro nanoparticle toxicity assessments. Toxicol Sci, 2007. 95（2）: p. 300-12.
8. Warheit, D.B., et al., Pulmonary bioassay studies with nanoscale and fine-quartz particles in rats: toxicity is not dependent upon particle size but on surface characteristics. Toxicol Sci, 2007. 95（1）: p. 270-80.
9. Fenoglio, I., et al., Pure-silica zeolites（Porosils）as model solids for the evaluation of the physicochemical features determining silica toxicity to macrophages. Chem Res Toxicol, 2000. 13（6）: p. 489-500.
10. Warheit, D.B., et al., Comparative pulmonary toxicity assessment of single-wall carbon nanotubes in rats. Toxicol Sci, 2004. 77（1）: p. 117-25.
11. Lam, C.W., et al., Pulmonary toxicity of single-wall carbon nanotubes in mice 7 and 90 days after intratracheal instillation. Toxicol Sci, 2004. 77（1）: p. 126-34.
12. Poland, C.A., et al., Carbon nanotubes introduced into the abdominal cavity of mice show asbestos-like pathogenicity in a pilot study. Nat Nanotechnol, 2008. 3（7）: p. 423-8.
13. Takagi, A., et al., Induction of mesothelioma in p53+/- mouse by intraperitoneal application of multi-wall carbon nanotube. J Toxicol Sci, 2008. 33（1）: p.

各論Ⅲ

105-16.
14. Ryman-Rasmussen, J.P., et al., Inhaled carbon nanotubes reach the subpleural tissue in mice. Nat Nanotechnol, 2009. 4 (11) : p. 747-51.
15. Tabet, L., et al., Adverse effects of industrial multiwalled carbon nanotubes on human pulmonary cells. J Toxicol Environ Health A, 2009. 72 (2) : p. 60-73.
16. Hirano, S., S. Kanno, and A. Furuyama, Multi-walled carbon nanotubes injure the plasma membrane of macrophages. Toxicol Appl Pharmacol, 2008. 232 (2) : p. 244-51.
17. Oberdorster, E., Manufactured nanomaterials (fullerenes, C60) induce oxidative stress in the brain of juvenile largemouth bass. Environ Health Perspect, 2004. 112 (10) : p. 1058-62.
18. Fortner, J.D., et al., C-60 in water: Nanocrystal formation and microbial response. Environmental Science & Technology, 2005. 39 (11) : p. 4307-4316.
19. Kagan, V.E., et al., Carbon nanotubes degraded by neutrophil myeloperoxidase induce less pulmonary inflammation. Nat Nanotechnol, 2010. 5 (5) : p. 354-9.
20. Kittelson, D.B., Engines and nanoparticles: A review. Journal of Aerosol Science, 1998. 29 (5-6) : p. 575-588.

Ⅲ-12　有機溶剤中毒

名古屋大学大学院医学系研究科環境労働衛生学教室
那須民江

1. 有機溶剤とは

有機溶剤は常温・常圧下で揮発性に富み，油脂，天然・合成樹脂，ゴム，繊維等の非水溶性の物質を溶かす性質をもっている有機化合物の総称である．石油化学工業の発達とともに使用量・種類が増加し，400種類以上の有機溶剤が市場にでまわっている．有機溶剤の揮発性・脂溶性という2大特徴は有機溶剤の危険性・毒性に深く関わっている．

2. 有機溶剤の用途

有機溶剤の用途は塗料・印刷・表面加工・接着剤・洗浄・拭き取り・ドライクリーニング・分析・試験・研究にと広範囲にわたっている．量的には産業現場での使用が大部分を占め，有機溶剤に関する諸問題は産業職場に限定されてきた．しかし揮発性であるため，一般生活環境に容易に拡散すること，また，接着剤や衿ふき用ベンジンなど，日常生活でも使用が拡大している物質でもあることより，有機溶剤による環境汚染は産業職場に限定していない．

3. 有機溶剤の種類

代表的有機溶剤であるトルエンやキシレン等の芳香族炭化水素類，トリクロロエチレン等の脂肪族ハロゲン化炭化水素，メタノール等のアルコール類，エチルエーテル等のエーテル類，アセトン等のケトン類，酢酸エチル等のエステル類，グリコールエーテル類，シクロヘキサノン等の脂環式炭化水素類，n-ヘキサンを代表とする脂肪族炭化水素類，脂肪族または芳香族炭化水素の混合物，その他(二硫化炭素等)に分類される．

4. 有機溶剤の一般生活環境・労働環境基準

有機溶剤の多くは産業現場で使用されている．しかし，高い揮発性を有し，一般生活環境にも拡散するので，重要な溶剤に関しては環境基準が定められている(表1)．殆どの有機溶剤の発がん分類は2Bである．ベンゼンの発がん分類は1である．

5. 有機溶剤中毒の変遷

戦前に発生した代表的な有機溶剤中毒としては二硫化炭素中毒が第一に挙げられる．日本に人絹工業が始まった昭和初期，二硫化炭素はレーヨンやセロファン製造に使用され，そこで働く労働者に精神疾患が多発した．その他四塩化炭素，天然ゴム，油脂，燐，硫黄などの溶剤としても使用される．高濃度曝露を受けると，上機嫌，興奮状態，酩酊状態になる(急性中毒)．100～300ppmに数日から数週間曝露されると頭痛，眠気，不眠を訴えるようになり，やがて精神分裂病様精神障害が現れる(亜急性中毒)．低濃度に数ヶ月曝露さ

表1　有機溶剤の環境規制および発がん分類[a,b]

有機溶剤	発がん分類	許容濃度(ppm)	PRTRd 制度	化審法	環境基準(大気汚染)	環境基準(水質汚濁)
ベンゼン	1	1 c（皮）	第一種指定化学物質	第二種監視化学物質および指定化学物質	0.003mg/m3 以下	0.01mg/l 以下
トルエン		50（皮）	第一種指定化学物質	第二種監視化学物質および指定化学物質		
m- キシレン		50（暫定値）	第一種指定化学物質	第二種監視化学物質および指定化学物質		
スチレン	2B	20（皮）	第一種指定化学物質	第二種監視化学物質および指定化学物質		
ジクロロメタン	2B	50（皮）	第一種指定化学物質	第二種監視化学物質および指定化学物質	0.15mg/m3 以下	0.02mg/l 以下
クロロホルム	2B	3（皮）	第一種指定化学物質	第二種監視化学物質および指定化学物質		
四塩化炭素	2B	5（皮）	第一種指定化学物質	第二種特定化学物質	0.002 mg/l 以下	
1,2-ジクロロエタン	2B	10	第一種指定化学物質	第二種監視化学物質および指定化学物質		0.004mg/l 以下
1,1,1-トリクロロエタン		200	第一種指定化学物質			1 mg/l 以下
1,1,2,2-テトラクロロエタン		1（皮）		第二種監視化学物質および指定化学物質		
1,2-ジクロロエチレン	2B	150	第一種指定化学物質	第二種監視化学物質および指定化学物質		0.04mg/l 以下(cis-)
トリクロロエチレン	2B	25	第一種指定化学物質	第二種特定化学物質	0.2mg/m3 以下	0.03 mg/l 以下
テトラクロロエチレン	2B	（検討中）(皮)	第一種指定化学物質	第二種特定化学物質	0.2mg/m3 以下	0.01mg/l 以下
n - ヘキサン		40（皮）	第一種指定化学物質	第二種監視化学物質および指定化学物質		
N,N- ジメチルホルムアミド	2B	10（皮）	第一種指定化学物質	第二種監視化学物質および指定化学物質		
クロロベンゼン		10	第一種指定化学物質	第三種監視化学物質特定物質		

a　安全性評価シート，化学物質評価研究機構 http://www.cerij.or.jp/ceri_jp/index_j4.shtml

b　Recommendation of occupational exposure limits（2009-2010）. J Occup Health 2009; 51:454-470

c　過剰発がん生涯リスクレベルを 10-3 とした場合の評価値

d　Pollutant Release and Transfer Register

e1　年平均値

れると，多発神経炎，視野狭窄，視力障害等の慢性中毒症状を呈する．また，網膜症や腎硬化症を発症することもあり，それぞれ検診項目として眼底写真撮影や尿蛋白・尿糖検査が義務づけられている．超慢性中毒として，血管性変化の事例が報告されている．

1950 年代に入ると，多種類の有機溶剤が産業界で使用されるようになった．当時ベンゼンは接着剤（ベンゼンゴムのり）として多用されていた．しかし 1957 から 1962 年にかけて，ビニールサンダル製造女子作業者がベンゼン中毒に罹患し，造血器の障害により 7 名死亡（再生不良性貧血あるいは汎骨髄癆と感染症の併発）した．国外でもベンゼン曝露による白血病の症例や疫学研究が報告された．例えば，製靴業に携わり，高濃度のベンゼンに曝露された作業者の中に 4 名の急性白血病が発症した．また，Aksoy らは 1968 ～ 1973 年の間に 28500 人のベンゼン曝露を受けた作業者中 31 名に急性白血病あるいは前白血病が発症し，発生率は 13.5/10 万で一般人の 6/10 万より多い

表２　代表的有機溶剤の物理化学的性質および尿中代謝物

有機溶剤	有機則	蒸気圧	分配係数 logPow	血液／空気分 配比 a	油／血液分 配比 a	代謝速度 b	尿中代謝物の 検査内容
ベンゼン	特化則	10.0kPa(75mmHg)（20℃）	2.13	7.8	63	0.61	
トルエン	２種	2.9kPa(22mmHg)（26℃）	2.69	15.6	94	0.81	トルエン
m-キシレン	２種	1.3kPa(10mmHg)（20℃）	3.20	26.4	146	0.94	メチル馬尿酸
スチレン	２種	0.7kPa(5mmHg)（20℃）	2.85	51.9	105	1.28	マンデル酸
ジクロロメタン	２種	46.7kPa(350mmHg)（20℃）	1.25	9.7	16	1.28	
クロロホルム	１種	21.3kPa(160mmHg)（20℃）	1.97	10.3	39	0.88	
四塩化炭素	１種	11.9kPa(89.5mmHg)（20℃）	2.83	2.4	150	0.09	
1,2-ジクロロエタン	１種	8.3kPa(62mmHg)（20℃）	1.48	19.5	23	1.06	
1,1,1- トリクロロエタン	２種	13.5kPa(101mmHg)（20℃）	2.49	3.3	108	0.02	総三塩化物又はトリクロロ酢酸
1,1,2,2- テトラクロロエタン	１種	0.68kPa(5.1mmHg)（20℃）	—	121	109	0.60	
1,2- ジクロロエチレン	１種	27.3kPa(205mmHg)	cis-　1.98 trans-　2.09	cis-　9.2 trans-　5.8	cis-　29 trans-　33	cis-　0.78 trans- <0.02	総三塩化物又はトリクロロ酢酸
トリクロロエチレン	１種	8.0kPa(60mmHg)（20℃）	2.42	8.5	76	0.84	総三塩化物又はトリクロロ酢酸
テトラクロロエチレン	２種	1.9kPa(14mmHg)（20℃）	2.60	13.1	146	0.02	2，5-ヘキサンジオン
ｎ-ヘキサン	２種	16.0kPa(120mmHg)（20℃）		—	—	0.89	N-メチルホルムアミド
N,N- ジメチルホルムアミド	２種	0.36kPa(2.7mmHg)（20℃）	-0.87 ～ -0.59		—	— —	
クロロベンゼン	２種	1.1kPa(8.5mmHg)（20℃）	2.84	30.8	122	0.37	
二硫化炭素	１種	34.7kPa(260mmHg)（20℃）	2.11	—	—	—	

有規則，有機溶剤中毒予防規則：特化則，特別化学物質予防規則
a　佐藤章夫，中島民江　産業医学 19：132-133，1977：Sato A, Nakajima T, Arch Environ Health 69-75, 1979
b　ラット肝における代謝速度(nmol/mg protein/min) Nakajima T, J Occup Health 39: 83-91, 1997

と報告した．これらを契機として，ベンゼンは発がん物質に指定され，有機溶剤としての使用が禁止された．我が国においても「有機溶剤中毒予防規則」から「特定化学物質予防規則」による規制対象物質となった．近年職業病としての報告は殆どないが，オクタン価を高める目的でガソリンに添加されているため，大気汚染が深刻となり，その対策が重要視されていた．しかし，最近は改善されている．

1960年代にはいると，n-ヘキサンがベンゼンの代替溶剤として使用されるようになった．1963年１月，某病院に１名の多発神経炎の患者が入院した．患者はセロファンにポリエチレンを重層する作業の前処理工程に従事していた．手足の先端がしびれ，知覚障害，運動障害が手足の末端から求心性に進行し，筋萎縮を伴っていた．n-ヘキサンによる多発神経炎の発症に関心が寄せられる発端となった事例である．その後n-ヘキサンを使用していた薬の錠剤洗浄の従事者，ビニールサンダル製造する過程でn-ヘキサン含有接着剤を使用していた労働者に多発神経炎(94名中，手足の知覚障害53名，知覚異常と筋力低下32名，筋萎縮９名)が発生し，n-ヘキサンによる多発神経炎の発症が決定的なものとなった．1984年長野県でもn-ヘキサンによる多発神経炎が集団発生した．６名の従業員が時計の指針に中心線を印刷した後，はみ出したインキを拭うのに‘Aベンジン’を１人１日あたり0.5～1.0リットル使用し，全員多発神経炎に罹患した．このうち５名の上下肢の運動神経の伝導度が低下していた．重症例においては腓腹神経に，n-ヘキサン中毒の特徴である分節的な脱髄と膨化が認められた．‘Aベンジン’には97％のn-ヘキサンが含まれており，経営者も従業員も‘石油ベンジン’と同類と思い使用していた．n-ヘキサンは第２種有機溶剤で，石油ベンジンは第３種有機溶剤である(表２)．商

品名が内容を反映していないことが中毒発生の一因となった事例である．n-ヘキサンは肝のシトクロムP 450によりヘキサノールに代謝される．ヘキサノールはさらに代謝され，一部は2,5-ヘキサンジオンとなって尿中に排泄される．この2,5−ヘキサンジオンがn-ヘキサンの神経毒性の原因物質である．

1970年代に入ると有機塩素系溶剤が多用されるようになり，これらの溶剤による中毒が多発した．トリクロロエチレン(トリクレンとも呼ばれる)は無色の液体で，不燃性のため当時は金属部品，レンズ等を製造する過程で，機械油等の汚れを落とすための洗浄用溶剤あるいは剥離剤として汎用されていた．しかし，アメリカのシリコンバレーにおける地下水汚染，さらには動物発がん物質であることより使用が敬遠され，近年日本の産業職場での使用は激減した．麻酔性が強く，麻酔剤として使用されたこともある．トリクロロエチレン洗浄槽で意識を喪失し，高濃度の溶剤曝露が原因となって肝障害を呈した事例，洗浄作業に従事している過程で末梢神経炎や三叉神経炎に罹患した事例等，多くの中毒事例が報告され，有機溶剤の中では職業病の件数が多い有機溶剤の一つである．動物実験で確認はされていないが，疫学的には原発性腸管嚢腫様気腫症との関連性が指摘されている．症例は1)トリクロロエチレン使用開始から数年経過した頃より出現し，トリクロロエチレン使用の減少と共に衰退する，2)トリクロロエチレンを使用する金属部品やレンズの製造業に従事している者に多発している，3)同一作業場での発生，再発例がある，等の特徴ある疫学現象を呈している．

トリクロロエチレンの代替溶剤として，ジクロロメタンが使用されていたが，最近では水溶性の溶剤使用に移行しつつある．これらの有機溶剤の他に，テトラクロロエチレン，1,1,1-トリクロロエタン，クロロホルム，四塩化炭素，なども使用されたが，中毒例の報告はトリクロロエチレンに比べると少ない．テトラクロロエチレンは現在でもドライクリーニング用の洗浄用溶剤として使用されている．1,1,1-トリクロロエタンは洗浄用溶剤としてドライクリーニングや金属部品の洗浄に使用されていたが，オゾン層の破壊係数が高い為，1995年製造が禁止された．これらの塩素系炭化水素は一般に難燃性，不燃性という特徴をもち，このような特性は塩素化が進むほど著しい．

上記塩素系炭化水素以外にトルエン，キシレン，スチレン等の芳香族炭化水素も汎用され，しばしば中毒事例が報告された．トルエンは爆薬，染料，有機顔料，医薬，合成繊維等の原料，希釈剤の主成分として，塗料や接着剤に多用されていたが，近年塩素系溶剤の使用が敬遠されているためか，洗浄用溶剤としても使用されている．麻酔性，刺激性はベンゼンより強いが，ベンゼンのような臓器特異的障害の報告は少ない．すべての有機溶剤に共通してみられる中枢神経障害はしばしば報告され，まれに多発神経炎の症例も報告されている．高濃度では酩酊感，多幸感が起こるため，シンナー遊びにみられるように習慣性を生じやすい．有機溶剤中毒研究会により様々な症例が収集され，脳波の異常，脳の萎縮，視力障害，多発神経炎等も報告されている．トルエンの主たる代謝経路は馬尿酸生成である．肝でシトクロムP450により代謝され，さらにアルコール脱水素酵素，アルデヒド脱水素酵素により代謝され，グリシン抱合を受けて，最終的には馬尿酸として尿中に排泄される．PRTRによる報告をみると，トルエンは排出量の上位物質であり，現在でも多方面で使用されていることが伺える．

キシレンにはオルト・メタ・パラの異性体がある．トルエンと類似して，希釈剤としての使用が多い．ガソリンにはオクタン価を高めるため，トルエンやキシレンの含有率が高いナフサが添加されていることも注目すべき点である．麻酔性，刺激性はトルエンより強く，中枢神経抑制作用を持つが，ベンゼンの様な構造特異的毒性はない．トルエンと同様の経路で代謝されてメチル馬尿酸となり，尿中に排泄される．スチレンは無色，都市ガスの様な不快臭を持つ液体で，悪臭物質にも指定されている．ポリスチレン樹脂工業，合成ゴム工業等で使用される．皮膚粘膜の刺激性および中枢神経抑制作用がある．長期間曝露により多発神経炎，視野狭窄，色覚異常もみられる．スチレンは肝で代謝され，スチレンオキサイドとなり，さらにフェニルグリオキシル酸，マンデル酸に代謝される．また，変異原性が疑われている．

1990年代に入ると，以前みられたような有機溶剤中毒の集団発生は激減した．このような中で注目される2事例を紹介する．1例目は1995年韓国で発生した2－ブロモプロパンによる生殖器・骨髄障害である．1995年韓国の某電気製品製造工場で，タクトスイッチを製造する際，2-ブロモプロパンを97.4%含有する洗浄用溶剤を使用していた労働者に発生した．女性従業員25名中16名が無月経（2～14ヶ月），男性従業員8名中6名に精子数や精子運動率の低下が観察された．女性の8名，男性の1名は汎血球減少症も併発していた．この工場では以前はフロン113を使用して作業をしていたが，使用中止に伴い，代替フロンとして2-ブロモプロパン含有の有機溶剤を使用するようになった．2-ブロモプロパンの生殖・骨髄毒性は名古屋大学のグループによってラットを用いた実験で確認されている．使用当時は毒性情報が乏しい上に極めて揮発性が高い（蒸気圧は236mmHg（315.04kPa）（25℃））溶剤であったことが中毒の一因である．

2例目はトリクロロエチレンの新しい中毒として注目されている遅延性の全身性皮膚-肝障害（Hypersensitivity）であり，工業が急速に発展している中国・アジア諸国から1980年代になって報告されている．この疾病の特徴は，患者のすべてがトリクロロエチレン曝露開始から30日前後に発症し，一部の患者においては臨床経過中にヒトヘルペスウイルス6の再活性化やサイトカインの上昇，発熱や好酸球増多が観察され，重症薬剤性過敏症の臨床症状と類似している点である．皮膚の病型の80%は剥脱性皮膚炎である．その他にStevens-Johnson症候群，多形滲出性紅斑，中毒性表皮壊死融解症もみられる．患者のトリクロロエチレンの曝露濃度は日本産業衛生学会が提案している許容濃度を超えていることが多い．トリクロロエチレンはモルモットを用いたマキシミゼーションテストで肝障害を伴った皮膚炎を起こすことが報告されているので，感作性物質としての取り扱いが必要かもしれない．

6. 有機溶剤の体内動態

有機溶剤に限らず化学物質の毒性は，その物質固有の生物活性に由来するものであるが，毒性の強さはその標的部位の濃度に依存する．この濃度は化学物質の体内動態，すなわち吸収速度，分布状態，貯蔵形態，代謝様式および排泄速度によって決定される．

有機溶剤の揮発しやすさを決定するのは蒸気圧であり，これが有機溶剤の危険性を知る第一の因子である（表2）．有機溶剤が混合溶剤として存在する場合，個々の蒸気圧に応じて揮発するので，環境中濃度は必ずしも混合比と一致するとは限らないので注意が必要である．有機溶剤の吸収部位として，呼吸器，皮膚，消化器が考えられるが，消化器からの吸収は特殊な場合を除いて，可能性は低い．有機溶剤は揮発性があるため，主な吸収経路は呼吸器であり，吸収され易さを決定するのは血液/空気分配比である．有機溶剤は皮膚からも吸収され，吸収されやすい溶剤には（皮）のマークがつけられている．

有機溶剤は各臓器に一様に分布しない．この分布を決定するのは組織/血液分配比である．有機溶剤の場合，肝，腎，筋，肺/血液分配比が1～2であるのに対し，脂肪組織/血液分配比は非常に大きい．すなわち，有機溶剤は脂溶性という性質からもわかる様に，脂肪組織への分布が大きな意味を持ち，表2の油/血液分配比が高い溶剤ほど脂肪組織への溶解度が高い．オクタノール/水分配比の対数（logPow）と油/血液分配比の対数との間には正の関連性が認められるので（図1），油/血液分配比のデータがない有機溶剤に関しては，logPowで代用できる．

体内に吸収された有機溶剤の一部は呼吸器を介してそのままの化学形で呼気中に排泄され，残り

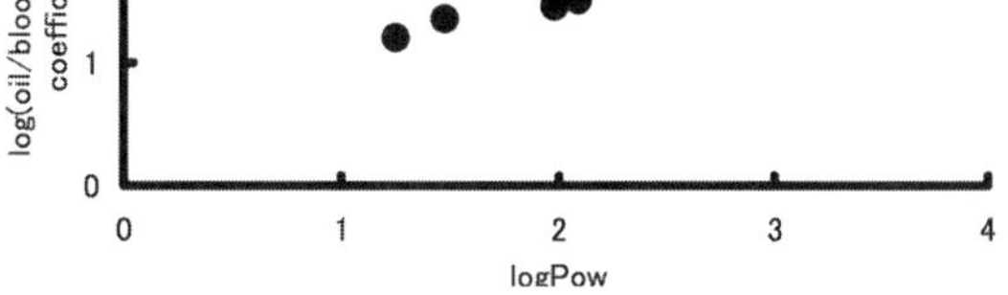

図1　オクタノール/水分配比と油/血液分配比の関係

各論Ⅲ

表３　Cytochrome P450 isozymesと有機溶剤の代謝（ラットあるいはマウス）

有機溶剤	CYP2E1	CYP2C11/6	CYP1A1/2	CYP2B1/2
ベンゼン	+	+	+	+
トルエン	+	+	+	+
m-キシレン	+	ND	ND	+
スチレン	+	+	+	+
ジクロロメタン	+	ND	ND	ND
クロロホルム	+	ND	—	+
四塩化炭素	+	+	—	+
1,2-ジクロロエタン	+	19.5	23	1.06
1,1,1-トリクロロエタン		3.3	108	0.02
1,2-ジクロロエチレン	cis- + trans- +	cis- ND trans- ND	cis- ND trans- ND	cis- ND trans- ND
トリクロロエチレン	+	+	+	+
テトラクロロエチレン	+	ND	ND	ND
n-ヘキサン	+	ND	+	+
クロロベンゼン	+	ND	ND	ND
フェノール	+	—	ND	+

は肝で代謝を受けて，尿中に代謝物の形で排泄される．有機溶剤の代謝は大きく第Ｉ相反応（functionalization reactions）と第Ⅱ相反応（conjugation reactions）に大別される．前者に属する代表的な酵素はシトクロムＰ 450，アルコール脱水素酵素，アルデヒド脱水素酵素である．殆どの有機溶剤がシトクロム P450により代謝される（表２）．しかし，四塩化炭素，1,1,1-トリクロロエタン，テトラクロロエチレン，トランス-1,2-ジクロロエチレンは代謝されがたい．アルコール類は主としてアルコール脱水素酵素およびアルデヒド脱水素酵素により代謝される．

シトクロム P450のアイソザイムと有機溶剤の代謝も検討されている（表３）．ラットにおいてはアルコール誘導性 CYP2E1と男性ホルモン誘導性の CYP2C11が主な有機溶剤の代謝酵素である．ベンゼンやトリクロロエチレンは前者が，トルエンやスチレンは後者が主な代謝酵素である．その他，フェノバルビタールや3-メチルコラントレン誘導性の CYP2B1/2や CYP1A1/2も有機溶剤の代謝を触媒するが，これらのアイソザイムは未処理ラット肝における発現は極めて低いので，誘導剤に曝露されるような特殊な場合を除いては，有機溶剤の代謝への関与は低い．

ヒトのシトクロム P450と有機溶剤の代謝については，ワクシニアウイルス－ヘパトーマ法で発現させた材料を用いて検討された（表４）．トルエンとスチレン代謝に関して最も比活性が高いのは CYP2E1であり，ついで CYP2B6，CYP2C8の順である．即ち，動物でもヒトでも主要な代謝酵素は CYP2E1である．トルエンの代謝においては，興味ある知見が得られている．ラットの CYP2B1はトルエンからベンジルアルコールのみならず，o-クレゾールやp-クレゾールへの代謝にも触媒活性を示すが，ヒトの CYP2B6はo-クレゾールへの代謝活性を示さない．さらにベンジルアルコールに対するp-クレゾールの生成比率はラット CYP2B1の約半分である．この違いの原因が CYP2B1のバリアントを用いて検討された．CYP2B1の114IleをPheに置換したバリアント（CYP2B1-2）の３種のトルエン代謝物の生成は全体的に低下する．CYP2B1の58Leuと114IleをそれぞれPheに置換したバリアント（CYP2B1-1,2）では，ベンジルアルコールの生成は CYP2B1に匹敵する程度認められたが，o-クレゾールとp-クレゾールの生成は検出されない．これらの結果は，トルエンの芳香環の水酸化には，CYP2B1の58Leuが鍵となる役割を持っていることを示す．ヒト CYP2B6はラットの CYP2B1の58LeuがPheに置換された構造を有している．この構造上の差異が，CYP2B6のトルエン芳香環水酸化活性が CYP2B1に比較して低いことの一因である．ヒト CYP2E1,CYP2B6，CYP2C8のトルエンやスチレン代謝への関わりは，実際提供されたヒトの肝組織を用いた研究でも確認されている．

第Ⅱ相の反応はいわゆる抱合反応で，生体内の基質が結合し，さらに水溶性を増す．有機溶剤の代謝に関わる酵素には UDP-glucuronyltransferase，glutathione S-transferase，sulfotransferase，N-acyltransferase等がある．

機溶剤の代謝には２つの大きな意味がある．一つは尿中に排泄される代謝物を測定し，個人の曝露管理に役立てようとするものである．現在８種類の有機溶剤の尿中代謝物の測定が健康管理に導

表4 Cytochrome P450 isozymes と有機溶剤の代謝（ヒト，ラット，マウス）[a,b]

P450 isozymes	トルエン			スチレン
	ベンジルアルコール	o-クレゾール	p-クレゾール	
CYP1A1	0.006	—	—	ND
CYP1A2	0.020	0.010	0.016	0.096
CYP2A6	—	—	—	—
CYP2B6 ^{58}Phe, ^{114}Ile, ^{282}Glu	0.096	—	0.012	0.147
CYP2C8	0.054	—	—	0.050
CYP2C9	—	—	—	—
CYP2D6	—	—	—	—
CYP2E1	0.140	—	0.019	0.161
CYP3A3	—	—	—	0.035
CYP3A4	—	—	—	0.034
CYP3A5	—	—	—	0.025
ラット CYP2B1 ^{58}Leu, ^{114}Ile, ^{282}Glu	0.252	0.044	0.064	0.358
CYP2B1 バリアント CYP1B1-2 ^{114}Ile → Phe	0.070	0.014	0.020	ND
CYP1B1-1,2 ^{58}Leu → Phe, ^{114}Ile → Phe	0.207	—	—	ND
CYP1B1-1,2,3 ^{58}Leu → Phe, ^{114}Ile → Phe, ^{282}Glu → Val	0.120	—	—	ND
CYP2B2	0.024	—	—	0.092
マウス CYP1A1	0.040	—	—	0.099
CYP1A2	0.024	—	—	0.031

Lysate（nmol/mg protein/min）
—, not detectable; ND, not determined
aNakajima T, et al., Biochem Pharm 53: 271-277, 1997
bNakajima T, et al., Chem Res Toxicol 7: 891-896, 1994

入されている（表２）．今ひとつの意味は，代謝される過程で親物質より毒性の高い活性代謝物が生成される可能性があることである．四塩化炭素，クロロホルム，ベンゼン，トリクロロエチレンなどはこの代表的な溶剤である．尿中代謝物の測定の導入により，有機溶剤取扱者の健康管理は，曝露の個人管理をすると同時に，疾病の予防・健康の増進対策に重点がおかれるようになっている．

有機溶剤は代謝され，尿中に排泄されるが，呼気中に未変化体としても排泄される．尿中へ未変化体として排泄する割合は水溶性のものを除けば微量である．一般に生物学的半減期は短く，数時間から６日である．

7. 有機溶剤の代謝の種差

有機溶剤の代謝には種差が認められ，これはシトクロム P450 をはじめとする薬物代謝酵素のアイソザイムの種類とその発現量の差異に起因する．一般に化学物質の代謝速度はマウスの方がラットより大きいといわれているが，有機溶剤に関しては，種類によって異なる．例えば，ベンゼンとトリクロロエチレンの代謝速度はマウスの方がラットより大きいが，トルエンに関しては基質濃度によって異なる（図２）．即ち，低濃度ではマウスの代謝速度の方がラットより大きいが，高濃度ではラットの代謝速度の方が大きい．CYP2E1 の発現量はマウスの方がラットより多く，

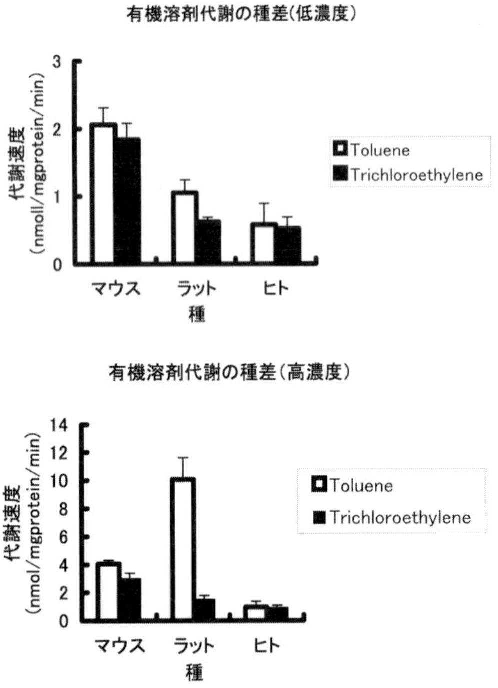

図２　肝における有機溶剤代謝の種差[a]

aNakajima T, et al., Biochem Pharmacol 45: 1079-1085, 1993

ヒト肝におけるトリクロロエチレンの代謝速度は未発表資料

低濃度　0.2m M；高濃度　5～5.9 m M

CYP2C11/6の発現量はラットの方がマウスより多い．さらにトルエンはCYP2C11/6に対する親和性が大きいが，ベンゼンやトリクロロエチレンはCYP2E1への親和性が大きい．このように，種間のCYP2E1とCYP2C11/6の発現量の差と，これらのアイソザイムに対する有機溶剤の親和性の差異が有機溶剤の代謝の種差の主因である．しかしこれらの種差はたかだか２～３倍であり，それほど大きなものではない．ヒトのトルエンの代謝速度はラットよりさらに低いが，トリクロロエチレンの代謝に関してはヒトとラット間に大差ない．

8. 有機溶剤の毒性発現機序

1)ベンゼンと白血病

ベンゼンが白血病を引き起こすことは疫学的に明白であるが，動物実験で病像を再現することは極めて困難であった．1960年から1980年にかけて，原因がベンゼン自身かあるいは代謝物か，後者であった場合どの代謝物が本体かという論点に焦点があてられ，研究された．ラット等の小動物において，肝の部分切除やトルエンとの混合曝露によるベンゼンの代謝の抑制がベンゼンの骨髄毒性を軽減させた事実，さらにアルコールによるベンゼン代謝酵素のCYP2E1の誘導がベンゼンの骨髄毒性を増強させた結果から，ベンゼンの代謝物(フェノール以降の代謝物)が毒性の本体であろうと推測されている(図３)．これらの事実はベンゼンの毒性にはCYP2E1が深く関与していることを示唆するもので，これは最近になって，遺伝子改変動物を用いた研究によって支持されている．即ち，CYP2E1ノックアウトマウスでは野生型マウスに比較して，ベンゼンの毒性影響を受けがたいことが報告されている．

今ひとつ興味が持たれるのは中国上海で行われた分子疫学調査研究である．ベンゼン中毒患者(急性非リンパ球性白血病) 50名とベンゼン非曝露者の白血球からDNAを抽出し，NAD (P) Hキノンオキシドレダクターゼ１ (NQO1)の遺伝

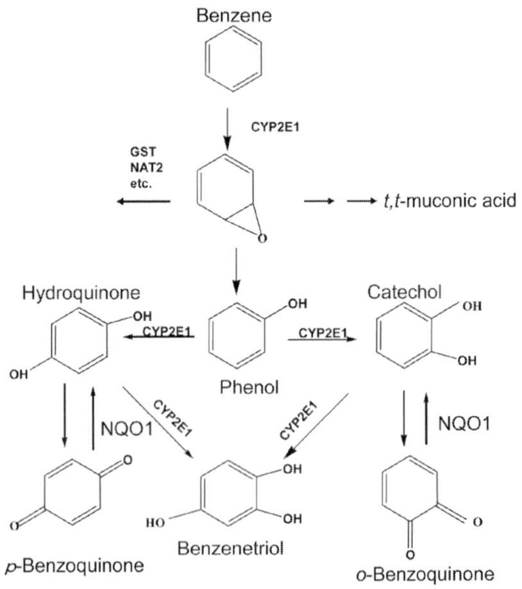

図３　ベンゼンの代謝経路と薬物代謝酵素アイソザイムの役割

Nebert DW et al. (Gen Med 4: 62-70, 2002)を若干修正した

NQO, NADPH quinone oxidoreductase

子型を調べると同時に，クロロゾキサゾン（CYP2E1に親和性が高い薬剤）を経口的に与え，尿中の代謝物を測定した．クロロゾキサゾンの代謝物が少なく（CYP2E1の活性が低く），かつNQO1の活性が高い遺伝子型を持つ者のオッズ比を1とした場合，クロロゾキサゾンの代謝物が多く（即ち，CYP2E1の活性が高く），NQO1の活性が低い遺伝子型を持つ者のオッズ比は7.8であり，明らかに高いことが判明している．これらの結果はベンゼンの骨髄毒性の本体が代謝物にあり，CYP2E1の活性とNQO1遺伝子型多型が重要な役割を果たすことを示す．

2) トリクロロエチレンと肝障害

トリクロロエチレンは肝のシトクロムP450により代謝され抱水クロラールとなり，さらにアルデヒド脱水素酵素とアルコール脱水素酵素，により酸化されてそれぞれトリクロロ酢酸（TCA）とトリクロロエタノール（TCE）になる．トリクロロエチレンは肝障害性物質であるが，純度の高い製品の曝露では重度の肝障害はみられない．トリクロロエチレンの主要代謝酵素はCYP2E1である．野生型とCYP2E1ノックアウトマウスに1000と2000ppmのトリクロロエチレンを1週間曝露したところ，野生型マウスではALT,ASTの上昇が見られたが，ノックアウトマウスでは上昇しなかった．野生型マウスでは肝臓のNF-κBのp52の発現が上昇していたが，p65およびp50の発現には変化が認められなかった．尿中の代謝物を測定したところ，野生型のTCEおよびTCAはノックアウトの5～10倍であった．CHをCYP2E1を誘導したラットに投与しても肝障害は観察されなかった．これらの結果から，CYP2E1がトリクロロエチレンの酸化的代謝と肝障害を制御する主要酵素であることが明らかである（図4）．次いでトリクロロエチレンによる肝障害の分子メカニズムの研究をペルオキシゾーム増殖剤応答性受容体（PPAR）αノックアウトおよびヒトPPARαをノックアウトマウスにトランスジェニックしたマウス（ヒト型PPARαマウス）を用いて行った．野生型，PPARαノックアウトおよびヒト型PPARαマウスにおいて，トリクロロエチレン曝露による尿中代謝物量および

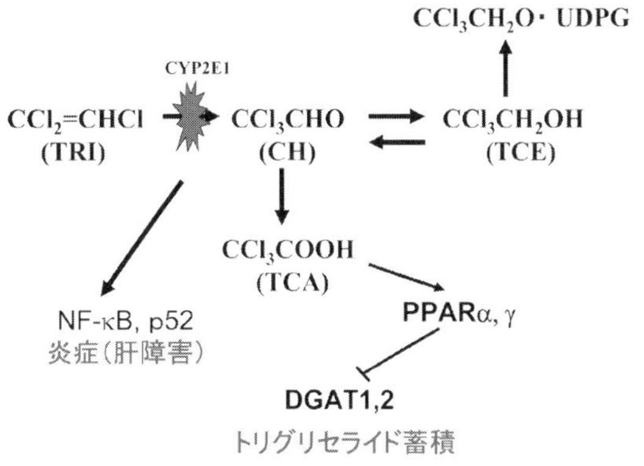

図4　トリクロロエチレンの代謝経路と肝障害・トリグリセライド蓄積

TRI, trichloroethylene; CH, chloral hydrate; TCE, trichloroethanol; TCA, trichloroacetic acid; ADH, alcohol dehydrogenase; ALDH, aldehyde dehydrogenase; UGT, UDP-glucuronyltransferase; NF-kB, Nuclear factor kappa B; PPAR α, Peroxisome proliferator-activated receptor α; PPAR γ, Peroxisome proliferator-activated receptor γ

ALT,ASTの上昇に差異が認められなかったことから，肝障害性にPPARαは関与していないことが判明した．一方，PPARαノックアウトとヒト型PPARαマウス肝には脂肪（トリグリセライド）の蓄積が認められたが，野生型にはこのような変化が見られなかった．その原因として，1）ノックアウトマウスではPPARαは発現していないため脂肪酸の代謝が極めて低いことに加えて，PPARγの誘導によるトリグリセライド合成酵素のDGAT1と2の発現が誘導されたこと，2）ヒト型PPARαマウスではTCAによりPPARαが誘導され，脂肪酸の代謝が亢進するが，PPARγも誘導され，トリグリセライド合成酵素のDGAT1と2の発現が誘導されたこと，3）野生型マウスではTCAによりPPARαが誘導され，脂肪酸の代謝が亢進するが，PPARγは誘導されないため，トリグリセライドの蓄積は起こらないこと，が挙げられた．また，この研究ではマウスとヒトのPPARαの機能（TCAによる転写活性化）が比較され，マウスよりヒトのPPARαの機能が弱いことが証明された．

トリクロロエチレンの 副次的な代謝経路として，グルタチオン転位酵素による代謝経路があ

る．これはシトクロムP450による反応が飽和に達した場合に作動する．グルタチオンを介したこの代謝経路は腎がん発生との関連性で注目されているが，トリクロロエチレンと腎がんの因果関係も十分解明されたとはいえず，新しい展開が待たれる．

9. 有機溶剤の健康管理

54種に関しては有機溶剤中毒予防規則で使用方法等について規制されている．第1種有機溶剤はクロロホルム等7種類，第2種有機溶剤はアセトン等40種類，第3種有機溶剤はガソリン等の混合物7種である．これらの有機溶剤使用者は年2回の健康診断を，第1種・2種有機溶剤使用の場合は6ヶ月以内ごとに1回の作業環境測定をすることが義務づけられている．

参考文献

安全性評価シート，化学物質評価研究機構 http://www.cerij.or.jp/ceri_jp/index_j4.shtml
化学物質毒性ハンドブック　内藤裕史，横手規子監訳　丸善株式会社　1999年
環境科学事典　和田　攻，沼田　眞，荒木　峻編　東京科学同人　1985
許容濃度の勧告(2002)産業衛生学雑誌44；140-164，2002.
総合衛生公衆衛生学　藤原元典，渡辺厳一，高桑栄松　監修　南江堂　1985
有機溶剤中毒症例集　第一～第七集　日本産業衛生学会有機溶剤中毒研究会　1984年～2000年
溶剤ハンドブック　浅原照三　ほか編　講談社　総和51年
佐藤章夫，中島民江　産業医学19；132-133, 1977.
中島民江他　日本災害医学会会誌　36：58 － 69, 1988.
Huang H et al., J Occup Health 48: 417-423, 2006.
Kamijima M et al. Int Arch Occup Environ Health 80: 357-370, 2007.
Kamijima M et al. J Occup Health 50:328-338, 2008.
Sato A, Nakajima T, Arch Environ Health 69-75, 1979.
Nakajima T, J Occup Health 39: 83-91, 1997.
Nakajima T, et al. Biochem Pharm 53; 271-277, 1997.
Nakajima T, et al. Chem Res Toxicol 7; 891-896, 1994.
Nakajima T, et al. Biochem Pharmacol 45: 1079-1085, 1993.
Nakajima T et al. J Occup Health 45: 8-14, 2003.
Nebert DW et al. Gen Med 4: 62-70, 2002.
Ramdhan DH et al. Toxicol Appl Pharmacol 231: 300-307, 2008.
Ramdhan DH et al. Environ Health Perspect
Valentine JL et al. Toxicol Appl Pharmacol.141:205-213, 1996.

Ⅲ-13　残留性有機汚染物質

京都大学大学院医学研究科環境衛生学分野
原田浩二，小泉昭夫

残留性有機汚染物質(Persistent Organic Pollutants：POPs)は，化学的に非常に安定で自然環境中では分解されにくい，食物連鎖を通じ生物体内において高濃度に蓄積される，海洋や大気などによる長距離移動性，ヒトや生態系に対する毒性を有する物質として特徴づけられる．POPsは，DDTなどの「農薬」，PCBなどの「工業原料」，ごみ焼却過程で発生するダイオキシンなどの「非意図的生産物」の3つに分類に大別される．現在21種類が挙げられる(第1表)．

第1表　POPs対象21物質

○農薬
ジクロロジフェニルトリクロロエタン（DDT）　殺虫剤，農薬中間体
トキサフェン　殺虫剤，殺ダニ剤
クロルデン　シロアリ防除剤
ヘプタクロル　殺虫剤，シロアリ防除剤
エンドリン　殺虫剤，殺鼠剤
アルドリン　殺虫剤
ディルドリン　殺虫剤，シロアリ駆除，防虫加工
マイレックス　殺虫剤，シロアリ防除剤，難燃剤
ヘキサクロロベンゼン　種子などの殺菌剤
ペンタクロロベンゼン　農薬中間体，難燃剤，防かび剤
クロルデコン　殺虫剤
リンデン　殺虫剤，医薬品
○工業原料
ポリ塩素化ビフェニル絶縁油，熱媒体
ペルフルオロオクタンスルホン酸　消火剤，界面活性剤
ペルフルオロオクタンスルホニルフルオリド　撥水剤原料
テトラブロモジフェニルエーテル，ペンタブロモジフェニルエーテル　プラスチック難燃剤
ヘキサブロモビフェニル　プラスチック難燃剤
ヘキサブロモジフェニルエーテル，ヘプタブロモジフェニルエーテル　プラスチック難燃剤
○非意図的生成物質
ポリ塩素化ビフェニル　芳香族有機塩素化合物の不純物
ポリ塩素化ジベンゾダイオキシン ごみ等の焼却，塩素系農薬の副生成物
ポリ塩素化ジベンゾフラン ごみ等の焼却，塩素系農薬の副生成物
ヘキサクロロベンゼン　農薬製造時の副生成物
ペンタクロロベンゼン　ごみ等の焼却，農薬製造時の副生成物
α－ヘキサクロロシクロヘキサン　リンデン製造時の副生成物
β－ヘキサクロロシクロヘキサン　リンデン製造時の副生成物

各論Ⅲ

第２表　ストックホルム条約に関連する動き

1992年	6月	地球サミットのアジェンダ21で重要性の指摘
1993年	5月	第17回UNEP管理理事会決定によって，世界行動計画の採択のための政府間会合を行うことが決定された．
1997年	2月	第19回UNEP管理理事会で条約化の決定
1998年	6月	政府間交渉会議の開始
2000年	12月	第5回政府間交渉会議で条約案について合意
2001年	5月	外交会議（於ストックホルム）で条約の採択
2002年	8月	日本が条約を批准
2004年	5月	50カ国が締結し発効
2005年	5月	第1回締約国会議にてPOPs検討委員会を設置
2009年	5月	第4回締約国会議にて9物質を附属書に追加

第３表　各国が講ずべき対策

[1] 製造，使用の原則禁止及び原則制限（DDT・PFOS）
[2] 非意図的生成物質の排出の削減
[3] 上記POPsを含有するストックパイル・廃棄物の適正管理及び処理
[4] これらの対策に関する国内実施計画の策定
[5] その他の措置
・新規POPsの製造・使用を予防するための措置
・POPsに関する調査研究，モニタリング，情報公開，教育等
・途上国に対する技術・資金援助の実施

1. POPsを巡る動き

POPsをめぐっては90年代から国際的な取り組みを模索する動きが現れた．1992年6月の国連環境開発会議でまとめられたアジェンダ21第17章では海洋及び資源保護について，海洋汚染の70％は陸上活動に起因していること，また，大きな脅威となっている汚染物質の一つとして合成有機化合物が挙げられている．長距離移動性により越境汚染を生じうるため，一部の国々の取り組みのみでは地球環境汚染の防止には十分でなく，国際的に協調してPOPsの廃絶，削減等を行う必要がある．そのため政府間会合の招請が要請され，これを受けて2000年にはヨハネスブルクで開かれた「POPsの規制に関する国際会議」において，生物全般に悪影響を与える12種類の化学物質を規制する条約案の合意がなされた(表2)．これを受けて2001年5月にストックホルムでストックホルム条約が採択された．この条約では，地球環境汚染の防止のため，POPsの製造・使用の禁止又は制限，非意図的生成物質の排出削減，ストックパイル・廃棄物の適正管理及び処理，これらの対策に関する国内実施計画の策定などを定めている(表3)．

関連する国内法として，「化学物質の審査及び製造等の規制に関する法律」などにより，当初の12POPs物質が規制されているが，1972年に生産が禁止されたPCBについて，大量の未処理のストックパイルが保管されておりその管理や処理について課題が残されている．2001年6月に「ポリ塩化ビフェニル廃棄物の適正な処理に関する特別措置法」が制定され，処分計画を策定するようになっている．また，化学物質の規制等に関して「ダイオキシン類対策特別措置法」「特定化学物質排出量管理促進法」等の法律が1999年7月に成立している．

2. 新たなPOPs

2005年5月の第1回締約国会議で，当初条約に含まれていた12物質(Dirty dozen)に加えて，対象となるPOPsを追加するためPOPs検討委員会が設置された．2009年の第4回締約国会議では新規9物質(Nasty nine)の追加が決定された(表2および図1)．当初の12物質の多くが農薬であったのに比べて，工業原料が指定されるようになった．また有機塩素化合物以外に有機臭素化合物，有機フッ素化合物と多様なハロゲン化合物がPOPsになりうることを示している．ポリブロモジフェニルエーテルなどの各種の臭素系難燃剤などを焼却した場合に発生する臭素化ダイオキシン類についても塩素化ダイオキシン類と同様な毒性が指摘されている(WHO, 1998)．ダイオキシン類対策特別措置法の附則では，臭素化ダイオキシンについて，調査研究の推進，必要な措置を講ずることとされている．

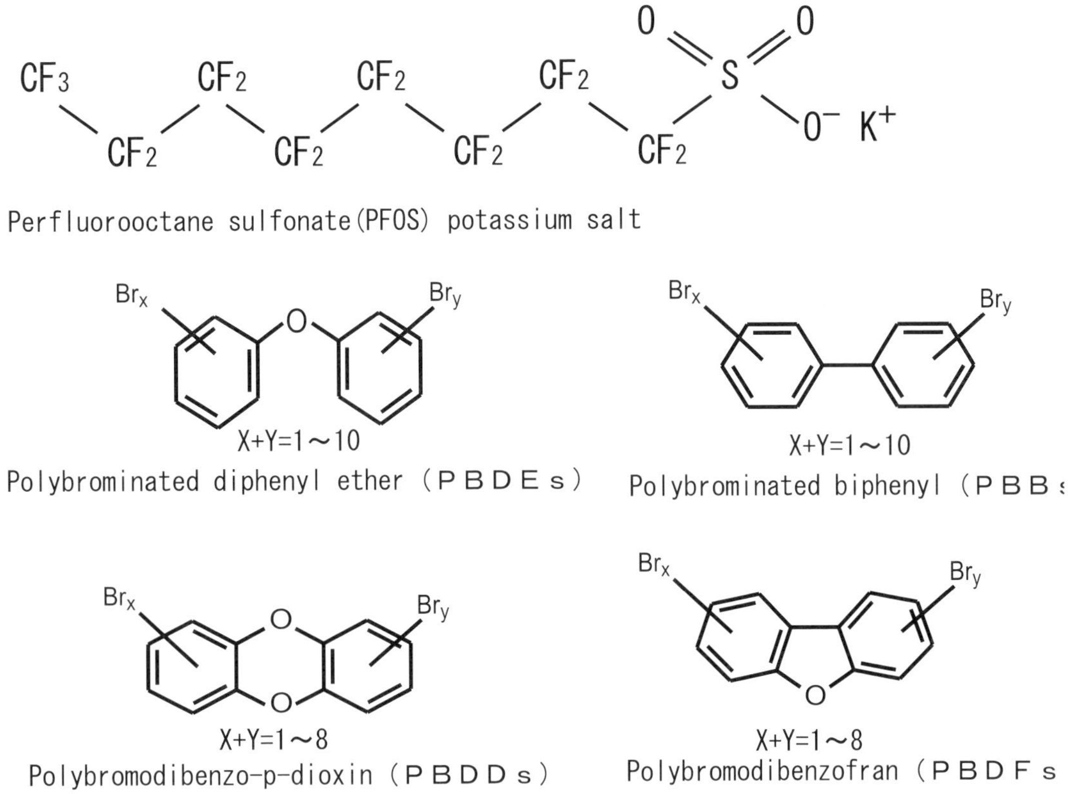

図１　新たなフッ素系，臭素系 POPs

第４表　POPs 候補物質

ヘキサブロモシクロドデカン	プラスチック難燃剤
短鎖塩素化パラフィン	プラスチック難燃剤
エンドスルファン	殺虫剤，防かび剤

現在，難燃剤であるヘキサブロモシクロドデカン，塩ビ樹脂可塑剤，難燃剤である短鎖塩素化パラフィン，農薬であるエンドスルファンが POPs 検討委員会で評価中である(表 4)．さらに多環芳香族炭化水素(PAHs)，ペンタクロロフェノール(PCP)なども残留性から論議されている．

本稿では近年特に注目されているペルフルオロオクタンスルホン酸とポリブロモジフェニルエーテルについて記述する．

3. ペルフルオロオクタンスルホン酸

ペルフルオロオクタンスルホン酸(PFOS：Perfluorooctane sulfonate)に代表される有機フッ素化合物が POPs に挙げられる．PFOS の主要な生産者であった 3 M 社は 2000 年に，環境中，生体中での蓄積を理由に，2002 年の終わりまでに生産を停止することを発表した．1950 年代からそれまで膨大な利益を上げていた製品を撤収させるほど事態を重く見たものである．PFOS とその塩は完全に炭素鎖上の水素がフッ素化された有機化合物である．疎水部はペルフルオロアルキル基(Rf 基)，親水部はスルホ基からなる界面活性剤である．Rf 基はテトラフルオロエチレンを原料としたテロメライゼーション，またはアルキル基を電解フッ素化することで製造される(図 1)．Rf 基において，F は強い電気陰性度を持ち，C-F 結合はきわめて強い結合となり，Rf 基は自然的変化や生物学的代謝を受けないとされており，きわめて壊れにくい物質と考えられている．フッ素系界面活性剤は，メッキ液のミスト防止剤，離型剤，各種塗料・インキの湿潤・浸透・レベリング剤，油火災用の膜形成型泡消火剤，フッ素樹脂の重合乳化剤，半導体リソグラフィのフォトレジストのような多様な産業用途があった．また重合化合物として紙や衣服の防汚・撥水処理剤にも使われていた．

PFOSとその関連物質は半世紀近く，注意なく使用されてきたが，それは生産量9万6千トンと極めて多いとはいえず(Paul et al., 2009)，また分析技術がなかったため，その環境汚染が表に出なかった．種々の有機フッ素化合物が利用されているなか，それらがヒトの血液中に有機態フッ素化合物が存在されることは知られてきた．難分解性の性質から1997年に有機フッ素化合物への懸念が生じてから(Key et al., 1997)，米国3M社の支援の元でミシガン州立大学のグループにより広汎な野生動物での汚染が証明されるにおよび行政，業界の動きがあわただしくなった．日本においてはPFOSは2002年には化審法指定化学物質と指定された．一方で，3M社はPFOSなどの生産を停止したが，2006年においても，いくつかの国において生産と輸入は続いていた(OECD, 2006)．このためストックホルム条約に附属書Bに指定され，限られた用途(半導体リソグラフィ，メッキ用など)を除いて使用が制限された．

3.1 PFOSの蓄積

PFOSは生物濃縮性試験でブルーギルと鯉の組織中で生物濃縮することが示され，生物濃縮係数はブルーギルで，非可食部について4013，鯉で，肝臓について2100－4300とされている．ストックホルム条約では生物濃縮係数5000以上を高濃縮性一つの目安としているが，環境中での広がりを加味して高濃縮性と判断している．PFOSは界面活性剤であるためオクタノール－水分配係数が測定不能である．また水溶性であるPFOSがこれほど蓄積することはこれまでのPOPsとはまったく様相が異なる．これには血漿タンパク質との非共有結合があげられている(Jones et al., 2003)．実際，ヒトにおいて腎クリアランスがきわめて低く(0.015 mL/day/kg)，また腸肝循環によるものと考えられる(Harada et al., 2007)．

ヒト血液中では，労働者，そして一般人口において検出されている．職業被曝について米国とベルギーの3M施設における従業員の自発的な医療サーベイランスプログラムに基づく横断研究が報告されており，最も高いものは1995年アラバマ州ディケイターの製造従業員で血清中にPFOSが最高で12.83ppmで観察されたと報告している(Olsen et al., 1999)．平均では2000年においてディケイターとベルギーでのプラントでそれぞれ，1.32，0.80ppmであった(Olsen et al., 2003)．一般人口では，米国非ヒスパニックでの中央値は，PFOSは40.2ng/mLと報告されており，日本では20ng/ml前後で比較的低い(Harada et al., 2007)．PFOSがカーペット処理などに用いられていることなどから曝露に違いがあるのではないかと考えられている．また男性の血中濃度が2倍ほど女性より高く，この差は閉経後女性では消失する(Harada et al., 2005)．腎クリアランスに違いはなく，体内動態シミュレーションにより月経血による効果が推定されている．

PFOSは主に食事を介して曝露しており，関西地域における試算では1日あたり83.3ngのうち76.3ngが食事であり，ついで飲料水が4.9ngであった(Harada and Koizumi, 2009)．

3.2 毒性情報

1）動物実験と疫学研究：

動物実験では，高用量で肝発がん性を有している(Seacat et al., 2002)．発達毒性について，ラット，マウスの胎児の成長を阻害することが報告されている(Lau et al., 2003)．また後ろ向きコホート研究が，フッ素化学工場の従業員を対象に行われている．その結果，膀胱がんの有意な増加が認められている(Alexander et al., 2003)．デンマーク，日本において，母胎中あるいは臍帯血中PFOS濃度と出生体重に負の相関が報告されている(Apelberg et al., 2007)．免疫毒性も検討されており，マウスにPFOSを投与し，IgM抗体産生能を評価した研究では，抗体産生の低下が認められ，LOELはオスで91.5ppbとなり，低濃度でも影響を及ぼしうることが示唆されている(Peden-Adams et al., 2008)．内分泌については横断研究で血漿中PFOS濃度が血中インスリン濃度，HOMA指数と正の相関を示し，グルコース恒常性への影響を示唆した(Lin et al., 2009)．神経内分泌系についてメス成熟ラットでPFOS

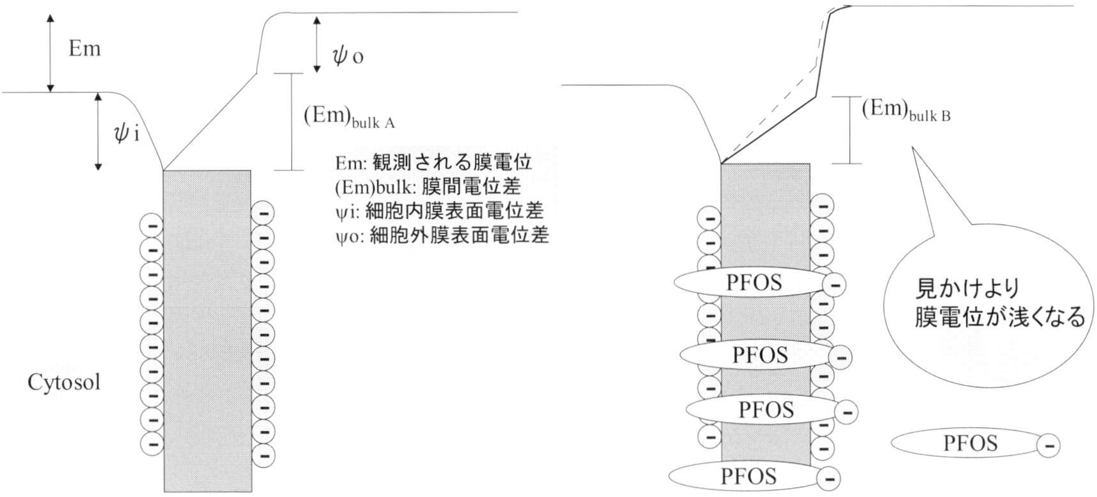

図２　ペルフルオロオクタンスルホン酸の電気生理学的作用メカニズム

を腹腔内投与し，脳内モノアミンの変化，コルチコステロン，レプチンについて評価されている（Austin et al., 2003）．PFOS 曝露は用量依存的に食餌摂取量と体重を減少させ，血清レプチン濃度を減少，血清コルチコステロンの増加，視床下部室傍核のノルエピネフリン濃度の増加を示した．

2）作用機序を示唆する研究：

PFOS は変異原性を示さず（Oda et al., 2007），一方ペルオキシゾーム増殖剤応答性受容体 PPAR α のリガンドであり β 酸化の亢進による酸化ストレスはげっ歯類における発がん性の一因とされている（Seacat et al., 2002）．ヒトにおいては PPAR α の活性は弱く，フィブラート系薬剤を服用していてもペルオキシゾームの増殖は認められない．カニクイザルでの慢性投与試験でも肝細胞のペルオキシゾームの増殖は一貫しなかった（Seacat et al., 2002）．そのため，ヒトでは当てはまらないとの考えがあるが，ヒト肝がん由来細胞株 HepG2 でも PFOS により活性酸素種が増加することが観察されている（Eriksen et al. 2010）．

PFOS の発達毒性では母獣体重，肝重量に変化はないが，仔相対肝重量の増加，Eye opening の若干の遅延，出生後死亡の増加が見られる（Lau et al., 2003）．しかし PPAR α 欠損マウスでもこれらの影響は見られるため，作用メカニズムは PPAR α 単一ではないと考えられる（Abbott et al., 2009）．

行動毒性についての動物実験では PFOS が不安行動の増加させると報告されている．脳室内への PFOS 投与実験により視床下部における神経ペプチド Urocortin2 の発現上昇が認められ，CRF2 受容体を介して不安作用，摂食低下をもたらしていると考えられる（Asakawa et al., 2007）．電気生理学的検討により PFOS が −60mV 程度の膜電位下で L 型 Ca^{2+} チャネルの抑制作用を有することが報告された（Harada et al., 2005）．またラット小脳プルキンエ細胞において，活動電位の頻度を低下させる作用を示した（Harada et al., 2006）．作用メカニズムとして，PFOS が陰イオン界面活性剤でもあり，細胞のリン脂質との相互作用が考えられ，この膜作用は，界面活性剤の強さに比例している（図 2）．この作用は神経細胞への影響や，気管上皮細胞の Ca^{2+} 恒常性にも影響を与えることが示されている（Matsubara et al., 2007）．それゆえに膵島 β 細胞に作用し，インスリン分泌に影響を及ぼす可能性も考えられる．

3.3　今後の課題

PFOS の体内動態を含め，毒性感受性に少なからぬ種差があると考えられる．体内半減期がヒトとげっ歯類とで大きく異なり，腎クリアランスの

各論Ⅲ

違いが一つと考えられる．またPPAR αを介した作用についてげっ歯類とヒトでは反応性の違いがあり，ヒトではより耐性であるとされているが，ターゲット分子の解明が望まれる．また今後のPFOS製造の規制が汚染の低減につながっていくかをモニタリングしていく必要があると考えられる．

4. ポリブロモジフェニルエーテル

ポリブロモジフェニルエーテル（PBDEs：Polybrominated diphenyl ethers）に代表される有機臭素化合物も近年POPsに挙げられている．経済成長のなか家庭電化製品の増加に伴い，火災事故も増加してきたため，1970年代には難燃剤の開発が始まり，各種難燃剤が生産され，現在も利用されている．難燃剤に臭素化合物が多いのは，火災の燃焼によるラジカル分子種を臭素原子が受け取り安定化し，樹脂の燃焼を抑制するためである．このうちPBDEsは不純物として臭素化ジベンゾダイオキシンが含まれていたことが懸念された．また燃焼によっても臭素化ジベンゾダイオキシンを発生しうる．

臭素系難燃剤は，電気製品の筐体，基板，繊維製品などに使われている．1995年には臭素系難燃剤製造業者は自主規制を始めた．PCBsに類似した構造のポリブロモビフェニルやPBDEs同族体のうち毒性が比較的強いペンタブロモジフェニルエーテルの製造，使用は廃止された．現在ではストックホルム条約の附属書Aに指定された．一方でリスクが低いとされるデカブロモジフェニルエーテルは使用が続いている．

4.1 PBDEsの蓄積

PBDEsは，PCBsのように臭素の置換数，置換位置により209の同族体が存在する．臭素置換数によりその性質は大きく異なってくる．コイを用いた生物濃縮性試験ではペンタブロモジフェニルエーテルは1650から11700の生物濃縮係数を示すが，デカブロモジフェニルエーテル（BDE-209）は50以下と濃縮性は少ない．BDE-209はオクタノール－水分配係数（log *Kow*）は10.1と極めて高いにもかかわらず，他のPOPsのような高濃縮性を示さない．SDラットへの投与試験では，経口投与でBDE-209の吸収率は約10％と比較的低い（Morck et al., 2003）．また体内での分布も脂肪組織よりも肝臓，血液に多く分布する．排出経路は胆汁が主であり，静脈内投与後の消失半減期は最終相で51時間と短い（Sandholm et al., 2003）．また体内で代謝され，9臭素化ジフェニルエーテル，メトキシ化合物も生成される．難燃剤ゴム製造労働者，電子機器解体作業者での研究ではBDE-209の血清中半減期は15日であるが，9臭素化ジフェニルエーテル，8臭素化ジフェニルエーテルはそれぞれ29日，64日と臭素化数が少ない方が残留しやすい（Thuresson et al., 2006）．ラットでのペンタブロモジフェニルエーテルの脂肪組織中半減期はオスで24.9から36.8日とBDE-209と大きく異なる（von Meyerinck et al., 1990）．

ヒト血液中では，PBDEs製造労働者，廃棄物解体作業者，そして一般人口において検出されている．職業被曝について中国広東省の廃棄物解体作業者でBDE-209が3436ng/g-lipidで検出されており，これまでの最高値である（Qu et al., 2007）．中国山東省のPBDEs製造工場付近に住む住民からは8同族体の合計で平均613ng/g-lipidの血清中PBDEsが検出され，アジア，欧米各国での既報値より20倍以上高い（Jin et al., 2009）．日本8地域の成人女性を対象とした調査では，1980年代では血清中幾何平均濃度は0.5ng/g-lipid，1990年代では1.8ng/g-lipidであった（Koizumi et al., 2005）．日本4地域の2005年における授乳中女性の調査では，血清中幾何平均濃度2.9ng/g-lipidと職業曝露集団に比べて十分低いが，経年的には増加している（Inoue et al., 2006）．日本人の血液中にはPBDEsのうちBDE-209が占める割合が高く，生物利用能が低いものの日常的に多く曝露していると考えられる．4臭素化体，6臭素化体がついで多い．日本4地域の2005年における授乳中女性の母乳中のPBDEsでは4臭素化体，6臭素化体がもっとも多いが，BDE-209は約10％であり，血清中でのパターンと大きく異なる（Inoue et al., 2006）．構造活性相関解析の結果，PCBsとPBDEsの母乳／血清分配比の決定因子として水オクタノール分配係数予測値，水素結合受容体数が有意なものとしてあげられている．水溶性が極めて低い化合物では母乳中へ移行しにくいことが示された．

PBDEsは主に食事を介して曝露していると考えられている．全国8地域で集められた陰膳食事試料の分析では1日摂取量の幾何平均は1980年代で91.4ng，1990年代で93.8ngであり，有意な差はなかった(Wada et al., 2005)．近年の増加はPBDEs含有製品などの増加による室内での曝露が増えている可能性がある．

4.2　毒性情報

1) 動物実験と疫学研究：

ラットのBDE-209慢性投与試験では2240mg/kg/dayの高用量で肝臓の血栓，変性が観察される(NTP, 1986)．一方で生後3日から19日までに経口投与でBDE-209をオスマウスに投与した場合，20.1mg/kgで行動異常が見られた(Viberg et al., 2003)．ペンタブロモジフェニルエーテルの場合は0.8mg/kgから行動への影響が見られるなど，毒性は高臭素化体より高い(Viberg et al., 2004)．4臭素化体，5臭素化の合剤を4日間4週齢ラットに経口投与し，0.81mg/kg/dayで血中甲状腺ホルモン濃度の低下を示し，肝臓中EROD活性，PROD活性，UDPGT活性の増加を示した(Zhou et al., 2001)．

疫学研究では米国NHENS2003-2004のデータを用いた横断研究で血液中BDE-153とメタボリック症候群のオッズ比を有意に上昇させ，糖尿病のオッズ比は逆U字の関連を示した(Lim et al., 2008)．また五大湖周辺に住む男性での調査では血中PBDEs濃度と総T4値，抗サイログロブリン抗体と正の相関を示した(Turyk et al., 2008)．スウェーデンの精巣癌患者31名と対照者22名の母親の血中PBDEs濃度での比較では，低濃度群に比べて高濃度群はオッズ比2.5であった(Hardell et al., 2006)．

2) 作用機序を示唆する研究：

ダイオキシン類と化学組成は似ているが，PBDEsはコプラナー構造を取らない．そのためアリル炭化水素受容体AhRに結合するものの，CYP1A1の転写誘導はほとんど見られず，弱いアンタゴニストとして働く(Peters et al., 2006)．商業用のPBDEsは不純物のポリブロモジベンゾフランを含むことから，これがCYP1A1の誘導をもたらすと考えられる(Wahl et al., 2008)．BDE-47の4日間3mg/kg/day投与後，肝臓中構成的アンドロスタン受容体CARの発現上昇，トランスサイレチンの発現低下が認められている(Richardson et al., 2008)．代謝の亢進および甲状腺ホルモン輸送体の変化が甲状腺ホルモンレベルを変化させていると考えられる．CARのほか，BDE-47，BDE-99，BDE-209によりプレグナンX受容体PXRを介してCYP3A11，CYP2B10の転写誘導を引き起こし，PXR欠損マウスではこの効果は抑えられた(Pacyniak et al., 2007)．

またPBDEsの代謝産物についても近年注目されている．フェノール構造のため，直接のエストロゲン様作用，甲状腺ホルモン様作用が考えられるためである．CHO-K1細胞を用いたレポータージーンアッセイでは，BDE-28，BDE-47，BDE-100，水酸化BDE-17，水酸化BDE-42がエストロゲンα受容体(ERα)アゴニストであるとされる(Kojima et al., 2009)．このうち水酸化BDEはエストロゲンβ受容体(ERβ)にもアゴニストとして働く．ただし活性は弱く，エストラジオールの活性の100万分の1である．一方，BDE-99，BDE-153，水酸化BDE-49，メトキシBDE-49，メトキシBDE-90はERα，ERβのアンタゴニストになる．多くのPBDEs，水酸化PBDEs，メトキシPBDEsはアンドロゲン受容体のアンタゴニストとなり，水酸化BDE-17は10-8Mの低濃度でも作用する．BDE-99，水酸化BDE-17，メトキシBDE-49などはグルココルチコイド受容体の弱いアンタゴニストであった．甲状腺ホルモン受容体では水酸化BDE-90のみにアンタゴニスト作用が見られた．また水酸化BDE-47により胎盤由来ミクロソームのアロマターゼ活性の抑制がμMレベルで見られた(Canton et al., 2008)．このような内分泌撹乱作用がどのように行動に影響を及ぼしているのかを結びつける必要がある．

4.3　今後の課題

PBDEsは現在，BDE-209の高臭素化体の利用に限定されているため，直接のリスクは現在高くない．しかしながら，体内，環境中でBDE-209が分解して低臭素化ジフェニルエーテルを生成する可能性が指摘されている．生産から廃棄，環境への拡散のライフサイクルの詳細を明らかにすべきであり，またそれには水酸化体，メトキシ体を含めてモニタリングしていく必要があると考えられる．

参考文献

Abbott, B.D., Wolf, C.J., Das, K.P., Zehr, R.D., Schmid, J.E., Lindstrom, A.B., Strynar, M.J., Lau, C., 2009. Developmental toxicity of perfluorooctane sulfonate (PFOS) is not dependent on expression of peroxisome proliferator activated receptor-alpha (PPAR alpha) in the mouse. Reprod Toxicol 27, 258-265.

Alexander, B.H., Olsen, G.W., Burris, J.M., Mandel, J.H., Mandel, J.S., 2003. Mortality of employees of a perfluorooctanesulphonyl fluoride manufacturing facility. Occup Environ Med 60, 722-729.

Apelberg, B.J., Witter, F.R., Herbstman, J.B., Calafat, A.M., Halden, R.U., Needham, L.L., Goldman, L.R., 2007. Cord serum concentrations of perfluorooctane sulfonate (PFOS) and perfluorooctanoate (PFOA) in relation to weight and size at birth. Environ Health Persp 115, 1670-1676.

Asakawa, A., Toyoshima, M., Fujimiya, M., Harada, K., Ataka, K., Inoue, K., Koizumi, A., 2007. Perfluorooctane sulfonate influences feeding behavior and gut motility via the hypothalamus. Int J Mol Med 19, 733-739.

Austin, M.E., Kasturi, B.S., Barber, M., Kannan, K., MohanKumar, P.S., MohanKumar, S.M., 2003. Neuroendocrine effects of perfluorooctane sulfonate in rats. Environ Health Perspect 111, 1485-1489.

Canton, R.F., Scholten, D.E., Marsh, G., de Jong, P.C., van den Berg, M., 2008. Inhibition of human placental aromatase activity by hydroxylated polybrominated diphenyl ethers (OH-PBDEs). Toxicol Appl Pharmacol 227, 68-75.

Eriksen, K.T., Raaschou-Nielsen, O., Sorensen, M., Roursgaard, M., Loft, S., Moller, P., 2010. Genotoxic potential of the perfluorinated chemicals PFOA, PFOS, PFBS, PFNA and PFHxA in human HepG2 cells. Mutat Res. 39-43.

Harada, K., Inoue, K., Morikawa, A., Yoshinaga, T., Saito, N., Koizumi, A., 2005. Renal clearance of perfluorooctane sulfonate and perfluorooctanoate in humans and their species-specific excretion. Environ Res 99, 253-261.

Harada, K., Koizumi, A., Saito, N., Inoue, K., Yoshinaga, T., Date, C., Fujii, S., Hachiya, N., Hirosawa, I., Koda, S., Kusaka, Y., Murata, K., Omae, K., Shimbo, S., Takenaka, K., Takeshita, T., Todoriki, H., Wada, Y., Watanabe, T., Ikeda, M., 2007. Historical and geographical aspects of the increasing perfluorooctanoate and perfluorooctane sulfonate contamination in human serum in Japan. Chemosphere 66, 293-301.

Harada, K., Xu, F., Ono, K., Iijima, T., Koizumi, A., 2005. Effects of PFOS and PFOA on L-type Ca2+ currents in guinea-pig ventricular myocytes. Biochem Biophys Res Commun 329, 487-494.

Harada, K.H., Hashida, S., Kaneko, T., Takenaka, K., Minata, M., Inoue, K., Saito, N., Koizumi, A., 2007. Biliary excretion and cerebrospinal fluid partition of perfluorooctanoate and perfluorooctane sulfonate in humans. Environ Toxicol Pharmacol 24, 134-139.

Harada, K.H., Ishii, T.M., Takatsuka, K., Koizumi, A., Ohmori, H., 2006. Effects of perfluorooctane sulfonate on action potentials and currents in cultured rat cerebellar Purkinje cells. Biochem Biophys Res Commun 351, 240-245.

Harada, K.H., Koizumi, A., 2009. Environmental and biological monitoring of persistent fluorinated compounds in Japan and their toxicities. Environ Health Prev Med 14, 7-19.

Hardell, L., Bavel, B., Lindstrom, G., Eriksson, M., Carlberg, M., 2006. In utero exposure to persistent organic pollutants in relation to testicular cancer risk. Int J Androl 29, 228-234.

Inoue, K., Harada, K., Takenaka, K., Uehara, S., Kono, M., Shimizu, T., Takasuga, T., Senthilkumar, K., Yamashita, F., Koizumi, A., 2006. Levels and concentration ratios of polychlorinated biphenyls and polybrominated diphenyl ethers in serum and breast milk in Japanese mothers. Environ Health Perspect 114, 1179-1185.

Jin, J., Wang, Y., Yang, C., Hu, J., Liu, W., Cui, J., Tang, X., 2009. Polybrominated diphenyl ethers in the serum and breast milk of the resident population from production area, China. Environ Int 35, 1048-1052.

Jones, P.D., Hu, W., De Coen, W., Newsted, J.L., Giesy, J.P., 2003. Binding of perfluorinated fatty acids to serum proteins. Environ Toxicol Chem 22, 2639-2649.

Key, B., Howell, R., Criddle, C., 1997. Fluorinated organics in the biosphere. Environmental Science & Technology 31, 2445-2454.

Koizumi, A., Yoshinaga, T., Harada, K., Inoue, K., Morikawa, A., Muroi, J., Inoue, S., Eslami, B., Fujii, S., Fujimine, Y., Hachiya, N., Koda, S., Kusaka, Y., Murata, K., Nakatsuka, H., Omae, K., Saito, N., Shimbo, S., Takenaka, K., Takeshita, T., Todoriki, H., Wada, Y., Watanabe, T., Ikeda, M., 2005. Assessment of human exposure to polychlorinated biphenyls and polybrominated diphenyl ethers in Japan using archived samples from the early 1980s and mid-1990s. Environ Res 99, 31-39.

Kojima, H., Takeuchi, S., Uramaru, N., Sugihara, K., Yoshida, T., Kitamura, S., 2009. Nuclear hormone receptor activity of polybrominated diphenyl ethers and their hydroxylated and methoxylated metabolites in transactivation assays using Chinese hamster ovary cells. Environ Health Perspect 117, 1210-1218.

Lau, C., Thibodeaux, J.R., Hanson, R.G., Rogers, J.M., Grey, B.E., Stanton, M.E., Butenhoff, J.L., Stevenson, L.A., 2003. Exposure to perfluorooctane sulfonate during pregnancy in rat and mouse. II : postnatal evaluation. Toxicol Sci 74, 382-392.

Lim, J.S., Lee, D.H., Jacobs, D.R., Jr., 2008. Association of brominated flame retardants with diabetes and metabolic syndrome in the U.S. population, 2003-2004. Diabetes Care 31, 1802-1807.

Lin, C.Y., Chen, P.C., Lin, Y.C., Lin, L.Y., 2009. Association among serum perfluoroalkyl chemicals, glucose homeostasis, and metabolic syndrome in adolescents and adults. Diabetes Care 32, 702-707.

Matsubara, E., Nakahari, T., Yoshida, H., Kuroiwa, T., Harada, K.H., Inoue, K., Koizumi, A., 2007. Effects of perfluorooctane sulfonate on tracheal ciliary beating frequency in mice. Toxicology 236, 190-198.

Morck, A., Hakk, H., Orn, U., Klasson Wehler, E., 2003. Decabromodiphenyl ether in the rat : absorption, distribution, metabolism, and excretion. Drug Metab Dispos 31, 900-907.

Oda, Y., Nakayama, S., Harada, K.H., Koizumi, A., 2007. Negative results of umu mutagenecity test of fluorotelomer alcohols and perfluorinated alkyl acids. Environ Health Prev Med 12, 217-219.

OECD, 2006. Results of the 2006 Survey on Production and Use of PFOS, PFAS, PFOA, PFCA, Their Related Substances and Products/Mixtures Containing These Substances. ENV/JM/MONO (2006) 36.

Olsen, G.W., Burris, J.M., Burlew, M.M., Mandel, J.H., 2003. Epidemiologic assessment of worker serum perfluorooctanesulfonate (PFOS) and perfluorooctanoate (PFOA) concentrations and medical surveillance examinations. J Occup Environ Med 45, 260-270.

Olsen, G.W., Burris, J.M., Mandel, J.H., Zobel, L.R., 1999. Serum perfluorooctane sulfonate and hepatic and lipid clinical chemistry tests in fluorochemical production employees. J Occup Environ Med 41, 799-806.

Pacyniak, E.K., Cheng, X., Cunningham, M.L., Crofton, K., Klaassen, C.D., Guo, G.L., 2007. The flame retardants, polybrominated diphenyl ethers, are pregnane X receptor activators. Toxicol Sci 97, 94-102.

Paul, A.G., Jones, K.C., Sweetman, A.J., 2009. A first global production, emission, and environmental inventory for perfluorooctane sulfonate. Environ Sci Technol 43, 386-392.

Peden-Adams, M.M., Keller, J.M., Eudaly, J.G., Berger, J., Gilkeson, G.S., Keil, D.E., 2008. Suppression of humoral immunity in mice following exposure to perfluorooctane sulfonate. Toxicol Sci 104, 144-154.

Peters, A.K., Nijmeijer, S., Gradin, K., Backlund, M., Bergman, A., Poellinger, L., Denison, M.S., Van den Berg, M., 2006. Interactions of polybrominated diphenyl ethers with the aryl hydrocarbon receptor pathway. Toxicol Sci 92, 133-142.

Qu, W., Bi, X., Sheng, G., Lu, S., Fu, J., Yuan, J., Li, L., 2007. Exposure to polybrominated diphenyl ethers among workers at an electronic waste dismantling region in Guangdong, China. Environ Int 33, 1029-1034.

Richardson, V.M., Staskal, D.F., Ross, D.G., Diliberto, J.J., DeVito, M.J., Birnbaum, L.S., 2008. Possible mechanisms of thyroid hormone disruption in mice by BDE 47, a major polybrominated diphenyl ether congener. Toxicol Appl Pharmacol 226, 244-250.

Sandholm, A., Emanuelsson, B.M., Wehler, E.K., 2003. Bioavailability and half-life of decabromodiphenyl ether (BDE-209) in rat. Xenobiotica 33, 1149-1158.

Seacat, A.M., Thomford, P.J., Butenhoff, J.L., 2002. Terminal observations in Sprague Dawley rats after lifetime dietary exposure to potassium perfluorooclanesulfonate. Toxicologist 66, 185.

Seacat, A.M., Thomford, P.J., Hansen, K.J., Olsen, G.W., Case, M.T., Butenhoff, J.L., 2002. Subchronic toxicity studies on perfluorooctanesulfonate potassium salt in cynomolgus monkeys. Toxicol Sci 68, 249-264.

Thuresson, K., Hoglund, P., Hagmar, L., Sjodin, A., Bergman, A., Jakobsson, K., 2006. Apparent half-lives of hepta- to decabrominated diphenyl ethers in human serum as determined in occupationally exposed workers. Environ Health Perspect 114, 176-181.

Turyk, M.E., Persky, V.W., Imm, P., Knobeloch, L., Chatterton, R., Anderson, H.A., 2008. Hormone disruption by PBDEs in adult male sport fish consumers. Environ Health Perspect 116, 1635-1641.

Viberg, H., Fredriksson, A., Eriksson, P., 2004. Investigations of strain and/or gender differences in developmental neurotoxic effects of polybrominated diphenyl ethers in mice. Toxicol Sci 81, 344-353.

Viberg, H., Fredriksson, A., Jakobsson, E., Orn, U., Eriksson, P., 2003. Neurobehavioral derangements in adult mice receiving decabrominated diphenyl ether (PBDE 209) during a defined period of neonatal brain development. Toxicol Sci 76, 112-120.

von Meyerinck, L., Hufnagel, B., Schmoldt, A., Benthe, H.F., 1990. Induction of rat liver microsomal cytochrome P-450 by the pentabromo diphenyl ether Bromkal 70 and half-lives of its components in the adipose tissue. Toxicology 61, 259-274.

Wada, Y., Koizumi, A., Yoshinaga, T., Harada, K., Inoue, K., Morikawa, A., Muroi, J., Inoue, S., Eslami, B., Hirosawa, I., Hirosawa, A., Fujii, S., Fujimine, Y., Hachiya, N., Koda, S., Kusaka, Y., Murata, K., Nakatsuka, H., Omae, K., Saito, N., Shimbo, S., Takenaka, K., Takeshita, T., Todoriki, H., Watanabe, T., Ikeda, M., 2005. Secular trends and geographical variations in the dietary intake of polybrominated diphenyl ethers (PBDEs) using archived samples from the early 1980s and mid 1990s in Japan. J Occup Health 47, 236-241.

Wahl, M., Lahni, B., Guenther, R., Kuch, B., Yang, L., Straehle, U., Strack, S., Weiss, C., 2008. A technical mixture of 2,2',4,4'-tetrabromo diphenyl ether (BDE47) and brominated furans triggers aryl hydrocarbon receptor (AhR) mediated gene expression and toxicity. Chemosphere 73, 209-215.

WHO, 1998. Environmental Health Criteria 205 : Polybrominated dibenzo-p-dioxins and dibenzofurans.

Zhou, T., Ross, D.G., DeVito, M.J., Crofton, K.M., 2001. Effects of short-term in vivo exposure to polybrominated diphenyl ethers on thyroid hormones and hepatic enzyme activities in weanling rats. Toxicol Sci 61, 76-82.

Ⅲ-14　農薬類

名古屋市立大学大学院医学研究科環境保健学分野
上島通浩，伊藤由起
名古屋大学医学部保健学科検査技術科学専攻
上山　純

1. はじめに

「農薬」とは農作物の病原体，害虫や雑草を積極的に防除し，あるいは病害，虫害，雑草害から作物を予防的に保護し，農業の生産性を高めるために使用する薬剤を表す語である．ヒトや動物の疾病の診断，治療または予防目的で使用される前提で開発された医薬と同様に，「薬」という漢字が与えられている．1948年に制定された農薬取締法（2007年最終改正）では，「『農薬』とは，農作物（樹木及び農林産物を含む）を害する菌，線虫，だに，昆虫，ねずみその他の動植物又はウイルス（以下，「病害虫」と総称する）の防除に用いられる殺菌剤，殺虫剤その他の薬剤及び農作物等の生理機能の増進又は抑制に用いられる成長促進剤，発芽抑制剤その他の薬剤をいう」と定義されている．また，病害虫の防除のために利用される天敵や昆虫の性フェロモン等は，農薬取締法上は農薬とみなすこととされている．

一方，農薬という語は英語のpesticideの訳語としても用いられるが，pesticideは，上記で定義された農作物への病害虫に加え，ヒトや家畜・ペット，家屋等にとっての病害虫や，これらを媒介する，あるいはヒトにとって不快な昆虫，動植物等を誘引・忌避・防除する薬剤・物質をも包含する用語である．すなわち，駆虫剤や，家庭用の殺虫剤を含む衛生害虫防除用の薬剤（一部は薬事法上の医薬品・医薬部外品としても登録されている），公園，駐車場，宅地など非農耕地専用の除草剤等もpesticideに含まれるが，これらは農薬取締法上の農薬ではない．本章ではこの法の定義にとらわれず，pesticideの意味する有機合成薬剤をひろく農薬類として扱う．

農薬類はその用途に応じて，1）殺虫剤（広義には有害昆虫を防除する薬剤に加え，殺ダニ剤，殺線虫剤，くん蒸剤が含まれる），2）殺菌剤（病原細菌，病原糸状菌を防除する薬剤で，ウイルス病防除剤も含む），3）除草剤，4）殺鼠剤，5）植物成長調整剤（芽の伸長，花芽の形成，果実の成熟促進，種子の発芽率向上，果実の摘果，茎の節間伸張の抑制などを行う），6）その他（忌避剤，誘引剤など）に分類される．

2. 農薬類による中毒の発生状況

2008（平成20）年の人口動態統計によれば，国内では年間1000人余が農薬類の体内摂取を原因として死亡している．その内訳は，「農薬による中毒及び曝露にもとづく自傷及び自殺」が397人（「故意の自傷及び自殺」を死因とする者の1.3%），「農薬による不慮の中毒及び曝露」が116人（「有害物質による不慮の中毒及び有害物質への曝露」を死因とする者の13.0%），「農薬の毒作用」が523人（「薬用を主としない物質の毒作用」を死因とする者の8.8%）である．この40年ほどの間で農薬中毒死の件数をみると，1970年代は年間1000人前後であったのが80年代になって増えて1986年に2600人超とピークを迎え，その後減少し90年代後半よりほぼ現在の数になっている．

世界では，世界保健機関(WHO)によれば，毎年300万人の農薬類による中毒が発生し25万人が過剰に死亡している．死者の大多数の原因毒物は，急性毒性の強い有機リン系殺虫剤であり，エンドサルファンをはじめとする有機塩素系殺虫剤や除草剤パラコートも中毒の原因薬剤として重要である．

死亡にまでは至らない中毒がどの程度発生しているかに関して，農林水産省は全国の中毒件数として2008年度に散布中7件38人，誤用が9件24人と報告している．これらの数値はいずれも急性中毒事例のものであり，慢性中毒の発生状況については不明であるが，多くの農薬類は環境中での散布・使用を前提として開発され使用基準が定められている．海外の場合は別として，今日の日本では，一部の職域曝露を除き健康影響が現実問題として危惧されるような曝露は起きにくいと考えられる．したがって，今日においては後述するように農薬類への曝露を健康リスクとしてとらえ，その程度の評価及び適切な管理という視点での研究を深めていくことが望まれる．

3. 農薬類の毒性の分子機構

本章では，農薬類の生体における作用の分子機構に関し，主要な殺虫剤を中心に解説する．

ほとんどの有機合成殺虫剤の急性毒性の作用点は神経系にあり，興奮伝達の亢進または抑制が殺虫機序となっている．このため，昆虫と共通の作用点がヒトにあれば，原理的にはその薬剤はヒトの健康に何らかのリスクがあるということになる．しかし，体内に摂取された殺虫剤が作用点に到達するまでの毒物動態(toxicokinetics)と急性毒性の作用点における毒力学(toxicodynamics)には昆虫と哺乳類(特にヒト)との間に種差があり，昆虫に対する選択毒性が確保されている．

3－1)有機塩素系及びフェニルピラゾール系殺虫剤

γ－BHC（リンデン)やシクロジエン系を含む有機塩素系殺虫剤の多くは，残留性や強い毒性のために1970年代半ばまでに農薬登録が失効したが，世界的には全殺虫剤の6%を占め，発展途上国では依然として大量に使用されている．これらの殺虫剤は，$GABA_A$レセプター／C1－チャネル複合体を急性毒性の作用点とする．この機序は，昆虫やほ乳類に痙攣を惹起し，抑制性神経伝達物質であるγ－アミノ酪酸(GABA)の作用を非競合的に阻害するピクロトキシニンの作用点の追求により明らかにされた．ピクロトキシニンはfishberry plantの殺虫成分として知られる．神経膜標品上には2つのα，2つのβ，1つのγの合計5つのサブユニットで形成される$GABA_A$レセプターが存在するが[1]，このレセプター上のGABA結合部位とは異なる部位に[^{3}H]ジヒドロピクロトキシニン(DHPTX)の結合部位があることが，1970年代に解明された[2]．[^{3}H] DHPTXは$GABA_A$レセプターへの親和性及び特異的結合が小さく，レセプター実験のリガンドとしては限界があったが，ベンゾジアゼピンの結合部位が$GABA_A$レセプター上に存在することが明らかになったのと同じ時期に，このレセプターに特異性の高い非競合的拮抗薬ブチルビシクロフォスフォロチオネイト(TBPS)が合成され，ピクロトキシニン結合部位を作用点とすることが明らかにされた．上記の有機塩素系殺虫剤はピクロトキシニンと同様にGABA誘導性$C1^-$イオン取り込みを抑制し，[^{35}S] TBPSを用いたレセプター結合実験により，リンデンやシクロジエン系殺虫剤の作用点が$GABA_A$レセプターにあることが証明された[3]．

フェニルピラゾール系殺虫剤であるフィプロニルも，$GABA_A$レセプターの阻害が急性の神経毒性機序である．しかし，ほ乳類の脳においては，半数致死量以上の投与によってもTBPS以上にレセプターへの特異的結合がより高い[^{3}H]エチニルビシクロオルソベンゾエイト([^{3}H] EBOB)の結合を阻害しない[4]．脊髄後根神経節の電気生理学的実験からも，フィプロニルの$GABA_A$レセプター上での結合部位は，上記の有機塩素系殺虫剤とは異なることが示されている．

3－2)有機リン系及びカーバメート系殺虫剤

3－2－1)急性毒性

殺虫剤として使用される有機リン系及びカーバメート系農薬類は，B型と呼ばれるエステラーゼ群を阻害し，神経伝達物質としてのアセチルコリンエステラーゼ(AcChE)が作用点である．アセチルコリンは，中枢神経系(ニコチン性レセプター及びムスカリン性レセプター)，神経筋接合部(ニコチン性レセプター)，副交感神経節後線維終末(ムスカリン性レセプター)などを含む自律神経系に存在する．AcChEが阻害され神経終末から放出されるアセチルコリンが蓄積することにより効果器が過剰に興奮し，その結果，ニコチン作用およびムスカリン作用による種々の急性中毒症状が出現する．軽症では食欲不振，吐き気，嘔吐，倦怠感，頭痛，めまい等が，中等度では視力減退，縮瞳，顔面蒼白，血圧上昇，興奮症状を呈し，重篤な場合には肺水腫，呼吸困難，全身痙攣，昏睡をきたす．カーバメート系殺虫剤によるAcChEの失活は可逆的であるが，有機リン系殺虫剤によりリン酸化されて失活したAcChEの回復には，週単位の時間がかかる．ただし，有機リン系殺虫剤にはプラリドキシムという特異的解毒剤があり，求核試薬として働き失活したAcChEを脱リン酸化させて復活させることができる．しかし，リン酸化AcChEは時間が経過すると脱アルキル化(脱メチルまたは脱エチル)され(これをagingという)，プラリドキシムを用いても復活しなくなる．

初期に開発された有機リン系殺虫剤は，有害生物(害虫)と哺乳類との間での急性毒性の選択性を表す選択係数(例：イエバエに対するラットの半数致死量)が小さい傾向にある．メチルパラチオンやパラチオンは多くの害虫に優れた効果を示し，1952年に農薬登録されたが，皮膚吸収されやすく散布時の中毒による死亡事故が多発した．このため1971年に農薬登録が失効し，現在日本では使われていないが，諸外国では殺虫スペクトルが広いために今でも使用されており，多くの研究の対象物質となっている．1961年に登録されたフェニトロチオンは国内で開発された有機リン系殺虫剤として有名であるが，メチルパラチオンのベンゼン環上の3位にメチル基を1つ挿入した構造の違いだけで，選択係数が20倍以上上昇し安全性が高まった．この昆虫に対する高い選択毒性発現機構の一部は，酸化的脱イオウ化したオキソン体代謝物のAcChEに対する親和性の差で説明されているが，本質的には謎のままで，「マジ

殺虫剤名	LD50 (mg/kg体重) イエバエ	LD50 (mg/kg体重) ラット	選択係数
メチルパラチオン			
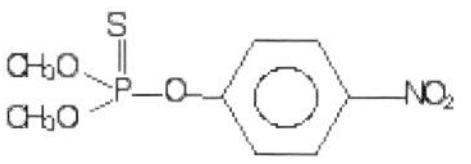	1.3	15	11.5
フェニトロチオン			
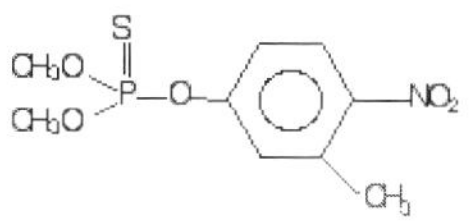	2.6	740	285

図1　メチルパラチオンとフェニトロチオンの選択毒性

ックメチル」と呼ばれている(図1)．

さて，AcChEは温血動物の生存に不可欠であって血清ブチリルコリンエステラーゼ(BuChE)には生理学的な機能がないと，長年にわたり信じられてきた．それは，未だAcChE活性をもたない人は見つかっていないのに対し，遺伝的にBuChE活性がない人が存在することは知られており，そのような人は筋弛緩薬の作用が延長すること等以外には生命活動の維持に何の問題も見られないからである．有機リン系殺虫剤を散布する職域で曝露量が多かった時代には，簡便に測れるBuChEの作業者における検査値が基準値を大きく下回ることが問題となっていたが，そのような作業者でも特に神経症状がみられないということは珍しくなかったことからも，BuChEの抑制は曝露指標であって影響指標ではないと思われていた．しかし，AcChEノックアウトマウスの作成が可能になり，このマウスは振せんを呈しながらも生存可能であることが報告され[5,6]，AcChEは生存に不可欠であるというドグマは崩れることとなった．この報告では，ノックアウトマウスで有機リン剤が野生型に比べ強い毒性を発揮するという当然予想される結果とともに，BuChEがAcChEを代替し，脳においてはアセチルコリンを加水分解する本質的な役割をおそらく果たしているであろうことが示されている．

3－2－2)遅発性神経障害

特定の有機リン系殺虫剤やトリオルトクレシルリン酸に関して，急性中毒から回復後，1～3週

間経過してから発症する多発性神経障害が1930年代頃より大きな問題になり，遅発性神経障害(OPIDN)と呼ばれその機序が注目されるようになった．1969年にイギリスのジョンソンらのグループは，有機リン系殺虫剤で阻害されるエステラーゼ活性のうち，OPIDN発症作用を有するマイパフォックスで阻害され，作用を有しないパラオキソンでは阻害されない部分を見つけ[7]，後にこれは神経毒性標的エステラーゼ(neuropathy target esterase, NTE)と呼ばれるようになった．このエステラーゼを単離するために，放射性同位元素を含む有機リン化合物を用いてNTEを標識する試みがなされ，当時NTE阻害力が最も強いことで知られたジイソプロピルフルオロリン酸(DFP)が用いられたが，[^{3}H] DFPによるNTEの標識力が十分高くなく，また，NTEが不安定であるために完全には成功しなかった．1992年，DFPより約3000倍NTE阻害力の強いオクチルベンゾジオキサフォスフォリン2－オキシド(OBDPO)が合成され，[^{3}H] OBDPOを用いて標識されたNTEの分子量は155KDaであることが確認された．さらにオートラジオグラフィーの手法を用いて，阻害されたNTEの神経組織内分布を直接知ることが可能になり，神経細胞に局在していることが明らかになった．同時期に，ビオチン化した有機リン化合物を用いたアフィニティークロマトグラフィーにより得たNTE断片をもとに抗体が作成され，NTEの免疫組織染色が行われるとともに，アミノ酸配列が明らかにされた[8]．NTEの生体における機能は長年謎とされてきたが，近年になってノックアウトマウスがつくられるようになり，ホモ型は胎生期に全て死亡することが報告された[9]．神経変性疾患との関連も指摘され，NTEが変異したヒトでは遺伝的な痙性麻痺が起きることが報告されている．

3－3)ピレスロイド及びDDT

これらの殺虫剤の急性毒性機序は，コリン作動領域外にある．神経軸索膜上にある電位依存性Naチャネルが閉じるのを阻害し，神経線維の興奮伝導をブロックする．ピレスロイド系殺虫剤は，急性毒性という点では温血動物には事実上無害で，家庭用殺虫剤としてもひろく使われている．

近年，cis－ペルメトリン，サイパーメトリン，フェンバレレート等のピレスロイド系薬剤は，マウスへの数十mg/kg体重の繰り返し投与で精子形成阻害やテストステロン減少などが生じ，精巣毒性を有することが明らかになった．その機序として，精巣ライディッヒ細胞のミトコンドリア膜が傷害され，コレステロールのミトコンドリアへの取り込みを制御するステロイド産生急性調節性蛋白質(StAR)や，ミトコンドリア内でコレステロールをプレグネノロンに変換するチトクロムP450コレステロール側鎖切断酵素(P450scc)発現量が低下し，ステロイドの生合成が阻害されることが報告されている[10]．

3－4)ネオニオコチノイド

ニコチン性アセチルコリンレセプターに作用する薬剤として，イミダクロプリドが1992年に農薬登録された．これは，有機塩素系，有機リン系，カーバメート系，ピレスロイド系の薬剤に対する抵抗性害虫の出現により，これらの殺虫機序とは全く異なる作用機序をもつ薬剤が望まれていた背景の中で開発された．イミダクロプリドをはじめ，アセタミプリド，ニテンピラム，ニチアジン等は，シナプト後膜に存在する5量体であるニコチン性アセチルコリンレセプター（特に$\alpha 4 \beta 2$サブタイプ)のサブユニット間の境界部にアゴニストとして結合し，興奮と神経伝達遮断作用をもつ[11]．このことより，これらクロロニコチル系殺虫剤はネオニコチノイドと呼ばれ，哺乳類に急性毒性が低い新しい殺虫剤として位置づけられている．

3－5)パラコート(除草剤)

パラコートは急性毒性の最も強い除草剤のひとつであり，今日の日本において中毒学的に重要な農薬類の1つである．大量に摂取すると早期にショックや多臓器不全で死亡するが，この危機を乗り越えても致命的な肺線維症を生じることで知られる．治療の有無やその中身に関わらず体内摂取した時点の量で生命予後が決定する．体内に吸収されると還元されてフリーラジカルを形成し，これは酸素の存在下でただちに再酸化され，酸素に電子をわたしてスーパーオキシドアニオンをつくり，この酸化還元反応の繰り返しが生体における細胞毒性に関与している[12]．

4. 殺虫剤の代謝の分子機構

本章では，国内で使用頻度の高い有機リン系及びピレスロイド系殺虫剤について述べる．

4－1)有機リン系殺虫剤

殺虫剤として使用されている有機リン系農薬類は，リンに二重結合している原子が酸素(オキソン型)または硫黄(チオノ型)であるかの2種類に大別される．リン原子上の求核置換反応であるAcChEのリン酸化反応が，酵素活性阻害の本態であり，リン原子の電子密度が低いほど阻害活性が高い．したがって，オキソン型化合物は，チオノ型化合物に比べ著しくAcChE阻害活性が高い．

チオノ型有機リン剤は体内に摂取されると酸化的脱イオウ反応を受けて代謝活性化される(図2)．この反応はミクロソーム酸化酵素(特にチトクロムP450)によって触媒され，パラチオンやダイアジノン等ではCYP3A4がこの反応を担う主要なP450アイソザイムであることが知られている[13]．P450は上記のように代謝活性化に関与するとともに，芳香族基の脱離反応にも関与している．一方，O－メチルチオリン酸エステルはグルタチオンS－アルキルトランスフェラーゼの作用によって，メチル基が還元型グルタチオン(GSH)に転移する．その結果生じる脱メチル体には AcChE 阻害活性がなく，これは急性毒性という点では解毒の機構である．代謝活性化されたオキソン型の有機リンを解毒(加水分解)する主要な酵素はパラオキソナーゼ1 (PON1)であり，尿中には有機リン系殺虫剤に共通する代謝物であるジアルキルリン酸(ジメチルリン酸，ジメチルチオリン酸，ジエチルリン酸，ジエチルチオリン酸等)と，各有機リンに固有の代謝物(パラチオンの場合は*p*-ニトロフェノール)が排泄される(図2)．後述するように，今日ではこれらの尿中代謝物の高感度測定が可能になっており[14]，生物学的モニタリングに用いられている．

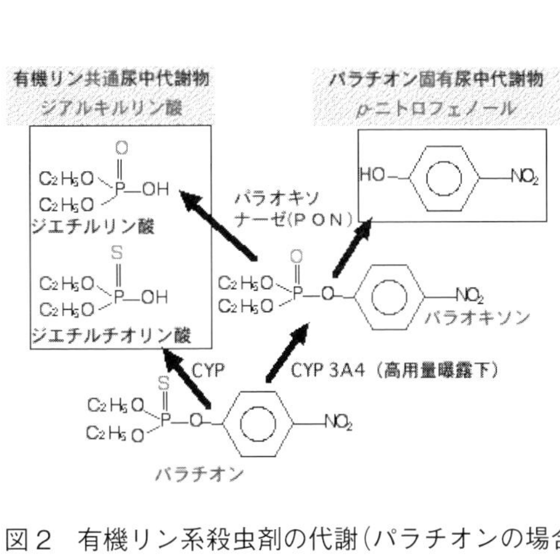

図2　有機リン系殺虫剤の代謝(パラチオンの場合)

PON1には活性に影響のある多型がいくつか知られている．パラオキソン(パラチオンのオキソン型代謝物)，メチルパラオキソン(メチルパラチオン由来)，クロルピリホスオキソン(クロルピリホス由来)の場合，192番目のアミノ酸がグルタミン(Qアレル)からアルギニン(Rアレル)に置換すると加水分解速度が増し，一方，ダイアゾオキソン(ダイアジノン由来)は逆にQアレルを持つ方が活性は高い．ただし，PON1活性は子どもから大人への成長とともに増強することともに，QアレルかRアレルかを決める一塩基多型のみでは酵素活性の高低を予測できないことが言われている．ダイアゾオキソンの場合，同じ多型をもっていても子どもと大人とでは，最大65倍活性が異なることが報告されている[15]．

4－2)ピレスロイド系殺虫剤

代表的なピレスロイド系殺虫剤の1つであるペルメトリンは，体内に摂取されると血液あるいは肝臓等に分布するカルボキシルエステラーゼによってエステル結合部が加水分解される(図3)．これで生じるジメチルシクロプロパンカルボン酸はグルクロン酸あるいはタウリン抱合を受けて排泄される．一方，3－フェノキシベンジルアルコールはアルコールデヒドロゲナーゼ，アルデヒドデヒドロゲナーゼおよびP450による酸化反応，グルクロン酸，グルタミン酸，硫酸およびグリシンによる抱合を受けて体外に排泄される．3フェノキシ安息香酸(3PBA)が産生される代謝経路以外にも，芳香族環の水酸化による4'あるいは2'－OH－3PBAを産生する経路などもある[16]．市

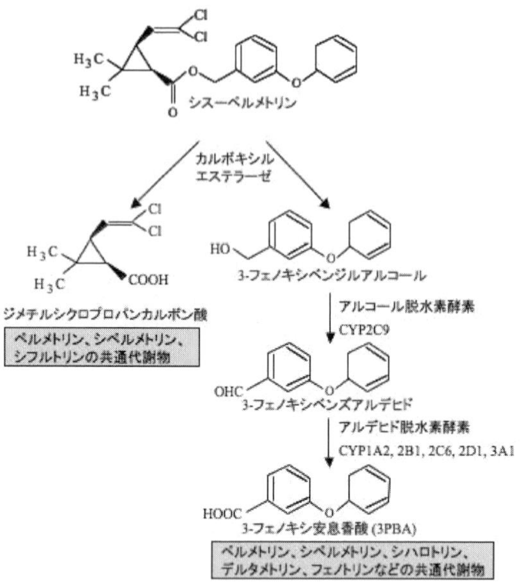

図３　ピレスロイド系殺虫剤の代謝(ペルメトリンの場合)

販のピレスロイド系殺虫剤は異性体混合物であり，レスメトリンの場合含まれる異性体の数は8種にもおよぶ．シス体の代謝速度はトランス体より遅く，例えば，*cis* －ペルメトリンは *trans* －ペルメトリンに比べてカルボキシルエステラーゼによる加水分解速度が遅いために血液からの消失速度が遅延し，trans 体に比べて毒性が強い．

3PBA はペルメトリンをはじめとする多くのピレスロイド系殺虫剤の共通代謝物であり尿中での安定性も高い．分析技術の向上により，有機リン系殺虫剤と同様に 3PBA を含む尿中代謝物の高感度測定が可能になり，現在では一般生活環境における集団の生物学的モニタリングが行われている[17]．

カルボキシルエステラーゼ分子種の活性の違いがピレスロイド系殺虫剤の体内動態および毒性に影響を及ぼしているという報告は，見当たらない．いくつかのカルボキシルエステラーゼ分子種がピレスロイド系殺虫剤の代謝に関わっているため特定分子種の活性の影響を受けにくいことが推察される．有機リン系殺虫剤は AcChE や BuChE 活性を阻害するだけでなく，カルボキシルエステラーゼ活性も同時に阻害するため，ピレスロイド系殺虫剤と有機リン系殺虫剤の同時曝露はピレスロイド系殺虫剤の体内動態および毒性を変化させる可能性があり，曝露影響評価を行う場合は注意が必要である[18]．

5. 農薬類の健康リスク評価

5 － 1)環境中における農薬類の使用管理の動向

人類は農耕を始めて以来，作物をいかに病害虫から守り食糧を安定的に確保するかに悩まされ続けてきた．また，病原微生物を媒介する衛生害虫等を生活環境からいかに排除するかは，健康を確保する上で重要な課題であった．したがって，農薬類の歴史は作物保護・衛生的な環境の獲得をめざす苦闘の歴史でもある．稲作を例にとれば，台風襲来前に収穫を終了するスケジュールで田植えを行うことは，地温が高く根腐れの起こりやすい時期に生理的に最も弱い減数分裂期を迎えないためにも重要であるが，それは稲の害虫であるニカメイチュウの発生時期と重なるために不可能であった．しかしこの問題は，1950 年代に農薬によるニカメイチュウの防除が可能になり，解決された．

一方で，DDT を含む残留性の高い塩素系殺虫剤は，環境への負荷の問題からこの 30 年間に多くの国で使用が禁止された．いもち病菌に対する決定的な防除剤として 1950 年代に開発された酢酸フェニル水銀は，米への水銀の残留が問題となり，1969 年度から使用されなくなった．近年は有機リン系殺虫剤についても，屋外での農業労働者の曝露量が許容範囲といえないことや環境中での生物への影響のリスクを理由に，ヨーロッパ諸国を筆頭に規制が強まる方向にある．医薬が薬効というベネフィットと副作用という健康へのリスクを秤にかけ，リスクを最小限とするように目指して開発・使用されるのと同様に，農薬類においても薬剤使用により得られるベネフィットと環境や健康へのリスクとのバランスをどのようにとるのかは，重要な問題である．

従来，病害虫が発生し，または発生する恐れがあった場合には，防除の目的で必要と思われる範囲に農薬類の予防的散布を含む使用がなされていた．しかし，生態系への農薬類の負荷や残留農薬等によるヒトの健康リスクへの懸念が社会的に生じるに至り，総合的病害虫管理(Integrated Pest Management, IPM)という考え方が提唱されるようになり，農薬類の使用管理をより厳密に行うようになりつつある．この考え方の源流は，1950年代に米国カリフォルニア大学において提唱された，選択的に農薬を用いて天敵を活かす防除法の概念(Integrated Pest Control)にみることができる[19]．この考え方がより総合的な防除概念へと進化したものがIPMであり，考えられるあらゆる有効・適切な技術を，お互い矛盾しない形で組み合わせて使用し，有害生物を許容範囲以下に減少させ，その後もそのレベルに維持していく管理システムを指す．すなわち，病害虫を完全に防除することを目指すのでなく，被害を及ぼさない程度に抑制することを目標とし，薬剤の使用量を最小限度に抑え，生態系に影響を及ぼさないようにしようとするものである．そのために，病害虫が発生しにくい環境の整備という予防的措置，捕獲器(トラップ)を用いることなどによる病害虫の発生状況の確認(モニタリング)と防除の要否及びそのタイミングに関する判断，発生状況に基づく適切な手段を選択して行う防除を体系づけて行うことが目指されている．

5－2)職域における殺虫剤曝露の健康リスク評価

害虫防除作業を行う職域においては，長年にわたり殺虫剤曝露による急性中毒の予防が大きな課題であった．標的生物(昆虫)への選択性が高く，急性毒性という点ではヒトに対して比較的安全なDDTやピレスロイド系に比べ，DDT以外の有機塩素系殺虫剤や有機リン系殺虫剤については中毒事故が多発してきた歴史がある．したがって，これらの殺虫剤に関しては，曝露作業者の作業管理や健康管理における生物学的モニタリングの必要性は高いが，先進国の多くでは有機塩素系殺虫剤の使用が禁止されているため，ここでは有機リン系殺虫剤に限定して述べる．

農薬類の検査には，薬剤そのもの，あるいは代謝物を血中または尿中で測定する方法と，薬剤の体内摂取によって変動する血液生化学的指標を測定し，曝露量や生体影響の大きさを評価する方法がある．有機リン系殺虫剤は体内で速やかに代謝されるため，事故的な高用量曝露による急性中毒時を除き，今日では血中または尿中に薬剤そのものが検出されることはまれである．一般には，有機リン系殺虫剤がコリンエステラーゼを阻害する性質を利用して，神経系のAcChEと同等の赤血球膜AcChEの活性測定が，神経影響の間接的な評価手段として世界的に実施されている．厚生労働省の指導勧奨により実施される曝露労働者を対象とする健康診断では，生化学自動分析装置により測定できるBuChE活性が指標として用いられることが多いが，BuChEはその名の通り基質が異なり，阻害の程度と神経症状とは必ずしも対応せず，生体影響指標としてよりも曝露量増加の検出を目的とする意味合いが強い．

赤血球AcChEについては，無毒性量は曝露前に比較したときの酵素活性低下が30%未満とされ，この基準が国際的に用いられている[20]．血清BuChE値を用いる場合，判定基準はAcChE測定の場合のカットオフ値を準用して作業管理を行えばよい．

発展途上国を中心に，海外では今日も曝露作業者のコリンエステラーゼ低下をいかに減らす作業管理を行うかは重要な課題であるが，国内では有機リン系殺虫剤の使用量が以前に比べ減っていることに加え，昆虫への選択性が高い(ヒトに対しての急性毒性の低い)薬剤への転換が進み，管理の行き届いた職域ではコリンエステラーゼの低下はほとんど見られなくなっている．このため，コリンエステラーゼ阻害より鋭敏な方法として，次項でも述べる尿中代謝物測定による生物学的モニタリングが，研究的な段階ではあるが一部の職域で行われている．

さらに最近，血中のコリンエステラーゼ活性より有機リン系農薬に特異的かつ鋭敏に反応する指標として，血清中のβグルクロニダーゼ活性が提唱されている．肝ミクロソーム中の小胞体には，カルボキシルエステラーゼのアイソザイムであるエガシンがβグルクロニダーゼのアクセサリー蛋白として存在する．体内にとりこまれた有機リン系殺虫剤は肝細胞に取り込まれてそのオキソン体がエガシンと結合する．するとβグルクロニダーゼはエガシンから遊離して血中濃度が上昇する．尿中代謝物のように個別の有機リン系殺虫剤の特異的指標とはなりえないが，質量分析計が必要な代謝物測定より検査が簡便であるという特長を有する．

5－3)一般生活環境における殺虫剤曝露の健康リスク評価

農業用の薬剤に留まらず，蚊取り線香や不快害虫の忌避剤を含む衛生害虫や街路樹害虫の防除用殺虫剤，衣類の防虫剤など，農薬類はもっとも身近な環境化学物質である．近年，食品中の残留農薬管理の向上を目的に導入されたポジティブリスト制や，シックハウス対策としての室内濃度指針値の設定及び建築基準法の改正により，日常生活を通しての農薬類への曝露量の管理は大きな前進をみたが，健康への漠然とした不安感を覚える人は現在でも少なくない．より精密なリスク評価とリスクコミュニケーションのあり方は，進歩を続ける医学及び農薬科学の重要なテーマであり続けると言って良く，食の安全に関しては，食品安全基本法に基づいて食品安全委員会が2003年に内閣府に設置され，規制や指導等のリスク管理を行う関係行政機関から独立してリスク評価を行う体制が構築されている．

従来，一般生活環境における農薬類の曝露評価は，モデル献立(マーケットバスケット調査)中の残留農薬量の測定結果や水道水・空気中濃度の環境モニタリング結果等から推定されてきたが，食生活を含むライフスタイルの個人差は大きく，個人曝露量評価という点では限界があった．しかし，近年，分析機器(ガスクロマトグラフ質量分析計(GC/MS)及び高速液体クロマトグラフ質量分析計(LC/MS/MS))と試料の前処理法の進歩により，尿中の農薬類代謝物の高感度測定が可能になった[14, 17]．以下に，有機リン系殺虫剤とピレスロイド系殺虫剤について述べる．

多くの有機リン系殺虫剤は，最も酸性の基とリンとの結合部位が加水分解を受け，ジアルキルリン酸および特定の有機リンに固有の官能基(例：ダイアジノンの場合は2－イソプロピル－6－メチル－4－ピリミジノール，フェニトロチオンは3－メチル－4－ニトロフェノール，パラチオンは*p*-ニトロフェノール(図2))が尿中に排泄される．ピレスロイド系殺虫剤の多くは，シクロプロパン環を含む酸部分と五員環不飽和ケトンを含むアルコール部分からなり，両者を結ぶエステル結合が加水分解されて，それぞれが尿中に排泄される(図3)．

一般生活者集団を対象とした上記の尿中代謝物による曝露モニタリングは，米国，日本をはじめいくつかの国で行われ始めており，生活の各場面で受ける全農薬類の曝露量の合計に対してリスク評価を行う道が開けてきた．今後，この方法によりはじめて検出できるような微量曝露がどの程度健康へのリスクとなっているか，疫学研究の積み重ねによって定量的に明らかにされていくであろう．

6. おわりに

健康科学という側面での農薬類に関する研究課題には，急性中毒予防という視点と，低用量長期曝露による健康リスクの評価及び管理という視点とがある．後者の低用量長期曝露による健康リスクの問題は，急性中毒が多発する状態では対応の優先順位が相対的に低くなる．したがって，低毒性の農薬類への転換と農薬類の使用量減少に向かう先進国では，社会の関心は前者より後者に向かうのに対し，農薬類の規制や使用管理が十分に行われていない発展途上国では，使用現場における急性中毒の発生予防がいまだに大きな課題となっている．

農薬の存在しない農業はありえず，また，マラリアをはじめ昆虫が媒介する疾病が流行している国々では，衛生害虫の防除は優先度の高い公衆衛生課題である．そして，使用する薬剤に対する抵抗性昆虫の出現・大量発生は，医療の現場における抗生物質耐性菌出現の問題と同様に，農業及び公衆衛生への重大な脅威となりうる．その一方，ヒトで農薬類の毒性が発現することがないようにすることはもちろん，標的となる病害虫以外の生物・生態系への影響を最小とすることが要求される．農薬の登録に際しては，急性・亜急性・慢性毒性試験・変異原性試験・代謝試験・環境中での残留性の試験や各種生物への短期・長期毒性試験が課されているが，社会におけるリスクコミュニケーションのあり方を含め，課題も存在する．健康及び食糧生産への貢献に加え，生物の多様性が維持された環境の保全を総合的に視野に入れた農薬科学の発展が，今後ますます望まれている．

参考文献

1. Uusi-Oukari M and Korpi E：Regulation of $GABA_A$ receptor subunit expression by pharmacological agents. Pharmacol Rev 62, 97-135, 2010.
2. Ticku M, Ban M and Olsen R：Binding of [^{3}H] alpha-dihydropicrotoxinin, a gamma-aminobutyric acid synaptic antagonist, to rat brain membranes. Mol Pharmacol 14, 391-402, 1978.
3. Lawrence L and Casida J：Interactions of lindane, toxaphene and cyclodienes with brain-specific t-butylbicyclophosphorothionate receptor. Life Sci 35, 171-178, 1984.
4. Kamijima M and Casida J：Regional modification of [^{3}H] Ethynylbicycloorthobenzoate binding in mouse brain $GABA_A$ receptor by endosulfan, fipronil, and avermectin B_{1a}. Toxicol Appl Pharmacol 163, 188-194, 2000.
5. Mesulam M, Guillozet A, Shaw P, Levey A, Duysen E and Lockridge O：Acetylcholinesterase knockouts establish central cholinergic pathways and can use butyrylcholinesterase to hydrolyze acetylcholine. Neuroscience 110, 627-639, 2002.
6. Xie W, Stribley J, Chatonnet A, Wilder P, Rizzino A, McComb R, Taylor P, Hinrichs S and Lockridge O：Postnatal developmental delay and supersensitivity to organophosphate in gene-targeted mice lacking acetylcholinesterase. J Pharmacol Exp Ther 293, 896-902, 2000.
7. Johnson M：The delayed neurotoxic effect of some organophosphorus compounds. Identification of the phosphorylation site as an esterase. Biochem J 114, 711-717, 1969.
8. Lush M, Li Y, Read D, Willis A and Glynn P：Neuropathy target esterase and a homologous Drosophila neurodegeneration-associated mutant protein contain a novel domain conserved from bacteria to man. Biochem J 332, 1-4, 1998.
9. Winrow C, Hemming M, Allen D, Quistad G, Casida J and Barlow C：Loss of neuropathy target esterase in mice links organophosphate exposure to hyperactivity. Nat Genet 33, 477-485, 2003.
10. Zhang SY, Ito Y, Yamanoshita O, Yanagiba Y, Kobayashi M, Taya K, Li C, Okamura A, Miyata M, Ueyama J, Lee CH, Kamijima M and Nakajima T：Permethrin may disrupt testosterone biosynthesis via mitochondrial membrane damage of Leydig cells in adult male mouse. Endocrinology 148, 3941-3949, 2007.
11. Tomizawa M and JE. C：Neonicotinoid insecticide toxicology：mechanisms of selective action. Annu Rev Pharmacol Toxicol 45, 247-268, 2005.
12. Suntres ZE：Role of antioxidants in paraquat toxicity. Toxicology 180, 65-77, 2002.
13. Buratti FM, Volpe MT, Meneguz A, Vittozzi L and Testai E：CYP-specific bioactivation of four organophosphorothioate pesticides by human liver microsomes. Toxicol Appl Pharmacol 186, 143-154, 2003.
14. Ueyama J, Kamijima M, Kondo T, Takagi K, Shibata E, Hasegawa T, Wakusawa S, Taki T, Gotoh M and Saito I：Revised method for routine determination of urinary dialkyl phosphates using gas chromatography-mass spectrometry. J Chromatogr B Analyt Technol Biomed Life Sci 878, 1257-1263.
15. Furlong CE, Holland N, Richter RJ, Bradman A, Ho A and Eskenazi B：PON1 status of farmworker mothers and children as a predictor of organophosphate sensitivity. Pharmacogenet Genomics 16, 183-190, 2006.
16. WHO, 1990. Permethrin. Environmental Health Criteria Permethrin　94, World Health Organization, Geneva.
17. Ueyama J, Saito I and Kamijima M：Analysis and evaluation of pyrethroid exposure in human population based on biological monitoring of urinary pyrethroid metabolites. J Pestic Sci 35, 87-98, 2010.
18. Costa L：Toxic effects of pesticides. In：Klaassen CD ed. Toxicology. New York：Mac Graw-Hill Companies, Inc, 2008：883-930.
19. 牧野孝宏．微生物農薬．日本農薬学会編，農薬の環境科学最前線．東京：ソフトサイエンス社，2004：315-327.
20. Raymond M-K. Biological monitoring. In：LaDou J, ed. Current Occupational & Environmental Medicine. New York：MacGraw-Hill Companies, Inc, 2007：629-640.

Ⅲ-15　物理的因子（騒音，振動，電磁波など）による生体侵襲

金沢大学医薬保健研究域医学系教授
中村裕之

1. 騒音

1. 音

音は，純粋に物理的現象であって，その性質は周波数，音圧および波形の三要素によって物理的に表現できる．ヒトの聴覚で感じることができる周波数領域は，およそ 20 － 20kHz の範囲であって，これを可聴音とよび，20Hz 以下の波動を超低周波音とよび，20kHz 以上の波動は超音波とよばれている．騒音の概念は，このような客観的な物理量として定義されるのではなく，主観的なヒトの感覚であるために，騒音を取り扱う場合，特に，その評価に関しては，物理量である一面と，それに対するヒトの生体反応という面を，絶えず同時に考慮する必要がある．音の物理量を表す単位は，音響エネルギー密度レベル（Le（dB）=10log10（E/E_0），E_0=2.94 × 10-15J/m^3）で表す．ここで注意したいのは，音響エネルギー密度の和は，この定義に基づいて計算しなければならないことである．たとえば，L1=84dB，L2=80dB の場合のときの和は，約 85.4dB と L1 に約 1.4dB 増えるだけである．

2. 騒音レベルと健康影響

音は，内耳の外毛細胞と内毛細胞が人体における最初の感覚受容器であり，物理量としての騒音はこれらの細胞の変性やコルチ器の破壊をもたらすことにより，耳痛や聴力損失をもたらす．さらに，音は耳から大脳聴領への固有経路を通るが，このとき，脳幹網様体を介して大脳皮質に到達する非特異的投射経路と特異的経路を刺激し，音の「うるささ」などの不快感が生じる．この音の「うるささ」を，統一的に評価する場合の基本的な量が騒音レベルである．騒音レベルは，一般環境では等価騒音レベルによって頻繁に表され，また，純音に対する周波数ごとの等ラウンドネス曲線を用いた周波数重み付け音圧レベルがよく用いられるのは，騒音に対する評価法として，物理量と感覚量である「うるささ」を最も反映しているものとして理解されている．中でも，図 1 に示す A 特性と呼ばれている周波数特性の重みづけをして測定した音圧レベ

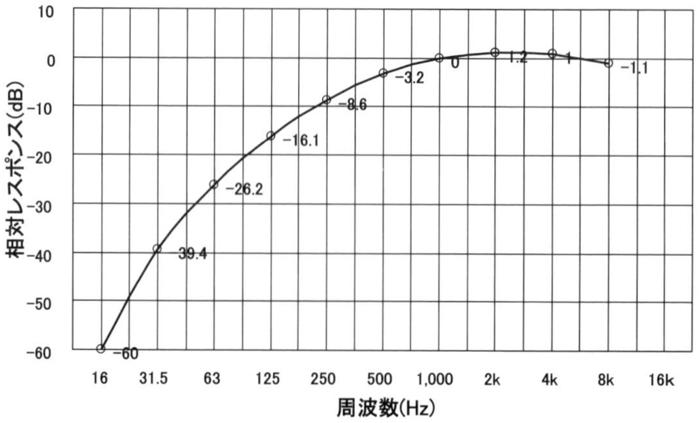

図 1　騒音計の周波数補正回路の特性（A 特性）

ル dB（A）は，様々な産業職場で用いられる．このときの等価騒音レベルをLaeqと記する．騒音レベルが，一般環境では，等価騒音レベル（Laeq）によって頻繁に表される．

1）難聴（職業性難聴）

騒音の生体影響としては，特異的影響として聴覚への物理的影響がまず挙げられる．一定レベル以上の騒音を長期間聴いていると難聴が生じる．これは，内耳にあり，音を神経に伝達する有毛細胞の変性と脱落による感音性難聴で，a）4,000Hzの音の聴力の低下から始まる，b）初期には気がつかないことが多い（会話はもっと低い音で行っているため），c）治りが悪いという特徴がある．等価騒音レベルで常時85dB以上の騒音に暴露される労働者に対しては，騒音障害防止のためのガイドライン（平成4年10月1日付け基発第546号，http://www.campus.ne.jp/~labor/anei/sisinetc/souon-guideline.html）に基づき，配置前や6月以内ごとに一回定期に聴力検査を始めとする健康診断を行い，結果に応じて，防音保護具の使用，騒音作業時間の短縮等の措置を行う必要がある．ここで等価騒音レベルとは，単位時間当たりの騒音レベルを平均化した評価値で，変動する騒音に対する人間の生理・心理的反応とよく対応することが知られている．

2）生理・心理的反応

聴覚への影響以外には，視床下部―下垂体―副腎皮質系をはじめとする内分泌系への影響や，交感神経系の亢進によって唾液，胃液の分泌減少，胃腸運動抑制，瞳孔の散大などが生じる．これらの内分泌系や自律神経系への影響は，情動ストレスによる急性期の反応であり，非特異的作用の結果としてみることができる．また情動ストレスの作用の結果，生活習慣の変化，例えば，食生活の乱れ，飲酒量の増大，運動習慣の低下，喫煙量の増大，睡眠障害などが生じ，様々な生活習慣病が生じる．これが，慢性の間接的な影響として位置づけられるものである．しかしながら，これらの影響が生じるレベルは，生活環境で生じることはなく，職場環境での比較的大きい騒音レベル以上のものと理解されている[1]．

3. 騒音の環境基準

一方，小さい騒音レベルでも生活環境であるならば，始終，ストレスとなりうるから，その基準は，より影響が少ないレベルで設定されている．小さいレベルでの騒音では，パフォーマンスへの影響や，様々な住民反応が生じる．

1）騒音苦情状況

環境省は，全国の都道府県等の報告に基づき，平成20年度における騒音規制法の施行状況を取りまとめた．その概要は次のとおりである．

（1）騒音に係る環境基準の地域類型を当てはめる地域を有する市区町村は，平成20年度末において，全国の市区町村数の71.1％に当たる1,279市区町村であった．平成20年度に環境騒音の測定を実施した地方公共団体数は363市区町村であり，全測定地点3,513地点のうち，80.5％の地点で環境基準に適合していた．

（2）騒音規制法に基づく規制地域を有する市区町村は，平成20年度末現在，全国の市区町村の75.4％に当たる1,357市区町村であった．同法に基づき届出された規制対象の工場・事業場（特定工場等）の総数は，平成20年度末現在，全国で213,261件（前年度213,032件）であった．また，同法に基づき平成20年度に届出された規制対象の建設作業（特定建設作業）の総数は，67,464件（同71,077件）であった．

（3）騒音苦情の件数は，平成20年度は15,558件（前年度16,434件）で，前年度に比べ876件減少した．

苦情の内訳を見ると，工場・事業場が最も多く5,142件（全体の33.1％），建設作業が4,586件（29.5％），営業が1,664件（10.7％）等であった．前年度と比較すると，家庭生活に係る苦情が100件増加したものの，建設作業に係る苦情は579件，工場・事業場に係る苦情は288件減少した．

2）騒音に係わる環境基準（平成10年環境庁告示第64号）

道路に面しない地域での環境基準は，地域の類型及び時間の区分ごとに次表の基準値の欄に掲げるとおりとし，各類型を当てはめる地域は，都道府県知事が指定する．

各論Ⅲ

地域の類型	基準値	
	昼間	夜間
AA	50デシベル以下	40デシベル以下
A及びB	55デシベル以下	45デシベル以下
C	60デシベル以下	50デシベル以下

（注） 時間の区分は，昼間を午前6時から午後10時までの間とし，夜間を午後10時から翌日の午前6時までの間とする．AAを当てはめる地域は，療養施設，社会福祉施設等が集合して設置される地域など特に静穏を要する地域とする．Aを当てはめる地域は，専ら住居の用に供される地域とする．Bを当てはめる地域は，主として住居の用に供される地域とする．Cを当てはめる地域は，相当数の住居と併せて商業，工業等の用に供される地域とする．

4. 超低周波音

本来音として感知できないとされた，いわば可聴音周波数以下の低い周波数の空気振動にも関心がもたれるようになった．工場では圧縮機，送風機，振動ふるいなどで，生活環境ではダムの放流，高速道路橋などで騒音，振動とは異なる低周波の空気振動による影響が注目されたことがきっかけとなっている．1973年のパリ会議では0.1～20Hzの周波数範囲の音を超低周波音(infrasonics)と定義しているが，実際には可聴音も混在していることが多く，0.1～20Hzの空気振動成分を主としながらも可聴域下限の低周波数の音をも含めて超低周波空気振動，超低周波音とよんでいる．

超低周波空気振動が話題になったのも伝播距離が大きく，波長が長いので工学的に除去，軽減することが難しいことにもよる．人体影響の発現機序や受容の過程などをこれからの問題点としているものの，音としてではないにしても皮膚知覚のほか，すでに述べたようにすくなくとも聴器でも感受されるという意見がある．すなわち，古典的な可聴域の見直しも提起されている．

昨今，風力発電施設に関して低周波音の苦情が寄せられていることから，環境省は風力発電施設から発生する騒音・低周波音の実態調査を実施した(平成21年度)．風力発電設備の近傍測定点で観測された31.5Hzや160～200Hzに特徴のある騒音・低周波音が測定されたため，環境省では，引き続き関連する調査・解析を実施し，実態の解明に努めていくこととしている．

2. 振動

1. 局所振動と全身振動

振動には，手持ち工具での作業のように，手にだけ伝達される手腕振動(局所振動)と，地ならし機などの車両を操作する際や，家屋の揺れに際して全身に暴露される全身振動がある．手腕振動では，慢性暴露により白指症などの末梢循環障害，末梢神経障害，骨・関節障害が産業医学上の問題となる．これを振動障害とよぶ．欧米諸国では，振動とは全身振動を指し，産業医学上や環境医学上の大きな問題となる．このように，手腕振動と全身振動に厳密に区別して論じる必要がある．

2. 手腕振動(職業性振動)の生体影響

チェンソー，さく岩機などの振動工具を長期間，用いたことによって生じるレイノー現象発現のメカニズムは，おおよそ図2のごとくである[2, 3]．手が振動に繰り返し暴露されると，暴露局所の動脈における中膜の平滑筋細胞のノルアドレナリンへの感受性が亢進し，さらには内膜の肥厚も生じる．このような局所血管機能障害と器質障害を併せて有することに振動起因性レイノー（白指)症の特徴がある．そのほか，末梢神経障害として，手のしびれやこわばり，知覚の異常，力が入らないといった症状を呈する．また，骨・関節・筋の障害として，手指や関節の変形や運動制限がみられることもある．また，振動の直接的な影響ではないが，騒音性難聴を伴っていることもある．

3. 振動障害の認定基準と鑑別診断

1)認定基準

現在の振動障害の認定基準は，これらの検査で異常が認められれば，即，振動障害と判断してもよいというものではなく，第1次または第2次健康診断で医師がレイノー現象の存在を認めれば，業務上の認定をしてもよく，また振動障害に関する検査で末梢循環障害，末梢神経障害，運動器

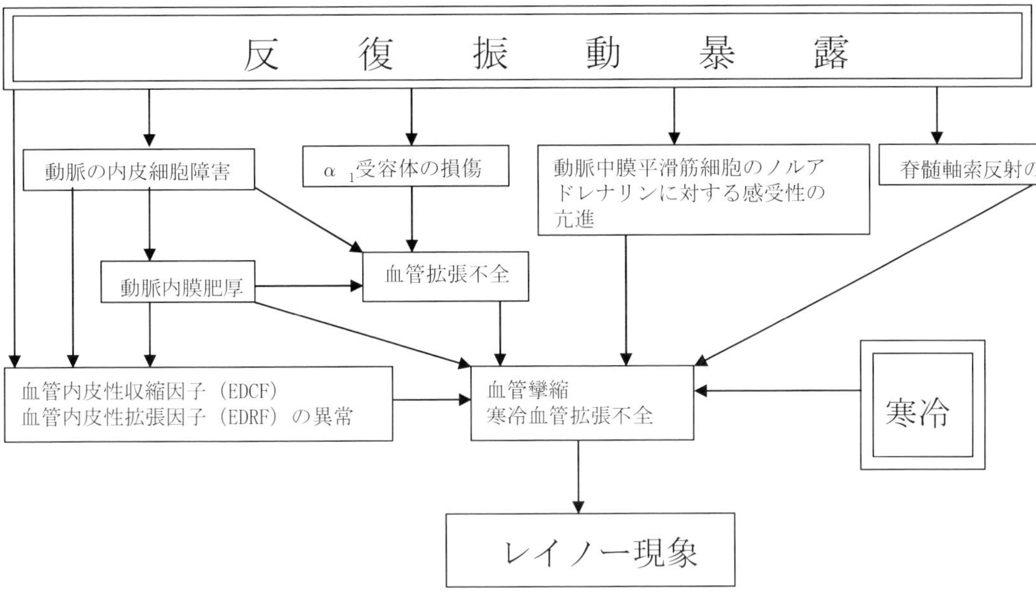

図２　手腕系振動暴露によるレイノー現象の発現機序

（骨・関節系）の障害のいずれかが顕著であれば業務上の認定をしてもよい．しかし，振動起因性であるかどうかは，レイノー現象，尺骨神経麻痺，正中神経麻痺や，骨関節系の障害がいずれも振動障害に特有ではないことに注意すべきであって，振動障害と判断するためには，職歴，自・他覚症状などの臨床症状や検査結果などから総合的に判断すべきである．

これらの健康診断は，本来，あくまでも健康管理のための健康診断であり，本来，業務上外を決定すべきために行うものではないことを念頭に入れるべきである．

2）鑑別診断

レイノー症状を呈する疾患は多く，原因不明だが若い女性に多いレイノー病を１次性（特発性）レイノー病とよび，原因が明らかな疾患を２次性（続発性）レイノー症候群とよび，振動起因性白指症は，後者に属す．

２次性レイノー現象をきたす主な疾患を表６に列挙した．レイノー現象の出現頻度の高いもののうち，全身性進行性硬化症（PSS）ではほとんど全例に認められ，混合性結合組織病（MTCD）では96%，全身性エリテマトーゼス（SLE）では59%，シェーグレン症候群で41%，慢性関節リウマチ（RA）で18%などの膠原病に頻度が高く，皮膚筋炎にもまれに認められる．これらの膠原病と振動起因性白指症との鑑別診断のためには，末梢血検査（赤血球数，白血球数，血色素量，ヘマトクリット），免疫血清学的検査（LE細胞，抗核抗体，リウマチ因子，C反応タンパク等），赤血球沈降速度，血清タンパク電気泳動などが行われる．

振動起因性白指症の発作は，指の遠位節に限定されることが多く，障害の程度の進行にしたがって，中位節，近位節までの広がりを呈する．また，特発性レイノー病と異なり，左右対称性に生じるというより，左右どちらかが優位となり，また，同じ手の指でも程度の差があることが特徴とされる．振動起因性白指症では第Ⅰ指や足指が冒されることはほとんどないという特徴を捉えるべきである．

振動暴露を受けない集団で認められるレイノー症状の有症率を振動工具作業でのレイノー症状の有症率と比較することによって，実際の振動暴露のレイノー発症に対する危険度を評価した研究によれば，4.5m/s^2（rms）が１日２時間の振動暴露のときの暴露限界となるともいわれている．したがって，振動暴露量の少ない作業者で認められるレイノー症状については，その原因を振動以外に求めなければならない．

4. 全身振動の生体影響

全身振動では，交通車両，農業用車両，船舶，航空機などのように，立位，座位あるいは体をもたれたりして振動が足や臀部などから伝播し，体全体がゆれ動かされる条件での振動暴露であるため，振動の人体への影響を知るためには，振動は人体のどの部位にどのように伝達するか，すなわち人体への伝達様相が重要となる．その際には，振動加速度を一定にしたときには，周波数の振動感覚に与える影響は最も特徴的であり，かつ最も重要である．垂直振動と水平振動では，振動数と振動感覚の関係が全く異なり，垂直振動の場合，振動加速度を一定にすると，おおよそ振動数4－8Hzにおいて最も振動が大きく感じられ，それより大きくても小さくても振動感覚は小さくなる．一方，水平振動の場合2Hzまでが最も振動感覚は大きく，それより振動数が大きくなるにつれて，振動は小さく感じられるのである．人体各部位の共振振動数を考慮に入れ，作成された国際的ガイドラインISO2631（1978）の振動数評価曲線（図3）に寄与している．

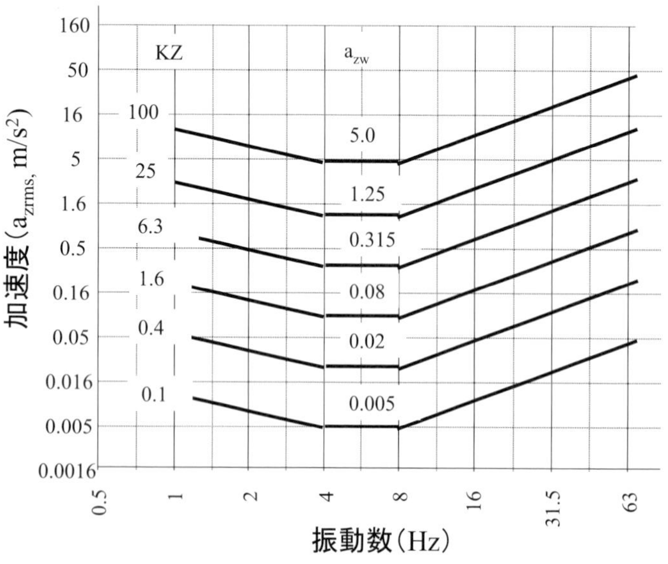

図3　Z方向（垂直方向）の周波数重み付け曲線（ISO 2631）

5. 振動の環境基準

環境省は，全国の都道府県等の報告に基づき，平成20年度における振動規制法の施行状況を取りまとめた．その概要は次のとおりである．

(1) 振動規制法に基づく規制地域を有する市区町村は，平成20年度末現在，全国の市区町村の69.1％に当たる1,243市区町村であった．同法に基づき届出された規制対象の工場・事業場（特定工場等）の総数は，平成20年度末現在，全国で125,989件（前年度126,996件）であった．また，同法に基づき届出された規制対象の建設作業（特定建設作業）の総数は，32,744件（同34,807件）であった．

(2) 振動苦情の件数は，平成20年度は2,941件（前年度3,384件）で，前年度に比べ443件減少した．苦情の内訳を見ると，建設作業が最も多く1,774件（全体の60.3％），工場・事業場が667件（22.7％），道路交通が215件（7.3％）等であった．前年度と比較すると，鉄道に係る苦情が12件増加したものの，建設作業に係る苦情が318件，工場・事業場に係る苦情が84件減少した．

(3) 振動規制法の指定地域内の特定工場等に係る苦情179件のうち，法に基づく立入検査は145件実施された．また，測定が74件実施された結果，規制基準を超えていたものが15件であり，法に基づく改善勧告及び改善命令は行われなかった．この他，行政指導が176件行われた．また，指定地域内の特定建設作業に係る苦情615件のうち，法に基づく立入検査は433件行われた．また，測定が137件実施された結果，規制基準を超えていたものは8件であり，法に基づく改善勧告及び改善命令は行われなかった．この他，行政指導が548件行われた．

3. 電磁波

1. 電磁波

電磁波とは電場と磁場から成り，10^{25}Hzのガンマ線から極低周波（ELF, <300Hz）まであり，10^{15}Hz

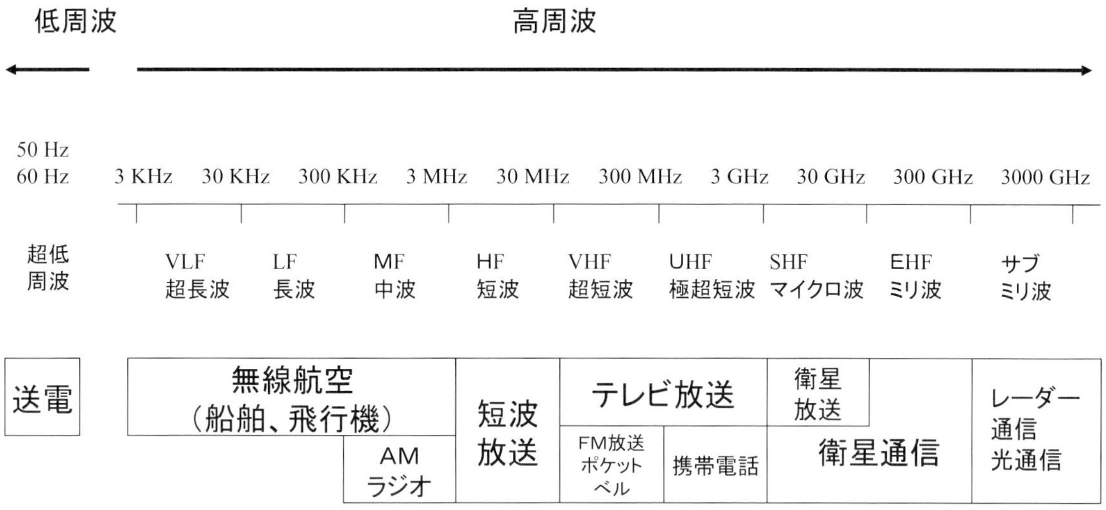

図４　周波数と電磁波

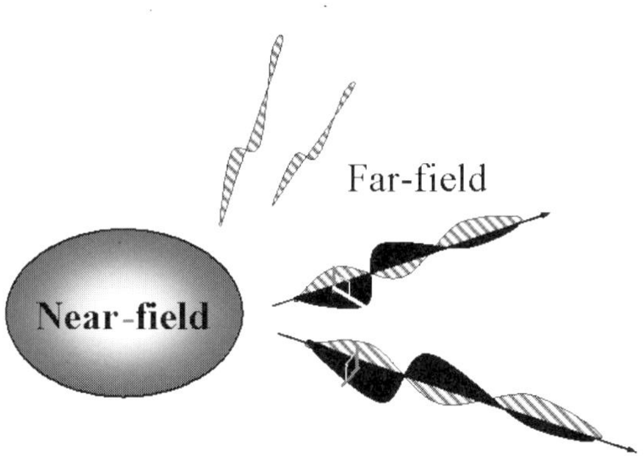

図５　電磁波と電磁界

より高い紫外線，X線，γ線はイオン化能をもつため，遺伝子障害力を有する．このため，この周波数帯の電磁波を電離電磁波あるいは放射線と呼ぶ．紫外線を非電離放射線に含めるには，慎重である理由は，紫外線にも電離作用があり，これによる遺伝子障害が証明されるからである．また，10^{14}Hzより下の赤外線から超短波付近(100 M Hz)までは生体に対しては誘電加熱と誘導加熱による産熱が主効果であるが，電流による刺激作用，その他の作用もあるともいわれている．非電離電磁波の過度の暴露は，職業上，明らかな生体影響をもたらす．一方，一般住民は，低レベルでありながら，受精の瞬間から昼夜，暴露されることになるため，環境医学上，その生体影響について早急に解決すべき大きな問題である．

非電離電磁波は，波という性質を有する以外に，電界と磁界という両面の性質を有するため，そのアプローチを一層，困難にしている．本講では，マイクロ波を含めた非電離電磁波，電磁界の生体影響を基盤に，その評価法と環境管理，生体影響について論じる．図４に周波数ごとの非電離電磁波の呼称と用途を示した．

1)非電離電磁波と電磁界の評価法

電磁波は，電磁場の特殊な状態と考えられる．波長/2π(＝光速/2π/周波数)より近い場では電場強度は距離によって大きく異なり，電場と磁場のインピーダンスが一致しないため，厳密な意味での電磁波(電波)ではなく，一方，狭義の電磁場はこれより近い場を指す．例えば，50Hzの商用周波数では約950km以内が電磁場となる(図5)．

生体の発熱は，電界，磁界のどちらに起因しているかによって，誘電加熱と誘導加熱作用に分けられる．誘導加熱は，比較的低周波数(数百kHzから数MHz程度)においてのみ認められる．一方，誘電加熱による発熱は，周波数にそれほど依存しない．すなわり，電子レンジや高周波ウェルダーは，マイクロ波帯で相当な高周波(915MHzと2.45GHz)であるため，その熱作用は誘電加熱作用に基づく．波源から波長/2πより短いところで使用される(ことに，800－900MHzで使われる携帯電話も頭では電磁場）ことから，電磁場の性質を有するため，電界と磁界の作用を考える必要があるが，加熱作用に関していえば，磁界の作用は無視できる．

2）非電離電磁波と電磁界の生体影響

電磁界が，生体に及ぼす効果は，電磁界の種類（電界，磁界，電磁波）によって異なり，さらに周波数，照射レベル，照射時間，波形の種類，照射部位などにも左右される．その生体影響は，電流による刺激作用，熱の発生，その他に分けられることは上述した．刺激作用は，1kHz以下に認められ，発熱作用は，電磁エネルギーが吸収されることから生じることから，1kHz以上でも生じる．

（1）紫外線

紫外線は，アーク溶接，溶断，殺菌作業などで使用され，眼に対する有害性が最も大きく，特に角膜が侵されやすい．電光性眼炎，雪眼炎（雪盲），皮膚がんを引き起こす．

（2）赤外線

赤外線は，生体に照射されると組織の深部まで透過し，吸収されて熱になり，その部分を暖めるので熱線ともいう．太陽光線以外では，灼熱している物から放射されるので，炉の監視とか製鉄工や鍛冶およびガラス工などが大量に赤外線に暴露されることになる．特に，白内障が問題になる．

（3）レーザー光線

通信や情報処理また医療現場で使用されるレーザー光線は人工の光であり，自然光と比べると，一定の波長を持つこと，位相がそろっていること，指向性と集光性にすぐれていることの性質を有する．レーザー光線は網膜火傷や皮膚障害を引き起こす．

（4）マイクロ波

マイクロ波は，レーダー，高周波炉，医療用ジアテルミー，電子レンジなどで暴露され，赤外線よりさらに深層に到達する．その生体影響は，発熱作用とその他（ストレス作用，マイクロ波固有の影響）に分けられる．発熱作用の場合，比較的高周波数であるマイクロ波の生体の発熱は，誘電加熱によるものであるから，波源との距離にかかわらず，つまり近傍界であろうと，遠傍界であろうと，人体組織1g当たりに吸収される電磁力（specific absorption rate, SAR）によってマイクロ波の暴露量の大きさが評価されることがわかっている．このように，体温上昇作用を有するため，放熱機構の乏しい眼や睾丸への影響を引き起こし，白内障や無精子症が問題になる．また，妊娠期における子宮への影響も注目されている[4)]．

（5）ラジオ波以下の周波数帯

1979年にWertheimerとLeeper[4, 5)]が配電線の近くに住む小児のがん罹患率が通常の2－3倍であったという報告以来，極低周波の電磁場と白血病などのがんとの関連が多く論じられているが，未だ結論には達していない．

3）非電離電磁波，電磁界の暴露ガイドライン

人体に暴露される電磁界については，電磁波放射源と暴露地点との距離が，波長に比して短い近傍電磁界であるかによって取り扱いが異なる．また，遠方界では，一定の関係（電界／磁界≒377Ω）があるため，その一方で評価が可能である．基本的には，距離によって大きく減衰し，さらには，金属性構造物によって効果的に遮断される．

マイクロ波による規制は，1950年代から始まり，ACGIH（American Conference of Governmental Industrial Hygienists, 1982） とDIN（Deutsche Industrie-Norm, 1984）の許容値では，誘電加熱による発熱を1℃までに抑えること，あるいはSARを0.4W/kg（0.1h）以内にすることが定められている[4)]．電磁波の場合，SARの周波数依存曲線（1mW/cm^2に対する平均SAR値）をもとに，0.4W/kgを与える電力密度[mW/cm^2]を求め，これを安全基準で数Hzまで与えられることができるので，下記のように，低周波数帯では，電磁波としてより，磁界の影響も考慮した限界値が現実となる．

一方，携帯電話における体表面1cm^2当たりの被曝量（6分間）の規制値は，米国では0.2mW/cm^2に対して，日本では，周波数÷1500あるいは最大1mW/cm^2以下，また出力規制では，SAR（0.1h）を指標とし，米国と日本ではそれぞれ1.6W/kg，8W/kg以下となっている．

1MHz以下の誘電加熱作用は少ないため，SARを評価の基準にせず，磁場強度の実効値（Hg, A/m）としている．なお，80.15A/m≒0.1mTである．DIN案では，50Hzでは磁束密度の限界値は5mT（50G）となる．

現在，問題になっている極低周波域の磁束密度は，10^{-3} 付近が生体影響の限界値とも考えられ，送電線の平均的な磁束密度 10^{-5} とはかなりの隔たりがある．

参考文献

1. 岡田晃：騒音・振動と健康．臨床医 4：136-140, 1978.
2. 岡田　晃，那須吉郎，井上尚英：振動障害－基礎・臨床の最近の動向－，日本労働総合研究所，1988.
3. 中村裕之，岡田　晃：振動起因性白指症（白ろう病），後藤由夫，松尾　裕，佐藤昭夫編「自律神経の基礎と臨床」，医薬ジャーナル，p269-p273, 1993.
4. 中村裕之：職場におけるラジオ波帯とマイクロ波帯の電磁波の健康影響，産業医学レビュー 16，43-55, 2003.
5. Wertheimer N, Leeper E：Electric wiring configurations and childhood cancer, Am J Epdemiol 109, 273-284, 1979.

各論Ⅳ

ゲノム医科学の分子予防医学への統合

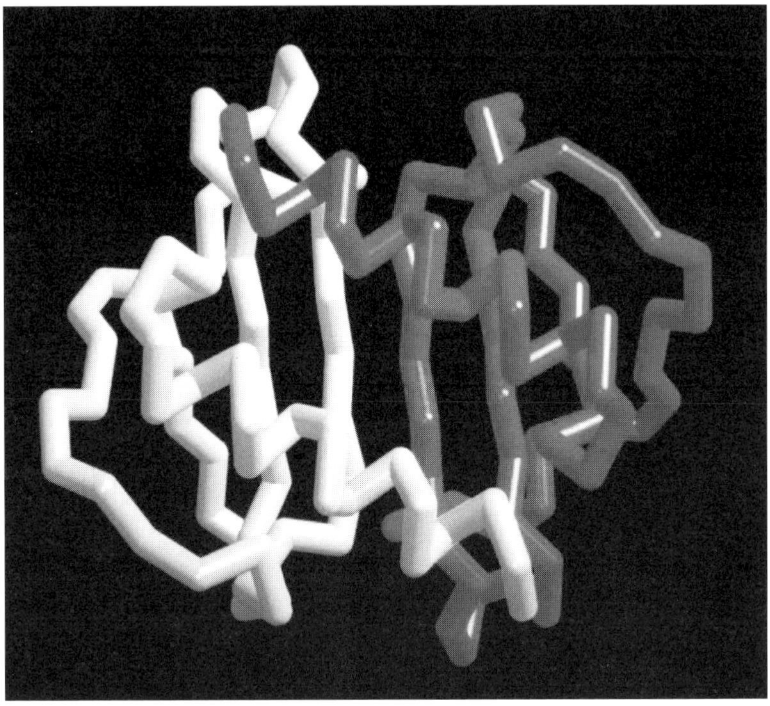

Ⅳ-1　オーダーメイド医療

信州大学医学部遺伝医学・予防医学講座　教授
信州大学医学部附属病院遺伝子診療部　部長
福嶋義光

はじめに

オーダーメイド医療(欄外注1)[1]とは，個人化医療(indivisualized medicine)あるいは個別化医療(personalized medicine)とも呼ばれ，ヒトゲノム解析研究の成果を基礎に，個々人の病気の質および個々人の薬物反応性などの体質の違いを明らかにした上で，個々人に最も適した治療・予防を行おうとする医療である．今後，予防医学を含む医療の中核となることは間違いないが，現状ではまだ概念的な要素が強く，解決すべき問題も多い．ここではオーダーメイド医療の目指すものの概略を述べ，実用化に最も近い薬理遺伝学的検査について紹介したのち，今後解決しなければならない事柄を遺伝子情報の扱い方を中心に解説する．

1. オーダーメイド医療への期待

現在，多くの疾患の診断は臨床症状，身体所見および臨床検査所見によってなされているが，同じ疾患名であっても，発症に関与する遺伝子および分子遺伝学的発症機序が同一であるとは限らない．従来のレディメイド医療としては，同じ疾患の患者であれば同じ薬剤を投与せざるを得ず，その結果，その薬剤が著効を示す人(レスポンダー)，ほとんど効果のない人(ノンレスポンダー)，あるいは効果がないだけではなく，重篤な副作用がおこる人まで生じていた．薬物投与の際のオーダーメイド医療としては，効果の予想される人にだけその薬剤を投与し，効果がない，あるいは重篤な副作用が予想される場合には別の治療法を行うことなどが考えられる．その他のオーダーメイド医療としては，一人一人の遺伝的な病気へのなりやすさを明らかにした上で，最も適切な予防法・治

欄外注1　「オーダーメイド医療」と「テーラーメイド医療」

「オーダーメイド医療」は，personalized medicine を表現するために，中村祐輔教授(東京大学医科学研究所)が使い始めた用語である．従来の医療は病名が決まると画一的な治療が行われがちであり，「レディメイド医療」と表現することができるのに対し，ヒトゲノム解析研究の成果を基に，個々人の遺伝的背景を考慮にいれた個々人に最も適した医療を行おうとするのが「オーダーメイド医療」の概念である．「オーダーメイド」は和製英語であり，英語にも Taylor-made medicine という言葉があるので，「テーラーメイド医療」と呼ぶべきであるという意見もある．しかし，「オーダーメイド」，「レディメイド」はすでに日本語として定着しているのに対し，「テーラーメイド」はまだ定着しているとは言えず，専門家まかせで主体性が感じられず，お金持ちしか利用できないような印象のある言葉であり，我国の現状では「オーダーメイド医療」という用語を使った方が一般の方達にはわかりやすいと筆者は考えている．

療法を実施することができるようになることが期待されている.

1－1. 薬理遺伝学的検査の意義

オーダーメイド医療において，最もその応用が近いと考えられている薬理遺伝学的検査について，具体的な例をあげて，その意義を考えてみたい．関節リウマチの薬であるスルファサラジン(SSZ)の副作用のおこり方と，薬物代謝酵素であるNAT2の遺伝子多型との関係を明らかにした研究がある[2)]（表2）．副作用がおこりやすい遺伝子多型をもっていると判定された人を検査陽性，副作用がおこりにくい遺伝子多型をもっていると判定された人を検査陰性として記載している．スルファサラジンを服用した関節リウマチの患者330人を観察したところ，そのうち7名(7/330=2.1%)に肝機能障害など重篤な副作用がおこった．副作用がおきた7名を詳しくみると，4名は検査陽性であった．したがって，この検査の感度は4/7=57%である．一方，検査陽性と判定された21人のうち，副作用がおきたのは4名なので，この検査の陽性的中率は，4/21=19%となる．この検査陽性者で副作用がおこる19%という確率は，検査陰性者で副作用がおこる確率(3/306=0.98%)と比べれば，19.6倍(19/0.98)も副作用がおこりやすいことを示している．*NAT2*の遺伝子多型検査を行い陽性者には，スルファサラジンを投与しないことにすれば，副作用の発生率を，2.1%(7/330)から0.98%（3/309）まで減少させることができることを示している．薬物治療の安全性を高めるために，副作用と遺伝子多型との関係を調べる薬理遺伝学的研究がさまざまな薬剤について進められている．

このような研究は，その薬物を服用する患者全体における副作用頻度を減少させるため，すなわち薬物治療の安全性を高めるために大変有意義である．一方，薬理遺伝学的検査を実際に医療の場で用いる際には，次の二つの点に注意しなければならない．

まず，一つ目はこの遺伝子多型検査を導入しても，副作用の発生をゼロにすることはできないということである．新たにその薬物の服用が必要になった患者を対象に，その薬剤を服用する前に遺伝子多型検査をし，陰性という結果が得られた場合でも，「あなたがこの薬物を服用しても副作用はおきませんよ」ということはできない．スルファサラジンの例では，検査陰性者でも100人に1人の割合で副作用がおこることを忘れてはならない．集団全体の副作用を減少させることと，一人一人の患者の将来を確実に予測することとは時限の異なる問題である．薬理遺伝学的検査を実際の医療の場で実施する際はこの点を十分認識し，一人一人の患者に説明しておく必要がある．遺伝子の情報は生涯変化しないが，その情報が意味するものはあくまでも確率的なものであることを十分理解しておく必要がある．

薬理遺伝学的検査で注意しなければならないもう一つの点は，検査陽性であっても副作用がおきない人が少なからずいるということである．スルファサラジンの例では，17/21=81%には副作用がおきていない．検査陽性者にスルファサラジンを投与しないことにすれば，重篤な副作用を減少させることはできるが，検査陽性者の治療方法の一つがなくなってしまうことになる．関節リウマチの場合は，スルファサラジン以外の有効な治療法があるので，それほど大きな問題にはならないが，他の治療方法がない疾患では判断が難しい場合がある．

表2　スルファサラジンによる副作用とNAT2遺伝子多型検査結果

	副作用あり	副作用なし	合計
検査陽性	4人	17人	21人
検査陰性	3人	306人	309人
合計	7人	323人	330人

1－2.「多因子疾患のリスク判定と生活習慣の改善」の落とし穴

現在，高血圧，糖尿病，心筋梗塞，アルツハイマー病，アレルギー疾患，骨粗鬆症などの多因子疾患の遺伝要因の解明に関する研究が進められている．その研究の中には，その疾患の発症に関連すると考えられる遺伝子の遺伝子多型頻度を患者群と健常群でみて，それぞれの遺伝子多型ごとの発症リスクを明らかにするものがある．この研究で，発症リスクが高くなる遺伝子多型を明らかにすることができれば，その疾患の病態解明につながり，ひいては新しい治療法，予防法の開発も期待でき，新しい医学の創造にもつながるので，このような研究を推進することには大変大きな意義がある．

しかし，研究者の中には単に発症リスクを患者に示すことが，「オーダーメイド医療」であり，この情報により生活習慣を改善することができ，医学的メリットが生じると盲目的に信じている人もいるので，要注意である．遺伝子情報を真に医学的メリットのために利用するためには，その情報に基づき，適切な治療法，予防法を実施することができ，その個人にとって，よりよいQOL（quality of life）に結びつくことが根拠をもって示されなければならない．生涯変化しない遺伝子情報は偏見・差別と表裏一体であり，その扱い方には十分な注意が必要である．

アポリポタンパクの遺伝子多型とアルツハイマー病の発症リスクを例に考えてみよう．アポリポタンパクには，apo E2，apo E3，apo E4の3型がある．現在わかっていることは，健常者集団ではapo E4を持つ人の頻度はおよそ10%であるが，アルツハイマー病患者集団ではapo E4を持つ人の頻度は約40%である．したがって，apo E4を持っている人はアルツハイマー病の発症に関して，高リスクであるといえる．それでは，現在，健康な人がアポリポタンパクの遺伝子多型の検査を行い，apo E4を持っていることがわかった場合，この人がアルツハイマー病に罹患する可能性はどの程度なのだろうか．一般集団のアルツハイマー病の生涯罹患率を3%と仮定し，10000人の集団を考えてみよう．10000人の集団のうち，アルツハイマー病になるのは3%なので，患者は300人いることになる．そのうち，apo E4陽性者は40%なので，患者でapo E4陽性の人は120人いるということになる．一方，アルツハイマー病にならない人は，10000 − 300=9700人いることになり，その10%がapo E4陽性なので，健常者でapo E4陽性の人は970人いることになる．これらをまとめると，この10000人の集団にはapo E4陽性者が　120+970=1090人いて，そのうち発症するのは120人だけということになり，apo E4陽性者が発症する可能性は　120/1090=約11%ということになる．一般頻度が3%であることに比べると，確かに発症リスクは高くなるが，apo E4が陽性であっても，9割近くの人はアルツハイマー病を発症しないのである．apo E4陽性者のための予防薬や治療薬が開発されてくれば，アポリポタンパクの遺伝子多型検査は医学的に意味を持つが，対処する方法がない現状では，この検査に医学的メリットはない．あくまでもアルツハイマー病の発症機序解明のために明らかにされた研究成果の一つにすぎず，遺伝子診断として医療に直接役立てられるものではない．本人の健康管理に役立たないだけではなく，本人を不安に陥れることにもなる．また「なりやすい」という情報が漏洩された場合には，入学試験，就職，結婚などに際し，デメリットとなる危険性を含んでいるので，十分な注意が必要である．

多因子疾患の遺伝子解析研究の成果を「オーダーメイド医療」につなげるためには，これから述べるように，いくつものハードルを乗り越え，社会全体の受入体制を構築しなければならないことをよく理解しておくべきである．

2. 遺伝学（genetics）からゲノム学（genomics）へのパラダイムシフト

ヒトゲノム解析研究の進展により，遺伝学（genetics）からゲノム学（genomics）へのパラダイムシフトがおころうとしている[4]．従来の遺伝学は主に単一遺伝子とその影響について研究する学問であったが，新しく生まれつつあるゲノム学は単一遺伝子だけではなく，ゲノム上の全ての遺伝子の機能と相互作用に関する研究であるということができる．遺伝学では主に稀で重篤な単一遺伝子疾患や染色体異常を対象に研究が行われてきたが，研究対象となるのは多く見積もっても全人口のせいぜい5%程度であり，その医療としての役割も診断および情報提供が中心であり，治療・治癒に結びつけることができるものは限られていた．一方，ゲノム学の対象はすべての疾患であり，したがってすべての人がその影響を受け，またその恩恵を受けることができる．ヒトゲノム上の生殖細胞系列の遺伝子変異の解析にとどまらず，体細胞における後天的な遺伝子変異やさまざまな時間・空間ごとの遺伝子発現，遺伝子相互間の影響，遺伝子と環境要因との相互作用についてもそれらを研究する手段が生れ，これらを明らかにすることにより，新しい診断法，治療法，予防法の開発が期待できる．しかし，ゲノム学の時代になったら，遺伝学は不要というわけではなく，ゲノム学の時代であればこそ，後述するように，ますます遺伝学の知識，経験が必要になることに留意すべきである．

ゲノム学の時代になってはじめて「オーダーメイド医療」の実現に向けた医学研究が可能となったのだが，それには，1)疾患の発症に関連する遺伝子の発見，2)遺伝子間および環境要因の交絡の解明，3)易罹患性を明らかにする遺伝子検査法の確立，4)薬物反応性の予測のための検査法の確立，5)発症の早期診断法の確立，6)正確な分子レベルの疾病分類，7)細分化された分子レベルの疾病分類ごとの，および個々人の薬物反応性を考慮した上での適切な治療法の開発，など多くの課題があることをよく理解しておく必要がある．

3. オーダーメイド医療のEBM (evidence based medicine)

前項に示した「オーダーメイド医療」の実現に向けた研究が行われ，何らかの成果が上げられた場合，その成果を実際の医療の場で用いるためには，さらに越えなければならないハードルがある．第一のハードルは，それぞれの成果が真に医療に役立つという根拠を示さなければならないということである．

まず，罹患リスクを正確に判定する必要がある．ある検査で陽性と判定された場合，本当に罹患するのかどうか，すなわち感度(罹患者のうち，陽性と判定される者の割合)，特異度(非罹患者のうち，陰性と判定される者の割合)，陽性的中率(陽性と判定された者のうち，本当に罹患する者の割合)が，明らかにされていなければならない．

次にその情報を得た個人が罹患リスクの情報をもとに個別化された予防・治療計画をたてることができ，この予防・治療計画を実行することができることである．さらに，この予防法，治療法が，その疾患の発症予防，健康増進の実現につながったことを根拠を持って示す必要があり，さらにこのことが医療費の減少に結びついていることを示すことができれば理想的である．

以上，述べてきたようにオーダーメイド医療のEBMを確立することは容易なことではない．現在，多くの疾患において，遺伝子多型ごとの罹患リスクが明らかにされようとしているが，この遺伝子情報の多くは，現時点においてはまだ診断法として直接，医療に役立てられるものではなく，あくまでも，その疾患の病態解明のための情報となり，新しい薬剤の開発などの治療法を生みだすための研究の一環として意味があることを理解しておくべきである．

4. 遺伝子診断の分類と遺伝子情報の扱い方

オーダーメイド医療と密接な関連のある遺伝子診断について触れておきたい．遺伝子診断にはさまざまなものが含まれており，それぞれ診療としての意義，倫理的問題の有無，得るべきインフォームドコンセントの内容，遺伝カウンセリングの必要性，などが全く異なる．遺伝子診断により得られる遺伝子情報の扱い方は，それぞれの検査の目的と検査により得られた情報の意味との双方から考えるべきである．以下にさまざまな遺伝子診断の目的別分類を示し，それぞれの留意点について述べる．

1)外来生物の存在診断

外来生物(細菌・ウィルス等)の存在診断は主に感染症の診断に用いられる．技術的にはヒト細胞由来のDNA解析方法とほとんど同じ方法が用いられ，遺伝子診断の一つとも考えられるが，ヒトの遺伝子を解析するわけではなく，通常の臨床検査の一つとして扱ってよいものである．

2)体細胞遺伝子解析，遺伝子発現解析

体細胞遺伝子変異の解析とはヒトの体を構成する細胞のうち，ごく一部の細胞のみにおきた遺伝子の変異を解析し，よりよい医療の提供に役立てようとするものであり，主に悪性腫瘍に関連した診療の中で行われる．例えば，患者の体の中に癌細胞が存在しているかどうか(例えば慢性骨髄性

白血病における bcr/abl 融合遺伝子の有無など）を明らかにしたり，外科手術で摘出した癌組織の DNA を用いてその腫瘍の悪性度を評価（p53 遺伝子欠失の有無など）し，術後の治療法（化学療法や放射線治療を行うかどうかなど）を決定する場合などである．また，病状に応じて，あるいは組織ごとにどの遺伝子が働いているか，あるいは働いていないかを明らかにする遺伝子発現の解析も病状の把握や病型分類のために診療の場面で利用されようとしている．これら体細胞遺伝子変異解析や遺伝子発現解析はヒト由来の DNA あるいは RNA を用いて行われるものであるが，次に述べる生殖細胞系列遺伝子変異解析と異なり，患者の病状とともに変化するものであり，他の血縁者と共有している情報を明らかにしようとしているものではない．したがって，根拠が明らかとなったものについて診療の場面で利用する際，倫理的ハードルは高くはないと考えられる．

3）生殖細胞系列遺伝子解析

最も注意して行わなければならないのは生殖細胞系列遺伝子変異を解析する場合である．生殖細胞系列の遺伝子情報は生涯不変であり，血縁者に一部共有されているものであるため，さまざまな問題を考えておかなければならない．次のようなものがある．

a．発病者の確定診断・鑑別診断・除外診断：遺伝子解析結果によりはじめて診断ができる場合もあるし，臨床所見および他の臨床検査によって，当該疾患の診断が付けられていても，遺伝子レベルの正確な診断を行うことにより，他の血縁者の発症前診断の可能性を明らかにすることができるので行われることもある．発病した患者の診断のために行われるので，比較的倫理的問題は少ないと考えられているが，遺伝子レベルの異常を明らかにすることは，他の血縁者にも影響を与え得る

欄外注 2　罹患リスクの誤った使用の実例

遺伝子検査に用いる DNA は採血等の医療行為によらずとも，毛髪，爪，頬粘膜等に含まれているため，医療機関を通さず，直接消費者に遺伝子検査サービスの提供を行なう会社が数多く生まれている．下記は肥満遺伝子検査を提供する会社の HP に掲載されている文章である．（複数の HP を趣旨が変わらないように合成・編集した．）

同じ物を同じ量食べても、太りやすい人と太りにくい人がいます．それは、一人ひとりの「体質」や「遺伝子」が異なるためです．自分の遺伝子を知れば、より具体的な減量計画を立てることができます．肥満遺伝子検査の結果に基づき，あなたのライフスタイルにぴったりのダイエット関連サプリメントや食生活・運動などのアドバイスを致します．肥満遺伝子検査では，β 3 アドレナリン受容体遺伝子（β 3-AR），UCP1 遺伝子（UCP1），β 2 アドレナリン受容体遺伝子（β 2-AR）の 3 つの肥満に関係した遺伝子を調べます．β 3-AR の変異型を持っている人は基礎代謝量が 200Cal 少ない，UCP1 の変異型を持っている人は，基礎代謝量が 200 Cal 少ない，β 3-AR の変異型を持っている人は基礎代謝量が 300Cal 多いことがわかっているので，この情報に基づくダイエット方法をアドバイスします．

この記述には大きなトリックがある．それぞれの遺伝子の遺伝子型と基礎代謝量との関係は過去に行われた集団を対象とした医学研究により明らかにされた科学的事実である．しかし，ある人が肥満遺伝子検査を受け，その結果が β 3-AR の変異型であったとしても，その人の基礎代謝量が 200 Cal 少ないとはいえない．200 Cal 少ないというのは，β 3-AR の変異型の人たちの基礎代謝量の平均値を示したものにすぎない．また，肥満に関係した遺伝子はこの 3 つの遺伝子だけではなく，100 種類以上はあるだろうと考えられており，β 3-AR の変異型の及ぼす影響はそれほど大きくはない．

また，「この情報に基づくダイエット方法をアドバイスします」と記載されているが，その根拠は希薄である．肥満への対処法はエネルギーの in と out すなわち，食事と運動しかない．遺伝子型別の介入方法はまだ開発されていない．もし，遺伝子型別の介入方法の有用性を証明しようとする場合には，多くの研究協力者（被検者）の遺伝子を調べ，ある介入を行った群と行わなかった群とで，数年間にわたって肥満の状態を観察し，その介入方法による効果があったかどうかを明らかにしなければならない．過去のデータを解析するのではなく，前向きコホート研究による証明が必要である．　このように，直接消費者に提供される遺伝学的検査にはさまざまな問題があるため，日本人類遺伝学会では「DTC（Direct to Consumer）遺伝学的検査の見解 3」を公表している．

ことを十分認識しておく必要がある．

b．発症前診断：神経変性疾患や家族性腫瘍など浸透率の高い遅発性の常染色体優性遺伝病の場合，発端者の遺伝子変異が明らかにされると，他の血縁者を対象とした発症前診断が可能となる．このような場合，遺伝子診断の結果が陽性であることは即将来の発症を意味することとなる．発症前診断は健常者を対象として行われることになるので，これまでの病人を対象とした一般的な医療のワクを越えることになる．特に治療法や予防法のない疾患の場合は，慎重に対応する必要があり，遺伝子差別を引き起こさないような方策も考えておかなければならない．また生命保険や疾病保険の加入に関するルール作りをどうするかという難しい問題も内包している．

c．予測的診断：易罹病性診断や感受性診断ともよばれ，「オーダーメイド医療」と最も関連するものである．多因子疾患に関係する遺伝子診断は，浸透率の高い疾患の発症前診断と異なり，たとえリスクが高いという結果が得られても，将来必ず発症するとは限らない．リスクが低いと判定された人に比べてその疾患になりやすいことがわかるにすぎない．一般の人々には，発症前診断と予測的診断との違いを理解することが難しく，大きな混乱が起きようとしている（欄外注２　参照）．予測的診断は感度，特異度，陽性的中率などをもとにした臨床的有用性（後述）が明らかになった後はじめて，臨床の場で用いる意義がでてくるものであることを認識しておく必要がある．

d．保因者診断：遺伝子変異を有しているものの，本人は発病しておらず，将来にわたって発症しない者を保因者という．常染色体劣性遺伝病（AR）やＸ連鎖劣性遺伝病（XLR）ではこのような状態が起こりうる．遅発性の常染色体優性遺伝病で遺伝子変異は有しているもののまだ発症していない者は未発症者といい保因者とは区別される．家系内に AR や XLR の患者がいて，その患者の遺伝子変異が明らかにされている場合には，当事者が保因者であるかどうかを明らかにし，将来同様の遺伝病の子が生まれる可能性があるかどうかを正確に知るために行われる．本人の健康管理に役立てられることはない診断行為であることに留意するとともに，保因者に対する遺伝的差別を防止する方策を考えておく必要がある．

e．出生前診断：メンデル遺伝病や染色体異常などの子が生まれるリスクの高い妊婦を対象に，羊水穿刺や絨毛穿刺などにより，胎児由来の組織・細胞を得て，遺伝学的検査を行うものである．異常が認められた場合には人工妊娠中絶が考慮されるので，生命の選別という倫理的問題がある．現在，重篤な疾患でカップルが望む場合には許されるのではないかと考えている者が多いが，どこまでを重篤とするかの明確な判断基準はなく，慎重な対応が必要である．

5. 生殖細胞系列遺伝子解析を診療として行う際の留意点

1）医学的パラダイムの遺伝子検査とカウンセリングパラダイムの遺伝子検査

医学的パラダイムの検査とは，検査を行うことの医学的メリットがはっきりしているもの，すなわち予防法，治療法があり，検査の結果によってよりよい医療を提供できると考えられるものである．この場合は通常の臨床検査と同様十分な説明と同意（informed consent）を得て行うことができると考えられる．ただし，他の血縁者への影響を考慮し，遺伝カウンセリングが必要な場合があることも理解しておかなければならない．発病者の確定診断のために行われる遺伝子検査，治療法／予防法のある疾患の発症前検査，薬の副作用を減少させるための薬物代謝酵素遺伝子多型検査などが該当する．

カウンセリングパラダイムの遺伝子検査とは医学的メリットがはっきりしていないもの，すなわち予防法，治療法が確立していない疾患の発症前検査，易罹病性検査などが該当する．本人の健康管理のために直接役立てられる情報ではなく，将来生まれる子が罹患する可能性がどの程度あるかを明らかにする保因者検査や出生前検査もこのカテゴリーに入る．これらの場合，医学的メリットがはっきりしておらず，医療者サイドが方針を示すことができない．十分な情報を伝え，当事者の心理的・精神的サポートを行いつつ，当事者にとって最もよい自己決定ができるように支援する診療体制，すなわち遺伝カウンセリング(後述)が必要である．また倫理的問題が存在する場合も多く，当事者が望む医療を提供した場合，それが社会から容認されるものであるかどうか慎重に検討する必要がある場合も少なくない．遺伝子診療としての組織的取り組みが必要である．

2)遺伝子検査の有用性の評価[5)]

医学的パラダイムとして対応すべきかカウンセリングパラダイムとして対応すべきかについては医学的メリットがあるかどうかについて慎重に検討する必要がある．そのためには検査の有用性を，分析的妥当性，臨床的妥当性，臨床的有用性，社会的重要性の4つの側面から評価する必要がある．

分析的妥当性とは検査法が確立しているかどうか，安定した結果が得られるか，精度管理がきちんと行われているかなど検査施設ごとに評価されるべきものである．

臨床的妥当性とは検査結果の意味付けが十分になされているか，すなわち，感度，特異度，陽性的中率などのデータがそろっているかどうかである．現状では，多因子疾患の感受性検査で臨床的妥当性が確立しているものはほとんど存在していないことを十分認識しておく必要がある．

臨床的有用性とは検査の対象となっている疾患の予防法や治療法があるかどうかである．当然，治療法，予防法のある疾患の発症前検査はその検査結果によって，よりよい医療の提供が可能となるので，その遺伝子検査の有用性は高い．

社会的重要性とは遺伝子検査の結果が遺伝的差別の対象にならないかどうかである．遺伝子検査の結果，よりよい医療の提供が可能となる場合であっても，個人の医療情報の守秘が十分ではない医療体制で，遺伝子検査が漏洩され，そのことにより，その個人が職を失ったり，保険を解約されたりするような社会環境においては，本人にとって遺伝子検査は有意義とはいえない．遺伝子差別を引き起こさないような社会を構築しておく必要がある．

6. オーダーメイド医療を実現できる社会にするために

1)遺伝子診療体制構築の必要性

オーダーメイド医療では遺伝子情報を適切に使いこなす必要があり，遺伝子診療としての取組みが必要である．遺伝子診療の実施に際しては，次の4項目が重要であり，組織的な取り組みが必要である．

a．適切な遺伝カウンセリングを行う
b．必要な場合には遺伝子検査を行うことができる
c．種々の倫理的問題を解決するための取り組みを行う
d．診断だけではなく，適切な治療に結びつける

i)遺伝カウンセリング

遺伝子診療では適切に遺伝カウンセリングを行うことが基本である．遺伝カウンセリングとは，遺伝性疾患の患者・家族またはその可能性のある人(クライエント)に対して，生活設計上の選択を自らの意思で決定し行動できるよう臨床遺伝学的診断を行い，医学的判断に基づき適切な情報を提供し，支援する医療行為のことである．遺伝カウンセリングにおいては良好な信頼関係に基づき，さまざまなコミュニケーションが行われ，この過程で，心理的精神的援助がなされる．

ii)遺伝子診療の倫理原則

遺伝子診療を進めていく上で最も重要なことはクライアントの「自発性と自己決定」である．すなわち遺伝子診療はクライアントの自発的な意志によって開始され，診療の過程でさまざまな情報を得て，問題点を十分理解した上で今後の方針をクライアント自身が決定するのである．遺伝子診療の過程ではその疾患の原因がわかりやすく説明され，今後取りうる方法すなわち実現可能な選択肢が示される．方針決定に際しては決して強制されることがあってはならない．また遺伝子診療は他の医療行為と同じく当事者の幸福のために行われるのであって，国家や次世代のために行われるのではないということも十分理解しておかなければならない．

すべての遺伝子診療は種々の遺伝子診療に関するガイドライン(遺伝医学関連10学会の遺伝学的

検査に関するガイドライン[6]，WHOの遺伝医学における倫理的諸問題の再検討[7]など）を参考に行うべきである．また倫理的諸問題の解決には個人で考えて結論をだすのではなく，複数の関係者が討論しあうプロセスが不可欠であることにも留意すべきである．

iii）遺伝子診療体制の構築

現在，ほとんどの医療の取り組みが臓器別で行われているが，それぞれの臓器において遺伝性の病気が存在する．遺伝・遺伝子情報をいかに適切に臨床の場で用いるかについては遺伝カウンセリングの技術と方法を含め，特別な教育，訓練，経験が必要である．遺伝・遺伝子情報を医療の場で利用していくためには，臓器別の取り組みだけでは不十分である．遺伝カウンセリングは，「情報提供　＋　心理社会的支援」であると考えられているが，最も重要なのは「遺伝・遺伝子についての考え方の教育（基礎遺伝学教育）」である．また，遺伝カウンセリングにおける心理社会的支援としては，まずクライエントの気持ちを引きだすことが最も重要であり，そのためには，医師からの情報提供だけではなく，認定遺伝カウンセラー，遺伝看護師，臨床心理士なども関与するチーム医療としての対応が有用である．

従来，我国においては遺伝子診療のシステム作りが極めて遅れていることが指摘されていたが，大学病院および高度医療機関の遺伝子医療部門が参加している全国遺伝子医療部門連絡会議には，2010年現在，86医療機関（その内，74は大学病院）が維持機関会員となっており，急速にわが国においても遺伝子医療部門の組織作りが進められている．

2）遺伝子差別の防止と遺伝医学教育

遺伝子解析研究を円滑に進め，また遺伝子情報を有効に医療の場で利用していくためには，さまざまな遺伝にまつわる問題を解決することができる遺伝子診療体制を構築するともに遺伝子差別を引き起こさないために，多くの人々に遺伝および遺伝子についての基本的事柄を理解していただけるような教育活動，啓発活動も同時に進める必要があるが，わが国には次のような社会的背景がある．日本人には，人種的に特に頻度が高い遺伝疾患は存在せず，遺伝に関する問題が社会で大きく取り上げられることはなかった．これは白人における嚢胞性性線維症（保因者頻度約1／20）や黒人における鎌状赤血球症（保因者頻度約1／10）と比較すると顕著で，日本人の多くは，遺伝の問題は自分とは全く無関係であると考えており，初等中等教育における遺伝学教育がきわめて不十分であることとも相まって，遺伝病に対する偏見，忌避感が根強く存在している．日本人の多くは，遺伝の問題は，「対岸の火事」の問題で，「まさか自分自身が関係する可能性があるとは夢にも思っていない」．したがって，遺伝の問題に直面した当事者だけが悩み，かくして置かなくてはならない状況があることを理解しておく必要がある．

「DNA」，「遺伝子」，「染色体」という言葉が広く使われるようになることは，遺伝の問題を話題にする際のハードルを低くするという意味ではよいことであるが，必ずしも科学的に正しく理解されているものではないことについては十分留意しておく必要がある．

とくにわが国で遺伝カウンセリングを行う場合，注意しなければならないのは「保因者」という言葉である．遺伝学においては，保因者は，「常染色体劣性遺伝病，X連鎖劣性遺伝病，染色体均衡型構造異常など，変異アレルあるいはゲノムの位置変化を有しており，その変異，変化を次世代に伝える可能性はあるが，その個人については，生涯にわたって，その変異，変化に関係する疾患には罹患しない者」を意味している．まぎらわしいものとして，「遅発性の常染色体優性遺伝病において，変異アレルを有しており，まだ発症していない者」があり，これも保因者と呼ばれている場合があるが，正確には，「未発症者」と呼ぶべきで，「保因者」と「未発症者」は，明確に分けて理解する必要がある．すなわち，保因者とは，「生涯発症しない人」，すなわち正常人であることを全ての人に理解しておいていただかなければならない．

遺伝情報を適切に扱うためには，遺伝医学（病気に関係する遺伝継承と多様性の科学）を系統的に学ぶ必要があるが，わが国の卒前医学教育において，遺伝医学を系統的に教育している大学は極めて少ない．全国遺伝子医療部門連絡会議と日本人類遺伝学会は，わが国の標準的な遺伝医学系統講義はどのように行われるべきかを示すために，表に示す項目についてのDVD教育ツール(45分の講義x 18回)を作成しているので，是非幅広く御利用いただきたい．[本講義シリーズは医学部医学科3・4年生(臨床医学の講義が始まる前)を対象とした講義を想定し，生物学としてではなく，臨床医学を学ぶ上で必要な基礎医学としての遺伝医学の講義である．]

参考文献

1. 中村祐輔：先端のゲノム医学を知る(第2版)．羊土社，pp.1-125, 2002.
2. 谷口敦夫，浦野和子，田中栄一，鎌谷直之：抗リウマチ薬の薬理ゲノム学とオーダーメイド医療への展開．日本臨床　65巻2号 Page371-379，2007.
3. Bird TD：Alzheimer disease overview. GeneReviews <http：//www.geneclinics.org/>
4. Collins FS, Green ED, Guttmacher AE, Guyer MS：A vision for the future of genomics research. Nature 422：835-847, 2003.
5. 遺伝学的検査に関する監視強化．保健衛生局長官直属委員会勧告(Enhancing the oversight of genetic tests：Recommendations of the Secretaary's Advisory Committee on Genetic Testing)．[日本語訳は日本人類遺伝学会のホームページ＜http：//www6.plala.or.jp/jshg/＞に掲載されている]
6. 遺伝医学関連10学会(日本人類遺伝学会，日本遺伝カウンセリング学会，日本遺伝子診療学会，日本小児遺伝学会，日本先天異常学会，日本先天代謝異常学会，日本産科婦人科学会，日本マススクリーニング学会，日本臨床検査医学会，家族性腫瘍研究会)：「遺伝学的検査に関するガイドライン」＜http：//www6.plala.or.jp/jshg/＞
7. 松田一郎(監修)，福嶋義光(編集)：遺伝医学における倫理的諸問題の再検討(WHO Human Genetics Programme：Review of Ethical Issues in Medical Genetics) pp.1-98.［日本語訳を希望される方は信州大学医学部遺伝医学・予防医学講座(〒390　松本市旭3-1-1，電話：0263-37-2618)にお申し込み下さい.］
8. 信州大学遺伝子診療部遺伝ネットワークGENETOPIA ＜http：//genetopia.md.shinshu-u.ac.jp/＞
9. 日本人類遺伝学会「DTC遺伝学的検査に関する見解」(2008年10月2日) ＜http://www.jshg.jp/dtc/index.html＞

表：日本人類遺伝学会と全国遺伝子医療部門連絡会議で作成している卒前医学教育における遺伝医学系統講義の項目

系統講義1．	遺伝医学の過去・現在・未来
系統講義2．	遺伝医学総論
系統講義3．	ヒトゲノム・遺伝子の構造と機能
系統講義4．	染色体異常症と細胞遺伝学
系統講義5．	単一遺伝子疾患とメンデル遺伝学
系統講義6．	多因子疾患の遺伝学
系統講義7．	ミトコンドリア遺伝
系統講義8．	エピジェネティクス
系統講義9．	生化学遺伝学
系統講義10．	集団遺伝学
系統講義11．	遺伝性疾患の分子遺伝学的理解
系統講義12．	遺伝学的検査
系統講義13．	遺伝性疾患の治療
系統講義14．	発生遺伝学と先天異常
系統講義15．	出生前診断
系統講義16．	腫瘍遺伝学
系統講義17．	個別化遺伝医療と薬理遺伝学
系統講義18．	遺伝カウンセリング

Ⅳ-2　遺伝性疾患の遺伝子診断ガイドライン

京都大学大学院医学研究科社会健康医学系専攻医療倫理学・遺伝医療学
京都大学医学部附属病院遺伝子診療部
小杉眞司

はじめに

遺伝医学関連10学会による「遺伝学的検査に関するガイドライン」が2003年8月に発表された．著者は，日本遺伝カウンセリング学会の倫理問題検討委員会委員長として，本ガイドライン策定の最終段階で大きく関与した．本邦において遺伝学的検査を実施する場合極めて重要であるので，このガイドラインをできるだけ多くの人に知ってもらう必要がある．本稿では，できるだけ，ガイドラインの文を直接引用しながら，特に重要な点についての解説を行う．ガイドライン全文については，下記に公開されている．
http://www.congre.co.jp/gene/11guideline.pdf

なお，本ガイドライン策定より6年以上が経過し，改訂の必要がでてきたため，現在日本医学会として改訂作業が行われている．主たる点は，ファーマコゲノミックス検査，電子カルテにおける情報の扱い，確定診断・鑑別診断における遺伝学的検査の扱いなどである．

本項は改訂版の決定に間に合わないが，現ガイドラインの考え方は非常に重要なものであり，正確に理解する必要がある．

1．遺伝学的検査の実施における総合的な臨床遺伝医療

遺伝学的検査は臨床的および遺伝医学的に有用と考えられる場合に考慮され，総合的な臨床遺伝医療[3)]の中で行われるべきである．（ガイドラインII.1.；以下引用の場合同様）

遺伝学的検査を行う医療機関においては，遺伝カウンセリングを含めた総合的な臨床遺伝医療を行う体制が用意されていなければならない．（II.1.（1））

総合的な臨床遺伝医療とは医師による情報提供だけではなく，できるだけ専門の異なる複数の医師，さらには医師以外のコ・メディカルのメンバーを含めたチーム医療として対応することを意味している．多くの遺伝性疾患についてはまだ適切な治療法が開発されていない状況にあるので，臨床遺伝医療は，場合によっては，フォローアップを含む一生にわたる支援体制に基づくケアとして位置づけられなければならないことにも留意すべきである[3)]．

遺伝学的検査は検体採取の容易さのため，採血などの医療行為を伴わずに技術的に可能である場合がある．このような場合であっても，遺伝学的検査は，しかるべき医療機関を通さずに行うことがあってはならない．（II.1.（4））

遺伝学的検査を担当する医療機関および検査施設は，一般市民に対し，正しい理解が得られるような適切な情報を提供する必要がある．臨床的有用性が確立していない遺伝学的検査は行うべきではない．また遺伝学的検査を行うことを宣伝広告するべきではない．ここでいう宣伝広告にはインターネットによるものが含まれる．（II.7.）

	疾患罹患	疾患非罹患
検査陽性	a	b
検査陰性	c	d

1. 感度（sensitivity）：疾患に罹患する人のうち，遺伝子検査が陽性である人の割合（a/a＋c）
2. 特異度（specificity）：疾患に罹患しない人のうち，遺伝子検査が陰性であった人の割合（d/b＋d）
3. 陰性結果の正診率（positive predictive value）：遺伝子検査が陽性であった人のうちほんとに病気になる人の割合（a/a＋b）：単一遺伝子疾患では浸透率
4. 陰性結果の正診率（negative predictive value）：遺伝子検査が陰性であった人のうち病気にならない人の割合（d/c＋d）

検査陽性者と陰性者との Relative Risk(R)＝{a/(a＋b)}/{c/(c＋d)}
疾患の Life Time Risk(D)＝(a＋c)/(a＋b＋c＋d)
一般集団での変異(SNP)保有率(G)＝(a＋b)/(a＋b＋c＋d)
a＋b＋c＋d＝1
4 変数の連立方程式なので abcd は定数 RDG によって決定できる

図 1　遺伝学的検査の臨床的妥当を裏付けるデータ

2. 遺伝学的検査の分析的妥当性，臨床的妥当性，臨床的有用性

遺伝学的検査を行う場合には，その検査がもつ分析的妥当性，臨床的妥当性，臨床的有用性が十分なレベルにあることが確認されていなければならない．(II.1.（2））

分析的妥当性とは検査法が確立しており，再現性の高い結果が得られるなど精度管理が適切に行われていることである．臨床的妥当性とは検査結果の意味付けが十分になされていること，すなわち，感度，特異度，陽性的中率などのデータがそろっていることである．臨床的有用性とは検査の対象となっている疾患の診断がつけられることにより，今後の見通しについての情報が得られたり，適切な予防法や治療法に結びつけることができるなど臨床上のメリットがあることである[4]．

感度，特異度，陽性結果の正診率(PPV；Positive Predictive Value)，陰性結果の正診率とは，図 1 に示す数値である．これは，相対リスク，ライフタイムリスク，変異(多型)保有率から計算できる(図 1)．これらの数値が正確に計算されるデータがあることがまず必要である．この数値というのは，当然日本人集団のデータでなければならない．これによって，はじめて「臨床的妥当性」が確立する．

ライフタイムリスク 5%の疾患の Positive Predictive Value(PPV)%						
		Relative Risk(RR)				
		1.5	2	5	10	20
allele frequency	0.001	7.5	10.0	24.9	49.6	98.1
	0.005	7.5	10.0	24.5	47.8	91.3
	0.01	7.5	9.9	24.0	45.9	84.0
	0.1	7.1	9.1	17.9	26.3	34.5
	0.3	6.5	7.7	11.4	13.5	14.9

PPV＝（RR ＊ Life time risk ＊ 100）/｛(allele freq) ＊ (RR-1)＋1｝

図 2　ライフタイムリスク 5％の疾患の Positive Predictive Value（PPV）％

図 2 には，ライフタイムリスク 5%の疾患においてアリル頻度と相対リスク別に，PPV の計算値を示す．ライフタイムリスク 5%は多くの生活習慣病などの common disease をイメージしたも

のである．Common disease のスクリーニングに使うことを考える場合は，アリル頻度がある程度高いもの，すなわち10%程度のものが選ばれる可能性が大きい．Relative Risk が2.0のものに対して，検査が陽性であってもPPVは9.1％，RR=5.0でもPPV=17.9%となるに過ぎないことを十分理解しておく必要がある．「危険度が5倍も高いですよ」といわれるとほとんど確実にその病気になってしまうがごときイメージを与えてしまうが，実は82%の確率でその病気にはならないのである．「危険度が5倍も高く」てもそれに対する手立て，介入，予防法などが確立していないのであれば，これは患者さんに不安を与えるだけの情報となる．その genotype の人を対象に，実際にどのような介入を行って，罹患率が有意に低下することを示してはじめて，遺伝学的検査の「臨床的有用性」が確立する．

3. 遺伝的差別の禁止

遺伝学的検査およびそれに関連する遺伝カウンセリングなどの遺伝医療に関与する者は，被検者，血縁者及びその家族の人権を尊重しなければならず，また，被検者及び血縁者が特定の核型（染色体構成），遺伝子型，ハプロタイプおよび表現型を保有するが故に不当な差別（遺伝的差別）を受けることがないように，また，必要に応じて適切な医療及び臨床心理的，社会的支援を受けることができるように努めるべきである．(II.2.)

4. インフォームドコンセント

遺伝学的検査を実施する場合には，事前に担当医師が被検者から当該遺伝学的検査に関するインフォームド・コンセントを得なければならない．(II.3.)

インフォームド・コンセントを得るための説明に際しては，検査の目的，方法，予想される検査結果，内容（想定される被検者の利益・不利益を含む），精度（特に不可避な診断限界），被検者のとりうる選択肢，実施にあたっての医療上の危険性などについての正確な情報を，遺漏なく，かつ被検者が十分に理解できるよう，わかりやすく説明しなければならない．説明は口頭に加えて，文書を用いて行わなければならない．(II.3.（1)）

インフォームド・コンセントの際の説明にあたって，また遺伝についての基礎的事項を説明する中で，遺伝情報が血縁者間で一部共有されていることに言及し，得られた個人の遺伝情報が血縁者のために有用である可能性があるときは，積極的に血縁者への開示を行うべきであることについて，被検者の理解を得るよう，担当医は努力しなければならない．(II.3（4））

遺伝学的検査を受けるか否かは，それを受ける者の自由意思に基づいて決定されなければならない．担当医師は，説明に当たって，被検者は検査を受けないとの選択が可能であること，検査を受けても，途中で中止を申し出ることができること，検査後その情報開示を拒否することもできること，検査を受けないか又は中止を申し出ても，それによる不利益を被ることはないことを説明しなければならない．ただし，その場合には遺伝学的検査の結果が得られないことによる医療上の不利益がありうることについても正確に伝えられなければならない．医療者は被検者の決定を尊重し，それに沿って最善の医療が受けられるよう努力しなければならない．(II.3.（2)）

未成年者など自由意思に基づいて決定を行うことが困難と思われる場合でも，できる限り被検者本人の理解を得るために努力し，代諾の必要性についての判断は慎重になされるべきである．代諾は，親権者，後見人，成年後見人などの代諾者により行われ，代諾者は被検者の将来にわたる利益を最大限に保護するよう努めなければならない．また，基本的には，遺伝学的検査の受診は本人の意思により決められるべきものなので，検査結果により治療・予防措置が可能な場合，緊急を要する場合を除き，本人が成人になるまで待つべきである．(II.3.（3)改)

治療法または予防法が確立されていない成人期以後に発症する遺伝性疾患について，小児期に遺伝学的検査を行うのは，基本的に避けるべきである．(II.4（2)）

5. 検体の目的外使用

検査のために提供を受けた試料は原則として当該検査の目的以外の目的に使用してはならない.（II.5.）

将来において試料を被検者およびその家族の利益のため，別の遺伝学的検査に用いることが予想される場合には，その時点で予想される遺伝学的検査の方法，試料の保存方法を明確にした上で，あらかじめ試料の保管についてのインフォームド・コンセントを得なければならない.（II.5.（1））

保存された試料を新たな遺伝学的検査に用いる場合は，その検査に対するインフォームドコンセントを新たに得なければならない.（II.5.（2））

検査のために得られた試料を研究目的に使用する場合には「ヒトゲノム・遺伝子解析研究に関する倫理指針」（文部科学省，厚生労働省，経済産業省）を遵守しなければならない.（II.5.（3））

6. 守秘義務

遺伝学的検査のための試料は厳格に保管し，また個人識別情報及び検査結果としての個人遺伝情報はその機密性を保護しなければならない.（II.6.）

一般医療情報と，特定個人に連結された遺伝学的情報とは，原則として区別して保管されるべきである．個人識別情報及び個人遺伝情報は守秘義務の対象であり，担当医師，遺伝カウンセリング担当者及び医療機関の責任者は，それらが第三者に漏洩されることのないよう厳格に保護，管理しなければならない.（II.6.（1））

遺伝学的検査の一部を他の検査機関・施設に委託するときには，試料を事前に匿名化し，個人識別情報を秘匿しなければならない（II.6.（2））

7. 遺伝学的検査の結果の開示

被検者は，検査の結果を「知る権利」及び「知らないでいる権利」を有し，いずれの権利も尊重されなければならない.（III.1.）

検査結果を開示するにあたっては，開示を希望するか否かについて被検者の意思を尊重しなければならない．得られた個人に関する遺伝情報は守秘義務の対象になり，被検者本人の承諾がない限り，基本的に血縁者を含む第三者に開示することは許されない．また仮に被検者の承諾があった場合でも，雇用者，生命保険会社，学校から検査結果にアクセスするようなことがあってはならない.（III.2）

検査結果の開示にあたっては，担当医師は被検者が理解できる平易な言葉で説明しなければならない．検査が不成功であった場合にはその旨を，また診断が確定しない場合には，判明した結果と診断不可能である旨を被検者に伝えなければならない.（III.3）

遺伝学的検査に従事する者は，検査の結果が何らかの差別に利用されることのないように，常に慎重かつ特別な配慮を払わなければならない.（III.4）

担当医師は，検査結果の開示と説明に際して，被検者単独であるよりも被検者が信頼する人物の同席が望ましいと判断する場合には，これを勧めるべきである.（III.5.）

単一遺伝子病か多因子疾患かを問わず，得られた被検者の診断結果が，血縁者における重大な疾患の発症予防や治療に確実に役立つ情報として利用でき，その血縁者が被る重大な不利益を確実に防止できると判断され，その血縁者からの結果開示の要望があり，繰り返し被検者に説明しても同意が得られず，且つ被検者本人が不当な差別を受けないと判断される場合には，その疾患に限って，診断，予防，治療の目的で被検者の検査結果をその血縁者に開示することが考慮される．ただし，検査結果を血縁者に開示するか否かの判断は，担当医師個人の判断のみによるのではなく，所轄の倫理委員会に委ねられるべきである.（III.6. 改）

ガイドラインでは[5]，として，「仮に血縁者の被害防止に直接役立つ情報であっても本人の承諾がなければ情報を開示することは許容されないとする少数意見があった.」と記載されているが，これは，遺伝学の遺伝情報の特性を全く理解していない立場からの意見であり，WHO ガイドラインなどとも大きく反している．遺伝医療に携わるも

各論Ⅳ

のは，このような誤解を解くための努力も常に行っていく必要がある．

8. 遺伝学的検査と遺伝カウンセリング

遺伝学的検査は十分な遺伝カウンセリングを行った後に実施する．（IV.1.）

遺伝カウンセリングは十分な遺伝医学的知識・経験をもち，遺伝カウンセリングに習熟した臨床遺伝専門医などにより被検者の心理状態をつねに把握しながら行われるべきである．必要に応じて，精神科医，臨床心理専門職，遺伝看護師，ソーシャルワーカーなどの協力を求め，チームで行うことが望ましい．（IV.2.）

遺伝カウンセリング担当者はできる限り，正確で最新の関連情報を被検者に提供するように努めなければならない．これには疾患の頻度，自然歴，再発率(遺伝的予後)，さらに保因者検査，出生前検査，発症前検査，易罹患性検査などの遺伝学的検査の意味についての情報が含まれる．遺伝カウンセリング担当者は，遺伝性疾患が，同一疾患であっても，その遺伝子変異，臨床像，予後，治療効果などにおいて異質性に富むことが多いことについて，十分留意しなければならない．（IV.3.）

遺伝カウンセリング担当者は被検者が理解できる平易な言葉を用い，被検者が十分理解していることをつねに確認しながら遺伝カウンセリングを進める．被検者の依頼がある場合，又はその必要があると判断される場合は，被検者以外の人物の同席を考慮する．（IV.4.）

遺伝カウンセリングの内容は，一般診療録とは別の遺伝カウンセリング記録簿に記載し，一定期間保存する．（IV.5.）

被検者が望んだ場合，被検者が自由意思で決定できるように，遺伝カウンセリングは継続して行われなければならない．また必要に応じて，臨床心理的，社会的支援を含めた，医療・福祉面での対応について，情報を与えるべきである．（IV.6.）
遺伝学的診断結果が，担当医師によって，被検者の血縁者にも開示されるような場合には，臨床遺伝専門医など，その血縁者が遺伝カウンセリングを受けられるように配慮する．（IV.7.）

遺伝カウンセリングは，遺伝学的検査の実施後も，必要に応じて行われるべきである．（IV.8.）

現在，わが国には，日本人類遺伝学会と日本遺伝カウンセリング学会が共同で「臨床遺伝専門医」を認定する「臨床遺伝専門医制度」がある．また，医師のみならず，看護職，心理職などコメディカル・スタッフも含めた遺伝医療従事者の養成に力を注ぎ，利用者の依頼に応じていく必要がある[6]．

9. 発症者を対象とする遺伝学的検査

遺伝学的検査は，発症者の確定診断を目的として行われることがある．（V.1（1））

血縁者の発症前診断，易罹患性診断，保因者診断等を行うための情報を得ることを第一の目的として，既に臨床診断が確定している患者に対して，疾患の原因となっている遺伝子変異などを解析することがある．この場合は得られた情報が適切に血縁者に開示されるかあるいは利用されることによってはじめて意味のある遺伝学的検査となること，疾患の原因となる遺伝子変異が見出されなくても，本人の臨床診断にはかわりがないことを，検査の前に被検者に十分説明し，理解を得ておかなければならない．（V.1（3））

発症者の確定診断の目的で行われる遺伝学的検査の場合も，結果的にその情報が，血縁者に影響を与える可能性があることについて，検査前に十分説明し，理解を得ておかなければならない．（V.1（2））

図3に示すように，発症者(発端者)の疾患の原因となっている遺伝子の変化(何番目のヌクレオチドにどのような変化があるか)を明らかにすることなしに，血縁者の検査を行うことはできない．これは，通常，臨床的検査として行われる方法では，目的の遺伝子に変異があることが明らかである場合においても，100%遺伝子変異を同定することができないことためである．例外が全く存在しないわけではないが，発端者の検査をせずに，いきなり血縁者の検査を行った場合，図4に示すように，血縁者が最も求めたい情報である「真の陰性＝その疾患にはかからない」という情報に到達することは決してない．このことについては，医療者でさえも十分正確に理解していない場

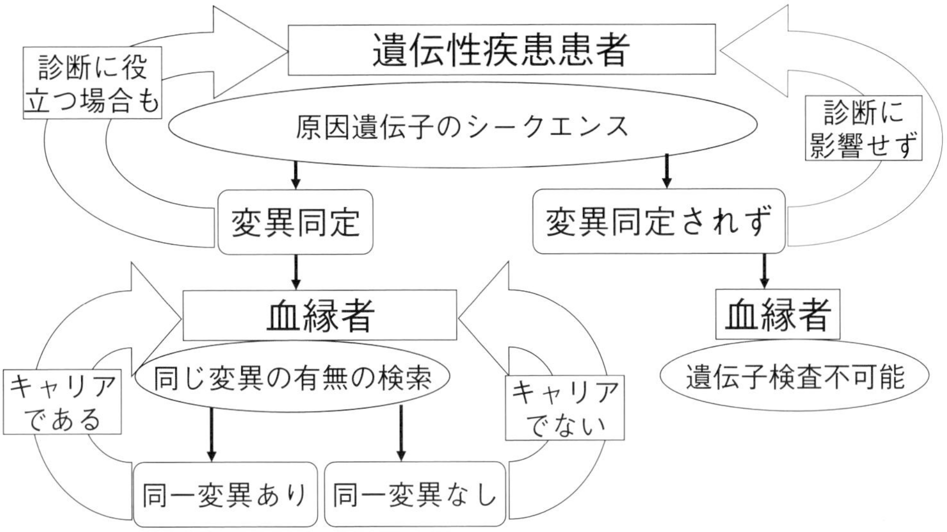

図３　発症者と血縁者の遺伝子診断の関係

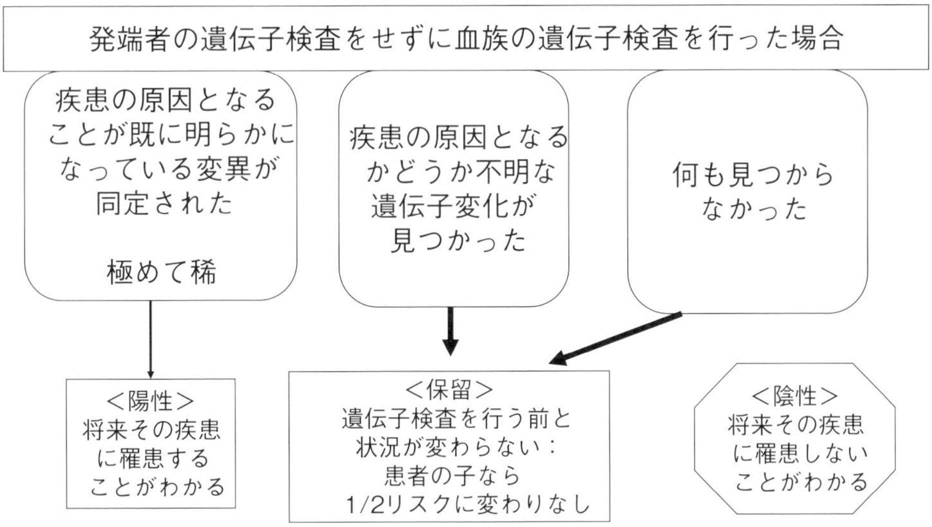

図４　発端者の遺伝子検査をせずに血族の遺伝子検査を行った場合

合が多いので，注意が必要である．

10. 保因者の判定を目的とする遺伝学的検査

遺伝学的検査は，家系内に常染色体劣性遺伝病やX連鎖劣性遺伝病，染色体不均衡型構造異常の患者がいる場合，当事者が保因者であるかどうかを明らかにし，将来同じ遺伝病の子孫が生まれる可能性を予測するための保因者診断として行われることがある．（V.2.（1））

保因者検査を行うにあたっては，被検者に対して，その検査が直接本人の健康管理に役立つ情報を得る目的のものではなく，将来の生殖行動に役立つ可能性のある情報を得るために行われるものであることを十分に説明し，理解を得なければな

らない．（V.2.（2））

将来の自由意志の保護という観点から，小児に対する保因者診断は基本的に行われるべきではない．（V.2.（3））

保因者検査を行う場合には，担当医師及び関係者は，診断の結果明らかになる遺伝的特徴に基づいて，被検者及びその血縁者並びに家族が差別を受ける可能性について十分に配慮を払わなければならない．（V.2.（4））

保因者とは遺伝子変異あるいは染色体構造異常を有しているものの，現在および将来にわたって発症しない者をいう．常染色体劣性遺伝病やX連鎖劣性遺伝病，染色体均衡型構造異常，および浸透率の低い常染色体優性遺伝病ではこのような状態が起こりうる．遅発性の常染色体優性遺伝病で遺伝子変異は有しているものの，まだ発症に至らない者については未発症者という表現を用い，保因者とはいわない[7]．

「保因者」という用語の定義については，別の意見もあり，明確に定義してから用いるべきである．

11. 発症予測を目的とする遺伝学的検査

発症を予測する遺伝学的検査には，単一遺伝子の変異でほぼ完全に発症を予測することのできる発症前検査と，多因子疾患の罹患性の程度もしくは罹病リスクを予測する易罹患性検査がある．（V.3.（1））

発症予測を目的とする遺伝学的検査の対象者は，一般に健常者であるため，厳格なプライバシーの保護及び適切な心理的援助が措置されなければならない．特に就学，雇用及び昇進，並びに保険加入などに際して，差別を受けることのないように，配慮しなければならない．（V.3.（1））

有効な治療法および予防法の確立されていない疾患の発症前検査においては，以下の要件が満たされない限り，行ってはならない．（V.3.A.1））

（a）被検者は判断能力のある成人であり，被検者が自発的に発症前検査を希望していること．

（b）同一家系内の罹患者の遺伝子変異が判明しているなど，遺伝学的検査によって確実に診断できること．

（c）被検者は当該疾患の遺伝形式，臨床的特徴，遺伝学的検査法の詳細についてよく理解しており，検査の結果，陽性であった場合の将来設計について熟慮していること．

（d）遺伝学的検査後および結果が陽性であった場合には発症後においても，臨床心理・社会的側面からの支援を含むケアおよび治療を行う医療機関が利用できること．

有効な治療法および予防法が確立されていない疾患の発症前検査は，前項の要件が満たされている場合に限り，かつ当該疾患の専門医，臨床遺伝専門医，精神医学専門医等を含む複数の医師により，複数回の遺伝カウンセリングを行った上で，検査の実施の可否を慎重に決定する．（V.3.A.2））

治療法または予防法が確立されていない成人期以後に発症する遺伝性疾患について，小児期に遺伝学的検査を行うのは，基本的に避けるべきである．（II.4（2））

多因子疾患などに関する易罹患性検査を行う場合には，検査の感度，特異度，陽性・陰性結果の正診率などが十分なレベルにあることを確認しなければならない．（V.3.B.1））

易罹患性検査に際しては，担当医師は，遺伝子（DNA）変異が同定されても，その発症は疾患により一様でなく，浸透率や罹患性に対する効果（寄与率）などに依存すること，また，検査目標とする遺伝子に変異が見出されない場合であっても発症する可能性が否定できないことなどについて，被検者に十分に説明し，理解を求めなければならない．（V.3.B.2））

12. 薬物反応性の個体差判定を目的とする遺伝学的検査

薬物代謝酵素の遺伝子多型検査による薬剤感受性診断は，直接治療に役立て得る情報であり，有用性が高いと考えられるが，この情報が遺伝差別などに誤用されることのないよう，他の目的の遺伝学的検査と同様の注意が必要である．（V.4.）

薬剤の効果や副作用に個人差があることはよく知られている．最近，いくつかの薬物代謝酵素の遺伝子多型がこの個人差に関係していることが明らかにされてきた．薬剤を投与する前に遺伝子(DNA)検査を行い，個々人の薬剤の有効性や副作用について予知できるようになれば，患者に対して大きな便益が期待できる．したがって，今後そうした遺伝子検査の必要性が高まることが予想される[9]．

13. 出生前検査と出生前診断

妊娠前半期に行なわれる出生前検査及び診断には，羊水，絨毛，その他の胎児試料などを用いた細胞遺伝学的，遺伝生化学的，分子遺伝学的，細胞・病理学的な方法がある．(V.5.(1))

出生前検査及び診断を行うにあたっては，倫理的及び社会的問題を包含していることに留意しなければならず，とくに以下の点に注意して実施しなければならない．(V.5.(2))

(a) 胎児が罹患児である可能性(リスク)，検査法の診断限界，母体・胎児に対する危険性，副作用などについて検査前によく説明し，十分な遺伝カウンセリングを行うこと．

(b) 検査の実施は，十分な基礎的研修を行い，安全かつ確実な検査技術を習得した産婦人科医あるいはその指導のもとに行われること．

絨毛採取，羊水穿刺など，侵襲的な出生前検査・診断は下記のような妊娠について，夫婦からの希望(夫婦の希望が最終的に一致しない場合は，妊婦の希望が優先されるという意見がある[10])があり，検査の意義について十分な理解が得られた場合に行う．(V.5.(3))

(a) 夫婦のいずれかが，染色体異常の保因者

(b) 染色体異常症に罹患した児を妊娠，分娩した既往を有する場合

(c) 高齢妊娠

(d) 妊婦が新生児期もしくは小児期に発症する重篤なX連鎖遺伝病のヘテロ接合体

(e) 夫婦のいずれもが，新生児期もしくは小児期に発症する重篤な常染色体劣性遺伝病のヘテロ接合体

(f) 夫婦のいずれかが，新生児期もしくは小児期に発症する重篤な常染色体優性遺伝病のヘテロ接合体

(g) その他，胎児が重篤な疾患に罹患する可能性のある場合

重篤なX連鎖遺伝病のために検査が行われる場合を除き，胎児の性別を告げてはならない．(V.5.(4))

出生前診断技術の精度管理については，常にその向上に務めなければならない．(V.5.(5))

着床前検査及び診断は，極めて高度な知識・技術を要する未だ研究段階にある遺伝学的検査を用いた医療技術であり，倫理的側面からもより慎重に取り扱わなければならない．実施に際しては，日本産科婦人科学会会告「着床前診断移管する見解」に準拠する[20, 21]．(V.5.(7))

14. おわりに：遺伝医療を適切に行うための提言

- 遺伝学的検査の分析的妥当性，臨床的妥当性，臨床的有用性が十分なレベルにあることを確認するため，公的審査機関の設置が必要である．
- 遺伝学的検査を担当する施設は，常に新しい情報を得て，診断精度の向上を図るため，検査後の追跡調査をふくめ，公的機関などによる一定の(精度)管理の下に置かれるべきである．
- 遺伝カウンセリングを含めた総合的な臨床遺伝医療の充実のためには，臨床遺伝専門医や遺伝カウンセラーの養成が不可欠であり，制度の確立・教育の充実が必要である．
- さらにゲノム研究など先端医学研究の臨床応用とその成果を国民に還元するための基盤整備の一環として遺伝医療体制の充実の重要性を再認識し，財政的措置を含む科学技術・保健医療政策が推進されるべきである．

参考文献

1.「遺伝医学の倫理的諸問題および遺伝サービスの提供に関するガイドライン」WHO, 1995 (松田一郎監修，福嶋義光編集，日本語訳：小児病院臨床遺伝懇話会有志)．

2.「遺伝医学と遺伝サービスにおける倫理的諸問題に関して提案された国際的ガイドライン」WHO, 1998 (松田一郎監修，福嶋義光編集，日本語訳：松田一郎，友

各論Ⅳ

枝かえで).
3. 遺伝医学における倫理的諸問題の再検討」(WHO/HGN/ETH/00.4) 2002 (松田一郎監修, 福嶋義光編集, 日本語訳：日本人類遺伝学会会員有志).
4.「企業・医療施設による遺伝子検査に関する見解」日本人類遺伝学会, 日本臨床遺伝学会, 日本遺伝子診療学会, 日本小児遺伝学会, 日本先天代謝異常学会, 家族性腫瘍研究会, 2000.
5.「遺伝子解析研究に付随する倫理問題等に対応するための指針」厚生科学審議会・先端医療技術評価部会, 2000.
6.「ヒトゲノム研究に関する基本原則」科学技術会議生命倫理委員会・ヒトゲノム研究小委員会, 2000.
7.「ヒトゲノム・遺伝子解析研究に関する倫理指針」文部科学省・厚生労働省・経済産業省, 2001 (http://www2.ncc.go.jp/elsi/).
8.「遺伝カウンセリング・出生前診断に関するガイドライン」日本人類遺伝学会. Jpn J Hum Genet 40 (1), 1995.
9.「遺伝性疾患の遺伝子診断に関するガイドライン」日本人類遺伝学会. Jpn J Human Genet 40 (4), 1995. J Hum Genet 45 (2), 2001.
10.「遺伝学的検査に関するガイドライン」日本人類遺伝学会. J Hum Genet 45 (2), 2001.
11.「家族性腫瘍における遺伝子診断の研究とこれを応用した診療に関するガイドライン」家族性腫瘍研究会, 2000 (http://jsft.bcasj.or.jp/guideline_top2000.htm)
12.「ヒト遺伝子検査受託に関する倫理指針」社団法人日本衛生検査所協会, 2001 (http://www. jrcla.or.jp/news.html).
13.「遺伝子医学と地域医療」についての報告, 日本に医師会, 第Ⅶ次生命倫理懇談会, 2001 (http://srv02.medic.kumamoto-u.ac.jp/dept/pediat/jshg/jshg-frame-sankousiryou.htm).
14. Neil A. Holtzman, Michael S : Watson ed. "Promoting Safe and Effective Genetic Testing in the United States - Final Report of Task Force on Genetic Testing". Johns Hopkins Univ Press, 1998 (要旨の日本語訳は日本人類遺伝学会のホームページ〈http://www6.plala.or.jp/jshg/〉に収録).
15. "Secretary's Advisory Committee on Genetic Testing : Enhancing the Oversight of Genetic Tests : Recommendations of the SACGT". April 19, 2000 〈http://www4.od.nih.gov/oba/ sacgt.html〉[日本語訳は日本人類遺伝学会ホームページ〈http://www6.plala.or.jp/jshg/〉に掲載].
16. World Federation of Neurology/International Huntington Association. Guidelines for the Molecular Genetics Predictive Test in Huntington's disease. Neurology 44 : 1533-1536, 1994.
17.「母体血清マーカー検査に関する見解」. 厚生科学審議会先端医療技術評価部会・出生前診断に関する専門委員会. 1999 〈http://www1.mhlw.go.jp/houdou/1107/h0721-1_18.html〉.
18.「母体血清マーカー検査に関する見解」. 日本人類遺伝学会倫理審議委員会. J Hum Genet, 1998.
19.「母体血清マーカー検査に関する見解について」寺尾俊彦・周産期委員会報告. 日本産科婦人科学会雑誌 51 : 823-826, 1999.
20.「ヒトの体外受精・胚移植の臨床応用の範囲」についての見解. 日本産科婦人科学会, 2000.
21.「着床前診断」に関する見解. 日本産科婦人科学会, 2000.
22. Editorial getting a grip on genetic testing. Nature Medicine. 9 : 147, 2003.

Ⅳ-3　生体試料バンク

京都大学大学院医学研究科研究員
新添多聞
京都大学大学院医学研究科教授
小泉昭夫

1. はじめに

化学物質は絶えず新たな素材が生み出され，製造技術も常に進歩し，新薬の開発やその商品化も進む．今世紀における開発速度には目を見張るものがあるが，それは同時におびただしい種の化学物質が環境中に排出される，あるいは流出するということでもある．工業目的で広く利用される化学物質はおよそ70000種あるとされているが，そのうち環境中での動態が明らかになっているものはほんのわずかでしかない．環境調査が新種の開発速度に間に合うはずもない以上，迅速に規制していかなければ，野性動物の健康も含めた生態系への影響を最小限に抑えることはできない．

環境生体試料バンク(environmental specimen bank；以下ESB)は代表的な環境生体試料をシステムとして長期保存する組織および設備である．ESBに保存された試料は，過去の環境を分析することにより，規制に関する政策評価に利用されてきた．この点で，適切に構成されたESBは過去から現在を記録した試料の有用な資源となりうる．ESBの試料を使えば，研究者は現在の状況を対象としてきた研究を過去に拡張することも出来れば，未来に外挿することも出来る．特定の化学種について，様々なシナリオを仮定することにより，将来の曝露状況を予測することも出来るのである．

この30年の間に，アメリカ，ドイツ，スウェーデン，日本など多くの国で公式のESBが整備された．これに対して近年，京都大学ではヒト生体試料バンクを構築した[1)]．この生体試料バンクの際立った特徴は，1970年代から2008年までのヒト曝露を再現する手段を提供できる点にある．また保存されている試料は日本で採取されたものに留まらず，広くアジア諸国——中国，韓国，タイ，ベトナム，マレーシア，フィリピン——にまで及ぶ．従って，環境汚染における時間的傾向と同時に地理的傾向をつかむ手段も提供できる．

ここではまず京都大学ヒト生体試料バンクについて紹介する．さらに世界の主要なESBである，日本，アメリカ，ドイツ，スウェーデンのESBの特徴を比較してそれぞれのESBの役割を概説する．さらに環境科学におけるESB活用の具体例についても紹介したい．

2. 京都大学ヒト生体試料バンクと世界の主要な環境試料バンク

2010年現在，世界には10を超える数のESBが存在する(http://www.chem.unep.ch/gmn/05_ESB.htm)．

2.1 京都大学ヒト生体試料バンク(http://hes.pbh.med.kyoto-u.ac.jp/kuhsb/)

京都大学ヒト生体試料バンクは2004年に京都大学大学院医学研究科に創設された[1)]．ここに保存される試料は4つの研究活動により収集されたものである．第1のグループは池田正之らにより1970年代後半から1990年代まで続けられた，日本における全国規模の重金属モニタリングの一環として収集された[2～6]．1980年代初頭には，日本およびアジア諸国において一貫した手法に従った計画的な試料採集が行われた．そこでは参加者から全血，尿，および24時間の陰膳食事試料の提供を受けた．さらに年齢，血圧，過去と現在の病歴，使用薬，アスパラギン酸アミノトランスフェラーゼ，アラニン，γ―グルタミントランスフェラーゼ，総コレステロール，トリグリセド，高密度リポタンパクコレステロール，尿タンパク，尿中赤血球といった個人情報および生化学データを質問紙と生化学分析により得た[7]．陰膳食事サンプル法では食事試料は調理済みのものであり，その品目を記録しておく．その後48時間以内に研究室に搬送し，処理を行うまで－30℃で保管した．処理方法としては，食料の材料を単品ごとに重さを測定しておいてから，飲み水とともに均一に混ぜ合わせる．均一化した試料全体のうち1リットル(約1kg)を100ml瓶10本に収めて－30℃で保存する．それぞれの地域における鉛およびカドミウム曝露の長期トレンドが詳細に記録されている[2～6]．

第2のグループは1980年代に秋田県において収集された試料である．これは母乳，全血，血清試料から成り，秋田県の農業地域に位置する平鹿総合病院から提供を受けた．この試料は本来，殺虫剤に対する農業従事者の曝露状況を調査する目的で収集されたものである[8]．

第3のグループは2004年から2006年にかけて小泉昭夫らによって収集された[1]．全血と母乳試料を全国規模で集めたもので，地域は沖縄，高知，兵庫，京都，高山(岐阜県)，福井，東京，宮城，秋田，静内(北海道)である．さらにそれぞれの地域で市場に出回っている朝食，昼食，夕食用弁当を試料として収集している．母乳試料の採取は出産後12週までを対象とした．全血と母乳試料の提供者には研究趣旨に対して文書による同意を得ると同時に，それまでの生活環境，生活習慣に関する質問紙に対する回答を得た．この研究においては，食事試料は朝食，昼食，夕食試料のセットを一日分の試料として均一化処理を行った．また飲料水は第1の研究と同様の手法により各地域で採取した．

第4のグループは2007年および2008年に日本の宮城，高山，京都，中国の北京，韓国のソウル，釜山，ベトナムのハノイにおいて採集した．この研究では全血試料もしくは母乳試料のどちらかを採取する場合はそれぞれの国内医療機関に依頼したが，全血試料と食事試料の両方を採取する場合は上記第3の研究と同じ手法で行った．また，研究趣旨に対する文書による同意を得，生活環境，生活習慣の質問紙への回答と提供する食事試料の詳細な品目表の提出を受けた．母乳試料提供者についてはいずれの国の場合も同じ手続きに則った．即ち試料採取は産後12週までとし，試料提供者からは質問紙への回答を得た．

京都大学ヒト生体試料バンクは1980年代から現在まで収集された試料に基づいたヒト曝露評価が可能となるように構成されている．これまでに収集された生体試料は現在，血液22000検体，食事4500検体，母乳730検体に上る．試料の提供要請を受けた際は，試料バンクの運営委員会がその研究計画を審査する．申請が許可された場合は，要請された生体試料が研究者に対して，送料以外は一切無償で提供されている．

2.2　es-Bank

(http://www.ehime-u.ac.jp/~cmes/esbank/esbank.htm)

愛媛大学では1965年に環境生体試料の収集を開始した[9]．その当時愛媛大学では，地域の農業従事者により使用されていた殺虫剤による局所的な環境汚染の研究の為の生体試料の収集を目的としていた．試料は愛媛大学職員によって体系的に収集，保存され，これがその後の大規模な試料群に繋がることとなった．愛媛大学沿岸環境科学研究センターの研究者グループによって，これまでに数千にものぼる試料が世界中から収集された．この世界中から集めた生体試料の大部分が2002年にes-Bankとして引き継がれた．科学におけるes-Bankの特に優れた点であり，他のどのESBにも見られない特徴は，それが全世界的規模に及んでいること，特にアジア太平洋地域の生体試料を数多く保存していることである．

2.3 国立環境研究所環境試料タイムカプセル (http://www.nies.go.jp/timecapsl/)

国立環境研究所では1979年にESBを試験的に創設した．環境試料タイムカプセルはその後拡張され，環境生体試料と絶滅危惧種の遺伝資源の収集を始めることとなった．この生体試料バンクの目的は，将来において必要となる，あるいは将来分析することを想定して長期間(50 − 100年間)生体試料を保存することである．ここには二枚貝，魚類，ヒトの母乳の他，大気試料も保存されている．このうち二枚貝試料は膨大かつ広範囲におよび，極めて貴重な環境試料である．特に遺伝多様性の長期変遷や気候変動による種の自然淘汰などの情報源として期待されている．

このESBは国家事業であるため，国立環境研究所の厳しい管理の下で長期保存それ自体が目的となっている．従って，研究者からの検体の提供要請に応えることはできない．また現時点では体系的な試料収集が行われているようには思われない．むしろ将来必要となりうる様々な研究に備えることを目的としているようである．

2.4 米国国立バイオモニタリング試料バンク(National Biomonitoring Specimen Bank)，海洋環境生体試料バンク(Marine Environmental Specimen Bank；http://www.nist.gov/cstl/analytical/marineesb.cfm)

この2つの試料バンクは設計が非常に優れており，またプロトコルも明快である[10]．米国には似通った構成を持つ国立のESBが2つ存在する．1つ目の試料バンクがCASPIR (The CDC and ATSDR Specimen Packaging, Inventory and Repository)であり，疫病予防管理センター(Center for Disease Control and Prevention；CDC)と毒性物質疾病登録機関(Agency for Toxic Substances and Disease Registry；ATSDR)による公衆衛生活動の一環として様々なヒト生態試料を収集してきた．2つ目の試料バンクは国立標準技術研究所(National Institute of Standards and Technology；NIST)の管理下にあり，2つの独立した施設から成る．即ち，国立バイオモニタリング試料バンクと海洋環境生体試料バンクである．CASPIRがヒトの健康科学のための生体試料を保存しているのに対して，NISTの試料バンクは環境学のための構成がなされている．

米国のESBはテキサス州の砂漠，ハワイ，アラスカといった多様な環境に生息する動物の試料を継続的に収集している[11]．試料には絶滅危惧種のものも含まれ，その種類も魚類，哺乳類，鳥類，植物に及ぶ．この試料バンクの構成には食物網による汚染物質の伝播と野生動物の健康状態という観点も考慮されており，環境の維持管理という点で極めて重要な役割を果たしている．また現在，これまで蓄積されてきた試料に対して，最新の，より感度の高い手法による分析を行っている．

2.5 ドイツヒト環境生体試料バンク (Environmental Specimen Bank for human tissues；ESBHum：http://www.umweltprobenbank.de/)

ESBHumはドイツ環境生体試料バンクの一部として創設されたもので，現在から過去に遡っての測定値によるヒト曝露調査を行うことを主眼としている[12]．試料は毎年分析され，無機元素20種(Sb, Th, As, Ba, Cd, Pb, Hg, Ag, Tl, Sn, U, Cu, Ca, Fe, Mg, K, Se, Na, Sr, Zn)，有機化合物5種(ヘキサクロロベンゼン，ペンタクロロフェノール，PCB-138，PCB-153，PCB-180)を測定している．検体は毎年，ミュンスター，ハレ，グライフスヴァルト，ウルムの4都市に居住する20 − 29歳の学生500人から無償により提供を受けている．その際，詳細な個人情報が検体に添付される．その意味では，ESBHumは健康関連環境調査の目的で企図されたものであると言える．

2.6 スウェーデン自然史博物館生体試料バンク(http://www.nrm.se/)

このESBは陸上，陸水，海洋環境における生体中の汚染物質の残留濃度とその影響を調べるために1980年にスウェーデン環境省により着手された[13]．その狙いは様々なテーマに沿った生体試料を収集し，処理，蓄積して供給することにより，環境問題に対する行動指針を更新するうえで必要な情報を提供することにあった.

現在，スウェーデンESBには26万体の有機生物の試料が蓄積され，さらに年間約8000 − 9000体の生体試料が収集されている．スウェーデンのモニタリング計画は試料バンクへの集積と分析が密接に繋がっていて，新しい化学物質の時間的傾向や空間的分布および検出手法の研究に年間3500検体が消費されている.

ESBに関連する活動として，スウェーデン環境省は1989年に海洋の頂点捕食動物の生体調査を計画した．この計画の目的は3種のカモメと1種のオジロワシの個体数，生殖，発育，健康状態を調査することであった．この研究をサポートするため，スウェーデンESBはこれらの種の細胞組織と臓器の試料を収集している．また現在はさらに植物，コケ類，堆積物，泥，ヒトの食材の収集も行っている.

3. 環境学における生体試料の活用——血中鉛の数値シミュレーションと生体試料による検証

ESBは現代の環境科学や意思決定の基盤として今や不可欠のものとなっており，環境科学に関連する以下のような幅広い分野で中心的役割を果たしてきた．(1)政府の環境政策決定や規制措置の評価，(2)動物の健康評価のための資源，(3)生態系におけるトレンド調査の研究ツール，(4)新たに問題化した化学種の過去に遡っての検出，(5)環境における現象の数値モデルの検証，(6)汚染源の特定，(7)食の安全評価ツール，(8)環境変化による遺伝淘汰圧の検証．ここでは筆者らが行った，血中鉛の数値シミュレーションにおける生体試料の活用例を紹介する.

鉛は，日本，韓国では有鉛ガソリンの禁止や厳しい排出規制などの成果により，大気中濃度はこの30年間で大きく減少したが欧州に比べればいまだに高いことが知られている[14]．また東アジアの経済成長著しい国では大気中濃度は現在でも非常に高い[15]．筆者らはこの30年間の東アジアにおける大気中鉛濃度の推移と越境大気汚染を評価するために，鉛の大気輸送モデルの開発を行った[16]．東アジアでは大気中鉛濃度の観測は都市部に偏っており，また大気中濃度は風や雨と言った気象条件による変動が大きいため，モデルの検証には大気中濃度の観測値と比較するだけでは不十分である.

そこで，大気モデルにより計算された大気中濃度を生理的薬物動態モデルに組み込んで血中鉛濃度をシミュレートし，これを京都大学ヒト生態試料バンクの血液試料における実測値と比較した．その際，食事による鉛摂取量は同じく生態試料バンクの食事試料における鉛含有量から，国ごとに時間の関数として推定した値を与えた．使用した血液と陰膳法による食事の試料は表1の通りである．すべて職業上の曝露を受けない，非喫煙者の女性から提供されたもののみを用いた.

図1は血中鉛濃度の計算値と実測値とを，散布図を用いて比較した結果である．生体試料によれば，日本における血中鉛濃度は，1980年頃は20 $\mu g\ L^{-1}$から40 $\mu g\ L^{-1}$程度であった．1990年代にはこれが10 $\mu g\ L^{-1}$から30 $\mu g\ L^{-1}$程度に，2007年には15 $\mu g\ L^{-1}$前後へと減少しているのが分かる．韓国では1990年代中頃まで50 $\mu g\ L^{-1}$

表1　血中鉛シミュレーションとその検証に用いた，京都大学ヒト生体試料バンクの血液と食事の試料

国	年代	検体数
日本	1979 − 1981	306
	1991 − 1997	534
	2007	60
韓国	1986	40
	1994	181
	2000	38
	2007	35
中国	1993 − 1997	300
	2007	25
ベトナム	2007 − 2009	55

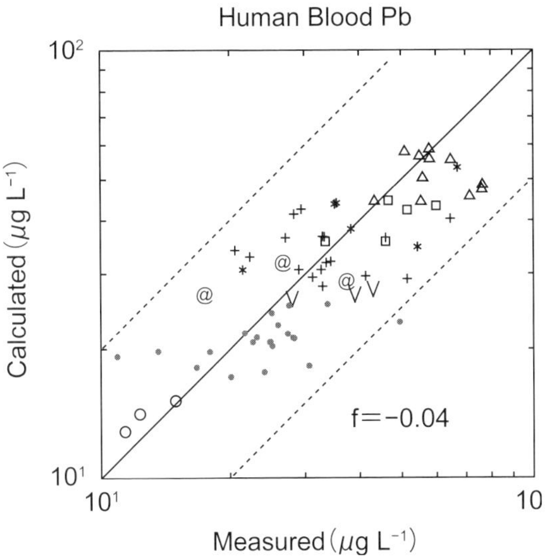

図 1
血中鉛濃度（μg L^{-1}）の数値モデルによる計算値と京都大学ヒト生体試料バンクの試料における実測値との比較．実線は計算値と実測値が一致することを表し，2 本の破線は誤差が 2 倍の範囲にあることを表す．（+）日本 1980 年頃，（●）日本 1990 年代中頃，（○）日本 2007 年，（□）韓国 2000 年以前，（@）韓国 2000 年以後，（△）中国 1995 年以前，（＊）中国 1995 年以後，（V）ベトナム 2000 年代．

前後であったのが 2000 年頃には 30μg L^{-1} 程度に，2007 年には 18μg L^{-1} へと減少している．中国では 1995 年以前の生体試料によれば，50μg L^{-1} から 80μg L^{-1} 程度であった．1990 年代後半や 2007 年には北京や瀋陽で 40μg L^{-1} を下回っているものの，依然として日本，韓国よりも高い水準にある．また南京では 1998 年に 67μg L^{-1} という非常に高い値を記録しており，日本，韓国のような明確な減少傾向は見られない．ベトナムでは生体試料が最近のものしかないためトレンドについては分からないが，現在の血中濃度は，1980 年頃の日本，あるいは 1990 年代中頃の韓国の水準に近い．数値モデルによる計算値は日本，韓国，中国，ベトナムのいずれの年代の実測値とも概ね 2 倍の誤差の範囲で一致している．また，日本，韓国におけるこの 30 年間の明確な減少傾向を再現できている．このように，大気モデルと生理的薬物動態モデルを結合した数値モデルを用いて，東アジアにおけるヒトの血中鉛濃度の過去から現在までの推移が再現できることが，生体試料バンクに保存された試料によって示されている．

4. 将来の展望

血中鉛の例で見たように，生体試料バンクの試料を用いて，化学物質の経年的，空間的，ヒト曝露動向を明らかにすることが可能であり，製造禁止や排出規制に関して国内の政策決定のみならず，多国間協議のための重要な資料を提供することができる．産業界の発展とヒト健康影響が平衡を保ちながらサステイナブルな社会，環境を維持していくために，多くの研究者に利用されていくとともに，このような環境汚染モニタリングのための生体試料バンクを，研究機関はもとより社会全体で支えていく必要があると考える．

参考文献

1. Koizumi A, Harada KH, Inoue K, Hitomi T, Yang H-R, Moon C-S, Wang P, Hung NN, Watanabe T, Shimbo S, Ikeda M. Past, present, and future of environmental specimen banks. Environ. Health Prev. Med. 14, 307-318, 2009.
2. Watanabe T, Koizumi A, Fujita H, Kumai M, Ikeda M. Dietary cadmium intakes of farmers in nonpolluted areas in Japan, and the relation with blood cadmium levels. Environ. Res. 37, 33-43, 1985.
3. Watanabe T, Nakatsuka H, Ikeda M. Cadmium and lead contents in rice available in various areas of Asia. Sci. Total Environ. 80, 175-184, 1989.
4. Watanabe T, Nakatsuka H, Shimbo S, Iwami O, Imai Y, Moon C-S, Zhang Z-W, Iguchi H, Ikeda M. Reduced cadmium and lead burden in Japan in the past 10 years. Int. Arch. Occup. Environ. Health 68, 305-314, 1996.
5. Watanabe T, Zhang Z-W, Moon C-S, Shimbo S, Nakatsuka H, Matsuda-Inoguchi N, Higashikawa K, Ikeda M. Cadmium exposure of women in general populations in Japan during 1991-1997 compared with 1977-1981. Int. Arch. Occup. Environ. Health 73, 26-34, 2000.
6. Ikeda M, Zhang Z-W, Shimbo S, Watanabe T, Nakatsuka H, Moon C-S. Matsuda-Inoguchi N, Higashikawa K. Exposure of women in general populations to lead via food and air in East and Southeast Asia. Am. J. Ind. Med. 38, 271-280, 2000.
7. Chiba K, Miyasaka M, Koizumi A, Kumai M, Watanabe T, Ikeda M. Comparison of food constituents in the diet of female agricultural workers

in Japan with high and low concentrations of high-density lipoprotein in their sera. J. Epidemiol. Community Health 39, 259-262, 1985.
8. Sugaya T, Watanabe K, Sasaki S. Levels of organochlorines and polychlorinated biphenyls in human body. J. Jpn. Assoc. Rural Med. 33, 140-146, 1984.
9. Tanabe S. Environmental Specimen Bank in Ehime University（es-Bank）, Japan for global monitoring. J. Environ. Monit. 8, 782-790, 2006.
10. Wise SA, Koster BJ. Considerations in the design of an environmental specimen bank: experiences of the National Biomonitoring Specimen Bank Program. Environ. Health Perspect. 103［Suppl 3］, 61-67, 1995.
11. Becker PR, Wise SA. The U.S. national biomonitoring specimen bank and the marine environmental specimen bank. J. Environ. Monit. 8, 795-799, 2006.
12. Wiesmüller, GA, Eckard R, Dobler L, Günsel A, Oganowski M, Schröter-Kermani C, Schlüter C, Gies A, Kemper FH. The environmental specimen bank for human tissues as part of the German Environmental Specimen Bank. Int. J. Hyg. Environ. Health 210, 299-305, 2007.
13. Odsjö T. The environmental specimen bank, Swedish Museum of Natural History —a base for contaminant monitoring and environmental research. J. Environ. Monit. 8, 791-794, 2006.
14. Kim K-H. Airborne lead concentration levels on the Korean peninsula between 1991 and 2004. Atmos. Environ. 41, 809-824, 2007.
15. Okuda T, Katsuno M, Naoi D, Nakao S, Tanaka S, He K, Ma Y, Lei Y, Jia Y. Trends in hazardous trace metal concentrations in aerosols collected in Beijing, China from 2001 to 2006. Chemosphere 72, 917-924, 2008.
16. Niisoe T, Nakamura E, Harada K, Ishikawa H, Hitomi T, Watanabe T, Wang Z, Koizumi A. A global transport model of lead in the atmosphere. Atmos. Environ. 44, 1806-1814, 2010.

Ⅳ-4　ゲノムワイド遺伝子発現プロファイル，エピジェネティクス解析

東京大学大学院医学系研究科
橋本真一

1. 序論

予防医学には，内的・外的ストレスに対する生体防御反応・生体侵襲機構解析による疾病の発症機序の解析を基盤とし新しい分子レベルでの疾患の定義づけとそれに対応する診断法を提供する時代がきている．これらの解析法も免疫・血清学的診断・スクリーニング法からPCR，SSCP，DNA配列決定やDNAアレイなどによる広範な遺伝子同時検索などの分子生物学的診断・方法へ移行している．

1988年に開始したヒトゲノムプロジェクトは，2001年初頭にその解読情報がScience[1)]とNature[2)]にて公開された．「生命の設計図」であるゲノム構造が明らかにされ，現在では塩基配列の機能をゲノムスケールで解釈するゲノム機能科学が行われている．

ゲノム機能解析は体系的，網羅的に行われ，ゲノム→トランスクリプトーム→プロテオームという解析アプローチで研究されている(図1)．すなわち，今まで一つ一つの遺伝子・タンパク質を見て解析がなされてきたが，ゲノムワイドな遺伝子・タンパク質の全体像を調べるという意味で(-ome)を付して，transcriptome, proteomeという合成語が作られた．このようにゲノムワイドに解析することにより予期しない作用を検知し，新たなメカニズムの解析が期待される．このなかでトランスクリプトーム解析は生物の形質，及び病体を理解する上で大変重要であり，解剖学的，時間的，状況的に変化する転写産物を解析することで生命現象を統合的に理解できる．実際に包括的なmRNA発現変化を測定して細胞の増殖，分化，環境因子・薬物による影響，疾病による細胞／組織の変化が調べられている．

一方，同じ個体内で各細胞／組織のゲノムDNA配列が同じにも関わらず組織特異的な遺伝子発現があるのはエピジェネティクスと呼ばれる機構の違いによるものである．エピジェネティクスとはDNAの一次配列に関係なく後天的なDNAメチル化，ヒストンのアセチル化やメチル化修飾，ヌクレオソームのゲノム上の配置(図2)などのクロマチンの構造変化によって遺伝子発現が制御・維持される現象を示す．それらは発生や分化に特に重要であることが明らかとなっている．さらに，癌の発生や進展にDNAのメチル化やヒストンの脱アセチル化などのエピジェネティックな異常が関与していると考えられている．

このような背景下で遺伝子を基にした病態の解析及びそれに伴う遺伝子診断，予防医学の研究がさらに加速されるものと予想される．本稿ではこれらの研究に威力を発揮すると考えられる包括的遺伝子発現検索，さらに遺伝子発現を調節する機構であるエピジェネティクスの測定法について解説する．

2. 遺伝子発現解析法の種類

従来の遺伝子発現の解析法としては表1に示したように，ノーザンブロッティング，サブトラク

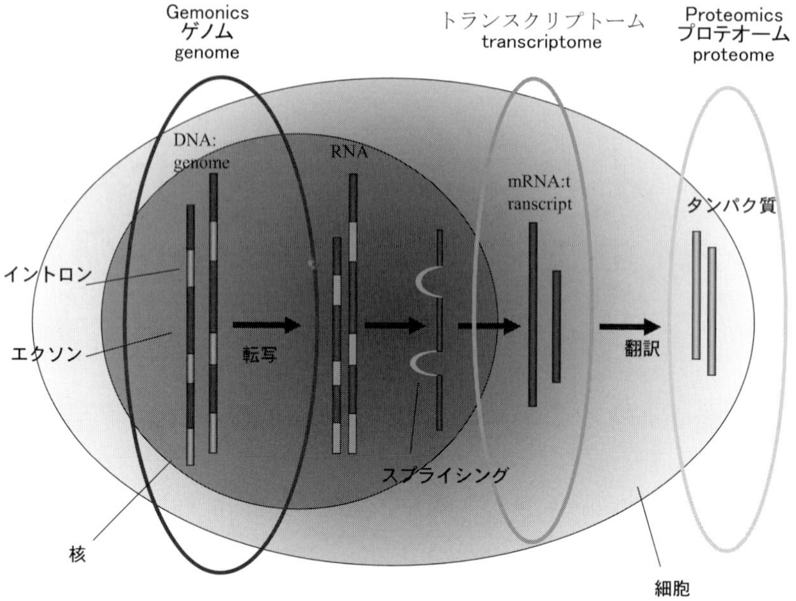

図1　ゲノム・トランスクリプトーム・プロテオーム

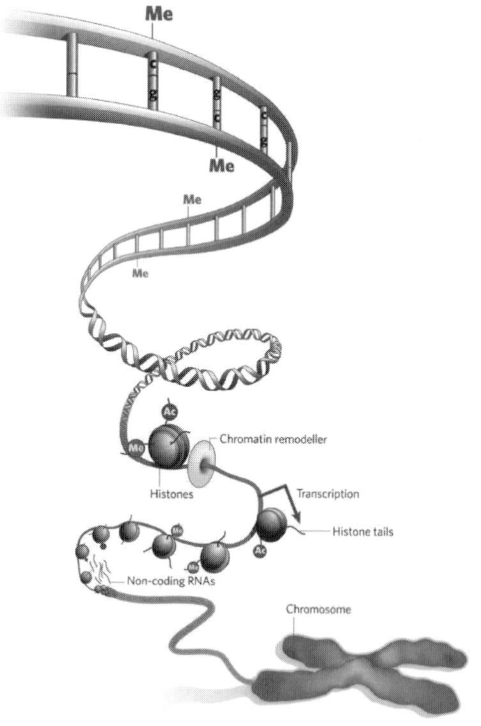

図2　DNAシトシンのメチル化とヒストンのN末端の修飾は遺伝子の発現を調節するヌクレオソームの再構築機構に関与する．Nature 454,711-5,2008

表1　遺伝子発現頻度解析法の比較

Methods	Technology
Transcript Imaging	EST
SAGE	10～25bp
Body Map	3' Sequencing
Differential Display	Primer PCR
Subtraction	Elimination of abundant cDNA
Real time PCR	TaqMan probe etc.
Microarray Hybridization	cDNA / oligo DNA

ション，EST法，differential displayなど様々な方法が知られている．このうちサブトラクション，EST法，differential displayは未知の遺伝子を同定するのに適しているが，一度に解析できる遺伝子に限りがあり，遺伝子の発現頻度を調べるのには問題がある．そこで最近何万という遺伝子を一度に解析できる方法としてSAGE（serial analysis of gene expression）法[3]やDNAアレイ法[4]が開発された．

3. SAGE法

SAGE法の原理と概略

SAGE法は，未知，既知にかかわらず遺伝子の発現を何百万という単位で包括的に調べることが可能な方法であり，発現解析データを数値化でき容易にコンピュータ上で比較ができるところを特徴とする．この方法を用い微生物[5)]，細胞分化[6)]，薬物処理細胞／組織[7)]などの多様なライブラリーでの遺伝子発現が報告されている．また，Johns Hopkins大学のグループを中心として多種の癌組織／細胞の遺伝子解析がSAGE法により精力的に進められ，癌特異的な抗原の同定，癌化に関与する遺伝子の検索が行われている[8)]．解析された転写産物のデータはNCBI（http：//www.ncbi.nlm.nih.gov/geo/）をはじめとする多くのサイトから公開されている（表2）．また，SAGE法を用いたmiRNA[9)]，および微量のサンプルでの解析法[10)]も開発されており，現在，定量的な包括的遺伝子発現解析としてSAGE法が幅広く利用されている．

SAGEの基本的な原理（図3，4）は，1分子のmRNAの名札になる部分をシークエンスし，これらの出現頻度と種類を解析するものである．名札になる部分は遺伝子をコードするcDNAのpoly A tailに一番近い制限酵素（NlaIII）部位（4塩基認識制限酵素；理論的にはcDNAが平均256bpに一つの割合で切断される）の下流10～11bpである（LongSAGEでは16～17bp）．この10～11bpをtag（名札）と呼び，このtagをもとに遺伝子を特定し，同じtagの個数を数えれば発現量がわかる．cDNAライブラリーのクローンをランダムにシークエンスすれば同様な結果が得られるが，SAGEの場合tagを数珠つなぎにして，効率良くtagシークエンスを読む．一方，ゲノム情報およびESTの情報解析が進むにつれオリジナルのSAGE法では特定できない遺伝子が出現することがわかってきた．そこでSahaらは酵素を変えることによって21bpを特定できるLongSAGE法を開発した[11)]．LongSAGEの基本的な原理はオリジナルのものとほとんど同じあり，相違点は制限酵素MmeIを使うことによってCATGの下流17塩基の切断が可能となることである．この結果，CATGと合わせて21bpを同定できることになり，ゲノムの情報からの遺伝子の同定が可能となる．また，松村ら[12)]は，制限酵素認識サイトから25－27塩基下流で切断する

表2　公開されているSAGE関連のデータベース

データベース名	URL	概要
SAGEnet	http://www.sagenet.org	SAGEを開発したLabのホームページ，大腸癌のデータやプロトコールなどがある．
CGAP	http://cgap.nci.nih.gov	正常細胞，癌細胞を統合的に理解するためのデータベース，遺伝子発現，SNP，RNAi，Chromosome Aberrationsが集まっている．
Gene Expression Omnibus	http://www.ncbi.nlm.nih.gov/geo	DNA arrayとSAGEの遺伝子発現情報を集めた統合データベース
SAGE genie	http://cgap.nci.nih.gov/SAGE/	10または17baseのtagのデータベースでありSAGE tagのSNPのデータも含んでいる．ライブラリー同士の比較，また各研究者が単離したtagのゲノム上へのマッピングも可能．
Digital Karyotyping	http://cgap-stage.nci.nih.gov/SAGE/DKViewHome	SAGEベースの技術による解析されたゲノムの増幅と染色体欠失の配列データベース
MD Anderson SAGE site	http://sciencepark.mdanderson.org/ggeg/default.html	ヒト癌細胞とマウスの癌モデルの遺伝子発現データベース
5'SAGE	http://5sage.gi.k.u-tokyo.ac.jp/	5' end 情報と遺伝子発現のデータベース
CAGE	http://gerg01.gsc.riken.jp/cage/	5' end 情報と遺伝子発現のデータベース
Blood SAGE	http://bloodsage.gi.k.u-tokyo.ac.jp/	ヒト血液系における遺伝子の SAGE tag 解析サーバー

各論Ⅳ

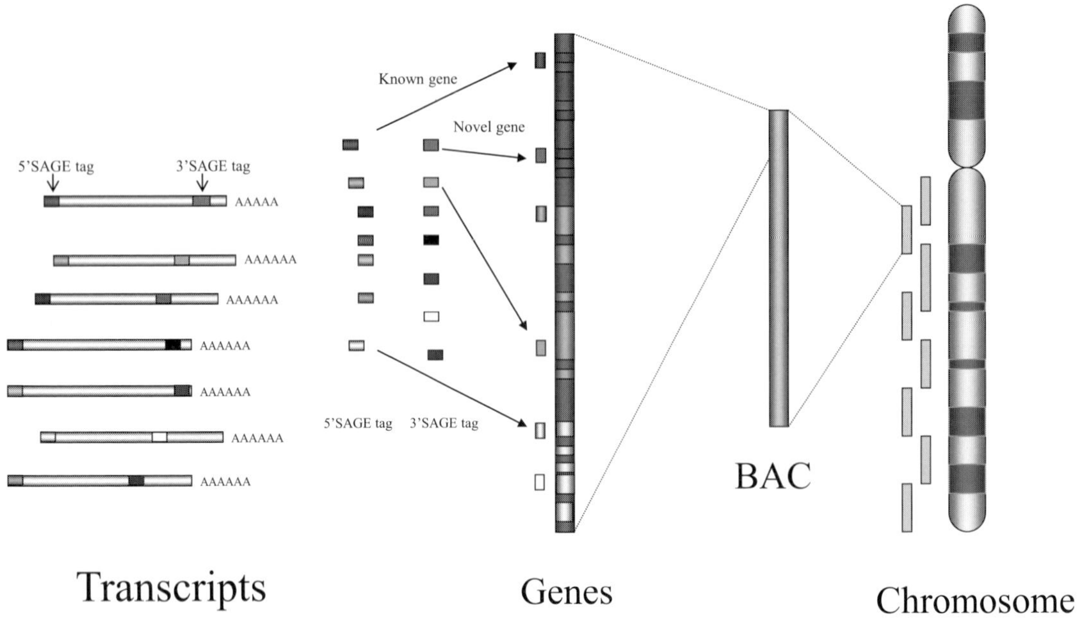

図３　SAGE 法は各遺伝子由来の tag からゲノム上の位置を特定し，tag の量から発現頻度を算出する.

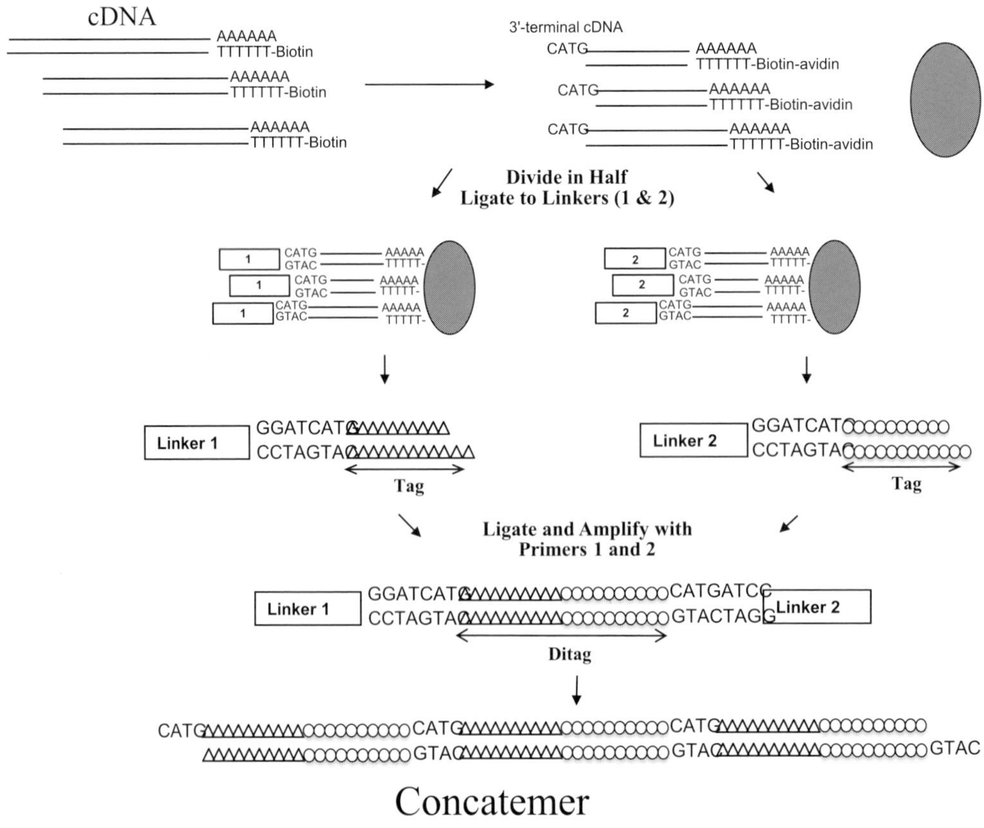

図４　SAGE 法の詳細

EcoP15I を用いて SuperSAGE 法を開発した．SuperSAGE 法はタグの配列を長くすることによって遺伝子を特定しやすくしている．この情報を利用することでオリジナル SAGE では特定ができなかった遺伝子を明らかにできるだけでなく，コンピュータソフトでは予想されていない発現遺伝子の発見や，遺伝子の発現様式を知ることが可能となる．

SAGE 関連技術

最初の SAGE プロトコールは多くの研究者によってさまざまに改変されている．

1）MPSS
（Massively Parallel Signature Sequencing）

Brenner ら[13]は，マイクロビーズの表面でタグの配列決定することによりデータ収集を加速する MPSS（大規模並列処理特徴配列決定）法を開発した．MPSS 法は Megaclone 法により polyA（＋）RNA から調製した cDNA を個々にマイクロビーズに固相化した後，フローセルの中に充填し，制限酵素で処理，配列認識用アダプターのライゲーションおよび蛍光プローブのハイブリダイゼション操作を繰り返し，蛍光をそのつど CCD カメラで撮影してフローセル内のすべてのマイクロビーズ上の cDNA を同時にシーケンスする．この方法により一回の MPSS で 20 － 30 万個の配列を得ることが出来る．しかしながら Hene らが LongSAGE 法と MPSS 法を比較した結果，MPSS 法はシークエンスエラーが多いため正確な遺伝子発現が観察出来ないと報告している[14]．

2）5’SAGE

オリジナル SAGE 法は 3’ 側の特定の断片を用いて遺伝子を特定するものであり最長 27bp の断片を用いることで発現遺伝子のゲノム上の位置を決定することができる．しかしながら 5’ 端の情報は正確でないものが多く，これらのデータから得た遺伝子の機能を明らかにする上で問題となることが明らかになった．それらの問題を克服し，さらに詳細な解析を行う為，転写開始点及び遺伝子発現頻度を観察できる 5’-end SAGE（5’ SAGE）法（図 3）[15]，また同様の手法である CAGE 法が開発された[16]．

3）GIS（gene identification signature）

上で示した遺伝子の 5’end ならびにオリジナル SAGE のように 3’ 領域の情報だけでは個々の転写産物の全体像すなわち何処から始まり何処で終わるのかを示してはいない．そこで Ruan らは 5’ －と 3’ －末端のペアをタグ（paired-end ditag（PET））としてシークエンスする方法，GIS を開発した[17]．従って，GIS 法は，異なった長さの転写産物の発現を明らかにすることに対して有用である．実際に幾つかのスプライシングフォームや転写産物同士がフュージョンしたものが報告されている．しかしながらベクターに遺伝子を挿入する操作があるため転写産物の長さに左右され正確な発現頻度を決めるのには適していない．

一方，彼らはこの方法を用いて転写産物だけでなく p53 の結合サイトをクロマチン免疫沈降し，フラグメントの両端をシークエンスすることにより詳細に解析している[18]．

DNA マイクロアレイ

SAGE 法と同様に DNA マイクロアレイは，数千あるいは数万といった数の遺伝子についてその発現を同時に観察することを可能にする方法として開発された．マイクロアレイを可能にしたのはスライドグラス程度の支持体に DNA を高密度に配列する技術の開発であった．現在ではマイクロアレイはその作製法により 2 つに大別される（表 3）．Stanford 大学で開発された方法[4]は，あらか

表 3　DNA アレイの種類

- **Glass microarry (Stanford type)**
  - ⋆ cDNA printed onto microscope slide
  - ⋆ Two-color fluorescence detection
  - Application
    - Gene expression
    - Chromatin immunoprecipitation-ChIP
- **Oligo chip (AFFYMETRIX)**
  - ⋆ Oligo probes synthesized onto chip
  - ⋆ Fluorescence detection
  - Application
    - Transcriptome (gene expression)
    - Chromatin immunoprecipitation-ChIP
    - Copy number and SNPs

じめ調整されたcDNA（プラスミドに挿入された状態もしくはPCR産物)を高密度にスライドグラスにスポットする手法で，もう一つはAffymetrix社により開発されたオリゴヌクレオチドアレイでありフォトリソグラフィー技術により基盤上で20塩基程度のオリゴマーを合成していく手法である[19]．

DNAマイクロアレイの原理

1）Stanford方式

図5にDNAマイクロアレイの流れを示した．まず，スライドグラスなどの基盤上に異なる種々のターゲットDNAを高密度にスタンプしDNAチップを作成する．次に組織や細胞から抽出した条件の異なる2つのサンプルからRNAを抽出し，おのおのを波長の異なる蛍光色素(主にCy3-dUTP, Cy5-dUTP)で標識されたヌクレオチドの存在下で逆転写反応を行い標識したcDNAを作製して1枚のチップ上で競合的ハイブリダイゼーションを行い，各ターゲットDNAからのシグナルをスキャナーで検出する．このとき標識されたcDNAは標識された蛍光とは無関係に塩基配列と相補的な配列を持つアレイ上の遺伝子と選択的に結合する．非特異的な結合を取り除いた後，標識DNAの発する蛍光をそれぞれ測定することで，アレイされている各遺伝子について，2つの状態における発現量を検出し解析することによりサンプル間での遺伝子の発現の違いを相対的に比較できる．

2）Affymetrix方式

Affymetrix方式はオリゴヌクレオチドをチップ上で合成することで1cm^{2}あたり100万という密度までオリゴヌクレオチド合成を可能にした．フォトリソグラフィーを用いて配列の個々の位置に光パルスを直接与えながら，修飾されたdNTPをチップ表面に順番に加えていくこの光パルスによって，特定のdNTPをどのオリゴヌクレオチドに付加するか決まる(図6)．このようにして18～25merの塩基配列をもったプローブが基盤上に固定される．このチップの特性としてはプロー

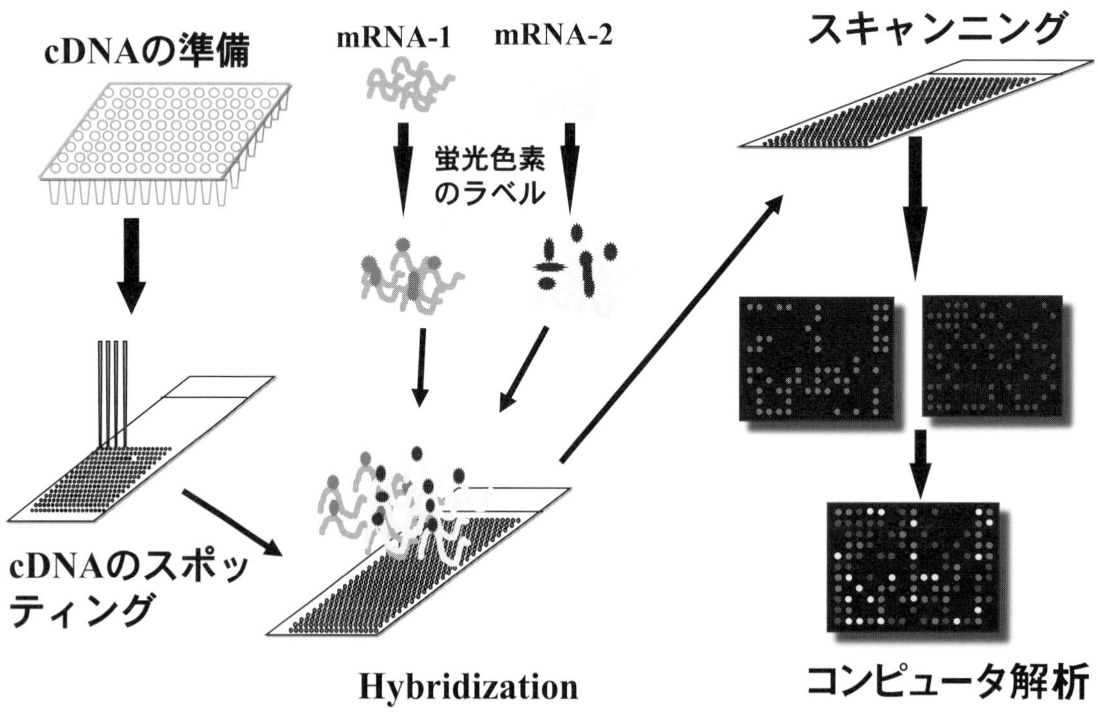

図5　cDNAmicroarray（Stanford方式)の詳細

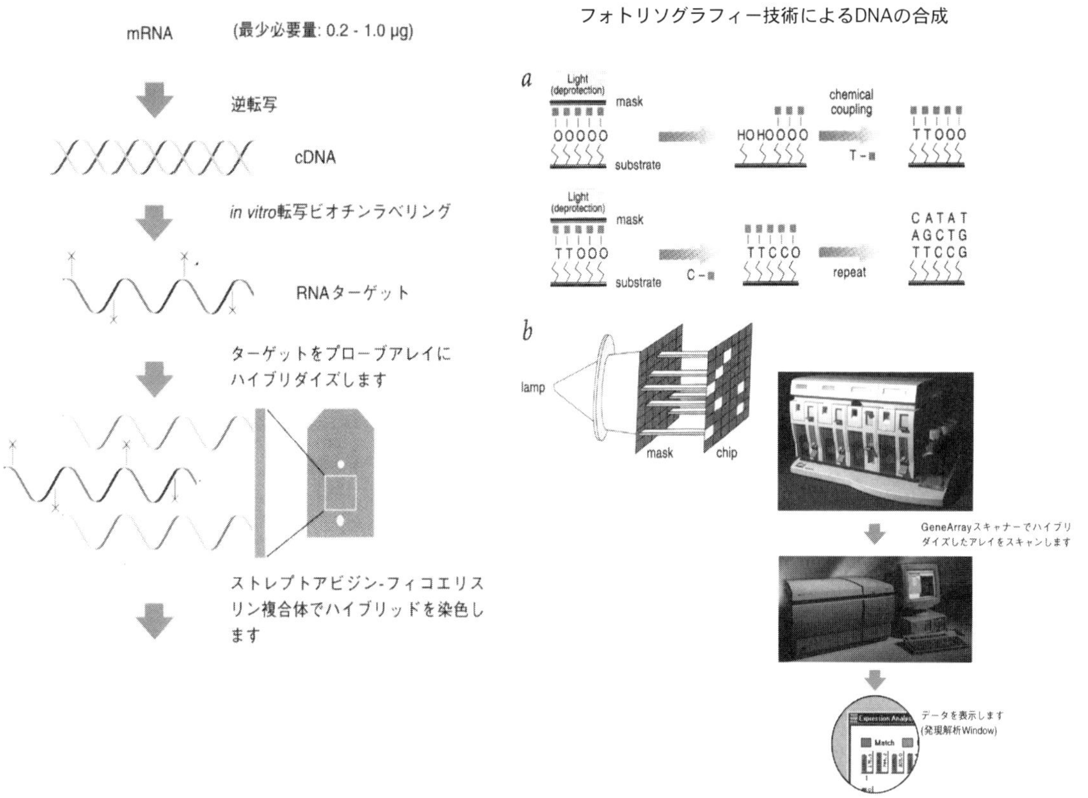

図6　GeneChipによる発現解析

ブが特定の遺伝子の数カ所にマッチするように設計され，さらに18～25mer程度プローブサイズを用いた時，プローブ中央の1塩基を置き換えたミスマッチプローブはハイブリダイゼーションしにくいという現象があり，これを利用して各タイルに配置されたプローブごとに，パーフェクトマッチとミスマッチの確認を行い，非特異的な結合による偽陽性信号を排除でき，正確な測定ができる．また，Stanford方式のチップとは異なり，一種類の色素で測定が可能である．Stanford方式のチップ間でのDNAの量やスポットの位置にばらつきができ，一色では異なる2つのサンプルの測定が困難であるが，Affymetrix方式のチップ間のロット差がないため一種類の色素で測定が可能となる．

次世代シークエンサー

近年，数千～数万の発現遺伝子が包括的に解析されているが，特定の細胞や組織における全ての転写産物が明らかになっているわけではない．なぜならば，DNAマイクロアレイの検出限界やSAGE法にかかるコスト／時間ではゲノムワイドな解析に限界があり，低頻度で発現している遺伝子は見落とされることになる．このことにより，特定の細胞，組織同士を比較する時に両者での差が非常に曖昧で再現性のないデータが数多く報告されるという結果になる．

そこに，登場したのが大規模並列処理配列決定法による超高速DNAシークエンサーである．これらの次世代型シークエンサーは低コストで高速に大量の塩基配列を決定できることからDNA塩基配列解析に革命をもたらしたと言っても過言で

表４　次世代高速シークエンサーの種類

System	Feature generation	Cost per MB	Read-length	１ラン当り
3730 (ABI)	PCR	~$500	1,000bp	2.7Mb
454 (FLX)	Emulsion PCR	~$30	500bp	500Mb
Solexa (HiSeq2000)	Bridge PCR	~$0.1	100bp	200Gb
SOLiD (SOLiD4)	Emulsion PCR	~$0.05	50bp	100Gb
HeliScope	Single molecule	~$0.1	30bp	1Gb?
PacBio's SMART technology	Single molecule	~$0.01	~10,000bp	2,000Gb

2010年7月時点

ない．これらは，大量のDNA断片を高速に決定することによって塩基配列を決定する方法であり，まさにSAGEやSAGE関連法の研究をさらに加速させるツールである．現在，短い配列を大規模に読む機械として主に454/Roche, Solexa/Illumina, SOLiD/Applied Biosystems,がある(表4)．Solexaシーケンシングは，まず両端に特異的な配列を付けたDNAをフローセルと呼ばれる基盤に付着させ，この基盤上でDNAを増幅する．可逆化ターミネーターを用いたSequence-by-Synthesis法を採用し，クラスター内のテンプレートDNA塩基配列を読み取る．一方，SOLiDシステムは，段階的連結反応と呼ばれる独自の技術を利用し，さらに2塩基コード化(塩基配列決定の間，エラーに対して二回それぞれの塩基を調べる機構)を特徴としDNA塩基配列を読み取る．Solexa/SOLiDシステムともに一回のランで100ギガベース以上解読することが出来る．最近，この方法を用いた，ゲノム全体のヒストンのメチル化部位と遺伝子発現領域の関係の解析，ならびに転写因子のDNAへの結合サイトの解析が報告された[20－22]．

エピジェネティクス解析

1）DNAメチル化解析法

DNAメチル化は真核細胞のエピジェネティクな制御機構として極めて重要である．遺伝子のプロモーター領域に存在するCpGジヌクレオチドのメチル化は隣接する遺伝子の発現を抑制することが知られており，また発癌過程において，一部のがん抑制遺伝子のプロモーター領域が高メチル化状態となり発現抑制がかかることや，繰り返し配列などの領域が低メチル化状態となり染色体の不安定性を来すことが重要な要素であることも報告されている[23]．

DNAメチル化を検出する方法は基本的に以下の3種類が使用されている．1)メチル化シトシンに対する抗体を使用し免疫沈降する方法．2)バイサルファイト処理を行う方法；重亜硫酸ナトリウム(Sodium bisulfite：$NaHSO_3$)処理によりメチル化されていないシトシンのみをウラシルに変換し，メチル化シトシンは変換せずにシトシンのままであることを利用して塩基配列を決定することで1塩基レベルまでのメチル化を明らかにできる．3)メチル化感受性制限酵素を利用する方法；メチル化感受性制限酵素は制限酵素認識部位のシトシンがメチル化されていない場合のみ切断することにより，この制限酵素の切断効率がメチル化の割合となる．この3種類の方法をPCR反応，電気泳動，マイクロアレイや次世代シークエンサーなどと組み合わせることによって多くの測定法が発表されている．

2)ヒストン化学修飾解析法

ヌクレオソームのコアヒストンにおけるアセチル化，メチル化，リン酸化，ユビキチン化を含む100種類以上の翻訳後修飾は，主にヒストンのN末端領域の塩基性に富んだリジン残基など多く含む場所で起こる．これらの修飾変化の大部分はまだ十分に理解されていないが，少しずつアセチル化やメチル化などの役割が明らかとなってきた．ヒストンのアセチル化は遺伝子発現が活発に起きている活性クロマチンに関与し，脱アセチル化は不活性クロマチン形成に関与する．実際にH3のアセチル化度合いの高い領域は発現遺伝子のプロモーターとその非翻訳領域の調節エレメントの局在と一致する傾向がある．一方，ヒストンのリジン残基やアルギニン残基のメチル化は転写活性の高い領域と転写活性がない領域の両方で起こる．例えば，ヒストン3リジン4残基(H3K4)のジ，トリメチル化は(Me2/3)は，一般的に開いたクロマチン構造の指標となり発現している領域と一致する傾向にある[20]．反対にH4K20Me3,

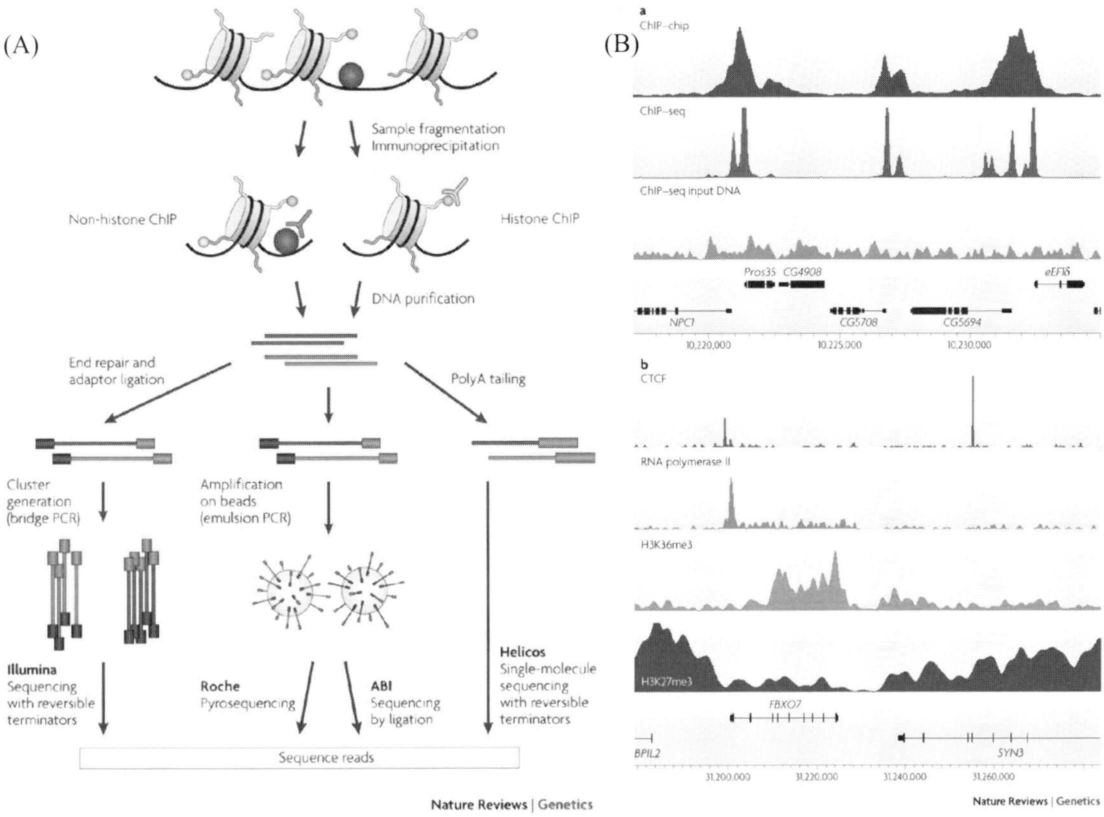

図7　クロマチン免疫沈降（ChIP：chromatin immunoprecipitation）　(A) クロマチンを超音波処理により断片化し，特定の抗体にて免疫沈降する．続いて抗体やヒストンからDNAを分離し，そのDNAがゲノム上のどの位置由来かをDNAアレイや次世代シークエンサーにて特定する．(B) ChIPプロファイリング例（文献25より）

H3K9Me2/3およびH3K27Me2/3の修飾は全体的に遺伝子の発現がないところで起こる．また例外として，遺伝子の幾つかは，そのプロモーター領域のヒストンが“bivalent”と呼ばれるH3K27me3とH3K4Me3の両方の修飾分布を示しており，通常は発現していないがすぐに活性化できる状態の領域と考えられている[24]．

これらの修飾の測定は，ほとんど場合それぞれの修飾に対する抗体での免疫沈降法により得られたDNA断片の測定をマイクロアレイやPCRにて測定することによって明らかにされており，最近では次世代シークエンサーと組み合わせることによって行われている（図7）[25]．

バイオインフォマティクス

包括的な遺伝子解析では大量のデータが得られるので，これを効率的に利用するため，いわゆるバイオインフォマティックス（Bioinformatics）技術が必要となる．膨大な量の遺伝子発現プロファイルから，癌などの組織特異的な発現や，さまざまな生理活性シグナルに対する応答遺伝子，さらには分化に関与する遺伝子のように発現がさまざまな形でお互い連結し，相互作用し合う遺伝子を抽出することはバイオインフォマティックス技術なくして不可能である．

一般的にDNAアレイのデータを解析するのに遺伝子発現の挙動を幾つかのclusterプログラムでクラスター解析を行っている．クラスタリングとは多くのデータをグループに分ける統計学手法で，発現情報解析以外にも広く用いられている．クラスタリングには大きく分けて階層的分類法と非階層的分類法の2つがある．階層分類法には，最短分類法，最長分類法，群平均法があり，各遺伝子で最も相関の高い遺伝子が隣どうしとなりツリーを形成する手法である．非階層的分類法はk-meansが主に利用されている．この手法ははじめにk個のクラスターを設定したうえで，生成するクラスターの等質性の基準としてある尺度を用いてできるだけ最小にするような分割の集合を検索する手法である．　このような解析をすることによって生体システムの複雑性の一端を理解できる．

予防医学の将来の展望

今後，今まで培われてきたSAGE法の技術がこうした次世代の配列解読技術と合わさって，ゲノムワイドな研究を加速させると考えられる．特に今まで曖昧にされてきた低頻度の発現遺伝子，加えて今まで観察出来なかったゲノムワイドでのエピジェネティックな変化を正確に測定することは複雑な発生，癌化，免疫システムを理解する上で非常に重要である．このような技術革新が今後さらに生命科学分野に大きなインパクトを与えると考えられる．

ヒトゲノムの99.9%は各個人間で共通しており，残る0.1%の塩基配列が特定の疾患に対する反応性に関与していると考えられている．シーケンサー技術の向上によりSNP（Single Nucleotide Polymorphism，単一ヌクレオチド多型）を含んだパーソナルゲノムが簡単に測定出来るようになることから，個々における遺伝子の多様性および疾病との関係が明らかにされると考えられる．一方で，最近，腸内細菌などの病原体のゲノム配列の決定も多く行われ，これらの変化から生体の状態を理解しようとする試みもなされている[26]．今後，これらの包括的なデータから，遺伝子診断，予防，予後の診断等に有用な材料が提供されることが期待される．

参考文献

1. Venter, J.C., et al., *The sequence of the human genome*. Science, 2001. 291（5507）：p. 1304-51.
2. Lander, E.S., et al., *Initial sequencing and analysis of the human genome*. Nature, 2001. 409（6822）：p. 860-921.
3. Velculescu, V.E., et al., *Serial analysis of gene expression*. Science, 1995. 270（5235）：p. 484-487.
4. Schena, M., et al., *Quantitative monitoring of gene expression patterns with a complementary DNA microarray*. Science, 1995. 270（5235）：p. 467-70.
5. Velculescu, V.E., et al., *Characterization of the yeast transcriptome*. Cell, 1997. 88（2）：p. 243-251.
6. Hashimoto, S., et al., *Serial analysis of gene expression in human monocytes and macrophages*. Blood, 1999. 94（3）：p. 837-44.
7. Inadera, H., et al., *WISP-2 as a novel estrogen-responsive gene in human breast cancer cells*. Biochem Biophys Res Commun, 2000. 275（1）：p. 108-14.
8. Velculescu, V.E., et al., *Analysis of human transcriptomes*. Nat Genet, 1999. 23（4）：p. 387-8.
9. Cummins, J.M., et al., *The colorectal microRNAome*. Proc Natl Acad Sci U S A, 2006. 103（10）：p. 3687-92.
10. Datson, N.A., et al., *MicroSAGE：a modified procedure for serial analysis of gene expression in limited amounts of tissue*. Nucleic Acids Res, 1999. 27（5）：p. 1300-7.
11. Saha, S., et al., *Using the transcriptome to annotate the genome*. Nat Biotechnol, 2002. 20（5）：p. 508-12.
12. Matsumura, H., et al., *Gene expression analysis of plant host-pathogen interactions by SuperSAGE*. Proc Natl Acad Sci U S A, 2003. 100（26）：p. 15718-23.
13. Brenner, S., et al., *Gene expression analysis by massively parallel signature sequencing（MPSS）on microbead arrays*. Nat Biotechnol, 2000. 18（6）：p. 630-4.
14. Hene, L., et al., *Deep analysis of cellular transcriptomes - LongSAGE versus classic MPSS*. BMC Genomics, 2007. 8：p. 333.
15. Hashimoto, S., et al., *5'-end SAGE for the analysis of transcriptional start sites*. Nat Biotechnol, 2004. 22（9）：p. 1146-9.
16. Shiraki, T., et al., *Cap analysis gene expression for high-throughput analysis of transcriptional starting point and identification of promoter usage*. Proc Natl Acad Sci U S A, 2003. 100（26）：p. 15776-81.
17. Hu, M., et al., *Distinct epigenetic changes in the stromal cells of breast cancers*. Nat Genet, 2005. 37（8）：p. 899-905.
18. Wei, C.L., et al., *A global map of p53 transcription-factor binding sites in the human genome*. Cell, 2006. 124（1）：p. 207-19.
19. Chee, M., et al., *Accessing genetic information with high-density DNA arrays*. Science, 1996. 274（5287）：p. 610-4.
20. Barski, A., et al., *High-resolution profiling of histone methylations in the human genome*. Cell, 2007. 129（4）：p. 823-37.
21. Johnson, D.S., et al., *Genome-wide mapping of in vivo protein-DNA interactions*. Science, 2007. 316（5830）：p.

1497-502.
22. Robertson, G., et al., *Genome-wide profiles of STAT1 DNA association using chromatin immunoprecipitation and massively parallel sequencing*. Nat Methods, 2007. 4（8）：p. 651-7.
23. Gargiulo, G. and S. Minucci, *Epigenomic profiling of cancer cells*. Int J Biochem Cell Biol, 2009. 41（1）：p. 127-35.
24. Bernstein, B.E., et al., *A bivalent chromatin structure marks key developmental genes in embryonic stem cells*. Cell, 2006. 125（2）：p. 315-26.
25. Park, P.J., *ChIP-seq：advantages and challenges of a maturing technology*. Nat Rev Genet, 2009. 10（10）：p. 669-80.
26. Nelson, K.E., et al., *A catalog of reference genomes from the human microbiome*. Science, 2010. 328（5981）：p. 994-9.

各論Ⅳ

各論 V
明日の治療／予防医学

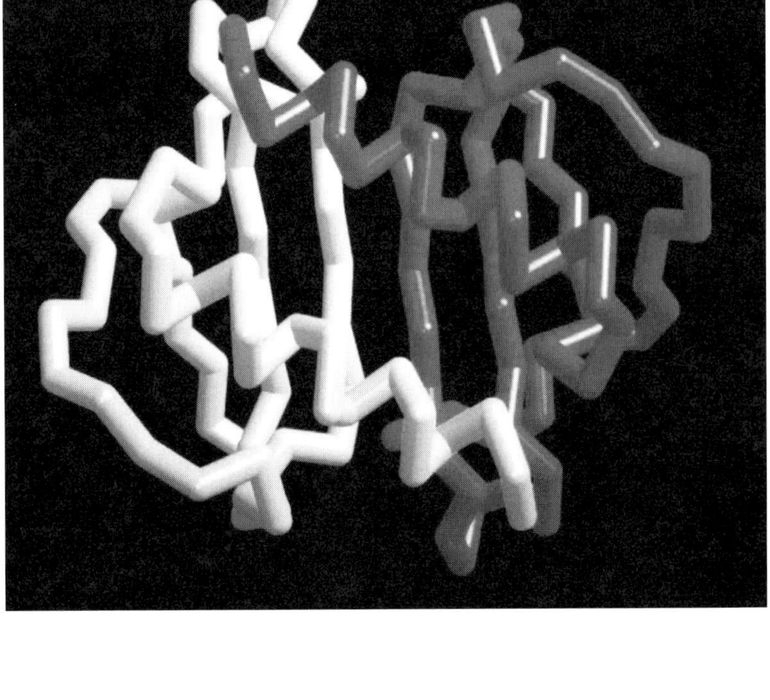

V -1　先端医学における医療倫理

會澤久仁子，浅井篤

序　医療と医学研究の倫理

医療とともに医療倫理(medical ethics)の歴史は古いが，近代医学の発展とともに研究倫理(research ethics)がもう一つの柱となり，さらに医療技術の高度化とともに現在の生命倫理学(bioethics)が形成される．倫理とは人間関係や社会においてあるべきルールや，よいあり方のことであるから，人間に関わる医療・医学には必ず倫理がともなう．

病に苦しむ患者の治癒を第一目的とする医療の倫理は，古代インドの「アーユルベーダ医学の誓い」や古代ギリシアの「ヒポクラテスの誓い」にも見られ，患者に最善を尽くし，害を与えないことや，守秘義務，自己研鑽と修養，分け隔てなく，礼儀正しく親切であることである．それは共感的で献身的なヒューマニズム(人道主義)の姿勢であり，キリスト教における愛や，仏教における慈悲，儒教における仁愛を体現するものともされてきた[(1)]．またそれは，人々のために高度な知識と技術を訓練し提供する資格をもつ専門職集団が，人々からの信託に応えるべく，自ら維持すべきものでもある．

他方，医学研究は，医学・医療の発展に不可欠であるが，実験であるから被験者に利益をもたらすかどうか分からない．また新技術は，人々の生老病死をコントロールする可能性を広げるが，それが人々と社会にとって望ましいか，どのように用いるべきかという問いを引き起こす．最新の科学技術を駆使する先端医学は，社会のなかにあって，倫理の問い直しと新たな考案を迫るものである．以下，分子予防環境医学に関わるこれまでの医科学技術の発展が，その時々にどのような倫理的社会的問題と関わり，どのように対応されてきたかを振り返って概観し，研究倫理の現状と課題を示したい．第1に，感染症研究にはじまる近代医学において研究倫理が求められ，国家的な研究動員を背景に確立し，慢性疾患の研究・治療においていっそう必要となった歴史をみる．第2に，水俣病を事例に，環境問題の研究において研究者が直面する困難な社会的課題を指摘する．第3に，遺伝子組換え技術において生命科学者の社会的責任が自覚され，日本では脳死臓器移植問題とともに生命倫理が議論され，研究倫理が普及してきたことを述べる．そして，ヒトのゲノム解析や胚の研究利用は，研究の倫理的問題を検討する必要性をいっそう明らかにした．社会のなかで生命科学技術が大きな意味をもつ現在，社会とのコミュニケーションを図りながら，研究を適正に進めていかなければならない．

1. 感染症，研究動員と研究倫理の歴史

医学に科学的実験的手法が導入されるのは19世紀以降である．米国のW・ボーモントは，銃の暴発事故で胃内を観察できる穴の残った患者に「消化の生理学」実験を行った際，「被験者の自発的同意が必要」と明示した実験綱領を著し(1833年)，被験者と契約書を交わした．しかし10年に

わたる実験中，被験者はたびたび脱走を企てたという[2,3]．また，フランスのC・ベルナールは『実験医学序説』（1865年）において，動物実験を先行させるべきであるが，人体実験は被験者の利益になるならば推奨され，害を与えなければ許されるとした[2-4]．19世紀後半のドイツをはじめ，多数の感染・予防実験が，研究者自身とその近親者に対してだけでなく，患者や末期患者，精神障害者，囚人，子どもといった社会的弱者を対象として行われた[4]．1880年，A・ハンセンは女性患者の目にライ菌を接種して医師免許を剥奪された．コッホが結核予防・治療薬としてツベルクリンを発表した翌1891年，プロイセン内務大臣は，刑務所において患者の意思に反するツベルクリン使用を規制する覚書を回覧した[1]．A・ナイセルは売春婦たちに梅毒ワクチンを投与し発症させた実験を1898年に発表して社会問題となり，患者の同意がなかったために罰金判決を受けた．この問題を受けて政府はR・フィルヒョウを長とする委員会を発足させ，説明を受けての同意や同意文書が必要であるとする「プロシャ帝国宗教・文部・医学省発令」（1900年）を出した．1930年にはリューベックの小児科医によるBCGワクチン接種で子ども75人の死亡が明かになり，ワイマール共和国内務省が「新治療法と人体実験に関する指針」（1931年）を定め，インフォームド・コンセントを要求した．しかしこれらの命令や指針は実効性に欠け，忘れられたようである[3,4]．

第二次世界大戦は国家総動員の総力戦となり，医学研究も例外ではなかった．ナチス・ドイツでは人種主義を背景に，強制収容したユダヤ人やポーランド人に対して，医師たちが多数の軍事医学的実験などを行い，多数の人々が苦痛に苛まれ，死亡したり後遺症に苦しんだ[3,4]．

日本も，石井四郎軍医により，陸軍軍医学校防疫研究室の統括で，満州の関東軍防疫給水部第731部隊など（「石井機関」）において，細菌兵器開発のための各種感染実験や，戦場を想定した各種極限実験，各種治療開発実験を行い，医学研究者たちが従事した．被験者はスパイや思想犯の嫌疑で捕えられ送り込まれた中国人やロシア人，朝鮮人，モンゴル人であり，「マルタ」と呼ばれ，3千人以上が犠牲になったとされる．また，中国各地の陸軍病院や，大学でも，捕えられた中国人などが「手術演習」として解剖や実験に用いられて殺された[3]．

また米国では，国防省が科学研究開発局を設置し，そのもとに国防研究委員会と医学研究委員会を組織し，核兵器開発や，戦場の兵士のために赤痢やマラリア，ペニシリンの研究が監獄や施設，病院で行われた[2,3]．

ドイツの医師たちの戦時中の行いは，戦後，連合国によるニュルンベルク裁判において，戦争犯罪や人道に反する罪として米国によって裁かれた．医師20人のうち13人が絞首刑などの有罪に処された．また判決は，許される医学実験の倫理的基準を明文化した．この「ニュルンベルク・コード」（1947年）は，被験者の情報を与えられたうえでの自発的同意が絶対に必要であり，被験者は実験を中止できるなど10項目からなる[3]．1947年に設立された世界医師会はこれをうけて，ヒポクラテスの誓いの現代版として「ジュネーブ宣言」（1948年）や，臨床研究の倫理原則として「ヘルシンキ宣言」（1964年）を採択した．ヘルシンキ宣言は改訂を続けて2008年版に至り，臨床研究において第1に参照すべき主要ガイドラインである（表1）[5]．また，国際医学研究機関協議会（CIOMS）によるガイドライン（1993年）もある[6]．

他方，日本の第731部隊は戦後，細菌兵器実験データと引き換えに米国によって免責され，第731部隊関係者は，後に大学医学部や製薬会社の要職に就いた．例えば薬害エイズ事件を起こしたミドリ十字の前身は，石井機関関係者が中心となり設立された．

米国ではマンハッタン・プロジェクトの成功をうけ，戦後も基礎研究への注力こそが応用開発につながるという「リニア・モデル」が提唱され，また冷戦下で宇宙開発のような科学技術開発競争が行われ，科学研究に投資された[7]．さらに1970年代からはがん研究をはじめ医学基礎研究に重点が置かれた（日本でも1984年から「対がん10カ年総合戦略」を始めた）．公的医療保険への医師会の反対が強い米国では，代わりに医学研究に国家投資を行うという経緯もある[8]．戦時中の医学研究委員会は国立衛生研究所（NIH）に引き継がれ

表1　ヘルシンキ宣言(2008年)抜粋[5]

人間を対象とする医学研究の倫理的原則

A. 序文
5. 医学の進歩は,最終的に人間を対象とする研究を要するものである.医学研究に十分参加できていない人々には,研究参加への適切なアクセスの機会が提供されるべきである.
6. 人間を対象とする医学研究においては,個々の研究被験者の福祉が他のすべての利益よりも優先されなければならない.

B. すべての医学研究のための諸原則
24. 判断能力のある人間を対象とする医学研究において,それぞれの被験者候補は,目的,方法,資金源,起こりうる利益相反,研究者の関連組織との関わり,研究によって期待される利益と起こりうるリスク,ならびに研究に伴いうる不快な状態,その他研究に関するすべての側面について,十分に説明されなければならない.被験者候補は,いつでも不利益を受けることなしに,研究参加を拒否するか,または参加の同意を撤回する権利のあることを知らされなければならない.被験者候補ごとにどのような情報を必要としているかとその情報の伝達方法についても特別な配慮が必要である.被験者候補がその情報を理解したことを確認したうえで,医師または他の適切な有資格者は,被験者候補の自由意思によるインフォームド・コンセントを,望ましくは文書で求めなければならない.同意が書面で表明されない場合,その文書によらない同意は,正式な文書に記録され,証人によって証明されるべきである.

た.そのようななか,非倫理的な医学研究が続けられていることが告発された.1950年代に州立精神発達障害児施設の入所児童に肝炎ウィルス感染実験を行ったウィローブルック事件や,1960年代に認知症を含む老人入院患者にがん細胞投与実験を行ったブルックリン・ユダヤ人慢性疾患病院事件,さらに1932年から40年間にわたり連邦公衆衛生局がアフリカ系アメリカ人400名に対して無断でペニシリン開発後も無治療経過観察を続けたタスキギー梅毒研究が社会問題となった.

米国は国家研究法(1974年)を制定し,研究機関の倫理審査委員会(institutional review board：ＩＲＢ)における研究計画審査を義務付けるとともに,「ベルモント・レポート」(1979年)において研究倫理の3原則を示した[2].研究倫理の3原則とは,人格の尊重(respect for persons),善行(仁恵,与益,beneficence),正義(justice)であり,それぞれ,インフォームド・コンセント,適切なリスク・ベネフィット,被験者選択の公正(fairness)を求めている.

また当時,臨床においても主要な疾患が感染症から慢性疾患へ移り,医療技術も高度化するにつれ,治療法の選択のためインフォームド・コンセントの必要性が裁判を通じても確立された.血液透析が開発されたときは,誰がその希少で高価な機器を使うべきかを決定するという資源配分の問題が生じた.人工呼吸器や臓器移植技術の開発は,脳死患者をめぐる死の定義の変更や,遷延性植物状態患者の治療停止の問題を提起した.ベルモント・リポートの3原則は研究倫理に止まらず,新たな医療倫理,生命倫理の4原則(自律尊重 respect for autonomy,無危害 nonmaleficence,善行,正義)とされて著名になった[9,2].ＩＲＢ制度は,1975年にヘルシンキ宣言にも取り入れられ,日本では体外受精実施時の1982年に徳島大学医学部が設置し,全国に広がった.米国では臨床の諸問題を検討する病院倫理委員会も自主的に広がり,日本でも病院機能評価の項目となって次第に普及している.

2. 環境汚染と専門家の役割：水俣病の教訓

戦後の科学技術と産業の発展は,環境汚染や資源・エネルギー問題を引き起こした.R・カーソンは1962年に『沈黙の春』で農薬汚染問題を提起した.米国では1969年に環境保護法,翌年に環境保護庁を設け,また技術の副作用や社会的妥当性を調査分析し,政策決定を支援するため,1972年に連邦議会に技術評価局(Office of Technology

Assessment：OTA)を設置した(1995年に廃止)．日本では1967年に公害対策基本法が制定され，公害病裁判がはじまり，1971年に環境庁が設置された．本節では水俣病を振り返り，環境問題において専門家の果たすべき役割を考える[10-13]．

水俣病が公式に報告されたのは1956年5月である．1953年には猫の狂死や鳥の落下が始まっていた．熊本大学医学部研究班が原因究明にあたり，11月に魚介類摂取による重金属中毒であろうと指摘した．マンガンやセレン，タリウムが疑われた後，1959年7月に魚介類に含まれる有機水銀が原因物質であると特定された．当初からチッソ(当時，新日本窒素肥料)水俣工場の排水が疑われていたが，チッソは反論するとともに情報提供を拒んだ．また，1959年秋から1960年初めには，研究班の見解が「二転三転した」ともメディアで論難された．工場附属病院の医師，細川一は，工場廃液を猫に与える実験を会社に内緒で始め，1959年10月に猫400号が発症した．この実験を知った工場次長，市川正は，「たったの一例では証明になっていない」，「さらに実験を重ね，正しいかどうか確実になってから発表しよう」と言った．細川もこれを受け容れ，1970年の水俣病裁判証人尋問まで沈黙を続けた．さらに，清浦雷作東京工業大学教授(化学工学)はアミン説，日本化学工業協会は爆薬説を発表して有機水銀説に反対し，さらに協会は田宮猛雄日本医学会会長を委員長として研究委員会を組織し圧力をかけた．厚生省食品衛生調査会は1959年11月に有機水銀説を答申したが，閣議では池田勇人通産大臣が原因特定は時期尚早と主張して了承された．熊大研究班が工場からの有機水銀流出を確かめたのは1962年であった．チッソは千葉県の新設石油化学工場が軌道に乗る1966年に排水停止し，1968年に水俣工場のアセトアルデヒド製造設備を廃止した．同年，政府は水俣病を公害病に認定した．しかし認定基準が狭く，多数の慢性中毒患者が未認定とされ，訴訟や補償要求は地域の人々を分断しながら続き，1995年の政治解決まで40年がかかった．国は行政責任を認めていない．メチル水銀の生成メカニズムが解明されるのは2001年であった．

水俣病の教訓は，原因がまだ不確実であることを理由に，対策を遅らせたことである．専門家が原因究明に全力を挙げる一方，行政は科学的根拠がないことを理由に対策に躊躇した．民法709条は被害者原告側に因果関係と被告の過失の立証責任を求めている．因果関係の立証は疫学的因果関係や相関関係でよく，反証責任は被告に課すとされたのは，1972年のイタイイタイ病控訴審判決と，1971年の新潟水俣病判決であった[11]．環境問題のように複雑な現象では，はっきりと答が決まることは稀であり，「まだわからないことがある，不完全である」というのは科学研究の実態である．そのとき，専門家として精確であろうとして，問題がないのにあるとしてしまう過誤(統計学での第1種の過誤)を避けようとすると，問題があるのにないとしてしまう過誤(第2種の錯誤)を犯してしまうことがある．さらに精確さを守るという専門家の責任が，社会では「結果を出そうとしない」と受けとられることさえありうる．社会問題において専門家に社会への責任として求められることは，専門家の「ジャーナル共同体」で求められる精確さとは違うことを理解する必要がある[10]．猫400号実験は，工場排水が原因か否かが対立点であった当時，実は科学的にも社会的にも重要な結果であった．不確実だから公表しないと一部の者で判断してしまうのではなく，不確実な知見をまず議論の場に提出し，社会的に重要性を判断すべきであった[13]．また，学説が「二転三転」と非難されたのは，複数の可能性や，原因を絞り込むプロセス，注目する物質を変える理由が人々に伝えられていなかったことに問題があったと考えられる．杉山は，不確実さの公表は説得力を弱めると研究班が考え，一般の人々に受け入れられやすい確定的な語り方をしてしまったのではないかと推測する[10]．しかしそれがかえって科学者への信頼を傷つけてしまった．科学研究が不確実さを含みながら変化していく過程であることが，一般の人びとにも理解される必要がある．また行政は，第2種の過誤を回避するため，その時点で分かっていることに基づいて最良の方策を直ちにとるべきである(先制的予防原則)．同時に並行して科学的究明も続ける必要がある．さらに，行政や専門家の責任分担を明確にしていかなければならない．科学者がどこまで社会的判断に関わるべきか，現在も課題は残っている[10]．

3. 遺伝子組換え実験規制と，ヒト臓器組織利用の倫理

1973年に米国のS・コーエンとP・ボイヤーによって遺伝子組換え技術が確立したとき，病原性微生物の作成や拡散，軍事応用の危険性が認識された．以前から実験を進めていたP・バーグや，J・ワトソンたちとともに，研究の自主的なモラトリアム(一時停止)を呼び掛け，1975年に世界の研究者を集めて「アシロマ会議」を開催し，実験ガイドラインの作成を決めた．物理学の研究が核兵器開発につながり，科学者の責任が問われた歴史が思い起こされたかもしれない．1976年にNIHのガイドラインができ，日本でも検討ののち，1979年に文部省等のガイドラインができて研究が進んだ．医学研究のガイドラインやIRB制度と並び，生命科学者が社会的責任を自覚して制度化した出来事であり，それは研究を進めていくためのモデルになったと言える[14]．

日本では1980年代後半から脳死臓器移植問題とともに生命倫理の議論が盛んになった．脳死移植は社会的合意が必要とされ，さまざまな啓蒙活動もなされたが，論争が続いた．1990～92年の政府「臨時脳死及び臓器移植調査会」(脳死臨調)は，脳死を人の死とはしないという少数意見とともに，脳死移植を実現するという結論を出した．1997年の臓器移植法は，臓器提供の意思表示があり，家族も同意するとき，臓器摘出のための脳死判定ができるとして，自己決定を重視するものになった[15]．しかし，国内での臓器提供数を増やし，また子どもの臓器移植を可能にするため，2009年に法律を改正し，本人の拒否の意思表示がなければ，家族の同意によって臓器提供を可能とした．臓器移植技術を実施する制度をめぐり，身体機械論とアニミズムや生気論との身体観，生命観をめぐる対立や，遺体は本人のものか，家族のものか，社会のものかという考え方の違い，また拒否しなければあらかじめ同意していると見なすという自己決定の考え方の転換が起きており，人々の意見は依然として分かれている．臓器移植が一般化しても臓器不足は続き，救命可能なのに救命できない人の数も増えてしまうという問題もある．さらに，臓器移植法では摘出臓器を移植以外に利用することが認められていない．そのため，移植不適合臓器を海外から輸入している現状である．

患者や家族に無断で臓器・組織を採取し保存，研究利用することも，インフォームド・コンセントに反するものとして問題にされるようになり，遺伝子解析技術によって問題がさらに大きくなった．例えば，岩手県大迫町や大阪府吹田市，福岡県久山町の大規模疫学調査において健診検体を無断で遺伝子解析したことが明らかになり，研究に打撃を与えた．政府は，ヘルシンキ宣言や，ユネスコ「ヒトゲノムと人権に関する世界宣言」(1997年)に基づき，「ヒトゲノム・遺伝子解析研究に関する倫理指針」(2001年)や，「疫学研究に関する倫理指針」(2002年)，「臨床研究に関する倫理指針」(2003年)などを相次いで整備した[16]．英国でも1999年にリバプール・アルダー・ヘイ小児病院で長年にわたり無断で臓器を採取，保存していたことが明らかになり，2004年に人体組織法を制定し，人体組織庁を設けている．

ヒト組織や遺伝子の特許も問題になる．米国では産学連携を進めるため1980年のバイ・ドール法を制定し，公的研究費による研究開発でも研究者や研究機関が特許を取得することを認めた．日本も1998年に大学等技術移転促進法を制定している．1990年のムーア氏白血病細胞株特許訴訟では，無断で細胞に特許が掛けられ，数年にわたり細胞を採取され続けた患者が財産権を争ったが，認められなかった[17]．次節のヒトゲノム・プロジェクトでも，C・ベンターとセレラ社による遺伝子特許申請が議論を呼んだ．特許は産業化には有効に働くと期待されるものの，研究者の個人的利益が影響して研究の公開性や公平性が損なわれ(利益相反，conflict of interest)，科学的，社会的に適切な研究の発展を阻害する危険性にも注意が必要である[18]．

1997年にはクローン羊ドリーの誕生をうけ，政府は総理府科学技術会議のもとに生命倫理委員会を設置し(2001年より内閣府総合科学技術会議生命倫理専門調査会)，クローン人間産生を禁じる「ヒトに関するクローン技術等の規制に関する法律」(2000年)や，クローン，キメラ，ハイブ

リッド研究に関する「特定胚の取扱いに関する指針」(2001年)，ヒトＥＳ細胞に関する指針(2001年)，「ヒト胚の取扱いに関する基本的考え方」(2004年)をまとめた[19]．また2007年のヒトｉＰＳ細胞の開発をうけてＥＳ指針改正なども進めてきた．生殖補助技術研究や再生医学におけるヒト胚の利用については，ヒト胚の道徳的地位(moral status)が問題となり，政府はヒト胚は「人の生命の萌芽」であり尊重すべきものであると位置づけた．そして生殖補助医療で廃棄が決まった胚をＥＳ細胞作成に利用することを認め，研究目的でのクローン胚作成の道も開いた．しかし，ヒト胚の地位と利用の可否やあり方をめぐっては様々な意見があり，国際的にも対応が分かれる．そのなかでヒトｉＰＳ細胞の開発は，ヒト胚を用いるＥＳ細胞作成の倫理的問題を技術によって乗り越えるものであった．政府はヒトＥＳ細胞やｉＰＳ細胞，組織幹細胞からの生殖細胞の作成研究も認めた[19]．将来は受精の研究，さらに臨床応用が検討課題になるだろう．

4. ヒトゲノム・プロジェクトとＥＬＳＩ

ヒトゲノム・プロジェクトは，米国では1980年代半ばにまずエネルギー省が関与し，続いてＮＩＨとエネルギー省が共同で，また国際協力体制のもと，1990年に正式に開始し，2003年に終了した．毎年２億ドルで15年間，計30億ドルの計画であった．米エネルギー省は，マンハッタン・プロジェクトから戦後の原子力委員会の流れを汲んで原子力開発および放射線被爆研究に関わり，広島と長崎における被爆者の遺伝的変異の調査を支援してきた経緯をもつ[8]．ヒトゲノム・プロジェクトでは，ヒトゲノム研究に関わる倫理的，法的，社会的課題(Ethical, Legal and Social Implications または Issues：ＥＬＳＩ)を研究する必要性をワトソンが提唱し，プロジェクト予算の３〜５％を割り当てた．1990年に提示されたＥＬＳＩ研究プログラムの機能と目的は(表２)のとおりであった

表２　ヒトゲノム・プロジェクトにおけるＥＬＳＩ研究プログラムの機能と目的[20]

- ヒトゲノム解析が個人や社会にとってどのような意味を持つかを予測する．
- ヒトゲノム解析がもたらす倫理的，法的，社会的な影響を検討する．
- これらの問題に関する公の議論を喚起する．
- 情報が個人や社会にとって有益に利用されるような政策選択肢を開発する．

ところでＥＬＳＩワーキング・グループの初代議長は，臨床心理学者のＮ・ウェクスラーであった．彼女は母親をハンチントン病で亡くしており，父親が設立した遺伝病財団の支援のもと，ハンチントン病調査を行い，1983年にＤＮＡマーカーを見つけ，発症前診断を可能にした．1993年には原因遺伝子が特定された．この研究は，科学者団体と患者団体の共同による発症前診断ガイドラインにつながり，遺伝子検査が可能になっても，受診は個人の自主的な意思に基づくべきことが原則となった．発症前診断を受ける人は５〜25％程度にとどまるという[21]．また，保険加入時の遺伝情報利用の議論にもつながった．ＥＬＳＩプログラムでも，遺伝検査や遺伝情報の保護，公平な利用についての教育や政策，法制度が検討され，ＥＬＳＩ研究は量・質ともに大きく進展した[18も参照]．日本でも小規模ながら実施された．今後のゲノム研究におけるＥＬＳＩ研究の課題は，2003年に(表３)のように示されている．ＥＬＳＩ研究プログラムは，米国において現在も継続しているだけでなく，ナノテクノロジー研究においても実施され，また世界に広がっている[7]．

遺伝子治療や再生医工学の進展とともに生じてくるＥＬＳＩの一つに，エンハンスメントがある．エンハンスメントとは，健康の回復や維持という目的を超えて，心身の能力向上や性質の改変に医科学技術を用いることである．例えば，医薬品や遺伝子操作，サイボーグ技術によって，身長を高くする，感覚機能を高める，筋力を増強する，容姿を改変する，性生活を改善する，記憶などの認知能力を高める，幸福感を得るなどがある．人々の欲望に応じて，これらを医療に含めるべきであろうか．例えば医薬品による記憶力向上を医療に含めるならば，記憶力の衰えや老いは「病気」になる．また，努力や訓練によってではな

表3　今後のヒトゲノム研究におけるＥＬＳＩ研究の課題[20]

- 遺伝情報へのアクセスと利用をめぐる知的財産権の問題
- 遺伝情報の医療への応用に影響を及ぼす倫理的，法的，社会的要因
- ヒトを対象とする最先端の遺伝研究をめぐる問題
- 医療以外での遺伝情報および技術の利用をめぐる問題
- ゲノム学が人種や民族，親族，個人や集団のアイデンティティの概念に及ぼす影響
- 人間の性質や行動への遺伝的影響を明らかにすることが個人と社会に及ぼす問題
- 個人や文化，宗教的伝統による，ゲノム学利用の倫理的許容範囲の違い

くテクノロジーを用いて近道することは，試験や試合では不公平になりうる．うまくルールを設計しなければ，皆が技術を利用せざるをえないことにもなろう．経済力のある人がもっぱら利用できるならば，格差が拡大するかもしれない．逆に貧しい人びとも利用できるようにすればより平等な社会になるという意見もある．また，個人的な利用に限れば，生活改善薬や美容整形のように容認されるのではないだろうか．エンハンスメントは，病気や健康，医療，人間についての観念を変え，拡大していく可能性があり，社会のなかでそれをどのように利用していくのか，議論を続ける必要がある[1, 7]．

5. 科学政策と，研究の誠実さ・公正さ，科学技術コミュニケーション

冷戦期には国家の威信をかけた基礎研究と科学技術開発競争がなされたが，財政難や冷戦の終結とともに，経済活性化と経済競争がより重視されるようになり，そのための科学技術が求められるようになっている．日本も1995年に科学技術基本法を制定し，1996年から5年毎に，総合科学技術会議が科学技術基本計画を策定し，科学技術開発を振興している．なかでも生命科学技術は期待されており，政府はミレニアム・ゲノム・プロジェクト(2000～04年度)や，バイオテクノロジー戦略(2002年～)などを推進し，第3期科学技術基本計画でも重点推進分野に指定している(2006年～)．2011年からの第4期基本計画でも「ライフ・イノベーション」が推進される見通しである．

このような国家的な科学技術推進体制のもと，韓国でのヒトクローンＥＳ論文捏造事件など，大学などの研究機関において不正行為が起こり，社会的問題になることがある．背景には，研究資金と研究者数，論文数の増加とともに，研究資金獲得，成果発表，ポジション獲得の競争も厳しくなっていることや，産官学共同体制のもとで利益相反が起こりやすくなっていることがある[22]．研究の不正行為(research misconduct)とは狭義には，捏造(fabrication)，改ざん・偽造(falsification)，盗用・剽窃(plagiarism)の3つ(ＦＦＰ)と定義されるが，重複発表や，オーサーシップ(誰を著者にすべきか)，利益相反の非開示，研究費の不適切な使用，データの不適切な管理，研究室内のハラスメントといった問題のある行為もある．これらに関する研究の誠実さ・公正さ(research integrity)は，研究の質と社会的信頼を保つために欠かせない責任であり，人間や動物を対象にする研究倫理とともに留意すべきである．米国では科学アカデミーや公衆衛生局内の研究公正局，各大学が対応しており，教育プログラムが参考になる[23, 24]．日本でも研究不正事件を受け，日本学術会議が2006年に声明「科学者の行動規範について」を発表し，各学会に倫理規範の制定と倫理教育プログラムの策定を求めている．また文部科学省も同年にガイドラインを定め，それに基づいて各研究機関が規則を定めて対応窓口を置いている．

さらに近年，社会における科学技術コミュニケーションが重要になっている．その経緯を英国に振り返ると，英国では1980年代半ばから，国民の科学研究への支持が弱まったことへの危機感から，王立協会が「公衆の科学理解」(Public Understanding of Science：ＰＵＳ)という報告書を出し，科学者が市民の理解を促進する研究と活動を推進した．しかし，1990年代に遺伝子組み換え作物・食品問題や狂牛病(ＢＳＥ)事件が起こった．遺伝子組み換え作物・食品問題では，利害関係者の見解が一致しないままに導入されて混乱が生じたが，科学的リスクを理解しないことの

不合理さばかりが強調され，アグリビジネスの政治的影響についての農家や消費者の懸念が無視されていたと言われる．また，ＢＳＥ事件では，専門家と政府は科学的に不確実な状況で，一方で安全策を取りながら，畜産業への影響も考慮し，牛肉の安全性をアピールしていたところ，1996年に患者が発生し，国民の信頼崩壊を招いた．そのなかで，不確実なリスクなどの情報を公開し，コミュニケーションを図り，信頼を築きながら意思決定を行う必要性が認識されるようになった．従来のＰＵＳでは不十分であり，双方向的な市民関与（Public Engagement of Science：ＰＥＳ）や，研究と政策へのより積極的な市民参加（Public Participation of Science：ＰＰＳ）が必要になり，市民参加型テクノロジー・アセスメントの実施など，そのための仕組みが作られるようになっている[7]．日本でも似た状況がある[25]．政府は，科学技術基本計画において「科学技術と社会のコミュニケーション」（第2期，2001年），「国民に支持される科学技術」（第3期，2006年）を推進している．先端医学の進行状況について社会に伝え，人文社会科学分野および市民と共同して研究を進めていくことが，今後一層求められる．

参考文献

1. 松田純他編，2010，『薬剤師のモラルディレンマ』，南山堂．
2. 香川知晶，2000，『生命倫理の成立　人体実験・臓器移植・治療停止』，勁草書房．
3. 土屋貴志，1999，インターネット講座「人体実験の倫理学」．http://www.lit.osaka-cu.ac.jp/user/tsuchiya/vuniv99/vuniv-index.html
4. 谷田憲俊，2006，『インフォームド・コンセント　その誤解・曲解・正解』，NPO医薬ビジランスセンター．
5. ヘルシンキ宣言，2008．http://www.med.or.jp/wma/helsinki08_j.html
6. Council for International Organizations of Medical Sciences（CIOMS.）2002, International Ethical Guidelines for Biomedical Research Involving Human Subjects. http://www.cioms.ch/frame_guidelines_nov_2002.htm
7. 小林信一他編，2007，『社会技術概論』，放送大学出版協会．
8. 広井良典，1996，『遺伝子の技術，遺伝子の思想』，中公新書．
9. Beauchamp, Tom L, Childress, James F, 2009, Principles of Biomedical Ethics, 6 ed., New York: Oxford University Press.（ビーチャム，チルドレス，2009，『生命医学倫理の諸原則』第5版，成文堂．）
10. 藤垣裕子編，2005，『科学技術社会論の技法』，東京大学出版会．
11. 松原望，2002，「環境学におけるデータの十分性と意思決定判断」，石弘之編『環境学の技法』東京大学出版会，167-214．
12. 栗原彬，2000，「水俣病という身体——風景のざわめきの政治学」，栗原彬他編『内破する知——身体・言葉・権力を編みなおす』東京大学出版会，17-81．
13. 杉山滋郎，2005，「科学コミュニケーション——研究成果の公表をめぐって——」，新田孝彦他編『科学技術倫理を学ぶ人のために』世界思想社，198-222．
14. 村上陽一郎，1994，『科学者とは何か』，新潮選書．
15. 林真理，2002，『操作される生命　科学的言説の政治学』，ＮＴＴ出版．
16. 厚生労働省，医学研究に関する指針一覧．http://www.mhlw.go.jp/general/seido/kousei/i-kenkyu/index.html#2
17. Ｌ・アンドルーズ，Ｄ・ネルキン，2002，『人体市場　商品化される臓器・細胞・ＤＮＡ』，岩波書店．
18. ローリー・Ｂ・アンドルーズ，2000，『ヒロ・クローン無法地帯　生殖医療がビジネスになった日』，紀伊國屋書店．
19. 文部科学省，ライフサイエンスの広場　生命倫理に関する取組み．http://www.lifescience.mext.go.jp/bioethics/seimei_rinri.html
20. National Human Genome Research Institute, ELSI Research Program. http://www.genome.gov/10001618
21. 武藤香織，2002，「検体のまま取り残されないためにハンチントン病をめぐって」，現代思想 2002年2月号；30（2）：228-245．
22. 山崎茂明，2007，『パブリッシュ・オア・ペリッシュ　科学者の発表倫理』，みすず書房．
23. NAS/NAE/IOM, On Being a Scientist, 3rd ed., 2009. http://www.nap.edu/（米国科学アカデミー編，2010．『科学者をめざす君たちへ』第3版，化学同人．）
24. Nicholas H. Steneck, 2007, ORI Introduction to the Responsible Conduct of Research, rev. ed. http://ori.hhs.gov/publications/ori_intro_text.shtml
25. 内閣府，2010年1月，科学技術と社会に関する世論調査．http://www8.cao.go.jp/survey/h21/h21-kagaku/index.html

V-2　MHC 結合性ペプチド

埼玉医科大学医学部免疫学・同アレルギーセンター
松下　祥
兵庫医科大学病理学講座 / 機能病理部門
大山秀樹

1. HLA による抗原ペプチドの提示

多くの免疫関連疾患に対する感受性は遺伝要因と環境要因の相互作用によって決定されている．我々は，遺伝要因，環境要因ともに比較的単純な疾患をモデルとしてとりあげ，その相互作用のメカニズムを解析してきた．我々が遺伝要因として研究対象としてきたのは MHC である．ヒトでは HLA (human leukocyte histocompatibility antigen) がこれに相当する．T 細胞は抗原分子と T 細胞レセプター (TCR) を直接結合して抗原認識することはなく，プロテアーゼによって分解されたオリゴペプチド抗原と HLA 分子の結合によって形成された複合体と結合することによって抗原を認識する．その様子を図 1 に示した．HLA はその分子の先端部分に溝状の構造を有しており，その中に抗原ペプチド断片が収容される．ホットドッグに例えると，ちょうど HLA がパンで，ペプチドがソーセージのような構造になっている．ここで重要な点は HLA の多型性は溝の内部に集中しているということである．すなわち，異なる型の HLA 分子は溝の物理化学的性質(電荷の位置，疎水性，表面の形など)が異なっている．このために異なる型の HLA は異なる抗原ペプチドを結合して T 細胞に提示するのである．これによって，「T 細胞に抗原提示されやすいペプチドの種類」に個体差が生じる．これをより簡明に図示したのが図 2 である．これは古くから免疫応答遺伝子現象として知られてき

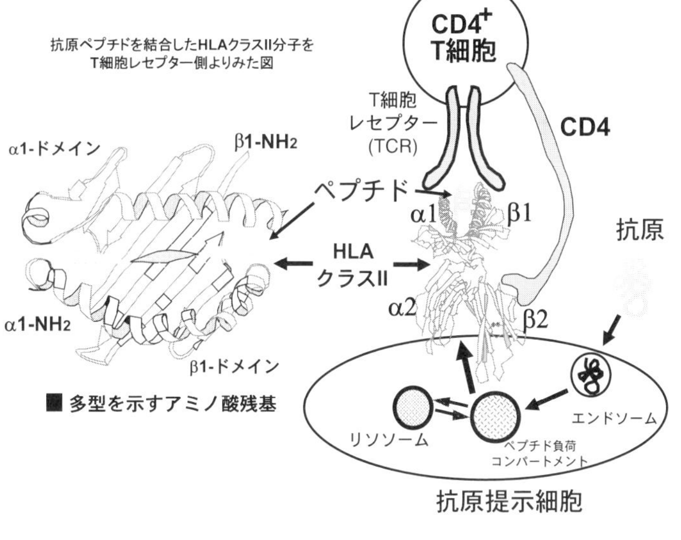

図 1　HLA クラス II 分子による CD4+T 細胞への抗原ペプチドの提示
細胞外から抗原提示細胞に取り込まれた抗原がペプチドへと分解され，クラス II 分子と結合して CD4+T 細胞に提示される様子を示す．
α1，α2，β1，および β2 は，クラス II 分子の細胞外ドメインを示す．T 細胞抗原受容体(TCR)はペプチドとクラス II 分子の微細な構造変化を識別することができる．

各論 V

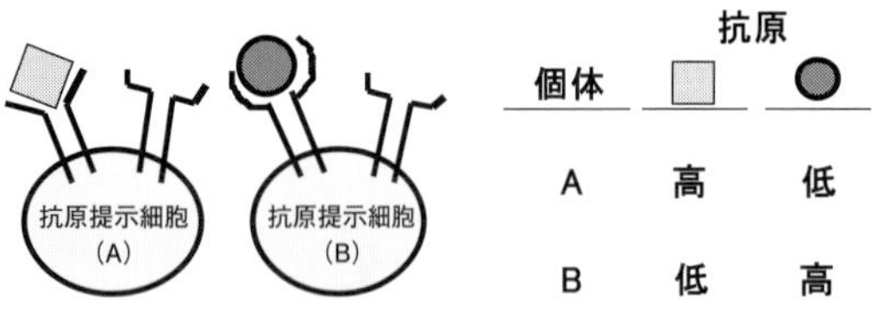

図２　HLAの個体差は免疫応答性の個体差である
一つのクラスII遺伝子座に着目すればＡさんとＢさんの抗原提示細胞（APC）は母親由来と父親由来の遺伝子を共優性に発現している．その抗原ペプチド収容溝とペプチドの構造の対応を模式化した．抗原■と●に対するＴ細胞応答性（高または低）はＡさんとＢさんとでは正反対になる．

た．実際，HLAの個体差に起因する免疫応答性の個体差が病気の感受性を決定する例が知られている（表1）．

2. 様々な疾患に対する分子予防医学における免疫遺伝学的アプローチ

分子生命医学の目覚しい発展は，遺伝要因と環境要因の相互作用に着目することにより様々な難病の病態を解き明かしてきた．このことは，それら疾患に対して一次予防および二次予防を展開するために様々な免疫学的戦略を講じる上での手が

表１　HLAと病気の相関

HLA	人種	患者における陽性率（%）	対照群における陽性率（%）	相対危険度
強直性脊椎炎				
B27	日本人	85	1.5	208
B27	白人	89	90	69
B27	黒人	58	40	54
ライター病				
B27	白人	80	90	37
ベーチェット病				
B5（*B51*#）	日本人	57	140	7.9
B5	白人	31	120	3.8
尋常性乾癬				
Cw6	日本人	27	40	8.5
Cw6	白人	56	150	7.5
ナルコレプシー				
DR2（*DRB1*1501*）	日本人	100	130	358
DR2（*DRB1*1501*）	白人	100	220	130
インスリン自己免疫症候群				
*DRB1*0406*	日本人	85～100	50	281
関節リウマチ				
DR4（*DRB1*1501*）	日本人	71	410	3.4
DR4（主に *DRB1*0401*）	白人	68	250	3.8
DR4（主に *DRB1*0401*）	黒人	40	100	5.4
１型糖尿病				
DR4（*DRB1*0405*）	日本人	68	390	3.3
*DQA1*0301*	日本人	45	160	19.7
DQB1 non-Asp57 ホモ結合	白人	73	260	7.4
DQB1 non-Asp57 ホモ結合	黒人	74	270	7.7
全身性エリテマトーデス				
DR2（*DRB1*1501*）	日本人	32	140	2.9
DR2（*DRB1*1501*）	白人	25	160	1.8
DR3（*DRB1*0301*）	白人	27	120	2.7
DR2（*DRB1*1501* または *1503*）	黒人	47	210	3.3
多発性硬化症				
DR2（*DRB1*1501*）	白人	51	270	2.7

＃ *B51* は，血清学的に同定される B5 の亜型である

かりと成り得る．ここでは，HLA結合性ペプチドに対するT細胞応答性を中心とした免疫遺伝学的な観点から分子予防医学的アプローチの展開が可能であると考えられる疾患モデルについて紹介する．

2.1　自己免疫疾患に対するアプローチ

インスリン自己免疫症候群(insulin autoimmune syndrome；IAS)は，著者らによって病気と関連した免疫応答遺伝子現象を物理化学的に説明された初めての例である．IASは，インスリンに対する自己免疫現象であり，低血糖発作を主徴とする．患者の90％以上がHLA-DRB1*0406陽性であること(健康人では5%)，患者の半数はメルカゾールなどの還元剤投与中に発症することが特徴である．そこで，HLA-DR4分子を大量に精製して結合している自己ペプチドを溶出し，その構造モチーフを決定したところ，FxxLxQのようなモチーフを有するペプチドがHLA-DRB1*0406分子と高親和性に結合することが明らかとなった．このモチーフに完全にフィットする配列がインスリンα鎖中に存在し(図3)，実際，その合成ペプチドはHLA-DRB1*0406と高親和性に結合した．

興味深いことに，インスリン分子中に存在する3個所のS-S結合のために，このペプチドは生理的条件下では直鎖ペプチドとしては存在しえない(図3)．つまり免疫学的には非自己である．しかし，メルカゾール投与などの環境要因で強制的に還元されると，はじめてHLA-DRB1*0406分子と結合し，抗原提示されて自己免疫のサイクルが回り始める．すなわち広義のcryptic selfであることが明らかとなった．これは遺伝要因と環境要因の相互作用で自己免疫病が発症する分子機構を示した初めての例となった．

合成ペプチド	HLAとの結合力(1/IC50, nM−1) DRB1*0406	DRB1*0405
TSICSLYQLE	244	5
FVNQHLCGSHLVEALYLV	＜1	＜1

図3　インスリンα鎖に存在するHLA-DRB1＊0406結合モチーフ

IASに関するこの一連の成果は，HLA-DRB1*0406という遺伝要因を有する個体(日本人集団の5%)には，還元剤を投与しない，または副作用としてのIASを慎重にモニターしながら投与するということで，病気の発症を予防できることを意味している．

同様の発想で，米国では1型糖尿病に対して，経口ワクチンを用いた予防医学的アプローチが試みられている．ここで対象となるのは近親に1型糖尿病の患者がおり，しかも1型糖尿病の遺伝要因であるHLA-DR4を有する健康人である．経口免疫寛容を期待して，インスリン分子を継続的に経口投与し，耐糖能を追跡調査したところ，「予防効果あり」という結論が得られた．この例にみられるように，多因子疾患においては，特定の遺伝要因を有する集団に対して環境要因の側からアプローチすることが，非常に効率的であり，予防医学的に重要であると言うことができる．

2.2　感染症に対するアプローチ

現在，多くの感染症に対する予防ワクチンとして広く用いられているのは細菌性ワクチンである．それは病原性を減らした生きた菌体を用いる弱毒化生ワクチン(BCG：Bacillus of Calmett-Guerinや腸チフス生ワクチン)と生きた病原体と同様の効果を誘導するような構成成分のみを分離精製した不活化ワクチン(百日咳ワクチン，肺炎球菌多価ワクチンなど)とに大きく分けることができる．弱毒化生ワクチンは，多くの構成成分を含むため様々な免疫応答を惹起することから，強力な予防ワクチンとしての威力を発揮する．しかしその反面，感染を防御するにおいて不都合となる免疫を誘導したり，全身性の感染を起こしたりする場合もある．不活化ワクチンは，全菌体を用いたものと比べると安全ではあるが，その病原菌に対する防御免疫反応を詳細に調べなければ，有効なワクチンは完成しえない．今後のワクチン開発の課題は，菌体成分の分子生物学的な理解および病原菌に対する生体側の防御反応の解析を行なった上で，防御において有効なT細胞およびB細

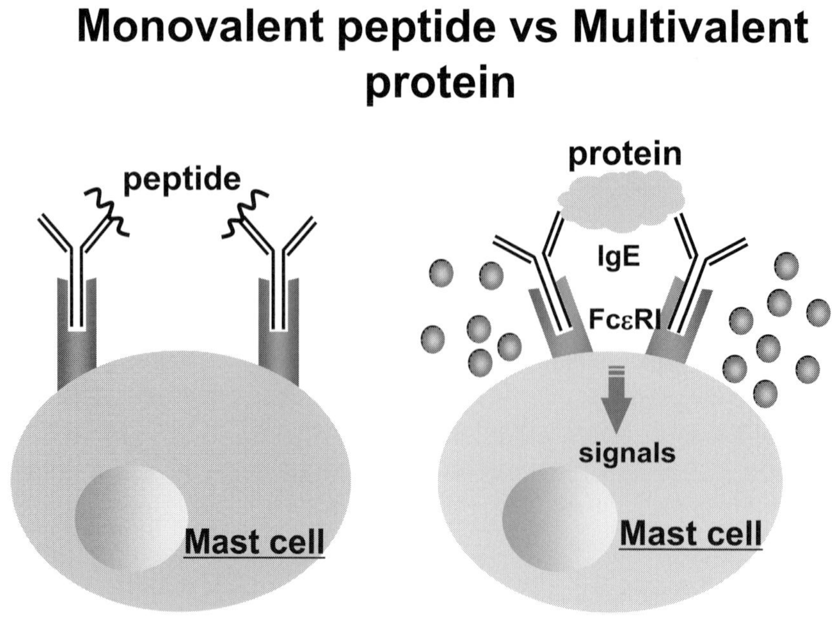

図4　分子予防環境医学

胞応答を誘導することにあると言える．これらアプローチは，いまだ解決されていない感染症に対するワクチンの構築に貢献することとなる．ここで最大の課題となることは，様々な感染症に対する分子免疫学的アプローチを行なう上で，「患者の免疫に共通に関わる抗原をアミノ酸レベルで検出すること」である．これら解析で得られた結果は，診断の場において「感受性の予知」といった一次予防の発展に寄与することを可能とし，さらには治療の場においては「ペプチド創薬の開発」の基礎を築き「分子薬理学的」考えに基づいた二次予防にも繋がる．しかし，そのターゲットとすべき抗原をアミノ酸レベルで特定することにおいて一応の成功を示す疾患は極めて少ない．我々は，複合感染症である歯周炎において，ターゲットとすべき抗原候補をアミノ酸レベルで同定することに成功した．このことが，どのように分子予防医学的展開に寄与するかついて，その可能性を含め以下に紹介する．

歯周病は，歯周病細菌の感染によって歯槽骨を含めた歯周組織破壊を伴なう慢性炎症性疾患である．その感受性は，歯周病細菌に対する免疫応答性の個体差によって規定される．特に侵襲性歯周炎(AgP)患者は，若年において発症し，その病態に遺伝的要因が深く関与していることが明らかとなっている．

著者らは，歯周病細菌の最右翼である *Porphyromonas gingivalis*（*Pg*）というグラム陰性桿菌に由来するAg53と呼ばれる抗原蛋白に着目した．この蛋白は450のアミノ酸から構成されており，歯周病患者の大半は，このAg53に対して多量の抗体を産生することが知られている．この抗原蛋白に対するAgP患者の免疫において，どの領域がHLAに提示されてT細胞に認識されるかを調べた結果，141番目から161番目の20アミノ酸からなる限られた領域がAgP患者のT細胞によって高頻度に認識されることが明らかとなった[5]．さらに，患者の血清IgG抗体によっても，同じ領域が認識されやすいことが分かり[6]，同領域がAgP患者のPgに対する免疫応答における共通抗原であることが確実なものとなった(補填図3参照)．

またAgP患者は，DRB1*1501-DQB1*0602というHLAのタイプを比較的高頻度に有するということが著者らの別の研究から分かっている[7]．図5は，Ag53蛋白全体に対するT細胞応答の強さ

被験者	診断	DRB1*	DQB1*
#1	AgP	1602/0901	0502/0303
#2	AgP	1502/0405	0601/0401
#3	AgP	0101/1201	0501/0301
#4	AgP	0803/1501	0601/0602
#5	健常	0901/1501	0303/0602
#6	健常	0101/0406	0501/0302
#7	健常	0405/1401	0401/0503

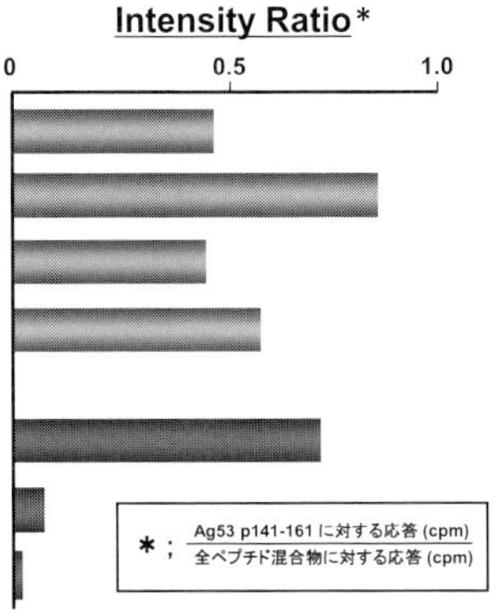

図 5　Ag53p141-161 に対する T 細胞応答性の個体間差

に比べ，141 番目から 161 番目の領域（Ag53p141-161）に対する T 細胞応答の強さの程度を比率で示したものである．すべての患者は当然 Ag53p141-161 に対して強い T 細胞応答を示す．健常者においても，Ag53p141-161 に対して T 細胞応答を示す被験者は存在したが，Ag53 全体に対する T 細胞応答に比較すると，その程度は格段に低い．しかし，DRB1*1501-DQB1*0602 を有する健常者に限っては，強い T 細胞応答が誘導される．このことは，DRB1*1501-DQB1*0602 を有する個体は，この抗原領域に対して，T 細胞応答が誘導されやすいということを示している．さらに，患者と健常者，および DRB1*1501-DQB1*0602 有する被験者と有さない被験者を分けて，治療前と治療後の T 細胞の認識領域を調べた．その結果，患者であっても DRB1*1501-DQB1*0602 を有さない人は，治療による抗原量の大幅な減少に伴い，Ag53p141-161 に対する T 細胞応答を示さなくなった（補填図 4 参照）．しかし，DRB1*1501-DQB1*0602 を有する患者は，たとえ抗原量が少なくなっても，依然 Ag53p141-161 に対する T 細胞応答は誘導された．これらの結果は，1）Ag53p141-161 に対する T 細胞応答性が，歯周病患者の活動性を知る上でのマーカーとなること，さらに 2）Ag53p141-161 に対する T 細胞応答性が，DRB1*1501-DQB1*0602 を有する人の歯周病に対する感受性の高さを理解する上での鍵となることを示すものである．

2.3　がんに対するアプローチ

キラー T 細胞が認識することのできるがん細胞に特異的な抗原のあることが明らかとなって久しい．現在までに，百種類近くのがん特異的抗原が見つかっている．最近ではさらに，がん特異的抗原の中で HLA に結合しやすいペプチドやがん特異的抗原そのものを用いた新しい免疫療法が行われるようになってきている．樹状細胞を用いて，がんに特異的なキラー T 細胞を誘導する方法や，がん特異抗原あるいはそのペプチドに対する免疫反応を増強させるアジュバントとともに皮下に投与する治療法もある．また，補助刺激分子（T 細胞受容体からのシグナルを増強するのを助ける補助分子）のひとつである B7 遺伝子を腫瘍内に直接接種する遺伝子治療なども行われている．ペプチド抗原を使った免疫治療で重要になるのは HLA のタイプで，日本人で頻度の多い HLA-A2 と A24 に結合するペプチドが選ばれることが多い．従って，自分の白血球がこのふたつのどちらかのタイプでなければ，今のところ，人工抗原を使った療法は受けられない．また，再生医療の期待の星である iPS 細胞株研究においても，HLA-A，HLA-B，HLA-DR の 3 遺伝子座がホモ型の異なった組み合わせの iPS 細胞株を 30 株作製すれば，82.2%の日本人をカバーできることもわかっている．

2.4　アレルギーに対するアプローチ

外来蛋白（アレルゲン）は抗原提示細胞によりプロセシングされ，ペプチド断片としてクラス II MHC 分子の抗原収容溝内に結合する．この複合体を T 細胞抗原レセプター（TCR）によって認識した T 細胞が活性化されて抗原特異的免疫応答が始まる．ここで，T 細胞エピトープとは T 細胞によって認識される抗原の一部分であり，B 細胞エピトープとは B 細胞によって認識される，すなわち抗体と結合する抗原の一部分である．B 細胞エピトープは可溶性抗体と直接結合するため，球状蛋白の場合，水（極性溶媒）と接する蛋白

各論 V

表面に存在することになる．これは生化学的にいえば，親水性残基の占める割合が多い部分に当たる．加えて，抗体は抗原側の単純な1次構造のみならず，高次構造をとった時にのみ形成されるようなコンパクトな構造，糖鎖，リン酸化部分などをも認識できることが特徴である．それに対して，T細胞エピトープ(MHCとともにTCRによって認識されるペプチド部分)は，断片化されてMHCの抗原ペプチド収容溝に入るわけであるから，必ずしも水分子と接する部分に存在する必要はない．生体が蛋白Xで免疫されて抗X抗体を産生するようになる場合，まずXに特異的なヘルパーT細胞が誘導されて，続いて抗X抗体を産生するB細胞が活性化されるわけだが，T細胞がMHCとともに認識するX上のアミノ酸配列は，抗体が結合するX上のアミノ酸配列とは多くの場合異なっている．

したがって，アレルゲン上のT細胞エピトープを含むペプチド断片は，B細胞エピトープを含まない，あるいは含んでいても1価であり，高親和性Fc εレセプターをクロスリンクできないなどの理由により，患者に投与してもアナフィラキシーなどの副作用がおこらないことが多い(図4)．さらに興味深いことに，T細胞エピトープを含むペプチドを生体に投与すると，T細胞がTh1応答に傾いたり抗原特異的に不活化(アナジー)される現象が知られている．

この方法の利点は，初期から大量に投与しても，アナフィラキシーの可能性が少ないため思い切った短期のプロトコールを試すことができる点にある．逆にペプチドであるため，最大公約数的に主要T細胞エピトープをカバーするようにペプチドをデザインするしか手がないという難点もある．

3. ペプチド構造の修飾による免疫応答の変化

抗原をワクチンとして用いる場合，その抗原を様々に修飾して用いることが以前から試みられてきた．ペプチドワクチンはその構造を合成の過程で自由に変えることができるので，そのような視点からも有利である．ここで重要な点は，ペプチドの構造を変えると，T細胞の応答を量的にも質的にも変えることができるという点である．

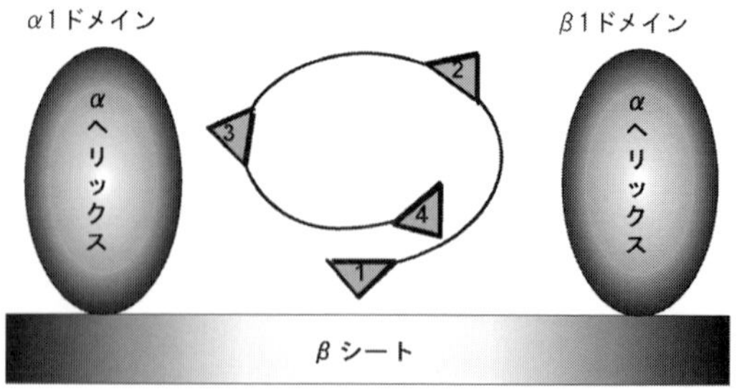

図6　抗原ペプチドN末端側より4残基の側鎖の位置

ペプチドがHLAの溝の中に収容されている様子をペプチドの長軸方向から眺めたのが図6である．ペプチドは1アミノ酸残基進むごとに左巻きに130度回転する構造をとっているため，残基の位置によって，その側鎖がHLAとのみ相互作用したり(図6の例では第一残基の側鎖)，TCRとのみ相互作用したりする．一般的に言って，HLAとのみ相互作用する残基を他のアミノ酸残基に置換すると，免疫応答を量的に変えることができる．表3にその例を示した．ここではBCGaペプチドの第一アンカー（図6の第一残基に相当)を置換すると，特定のHLAの型では応答を増強できることを示している．

第一アンカーはHLA側に形成されている疎水性のポケットと疎水性相互作用でもって結合エネルギーを作り出しているが，このポケットが大きい場合(表3ではDRβ鎖の第86残基がGlyの場合)，ペプチド側のより大きい側鎖(表3の例ではTrp)と強力に結合できるからである．

かたや，TCRとのみ相互作用する残基を他のアミノ酸残基に置換すると，免疫応答を質的に変えることができる．図7にその例を示した．ここでは表3で置換した残基のとなりの残基(図4の第二残基に相当)を置換すると，増殖反応は同じレベルのまま，IFNγの産生が大幅に増えていることを示している．すなわち，ペプチド抗原の構造を修飾することによって，特定のT細胞クローンの応答をよりTh1側に偏らせることも可能である．

このようなメリットを有するペプチドワクチン

表３　1st anchor の置換による免疫応答の量的増強

	BCGa ペプチド特異的Ｔ細胞クローン	
	SF36.16	BC20.7
拘束分子	DRB1* 0405	DRB1* 1405
DR β^{86}	G	V
ポケットの大きさ	大	小
ED_{50}（μ M）		
EEYLILSARDVLAVVSK（BCGa 野生型ペプチド）	0.12 ↓	0.30
EEWLILSARDVLAVVSK（1st anchor 置換ペプチド）	0.02	0.35

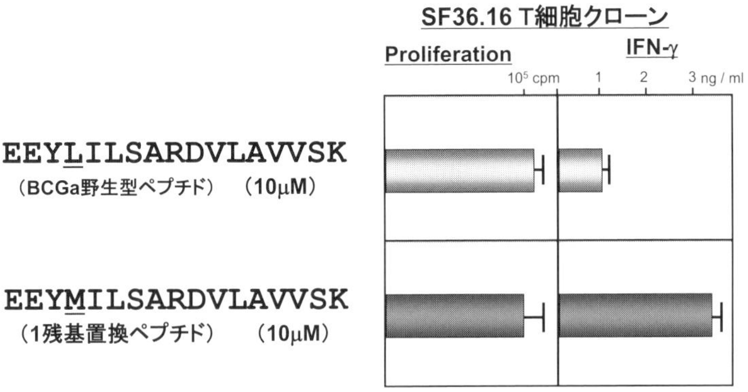

図７　TCR site の置換による免疫応答の質的変換

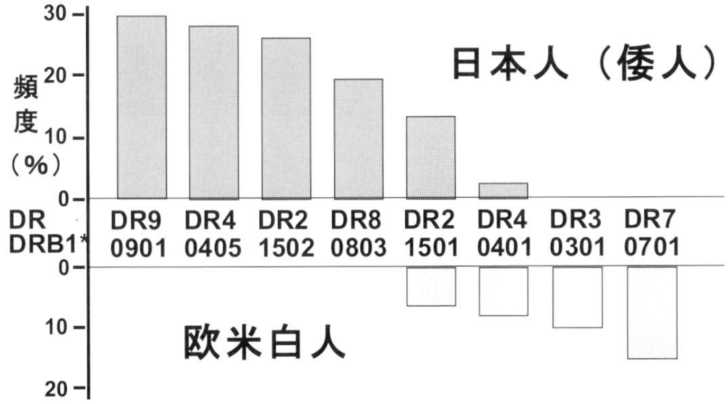

図８　特定の HLA-DRB1 対立遺伝子頻度は日本人と欧米白人とでは著しく異なる

は，腫瘍免疫，感染免疫，自己免疫，アレルギーなどの予防・治療において脚光を浴びているが，デメリットもある．その最大のものは，HLA の多型性が大きいため，「個人個人にとっての主要Ｔ細胞エピトープの多様性」を考慮する必要があるという点である．また，民族間でもそのタイプは大きく異なるため，特定の民族にはその HLA タイプにマッチしたワクチンデザインが必要となる．欧米白人と日本人の間でどの程度 HLA タイプが異なっているかは，図８に示した．

4. 糖脂質抗原による免疫応答の誘導

近年，結核菌に対するヒトＴ細胞応答の解析などから，蛋白抗原と同様に糖脂質抗原もまた生体にさまざまな応答を誘導する重要な抗原であることが明らかになった．このような糖脂質抗原の提示を担っているのが CD1 蛋白である．ヒト CD1 分子は相同性の程度によりグループ１（CD1a，CD1b，CD1c）とグループ２（CD1d）に分類される．グループ２は α－ガラクトシルセラミドを結合して NKT 細胞を活性化する．NKT 細胞はごく限られた種類のＴ細胞レセプター（TCR）しか発現しておらず，多様な抗原認識には関与していない．それに対して，グループ１は胸腺外ではおもに樹状細胞に発現しており，自己・非自己由来のさまざまな脂質・糖脂質を効率よくＴ細胞に提示する．そのようなＴ細胞の TCR は多様である．つまり，TCR 遺伝子の再構成を伴う多様な抗原認識機構を支えている抗原提示分子は古典的 MHC 分子とグループ 1CD1 分子であると言えよう（補填図５参照）．しかし，グループ 1CD1 分子はマウス・ラットに発現しておらず，しかもヒトグループ１の発現には厳密な組織特異性があ

各論V

るため，そのリガンドに関する研究はあまり進んでいない．

このような糖脂質抗原は感染免疫のみならず，自己免疫その他の分野でも注目されはじめており，今後のトピックスとなるであろう（補填図6参照）．糖脂質抗原は臨床応用において以下のようなメリットを有している：1）CD1には個体差が存在しないため，HLA分子によって提示されるペプチド抗原で問題になるような「個人個人にとっての主要T細胞エピトープの多様性」を考慮する必要がない．つまり万人に効く薬剤をデザインできる；2）CD1拘束性のT細胞はIFNγを大量に産生し，周囲のT細胞応答をTh1寄りに傾けることができる；3）糖脂質抗原はペプチド抗原と異なり，アナフィラキシーを誘導しない．

おわりに

以上，遺伝要因と環境要因の相互作用を分子レベルで論じるとともに，その成果をワクチンとして応用する際のポイントと将来像について述べた．今後は，1）比較的単純な遺伝要因が支配する多因子疾患において，環境要因を同定する，2）特定の疾患感受性に関与する複数の遺伝要因を同定するとともにその重みづけをする，3）広義の素因と環境要因の複雑な相互作用によって決定される病気の初期段階を定義する，などの重要性が増すと思われる．

参考文献

1. Stern LJ, Brown JH, Jardetzky TS et al : Crystal structure of the human class II MHC protein HLA-DR1 complexed with an influenza virus peptide. Nature 368 : 215-221, 1994.
2. Matsushita S, Takahashi K, Motoki M et al : Allele specificity of structural requirement for peptides bound to HLA-DRB1*0405 and -DRB1*0406 complexes : Implication for the HLA-associated susceptibility to methimazole-induced insulin autoimmune syndrome. J. Exp. Med. 180 : 873-883, 1994.
3. Fujii S, Uemura Y, Iwai LK et al : Establishment of an expression cloning system for CD4+ T cell epitopes. Biochem. Biophys. Res. Commun. 284 : 1140-1147, 2001.
4. Uemura Y, Senju S, Maenaka K et al : Systematic Analysis of the Combinatorial Nature of Epitopes Recognized by TCR Leads to Identification of Mimicry Epitopes for Glutamic Acid Decarboxylase 65-Specific TCRs. J. Immunol. 170 : 947-960, 2003.
5. Ohyama H, Matsushita S, Kato N et al : T cell responses to 53-kDa outer membrane protein of Porphyromonas gingivalis in humans with early-onset periodontitis. Hum. Immunol. 59 : 635-643, 1998.
6. Oyaizu K, Ohyama H, Nishimura F et al : Identification and characterization of B-cell epitopes of a 53-kDa outer membrane protein from Porphyromonas gingivalis. Oral Microbiol. Immunol. 16 : 73-78, 2000.
7. Ohyama H, Takashiba S, Oyaizu K et al : HLA class II genotypes with early-onset periodontitis : DQB1 molecule primarily confers the susceptibility to the disease. J. Periodontol. 67 : 888-894, 1996.
8. Miyamoto K, Miyake S, Yamamura T : A synthetic glycolipid prevents autoimmune encephalomyelitis by inducing TH2 bias of natural killer T cells. Nature 413 : 531-534, 2001.
9. Matsuoka T, Tabata H, Matsushita S : Monocytes are differentially activated through HLA-DR, -DQ, and -DP molecules via mitogen-activated protein kinases. J. Immunol. 166 : 2202-2208, 2001.
10. Norio Nakatsuji, Fumiaki Nakajima & Katsushi Tokunaga : HLA-haplotype banking and iPS cells. Nature Biotechnology 26 : 739-740, 2008.

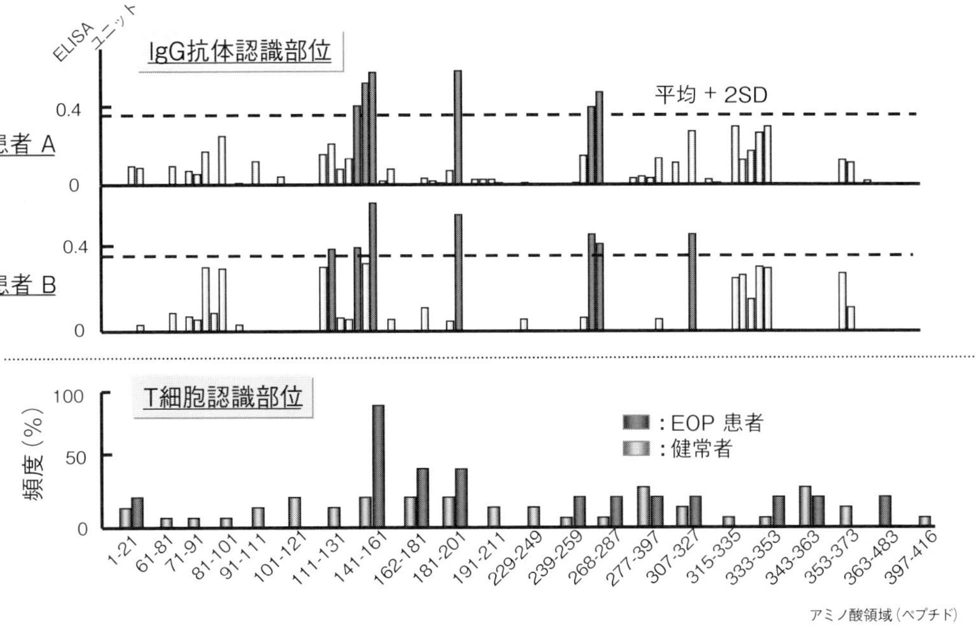

補填図３　Ag53 における歯周病患者由来 T 細胞および血清 IgG 抗体の認識部位

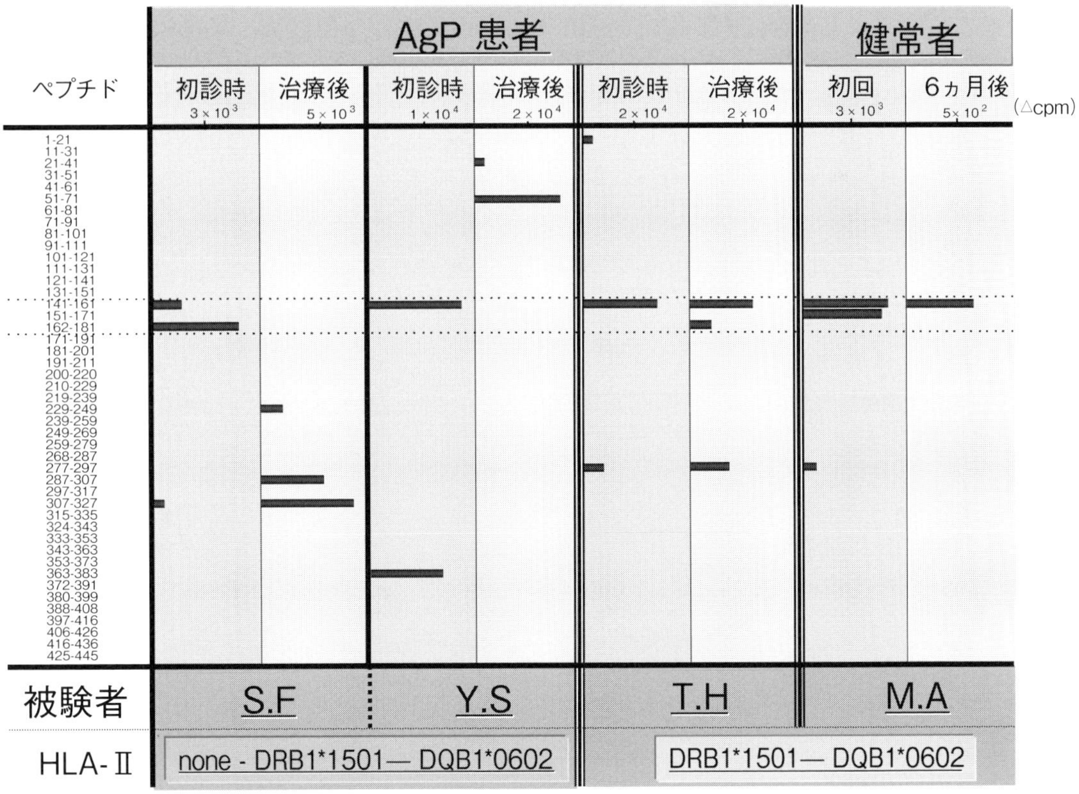

補填図４　歯周治療による T 細胞応答性の変動

各論Ⅴ

Group Ⅰ CD1a　CD1b　CD1c	Group Ⅱ CD1d
Myeloid DC ● ランゲルハンス細胞 表皮内　；　CD1a>CD1b, CD1c 真皮内　；　CD1b, CD1c ● 単球由来樹状細胞（GM-CSF+IL-4） （CD1a, CD1b, CD1c） ● マクロファージ（慢性炎症局所） Lymphoid DC ● マントルゾーン局在性B細胞 （脾臓および扁桃） ● ヒトやモルモットに発現 マウスやラットには発現していない	● 様々な組織において幅広く発現するが, いまだ不明な点が多い。 ● 特に内皮細胞, 平滑筋細胞, B細胞および活性化T細胞に発現する。 ● マウスにおいては, 脾臓 marginai zoneのB細胞, 抗原提示細胞に発現する。

補填図５　CD1 分子発現の組織特異性と種特異性

	抗原	由来	CD1分子	T細胞
菌由来抗原	ミコール酸	結核菌	CD1b	αβT細胞
	リポアラビノマンナン	ライ菌	CD1b	αβT細胞
	グルコース・モノマイコレート	M. phlei	CD1b	αβT細胞
	ホスファチジル・イノシトール・マンノシド	合成リン脂質	CD1b	αβT細胞
	ヘキソシル-1-フォスフォイソプレノイド	結核菌	CD1c	αβT細胞
	未同定菌由来脂質	ND	CD1a	αβT細胞
自己由来抗原	ガングリオシド・サルファチド	神経・脳細胞	CD1b	αβT細胞
	グリコシル・ホスファチジル・イノシトール	哺乳類細胞	CD1d	NKT細胞
	未同定自己由来脂質	ND	CD1a	αβT細胞
		ND	CD1c	αβ & γ δT細胞
		ND	CD1d	NK(？)T細胞
その他	疎水性ペプチド	合成ペプチド	CD1d	αβT細胞
	α-ガラクトシルセラミド	合成糖脂質	CD1d	NKT細胞

補填図６　CD1 分子結合性リガンド

V-3　粘膜ワクチン

広島大学医歯薬学総合研究科・粘膜免疫学研究室[1]，大阪大学歯学研究科・先端機器情報学[2]，東京大学医科学研究所・炎症免疫学分野[3]
高橋一郎[1]，岡橋暢夫[2]，清野　宏[3]

1. はじめに

人類の英知により病気の本質に対する理解が深まるにつれ，疾病を防ぐ手段としての予防医学の重要性が近年とみに増している．肉体的，精神的，経済的な負担など，多くの点で予防は治療に優る疾病対策であり，とりわけ感染症対策としてのワクチンは多くの人命を救った優れた科学的予防法といえる．ワクチンとは病原微生物に対する能動的あるいは受動的な特異免疫を付与する目的で投与される製剤であり，文献的には1786年に英国のE. Jennerが天然痘(痘瘡)予防の目的で牛痘の病原ウイルスをJames Phipps少年に接種したのが予防接種(種痘)のはじまりであった．種痘に使用した牛痘の病原体をvacca（ウシ）から採取したことにちなんでvaccine（ワクチン）とよばれたが，Pasteurはこの功績を顕彰してvaccineという用語を予防接種に利用される製剤に対して広義に用いた．現在，世界保健機関WHOは1979年の天然痘の根絶にひきつづき，ワクチンによるポリオ，麻疹(はしか)の根絶をめざしている．このようにワクチンは予防医学のもたらした優れた生物製剤のひとつといえる．また最近はバイオテロ，あるいは，2009年に始まった新型インフルエンザ(A/H1N1)の世界的な大流行(パンデミック)などに対する予防・治療法としてのワクチンの重要性が広く認識されるようになっている．

2. 現行ワクチンの性状

地球規模で人々が求めている理想的なワクチン像として，(1)被接種者すべてに効果があり，その効果の永続性が高いこと，(2)接種が容易で，副作用がなく安全であること，(3)製造や品質管理が容易で，かつコストが安いこと，などがあげることができる．我が国で予防接種として利用されている現行のワクチンは，大別すれば弱毒生ワクチン，あるいは不活化ワクチンのいずれかであり，ポリオの経口弱毒生ワクチンを除くすべてのワクチンにおいて経皮注射による接種が実施されている．弱毒生ワクチンは自然宿主以外の宿主(鶏卵やマウスなどの動物や培養細胞)において継代を重ねて選択した弱毒変異株を用いることが一般的で，比較的自然感染(野生株の感染)に近い特異感染防御免疫を引き出すことができる．したがって血清IgGを中心とした体液性免疫応答のみならずウイルス感染防御に重要な細胞傷害性T細胞(CTL)を中心とした細胞性免疫応答や結核などの細胞内寄生性細菌の防御に重要なIFN-γ産生性Tヘルパー1型(Th1)細胞の誘導が期待できる．しかしながら，自然罹患に比べて軽いが症状を引き起こすこと，さらに弱毒ワクチン株の病原性の復帰の問題，また免疫不全者への使用が禁忌であること，などの副作用が懸念される．一方不活化ワクチンはホルマリンなどの化学物質で処理して感染力を消失させた，不活化した形で投与するワクチン製剤であり，細菌毒素を無毒化

（トキソイド）したもの，ウイルスや病原微生物の成分を精製分離したもの，また遺伝子工学の手法を応用した組換え型ワクチンなども不活化ワクチンとみなすことができる．弱毒生ワクチンとは異なり，症状の発現や毒力を復帰することはない．しかし十分な感染防御能を有する特異免疫応答を誘導するためには，ある程度以上の抗原量の接種が必要であり，時に免疫応答強化のために水酸化アルミニウムゲルに代表されるアジュバント（後述）の併用が要求され，細胞性免疫の誘導は期待しがたい．望ましくない免疫応答を避けるためには不純物を取り除きかつ強い免疫原性が維持されているワクチンの作製が期待されている．

また，ワクチンの製造方法についても大きな変化が起きている．2009年に始まった新型インフルエンザ（A/H1N1）の大流行では，当初，ワクチンの生産が流行に間に合わないことが大きな問題として指摘された．これは，日本では有精鶏卵中で増やしたウイルスからワクチンを生産するため，有精鶏卵の供給，鶏卵中でのウイルスの増殖速度といった要因によってワクチンの生産量が限定されてしまうためである．2009年は政府が海外のワクチンメーカーから大量のワクチンを購入することで切り抜けたが，危機感を持った政府の後押しを受けて日本のメーカーも培養細胞を利用した効率的なワクチン生産法の導入に乗り出している．今後，有効性・安全性の高いワクチンの効率的な生産のために，バイオテクノロジーを用いた作製方法が広く導入されることになると思われる．

3. 粘膜ワクチン

前項において紹介した実用化済みのワクチンのほとんどは急性の経過をとり，かつ，終生免疫の得られる微生物感染症に限られているが，現在世界が強く望んでいるのは，エイズや結核をはじめとする，反復再感染が常態である多くの粘膜標的感染症のワクチンの実用化である．マラリアや破傷風を除く，現在世界のレベルで人類の脅威となっている大部分の病原微生物感染症は，呼吸器，消化器，泌尿生殖器などをおおう粘膜面を介して感染が始まり成立する．幸い粘膜組織には生体防御の最前線として前記病原微生物をはじめとする数多くの異物と対峙し，生体の免疫学的恒常性の維持に寄与する人体最大の免疫機構が配備されて

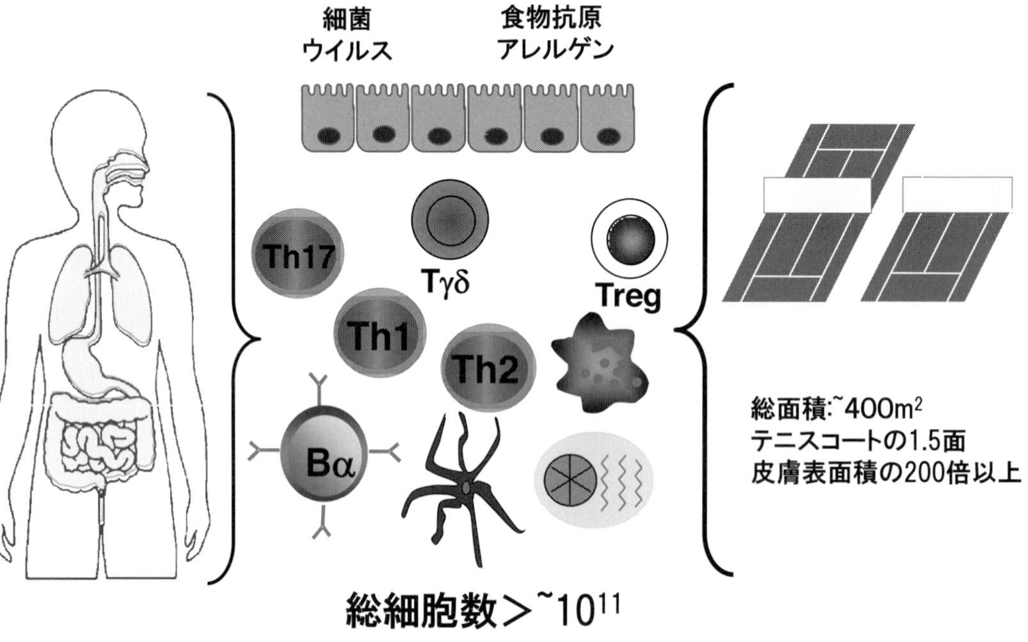

図1　第一線の生体防御バリアとしての粘膜免疫機構

いる（図1）．

この粘膜での特異免疫誘導・制御の機構を介してワクチン抗原を投与し，粘膜組織を中心に感染防御免疫を付与するための製剤が，狭義の粘膜ワクチンである．粘膜ワクチンはその投与経路により，経口，経鼻，点眼ワクチンなどと呼称される．経口的に投与されたワクチンの多くは消化器粘膜に局在するGut-associated lymphoid tissue（GALT）において特異免疫応答を誘導する．さらに，粘膜ワクチンは，粘膜免疫循環帰巣システム（Common mucosal immune system：CMIS）を介することで，ワクチンを投与した粘膜局所のみならず，遠隔の粘膜組織にまでIgAやCTLを中心とした抗原特異免疫応答を誘導することが知られている．

我が国で実用に供されているポリオ生ワクチンを経口的に投与した場合は，小腸粘膜組織にIgAを中心とした感染防御体液性免疫応答とCTLを中心とした感染防御細胞性免疫応答が誘導されることが知られている．また血流中にもポリオウイルスに対するIgGを中心としたウイルス中和抗体が誘導され，結果的に粘膜組織のみならず全身末梢免疫系を含めた2段構えの防御免疫を誘導できる．すなわち感染成立部位である粘膜面での水際での感染阻止に加えて，感染成立後のウイルス血症や小児麻痺の発症阻止まで期待できる．

このように，粘膜ワクチンは，操作性，安全性などの観点でも従来の注射によるワクチン接種より格段に優れており，有効性，安全性に秀でた守備範囲の広い理想的な予防・治療ワクチンといえよう（表1）．米国ではすでに経鼻インフルエンザワクチンの実用化が進みその使用が始まっているが，口腔内で舌下に投与するという形で粘膜免疫応答を利用する新規のワクチンの開発も行われている．さらに1990年代終わりごろから，皮膚を介しても粘膜免疫応答が誘導されることが判明し，この現象を利用した皮膚に貼るタイプのワクチンについても，現在，世界各地で研究が進められている．

表1　なぜ粘膜ワクチンなのか

利点
粘膜と全身の両方の免疫応答を誘導できる．
注射器を使用する必要がない（Needle free）．
多様な投与法が可能である（経口，経鼻，経皮，舌下）．
安全性が高く，保存・輸送などの点で経済性にも優れる．
課題
ワクチン成分や投与法によって安全で効率的なアジュバントが必要とされる．

4. 粘膜免疫誘導システムのかなめとしてのパイエル板

GALTの代表格であるパイエル板（Peyer's patch：PP）は腸管に存在する粘膜隆起として1600年代に報告されて以来，300年以上の時を経て粘膜免疫の誘導に重要なリンパ組織として再発見され，現在では分子・細胞レベルでその性状が詳細に解析されている．たとえばパイエル板の組織構築にはLymphoid tissue inducer細胞・ストローマ細胞相互作用を基軸としたIL-7受容体や炎症性リンホトキシン（LT$\alpha 1\beta 2$）などのシグナル伝達が必須であることが各種の遺伝子欠損マウスを使用した実験結果から明らかになってきた．IL-7受容体遺伝子欠損マウスではパイエル板はまったく認められない．また胎生期マウスにIL-7受容体に対するモノクロナール抗体を投与すると，産仔マウスにはパイエル板の形成不全がみられる．さらにLTα遺伝子欠損マウスでは胸腺は正常に発達するが，パイエル板を含めた2次リンパ組織の形成はおこらない．

マウス小腸ではパイエル板は肉眼的に6～7個の粟粒大の白色隆起状の構造物として腸間膜付着部の反対側に観察される．顕微鏡下で内腔側からマウスのパイエル板を観察すると，絨毛がなく陥没したドーム状構造物にみえる（図2）．またパイエル板は免疫組織学的に(1)管腔内の抗原を捕捉するM細胞を含むFAE（follicle-associated epithelium）とよばれる特殊な上皮細胞層，(2)FAE直下のリンパ球や樹状細胞の豊富な領域，(3)リンパ濾胞あるいは胚中心とよばれるIgA前駆B細胞を誘導するB細胞領域，(4)その周辺のリンパ濾胞間の各種T細胞サブセットを誘導するT細胞領域から構成されている．

パイエル板の天蓋部をおおう上皮細胞の約15％がM細胞である．M細胞は周囲の吸収上皮細胞に比べると頂端側の微絨毛の発達が悪く，エン

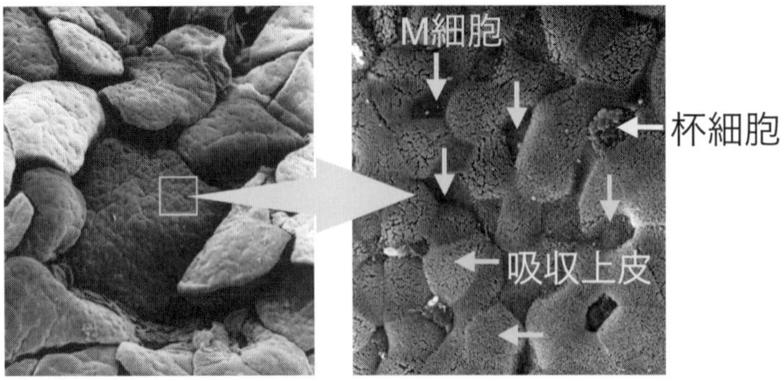

図２　パイエル板：消化管の免疫誘導リンパ装置

ドゾームやリソソームのような抗原の処理に関与する細胞内の小器官がみられない．M細胞に取り込まれた管腔側抗原は細胞質を素通りし，基底側に隣在する樹状細胞などに送達される．近年M細胞を介した管腔側抗原のトランスサイトーシスについて分子レベルでの解明がすすんでいる．たとえば膵臓ランゲルハンス島で見出されたgp2タンパクがタイプI型鞭毛を有する腸内細菌の受容体として，M細胞に特化した病原細菌の輸送ならびに免疫応答の誘導に関与することが明らかにされた．

5. 粘膜系樹状細胞

パイエル板天蓋部にはCD11b陽性のミエロイド系樹状細胞とCD11b陰性CD8α陰性の樹状細胞が豊富に存在する．一方CD8α陽性のリンパ球系樹状細胞はT細胞領域に局在する．このような樹状細胞サブセットの棲み分けはケモカインによって統御されている．すなわちパイエル板FAEはMacrophage inflammatory protein（MIP）-3α（CCL20）とよばれるケモカインを産生し，その受容体CCR6を発現するミエロイド系CD11b+樹状細胞は天蓋部に選択的に集積する．またT細胞領域ではMIP-3β（CCL19）とSecondary lymphoid tissue chemokine（SLC）（CCL21）が産生され，その受容体CCR7を発現するリンパ球系CD8α＋樹状細胞が選択的に集積する．

パイエル板天蓋部に存在するミエロイド系樹状細胞は腸管固有の免疫応答を誘導することができる．ミエロイド系樹状細胞はM細胞を介して送達された食物抗原や通常無害な共生細菌を捕捉すると積極的排除や炎症を惹起するTh1型／Th17型ではなく，分泌型IgAの産生に関与するTh2型あるいは経口免疫寛容現象をつかさどるiTreg（inducible regulatory T cell）／Tr1型の免疫応答を誘導し，これら抗原に対する積極的な局所ならびに全身免疫応答の過剰化を差し控えさせる傾向がある．

ミエロイド系樹状細胞の系譜に属するユニークな樹状細胞サブセットとして最近TNF-αとNO産生能を有する樹状細胞（Tip-DC）が見出された．Tip-DCは腸管内外のPAMPs（MAMPs）の刺激を受けてTLR2/4/9/MyD88依存性にTNF-α・NOのほか，BAFF/APRILなどのB細胞活性化因子（IgAへのクラススイッチングを促進する機能を含む）や活性化ビタミンAを産生し，粘膜におけるIgA応答を担っていることが示された．このTip-DCあるいは近縁のTLR5を発現したCCR7＋CD11b＋樹状細胞はパイエル板ばかりでなく腸管粘膜固有層にも存在し，固有層B細胞に直接はたらきかけ，Th2細胞非依存性に粘膜系IgA応答をつかさどることも知られている．

6. 粘膜における獲得免疫応答

細胞内寄生性細菌に対する感染防御の要であるIFN-γ産生性Th1型免疫応答（寄生虫感染の場合はIL-4/IL-13産生性Th2型免疫応答，また細胞外寄生性細菌や真菌の場合はTh17型免疫応答）は，天蓋部で当該抗原を捕捉した樹状細胞の直接のあるいはクロスプライミングという抗原処理過程をへてパイエル板T細胞領域において誘導される．このようにして誘導されたTh1型/Th2型/Th17型細胞はパイエル板T細胞領域の約60－70％を占める．残りのT細胞の大部分はCD8+の細胞傷害性T細胞（CTL）であり，消化管粘膜を介したウイルス感染防御をになう．パイエル板胚中心（B細胞領域）ではIgA前駆（sIgA+）B細胞が，Th2型・Tfh（follicular helper T）型

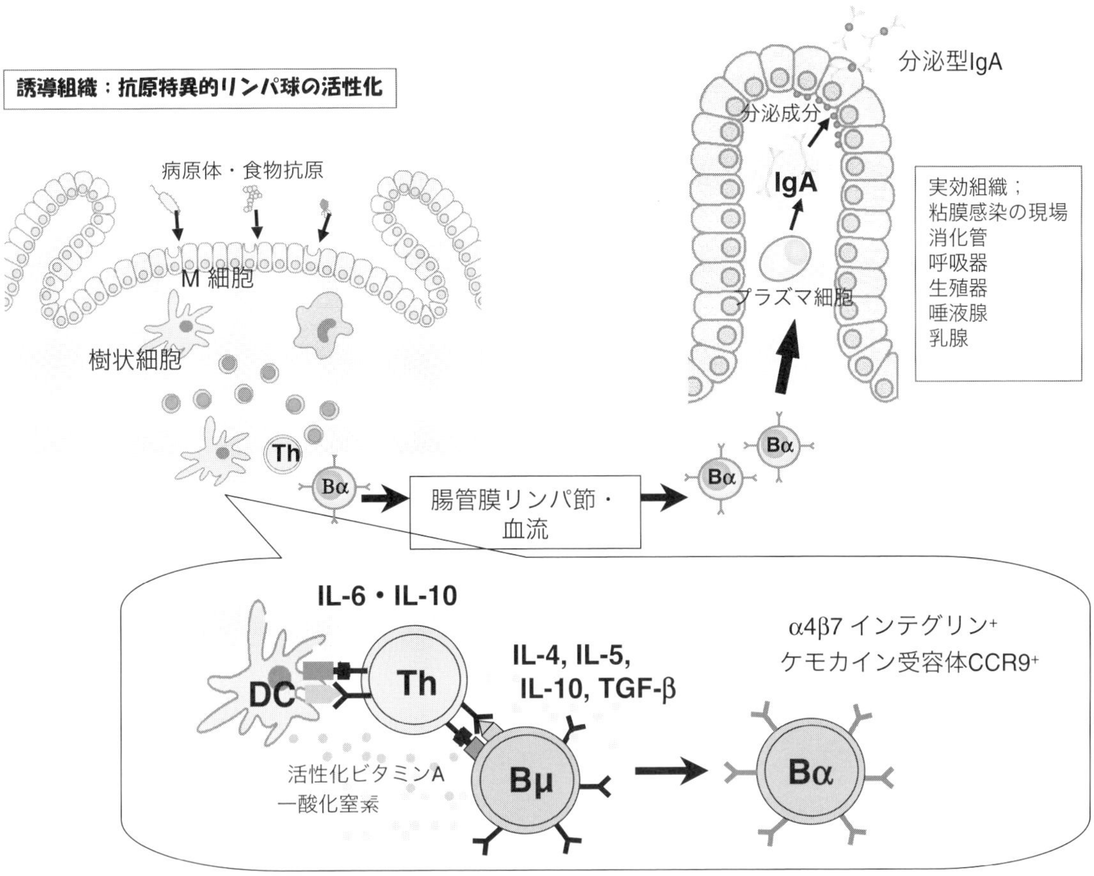

図3　粘膜免疫機構：誘導組織と実効組織から構成された粘膜免疫誘導のための帰巣循環システム(CMIS)

細胞，あるいは濾胞樹状細胞の支援のもと，免疫グロブリン重鎖のμ鎖からα鎖へのクラススイッチングならびに抗体遺伝子抗原結合領域の親和性増大を盛んにおこなっている．この分化成熟過程を経たIgA前駆(sIgA+) B細胞は，近傍ないしは遠隔の粘膜組織に移動したあと，IgAを産生する形質細胞へと最終分化を遂げる．

パイエル板で活性化されたエフェクターリンパ球は，リンパ管を経て腸間膜リンパ節を経由した後，胸管へと移行する．さらに血流に乗って全身を循環した後，抗原感作パイエル板の近傍ないしは遠隔の腸管粘膜固有層へと移行する(図3)．この腸管特異的遊走指向性はリンパ球上のα4：β7インテグリンの発現によって規定されている．α4：β7インテグリンは腸管壁に分布する血管内皮細胞に発現しているMAdCAM-1を認識する．さらに腸管で感作を受けたリンパ球は，腸管上皮細胞から産生される組織特異的なケモカインによってリクルートされる．腸管上皮細胞はCCL25ケモカインを選択的に産生し，その受容体CCR9を発現した腸管指向性エフェクターT細胞，B細胞を選択的に引き寄せる．GALTにおいて抗原提示をうけた活性化リンパ球のみが上述した腸管特異的遊走指向性ケモカイン受容体CCR9や接着分子α4：β7インテグリン発現能を獲得する．この発現誘導はGALTの樹状細胞によって制御されており，活性化ビタミンA（レチノイン酸)が関与する．レチノイン酸は腸管樹状細胞が発現するレチナール脱水素酵素の作用によって，ビタミンAから誘導される．これらの樹状細胞はナイーブT細胞に抗原提示をする際に，α4：β7インテグリンやCCR9ケモカイン受容体を選択的に誘導する．

MAdCAM1はかならずしも腸管の血管に限っ

各論V

て発現しているものではなく，他の粘膜に分布する血管系においても発現している．そのためGALTで抗原刺激を受けたリンパ球はエフェクター細胞として，MAdCAM1を発現する呼吸器，泌尿生殖器，乳汁分泌器官などの腸管以外の粘膜組織への遊走も可能である．このような粘膜免疫システムのみが有する統制されたリンパ球の循環経路は，粘膜免疫循環帰巣経路(common mucosal immune system：CMIS)と称される．これは粘膜ワクチンが示す重要な免疫学的特徴のひとつであり，ある粘膜を介した局所免疫によって当該粘膜のみならず，遠隔の粘膜ないしは腺組織における免疫応答をあわせて誘導することを意味している．このような現象は多くの実験系において証明されてきたが，中でも最も興味深いものとして，ヒト免疫不全ウイルス(HIV)ワクチン候補抗原の経鼻免疫によって泌尿生殖器に誘導される抗原特異的IgA免疫応答が挙げられる．さらに腸管粘膜における自然感染ないしはワクチン接種によって乳腺において抗原特異的IgAが産生誘導されることが示されており，これは母乳を介した乳児への受動的獲得免疫の賦与として非常に意義深いものである．

7. 粘膜免疫の主役，分泌型IgA

粘膜免疫という舞台でもっとも重要な役割を演じる免疫グロブリンはIgAである(表2)．ヒトは一日約8gの免疫グロブリンを産生するといわれているが，その約7割が粘膜組織に分泌されるIgA抗体で占められている．この分泌型IgAは涙・鼻汁・唾液・気管支の粘液・消化管の粘液・乳汁・尿などの分泌物に豊富に含まれており，ちょうど錆止めのペンキのように全身の粘膜表面をくまなく覆っている．分泌型IgAは粘膜表面の第1線のバリアとして抗原特異的な異物の排除・中和・殺傷において重要な働きをする．さらに最近の知見によれば粘膜正常細菌叢との共生関係の構築にも関与しているらしい．

表2　粘膜免疫の主役分泌型IgAの特徴と機能

IgA分子量：多量体（380kDa）
上皮細胞由来のpolygR（分泌成分）と結合→分泌型IgA
防御機能
病原微生物の粘膜上皮への付着・定着阻止
病原細菌由来の毒素の中和
ウイルスの中和
抗原凝集活性
粘液ムチンとの協同作業による異物の排出
ラクトフェリンなどとの協同作業による抗菌作用

分泌型IgAはJ鎖を介してジスルフィド結合した多量体IgAに，さらに1分子の分泌成分(secretory component：SC)がジスルフィド結合した構造をとる．粘膜下固有層の形質細胞から分泌されたIgAの多くはJ鎖結合の2量体構造をとっているが，粘膜表面(消化管などの管腔側)への移行(トランスサイトーシス)の過程で粘膜上皮細胞の基底側に発現する膜結合型pIgRを起源とするSCの付加をうける．このIgA複合体は粘膜上皮細胞を基底側から頂端側へと逆行輸送され，最終的にはSCの細胞外領域が結合した2量体の分泌型IgAとして粘膜表面に分泌される．以上の結果，分泌型IgAは抗原を捕捉する繋ぎ手が単量体の2倍となり，またSCの付与によって親水性やプロテアーゼに対する抵抗性が格段に向上し，その機能を粘液内で有効に発揮する．

8. ヒト経口ワクチンの歴史

伝統的にSabinの開発したポリオワクチンを除くとほとんどすべてのワクチンは注射により施行されてきたが，注射によるワクチンは苦痛と恐怖を，また発熱や注射局所の腫れから脳炎にいたるさまざまな副作用をともなう．ちなみに感染症死上位疾患は，第4位のマラリア，第8位の破傷風を除いていずれも粘膜を介して感染するものである．この事実からも粘膜組織に免疫を与えて，水際で病原体の侵入を阻止して感染症を予防することの重要性が確認できる．

ここでは，注射によらない経口ワクチンの代表として，実際に感染症の撲滅に多大な成果を上げた歴史的なポリオワクチンと細菌ワクチンの代表としてコレラワクチンを紹介したい．

ヒトポリオワクチン

ポリオウイルスは急性灰白髄炎(小児麻痺)の病原体で直径が25 − 28nmの球形の1本鎖RNA

ウイルスで，抗原性の違いによりI，II，III型の3型に分けることができる．経口的に感染したポリオウイルスは咽頭および腸管粘膜で増殖する．増殖したウイルスは扁桃や腸間膜リンパ節などの領域リンパ節を介して血流に入り他の感受性臓器に運ばれ，ここでさらに増殖を繰り返す．ウイルスが中枢神経に入り増殖をはじめると脊髄の運動神経を破壊し弛緩性麻痺をひきおこす．我が国のポリオ生ワクチンはI，II，III型からなる3価の混合弱毒化Sabin株である．経口投与されたSabin株は腸管内で増殖し，腸管にIgA抗体からなる強い粘膜免疫を誘導すると同時に，血中にはIgGアイソタイプの中和抗体が上昇する．活性の強いIgAを主体とした腸管免疫が成立することにより，野性株が侵入した際でも腸管内での増殖を抑え，また血中のIgG中和抗体はウイルス血症，小児麻痺の発症を抑えることができる．わが国では1960年代当初より施行され，ポリオの制圧に圧倒的な威力を発揮した代表的な経口ワクチンである．

ヒトコレラワクチン

コレラは本来インドに固有の風土病であったが，1800年代に世界的な伝染病に変身し，以降現在まで断続的に7度にわたって世界的な大流行(パンデミック)を引き起こしている．「コレラの世界史」などの著書がある見市雅俊博士の社会史学的な検証から，19世紀に記録した5回にわたる世界的なコレラの大流行には大英帝国を中心としたヨーロッパ列強のアジア進出が深く関わっていることが実証された．コレラ菌(*Vibrio cholerae*)は，古典的アジア型とエルトール型に分けられる．1883年にRobert Kochによって発見されたのは前者のほうで，19世紀に流行したコレラの主たる病原菌である．後者は20世紀の初頭に発見されたものであり，1961年に始まり今なお終息を見ない第7次世界的流行の主役である．コレラ菌はヒトを唯一無二の自然宿主としており，糞便に汚染された水や食物を介して経口的に感染する．したがってコレラの局地的なあるいは世界的な流行は下水設備を主とした衛生設備の不備に起因しており，ニュースなどで見られるように，地震や洪水などの自然災害に伴う下水道・病院などのインフラ設備の崩壊によって局地的に発生することも多い．

コレラ菌の主たる病原因子はコレラ毒素であり，コレラはこの毒素活性に起因した米のとぎ汁状の激しい下痢を主症状とする腸管感染症である．世界保健機構(WHO)の推奨する治療法は喪失した水分と電解質の経口的な補給であり，これがもっとも簡単で合理的な手段であるが，発展途上国では依然として大きな生命の脅威となっており，乳幼児と高齢者の致死率は20%にも達する．WHOの報告では，全世界で毎年12万人の死者を出していると算定されている．たとえば1991年には，これまで一世紀以上流行の記録がなかった中南米で突然コレラが発生し，多くの罹患者を出した．また1992年にインドで発生したエルトール型コレラ菌の派生株であるO139ベンガル株によるコレラは，南アジアを中心に大流行をひき起こし，さらに東南アジア，中国へと拡大した．

コレラ菌は上述のように経口的に感染，小腸粘膜上皮上で増殖，ひきつづき菌体外にコレラ毒素を産生する．したがって感染病理学的には，コレラ菌の腸管での定着と増殖を抑制し，腸管から本菌の排除をうながす粘膜免疫を誘導することがコレラの感染防御としてもっとも理にかなっているといえる．したがって腸管での定着と増殖能は有するがコレラ毒素は産生しないコレラ菌が有望な経口生ワクチンになるという発想を踏まえて1990年ごろ米国Finkelsteinらによりコレラ毒素Aサブユニットを産生しない「Texasの星」とよばれる弱毒生コレラワクチンが開発された．このワクチン株は米国におけるボランテイアを使った人体実験で一定の感染防御効果のあることが示された．しかしこのワクチンを飲むと依然弱いながらコレラ毒素以外のコレラ菌の産生する毒素に依存した下痢を誘発する欠点があり，実用化には至らなかった．

たしかに経口生ワクチンは理想的なワクチンであるが，これを効果的に増殖できる状態でヒトに投与するには，高価な冷蔵施設などを整える必要がある．しかし，もっともコレラワクチンを必要とする発展途上国ではこのような設備が整っていないことが多い．そこで死菌を用いる経口ワクチンとして，スウェーデンHolmgrenらはコレラ死菌体と組換えコレラ毒素Bサブユニット(CT-B)の混合経口ワクチン(WC ／ rBS)を開発し，健康な被験者で粘膜免役応答が成立することを確認したのち，バングラデシュで乳幼児を含む野外実験を実施した．その結果，3回の経口免疫により免疫後6ヶ月，3年の時点で，それぞれ85%，50%の感染防御能を発揮した．しかしながら2－5歳児での感染防御効果は最初の6ヶ月間の経過観察の時点で急激に低下し，免疫後3年目では完全に消失することは注意する必要がある．唯一報告のあった副作用は軽度の胃腸障害である．以上の結果から死菌とCT-Bよりなる経口コレラワクチンは主として成人においてIgAアイソタイプを主体とした感染防御腸管免疫の誘導が期待でき，またこの応答は比較的長期間にわたって維持されることが明らかになった．

1994年より遺伝子工学的に弱毒化をはかった生菌コレラワクチンが利用できるようになった．このワクチン株(CVD103-HgR株)は米国Levineらにより開発されたもので，アフリカ，アジア，ラテンアメリカの多くの国々においてHIV感染者を含めて単独経口免疫による安全性と有効性の試験が実施された．アジア株，エルトール株を含むO1型コレラ菌の感染実験に対して90%の感染防御を免疫後早期より示すことが明らかになった．しかしながら長期間にわたる感染防御は期待できないようである．約2%の割合で軽度の下痢がみられること，また一例の悪心，腹痛を除いて，副作用の報告はない．WHOはコレラのワクチンの使用に関して他のコレラ予防法との併用を強く推奨している．

他の経口ワクチンとしては，2006年に乳幼児のウイルス性急性胃腸炎の原因であるロタウイルスに対する経口ワクチンがアメリカなどで実用化され，ロタウイルス感染症の予防に大きな効果を上げている．

9. 粘膜免疫を非特異的に強化するアジュバント

上に述べたように，ポリオに対する経口ワクチンはポリオ制圧に絶大な威力を発揮し，コレラに対する経口ワクチンもコレラの流行に対して一定の効果を示すことが明らかになった．では，他の疾患に対する粘膜ワクチンの現状はどうであろうか？

経粘膜的にワクチン抗原を投与すると，粘膜のみならず脾臓に代表される全身系免疫担当組織において2段構えの抗原特異的免疫応答を誘導できること，さらに操作性，安全性，などの観点においても注射による免疫より格段に優れていることが経験的に示されている．しかしながら不活化ワクチン・精製ワクチンを単独で粘膜を介して接種した場合は，粘膜組織固有の解剖学的ないしは生理学的な性状に起因する，ワクチン抗原の物理化学的な不安定性，免疫担当組織への不確実な抗原送達，などの弱点により，期待したほどの特異免疫を粘膜組織に付与することができないのが実状であった．そこでこのような粘膜の特性に附随する弱点を克服し，粘膜を介した不活化・精製ワクチン抗原の送達の効率や免疫誘導効果をあげるために各種の工夫が試みられてきた．

注射による不活化ワクチンの単独接種の際にもその免疫原性の弱さが問題とされ，このような免疫原性の低い抗原に対する特異免疫を強化したい場合には，伝統的にアジュバントとよばれる物質を併用し，その欠点を補おうとした．その代表的なものが鉱物油と界面活性剤に結核菌の死菌体を混ぜたFreund完全アジュバントとよばれるものである．これに抗原を加え乳液状の懸濁液を作製し，動物に注射で投与すると体液性と細胞性の免疫応答が著しく上昇する．しかしFreund完全アジュバントに代表される全身免疫系で利用されるアジュバントは，注射局所の腫れ，痛み，さらに発熱などの全身的な副作用をともない，ヒトへの応用にはほど遠い手段といわざるをえない．

ところが近年，自然免疫応答の研究の進展に伴い，さまざまな細菌毒素由来の物質，あるいは合成高分子量ポリマーに粘膜免疫を介して粘膜局所のみならず全身系免疫をも非特異的に高める作用があることが明らかになってきた．コレラ毒素の粘膜アジュバント作用は1990年代から注目され，数多くの研究が行われている．これをアジュバントとして粘膜ワクチンに併用すると，当該ワクチン抗原に対するIgAを主体とした粘膜系と血清IgGを主体とした全身系の両特異体液性免疫がワクチン抗原の単独投与に比べて著しく亢進することが示された．またTh1型やCTLなどの細胞性免疫応答の亢進も粘膜組織のみならず全身組織においても確認された．このアジュバントとしての作用はタンパク質抗原のみならず，糖質，脂質，ウイルス，細菌など，幅広い抗原で認められた．詳細な説明は紙面の都合で省略するが，上記の事実に加えコレラ毒素を併用することで免疫学的に不応答となる現象，すなわち免疫学的寛容が誘導されない，または時に解除されるという利点があることも明らかにされた．しかしながらコレラ毒素のアジュバント活性の免疫学的な分子基盤に関しては，これまで20年近く研究が続けられているにも関わらず，Th2系細胞からのサイトカインの産生を高める，CD8陽性T細胞のアポトーシスを誘導する，抗原提示細胞の機能を高める（MHCクラスII分子や副刺激分子の発現亢進）などの状況証拠は集積されているが，核心をなす部分についてはまだよくわかっていない．

ヒトへの応用にむけてコレラ毒素に附随する毒素本来の活性を消失した安全な粘膜アジュバントの開発も積極的に試みられている．コレラ毒素の毒素活性を担うADP-リボシルトランスフェラーゼの活性中心に遺伝子工学的に変異を加えたミュータントコレラトキシンは毒素活性を消失するもののアジュバント活性は維持されていることが明らかになっている．当初，この無毒化コレラ毒素を経鼻免疫のアジュバントとして利用することが検討されたが，無毒化されているとはいえ，経鼻投与では嗅覚細胞から中枢神経系へ移行することが判明してヒトへの安全性に懸念が持たれたため，現在では，経鼻投与以外の方法での応用が検討されている．

10. 新しいワクチン

粘膜免疫ワクチンの発想から，さらに一歩進めて新しい発想に基づくワクチンの開発研究が世界各地で進められている．ひとつの方向は経皮投与（transcutaneous immunization）による粘膜免疫応答の誘導を利用し，皮膚に貼るだけで免疫が成立するようなワクチンであり（パッチタイプワクチン：patch type vaccine），もうひとつはワクチン成分を植物で発現させる植物生産型ワクチンの研究である．

図4　貼るワクチン

現在では，喘息の発作の際に用いる気管支拡張薬のホクナリンテープや禁煙の治療に用いるニコチンパッチなど，皮膚に貼るタイプの薬剤が身近になっているが，ワクチンでも，2005年ごろから皮膚に貼るパッチタイプのワクチンの研究が進められている．これまでの注射による投与法と比較して，投与時の痛みがないという最大の利点に加えてサイズが小さく注射器も不要であるため，ワクチンの輸送，保管，あるいは投与にかかるコスト面で利点があると考えられている．このパッチタイプのワクチンは，2008年に大腸菌易熱性毒素抗原を利用した旅行者下痢症ワクチンで効果があると報告されて注目を集め，さらに2010年にはアメリカジョージア工科大などのグループが，1cm角程度の大きさのシールの表面に数100マイクロメートルの生分解性高分子ポリマーで形成された微細な突起（マイクロニードル）が無数に出ているシールを利用したインフルエンザワクチンの研究成果を発表した．マイクロニードル内にワクチン成分が封入されている．この突起は短く，真皮には到達しないため，このシールを皮膚に貼り付けても痛みを感じることはない（図4）．皮膚に貼り付けると，数分以内にマイクロニードルが表皮内で溶けてワクチン成分が浸透し，皮下に存在する多数の免疫担当細胞に取り込まれて粘膜免疫応答を引き起こす．これらの方法によるパッチタイプのワクチンは，現在，アメリカだけで

各論V

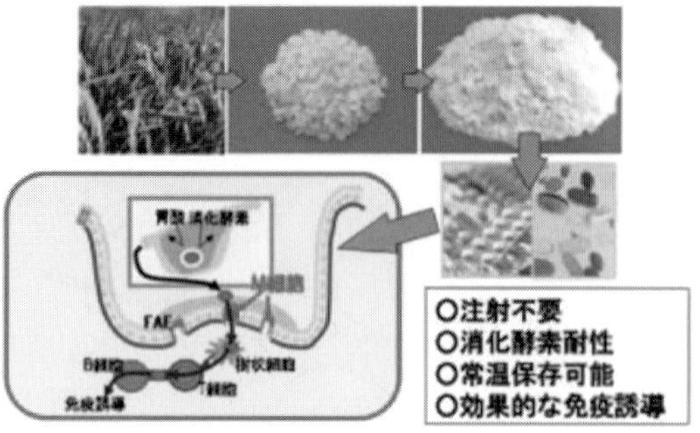

図5　MucoRice：お米で作る経口ワクチン

なく我が国でも複数の大学や研究所で熱心に研究されており，いくつかの製薬会社やベンチャー企業が実用化に向けて動き出している．投与時の痛みがないというだけでも大きな利点であるが，シール状のパッチであるため，保存や輸送も容易であり，医師による注射の必要がないため，医療施設が整っていない発展途上国も含めて世界的なニーズがあると見られている．

一方，植物にワクチンを作らせる植物生産型ワクチンに関しても1990年代から数多くの研究が行われている．これには2つのアプローチがあり，ひとつは植物のウイルスベクターを利用して遺伝子工学的にワクチン成分を植物において高収量で大量生産し，それを精製してワクチンに用いるという方法であり，いわば植物を大腸菌の代わりにバイオリアクターとしてワクチン成分の生産に利用するという方法である．これには，大腸菌で生産した場合ワクチン成分に大腸菌由来の菌体成分(内毒素など)の混入が避けられないという問題を回避できるという利点がある．もうひとつの方法は，植物にワクチン成分を発現させ，そのまま「食べるワクチン」として利用するアプローチである．たとえば，欧米ではB型肝炎ワクチンを植物に寄生するウイルスを巧みに利用してバナナに作らせる研究や病原性大腸菌ワクチンやう蝕ワクチン(モノクローナル抗体)を馬鈴薯に発現させる研究が続けられている．我が国で最近，コメにワクチン成分を発現させるというコメ型ワクチンMucoRiceが開発されて注目を集めている(図5)．これはワクチン成分をコメ種子に発現させるものであるが，他の植物由来の「食べるワクチン」と異なり，種子内のワクチン成分はそのままの状態で常温でも安定であり，種子内では酵素や酸などによる分解を受けずに済むという大きな利点を有している．つまりMucoRiceはコメをワクチンの生産体，貯蔵体，運搬体として活用する新たな「経口ワクチン」の創製をめざしている．容易に想像できるようにバナナや馬鈴薯でワクチンを発現させる場合は，そのままの状態では不安定であり長期低温保存，輸送などの面で大きな課題を抱えることになる．MucoRiceにおいては，コレラ毒素のBサブユニット(CTB)の遺伝子をコメ種子の胚乳タンパク質貯蔵体で発現されるように設計し，遺伝子工学的にイネに導入している．このMucoRiceのワクチン成分は常温保存でも3年以上安定であり，微粉末にしてマウスに経口投与するとワクチン成分に対する血清中IgGおよび粘膜上IgA抗体の両者が効率的に誘導される．こうして経口免疫を行ったマウスではコレラ毒素を投与しても下痢などは認められず，MucoRiceの経口ワクチンとしての有効性が明らかになったと報告されている．現在，この研究をさらに推し進めてMucoRiceを他のワクチンを経口ワクチンとして投与する際の安全なアジュバントとして利用するという方向でも精力的な研究が行われており，今後の展開に期待がかけられている．

結びにかえて

21世紀を迎えた今日もなお，人類はエイズ，マラリア，結核を初めとする多くの新興・再興感染症の脅威に曝されている．また，ニュースなどでしばしば取り上げられる薬剤耐性菌の出現など，数多くの新しい問題にも直面している．感染症の克服は21世紀に持ち越された最大の医学的課題のひとつである．しかしながらいずれの問題ひとつを取り上げても，その解決には過去に功を奏した枠組みは通用せず，新たなパラダイムやゲノムワイドな新技術の導入を必要とする．

周知のとおり免疫学は，20世紀に飛躍的に進展した生命科学のひとつである．しかしその目覚ましい研究成果とベットサイドにおける疾病の病因・病態の解明や治療法との間には大きな乖離があった．しかし前世紀後半には基礎免疫学と臨床

表３　粘膜ワクチンの特徴と開発の現状

投与経路	タイプ	対象疾患・病原体	特徴
経口・経鼻	粘膜アジュバント併用 無毒化コレラトキシン・ナノゲルなど	エイズ インフルエンザ 肺炎球菌・炭疽菌	精製組換タンパク抗原をワクチンとして利用できる 確実に粘膜免疫応答を誘導できる
経口・経鼻	弱毒型ウイルス	ロタウイルス インフルエンザ	米国などで既に実用化されている
経口・経鼻	組換えウイルス・細菌 （組換えサルモネラ菌，組換えBCGなど）	エイズ サルモネラ菌 病原性大腸菌	ワクチン成分の粘膜免疫誘導組織への長期にわたる提示が可能
経口	徐放性カプセル	エイズ サルモネラ菌 病原性大腸菌	ワクチン成分の粘膜免疫誘導組織への選択的な輸送が可能
経口	植物生産・貯蔵・運搬 （コメ，ジャガイモ）	ロタウイルス コレラ 病原性大腸菌	経済性・安全性に優れる 機能性食品としての応用も可能
経皮	パッチタイプワクチン	インフルエンザ 病原性大腸菌 肺炎球菌 破傷風，ジフテリア	経済性・安全性に優れる 投与法が簡便

免疫学が有機的に連携・融合した“粘膜免疫学”というあらたなパラダイムの開花があり，生体防御の最前線における免疫応答の本質的な理解とその破綻に起因した疾病の病因・病態の解明，さらに合理的な治療・予防法の開発がじつに見事な整合性をもって展開されている．粘膜免疫学研究には既存の方法論ではいまだに克服されていないエイズ，結核などの難治性の粘膜感染症の画期的な制御法の確立が期待されている．今後あらたな経口ワクチン・経鼻ワクチン・パッチタイプワクチンに代表される次世代ワクチンの登場によって，われわれを注射の恐怖と苦痛から解き放し，数多くの感染症の克服に限りない夢と希望を約束するかもしれない．米国では粘膜ワクチンに関する研究はすでに夢物語の域を脱して，噴霧式の経鼻インフルエンザワクチンの実用化がすすみ，医療現場での使用が始まっている．我が国でも注射するワクチンから飲むワクチン・吸うワクチン・貼るワクチンへ急速に転換することが期待される（表3）．

参考文献

1. “臨床粘膜免疫学”（清野宏　編）株式会社シナジー出版事業部，東京，2010.
2. Takahashi I, Nochi T, Yuki Y, Kiyono H. New horizon of mucosal immunity and vaccines. Current Opinion in Immunology. 21：352-258, 2009.
3. Czerkinsky C, Holmgren J. Enteric vaccines for the developing world：a challenge for mucosal immunology. Mucosal Immunology 2：284-287, 2009.
4. Takahashi I, Nochi T, Yuki Y, Kunisawa J, Kiyono H. The mucosal immune system for secretory IgA responses and mucosal vaccine development. Inflammation and Regeneration. 30：40-47, 2010.
5. Song JH, Nguyen HH, Cuburu N, et al. Sublingual vaccination with influenza virus protects mice gainst lethal viral infection. Proc Natl Acad Sci USA 105：1644-1649, 2008.
6. Yamamoto S, Kiyono H, Yamamoto M, et al：A nontoxic mutant of cholera toxin elicits Th2-type responses for enhanced mucosal immunity. Proc Natl Acad Sci USA 94：5267-5272, 1997.
7. Yamomoto M, Briles DE, Yamoto S, et al：A non-toxic adjuvant for mucosal immunity to pneumococcal surface protein A. J Immunol 161：4115-4121, 1998.
8. Nochi T, Takagi H, Yuki Y, et al：Rice-based mucosal vaccine as a global strategy for cold-chain- and needle-free vaccination. Proc Natl Acad Sci USA

各論V

104：10986-10991, 2007.
9. Tokuhara D, Yuki Y, Nochi T, et al. Secretory IgA-mediated protection against *V. cholerae* and heat-labile enterotoxin-producing enterotoxigenic *Escherichia coli* by rice-based vaccine. Proc Natl Acad Sci USA 107：8794-8799, 2010.
10. Hase K, Kawano K, Nochi T, Pontes GS, et al. Uptake through glycoprotein 2 of FimH+ bacteria by M cells initiates mucosal immune response. Nature 462：226-230, 2009.
11. Sullivan SP, Koutsonanos DG, Martin MP, Lee JW, et al. Dissolving polymer microneedle patches for influenza vaccination. Nature medicine 16：915-920, 2010.
12. Tezuka H, Ohteki T. Regulation of intestinal homeostasis by dendritic cells. Immunological Reviews 234：247-258, 2010.

V-4　がん治療ワクチン

慶應義塾大学医学部　先端医科学研究所　細胞情報研究部門
河上　裕

がんに対するワクチン(能動免疫法)には，がん関連ウイルスに対する予防ワクチン，標準治療後の再発を防ぐアジュバントワクチン，標準治療では治療困難な進行がんの縮小を期待するワクチンに分けられる．予防ワクチンでは，すでにB型肝炎ウイルス予防接種による肝癌発生の予防や，ヒトパピローマウイルス予防接種による子宮頸癌発生の予防が認められている．微小がんの再発を抑えるアジュバントワクチンが最も期待されているが，まだ十分に確立されていない．がんワクチンは，細菌成分を用いたColeyワクチンに始まり，各種微生物成分などの非特異的免疫賦活剤が長く試みられてきたが，その効果は限定的であった．その後，がん細胞やその成分，そして単離同定された腫瘍抗原を用いたワクチンが試みられているが，その治療効果はまだ限られているのが現状である[1]．しかし，2010年，米国Dendreon社のホルモン抵抗性前立腺癌に対するGM-CSF融合PAP前立腺癌抗原を感作させた自己樹状細胞ワクチンが米国FDAに承認され，また，GSK社の肺癌術後のMAGE-A3タンパクワクチンは，第II相臨床試験で約30%の再発抑制率を示し，現在世界規模で第III相臨床試験が進行中であり，2010年ASCOでもがんワクチンのアジュバント治療が期待されている．一方，最近の培養抗腫瘍T細胞を投与する養子免疫療法では，進行悪性黒色腫に対しても強力な抗腫瘍効果が示され，免疫療法によるがん治療の可能性が期待されている．ヒト腫瘍抗原の同定に引き続いて実施された初期の様々な免疫療法の臨床試験において，同定腫瘍抗原を用いた患者体内での免疫応答の解析が行われ，その結果に基づいて，最近，がんワクチン開発では新たな展開があり，本改訂版では最近の進歩を紹介したい．がんワクチンの基本については，前版を参照していただきたい(表1)[2]．

1．がんワクチンの科学的な開発

免疫療法の可能性を科学的に追究するために，各種ヒトがんに対して，1)自己がん細胞に対する免疫応答の証明と担当免疫細胞の確認，2)標的がん抗原の同定，3)がんエスケープ機構の解明と克服法の開発，4)強力な免疫制御法の開発，5)臨床試験実施による評価などの基本課題を解決していく必要がある．我々も含めて多くの研究者はT細胞を中心にがんワクチンの開発を進めている．それは，T細胞は，獲得免疫系として，抗原特異性・メモリー機能・指数関数的増殖による高出力を特徴とする強力な免疫系であり，多くの動物腫瘍モデルやヒト悪性黒色腫において生体内腫瘍拒絶に重要であることが示されているからである．T細胞が認識するヒトがん抗原の同定は，単に免疫療法の標的抗原として用いるだけでなく，T細胞エピトープペプチドの同定により，HLAテトラマー法やELISPOT法などを用いて，患者体内での抗腫瘍免疫応答の定量的・定性的な測定を可能とし，がんの免疫学的拒絶にいたる各段階での問題点を明確にしつつある[3]．

初期のがんワクチン臨床試験の解析結果に基づ

表１　Ｔ細胞応答を利用したがんワクチン

A. 同定がん抗原を用いる方法

a. がん抗原ペプチド・蛋白の投与
1）ペプチド改変（MHC 高親和性，スーパーアゴニスト，多価結合，安定性・局所停滞性増強）
2）抗原修飾（ヘルパーエピトープ・リーダー配列・HIV-TAT-PTD・hsp 結合，リポソーム，コレステロール多糖体修飾）
3）アジュバント・サイトカイン併用（フロインド不完全アジュバント，合成アジュバント IL2, IL12，GM-CSF）
4）$CD8^+$ T 細胞抗原と $CD4^+$ T 細胞抗原の併用投与

b. がん抗原蛋白・ペプチド感作，遺伝子導入樹状細胞の投与
（各種物質による CD40, TLR，サイトカイン受容体刺激による樹状細胞の成熟・活性化）
（IL1 β, TNF α, IL6, PGE2, IFN γ, BCG-CWS, OK432, Imidazoquinolines, CpG モチーフなど）
（HIV-TAT-PTD）

c. がん抗原遺伝子組換えベクターの投与
1）プラスミド（非メチル化 CpG 配列）（筋注，遺伝子銃）
2）ウイルス（アデノウイルス，フォールポックスウイルス，ワクチニアウイルス）
3）細菌（ＢＣＧ，リステリア，サルモネラ）

B. がん抗原の同定が必要ない方法

a. 高免疫原性修飾がん細胞による免疫
1）サイトカイン・costimulatory 分子・外来抗原遺伝子導入自己癌細胞の投与（IL2, TNF α, IL12, IFN γ, GM-CSF, IL4, CD80, HLA-B7）
2）ハプテン修飾癌細胞の投与　（DNP）
3）ウイルス感染による癌細胞修飾（HSV）
4）がん細胞・樹状細胞融合細胞の投与
5）骨髄性白血病細胞由来樹状細胞の投与

b. がん細胞抽出抗原成分による免疫
1）ペプチド，蛋白，RNA 感作樹状細胞の投与
2）ストレス蛋白の投与（gp96, hsp70）

いて，がんワクチンの抗腫瘍効果を増強するために，以下のポイントでの改良が進められている．1)適切なヒトがん抗原の同定：　がん細胞の増殖や生存に関わるために，抗原消失を起こしにくいがん抗原や，再発の原因となるがん幹細胞(がん始原細胞)に発現するがん抗原の同定，2)生体内がん破壊法の開発：　症例毎に異なる，免疫原性の比較的高い内在性がん抗原に対する免疫誘導を起こさせる生体内がん破壊法の開発，3)樹状細胞の抗原処理提示機能を増強する方法の開発：樹状細胞にがん抗原をターゲッテイングする方法や，樹状細胞に効果的にがん抗原を取り込ませ，ヘルパー T 細胞(Th)や，クロスプライミングにより $CD8^+$細胞傷害性 T 細胞(CTL)に効果的にがん抗原提示させる方法の開発，抗腫瘍免疫に適切な T 細胞を活性化させる樹状細胞を成熟活性化させるサイトカインやアジュバント(TLR など異物センサー刺激分子)の開発，4) $CD8^+$CTL や，NK 細胞，NKT 細胞，γδT 細胞，抗腫瘍マクロファージなどの抗腫瘍エフェクター細胞の増殖活性化を促進するサイトカインや刺激分子の同定と生体内での増殖活性化法の開発，5) CTL 誘導や樹状細胞活性化を促進する適切なヘルパー T 細胞サブセットの同定と増殖活性化を促進するサイトカインや刺激分子の同定と生体内での増殖活性化法の開発，6)がん組織や所属リンパ節などのがん関連微小環境での免疫抑制機構の解明とその克服法の開発　(図 1)　これらの個々の課題を解決して，総合的に抗腫瘍免疫ネットワークを制御することが，今後の効果的ながんワクチンの開発に必要である[4)]．

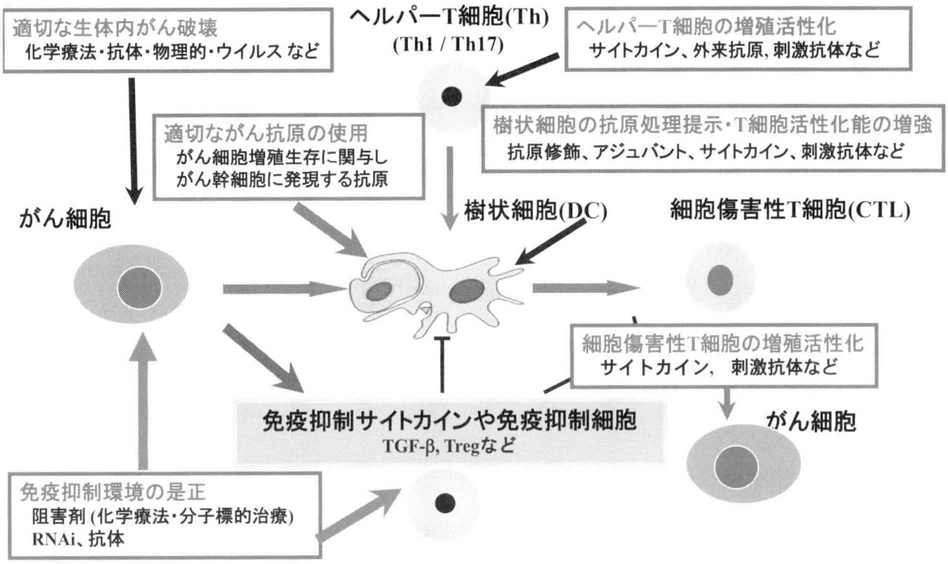

図1　がんワクチンの効果増強に必要な改良点

効果的ながんワクチンの開発のためには，1)適切な生体内がん破壊法の開発，2)適切ながん抗原の同定，3)適切な樹状細胞の抗原取り込み・処理・成熟化法の開発，4)適切なヘルパーT細胞サブセットの増殖活性化法の開発，5)適切な抗腫瘍エフェクター免疫細胞の増殖活性化法の開発，6)適切な免疫抑制環境是正法の開発などの要素技術の開発により，総合的な免疫制御を行うことが重要である．

2. がんワクチンに利用する適切なヒトがん抗原の同定と内在性がん抗原に対する個別化免疫誘導

遺伝子変異に由来する腫瘍特異的抗原，組織特異的抗原，様々ながん種と正常生殖細胞に発現するがん精巣抗原，がん細胞高発現抗原，がん関連ウイルス抗原，同種抗原など，様々なヒトがん抗原が単離同定され，免疫療法の臨床試験で試された．その結果，体内で活性化された抗腫瘍T細胞が認識するがん抗原は　やはり低免疫原性であることがわかり，様々な免疫誘導を増強させる方法の開発が重要である．抗原自体を改良する試みとして，HLA結合に重要な部位のアミノ酸を最適なアミノ酸に置換するなどの改変が行われ，一部免疫原性の増強に成功しているが，改変によっては改変抗原が元の抗原を認識しない改変体特異的T細胞を選択的に誘導してしまう場合もあり[5]，適切な改変抗原の作成は簡単ではないことも判明している．抗原自体の改変に加えて，コレステロール多糖体などを用いて顆粒状にして，樹状細胞へのデリバリーや処理を増強したり，熱ショックタンパクやサイトカインと結合させて免疫誘導増強をするがん抗原修飾も試みられている．

腫瘍特異的な抗原として，がん細胞の遺伝子変異に由来する変異抗原，特にがん遺伝子由来分子のようながん細胞の増殖や生存に関わる分子であれば，がん抗原の消失が起こりにくいので，免疫療法の標的として魅力的である．しかし，変異抗原は多くの場合，個々の患者で異なるので，同定抗原を用いたがんワクチン療法の開発は難しい．我々は　悪性黒色腫では，変異β－カテニンや変異BRAF分子が腫瘍抗原になることを見いだしたが[6]，前者の変異抗原をもつ患者は限られているが，後者では白人の悪性黒色腫では約60%に共通変異(V600E)が認められ，がんワクチンとして開発可能である．日本人に多いHLA-A24に結合するT細胞エピトープペプチドが変異β－カテニンでは同定されているが，残念ながら変異BRAFでは同定できなかった．しかし，米国でHLA-A2結合性の変異BRAFが同定され，今後の臨床試験が期待される．がん精巣抗原は，正常では免疫反応が起こりにくい環境(immunopriv-

各論V

iledge site)に，HLAを発現しない生殖細胞にしか発現しないので，ほぼ腫瘍特異的抗原として扱える共通抗原として期待されているが，がん細胞の増殖生存への関与はないものが多く，がん細胞で発現の差がある場合も多いのが問題とされている．しかし，がん精巣抗原であるNY-ESO-Iは各種免疫療法での抗腫瘍効果との相関も報告され，MAGE-A3はタンパクワクチンとして世界規模の第III相臨床試験が進行中であり注目されている[7]．我々も，正常精巣cDNAライブラリーを各種がん患者血清でスクリーニングするSEREX法を用いて，CRT2などの多数のがん精巣抗原を単離同定している[8]．

近年，化学療法耐性で再発の原因となるがん幹細胞(がん始原細胞)に対する免疫療法の可能性が期待されている．iPSの作製にも使われているSOX2は　各種がん幹細胞での発現が示唆されているが，SOX2特異的T細胞はモノクローナルガンモパシイから多発性骨髄腫への進展の抑制に関わることが報告されている．我々も　スフェアー形成法やサイドポピュレーション法を用いて濃縮したヒトがん幹細胞分画に発現するがん抗原の同定を試みた．これらのがん幹細胞分画では発現が低いがん抗原も多いことも判明し，がん幹細胞での発現状態は，今後の免疫療法におけるがん抗原選択において考慮すべき一つ要素となる．脳腫瘍患者血清を用いて単離したSOX6抗原は，スフェアー形成法で分画して免疫不全マウスへの移植により多様な分化能を示した脳腫瘍幹細胞にも発現し，SOX6特異的T細胞は脳腫瘍幹細胞を傷害できた[9]．また，上記変異BRAFは良性黒子でも高率に存在することや，悪性黒色腫の寛解後数年後に再発したがん細胞での発現から，悪性黒色腫幹細胞でも発現することが考えられる．したがって，これらのがん抗原はがん幹細胞を排除できる可能性がある．一方，我々は，T細胞を用いた養子免疫療法による完全寛解後に，数年毎に再発を繰り返す悪性黒色腫症例を経験した[10]．本例では再発後のがん細胞にはがん抗原もHLAも発現しており，がん幹細胞とも位置付けられる休止期がん細胞は，免疫療法にも抵抗性をもつ場合がありえる．

上記の理想的な特性を備えないがん抗原であっても，免疫原性が高ければ，その免疫により引き起こされる抗原スプレッディングにより，免疫療法の標的として好ましい性質をもつ，複数の内在性がん抗原に対する免疫応答を体内で誘導できるかもしれない．実際，悪性黒色腫に対するMAGE抗原免疫で縮小が見られた腫瘍内のT細胞を詳細に調べた結果，免疫に用いたMAGE抗原とは別のがん抗原に対するナイーブT細胞から誘導されたT細胞がかん排除に作用した可能性が示されている[11]．抗原スプレッディングを誘導するための抗原としては，患者ががん細胞による感作を受けてすでにメモリー状態となったT細胞に対する抗原を用いることにより免疫誘導効果が高まる可能性があり，そのような抗原を選択して用いる個別化がんワクチンも試みられている[12]．

多くの患者で発現する共通抗原であっても，HLAタイプも含めた患者の免疫体質により，症例毎に，その免疫原性は異なることが明らかになり，患者特有の固有抗原と合わせて，患者毎に異なる適切ながん抗原に対する免疫誘導法が期待されている．そのためには，内在性がん抗原を効率良く放出させて免疫誘導を起こす方法が考えられている．1つの方法は，自己腫瘍融解産物，あるいは抽出したタンパクやmRNAやがん抗原を結合している熱ショックタンパク(hsp)やエクソソームを，直接投与あるいは樹状細胞に感作して免疫する方法である[13]．hspワクチンはロシアで承認されており，自己腫瘍mRNA感作樹状細胞の臨床試験が米国を中心に進行中である．もう一つの方法として，生体内でがんを破壊して，免疫誘導を起こしやすい形でがん抗原を放出させる方法がある．生体内がん破壊法としては，放射線照射や凍結融解や熱凝固法や光線力学的療法などの物理的手段による破壊，化学療法剤や抗腫瘍抗体やオンコウイルスなどによる破壊などが試みられている．化学療法では，アンソラサイクリン系薬剤はがん破壊時にカルレクチンのがん細胞膜への移動を誘導し，その受容体をもつ樹状細胞によるがん抗原の取り込みを促進し，効率良く抗腫瘍免疫応答を起こすことが示されている．放射線照射はAscobal効果として抗腫瘍免疫誘導も期待されている．ラジオ波などの熱凝固法は，hsp誘導により免疫誘導作用が強いとの報告もある．我々は，マウス腫瘍モデルと一部臨床試験で，凍結融解法，単純ヘルペスウイルス（HSV），光線力学療法を用いたがん組織破壊による内在性がん抗原に対する免疫誘導増強を明らかにしている[14, 15]．

3. 樹状細胞の抗原提示機能の増強法やT細胞の増殖活性化法の開発

抗腫瘍免疫応答に重要な樹状細胞やT細胞の機能増強により，がんワクチンの効果を増強することが試みられている．樹状細胞（DC）へ抗原のターゲッティング法として，Fc受容体やhsp受容体などのDC上に発現する分子に対する標的化が試みられている．抗原に対するT細胞活性の増強だけでなく，標的となるDC分子の種類により，その後誘導される免疫応答が変わるとの報告もある．Hsp結合やその他の抗原修飾により，DCに取り込まれた後のクロスプライミングなどの抗原プロセスの増強作用も報告されている．抗腫瘍T細胞誘導活性をあげる適切なDC成熟活性化を起こすために，種々の天然・人工のToll様受容体（TLR）などの危険センサーを刺激するアジュバントが検討されている．我々も新規BCG-CWS製剤やHSVタンパク質のアジュバントとしての可能性を検討している．抗腫瘍CTLやヘルパーT細胞を生体内で十分に増殖活性化する方法として，IL2，IL7，IL15，IL21などのT細増殖性サイトカインやT細胞の副刺激分子に対する活性化抗体が検討されている．後者は気をつけないとサイトカインストームによる重篤な副作用を発生させる可能性がある．ヘルパーT細胞の活性化においては，抗腫瘍免疫に適切なヘルパーT細胞サブセット（Th1やTh17など）の誘導が重要である．

4. がん関連組織における免疫抑制環境の是正

がん形成過程において，がん細胞は，各種免疫細胞と，線維芽細胞や間葉系幹細胞などの他の間質細胞との相互作用により，がん微小環境が構築され，その後のがん進展やがんの性質を規定する．また，がん微小環境は，リンパ管を通じてがん組織から流入する分子や細胞の影響を受けるセンチネルリンパ節や，血管を通じて全身性に骨髄などのリンパ組織へも影響を与える．マクロファージや肥満細胞などの自然免疫系は，むしろがん細胞の増殖浸潤を促進させ[16]，T細胞やNK細胞などの免疫細胞は，免疫監視（immunosurveillance）により，がん細胞を排除（immunoelimination）するが，その過程で，遺伝子不安定性を基本性質としてもつがん細胞は，免疫抵抗性や免疫抑制性を獲得して，免疫防御機構をすり抜けて増殖し（免疫逃避（immuno-escape）），臨床でみられるがんとなる．マウスの化学発がん実験では，免疫が正常なマウスに発生するがん細胞は，免疫不全マウスに発生するがん細胞に比べて免疫抵抗性であることが示されている．この免疫抵抗性のがん細胞が選択される過程は免疫編集（Immunoediting）と呼ばれる[17]．ヒトでも同様なことが起こっていることが予想され，実際，臨床でみられるヒトがん細胞は，がん細胞の悪性形質の一つとして，多様な免疫抵抗性や免疫抑制性機構を備えており，特別な免疫操作なしでは免疫防御機構から逃れており，また，がんワクチンの効果を妨げている．例えば，がん組織内に浸潤した抗腫瘍T細胞では，パーフォリンやグランザイムなどの細胞傷害性分子や抗腫瘍性IFN-γなどのサイトカインの産生が低下しており，十分に機能していないことがヒトがん組織で認められている．がん細胞量が少なければ，免疫抑制状態も軽減されるので，アジュバントワクチンでは効果が期待できるのではと考えられているが，悪性黒色腫では，治療後，残存がん細胞が少ない症例に対するがんワクチン治療において，末梢血中に抗腫瘍T細胞が非常に増加しているにも関わらず，がん抗原もHLAも十分発現するがん細胞の再発がみられる場合があり，免疫編集の過程を経たがん細胞は，少数でも局所で免疫抑制・抵抗性をもち，それを改善しないとがんワクチンが十分に機能しない可能性も指摘されている[18]．したがって，ヒトがん細胞の免疫抵抗性・免疫抑制性の細胞分子機構を解明して，その是正法を開発することが効果的ながんワクチンの開発にとって非常に重要である[19]．

がん細胞はがん抗原やHLAなど抗原提示に関わる分子の異常により免疫抵抗性を獲得する場合がある[20]．多数のがん抗原が使えるので，がん抗原の消失は重大な問題にはならないが，HLA消失はT細胞によるがんの直接排除を不可能にする．がん細胞ではβ2ミクログロリンの遺伝子変異により全HLAクラスIの消失がしばしば認められるが，この場合，T細胞以外の治療が必要となる．がん種によっては，IFNやHDAC阻害剤などのエピジェネテック作動薬によりHLA発現の回復が可能な場合があり，免疫療法への併用が計画されている．また，がん細胞はTGF-βなどの多様な免疫抑制分子を直接産生して，様々なレベルで抗腫瘍免疫応答を抑制するだけでなく，制御性T細胞(T reg)，寛容性樹状細胞(tolerogenic DC)，骨髄由来免疫抑制細胞(MDSC)，M2マクロファージ，好中球，γΔT細胞，NKT細胞など様々な免疫抑制性細胞を誘導して，がん組織，センチネルリンパ節，骨髄などのがん関連微小環境において，免疫抑制環境を構築する．免疫抑制環境の是正法として，免疫抑制エフェクター分子や細胞であるTGF-βやTregやPD-1/PD-L1やIDOの除去や阻害が期待され，それぞれ臨床試験が進められている．最近，Tregの免疫抑制活性の阻害やT細胞活性化のネガテイブフィーバック機構の阻害を期待した抗CTLA4抗体の投与の臨床試験が行われ注目されている．抗CTLA4抗体単独投与では，マウス実験でみられたように，自己免疫反応とともに抗腫瘍効果も5－10％程度に観察されたが，興味深いことに，以前にGM-CSF遺伝子導入がん細胞ワクチンを受けていた症例ではより抗腫瘍効果が認められたとの報告がある．しかし，腫瘍抗原ペプチドワクチンとの併用では，投与ペプチドに対する免疫増強は認められなかったが，やはり単独投与と同様な抗腫瘍効果は認められた[21]．抗PD-1抗体単独投与の臨床試験でも一部の症例で抗腫瘍効果が認められている．

我々は　がん細胞を起点として作動する多様な免疫抑制カスケードと，その結果として構築される免疫抑制環境の分子細胞機構の解明と，その制御法の開発を目指しているが，特に，そのカスケード上流であるがん細胞での遮断を試みている．ヒトがん細胞では，MAPK，STAT3，NF-kB，Wnt/β-catenin，Snailなどの様々な遺伝子異常により，恒常的なシグナル活性化が起こり複数の免疫抑制カスケードを作動させている[22]．がん細胞の中でも，転移に関与する上皮間葉転換(epithelial mesenchymal transition：EMT)では

TGF-β/Snail誘導性のEMTで，E-cadherinの低下や浸潤能の亢進に加えて，TGF-β，IL10，TSP-1などの免疫抑制性サイトカインの産生を亢進させて，DCのT細胞活性化能の低下やtDCの誘導を起こし，さらにTregを誘導して，強い免疫抑制を起こして，がん細胞の浸潤転移を促進している．そこで，これらの異常シグナル分子に対する特異的阻害剤の使用により，複数の免疫抑制分子の産生やその後に起こる免疫抑制性細胞の誘導を抑制することができると考えられる[23]．さらに，STAT3，β-catenin，NF-κBなどの抑制は，がん細胞だけでなく，樹状細胞やMDSCなどの免疫細胞にも作用して，IL12などの抗腫瘍サイトカインの分泌増強やArginaseなどの発現低下，さらにがん細胞由来免疫抑制分子に対する抵抗性などを介して，抗腫瘍免疫増強作用を示す．化学療法剤のなかにも，Gemcitabineのように比較的免疫抑制作用が弱く，また，MDSC減少作用を示して抗腫瘍免疫増強作用も期待されている薬剤もあり，我々は，分子標的薬や化学療法剤を適切に併用するがんワクチンの開発を進めている．

5. 総合的ながん免疫制御法

がんのアジュバントワクチンによる再発抑制が期待されているが，やはり，がんワクチンだけでの効果には限界があると考えられるので，本稿で紹介した様々な方法の併用による抗腫瘍効果の増強が試みられている．強い抗腫瘍効果をもつ総合的な免疫療法の最近の取組例の一つとして，免疫抑制性リンパ球の減少とhomeostatic expansion

機構の作動による投与したT細胞の生体内増殖を可能にする，リンパ球抑制薬剤(cyclophosphamideやfludarabine)や全身性放射線照射(TBI)などの前処置後に，大量の抗腫瘍培養T細胞を投与し，抗原特異的T細胞増殖を促進させるがん抗原ワクチンと，T細胞増殖活性化作用に加えて多様なサイトカイン分泌誘導促進と腫瘍血管破壊作用をもつ高用量IL2の投与を併用する総合的な養子免疫療法がある．多発転移巣をもつ進行悪性黒色腫に対しても，RECIST基準で長期生存の期待できるCR例を含む70%以上の奏効率が得られている[24)]．さらに，抗腫瘍T細胞から単離したがん細胞認識T細胞受容体遺伝子をレトロウイルスベクターで末梢血リンパ球に導入して作製した人工的な抗腫瘍リンパ球を用いた養子免疫療法が開発され[25)]，すでに悪性黒色腫以外で滑膜肉腫にも強力な抗腫瘍効果が得られているが，今後，より主要ながん種への臨床試験が期待されている．

6. 免疫状態の総合的評価法の開発

がんワクチン開発においては，効果の期待できる症例の選択や，がんワクチン実施時の免疫動態評価のために，総合的に免疫評価をすることが重要である．現在，抗腫瘍T細胞の誘導状評価のために，ELISPOT法やHLAテトラマー法などを用いた抗腫瘍T細胞の測定が標準的に行われているが，今後，免疫抑制性サイトカインや細胞群の測定や，腫瘍組織における免疫状態や，免疫調節に関与するがん細胞の遺伝子・シグナル異常の測定などにより，がん組織，所属リンパ節，骨髄などのがん免疫関連組織の状態を的確に把握できるバイオマーカーの同定が期待され，米国では産学官連携で免疫評価にかかわるバイオマーカーの探索が行われている[26)]．このような免疫評価法の開発により，免疫療法においても，症例の選択による個別化治療が可能になる．

おわりに

ヒトがん抗原の同定により，各種新しい免疫療法の臨床試験が実施されたが，単純ながんワクチンでは，進行がんに対する臨床試験では期待されたほどの治療効果が認められなかった．現在，MAGE-A3などのアジュバントワクチンが臨床試験で評価中であり，その結果が期待される．一方で，培養T細胞投与を軸とした総合的な免疫療法では，進行がんに対しても強力な治療効果が示されており，今後，本稿で紹介した各種方法の確立によるがんワクチンの効果増強が期待される．

参考文献

1. Rosenberg SA, et al：Cancer immunotherapy：moving beyond current vaccines. Nat Med. 10：909, 2004.
2. 河上裕　癌治療ワクチン　分子予防環境医学　第一版
3. Kawakami Y, et al：Identification of human tumor antigens and its implications for diagnosis and treatment of cancer. Cancer Sci. 95：784, 2004.
4. 河上裕　がん細胞と免疫系の相互作用の分子機構とその制御　実験医学　27：2170, 2009.
5. Rosenberg SA, et al.：Immunologic and therapeutic evaluation of a synthetic peptide vaccine for the treatment of patients with metastatic melanoma. Nat Med 4：3217, 1998.
6. Robbins PF, et al. A mutated b2-catenin gene encodes a melanoma - specific antigen recognized by tumor infiltrating lymphocytes. J Exp Med.183：1185, 1996.
7. Tyagi P, et al. MAGRIT：the largest-ever phase III lung cancer trial aims to establish a novel tumor-specific approach to therapy. Clin Lung Cancer. 10：371, 2009.
8. Hayashi E, et al. Identification of a novel cancer-testis antigen CRT2 frequently expressed in various cancers using representational differential analysis. Clin Cancer Res.13：6267, 2007.
9. Ueda R, et al. Identification of HLA-A2- and A24-restricted T-cell epitopes derived from SOX6 expressed in glioma stem cells for immunotherapy, Int J Cancer, 2009.
10. Wang E, et al. Clonal persistence and evolution during a decade of recurrent melanoma. J Invest Dermatol, 126：1372, 2006.
11. Lurquin C, et al. Contrasting frequencies of antitumor and anti-vaccine T cells in metastases of a melanoma patient vaccinated with a MAGE tumor antigen.J Exp Med. 20：249, 2005.
12. Itoh K, et al. Personalized peptide vaccines：a new therapeutic modality for cancer. Cancer Sci. 97：970, 2006.
13. Nagayama H,, et al. Results of a phase I clinical study using autologous tumour lysate-pulsed monocyte-derived mature dendritic cell vaccinations for stage IV malignant melanoma patients combined

with low dose interleukin-2. Melanoma Res.13：521, 2003.
14. Toda M, et al. Immuno-Viral Therapy of Brain Tumors by Combination of Viral Therapy with Cancer Vaccination Using a Replication-Conditional HSV. Cancer Gene Ther. 9：356, 2002.
15. Udagawa M, et al. Enhancement of immunologic tumor regression by intratumoral administration of dendritic cells in combination with cryoablative tumor pretreatment and Bacillus Calmette-Guerin Cell Wall Skeleton Stimulation. Clin Cancer Res. 12：7465, 2006.
16. 河上裕　なぜ今自然免疫か？　—自然免疫系細胞によるかん進展の促進とその制御によるがん治療の可能性—　Cancer Frontier 11：91, 2009.
17. Smyth MJ, et al. Cancer immunosurveillance and immunoediting：the roles of immunity in suppressing tumor development and shaping tumor immunogenicity. Adv Immunol, 90：1, 2006.
18. Rosenberg SA, et al：Tumor progression can occur despite the induction of very high levels of self/tumor antigen-specific CD8 + T cells in patients with melanoma.J Immunol. 175：6169, 2005.
19. 河上裕, et al. がん細胞による免疫抑制・抵抗性の分子機構とその制御実験医学　27：2213, 2009.
20. Restifo NP, et al. Identification of human cancers defective in antigen processing. J Exp Med.177：265, 1993.
21. Phan, G.Q., et al：Cancer regression and autoimmunity induced by cytotoxic T lymphocyte-associated antigen 4 blockade in patients with metastatic melanoma. Proc Natl Acad Sci U.S.A. 100：8372, 2003.
22. Sumimoto H, et al：The BRAF-MAPK signaling pathway is essential for cancer immune evasion in human melanoma cells. J Exp Med 203：1651, 2006.
23. Kudo-Saito C, et al：Cancer metastasis is accelerated through immunosuppression during Snail-induced EMT of cancer cells. Cancer Cell 15：195, 2009.
24. Dudley et al：Adoptive cell therapy for patients with metastatic melanoma：evaluation of intensive myeloablative chemoradiation preparative regimens. J Clin Oncol. 26：5233, 2008.
25. Johnson LA et al：Gene therapy with human and mouse T-cell receptors mediates cancer regression and targets normal tissues expressing cognate antigen. Blood 114：535, 2009.
26. Tahara H, et al. Emerging concepts in biomarker discovery；The US-Japan workshop on immunological molecular markers in oncology. J Transl Med, 7：45. 2009.

V -5　遺伝子治療

東京大学医科学研究所先端医療研究センター外科・臓器細胞工学分野
田原秀晃

はじめに

遺伝子操作技術を応用して疾患を治療しようとする遺伝子治療は，1990 年代初頭に本格的な開発が始まってから 20 余年が経過したが，その進歩とともに種々の問題点も明らかになってきた．特に，1999 年に米国ペンシルバニア大学の The Human Gene Therapy Institute において発生した死亡例が遺伝子治療（アデノウイルス・ベクター）による有害事象であることが報告されて以来，遺伝子治療の臨床試験方法のあり方が見直され，より慎重な開発が要求されることとなった．しかし，遺伝子操作により細胞の機能を制御する手法は有用なものであると考えられ，種々の基礎的研究が重ねられているとともに，安全で効果のある遺伝子治療の実現に向け臨床試験の方法にも工夫が重ねられている．

本稿では，遺伝子治療に関する基本的な概念・方法に関して述べるとともに，遺伝子治療の発展の歴史的経緯と現状について論じる．

1. 遺伝子治療とは

遺伝子（Gene）はクロモソーム（chromosome）上に存在し，生体の基本的な形態や機能の決定において基盤となる因子である．遺伝子の様々な変化により，それによって規定されるタンパク質が変化し，細胞の形態や機能に大きな影響が出るため，多くの疾患の直接的・間接的病因となることがわかってきている．もともと遺伝子治療とは，その疾患の原因となる因子，あるいは，病態に大きな影響を与える因子を，遺伝子操作技術により修復・補完・供給することで疾患を治療する方法であると定義されてきた．しかし，現在では，その定義はより広範な治療法を含むものとされている．すなわち，「疾患の治療のために細胞や生物体において遺伝子の導入や置換を行うこと」（American Society of Gene & Cell Therapy；アメリカ遺伝子細胞治療学会）と定義されている．

2. 遺伝子治療発展の歴史（表 1）

遺伝子の改変を疾患の病態改善に結びつけようとする初めての試みと考えられるのは，1970 年から 1973 年にかけて行われた米国の Stanfield Rogers 博士による実験的治療である[1]．これは，Shope papilloma virus（SPV）の感染により arginine の産生を調節する遺伝子の発現が抑制されるというある条件下のみでの現象を拠り所として行われた治療で，遺伝的な arginase 酵素欠損を原因とする hyperargininemia の患児に対して精製された SPV が全身投与された．しかし，この治療法は奏功せず，同時に，倫理性や科学的根拠への疑問が噴出した．社会の注目を集めたこの実験的治療の遂行も一因となったと推測されるが，DNA 組み換え技術を応用する研究全般に対する一般市民の不安に対応すべく 1974 年 8 月に米国 National Institute of Health（NIH）が Recombinant DNA Advisory Committee（RAC）を立ち上げ

表1　遺伝子治療のあゆみ

1974	RAC の創設
1978	Belmont Report の作成
1980	サラセミアに対する遺伝子治療（Cline 博士）
1984	HGTS の創設
1988	マーカー遺伝子を用いた臨床試験（Rosenberg 博士）
1990	Points to consider for protocol for the transfer of recombinant DNA into genome of human subjects の作成
1990	世界初の本格的遺伝子治療の開始（SCID 患者；Blaese 博士ら，メラノーマ患者；Rosenberg 博士ら）
1993	厚生省ガイドライン作成（日本）
1994	文部省ガイドライン作成（日本）
1995	日本初の遺伝子治療を開始（ADA 遺伝子治療）
1998	日本初の癌に対する遺伝子治療を開始（腎癌，肺癌）
1999	遺伝子治療を直接原因とする初の死亡例（アデノウイルスベクター）
2003	白血病様疾患の発症（レトロウイルスベクター）

た．RAC は，NIH の所長に対して組み換え DNA に関連する研究の実施に関して，NIH のガイドラインの制定も含めて勧告することを役割とするもので，検討必要な事項が他にもある場合にはこれについても審議し勧告を提出することとなった．そして RAC と Food and Drug Administration (FDA) は，1978 年にベルモントレポート(Belmont Report) としてガイドラインを作成し，遺伝子治療の施行には，当該施設の審査委員会 institutional review board (IRB) での承認に加えて RAC および FDA による認可を要求することとした．

このような体制構築の努力は開始されていたものの，初めての遺伝子治療に関しては批判が集まった．1980 年，University of California, Los Angeles (UCLA) の Martin Cline 博士は，イタリアとイスラエルで，遺伝性血液疾患であるサラセミアの二人の患者に遺伝子治療を施行した．しかし，所属する UCLA の IRB の許可は得ていなかった．加えて，実施されたイタリアの病院には IRB がなく，イスラエルの病院には IRB があるものの，十分な情報を伝えることなく承認を得ていた．この実態は，1980 年 10 月 Los Angeles Times 誌により報道され，倫理的・社会的・宗教的議論が沸き起こり，遺伝子治療の認可の際には，倫理的・社会的側面も十分検討する必要があるとの認識が定着した．

このような状況を踏まえ，1984 年に RAC は専門機関となる Human Gene Therapy Working Group（後に Human Gene Therapy Subcommittee (HGTS)）を新たに創設し，遺伝子治療に特化してプロトコールを検証することにした．倫理面での整備，社会的コンセンサスが徐々にではあるが整ってきた環境となった 1988 年，数ヶ月の HGTS 内での議論と追加データの集積を経て，その年の 12 月に，本格的で的確な手続きをへた世界で始めての遺伝子導入技術を用いたプロトコールが認可された．NCI の Steven Rosenberg らのメラノーマに対する細胞治療である[2]．メラノーマ患者の腫瘍組織より採取した腫瘍浸潤リンパ球(TIL) を大量培養後，それにマーカーとなる neo の発現遺伝子をレトロウイルス・ベクターにより導入してから患者に戻し，導入されたマーカー遺伝子を用いて体内に投与された TIL の分布を検証するというものであった．これは，遺伝子導入技術を用いずとも抗がん効果のあることが期待される治療法をほとんどそのまま利用して，科学的検証という意義により倫理性を担保しつつ，治療遺伝子を用いる前に遺伝子導入技術法自体の有害事象の有無を確かめる臨床研究である．この綿密に計画された本格的遺伝子治療開始の先駆けとなるプロトコールは，後に「マーカー研究」と総称され，遺伝子治療臨床応用の開始と発展の上で大変大きな役割を果たすこととなった．これらの実際の患者での経験も踏まえて，1990 年には臨床試験プロトコールが認可を受けるためのガイドラインとして" Points to consider for protocol for the transfer of recombinant DNA into genome of human subjects"が作成された．これには，臨床試験を実施するための基本的考え方と具体的要件が示されており，本邦での臨床研究の実施においても参考とされている．その後，様々な情報も加味されて改訂されてきており，最新のものについては，NIH の Office of Biotechnology Activities のウェブサイト(http://oba.od.nih.gov/oba/index.html) にて確認可能である．現在米国では，実際の遺伝子治療の臨床研究プロトコールの検証は，臨床試験全体を統括する Food and Drug Administration (FDA) と共同して行われる．RAC は主として科学的・倫理的側面を検討し，FDA は主として使用される試薬(最終産物，産物の作製過程を含む)に関する安全性確認と臨床試験の監視を行っている．

このような実績と基盤整備をもとに，1990 年には新たに 2 つの遺伝子治療プロトコールが HGTS に認可された．一つは，その年の 9 月に施行された Michael Blaese と French Anderson による先天性免疫不全症(SCID)の患者に対する遺伝子治療で，単一遺伝子欠損を原因とする疾患への遺伝子治療の有用性を示唆する結果を得た[3]．他方は先出の Rosenberg によるもので，抗腫瘍効果を増強すべく TNF-α 遺伝子を移入した TIL を養子移入するものである．また 1992 年には，ヨーロッパにおいてもイタリアの Vita-Salute San Raffaele University の Claudio Bordignon 博士が ADA 欠損症(SCID)の患児に対してレトロウイルス・ベクターを用いた遺伝子治療を行い，病態改善の効果を得た[4]．

これらの実績に鑑み，1992 年には NIH の director である Bernadine Healy が遺伝子治療を可能とする疾患対象を広げ，規制を緩和した．本邦でも，1993 年に厚生省，1994 年には文部省が相次いで遺伝子治療に関するガイドラインを作成し，遺伝子治療に関する環境が整備されることとなった．その結果 1995 年には，日本での始めての遺伝子治療である ADA 欠損症患者に対する遺伝子治療が認可され北海道大学において開始された．また，1998 年には，癌に対する遺伝子治療として，腎癌に対する GM-CSF 遺伝子を導入した自己腫瘍細胞によるワクチン療法(東大医科研)と肺癌に対する p53 遺伝子を用いた腫瘍アポトーシス誘導治療(岡山大)が承認され開始された．このように本邦における遺伝子治療もいよいよ臨床応用が進められるようになったが，これらのすべての臨床試験では米国で既に開始されていたプロトコールとベクターを含む試薬をそのまま用いたものである．

種々の臨床プロトコールが進むことにより基本的な安全性情報がある程度集まり，遺伝子治療に対する過剰な警戒が解かれる形で規制緩和が進みつつあったが，1999 年には過剰に楽観的になることへの警鐘となる出来事があった．10 月に発生した" Gelginger case" と呼ばれる事故である．これは，ペンシルベニア大学 The Human Gene Therapy Institute での ornithine transcarboxylase deficiency (OTCD) の遺伝子治療に参加した 18 歳の青年が遺伝子治療を受け，アデノウイルスによって惹起された重篤な免疫反応に起因したと考えられる多臓器不全でなくなったものである．これは，ウイルスベクターの危険性の認知のみならず，より望ましい臨床試験の進め方に関する反省を喚起した．さらに，2003 年の 1 月にはフランスで" bubble baby syndrome" とも呼ばれる遺伝的免疫不全症である X-linked severe combined immunodeficiency disease (X-SCID) の患児に対し，血液幹細胞にレトロウイルスベクターを用いた遺伝子治療を施行したところ，その患者に白血病様症状が出現した[5, 6]．これは，幹細胞にレトロウイルスベクターを用いて遺伝子を導入したことにより，白血病細胞の出現を促したと考えられている．遺伝子治療による画期的な成功例における深刻な副作用の出現であり，関係者に与えた影響はかなり大きなものであった．現在では，この治療法の安全性を高めるため，ベクターの挿入部位を確認する作業が義務付けられており，白血病の発生確率を下げる努力がなされている．

このように最先端の治療法である遺伝子治療は，未知の部分が多いだけに，その進展の過程でいろいろな教訓を生みながら展開されてきている．

3. 遺伝子治療の手法

遺伝子治療は，その手法により ex vivo 法と in vivo 法に大別される．ex vivo 法とは，細胞や組織を治療対象患者より採取し，それらを体外にて培養などの操作を加えて遺伝子移入を行った後に再び体内に戻し治療する方法である．In vivo 法は，対象細胞や組織への遺伝子移入を，直接体内にて行なう方法である．両者の使い分けは，対象疾患，遺伝子導入対象細胞(組織・臓器)，用いるベクター，安全性など当該疾患の特徴や治療上の制限など種々の要素を総合的に検討して決定される．遺伝子治療の臨床応用当初は，安全性確保が比較的容易であるex vivo法を用いるものがほとんどであったが，ベクターの安全性情報が増えるにともないin vivo法のプロトコールも出現し増加してきている．患者ごとに遺伝子導入に関連する煩雑な操作が必要で細胞調製用の特別な施設や人手などが要求されるex vivo法に比べ，臨床現場での実行に制限が少なく企業化へのハードルも比較的少ないin vivo法を用いる臨床プロトコールの割合が増加している．

4. 遺伝子導入法の種類と特徴

治療遺伝子を細胞に移入するための媒体であるベクターは，ⅰ)ウイルス由来とⅱ)非ウイルス由来に大別される．Journal of Gene Medicineの2010年6月時点での集計によると(表2 http://www.wiley.com/legacy/wileychi/genmed/clinical/)，現在施行されているアメリカでの臨床試験プロトコールでは，ウイルス由来のベクターが約4分の3を占め，残りが非ウイルス由来のベクターを用いたものである．ウイルスベクターの内訳では，アデノウイルス・ベクターが最も多く，僅差でレトロウイルス・ベクターが続いている．適切なベクター・システムの選択は遺伝子治療の成否を決める重要な要素である．治療を行いたい疾患とその病態を把握し，遺伝子導入対象となる臓器(組織・細胞)の特徴をもとに，個々のベクターの機能を勘案して最も適したシステムを選択すべきである．誤った選択は，治療遂行の失敗につながりかねない．たとえば，非増殖性細胞が対象としてin vivoにて遺伝子導入する必要のある治療プロトコールにおいて，マウス由来のレトロウイルス・ベクターは選択しがたい．なぜなら，レトロウイルス・ベクターは細胞の増殖期にのみ遺伝子導入が可能であり，加えて，in vivoでの感染効率が一般に低いからである．逆に，骨髄幹(前駆)細胞への遺伝子導入により長期の遺伝子発現を必要とする先天性酵素欠損症の治療プロトコールなどでは，発現効率が高いとはいえ一過的発現となるアデノウイルス・ベクターを使用することは避ける場合が多い．このように，ベクターに要求される条件は，使用されるプロトコールによりさまざまであるが，必要条件として共通な要素も多く，代表的なものとして下記のような事項が挙げられる．

表2 遺伝子治療プロトコールからみたベクターの内訳
(2010年6月時点 Journal of Gene Medicineによる集計)

ベクター	プロトコール数	%
Adenovirus	400	23.8
Retrovirus	344	20.5
Naked/Plasmid DNA*	304	17.7
Vaccinia virus	133	7.9
Lipofection*	109	6.5
Poxvirus	93	5.5
Adeno-associated virus	75	4.5
Herpes simplex virus	56	3.3
Lentivirus	29	1.7
Other categories	82	4.9
Unknown	55	3.3
合計	1644	100

*：非ウイルスベクター

1)使用する遺伝子の組替えが可能で，遺伝子改変後も安定している．
2)必要とされる条件下で対象細胞への遺伝子導入効率が良好である．
3)治療効果達成に充分な量の遺伝子産物を，必要な期間発現させることができる．
4)予期しうる副作用が少なく程度が軽い．

これらの要素を考慮に入れて，現存するタイプのベクターの改良とともに，上記以外の特徴を持つこれまでにない新しいタイプのベクターの開発も進められている．使用可能なベクターの種類が増え，またその機能も改善されれば，治療の有効性が高まり適応疾患や病態が拡大される可能性が出てくるので，大いに期待されるところである．しかし，今後ベクター開発が進んでも，疾患やプロトコールにより必要とされるベクターの機能は異なるので，これからも各種のベクターの特色を良く理解し，治療法や目的により柔軟にベクターを使い分けていくことが肝要であると考えられる．また，特にin vivo遺伝子治療に用いられるベクターに関しては，それ自身の持つ毒性とベクターに対する生体反応に関しても，綿密な基礎的研究と慎重な臨床開発が必要となる．前述の"Gelginger case"では，ベクターに対する生体反応が副作用の主体であったと考えられており，小動物や霊長類を用いた前臨床試験の必要性がより強調されるようになった．しかし，特にウイルス・ベクターを用いた際には，その基となったウイルス本来の宿主の違いによって生体反応は大きく異なるために，ヒトでの反応を予期しづらい場合も多い．患者の利益を損なわない倫理的な臨床試験を推進するためにも，以上の問題点を勘案してプロトコールを作成する必要がある．

5. 遺伝子治療の現状

2010年6月末の時点までに施行された遺伝子治療の疾患別内訳（表3）を見ると，癌に対する遺伝子治療が1060件（64.5％）ともっとも多い．これは，癌に対しては根拠を持って選択できる治療法に限りがあるため新しいものに対する期待が大きく，遺伝子治療のようにまだ安全性の確立していない治療法を倫理的に行うための条件を整えることが比較的容易であることも一因であろう．また，がんと同様の条件を備えると考えられる心臓血管疾患と，遺伝子治療の臨床効果が大いに期待できる単一遺伝子病に対する臨床試験が各々約8％の割合を占めており，確実な臨床効果を踏まえて，定着した治療法となりうる可能性が考えられる．

表3　遺伝子治療プロトコールの疾患別内訳
（2010年6月時点　Journal of Gene Medicine による集計）

対象疾患	プロトコール件数	%
癌	1060	64.5
心臓血管疾患	143	8.7
単一遺伝子疾患	134	8.2
感染症	131	8.0
神経疾患	30	1.8
眼疾患	18	1.1
他の疾患	40	2.4
遺伝子マーカー試験	50	3.0
健常者ボランティア	38	2.3
合計	1644	100

表4　導入遺伝子の種類
（2010年6月時点　Journal of Gene Medicine による集計）

導入遺伝子	プロトコール件数	%
抗原	325	19.8
サイトカイン	302	18.4
癌抑制遺伝子	173	10.5
増殖因子	127	7.7
欠損遺伝子	118	7.2
自殺遺伝子	118	7.2
受容体	95	5.8
増殖抑制因子	68	4.1
マーカー	50	3.0
他の範疇	212	12.9
不明	56	3.4
合計	1644	100

表5　遺伝子治療プロトコールの試験段階
（2010年6月時点　Journal of Gene Medicine による集計）

試験段階	プロトコール件数	%
第Ⅰ相	995	60.5
第Ⅰ／Ⅱ相	308	18.7
第Ⅱ相	267	16.2
第Ⅱ／Ⅲ相	13	0.8
第Ⅲ相	57	3.5
単一患者	2	0.1
計	1644	100

治療用遺伝子としては，免疫反応制御に関連するものが多く見られる（表4）．遺伝子治療開始当時は，腫瘍細胞に免疫刺激性サイトカイン遺伝子を導入したものをワクチンとして投与するもの[8, 9]が多くを占めたが，現在では（腫瘍）抗原を用いるものが最多となっている．また，T細胞受容体をリンパ球に遺伝子導入することによりこれまでの養子免疫療法の効果と効率を飛躍的に高める画期的な治療法[10]も臨床応用が進められている．1990年頃より腫瘍抗原が続々と同定され，それに関連した基礎研究の進行によりこのような変化が生まれていると考えられ，遺伝子治療はなおも基礎研究の発展を直接反映した（できる）手法であることが示唆されているとも言える．また，遺伝子治療ではないがそれに類するものとして増殖性ウイルスの腫瘍破壊効果を利用した治療法も世界的に検討されている．遺伝子治療の臨床応用経験を生かすことのできるこのような治療法がこれからも派生してくることが予想される．

多くの第1相臨床試験の結果，安全性がすでに確立され，治療効果についても有望な結果が出たものに関しては，治療効果検討のための第II相以降の後期臨床試験が開始されているものもある．表5に示すように，2010年6月の時点で第III相臨床試験まで移行したものは57を数えている．これは，市販化に向けて企業化の行われている治療法も多く存在することを示しており，近い将来，特定の疾患については遺伝子治療が標準治療のひとつとなる可能性のあることが期待される．

6. わが国における遺伝子治療の現状

遺伝子治療プロトコール件数を世界の地域別に分類すると(表6)その60%以上が米国，次いで30%弱がヨーロッパでの施行例である．本邦では，遺伝子治療のプロトコール件数は18件であり，これは世界の1.1%にすぎない．日本における遺伝子治療の内訳では，がんを標的にしたものなど致死性疾患を対象とするものが大部分であるが，それ以外の疾患(例えば血管狭窄による血行障害など)への遺伝子治応用療のプロトコールも出てきている．

表6　遺伝子治療の地域別内訳
(2010年6月時点　Journal of Gene Medicineによる集計)

地域	プロトコール件数	%
アメリカ	1057	64.3
ヨーロッパ	482	29.3
アジア	61	3.7
(日本	18	1.1)
オーストラリア	30	1.8
アフリカ	1	0.1
複数の国	13	0.8
合計	1644	100

おわりに

遺伝子治療は，疾患の発症あるいは症状発現の機構に関する知識をもとにして構築されてきた治療法である．遺伝子治療の臨床応用が始まって約20年が経過し，その有望性と共に克服しなければならない問題点も具体的に明らかになってきた．これらを，真摯に受け止めてこの治療法を改良し，適切な臨床試験を行えば，30年余の年月にわたる努力の後に特定の疾患においては標準治療となりえた抗体治療のように，有効な治療法になりえると考えられる．基礎研究結果を治療に生かすトランスレーショナル・リサーチの典型として，今後の発展が期待されている．

参考文献

1. Friedmann T. Stanfield Rogers：Insights into virus vectors and failure of an early gene therapy model. Molecular Therapy 4：281-288, 2001.
2. Rosenberg SA, Aebersold P, Cornetta K, Kasid A, Morgan RA, Moen R, Karson EM, Lotze MT, Yang JC, Topalian SL, et al. Gene transfer into humans-immunotherapy of patients with advanced melanoma, using tumor-infiltrating lymphocytes modified by retroviral gene transduction.N Engl J Med. 323：570-8, 1990.
3. Blaese RM, Culver KW, Miller AD R, Carter SC, Fleisher T, Clerici M, Shearer G, Chang L, Chiang Y, Tolstoshev P, Greenblatt JJ, Rosenberg AS, Klein H, Berger M, Mullen AC, Ramsey WJ, Muul L, Morgan AR, Marshall E：Science 286：244-245, 1999.
4. Bordignon C, Notarangelo LD, Nobili N, Ferrari G, Casorati G, Panina P, Mazzolari E, Maggioni D, Rossi C, Servida P, Ugazio AG, Mavilio F. Gene therapy in peripheral blood lymphocytes and bone marrow for ADA- immunodeficient patients. Science. 270：470-5, 1995.
5. Woods NB, Bottero V, Schmidt M, von Kalle C, Verma IM. Gene therapy：therapeutic gene causing lymphoma. *Nature* 440：1123, 2006
6. Thrasher AJ, Gaspar HB, Baum C, *et al*. Gene therapy：X-SCID transgene leukaemogenicity". *Nature* 443：E5–6；discussion E6–7, 2006.
7. Marshall E. Science 286：2244-5, 1999
8. Dranoff G, Jaffee E, Lazenby A, Golumbek P, Levitsky H, Brose K, Jackson V, Hamada H, Pardoll D, Mulligan RC：Proc Natl Acad Sci U S A. 90：3539-3543, 1993.
9. Tahara H, Zitvogel L, Storkus WJ, Zeh HJ, McKinney TG, Schreiber RD, Gubler U, Robbins PD, Lotze MT：J Immunol. 154：6466-6474, 1995.
10. Morgan RA, Dudley ME, Rosenberg SA. Adoptive cell therapy：genetic modification to redirect effector cell specificity. Cancer J. 16 (4)：336-41, 2010

V -6　造血幹細胞移植

金沢大学大学院医学系研究科細胞移植学
中尾　眞二

造血幹細胞移植は，自己または他者の造血幹細胞を輸注することによって，悪性腫瘍や骨髄機能不全などを治すことを目的とした治療方法である．かつては骨髄が唯一の移植材料であったため骨髄移植と呼ばれていた．最近では骨髄に加えて末梢血幹細胞や臍帯血幹細胞も移植に用いられるようになったため，これらを含めて造血幹細胞移植と呼ばれている．

造血幹細胞移植の目的

1．造血系と免疫系の置換

患者の造血幹細胞や免疫担当細胞が減少しているか，または遺伝的な異常がある場合，これを健常者の造血幹細胞で置き換えることによって正常な造血や免疫系を回復させることができる．遺伝性の免疫不全，溶血性貧血や再生不良性貧血などの骨髄機能不全に対する適用がこれにあたる．

2．抗腫瘍薬の dose intensity を高める

抗腫瘍薬は，一般に投与量が多ければ多い（dose intensity が高い）ほど抗腫瘍効果が高くなる．しかし，ほとんどの抗腫瘍薬は骨髄に対して毒性があるため，一定量以上は投与できない．大量の抗腫瘍薬を投与する前に凍結保存しておいた患者自身の造血幹細胞や健常者の造血幹細胞を治療後に輸注してやれば，骨髄毒を無視して大量の抗腫瘍薬を投与することができる．図1は，dose intensity の増強を目的とした自己末梢血幹細胞移植の手順を示している．

図1　自己抹消血管細胞移植の方法

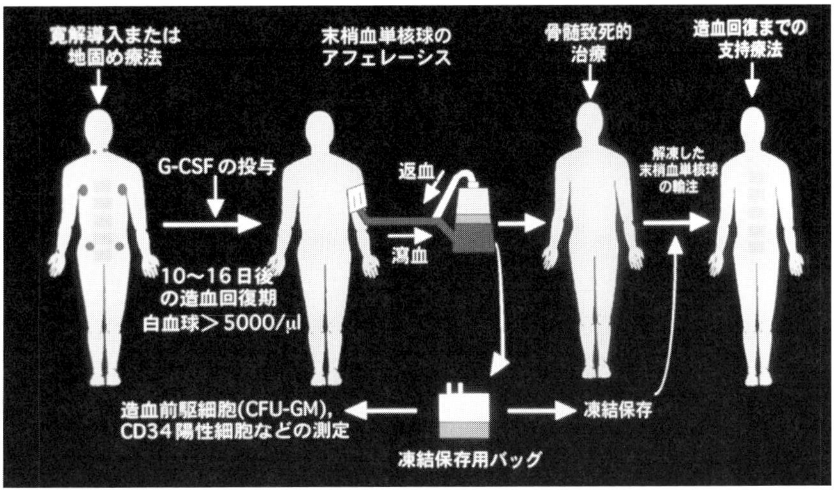

各論V

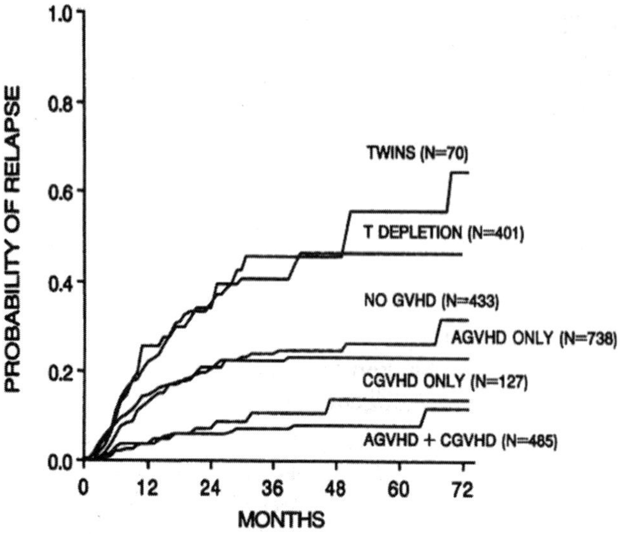

図２　同種骨髄移植後の急性リンパ性白血病再発率
（文献Ｉより引用）

3. 同種のリンパ球による免疫学的抗腫瘍効果の誘導

造血幹細胞とともに患者に移植されるドナーのＴリンパ球は，患者の腫瘍細胞を異物として認識し，排除するように働く．このため，同種の造血幹細胞移植は一種の免疫療法ということができる．図２は，同種幹細胞移植に抗白血病効果があることを示す古典的なデータを示している{Horowitz, 1990 #103}．遺伝的に同一の一卵性双生児からの移植や，Ｔ細胞を除去した骨髄の移植後では，急性白血病の再発率は50%に達する．一方，同種骨髄移植後に急性移植片対宿主病(graft-versus-host disease, GVHD)と慢性GVHDの両方を発症した患者では，再発率は20%台に低下する．したがってドナーのＴリンパ球には，患者の正常組織に加えて，白血病細胞を攻撃する効果(graft-versus-leukemia effect, GVL効果)があると考えられる．このような同種リンパ球による抗腫瘍効果は，白血病だけでなく腎細胞がんや乳がんなどの固形腫瘍に対しても認められることから，最近ではgraft-versus-tumor（GVT)効果と呼ばれている{Ringden, 2009 #104}．

移植の成立に必要な造血幹細胞数

造血幹細胞には自己再生能力があるため，理論的には一個の細胞を移植しただけでも造血の再構築が起こるはずである．しかし実際には，移植細胞数が少ない場合には，移植後の造血が十分に回復しない．ドナー由来の造血を再構築させるためには一定数以上の造血幹細胞を移植する必要がある{Gordon, 1995 #109}．ただし，ヒトの造血幹細胞数を正確に測定することは不可能であるため，間接的な指標として，有核細胞数や，造血幹細胞が豊富に発現しているCD34抗原陽性細胞数などが用いられている．骨髄では有核細胞で$3x10^8$/kg以上が一つの目安とされているが，採取量の上限はドナーの体重によって規定される（20 ml/kg以下）．末梢血幹細胞移植では，CD34陽性細胞で$2x10^6$/kg以上となるまで採取を繰り返す．臍帯血移植では，患者の体重あたり$2x10^7$/kg以上の総細胞数があれば移植に使用できるとされている．

造血幹細胞移植の種類と方法

I. 自家移植

①造血幹細胞の採取と保存

悪性腫瘍の寛解期に自己の末梢血幹細胞を採取し，凍結保存する．移植片としてかつては骨髄が用いられていたが，最近では，幹細胞の採取に全身麻酔を必要とせず，移植後の造血回復が早いという理由から，ほとんどの自家移植で末梢血幹細胞が用いられている．末梢血中には，定常状態ではごく少数の造血幹細胞しか存在しないが，抗がん薬投与後の造血の回復期や，大量の顆粒球コロニー刺激因子(granulocyte colony-stimulating factor, G-CSF)投与後には，造血幹細胞が一過性に末梢血中に出現する．この時期をねらって，体重あたり約300 ml/kgの血液を連続血球分離装置で処理することにより，造血幹細胞を含む白血球分画を採取する．図1はこのような自己末梢血幹細胞移植の手順を示している．

②適応

1．悪性腫瘍

悪性リンパ腫，多発性骨髄腫，急性白血病などの造血器悪性腫瘍や，乳がん，泌尿生殖器がん，肺小細胞がんなど，抗腫瘍薬に対する感受性の高い悪性腫瘍が適応になる．しかし，通常の化学療法に比べて，自家移植を併用した大量化学や全身放射線照射(total body irradiation, TBI)の優位性が比較臨床試験により示されている疾患は，再発後の悪性リンパ腫，多発性骨髄腫などの一部の造血器悪性腫瘍に限られている．最近では，自家移植を行うことにより腫瘍量を可能な限り減らしたうえで，骨髄非破壊的な同種造血幹細胞移植を行うという試みが盛んに行われており，良好な成績が示されている{Bruno, 2009 #152}．

2．自己免疫疾患

一部の重症自己免疫疾患に対しては，自己の組織を傷害するT細胞の根絶を目的として自己末梢血幹細胞移植が行われている．骨髄や末梢血白血球分画からCD34陽性細胞を高度に純化する技術が進歩し，移植片からT細胞をほぼ完全に取り除けるようになってから治療成績が向上している．進行性全身性硬化症，悪性関節リウマチ，クローン病，多発性硬化症などにおける自家末梢血幹細胞移植の有用性が示されつつある{Burt, 2008 #163}．

II　同種造血幹細胞移植

①方法

骨髄の場合，健常者の腸骨から全身麻酔下に骨髄液800～1000 ml (患者の体重あたり15～20 ml/kg)を採取し，そのまま患者に輸注する．血液型の不適合がある場合には，赤血球や血漿を取り除いてから輸注する必要がある．末梢血幹細胞の場合は，G-CSF 10 μg/kgを5日間連日ドナーに皮下投与し，投与4日目～6日目に白血球分画を採取する．そのまま輸注するか，凍結保存し，移植の直前に解凍して使用する．

②同種骨髄移植と末梢血幹細胞移植の比較

末梢血幹細胞移植では，幹細胞の採取に全身麻酔を必要としない，移植後の造血回復が早いため無菌室を必要としない，などの骨髄移植にはない利点がある．このため，近年HLA一致同胞からの移植においては，末梢血幹細胞が用いられる頻度が増えている．しかし，末梢血幹細胞移植では骨髄移植に比べて慢性GVHDの頻度が高いという問題がある{, 2005 #182}．しかし，非血縁ドナーからの移植においても末梢血幹細胞移植の優れた成績が欧米から報告されていることを背景に{Remberger, 2007 #200}，骨髄移植推進財団を介した非血縁ドナーからの末梢血幹細胞移植が日本でも間もなく始められようとしている．

③適応疾患と成績

先天性の免疫不全症や溶血性貧血に加えて，以下の疾患に適用される．

a. 造血器悪性腫瘍

急性白血病，骨髄異形成症候群，悪性リンパ腫，多発性骨髄腫などが適応となる．慢性骨髄性白血病はかつては同種造血幹細胞移植のもっともよい適応とされていたが，メシル酸イマチニブの登場により，移植を必要とする患者は激減した．急性白血病の寛解期に移植された例では，概ね60%以上の長期生存率が期待できる．

b. 造血障害

先天性(ファンコニー貧血)および獲得性の重症再生不良性貧血が主な対象である．血縁ドナーからの移植ではおおよそ90%の長期生存率が期待できる．しかし，非血縁ドナーからの移植では拒絶やGVHDの頻度が高いため，成功率は70%前後にとどまっている{Maury, 2007 #223}．

c. 固形腫瘍

腎細胞がん，乳がん，大腸がん，卵巣がん，などの一部に同種造血幹細胞移植が有効であることが示されている．従来はドナーの選択が問題であったが，臍帯血移植によっても腫瘍の縮小の得られることが示されていることから，今後汎用化される可能性がある{Takami, 2006 #246}．ただし，厳密な臨床試験によって高い証拠が示されている訳ではないため，現時点でも研究の域を出ていない．

表1．GVHDの分類

分類	亜分類	発症時期※	急性GVHD症状	慢性GVHD症状
急性GVHD	古典的	100日以内	あり	なし
	持続型，再燃型，遅発型	100日以降	あり	なし
慢性GVHD	古典的	規定なし	なし	あり
	重複型	規定なし	あり	あり

※移植あるいはドナーリンパ球輸注からの日数

④同種造血幹細胞移植の手順

a. 寛解導入

いくら強力な移植前処置を行っても，腫瘍細胞が体に沢山残っている状態(初発時，あるいは再発状態)では，移植をしてもほとんどが再発してしまう．したがって治癒率を高めるためには患者を寛解か，寛解に近い状態にしてから移植する必要がある．

b. 移植ドナーの検索

通常は血縁者内で一対のA，B，C，DR（計8座)をタイピングし，完全一致，あるいは1座不一致者までが移植ドナーになりうる．これらの一致者がいない場合，骨髄バンク内にHLAがDNAレベルですべて一致する例か，あるいは生存率が適合者間移植と変わらないことが示されている許容範囲内の(permissibleな)一座不一致ドナーが選択される．表1は重症GVHDのリスクが高いHLA不適合の組み合わせを示している{Kawase, 2009 #255}．ドナーとなりうる候補者が骨髄バンク内に見出されない場合は，HLAの不一致が2座までで，十分量の細胞が保存されている臍帯血が移植ソースとして選択される．

適合度の高い臍帯血が利用できない場合は，HLA半合致の血縁者もドナーになりうる．母子間や，父親由来のHLAハプロタイプを共有している同胞間では，不一致のハプロタイプに対して双方向に寛容状態であるため，移植後も重症GVHDは起こりにくい[14]．さらに，マイクロキメリズムが存在しなくても，移植後に副腎皮質ステロイドを含む強力な免疫抑制剤を投与することによってGVHDを克服できるという成績も報告されつつある[15]．日本人では元々HLAの多様性が乏しいことから，これらのHLA不適合移植は今後さらに普及する可能性がある．

c. 移植前処置(大量の抗がん剤およびTBI)の施行

ドナーとの間でHLA型が一致していても，HLA以外の同種抗原(minor histocompatibility antigen，mHa)が異なるため，造血幹細胞をただ輸注しただけではただちに拒絶されてしまう．造血幹細胞を生着させるためには，移植前に抗がん剤や放射線照射を用いることによって，患者の免疫系を破壊しておく必要がある．このため，シクロホスファミド，シタラビン，エトポシド，メルファランなどの大量化学療法やTBIが移植前処置として用いられてきた．最近では，フラダラビンを基本薬としたreduced-intensity regimenが造血幹細胞の生着に十分な免疫抑制効果を示すことが確立され，高齢患者に対する同種造血幹細胞移植にしばしば用いられている．

d. 感染症予防

輸注された造血幹細胞が分化し，生着(好中球数＞500/μl)が得られるまでには12～17日を要する．このため移植前処置から好中球が回復するまでの間，患者は無菌層流を備えた無菌室内で過ごす必要がある．また，好中球減少時の敗血症の多くは腸内細菌や真菌が原因となるため，ニューキノロン製剤や，フルコナゾール，イトラコナゾールなどの抗真菌薬を一定期間内服する．

e. GVHD予防

同種造血幹細胞移植後のもっとも重要な合併症がGVHDである．GVHDは，移植骨髄または末梢血白血球中のT細胞が，患者に固有のHLAやm Haを認識する結果，患者の臓器を攻撃することによって発症する．これを予防するため，移植直後からメソトレキサート(MTX)とシクロスポリン，MTXとタクロリムス，シクロスポリンとミコフェノール酸モフェチル(MMF)などの免疫抑制剤を投与する．

⑤同種造血幹細胞移植後の合併症

a. GVHD

ヒトのGVHDは発症の時期と臨床・病理所見によって表2のように分けられる[Filipovich, 2005 #262]．

HLAが完全に一致している場合，GVHDは，患者の臓器が発現しているm HaをTリンパ球が認識することによって発症する．mHaは特定のHLAによって提示される内因性の多型ペプチドである．コードしている遺伝子はHLAとは別の染色体上に位置するため，遺伝的にはHLAとは無関係に引き継がれる．mHaは小ペプチドであるため，HLA型のように抗体によってタイプを決めることはできない．常染色体遺伝子由来のmHaの場合はPCR-RFLP方によりアレルを決定する．これまでに十数個のm Haが同定されている．これらのm HaはGVHDやGVL効果に関与していると考えられるが，臨床成績の検討によりGVHDとの相関が証明されているのは今のところH-Y抗原のみである．最近ではmHaの不一致よりも，tumor necrosis factor（TNF）-αやインターロイキン-10などのサイトカイン遺伝子多型の方がGVHDとより強く相関することが知られている[Lin, 2003 #269]．

HLAやm Haによって活性化されたT細胞はCTLとして増殖し，これらの多型分子を発現している患者の細胞を攻撃する．ドナー由来の成熟T細胞は移植後速やかに腸管リンパ組織に移行し，とくに小腸のパイエル板においてレシピエント由来の樹状細胞によって活性化される[Murai, 2003 #271][Shlomchik, 1999 #273]．T細胞による組織傷害にはFasリガンドとパーフォリンの両者が関与している．活性化されたT細胞は，インターロイキン2やインターフェロンγなどを介して単球を刺激しインターロイキン1やTNF-αなどの産生を促す．これらのモノカインは直接組織障害を引き起こすだけでなく，組織のHLAや接着分子の発現を増強することによって，CTLやNK細胞による組織障害を増強する．一方，GVHDによる組織障害には，標的となる上皮細胞上の抗原提示は必ずしも必要ではないことも示されている[Teshima, 2002 #279]．移植前処置に用いられるTBIは，患者の単球を活性化しTNFの産生を促す．マウスではTBIの線量とGVHDの重症度とが相関することが知られている．一方，m Haに刺激されたT細胞から放出されるインターロイキン12はNK細胞を活性化し，組織障害を引き起こす．とくに侵されやすいのは真皮，胆管，腸管粘膜などの上皮細胞である．このため，急性GVHDでは紅斑，黄疸・肝障害，下痢・下血，などの症状がみられる．

b. 免疫不全

造血幹細胞が移植されたのち，ドナー由来の細胞性免疫が正常近くに回復するまでに約2年はかかる．とくに移植直後は高度の細胞性免疫不全となるため，サイトメガロウイルス，アデノウイルス，ヘルペスウイルス，ニューモチスティスカリニ，真菌などによる日和見感染症が高頻度に発症する．サイトメガロウイルスによる間質性肺炎や腸炎はかつては致死的であったが，ガンシクロビルやホスカルネットの普及により最近では克服可能となっている．ただし，高齢者に対する緩和的前処置を用いた移植や，臍帯血移植，HLA半合致移植などの施行例数が増えた結果，EBウイルスによるリンパ増殖性疾患やHHV-6による脳炎の発症例数が増加し，大きな問題となっている．これらに対してはウイルス由来のペプチドを用いてウイルス特異的細胞傷害性T細胞を体外で誘導する試みが行われている[Heslop, 2010 #309]．

一般に好中球が出現し始めるころから，サイトメガロウイルス抗原を発現する好中球(サイトメガロウイルス抗原血症)の有無を定期的に検査し，陽性化した場合にはガンシクロビルを先行投与する．また，造血が回復する移植後30日目以降には，カリニ肺炎を予防するため少量のST合剤を内服させる．

c. 再発

大量の抗がん薬やTBIを用いても，白血病のかなりの例は移植後に再発をきたす．移植後の再発例に対しては，かつては二度目の造血幹細胞移植しか根治させる方法はなかった．しかし，一部の白血病再発では，移植ドナーのリンパ球を輸注するだけで寛解が得られる．とくに慢性骨髄性白

図３　ホジキンリンパ腫再発に対するドナーリンパ球輸注の効果

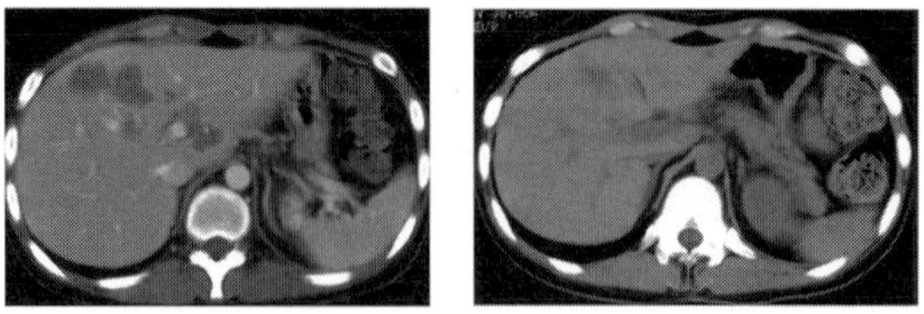

ドナーリンパ球輸注前　　ドナーリンパ球輸注後

血病の慢性期再発では，この donor lymphocyte infusion（DLI）によってほとんどの患者で治癒が得られる．図３はホジキン病再発における DLI の抗腫瘍効果を示している．ただし，急性白血病再発では DLI の寛解導入率が低く，また寛解が得られたとしても長続きしない[Schmid, 2007 #81]．これは，ドナー T 細胞の免疫学的な効果が発揮される前に，白血病細胞細胞が急速に増加するためと考えられている．このため，WT-1 や bcr/abl などの分子マーカーを指標として，これらが検出されたときに予防的に DLI を行うという試みも行われている[Ogawa, 2003 #344]．

ただし，DLI は非特異的な免疫療法であるため，しばしば致死的な GVHD を引き起こす．HA-1 や HB-1 のように血液細胞だけが発現している mHa を標的とした免疫療法を行えば，GVHD を起こさずに，GVL 効果だけを誘導できる可能性があるが，体外増幅した CTL は生体内戻した際に増殖能力が著しく低下するため，臨床応用が困難であった．最近では mHa や腫瘍関連抗原に特異的な CTL が発現する T 細胞レセプターの遺伝子を導入した短期培養の T 細胞が強力な抗白血病細胞効果を示すことが報告されている[Ochi, 2010 #382]．

⑥非血縁間骨髄移植

2010 年５月現在，日本骨髄移植推進財団（Japan Marrow Donor Program，JMDP）には約 36 万人のドナーが登録されている．1990 年の発足以来約 12，000 人の血液疾患患者が骨髄移植を受け，そのおおよそ 60%が長期生存を果たしている．日本人では，血縁ドナーからの移植後に重症 GVHD が発症する頻度は 20%であるが，非血縁ドナーからの移植後では 40％の患者に重症 GVHD が起こる．日本人の場合，HLA の DNA タイプ別では HLA-A の不一致が生存率を有意に低下させるのに対して，C，DRB1 の不一致は生存に悪影響を及ぼさないことが示されている[Bray, 2008 #385]．骨髄バンクに登録されるドナー数は増えてはいるが，患者登録から移植までに２～３カ月を要することや，患者がまれな HLA ハプロタイプを持つ場合には依然としてドナーを見いだせない，などの問題点がある．

⑦臍帯血幹細胞移植

非血縁ドナーからの移植に匹敵する代替移植として施行例数が急速に増えているのが臍帯幹細胞移植である．骨髄バンクのように，採取の際に提供者に負担をかけることがないうえ，移植までに数ヶ月も待つ必要がない．また，HLA の不適合が２抗原以上であっても重篤な GVHD が起こりにくい，などの特長がある．現在日本の骨髄バンクでは，移植を希望する患者の約 70%に適合ドナーを見いだせるとされているが，患者がまれな HLA 型を持っている場合，骨髄バンク内に適合ドナーを見出すことは容易ではない．臍帯血の場合，２座不一致までを許容すれば，最低限必要とされる 2×10^7/kg の細胞を含む適格血をほとんどの患者で見出すことができる．とくに，移植前処置にフルダラビンを用いた reduced-intensity regimen では移植関連死亡が少なく，白血球の立ち上がりも早いため，最近では 50 歳以上の高齢者に対しても臍帯血移植が積極的に行われるようになっている[Uchida, 2008 #483]．ただし，移植後の細胞性免疫の回復が遅いため，CMV や HHV-6 などのウイルス感染症の頻度が高いことが問題である．

⑧骨髄非破壊的造血幹細胞移植

移植前処置による抗腫瘍効果よりも，GVT 効果による免疫学的な抗腫瘍効果に期待した治療が骨髄非破壊的造血幹細胞移植（nonmyeloablative stem cell transplantation，NST）である．骨髄が破壊的か，非破壊的かは境界が不明確であるため，最近では reduced-intensity stem cell transplantation（RIST）と呼ばれることが多い．

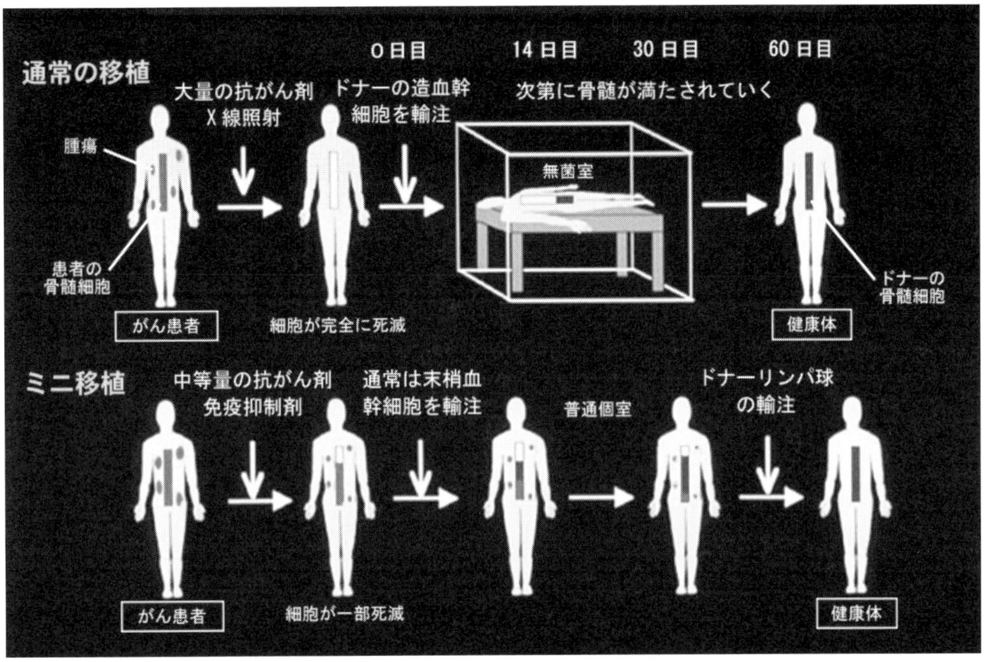

図４　通常の骨髄移植とミニ移植

RISTでは，従来行われてきたような骨髄致死的な移植前処置を行わず，ドナーの造血幹細胞が生着する程度の免疫抑制的な移植前処置を行ったのち，ドナーの造血幹細胞を輸注する．患者は一時，ドナーと患者の血液が混在する「混合キメラ状態」になることが多いが，ドナーのリンパ球によって患者の免疫担当細胞や血液細胞が攻撃され，やがては完全なドナー型となる．GVHDが発症することによってこの過程は促進される．この際ドナーのリンパ球は，患者の正常細胞に加えて腫瘍細胞をも攻撃するため，一部の腫瘍においては完全，または部分寛解が得られる(図4)．大量の抗がん剤を使用しないため，移植にともなう組織障害の程度が低い．このため，60歳以上の高齢者や，感染症を合併している患者に対しても比較的安全に施行することができる．

図５　ミニ移植前後の頚部リンパ節病変の変化

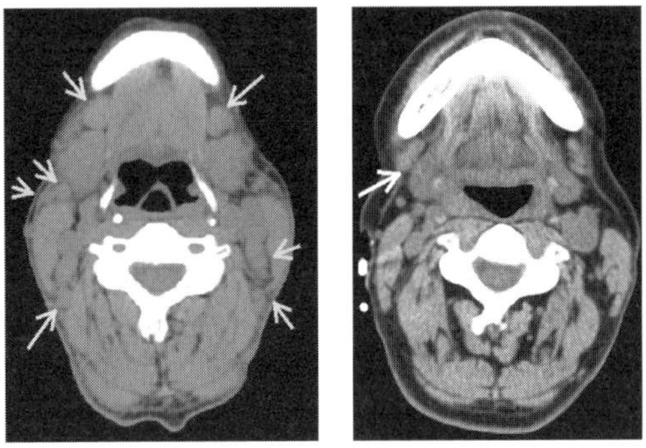

初回移植前　　　移植２カ月後

一日だけの前処置後に施行した臍帯血移植であったにもかかわらず，リンパ節は著明に縮小した．

参考文献

1. Horowitz MM, Gale RP, Sondel PM, et al.: Graft-versus-leukemia reactions after bone marrow transplantation. Blood 75: 555-562, 1990.
2. Ringden O, Karlsson H, Olsson R, et al.: The allogeneic graft-versus-cancer effect. Br J Haematol 147: 614-633, 2009.
3. Gordon MY and Blackett NM: Some factors determining the minimum number of cells required for successful clinical engraftment. Bone Marrow Transplant 15: 659-662, 1995.
4. Bruno B, Rotta M, Patriarca F, et al.: Nonmyeloablative allografting for newly diagnosed multiple myeloma: the experience of the Gruppo Italiano Trapianti di Midollo. Blood 113: 3375-3382, 2009.

5. Burt RK, Loh Y, Pearce W, et al.: Clinical applications of blood-derived and marrow-derived stem cells for nonmalignant diseases. JAMA 299: 925-936, 2008.
6. Allogeneic peripheral blood stem-cell compared with bone marrow transplantation in the management of hematologic malignancies: an individual patient data meta-analysis of nine randomized trials. J Clin Oncol 23: 5074-5087, 2005.
7. Remberger M and Ringden O: Similar outcome after unrelated allogeneic peripheral blood stem cell transplantation compared with bone marrow in children and adolescents. Transplantation 84: 551-554, 2007.
8. Maury S, Balere-Appert ML, Chir Z, et al.: Unrelated stem cell transplantation for severe acquired aplastic anemia: improved outcome in the era of high-resolution HLA matching between donor and recipient. Haematologica 92: 589-596, 2007.
9. Takami A, Takamatsu H, Yamazaki H, et al.: Reduced-intensity unrelated cord blood transplantation for treatment of metastatic renal cell carcinoma: first evidence of cord-blood-versus-solid-tumor effect. Bone Marrow Transplant 38: 729-732, 2006.
10. Kawase T, Matsuo K, Kashiwase K, et al.: HLA mismatch combinations associated with decreased risk of relapse: implications for the molecular mechanism. Blood 113: 2851-2858, 2009.
11. Ichinohe T, Uchiyama T, Shimazaki C, et al.: Feasibility of HLA-haploidentical hematopoietic stem cell transplantation between noninherited maternal antigen (NIMA)-mismatched family members linked with long-term fetomaternal microchimerism. Blood 104: 3821-3828, 2004.
12. Ogawa H, Ikegame K, Kaida K, et al.: Unmanipulated HLA 2-3 antigen-mismatched (haploidentical) bone marrow transplantation using only pharmacological GVHD prophylaxis. Exp Hematol 36: 1-8, 2008.
13. Filipovich AH, Weisdorf D, Pavletic S, et al.: National Institutes of Health consensus development project on criteria for clinical trials in chronic graft-versus-host disease: I. Diagnosis and staging working group report. Biol Blood Marrow Transplant 11: 945-956, 2005.
14. Lin MT, Storer B, Martin PJ, et al.: Relation of an interleukin-10 promoter polymorphism to graft-versus-host disease and survival after hematopoietic-cell transplantation. N Engl J Med 349: 2201-2210, 2003.
15. Murai M, Yoneyama H, Ezaki T, et al.: Peyer's patch is the essential site in initiating murine acute and lethal graft-versus-host reaction. Nat Immunol 4: 154-160, 2003.
16. Shlomchik WD, Couzens MS, Tang CB, et al.: Prevention of graft versus host disease by inactivation of host antigen-presenting cells. Science 285: 412-415, 1999.
17. Teshima T, Ordemann R, Reddy P, et al.: Acute graft-versus-host disease does not require alloantigen expression on host epithelium. Nat Med 8: 575-581, 2002.
18. Heslop HE, Slobod KS, Pule MA, et al.: Long-term outcome of EBV-specific T-cell infusions to prevent or treat EBV-related lymphoproliferative disease in transplant recipients. Blood 115: 925-935, 2010.
19. Schmid C, Labopin M, Nagler A, et al.: Donor lymphocyte infusion in the treatment of first hematological relapse after allogeneic stem-cell transplantation in adults with acute myeloid leukemia: a retrospective risk factors analysis and comparison with other strategies by the EBMT Acute Leukemia Working Party. J Clin Oncol 25: 4938-4945, 2007.
20. Ogawa H, Tamaki H, Ikegame K, et al.: The usefulness of monitoring WT1 gene transcripts for the prediction and management of relapse following allogeneic stem cell transplantation in acute type leukemia. Blood 101: 1698-1704, 2003.
21. Ochi T, Fujiwara H and Yasukawa M: Application of adoptive T-cell therapy using tumor antigen-specific T-cell receptor gene transfer for the treatment of human leukemia. J Biomed Biotechnol 2010: 521248, 2010.
22. Bray RA, Hurley CK, Kamani NR, et al.: National marrow donor program HLA matching guidelines for unrelated adult donor hematopoietic cell transplants. Biol Blood Marrow Transplant 14: 45-53, 2008.
23. Uchida N, Wake A, Takagi S, et al.: Umbilical cord blood transplantation after reduced-intensity conditioning for elderly patients with hematologic diseases. Biol Blood Marrow Transplant 14: 583-590, 2008.
24. Yamashita T, Sugimori C, Ishiyama K, et al.: Cord blood transplantation using minimum conditioning regimens for patients with hematologic malignancies complicated by severe infections. Int J Hematol 89: 238-242, 2009.

V -7　再生医療

東京大学大学院医学系研究科　分子予防医学
西脇　徹

はじめに

近年の発達した医学は，難治とされてきた疾病の発症機構・分子病態を徐々に解明しており，結果として現代人の平均寿命は延長する方向にある．しかしながら，総体的な高齢化は，様々な疾患における生涯罹患リスクを上昇させる要素を孕んでおり，衛生的観点および社会経済的観点から，さらなる予防医学の研究発展と実践が求められている．今日までの予防医学は，主に「生活・環境要因⇔疾患発症」といった疫学研究に基づく証左により構築されているが，昨今の分子細胞生物学・疾患生命工学の発展は，「疾患原因因子群の特定→個人の遺伝的背景→疾患発症予測・予防」といった分子病因論に基づく理論形成を導くものであり，より選択的かつ効果的な予防医学実現の可能性を秘める(図 1)．

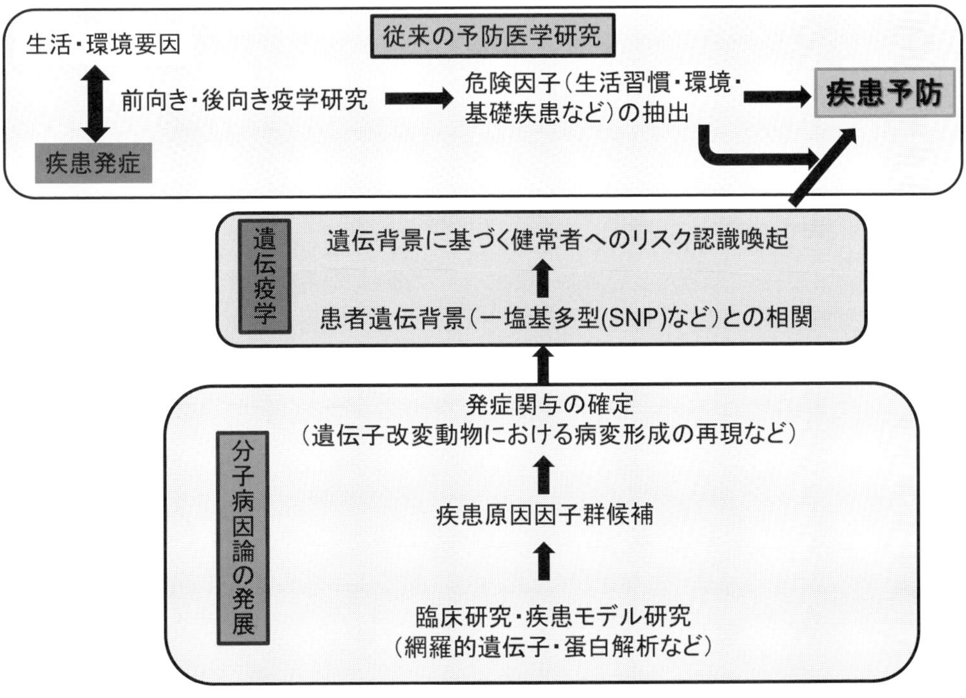

図 1　予防医学研究の進歩

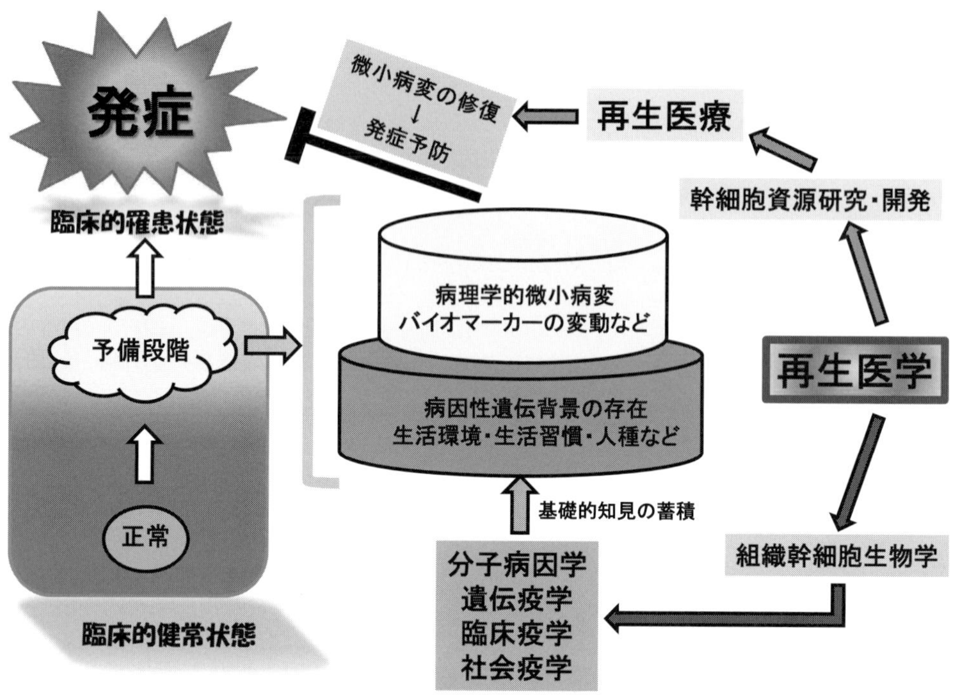

図２　再生医療の予防医学応用への展望

再生医療は，幹細胞生物学・再生医学を学術的基盤にして臨床応用された先進医療として理解されている．主な治療戦略は，自・他家幹細胞を培養増殖・分化誘導し，必要に応じて加工（シート状・立体状など）したものを対象患者に移植することにより，罹患臓器組織を置換し機能回復を促すというものである．したがって，再生医療の第一の目的は，症状が顕在化し臨床診断を受けた疾患に対する医療，すなわち「治療医学」における実践であるが，現時点においては未だ開発途上の段階であるため，発症を未然に防ぐことを目的とする「予防医学」への応用については，あくまで将来的な展望としての記述に留まらざるを得ない．再生医療はその性質上，完全な健常状態にある対象に施すことは現実的ではなく，予防医学に応用するにあたっては，症状出現の予備段階を捉え，臨床診断に至る前の軽微な組織病変の修復を目的とすることになるものと思われる．このためには，対象疾患の発症前段階を評価する病原因子群およびバイオマーカーの同定が必要であり，各疾患における分子病因学の発展が待たれる（図２）．

本稿では，細胞移植による再生医療研究に焦点を絞り，有望な幹細胞資源として注目されている胚性幹細胞・人工多能性幹細胞について，いくつかの疾患領域における臨床応用に向けた研究を概説する．さらに，すでに試験的な臨床応用が始まっている再生医療の代表として，間葉系幹細胞および血管内皮前駆細胞を細胞資源とする研究領域を紹介し，再生医療研究の現況を俯瞰する．

1. 幹細胞研究と再生医療
移植細胞資源としての幹細胞

幹細胞は，自己複製能および多分化能を有する細胞と定義され，未分化維持機構・非対称分裂能（1回の細胞分裂で複製細胞と分化の進んだ細胞を産生する）・傷害耐性能・抗酸化能などの特性をもつ細胞群として知られている．1981年にマウス胚性幹細胞が樹立[1]されて以来，再生医学において研究対象となる幹細胞は大まかに胚性幹細胞と組織幹細胞と分類されている．しかしながら，2006年に人工多能性幹細胞が作製[2]され，一方で各器官における新たな組織幹細胞同定の報告も蓄積されているため，移植細胞資源としての

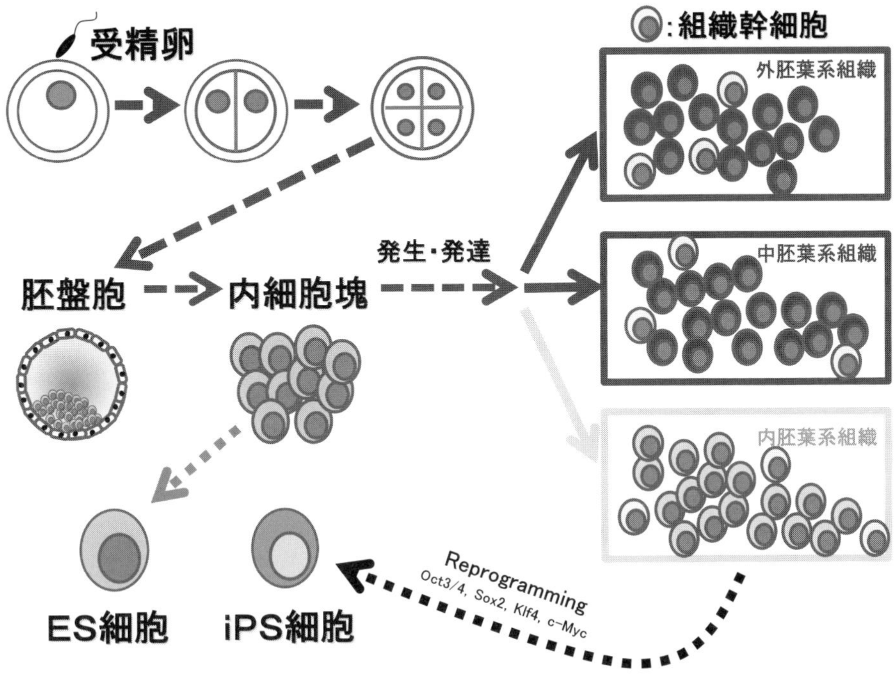

図３　幹細胞の種類

幹細胞研究は幹細胞種類別に独立して拡大展開する方向にあり，全体像を把握するには各研究領域の横断的な理解が必要と思われる（図3）．

2. 胚性幹細胞（ES 細胞）と人工多能性幹細胞（iPS 細胞）

ES 細胞は，着床直前の初期胚である胚盤胞の内部細胞塊より得られる人工的な細胞であり，1981 年にマウス細胞[1)]で，1998 年にヒト細胞[3)]で樹立された．ES 細胞は，キメラ胚形成能などにより自己複製能・三胚葉への分化能を有することが証明されているため，傷害組織を置換する移植細胞資源として有望視されるとともに，その分化制御機構などに関する研究成果が発生・再生医学へ貢献するものとして期待されている．一方，胚盤胞から ES 細胞株の樹立過程において，細胞は形質転換により高い増殖能を獲得するため，移植における奇形腫形成のリスクを孕む．臨床応用を考える上では，ES 細胞を適切に分化誘導し，傷害組織置換能を維持した分化段階で移植に使用することが必要である．

iPS 細胞は，ES 細胞の臨床応用における倫理的問題（ヒト受精卵由来胚盤胞の供給）や他家移植による拒絶反応の可能性などを回避し，より高い自己複製・多分化能を有する細胞資源を探求する過程で作製された人工幹細胞であり，移植対象患者より得られる体細胞（分化細胞）に人工的に多能性を誘導することで自家的移植幹細胞が創出できるという仮説のもと開発された．ES 細胞において分化多能性を司ると考えられる 24 の候補因子より，4 因子（Oct3/4，Sox2，Klf4，c-Myc）を抽出し，分化細胞である線維芽細胞に遺伝子導入することで，ES 細胞類似形態 / 遺伝子発現パターン・自己複製能・三胚葉への分化能（移植による奇形種形成）を獲得することが山中らにより見出され，これが世界初のマウス iPS 細胞作製の報告となった[2)]．以後，iPS 細胞は改良され，胚盤胞への注入により成体キメラマウスが誕生し，その子孫として iPS 細胞由来個体を産出すること（生殖系列への伝承；germline transmission）が可能となった．さらに，ヒト体細胞を用いても同 4 因子の導入により iPS 細胞が樹立しうることが報告され[4)]，臨床応用への可能性が大きく開かれた．

ヒトiPS細胞樹立については，同時期に米国James Thomson（ヒトES細胞の最初の樹立報告者）らも4因子（Oct3/4，Sox2，Nanog，Lin28）を用いた成果として報告[5]しており，世界的な競争性の高さが窺われる．臨床応用に際しては，腫瘍形成性や，遺伝子導入に要する細胞処理（遺伝子導入・化学修飾など）の影響，遺伝子導入・細胞増殖効率に基づく高コスト性など，克服すべき課題は山積するが，移植に適した分化誘導法の確立とともに解決される必要がある．

3. ES細胞・iPS細胞の分化誘導

ES細胞・iPS細胞の臨床応用においては，上述の如く，試験管内における各対象臓器構成細胞への分化誘導法の確立が必要と考えられる．現段階においては，臓器発生マスター遺伝子の強制誘導・胚様体（embryoid body）の形成・液性分化誘導因子の添加・間質細胞との共培養などの手法の組み合わせによる，段階的な細胞操作を通じた各種細胞への分化誘導法が主流であり，各種の疾患領域において報告されている（図4）．以下，代表例をいくつか挙げて概説する．

4. 赤血球・血小板・造血幹細胞

2000年以降における献血者数の低下，およびウィルス感染者の混在による使用除外例の増加などにより，再生医療に基づく人工的血球産生の試みは，本邦の献血供給体制にとって研究成果を熱望されるものの一つである．赤血球については，胎性造血が活発な妊娠中期マウス胎性肝由来の間質細胞とヒトES細胞との共培養により，赤血球前駆細胞形成を経て酸素運搬能を有する赤血球様細胞を分化誘導しうるとの報告がある[6]．血小板についてはマウスES細胞・ヒトES細胞のそれぞれについて，マウス間質細胞株OP9およびC3H10T1/2と共培養しトロンボポエチンなど造血性サイトカインを添加することで，造血前駆細胞集団形成を経て巨核球・血小板が誘導されることが報告され，iPS細胞への応用も可能であることが示唆されている[7, 8]．

造血幹細胞は，成体において自己複製能・多分化能を有する血液系組織幹細胞であり，多くの難

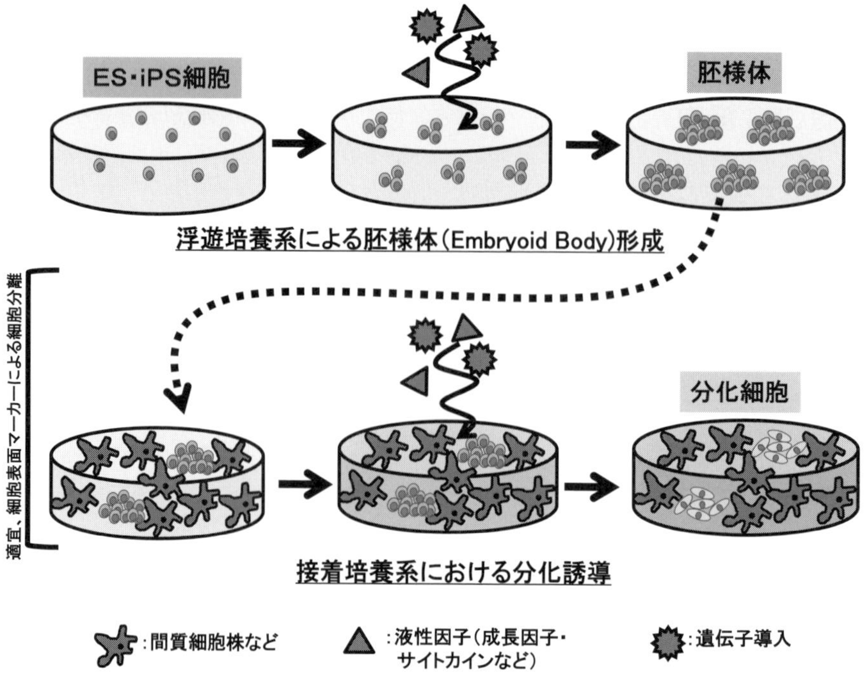

図4　ES・iPS細胞分化誘導法の例

治性血液疾患治療への応用が期待されている．成体骨髄に存在している造血幹細胞は，移植利用に際し採取後に体外増幅する必要があり，その手法も多く研究されているが，その供給源としてES細胞も有望視されている．ES細胞からの高効率な分化誘導法とされているのは，胚様体形成を経てCD41+C-kit+造血前駆細胞にHoxB4遺伝子を導入する方法で，マウスES細胞とOP9間質細胞株との共培養により長期骨髄再建能を有する造血幹細胞を誘導しうる[9]．この方法は，マウスiPS細胞についても応用可能であり，「血液疾患(鎌状赤血球貧血症)モデルマウスよりiPS細胞作製→病原遺伝子を修復(相同組替え)→胚様体形成を介した造血前駆細胞誘導→HoxB4導入による造血幹細胞誘導→疾患モデルマウスに自家移植」といった方法で改善効果を示したとする報告もある[10]．HoxB4を導入する方法は，現時点でヒトES細胞においては成果が限定的であるものの，マウスにおいてiPS細胞を用いた有望な難治血液疾患治療モデルが提唱されていることもあり，ヒト造血幹細胞への分化系譜における分子制御機構の更なる解明に基づく優良な分化誘導法の確立が望まれる．

5. 中枢神経細胞

前世紀末に至るまで，中枢神経損傷は不可逆的なものであるとされてきたが，1992年の成体マウス神経幹細胞同定の報告により，神経組織も自己再生能力を有することが明らかとなった[11]．以後，神経幹細胞を用いた再生医療の可能性が検討される中，マウスES細胞由来胚様体のラット損傷脊髄への移植による改善効果が報告され，神経再生医療におけるES細胞の有用性が期待されるようになった．分化誘導法としては，神経分化制御因子(Noggin，レチノイン酸，FGF2，BMP4，EGFなど)を神経発生に擬似するよう段階的に付与することで，マウスES細胞から胚様体を経てニューロンやグリア細胞を得る方法などが開発されている．ヒトES細胞については，2009年より米国において，急性脊髄損傷患者に対するヒトES細胞由来オリゴデンドロサイト前駆細胞(GRNOPC1；カリフォルニア州Geron社)の移植治療治験Phase1臨床研究が開始されており，治療効果・倫理問題の克服など多くの点において注目されている．iPS細胞については，多能性誘導対象細胞の種類に因る移植後腫瘍形成リスクの評価など，神経治療応用への課題が少しずつ検討されている段階であり，今後の発展が期待される．

一方，中脳黒質ドーパミン神経細胞の脱落変性に基づく錐体外路症状を主徴とするパーキンソン病は，薬剤によるドーパミン補充療法の効果が限定的であるため，1980年代より試験的なヒト中絶胎児中脳組織の移植治療が行われている．なかには，著明な改善効果を認める報告もあり，現在でも検討が続けられているが，ドナー供給・倫理的問題などの障壁もあり，ES・iPS細胞からのドーパミン神経の分化誘導による移植細胞資源の供給が期待されている．分化誘導法としては，胚様体形成を経由する方法や各種間質細胞との共培養系を用いる方法があり，Shh・GDNF・FGF2/8/20・BDNF・TGFβ3などの中脳発生関連因子を適宜加えて誘導効率を高めている．最近では，腹側中脳の転写因子であるLmx1aを導入することにより，マウスおよびヒトES細胞から中脳型ドーパミン神経を高率に誘導しうることや，薬剤傷害によるパーキンソン病モデルラットにおいてヒトES細胞から誘導したドーパミン神経細胞の移植改善効果が認められること[12]が報告されており，臨床応用に向けた更なる検討が進行中である．

6. 心筋細胞・血管系細胞

虚血性心疾患や心筋症などにより引き起こされる急性・慢性心不全は，末期病態において治療抵抗性であり，一部の移植適応例を除くと根本治療は無く，心臓移植もドナーの供給・術後拒絶反応など多くの問題を抱える．従って，多能性を有し，試験管内で必要十分数まで増幅可能なES細胞は，循環器領域の再生医療においても期待される細胞資源である．その研究需要の高さからか，マウスES細胞樹立の4年後には，浮遊培養による自律拍動性胚様体形成を経た心筋細胞分化の報告がなされ[13]，ヒトES細胞樹立の3年後には，マウス細胞と同様の方法により，心筋特異的マーカー（myosin heavy chain，cardiac troponin Ⅰ，ANPなど）陽性で電気生理学的にも心筋同様の反応を示す細胞を誘導し得ることが報告された[14]．以来，心筋細胞への分化誘導効率を高めるべく，心臓発生学研究において見出された分化制御因子群などの，ES細胞分化系における心筋誘導効果が検証され，レチノイン酸・BMP関連因子・Wnt関連因子・FGF2・IGFBP-4など複数の因子が貢献することが報告された．

心筋と同様に中胚葉由来である血管系細胞への分化系については，ES細胞中のFlk-1（VEGFR2）陽性細胞から中胚葉を経て，血管内皮細胞・壁細胞（ペリサイト及び血管平滑筋細胞）が誘導され，血管高次構造を形成し得ること（各々VEGF・PDGF-BBを用いて選択的に誘導）が報告され[15]，さらに同細胞から血球系細胞や心筋細胞も誘導しうることが示された．この方法は，iPS細胞の発明から2年後に報告された，マウスiPS細胞から心筋・血管系細胞への分化誘導系確立の仕事においても応用されている．

7. 感覚器（網膜細胞・内耳細胞）

感覚器において情報伝達を担う組織・細胞の損傷は，様々な生活行動の制約を余儀なくし，生活の質を著しく低下させる．網膜は光情報を神経（電気）信号に変換し，視神経を介して脳中枢に伝達する役割，すなわち視覚を司る組織であり，その不可逆的な障害は失明を意味する．発生学的には中枢神経系に属する網膜は，自律的再生ができない組織であると考えられていたが，近年になりその可塑性が示されると，網膜発生に準じたES・iPS細胞の分化誘導による再生医療応用の検討がされるようになった．網膜は視細胞層を含む神経網膜層と網膜色素上皮細胞（retinal pigment epithelial cells；RPE）から成る網膜色素上皮層に大別されるが，マウスES細胞から浮遊培養により胚様体を形成しDkk1・LeftyA・FCS・Activinを添加することで神経網膜前駆細胞が効率良く誘導されることが報告されている．また，ヒトES細胞においても，浮遊培養による胚様体形成を介しIGF・Dkk1・Nogginを添加することで神経網膜前駆細胞が誘導される報告や，胚様体形成後の長期（90日以上）接着培養系を用いることで成熟RPEおよび分化した視細胞を誘導し得る（後者はNotchシグナル阻害剤・aFGF・bFGF・Taurine・Shh・レチノイン酸を段階的に添加）とする報告がなされている．後者の報告については，同様の方法がヒトiPS細胞についても適用され，ES細胞と同等の成果が報告されている．また，分化誘導された網膜細胞は，疾患モデルにおいて移植効果が検討されており，ヒトES細胞由来視細胞が視細胞欠損（Crxノックアウト）マウスの視機能を回復する報告[16]や，ヒトES細胞由来RPEが黄斑変性症モデルラットに長期生着し視機能回復をもたらす報告がある．

上述の如く，網膜細胞分化誘導系の報告は多くなされているのに対し，聴覚・平衡覚の要である内耳細胞の分化誘導系の報告は少ない．内耳細胞は，その絶対数の少なさや傷害への感受性の高さにもかかわらず，自律再生能力が低いとされており，ES・iPS細胞からの分化誘導による再生医療の実現を望む声は多い．最近になり，マウスES・iPS細胞を用いて，「Dkk1・SIS3（Smad3阻害因子）・IGF1を添加した浮遊培養系による胚様体形成→bFGFを添加した接着培養系による耳原基形成→トリ内耳由来間質細胞を用いた接着培養系における再播種」により，内耳有毛細胞様細胞を誘導し得たとする報告がなされた[17]．この報告は，内耳分化誘導に関する唯一の先行報告における手法を改善し，誘導された細胞の詳細な形態評価および機械刺激に対して受容器電位を発生することを確認した点で有意義であり，疾患モデルへの移植効果検討など，今後の研究発展が待たれる．

8. 組織幹細胞・前駆細胞と再生医療

成体器官に存在する組織幹細胞は，自己複製能・多分化能・非対称性分裂能などを有し，前駆細胞を経て新生分化細胞を永続的に供給する．したがって，寿命が有限である各種分化細胞や，傷害により損なわれた細胞を新生細胞と置換することで組織構築・器官機能を維持せしめる細胞であり，組織恒常性を司る中心的な存在と考えられている．組織幹細胞・前駆細胞を軸とした臓器特有の恒常性維持・組織再生機構の研究は，生理的な機能分化細胞系譜および分化制御に関わる局所微小環境を明らかにしていくものであり，その直接的な再生医療への利用のみならず，ES細胞・iPS細胞など移植用幹細胞の分化誘導・移植効率向上を検討するうえで必須の情報を与えるものである．広い意味での組織幹細胞・前駆細胞研究の再生医療応用には，恒常性維持・組織再生機構の研究から得られた生理的な再生促進・阻害因子に対する分子標的治療も含まれると思われるが，ここでは，組織幹細胞・前駆細胞を細胞資源として用いる再生医療研究における多くの取り組みの中から，すでに試験的な臨床応用が開始している間葉系幹細胞と血管内皮前駆細胞に関する研究を取り上げる．

9. 間葉系幹細胞

間葉系幹細胞(mesenchymal stem cell；MSCs)とは，複数の間葉系細胞すなわち骨・軟骨・脂肪細胞などに分化し得る多分化能と自己複製能を有する細胞群と理解されており，1999年Pittengerらにより，ヒト骨髄間質細胞中にある組織幹細胞として報告された[18]．それ以来，体外での増殖能の高さ，移植拒絶の可能性の低い自家細胞として得られる利点，胚葉を超えた他系統(外・内胚葉系)細胞への分化能などより，再生医療における移植細胞資源としての応用が広く期待されるようになり，関連する研究報告が蓄積されている．

骨髄間葉系幹細胞(bone marrow mesenchymal stem cell；BMMSCs)は，骨髄における造血幹細胞との相互干渉や造血ニッチの提供により，適正な造血に寄与しているものと考えられているが，造血幹細胞が細胞表面マーカーによって厳密に定義・分類されうるのに対し，現時点で純化を可能にするような特異的表面マーカーは見出されていない．ヒトBMMSCsでは，CD29，CD44，CD73，CD90，CD105，CD106，CD166，STRO-1，SSEA-4などが陽性マーカーとして，CD14，CD34，CD45などが陰性マーカーとして挙げられているものの，MSCsの多様性や可塑性を網羅し説明するような細胞分類や細胞系譜は確立しておらず，起源細胞の同定も含めた基礎的な学術基盤の整備は未だ発展途上にある．一方，MSCs移植の病態改善効果は，心筋梗塞・脳炎・急性肺障害・急性腎障害・肝不全・関節リウマチ・脳梗塞・糖尿病など，多くの前臨床研究において認められており，分化することで傷害組織を新生組織に置換するという幹細胞本来の機能以外にも，分泌因子や細胞間接着を介した間接効果による炎症抑制・自律再生促進など多面的な機能を有すると示唆されている．前述の移植細胞資源としての利点に加え，成体自家細胞であることによる倫理的な受け入れや，血液疾患において骨髄移植が行われてきた歴史も考慮され，MSCsは，現在最も広く実地臨床への応用が検討されている幹細胞となっている．本邦では，2006年に「ヒト幹細胞を用いた臨床研究に関する指針」が制定されて以降，ヒトMSCsの新規の臨床研究は厚生労働省の審査を経て承認されている．現在，直接分化を目的とするものとして大腿骨・月状骨・顎骨・軟骨などの骨再生医療研究などが登録され，間接効果を期待するものとして椎間板・角膜再生研究などが登録されているが，今後，間葉系以外の組織修復も対象とする研究を含めて，申請数は増えるものと思われる．

現在，MSCsは全身に分布していることが分かってきており，多くの器官・組織から単離されている．BMMSCsは，その研究層の厚さや関連論文数の多さより，細胞資源の有力候補の一つではあるが，幹細胞数確保の観点(組織採取量・増殖能)から，より再生医療利用に適した組織資源の探求が並行して行われている．なかでも有望視されているものは，2001年に脂肪組織由来の接着性多能性細胞として単離・同定された脂肪組織由来幹細胞(adipose tissue derived stem cell；ADSCs)である[19]．ADSCsは，自家細胞として対象患者から皮下脂肪吸引により採取可能であり，同一組織採取量から得られるADSCs数はBMMSCsの数十倍～数百倍と報告されている．また，同量組織採取における侵襲の程度は骨髄穿刺の1/20程度とされており，体外増殖能も高いことから，優良な移植用幹細胞の組織・細胞資源候補と考えられている．ADSCsの細胞表面マーカー発現プロファイルや幹細胞機能は多くのMSCsに類似しており，前臨床研究では，移植に

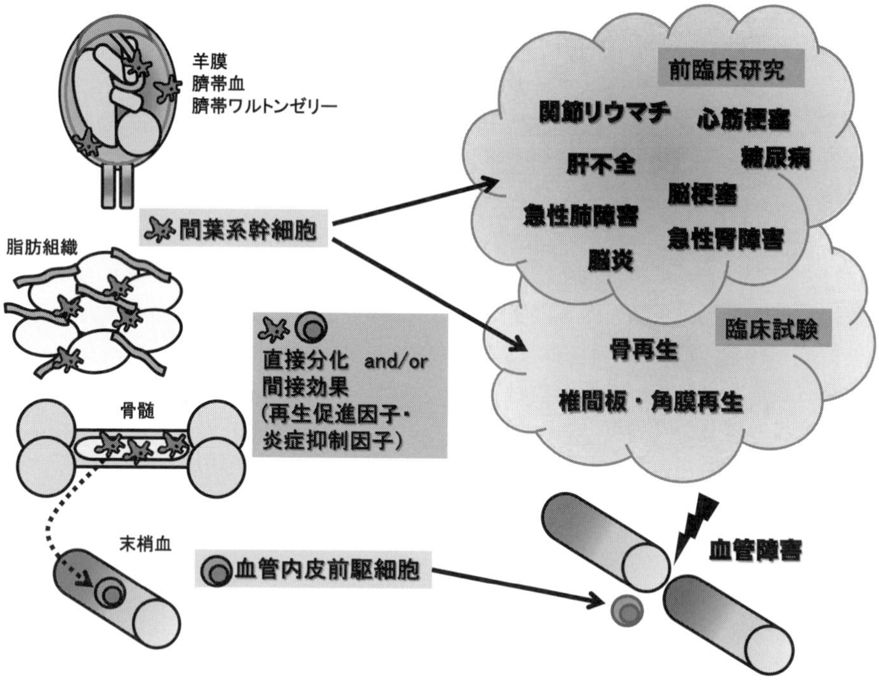

図５　組織幹細胞の再生医療への応用

より血管新生や心機能改善をもたらす報告があるなど，今後の研究発展が期待されている．このほか，他家細胞としてではあるが，母胎より得られる羊膜・臍帯血・臍帯ワルトンゼリーなどからもMSCsが単離できると報告されており，移植用MSCsの組織資源を巡る研究は，今後も裾野が広がるものと思われる(図5)．

10. 血管内皮前駆細胞

血管内皮前駆細胞(endothelial progenitor cells ; EPCs)は，1997年，成人末梢血単核球分画におけるCD34陽性細胞が，体外培養にて血管内皮細胞の表現型を獲得し，下肢虚血モデルへの投与において新生血管形成に参画することにより見出された骨髄由来前駆細胞である[20]．EPCsは，血中に放出・投与された種々のサイトカイン(VEGF, G-CSF, SDF-1, angiopoietin-1など)やホルモン(エリスロポエチン・エストロゲンなど)などにより循環血流中に動員され，虚血病変に遊走して血管新生を促進することが報告されており，血管内皮への直接的な分化に加え，成長因子などの分泌を介した間接効果が血管再生を促進していることが示唆されている(図5)．ヒトEPCsの臨床応用については，前臨床研究における下肢虚血モデルや心筋梗塞モデルに対する移植改善効果を受けて，2002年には心筋梗塞患者へのEPCs移植試験の成果が報告され，その後，心筋梗塞患者の冠動脈バイパス術における心筋内移植改善効果も報告された．一方，元来ヒトEPCsは末梢血単核球の0.5%以下ほどしか存在していないにも拘わらず，老化や基礎疾患により数・質とも低下することが知られている．EPCsの移植改善効果は投与細胞数に依存することが示されているため，G-CSFを用いた血中強制動員による採取なども検討されているが，VEGFやテロメラーゼ逆転写酵素(TERT)を遺伝子導入することで，血管再生促進能向上や細胞寿命延長を図る試みもされており，少ない細胞で十分な移植効果を導く分子生物学的手法の研究開発が現在も進行している．

おわりに(再生医療と予防医学の今後の展望)

今日の再生医療研究は，発生学・幹細胞生物学を中心とした実に多くの研究分野に支えられ，難治性疾患の克服に向けて発展している．本稿では，iPS細胞の出現により一層注目と期待が集まった移植幹細胞研究に焦点をあてたが，臨床応用の実現には，移植細胞の品質を維持しながら培養を続けるための人工ゲルの開発，適正な再生誘導の足場となるバイオマテリアルの研究，安全性を確保した遺伝子導入法の確立，細胞シート工学・組織工学といった移植対象病変の局所環境に応じた幹細胞加工技術の開発など，移植幹細胞本体以外の諸研究が結実することも必要と思われる．一方，再生医療が「人体を人工的に再生する」という側面をもつ以上，生命倫理面における社会的認容は必須であり，これに基づく法体制の整備が今後の再生医療の行く末を左右すると言っても過言ではない．実際，受精卵以降の初期胚を含めて生命の萌芽とする倫理観より，2001年8月，ブッシュ政権下の米国にて公的研究費によるヒトES細胞研究助成には制限が加えられたが，2009年オバマ新政権のもと連邦助成制限の撤廃方針が掲げられたという経緯もあり，目に見える研究成果の蓄積が，今後の再生医療を取り巻く社会環境を変えていく原動力になるものと思われる．このような様々な課題が克服され，治療医学において再生医療が安全な標準治療として確立する時代が到来した暁には，疾患予備軍である「準患者」を「患者」にさせない「予防医学的再生医療」が実現する可能性もあり，予防医学の発展に結びつくことを期待したい．

参考文献

1. Evans MJ, Kaufman MH. Establishment in culture of pluripotential cells from mouse embryos. Nature. 1981 Jul 9 ; 292 (5819) : 154-6.
2. Takahashi K, Yamanaka S. Induction of pluripotent stem cells from mouse embryonic and adult fibroblast cultures by defined factors. Cell. 2006 Aug 25;126 (4) : 663-76.
3. Thomson JA, Itskovitz-Eldor J, Shapiro SS, Waknitz MA, Swiergiel JJ, Marshall VS, Jones JM. Embryonic stem cell lines derived from human blastocysts. Science. 1998 Nov 6 ; 282 (5391) : 1145-7.
4. Takahashi K, Tanabe K, Ohnuki M, Narita M, Ichisaka T, Tomoda K, Yamanaka S. Induction of pluripotent stem cells from adult human fibroblasts by defined factors. Cell. 2007 Nov 30 ; 131 (5) : 861-72.
5. Yu J, Vodyanik MA, Smuga-Otto K, Antosiewicz-Bourget J, Frane JL, Tian S, Nie J, Jonsdottir GA, Ruotti V, Stewart R, Slukvin II, Thomson JA. Induced pluripotent stem cell lines derived from human somatic cells. Science. 2007 Dec 21 ; 318 (5858) : 1917-20.
6. Ma F, Ebihara Y, Umeda K, Sakai H, Hanada S, Zhang H, Zaike Y, Tsuchida E, Nakahata T, Nakauchi H, Tsuji K. Generation of functional erythrocytes from human embryonic stem cell-derived definitive hematopoiesis. Proc Natl Acad Sci U S A. 2008 Sep 2 ; 105 (35) : 13087-92.
7. Nishikii H, Eto K, Tamura N, Hattori K, Heissig B, Kanaji T, Sawaguchi A, Goto S, Ware J, Nakauchi H. Metalloproteinase regulation improves in vitro generation of efficacious platelets from mouse embryonic stem cells. J Exp Med. 2008 Aug 4 ; 205 (8) : 1917-27.
8. Takayama N, Nishikii H, Usui J, Tsukui H, Sawaguchi A, Hiroyama T, Eto K, Nakauchi H. Generation of functional platelets from human embryonic stem cells in vitro via ES-sacs, VEGF-promoted structures that concentrate hematopoietic progenitors. Blood. 2008 Jun 1;111 (11) : 5298-306.
9. Kyba M, Perlingeiro RC, Daley GQ. HoxB4 confers definitive lymphoid-myeloid engraftment potential on embryonic stem cell and yolk sac hematopoietic progenitors. Cell. 2002 Apr 5;109 (1) : 29-37.
10. Hanna J, Wernig M, Markoulaki S, Sun CW, Meissner A, Cassady JP, Beard C, Brambrink T, Wu LC, Townes TM, Jaenisch R. Treatment of sickle cell anemia mouse model with iPS cells generated from autologous skin. Science. 2007 Dec21 ; 318 (5858) : 1920-3.
11. Reynolds BA, Weiss S. Generation of neurons and astrocytes from isolated cells of the adult mammalian central nervous system. Science. 1992 Mar27 ; 255 (5052) : 1707-10.
12. Cho MS, Lee YE, Kim JY, Chung S, Cho YH, Kim DS, Kang SM, Lee H, Kim MH, Kim JH, Leem JW, Oh SK, Choi YM, Hwang DY, Chang JW, Kim DW. Highly efficient and large-scale generation of functional dopamine neurons from human embryonic stem cells. Proc Natl Acad Sci U S A. 2008 Mar 4 ; 105 (9) : 3392-7.
13. Doetschman TC, Eistetter H, Katz M, Schmidt W, Kemler R. The in vitro development of blastocyst-derived embryonic stem cell lines : formation of visceral yolk sac, blood islands and myocardium. J Embryol Exp Morphol. 1985 Jun ; 87 : 27-45.

14. Kehat I, Kenyagin-Karsenti D, Snir M, Segev H, Amit M, Gepstein A, Livne E, Binah O, Itskovitz-Eldor J, Gepstein L. Human embryonic stem cells can differentiate into myocytes with structural and functional properties of cardiomyocytes. J Clin Invest. 2001 Aug ; 108（3）: 407-14.
15. Yamashita J, Itoh H, Hirashima M, Ogawa M, Nishikawa S, Yurugi T, Naito M, Nakao K, Nishikawa S. Flk1-positive cells derived from embryonic stem cells serve as vascular progenitors. Nature. 2000 Nov 2 ; 408（6808）: 92-6.
16. Lamba DA, Gust J, Reh TA. Transplantation of human embryonic stem cell-derived photoreceptors restores some visual function in Crx-deficient mice. Cell Stem Cell. 2009 Jan 9 ; 4（1）: 73-9.
17. Oshima K, Shin K, Diensthuber M, Peng AW, Ricci AJ, Heller S. Mechanosensitive hair cell-like cells from embryonic and induced pluripotent stem cells. Cell. 2010 May 14 ; 141（4）: 704-16.
18. Pittenger MF, Mackay AM, Beck SC, Jaiswal RK, Douglas R, Mosca JD, Moorman MA, Simonetti DW, Craig S, Marshak DR. Multilineage potential of adult human mesenchymal stem cells. Science. 1999 Apr 2 ; 284（5411）: 143-7.
19. Zuk PA, Zhu M, Mizuno H, Huang J, Futrell JW, Katz AJ, Benhaim P, Lorenz HP, Hedrick MH. Multilineage cells from human adipose tissue : implications for cell-based therapies. Tissue Eng. 2001 Apr ; 7（2）: 211-28.
20. Asahara T, Murohara T, Sullivan A, Silver M, van der Zee R, Li T, Witzenbichler B, Schatteman G, Isner JM. Isolation of putative progenitor endothelial cells for angiogenesis. Science. 1997 Feb 14 ; 275（5302）: 964-7.